LE ROBERT & COLLINS

« les pratiques »

ESPAGNOL

LE ROBERT & COLLINS

« les pratiques »

DICTIONNAIRE
FRANÇAIS-ESPAGNOL
ESPAGNOL-FRANÇAIS

DICTIONNAIRES LE ROBERT

HarperCollins*Publishers*

Primera edición 1994/Première édition 1994

©HarperCollins Publishers 1994

Dictionnaires Le Robert
ISBN 2-85036-360-X

Grijalbo Mondadori, S.A.
ISBN 84-253-2740-7

Jefe de proyecto/Chef de projet
Michela Clari

Redactores/Rédaction
Teresa Alvarez García • Jean-Benoit Ormal-Grenon

Español de Latinoamérica/Espagnol d'Amérique latine
Brian Steel

Otros colaboradores/Autres collaborateurs
Anne Gauduchon • Ana Cristina Llompart • Jane Horwood • Robert Dengler Gassin
Diana Feri • Alicia Harland • Jean-François Allain • Ana Teresa González Hernández
María de la Paz Morcillo Martín-Pintado • María del Carmen Fernández Sánchez
María de la Flor Bango de la Campa • Enrique González

Colección dirigida por/Collection dirigée par
Lorna Sinclair Knight

Ayudantes de redacción/Secrétariat de rédaction
Lesley Johnston • **Val McNulty**
Elspeth Anderson • Linda Chestnutt • Henrietta McKaigney • Maggie Seaton

Coordinación/Coordination
Vivian Marr

Informática/Informatique éditoriale
André Gautier

Dépôt légal septembre 1994

Achevé d'imprimer en septembre 1994

Fotocomposición/Photocomposition Morton Word Processing Ltd, Scarborough
Impreso por/Imprimé par HarperCollins Manufacturing, Glasgow

ÍNDICE

TABLE DES MATIÈRES

INTRODUCCIÓN

Si quieres aprender el francés o profundizar en los conocimientos ya adquiridos, si quieres ser capaz de explicarte en la lengua de Balzac, leer o estudiar textos franceses o conversar con personas de habla francesa, acabas de escoger el compañero de trabajo ideal para poder hacerlo, ya estés en el instituto o en la universidad, seas turista, administrativo u hombre/mujer de negocios. Este diccionario, totalmente práctico y al día, abarca una gran parte del vocabulario cotidiano, del relacionado con el mundo de los negocios, de la actualidad, de la administración burocrática y del turismo. Como en todos nuestros diccionarios, hemos hecho hincapié en la lengua contemporánea y en las expresiones idiomáticas.

CÓMO USAR EL DICCIONARIO

Más abajo tienes las explicaciones necesarias para entender cómo está presentada la información en tu diccionario. Nuestro objetivo es darte la mayor información posible sin sacrificar por ello la claridad.

Los artículos

Éstos son los elementos que pueden componer un artículo cualquiera del diccionario:

Transcripción fonética

Ésta aparece inmediatamente después de la entrada o lema (así denominamos a la palabra cabeza del artículo) y entre corchetes. Al igual que la mayor parte de los diccionarios actuales, hemos optado por el sistema denominado "alfabeto fonético internacional". En las páginas xii y xiii encontrarás una lista completa de los caracteres utilizados en este sistema.

Información gramatical

Todas las voces incluidas en el diccionario pertenecen a una determinada categoría gramatical: sustantivo, verbo, adjetivo, pronombre, artículo, conjunción, abreviatura. Los sustantivos pueden ser masculinos o femeninos, ir en singular o en plural. Los verbos pueden ser transitivos, intransitivos, pronominales (o reflexivos) y también impersonales. La categoría gramatical de cada voz aparece en *cursiva*, inmediatamente después de la transcripción fonética.

A menudo una misma palabra puede funcionar con distintas categorías gramaticales. Por ejemplo **deber** puede ser verbo o sustantivo, el término francés **expert** puede ser sustantivo o adjetivo. Incluso un mismo verbo como **importar** o como el francés **importer** a veces será transitivo y a veces intransitivo, dependiendo de su significado. Para que te resulte más fácil encontrar la categoría gramatical que buscas (en el caso de que haya varias dentro de un mismo artículo) y para que la presentación sea más clara, aquéllas aparecen separadas por rombos negros ♦.

Acepciones

La mayor parte de las palabras tienen más de un sentido. Así por ejemplo **crucero** puede ser, entre otros, un tipo de barco o un tipo de viaje turístico, y según la acepción que busquemos la traducción varía: "croiseur" en el primer caso y "croisière" en el segundo. Otras palabras se traducen de forma distinta según el contexto: **crecer** puede ser "grandir", pero también "pousser" si estamos hablando del pelo, "s'agrandir" si de una ciudad, "grossir" si de un río etc. Para que puedas escoger la traducción más indicada para cada acepción o contexto hemos incorporado indicaciones de uso o significado, que aparecen entre paréntesis y en *cursiva*. Así figuran los anteriores ejemplos en el diccionario:

> **crucero** *nm* (*barco*) croiseur *m*; (*viaje*) croisière *f*
> **crecer** *vi* grandir; (*pelo*) pousser; (*ciudad*) s'agrandir; (*río*) grossir

De la misma forma, muchas voces tienen un sentido distinto según el ámbito en el que se usen. Así por ejemplo, **giro** puede ser un movimiento, pero tiene un significado monetario específico. Con la incorporación de indicaciones de campo semántico (tales como COMERCIO en este caso), saber cuál es la acepción que necesitamos resulta más fácil. La mayoría de dichas acepciones aparecen abreviadas para ganar espacio:

giro nm tour m; (COM) virement m

Puede verse la lista completa de las abreviaturas que hemos utilizado en las páginas x y xi.

Traducciones

La mayor parte de las palabras españolas tienen su traducción al francés y viceversa, como en los ejemplos que acabamos de ver. Sin embargo hay ocasiones en las que no hay un equivalente exacto en la lengua término, fundamentalmente por razones socio-culturales. En este caso hemos dado una traducción aproximada (que suele ser en realidad un equivalente cultural) y lo indicamos con el signo ≈. Este es el caso de **académie**, cuyo equivalente en español peninsular es "distrito universitario", o de **sobresaliente**, que equivale a "mention très bien": no se trata de traducciones propiamente dichas, puesto que ambos sistemas educativos son diferentes.

académie nf (UNIV) ≈ distrito universitario

sobresaliente nm (ESCOL) ≈ mention f "très bien"

A veces es imposible encontrar incluso un equivalente aproximado, como en el caso de los platos o tradiciones regionales, por lo que se hace necesario dar una explicación en lugar de la traducción. Así ocurre, por ejemplo, con

novillada nf course de jeunes taureaux

Como puede verse, la explicación o glosa aparece en *cursiva*, para mayor claridad.

Así mismo, a menudo no se puede traducir una palabra aislada, o una acepción determinada de una voz. La traducción al francés de **comer** es "manger", pero en la expresión **comerse el coco** la traducción será "se faire du mouron". De la misma forma, aunque **machine** se traduce normalmente por "máquina", **machine à laver** es en realidad "lavadora". Es en este tipo de situaciones en las que tu diccionario te será más útil, pues es muy completo en compuestos nominales, frases y expresiones idiomáticas.

Niveles lingüísticos

En español, sabemos instintivamente cuándo usar **estoy muy cansado** y cuándo **estoy hecho polvo**. Sin embargo, a la hora de intentar comprender a alguien que está hablando en francés o bien de expresarnos nosotros mismos en esa lengua, adquiere una importancia especial saber si una palabra es coloquial o no. Así pues, hemos marcado las palabras o expresiones que no suelen utilizarse más que en una situación familiar con la indicación (fam) y aquéllas con las que hay que tener especial cuidado (pues pueden sonar excesivamente vulgares a los oídos de mucha gente) con el signo de admiración (fam!). En la mayor parte de los casos, la traducción tendrá el mismo nivel lingüístico, por lo que la marca (fam) no aparece en ella, pero sí en cambio (fam!), cuando la traducción así lo requiere.

Palabras clave

Algunas voces particularmente importantes o complejas en ambas lenguas requieren un tratamiento especial dentro del diccionario: verbos como **hacer** o **estar** en español, o **avoir** o **faire** en francés. Por ello, aparecen en un cuadro y bajo la denominación de "palabra clave", y como comprobarás, se ha hecho un análisis más profundo de ellas, pues son elementos básicos de la lengua.

Nota

Tras la decisión tomada por la Real Academia Española en conjunción con las Academias hispanoamericanas, CH y LL ya no aparecen como letras independientes en este diccionario. Así por ejemplo **chapa** o **lluvia** se encuentran bajo la C y la L respectivamente. Conviene recordar que palabras como **cacha** y **callar** también han variado su posición y aparecen ahora tras **cacerola** y **calizo**.

INTRODUCTION

Vous désirez apprendre l'espagnol ou approfondir des connaissances déjà solides. Vous voulez vous exprimer dans la langue de Cervantès, lire ou rédiger des textes en espagnol ou converser avec des interlocuteurs espagnols. Que vous soyez lycéen, étudiant, touriste, secrétaire ou homme d'affaires, vous venez de choisir le compagnon de travail idéal pour vous exprimer et pour communiquer en espagnol, oralement ou par écrit. Résolument pratique et moderne, votre dictionnaire fait une large place au vocabulaire de tous les jours, aux domaines de l'actualité, des affaires, de la bureautique et du tourisme. Comme dans tous nos dictionnaires, nous avons mis l'accent sur la langue contemporaine et sur les expressions idiomatiques.

MODE D'EMPLOI

Vous trouverez ci-dessous quelques explications sur la manière dont les informations sont présentées dans votre dictionnaire. Notre objectif: vous donner un maximum d'informations dans une présentation aussi claire que possible.

Les articles

Voici les différents éléments dont est composé un article type dans votre dictionnaire:

Transcription phonétique

La prononciation de tous les mots figure entre crochets, immédiatement après l'entrée. Comme la plupart des dictionnaires modernes, nous avons opté pour le système dit "alphabet phonétique international". Vous trouverez ci-dessous, aux pages xii et xiii, une liste complète des caractères utilisés dans ce système.

Données grammaticales

Les mots appartiennent tous à une catégorie grammaticale donnée: substantif, verbe, adjectif, adverbe, pronom, article, conjonction, abréviation. Les substantifs peuvent être masculins ou féminins, singuliers ou pluriels. Les verbes peuvent être transitifs, intransitifs, pronominaux (ou réfléchis) ou encore impersonnels. La catégorie grammaticale des mots est indiquée en *italiques*, immédiatement après le mot.

Souvent un mot se subdivise en plusieurs catégories grammaticales. Ainsi le français **creux** peut-il être un adjectif ou un nom masculin; et l'espagnol **conocido** un adjectif ("connu") ou un substantif ("connaissance"). De même le verbe **fumer** est parfois transitif ("fumer un cigare"), parfois intransitif ("défense de fumer"). Pour vous permettre de trouver plus rapidement le sens que vous cherchez et pour aérer la présentation, nous avons séparé les différentes catégories grammaticales par un losange noir ♦.

Subdivisions sémantiques

La plupart des mots ont plus d'un sens; ainsi **bouchon** peut-il être un objet servant à boucher une bouteille, ou un embouteillage. D'autres mots se traduisent différemment selon le contexte dans lequel ils sont employés. Par exemple le verbe **ronfler** se traduit en espagnol par "roncar" s'il s'agit d'une personne, mais par "zumbar" s'il s'agit d'un poêle ou d'un moteur. Pour vous permettre de choisir la bonne traduction dans tous les contextes, nous avons subdivisé les articles en catégories de sens: chaque catégorie est introduite par une "indication d'emploi" entre parenthèses et en *italiques*. Pour les exemples ci-dessus, les articles se présenteront donc comme suit:

> **bouchon** *nm* (*en liège*) corcho; (*autre matière*) tapón *m*; (*embouteillage*) atasco
>
> **ronfler** *vi* (*personne*) roncar; (*poêle, moteur*) zumbar

De même, certains mots changent de sens lorsqu'ils sont employés dans un domaine spécifique, comme par exemple **charme** que nous employons tous les jours dans son acception d'"attrait", mais qui est aussi un arbre. Pour montrer à l'utilisateur quelle traduction choisir, nous avons donc ajouté, en ITALIQUES MAJUSCULES entre parenthèses, une indication de domaine, à savoir dans ce cas particulier (BOTANIQUE), que nous avons abrégé pour gagner de la place en (BOT):

charme nm encanto; (BOT) carpe m

Une liste complète des abréviations dont nous nous sommes servis dans ce dictionnaire figure aux pages x et xi.

Traductions

La plupart des mots français se traduisent par un seul mot espagnol, et vice-versa, comme dans les exemples ci-dessus. Cependant, il arrive qu'il n'y ait pas d'équivalent exact dans la langue d'arrivée; dans ce cas, nous avons donné un équivalent approximatif, indiqué par le signe ≈. C'est le cas par exemple pour le mot composé **brevet (des collèges)** dont l'équivalent espagnol est "Graduado Escolar": il ne s'agit pas d'une traduction à proprement parler puisque nos deux systèmes scolaires sont différents:

brevet (des collèges) ≈ Graduado Escolar

Parfois, il est même impossible de trouver un équivalent approximatif. C'est le cas par exemple pour les noms de mets régionaux, comme ce plat des Asturies:

fabada nf potage mijoté avec des haricots et du chorizo

L'explication remplace ici une traduction (qui n'existe pas); pour plus de clarté, cette explication, ou glose, est donnée en italiques.

Souvent aussi, on ne peut traduire isolément un mot, ou une acception particulière d'un mot. La traduction espagnole de **malin**, par exemple, est "astuto", "pícaro"; cependant **faire le malin** se traduit "dárselas de listo". Même une expression toute simple comme **machine à laver** nécessite une traduction séparée, en l'occurrence "lavadora" (et non "máquina de lavar"). C'est là que votre dictionnaire se révélera particulièrement utile et complet, car il contient un maximum de mots composés, de phrases et d'expressions idiomatiques.

Registre

En français, vous saurez instinctivement quand dire **j'en ai assez** et quand dire **j'en ai marre** ou **j'en ai ras le bol**. Mais lorsque vous essayez de comprendre quelqu'un qui s'exprime en espagnol, ou de vous exprimer vous-même en espagnol, il est particulièrement important de savoir ce qui est poli et ce qui l'est moins. Nous avons donc ajouté l'indication (fam) aux expressions de langue familière; les expressions particulièrement grossières se voient dotées d'un point d'exclamation supplémentaire (fam!) (dans la langue de départ comme dans la langue d'arrivée), vous incitant à une prudence accrue. Notez que l'indication (fam) n'est pas répétée dans la langue d'arrivée lorsque le registre de la traduction est le même que celui du mot ou de l'expression traduits.

Mots-clés

Vous constaterez que certains mots apparaissent dans des encadrés. Il s'agit de mots particulièrement complexes ou importants, comme **avoir** et **faire** ou leurs équivalents espagnols **tener** et **hacer**, que nous avons traités d'une manière plus approfondie parce que ce sont des éléments de base de la langue.

Nota

En accord avec la décision prise par l'Académie Royale d'Espagne conjointement avec les académies hispano-américaines, CH et LL ne figurent plus comme des lettres à part entière dans ce dictionnaire. Ainsi, par exemple, les mots **chapa** et **lluvia** sont respectivement incorporés aux lettres C et L. Il convient de rappeler que des termes comme **cacha** et **callar** ont également changé de place et se trouvent maintenant respectivement placés après **cacerola** et **calizo**.

ABREVIATURAS

ABRÉVIATIONS

abreviatura	*abr*	abréviation
adjetivo	*adj*	adjectif
administración	ADMIN	administration
adverbio	*adv*	adverbe
agricultura	AGR	agriculture
alguien	*algn*	quelqu'un
América Latina	AM	Amérique Latine
anatomía	ANAT	anatomie
Andes	AND	Andes
Antillas	ANT	Antilles
arquitectura	ARQ, ARCHIT	architecture
Argentina	ARG	Argentine
artículo	*art*	article
astrología	ASTROL	astrologie
astronomía	ASTRON	astronomie
auxiliar	*aux*	auxiliaire
automóvil	AUTO	automobile
aviación	AVIAT	aviation
biología	BIO(L)	biologie
botánica	BOT	botanique
Chile	CHI	Chili
química	CHIM	chimie
cine	CINE, CINÉ	cinéma
Colombia	COL	Colombie
comercio	COM(M)	commerce
conjunción	*conj*	conjonction
construcción	CONSTR	construction
Cono Sur	CSUR	Argentine, Chili et Uruguay
Cuba	CU	Cuba
cocina	CULIN	cuisine
definido	*def, déf*	défini
determinado	*det, dét*	déterminant
economía	ECON, ÉCON	économie
electricidad, electrónica	ELEC, ÉLEC	électricité, électronique
escolar	ESCOL	enseignement
España	ESP	Espagne
especialmente	*esp*	surtout
etcétera	*etc*	et cetera
eufemismo	*euph*	euphémisme
exclamación	*excl*	exclamation
femenino	*f*	féminin
familiar	*fam*	familier
vulgar	*fam!*	vulgaire
ferrocarril	FERRO	chemins de fer
figurado	*fig*	figuré
finanzas	FIN	finance
física	FÍS	physique
fisiología	FISIOL	physiologie
fotografía	FOTO	photographie
generalmente	*gen, gén*	en général, généralement
geografía	GEO, GÉO	géographie
geometría	GEOM, GÉOM	géométrie
Guatemala	GUAT	Guatemala
historia	HIST	histoire
Honduras	HON	Honduras
humorístico	*hum*	humoristique
industria	IND	industrie

indefinido	*indef, indéf*	indéfini
informática	*INFORM*	informatiques
interrogativo	*interrog*	interrogatif
invariable	*inv*	invariable
irónico	*iron*	ironique
jurídico	*JUR*	juridique
lingüística	*LING*	linguistique
literatura	*LIT(T)*	littérature
literario	*litt*	littéraire
masculino	*m*	masculin
matemáticas	*MAT, MATH*	mathématiques
medicina	*MED, MÉD*	médecine
meteorología	*MÉTÉO*	météorologie
México	*MÉX, MEX*	Mexique
militar	*MIL*	domaine militaire
música	*MÚS, MUS*	musique
nombre	*n*	nom
náutica	*NÁUT, NAUT*	nautisme
Nicaragua	*NIC*	Nicaragua
Panamá	*PAN*	Panama
Perú	*PE*	Pérou
peyorativo	*pey, péj*	péjoratif
fotografía	*PHOTO*	photographie
física	*PHYS*	physique
fisiología	*PHYSIOL*	physiologie
plural	*pl*	pluriel
política	*POL*	politique
participio de pasado	*pp*	participe passé
prefijo	*pref, préf*	préfixe
preposición	*prep, prép*	préposition
pronombre	*pron*	pronom
psicología	*PSICO, PSYCH*	psychologie
algo	*qch*	quelque chose
alguien	*qn*	quelqu'un
química	*QUÍM*	chimie
ferrocarril	*RAIL*	chemins de fer
religión	*REL*	religion
relativo	*rel*	relatif
escolar	*SCOL*	enseignement
singular	*sg*	singulier
subjuntivo	*subjun*	subjonctif
sujeto	*suj*	sujet
también	*tb*	aussi
técnica, tecnología	*TEC(H)*	technique
telecomunicaciones	*TELEC, TÉL*	télécommunications
tipografía	*TIP*	typographie
televisión	*TV*	télévision
tipografía	*TYPO*	typographie
universitario	*UNIV*	université
ver	*v*	voir
verbo	*vb*	verbe
Venezuela	*VEN*	Venezuela
verbo intransitivo	*vi*	verbe intransitif
verbo pronominal	*vpr*	verbe pronominal
verbo transitivo	*vt*	verbe transitif
zoología	*ZOOL*	zoologie
marca registrada	®	marque déposée
indica un equivalente cultural	≈	indique une équivalence culturelle

TRANSCRIPCIÓN FONÉTICA

Consonantes   Consonnes

papel	p	poupée
boda	b	bombe
labor uva	ß	
tinto	t	tente thermal
dama	d	dinde
casa que kilo	k	coq qui képi
goma	g	gag bague
pagar	ɣ	
quizás	s	sale ce nation
	z	zéro rose
	ʃ	tache chat
	ʒ	gilet juge
chiste	tʃ	tchao
fin	f	fer phare
	v	valve
tenaz cena[1]	θ	
ciudad	ð	
lejos	l	lent salle
talle[2]	λ	million
	R	rare rentrer
caro quitar	r	
garra	rr	
madre	m	maman femme
naranja	n	non nonne
niño	ɲ	agneau vigne
	ŋ	parking
haber	h	hop!
bien yunta	j	yeux paille pied
huevo	w	nouer oui
	ɥ	huile lui
jugar	x	

[1]se prononce parfois [s]
[2]se prononce parfois [ʒ]

Semiconsonantes   Semi-consonnes

viaje	ja
viene	je
radio	jo
viuda	ju
cuanto	wa
sueño	we
ruido	wi
cuota	wo

TRANSCRIPTION PHONÉTIQUE

Vocales		Voyelles
pino	i	*ici vie lyre*
me	e	*jouer été*
	ɛ	*lait jouet merci*
pata	a	*plat amour*
	ɑ	*bas pâte*
	ə	*le premier*
	œ	*beurre peur*
	ø	*peu deux*
	ɔ	*or homme*
loco	o	*mot eau gauche*
lunes	u	*genou roue*
	y	*rue urne*

Diptongos / Diphtongues

baile	ai
auto	au
veinte	ei
deuda	eu
hoy	oi

Nasales

	ɛ̃	*matin plein*
	œ̃	*brun*
	ɑ̃	*gens jambe dans*
	õ	*non pont pompe*

Diversos / Divers

para el francés: indica que la h impide el enlace entre dos palabras sucesivas	'	pour l'espagnol: précède la syllabe accentuée

xiii

VERBES ESPAGNOLS

1 Gerundio *2* Imperativo *3* Presente *4* Pretérito perfecto *5* Futuro *6* Presente de subjuntivo *7* Imperfecto de subjuntivo *8* Participio pasado *9* Imperfecto

acertar *2* acierta *3* acierto, aciertas, acierta, aciertan *6* acierte, aciertes, acierte, acierten

acordar *2* acuerda *3* acuerdo, acuerdas, acuerda, acuerdan *6* acuerde, acuerdes, acuerde, acuerden

advertir *1* advirtiendo *2* advierte *3* advierto, adviertes, advierte, advierten *4* advirtió, advirtieron *6* advierta, adviertas, advierta, advirtamos, advirtáis, adviertan *7* advirtiera *etc*

agradecer *3* agradezco *6* agradezca *etc*

aparecer *3* aparezco *6* aparezca *etc*

aprobar *2* aprueba *3* apruebo, apruebas, aprueba, aprueban *6* apruebe, apruebes, apruebe, aprueben

atravesar *2* atraviesa *3* atravieso, atraviesas, atraviesa, atraviesan *6* atraviese, atravieses, atraviese, atraviesen

caber *3* quepo *4* cupe, cupiste, cupo, cupimos, cupisteis, cupieron *5* cabré *etc* *6* quepa *etc* *7* cupiera *etc*

caer *1* cayendo *3* caigo *4* cayó, cayeron *6* caiga *etc* *7* cayera *etc*

calentar *2* calienta *3* caliento, calientas, calienta, calientan *6* caliente, calientes, caliente, calienten

cerrar *2* cierra *3* cierro, cierras, cierra, cierran *6* cierre, cierres, cierre, cierren

COMER *1* comiendo *2* come, comed *3* como, comes, come, comemos, coméis, comen *4* comí, comiste, comió, comimos, comisteis, comieron *5* comeré, comerás, comerá, comeremos, comeréis, comerán *6* coma, comas, coma, comamos, comáis, coman *7* comiera, comieras, comiera, comiéramos, comierais, comieran *8* comido *9* comía, comías, comía, comíamos, comíais, comían

conocer *3* conozco *6* conozca *etc*

contar *2* cuenta *3* cuento, cuentas, cuenta, cuentan *6* cuente, cuentes, cuente, cuenten

costar *2* cuesta *3* cuesto, cuestas, cuesta, cuestan *6* cueste, cuestes, cueste, cuesten

dar *3* doy *4* di, diste, dio, dimos, disteis, dieron *7* diera *etc*

decir *2* di *3* digo *4* dije, dijiste, dijo, dijimos, dijisteis, dijeron *5* diré *etc* *6* diga *etc* *7* dijera *etc* *8* dicho

despertar *2* despierta *3* despierto, despiertas, despierta, despiertan *6* despierte, despiertes, despierte, despierten

divertir *1* divirtiendo *2* divierte *3* divierto, diviertes, divierte, divierten *4* divirtió, divirtieron *6* divierta, diviertas, divirtamos, divirtáis, diviertan *7* divirtiera *etc*

dormir *1* durmiendo *2* duerme *3* duermo, duermes, duerme, duermen *4* durmió, durmieron *6* duerma, duermas, duerma, durmamos, durmáis, duerman *7* durmiera *etc*

empezar *2* empieza *3* empiezo, empiezas, empieza, empiezan *4* empecé *6* empiece, empieces, empiece, empecemos, empecéis, empiecen

entender *2* entiende *3* entiendo, entiendes, entiende, entienden *6* entienda, entiendas, entienda, entiendan

ESTAR *2* está *3* estoy, estás, está, están *4* estuve, estuviste, estuvo, estuvimos, estuvisteis, estuvieron *6* esté, estés, esté, estén *7* estuviera *etc*

HABER *3* he, has, ha, hemos, han *4* hube, hubiste, hubo, hubimos, hubisteis, hubieron *5* habré *etc* *6* haya *etc* *7* hubiera *etc*

HABLAR *1* hablando *2* habla, hablad *3* hablo, hablas, habla, hablamos, habláis, hablan *4* hablé, hablaste, habló, hablamos, hablasteis, hablaron *5* hablaré, hablarás, hablará, hablaremos, hablaréis, hablarán *6* hable, hables, hable, hablemos, habléis, hablen *7* hablara, hablaras, hablara, habláramos, hablarais, hablaran *8* hablado *9* hablaba, hablabas, hablaba, hablábamos, hablabais, hablaban

hacer *2* haz *3* hago *4* hice, hiciste, hizo, hicimos, hicisteis, hicieron *5* haré *etc* *6* haga *etc* *7* hiciera *etc* *8* hecho

instruir *1* instruyendo *2* instruye *3* instruyo, instruyes, instruye, instruyen *4* instruyó, instruyeron *6* instruya *etc* *7* instruyera *etc*

ir *1* yendo *2* ve *3* voy, vas, va, vamos,

vais, van 4 fui, fuiste, fue, fuimos, fuisteis, fueron 6 vaya, vayas, vaya, vayamos, vayáis, vayan 7 fuera *etc* 8 iba, ibas, iba, íbamos, ibais, iban

jugar 2 juega 3 juego, juegas, juega, juegan 4 jugué 6 juegue *etc*

leer 1 leyendo 4 leyó, leyeron 7 leyera *etc*

morir 1 muriendo 2 muere 3 muero, mueres, muere, mueren 4 murió, murieron 6 muera, mueras, muera, muramos, muráis, mueran 7 muriera *etc* 8 muerto

mostrar 2 muestra 3 muestro, muestras, muestra, muestran 6 muestre, muestres, muestre, muestren

mover 2 mueve 3 muevo, mueves, mueve, mueven 6 mueva, muevas, mueva, muevan

negar 2 niega 3 niego, niegas, niega, niegan 4 negué 6 niegue, niegues, niegue, neguemos, neguéis, nieguen

ofrecer 3 ofrezco 6 ofrezca *etc*

oir 1 oyendo 2 oye 3 oigo, oyes, oye, oyen 4 oyó, oyeron 6 oiga *etc* 7 oyera *etc*

oler 2 huele 3 huelo, hueles, huele, huelen 6 huela, huelas, huela, huelan

parecer 3 parezco 6 parezca *etc*

pedir 1 pidiendo 2 pide 3 pido, pides, pide, piden 4 pidió, pidieron 6 pida *etc* 7 pidiera *etc*

pensar 2 piensa 3 pienso, piensas, piensa, piensan 6 piense, pienses, piense, piensen

perder 2 pierde 3 pierdo, pierdes, pierde, pierden 6 pierda, pierdas, pierda, pierdan

poder 1 pudiendo 2 puede 3 puedo, puedes, puede, pueden 4 pude, pudiste, pudo, pudimos, pudisteis, pudieron 5 podré *etc* 6 pueda, puedas, pueda, puedan 7 pudiera *etc*

poner 2 pon 3 pongo 4 puse, pusiste, puso, pusimos, pusisteis, pusieron 5 pondré *etc* 6 ponga *etc* 7 pusiera *etc* 8 puesto

preferir 1 prefiriendo 2 prefiere 3 prefiero, prefieres, prefiere, prefieren 4 prefirió, prefirieron 6 prefiera, prefieras, prefiera, prefiramos, prefiráis, prefieran 7 prefiriera *etc*

querer 2 quiere 3 quiero, quieres, quiere, quieren 4 quise, quisiste, quiso, quisimos, quisisteis, quisieron 5 querré *etc* 6 quiera, quieras, quiera, quieran 7 quisiera *etc*

reir 2 ríe 3 río, ríes, ríe, ríen 4 rio, rieron 6 ría, rías, ría, riamos, riáis, rían 7 riera *etc*

repetir 1 repitiendo 2 repite 3 repito, repites, repite, repiten 4 repitió, repitieron 6 repita *etc* 7 repitiera *etc*

rogar 2 ruega 3 ruego, ruegas, ruega, ruegan 4 rogué 6 ruegue, ruegues, ruegue, roguemos, roguéis, rueguen

saber 3 sé 4 supe, supiste, supo, supimos, supisteis, supieron 5 sabré *etc* 6 sepa *etc* 7 supiera *etc*

salir 2 sal 3 salgo 5 saldré *etc* 6 salga *etc*

seguir 1 siguiendo 2 sigue 3 sigo, sigues, sigue, siguen 4 siguió, siguieron 6 siga *etc* 7 siguiera *etc*

sentar 2 sienta 3 siento, sientas, sienta, sientan 6 siente, sientes, siente, sienten

sentir 1 sintiendo 2 siente 3 siento, sientes, siente, sienten 4 sintió, sintieron 6 sienta, sientas, sienta, sintamos, sintáis, sientan 7 sintiera *etc*

SER 2 sé 3 soy, eres, es, somos, sois, son 4 fui, fuiste, fue, fuimos, fuisteis, fueron 6 sea *etc* 7 fuera *etc* 9 era, eras, era, éramos, erais, eran

servir 1 sirviendo 2 sirve 3 sirvo, sirves, sirve, sirven 4 sirvió, sirvieron 6 sirva *etc* 7 sirviera *etc*

soñar 2 sueña 3 sueño, sueñas, sueña, sueñan 6 sueñe, sueñes, sueñe, sueñen

tener 2 ten 3 tengo, tienes, tiene, tienen 4 tuve, tuviste, tuvo, tuvimos, tuvisteis, tuvieron 5 tendré *etc* 6 tenga *etc* 7 tuviera *etc*

traer 1 trayendo 3 traigo 4 traje, trajiste, trajo, trajimos, trajisteis, trajeron 6 traiga *etc* 7 trajera *etc*

valer 2 val 3 valgo 5 valdré *etc* 6 valga *etc*

venir 2 ven 3 vengo, vienes, viene, vienen 4 vine, viniste, vino, vinimos, vinisteis, vinieron 5 vendré *etc* 6 venga *etc* 7 viniera *etc*

ver 3 veo 6 vea *etc* 8 visto 9 veía *etc*

vestir 1 vistiendo 2 viste 3 visto, vistes, viste, visten 4 vistió, vistieron 6 vista *etc* 7 vistiera *etc*

VIVIR 1 viviendo 2 vive, vivid 3 vivo, vives, vive, vivimos, vivís, viven 4 viví, viviste, vivió, vivimos, vivisteis, vivieron 5 viviré, vivirás, vivirá, viviremos, viviréis, vivirán 6 viva, vivas, viva, vivamos, viváis, vivan 7 viviera, vivieras, viviera, viviéramos, vivierais, vivieran 8 vivido 9 vivía, vivías, vivía, vivíamos, vivíais, vivían

volver 2 vuelve 3 vuelvo, vuelves, vuelve, vuelven 6 vuelva, vuelvas, vuelva, vuelvan 8 vuelto

LOS VERBOS FRANCESES

1 Participe présent *2* Participe passé *3* Présent *4* Imparfait *5* Futur *6* Conditionnel *7* Subjonctif présent

acquérir *1* acquérant *2* acquis *3* acquiers, acquérons, acquièrent *4* acquérais *5* acquerrai *7* acquière

ALLER *1* allant *2* allé *3* vais, vas, va, allons, allez, vont *4* allais *5* irai *6* irais *7* aille

asseoir *1* asseyant *2* assis *3* assieds, asseyons, asseyez, asseyent *4* asseyais *5* assiérai *7* asseye

atteindre *1* atteignant *2* atteint *3* atteins, atteignons *4* atteignais *5* atteindrai *7* atteigne

AVOIR *1* ayant *2* eu *3* ai, as, a, avons, avez, ont *4* avais *5* aurai *6* aurais *7* aie, aies, ait, ayons, ayez, aient

battre *1* battant *2* battu *3* bats, bat, battons *4* battais *7* batte

boire *1* buvant *2* bu *3* bois, buvons, boivent *4* buvais *5* boirai *7* boive

bouillir *1* bouillant *2* bouilli *3* bous, bouillons *4* bouillais *7* bouille

conclure *1* concluant *2* conclu *3* conclus, concluons *4* concluais *7* conclue

conduire *1* conduisant *2* conduit *3* conduis, conduisons *4* conduisais *7* conduise

connaître *1* connaissant *2* connu *3* connais, connaît, connaissons *4* connaissais *5* connaîtrai *7* connaisse

coudre *1* cousant *2* cousu *3* couds, cousons, cousez, cousent *4* cousais *7* couse

courir *1* courant *2* couru *3* cours, courons *4* courais *5* courrai *7* coure

couvrir *1* couvrant *2* couvert *3* couvre, couvrons *4* couvrais *7* couvre

craindre *1* craignant *2* craint *3* crains, craignons *4* craignais *7* craigne

croire *1* croyant *2* cru *3* crois, croyons, croient *4* croyais *7* croie

croître *1* croissant *2* crû, crue, crus, crues *3* croîs, croissons *4* croissais *7* croisse

cueillir *1* cueillant *2* cueilli *3* cueille, cueillons *4* cueillais *5* cueillerai *7* cueille

devoir *1* devant *2* dû, due, dus, dues *3* dois, devons, doivent *4* devais *5* devrai *7* doive

dire *1* disant *2* dit *3* dis, disons, dites, disent *4* disais *5* dirai *7* dise

dormir *1* dormant *2* dormi *3* dors, dormons *4* dormais *7* dorme

écrire *1* écrivant *2* écrit *3* écris, écrivons *4* écrivais *7* écrive

ÊTRE *1* étant *2* été *3* suis, es, est, sommes, êtes, sont *4* étais *5* serai *6* serais *7* sois, sois, soit, soyons, soyez, soient

FAIRE *1* faisant *2* fait *3* fais, fais, fait, faisons, faites, font *4* faisais *5* ferai *6* ferais *7* fasse

falloir *2* fallu *3* faut *4* fallait *5* faudra *7* faille

FINIR *1* finissant *2* fini *3* finis, finis, finit, finissons, finissez, finissent *4* finissais *5* finirai *6* finirais *7* finisse

fuir *1* fuyant *2* fui *3* fuis, fuyons, fuient *4* fuyais *7* fuie

joindre *1* joignant *2* joint *3* joins, joignons *4* joignais *7* joigne

lire *1* lisant *2* lu *3* lis, lisons *4* lisais *5* lirai *7* lise

luire *1* luisant *2* lui *3* luis, luisons *4* luisais *7* luise

maudire *1* maudissant *2* maudit *3* maudis, maudissons *4* maudissait *7* maudisse

mentir *1* mentant *2* menti *3* mens, mentons *4* mentais *7* mente

mettre *1* mettant *2* mis *3* mets, mettons *4* mettais *5* mettrai *7* mette

mourir *1* mourant *2* mort *3* meurs, mourons, meurent *4* mourais *5* mourrai *7* meure

naître *1* naissant *2* né *3* nais, naît, naissons *4* naissais *7* naisse

offrir *1* offrant *2* offert *3* offre, offrons *4* offrais *7* offre

PARLER *1* parlant *2* parlé *3* parle, parles, parle, parlons, parlez, parlent *4* parlais, parlais, parlait, parlions, parliez, parlaient *5* parlerai, parleras, parlera, parlerons, parlerez, parleront *6* parlerais, parlerais, parlerait, parlerions, parleriez, parleraient *7* parle, parles, parle, parlions, parliez, parlent *imperativo* parle, parlez

partir *1* partant *2* parti *3* pars, partons *4* partais *7* parte

plaire *1* plaisant *2* plu *3* plais, plaît, plaisons *4* plaisais *7* plaise

pleuvoir *1* pleuvant *2* plu *3* pleut, pleuvent *4* pleuvait *5* pleuvra *7* pleuve

pourvoir *1* pourvoyant *2* pourvu *3* pourvois, pourvoyons, pourvoient *4* pourvoyais *7* pourvoie

pouvoir *1* pouvant *2* pu *3* peux, peut, pouvons, peuvent *4* pouvais *5* pourrai *7* puisse

prendre *1* prenant *2* pris *3* prends, prenons, prennent *4* prenais *5* prendrai *7* prenne

prévoir *como* voir *5* prévoirai

RECEVOIR *1* recevant *2* reçu *3* reçois, reçois, reçoit, recevons, recevez, reçoivent *4* recevais *5* recevrai *6* recevrais *7* reçoive

RENDRE *1* rendant *2* rendu *3* rends, rends, rend, rendons, rendez, rendent *4* rendais *5* rendrai *6* rendrais *7* rende

résoudre *1* résolvant *2* résolu *3* résous, résout, résolvons *4* résolvais *7* résolve

rire *1* riant *2* ri *3* ris, rions *4* riais *7* rie

savoir *1* sachant *2* su *3* sais, savons, savent *4* savais *5* saurai *7* sache *imperativo* sache, sachons, sachez

servir *1* servant *2* servi *3* sers, servons *4* servais *7* serve

sortir *1* sortant *2* sorti *3* sors, sortons *4* sortais *7* sorte

souffrir *1* souffrant *2* souffert *3* souffre, souffrons *4* souffrais *7* souffre

suffire *1* suffisant *2* suffi *3* suffis, suffisons *4* suffisais *7* suffise

suivre *1* suivant *2* suivi *3* suis, suivons *4* suivais *7* suive

taire *1* taisant *2* tu *3* tais, taisons *4* taisais *5* tairai *7* taise

tenir *1* tenant *2* tenu *3* tiens, tenons, tiennent *4* tenais *5* tiendrai *7* tienne

vaincre *1* vainquant *2* vaincu *3* vaincs, vainc, vainquons *4* vainquais *7* vainque

valoir *1* valant *2* valu *3* vaux, vaut, valons *4* valais *5* vaudrai *7* vaille

venir *1* venant *2* venu *3* viens, venons, viennent *4* venais *5* viendrai *7* vienne

vivre *1* vivant *2* vécu *3* vis, vivons *4* vivais *7* vive

voir *1* voyant *2* vu *3* vois, voyons, voient *4* voyais *5* verrai *7* voie

vouloir *1* voulant *2* voulu *3* veux, veut, voulons, veulent *4* voulais *5* voudrai *7* veuille *imperativo* veuillez

LOS NÚMEROS

LES NOMBRES

un(o)(-a)	1	un(e)
dos	2	deux
tres	3	trois
cuatro	4	quatre
cinco	5	cinq
seis	6	six
siete	7	sept
ocho	8	huit
nueve	9	neuf
diez	10	dix
once	11	onze
doce	12	douze
trece	13	treize
catorce	14	quatorze
quince	15	quinze
dieciséis	16	seize
diecisiete	17	dix-sept
dieciocho	18	dix-huit
diecinueve	19	dix-neuf
veinte	20	vingt
veintiun(o)(-a)	21	vingt et un(e)
veintidós	22	vingt-deux
treinta	30	trente
treinta y uno(-a)	31	trente et un(e)
treinta y dos	32	trente-deux
cuarenta	40	quarante
cincuenta	50	cinquante
sesenta	60	soixante
setenta	70	soixante-dix
setenta y uno(-a)	71	soixante et onze
setenta y dos	72	soixante-douze
ochenta	80	quatre-vingts
ochenta y uno(-a)	81	quatre-vingt-un(e)
noventa	90	quatre-vingt-dix
noventa y uno(-a)	91	quatre-vingt-onze
cien(to)	100	cent
ciento un(o)(-a)	101	cent un(e)
ciento cincuenta y seis	156	cent cinquante-six
doscientos(-as)	200	deux cents

LOS NÚMEROS

LES NOMBRES

trescientos(-as) uno(-a)	**301**	trois cent un(e)
quinientos(-as)	**500**	cinq cents
mil	**1 000**	mille
cinco mil	**5 000**	cinq mille
un millón	**1 000 000**	un million

primer(o)(-a), 1°(1ª)	prcmier (première), 1er (1ère)
segundo(-a), 2°(2ª)	deuxième, 2e, 2ème
tercer(o)(-a), 3°(3ª)	troisième, 3e, 3ème
cuarto(-a)	quatrième
quinto(-a)	cinquième
sexto(-a)	sixième
séptimo(-a)	septième
octavo(-a)	huitième
noveno(-a)	neuvième
décimo(-a)	dixième
undécimo(-a)	onzième
duodécimo(-a)	douzième
decimotercero(-a)	treizième
decimocuarto(-a)	quatorzième
decimoquinto(-a)	quinzième
decimosexto(-a)	seizième
decimoséptimo(-a)	dix-septième
decimoctavo(-a)	dix-huitième
decimonoveno(-a)	dix-neuvième
vigésimo(-a)	vingtième
vigésimo primero(-a)	vingt et unième
vigésimo segundo(-a)	vingt-deuxième
trigésimo(-a)	trentième
centésimo(-a)	centième
centésimo primero(-a)	cent-unième
milésimo(-a)	millième

LA HORA

¿qué hora es?	quelle heure est-il?
es la una	il est une heure
son las cuatro	il est quatre heures
medianoche, las doce de la noche	minuit
la una (de la madrugada)	une heure (du matin)
la una y cinco	une heure cinq
la una y diez	une heure dix
la una y cuarto	une heure et quart
la una y veinticinco	une heure vingt-cinq
la una y media	une heure et demie, une heure trente
las dos menos veinticinco	deux heures moins vingt-cinq, une heure trente-cinq
las dos menos veinte	deux heures moins vingt, une heure quarante
las dos menos cuarto	deux heures moins le quart, une heure quarante-cinq
las dos menos diez	deux heures moins dix, une heure cinquante
mediodía, las doce (de la mañana)	midi
las dos (de la tarde)	deux heures (de l'après-midi)
las siete (de la tarde)	sept heures (du soir)
¿a qué hora?	à quelle heure?
a medianoche	à minuit
a las siete	à sept heures
a la una	à une heure
en veinte minutos	dans vingt minutes
hace diez minutos	il y a dix minutes

LA FECHA / LA DATE

hoy	aujourd'hui
mañana	demain
pasado mañana	après-demain
ayer	hier
antes de ayer, anteayer	avant-hier
la víspera	la veille
el día siguiente	le lendemain
por la mañana	le matin
por la tarde	le soir
esta mañana	ce matin
esta tarde	cet après-midi
esta tarde	ce soir

ayer por la mañana	hier matin
ayer por la tarde	hier soir
mañana por la mañana	demain matin
mañana por la tarde	demain soir
en la noche del sábado al domingo	dans la nuit de samedi à dimanche
vendrá el sábado	il viendra samedi
los sábados	le samedi
todos los sábados	tous les samedis
el sábado pasado	samedi dernier
el sábado que viene, el próximo sábado	samedi prochain
del sábado en ocho días	samedi en huit
del sábado en quince días	samedi en quinze
de lunes a sábado	du lundi au samedi
todos los días	tous les jours
una vez a la semana	une fois par semaine
una vez al mes	une fois par mois
dos veces a la semana	deux fois par semaine
hace una semana *o* ocho días	il y a une semaine *ou* huit jours
hace quince días	il y a quinze jours
el año pasado	l'année passée *ou* dernière
dentro de dos días	dans deux jours
dentro de ocho días *o* una semana	dans huit jours *ou* une semaine
dentro de quince días	dans quinze jours
el mes que viene, el próximo mes	le mois prochain
el año que viene, el próximo año	l'année prochaine
¿a qué *o* a cuántos estamos?	quel jour sommes-nous?
el 1/24 de octubre de 1995	le 1er/24 octobre 1995
París, 24 de octubre de 1995	Paris, le 24 octobre 1995 (*lettre*)
en 1995	en 1995
mil novecientos noventa y cinco	mille neuf cent quatre-vingt-quinze
44 a. de J.C.	44 av. J.-C.
24 d. de J.C.	14 apr. J.-C.
en el (siglo) XIX	au XIXe (siècle)
en los años treinta	dans les années trente
érase una vez ...	il était une fois...

Français-Espagnol
Francés-Español

A, a

A¹, a¹ [α] *nm inv* (*lettre*) A, a *f*; ~ comme Anatole ≈ A de Antonio; **de ~ à z** de cabo a rabo; **prouver qch par ~ plus b** demostrar algo por a plus b.
A² [α] *abr* (= *ampère(s)*) A (= *amperio(s)*) ◆ *sigle f* (= *autoroute*) A *f* (= *autopista*).
a² [α] *vb voir* **avoir**.

━━━━━━━━━━ *MOT-CLÉ*

à [α] (*à + le* = **au**, *à + les* = **aux**) *prép* **1** (*endroit, situation*) en; **être à Paris/au Portugal** estar en París/en Portugal; **être à la maison/à l'école/au bureau** estar en casa/ en el colegio/en la oficina; **être à la campagne** estar en el campo; **c'est à 10 km/à 20 minutes (d'ici)** está a 10 km/a 20 minutos (de aquí); **à la radio/télévision** en la radio/televisión
2 (*direction*) a; **aller à Paris/au Portugal** ir a París/a Portugal; **aller à la maison/à l'école/au bureau** ir a casa/al colegio/a la oficina; **aller à la campagne** ir al campo
3 (*temps*) a; **à 3 heures/à minuit** a las tres/a medianoche; **à demain/lundi/la semaine prochaine!** ¡hasta mañana/el lunes/la semana que viene!; **au printemps/au mois de juin** en primavera/ en el mes de junio; **à cette époque là** en aquella época; **nous nous verrons à Noël** nos veremos por Navidad; **visites de 5 h à 6 h** visitas de 5 a 6
4 (*attribution, appartenance*) de; **le livre est à lui/à nous/à Paul** el libro es suyo/ nuestro/de Pablo; **un ami à moi** un amigo mío; **donner qch à qn** dar algo a algn
5 (*moyen*): **se chauffer au gaz/à l'électricité** calentarse con gas/con electricidad; **à bicyclette** en bicicleta; **à pied** a pie; **à la main/machine** a mano/máquina; **pêcher à la ligne** pescar con caña

6 (*provenance*) de; **boire à la bouteille** beber de la botella; **prendre de l'eau à la fontaine** coger *ou* (*AM*) tomar agua de la fuente
7 (*caractérisation, manière*): **l'homme aux yeux bleus/à la veste rouge** el hombre de ojos azules/de la chaqueta roja; **café au lait** café con leche; **à sa grande surprise** para su gran sorpresa; **à ce qu'il prétend** según pretende (él); **à l'européenne/la russe** a la europea/la rusa; **à nous trois nous n'avons pas su le faire** no hemos sabido hacerlo entre los tres
8 (*but, destination: de choses ou personnes*): **tasse à café** taza de café; **"à vendre"** "se vende"; **à bien réfléchir** pensándolo bien; **problèmes à régler** problemas *mpl* por solucionar
9 (*rapport, évaluation, distribution*): **100 km/unités à l'heure** 100 km/unidades por hora; **payé au mois/à l'heure** pagado por mes/por hora; **cinq à six** cinco a seis; **ils sont arrivés à quatre** llegaron cuatro.

━━━

AB [αbe] *abr* = **assez bien**.
abaissement [αbɛsmɑ̃] *nm* (*de température*) descenso; (*de l'âge de la retraite*) reducción *f*.
abaisser [αbese] *vt* bajar; (*fig*) rebajar; **s'abaisser** *vpr* (*aussi fig*) rebajarse; **s'~ à faire/à qch** rebajarse a hacer/a algo.
abandon [αbɑ̃dɔ̃] *nm* abandono; **être à l'~** estar abandonado(-a); **laisser à l'~** abandonar; **dans un moment d'~** en un momento de abandono.
abandonné, e [αbɑ̃dɔne] *adj* abandonado(-a).
abandonner [αbɑ̃dɔne] *vt* abandonar ◆ *vi* (*SPORT*) abandonar; (*INFORM*) salir; **s'abandonner** *vpr* abandonarse; **~ qch à**

qn entregar algo a algn; **s'~ à** abandonarse a.
abaque [abak] *nm* ábaco.
abasourdi, e [abazuʀdi] *adj* estupefacto (-a).
abasourdir [abazuʀdiʀ] *vt* dejar estupefacto(-a).
abat [aba] *vb voir* **abattre**.
abat-jour [abaʒuʀ] *nm inv* pantalla.
abats [aba] *vb voir* **abattre** ♦ *nmpl* (*CULIN*) menudos *mpl*.
abattage [abataʒ] *nm* (*du bois*) tala; (*d'un animal*) matanza; (*entrain*) brío.
abattant [abatã] *vb voir* **abattre** ♦ *nm* (*d'un meuble*) tapa.
abattement [abatmã] *nm* (*physique, moral*) abatimiento; (*déduction*) deducción *f*; ▶ **abattement fiscal** deducción fiscal.
abattis [abati] *vb voir* **abattre** ♦ *nmpl* menudos *mpl*.
abattoir [abatwaʀ] *nm* matadero.
abattre [abatʀ] *vt* (*arbre*) talar; (*mur, maison, avion*) derribar; (*tuer*) matar; (*épuiser*) postrar; (*déprimer*) desanimar; **s'abattre** *vpr* (*mât, malheur*) caerse; **s'~ sur** (*aussi fig*) caer sobre; **~ ses cartes** (*aussi fig*) enseñar las cartas; **~ du travail** (*ou* **de la besogne**) trabajar duro.
abattu, e [abaty] *pp de* **abattre** ♦ *adj* (*déprimé*) abatido(-a); (*fatigué*) postrado(-a); **à bride ~e** como un rayo.
abbatiale [abasjal] *nf* iglesia abacial.
abbaye [abei] *nf* abadía.
abbé [abe] *nm* (*d'une abbaye*) abad *m*; (*de paroisse*) cura *m*; **M. l'~** señor cura.
abbesse [abɛs] *nf* abadesa.
abc, ABC [abese] *nm* abecé *m*.
abcès [apsɛ] *nm* abceso.
abdication [abdikasjɔ̃] *nf* abdicación *f*.
abdiquer [abdike] *vi* abdicar ♦ *vt* (*pouvoir, dignité*) renunciar a.
abdomen [abdɔmɛn] *nm* abdomen *m*.
abdominal, e, -aux [abdɔminal, o] *adj* abdominal; **abdominaux** *nmpl* abdominales *mpl*; **faire des abdominaux** hacer abdominales.
abécédaire [abesedɛʀ] *nm* abecedario.
abeille [abɛj] *nf* abeja.
aberrant, e [abeʀã, ãt] *adj* aberrante.
aberration [abeʀasjɔ̃] *nf* aberración *f*.
abêtir [abetiʀ] *vt* embrutecer; **s'abêtir** *vpr* embrutecerse.
abêtissant, e [abetisã, ãt] *adj* embrutecedor(a).
abhorrer [abɔʀe] *vt* aborrecer.
abîme [abim] *nm* (*aussi fig*) abismo.
abîmer [abime] *vt* estropear; **s'abîmer** *vpr* estropearse; (*fig*) abismarse; **s'~ les yeux** dañarse la vista.
abject, e [abʒɛkt] *adj* abyecto(-a).

abjurer [abʒyʀe] *vt* abjurar.
ablatif [ablatif] *nm* ablativo.
ablation [ablasjɔ̃] *nf* ablación *f*.
ablutions [ablysjɔ̃] *nfpl*: **faire ses ~** hacer sus abluciones.
abnégation [abnegasjɔ̃] *nf* abnegación *f*.
aboie [abwa] *vb voir* **aboyer**.
aboiement [abwamã] *nm* ladrido.
abois [abwa] *nmpl*: **être aux ~** estar acorralado(-a).
abolir [abɔliʀ] *vt* abolir.
abolition [abɔlisjɔ̃] *nf* abolición *f*.
abolitionniste [abɔlisjɔnist] *adj, nm/f* abolicionista *m/f*.
abominable [abɔminabl] *adj* abominable.
abomination [abɔminasjɔ̃] *nf* abominación *f*.
abondamment [abɔ̃damã] *adv* en abundancia.
abondance [abɔ̃dãs] *nf* abundancia; **société d'~** sociedad *f* de consumo.
abondant, e [abɔ̃dã, ãt] *adj* abundante.
abonder [abɔ̃de] *vi* abundar; **~ en** abundar en; **~ dans le sens de qn** concordar con algn.
abonné, e [abɔne] *adj* (*à un journal*) suscrito(-a); (*au téléphone*) abonado(-a) ♦ *nm/f* (*au téléphone, à l'opéra*) abonado(-a); (*à un journal*) suscriptor(a).
abonnement [abɔnmã] *nm* (*à un journal*) suscripción *f*; (*transports en commun, théâtre*) abono.
abonner [abɔne] *vt*: **~ qn à** (*revue*) suscribir a algn a; **s'abonner** *vpr*: **s'~ à** (*revue*) suscribirse a; (*téléphone*) abonarse a.
abord [abɔʀ] *nm*: **être d'un ~ facile/difficile** ser de fácil/difícil acceso; **~s** *nmpl* (*d'un lieu*) alrededores *mpl*; **d'~** primero, en primer lugar; **tout d'~** antes de nada; **de prime ~, au premier ~** a primera vista.
abordable [abɔʀdabl] *adj* (*personne*) accesible; (*prix, marchandise*) asequible.
abordage [abɔʀdaʒ] *nm* abordaje *m*.
aborder [abɔʀde] *vi* abordar ♦ *vt* (*aussi fig*) abordar; (*virage, vie*) tomar.
aborigène [abɔʀiʒɛn] *nm/f* aborigen *m/f*.
Abou Dhabī [abudabi] *nm* Abu Dabi.
aboulique [abulik] *adj* abúlico(-a).
aboutir [abutiʀ] *vi* tener éxito; **~ à/dans/sur** (*lieu*) dar a; (*fig*) conducir a.
aboutissants [abutisã] *nmpl voir* **tenant**.
aboutissement [abutismã] *nm* logro.
aboyer [abwaje] *vi* ladrar.
abracadabrant, e [abʀakadabʀã, ãt] *adj* estrambótico(-a).
abrasif, -ive [abʀazif, iv] *adj* abrasivo(-a).
abrégé [abʀeʒe] *nm* resumen *m*; (*livre*) compendio; **en ~** en resumen.
abréger [abʀeʒe] *vt* acortar.

abreuver [abʀœve] *vt* abrevar; (*fig*): ~ **qn de** (*injures*) colmar a algn de; **s'abreuver** *vpr* (*fam*) beber hasta reventar.

abreuvoir [abʀœvwaʀ] *nm* abrevadero.

abréviation [abʀevjasjɔ̃] *nf* abreviatura.

abri [abʀi] *nm* refugio; **à l'~** (*des intempéries, financièrement*) a cubierto; (*de l'ennemi*) a salvo; **à l'~ de** (*fig*: *erreur*) protegido(-a) contra.

abribus [abʀibys] *nm* marquesina.

abricot [abʀiko] *nm* albaricoque *m*, damasco (*AM*).

abricotier [abʀikɔtje] *nm* albaricoquero, damasco (*AM*).

abrité, e [abʀite] *adj* resguardado(-a).

abriter [abʀite] *vt* (*lieu*) resguardar; (*personne*) albergar; (*recevoir, loger*) alojar; **s'abriter** *vpr* resguardarse; (*fig*) ampararse.

abrogation [abʀɔgasjɔ̃] *nf* abrogación *f*.

abroger [abʀɔʒe] *vt* abrogar.

abrupt, e [abʀypt] *adj* abrupto(-a); (*personne, ton*) rudo(-a).

abruti, e [abʀyti] (*fam*) *nm/f* tonto(-a).

abrutir [abʀytiʀ] *vt* (*suj*: *bruit, travail*) embrutecer; (*abêtir*) atontar.

abrutissant, e [abʀytisɑ̃, ɑ̃t] *adj* embrutecedor(a).

abscisse [apsis] *nf* abscisa.

absence [apsɑ̃s] *nf* ausencia; **en l'~ de** en ausencia de.

absent, e [apsɑ̃, ɑ̃t] *adj*, *nm/f* ausente *m/f*.

absentéisme [apsɑ̃teism] *nm* absentismo.

absenter [apsɑ̃te]: **s'~** *vpr* ausentarse.

abside [apsid] *nf* ábside *m*.

absinthe [apsɛ̃t] *nf* ajenjo.

absolu, e [apsɔly] *adj* absoluto(-a); (*personne*) intransigente ♦ *nm* (*PHILOS*): **l'~** el absoluto; **dans l'~** en abstracto.

absolument [apsɔlymɑ̃] *adv* (*oui*) sí, por supuesto; (*sans faute, à tout prix*) absolutamente; **~ pas** en absoluto.

absolution [apsɔlysjɔ̃] *nf* absolución *f*.

absolutisme [apsɔlytism] *nm* absolutismo.

absolvais [apsɔlvɛ] *vb voir* **absoudre**.

absolve *etc* [apsɔlv] *vb voir* **absoudre**.

absorbant, e [apsɔʀbɑ̃, ɑ̃t] *adj* absorbente.

absorbé, e [apsɔʀbe] *adj* absorbido(-a), absorto(-a).

absorber [apsɔʀbe] *vt* absorber; (*manger, boire*) tomar; (*temps, argent*) consumir.

absorption [apsɔʀpsjɔ̃] *nf* absorción *f*.

absoudre [apsudʀ] *vt* absolver.

absous, -oute [apsu, ut] *pp de* **absoudre**.

abstenir [apstəniʀ]: **s'~** *vpr* abstenerse; **s'~ de qch/de faire** privarse de algo/de hacer.

abstention [apstɑ̃sjɔ̃] *nf* abstención *f*.

abstentionnisme [apstɑ̃sjɔnism] *nm* abstencionismo.

abstentionniste [apstɑ̃sjɔnist] *nm/f* abstencionista *m/f*.

abstenu, e [apstəny] *pp de* **abstenir**.

abstiendrai *etc* [apstjɛ̃dʀe] *vb voir* **abstenir**.

abstiens *etc* [apstjɛ̃] *vb voir* **abstenir**.

abstinence [apstinɑ̃s] *nf* abstinencia; **faire ~** hacer abstinencia.

abstint [apstɛ̃] *vb voir* **abstenir**.

abstraction [apstʀaksjɔ̃] *nf* abstracción *f*; **faire ~ de** hacer caso omiso de; **~ faite de ...** dejando de lado ... .

abstraire [apstʀɛʀ] *vt* abstraer; **s'abstraire** *vpr*: **s'~ (de)** abstraerse (de).

abstrait, e [apstʀɛ, ɛt] *pp de* **abstraire** ♦ *adj* abstracto(-a) ♦ *nm*: **dans l'~** en abstracto; **art ~** arte *m* abstracto.

abstrayais *etc* [apstʀɛjɛ] *vb voir* **abstraire**.

absurde [apsyʀd] *adj* absurdo(-a) ♦ *nm* (*PHILOS*): **l'~** el absurdo; **raisonnement par l'~** razonamiento por reducción al absurdo.

absurdité [apsyʀdite] *nf* absurdidad *f*.

Abū Dhabī [abudabi] *nm* = **Abou Dhabī**.

abus [aby] *nm* abuso; **il y a de l'~** (*fam*) es un abuso; ▶ **abus de confiance** abuso de confianza; (*détournement de fonds*) desfalco; ▶ **abus de pouvoir** abuso de poder.

abuser [abyze] *vi* abusar ♦ *vt* abusar de; **s'abuser** *vpr* equivocarse; **si je ne m'abuse** si no me equivoco; **~ de** abusar de.

abusif, -ive [abyzif, iv] *adj* abusivo(-a).

abusivement [abyzivmɑ̃] *adv* con abuso.

AC *abr, sigle f* (= *appellation contrôlée*) ≈ denominación *f* de origen.

acabit [akabi] *nm*: **de cet/du même ~ de** esta/de la misma calaña.

acacia [akasja] *nm* acacia.

académicien, ne [akademisjɛ̃, jɛn] *nm/f* académico(-a).

académie [akademi] *nf* academia; (*ART*) desnudo; (*UNIV*) ≈ distrito universitario; **l'A~** (**française**) ≈ la Real Academia (Española).

académique [akademik] *adj* académico (-a); (*UNIV*) universitario(-a).

Acadie [akadi] *nf* Acadia.

acadien, ne [akadjɛ̃, jɛn] *adj* acadiense.

acajou [akaʒu] *nm* caoba.

acariâtre [akaʀjɑtʀ] *adj* desabrido(-a).

accablant, e [akɑblɑ̃, ɑ̃t] *adj* (*témoignage, preuve*) abrumador(a); (*chaleur, poids*) agobiante.

accablement [akɑbləmɑ̃] *nm* abatimiento.

accabler [akɑble] *vt* (*physiquement*) agobiar; (*moralement*) abatir; (*suj*: *preuves, témoignage*) inculpar; **~ qn d'injures/de travail** colmar a algn de injurias/de trabajo; **accablé de dettes/soucis** cargado de deudas/preocupaciones.

accalmie [akalmi] *nf* (*aussi fig*) calma, tregua.

accaparant, e [akaparɑ̃, ɑ̃t] *adj* acaparador(a).

accaparer [akapaʀe] *vt* acaparar.

accéder [aksede] *vt*: ~ **à** (*lieu*) tener acceso a; (*fig*) acceder a; (*indépendance*) lograr.

accélérateur [akseleʀatœʀ] *nm* acelerador *m*.

accélération [akseleʀasjɔ̃] *nf* aceleración *f*.

accéléré [akseleʀe] *nm* (*CINÉ*): **en** ~ a cámara rápida.

accélérer [akseleʀe] *vt*, *vi* acelerar.

accent [aksɑ̃] *nm* acento; **aux** ~**s de** (*musique*) a los acordes de; **mettre l'**~ **sur** (*fig*) hacer hincapié en; ▸ **accent aigu/circonflexe/grave** acento agudo/circunflejo/grave.

accentuation [aksɑ̃tɥasjɔ̃] *nf* (*d'un mot*) acentuación *f*; (*de l'inflation*) agravación *f*.

accentué, e [aksɑ̃tɥe] *adj* acentuado(-a).

accentuer [aksɑ̃tɥe] *vt* (*aussi fig*) acentuar; **s'accentuer** *vpr* acentuarse.

acceptable [akseptabl] *adj* aceptable.

acceptation [akseptasjɔ̃] *nf* aceptación *f*, admisión *f*.

accepter [aksepte] *vt* aceptar; (*admettre*) aceptar, admitir; ~ **de faire** aceptar hacer; ~ **que qn fasse** aceptar que algn haga; ~ **que** admitir que; **accepteriez-vous que je m'en aille?** ¿le importaría que me fuese?; **j'accepte!** ¡vale!; **je n'accepterai pas cela** eso no lo admitiré.

acception [aksepsjɔ̃] *nf* acepción *f*; **dans toute l'**~ **du terme** en toda la acepción de la palabra.

accès [akse] *nm* acceso ♦ *nmpl* (*routes, entrées*) accesos *mpl*; **d'**~ **facile/malaisé** de fácil/difícil acceso; **l'**~ **aux quais est interdit** el acceso a los andenes está prohibido; **donner** ~ **à** dar acceso a; **avoir** ~ **auprès de qn** tener entrada con algn; ▸ **accès de colère** arrebato; ▸ **accès de toux** arranque *m* de tos.

accessible [aksesibl] *adj* accesible; (*prix, objet*) asequible; (*livre, sujet*): ~ (**à qn**) accesible (a algn); **être** ~ **à la pitié/à l'amour** ser capaz de compasión/de amor.

accession [aksesjɔ̃] *nf* acceso; ▸ **accession à la propriété** acceso a la propiedad.

accessit [aksesit] *nm* accésit *m*.

accessoire [akseswaʀ] *adj* secundario(-a) ♦ *nm* accesorio.

accessoirement [akseswaʀmɑ̃] *adv* ocasionalmente.

accessoiriste [akseswaʀist] *nm/f* accesorista *m/f*, attrezzista *m/f*.

accident [aksidɑ̃] *nm* accidente *m*; (*événement fortuit*) incidente *m*; **par** ~ por accidente; ▸ **accident de la route/du travail** accidente de carretera/de trabajo; ▸ **accident de parcours** desliz *msg*; ▸ **accidents de terrain** accidentes *mpl* del terreno.

accidenté, e [aksidɑ̃te] *adj* accidentado (-a); (*voiture*) estropeado(-a), dañado(-a) ♦ *nm/f* herido(-a); **un** ~ **de la route** un herido de la carretera.

accidentel, le [aksidɑ̃tɛl] *adj* accidental; (*fortuit*) casual.

accidentellement [aksidɑ̃tɛlmɑ̃] *adv* accidentalmente; (*par hasard*) casualmente.

accidenter [aksidɑ̃te] *vt* (*personne*) atropellar; (*véhicule*) colisionar con.

accise [aksiz] *nf* sisa.

acclamation [aklamasjɔ̃] *nf*: **par** ~ por aclamación; ~**s** *nfpl* vítores *mpl*.

acclamer [aklame] *vt* aclamar.

acclimatation [aklimatasjɔ̃] *nf* aclimatación *f*.

acclimater [aklimate] *vt* aclimatar; (*personne*) acostumbrar; **s'acclimater** *vpr* aclimatarse.

accointances [akwɛ̃tɑ̃s] *nfpl*: **avoir des** ~ **avec** tener relaciones con.

accolade [akɔlad] *nf* abrazo; (*signe typographique*) llave *f*; **donner l'**~ **à qn** (*entre amis*) dar un abrazo a algn; (*dans une cérémonie*) dar el espaldarazo a algn.

accoler [akɔle] *vt* juntar.

accommodant, e [akɔmɔdɑ̃, ɑ̃t] *adj* condescendiente.

accommodement [akɔmɔdmɑ̃] *nm* acomodo.

accommoder [akɔmɔde] *vt* (*CULIN*) aliñar ♦ *vi* adaptar; **s'accommoder** *vpr*: **s'**~ **de** contentarse con; ~ **qch à** adaptar algo a; **s'**~ **à** adaptarse a.

accompagnateur, -trice [akɔ̃paɲatœʀ, tʀis] *nm/f* acompañante *m/f*.

accompagnement [akɔ̃paɲmɑ̃] *nm* (*MUS*) acompañamiento; (*CULIN*) aderezo; (*MIL*) escolta.

accompagner [akɔ̃paɲe] *vt* acompañar; **s'accompagner** *vpr* acompañarse; **s'**~ **de** conllevar; (*avoir pour conséquence*) acarrear; **vous permettez que je vous accompagne?** ¿me permite que le acompañe?

accompli, e [akɔ̃pli] *adj* consumado(-a).

accomplir [akɔ̃pliʀ] *vt* cumplir; **s'accomplir** *vpr* cumplirse.

accomplissement [akɔ̃plismɑ̃] *nm* realización *f*.

accord [akɔʀ] *nm* (*entente*) acuerdo; (*LING, harmonie*) concordancia; (*consentement, autorisation*) consentimiento; (*MUS*) acorde *m*; **mettre 2 personnes d'~** poner a 2 personas de acuerdo; **se mettre d'~** ponerse de acuerdo; **être d'~ (avec qn)** estar de acuerdo (con algn); **être d'~ (pour faire/que)** estar de acuerdo (en hacer/en que); **d'~!** ¡de acuerdo!; **d'un commun ~** de común acuerdo; **en ~ avec qn** de acuerdo con algn; **donner son ~** dar su consentimiento; **~ en genre et en nombre** concordancia en género y número; ▸ **accord parfait** (*MUS*) acorde perfecto.

accord-cadre [akɔRkɑdR] (*pl* ~**s**-~**s**) *nm* acuerdo marco *inv*.

accordéon [akɔRdeɔ̃] *nm* acordeón *m*; **en** ·~ en acordeón.

accordéoniste [akɔRdeɔnist] *nm/f* acordeonista *m/f*.

accorder [akɔRde] *vt* (*faveur, délai*) conceder; (*harmoniser*) conciliar; (*MUS*) afinar; (*LING*) concordar; **s'accorder** *vpr* estar de acuerdo; (*être d'accord, se mettre d'accord*) estar de acuerdo, ponerse de acuerdo; (*couleurs, caractères*) casar; (*LING*) concordar; (*un moment de répit*) darse; **~ de l'importance/de la valeur à qch** dar importancia/valor a algo; **je vous accorde que ... le** concedo que ... .

accordeur, -euse [akɔRdœR, øz] *nm/f* afinador(a).

accoster [akɔste] *vt* (*NAUT*) acostar; (*personne*) abordar ♦ *vi* acostar.

accotement [akɔtmɑ̃] *nm* arcén *m*; ▸ **accotement stabilisé/non stabilisé** arcén pavimentado/no pavimentado.

accoter [akɔte] *vt*: **~ qch contre/à** apoyar algo contra/en; **s'accoter** *vpr*: **s'~ contre/à** apoyarse contra/en.

accouchement [akuʃmɑ̃] *nm* parto; **~ à terme/sans douleur** parto a término/sin dolor.

accoucher [akuʃe] *vi, vt* dar a luz; **~ d'une fille** dar a luz una niña.

accoucheur [akuʃœR] *nm*: (**médecin**) **~** tocólogo.

accoucheuse [akuʃøz] *nf* comadrona.

accouder [akude]: **s'~** *vpr*: **s'~ à/contre/sur** acodarse en/sobre; **accoudé à la fenêtre** acodado en la ventana.

accoudoir [akudwaR] *nm* brazo.

accouplement [akupləmɑ̃] *nm* apareamiento; (*TECH*) acoplamiento.

accoupler [akuple] *vt* (*moteurs*) conectar; (*bœufs*) uncir; (*animaux*) aparear; **s'~** aparearse.

accourir [akuRiR] *vi* precipitarse.

accoutrement [akutRəmɑ̃] (*péj*) *nm* atavío.

accoutrer [akutRe] (*péj*) *vt* ataviar; **s'accoutrer** *vpr* ataviarse.

accoutumance [akutymɑ̃s] *nf* (*au climat*) adaptación *f*; (*drogue*) adicción *f*.

accoutumé, e [akutyme] *adj* acostumbrado(-a); **être ~ à qch/à faire** estar acostumbrado(-a) a algo/a hacer; **comme à l'~e** como de costumbre.

accoutumer [akutyme] *vt*: **~ qn à qch/à faire** acostumbrar a algn a algo/a hacer; **s'accoutumer** *vpr*: **s'~ à qch/à faire** acostumbrarse a algo/a hacer.

accréditer [akRedite] *vt* (*personne*) acreditar; (*nouvelle*) dar crédito a; **~ qn (auprès de)** acreditar a algn (ante).

accro [akRo] (*fam*) *nm/f* yonqui *m/f*.

accroc [akRo] *nm* (*déchirure*) desgarrón *m*; **sans ~s** (*fig*) sin contratiempos; **faire un ~ à** (*vêtement*) hacer un desgarrón en; (*fig*) cometer una infracción contra.

accrochage [akRɔʃaʒ] *nm* (*d'un tableau*) colgamiento; (*d'une remorque*) enganche *m*; (*accident*) choque *m*; (*escarmouche*) escaramuza; (*dispute*) pelea.

accroche-cœur [akRɔʃkœR] (*pl* ~**-**~**s**) *nm* caracol *m*.

accrocher [akRɔʃe] *vt*: **~ à** (*vêtement, tableau*) colgar en; (*wagon, remorque*) enganchar; (*véhicule*) chocar con; (*piéton*) atropellar; (*déchirer: robe, pull*) rasgar; (*MIL*) entablar combate con; (*fig: regard, client*) atraer ♦ *vi* (*fermeture éclair*) engancharse; (*pourparlers*) atascarse; (*plaire: disque*) pegar (*fam*); **s'accrocher** *vpr* (*MIL, se disputer*) pelearse; (*ne pas céder*) resistir; **s'~ à** (*rester pris à*) engancharse en; (*agripper*) agarrarse a; (*personne*) pegarse a; (*espoir, idée*) aferrarse a; **il faut s'~** (*fam*) hay que seguir.

accrocheur, -euse [akRɔʃœR, øz] *adj* (*vendeur*) tenaz; (*publicité, titre*) llamativo(-a).

accroire [akRwaR] *vt*: **faire** *ou* **laisser ~ à qn/que** hacer creer a algn algo/que.

accrois *etc* [akRwa] *vb voir* **accroître**.

accroissais *etc* [akRwasɛ] *vb voir* **accroître**.

accroissement [akRwasmɑ̃] *nm* aumento.

accroître [akRwatR] *vt* acrecentar; **s'accroître** *vpr* acrecentarse.

accroupi, e [akRupi] *adj* en cuclillas.

accroupir [akRupiR]: **s'~** *vpr* ponerse en cuclillas.

accru, e [akRy] *pp de* **accroître**.

accu [aky] (*fam*) *nm* = **accumulateur**.

accueil [akœj] *nm* acogida; (*endroit*) recepción *f*; **centre/comité d'~** centro/comité *m* de recepción.

accueillant, e [akœjɑ̃, ɑ̃t] *adj* acogedor(a).

accueillir [akœjiR] *vt* (*recevoir, saluer*) acoger; (*loger*) alojar; (*fig*) recibir.

acculer [akyle] *vt*: **~ qn à** *ou* **contre/dans** acorralar a algn contra/en; **~ qn à** (*faillite, suicide*) conducir a algn a.

accumulateur [akymylatœR] *nm* acumulador *m*.

accumulation [akymylasjɔ̃] *nf* acumulación *f*; **une ~ de ...** un montón de ...; **chauffage/radiateur à ~** calefacción *f*/radiador *m* por acumulación.

accumuler [akymyle] *vt* acumular; **s'accumuler** *vpr* acumularse.

accusateur, -trice [akyzatœr, tris] *adj, nm/f* acusador(a).

accusatif [akyzatif] *nm* acusativo.

accusation [akyzasjɔ̃] *nf* acusación *f*; **l'~** (*JUR*) la acusación; **mettre qn en ~** iniciar causa en contra de algn; **acte d'~** acta de acusación.

accusé, e [akyze] *adj, nm/f* acusado(-a); ▶ **accusé de réception** *nm* acuse *m* de recibo.

accuser [akyze] *vt* (*aussi fig*) acusar; (*fig*: *souligner*) acentuar; **s'accuser** *vpr* (*s'accentuer*) acentuarse; **~ qn de qch** acusar a algn de algo; **~ qch de qch** culpar a algo de algo; **~ réception de** acusar recibo de; **~ le coup** (*fig, fam*) acusar el golpe; **s'~ de qch/d'avoir fait qch** culparse de algo/de haber hecho algo.

acerbe [asɛrb] *adj* acerbo(-a).

acéré, e [asere] *adj* acerado(-a); (*fig*) mordaz.

acétate [asetat] *nm* acetato.

acétique [asetik] *adj*: **acide ~** ácido acético.

acétone [asetɔn] *nf* acetona.

acétylène [asetilɛn] *nm* acetileno.

achalandé, e [aʃalɑ̃de] *adj*: **bien/mal ~** bien/mal surtido(-a).

acharné, e [aʃarne] *adj* encarnizado(-a).

acharnement [aʃarnəmɑ̃] *nm* encarnizamiento.

acharner [aʃarne]: **s'~** *vpr*: **s'~ contre/sur** ensañarse con; **s'~ à faire** empeñarse en hacer.

achat [aʃa] *nm* compra; **faire l'~ de** comprar; **faire des ~s** ir de compras.

acheminement [aʃ(ə)minmɑ̃] *nm* envío.

acheminer [aʃ(ə)mine] *vt* (*courrier, troupes, train*) enviar; **s'~ vers** (*aussi fig*) encaminarse hacia.

acheter [aʃ(ə)te] *vt* comprar; **~ à crédit** comprar a crédito; **~ qch à qn** comprar algo a algn.

acheteur, -euse [aʃ(ə)tœr, øz] *nm/f* comprador(a); **l'~ et le vendeur** el comprador y el vendedor.

achevé, e [aʃ(ə)ve] *adj*: **d'un ridicule/comique ~** de un ridículo/cómico espantoso.

achèvement [aʃɛvmɑ̃] *nm* finalización *f*.

achever [aʃ(ə)ve] *vt* acabar, finalizar; (*blessé*) rematar; **s'achever** *vpr* acabarse; **~ de faire qch** (*aussi fig*) acabar de hacer algo.

achoppement [aʃɔpmɑ̃] *nm*: **pierre d'~** traba.

acide [asid] *adj* ácido(-a); (*ton*) áspero(-a) ♦ *nm* ácido.

acidifier [asidifje] *vt* acidificar.

acidité [asidite] *nf* acidez *f*.

acidulé [asidyle] *adj* ácido(-a); **bonbons ~s** caramelos *mpl* ácidos.

acier [asje] *nm* acero; ▶ **acier inoxydable** acero inoxidable.

aciérie [asjeri] *nf* acería.

acné [akne] *nf* acné *f*; ▶ **acné juvénile** acné juvenil.

acolyte [akɔlit] (*péj*) *nm* compinche *m*.

acompte [akɔ̃t] *nm* (*arrhes*) señal *f*; (*sur somme due*) adelanto; (*sur salaire*) anticipo.

acoquiner [akɔkine]: **s'~ avec** (*péj*) *vpr* compincharse con.

Açores [asɔr] *nfpl*: **les ~** las Azores.

à-côté [akote] *nm* (*point accessoire*) cuestión *f* secundaria; (*argent: aussi pl*) dinero extra *inv*.

à-coup [aku] *nm* (*du moteur*) sacudidas *fpl*; (*du commerce, de l'économie*) altibajos *mpl*; **sans ~-~s** sin interrupción; **par ~-~s** a tirones.

acoustique [akustik] *nf* acústica ♦ *adj* acústico(-a).

acquéreur [akerœr] *nm* comprador(a); **se porter ~ de qch** ofrecerse como comprador de algo; **se rendre ~ de qch** adquirir algo.

acquérir [akerir] *vt* comprar; (*résultats*) obtener.

acquiers *etc* [akjɛr] *vb voir* **acquérir**.

acquiescement [akjɛsmɑ̃] *nm* consentimiento; **en signe d'~** en señal de conformidad.

acquiescer [akjese] *vi* asentir; **~ (à qch)** consentir (en algo).

acquis, e [aki, iz] *pp de* **acquérir** ♦ *nm* (*savoir, expérience*) conocimientos *mpl*; **~s** *nmpl*: **les ~ sociaux** los logros sociales ♦ *adj* (*v vt*) adquirido(-a); obtenido(-a); **tenir qch pour ~** (*comme allant de soi*) dar algo por sabido; (*comme décidé*) dar algo por hecho; **être ~ à** ser adicto(-a) a; **caractère ~** carácter *m* adquirido; **vitesse ~e** velocidad *f* adquirida.

acquisition [akizisjɔ̃] *nf* (*action d'acquérir*) adquisición *f*; (*objet acquis*) compra; **faire l'~ de** comprar.

acquit [aki] *vb voir* **acquérir** ♦ *nm* recibo; **pour ~** recibí; **par ~ de conscience** para quedarse *etc* más tranquilo.

acquittement [akitmɑ̃] *nm* (*d'un accusé*) absolución *f*; (*d'une dette*) pago, satisfacción *f*.

acquitter [akite] *vt* (*accusé*) absolver; (*pa-*

yer) abonar, pagar; **s'acquitter de** vpr (*promesse, tâche*) cumplir con; (*dette*) satisfacer.
âcre [ɑkʀ] adj acre.
âcreté [ɑkʀəte] nf acritud f.
acrimonie [akʀimɔni] nf acrimonia.
acrobate [akʀɔbat] nm/f acróbata m/f.
acrobatie [akʀɔbasi] nf (*aussi fig*) acrobacia; ▶ **acrobatie aérienne** acrobacia aérea.
acrobatique [akʀɔbatik] adj acrobático(-a).
acronyme [akʀɔnim] nm acrónimo.
Acropole [akʀɔpɔl] nf Acrópolis fsg.
acrylique [akʀilik] nm acrílico.
acte [akt] nm (*THÉÂTRE, action*) acto; (*document*) acta; ~**s** nmpl (*compte-rendu*) actas fpl; **prendre** ~ **de** levantar acta de; **prendre** ~ **de** tomar nota de; **faire** ~ **de présence** hacer acto de presencia; **faire** ~ **de candidature** presentar una candidatura; ▶ **acte d'accusation** acta de acusación; ▶ **acte de baptême** fe f de bautismo; ▶ **acte de mariage/de naissance** partida de matrimonio/de nacimiento; ▶ **acte de vente** escritura.
acteur, -trice [aktœʀ, tʀis] nm/f actor(actriz).
actif, -ive [aktif, iv] adj activo(-a); (*remède*) eficaz ♦ nm activo; **prendre une part active à qch** tomar parte activa en algo; **l'**~ **et le passif** el activo y el pasivo.
action [aksjɔ̃] nf acción f; (*déploiement d'énergie*) actividad f; **une bonne/mauvaise** ~ una buena/mala acción; **mettre en** ~ poner en práctica; **passer à l'**~ pasar a la acción; **un homme d'**~ un hombre de acción; **sous l'**~ **de** bajo el efecto de; **un film d'**~ una película de acción; ▶ **action de grâce(s)** acción de gracias; ▶ **action en diffamation** demanda por difamación.
actionnaire [aksjɔnɛʀ] nm/f accionista m/f.
actionner [aksjɔne] vt accionar.
active [aktiv] adj voir **actif**.
activement [aktivmɑ̃] adv activamente.
activer [aktive] vt activar; **s'activer** vpr (*se presser*) apresurarse; (*s'affairer*) trajinar.
activisme [aktivism] nm activismo.
activiste [aktivist] nm/f activista m/f.
activité [aktivite] nf actividad f; **cesser toute** ~ abandonar toda actividad; **en** ~ (*fonctionnaire, militaire*) en activo; (*volcan, industrie*) en actividad; ▶ **activités subversives** actividades subversivas.
actrice [aktʀis] nf voir **acteur**.
actualiser [aktualize] vt actualizar.
actualité [aktualite] nf actualidad f; ~**s** nfpl: **les** ~**s** las noticias; **l'**~ **politique/sportive** la actualidad política/deportiva; **d'**~ de actualidad.
actuariel, le [aktuaʀjɛl] adj: **taux** ~ interés

m actuarial.
actuel, le [aktuɛl] adj actual; **à l'heure** ~**le** hoy en día, en el momento actual.
actuellement [aktuɛlmɑ̃] adv actualmente.
acuité [akuite] nf (*des sens*) agudeza; (*d'une crise, douleur*) intensidad f.
acuponcture [akypɔ̃ktœʀ, tʀis], **acupuncteur, -trice** [akypɔ̃ktœʀ, tʀis] nm/f acupuntor(a).
acuponcture [akypɔ̃ktyʀ], **acupuncture** [akypɔ̃ktyʀ] nf acupuntura.
adage [adaʒ] nm adagio.
adagio [ada(d)ʒjo] nm adagio.
adaptable [adaptabl] adj adaptable.
adaptateur, -trice [adaptatœʀ, tʀis] nm/f (*THÉÂTRE*) adaptador(a) ♦ nm (*ÉLEC*) adaptador m.
adaptation [adaptasjɔ̃] nf adaptación f.
adapter [adapte] vt: ~ **à** adaptar a; **s'adapter** vpr (*personne*): **s'**~ (**à**) adaptarse (a); (*objet, prise etc*) ajustarse (a); ~ **qch sur/dans/à** ajustar algo sobre/en/a.
addenda [adɛ̃da] nm addenda m.
Addis-Ababa [adisababa], **Addis-Abeba** [adisababa] n Addis Abeba.
additif [aditif] nm aditivo; (*note, clause*) nota; ▶ **additif alimentaire** aditivo alimenticio.
addition [adisjɔ̃] nf (*d'une clause*) inclusión f; (*MATH*) adición f; (*au restaurant*) cuenta.
additionnel, le [adisjɔnɛl] adj adicional.
additionner [adisjɔne] vt sumar; **s'additionner** vpr sumarse; ~ **un vin d'eau** añadir agua al vino.
adduction [adyksjɔ̃] nf canalización f.
adepte [adɛpt] nm/f (*d'une religion*) adepto(-a); (*d'un sport*) partidario(-a).
adéquat, e [adekwa(t), at] adj adecuado (-a).
adéquation [adekwasjɔ̃] nf adecuación f.
adhérence [adeʀɑ̃s] nf adherencia; **assurer une bonne** ~ asegurar una buena adherencia.
adhérent, e [adeʀɑ̃, ɑ̃t] adj adherente ♦ nm/f miembro m/f.
adhérer [adeʀe] vi adherirse ♦ vt: ~ **à** (*coller*) adherir a; (*se rallier à*) adherirse a; (*devenir membre de*) afiliarse a; (*être membre de*) estar afiliado(-a) a.
adhésif, -ive [adezif, iv] adj adhesivo(-a) ♦ nm adhesivo.
adhésion [adezjɔ̃] nf (*à un club*) afiliación f; (*à une opinion*) adscripción f.
ad hoc [adɔk] adj inv ad hoc inv.
adieu [adjø] excl ¡adiós! ♦ nm adiós msg; ~**x** nmpl: **faire ses** ~**x à qn** despedirse de algn; **dire** ~ **à qn** decir adiós a algn; **dire** ~ **à qch** decir adiós a algo.
adipeux, -euse [adipø, øz] adj adiposo(-a).

adjacent, e [adʒasɑ̃, ɑ̃t] *adj*: ~ **(à)** adyacente (a); **angles** ~**s** ángulos *mpl* adyacentes.

adjectif, -ive [adʒɛktif, iv] *adj* adjetivo(-a); ◆ *nm* adjetivo; ▸ **adjectif attribut/ démonstratif/épithète** adjetivo atributo/demostrativo/epíteto; ▸ **adjectif numéral/possessif/qualificatif** adjetivo numeral/posesivo/calificativo.

adjectival, e, -aux [adʒɛktival, o] *adj* adjetival.

adjoignais *etc* [adʒwaɲɛ] *vb voir* **adjoindre**.

adjoindre [adʒwɛ̃dʀ] *vt*: ~ **qch à qch** agregar algo a algo; *(ajouter)* añadir algo a algo; ~ **qn à** asociar a algn a; **s'**~ **un collaborateur** tomar un colaborador.

adjoint, e [adʒwɛ̃, wɛ̃t] *nm/f* adjunto(-a); **directeur** ~ director *m* adjunto; ▸ **adjoint au maire** teniente *m* alcalde.

adjonction [adʒɔ̃ksjɔ̃] *nf* añadido; **sans** ~ **de sucre/conservateur** sin azúcar/conservante.

adjudant [adʒydɑ̃] *nm* brigada *m*.

adjudant-chef [adʒydɑ̃ʃɛf] (*pl* ~**s**-~**s**) *nm* ≈ subteniente *m*.

adjudicataire [adʒydikatɛʀ] *nm/f* adjudicatario(-a).

adjudicateur, -trice [adʒydikatœʀ, tʀis] *nm/f* adjudicador(a).

adjudication [adʒydikasjɔ̃] *nf* adjudicación *f*.

adjuger [adʒyʒe] *vt* adjudicar; **s'adjuger** *vpr* adjudicarse; **adjugé!** ¡adjudicado!

adjurer [adʒyʀe] *vt*: ~ **qn de faire** implorar a algn que haga.

adjuvant [adʒyvɑ̃] *nm* coadyuvante *m*.

ad libitum [adlibitɔm] *adv* ad libitum.

admettre [admɛtʀ] *vt* admitir; *(candidat)* admitir, aprobar; ~ **que** admitir que; **j'admets que** admito que; **je n'admets pas ce genre de conduite** no admito este tipo de comportamiento; **je n'admets pas que tu fasses cela** no admito que hagas esto; **admettons** admitamos; **admettons que ...** admitamos que ... .

administrateur, -trice [administʀatœʀ, tʀis] *nm/f* administrador(a); ▸ **administrateur délégué** consejero(-a) delegado(-a); ▸ **administrateur judiciaire** interventor *m*.

administratif, -ive [administʀatif, iv] *adj* administrativo(-a).

administration [administʀasjɔ̃] *nf* administración *f*; **l'A**~ la Administración.

administré, e [administʀe] *nm/f*: **ses** ~**s** sus administrados.

administrer [administʀe] *vt* administrar.

admirable [admiʀabl] *adj* admirable.

admirablement [admiʀabləmɑ̃] *adv* admirablemente.

admirateur, -trice [admiʀatœʀ, tʀis] *nm/f* admirador(a).

admiratif, -ive [admiʀatif, iv] *adj* admirativo(-a).

admiration [admiʀasjɔ̃] *nf* admiración *f*; **être en** ~ **devant** admirar mucho a.

admirer [admiʀe] *vt* admirar.

admis, e [admi, iz] *pp de* **admettre**.

admissibilité [admisibilite] *nf* admisibilidad *f*.

admissible [admisibl] *adj* *(candidat)* admitido(-a); *(comportement*: *gén nég)* admisible.

admission [admisjɔ̃] *nf* admisión *f*; **tuyau** *etc* **d'**~ tubo *etc* de admisión; **demande d'**~ solicitud *f* de admisión; **le service des** ~**s** el servicio de admisiones.

admonester [admɔnɛste] *vt* amonestar.

ADN [adeɛn] *sigle m* (= *acide désoxyribonucléique*) ADN *m*.

ado [ado] (*fam*) *nm/f* = **adolescent**.

adolescence [adɔlesɑ̃s] *nf* adolescencia.

adolescent, e [adɔlesɑ̃, ɑ̃t] *nm/f* adolescente *m/f*.

adonner [adɔne]: **s'**~ *vpr*: **s'**~ **à** entregarse a.

adopter [adɔpte] *vt* *(projet de loi)* aprobar; *(politique, enfant)* adoptar.

adoptif, -ive [adɔptif, iv] *adj* adoptivo(-a).

adoption [adɔpsjɔ̃] *nf* *(d'un projet)* aprobación *f*; *(d'un enfant)* adopción *f*; **son pays/sa ville d'**~ su país/su ciudad de adopción.

adorable [adɔʀabl] *adj* adorable.

adoration [adɔʀasjɔ̃] *nf* adoración *f*; **être en** ~ **devant** sentir adoración por.

adorer [adɔʀe] *vt* adorar.

adosser [adose] *vt*: ~ **qch à/contre** adosar algo a/contra; **s'adosser** *vpr*: **s'**~ **à/contre** respaldarse en/contra; **être adossé à/ contre** estar adosado a/contra.

adoucir [adusiʀ] *vt* *(aussi fig)* suavizar; *(avec du sucre)* endulzar; *(peine, douleur)* aliviar; *(eau)* descalcificar; **s'adoucir** *vpr* suavizarse.

adoucissement [adusismɑ̃] *nm* mejoría.

adoucisseur [adusisœʀ] *nm*: ~ **(d'eau)** descalcificador *m* (de agua).

adr. *abr* (= *adresse*) Dir. (= *direction*).

adrénaline [adʀenalin] *nf* adrenalina.

adresse [adʀɛs] *nf* *(habileté)* habilidad *f*; *(domicile)* dirección *f*; *(INFORM)* directorio; **à l'**~ **de** a la atención de; **partir sans laisser d'**~ marchar sin dejar la dirección.

adresser [adʀese] *vt* *(expédier)* enviar; *(écrire l'adresse sur)* poner la dirección en; *(injure, compliments)* dirigir; **s'adresser** *vpr*: **s'**~ **à** dirigirse a; *(suj: livre, conseil)* estar dirigido(-a) a; ~ **qn à un**

docteur/un bureau enviar a algn a un médico/una oficina; ~ **la parole à qn** dirigir la palabra a algn.

Adriatique [adrijatik] nf: **l'~, la mer ~** el (mar) Adriático.

adroit, e [adrwa, wat] adj hábil; (rusé) astuto(-a).

adroitement [adrwatmā] adv hábilmente; (fig) astutamente.

aduler [adyle] vt adular.

adulte [adylt] nm/f adulto(-a) ♦ adj adulto(-a); (attitude) maduro(-a); **l'âge ~** la edad adulta; **film pour ~s** película para adultos; **formation des/pour ~s** formación f de/ para adultos.

adultère [adyltɛr] udj adúltero(-a) ♦ nm adulterio.

adultérin, e [adylterɛ̃, in] adj adulterino (-a).

advenir [advǝnir] vi ocurrir; **qu'adviendra-t-il/qu'est-il advenu de ...?** ¿qué ocurrirá?/ ¿qué ha ocurrido con ...?; **quoi qu'il advienne** pase lo que pase.

adventice [advãtis] adj adventicio(-a).

adventiste [advãtist] nm/f adventista m/f.

adverbe [advɛrb] nm adverbio; ▶ **adverbe de manière** adverbio de modo.

adverbial, e, -aux [advɛrbjal, jo] adj adverbial.

adversaire [advɛrsɛr] nm/f adversario(-a); **~ de qch** adversario(-a) de algo.

adverse [advɛrs] adj adverso(-a); **la partie ~** (JUR) la parte contraria.

adversité [advɛrsite] nf adversidad f.

AELE [aɛlǝ] sigle f (= Association européenne de libre-échange) EFTA.

aérateur [aeratœr] nm ventilador m.

aération [aerasjɔ̃] nf (action d'aérer) aeración f; (circulation de l'air) ventilación f; **bouche/conduit d'~** boca/conducto de ventilación.

aéré, e [aere] adj ventilado(-a); (tissu) vaporoso(-a); **centre ~** centro infantil al aire libre.

aérer [aere] vt (pièce, literie) ventilar; (style) aligerar; **s'aérer** vpr airearse, tomar el aire.

aérien, ne [aerjɛ̃, jɛn] adj (aussi fig) aéreo(-a); **compagnie ~ne** compañía aérea; **ligne ~ne** línea aérea.

aérobic [aerobik] nf aerobic m inv.

aérobie [aerobi] adj aerobio(-a).

aéro-club [aeroklœb] (pl ~-~s) nm aero-club m.

aérodrome [aerodrom] nm aeródromo.

aérodynamique [aerodinamik] adj aerodinámico(-a) ♦ nf aerodinámica.

aérofrein [aerofrɛ̃] nm freno aerodinámico.

aérogare [aerogar] nf terminal f; (en ville)

estación f terminal.

aéroglisseur [aeroglisœr] nm aerodeslizador m.

aérogramme [aerogram] nm carta por avión.

aéromodélisme [aeromodelism] nm aeromodelismo.

aéronaute [aeronot] nm aeronauta m/f.

aéronautique [aeronotik] adj aeronáutico(-a) ♦ nf aeronáutica.

aéronaval, e, -aux [aeronaval, o] adj aeronaval ♦ nf: **l'A~e** las Fuerzas aeronavales.

aéronef [aeronɛf] nm aeronave f.

aérophagie [aerofaʒi] nf aerofagia.

aéroport [aeropɔr] nm aeropuerto; ▶ **aéroport d'embarquement** aeropuerto de embarque.

aéroporté, e [aeropɔrte] adj aerotransportado(-a).

aéroportuaire [aeropɔrtɥɛr] adj del aeropuerto.

aéropostal, e, -aux [aeropɔstal, o] adj aeropostal.

aérosol [aerosɔl] nm aerosol m.

aérospatial, e, -aux [aerospasjal, jo] adj aeroespacial.

aérospatiale [aerospasjal] nf (science) ciencia aeroespacial; (industrie) industria aeroespacial.

aérostat [aerosta] nm aerostato.

aérotrain [aerotrɛ̃] nm aerotren m.

AF sigle fpl (= allocations familiales) voir **allocation**.

AFAT [afat] sigle f = auxiliaire féminin de l'armée de terre.

affabilité [afabilite] nf afabilidad f.

affable [afabl] adj afable.

affabulation [afabylasjɔ̃] nf fábula.

affabuler [afabyle] vi fabular.

affacturage [afaktyraʒ] nm cobro de facturas.

affadir [afadir] vt desazonar.

affaiblir [afeblir] vt debilitar; (poutre, câble) hacer ceder; **s'affaiblir** vpr debilitarse.

affaiblissement [afeblismã] nm debilitamiento.

affaire [afɛr] nf (problème, question) asunto; (scandale) escándalo; (criminelle, judiciaire) caso; (entreprise, magasin) negocio, empresa; (marché, transaction) negocio; (occasion intéressante) ganga; **~s** nfpl negocios mpl; (objets, effets personnels) cosas fpl; **ce sont mes/tes ~s** (cela me/te concerne) es asunto mío/tuyo; **tirer qn/se tirer d'~** sacar a algn/salir de un apuro; **en faire son ~** encargarse de ello; **n'en fais pas une ~!** ¡no hagas una montaña de eso!; **tu auras ~ à moi!** ¡te las verás conmigo!; **ceci fera l'~** esto bastará; **avoir**

~ **à qn/qch** (*comme adversaire*) tener que vérselas con algn/algo; (*comme contact*) estar en relación con algn/algo; **c'est une ~ de goût/d'argent** es una cuestión de gusto/dinero; **c'est l'~ d'une minute/ heure** es cosa de un minuto/una hora; **les A~s étrangères** Asuntos Exteriores; **toutes ~s cessantes** dejándolo todo.

affairé, e [afeʀe] *adj* ocupado(-a).

affairer [afeʀe]: **s'~** *vpr* afanarse.

affairisme [afeʀism] *nm* mercantilismo.

affaissement [afɛsmã] *nm* hundimiento.

affaisser [afese]: **s'~** *vpr* (*terrain, immeuble*) hundirse; (*personne*) desplomarse.

affaler [afale]: **s'~** *vpr*: **s'~ dans/sur** dejarse caer en/sobre.

affamé, e [afame] *adj* hambriento(-a).

affamer [afame] *vt* hacer padecer hambre.

affectation [afɛktasjɔ̃] *nf* (*de crédits, à un poste*) asignación *f*; (*prétention*) afectación *f*; (*feinte*) fingimiento.

affecté, e [afɛkte] *adj* (*prétentieux*) afectado(-a); (*feint*) fingido(-a).

affecter [afɛkte] *vt* (*toucher, émouvoir*) conmover, afectar; (*feindre*) fingir; (*telle ou telle forme*) presentar; ~ **qch/qn à** destinar algo/a algn a; ~ **qch d'un coefficient/ indice** asignar a algo un coeficiente/ índice.

affectif, -ive [afɛktif, iv] *adj* afectivo(-a).

affection [afɛksjɔ̃] *nf* afecto, cariño; (*MÉD*) afectación *f*; **avoir de l'~ pour** tener cariño a; **prendre en ~** tomar cariño a.

affectionner [afɛksjɔne] *vt* querer.

affectueusement [afɛktɥøzmã] *adv* afectuosamente.

affectueux, -euse [afɛktɥø, øz] *adj* afectuoso(-a).

afférent, e [afeʀã, ãt] *adj*: ~ **à** inherente a.

affermir [afɛʀmiʀ] *vt* (*sol*) afirmar; (*muscles, chairs*) fortalecer; (*position, pouvoir*) consolidar.

affichage [afiʃaʒ] *nm* anuncio; (*électronique*) marcador *m*; **"~ interdit"** "se prohibe fijar carteles"; **panneau/tableau d'~** panel *m*/tablón *m* de anuncios; ▶ **affichage à cristaux liquides** marcador de cristales líquidos; ▶ **affichage digital/ numérique** marcador digital/numérico.

affiche [afiʃ] *nf* cartel *m*, afiche *m* (*AM*); (*officielle*) anuncio; **être à l'~** estar en cartelera; **tenir l'~** mantenerse en cartelera.

afficher [afiʃe] *vt* anunciar; (*électroniquement*) marcar; (*fig, péj*) ostentar; **s'afficher** *vpr* (*péj*) exhibirse; (*électroniquement*) mostrarse; **"défense d'~"** "prohibido fijar carteles".

affichette [afiʃɛt] *nf* cartel *m* pequeño.

affilé, e [afile] *adj* afilado(-a).

affilée [afile]: **d'~** *adv* de un tirón.

affiler [afile] *vt* afilar.

affiliation [afiljasjɔ̃] *nf* afiliación *f*.

affilié, e [afilje] *adj*: **être ~ à** estar afiliado(-a) a ♦ *nm/f* afiliado(-a).

affilier [afilje]: **s'~ à** *vpr* afiliarse a.

affiner [afine] *vt* (*fromage*) madurar; (*métal*) afinar, purificar; (*analyse*) afinar; (*goût, esprit*) refinar; **s'affiner** *vpr* (*fromage*) madurarse; (*manières*) refinarse.

affinité [afinite] *nf* (*aussi fig*) afinidad *f*.

affirmatif, -ive [afiʀmatif, iv] *adj* (*réponse*) afirmativo(-a); (*personne*) seguro(-a) de sí mismo(-a).

affirmation [afiʀmasjɔ̃] *nf* afirmación *f*.

affirmative [afiʀmativ] *nf*: **répondre par l'~** responder afirmativamente; **dans l'~** en caso afirmativo.

affirmativement [afiʀmativmã] *adv* afirmativamente.

affirmer [afiʀme] *vt* afirmar; **s'affirmer** *vpr* afirmarse.

affleurer [aflœʀe] *vi* emerger.

affliction [afliksjɔ̃] *nf* aflicción *f*.

affligé, e [afliʒe] *adj* afligido(-a); ~ **d'une maladie/tare** aquejado(-a) por una enfermedad/tara.

affligeant, e [afliʒã, ãt] *adj* desolador(a).

affliger [afliʒe] *vt* afligir.

affluence [aflyãs] *nf* afluencia; **heure/jour d'~** hora/día *m* de afluencia.

affluent [aflyã] *nm* afluente *m*.

affluer [aflye] *vi* afluir.

afflux [afly] *nm* (*de gens, capitaux*) afluencia; (*de sang*) flujo.

affolant, e [afɔlã, ãt] *adj* enloquecedor(a).

affolé, e [afɔle] *adj* enloquecido(-a).

affolement [afɔlmã] *nm* pánico.

affoler [afɔle] *vt* asustar; **s'affoler** *vpr* asustarse.

affranchir [afʀãʃiʀ] *vt* (*lettre, paquet*) franquear; (*esclave*) libertar; (*d'une contrainte, menace*) liberar; **s'affranchir** *vpr*: **s'~ de** liberarse de.

affranchissement [afʀãʃismã] *nm* (*POSTES*) franqueo; (*d'un esclave*) liberación *f*; **tarifs d'~** tarifas *fpl* de franqueo; ▶ **affranchissement insuffisant** franqueo insuficiente.

affres [ɑfʀ] *nfpl*: **dans les ~ de** en las angustias de.

affréter [afʀete] *vt* fletar.

affreusement [afʀøzmã] *adv* horriblemente.

affreux, -euse [afʀø, øz] *adj* horrible.

affriolant, e [afʀijɔlã, ãt] *adj* seductor(a).

affront [afʀɔ̃] *nm* afrenta.

affrontement [afʀɔ̃tmã] *nm* enfrentamiento.

affronter [afʀɔ̃te] vt (adversaire) afrontar, hacer frente a; (tempête, critiques) afrontar; **s'affronter** vpr confrontarse.

affubler [afyble] (péj) vt: ~ qn de (accoutrement) disfrazar a algn de; ~ qn du surnom de poner a algn el mote de.

affût [afy] nm (de canon) cureña; à l'~ (de) (aussi fig) al acecho (de).

affûter [afyte] vt afilar.

afghan, e [afgã, an] adj afgano(-a).

Afghanistan [afganistã] nm Afganistán m.

afin [afɛ̃]: ~ que conj a fin de que; ~ de faire a fin de hacer, con el fin de hacer.

AFNOR [afnɔʀ] sigle f (= Association française de normalisation) ≈ Oficina Nacional de Normalización.

a fortiori [afɔʀsjɔʀi] adv a fortiori.

AFP [aɛfpe] sigle f = Agence France-Presse.

AFPA [afpa] sigle f = Association pour la formation professionnelle des adultes.

africain, e [afʀikɛ̃, ɛn] adj africano(-a) ◆ nm/f: A~, e africano(-a).

afrikaans [afʀikãs] adj inv, nm afrikaans m inv.

afrikaner [afʀikanɛʀ], **Afrikander** [afʀikãdɛʀ] nm/f afrikaner m/f.

Afrique [afʀik] nf África; ▶ **Afrique australe/du Nord/du Sud** África austral/del Norte/del Sur.

afro [afʀo] adj inv: **coiffure** ~ peinado afro.

afro-américain, e [afʀoameʀikɛ̃, ɛn] (pl ~-~s, es) adj afroamericano(-a).

AG [aʒe] sigle f = assemblée générale.

agaçant, e [agasã, ãt] adj molesto(-a), irritante.

agacement [agasmã] nm molestia.

agacer [agase] vt molestar; (aguicher) provocar.

agapes [agap] nfpl (festin) ágape m.

agate [agat] nf ágata.

AGE [aʒeə] sigle f = assemblée générale extraordinaire.

âge [ɑʒ] nm edad f; **quel** ~ **as-tu?** ¿qué edad tienes?; **une femme d'un certain** ~ una mujer de cierta edad; **bien porter son** ~ llevar bien los años; **prendre de l'**~ envejecer; **limite/dispense d'**~ límite m/ dispensa de edad; **troisième** ~ tercera edad; **avoir l'**~ **de raison** tener uso de razón; ▶ **l'âge ingrat** la edad del pavo; ▶ **âge légal/mental** edad legal/mental; ▶ **l'âge mûr** la edad madura.

âgé, e [ɑʒe] adj de edad; ~ **de 10 ans** de 10 años de edad; **les personnes âgées** los ancianos.

agence [aʒãs] nf agencia; (succursale) sucursal f; ▶ **agence immobilière/matrimoniale** agencia inmobiliaria/matrimonial; ▶ **agence de placement/de publicité/de voyages** oficina de empleo/de publicidad/de viajes.

agencé, e [aʒãse] adj: **bien/mal** ~ bien/mal dispuesto(-a).

agencement [aʒãsmã] nm disposición f.

agencer [aʒãse] vt (éléments, appartement) disponer; (texte) componer.

agenda [aʒɛ̃da] nm agenda.

agenouiller [aʒ(ə)nuje]: **s'**~ vpr arrodillarse.

agent [aʒã] nm (ADMIN) funcionario(-a); (élément, facteur) agente m, factor m; ▶ **agent commercial/d'assurances/de change** agente comercial/de seguros/de cambio; ▶ **agent (de police)** policía m, agente (AM); ▶ **agent immobilier** agente inmobiliario; ▶ **agent secret** agente secreto.

agglo [aglo] nm = **aggloméré**.

agglomérat [aglɔmeʀa] nm aglomerado.

agglomération [aglɔmeʀasjɔ̃] nf aglomeración f; (de huttes) poblado; **l'**~ **parisienne** el área metropolitana de París.

aggloméré [aglɔmeʀe] nm aglomerado.

agglomérer [aglɔmeʀe] vt aglomerar; **s'agglomérer** vpr aglomerarse.

agglutiner [aglytine] vt aglutinar; **s'agglutiner** vpr aglutinarse.

aggravant, e [agʀavã, ãt] adj: **circonstance** ~**e** circunstancia agravante.

aggravation [agʀavasjɔ̃] nf agravamiento, empeoramiento.

aggraver [agʀave] vt agravar, empeorar; (JUR) agravar; **s'aggraver** vpr agravarse; ~ **son cas** agravar su caso.

agile [aʒil] adj ágil.

agilement [aʒilmã] adv ágilmente.

agilité [aʒilite] nf agilidad f.

agio [aʒjo] nm agio.

agir [aʒiʀ] vi actuar; (avoir de l'effet) hacer efecto; **s'agir** vpr: **il s'agit de faire** se trata de hacer; **il s'agit de** se trata de; **de quoi s'agit-il?** ¿de qué se trata?; **s'agissant de** tratándose de.

agissements [aʒismã] nmpl (gén péj) manejos mpl.

agitateur, -trice [aʒitatœʀ, tʀis] nm/f agitador(a).

agitation [aʒitasjɔ̃] nf agitación f.

agité, e [aʒite] adj (gén enfant) revoltoso (-a); (vie, personne) agitado(-a); **une mer** ~**e** un mar agitado ou revuelto; **un sommeil** ~ un sueño intranquilo.

agiter [aʒite] vt agitar; (question, problème) discutir; (personne) inquietar; **s'agiter** vpr (POL, aussi fig) agitarse; "~ **avant l'emploi**" "agitar antes de usar".

agneau [aɲo] nm cordero.

agnelet [aɲ(ə)lɛ] nm corderillo.

agnostique [agnɔstik] adj, nm/f agnóstico (-a).

agonie [agɔni] *nf* (*aussi fig*) agonía.
agonir [agɔniʀ] *vt*: ~ qn d'injures colmar a algn de injurias.
agoniser [agɔnize] *vi* agonizar.
agrafe [agʀaf] *nf* (*de vêtement*) corchete *m*; (*MÉD, de bureau*) grapa.
agrafer [agʀafe] *vt* (*un vêtement*) abrochar; (*des feuilles de papier*) grapar.
agrafeuse [agʀaføz] *nf* grapadora.
agraire [agʀɛʀ] *adj* agrario(-a).
agrandir [agʀɑ̃diʀ] *vt* agrandar, ampliar; **s'agrandir** *vpr* agrandarse; (faire) ~ sa maison (hacer) ampliar su casa.
agrandissement [agʀɑ̃dismɑ̃] *nm* ampliación *f*, ensanche *m*; (*PHOTO*) ampliación.
agrandisseur [agʀɑ̃disœʀ] *nm* ampliadora.
agréable [agʀeabl] *adj* agradable.
agréablement [agʀeabləmɑ̃] *adv* agradablemente.
agréé, e [agʀee] *adj*: **magasin/ concessionnaire** ~ establecimiento/ concesionario autorizado.
agréer [agʀee] *vt* acceder; ~ à acceder a; se faire ~ hacerse admitir; **veuillez** ~ ... . le saluda ... .
agrég [agʀɛg] (*fam*) *nf* = **agrégation**.
agrégation [agʀegasjɔ̃] *nf* oposición *f*.
agrégé, e [agʀeʒe] *nm/f* catedrático(-a).
agréger [agʀeʒe]: **s'**~ *vpr* asociarse.
agrément [agʀemɑ̃] *nm* (*accord*) consentimiento; (*attraits*) atractivo; (*plaisir*) agrado; **jardin d'**~ jardín *m* de recreo; **voyage d'**~ viaje *m* de placer.
agrémenter [agʀemɑ̃te] *vt* amenizar; ~ qch de embellecer algo con.
agrès [agʀɛ] *nmpl* aparatos *mpl*.
agresser [agʀese] *vt* agredir.
agresseur [agʀesœʀ] *nm* agresor(a).
agressif, -ive [agʀesif, iv] *adj* agresivo(-a); (*couleur, toilette*) provocador(a).
agression [agʀesjɔ̃] *nf* agresión *f*.
agressivement [agʀesivmɑ̃] *adv* agresivamente.
agressivité [agʀesivite] *nf* agresividad *f*.
agreste [agʀɛst] *adj* agreste.
agricole [agʀikɔl] *adj* agrícola.
agriculteur, -trice [agʀikyltœʀ, tʀis] *nm/f* agricultor(a).
agriculture [agʀikyltyʀ] *nf* agricultura.
agripper [agʀipe] *vt* agarrar; **s'agripper** *vpr*: **s'**~ à agarrarse a, aferrarse a.
agro-alimentaire [agʀoalimɑ̃teʀ] (*pl* ~-~s) *adj* agroalimenticio(-a).
agronome [agʀɔnɔm] *nm/f* agrónomo(-a).
agronomie [agʀɔnɔmi] *nf* agronomía.
agronomique [agʀɔnɔmik] *adj* agronómico(-a).
agrumes [agʀym] *nmpl* agrios *mpl*.
aguerrir [ageʀiʀ] *vt* aguerrir; **s'aguerrir** *vpr*: **s'**~ (contre) endurecerse (contra).

aguets [agɛ] *adv*: **être aux** ~ estar al acecho.
aguichant, e [agiʃɑ̃, ɑ̃t] *adj* excitante.
aguicher [agiʃe] *vt* excitar.
aguicheur, -euse [agiʃœʀ, øz] *adj* incitador(a).
ah [ˈɑ] *excl* ¡ah!; ~ **bon?** ¿ah sí?; ~ **mais** ... ¡ah pero ...!; ~ **non!** ¡ni hablar!
ahuri, e [ayʀi] *adj* (*stupéfait*) estupefacto (-a); (*stupide*) atontado(-a).
ahurir [ayʀiʀ] *vt* asombrar.
ahurissant, e [ayʀisɑ̃, ɑ̃t] *adj* sorprendente.
ai [ɛ] *vb voir* **avoir.**
aide [ɛd] *nf* ayuda ♦ *nm/f* ayudante *m/f*; à **l'**~ **de** con (la) ayuda de; à **l'**~! ¡socorro!; **appeler** (qn) à **l'**~ pedir ayuda (a algn); **venir en** ~ à qn ayudar a algn; **il est venu à mon** ~ vino en mi ayuda; ▶ **aide de camp** *nm* ayudante de campo; ▶ **aide de laboratoire** *nm/f* auxiliar *m/f* de laboratorio; ▶ **aide familiale** *nf* ayuda familiar; ▶ **aide judiciaire** *nf* ayuda judicial; ▶ **aide ménagère** *nf* ayuda doméstica; ▶ **aide sociale** *nf* (*assistance*) asistencia social; ▶ **aide technique** *nm/f* asistente *m/f* técnico(-a).
aide-comptable [ɛdkɔ̃tabl(ə)] (*pl* ~s-~s) *nm/f* auxiliar *m/f* de contabilidad.
aide-électricien [ɛdeleltʀisjɛ̃] (*pl* ~s-~s) *nm* auxiliar *m/f* electricista.
aide-mémoire [ɛdmemwaʀ] *nm inv* memorándum *m*.
aider [ede] *vt* ayudar; **s'aider de** *vpr* ayudarse de, servirse de; ~ qn à faire qch ayudar a algn a hacer algo; ~ à (*faciliter, favoriser*) ayudar a.
aide-soignant, e [ɛdswaɲɑ̃] (*pl* ~s-~s, es) *nm/f* auxiliar *m/f* de enfermería.
aie *etc* [ɛ] *vb voir* **avoir.**
aïe [aj] *excl* ¡ay!
aïeul, e [ajœl] (*pl* ~s, aïeules) *nm/f* abuelo(-a); **aïeux** *nmpl* (*ancêtres*) antepasados *mpl*.
aigle [ɛgl] *nm* águila.
aiglefin [egləfɛ̃] *nm* = **églefin.**
aigre [ɛgʀ] *adj* (*aussi fig*) agrio(-a); **tourner à l'**~ agriarse.
aigre-doux, -douce [ɛgʀədu, dus] (*pl* ~s-~, -douces) *adj* agridulce.
aigrefin [ɛgʀəfɛ̃] *nm* estafador(a).
aigrelet, te [ɛgʀəlɛ, ɛt] *adj* (*goût, voix*) ligeramente agrio(-a); (*pomme etc*) ácido(-a); (*vin*) picado(-a).
aigrette [ɛgʀɛt] *nf* (*plume*) copete *m*.
aigreur [ɛgʀœʀ] *nf* acidez *f*; (*d'un propos*) acritud *f*; ▶ **aigreurs d'estomac** acidez de estómago.
aigri, e [ɛgʀi] *adj* amargado(-a).
aigrir [egʀiʀ] *vt* agriar; **s'aigrir** *vpr* agriar-

se.

aigu, ë [egy] *adj* (*objet, arête*) afilado(-a); (*voix, note, douleur*) agudo(-a).

aigue-marine [ɛgmaʀin] (*pl* ~s-~s) *nf* aguamarina.

aiguillage [egɥijaʒ] *nm* agujas *fpl*; (*manœuvre*) cambio de agujas.

aiguille [egɥij] *nf* aguja; (*montagne*) picacho; ▶ **aiguille à tricoter** aguja de tejer.

aiguiller [egɥije] *vt* orientar; (*RAIL*) cambiar las agujas.

aiguillette [egɥijɛt] *nf* (*CULIN*) tajada.

aiguilleur [egɥijœʀ] *nm* guardagujas *msg*; ▶ **aiguilleur du ciel** controlador *m* aéreo.

aiguillon [egɥijɔ̃] *nm* (*d'abeille*) aguijón *m*; (*de la peur, du désir*) acicate *m*.

aiguillonner [egɥijɔne] *vt* (*fig*) acuciar.

aiguiser [egize] *vt* afilar; (*fig*) aguzar.

aiguisoir [egizwaʀ] *nm* afilador *m*.

aïkido [aikido] *nm* aikido.

ail [aj] *nm* ajo.

aile [ɛl] *nf* ala; (*de voiture*) aleta; **battre de l'~** estar alicaído(-a); **voler de ses propres ~s** volar solo(-a); ▶ **aile libre** vuelo libre.

ailé, e [ele] *adj* alado(-a).

aileron [ɛlʀɔ̃] *nm* (*de requin*) aleta; (*d'avion, de voiture*) alerón *m*.

ailette [ɛlɛt] *nf* aleta.

ailier [elje] *nm* extremo; ▶ **ailier droit/ gauche** extremo derecho/izquierdo.

aille *etc* [aj] *vb voir* **aller.**

ailleurs [ajœʀ] *adv* en otra parte; **partout/ nulle part** ~ en cualquier/en ninguna otra parte; **d'~** además; **par** ~ por otra parte.

ailloli [ajɔli] *nm* alioli *m*.

aimable [ɛmabl] *adj* amable; **vous êtes bien** ~ es usted muy amable.

aimablement [ɛmabləmɑ̃] *adv* amablemente.

aimant, e [ɛmɑ̃] *adj* afectuoso(-a) ♦ *nm* imán *m*.

aimanté, e [ɛmɑ̃te] *adj* imantado(-a).

aimanter [ɛmɑ̃te] *vt* imantar.

aimer [eme] *vt* (*d'amour*) querer, amar; (*d'amitié, affection*) querer; (*chose, activité*) gustar; **s'aimer** *vpr* amarse; **bien** ~ **qn/qch** querer mucho a algn/algo; **j'aime le cinéma/faire du sport** me gusta el cine/ hacer deporte; **j'aime bien Pierre** me cae bien Pedro; **aimeriez-vous que je vous accompagne?** ¿le gustaría que le acompañase?; **j'aimerais (bien) m'en aller** me gustaría (mucho) irme; **j'aimerais te demander de ...** quisiera preguntarte si ...; **j'aimerais que la porte soit fermée** me gustaría que la puerta estuviese cerrada; **tu**

aimerais que je fasse qch pour toi? ¿te gustaría que hiciese algo por ti?; **j'aime mieux** *ou* **autant vous dire que** prefiero decirle que; **j'aimerais autant** *ou* **mieux y aller maintenant** preferiría ir ahora; **j'aimerais avoir ton avis/opinion** me gustaría conocer tu opinión; **j'aime mieux Paul que Pierre** prefiero a Pablo antes que a Pedro.

aine [ɛn] *nf* ingle *f*.

aîné, e [ene] *adj* mayor ♦ *nm/f* primogénito(-a); ~**s** *nmpl* (*fig*: *anciens*) antepasados *mpl*; **il est mon** ~ **(de 2 ans)** es (2 años) mayor que yo.

aînesse [ɛnɛs] *nf*: **droit d'~** primogenitura.

ainsi [ɛ̃si] *adv* (*de cette façon*) de este modo; (*ce faisant*) así ♦ *conj* entonces; ~ **que** (*comme*) así como; (*et aussi*) y también; **pour** ~ **dire** por decirlo así; ~ **donc** así pues; ~ **soit-il** así sea; **et** ~ **de suite** y así sucesivamente.

aïoli [ajɔli] *nm* = **ailloli.**

air [ɛʀ] *nm* aire *m*; (*expression, attitude*) aspecto; **dans l'~** (*atmosphère, ambiance*) en el aire; **tout mettre en l'~ dans une pièce** poner una habitación patas arriba; **regarder en l'~** mirar hacia arriba; **tirer en l'~** disparar al aire; **parole/menace en l'~** palabra/amenaza al aire; **prendre l'~** tomar el aire; **avoir l'~** parecer, verse (*AM*); **il a l'~ de manger/dormir/faire** parece que está comiendo/durmiendo/ haciendo; **avoir l'~ d'un homme/clown** parecer un hombre/payaso; **prendre de grands ~s (avec qn)** darse aires de grandeza (con algn); **avoir l'~ triste** parecer triste; **ils ont un** ~ **de famille** se dan un aire de familia; **courant d'~** corriente *f* de aire; **le grand** ~ el aire libre; **mal de l'~** mareo; **tête en l'~** despistado(-a); ▶ **air comprimé/conditionné/liquide** aire comprimido/acondicionado/líquido.

aire [ɛʀ] *nf* área; (*domaine, zone*) campo; (*nid*) aguilera; ▶ **aire d'atterrissage** pista de aterrizaje; ▶ **aire de jeu/de lancement** área de juego/de lanzamiento; ▶ **aire de stationnement** área de estacionamiento; (*d'autoroute*) área de descanso.

airelle [ɛʀɛl] *nf* arándano.

aisance [ɛzɑ̃s] *nf* (*facilité*) facilidad *f*; (*grâce, adresse*) desenvoltura; (*richesse*) bienestar *m*; (*COUTURE*) holgura; **être dans l'~** estar desahogado(-a).

aise [ɛz] *nf* (*confort*) comodidad *f*; (*financière*) desahogo ♦ *adj*: **être bien** ~ **de/que** estar encantado(-a) de/de que; ~**s** *nfpl*: **prendre ses** ~**s** instalarse a sus anchas; **soupirer/frémir d'~** suspirar/temblar de gozo; **être à l'~** *ou* **à son** ~ estar a gusto;

(*pas embarrassé*) estar a sus anchas; (*financièrement*) estar desahogado(-a); **se mettre à l'~** ponerse a gusto; **être mal à l'~** *ou* **à son ~** estar a disgusto; (*gêné*) estar molesto(-a); **mettre qn à l'~/mal à l'~** hacer que algn se sienta cómodo (-a)/incómodo(-a); **à votre ~** como usted guste; **en faire à son ~** hacer lo que a uno le plazca; **en prendre à son ~ avec** qch tomarse algo con calma; **il aime ses ~s** le gusta la comodidad.

aisé, e [eze] *adj* (*facile*) fácil; (*naturel*) desenvuelto(-a); (*assez riche*) acomodado(-a).

aisément [ezemɑ̃] *adv* (*sans peine*) fácilmente; (*dans la richesse*) holgadamente.

aisselle [ɛsɛl] *nf* axila.

ait [ɛ] *vb voir* **avoir**.

ajonc [aʒɔ̃] *nm* aulaga.

ajouré, e [aʒuʀe] *adj* calado(-a).

ajournement [aʒuʀnəmɑ̃] *nm* aplazamiento.

ajourner [aʒuʀne] *vt* (*débat, décision*) aplazar, postergar (*AM*); (*candidat*) suspender; (*conscrit*) reemplazar.

ajout [aʒu] *nm* añadido.

ajouter [aʒute] *vt* añadir, agregar (*esp AM*); (*INFORM*) juntar, añadir; **~ que** añadir que; **~ foi à** dar crédito a; **~ à** añadir a; **s'~ à** añadirse a.

ajustage [aʒystaʒ] *nm* ajuste *m*.

ajusté, e [aʒyste] *adj*: **bien ~** ajustado(-a).

ajustement [aʒystəmɑ̃] *nm* ajuste *m*.

ajuster [aʒyste] *vt* (*TECH*) ajustar; (*vêtement*) adaptar; (*cravate*) anudar; (*viser*) apuntar; **~ qch à** adaptar algo a.

ajusteur [aʒystœʀ] *nm* ajustador *m*.

alaise [alɛz] *nf* = **alèse**.

alambic [alɑ̃bik] *nm* alambique *m*.

alambiqué, e [alɑ̃bike] *adj* alambicado(-a).

alangui, e [alɑ̃gi] *adj* lánguido(-a).

alanguir [alɑ̃giʀ] *vt* languidecer; **s'alanguir** *vpr* languidecer.

alarmant, e [alaʀmɑ̃, ɑ̃t] *adj* alarmante.

alarme [alaʀm] *nf* (*signal*) alarma; (*inquiétude*) inquietud *f*; **donner l'~** dar la alarma; **jeter l'~** sembrar la alarma; **à la première ~** al primer toque de alarma.

alarmer [alaʀme] *vt* alarmar; **s'alarmer** *vpr* alarmarse.

alarmiste [alaʀmist] *adj* alarmista.

Alaska [alaska] *nm* Alaska.

albanais, e [albanɛ, ɛz] *adj* albanés(-esa) ♦ *nm* (*LING*) albanés *m* ♦ *nm/f*: **A~, e** albanés(-esa).

Albanie [albani] *nf* Albania.

albâtre [albɑtʀ] *nm* alabastro.

albatros [albatʀos] *nm* albatros *m*.

albigeois, e [albiʒwa, waz] *adj* albigense.

albinos [albinos] *nm/f* albino(-a).

album [albɔm] *nm* álbum *m*; ► **album à colorier/de timbres** álbum para colorear/de sellos.

albumen [albymɛn] *nm* clara.

albumine [albymin] *nf* albúmina; **avoir** *ou* **faire de l'~** tener albúmina.

alcalin, e [alkalɛ̃, in] *adj* alcalino(-a).

alchimie [alʃimi] *nf* alquimia.

alchimiste [alʃimist] *nm/f* alquimista *m/f*.

alcool [alkɔl] *nm*: **l'~** el alcohol; **un ~** un licor; ► **alcool à 90°** alcohol de 90°; ► **alcool à brûler** alcohol de quemar; ► **alcool camphré** alcohol alcanforado; ► **alcool de poire/de prune** licor de pera/de ciruela.

alcoolémie [alkɔlemi] *nf*: **taux d'~** tasa de alcoholemia.

alcoolique [alkɔlik] *adj, nm/f* alcohólico(-a).

alcoolisé, e [alkɔlize] *adj* alcoholizado(-a); **fortement/peu ~** muy/poco alcoholizado(-a).

alcoolisme [alkɔlism] *nm* alcoholismo.

alco(o)test ® [alkɔtɛst] *nm* (*objet*) alcohómetro; (*épreuve*) prueba del alcohol; **faire subir l'alcootest à qn** hacer la prueba del alcohol a algn.

alcôve [alkov] *nf* alcoba.

aléas [alea] *nmpl* riesgos *mpl*.

aléatoire [aleatwaʀ] *adj* aleatorio(-a).

alémanique [alemanik] *adj* alemánico(-a).

alentour [alɑ̃tuʀ] *adv* alrededor; **~s** *nmpl* alrededores *mpl*; **aux ~s de** en los alrededores de.

alerte [alɛʀt] *adj* vivo(-a) ♦ *nf* (*menace*) alerta; (*signal, inquiétude*) alarma; **donner l'~** dar la alerta; **à la première ~** al primer toque de alarma.

alerter [alɛʀte] *vt* alertar.

alésage [alezaʒ] *nm* (*opération*) calibrado; (*diamètre intérieur*) calibre *m*.

alèse [alɛz] *nf* funda impermeable.

aléser [aleze] *vt* calibrar, fresar.

alevin [alvɛ̃] *nm* alevín *m*.

alevinage [alvinaʒ] *nm* repoblación *f* de los ríos y estanques.

Alexandrie [alɛksɑ̃dʀi] *n* Alejandría.

alexandrin [alɛksɑ̃dʀɛ̃] *nm* alejandrino.

alezan, e [alzɑ̃, an] *adj, nm/f* alazán(-ana); ► **alezan clair** alazán claro.

algarade [algaʀad] *nf* altercado.

algèbre [alʒɛbʀ] *nf* álgebra.

algébrique [alʒebʀik] *adj* algebraico(-a).

Alger [alʒe] *n* Argel *m*.

Algérie [alʒeʀi] *nf* Argelia.

algérien, ne [alʒeʀjɛ̃, jɛn] *adj* argelino(-a) ♦ *nm/f*: **A~, ne** argelino(-a).

algérois, e [alʒeʀwa, waz] *nm/f* argelino(-a) ♦ *nm*: **l'A~** la provincia de Argel.

algorithme [algɔʀitm] *nm* algoritmo.

algue [alg] *nf* alga.

alias [aljas] *adv* alias.

alibi [alibi] *nm* coartada.

aliénation [aljenasjɔ̃] *nf* alienación *f*; ▶ **aliénation mentale** enajenación *f* mental.

aliéné, e [aljene] *nm/f* enajenado(-a).

aliéner [aljene] *vt* alienar; **s'aliéner** *vpr* perder.

alignement [aliɲ(ə)mɑ̃] *nm* alineación *f*; à l'~ en fila.

aligner [aliɲe] *vt* alinear; (*idées*) ordenar; **s'aligner** *vpr* alinearse; ~ **qch sur** poner algo en línea con; **s'~ (sur)** (*POL*) estar alineado(-a) (con).

aliment [alimɑ̃] *nm* (*aussi fig*) alimento; ▶ **aliment complet** alimento completo.

alimentaire [alimɑ̃tɛʀ] *adj* alimenticio(-a); (*péj: besogne*) para poder comer; **produits** *ou* **denrées** ~**s** productos *mpl* alimenticios.

alimentation [alimɑ̃tasjɔ̃] *nf* alimentación *f*; (*en eau, en électricité*) provisión *f*; ▶ **alimentation à feuille** alimentación de hojas; ▶ **alimentation de base** alimentación básica; ▶ **alimentation en continu** alimentación continua; ▶ **alimentation en papier** alimentación de papel; ▶ **alimentation générale** alimentación.

alimenter [alimɑ̃te] *vt* alimentar; (*conversation*) sostener; (*en eau, électricité*): ~ (**en**) alimentar (con), abastecer (con); **s'alimenter** *vpr* alimentarse.

alinéa [alinea] *nm* párrafo; "**nouvel** ~" "punto y aparte", "nuevo párrafo".

aliter [alite]: **s'~** *vpr* guardar cama; **infirme alité** enfermo encamado.

alizé [alize] *adj, nm*: (**vent**) ~ (viento) alisio.

allaitement [alɛtmɑ̃] *nm* lactancia; ▶ **allaitement au biberon/maternel/mixte** lactancia con biberón/materna/mixta.

allaiter [alete] *vt* (*femme*) dar el pecho a; (*animal*) amamantar.

allant [alɑ̃] *nm* energía.

alléchant, e [aleʃɑ̃, ɑ̃t] *adj* (*odeur*) atrayente; (*proposition etc*) tentador(a).

allécher [aleʃe] *vt* (*odeur*) atraer; (*proposition etc*) tentar; ~ **qn** engatusar a algn.

allée [ale] *nf* (*de jardin, parc*) paseo, sendero; (*en ville*) avenida; ~**s** *nfpl*: ~**s et venues** idas *fpl* y venidas *fpl*.

allégation [a(l)legasjɔ̃] *nf* alegación *f*.

allégeance [aleʒɑ̃s] *nf* juramento.

alléger [aleʒe] *vt* (*voiture*) aligerar; (*dette, souffrance*) reducir.

allégorie [a(l)legɔʀi] *nf* alegoría.

allégorique [a(l)legɔʀik] *adj* alegórico(-a).

allègre [a(l)lɛgʀ] *adj* (*vif*) resuelto(-a); (*joyeux*) alegre.

allégresse [a(l)legʀɛs] *nf* alegría.

allegretto [al(l)egʀ(ɛt)to] *nm, adv* allegret-to.

allegro [a(l)legʀo] *nm, adv* allegro.

alléguer [a(l)lege] *vt* alegar.

Allemagne [almaɲ] *nf* Alemania; ▶ **l'Allemagne de l'Est/de l'Ouest/fédérale** (*HIST*) Alemania del este/del oeste/ federal.

allemand, e [almɑ̃, ɑ̃d] *adj* alemán(-ana) ♦ *nm* (*LING*) alemán *m* ♦ *nm/f*: **A~, e** alemán(-ana); ▶ **allemand de l'Est/de l'Ouest** (*HIST*) alemán del este/del oeste.

═══════════════ *MOT-CLÉ*

aller [ale] *nm* ida; **aller (simple)** ida
♦ *vi* **1** ir; **aller à la chasse/pêche** ir a cazar/pescar, ir de caza/pesca; **aller au théâtre/au concert/au cinéma** ir al teatro/a conciertos/al cine; **aller à l'école** ir al colegio

2 (*situation, moteur, personne etc*) andar, estar; **comment allez-vous?** ¿qué tal está usted?; **comment ça va?** ¿qué tal?; **ça va?** – **oui, ça va/non, ça ne va pas** ¿qué tal? – **bien/mal**; **comment ça va les affaires?** ¿qué tal van las cosas?; **ça ne va pas très bien (au bureau)** las cosas no van muy bien (en la oficina); **ça va bien/mal** anda bien/mal; **ça va** (*approbation*) bien; **tout va bien** todo va bien; **il va bien/mal** está bien/mal; **il y va de leur vie** les va en ello la vida; **il n'y est pas allé par quatre chemins** (*fig*) no se anduvo con rodeos; **tu y vas un peu (trop) fort** exageras un poco; **aller à** (*suj: forme, pointure etc*) adaptarse a; **cette robe te va très bien** este vestido te sienta muy bien; **cela me va** (*couleur, vêtement*) esto me sienta *ou* va bien; **aller avec** (*couleurs, style etc*) pegar con; **ça ne va pas sans difficultés** esto conlleva dificultades; **aller sur** (*âge*) acercarse a; **ça ira** (*comme ça*) está bien así; **se laisser aller** (*se négliger*) abandonarse; **aller jusqu'à Paris/100 F** (*limite*) llegar hasta París/100 francos; **ça va de soi** se cae por su propio peso; **ça va sans dire** ni qué decir tiene; **il va sans dire que ... ni** qué decir tiene que ...

3 (*fonction d'auxiliaire*): **je vais me fâcher/ le faire** voy a enfadarme/hacerlo; **aller chercher/voir qn** ir a buscar/a ver a algn; **je vais m'en occuper demain** voy a ocuparme de ello mañana

4: **allons-y!** ¡vamos!; **allez!** ¡venga!; **allons donc!** ¡anda ya!; **aller mieux** ir mejor; **aller en empirant** ir empeorando; **allez, fais un effort** vamos, haz un esfuerzo; **allez, je m'en vais** bueno, me voy; **s'en aller** irse.

allergène [alɛʀʒɛn] *nm* alérgeno.

allergie [alɛʀʒi] *nf* alergia.
allergique [alɛʀʒik] *adj* (*aussi* *fig*) alérgico(-a); ~ à alérgico(-a) a.
alliage [aljaʒ] *nm* aleación *f*.
alliance [aljɑ̃s] *nf* alianza; (*mariage*) matrimonio; **neveu par** ~ sobrino político.
allié, e [alje] *adj, nm/f* aliado(-a); **les A~s** los Aliados; **parents et** ~**s** parientes *mpl* y allegados *mpl*.
allier [alje] *vt* aliar; (*métaux*) alear; (*fig*) unir; **s'allier** *vpr* aliarse; **s'**~ à aliarse con.
alligator [aligatɔʀ] *nm* aligator *m*.
allitération [a(l)liteʀasjɔ̃] *nf* aliteración *f*.
allô [alo] *excl* dígame, aló (*AM*).
allocataire [alɔkatɛʀ] *nm/f* beneficiario(-a).
allocation [alɔkasjɔ̃] *nf* asignación *f*; ▸ **allocation (de) chômage** subsidio de desempleo; ▸ **allocation (de) logement/de maternité** prestación *f* para alojamiento/por maternidad; ▸ **allocations familiales** ayuda *fsg* familiar.
allocution [a(l)lɔkysjɔ̃] *nf* alocución *f*; ▸ **allocution télévisée** alocución televisada.
allongé, e [alɔ̃ʒe] *adj* (*long, étiré, oblong*) alargado(-a); **être** ~ (*étendu*) estar tumbado(-a); **rester** ~ (*blessé, malade*) permanecer tumbado(-a); (*se reposer*) quedar en cama; **mine** ~**e** cara larga.
allonger [alɔ̃ʒe] *vt* (*objet, durée*) alargar; (*bras*) estirar; (*fam: sauce*) extender; (: *coup, argent*) largar; **s'allonger** *vpr* (*journée, séance*) alargarse; (*personne*) tumbarse; ~ **le pas** aligerar el paso.
allouer [alwe] *vt:* ~ **qch à** asignar algo a.
allumage [alymaʒ] *nm* encendido.
allume-cigare [alymsigaʀ] *nm inv* encendedor *m*.
allume-gaz [alymgɑz] *nm inv* encendedor *m*.
allumer [alyme] *vt* encender, prender (*AM*); (*pièce*) alumbrar; **s'allumer** *vpr* encenderse; ~ (**la lumière** *ou* **l'électricité**) encender (la luz *ou* la electricidad); ~ **le/un feu** encender el/un fuego.
allumette [alymɛt] *nf* cerilla; ▸ **allumette au fromage** empanadilla de queso.
allumeur [alymœʀ] *nm* delco.
allumeuse [alymøz] (*péj*) *nf* provocadora.
allure [alyʀ] *nf* (*d'un véhicule*) velocidad *f*; (*d'un piéton*) paso; (*démarche, maintien*) presencia; (*aspect, air*) aspecto; **avoir de l'**~ tener buena presencia; **à toute** ~ a toda velocidad.
allusion [a(l)lyzjɔ̃] *nf* (*référence*) referencia; (*sous-entendu*) alusión *f*; **faire** ~ **à** hacer referencia a; (*avec sous-entendu*) hacer alusión a.
alluvions [a(l)lyvjɔ̃] *nfpl* aluvión *msg*.
almanach [almana] *nm* almanaque *m*.

aloès [alɔɛs] *nm* áloe *m*.
aloi [alwa] *nm*: **de bon/mauvais** ~ de buen/mal gusto.

═══════════════════════ **MOT-CLÉ**

alors [alɔʀ] *adv* (*à ce moment-là*) entonces; **il habitait alors à Paris** vivía entonces en París
♦ *conj* (*par conséquent*) entonces; **tu as fini? alors je m'en vais** ¿has acabado? entonces, me voy; **et alors?** (*pour en savoir plus*) ¿entonces?; (*indifférence*) ¿y qué? ♦
alors que *conj* **1** (*au moment où*) cuando; **il est arrivé alors que je partais** llegó cuando me iba
2 (*pendant que*) cuando, mientras; **alors qu'il était à Paris, il a visité ...** mientras estaba en París, visitó ...
3 (*tandis que, opposition*) mientras que; **alors que son frère travaillait dur, lui se reposait** mientras que su hermano trabajaba duro, él descansaba.
───────────────────────

alouette [alwɛt] *nf* alondra.
alourdir [aluʀdiʀ] *vt* hacer pesado(-a); (*fig*) entorpecer; **s'alourdir** *vpr* ponerse pesado(-a).
aloyau [alwajo] *nm* solomillo.
alpaga [alpaga] *nm* alpaca.
alpage [alpaʒ] *nm* pasto de montaña.
Alpes [alp] *nfpl*: **les** ~ los Alpes.
alpestre [alpɛstʀ] *adj* alpino(-a).
alphabet [alfabɛ] *nm* alfabeto.
alphabétique [alfabetik] *adj* alfabético(-a); **par ordre** ~ por orden alfabético.
alphabétisation [alfabetizasjɔ̃] *nf* alfabetización *f*.
alphabétiser [alfabetize] *vt* alfabetizar.
alphanumérique [alfanymeʀik] *adj* alfanumérico(-a).
alpin, e [alpɛ̃, in] *adj* alpino(-a); (*club*) de alpinismo.
alpinisme [alpinism] *nm* alpinismo, andinismo (*AM*).
alpiniste [alpinist] *nm/f* alpinista *m/f*, andinista *m/f* (*AM*).
Alsace [alzas] *nf* Alsacia.
alsacien, ne [alzasjɛ̃, jɛn] *adj* alsaciano(-a) ♦ *nm/f*: **A~,** **ne** alsaciano(-a).
altercation [altɛʀkasjɔ̃] *nf* altercado.
alter ego [altɛʀego] *nm* alter ego *m*.
altérer [alteʀe] *vt* (*falsifier*) falsificar; (*abîmer*) adulterar; (*INFORM*) alterar; (*donner soif à*) dar sed a; **s'altérer** *vpr* (*s'abîmer*) estropearse.
alternance [altɛʀnɑ̃s] *nf* alternancia; **en** ~ alternativamente; **formation en** ~ formación *f* en alternancia.
alternateur [altɛʀnatœʀ] *nm* alternador *m*.
alternatif, -ive [altɛʀnatif, iv] *adj*

alternativo(-a).
alternative [altɛʀnativ] *nf* alternativa.
alternativement [altɛʀnativmã] *adv* alternativamente.
alterner [altɛʀne] *vt* (*choses*) alternar; (*cultures*) rotar ♦ *vi* alternar; ~ **avec qch** alternar con algo; **(faire)** ~ **qch avec qch** alternar algo con algo.
Altesse [altɛs] *nf*: **son** ~ **le** ... su Alteza el ... .
altier, -ière [altje, jɛʀ] *adj* altivo(-a).
altimètre [altimɛtʀ] *nm* altímetro.
altiport [altipɔʀ] *nm* altipuerto.
altiste [altist] *nm/f* viola *m/f*.
altitude [altityd] *nf* (*par rapport à la mer*) altitud *f*; (*par rapport au sol*) altura; **à 500 m d'**~ a 500m de altitud; **en** ~ en las alturas; **perdre/prendre de l'**~ perder/ coger altura; **voler à haute/basse** ~ volar alto/bajo.
alto [alto] *nm* (*instrument*) viola ♦ *nf* (*chanteuse*) contralto *f*.
altruisme [altʀɥism] *nm* altruismo.
altruiste [altʀɥist] *adj, nm/f* altruista *m/f*.
aluminium [alyminjɔm] *nm* aluminio.
alun [alɶ̃] *nm* alumbre *m*.
alunir [alyniʀ] *vi* alunizar.
alunissage [alynisaʒ] *nm* alunizaje *m*.
alvéole [alveɔl] *nf ou m* celdilla, alveolo.
alvéolé, e [alveɔle] *adj* alveolado(-a).
amabilité [amabilite] *nf* amabilidad *f*; **il a eu l'**~ **de** ... ha tenido la amabilidad de ... .
amadou [amadu] *nm* yesca.
amadouer [amadwe] *vt* (*enjôler*) engatusar; (*adoucir*) ablandar.
amaigrir [amegʀiʀ] *vt* adelgazar.
amaigrissant, e [amegʀisã, ãt] *adj*: **régime** ~ régimen *m* de adelgazamiento.
amalgame [amalgam] *nm* amalgama; **pratiquer l'**~ practicar la amalgama.
amalgamer [amalgame] *vt* amalgamar.
amande [amãd] *nf* almendra; (*de noyau de fruit*) pepita; **en** ~ (*yeux*) con forma de almendra, almendrado(-a).
amandier [amãdje] *nm* almendro.
amanite [amanit] *nf* amanita.
amant, e [amã, ãt] *nm/f* amante *m/f*.
amarre [amaʀ] *nf* amarra; ~**s** *nfpl* amarras *fpl*.
amarrer [amaʀe] *vt* (*NAUT*) amarrar; (*gén*) amarrar, atar.
amaryllis [amaʀilis] *nf* amarilis *f*.
amas [amɑ] *nm* montón *m*.
amasser [amɑse] *vt* amontonar; **s'amasser** *vpr* amontonarse.
amateur [amatɶʀ] *nm* (*aussi péj*) aficionado(-a); **musicien/sportif** ~ músico(-a)/deportista aficionado(-a); **en** ~ (*péj*) como aficionado(-a); ▸ **amateur**

de musique/de sport aficionado(-a) a la música/al deporte.
amateurisme [amatɶʀism] *nm* calidad *f* de aficionado; (*péj*) diletantismo.
Amazone [amazon] *nf*: **l'**~ el Amazonas.
amazone [amazon] *nf*: **en** ~ a la amazona.
Amazonie [amazɔni] *nf* Amazonia.
ambages [ãbaʒ]: **sans** ~ *adv* sin ambages.
ambassade [ãbasad] *nf* embajada; **en** ~ (*mission*) como embajada; **secrétaire/ attaché(e) d'**~ secretario(-a)/agregado(-a) de embajada.
ambassadeur, -drice [ãbasadɶʀ, dʀis] *nm/f* (*POL, fig*) embajador(a).
ambiance [ãbjãs] *nf* ambiente *m*; **il y a de l'**~ hay animación.
ambiant, e [ãbjã, jãt] *adj* ambiente.
ambidextre [ãbidɛkstʀ] *adj* ambidiestro (-a).
ambigu, -uë [ãbigy] *adj* ambiguo(-a).
ambiguïté [ãbigɥite] *nf* ambigüedad *f*.
ambitieux, -euse [ãbisjø, jøz] *adj, nm/f* ambicioso(-a).
ambition [ãbisjɔ̃] *nf* ambición *f*; **une** ~ (*but, visée*) una aspiración.
ambitionner [ãbisjɔne] *vt* ambicionar.
ambivalent, e [ãbivalã, ãt] *adj* ambivalente.
amble [ãbl] *nm*: **aller l'**~ amblar.
ambre [ãbʀ] *nm*: ~ **jaune/gris** ámbar *m* amarillo/gris.
ambré, e [ãbʀe] *adj* (*couleur*) ambarino (-a); (*parfum*) con olor a ámbar.
ambulance [ãbylãs] *nf* ambulancia.
ambulancier, -ière [ãbylãsje, jɛʀ] *nm/f* conductor(a) de una ambulancia.
ambulant, e [ãbylã, ãt] *adj* ambulante.
âme [am] *nf* (*spirituelle*) alma; (*conscience morale*) conciencia; **village de 200** ~**s** pueblo de 200 almas; **rendre l'**~ entregar el alma; **joueur/tricheur dans l'**~ jugador/ tramposo empedernido; **bonne** ~ (*aussi ironique*) alma caritativa; **en mon** ~ **et conscience** en conciencia; ▸ **âme sœur** alma gemela.
amélioration [ameljɔʀasjɔ̃] *nf* mejoría.
améliorer [ameljɔʀe] *vt* mejorar; **s'améliorer** *vpr* mejorarse.
aménagement [amenaʒmã] *nm* (*d'un local, d'un carrefour*) acondicionamiento; (*installation*) habilitación *f*; **l'**~ **du territoire** el fomento de los recursos de un país; ▸ **aménagements fiscaux** desgravaciones *fpl* fiscales.
aménager [amenaʒe] *vt* acondicionar; (*installer*) habilitar.
amende [amãd] *nf* multa; **mettre à l'**~ reprender; **faire** ~ **honorable** retractarse.
amendement [amãdmã] *nm* (*JUR*) enmienda.

amender [amɑ̃de] vt (*loi*) enmendar; (*terre*) abonar; **s'amender** vpr enmendarse.

amène [amɛn] adj: **peu ~** poco ameno(-a).

amener [am(ə)ne] vt llevar; (*occasionner*) provocar; (*baisser*) arriar; **s'amener** (*fam*) vpr venirse; **~ qn à qch/à faire** incitar a algn a algo/a hacer.

amenuiser [amənɥize]: **s'~** vpr disminuir.

amer, amère [amɛʀ] adj amargo(-a); (*personne*) amargado(-a).

américain, e [ameʀikɛ̃, ɛn] adj americano(-a) ♦ nm (*LING*) americano ♦ nm/f: **A~, e** americano(-a); **en vedette ~e** en segundo plano.

américaniser [ameʀikanize] vt americanizar.

américanisme [ameʀikanism] nm americanismo.

amérindien, ne [ameʀɛ̃djɛ̃, jɛn] adj amerindio(-a).

Amérique [ameʀik] nf América; ► **Amérique centrale/du Nord/du Sud/latine** América central/del Norte/del Sur/latina.

Amerloque [amɛʀlɔk] (*péj*) nm/f yanqui m/f.

amerrir [ameʀiʀ] vi amarar.

amerrissage [ameʀisaʒ] nm amaraje m.

amertume [amɛʀtym] nf amargura.

améthyste [ametist] nf amatista.

ameublement [amœbləmɑ̃] nm mobiliario; **articles d'~** muebles mpl; **tissu d'~** género de tapicería.

ameublir [amœbliʀ] vt mullir.

ameuter [amøte] vt (*badauds*) alborotar; (*peuple*) amotinar.

ami, e [ami] nm/f amigo(-a); (*amant/maîtresse*) amante m/f ♦ adj: **famille ~e** familia amiga; **pays/groupe ~** país m/grupo aliado; **être (très) ~ avec qn** ser (muy) amigo de algn; **être ~ de l'ordre/de la précision** ser amigo del orden/de la precisión; **un ~ des arts/des chiens** un amigo de las artes/de los perros; **petit ~/petite ~e** (*fam*) novio/novia, pololo/polola (*fam: CHI*).

amiable [amjabl] adj (*gén*) amistoso (-a); **à l'~** amistosamente.

amiante [amjɑ̃t] nm amianto.

amibe [amib] nf ameba.

amical, e, -aux [amikal, o] adj amistoso (-a).

amicale [amikal] nf círculo.

amicalement [amikalmɑ̃] adv amistosamente; (*formule épistolaire*) cordialmente.

amidon [amidɔ̃] nm almidón m.

amidonner [amidɔne] vt almidonar.

amincir [amɛ̃siʀ] vt (*suj: vêtement*) hacer más delgado(-a); (*objet*) rebajar; **s'amincir** vpr (*objet*) disminuir; (*personne*) adelgazar.

amincissant, e [amɛ̃sisɑ̃, ɑ̃t] adj adelgazante.

aminé, e [amine] adj: **acide ~** ácido aminado.

amiral, -aux [amiʀal, o] nm almirante m.

amirauté [amiʀote] nf almirantazgo.

amitié [amitje] nf amistad f; **prendre en ~** tomar afecto a; **avoir de l'~ pour qn** sentir afecto por algn; **faire** ou **présenter ses ~s à qn** dar ou enviar recuerdos a algn; **~s** (*formule épistolaire*) cordialmente.

ammoniac [amɔnjak] nm: (*gaz*) **~** amoníaco.

ammoniaque [amɔnjak] nf amoníaco.

amnésie [amnezi] nf amnesia.

amnésique [amnezik] adj amnésico(-a).

amniocentèse [amnjosɛ̃tɛz] nf amniocentesis f.

amnistie [amnisti] nf amnistía.

amnistier [amnistje] vt amnistiar.

amocher [amɔʃe] (*fam*) vt (*paysage, objet*) estropear; (*qn en le frappant*) desfigurar.

amoindrir [amwɛ̃dʀiʀ] vt reducir.

amollir [amɔliʀ] vt ablandar.

amonceler [amɔ̃s(ə)le] vt (*objets*) amontonar; (*travail, fortune*) acumular; **s'amonceler** vpr amontonarse; (*fig*) acumularse.

amoncellement [amɔ̃sɛlmɑ̃] nm montón m.

amont [amɔ̃] adv: **en ~** (*d'un cours d'eau*) río arriba; (*d'une pente*) arriba; (*d'un processus*) precedente; **en ~ de** más arriba de.

amoral, e, -aux [amɔʀal, o] adj amoral.

amorce [amɔʀs] nf (*sur un hameçon*) cebo; (*explosif*) fulminante m; (*tube*) pistón m; (*de pistolet d'enfant*) mixto; (*fig*) principio.

amorcer [amɔʀse] vt (*hameçon, munition*) cebar; (*fig: négociations*) emprender; (*geste*) esbozar; (*virage*) coger.

amorphe [amɔʀf] adj amorfo(-a).

amortir [amɔʀtiʀ] vt (*choc, bruit*) amortiguar; (*douleur*) atenuar; (*COMM*) amortizar; **~ un abonnement** amortizar un abono.

amortissable [amɔʀtisabl] adj (*COMM*) amortizable.

amortissement [amɔʀtismɑ̃] nm amortización f.

amortisseur [amɔʀtisœʀ] nm amortiguador m.

amour [amuʀ] nm (*sentiment, goût*) amor m; (*statuette*) amorcillo; **faire l'~** hacer el amor; **filer le parfait ~** estar muy enamorados; **un ~ de** un encanto de; **l'~ libre** el amor libre; ► **amour platonique** amor platónico.

amouracher [amuʀaʃe]: **s'~** (*péj*) vpr: **s'~ de** encapricharse con.

amourette [amuʀɛt] nf amorío.

amoureusement [amuʀøzmɑ̃] *adv* amorosamente.

amoureux, -euse [amuʀø, øz] *adj* amoroso(-a) ♦ *nm/f* enamorado(-a) ♦ *nmpl* (*amants*) amantes *mpl*; **être** ~ **de qch/qn** estar enamorado(-a) de algo/algn; **tomber** ~ **(de qn)** enamorarse (de algn); **un** ~ **des bêtes/de la nature** un enamorado de los animales/de la naturaleza.

amour-propre [amuʀpʀɔpʀ] (*pl* ~**s**-~**s**) *nm* amor *m* propio.

amovible [amɔvibl] *adj* amovible.

ampère [ɑ̃pɛʀ] *nm* amperio.

ampèremètre [ɑ̃pɛʀmɛtʀ] *nm* amperímetro.

amphétamine [ɑ̃fetamin] *nf* anfetamina.

amphi [ɑ̃fi] (*fam*) *nm* (*SCOL*) = **amphithéâtre**.

amphibie [ɑ̃fibi] *adj* anfibio(-a).

amphibien [ɑ̃fibjɛ̃] *nm* anfibio.

amphithéâtre [ɑ̃fiteatʀ] *nm* (*aussi fig*) anfiteatro.

amphore [ɑ̃fɔʀ] *nf* ánfora.

ample [ɑ̃pl] *adj* amplio(-a); (*ressources*) abundante.

amplement [ɑ̃pləmɑ̃] *adv* ampliamente; ~ **suffisant** más que suficiente.

ampleur [ɑ̃plœʀ] *nf* amplitud *f*; (*de vêtement*) anchura.

ampli [ɑ̃pli] *nm* (*fam*) = **amplificateur**.

amplificateur [ɑ̃plifikatœʀ] *nm* amplificador *m*.

amplification [ɑ̃plifikasjɔ̃] *nf* (*v vb*) amplificación *f*; acrecentamiento.

amplifier [ɑ̃plifje] *vt* (*son, oscillation*) amplificar; (*importance, quantité*) acrecentar.

amplitude [ɑ̃plityd] *nf* amplitud *f*; (*des températures*) variación *f*.

ampoule [ɑ̃pul] *nf* (*ÉLEC*) bombilla, foco (*AM*), bombillo (*AM*); (*de médicament, aux mains*) ampolla.

ampoulé, e [ɑ̃pule] (*péj*) *adj* ampuloso(-a).

amputation [ɑ̃pytasjɔ̃] *nf* amputación *f*; (*crédits*) recorte *m*.

amputer [ɑ̃pyte] *vt* amputar; (*fig*) recortar; ~ **qn d'un bras/pied** amputar un brazo/pie a algn.

Amsterdam [amstɛʀdam] *n* Amsterdam.

amulette [amylɛt] *nf* amuleto.

amusant, e [amyzɑ̃, ɑ̃t] *adj* divertido(-a).

amusé, e [amyze] *adj* divertido(-a).

amuse-gueule [amyzɡœl] *nm inv* tapas *fpl*.

amusement [amyzmɑ̃] *nm* diversión *f*.

amuser [amyze] *vt* divertir; (*détourner l'attention de*) distraer; **s'amuser** *vpr* divertirse; (*péj: manquer de sérieux*) estar de juerga; (: *perdre son temps*) remolonear; **s'**~ **de qch** divertirse con algo; **s'**~ **de qn** burlarse de algn.

amusette [amyzɛt] *nf* pasatiempo.

amuseur, -euse [amyzœr, øz] *nm/f* bromista *m/f*; (*péj*) bufón *m*.

amygdale [amidal] *nf* amígdala; **opérer qn des** ~**s** operar a algn de las amígdalas.

amygdalite [amidalit] *nf* amigdalitis *f*.

AN *sigle f* (= *Assemblée nationale*) *voir* **assemblée**.

an [ɑ̃] *nm* año; **être âgé de** *ou* **avoir 3** ~**s** tener 3 años de edad; **en l'**~ **1980** en el año 1980; **le jour de l'**~, **le premier de l'**~, **le nouvel** ~ el día de año nuevo, el año nuevo.

anabolisant [anabɔlizɑ̃] *nm* anabolizante *m*.

anachronique [anakʀɔnik] (*péj*) *adj* anacrónico(-a).

anachronisme [anakʀɔnism] *nm* (*aussi péj*) anacronismo.

anaconda [anakɔ̃da] *nm* anaconda.

anaérobie [anaeʀɔbi] *adj* anaerobio(-a).

anagramme [anaɡʀam] *nf* anagrama *m*.

anal, e, -aux [anal, o] *adj* anal.

analgésique [analʒezik] *nm* analgésico.

anallergique [analɛʀʒik] *adj* antialérgico (-a).

analogie [analɔʒi] *nf* analogía.

analogique [analɔʒik] *adj* analógico(-a).

analogiquement [analɔʒikmɑ̃] *adv* analógicamente.

analogue [analɔɡ] *adj* análogo(-a); ~ **à** análogo(-a) a.

analphabète [analfabɛt] *adj*, *nm/f* analfabeto(-a).

analphabétisme [analfabetism] *nm* analfabetismo.

analyse [analiz] *nf* análisis *m inv*; **faire l'**~ **de** hacer el análisis de; **une** ~ **approfondie** un análisis minucioso; **en dernière** ~ en última instancia; **avoir l'esprit d'**~ tener una mente analítica; ► **analyse grammaticale/logique** análisis gramatical/lógico.

analyser [analize] *vt* analizar.

analyste [analist] *nm/f* analista *m/f*.

analyste-programmeur, -euse [analistpʀɔɡʀamœʀ, øz] (*pl* ~**s**-~**s**, -**euses**) *nm/f* analista-programador(a).

analytique [analitik] *adj* analítico(-a).

analytiquement [analitikmɑ̃] *adv* analíticamente.

ananas [anana(s)] *nm* piña, ananá(s) *m* (*AM*).

anarchie [anaʀʃi] *nf* anarquía.

anarchique [anaʀʃik] *adj* anárquico(-a).

anarchisme [anaʀʃism] *nm* anarquismo.

anarchiste [anaʀʃist] *adj*, *nm/f* anarquista *m/f*.

anathème [anatɛm] *nm*: **jeter l'**~ **sur** anatemizar a.

anatomie [anatɔmi] *nf* anatomía.
anatomique [anatɔmik] *adj* anatómico(-a).
ancestral, e, -aux [ãsɛstʀal, o] *adj* ancestral.
ancêtre [ãsɛtʀ] *nm/f* (*parent*) antepasado (-a); ~s *nmpl* (*aïeux*) antepasados *mpl*; l'~ de (*fig*) el precursor de.
anche [ãʃ] *nf* lengüeta.
anchois [ãʃwa] *nm* anchoa.
ancien, ne [ãsjẽ, jɛn] *adj* antiguo(-a), viejo(-a); (*de jadis, de l'antiquité*) antiguo(-a); (*précédent, ex-*) antiguo(-a), ex– ♦ *nm* (*mobilier ancien*): l'~ antigüedades *fpl* ♦ *nm/f* anciano(-a); un ~ ministre un ex-ministro; mon ~ne voiture mi antiguo coche; être plus ~ que qn (*dans la hiérarchie*) tener más antigüedad que algn; (*par l'expérience*) tener más experiencia que algn; ▸ ancien combattant ex-combatiente; ▸ ancien (élève) antiguo(-a) alumno(-a).
anciennement [ãsjɛnmã] *adv* antiguamente.
ancienneté [ãsjɛnte] *nf* antigüedad *f*.
ancrage [ãkʀaʒ] *nm* (*d'un câble*) fijación *f*; (*NAUT*) fondeadero; (*CONSTR*) anclaje *m*.
ancre [ãkʀ] *nf* ancla; jeter/lever l'~ echar/levar anclas; à l'~ anclado(-a).
ancrer [ãkʀe] *vt* (*câble*) fijar; (*idée*) afianzar, anclar; **s'ancrer** *vpr* (*NAUT, fig*) anclarse.
andalou, -ouse [ãdalu, uz] *adj* andaluz(a).
Andalousie [ãdaluzi] *nf* Andalucía.
andante [ãdãt] *adv* andante ♦ *nm* andante *m*.
Andes [ãd] *nfpl*: les ~ los Andes.
Andorre [ãdɔʀ] *nf* Andorra.
andouille [ãduj] *nf* especie de embutido; (*fam*) imbécil *m/f*.
andouiller [ãduje] *nm* cornamenta.
andouillette [ãdujɛt] *nf* especie de embutido.
âne [an] *nm* (*aussi péj*) burro.
anéantir [aneãtiʀ] *vt* (*pays, récolte, espoirs*) aniquilar; (*déprimer, abattre*) anonadar.
anecdote [anɛkdɔt] *nf* anécdota.
anecdotique [anɛkdɔtik] *adj* anecdótico (-a).
anémie [anemi] *nf* anemia.
anémié, e [anemje] *adj* (*aussi fig*) anémico(-a).
anémique [anemik] *adj* anémico(-a).
anémone [anemɔn] *nf* anémona; ▸ anémone de mer anémona de mar.
ânerie [anʀi] *nf* tontería.
anéroïde [aneʀɔid] *adj voir* **baromètre**.
ânesse [anɛs] *nf* burra.
anesthésie [anɛstezi] *nf* anestesia; sous ~ bajo anestesia; ▸ anesthésie générale/locale anestesia general/local.

anesthésier [anɛstezje] *vt* anestesiar; (*fig*) adormecer.
anesthésique [anɛstezik] *nm* anestésico.
anesthésiste [anɛstezist] *nm/f* anestesista *m/f*.
anévrisme [anevʀism] *nm*: rupture d'~ rotura de aneurisma.
anfractuosité [ãfʀaktɥozite] *nf* fisura.
ange [ãʒ] *nm* (*aussi fig*) ángel *m*; être aux ~s estar en la gloria; ▸ ange gardien (*aussi fig*) ángel de la guarda.
angélique [ãʒelik] *adj* angelical ♦ *nf* angélica.
angelot [ãʒ(ə)lo] *nm* angelote *m*.
angélus [ãʒelys] *nm* ángelus *m*.
angevin, e [ãʒ(ə)vẽ, in] *adj* angevino(-a) ♦ *nm/f*: A~, e angevino(-a).
angine [ãʒin] *nf* angina; ▸ angine de poitrine angina de pecho.
angiome [ãʒjom] *nm* angioma *m*.
anglais, e [ãglɛ, ɛz] *adj* inglés(-esa) ♦ *nm* (*LING*) inglés *m* ♦ *nm/f*: A~, e inglés(-esa); ~es *nfpl* (*cheveux*) tirabuzones *mpl*; les A~ los ingleses; filer à l'~e tomar las de Villadiego, despedirse a la francesa; à l'~e (*CULIN*) al vapor.
angle [ãgl] *nm* (*coin*) esquina; (*GÉOM, fig*) ángulo; ▸ angle aigu ángulo agudo; ▸ angle droit ángulo recto; ▸ angle mort/obtus ángulo muerto/obtuso.
Angleterre [ãglətɛʀ] *nf* Inglaterra.
anglican, e [ãglikã, an] *adj, nm/f* anglicano(-a).
anglicanisme [ãglikanism] *nm* anglicanismo.
anglicisme [ãglisism] *nm* anglicismo.
angliciste [ãglisist] *nm/f* anglicista *m/f*.
anglo- [ãglɔ] *préf* anglo-.
anglo-américain, e [ãgloameʀikẽ] (*pl* ~-~s, es) *adj* angloamericano(-a) ♦ *nm* (*LING*) angloamericano.
anglo-arabe [ãgloaʀab] (*pl* ~-~s) *adj* angloárabe.
anglo-canadien, ne [ãglokanadjẽ, jɛn] (*pl* ~-~s, ennes) *adj* anglocanadiense ♦ *nm* (*LING*) anglocanadiense *m*.
anglo-normand, e [ãglonɔʀmã, ãd] (*pl* ~-~s, es) *adj* anglonormando(-a); les îles ~-~es las islas anglonormandas.
anglophile [ãglɔfil] *adj, nm/f* anglófilo(-a).
anglophobe [ãglɔfɔb] *adj, nm/f* anglófobo (-a).
anglophone [ãglɔfɔn] *adj, nm/f* anglófono (-a).
anglo-saxon, ne [ãglosaksɔ̃, ɔn] (*pl* ~-~s, nes) *adj, nm/f* anglosajón(-ona).
angoissant, e [ãgwasã, ãt] *adj* angustioso(-a).
angoisse [ãgwas] *nf* angustia; avoir des ~s estar angustiado(-a).

angoissé, e [āgwase] adj angustiado(-a).
angoisser [āgwase] vt angustiar.
Angola [āgɔla] nm Angola.
angolais, e [āgɔlɛ, ɛz] adj, nm/f angoleño (-a).
angora [āgɔʀa] adj angora ♦ nm angora f.
anguille [āgij] nf anguila; **il y a ~ sous roche** hay gato encerrado; **► anguille de mer** congrio.
angulaire [āgylɛʀ] adj angular.
anguleux, -euse [āgylø, øz] adj anguloso(-a).
anhydride [anidʀid] nm anhídrido.
anicroche [anikʀɔʃ] nf inconveniente m.
animal, c, -aux [animal, o] adj animal ♦ nm (aussi fig) animal m; **► animal domestique/sauvage** animal doméstico/salvaje.
animalier [animalje] adj: **peintre ~** pintor(a) de animales.
animateur, -trice [animatœʀ, tʀis] nm/f animador(a); (de spectacle) presentador(a).
animation [animasjɔ̃] nf animación f; **~s** nfpl (activités) animación fsg.
animé, e [anime] adj (rue, lieu) animado (-a).
animer [anime] vt animar; **s'animer** vpr animarse.
animisme [animism] nm animismo.
animosité [animozite] nf animosidad f.
anis [ani(s)] nm anís m.
anisette [anizɛt] nf anisete m.
Ankara [ākaʀa] n Ankara.
ankyloser [ākiloze]: **s'~** vpr anquilosarse.
annales [anal] nfpl anales mpl.
anneau, x [ano] nm (de rideau) argolla; (de chaîne) anilla; (bague) anillo; **~x** nmpl (SPORT) anillas fpl; **exercices aux ~x** ejercicios mpl de anillas.
année [ane] nf año; **souhaiter la bonne ~ à qn** felicitar el año a algn; **tout au long de l'~** a lo largo del año; **d'une ~ à l'autre** de un año a otro; **d'~ en ~** de año en año; **l'~ scolaire** el curso escolar; **l'~ fiscale** el año fiscal.
année-lumière [anelymjɛʀ] (pl ~s-~) nf año luz.
annexe [anɛks] adj (problème) anexo(-a); (document) adjunto(-a); (salle) contiguo (-a) ♦ nf anexo.
annexer [anɛkse] vt (pays, biens) anexionar; (joindre): **~ qch à** adjuntar algo a; **s'annexer** vpr (s'approprier) anexionarse.
annexion [anɛksjɔ̃] nf anexión f.
annihiler [aniile] vt aniquilar.
anniversaire [anivɛʀsɛʀ] adj: **jour ~** aniversario ♦ nm (d'une personne) cumpleaños m inv; (d'un événement, bâtiment) aniversario.

annonce [anɔ̃s] nf anuncio; (CARTES, avis) aviso; **les petites ~s** anuncios mpl por palabras.
annoncer [anɔ̃se] vt anunciar; (CARTES) cantar; **s'annoncer** vpr: **s'~ bien/difficile** presentarse bien/difícil; **~ la couleur** (fig) poner las cartas boca arriba; **je vous annonce que** le anuncio que.
annonceur, -euse [anɔ̃sœʀ, øz] nm/f (TV, RADIO) locutor(a); (publicitaire) anunciador(a).
annonciateur, -trice [anɔ̃sjatœʀ, tʀis] adj: **~ d'un événement** anunciador(a) de un acontecimiento.
Annonciation [anɔ̃sjasjɔ̃] nf (REL) Anunciación f.
annotation [anɔtasjɔ̃] nf anotación f.
annoter [anɔte] vt anotar.
annuaire [anɥɛʀ] nm anuario; **► annuaire électronique** anuario electrónico; **► annuaire téléphonique** guía telefónica.
annuel, le [anɥɛl] adj anual.
annuellement [anɥɛlmā] adv anualmente.
annuité [anɥite] nf anualidad f.
annulaire [anylɛʀ] nm anular m.
annulation [anylasjɔ̃] nf anulación f.
annuler [anyle] vt anular; **s'annuler** vpr anularse.
anoblir [anɔbliʀ] vt (aussi fig) ennoblecer.
anode [anɔd] nf ánodo.
anodin, e [anɔdɛ̃, in] adj anodino(-a).
anomalie [anɔmali] nf anomalía.
ânon [anɔ̃] nm borriquillo.
ânonner [anɔne] vi, vt balbucear.
anonymat [anɔnima] nm anonimato; **garder l'~** mantener el anonimato.
anonyme [anɔnim] adj (aussi fig) anónimo(-a).
anonymement [anɔnimmā] adv anónimamente.
anorak [anɔʀak] nm anorak m.
anorexie [anɔʀɛksi] nf anorexia.
anormal, e, -aux [anɔʀmal, o] adj (exceptionnel, inhabituel) anormal; (injuste) injusto(-a); (personne) subnormal ♦ nm/f subnormal m/f.
anormalement [anɔʀmalmā] adv anormalmente.
ANPE [aɛnpe] sigle f (= Agence nationale pour l'emploi) ≈ Inem m (= Instituto Nacional de Empleo).
anse [ās] nf asa; (GÉO) ensenada.
antagonisme [ātagɔnism] nm antagonismo.
antagoniste [ātagɔnist] adj antagonista ♦ nm/f adversario(-a).
antan [ātā]: **d'~** adj de antaño.
antarctique [ātaʀktik] adj antártico(-a) ♦ nm: **l'A~** la Antártida; **le cercle/l'océan ~** el círculo polar antártico/el océano An-

tártico.

antécédent [ātesedā] *nm* (*LING*) antecedente *m*; ~s *nmpl* (*MÉD, affaire*) antecedentes *mpl*; ▸ **antécédents profession-nels** informes *mpl* profesionales.

antédiluvien, ne [ātedilyvjɛ̃, jɛn] *adj* antediluviano(-a).

antenne [ātɛn] *nf* antena; (*poste avancé, succursale, agence*) unidad *f*; **sur l'**~ en antena; **passer à l'**~ salir en la televisión; **avoir l'**~ estar en conexión; **prendre l'**~ conectar, sintonizar; **2 heures d'**~ un espacio de 2 horas; **hors** ~ fuera de antena; ▸ **antenne chirurgicale** (*MIL*) unidad *f* quirúrgica; ▸ **antenne parabolique** antena parabólica.

antépénultième [ātepenyltjɛm] *adj* antepenúltimo(-a).

antérieur, e [āteRjœR] *adj* anterior; ~ **à** anterior a; **passé/futur** ~ pasado/futuro anterior.

antérieurement [āteRjœRmā] *adv* anteriormente; ~ **à** antes de.

antériorité [āteRjɔRite] *nf* anterioridad *f*.

anthologie [ātɔlɔʒi] *nf* antología.

anthracite [ātRasit] *nm* antracita ▸ *adj*: (**gris**) ~ (gris) antracita.

anthropocentrisme [ātRɔpɔsātRism] *nm* antropocentrismo.

anthropologie [ātRɔpɔlɔʒi] *nf* antropología.

anthropologue [ātRɔpɔlɔg] *nm/f* antropólogo(-a).

anthropométrie [ātRɔpɔmetRi] *nf* antropometría.

anthropométrique [ātRɔpɔmetRik] *adj*: **fiche/signalement** ~ ficha/descripción *f* antropométrica.

anthropomorphisme [ātRɔpɔmɔRfism] *nm* antropomorfismo.

anthropophage [ātRɔpɔfaʒ] *adj, nm/f* antropófago(-a).

anthropophagie [ātRɔpɔfaʒi] *nf* antropofagía.

anti- [āti] *préf* anti-.

antiaérien, ne [ātiaeRjɛ̃, jɛn] *adj* antiaéreo(-a); **abri** ~ refugio antiaéreo.

antialcoolique [ātialkɔlik] *adj* antialcohólico(-a); **ligue** ~ liga antialcohólica.

antiatomique [ātiatɔmik] *adj*: **abri** ~ refugio atómico.

antibiotique [ātibjɔtik] *nm* antibiótico ▸ *adj* antibiótico(-a).

antibrouillard [ātibRujaR] *adj*: **phare** ~ faro antiniebla.

antibruit [ātibRɥi] *adj inv*: **mur** ~ muro antirruido.

antibuée [ātibɥe] *adj inv*: **dispositif** ~ dispositivo antivaho.

anticancéreux, -euse [ātikāseRø, øz] *adj* anticancerígeno(-a); **centre** ~ centro contra el cáncer.

anticasseur [ātikasœR] *adj*: **loi/mesure anticasseur(s)** ley *f*/medida antidisturbios.

antichambre [ātiʃābR] *nf* antecámara; **faire** ~ esperar.

antichar [ātiʃaR] *adj* anticarro.

antichoc [ātiʃɔk] *adj* antichoque.

anticipation [ātisipasjɔ̃] *nf* anticipación *f*, previsión *f*; **par** ~ (*COMM*) por adelantado; **livre/film d'**~ libro/película de ciencia ficción.

anticipé, e [ātisipe] *adj* (*règlement, paiement*) por adelantado; (*joie*) anticipado (-a); **avec mes remerciements** ~**s** agradeciéndole de antemano.

anticiper [ātisipe] *vt* (*événement, coup*) anticipar; (*en imaginant*) prever; (*paiement*) adelantar ▸ *vi*: **n'anticipons pas** no nos adelantemos; ~ **sur** anticiparse a.

anticlérical, e, -aux [ātikleRikal, o] *adj* anticlerical.

anticléricalisme [ātikleRikalism] *nm* anticlericalismo.

anticoagulant, e [ātikɔagylā, āt] *adj* anticoagulante ▸ *nm* anticoagulante *m*.

anticolonialisme [ātikɔlɔnjalism] *nm* anticolonialismo.

anticonceptionnel, le [ātikɔ̃sɛpsjɔnɛl] *adj* anticonceptivo(-a).

anticonformisme [ātikɔ̃fɔRmism] *nm* anticonformismo.

anticonstitutionnel, le [ātikɔ̃stitysjɔnɛl] *adj* anticonstitucional.

anticorps [ātikɔR] *nm* anticuerpo.

anticyclone [ātisiklon] *nm* anticiclón *m*.

antidater [ātidate] *vt* antedatar.

antidémocratique [ātidemɔkratik] *adj* antidemocrático(-a); (*peu démocratique*) antidemócrata.

antidérapant, e [ātideRapā, āt] *adj* antideslizante.

antidopage [ātidɔpaʒ] *adj* antidoping.

antidote [ātidɔt] *nm* antídoto.

antienne [ātjɛn] *nf* antífona; (*fig*) estribillo.

antigang [ātigāg] *adj inv*: **brigade** ~ brigada contra bandas.

antigel [ātiʒɛl] *nm* anticongelante *m*.

antigène [ātiʒɛn] *nm* antígeno.

antigouvernemental, e, -aux [ātiguvɛRnəmātal, o] *adj* antigubernamental.

antihistaminique [ātiistaminik] *nm* antihistamínico.

anti-inflammatoire [ātiɛ̃flamatwaR] (*pl* ~- ~**s**) *adj* antiinflamatorio(-a) ▸ *nm* antiinflamatorio.

anti-inflationniste [ātiɛ̃flasjɔnist] (*pl* ~-

~s) adj antiinflacionista.
antillais, e [ɑ̃tije, ɛz] adj antillano(-a) ♦ nm/f: **A~**, e antillano(-a).
Antilles [ɑ̃tij] nfpl: **les** ~ las Antillas; **les grandes/petites** ~ las grandes/pequeñas Antillas.
antilope [ɑ̃tilɔp] nf antílope m.
antimilitarisme [ɑ̃timilitaʀism] nm antimilitarismo.
antimilitariste [ɑ̃timilitaʀist] adj antimilitarista.
antimissile [ɑ̃timisil] adj antimisil.
antimite(s) [ɑ̃timit] adj, nm: **(produit)** ~ antipolilla m.
antinomique [ɑ̃tinɔmik] adj antinómico (-a).
antioxydant [ɑ̃tiɔksidɑ̃] nm antioxidante m.
antiparasite [ɑ̃tipaʀazit] adj (RADIO, TV) antiparásitos; **dispositif** ~ dispositivo antiparasitario.
antipathie [ɑ̃tipati] nf antipatía.
antipathique [ɑ̃tipatik] adj antipático(a).
antipelliculaire [ɑ̃tipelikylɛʀ] adj anticaspa.
antiphrase [ɑ̃tifʀɑz] nf: **par** ~ por antífrasis.
antipodes [ɑ̃tipɔd] nmpl: **les** ~ las antípodas; **être aux** ~ **de** (fig) estar en las antípodas de.
antipoison [ɑ̃tipwazɔ̃] adj inv: **centre** ~ servicio de antídotos.
antipoliomyélitique [ɑ̃tipɔljɔmjelitik] adj antipoliomielítico(-a).
antiquaire [ɑ̃tikɛʀ] nm/f anticuario(-a).
antique [ɑ̃tik] adj (gréco-romain, très vieux) antiguo(-a); (démodé) anticuado(-a).
antiquité [ɑ̃tikite] nf (objet ancien) antigüedad f; (objet très vieux) antigualla; **l'A~** la Antigüedad; **magasin d'~s** tienda de antigüedades.
antirabique [ɑ̃tiʀabik] adj antirrábico(-a).
antiraciste [ɑ̃tiʀasist] adj, nm/f antirracista.
antireflet [ɑ̃tiʀəflɛ] adj: **verre** ~ cristal m antirreflejo.
antirépublicain, e [ɑ̃tiʀepyblikɛ̃, ɛn] adj antirrepublicano(-a).
antirides [ɑ̃tiʀid] adj antiarrugas.
antirouille [ɑ̃tiʀuj] adj inv: **peinture/produit** ~ pintura/producto antioxidante; **traitement** ~ tratamiento antioxidante.
antisémite [ɑ̃tisemit] adj, nm/f antisemita.
antisémitisme [ɑ̃tisemitism] nm antisemitismo.
antiseptique [ɑ̃tisɛptik] adj antiséptico(-a) ♦ nm antiséptico.
antisocial, e, -aux [ɑ̃tisɔsjal, jo] adj antisocial.
antispasmodique [ɑ̃tispasmɔdik] adj antiespasmódico(-a).

antisportif, -ive [ɑ̃tispɔʀtif, iv] adj antideportivo(-a).
antitétanique [ɑ̃titetanik] adj antitetánico(-a).
antithèse [ɑ̃titɛz] nf antítesis f inv.
antitrust [ɑ̃titʀœst] adj antitrust.
antituberculeux, -euse [ɑ̃titybɛʀkylø, øz] adj antituberculoso(-a).
antitussif, -ive [ɑ̃titysif, iv] adj antitusígeno(-a).
antivariolique [ɑ̃tivaʀjɔlik] adj antivariólico(-a)
antivol [ɑ̃tivɔl] adj: **(dispositif)** ~ (dispositivo) antirrobo ♦ nm antirrobo.
antonyme [ɑ̃tɔnim] nm antónimo.
antre [ɑ̃tʀ] nm (aussi fig) antro.
anus [anys] nm ano.
anxiété [ɑ̃ksjete] nf ansiedad f.
anxieusement [ɑ̃ksjøzmɑ̃] adv ansiosamente.
anxieux, -euse [ɑ̃ksjø, jøz] adj ansioso(-a); **être** ~ **de faire** estar ansioso(-a) por hacer.
AOC sigle f (= appellation d'origine contrôlée) voir **appellation**.
aorte [aɔʀt] nf aorta.
août [u(t)] nm agosto; voir aussi **juillet**.
aoûtien, ne [ausjɛ̃, jɛn] nm/f veraneante m/f de agosto.
AP sigle f (= Assistance publique) voir **assistance**.
apaisant, e [apɛzɑ̃, ɑ̃t] adj apaciguador(a).
apaisement [apɛzmɑ̃] nm (aussi POL) apaciguamiento; ~s nmpl: **donner des** ~s **à qn** tranquilizar a algn.
apaiser [apeze] vt tranquilizar; **s'apaiser** vpr tranquilizarse.
apanage [apanaʒ] nm: **être l'~ de** ser el privilegio de.
aparté [apaʀte] nm aparte m; **en** ~ (dire) confidencialmente.
apartheid [apaʀtɛd] nm apartheid m.
apathie [apati] nf apatía.
apathique [apatik] adj apático(-a).
apatride [apatʀid] adj, nm/f apátrida m/f.
apercevoir [apɛʀsəvwaʀ] vt (voir) distinguir; (constater, percevoir) percibir; **s'~ de/que** darse cuenta de/de que; **sans s'en** ~ sin darse cuenta.
aperçu [apɛʀsy] pp de **apercevoir** ♦ nm visión f de conjunto; (gén pl: intuition) idea.
apéritif, -ive [apeʀitif, iv] adj aperitivo(-a) ♦ nm aperitivo; **prendre l'~** tomar el aperitivo.
apesanteur [apəzɑ̃tœʀ] nf ingravidez f.
à-peu-près [apøpʀɛ] (péj) nm inv aproximación f.
apeuré, e [apœʀe] adj atemorizado(-a).
aphasie [afazi] nf afasia.

aphone [afɔn] *adj* afónico(-a).
aphorisme [afɔrism] *nm* aforismo.
aphrodisiaque [afrɔdizjak] *adj* afrodisíaco(-a) ♦ *nm* afrodisíaco.
aphte [aft] *nm* afta.
aphteux, -euse [aftø, øz] *adj*: **fièvre aphteuse** fiebre *f* aftosa.
à-pic [apik] *nm inv* (*d'une falaise*) caída.
apicole [apikɔl] *adj* apícola.
apiculteur, -trice [apikyltœr, tris] *nm/f* apicultor(a).
apiculture [apikyltyr] *nf* apicultura.
apitoiement [apitwamã] *nm* compasión *f*.
apitoyer [apitwaje] *vt* apiadar; **s'apitoyer** *vpr* apiadarse; **s'~ (sur qn/qch)** apiadarse (de algn/algo); **apitoyer qn sur qn/qch** enternecer a algn con algn/algo.
ap. J.-C. *abr* (= *après Jésus-Christ*) d. C.
aplanir [aplanir] *vt* (*surface*) aplanar; (*difficultés*) allanar.
aplati, e [aplati] *adj* achatado(-a).
aplatir [aplatir] *vt* aplastar; **s'aplatir** *vpr* aplastarse; (*fig*) tumbarse; (*fam: tomber*) caerse; (*péj: s'humilier*) rebajarse; **s'~ contre** (*fam*) aplastarse contra.
aplomb [aplɔ̃] *nm* (*équilibre*) equilibrio; (*sang-froid*) aplomo; (*péj*) desfachatez *f*; **d'~** (*en équilibre*) verticalmente; (*CONSTR*) aplomo.
apocalypse [apɔkalips] *nf* apocalipsis *m*.
apocalyptique [apɔkaliptik] *adj* (*fig*) apocalíptico(-a).
apocryphe [apɔkrif] *adj* apócrifo(-a).
apogée [apɔʒe] *nm* apogeo.
apolitique [apɔlitik] *adj* apolítico(-a).
apologie [apɔlɔʒi] *nf* apología; (*JUR*) defensa.
apoplexie [apɔplɛksi] *nf* apoplejía.
a posteriori [apɔsterjɔri] *adv* a posteriori.
apostolat [apɔstɔla] *nm* apostolado.
apostolique [apɔstɔlik] *adj* apostólico(-a).
apostrophe [apɔstrɔf] *nf* (*signe*) apóstrofe *m*; (*interpellation*) improperio.
apostropher [apɔstrɔfe] *vt* increpar.
apothéose [apɔteoz] *nf* apoteosis *f*.
apothicaire [apɔtikɛr] *nm* boticario(-a).
apôtre [apotr] *nm* apóstol *m*; **se faire l'~ de** (*fig*) ser el apóstol de.
apparaître [aparɛtr] *vi* aparecer; (*avec attribut*) parecer; **il apparaît que** es evidente que; **il m'apparaît que** me parece que.
apparat [apara] *nm*: **tenue/dîner d'~** traje *m*/cena de etiqueta.
appareil [aparɛj] *nm* aparato; **~ digestif/reproducteur** aparato digestivo/reproductor; **qui est à l'~?** ¿quién está al aparato?; **dans le plus simple ~** desnudo(-a); ► **appareil 24x36** *ou* **petit format** cámara de 24 por 36; ► **appareil photographique, appareil photo** cáma-

ra de fotos; ► **appareil productif** aparato productivo.
appareillage [aparɛjaʒ] *nm* (*appareils, installation*) equipo; (*NAUT*) partida.
appareiller [aparɛje] *vi* zarpar ♦ *vt* emparejar.
apparemment [aparamɑ̃] *adv* aparentemente, dizque (*AM*).
apparence [aparɑ̃s] *nf* apariencia; **malgré les ~s** a pesar de las apariencias; **en ~** en apariencia.
apparent, e [aparɑ̃, ɑ̃t] *adj* (*visible*) aparente; (*évident*) evidente; (*illusoire, superficiel*) ilusorio(-a); **coutures ~es** costuras *fpl* visibles; **poutres ~es** vigas *fpl* al descubierto.
apparenté, e [aparɑ̃te] *adj*: **~ à** (*aussi fig*) emparentado(-a) con.
apparenter [aparɑ̃te]: **s'~** *vpr*: **s'~ à** parecerse a.
apparier [aparje] *vt* emparejar.
appariteur [aparitœr] *nm* bedel *m*.
apparition [aparisjɔ̃] *nf* aparición *f*; **faire une ~** aparecer brevemente; **faire son ~** hacer su aparición.
appartement [apartəmɑ̃] *nm* piso, departamento (*AM*).
appartenance [apartənɑ̃s] *nf*: **~ à** pertenencia a.
appartenir [apartənir]: **~ à** *vt* pertenecer a; **il lui appartient de** (*c'est son rôle*) le corresponde; **il ne m'appartient pas de** (*faire*) no me corresponde (hacer).
appartiendrai *etc* [apartjɛ̃dre] *vb voir* **appartenir**.
appartiens *etc* [apartjɛ̃] *vb voir* **appartenir**.
apparu, e [apary] *pp de* **apparaître**.
appas [apa] *nmpl* encantos *mpl*.
appât [apa] *nm* (*aussi fig*) cebo.
appâter [apate] *vt* (*canne à pêche, hameçon*) colocar el cebo a; (*gibier, poisson, fig*) atraer.
appauvrir [apovrir] *vt* (*aussi fig*) empobrecer; **s'appauvrir** *vpr* empobrecerse.
appauvrissement [apovrismɑ̃] *nm* empobrecimiento.
appeau [apo] *nm* reclamo.
appel [apɛl] *nm* llamada, llamado (*AM*); (*attirance*) reclamo; (*nominal*) lista; (*MIL*) alistamiento a filas; (*JUR*) apelación *f*, llamado (*AM*); **faire ~ à** (*invoquer*) apelar a; (*avoir recours à*) recurrir a; (*nécessiter*) necesitar; **faire ou interjeter ~** (*JUR*) apelar; **faire l'~** pasar lista; **sans ~** (*fig*) sin apelación; **faire un ~ de phares** hacer señales con los faros; **indicatif d'~** señal *f* distintiva; **numéro d'~** número telefónico; ► **appel d'air** aspiración *f* de aire; ► **appel d'offres** llamada a licitación; ► **appel (téléphonique)** llamada (telefó-

nica).
appelé [ap(ə)le] *nm* (*MIL*) recluta *m*.
appeler [ap(ə)le] *vt* llamar; (*en faisant l'appel*) pasar lista; (*nommer: avec attribut ou complément*) nombrar; (*nécessiter*) requerir; **s'appeler** *vpr* llamarse; ~ **au secours** *ou* **à l'aide** pedir ayuda; (*en cas de danger*) pedir socorro *ou* auxilio; ~ **qn à un poste/à des fonctions** destinar a algn a un puesto/a unas funciones; **être appelé à** (*fig*) ser llamado a; ~ **qn à comparaître** (*JUR*) citar a algn; **en** ~ **à qn/qch** apelar a algn/algo; **il s'appelle** se llama; **comment ça s'appelle?** ¿cómo se llama esto?; **je m'appelle** me llamo; ~ **police-secours** llamar al 091; **ça s'appelle un(e) ...** se llama un(a) ... .
appellation [apelasjɔ̃] *nf* (*d'un produit*) denominación *f*; **vin d'**~ **contrôlée** vino con denominación de origen.
appelle [apel] *vb voir* **appeler**.
appendice [apɛ̃dis] *nm* apéndice *m*.
appendicite [apɛ̃disit] *nf* apendicitis *f*.
appentis [apɑ̃ti] *nm* cobertizo.
appert [apɛʀ] *vb*: **il** ~ **que** es evidente que.
appesantir [apəzɑ̃tiʀ]: **s'**~ *vpr* hacerse más pesado; **s'**~ **sur** (*fig*) insistir en.
appétissant, e [apetisɑ̃, ɑ̃t] *adj* apetitoso (-a).
appétit [apeti] *nm* apetito; **avoir un gros/petit** ~ tener mucho/poco apetito; **couper l'**~ **de qn** quitar las ganas a algn; **bon** ~! ¡buen provecho!
applaudimètre [aplodimɛtʀ] *nm* aplaudímetro.
applaudir [aplodiʀ] *vt, vi* aplaudir; ~ **à** (*décision, projet*) aprobar; ~ **à tout rompre** aplaudir a rabiar.
applaudissements [aplodismɑ̃] *nmpl* aplausos *mpl*.
applicable [aplikabl] *adj* aplicable.
applicateur [aplikatœʀ] *nm* aplicador *m*.
application [aplikasjɔ̃] *nf* aplicación *f*; ~**s** *nfpl* (*d'une théorie, méthode*) aplicación *fsg*; **mettre en** ~ poner en aplicación; **avec** ~ aplicadamente.
applique [aplik] *nf* aplique *m*.
appliqué, e [aplike] *adj* aplicado(-a).
appliquer [aplike] *vt* aplicar; **s'appliquer** *vpr* aplicarse; **s'**~ **à** aplicarse a; **s'**~ **à faire qch** esmerarse en hacer algo; **s'**~ **sur** (*coïncider avec*) encajar con; **il s'est (beaucoup) appliqué** se ha esmerado (mucho).
appoggiature [apɔ(d)ʒjatyʀ] *nm* apoyatura.
appoint [apwɛ̃] *nm* (*fig*) ayuda; **avoir/faire l'**~ (*en payant*) tener/dar suelto; **chauffage/lampe d'**~ calefacción *f*/lámpara suplementaria.

appointements [apwɛ̃tmɑ̃] *nmpl* honorarios *mpl*.
appontage [apɔ̃taʒ] *nm* aterrizaje *m* en un portaaviones.
appontement [apɔ̃tmɑ̃] *nm* muelle *m*.
apponter [apɔ̃te] *vi* aterrizar en un portaaviones.
apport [apɔʀ] *nm* aportación *f*.
apporter [apɔʀte] *vt* (*amener*) traer; (*soutien, preuve*) aportar; (*soulagement*) procurar; (*remarque*) añadir.
apposer [apoze] *vt* aplicar.
apposition [apozisjɔ̃] *nf* aposición *f*; **en** ~ en aposición.
appréciable [apʀesjabl] *adj* apreciable.
appréciation [apʀesjasjɔ̃] *nf* apreciación *f*; (*d'une personne*) aprecio; ~**s** *nfpl* (*commentaire, avis*) apreciaciones *fpl*.
apprécier [apʀesje] *vt* apreciar.
appréhender [apʀeɑ̃de] *vt* (*craindre*) temer; (*JUR, aborder*) aprehender; ~ **que/de faire** temer que/hacer.
appréhension [apʀeɑ̃sjɔ̃] *nf* aprehensión *f*.
apprendre [apʀɑ̃dʀ] *vt* (*aussi fig*) aprender; (*nouvelle, résultat*) conocer; ~ **qch à qn** (*informer*) informar de algo a algn; (*enseigner*) enseñar algo a algn; ~ **à faire qch** aprender a hacer algo; ~ **à qn à faire qch** enseñar a algn a hacer algo; **tu me l'apprends!** ¡qué noticia!
apprenti, e [apʀɑ̃ti] *nm/f* (*aussi fig*) aprendiz(a).
apprentissage [apʀɑ̃tisaʒ] *nm* aprendizaje *m*; **faire l'**~ **de qch** iniciarse en algo; **école** *ou* **centre d'**~ escuela *ou* centro de aprendizaje.
apprêt [apʀɛ] *nm* (*sur un cuir*) adobo; (*sur une étoffe, un papier*) apresto; (*sur un mur*) aparejo; **sans** ~ (*fig*) sin artificio.
apprêté, e [apʀete] *adj* (*fig*) amanerado (-a), rebuscado(-a).
apprêter [apʀete] *vt* (*v nm*) adobar; aprestar; **s'apprêter** *vpr*: **s'**~ **à qch/à faire qch** disponerse a algo/a hacer algo.
appris, e [apʀi, iz] *pp de* **apprendre**.
apprivoisé, e [apʀivwaze] *adj* domesticado(-a).
apprivoiser [apʀivwaze] *vt* domesticar.
approbateur, -trice [apʀɔbatœʀ, tʀis] *adj* de aprobación.
approbatif, -ive [apʀɔbatif, iv] *adj* aprobativo(-a).
approbation [apʀɔbasjɔ̃] *nf* (*autorisation*) aprobación *f*, conformidad *f*; (*jugement favorable*) aprobación, asentimiento; **digne d'**~ digno de aprobación.
approchant, e [apʀɔʃɑ̃, ɑ̃t] *adj* (*résultat, genre*) parecido(-a), semejante; **quelque chose d'**~ algo parecido.
approche [apʀɔʃ] *nf* (*d'une date*) proximi-

dad *f*; (*arrivée*) acercamiento; (*d'un problème*) enfoque *m*; ~s *nfpl* (*abords*) acceso *msg*, cercanías *fpl*; à l'~ de (*Noël, anniversaire*) al acercarse; à l'~ du bateau/de
l'ennemi al acercarse el barco/el enemigo; travaux d'~ (*fig*) trabajos *mpl* de
zapa.

approché, e [apRɔʃe] *adj* aproximativo
(-a), aproximado(-a).

approcher [apRɔʃe] *vi* acercarse, aproximarse ♦ *vt* (*vedette, artiste*) relacionarse
con; (*rapprocher*): ~ qch (de qch) acercar
algo (a algo); s'approcher de *vpr* acercarse a; ~ de (*but, moment*) acercarse a,
estar más cerca de; (*nombre, quantité*)
rozar; approchez-vous acérquese.

approfondi, e [apRɔfɔ̃di] *adj* ahondado(-a);
(*connaissance, étude*) profundo(-a).

approfondir [apRɔfɔ̃diR] *vt* (*trou, fossé*)
ahondar; (*sujet, question*) profundizar
(en); sans ~ sin profundizar.

appropriation [apRɔpRijasjɔ̃] *nf* apropiación *f*.

approprié, e [apRɔpRije] *adj* apropiado(-a),
adecuado(-a); ~ à adecuado(-a) a, conforme a.

approprier [apRɔpRije] *vt* adaptar; s'approprier *vpr* apropiarse de, adueñarse
de.

approuver [apRuve] *vt* (*autoriser*) aprobar;
(*être d'accord avec*) estar de acuerdo
con; je vous approuve entièrement estoy
completamente de acuerdo con usted; je
ne vous approuve pas no estoy de acuerdo con usted; lu et approuvé leído y conforme.

approvisionnement [apRɔvizjɔnmɑ̃] *nm*
(*d'une ville, d'un magasin*) abastecimiento; (*provisions*) provisiones *fpl*.

approvisionner [apRɔvizjɔne] *vt* (*magasin,
personne*) abastecer, proveer; (*compte
bancaire*) cubrir; ~ qn en abastecer ou
proveer a algn de; s'~ dans un magasin/
au marché comprar en una tienda/en el
mercado; s'~ en proveerse de.

approximatif, -ive [apRɔksimatif, iv] *adj*
aproximativo(-a); (*idée*) aproximado
(-a).

approximation [apRɔksimasjɔ̃] *nf* aproximación *f*.

approximativement [apRɔksimativmɑ̃] *adv*
aproximadamente.

appt *abr* = appartement.

appui [apɥi] *nm* apoyo; (*de fenêtre*) antepecho; (*d'escalier etc*) soporte *m*; (*soutien,
aide*) apoyo, sostén *m*; prendre ~ sur apoyarse en; point d'~ punto de apoyo; à l'~
de (*pour prouver*) en prueba de; à l'~
como prueba.

appuie [apɥi] *vb voir* appuyer.

appuie-tête [apɥitɛt] (*pl* ~-~s) *nm* cabezal
m.

appuyé, e [apɥije] *adj* (*regard*) insistente;
(*politesse, compliment*) excesivo(-a).

appuyer [apɥije] *vt* (*personne, demande*)
apoyar, respaldar; ~ qch sur/contre/à
apoyar algo en/contra/en; ~ contre (*mur,
porte*) apoyar contra; ~ sur (*bouton*)
apretar; (*frein*) pisar; (*insister sur*) recalcar, insistir en; (*peser sur*) descansar sobre; ~ à droite *ou* sur la droite dirigirse a
la derecha; ~ sur le champignon apretar
el acelerador; s'~ sur (*s'accouder à*) apoyarse contra; (*se baser sur*) basarse en;
(*compter sur*) contar con; s'~ sur qn (*fig*)
apoyarse en algn.

âpre [apR] *adj* (*fruit*) amargo(-a); (*goût, vin*)
áspero(-a); (*voix*) áspero(-a), duro(-a);
(*hiver, froid*) riguroso(-a); (*discussion*)
duro(-a), violento(-a); (*lutte, bataille*)
encarnizado(-a); ~ au gain ávido(-a) de
lucro.

après [apRɛ] *prép* después de ♦ *adv* después; (*ordre d'importance, poursuite, espace*) después, detrás; 2 heures ~ 2 horas
después; ~ qu'il est *ou* soit parti/avoir fait
después de que marchó/de haber hecho;
courir ~ qn correr detrás de algn; crier ~
qn reñir a algn; être toujours ~ qn (*critiquer*) meterse con algn; ~ quoi después,
a continuación; d'~ según; d'~ lui/moi
según él/yo; ~ coup posteriormente; ~
tout después de todo; et (puis) ~! ¿y
qué?

après-demain [apRɛdmɛ̃] *adv* pasado mañana.

après-guerre [apRɛgɛR] (*pl* ~-~s) *nm* posguerra; d'~ de posguerra.

après-midi [apRɛmidi] *nm ou nf inv* tarde *f*.

après-rasage [apRɛRazaʒ] (*pl* ~-~s) *nm*:
lotion ~-~ loción *f* para después del
afeitado.

après-ski [apRɛski] (*pl* ~-~s) *nm* botas *fpl*
"après-ski".

après-vente [apRɛvɑ̃t] *adj inv* posventa.

âpreté [apRəte] *nf* (*v âpre*) aspereza;
amargor *m*; rigor *m*; dureza.

a priori [apRijɔRi] *adv* a priori.

à-propos [apRopo] *nm inv* ocurrencia; faire
preuve d'~-~ mostrar ingenio; avec ~-~
con oportunidad.

apte [apt] *adj*: ~ à qch/à faire qch apto(-a)
para algo/para hacer algo; ~ (au service)
(*MIL*) apto (para el servicio).

aptitude [aptityd] *nf* aptitud *f*; avoir des ~s
pour tener aptitudes para.

apurer [apyRe] *vt* (*COMM*) comprobar.

aquaculture [akwakyltyR] *nf* acuicultura.

aquaplanage [akwaplanaʒ] *nm* (*AUTO*)
acuaplaning *m*.

aquaplane [akwaplan] *nm* acuaplano.
aquaplaning [akwaplaniŋ] *nm* (*AUTO*) = **aquaplanage**.
aquarelle [akwarɛl] *nf* acuarela.
aquarelliste [akwarelist] *nm/f* acuarelista *m/f*.
aquarium [akwarjɔm] *nm* acuario.
aquatique [akwatik] *adj* acuático(-a).
aqueduc [ak(ə)dyk] *nm* acueducto.
aqueux, -euse [akø, øz] *adj* acuoso(-a).
aquilin [akilɛ̃] *adj m*: **nez** ~ nariz *f* aguileña.
Aquitaine [akitɛn] *nf* Aquitania.
arabe [arab] *adj* árabe ♦ *nm* (*LING*) árabe *m* ♦ *nm/f*: **A** ~ árabe *m/f*.
arabesque [arabɛsk] *nf* arabesco.
Arabie [arabi] *nf* Arabia; **l'~ saoudite** *ou* **séoudite** Arabia Saudita.
arable [arabl] *adj* arable.
arachide [araʃid] *nf* (*plante*) cacahuete *m*; (*graine*) cacahuete, maní *m*.
Aragon [aragɔ̃] *nm* Aragón *m*.
araignée [arɛɲe] *nf* araña; ▶ **araignée de mer** araña de mar.
araser [araze] *vt* (*mur*) enrasar; (*menuiserie*) cepillar.
aratoire [aratwar] *adj*: **instrument** ~ instrumento de labranza.
arbalète [arbalɛt] *nf* ballesta.
arbitrage [arbitraʒ] *nm* (*v vb*) arbitraje *m*; moderación *f*.
arbitraire [arbitrɛr] *adj* arbitrario(-a).
arbitrairement [arbitrɛrmɑ̃] *adv* arbitrariamente.
arbitre [arbitr] *nm* (*SPORT, aussi fig*) árbitro; (*JUR, TENNIS, CRICKET*) juez *m*.
arbitrer [arbitre] *vt* (*SPORT*) arbitrar; (*fig*) moderar.
arborer [arbɔre] *vt* (*drapeau, enseigne*) izar, enarbolar; (*vêtement, chapeau*) lucir; (*attitude, sourire*) ostentar, mostrar.
arborescence [arbɔresɑ̃s] *nf* arborescencia.
arboricole [arbɔrikɔl] *adj* arborícola.
arboriculture [arbɔrikyltyr] *nf* arboricultura; ▶ **arboriculture fruitière** arboricultura frutal.
arbre [arbr] *nm* árbol *m*; ▶ **arbre à cames** árbol de levas; ▶ **arbre de Noël** árbol de navidad; ▶ **arbre de transmission** árbol de transmisión; ▶ **arbre fruitier** árbol frutal; ▶ **arbre généalogique** árbol genealógico.
arbrisseau [arbriso] *nm* arbusto.
arbuste [arbyst] *nm* arbusto.
arc [ark] *nm* arco; **en** ~ **de cercle** en arco de círculo; ▶ **arc de triomphe** arco de triunfo.
arcade [arkad] *nf* (*ARCHIT*) arcada; ~**s** *nfpl* (*d'un pont*) arcadas *fpl*; (*d'une rue*) sopor-

tales *mpl*; ▶ **arcade sourcilière** arco superciliar.
arcanes [arkan] *nmpl* arcanos *mpl*.
arc-boutant [arkbutɑ̃] (*pl* ~**s**-~**s**) *nm* arbotante *m*.
arc-bouter [arkbute]: **s'**~-~ *vpr* apoyarse, apuntalarse; **s'**~-~ **contre** apoyarse en, afianzarse en.
arceau [arso] *nm* arco.
arc-en-ciel [arkɑ̃sjɛl] (*pl* ~**s**-~-~) *nm* arco iris *m*.
archaïque [arkaik] *adj* arcaico(-a).
archaïsme [arkaism] *nm* arcaismo.
archange [arkɑ̃ʒ] *nm* arcángel *m*.
arche [arʃ] *nf* arco; ▶ **arche de Noé** arca de Noé.
archéologie [arkeɔlɔʒi] *nf* arqueología.
archéologique [arkeɔlɔʒik] *adj* arqueológico(-a).
archéologue [arkeɔlɔg] *nm/f* arqueólogo (-a).
archer [arʃe] *nm* arquero.
archet [arʃe] *nm* arco.
archétype [arketip] *nm* arquetipo.
archevêché [arʃəveʃe] *nm* arzobispado.
archevêque [arʃəvɛk] *nm* arzobispo.
archi- [arʃi] *préf* archi-.
archibondé, e [arʃibɔ̃de] *adj* archirrepleto(-a).
archiduc [arʃidyk] *nm* archiduque *m*.
archiduchesse [arʃidyʃɛs] *nf* archiduquesa.
archipel [arʃipɛl] *nm* archipiélago.
archisimple [arʃisɛ̃pl] *adj* sencillísimo(-a).
architecte [arʃitɛkt] *nm* arquitecto(-a); (*fig: de la réussite*) artífice *m/f*.
architectural, e, -aux [arʃitɛktyral, o] *adj* arquitectural, arquitectónico(-a).
architecture [arʃitɛktyr] *nf* arquitectura; (*structure, agencement*) arquitectura, estructura.
archiver [arʃive] *vt* archivar.
archives [arʃiv] *nfpl* (*documents*) archivos *mpl*; (*local*) archivo *msg*.
archiviste [arʃivist] *nm/f* archivero(-a).
arçon [arsɔ̃] *nm voir* **cheval**.
arctique [arktik] *adj* ártico(-a) ♦ *nm*: **l'A**~ el Ártico; **le cercle** ~ el círculo polar ártico; **l'océan a**~ el océano Ártico.
ardemment [ardamɑ̃] *adv* ardientemente.
Ardennes [ardɛn] *nfpl* Ardenas *fpl*.
ardent, e [ardɑ̃, ɑ̃t] *adj* ardiente; (*feu, soleil*) ardiente, abrasador(a); (*prière*) fervoroso(-a).
ardeur [ardœr] *nf* (*du soleil, feu*) ardor *m*, calor *m*; (*fig*) ardor, vehemencia; ~ **au travail** entusiasmo con el que trabaja.
ardoise [ardwaz] *nf* pizarra; **avoir une** ~ (*fig*) tener cuenta.
ardu, e [ardy] *adj* arduo(-a); (*pente*)

empinado(-a).
are [aʀ] nm área.
arène [aʀɛn] nf arena; ~s nfpl (de corrida) ruedo; (bâtiment) plaza fsg de toros; l'~ politique/littéraire la palestra política/ literaria.
arête [aʀɛt] nf (de poisson) espina; (d'une montagne) cresta; (d'un solide) arista; (d'une poutre, d'un toit) cumbrera.
argent [aʀʒɑ̃] nm (métal, couleur) plata; (monnaie) dinero; **en avoir pour son** ~ lo comido por lo servido; **gagner beaucoup d'**~ ganar mucho dinero; **changer de l'**~ cambiar dinero; ▸ **argent comptant** dinero en efectivo; ▸ **argent de poche** dinero para gastos menudos; ▸ **argent liquide** dinero líquido.
argenté, e [aʀʒɑ̃te] adj plateado(-a).
argenter [aʀʒɑ̃te] vt platear.
argenterie [aʀʒɑ̃tʀi] nf plata.
argentin, e [aʀʒɑ̃tɛ̃, in] adj argentino(-a) ♦ nm/f: A~, e argentino(-a).
Argentine [aʀʒɑ̃tin] nf Argentina.
argile [aʀʒil] nf arcilla.
argileux, -euse [aʀʒilø, øz] adj arcilloso (-a).
argot [aʀgo] nm argot m, jerga.
argotique [aʀgɔtik] adj argótico(-a); (très familier) popular, vulgar.
arguer [aʀgɥe] : ~ de vt argüir, alegar; ~ que argüir que.
argument [aʀgymɑ̃] nm argumento.
argumentaire [aʀgymɑ̃tɛʀ] nm lista de argumentos de venta; (brochure) folleto publicitario.
argumentation [aʀgymɑ̃tasjɔ̃] nf argumentación f.
argumenter [aʀgymɑ̃te] vi argumentar.
argus [aʀgys] nm (AUTO) revista especializada en el mercado de los coches de ocasión.
arguties [aʀgysi] (péj) nfpl argucias fpl.
aride [aʀid] adj (sol, pays) árido(-a); (cœur) duro(-a); (texte, sujet) árido(-a), aburrido(-a).
aridité [aʀidite] nf (v adj) aridez f; dureza.
arien, ne [aʀjɛ̃, ɛn] adj arriano(-a).
aristocrate [aʀistɔkʀat] nm/f aristócrata m/ f.
aristocratie [aʀistɔkʀasi] nf aristocracia.
aristocratique [aʀistɔkʀatik] adj aristocrático(-a).
arithmétique [aʀitmetik] adj aritmético (-a) ♦ nf aritmética.
armada [aʀmada] nf armada.
armagnac [aʀmaɲak] nm aguardiente m de Armagnac.
armateur [aʀmatœʀ] nm armador m, naviero.
armature [aʀmatyʀ] nf armazón m;

(CONSTR, fig) armazón, estructura; (MUS) armadura.
arme [aʀm] nf (aussi fig) arma; ~s nfpl (blason) armas fpl; (profession): **les** ~s las armas; **à** ~s **égales** en igualdad de condiciones; **ville/peuple en** ~s ciudad f/ pueblo en armas; **passer par les** ~s pasar por las armas; **prendre les** ~s tomar las armas; **présenter les** ~s presentar armas; ▸ **arme à feu/blanche** arma de fuego/ blanca.
armé, e [aʀme] adj armado(-a); ~ **de** equipado(-a) con, armado(-a) con.
armée [aʀme] nf ejército; (fig) nube f, ejército; ▸ **armée de l'air/de terre** ejército del aire/de tierra; ▸ **armée du Salut** ejército de Salvación.
armement [aʀməmɑ̃] nm armamento; **course aux** ~s carrera de armamentos; ▸ **armements nucléaires** armamentos mpl nucleares.
Arménie [aʀmeni] nf Armenia.
arménien, ne [aʀmenjɛ̃, jɛn] adj armenio(-a) ♦ nm (LING) armenio ♦ nm/f: A~, ne armenio(-a).
armer [aʀme] vt armar; (d'une pointe, d'un blindage) proveer, equipar; (de pouvoirs etc) dotar; (arme à feu, appareil photo) montar; ~ **qch de** armar algo con; ~ **qn de** armar a algn con; s'~ **de** (courage, patience) armarse de; (bâton, fusil) armarse con.
armistice [aʀmistis] nm armisticio; **l'A**~ el armisticio.
armoire [aʀmwaʀ] nf armario, closet ou clóset (AM); (penderie) ropero; ▸ **armoire à glace** (fig) mole f; ▸ **armoire à pharmacie** botiquín m.
armoiries [aʀmwaʀi] nfpl escudo msg de armas.
armure [aʀmyʀ] nf armadura.
armurerie [aʀmyʀʀi] nf (fabrique) fábrica de armas; (magasin) armería.
armurier [aʀmyʀje] nm armero.
ARN [aɛʀɛn] sigle m (= acide ribonucléique) ARN m.
arnaque [aʀnak] nf (fam): **de l'**~ un timo.
arnaquer [aʀnake] vt (fam) timar; **tu t'es fait** ~ te han timado.
arnaqueur, -euse [aʀnakœʀ, øz] nm/f (fam) timador(a).
arnica [aʀnika] nm: (teinture d')~ (tintura de) árnica.
aromates [aʀɔmat] nmpl hierbas fpl aromáticas.
aromatique [aʀɔmatik] adj aromático(-a).
aromatisé, e [aʀɔmatize] adj aromatizado(-a).
aromatiser [aʀɔmatize] vt aromatizar.
arôme [aʀom] nm aroma m.

arpège [aʀpɛʒ] *nm* arpegio.

arpentage [aʀpɑ̃taʒ] *nm* agrimensura.

arpenter [aʀpɑ̃te] *vt* recorrer a grandes pasos.

arpenteur [aʀpɑ̃tœʀ] *nm* agrimensor(a).

arqué, e [aʀke] *adj* arqueado(-a).

arr., arrt *abr* = **arrondissement.**

arrachage [aʀaʃaʒ] *nm*: ~ **des mauvaises herbes** arranque *m* de malas hierbas.

arraché [aʀaʃe] *nm* (*haltérophilie*) arrancada; **obtenir à l'~** (*fig*) obtener con gran esfuerzo.

arrachement [aʀaʃmɑ̃] *nm* (*affectif*) desgarramiento.

arrache-pied [aʀaʃpje] *adv*: **d'~-~** (*combattre*) a brazo partido; (*talonner*) sin desmayo.

arracher [aʀaʃe] *vt* arrancar; (*légume*) cosechar, recoger; (*clou, dent*) sacar, extraer; (*par explosion, accident*) desgarrar; (*fig*) sacar, arrancar; **s'arracher** *vpr* (*personne, article très recherché*) disputarse; ~ **qch à qn** arrebatar algo a algn; (*fig*) sonsacar algo a algn; ~ **qn à** (*solitude, rêverie*) sacar a algn de, arrancar a algn de; (*famille*) arrancar a algn de; **s'~ de** (*lieu*) alejarse de, separarse de; (*habitude*) apartarse de.

arraisonner [aʀezɔne] *vt* inspeccionar, registrar.

arrangeant, e [aʀɑ̃ʒɑ̃, ɑ̃t] *adj* acomodaticio(-a).

arrangement [aʀɑ̃ʒmɑ̃] *nm* (*agencement*) arreglo, disposición *f*; (*compromis*) acuerdo; (*MUS*) arreglo.

arranger [aʀɑ̃ʒe] *vt* (*appartement*) arreglar, disponer; (*voyage*) organizar; (*rendez-vous*) concertar; (*montre, voiture*) arreglar; (*problème, difficulté*) arreglar, solucionar; (*MUS*) adaptar; **s'arranger** *vpr* (*se mettre d'accord*) ponerse de acuerdo; (*querelle, situation*) arreglarse; (*se débrouiller*): **s'~ pour que** arreglárselas para que; **je vais m'~** voy a arreglarme; **cela m'arrange** eso me conviene; **ça va s'~** eso va a solucionarse; **s'~ pour faire** componérselas para hacer; **si cela peut vous ~** si esto le puede servir.

arrangeur, euse [aʀɑ̃ʒœʀ, øz] *nm/f* (*MUS*) arreglista *m/f*.

arrestation [aʀɛstasjɔ̃] *nf* detención *f*.

arrêt [aʀɛ] *nm* detención *f*, interrupción *f*; (*JUR*) fallo; ~**s** *nmpl* (*MIL*) arresto *msg*; **être à l'~** estar parado(-a); **rester** *ou* **tomber en ~ devant ...** quedarse atónito(-a) ante ...; **sans ~** (*sans interruption*) sin parar; (*très fréquemment*) continuamente; ▶ **arrêt d'autobus** parada de autobús, paradero (*AM*); ▶ **arrêt de mort** sentencia de muerte; ▶ **arrêt de travail** permi-so de trabajo; ▶ **arrêt facultatif** paro facultativo.

arrêté, e [aʀete] *adj* firme ♦ *nm* decreto; ▶ **arrêté municipal** decreto municipal.

arrêter [aʀete] *vt* (*projet, maladie*) parar, interrumpir; (*voiture, personne*) detener, parar; (*chauffage*) parar; (*compte*) liquidar; (*point*) sacar; (*date, choix*) fijar, decidir; (*suspect, criminel*) detener; **s'arrêter** *vpr* pararse; (*pluie, bruit*) cesar; ~ **de faire (qch)** dejar de hacer (algo); **arrête de te plaindre** para de quejarte; **ne pas - de faire** no parar de hacer; **s'~ sur** (*yeux*) fijarse en; **mon choix s'arrêta sur ...** me decidí por ...; **s'~ court** *ou* **net** parar en seco.

arrhes [aʀ] *nfpl* arras *fpl*, señal *f*.

arrière [aʀjɛʀ] *adj inv* (*AUTO*) trasero(-a) ♦ *nm* (*d'une voiture, maison*) parte *f* trasera; (*SPORT*) defensa; ~**s** *nmpl* (*fig*): **protéger ses ~s** proteger sus espaldas; **siège ~** asiento trasero; **à l'~** detrás; **en ~** hacia atrás; **en ~ de** detrás de.

arriéré, e [aʀjere] (*péj*) *adj* retrasado(-a) ♦ *nm* (*d'argent*) atraso.

arrière-boutique [aʀjɛʀbutik] (*pl* ~-~**s**) *nf* trastienda.

arrière-cour [aʀjɛʀkuʀ] (*pl* ~-~**s**) *nf* traspatio.

arrière-cuisine [aʀjɛʀkɥizin] (*pl* ~-~**s**) *nf* trascocina.

arrière-garde [aʀjɛʀgaʀd] (*pl* ~-~**s**) *nf* retaguardia.

arrière-goût [aʀjɛʀgu] (*pl* ~-~**s**) *nm* regusto.

arrière-grand-mère [aʀjɛʀgʀɑ̃mɛʀ] (*pl* ~-~**s**-~**s**) *nf* bisabuela.

arrière-grand-père [aʀjɛʀgʀɑ̃pɛʀ] (*pl* ~-~**s**-~**s**) *nm* bisabuelo.

arrière-grands-parents [aʀjɛʀgʀɑ̃paʀɑ̃] *nmpl* bisabuelos *mpl*.

arrière-pays [aʀjɛʀpei] *nm inv* interior *m*, tierra adentro.

arrière-pensée [aʀjɛʀpɑ̃se] (*pl* ~-~**s**) *nf* (*raison intéressée*) segunda intención *f*; (*réserves, doute*) reserva.

arrière-petite-fille [aʀjɛʀpətitfij] (*pl* ~-~**s**-~**s**) *nf* bisnieta.

arrière-petit-fils [aʀjɛʀpətifis] (*pl* ~-~**s**-~**s**-~) *nm* bisnieto.

arrière-petits-enfants [aʀjɛʀpətizɑ̃fɑ̃] *nmpl* bisnietos *mpl*.

arrière-plan [aʀjɛʀplɑ̃] (*pl* ~-~**s**) *nm* segundo plano; **à l'~-~** en segundo plano.

arrière-saison [aʀjɛʀsezɔ̃] (*pl* ~-~**s**) *nf* final *m* del otoño.

arrière-salle [aʀjɛʀsal] (*pl* ~-~**s**) *nf* sala posterior.

arrière-train [aʀjɛʀtʀɛ̃] (*pl* ~-~**s**) *nm* cuarto trasero.

arrimer [aʀime] *vt* estibar.
arrivage [aʀivaʒ] *nm* arribada.
arrivant, e [aʀivã, ãt] *nm/f* recién llegado(-a).
arrivée [aʀive] *nf* (*de bateau*) arribada; (*concurrent, visites*) llegada, arribo (*esp* *AM*); (*ligne d'arrivée*) línea de llegada; **à mon** ~ a mi llegada; **courrier à l'** ~ correo en mano; ▶ **arrivée d'air/de gaz** entrada de aire/de gas.
arriver [aʀive] *vi* (*événement, fait*) ocurrir, suceder; ~ **à qch/faire qch** lograr algo/ hacer algo; **j'arrive!** ¡ya voy!; **il arrive à Paris à 8h** llega a París a las 8; ~ **à destination** llegar a destino; **j'arrive de Strasbourg** llego de Estrasburgo; **il arrive que** ocurre que; **il lui arrive de faire** suele hacer; **je n'y arrive pas** no lo consigo; ~ **à échéance** vencer; **en** ~ **à faire** llegar a hacer.
arrivisme [aʀivism] *nm* arribismo.
arriviste [aʀivist] *adj, nm/f* arribista *m/f*.
arrogance [aʀɔgãs] *nf* arrogancia, prepotencia (*esp AM*).
arrogant, e [aʀɔgã, ãt] *adj* arrogante, prepotente (*esp AM*).
arroger [aʀɔʒe]: **s'** ~ *vpr* arrogarse; **s'** ~ **le droit de ...** arrogarse el derecho de ... .
arrondi, e [aʀɔ̃di] *adj* redondeado(-a) ♦ *nm* redondeo.
arrondir [aʀɔ̃diʀ] *vt* redondear; **s'arrondir** *vpr* (*dos*) encorvarse; (*ventre*) engordar; ~ **ses fins de mois** aumentar sus ingresos.
arrondissement [aʀɔ̃dismã] *nm* distrito.
arrosage [aʀozaʒ] *nm* riego; **tuyau d'** ~ manguera.
arroser [aʀoze] *vt* regar; (*fig*) mojar; (*CULIN*) rociar; (*suj: fleuve, rivière*) bañar.
arroseur [aʀozœʀ] *nm* (*tourniquet*) aspersor *m*.
arroseuse [aʀozøz] *nf* camión *m* de riego.
arrosoir [aʀozwaʀ] *nm* regadera.
arsenal, -aux [aʀsənal, o] *nm* (*aussi fig*) arsenal *m*; (*NAUT*) arsenal, astillero.
arsenic [aʀsənik] *nm* arsénico.
art [aʀ] *nm* arte *m*; (*expression artistique*): **l'** ~ el arte; **avoir l'** ~ **de faire** tener la habilidad de hacer; **les** ~**s** las artes; **livre/ critique d'** ~ libro/crítica de arte; **les** ~**s et métiers** artes y oficios; ▶ **art dramatique** arte dramático; ▶ **arts ménagers** artes domésticas; ▶ **arts plastiques** artes plásticas.
art. *abr* = **article**.
artère [aʀtɛʀ] *nf* arteria.
artériel, le [aʀteʀjɛl] *adj* arterial.
artériosclérose [aʀteʀjoskleʀoz] *nf* arteriosclerosis *f*.
arthrite [aʀtʀit] *nf* artritis *f*.

arthrose [aʀtʀoz] *nf* artrosis *f*.
artichaut [aʀtiʃo] *nm* alcachofa.
article [aʀtikl] *nm* artículo; (*INFORM*) registro; **faire l'** ~ (*COMM, aussi fig*) hacer el artículo; **à l'** ~ **de la mort** in articulo mortis, en el artículo de la muerte; ▶ **article défini** artículo determinado; ▶ **article de fond** (*PRESSE*) artículo de fondo; ▶ **article indéfini** artículo indeterminado; ▶ **articles de bureau** artículos *mpl* de despacho; ▶ **articles de voyage** artículos de viaje.
articulaire [aʀtikylɛʀ] *adj* articular.
articulation [aʀtikylasjɔ̃] *nf* (*aussi fig*) articulación *f*.
articulé, e [aʀtikyle] *adj* articulado(-a).
articuler [aʀtikyle] *vt* articular; **s'articuler** *vpr*: **s'** ~ (**sur**) articularse (con); **s'** ~ **autour de** (*fig*) articularse en torno a.
artifice [aʀtifis] *nm* artificio.
artificiel, le [aʀtifisjɛl] *adj* artificial; (*jambe*) ortopédico(-a); (*péj*) artificial, fingido(-a).
artificiellement [aʀtifisjɛlmã] *adv* artificialmente.
artificier [aʀtifisje] *nm* pirotécnico.
artificieux, -euse [aʀtifisjø, jøz] *adj* artificioso(-a), falso(-a).
artillerie [aʀtijʀi] *nf* artillería.
artilleur [aʀtijœʀ] *nm* artillero.
artimon [aʀtimɔ̃] *nm* palo de mesana.
artisan, e [aʀtizã] *nm* artesano(-a); **l'** ~ **de la victoire/du malheur** el artífice de la victoria/de la desgracia.
artisanal, e, -aux [aʀtizanal, o] *adj* artesanal.
artisanalement [aʀtizanalmã] *adv* artesanalmente.
artisanat [aʀtizana] *nm* artesanía.
artiste [aʀtist] *adj* artista ♦ *nm/f* artista *m/f*; (*bohème*) artista, bohemio(-a).
artistique [aʀtistik] *adj* artístico(-a).
aryen, ne [aʀjɛ̃, jɛn] *adj* ario(-a).
AS [aɛs] *sigle fpl* = *assurances sociales* ♦ *sigle f* = *Association sportive*.
as [ɑs] *vb voir* **avoir** ♦ *nm* as *m*.
ascendance [asãdãs] *nf* ascendencia.
ascendant, e [asãdã, ãt] *adj* ascendente ♦ *nm* ascendiente *m*; ~**s** *nmpl* (*parents*) ascendientes *mpl*.
ascenseur [asãsœʀ] *nm* ascensor *m*, elevador (*AM*).
ascète [asɛt] *nm/f* asceta *m/f*.
ascétique [asetik] *adj* ascético(-a).
ascétisme [asetism] *nm* ascetismo.
ascorbique [askɔʀbik] *adj*: **acide** ~ ácido ascórbico.
ASE [aɛsə] *sigle f* (= *Agence spatiale européenne*) ESA.
asepsie [asɛpsi] *nf* asepsia.

aseptique [asɛptik] adj aséptico(-a).
aseptiser [asɛptize] vt esterilizar.
asexué, e [asɛksчe] adj asexuado(-a).
Asiate [azjat] nm/f (péj) asiático(-a).
asiatique [azjatik] adj asiático(-a) ♦ nm/f: A~ asiático(-a).
Asie [azi] nf Asia.
asile [azil] nm asilo; (refuge, abri) refugio; droit d'~ derecho de asilo; accorder l'~ politique à qn conceder asilo político a algn; chercher/trouver ~ quelque part buscar/encontrar asilo en alguna parte.
asocial, e, -aux [asɔsjal, jo] adj asocial.
aspect [aspɛ] nm aspecto, apariencia; (fig) aspecto; à l'~ de ... a la vista de... .
asperge [aspɛʀʒ] nf espárrago.
asperger [aspɛʀʒe] vt rociar.
aspérité [aspeʀite] nf aspereza.
aspersion [aspɛʀsjɔ̃] nf aspersión f.
asphalte [asfalt] nm asfalto.
asphalter [asfalte] vt asfaltar.
asphyxiant, e [asfiksjɑ̃, jɑ̃t] adj asfixiante.
asphyxie [asfiksi] nf (aussi fig) asfixia.
asphyxier [asfiksje] vt asfixiar; mourir asphyxié morir asfixiado.
aspic [aspik] nm (ZOOL) áspid m; (CULIN) fiambre ou pescado etc con gelatina.
aspirant, e [aspiʀɑ̃, ɑ̃t] adj: pompe ~e bomba aspirante ♦ nm (NAUT) guardiamarina m.
aspirateur [aspiʀatœʀ] nm aspiradora.
aspiration [aspiʀasjɔ̃] nf aspiración f, absorción f; (gén pl: ambitions) aspiraciones fpl.
aspirer [aspiʀe] vt aspirar; (liquide) absorber; ~ à qch aspirar a algo; ~ à faire aspirar a hacer.
aspirine [aspiʀin] nf aspirina.
assagir [asaʒiʀ] vt sosegar; s'assagir vpr sosegarse, aplacarse.
assaillant, e [asajɑ̃, ɑ̃t] nm/f agresor(a), asaltante m/f.
assaillir [asajiʀ] vt atacar, asaltar; (de questions, reproches) asediar, acosar.
assainir [aseniʀ] vt (quartier, logement, aussi fig) sanear; (air, eau) depurar.
assainissement [asenismɑ̃] nm (v vb) saneamiento; depuración f.
assaisonnement [asɛzɔnmɑ̃] nm aliño; (ingrédient) condimento.
assaisonner [asɛzɔne] vt aliñar, condimentar; bien assaisonné bien aliñado, bien condimentado.
assassin [asasɛ̃] nm asesino(-a).
assassinat [asasina] nm asesinato.
assassiner [asasine] vt asesinar.
assaut [aso] nm asalto; (fig) embestida; prendre d'~ tomar por asalto; donner l'~ (à) asaltar; faire ~ de rivalizar en.

assèchement [asɛʃmɑ̃] nm desecación f.
assécher [aseʃe] vt desecar.
ASSEDIC [asedik] sigle f (= Association pour l'emploi dans l'industrie et le commerce) fondo de seguro de desempleo.
assemblage [asɑ̃blaʒ] nm (action d'assembler) ensamblaje m, montaje m; (MENUISERIE) ensamblaje; un ~ de (fig) una mezcla de; langage d'~ (INFORM) lenguaje m de compilación.
assemblée [asɑ̃ble] nf asamblea; ~ des fidèles asamblea de los fieles, l'A~ nationale la Asamblea nacional.
assembler [asɑ̃ble] vt (TECH, gén) ensamblar, juntar; (mots, idées) ensamblar, unir; (amasser) reunir; s'assembler vpr reunirse.
assembleur [asɑ̃blœʀ] nm (INFORM) compilador m.
assener, asséner [asene] vt: ~ un coup à qn asestar un golpe a algn; ~ la vérité à qn espetar la verdad a algn.
assentiment [asɑ̃timɑ̃] nm asentimiento.
asseoir [aswaʀ] vt sentar; (autorité, réputation) asentar; s'asseoir vpr sentarse; faire ~ qn hacer sentarse a algn; ~ qch sur asentar algo sobre; (appuyer) fundar algo en, basar algo en.
assermenté, e [asɛʀmɑ̃te] adj juramentado(-a).
assertion [asɛʀsjɔ̃] nf aserción f.
asservir [asɛʀviʀ] vt esclavizar.
asservissement [asɛʀvismɑ̃] nm (action) avasallamiento; (état) esclavitud f.
assesseur [asesœʀ] nm asesor(a).
asseyais [asɛje] vb voir asseoir.
assez [ase] adv (suffisamment) bastante; (passablement) suficientemente, bastante; ~! ¡basta!; ~/pas ~ cuit bastante/poco hecho; est-il ~ fort/rapide? ¿es bastante fuerte/rápido?; il est passé ~ vite pasó bastante rápido; ~ de pain bastante pan; ~ de livres bastantes libros; vous en avez ~ tiene bastante; en avoir ~ de qch estar harto(-a) de algo; ~ ... pour ... bastante ... para ... .
assidu, e [asidy] adj asiduo(-a); (zélé) aplicado(-a); ~ auprès de qn solícito(-a) con algn.
assiduité [asidчite] nf asiduidad f; ~s nfpl (attentions inlassables) cortesías fpl.
assidûment [asidymɑ̃] adv asiduamente.
assied etc [asje] vb voir asseoir.
assiégé, e [asjeʒe] adj sitiado(-a).
assiéger [asjeʒe] vt sitiar; (fig) asediar.
assiérai etc [asjeʀe] vb voir asseoir.
assiette [asjɛt] nf plato; (stabilité, équilibre) equilibrio; ► assiette à dessert plato de postre; ► assiette anglaise plato de fiambres variados; ► assiette creuse

plato hondo; ▶ **assiette de l'impôt** estimación *f* de la base imponible; ▶ **assiette plate** plato llano.

assiettée [ajɛte] *nf* plato.

assignation [asiɲasjɔ̃] *nf* asignación *f*; (*JUR*) citación *f*; ▶ **assignation à résidence** arresto domiciliario.

assigner [asiɲe] *vt* asignar; (*valeur, importance*) atribuir; (*limites*) imponer, establecer; ~ **un rôle à qn** asignar un papel a algn; ~ **qn à résidence** imponer un arresto domiciliario a algn.

assimilable [asimilabl] *adj* asimilable.

assimilation [asimilasjɔ̃] *nf* digestión *f*; integración *f*; equiparación *f*.

assimiler [asimile] *vt* (*aliment*) digerir; (*connaissances, idée*) asimilar; (*immigrants*) integrar; (*identifier*): ~ **qch/qn à** equiparar algo/a algn con; **s'assimiler** *vpr* integrarse; **ils sont assimilés aux infirmiers** están equiparados con los enfermeros.

assis, e [asi, iz] *pp de* **asseoir** ♦ *adj* sentado(-a); ~ **en tailleur** sentado(-a) a la turca.

assise [asiz] *nf* (*CONSTR*) hilada; (*GÉO*) capa, lecho; (*fig*) base *f*, cimientos *mpl*; ~**s** *nfpl* (*JUR*) audiencia *fsg*; (*congrès*) sesión *fsg*, congreso *msg*.

assistanat [asistana] *nm* ayudantía.

assistance [asistɑ̃s] *nf* (*public*) asistencia, público; (*aide*) asistencia; **porter/prêter** ~ **à qn** llevar/prestar ayuda a algn; **enfant de l'A**~ **(publique)** niño(-a) del hospicio; ▶ **Assistance (publique)** hospicio; ▶ **assistance technique** asistencia técnica.

assistant, e [asistɑ̃, ɑ̃t] *nm/f* (*SCOL*) lector(a); (*d'un professeur, cinéaste*) ayudante *m/f*; ~**s** *nmpl* (*auditeurs*) asistentes *m/fpl*; ▶ **assistante sociale** asistenta social.

assisté, e [asiste] *adj* (*AUTO*) asistido(-a) ♦ *nm/f* (*aussi péj*) beneficiario(-a) (de la ayuda del estado).

assister [asiste] *vt* ayudar; ♦ *vi* ~ **à** asistir a.

associatif, -ive [asɔsjatif, iv] *adj*: **le mouvement** ~ el movimiento asociativo.

association [asɔsjasjɔ̃] *nf* asociación *f*; (*musicale, sportive*) grupo, asociación; ▶ **association d'idées** asociación de ideas.

associé, e [asɔsje] *adj* asociado(-a) ♦ *nm/f* socio(-a); (*COMM*) asociado(-a).

associer [asɔsje] *vt* asociar; **s'associer** *vpr* asociarse; (*un collaborateur*) asociarse con; ~ **qn à** asociar a algn a; (*joie, triomphe*) hacer partícipe a algn de; ~ **qch à** unir algo a; **s'**~ **à** (*couleurs*) combinar con; (*opinions, joie de qn*) hacerse partícipe de.

assoie [aswa] *vb voir* **asseoir**.

assoiffé, e [aswafe] *adj* sediento(-a); ~ **de** (*fig*) sediento de.

assoirai *etc* [aswaʀe] *vb voir* **asseoir**.

assois *etc* [aswa] *vb voir* **asseoir**.

assolement [asɔlmɑ̃] *nm* rotación *f* de cultivos.

assombrir [asɔ̃bʀiʀ] *vt* oscurecer; (*fig*) ensombrecer; **s'assombrir** *vpr* (*ciel*) oscurecerse, ensombrecerse; (*fig*) ensombrecerse.

assommer [asɔme] *vt* (*tuer*) matar, acogotar; (*étourdir: personne*) dejar inconsciente de un golpe; (*étourdir, abrutir: médicament*) aturdir, atontar; (*fam: importuner*) fastidiar.

Assomption [asɔ̃psjɔ̃] *nf*: **l'**~ la Asunción.

assorti, e [asɔʀti] *adj* (*en harmonie*) combinado(-a); **fromages** ~**s** quesos *mpl* surtidos; ~ **à** a juego con; ~ **de** (*conditions, conseils*) acompañado(-a) de; **bien/mal** ~ bien/mal surtido(-a).

assortiment [asɔʀtimɑ̃] *nm* (*aussi COMM*) surtido; (*harmonie de couleurs, formes*) combinación *f*.

assortir [asɔʀtiʀ] *vt* combinar; **s'assortir** *vpr* hacer juego; ~ **qch à** combinar algo con; ~ **qch de** acompañar algo con; **s'**~ **de** estar acompañado(-a) de *ou* por.

assoupi, e [asupi] *adj* (*aussi fig*) adormecido(-a).

assoupir [asupiʀ] *vpr*: **s'**~ adormecerse.

assoupissement [asupismɑ̃] *nm* (*aussi fig*) adormecimiento.

assouplir [asupliʀ] *vt* (*cuir*) ablandar; (*membres, corps, aussi fig*) flexibilizar; (*caractère*) suavizar; **s'assouplir** *vpr* (*v vt*) ablandarse; hacerse más flexible; suavizarse.

assouplissement [asuplismɑ̃] *nm* (*v vt*) ablandamiento; suavización *f*; flexibilización *f*; **exercices d'**~ ejercicios *mpl* de flexibilidad.

assourdir [asuʀdiʀ] *vt* (*étouffer*) atenuar, amortiguar; (*suj: bruit*) ensordecer.

assourdissant, e [asuʀdisɑ̃, ɑ̃t] *adj* ensordecedor(a).

assouvir [asuviʀ] *vt* satisfacer, saciar.

assoyais *etc* [aswa] *vb voir* **asseoir**.

assujetti, e [asyʒeti] *adj* sometido(-a); ~ **(à)** sometido(-a) (a); ~ **à l'impôt** sujeto (-a) a impuestos.

assujettir [asyʒetiʀ] *vt* (*peuple, pays*) someter; (*fixer*) sujetar; ~ **qn à** someter a algn a.

assujettissement [asyʒetismɑ̃] *nm* sujeción *f*.

assumer [asyme] *vt* asumir; (*poste, rôle*) desempeñar; **s'assumer** *vpr* asumirse.

assurance [asyʀɑ̃s] *nf* (*certitude*) certeza;

(confiance en soi) seguridad f; (contrat, secteur commercial) seguro; **prendre une** ~ **contre** hacer un seguro contra; ~ **contre l'incendie/le vol** seguro contra incendios/robos; **société d'**~ sociedad f de seguros; **compagnie d'**~**s** compañía de seguros; ► **assurance au tiers** seguro contra terceros; ► **assurance maladie** seguro de enfermedad; ► **assurance tous risques** seguro a todo riesgo; ► **assurances sociales** seguros mpl sociales.

assurance-vie [asyʀɑ̃svi] (pl ~**s**-~) nf seguro de vida.

assurance-vol [asyʀɑ̃svɔl] (pl ~**s**-~) nf seguro contra robo.

assuré, e [asyʀe] adj: ~ **de** seguro(-a) de ♦ nm/f asegurado(-a); **être** ~ (assurance) estar asegurado; ► **assuré social** asegurado(-a) social.

assurément [asyʀemɑ̃] adv seguramente.

assurer [asyʀe] vt asegurar; (succès, victoire) asegurar, garantizar; ~ (**à qn**) **que** asegurar (a algn) que; **s'assurer** vpr: **s'**~ (**contre**) asegurarse (contra); ~ **qn de son amitié** garantizar a algn su amistad; ~ **qch à qn** (emploi, revenu) garantizar algo a algn; (fait etc) asegurar algo a algn; **je vous assure que non/si** le aseguro que no/sí; ~ **ses arrières** guardarse las espaldas; **s'**~ **de/que** asegurarse de/de que; **s'**~ **sur la vie** hacer un seguro de vida; **s'**~ **le concours/la collaboration de qn** asegurarse la ayuda/la colaboración de algn.

assureur [asyʀœʀ] nm asegurador(a).

astérisque [asteʀisk] nm asterisco.

astéroïde [asteʀɔid] nm asteroide m.

asthénique [astenik] adj asténico(-a).

asthmatique [asmatik] adj asmático(-a).

asthme [asm] nm asma.

asticot [astiko] nm cresa.

asticoter [astikɔte] vt fastidiar.

astigmate [astigmat] adj, nm/f astigmático(-a).

astiquer [astike] vt abrillantar.

astrakan [astʀakɑ̃] nm astracán m.

astral, e, -aux [astʀal, o] adj astral.

astre [astʀ] nm astro.

astreignant, e [astʀɛɲɑ̃, ɑ̃t] adj esclavizante.

astreindre [astʀɛ̃dʀ] vt: ~ **qn à qch/à faire** forzar a algn a algo/a hacer; **s'**~ **à** obligarse a, forzarse a.

astringent, e [astʀɛ̃ʒɑ̃, ɑ̃t] adj, nm astringente m.

astrologie [astʀɔlɔʒi] nf astrología.

astrologique [astʀɔlɔʒik] adj astrológico (-a).

astrologue [astʀɔlɔg] nm/f astrólogo(-a).

astronaute [astʀonot] nm/f astronauta m/f.

astronautique [astʀonotik] nf astronáutica.

astronome [astʀɔnɔm] nm/f astrónomo(-a).

astronomie [astʀɔnɔmi] nf astronomía.

astronomique [astʀɔnɔmik] adj astronómico(-a).

astrophysicien, ne [astʀofizisjɛ̃, jɛn] nm/f astrofísico(-a).

astrophysique [astʀofizik] nf astrofísica.

astuce [astys] nf astucia; (plaisanterie) picardía, broma.

astucieusement [astysjøzmɑ̃] adv astuciosamente.

astucieux, -euse [astysjø, jøz] adj astucioso(-a).

Asturies [astyʀi] nfpl Asturias fpl.

asymétrique [asimetʀik] adj asimétrico (-a).

AT abr (= Ancien Testament) A.T.

atavisme [atavism] nm atavismo.

atelier [atəlje] nm taller m; (de peintre) estudio; ~ **de musique/poterie** taller de música/cerámica.

atermoiements [atɛʀmwamɑ̃] nmpl (v vb) dilaciones fpl.

atermoyer [atɛʀmwaje] vi andar con dilaciones.

athée [ate] adj, nm/f ateo(-a).

athéisme [ateism] nm ateísmo.

Athènes [atɛn] n Atenas.

athénien, ne [atenjɛ̃, jɛn] adj ateniense ♦ nm/f: **A**~, **ne** ateniense m/f.

athlète [atlɛt] nm/f atleta m/f.

athlétique [atletik] adj atlético(-a).

athlétisme [atletism] nm atletismo; **tournoi d'**~ torneo de atletismo; **faire de l'**~ hacer atletismo.

atlantique [atlɑ̃tik] adj atlántico(-a) ♦ nm: **l'(océan) A**~ el (océano) Atlántico.

atlantiste [atlɑ̃tist] adj, nm/f atlantista m/f.

Atlas [atlas] nm: **l'**~ el Atlas.

atlas [atlas] nm atlas.

atmosphère [atmɔsfɛʀ] nf atmósfera; (fig) ambiente m.

atmosphérique [atmɔsfeʀik] adj atmosférico(-a).

atoll [atɔl] nm atolón m.

atome [atom] nm átomo.

atomique [atɔmik] adj atómico(-a).

atomiseur [atɔmizœʀ] nm atomizador m.

atomiste [atɔmist] nm/f atomista m/f.

atone [atɔn] adj (personne) indolente; (regard) inexpresivo(-a); (LING) átono(-a).

atours [atuʀ] nmpl adornos mpl.

atout [atu] nm triunfo; (fig) triunfo, ventaja; ► **atout pique/trèfle** triunfo de picas/de trébol.

âtre [ɑtʀ] nm hogar m.

atroce [atʀɔs] adj atroz; (très désagréable, pénible) atroz, terrible.

atrocement [atRɔsmɑ̃] *adv* (*cruellement*) atrozmente; (*excessivement*) terriblemente.

atrocité [atRɔsite] *nf* atrocidad *f*; (*gén pl*: *actes atroces*) atrocidades *fpl*; (: *calomnies*) barbaridades *fpl*.

atrophie [atRɔfi] *nf* atrofia.

atrophier [atRɔfje]: **s'~** *vpr* atrofiarse.

attabler [atable]: **s'~** *vpr* sentarse a la mesa; **s'~ à la terrasse** sentarse en la terraza.

attachant, e [ataʃɑ̃, ɑ̃t] *adj* (*persona*) atrayente; (*animal*) encantador(a).

attache [ataʃ] *nf* grapa; (*fig*) lazo; **~s** *nfpl* (*relations*) relaciones *fpl*; **à l'~** (*chien*) atado(-a).

attaché, e [ataʃe] *adj* atado(-a); **être ~ à** (*aimer*) estar encariñado(-a) con ♦ *nm* agregado(-a); ► **attaché commercial/ d'ambassade** agregado(-a) comercial/de embajada; ► **attaché de presse** agregado(-a) de prensa.

attaché-case [ataʃekɛz] (*pl* **~s-~s**) *nm* maletín *m*.

attachement [ataʃmɑ̃] *nm* cariño, afecto.

attacher [ataʃe] *vt* atar; (*bateau*) amarrar; (*étiquette à qch*) pegar, fijar ♦ *vi* (*poêle*) pegar; (*riz, sucre*) pegarse; **s'attacher** *vpr* abrocharse; **s'~ à** encariñarse con; **s'~ à faire qch** consagrarse a hacer algo; **~ qch à** atar algo a; **~ qn à** (*fig*) vincular a algn a; **~ du prix/de l'importance à** atribuir valor/importancia a; **~ son regard/ses yeux sur** fijar la mirada/los ojos en.

attaquant [atakɑ̃] *nm* (*MIL*) agresor *m*; (*SPORT*) atacante *m/f*.

attaque [atak] *nf* ataque *m*; (*SPORT*) ofensiva; **être/se sentir d'~** sentirse con fuerzas; ► **attaque à main armée** ataque a mano armada.

attaquer [atake] *vt* (*aussi fig*) atacar; (*entreprendre*) acometer ♦ *vi* atacar; **~ qn en justice** entablar una acción judicial contra algn; **s'~ à** enfrentarse con; (*épidémie, misère*) luchar contra.

attardé, e [ataRde] *adj* retrasado(-a); (*péj*) atrasado(-a), retrógrado(-a).

attarder [ataRde]: **s'~** *vpr* (*sur qch, en chemin*) demorarse; (*chez qn*) entretenerse.

atteignais *etc* [atɛɲɛ] *vb voir* **atteindre.**

atteindre [atɛ̃dR] *vt* alcanzar; (*cible, fig*) conseguir; (*blesser*) alcanzar, herir; (*contacter*) localizar; (*émouvoir*) afectar.

atteint, e [atɛ̃, ɛ̃t] *pp de* **atteindre** ♦ *adj*: **être ~ de** estar aquejado(-a) de.

atteinte [atɛ̃t] *nf* (*à l'honneur, au prestige*) ofensa; (*gén pl*: *d'un mal*) ataque *m*; **hors d'~** (*aussi fig*) fuera de mi *etc* alcance; **porter ~ à** atentar contra.

attelage [at(ə)laʒ] *nm* (*de remorque*) enganche *m*; (*chevaux*) tiro; (*bœufs*) yunta.

atteler [at(ə)le] *vt* (*cheval, wagons*) enganchar; (*bœufs*) uncir; **s'~ à** (*fig*) consagrarse a.

attelle [atɛl] *nf* tablilla.

attenant, e [at(ə)nɑ̃, ɑ̃t] *adj* contiguo(-a), lindante; **~ à** contiguo a, lindante con.

attendant [atɑ̃dɑ̃] *adv*: **en ~** (*dans l'intervalle*) entretanto, mientras tanto; (*quoi qu'il en soit*) de todos modos.

attendre [atɑ̃dR] *vt* esperar; (*suj: une grande joie*) aguardar ♦ *vi* esperar; **s'attendre** *vpr*: **s'~ à** (*ce que*) esperarse (que); **je n'attends plus rien** (*de la vie*) no espero nada más (de la vida); **attendez que je réfléchisse** espere a que reflexione; **je ne m'y attendais pas** no me lo esperaba; **ce n'est pas ce à quoi je m'attendais** no es lo que yo me esperaba; **~ un enfant** esperar un niño; **~ de pied ferme** esperar con pie firme; **~ de faire/d'être** esperar hacer/ser; **~ qch de qn** *ou* **qch** esperar algo de algn *ou* algo; **~ que** esperar que; **faire ~ qn** hacer esperar a algn; **se faire ~** hacerse esperar; **j'attends vos excuses** espero sus disculpas; *adv voir* **attendant.**

attendri, e [atɑ̃dRi] *adj* tierno(-a).

attendrir [atɑ̃dRiR] *vt* (*personne*) enternecer; (*viande*) ablandar; **s'attendrir** *vpr*: **s'~ (sur)** enternecerse (con).

attendrissant, e [atɑ̃dRisɑ̃, ɑ̃t] *adj* enternecedor(a).

attendrissement [atɑ̃dRismɑ̃] *nm* (*tendre*) ternura, enternecimiento; (*apitoyé*) enternecimiento.

attendrisseur [atɑ̃dRisœR] *nm* máquina para ablandar la carne.

attendu, e [atɑ̃dy] *pp de* **attendre** ♦ *adj* esperado(-a); **~s** *nmpl* (*JUR*) considerandos *mpl*; **~ que** puesto que.

attentat [atɑ̃ta] *nm* atentado; ► **attentat à la bombe/à la pudeur** atentado con bomba/contra el pudor.

attente [atɑ̃t] *nf* espera; (*espérance*) espera, expectativa; **contre toute ~** contra toda previsión.

attenter [atɑ̃te]: **~ à** *vt* atentar contra; **~ à la vie de qn** atentar contra la vida de algn; **~ à ses jours** atentar contra su propia vida.

attentif, -ive [atɑ̃tif, iv] *adj* (*auditeur, élève*) atento(-a); (*soins*) cuidadoso(-a); (*travail*) cuidadoso(-a), concienzudo(-a); **~ à** (*scrupuleux*) escrupuloso(-a) con; (*ses devoirs*) cuidadoso(-a) de.

attention [atɑ̃sjɔ̃] *nf* atención *f*; (*prévenance*: *gén pl*) atenciones *fpl*; **à l'~ de** (*pour*) a la atención de; **porter qch à l'~ de qn** presentar algo a la consideración de algn; **attirer l'~ de qn sur qch** llamar la atención de algn sobre algo; **faire ~ à** (*remarquer, noter*) prestar atención a; (*prendre garde à*) tener cuidado con; **faire ~ que/à ce que** tener cuidado que; **~!** ¡cuidado!; **~, si vous ouvrez cette lettre** (*sanction*) ojo, si abre esta carta; **~, respectez les consignes de sécurité** atención, respeten las consignas de seguridad; **mériter ~** merecer atención.

attentionné, e [atɑ̃sjɔne] *adj* atento(-a), solícito(-a).

attentisme [atɑ̃tism] *nm* política de espera.

attentiste [atɑ̃tist] *adj* (*politique*) que practica la política de espera ♦ *nm/f* partidario(-a) de la política de espera.

attentivement [atɑ̃tivmɑ̃] *adv* atentamente.

atténuant, e [atenɥɑ̃, ɑ̃t] *adj*: **circonstances ~es** circunstancias *fpl* atenuantes.

atténuer [atenɥe] *vt* atenuar; (*douleur*) aliviar; **s'atténuer** *vpr* atenuarse.

atterrer [atere] *vt* aterrar.

atterrir [aterir] *vi* aterrizar.

atterrissage [aterisaʒ] *nm* aterrizaje *m*; ▶ **atterrissage forcé/sans visibilité/sur le ventre** aterrizaje forzoso/sin visibilidad/de panza.

attestation [atɛstasjɔ̃] *nf* certificado; ▶ **attestation de paiement** comprobante *m* de pago.

attester [atɛste] *vt* (*vérité, fait*) testimoniar, atestiguar; (*suj: chose*) atestiguar; **~ que** atestiguar que.

attiédir [atjedir] *vt* templar, entibiar; (*fig*) entibiar, enfriar.

attifé, e [atife] (*fam*) *adj* emperifollado(-a).

attifer [atife] *vt* emperifollar.

attique [atik] *nm*: **appartement en ~** ático.

attirail [atiraj] *nm* (*de pêche*) aparejos *mpl*; (*photo, camping*) cosas *fpl*; (*péj*) bártulos *mpl*.

attirance [atirɑ̃s] *nf* (*de qch*) atractivo; (*vers qch*) atracción *f*.

attirant, e [atirɑ̃, ɑ̃t] *adj* atractivo(-a).

attirer [atire] *vt* atraer; **~ qn dans un coin/vers soi** llevar a algn a un rincón/hacia sí; **~ l'attention de qn sur qch** llamar la atención de algn sobre algo; **~ des louanges à qn** granjear elogios a algn; **~ des ennuis à qn** acarrear problemas a algn; **s'~ des ennuis** acarrearse problemas.

attiser [atize] *vt* atizar; (*fig*) avivar.

attitré, e [atitre] *adj* titulado(-a).

attitude [atityd] *nf* (*comportement*) actitud *f*, conducta; (*position du corps*) postura; (*état d'esprit*) actitud, disposición *f*.

attouchements [atuʃmɑ̃] *nmpl* toques *mpl*;

(*sexuels*) caricias *fpl*.

attractif, -ive [atraktif, iv] *adj* atractivo (-a).

attraction [atraksjɔ̃] *nf* atracción *f*; (*de cabaret, cirque*) atracción, número.

attrait [atrɛ] *nm* (*de l'argent, de la gloire*) atractivo, incentivo; (*d'un lieu, d'une personne*) atractivo; **~s** *nmpl* (*d'une femme*) encantos *mpl*; **éprouver de l'~ pour** sentirse atraído(-a) por.

attrape [atrap] *nf voir* **farce** ♦ *préf*: **~- engaña.

attrape-nigaud [atrapnigo] (*pl* **~-~s**) *nm* engañabobos *m inv*.

attraper [atrape] *vt* (*saisir*) atrapar, coger, agarrar (*AM*); (*voleur, animal*) atrapar, agarrar; (*train, maladie, amende*) pillar; (*fam: réprimander*) reñir; (: *duper*) engañar.

attrayant, e [atrɛjɑ̃, ɑ̃t] *adj* atrayente.

attribuer [atribɥe] *vt* (*prix*) otorgar; (*rôle, tâche*) asignar; (*conséquence, fait, qualité*) atribuir; (*échec*) achacar; (*importance*) conceder, dar; **s'attribuer** *vpr* atribuirse.

attribut [atriby] *nm* atributo.

attribution [atribysjɔ̃] *nf* atribución *f*; **~s** *nfpl* (*ADMIN*) atribuciones *fpl*; **complément d'~** complemento de atribución.

attristant, e [atristɑ̃, ɑ̃t] *adj* entristecedor(a).

attrister [atriste] *vt* entristecer; **s'attrister** *vpr*: **s'~ de qch** entristecerse por algo.

attroupement [atrupmɑ̃] *nm* aglomeración *f*.

attrouper [atrupe]: **s'~** *vpr* aglomerarse, agolparse.

au [o] *prép* + *dét voir* **à**.

aubade [obad] *nf* serenata, alborada.

aubaine [obɛn] *nf* (*avantage inattendu*) suerte *f*; (*COMM*) ganga, chollo (*fam*).

aube [ob] *nf* alba, madrugada, amanecer *m*; (*de communiant*) alba; **l'~ de** (*fig*) los albores de, el amanecer de; **à l'~** al alba, de madrugada, al amanecer.

aubépine [obepin] *nf* espino.

auberge [obɛrʒ] *nf* posada, mesón *m*; ▶ **auberge de jeunesse** albergue *m* de juventud.

aubergine [obɛrʒin] *nf* berenjena.

aubergiste [obɛrʒist] *nm/f* mesonero(-a).

auburn [obœrn] *adj inv* color caoba.

aucun, e [okœ̃, yn] *dét* ningún(-una) ♦ *pron* ninguno(-a), nadie; **il n'a ~ sens** no tiene ningún sentido, no tiene sentido alguno.

aucunement [okynmɑ̃] *adv* de ninguna manera.

audace [odas] *nf* audacia; (*péj*) descaro; **payer d'~** manifestar audacia; **il a eu l'~ de** tuvo el atrevimiento de; **vous ne manquez pas d'~!** ¡no le falta atrevimiento!

audacieux, -euse [odasjø, jøz] *adj* audaz.
au-dedans [odədɑ̃] *adv* dentro ♦ *prép*: ~-~ de dentro de.
au-dehors [odəɔʀ] *adv* fuera ♦ *prép*: ~-~ de fuera de.
au-delà [od(ə)la] *adv* más allá ♦ *nm inv*: l'~-~ el más allá; ~-~ **de** más allá de.
au-dessous [odsu] *prép* abajo, debajo; ~-~ de (*dans l'espace*) debajo de; (*dignité, condition, somme*) por debajo de.
au-dessus [odsy] *adv* arriba, encima; ~-~ de (*dans l'espace*) arriba de, encima de; (*limite, somme, loi*) por encima de.
au-devant [od(ə)vɑ̃]: ~-~ **de** *prép* al encuentro de; **aller** ~-~ **de** (*personne*) ir al encuentro de; (*danger*) hacer frente a; (*désirs de qn*) adelantarse a.
audible [odibl] *adj* audible.
audience [odjɑ̃s] *nf* (*attention*) atención *f*, interés *m*; (*auditeurs, lecteurs*) auditorio, público; (*entrevue, séance*) audiencia; **trouver ~ auprès de** encontrar buena acogida en.
audiométrie [odjometʀi] *nf* audiometría.
audiovisuel, le [odjovizɥɛl] *adj* audiovisual ♦ *nm* (*techniques*) técnicas *fpl* audiovisuales; (*méthodes*) métodos *mpl* audiovisuales; l'~ los medios audiovisuales.
auditeur, -trice [oditœʀ, tʀis] *nm/f* (*à la radio*) oyente *m/f*; (*à une conférence*) asistente *m/f*; ▶ **auditeur libre** oyente libre.
auditif, -ive [oditif, iv] *adj* auditivo(-a); **appareil ~** aparato auditivo.
audition [odisjɔ̃] *nf* audición *f*; (*JUR*) audiencia; (*MUS, THÉÂTRE*) prueba, audición.
auditionner [odisjone] *vt* hacer una audición ♦ *vi* dar una audición.
auditoire [oditwaʀ] *nm* auditorio.
auditorium [oditɔʀjɔm] *nm* auditorium *m*, auditorio.
auge [oʒ] *nf* (*abreuvoir*) bebedero; (*mangeoire*) pesebre *m*.
augmentation [ɔgmɑ̃tasjɔ̃] *nf* (*action, résultat*) aumento; (*prix*) subida; ▶ **augmentation (de salaire)** aumento (del salario).
augmenter [ɔgmɑ̃te] *vt* aumentar; (*prix*) subir; (*employé, salarié*) subir el sueldo a ♦ *vi* aumentar; ~ **de poids/volume** aumentar de peso/volumen.
augure [ogyʀ] *nm* agorero; (*HIST*) augur *m*; **de bon/mauvais ~** de buen/mal augurio.
augurer [ogyʀe] *vt*: ~ **qch de qch** augurar algo de algo; **cela augure bien de l'avenir** eso augura un buen futuro.
auguste [ogyst] *adj* augusto(-a).
aujourd'hui [oʒuʀdɥi] *adv* hoy; (*de nos jours*) hoy en día; ~ **en huit/en quinze de** hoy en ocho días/en quince días; **à dater**

ou **partir d'~** a partir de hoy.
aumône [omon] *nf* limosna; **faire l'~ (à qn)** dar limosna (a algn); **faire l'~ de qch à qn** (*fig*) conceder la gracia de algo a algn.
aumônerie [omonʀi] *nf* capellanía.
aumônier [omonje] *nm* capellán *m*.
aune [on] *nf*: **à l'~ de** según el rasero de.
auparavant [opaʀavɑ̃] *adv* antes.
auprès [opʀɛ]: ~ **de** *prép* al lado de, cerca de; (*du tribunal*) ante; (*en comparaison de*) comparado(-a) con; (*dans l'opinion de*) según.
auquel [okɛl] *prép* + *pron voir* **lequel**.
aurai *etc* [ɔʀe] *vb voir* **avoir**.
auréole [ɔʀeɔl] *nf* (*de saint, fig*) aureola; (*tache*) marca.
auréolé, e [ɔ(o)ʀeɔle] (*fig*) *adj*: ~ **de gloire** rodeado(-a) de una aureola de gloria.
auriculaire [ɔʀikylɛʀ] *nm* auricular *m*.
aurons *etc* [ɔʀɔ̃] *vb voir* **avoir**.
aurore [ɔʀɔʀ] *nf* aurora; ▶ **aurore boréale** aurora boreal.
ausculter [ɔskylte] *vt* auscultar.
auspices [ɔspis] *nmpl*: **sous les ~ de** bajo los auspicios de; **sous de bons/mauvais ~** con buenos/malos auspicios.
aussi [osi] *adv* también; (*de comparaison: avec adj, adv*) tan; (*si, tellement*) tan ♦ *conj* (*par conséquent*) por lo tanto; ~ **fort/ rapidement que** tan fuerte/rápidamente como; **lui ~** él también; ~ **bien que** (*de même que*) lo mismo que; **il l'a fait/va y aller – moi ~** lo hizo/va a ir – yo también; **je le pense ~** yo también lo pienso *ou* creo.
aussitôt [osito] *adv* enseguida, inmediatamente; ~ **que** tan pronto como; ~ **fait** ni bien hecho; ~ **envoyé** ni bien enviado.
austère [ostɛʀ] *adj* austero(-a).
austérité [osteʀite] *nf* austeridad *f*; **plan/ budget d'~** plan *m*/presupuesto de austeridad.
austral, e [ostʀal] *adj* austral; **l'océan a~** el océano austral; **les terres a~es** las tierras australes.
Australie [ostʀali] *nf* Australia.
australien, ne [ostʀaljɛ̃, jɛn] *adj* australiano(-a) ♦ *nm/f*: **A~, ne** australiano(-a).
autant [otɑ̃] *adv* (*tant, tellement*) tanto; (*comparatif*): ~ **(que)** tanto (como), tan (como); ~ **(de)** tanto(-a), tantos(-as); **n'importe qui aurait pu en faire ~** cualquiera hubiera hecho lo mismo; ~ **partir/ne rien dire** mejor marchar/no decir nada; ~ **dire que ...** eso es tanto como decir que ...; **fort ~ que courageux** tan fuerte como valeroso; **il n'est pas découragé pour ~** no se ha desanimado por

eso; **pour** ~ **que** en la medida en que; **d'**~ (*à proportion*) otro tanto; **d'**~ **plus/ moins/mieux (que)** tanto más/menos/ mejor (cuanto que); ~ ... ~ ... tanto ... tanto ...; **tout** ~ tanto; **ce sont** ~ **d'erreurs/d'échecs** son otros tantos errores/fracasos; **y en a-t-il** ~ **(qu'avant)?** ¿queda tanto (como antes)?; **il y a** ~ **de garçons que de filles** hay tantos niños como niñas.

autarcie [otaʀsi] *nf* autarquía.

autarcique [otaʀsik] *adj* autárquico(-a).

autel [otɛl] *nm* altar *m*.

auteur [otœʀ] *nm* autor(a); **droit d'** - derecho de autor.

auteur-compositeur [otœʀkɔ̃pozitœʀ] (*pl* ~**s**-~**s**) *nm* cantautor(a).

authenticité [otãtisite] *nf* autenticidad *f*.

authentifier [otãtifje] *vt* autentificar.

authentique [otãtik] *adj* auténtico(-a); (*récit, histoire*) auténtico(-a), cierto(-a); (*réel, sincère*) auténtico(-a), verdadero(-a).

authentiquement [otãtikmã] *adv* auténticamente.

autiste [otist] *adj, nm/f* autista *m/f*.

auto [oto] *nf* coche *m*, carro (*AM*), auto (*esp AM*); ▶ **autos tamponneuses** coches *mpl* de choque.

auto... [oto] *préf* auto-.

autobiographie [otobjɔgʀafi] *nf* autobiografía.

autobiographique [otobjɔgʀafik] *adj* autobiográfico(-a).

autobus [otɔbys] *nm* autobús *m*, camión *m* (*MEX*); **ligne d'**~ línea de autobús.

autocar [otɔkaʀ] *nm* autocar *m*.

autocensure [otosãsyʀ] *nf* autocensura.

autochtone [otɔktɔn] *adj, nm/f* autóctono (-a).

autoclave [otoklav] *adj* autoclave.

autocollant, e [otokɔlã, ãt] *adj* autoadhesivo(-a) ♦ *nm* autoadhesivo.

auto-couchettes [otokuʃɛt] *adj inv*: **train** ~-~ coche *m* cama.

autocratique [otokʀatik] *adj* autocrático (-a).

autocritique [otokʀitik] *nf* autocrítica.

autocuiseur [otokɥizœʀ] *nm* olla a presión.

autodafé [otodafe] *nm* auto de fe.

autodéfense [otodefãs] *nf* autodefensa; **groupe d'**~ grupo de autodefensa.

autodétermination [otodetɛʀminasjɔ̃] *nf* autodeterminación *f*.

autodidacte [otodidakt] *nm/f* autodidacta *m/f*.

autodiscipline [otodisiplin] *nf* autodisciplina.

autodrome [otodʀom] *nm* autódromo.

auto-école [otoekɔl] (*pl* ~-~**s**) *nf* autoes

cuela.

autofinancement [otofinãsmã] *nm* autofinanciamiento.

autogéré, e [otoʒeʀe] *adj* autogestionado(-a).

autogestion [otoʒɛstjɔ̃] *nf* autogestión *f*.

autographe [otɔgʀaf] *nm* autógrafo.

autoguidé, e [otogide] *adj* autodirigido (-a).

automate [otɔmat] *nm* (*aussi fig*) autómata *m*.

automatique [otɔmatik] *adj* automático (-a); (*réflexe, geste*) automático(-a), mecánico(-a) ♦ *nm* (*pistolet*) automática; (*téléphone*): **l'**~ el servicio automático.

automatiquement [otɔmatikmã] *adv* automáticamente.

automatisation [otɔmatizasjɔ̃] *nf* automatización *f*.

automatiser [otɔmatize] *vt* automatizar.

automatisme [otɔmatism] *nm* automatismo.

automédication [otomedikasjɔ̃] *nf* automedicación *f*.

automitrailleuse [otomitʀajøz] *nf* autoametralladora.

automnal, e, -aux [otɔnal, o] *adj* otoñal.

automne [otɔn] *nm* otoño.

automobile [otɔmɔbil] *nf* coche *m*, automóvil *m* ♦ *adj* automóvil; **l'**~ la industria automovilística.

automobiliste [otɔmɔbilist] *nm/f* automovilista *m/f*.

autonettoyant, e [otonetwajã, ãt] *adj:* **four** ~ horno de autolimpieza.

autonome [otɔnɔm] *adj* autónomo(-a); **en mode** ~ (*INFORM*) de modo autónomo.

autonomie [otɔnɔmi] *nf* autonomía *f*; ~ **de vol** autonomía de vuelo.

autonomiste [otɔnɔmist] *adj, nm/f* autonomista *m/f*.

autoportrait [otopɔʀtʀɛ] *nm* autorretrato.

autopsie [otɔpsi] *nf* autopsia.

autopsier [otɔpsje] *vt* hacer la autopsia a.

autoradio [otoʀadjo] *nm* autorradio.

autorail [otoʀaj] *nm* autovía *m*.

autorisation [otɔʀizasjɔ̃] *nf* (*permission*) autorización *f*, permiso; (*papiers*) licencia, permiso; **donner à qn l'**~ **de** dar a algn la autorización para; **avoir l'**~ **de faire** tener permiso para hacer.

autorisé, e [otɔʀize] *adj* autorizado(-a); ~ **(à faire)** autorizado(-a) (para hacer); **dans les milieux** ~**s** en medios oficiales.

autoriser [otɔʀize] *vt* autorizar, permitir; (*justifier, permettre*) autorizar; ~ **qn à faire** autorizar a algn para hacer.

autoritaire [otɔʀitɛʀ] *adj* autoritario(-a).

autoritairement [otɔʀitɛʀmã] *adv* autoritariamente.

autoritarisme [ɔtɔʀitaʀism] *nm* autoritarismo.

autorité [ɔtɔʀite] *nf* autoridad *f*; (*prestige, réputation*) autoridad, fama; **les ~s** las autoridades; **faire ~** ser una autoridad; **d'~** (*de façon impérative*) autoritariamente; (*sans réflexion*) directamente; ▸ **autorités administratives** autoridades administrativas.

autoroute [otoʀut] *nf* autopista.

autoroutier, -ière [otoʀutje, jɛʀ] *adj* (*réseau*) de autopista; (*trafic*) en las autopistas.

autosatisfaction [otosatisfaksjɔ̃] *nf* autosatisfacción *f*.

auto-stop [otostɔp] *nm inv*: **l'~-~** el autostop; **faire de l'~-~** hacer autostop; **prendre qn en ~-~** coger a algn en autostop.

auto-stoppeur, -euse [otostɔpœʀ, øz] (*pl* **~-~s, euses**) *nm/f* autostopista *m/f*.

autosuffisant, e [otosyfizã, ãt] *adj* autosuficiente.

autosuggestion [otosygʒɛstjɔ̃] *nf* autosugestión *f*.

autour [otuʀ] *adv* alrededor, en torno; **~ de** (*en cercle*) alrededor de, en torno de *ou* a; (*près de*) cerca de; (*environ, à peu près*) aproximadamente, alrededor de; **tout ~** por todas partes.

=================== *MOT-CLÉ*

autre [otʀ] *adj* **1** (*différent*) otro(-a); **je préférerais un autre verre** preferiría otro vaso

2 (*supplémentaire*): **je voudrais un autre verre d'eau** querría otro vaso de agua

3 (*d'une paire, dans une dualité*) otro(-a); **autre chose** otra cosa; **penser à autre chose** pensar en otra cosa; **autre part** (*aller*) a otra parte; (*se trouver*) en otra parte; **d'autre part** (*en outre*) además; **d'une part ..., d'autre part ...** por una parte ..., por otra parte ...

♦ *pron*: **un autre** otro; **nous autres** nosotros(-as); **vous autres** vosotros(-as); (*politesse*) ustedes; **d'autres** otros(-as); **les autres** los(las) otros(-as); (*autrui*) los demás; **l'un et l'autre** uno y otro; **se détester l'un l'autre/les uns les autres** detestarse uno a otro/unos a otros; **la difficulté est autre** la dificultad es otra; **d'une minute à l'autre** de un momento a otro; **d'autres entre autres(-as)**; **j'en ai vu d'autres** (*indifférence*) estoy curado de espanto; **à d'autres!** ¡cuéntaselo a otro!; **ni l'un ni l'autre** ni uno ni otro; **donnez-m'en un autre** deme otro; **de temps à autre** de vez en cuando; **se sentir autre** sentirse otro; *voir aussi* **part; temps; un.**

autrefois [otʀəfwa] *adv* antaño, en otro tiempo.

autrement [otʀəmã] *adv* (*d'une manière différente*) de otro modo; (*sinon*) si no, de lo contrario; **je n'ai pas pu faire ~** no he podido hacer otra cosa; **~ dit** en otras palabras; (*c'est-à-dire*) es decir.

Autriche [otʀiʃ] *nf* Austria.

autrichien, ne [otʀiʃjɛ̃, jɛn] *adj* austríaco(-a) ♦ *nm/f*: **A~, ne** austríaco(-a).

autruche [otʀyʃ] *nf* avestruz *m*; **faire l'~** meter la cabeza debajo del ala.

autrui [otʀyi] *pron* el prójimo, los demás.

auvent [ovã] *nm* (*de maison*) alero, tejadillo; (*de tente*) alero.

auvergnat, e [ovɛʀɲa, at] *adj* auvernés (-esa).

Auvergne [ovɛʀɲ] *nf* Auvernia.

aux [o] *prép* +*dét voir* **à.**

auxiliaire [ɔksiljɛʀ] *adj* auxiliar ♦ *nm/f* auxiliar *m/f*; (*aide, adjoint*) ayudante *m/f*; (*LING*) auxiliar *m*.

auxquelles [okɛl] *prép* + *pron voir* **lequel.**

auxquels [okɛl] *prép* + *pron voir* **lequel.**

av. *abr* (= *avenue*) Av., Avda. (= *Avenida*).

avachi, e [avaʃi] *adj* (*chaussure, vêtement*) deformado(-a); **~ sur qch** apoltronado(-a) sobre algo.

aval [aval] *nm* visto bueno; **en ~** (*d'un cours d'eau*) río abajo; (*d'une pente*) más abajo; **en ~ de** más abajo de; (*fig*) después de.

avalanche [avalãʃ] *nf* (*aussi fig*) avalancha.

avaler [avale] *vt* tragar; (*fig*) devorar; (*croire*) tragarse.

avaliser [avalize] *vt* avalar.

avance [avãs] *nf* avance *m*; (*d'argent*) adelanto, anticipo; (*opposé à retard*) adelanto; (*INFORM*): **~** (**du**) **papier** avance del papel; **~s** *nfpl* (*ouvertures, aussi amoureuses*) proposiciones *fpl*; **une ~ de 300 m/4 h** una ventaja de 300 m/4 h; **(être) en ~** (*sur l'heure fixée*) (estar) adelantado(-a); (*sur un programme*) (ir) adelantado(-a); **on n'est pas en ~!** ¡no adelantamos nada!; **être en ~ sur qn** (*pendant une action*) ir delante de algn; (*résultat*) llegar antes que algn; **il est très en ~ pour son âge** está muy adelantado para su edad; **à l'~, par ~, d'~** de antemano; **d'~** por anticipado; **payer d'~** pagar por adelantado.

avancé, e [avãse] *adj* avanzado(-a); (*travail*) adelantado(-a); (*fruit, fromage*) maduro(-a).

avancée [avãse] *nf* saliente *m*.

avancement [avãsmã] *nm* (*professionnel*) ascenso; (*de travaux*) progreso.

avancer [avɑ̃se] vi avanzar; (*travail, montre, réveil*) adelantar; (*être en saillie, surplomb*) avanzar, sobresalir ♦ vt adelantar; (*troupes*) hacer avanzar; (*hypothèse, idée*) proponer, sugerir; **s'avancer** vpr (*s'approcher*) adelantarse, acercarse; (*se hasarder*) aventurarse; (*être en saillie, surplomb*) sobresalir; **j'avance (d'une heure)** estoy adelantado (una hora).
avanies [avani] nfpl agravios mpl.
avant [avɑ̃] prép antes de ♦ adv: **trop/plus** ~ demasiado/más lejos ♦ adj inv: **siège** ~ asiento delantero ♦ nm (*d'un véhicule, bâtiment*) delantera, frente m; (*SPORT*) delantero; ~ **qu'il (ne) parte/de faire** antes de que marche/de hacer; ~ **tout** ante todo; **à l'**~ (*dans un véhicule*) en la delantera; **en** ~ (*marcher, regarder*) hacia adelante; **en** ~ **de** (*en tête de, devant*) delante de; **aller de l'**~ marchar bien.
avantage [avɑ̃taʒ] nm (*supériorité*) ventaja; (*intérêt, bénéfice*) ventaja, beneficio; **à l'**~ **de qn** en beneficio de algn; **être à son** ~ estar favorecido(-a); **tirer** ~ **de** sacar provecho de; **vous auriez** ~ **à faire** sería mejor que hiciese; ► **avantages en nature** retribución f en especies; ► **avantages sociaux** beneficios mpl sociales.
avantager [avɑ̃taʒe] vt favorecer.
avantageux, -euse [avɑ̃taʒø, øz] adj ventajoso(-a); (*portrait, coiffure*) favorecedor(a); **conditions avantageuses** condiciones fpl ventajosas.
avant-bras [avɑ̃bʀa] nm inv antebrazo.
avant-centre [avɑ̃sɑ̃tʀ] (pl ~-~**s**) nm delantero centro.
avant-coureur [avɑ̃kuʀœʀ] (pl ~-~**s**) adj premonitorio(-a), anunciador(a); **signe** ~-~ signo anunciador.
avant-dernier, -ière [avɑ̃dɛʀnje, jɛʀ] (pl ~-~**s, ières**) adj, nm/f penúltimo(-a).
avant-garde [avɑ̃gaʀd] (pl ~-~**s**) nf (*aussi fig*) vanguardia; **d'**~-~ de vanguardia.
avant-goût [avɑ̃gu] (pl ~-~**s**) nm anticipo.
avant-hier [avɑ̃tjɛʀ] adv anteayer.
avant-poste [avɑ̃pɔst] (pl ~-~**s**) nm puesto avanzado.
avant-première [avɑ̃pʀəmjɛʀ] (pl ~-~**s**) nf preestreno; **en** ~-~ antes de la presentación oficial.
avant-projet [avɑ̃pʀɔʒɛ] (pl ~-~**s**) nm anteproyecto.
avant-propos [avɑ̃pʀɔpo] nm inv prólogo, prefacio.
avant-veille [avɑ̃vɛj] (pl ~-~**s**) nf: **l'**~-~ la antevíspera.
avare [avaʀ] adj, nm/f avaro(-a); ~ **de compliments/caresses** parco(-a) en cumplidos/caricias.
avarice [avaʀis] nf avaricia.

avarié, e [avaʀje] adj (*viande, fruits*) pasado (-a), estropeado(-a); (*navire*) averiado(-a).
avaries [avaʀi] nfpl averías fpl.
avatar [avataʀ] nm avatar m; (*malheur*) avatar, vicisitud f.
avec [avɛk] prép con; (*contre: se battre*) con, contra; (*en plus de, en sus de*) además de; ~ **habileté/lenteur** con habilidad/lentitud; ~ **eux/ces maladies** (*en ce qui concerne*) con ellos/estas enfermedades; ~ **ça** (*malgré ça*) a pesar de eso; **et** ~ **ça?** ¿algo más?; ~ **l'été les noyades se multiplient** en verano se ahoga mucha más gente; ~ **cela que** ... además de que ... .
avenant, e [av(ə)nɑ̃, ɑ̃t] adj afable, cordial ♦ nm (*assurance*) póliza adicional; **à l'**~ por el estilo.
avènement [avɛnmɑ̃] nm llegada; (*d'un roi*) llegada, advenimiento.
avenir [avniʀ] nm: **l'**~ el porvenir, el futuro; **l'**~ **du monde/de l'automobile** el porvenir del mundo/del automóvil; **à l'**~ en el futuro; **sans** ~ sin futuro; **c'est une idée sans** ~ es una idea sin futuro; **métier/politicien d'**~ trabajo/político con futuro.
Avent [avɑ̃] nm: **l'**~ Adviento.
aventure [avɑ̃tyʀ] nf aventura; **partir à l'**~ marchar a la aventura; **roman/film d'**~ novela/película de aventuras.
aventurer [avɑ̃tyʀe] vt aventurar, arriesgar; (*remarque, opinion*) aventurar; **s'aventurer** vpr aventurarse; **s'**~ **à faire qch** arriesgarse a hacer algo.
aventureux, -euse [avɑ̃tyʀø, øz] adj (*personne*) aventurado(-a), arriesgado(-a); (*projet*) arriesgado(-a); (*vie*) azaroso(-a).
aventurier, -ière [avɑ̃tyʀje, jɛʀ] nm/f (*aussi péj*) aventurero(-a).
avenu, e [av(ə)ny] adj: **nul et non** ~ nulo y sin efecto.
avenue [avny] nf avenida.
avéré, e [aveʀe] adj probado(-a); **il est** ~ **que** está probado que.
avérer [aveʀe]: **s'**~ vpr (*avec attribut*): **s'**~ **faux/coûteux** revelarse falso/costoso.
averse [avɛʀs] nf aguacero, chaparrón m; (*de pierres, flèches*) chaparrón, lluvia.
aversion [avɛʀsjɔ̃] nf aversión f.
averti, e [avɛʀti] adj entendido(-a).
avertir [avɛʀtiʀ] vt: ~ **qn de qch/que** prevenir a algn de algo/de que; (*renseigner*) advertir.
avertissement [avɛʀtismɑ̃] nm advertencia; (*blâme*) amonestación f; (*d'un livre*) introducción f.
avertisseur [avɛʀtisœʀ] nm bocina; (*d'incendie*) alarma de incendio.
aveu [avø] nm confesión f, declaración f;

passer aux ~x confesar; de l'~ de según la opinión de.

aveuglant, e [avœglã, ãt] *adj* deslumbrador(a).

aveugle [avœgl] *adj*, *nmf* (*aussi* *fig*) ciego (-a); **les ~s** los ciegos; **mur ~** pared *f* ciega; **test en double ~** *experimento en el que ni el analizador ni el sujeto conocen las características del producto.*

aveuglement [avœgləmã] *nm* (*aussi* *fig*) ceguera, obcecación *f*.

aveuglément [avœglemã] *adv* ciegamente.

aveugler [avœgle] *vt* cegar.

aveuglette [avœglɛt]: **à l'~** *adv* a ciegas; (*fig*) al tuntún.

avez [ave] *vb voir* **avoir**.

aviateur, -trice [avjatœʀ, tʀis] *nmf* aviador(a).

aviation [avjasjɔ̃] *nf* (*aussi* *MIL*) aviación *f*; **terrain d'~** campo de aviación; ► **aviation de chasse** aviones *mpl* de caza.

avicole [avikɔl] *adj* avícola.

aviculture [avikyltyʀ] *nf* avicultura.

avide [avid] *adj* ávido(-a); (*péj*) codicioso (-a); **~ d'honneurs/d'argent/de sang** ávido (-a) de honores/de dinero/de sangre; **~ de connaître/d'apprendre** ávido(-a) de conocer/de aprender.

avidité [avidite] *nf* avidez *f*, ansia.

avilir [aviliʀ] *vt* envilecer.

avilissant, e [avilisã, ãt] *adj* envilecedor(a).

aviné, e [avine] *adj* ebrio(-a).

avion, e [avjɔ̃] *nm* avión *m*; **par ~** por avión; **aller (quelque part) en ~** ir (a algún sitio) en avión; ► **avion à réaction** avión de *ou* a reacción; ► **avion de chasse/de ligne/supersonique** avión de caza/de línea/supersónico.

avion-cargo [avjɔ̃kaʀgo] (*pl* **~s-~s**) *nm* avión *m* de carga.

avion-citerne [avjɔ̃sitɛʀn] (*pl* **~s-~s**) *nm* avión *m* cisterna.

aviron [aviʀɔ̃] *nm* remo; (*sport*): **l'~** el remo.

avis [avi] *nm* (*point de vue*) opinión *f*; (*conseil*) opinión, consejo; (*notification*) aviso; **~ de crédit/débit** nota de crédito/débito; **à mon ~** en mi opinión; **j'aimerais avoir l'~ de Paul** me gustaría conocer la opinión de Paul; **je suis de votre ~** estoy de acuerdo con usted; **vous ne me ferez pas changer d'~** no me hará cambiar de opinión; **être d'~ que** ser del parecer que; **changer d'~** cambiar de opinión; **sauf ~ contraire** salvo aviso contrario; **sans ~ préalable** sin previo aviso; **jusqu'à nouvel ~** hasta nuevo aviso; ► **avis de décès** esquela (mortuoria).

avisé, e [avize] *adj* sensato(-a); **être bien/**

mal **~ de faire** ser muy/poco sensato(-a) hacer.

aviser [avize] *vt* (*voir*) divisar, advertir; (*informer*): **~ qn de qch/que** avisar a algn de algo/de que ♦ *vi* (*réfléchir*) reflexionar; **s'~ de qch/que** darse cuenta de algo/de que; **s'~ de faire qch** (*s'aventurer à*) ocurrírsele hacer algo.

aviver [avive] *vt* avivar.

av. J.-C. *abr* (= *avant Jésus-Christ*) a. C.

avocat, e [avɔka, at] *nmf* (*aussi* *fig*) abogado(-a) ♦ *nm* (*BOT, CULIN*) aguacate *m*, palta (*AM*); **se faire l'~ du diable** ser el abogado del diablo; **l'~ de la défense/de la partie civile** el abogado defensor/de la acusación particular; ► **avocat d'affaires** abogado de empresa; ► **avocat général** fiscal *m*.

avocat-conseil [avɔkakɔ̃sɛj] (*pl* **~s-~s**) *nm* abogado asesor.

avocat-stagiaire [avɔkastaʒjɛʀ] (*pl* **~s-~s**) *nm* pasante *m/f* (de abogado).

avoine [avwan] *nf* avena.

═══════════════════ *MOT-CLÉ*

avoir [avwaʀ] *vt* **1** (*posséder*) tener; **elle a 2 enfants/une belle maison** tiene dos niños/una casa bonita; **il a les yeux gris** tiene los ojos grises; **vous avez du sel?** ¿tiene sal?; **avoir du courage/de la patience** tener valor/paciencia; **avoir du goût** tener gusto; **avoir horreur de** tener horror a; **avoir rendez-vous** tener una cita

2 (*âge, dimensions*) tener; **il a 3 ans** tiene 3 años; **le mur a 3 mètres de haut** la pared tiene 3 metros de alto; *voir aussi* **faim**; **peur** *etc*

3 (*fam: duper*) pegársela a algn; **on vous a eu!** ¡le han engañado!

4: **en avoir après** *ou* **contre qn** estar enojado(-a) con algn; **en avoir assez** estar harto; **j'en ai pour une demi-heure** tengo para media hora

5 (*obtenir: train, tickets*) coger, agarrar (*AM*)

♦ *vb aux* **1** haber; **avoir mangé/dormi** haber comido/dormido; **hier, je n'ai pas mangé** (*verbe au passé simple quand la période dans laquelle se situe l'action est révolue*) ayer no comí

2 (*avoir* + *à* + *infinitif*): **avoir à faire qch** tener que hacer algo; **vous n'avez qu'à lui demander** no tiene más que preguntarle; (*en colère*) pregúntele a él; **tu n'as pas à me poser de questions** no tienes porqué hacerme preguntas; **tu n'as pas à le savoir** no tienes porqué saberlo

♦ *vb impers* **1**: **il y a** (+ *sing, pl*) hay; **qu'y-a-t-il?** ¿qué ocurre?; **qu'est-ce qu'il y a?** ¿qué pasa?; **il n'y a rien** no pasa nada;

qu'as-tu? ¿qué tienes?; **qu'est-ce que tu as?** ¿qué te pasa?; **il doit y avoir une explication** tiene que haber una explicación; **il n'y a qu'à recommencer ...** no hay más que volver a empezar ...; **il ne peut y en avoir qu'un** no puede haber más que uno; **il n'y a pas de quoi** no hay de qué **2** (*temporel*): **il y a 10 ans** hace 10 años; **il y a 10 ans/longtemps que je le sais** hace 10 años/mucho tiempo que lo sé; **il y a 10 ans qu'il est arrivé** hace 10 años que llegó
◆ *nm* haber *m*; (*FIN*): **avoir fiscal** crédito fiscal.

avoisinant, e [avwazinɑ̃, ɑ̃t] *adj* cercano (-a).
avoisiner [avwazine] *vt* estar cerca de; (*fig*: *limite, nombre*) acercarse a; (: *l'indifférence, l'insolence*) rayar en.
avons [avɔ̃] *vb voir* **avoir**.
avortement [avɔʀtəmɑ̃] *nm* aborto.
avorter [avɔʀte] *vi* abortar; (*fig*) abortar, malograrse; **faire ~** abortar; **se faire ~** abortar.
avorton [avɔʀtɔ̃] (*péj*) *nm* aborto, feto.
avouable [avwabl] *adj* confesable.
avoué, e [avwe] *adj* confesado(-a), reconocido(-a) ◆ *nm* procurador *m* judicial.
avouer [avwe] *vt* confesar, declarar ◆ *vi* (*se confesser*) confesar; (*admettre*) confesar, reconocer; **~ avoir fait/être/que** confesar haber hecho/ser/que; **s'~ vaincu/incompétent** declararse vencido(-a)/incompetente; **~ que oui/non** confesar que sí/no.
avril [avʀil] *nm* abril *m; voir aussi* **juillet**.
axe [aks] *nm* eje *m*; (*fig*) orientación *f*; **dans l'~ de** en la línea de; ▶**axe de symétrie** eje de simetría; ▶**axe routier** carretera general.
axer [akse] *vt* (*fig*): **~ qch sur** centrar algo en.
axial, e, -aux [aksjal, jo] *adj* axial.
axiome [aksjom] *nm* axioma *m*.
ayant [ɛjɑ̃] *vb voir* **avoir**.
ayant droit [ɛjɑ̃dʀwa] (*pl* ~**s** ~) *nm* derechohabiente *m/f*; **~ ~ à** teniendo derecho a.
ayons *etc* [ɛjɔ̃] *vb voir* **avoir**.
azalée [azale] *nf* azalea.
azimut [azimyt] *nm* acimut *m*; **tous ~s** *adj, adv* (*fig*) en todas las direcciones.
azote [azɔt] *nm* nitrógeno.
azoté, e [azɔte] *adj* nitrogenado(-a).
aztèque [astɛk] *adj* azteca.
azur [azyʀ] *nm* (*couleur*) azul *m*; (*ciel*) cielo.
azyme [azim] *adj*: **pain ~** pan *m* ácimo.

B, b

B, b [be] *nm inv* B, b *f*; **~ comme Berthe** ≈ B de Barcelona.
B [be] *abr* = **bien** B (= *bien*).
BA [bea] *sigle f* = *bonne action*.
baba [baba] *adj inv*: **en être ~** (*fam*) quedarse pasmado(-a) ◆ *nm*: **~ au rhum** bizcocho de ron.
babil [babil] *nm* balbuceo.
babillage [babijaʒ] *nm* parloteo.
babiller [babije] *vi* parlotear; (*bébé*) balbucear.
babines [babin] *nfpl* morros *mpl*.
babiole [babjɔl] *nf* chuchería; (*vétille*) bagatela.
bâbord [babɔʀ] *nm*: **à** *ou* **par ~** a babor.
babouin [babwɛ̃] *nm* babuino.
baby-foot [babifut] *nm inv* futbolín *m*.
Babylone [babilɔn] *n* Babilonia.
babylonien, ne [babilɔnjɛ̃, jɛn] *adj* babilónico(-a).
baby-sitter [babisitœʀ] (*pl* ~**-**~**s**) *nm/f* canguro *m/f*.
baby-sitting [babisitiŋ] *nm*: **faire du ~-~** hacer de canguro.
bac¹ [bak] *nm* (*bateau*) transbordador *m*; (*récipient*) cubeta; ▶**bac à glace** bandeja para el hielo; ▶**bac à légumes** compartimento para las verduras.
bac² [bak] *nm* = **baccalauréat**.
baccalauréat [bakalɔʀea] *nm* título que se obtiene al finalizar BUP y COU.
bâche [baʃ] *nf* toldo.
bachelier, -ère [baʃəlje, jɛʀ] *nm/f* bachiller *m/f*.
bâcher [baʃe] *vt* entoldar.
bachotage [baʃɔtaʒ] *nm* empolle *m*.
bachoter [baʃɔte] (*fam*) *vt* empollar.
bacille [basil] *nm* bacilo.
bâcler [bakle] *vt* hacer de prisa y corriendo.
bacon [bekɔn] *nm* bacon *m ou* beicon *m*.
bactéricide [bakteʀisid] *nm* bactericida *m*.
bactérie [bakteʀi] *nf* bacteria.
bactérien, ne [bakteʀjɛ̃, jɛn] *adj* bacteriano(-a).
bactériologique [bakteʀjɔlɔʒik] *adj* bacteriológico(-a).
bactériologiste [bakteʀjɔlɔʒist] *nm/f*

bacteriólogo(-a).
badaud, e [bado, od] *nm/f* curioso(-a), mirón(-ona).
baderne [badɛʀn] (*péj*) *nf:* **vieille ~** vejestorio.
badge [badʒ] *nm* chapa.
badigeon [badiʒɔ̃] *nm* (*peinture*) enlucido.
badigeonner [badiʒɔne] *vt* enlucir, encalar; (*MÉD*) untar.
badin, e [badɛ̃, in] *adj* animado(-a).
badinage [badinaʒ] *nm* broma.
badine [badin] *nf* bastoncillo.
badiner [badine] *vi* bromear; **~/ne pas ~ avec qch** bromear/no bromear con algo.
badminton [badmintɔn] *nm* bádminton *m*.
baffe [baf] (*fam*) *nf* bofetada, torta.
baffle [bafl] *nm* baf(f)le *m*.
bafouer [bafwe] *vt* mofarse de, escarnecer.
bafouillage [bafujaʒ] *nm* farfulla.
bafouiller [bafuje] *vi, vt* farfullar.
bâfrer [bɑfʀe] (*fam*) *vi* engullir.
bagage [bagaʒ] *nm* (*gén: bagages*) equipaje *m;* ▶ **bagage littéraire** bagaje *m* literario; ▶ **bagages à main** equipaje de mano.
bagarre [bagaʀ] *nf* pelea; **il aime la ~** le gusta la pelea.
bagarrer [bagaʀe]: **se ~** *vpr* pelearse.
bagarreur, -euse [bagaʀœʀ, øz] *adj* peleón(-ona) ♦ *nm/f* camorrista *m/f;* **il est ~** es un camorrista.
bagatelle [bagatɛl] *nf* bagatela.
Bagdad [bagdad] *n* Bagdad.
bagnard [baɲaʀ] *nm* presidiario.
bagne [baɲ] *nm* presidio; **c'est le ~** (*fig*) es como los trabajos forzados.
bagnole [baɲɔl] (*fam*) *nf* coche *m;* (*vieille*) cacharro.
bagout [bagu] *nm* labia; **avoir du ~** tener labia.
bague [bag] *nf* anillo, sortija; (*d'identification*) anilla; ▶ **bague de fiançailles** sortija de pedida; ▶ **bague de serrage** casquillo.
baguenauder [bagnode] *vi* callejear.
baguer [bage] *vt* (*oiseau*) anillar.
baguette [bagɛt] *nf* (*bâton*) varilla; (*chinoise*) palillo; (*de chef d'orchestre*) batuta; (*pain*) barra; (*CONSTR*) junquillo; **mener qn à la ~** tratar a algn a la baqueta; ▶ **baguette de sourcier** varilla de zahorí; ▶ **baguette de tambour** palillo; ▶ **baguette magique** varita mágica.
Bahamas [baamas] *nfpl:* **les (îles) ~** las Bahamas.
Bahreïn [baʀɛn] *nm* Bahrein *m*.
bahut [bay] *nm* arcón *m*.
bai, e [bɛ] *adj* bayo(-a).
baie [bɛ] *nf* bahía; (*fruit*) baya; ▶ **baie (vi-**

trée) ventanal *m*.
baignade [bɛɲad] *nf* baño.
baigné, e [bɛɲe] *adj:* **~ de** (*lumière*) bañado(-a) de, inundado(-a) de; (*sang, sueur, larmes*) bañado(-a) en, anegado(-a) en.
baigner [bɛɲe] *vt* bañar ♦ *vi:* **il baignait dans son sang** estaba bañado *ou* anegado en sangre; **se baigner** *vpr* bañarse; **~ dans la brume** estar rodeado(-a) de bruma; **"ça baigne!"** (*fam*) "¡todo marcha bien!".
baigneur, -euse [bɛɲœʀ, øz] *nm/f* bañista *m/f* ♦ *nm* (*poupée*) muñequilla.
baignoire [bɛɲwaʀ] *nf* bañera, tina (*AM*); (*THÉÂTRE*) palco de platea.
bail [baj] (*pl* **baux**) *nm* (contrato de) arrendamiento; **donner** *ou* **prendre qch à ~** arrendar algo, alquilar algo; ▶ **bail commercial** traspaso.
bâillement [bajmɑ̃] *nm* bostezo.
bâiller [baje] *vi* bostezar; (*être ouvert*) estar entreabierto(-a), estar entornado(-a).
bailleur [bajœʀ] *nm* arrendador(a); ▶ **bailleur de fonds** socio capitalista.
bâillon [bajɔ̃] *nm* mordaza.
bâillonner [bajone] *vt* amordazar; (*fig*) amordazar, cohibir.
bain [bɛ̃] *nm* baño; **se mettre dans le ~** (*fig*) meterse en el asunto; **prendre un ~** tomar un baño; **prendre un ~ de foule** meterse entre la multitud; **prendre un ~ de pieds** darse un baño de pies; (*au bord de la mer*) mojarse los pies; ▶ **bain de bouche** elixir *m* (para enjuagarse la boca); ▶ **bain de siège** baño de asiento; ▶ **bain de soleil** baño de sol; ▶ **bain moussant** baño de espuma; ▶ **bains de mer** baños *mpl* de mar; ▶ **bains(-douches) municipaux** baños públicos.
bain-marie [bɛ̃maʀi] (*pl* **~s-~**) *nm* baño (de) María; **faire chauffer au ~-~** calentar al baño (de) María.
baïonnette [bajɔnɛt] *nf* bayoneta; **douille/ ampoule à ~** casquillo/bombilla de bayoneta.
baisemain [bɛzmɛ̃] *nm* besamanos *m inv*.
baiser [beze] *nm* beso ♦ *vt* besar; (*fam!*) tirarse a (*fam!*), coger (*fam!: AM*).
baisse [bɛs] *nf* (*de température, des prix*) descenso, baja; **"~ sur la viande"** "abaratamiento de la carne"; **en ~** en baja; **à la ~** a la baja.
baisser [bese] *vt* bajar ♦ *vi* (*niveau, température*) bajar, descender; (*jour, lumière*) disminuir; **se baisser** *vpr* inclinarse, agacharse; **sa vue baisse** está perdiendo vista; **ses facultés baissent** está perdiendo facultades.
bajoues [baʒu] *nfpl* carrillos *mpl*; (*péj*) mo-

fletes *mpl.*
bakchich [bakʃiʃ] (*fam*) *nm* propina.
bal [bal] *nm* baile *m*; ▶ **bal costumé** baile de disfraces; ▶ **bal masqué** baile de máscaras; ▶ **bal musette** baile popular.
balade [balad] *nf* (*à pied*) paseo, vuelta; (*en voiture*) vuelta; **faire une** ~ dar una vuelta.
balader [balade] *vt* pasear; **se balader** *vpr* pasearse.
baladeur [baladœʀ] *nm* walkman *m* ®.
baladeuse [baladøz] *nf* bombilla portátil.
baladin [baladɛ̃] *nm* juglar *m*.
balafre [balafʀ] *nf* (*coupure, cicatrice*) tajo, chirlo, (: *avec un couteau*) cuchillada.
balafrer [balafʀe] *vt* dar un tajo; (*avec un couteau*) acuchillar.
balai [balɛ] *nm* escoba; (*AUTO, MUS*) escobilla; **donner un coup de** ~ dar un barrido.
balai-brosse [balɛbʀɔs] (*pl* ~s-~s) *nm* cepillo.
balance [balɑ̃s] *nf* balanza; (*ASTROL*): **la B**~ Libra; **être (de la) B**~ ser Libra; ▶ **balance commerciale** balanza comercial; ▶ **balance des paiements** balanza de pagos; ▶ **balance romaine** romana.
balancelle [balɑ̃sɛl] *nf* balancín *m*.
balancer [balɑ̃se] *vt* balancear; (*lancer*) arrojar; (*renvoyer, jeter*) despedir ♦ *vi* (*hésiter*) oscilar; **se balancer** *vpr* balancearse, mecerse; (*branche*) mecerse; (*sur une balançoire*) columpiarse; **je m'en balance** (*fam*) me importa un pito.
balancier [balɑ̃sje] *nm* (*de pendule*) péndulo; (*perche, montre*) balancín *m*.
balançoire [balɑ̃swaʀ] *nf* (*suspendue*) columpio; (*sur pivot*) balancín *m*, subibaja *m*.
balayage [balɛjaʒ] *nm* barrido; (*électronique*) exploración *f*.
balayer [balɛje] *vt* barrer; (*suj: radar, phares*) explorar.
balayette [balɛjɛt] *nf* escobilla.
balayeur, -euse [balɛjœʀ, øz] *nm/f* barrendero(-a).
balayeuse [balɛjøz] *nf* (*engin*) barredora.
balayures [balɛjyʀ] *nfpl* barreduras *fpl*.
balbutiement [balbysimɑ̃] *nm* balbuceo; ~**s** *nmpl* (*débuts*) balbuceos *mpl*.
balbutier [balbysje] *vi, vt* balbucear.
balcon [balkɔ̃] *nm* balcón *m*; (*THÉÂTRE*) principal *m*.
baldaquin [baldakɛ̃] *nm* baldaquino.
Bâle [bɑl] *n* Basilea.
Baléares [baleaʀ] *nfpl*: **les (îles)** ~ las (islas) Baleares.
baleine [balɛn] *nf* (*ZOOL, parapluie*) ballena.
baleinier [balenje] *nm* ballenero.
baleinière [balɛnjɛʀ] *nf* ballenera.

balisage [balizaʒ] *nm* balizaje *m*.
balise [baliz] *nf* baliza.
baliser [balize] *vt* balizar; (*fam*) tener miedo.
balistique [balistik] *adj* balístico(-a) ♦ *nf*: **la** ~ la balística.
balivernes [balivɛʀn] *nfpl* pamplinas *fpl*.
balkanique [balkanik] *adj* balcánico(-a).
Balkans [balkɑ̃] *nmpl*: **les** ~ los Balcanes.
ballade [balad] *nf* balada.
ballant, e [balɑ̃, ɑ̃t] *adj*: **les bras** ~**s** los brazos colgando; **les jambes** ~**es** las piernas colgando.
ballast [balast] *nm* lastre *m*; (*RAIL*) balasto.
balle [bal] *nf* (*de fusil*) bala; (*de tennis, golf*) pelota; (*du blé*) cascarilla, cascabillo; (*paquet*) fardo; ~**s** *nfpl* (*fam: franc*) francos *mpl*; ▶ **balle perdue** bala perdida.
ballerine [bal(ə)ʀin] *nf* bailarina; (*chaussure*) zapatilla.
ballet [balɛ] *nm* ballet *m*; ▶ **ballet diplomatique** actividad *f* diplomática.
ballon [balɔ̃] *nm* (*de sport*) balón *m*; (*AVIAT, jouet*) globo; (*de vin*) copa; ▶ **ballon d'essai** (*aussi fig*) globo *m* sonda *inv*; ▶ **ballon de football** balón de fútbol; ▶ **ballon d'oxygène** globo de oxígeno.
ballonner [balɔne] *vt*: **j'ai le ventre ballonné** tengo el vientre hinchado.
ballon-sonde [balɔ̃sɔ̃d] (*pl* ~**s**-~**s**) *nm* globo *m* sonda *inv*.
ballot [balo] *nm* fardo, bulto; (*péj*) ceporro.
ballottage [balɔtaʒ] *nm*: **il y a** ~ no hay un resultado mayoritario.
ballotter [balɔte] *vi* bambolearse ♦ *vt* bambolear; **être ballotté entre ... dudar entre ... .
ballottine [balɔtin] *nf*: ~ **de volaille** balotina de ave.
ball-trap [baltʀap] (*pl* ~-~**s**) *nm* (*appareil*) proyector *m*; (*tir*) tiro al plato.
balluchon [balyʃɔ̃] *nm* hatillo.
balnéaire [balneɛʀ] *adj* balneario(-a).
balnéothérapie [balneoteʀapi] *nf* balneoterapia.
balourd, e [baluʀ, uʀd] *adj, nm/f* palurdo(-a).
balourdise [baluʀdiz] *nf* torpeza.
balte [balt] *adj* báltico(-a) ♦ *nm/f*: **B**~ báltico(-a).
baltique [baltik] *adj* báltico(-a) ♦ *nf*: **la (mer) B**~ el (mar) Báltico.
baluchon [balyʃɔ̃] *nm* = **balluchon**.
balustrade [balystʀad] *nf* balaustrada.
bambin [bɑ̃bɛ̃] *nm* niño(-a), chiquillo(-a).
bambou [bɑ̃bu] *nm* bambú *m*.
ban [bɑ̃] *nm*: **ouvrir/fermer le** ~ abrir/cerrar una ceremonia militar con un to-

banal – barbelé

que; ~**s** *nmpl* (*de mariage*) amonestaciones *fpl* matrimoniales; **être/mettre au** ~ de estar/poner al margen de; **le** ~ **et l'arrière-**~ **de sa famille** todos los miembros de su familia.
banal, e [banal] *adj* (*aussi péj*) trivial; **four** ~ (*HIST*) molino comunal.
banalement [banalmā] *adv* trivialmente.
banalisé, e [banalize] *adj* trivializado(-a); (*voiture de police*) camuflado(-a).
banaliser [banalize] *vt* trivializar.
banalité [banalite] *nf* trivialidad *f*.
banane [banan] *nf* plátano, banana (*esp AM*).
bananeraie [bananʀɛ] *nf* platanar *m*.
bananier [bananje] *nm* plátano; (*cargo*) barco bananero.
banc [bā] *nm* banco; ▸ **banc d'essai** (*fig*) banco de prueba; ▸ **banc de sable** banco de arena; ▸ **banc des accusés/témoins** banquillo de los acusados/testigos.
bancaire [bākɛʀ] *adj* bancario(-a).
bancal, e [bākal] *adj* cojo(-a); (*fig*) defectuoso(-a).
bandage [bādaʒ] *nm* vendaje *m*.
bande [bād] *nf* banda; (*de tissu*) faja; (*pour panser*) venda; (*INFORM*) cinta; (*motif, dessin*) banda, franja; **une** ~ **de ...** (*copains, voyous*) una pandilla de ...; **donner de la** ~ (*NAUT*) dar a la banda, escorar; **par la** ~ (*fig*) indirectamente; **faire** ~ **à part** hacer rancho aparte; ▸ **bande de roulement** banda de rodadura; ▸ **bande de terre** faja de tierra; ▸ **bande dessinée** (*dans un journal*) tira cómica, historieta; (*livre*) cómic *m*; ▸ **bande magnétique** cinta magnética; ▸ **bande perforée** banda perforada; ▸ **bande sonore** banda sonora; ▸ **bande Velpeau** ® venda; ▸ **bande vidéo** cinta de vídeo.
bandé, e [bāde] *adj*: **les yeux** ~**s** los ojos vendados; **la main** ~**e** la mano vendada.
bande-annonce [bādanɔ̃s] (*pl* ~**s**-~**s**) *nf* tráiler *m*.
bandeau [bādo] *nm* venda; (*autour du front*) cinta, venda, vincha (*AND, CSUR*).
bandelette [bādlɛt] *nf* venda.
bander [bāde] *vt* (*blessure*) vendar; (*muscle, arc*) tensar ♦ *vi* (*fam!*) empalmarse (*fam!*); ~ **les yeux à qn** vendar los ojos a algn.
banderille [bādʀij] *nf* banderilla.
banderole [bādʀɔl] *nf* banderola.
bande-son [bādsɔ̃] (*pl* ~**s**-~) *nf* banda sonora.
bandit [bādi] *nm* bandido; (*fig*) estafador *m*.
banditisme [bāditism] *nm* bandidaje *m*.
bandoulière [bāduljɛʀ] *nf*: **en** ~ en bandolera.
Bangkok [bāŋkɔk] *n* Bangkok.
Bangladesh [bāɡladɛʃ] *nm* Bangladesh *m*.
banjo [bā(d)ʒo] *nm* banjo.
banlieue [bāljø] *nf* suburbio; **quartier de** ~ barrio suburbano; **lignes/trains de** ~ líneas *fpl*/trenes *mpl* de cercanías.
banlieusard, e [bāljøzaʀ, aʀd] *nm/f* habitante *m/f* de los suburbios.
bannière [banjɛʀ] *nf* estandarte *m*.
bannir [baniʀ] *vt* desterrar.
banque [bāk] *nf* banco; (*activités*) banca; ▸ **banque d'affaires** banco de negocios; ▸ **banque de dépôt** banco de depósito; ▸ **banque de données** (*INFORM*) banco de datos; ▸ **banque d'émission** banca central; ▸ **banque des yeux/du sang** banco de ojos/de sangre.
banqueroute [bākʀut] *nf* bancarrota.
banquet [bākɛ] *nm* banquete *m*.
banquette [bākɛt] *nf* banqueta; (*d'auto*) asiento corrido.
banquier [bākje] *nm* banquero.
banquise [bākiz] *nf* banco de hielo, banquisa.
bantou, e [bātu] *adj* bantú.
baptême [batɛm] *nm* (*sacrement*) bautismo; (*cérémonie*) bautizo; ▸ **baptême de l'air** bautismo del aire.
baptiser [batize] *vt* bautizar.
baptiste [batist] *adj* bautista.
baquet [bakɛ] *nm* cubeta.
bar [baʀ] *nm* bar *m*, cantina (*esp AM*); (*comptoir*) barra, mostrador *m*; (*poisson*) lubina.
baragouin [baʀagwɛ̃] *nm* jerigonza; (*à l'étranger*) chapurreo.
baragouiner [baʀagwine] *vi, vt* chapurrear.
baraque [baʀak] *nf* barraca; (*cabane, hutte*) caseta; (*fam*) casucha; ▸ **baraque foraine** barraca de feria.
baraqué, e [baʀake] (*fam*) *adj* plantado(-a).
baraquements [baʀakmā] *nmpl* campamento de barracas.
baratin [baʀatɛ̃] (*fam*) *nm* camelo.
baratiner [baʀatine] (*fam*) *vt* camelar.
baratte [baʀat] *nf* mantequera.
barbant, e [baʀbā, āt] (*fam*) *adj* pesado(-a).
barbare [baʀbaʀ] *adj, nm/f* bárbaro(-a).
barbarie [baʀbaʀi] *nf* barbarie *f*.
barbarisme [baʀbaʀism] *nm* barbarismo.
barbe [baʀb] *nf* barba; **au nez et à la** ~ **de qn** en las barbas de algn; **quelle** ~**!** (*fam*) ¡qué lata!; ▸ **barbe à papa** algodón *m* de azúcar.
barbecue [baʀbəkju] *nm* barbacoa, asado (*AM*).
barbelé [baʀbəle] *nm* alambrada.

barber [baʀbe] (*fam*) *vt* dar la lata a.
barbiche [baʀbiʃ] *nf* perilla.
barbichette [baʀbiʃɛt] *nf* perilla.
barbiturique [baʀbityʀik] *nm* barbitúrico.
barboter [baʀbɔte] *vi* chapotear ♦ *vt* (*voler*) birlar, mangar.
barboteuse [baʀbɔtøz] *nf* pelele *m*.
barbouiller [baʀbuje] *vt* (*couvrir, salir*) embadurnar; (*péj: mur, toile*) pintarrajear; (: *écrire, dessiner*) emborronar; **avoir l'estomac barbouillé** tener el estómago revuelto.
barbu, e [baʀby] *adj* barbudo(-a).
barbue [baʀby] *nf* rodaballo menor.
Barcelone [baʀsəlɔn] *n* Barcelona.
barda [baʀda] (*fam*) *nm* bártulos *mpl*.
barde [baʀd] *nf* albardilla ♦ *nm* (*poète*) bardo.
bardé, e [baʀde] *adj*: ~ **de médailles** abarrotado(-a) de medallas.
bardeaux [baʀdo] *nmpl* ripias *fpl*.
barder [baʀde] *vi* (*fam*): **ça va ~ se va a armar la gorda** ♦ *vt* enalbardar.
barème [baʀɛm] *nm* (*des prix, des tarifs*) baremo, tabla; (*cotisations, notes*) baremo; ► **barème des salaires** tabla de salarios.
barge [baʀʒ] *nf* pontón *m*.
barguigner [baʀgiɲe] *vi*: **sans ~ sin vacilar.**
baril [baʀi(l)] *nm* barril *m*.
barillet [baʀijɛ] *nm* (*de revolver*) tambor *m*.
bariolé, e [baʀjɔle] *adj* abigarrado(-a).
barman [baʀman] *nm* barman *m inv*.
baromètre [baʀɔmɛtʀ] *nm* (*aussi fig*) barómetro; ► **baromètre anéroïde** barómetro aneroide.
baron [baʀɔ̃] *nm* barón *m*; (*fig*) magnate *m*.
baronne [baʀɔn] *nf* baronesa.
baroque [baʀɔk] *adj* (*ART*) barroco(-a); (*fig*) estrambótico(-a).
baroud [baʀud] *nm*: **faire un ~ d'honneur** quemar el último cartucho.
baroudeur [baʀudœʀ] (*fam*) *nm* pendenciero.
barque [baʀk] *nf* barca.
barquette [baʀkɛt] *nf* (*tartelette*) (tipo de) pasta de té; (*en aluminium*) envase *m*; (*en bois*) caja.
barrage [baʀaʒ] *nm* pantano, embalse *m*; (*sur route*) barrera; ► **barrage de police** cordón *m* policial, retén *m* (*AM*).
barre [baʀ] *nf* barra; (*NAUT*) timón *m*; (*écrite*) raya; **comparaître à la ~** comparecer ante el juez; **être à** *ou* **tenir la ~** llevar el timón; ► **barre à mine** barrena; ► **barre de mesure** (*MUS*) barra de compás; ► **barre fixe** (*GYMNASTIQUE*) barra fija; ► **barres parallèles** barras paralelas.

barreau, x [baʀo] *nm* barrote *m*; (*JUR*): **le ~ el foro, la abogacía.**
barrer [baʀe] *vt* (*route*) obstruir; (*mot*) tachar; (*chèque*) cruzar; (*NAUT*) timonear; **se barrer** (*fam*) *vpr* largarse, pirarse; ~ **le passage** *ou* **la route à qn** cortar el paso a algn.
barrette [baʀɛt] *nf* (*pour les cheveux*) prendedor *m*; (*REL*) birrete *m*; (*broche*) broche *m*.
barreur [baʀœʀ] *nm* timonel *m*.
barricade [baʀikad] *nf* barricada.
barricader [baʀikade] *vt* (*rue*) levantar barricadas en; (*porte, fenêtre*) atrancar; **se ~ chez soi** (*fig*) encerrarse en su casa.
barrière [baʀjɛʀ] *nf* (*aussi fig*) barrera; ► **barrière de dégel** (*ADMIN, AUTO*) circulación de vehículos pesados prohibida a causa del deshielo; ► **barrières douanières** barreras *fpl* aduaneras.
barrique [baʀik] *nf* barrica, tonel *m*.
barrir [baʀiʀ] *vi* bramar.
baryton [baʀitɔ̃] *nm* barítono.
bas, basse [bɑ, bɑs] *adj* bajo(-a); (*vue*) corto(-a); (*action*) bajo(-a), vil ♦ *nm* (*chaussette*) calcetín *m*; (*de femme*) media; (*partie inférieure*): **le ~ de ... la parte de abajo de...** ♦ *adv* bajo; **plus ~ más bajo, más abajo; parler plus ~ hablar más bajo; la tête ~se** cabizbajo; **avoir la vue ~se** ser corto(-a) de vista; **au ~ mot** por lo menos, por lo bajo; **enfant en ~ âge** niño de corta edad; **en ~ abajo; en ~ de debajo de, en la parte baja de; de ~ en haut** de abajo arriba; **des hauts et des ~ altibajos** *mpl*; **un ~ de laine** (*fam*) ahorrillos *mpl*; **mettre ~ parir; "à ~ la dictature/l'école!"** "¡abajo la dictadura/la escuela!"; ► **bas morceaux** despojos *mpl*.
basalte [bazalt] *nm* basalto.
basané, e [bazane] *adj* curtido(-a); (*immigré*) moro(-a).
bas-côté [bakote] (*pl* ~-~**s**) *nm* (*de route*) arcén *m*; (*d'église*) nave *f* lateral.
bascule [baskyl] *nf*: (*jeu de*) ~ subibaja *m*; (*balance à*) ~ báscula; **fauteuil à** ~ mecedora.
basculer [baskyle] *vi* (*tomber*) volcar; (*benne*) bascular ♦ *vt* (*gén: faire basculer*) volcar.
base [bɑz] *nf* base *f*; (*POL*): **la ~ la(s) base(s); jeter les ~s de** sentar las bases de; **à la ~ de** (*fig*) en el origen de; **sur la ~ de** (*fig*) tomando como base; **principe/produit de ~ principio/producto de base; à ~ de café a base de café;** ► **base de données** (*INFORM*) base de datos; ► **base de lancement** base de lanzamiento.
base-ball [bɛzbol] (*pl* ~-~**s**) *nm* béisbol *m*.

baser [bɑze] *vt*: ~ **qch sur** basar algo en; **se** ~ **sur** basarse en; **basé à/dans** (*MIL*) con base en.

bas-fond [bafɔ̃] (*pl* ~-~s) *nm* (*NAUT*) bajío; ~-~s *nmpl* (*fig*) bajos fondos *mpl*, hampa *fsg*.

BASIC [bazik] *sigle m* (*INFORM*) BASIC *m*.

basilic [bazilik] *nm* albahaca.

basilique [bazilik] *nf* basílica.

basket [basket] *nm* = **basket-ball**.

basket-ball [basketbol] (*pl* ~-~s) *nm* baloncesto.

baskets [basket] *nfpl* (*chaussures*) playeras *fpl*, zapatillas *fpl* de deporte.

basketteur, -euse [basketœR, øz] *nm/f* baloncestista *m/f*.

basquaise [baskɛz] *adj f* vasca ♦ *nf*: B~ vasca.

basque [bask] *adj, nm/f* vasco(-a) ♦ *nm* (*LING*) vasco, vascuence *m*; **le Pays** ~ el País vasco.

basques [bask] *nfpl* faldones *mpl*; **pendu aux** ~ **de qn** pegado a las faldas de algn.

bas-relief [baRəljɛf] (*pl* ~-~s) *nm* bajorrelieve *m*.

basse [bas] *adj f voir* **bas** ♦ *nf* bajo.

basse-cour [baskuR] (*pl* ~s-~s) *nf* (*cour*) corral *m*; (*animaux*) aves *fpl* de corral.

bassement [basmã] *adv* bajamente, vilmente.

bassesse [basɛs] *nf* bajeza.

basset [basɛ] *nm* basset *m*.

bassin [basɛ̃] *nm* (*cuvette*) palangana, cubeta; (*pièce d'eau*) estanque *m*; (*de fontaine*) pila; (*GÉO*) cuenca; (*ANAT*) pelvis *f*; (*portuaire*) dársena; ▶ **bassin houiller** cuenca hullera.

bassine [basin] *nf* balde *m*.

bassiner [basine] *vt* (*plaie*) humedecer; (*lit*) calentar; (*fam*) dar el tostón a.

bassiste [basist] *nm/f* bajista *m/f*, bajo.

basson [basɔ̃] *nm* (*instrument*) fagot *m*; (*musicien*) fagotista *m/f*, fagot *m*.

bastide [bastid] *nf* (*maison*) quinta; (*ville*) bastida.

bastingage [bastɛ̃gaʒ] *nm* borda.

bastion [bastjɔ̃] *nm* bastión *m*; (*fig*) baluarte *m*.

bas-ventre [bavãtR] (*pl* ~-~s) *nm* bajovientre *m*.

bat [ba] *vb voir* **battre**.

bât [ba] *nm* albarda.

bataille [bataj] *nf* (*aussi fig*) batalla; **en** ~ (*en désordre*) desordenado(-a), desgreñado(-a); ▶ **bataille rangée** batalla campal.

bataillon [batajɔ̃] *nm* batallón *m*.

bâtard, e [batar, aRd] *adj* (*solution*) espurio(-a); (*fig*) híbrido(-a) ♦ *nm/f* (*enfant*) bastardo(-a) ♦ *nm* (*boulangerie*) ba-

rra; **chien** ~ perro bastardo.

batavia [batavja] *nf* lechuga de hojas anchas y rizadas.

bateau, x [bato] *nm* barco; (*grand*) navío, buque *m*; (*abaissement du trottoir*) vado ♦ *adj* (*banal, rebattu*) típico(-a); ▶ **bateau à moteur/de pêche** barco de motor/de pesca.

bateau-citerne [batositɛRn] (*pl* ~x-~s) *nm* barco cisterna *inv*.

bateau-mouche [batomuʃ] (*pl* ~x-~s) *nm* golondrina.

bateau-pilote [batopilɔt] (*pl* ~x-~s) *nm* barco piloto *inv*.

bateleur, -euse [batlœR, øz] *nm/f* titiritero(-a), cómico(-a).

batelier, -ière [batəlje] *nm/f* barquero(-a).

bat-flanc [baflã] *nm inv* (*pour dormir*) mampara.

bâti, e [bati] *adj* (*terrain*) edificado(-a) ♦ *nm* (*armature*) armazón *m*; (*COUTURE*) hilván *m*; **bien** ~ (*personne*) bien hecho(-a), fornido(-a).

batifoler [batifɔle] *vi* retozar.

batik [batik] *nm* batik *m*.

bâtiment [batimã] *nm* edificio; (*NAUT*) navío; **le** ~ (*industrie*) la construcción.

bâtir [batiR] *vt* edificar, construir; (*fig*) edificar; (*COUTURE*) hilvanar; **fil à** ~ (*COUTURE*) hilo de hilvanar.

bâtisse [batis] *nf* construcción *f*.

bâtisseur, -euse [batisœR, øz] *nm/f* constructor(a), fundador(a).

batiste [batist] *nf* batista.

bâton [batɔ̃] *nm* palo, vara; (*d'agent de police*) porra; **mettre des** ~s **dans les roues à qn** poner trabas a algn; **à** ~s **rompus** sin orden ni concierto; ▶ **bâton de rouge** (**à lèvres**) barra (de labios); ▶ **bâton de ski** bastón m de esquiar.

bâtonnet [batɔnɛ] *nm* palo pequeño.

bâtonnier [batɔnje] *nm* (*JUR*) decano del colegio de abogados.

batraciens [batRasjɛ̃] *nmpl* batracios *mpl*.

bats [ba] *vb voir* **battre**.

battage [bataʒ] *nm* propaganda exagerada.

battant, e [batã, ãt] *vb voir* **battre** ♦ *adj*: **pluie** ~e aguacero, lluvia recia ♦ *nm* (*de cloche*) badajo; (*de volet, de porte*) hoja, batiente *m*; (*personne*) persona combativa; **porte à double** ~ puerta de doble batiente; **tambour** ~ (*fig*) con firmeza.

batte [bat] *nf* pala, bate *m*.

battement [batmã] *nm* (*de cœur*) latido, palpitación *f*; (*intervalle*) intervalo; **10 minutes de** ~ 10 minutos de intervalo; ▶ **battement de paupières** parpadeo.

batterie [batRi] *nf* (*aussi MUS*) batería; ~ **de tests** batería de tests; ▶ **batterie de**

cuisine batería de cocina.
batteur [batœʀ] nm (MUS) batería m/f; (appareil) batidora.
batteuse [batøz] nf trilladora.
battoir [batwaʀ] nm (à linge, tapis) pala, paleta.
battre [batʀ] vt golpear; (suj: pluie, vagues) golpear, azotar; (vaincre) vencer, derrotar; (œufs etc) batir; (blé) trillar; (tapis) sacudir; (cartes) barajar; (passer au peigne fin) rastrear ♦ vi (cœur) latir; (volets etc) golpear; **se battre** vpr pelearse, luchar; (fig) esforzarse; ~ **de**: ~ **des mains** aplaudir; ~ **de l'aile** (fig) estar alicaído (-a); ~ **des ailes** aletear; ~ **froid à qn** tratar a algn con frialdad; ~ **la mesure** llevar el compás; ~ **en brèche** (aussi fig) batir en brecha; ~ **son plein** estar en su apogeo; ~ **pavillon espagnol** enarbolar bandera española; ~ **la semelle** zapatear (para calentarse); ~ **en retraite** batirse en retirada.
battu, e [baty] pp de **battre**.
battue [baty] nf batida.
baud [bo] nm baudio.
baudruche [bodʀyʃ] nf: **ballon de** ~ globo de goma; (fig) botarate m.
baume [bom] nm bálsamo; (fig) bálsamo, consuelo.
bauxite [boksit] nf bauxita.
bavard, e [bavaʀ, aʀd] adj parlanchín (-ina).
bavardage [bavaʀdaʒ] nm charla.
bavarder [bavaʀde] vi charlar, platicar (MEX); (indiscrètement) charlatanear, irse de la lengua.
bave [bav] nf baba.
baver [bave] vi babear; (encre, couleur) correrse; **en** ~ (fam) pasar las de Caín, pasarlas negras.
bavette [bavɛt] nf (de bébé) babero; (de tablier, salopette) peto.
baveux, -euse [bavø, øz] adj baboso(-a); **omelette baveuse** tortilla babosa.
bavoir [bavwaʀ] nm babero.
bavure [bavyʀ] nf rebaba, mancha; (fig) error m.
bayadère [bajadɛʀ] adj bayadera.
bayer [baje] vi: ~ **aux corneilles** estar en Babia.
bazar [bazaʀ] nm bazar m; (fam) leonera.
bazarder [bazaʀde] (fam) vt liquidar.
BCBG [besebeʒe] sigle adj = bon chic bon genre; **une fille** ~ ≈ una chica bien vestida.
BCG [beseʒe] sigle m (= bacille Calmette-Guérin) vacuna de la tuberculosis.
bcp abr = **beaucoup**.
BD sigle f (= bande dessinée) voir **bande**; (= base de données) base f de datos.

bd abr (= boulevard) Blvr. (= bulevar).
b.d.c. abr (= bas de casse) c.b (= caja baja).
béant, e [beɑ̃, ɑ̃t] adj abierto(-a).
béarnais, e [beaʀnɛ, ɛz] adj bearnés(-esa) ♦ nm/f: **B~, e** bearnés(-esa).
béat, e [bea, at] adj beato(-a); (sourire etc) plácido(-a).
béatitude [beatityd] nf beatitud f.
beau (bel), belle, beaux [bo, bɛl] adj (gén) bonito(-a); (plus formel) hermoso (-a), bello(-a), lindo(-a) (fam; esp AM); (personne) guapo(-a) ♦ nm: **avoir le sens du beau** tener sentido estético ♦ adv: **il fait beau** hace buen tiempo; **le temps est au beau** el tiempo se anuncia bueno; **un beau geste** un gesto noble; **un beau salaire** un buen salario; **un beau gâchis/rhume** (iro) un buen despilfarro/resfriado; **en faire/dire de belles** hacerlas/decirlas buenas; **le beau monde** la buena sociedad; **un beau jour** ... un buen día ...; **de plus belle** más y mejor; **bel et bien** de verdad; **le plus beau c'est que** ... lo mejor es que ...; **"c'est du beau!"** "¡qué bonito!"; **on a beau essayer** ... por más que se intente ...; **il a beau jeu de protester** etc le es fácil protestar etc; **faire le beau** (chien) ponerse en dos patas; ► **beau parleur** hombre m de labia.
beauceron, ne [bosʀɔ̃, ɔn] adj de la Beauce ♦ nm/f: **B~, ne** nativo(-a) ou habitante m/f de la Beauce.
beaucoup [boku] adv mucho; **il boit** ~ bebe mucho; **il ne rit pas** ~ no ríe mucho; **il est** ~ **plus grand** es mucho más grande; **il en a** ~ tiene mucho(s)(-a(s)); ~ **trop de** demasiado(s)(-a(s)); (pas) ~ **de** (no) mucho(s)(-a(s)); ~ **d'étudiants/de touristes** muchos estudiantes/turistas; ~ **de courage** mucho valor; **il n'a pas** ~ **d'argent** no tiene mucho dinero; **de** ~ adv con mucho; ~ **le savent** (emploi nominal) muchos lo saben.
beau-fils [bofis] (pl ~x-~) nm yerno; (remariage) hijastro.
beau-frère [bofʀɛʀ] (pl ~x-~s) nm cuñado.
beau-père [bopɛʀ] (pl ~x-~s) nm suegro; (remariage) padrastro.
beauté [bote] nf belleza; **de toute** ~ de gran belleza; **en** ~: **finir en** ~ terminar brillantemente.
beaux-arts [bozaʀ] nmpl bellas artes fpl.
beaux-parents [bopaʀɑ̃] nmpl suegros mpl.
bébé [bebe] nm bebé m.
bébé-éprouvette [bebeepʀuvɛt] (pl ~s-~) nm bebé-probeta m.
bec [bɛk] nm pico; (de plume) punta; (d'une clarinette etc) boquilla; **clouer le** ~ **à qn** (fam) cerrar el pico a algn; (fam)

abrir el pico; ▶**bec de gaz** farola; ▶**bec verseur** pico.
bécane [bekan] *(fam) nf* bici *f.*
bécarre [bekaʀ] *nm* becuadro.
bécasse [bekas] *nf* becada; *(fam)* tonta.
bec-de-cane [bɛkdəkan] *(pl ~s-~-~) nm* picaporte *m.*
bec-de-lièvre [bɛkdəljɛvʀ] *(pl ~s-~-~) nm* labio leporino.
béchamel [beʃamɛl] *nf:* **(sauce)** ~ (salsa) bechamel *f.*
bêche [bɛʃ] *nf* pala.
bêcher [beʃe] *vt (terre)* cavar; *(snober)* despreciar.
bêcheur, -euse [bɛʃœʀ, øz] *(fam) adj* criticón(-ona) ♦ *nm/f* criticón(-ona); *(snob)* engreído(-a).
bécoter [bekɔte]: **se** ~ *vpr* besuquearse.
becquée [beke] *nf:* **donner la** ~ **à** dar de comer a.
becqueter [bɛkte] *(fam) vi* papear.
bedaine [bədɛn] *nf* barriga.
bédé [bede] *(fam) nf* (= *bande dessinée) voir* **bande**.
bedeau, x [bədo] *nm* sacristán *m.*
bedonnant, e [bədɔnɑ̃, ɑ̃t] *adj* barrigudo(-a).
bée [be] *adj:* **bouche** ~ boquiabierto(-a).
beffroi [befʀwa] *nm* campanario.
bégaiement [begɛmɑ̃] *nm* tartamudeo.
bégayer [begeje] *vi, vt* tartamudear.
bégonia [begɔnja] *nm* begonia.
bègue [bɛg] *nm/f* tartamudo(-a).
bégueule [begœl] *adj* mojigato(-a).
béguin [begɛ̃] *nm:* **avoir le** ~ **pour** estar encaprichado(-a) con.
beige [bɛʒ] *adj* beige.
beignet [bɛɲɛ] *nm* buñuelo.
bel [bɛl] *adj m voir* **beau**.
bêler [bele] *vi* balar; *(fig)* gemir.
belette [bəlɛt] *nf* comadreja.
belge [bɛlʒ] *adj* belga ♦ *nm/f:* **B**~ belga *m/f.*
Belgique [bɛlʒik] *nf* Bélgica.
Belgrade [bɛlgʀad] *n* Belgrado.
bélier [belje] *nm (ZOOL)* carnero; *(engin)* ariete *m; (ASTROL):* **le B**~ Aries *m;* **être (du) B**~ ser Aries.
Bélize [beliz] *nm* Belice *m.*
bellâtre [bɛlɑtʀ] *nm* niño bonito.
belle [bɛl] *adj f voir* **beau** ♦ *nf (SPORT):* **la** ~ el desempate.
belle-famille [bɛlfamij] *(pl ~s-~s fam) nf* familia política.
belle-fille [bɛlfij] *(pl ~s-~s) nf* nuera; *(remariage)* hijastra.
belle-mère [bɛlmɛʀ] *(pl ~s-~s) nf* suegra; *(remariage)* madrastra.
belle-sœur [bɛlsœʀ] *(pl ~s-~s) nf* cuñada.
belliciste [belisist] *adj* belicista.

belligérant, e [beliʒeʀɑ̃, ɑ̃t] *nm/f* beligerante *m/f.*
belliqueux, -euse [belikø, øz] *adj* belicoso(-a).
belote [bəlɔt] *nf* ≈ tute *m.*
belvédère [bɛlvedɛʀ] *nm* mirador *m.*
bémol [bemɔl] *nm* bemol *m.*
ben [bɛ̃] *(fam) excl* pues.
bénédiction [benediksjɔ̃] *nf* bendición *f.*
bénéfice [benefis] *nm (COMM)* beneficio; *(avantage)* beneficio, provecho; **au** ~ **de** a favor de.
bénéficiaire [benefisjɛʀ] *nm* beneficiario (-a).
bénéficier [benefisje] *vi:* ~ **de** *(jouir de, avoir, obtenir)* disfrutar de; *(tirer profit de)* beneficiarse de, aprovecharse de.
bénéfique [benefik] *adj* benéfico(-a).
Bénélux [benelyks] *nm* Benelux *m.*
benêt [bənɛ] *adj, nm* pánfilo(-a).
bénévolat [benevɔla] *nm* voluntariado.
bénévole [benevɔl] *adj (personne)* benévolo(-a); *(aide etc)* voluntario(-a).
bénévolement [benevɔlmɑ̃] *adv* voluntariamente.
Bengale [bɛ̃gal] *nm* Bengala; **le golfe du** ~ el golfo de Bengala.
bengali [bɛ̃gali] *adj, nm* bengalí *m.*
Bénin [benɛ̃] *nm* Benin *m.*
bénin, -igne [benɛ̃, iɲ] *adj* benigno(-a).
béninois, e [beninwa, waz] *adj* de Benin ♦ *nm/f:* **B**~, **e** nativo(-a) *ou* habitante *m/f* de Benin.
bénir [beniʀ] *vt* bendecir.
bénit, e [beni, it] *adj* bendito(-a); **eau** ~**e** agua bendita.
bénitier [benitje] *nm* pila de agua bendita.
benjamin, e [bɛ̃ʒamɛ̃, in] *nm/f* benjamín(-ina); *(SPORT)* alevín *m/f.*
benne [bɛn] *nf (de camion)* volquete *m; (de téléphérique)* cabina; ▶**benne basculante** volquete.
benzine [bɛ̃zin] *nf* bencina.
béotien, ne [beɔsjɛ̃, jɛn] *nm/f* tosco(-a).
BEP [beøpe] *sigle m* = **brevet d'études professionnelles.**
BEPC [beøpese] *sigle m* (= *brevet d'études du premier cycle)* ≈ Graduado Escolar.
béquille [bekij] *nf* muleta; *(de bicyclette)* soporte *m.*
berbère [bɛʀbɛʀ] *adj* berberisco(-a) ♦ *nm (LING)* bereber *m* ♦ *nm/f:* **B**~ bereber *m/f.*
bercail [bɛʀkaj] *nm* redil *m.*
berceau, x [bɛʀso] *nm (aussi fig)* cuna.
bercer [bɛʀse] *vt* acunar, mecer; *(suj: musique)* mecer; ~ **qn de** ilusionar a algn con.
berceur, -euse [bɛʀsœʀ, øz] *adj* mecedor(a).
berceuse [bɛʀsøz] *nf (chanson)* canción *f*

de cuna, nana.
béret (basque) [berɛ (bask(ə))] *nm* boina.
bergamote [bɛʀgamɔt] *nf* bergamota.
berge [bɛʀʒ] *nf* (*d'un cours d'eau*) ribera; (*d'un chemin, fossé*) orilla; (*fam: an*) taco (*fam*).
berger, -ère [bɛʀʒe, ʒɛʀ] *nm/f* pastor(a); ▸ **berger allemand** pastor *m* alemán.
bergerie [bɛʀʒəʀi] *nf* aprisco.
bergeronnette [bɛʀʒəʀɔnɛt] *nf* aguzanieves *f inv*.
béribéri [beʀibeʀi] *nm* beriberi *m*.
Berlin [bɛʀlɛ̃] *n* Berlín; ▸ **Berlin Est/Ouest** (*HIST*) Berlín este/oeste.
berline [bɛʀlin] *nf* berlina.
berlingot [bɛʀlɛ̃go] *nm* (*emballage*) envase *m* de cartón; (*bonbon*) caramelo con forma de rombo.
berlue [bɛʀly] *nf*: **avoir la ~** ver visiones.
bermuda [bɛʀmyda] *nm* bermudas *mpl o fpl*.
Bermudes [bɛʀmyd] *nfpl*: **les (îles) ~** las (islas) Bermudas.
Berne [bɛʀn] *nf* Berna.
berne [bɛʀn] *nf*: **en ~** a media asta; **mettre en ~** izar a media asta.
berner [bɛʀne] *vt* estafar.
bernois, e [bɛʀnwa, waz] *adj* bernés(-esa) ♦ *nm/f*: **B~, e** bernés(-esa).
berrichon, ne [bɛʀiʃɔ̃, ɔn] *adj* de Berry ♦ *nm/f*: **B~, ne** nativo(-a) *ou* habitante *m/f* de Berry.
Berry [bɛʀi] *nm* Berry *m*.
besace [bəzas] *nf* alforjas *fpl*.
besogne [bəzɔɲ] *nf* tarea, faena.
besogneux, -euse [bəzɔɲø, øz] *adj* tedioso(-a).
besoin [bəzwɛ̃] *nm* necesidad *f*; (*pauvreté*): **le ~** la necesidad, la estrechez ♦ *adv*: **au ~** si es menester; **il n'y a pas ~ de (faire)** no hay necesidad de (hacer); **le ~ d'argent/de gloire** la necesidad de dinero/de gloria; **les ~s (naturels)** las necesidades; **faire ses ~s** hacer sus necesidades; **avoir ~ de qch/de faire qch** tener necesidad de algo/de hacer algo; **pour les ~s de la cause** por exigencias del objetivo.
bestial, e, -aux [bɛstjal, jo] *adj* bestial.
bestiaux [bɛstjo] *nmpl* ganado, reses *fpl*.
bestiole [bɛstjɔl] *nf* bicho.
bétail [betaj] *nm* ganado.
bétaillère [betajɛʀ] *nf* remolque *m* para transportar ganado.
bête [bɛt] *nf* (*gén*) animal *m*; (*insecte, bestiole*) bicho ♦ *adj* (*stupide*) tonto(-a), bobo(-a); **chercher la petite ~** ser un chinche; **les ~s** (*bétail*) el ganado; ▸ **bête de somme** bestia de carga; ▸ **bête noire** pesadilla, bestia negra; ▸ **bêtes sauva-**

ges fieras *fpl*, animales *mpl* salvajes.
bêtement [bɛtmã] *adv* tontamente; **tout ~** simplemente, sin rodeos.
Bethléem [bɛtleɛm] *n* Belén.
bêtifier [betifje] *vi* decir tonterías.
bêtise [betiz] *nf* (*défaut d'intelligence*) estupidez *f*, tontería; (*action, remarque*) tontería; (*bonbon*) caramelo de menta; **faire/dire une ~** hacer/decir una tontería.
béton [betɔ̃] *nm* hormigón *m*; **en ~** (*alibi, argument*) sólido(-a); ▸ **béton armé/précontraint** hormigón armado/pretensado.
bétonner [betɔne] *vt* construir con hormigón.
bétonnière [betɔnjɛʀ] *nf* hormigonera.
bette [bɛt] *nf* acelga.
betterave [bɛtʀav] *nf* remolacha, betarraga (*CHI*); ▸ **betterave fourragère/sucrière** remolacha forrajera/azucarera.
beuglement [bøgləmã] *nm* mugido, bramido; (*personne, radio*) berridos *mpl*.
beugler [bøgle] *vi* (*bovin*) mugir, bramar; (*personne, radio*) berrear ♦ *vt* (*péj: chanson*) berrear.
Beur [bœʀ] *nm/f* joven árabe nacido en Francia de padres emigrantes.
beurre [bœʀ] *nm* mantequilla, manteca (*AM*); **mettre du ~ dans les épinards** (*fig*) hacer el agosto; ▸ **beurre de cacao** manteca de cacao; ▸ **beurre noir** mantequilla requemada.
beurrer [bœʀe] *vt* untar con mantequilla.
beurrier [bœʀje] *nm* mantequera.
beuverie [bøvʀi] *nf* sesión *f* de borrachos.
bévue [bevy] *nf* patinazo.
Beyrouth [beʀut] *n* Beirut.
bi- [bi] *préf* bi-.
Biafra [bjafʀa] *nm* Biafra.
biafrais, e [bjafʀɛ, ɛz] (*adj*) biafreño(-a); *nm/f*: **B~, e** biafreño(-a).
biais [bjɛ] *nm* (*d'un tissu*) sesgo; (*bande de tissu*) bies *m*; (*moyen*) rodeo, vuelta; **en ~, de ~** (*obliquement*) al sesgo; (*fig*) con rodeos.
biaiser [bjeze] *vi* andarse con rodeos.
bibelot [biblo] *nm* chuchería.
biberon [bibʀɔ̃] *nm* biberón *m*; **nourrir au ~** alimentar con biberón.
bible [bibl] *nf* biblia.
biblio... [biblijo] *préf* biblio... .
bibliobus [biblijobys] *nm* biblioteca ambulante, bibliobús *m*.
bibliographie [biblijɔgʀafi] *nf* bibliografía.
bibliophile [biblijɔfil] *nm/f* bibliófilo(-a).
bibliothécaire [biblijɔtekɛʀ] *nm/f* bibliotecario(-a).
bibliothèque [biblijɔtɛk] *nf* biblioteca; ▸ **bibliothèque municipale** biblioteca municipal.

biblique [biblik] *adj* bíblico(-a).
bicarbonate [bikaʀbɔnat] *nm*: ~ **(de soude)** bicarbonato (sódico).
bicentenaire [bisãt(ə)nɛʀ] *nm* bicentenario.
biceps [bisɛps] *nm* bíceps *m inv*.
biche [biʃ] *nf* cierva.
bichonner [biʃɔne] *vt* acicalar; (*personne*) mimar.
bicolore [bikɔlɔʀ] *adj* bicolor.
bicoque [bikɔk] (*péj*) *nf* casucha.
bicorne [bikɔʀn] *nm* bicornio.
bicross [bikʀɔs] *nm* bicicross *m*.
bicyclette [bisiklɛt] *nf* bicicleta.
bidasse [bidas] (*fam*) *nm* recluta *m*.
bide [bid] *nm* (*fam*: *ventre*) panza; (: *THÉÂTRE*) fracaso.
bidet [bidɛ] *nm* bidé *m*.
bidoche [bidɔʃ] (*fam*) *nf* carne *f*.
bidon [bidɔ̃] *nm* (*récipient*) bidón *m* ♦ *adj inv* (*fam*) amañado(-a).
bidonnant, e [bidɔnɑ̃, ɑ̃t] (*fam*) *adj* desternillante.
bidonville [bidɔ̃vil] *nm* chabolas *fpl*.
bidule [bidyl] *nm* trasto, chisme *m*.
bielle [bjɛl] *nf* biela.

======================= *MOT-CLÉ*

bien [bjɛ̃] *nm* **1** (*avantage, profit, moral*) bien *m*; **faire du bien à qn** hacer bien a algn; **faire le bien** hacer el bien; **dire du bien de qn/qch** hablar bien de algn/algo; **c'est pour son bien** es por su bien; **changer en bien** cambiar para bien; **mener à bien** llevar a buen término; **je te veux du bien** te quiero bien; **le bien public** el bien público
2 (*possession, patrimoine*) bien; **son bien le plus précieux** su bien más preciado; **avoir du bien** tener fortuna; **biens de consommation** bienes *mpl* de consumo
♦ *adv* **1** (*de façon satisfaisante*) bien; **elle travaille/mange bien** trabaja/come bien; **vite fait, bien fait** pronto y bien; **croyant bien faire, je …** creyendo hacer bien, yo …
2 (*valeur intensive*) muy, mucho; **bien jeune** muy joven; **j'en ai bien assez** tengo más que suficiente; **bien mieux** mucho mejor; **bien souvent** muy a menudo; **c'est bien fait!** (*tu le mérites*) ¡te está bien empleado!; **j'espère bien y aller** sí espero poder ir; **je veux bien le faire** (*concession*) me parece bien hacerlo; **il faut bien le faire** hay que hacerlo; **il faut bien l'admettre** hay que admitirlo; **il y a bien 2 ans** hace 2 años largos; **Paul est bien venu, n'est-ce pas?** Paul sí ha venido, ¿verdad?; **tu as eu bien raison de dire cela** hiciste muy bien en decir eso; **j'ai bien té-**
léphoné sí llamé por teléfono; **se donner bien du mal** molestarse mucho; **où peut-il bien être passé?** ¿dónde se habrá metido?; **on verra bien** ya veremos
3 (*beaucoup*): **bien du temps/des gens** mucho tiempo/mucha gente
♦ *excl*: **eh bien?** bueno, ¿qué?
♦ *adj inv* **1** (*en bonne forme, à l'aise*): **être/se sentir bien** estar/sentirse bien; **je ne me sens pas bien** no me siento bien; **on est bien dans ce fauteuil** se está bien en este sillón
2 (*joli, beau*) bien; **tu es bien dans cette robe** estás bien con este vestido; **elle est bien, cette femme** está bien esa mujer
3 (*satisfaisant, adéquat*) bien; **elle est bien, cette maison** está bien esta casa; **elle est bien, cette secrétaire** es buena esta secretaria; **c'est bien?** ¿está bien?; **mais non, c'est très bien que** no, está muy bien; **c'est très bien (comme ça)** está muy bien (así)
4 (*juste, moral, respectable*) bien *inv*; **ce n'est pas bien de …** no está bien …; **des gens biens** gente bien
5 (*en bons termes*): **être bien avec qn** estar a bien con algn; **si bien que** (*résultat*) de tal manera que; **tant bien que mal** así, así
6: **bien que** *conj* aunque
7: **bien sûr** *adv* desde luego
♦ *préf*: **bien-aimé, e** *adj*, *nm/f* bienamado (-a).

_____

bien-être [bjɛ̃nɛtʀ] *nm* bienestar *m*.
bienfaisance [bjɛ̃fəzɑ̃s] *nf* beneficencia.
bienfaisant, e [bjɛ̃fəzɑ̃, ɑ̃t] *adj* beneficioso(-a).
bienfait [bjɛ̃fɛ] *nm* favor *m*; (*de la science*) beneficio.
bienfaiteur, -trice [bjɛ̃fɛtœʀ, tʀis] *nm/f* bienhechor(a).
bien-fondé [bjɛ̃fɔ̃de] *nm* legitimidad *f*.
bien-fonds [bjɛ̃fɔ̃] *nm* bienes *mpl* raíces.
bienheureux, -euse [bjɛ̃nœʀø, øz] *adj* bienaventurado(-a).
biennal, e, -aux [bjenal, o] *adj* bienal.
bien-pensant, e [bjɛ̃pɑ̃sɑ̃, ɑ̃t] (*pl* ~-~**s, es** *péj*) *adj* bien pensante ♦ *nm/f*: **les** ~-~**s** la gente de orden.
bienséance [bjɛ̃seɑ̃s] *nf* decoro, decencia; ~**s** *nfpl* (*convenances*) conveniencias *fpl*.
bienséant, e [bjɛ̃seɑ̃, ɑ̃t] *adj* decoroso(-a), decente.
bientôt [bjɛ̃to] *adv* pronto, luego; **à** ~ hasta luego.
bienveillance [bjɛ̃vɛjɑ̃s] *nf* benevolencia.
bienveillant, e [bjɛ̃vɛjɑ̃, ɑ̃t] *adj* benévolo (-a).
bienvenu, e [bjɛ̃vny] *adj* bienvenido(-a) ♦

nm/f: **être le** ~/**la** ~**e** ser bienvenido/ bienvenida.
bienvenue [bjɛvny] *nf*: **souhaiter la** ~ **à** desear la bienvenida a; ~ **à** bienvenida a.
bière [bjɛR] *nf* cerveza; (*cercueil*) ataúd *m*; ▶ **bière blonde/brune** cerveza dorada/ negra; ▶ **bière (à la) pression** cerveza de barril.
biffer [bife] *vt* tachar, rayar.
bifteck [biftɛk] *nm* bistec *m*, bisté *m*, bife *m* (*ARG*).
bifurcation [bifyRkasjɔ̃] *nf* bifurcación *f*; (*fig*) bifurcación, desvío.
bifurquer [bifyRke] *vi* (*route*) bifurcarse; (*véhicule, aussi fig*) desviarse.
bigame [bigam] *adj* bígamo(-a).
bigamie [bigami] *nf* bigamia.
bigarré, e [bigaRe] *adj* (*bariolé*) abigarrado(-a); (*disparate*) heterogéneo(-a).
bigarreau, x [bigaRo] *nm* cereza rosa.
bigleux, -euse [biglø, øz] *adj* bizco(-a).
bigorneau, x [bigɔRno] *nm* bígaro.
bigot, e [bigo, ɔt] (*péj*) *adj* santurrón (-ona), beato(-a) ♦ *nm/f* beato(-a).
bigoterie [bigɔtRi] *nf* beatería.
bigoudi [bigudi] *nm* bigudí *m*.
bigrement [bigRəmɑ̃] (*fam*) *adv*: **elle est** ~ **jolie** está la mar de guapa.
bijou, x [biʒu] *nm* (*aussi fig*) joya, alhaja.
bijouterie [biʒutRi] *nf* (*bijoux*) joyas *fpl*; (*magasin*) joyería.
bijoutier, -ière [biʒutje, jɛR] *nm/f* joyero (-a).
bikini [bikini] *nm* biquini *m*.
bilan [bilɑ̃] *nm* balance *m*; **faire le** ~ **de** hacer el balance de; **déposer son** ~ declararse en quiebra; ▶ **bilan de santé** chequeo.
bilatéral, e, -aux [bilateRal, o] *adj* bilateral.
bilboquet [bilbɔkɛ] *nm* boliche *m*.
bile [bil] *nf* bilis *f*; **se faire de la** ~ (*fam*) hacerse mala sangre.
biliaire [biljɛR] *adj* biliar.
bilieux, -euse [biljø, jøz] *adj* bilioso(-a); (*fig*) bilioso(-a), colérico(-a).
bilingue [bilɛ̃g] *adj* bilingüe.
bilinguisme [bilɛ̃gɥism] *nm* bilingüismo.
billard [bijaR] *nm* billar *m*; **c'est du** ~ (*fam*) está tirado, es pan comido; **passer sur le** ~ pasar por el quirófano; ▶ **billard électrique** billar automático.
bille [bij] *nf* bola; (*du jeu de billes*) canica; **jouer aux** ~**s** jugar a las canicas.
billet [bijɛ] *nm* billete *m*; (*de cinéma*) entrada; (*courte lettre*) billete, esquela; ▶ **billet à ordre** pagaré *m*; ▶ **billet aller retour** billete de ida y vuelta; ▶ **billet d'avion** billete de avión; ▶ **billet**

de commerce letra de cambio; ▶ **billet de faveur** pase *m* de favor; ▶ **billet de loterie** billete de lotería; ▶ **billet de train** billete de tren; ▶ **billet doux** carta de amor.
billetterie [bijɛtRi] *nf* emisión *f* y venta de billetes; (*distributeur*) taquilla; (*BANQUE*) cajero (automático).
billion [biljɔ̃] *nm* billón *m*.
billot [bijo] *nm* tajo.
bimbeloterie [bɛ̃blɔtRi] *nf* comercio de baratijas.
bimensuel, le [bimɑ̃sɥɛl] *adj* bimensual, quincenal.
bimestriel, le [bimɛstRijɛl] *adj* bimestral.
bimoteur [bimɔtœR] *adj* bimotor.
binaire [binɛR] *adj* binario(-a).
biner [bine] *vt* binar.
binette [binɛt] *nf* azada.
binoclard, e [binɔklaR, aRd] (*fam*) *adj, nm/f* gafudo(-a).
binocle [binɔkl] *nm* quevedos *mpl*.
binoculaire [binɔkylɛR] *nf* binoculares *mpl*.
binôme [binom] *nm* binomio.
bio... [bjɔ] *préf* bio... .
biochimie [bjoʃimi] *nf* bioquímica.
biochimique [bjoʃimik] *adj* bioquímico(-a).
biochimiste [bjoʃimist] *nm/f* bioquímico (-a).
biodégradable [bjodegRadabl] *adj* biodegradable.
biographe [bjɔgRaf] *nm/f* biógrafo(-a).
biographie [bjɔgRafi] *nf* biografía.
biographique [bjɔgRafik] *adj* biográfico (-a).
biologie [bjɔlɔʒi] *nf* biología.
biologique [bjɔlɔʒik] *adj* biológico(-a).
biologiste [bjɔlɔʒist] *nm/f* biólogo(-a).
biomasse [bjomas] *nf* biomasa.
biopsie [bjɔpsi] *nf* biopsia.
biosphère [bjosfɛR] *nf* biosfera.
biotope [bjɔtɔp] *nm* biotopo.
bipartisme [bipaRtism] *nm* bipartidismo.
bipartite [bipaRtit] *adj* bipartidista.
bipède [bipɛd] *nm* bípedo.
biphasé, e [bifaze] *adj* bifásico(-a).
biplace [biplas] *adj, nm* dos plazas.
biplan [biplɑ̃] *nm* biplano.
bique [bik] *nf* cabra; **vieille** ~ (*péj*) bruja.
biquet, te [bikɛ, ɛt] *nm/f* cabrito; **mon** ~ pichoncito mío.
biréacteur [biReaktœR] *nm* birreactor *m*.
birman [biRmɑ̃, an] *adj* birmano(-a) ♦ *nm* (*LING*) birmano ♦ *nm/f*: **B**~, **e** birmano(-a).
Birmanie [biRmani] *nf* Birmania.
bis, e [*adj* bi, biz *adv, excl, nm* bis] *adj* pardo(-a) ♦ *adv*: **12** ~ 12 bis ♦ *excl* ¡otra! ♦ *nm* bis *m*.
bisaïeul, e [bizajœl] *nm/f* bisabuelo(-a).

bisannuel, le [bizanɥɛl] *adj* bienal.
bisbille [bisbij] *nf*: **être en ~ avec qn** estar de pique con algn.
Biscaye [biske] *nf*: **le golfe de ~** el golfo de Vizcaya.
biscornu, e [biskɔrny] *adj* deforme; (*bizarre, aussi péj*) estrafalario(-a).
biscotte [biskɔt] *nf* biscote *m*.
biscuit [biskɥi] *nm* (*gâteau sec*) galleta; (*gâteau, porcelaine*) bizcocho; ▸ **biscuit à la cuiller** bizcocho.
biscuiterie [biskɥitri] *nf* (*fabrication*) fábrica de galletas; (*commerce*) tienda de galletas.
bise [biz] *adj f voir* **bis** ♦ *nf* (*baiser*) beso; (*vent*) cierzo.
biseau, x [bizo] *nm* bisel *m*; **en ~** biselado(-a).
biseauter [bizote] *vt* biselar.
bisexué, e [bisɛksɥe] *adj* bisexual.
bismuth [bismyt] *nm* bismuto.
bison [bizɔ̃] *nm* bisonte *m*.
bisou [bizu] (*fam*) *nm* besito.
bisque [bisk] *nf*: **~ d'écrevisses** *etc* sopa de cangrejos *etc*.
bissectrice [bisɛktris] *nf* bisectriz *f*.
bisser [bise] *vt* (*faire rejouer*) hacer repetir; (*rejouer*) repetir.
bissextile [bisɛkstil] *adj*: **année ~** año bisiesto.
bistouri [bisturi] *nm* bisturí *m*.
bistre [bistr] *adj* (*couleur*) tostado(-a); (*peau, teint*) moreno(-a).
bistro(t) [bistro] *nm* bar *m*, café *m*, cantina (*esp AM*).
BIT *sigle m* (= *Bureau international du travail*) OIT *f* (= *Organización Internacional del Trabajo*).
bit [bit] *nm* bit *m*.
biterrois, e [bitɛrwa, waz] *adj* de Béziers ♦ *nm/f*: **B~, e** nativo(-a) *ou* habitante *m/f* de Béziers.
bitte [bit] *nf*: **~ d'amarrage** bita.
bitume [bitym] *nm* asfalto.
bitumer [bityme] *vt* asfaltar.
bivalent, e [bivalɑ̃, ɑ̃t] *adj* bivalente.
bivouac [bivwak] *nm* vivac *m*, vivaque *m*.
bivouaquer [bivwake] *vi* vivaquear, acampar.
bizarre [bizar] *adj* raro(-a).
bizarrement [bizarmɑ̃] *adv* extrañamente.
bizarrerie [bizarri] *nf* rareza.
blackbouler [blakbule] *vt* derrotar.
blafard, e [blafar, ard] *adj* pálido(-a).
blague [blag] *nf* (*propos*) chiste *m*; (*farce*) broma; *"sans ~!"* (*fam*) *"¡no me digas!"*; ▸ **blague à tabac** petaca.
blaguer [blage] *vi* bromear ♦ *vt* embromar.
blagueur, -euse [blagœr, øz] *adj, nm/f* bro-

mista *m/f*.
blair [blɛr] (*fam*) *nm* napias *fpl*.
blaireau, x [blɛro] *nm* (*ZOOL*) tejón *m*; (*brosse*) brocha de afeitar.
blairer [blɛre] *vt*: **je ne peux pas le ~** no lo trago.
blâmable [blɑmabl] *adj* censurable.
blâme [blɑm] *nm* (*jugement*) reprobación *f*; (*sanction*) sanción *f*.
blâmer [blɑme] *vt* (*réprouver*) reprobar; (*réprimander*) sancionar.
blanc, blanche [blɑ̃, blɑ̃ʃ] *adj* blanco(-a); (*innocent*) puro(-a) ♦ *nm/f* blanco(-a) ♦ *nm* blanco; (*linge*): **le ~** la ropa blanca; (*aussi*: **~ de poulet**) pechuga ♦ *adv* **à ~** (*chauffer*) al rojo vivo; (*tirer, charger*) con munición de fogueo; **d'une voix blanche** con una voz opaca; **aux cheveux ~s** de pelo blanco; **le ~ de l'œil** el blanco del ojo; **laisser en ~** dejar en blanco; **chèque en ~** cheque *m* en blanco; **saigner à ~** desangrar; **~ cassé** color *m* hueso.
blanc-bec [blɑ̃bɛk] (*pl* **~s-~s**) *nm* mocoso.
blanchâtre [blɑ̃ʃatr] *adj* (*teint, lumière*) blanquecino(-a); (*péj*) blancuzco(-a).
blanche [blɑ̃ʃ] *adj f voir* **blanc** ♦ *nf* (*MUS*) blanca.
blancheur [blɑ̃ʃœr] *nf* blancura.
blanchir [blɑ̃ʃir] *vt* (*gén, argent*) blanquear; (*linge*) lavar; (*CULIN*) escaldar; (*disculper*) rehabilitar ♦ *vi* blanquear; (*cheveux*) blanquear, encanecer; **blanchi à la chaux** encalado.
blanchissage [blɑ̃ʃisaʒ] *nm* lavado.
blanchisserie [blɑ̃ʃisri] *nf* lavandería.
blanchisseur, -euse [blɑ̃ʃisœr, øz] *nm/f* lavandero(-a).
blanc-seing [blɑ̃sɛ̃] (*pl* **~s-~s**) *nm* firma en blanco.
blanquette [blɑ̃kɛt] *nf*: **~ de veau** estofado de ternera.
blasé, e [blaze] *adj* hastiado(-a).
blaser [blaze] *vt* hastiar.
blason [blazɔ̃] *nm* blasón *m*.
blasphématoire [blasfematwar] *adj* blasfemo(-a).
blasphème [blasfɛm] *nm* blasfemia.
blasphémer [blasfeme] *vi* blasfemar ♦ *vt* blasfemar contra.
blatte [blat] *nf* cucaracha.
blazer [blazɛr] *nm* blázer *m*.
blé [ble] *nm* trigo; ▸ **blé en herbe** trigo en ciernes; ▸ **blé noir** trigo sarraceno.
bled [blɛd] *nm* (*péj*) poblacho; (*en Afrique du nord*): **le ~** el interior.
blême [blɛm] *adj* pálido(-a).
blêmir [blemir] *vi* palidecer.
blennorragie [blenɔraʒi] *nf* blenorragia.
blessant, e [blesɑ̃, ɑ̃t] *adj* hiriente.

blessé, e [blese] adj herido(-a); (offensé) ofendido(-a) ♦ nm/f herido(-a); un ~ grave, un grand ~ un herido grave.

blesser [blese] vt herir; (suj: souliers) hacer daño a; (offenser) ofender; **se blesser** vpr herirse; **se ~ au pied** etc lastimarse el pie etc.

blessure [blesyʀ] nf herida; (fig) herida, ofensa.

blet, te [blɛ, blɛt] adj pasado(-a).

blette [blɛt] nf (BOT) = **bette**.

bleu, e [blø] adj azul; (bifteck) poco hecho ♦ nm azul m; (novice) bisoño; (contusion) cardenal m; (vêtement: aussi: ~s) mono, overol m (AM); (CULIN): **au ~ forma de cocer el pescado**; **une peur ~e** un miedo cerval; **zone ~e** zona azul; **fromage ~** queso estilo Roquefort; ▶**bleu (de lessive)** azulete m; ▶**bleu de méthylène** azul de metileno; ▶**bleu marine** azul marino; ▶**bleu nuit** azul oscuro; ▶**bleu roi** azulón.

bleuâtre [bløɑtʀ] adj azulado(-a).

bleuet [bløɛ] nm aciano.

bleuir [bløiʀ] vt azular ♦ vi ponerse azul, azulear.

bleuté, e [bløte] adj azulado(-a).

blindage [blɛ̃daʒ] nm blindaje m.

blindé, e [blɛ̃de] adj blindado(-a); (fig) blindado(-a), inmunizado(-a) ♦ nm tanque m, carro de combate; **les ~s** los vehículos blindados.

blinder [blɛ̃de] vt blindar; (fig) inmunizar.

blizzard [blizaʀ] nm ventisca.

bloc [blɔk] nm bloque m; (de papier à lettres) bloc m; (ensemble) montón m; **serré à ~** apretado a fondo; **en ~** en bloque; **faire ~** aliarse; ▶**bloc opératoire** quirófano.

blocage [blɔkaʒ] nm (aussi PSYCH) bloqueo.

bloc-cuisine [blɔkkɥizin] (pl ~s-~s) nm módulo de cocina.

bloc-cylindres [blɔksilɛ̃dʀ] (pl ~s-~) nm bloque m de cilindros.

bloc-évier [blɔkevje] (pl ~s-~s) nm fregadero.

bloc-moteur [blɔkmɔtœʀ] (pl ~s-~s) nm bloque m del motor.

bloc-notes [blɔknɔt] (pl ~s-~) nm bloc m de notas.

blocus [blɔkys] nm bloqueo.

blond, e [blɔ̃, blɔ̃d] adj rubio(-a); (sable, blés) dorado(-a) ♦ nm/f rubio(-a); **~ cendré** rubio ceniciento.

blondeur [blɔ̃dœʀ] nf color m rubio.

blondinet, te [blɔ̃dinɛ, ɛt] nm/f rubito(-a).

blondir [blɔ̃diʀ] vi volverse rubio(-a).

bloquer [blɔke] vt bloquear; (jours de congé) agrupar; **~ les freins** frenar brusca-

mente.

blottir [blɔtiʀ] vt resguardar; **se blottir** vpr acurrucarse.

blousant, e [bluzɑ̃, ɑ̃t] adj ablusado(-a).

blouse [bluz] nf bata.

blouser [bluze] vi ablusar.

blouson [bluzɔ̃] nm cazadora; ▶**blouson noir** (fig) gamberro.

blue-jean(s) [bludʒin(s)] nm vaqueros mpl, blue-jean(s) m(pl) (esp AM).

blues [bluz] nm blues m inv.

bluet [blyɛ] nm = **bleuet**.

bluff [blœf] nm exageración f, farol m.

bluffer [blœfe] vi exagerar, farolear ♦ vt engañar.

BN [beɛn] sigle f = Bibliothèque nationale.

boa [bɔa] nm boa.

bobard [bɔbaʀ] (fam) nm patraña.

bobèche [bɔbɛʃ] nf arandela.

bobine [bɔbin] nf (de fil) carrete m; (de film) carrete, rollo; (de machine à coudre) canilla; (ÉLEC) bobina; ▶**bobine (d'allumage)** bobina (de encendido); ▶**bobine de pellicule** carrete de película.

bobo [bobo] nm pupa.

bob(sleigh) [bɔb(slɛg)] nm bob(sleigh) m.

bocage [bɔkaʒ] nm (GÉO) prados cercados con setos o árboles; (bois) boscaje m.

bocal, -aux [bɔkal, o] nm tarro (de vidrio).

bock [bɔk] nm jarra (de cerveza).

bœuf [bœf] nm buey m; (CULIN) carne f de vaca.

bof! [bɔf] (fam) excl ¡bah!

Bogota [bɔgɔta] n Bogotá.

bogue [bɔg] nf (BOT) erizo ♦ nm (INFORM) virus m inv.

Bohême [bɔɛm] nf Bohemia.

bohème [bɔɛm] adj bohemio(-a).

bohémien, ne [bɔemjɛ̃, jɛn] nm/f bohemio(-a).

boire [bwaʀ] vt beber, tomar (AM); (s'imprégner de) chupar ♦ vi beber; **~ un coup** echar un trago.

bois [bwa] vb voir **boire** ♦ nm (substance) madera; (forêt) bosque m; **les ~** (MUS) la madera; (ZOOL) la cornamenta; **de ~, en ~** de madera; ▶**bois de lit** armazón m de la cama; ▶**bois mort/vert** leña seca/verde.

boisé, e [bwaze] adj arbolado(-a).

boiser [bwaze] vt (chambre) enmaderar, revestir de madera; (galerie de mine) entibar; (terrain) cubrir de árboles.

boiseries [bwazʀi] nfpl artesonado msg.

boisson [bwasɔ̃] nf bebida; **pris de ~** (ivre) bebido; ▶**boissons alcoolisées/gazeuses** bebidas alcohólicas/gaseosas.

boit [bwa] vb voir **boire**.

boîte [bwat] *nf* caja; (*de fer*) lata; **il a quitté sa ~** (*fam: entreprise*) ha dejado el curro (*fam*); **aliments en ~** alimentos *mpl* en lata; **mettre qn en ~** (*fam*) tomar el pelo a algn; ▶ **boîte à gants** guantera; ▶ **boîte à musique** caja de música; ▶ **boîte à ordures** cubo de basura; ▶ **boîte aux lettres** buzón *m*; ▶ **boîte crânienne** caja craneana; ▶ **boîte d'allumettes** caja de cerillas; ▶ **boîte de conserves** lata de conservas; ▶ **boîte (de nuit)** discoteca; ▶ **boîte de petits pois/de sardines** lata de guisantes/de sardinas; ▶ **boîte de vitesses** caja de cambios; ▶ **boîte noire** caja negra; ▶ **boîte postale** apartado de correos.

boiter [bwate] *vi* (*aussi fig*) cojear, renguear (*AM*).

boiteux, -euse [bwatø, øz] *adj* (*aussi fig*) cojo(-a), rengo(-a) (*AM*).

boîtier [bwatje] *nm* (*d'appareil-photo*) cuerpo; ▶ **boîtier de montre** caja de reloj.

boitiller [bwatije] *vi* cojear ligeramente.

boive *etc* [bwav] *vb voir* **boire.**

bol [bɔl] *nm* tazón *m*; (*contenu*): **un ~ de café** un tazón de café; **un ~ d'air** una bocanada de aire; **en avoir ras le ~** (*fam*) estar hasta la coronilla.

bolée [bɔle] *nf* tazón *m*.

boléro [bɔleʀo] *nm* torera.

bolet [bɔle] *nm* boleto.

bolide [bɔlid] *nm* bólido; **comme un ~** como un bólido.

Bolivie [bɔlivi] *nf* Bolivia.

bolivien, ne [bɔlivjɛ̃, jɛn] *adj* boliviano(-a) ♦ *nm/f*: **B~, ne** boliviano(-a).

bolognais, e [bɔlɔɲɛ, ɛz] *adj* boloñés (-esa).

bombance [bɔ̃bɑ̃s] *nf*: **faire ~** estar de francachela.

bombardement [bɔ̃baʀdəmɑ̃] *nm* bombardeo.

bombarder [bɔ̃baʀde] *vt* (*MIL*) bombardear; **~ qn de** bombardear a algn con, acosar a algn con; **~ qn directeur** *etc* nombrar a algn director *etc* de sopetón.

bombardier [bɔ̃baʀdje] *nm* bombardero.

bombe [bɔ̃b] *nf* bomba; (*atomiseur*) atomizador *m*; (*ÉQUITATION*) visera; **faire la ~** (*fam*) ir de juerga; ▶ **bombe à retardement** bomba de efecto retardado; ▶ **bombe atomique** bomba atómica.

bombé, e [bɔ̃be] *adj* abombado(-a); (*mur*) pandeado(-a).

bomber [bɔ̃be] *vi* pandearse, curvarse ♦ *vt* (*couvrir de graffiti*) hacer pintadas en; **~ le torse** sacar el pecho.

═══════════ *MOT-CLÉ*

bon, bonne [bɔ̃, bɔn] *adj* **1** (*agréable, satisfaisant*) bueno(-a); (*avant un nom masculin*) buen; **un bon repas/restaurant** una buena comida/un buen restaurante; **vous êtes trop bon** es usted demasiado bueno; **avoir bon goût** tener buen gusto; **elle est bonne en maths** se le dan bien las matemáticas

2 (*bienveillant, charitable*): **être bon (envers)** ser bueno (con)

3 (*correct*) correcto(-a); **le bon numéro** el número correcto; **le bon moment** el momento oportuno

4 (*souhaits*): **bon anniversaire!** ¡feliz cumpleaños!; **bon voyage!** ¡buen viaje!; **bonne chance!** ¡(buena) suerte!; **bonne année!** ¡feliz año nuevo!; **bonne nuit!** ¡buenas noches!

5 (*approprié, apte*): **bon à/pour** bueno(-a) para; **ces chaussures sont bonnes à jeter** estos zapatos están para tirarlos; **c'est bon à savoir** está bien saberlo; **bon à tirer** listo para imprimir

6: **bon enfant** bonachón(-ona); **de bonne heure** temprano; **bon marché** barato(-a)

7 (*valeur intensive*) largo(-a); **ça m'a pris deux bonnes heures** me llevó dos horas largas

♦ *nm* **1** (*billet*) bono, vale *m*; (*aussi*: **bon cadeau**) vale regalo; **c'est un bon vivant** le gusta la buena vida; ▶ **bon à rien** inútil *m/f*; ▶ **bon d'essence** vale de gasolina; ▶ **bon de caisse/de Trésor** bono de caja/del tesoro; ▶ **bon mot** ocurrencia; ▶ **bon sens** sentido común.

2: **avoir du bon** tener ventajas; **pour de bon** de verdad, en serio; **il y a du bon dans ce qu'il dit** lo que dice tiene sentido

♦ *adv*: **il fait bon** hace bueno; **sentir bon** oler bien; **tenir bon** resistir; **à quoi bon?** ¿para qué?; **juger bon de faire ...** juzgar oportuno hacer ...; **pour faire bon poids** para compensar; **le bus/ton frère a bon dos** (*fig*) siempre es el autobús/tu hermano

♦ *excl*: **bon!** ¡bueno!; **ah bon?** ¿ah, sí?; **bon, je reste** bueno, me quedo; *voir aussi* **bonne.**

───────────────

bonasse [bɔnas] *adj* buenazo(-a).

bonbon [bɔ̃bɔ̃] *nm* caramelo.

bonbonne [bɔ̃bɔn] *nf* bombona, damajuana.

bonbonnière [bɔ̃bɔnjɛʀ] *nf* bombonera.

bond [bɔ̃] *nm* (*saut*) salto *m*; (*d'une balle*) bote *m*; (*fig*) salto, avance *m*; **faire un ~** dar un salto; **d'un seul ~** de un salto; **en avant** (*fig*) salto hacia delante.

bonde [bɔ̃d] *nf* (*d'évier*) tapón *m*; (*trou*) desagüe *m*; (*de tonneau*) piquera, cacille-ro.

bondé, e [bɔ̃de] *adj* abarrotado(-a).

bondieuserie [bɔ̃djøzʀi] (*péj*) *nf* baratija religiosa.

bondir [bɔ̃diʀ] *vi* saltar, brincar; ~ **de joie** (*fig*) saltar de alegría; ~ **de colère** (*fig*) montar en cólera.

bonheur [bɔnœʀ] *nm* felicidad *f*; **avoir le** ~ **de** tener el placer de; **porter** ~ (**à qn**) dar buena suerte (a algn); **au petit** ~ a la buena de Dios; **par** ~ por fortuna.

bonhomie [bɔnɔmi] *nf* sencillez *f*.

bonhomme [bɔnɔm] (*pl* **bonshommes**) *nm* hombre *m* ♦ *adj* bonachón(-ona); **un vieux** ~ un viejo; **aller son** ~ **de chemin** ir paso a paso; ► **bonhomme de neige** muñeco de nieve.

boni [bɔni] *nm* sobrante *m*, beneficio.

bonification [bɔnifikasjɔ̃] *nf* bonificación *f*.

bonifier [bɔnifje] *vt* bonificar; **se bonifier** *vpr* mejorar.

boniment [bɔnimɑ̃] *nm* cameleo, charlatanería.

bonjour [bɔ̃ʒuʀ] *excl*, *nm* buenos días *mpl*; **donner** *ou* **souhaiter le** ~ **à qn** dar los buenos días a algn; ~ **Monsieur** buenos días, señor; **dire** ~ **à qn** saludar a algn.

Bonn [bɔn] *n* Bonn.

bonne [bɔn] *adj f voir* **bon** ♦ *nf* criada, mucama (*CSUR*), recamarera (*MEX*).

bonne-maman [bɔnmamɑ̃] (*pl* ~**s**-~**s**) *nf* abuelita.

bonnement [bɔnmɑ̃] *adv*: **tout** ~ lisa y llanamente.

bonnet [bɔnɛ] *nm* gorro; (*de soutien-gorge*) copa; ► **bonnet d'âne** ≈ orejas *fpl* de burro; ► **bonnet de bain** gorro de baño.

bonneterie [bɔnɛtʀi] *nf* tienda de artículos de punto.

bon-papa [bɔ̃papa] (*pl* ~**s**-~**s**) *nm* abuelito.

bonsoir [bɔ̃swaʀ] *excl*, *nm* buenas tardes *fpl*; (*plus tard*) buenas noches; *voir aussi* **bonjour**.

bonté [bɔ̃te] *nf* bondad *f*; (*gén pl*: *attention*, *gentillesse*) bondad, amabilidad *f*; **avoir la** ~ **de ...** tener la bondad de ... .

bonus [bɔnys] *nm inv* (*ASSURANCE*) descuento en la prima por poca siniestralidad.

bonze [bɔ̃z] *nm* bonzo.

boomerang [bumʀɑ̃g] *nm* bumerang *m*.

boots [buts] *nmpl* botas *fpl*.

borborygme [bɔʀbɔʀigm] *nm* borborigmo.

bord [bɔʀ] *nm* (*de table*, *verre*, *falaise*) borde *m*; (*de lac*, *route*) orilla, borde; (*de vêtement*) ribete *m*; (*de chapeau*) ala; (*NAUT*): **à** ~ a bordo; **monter à** ~ subir a bordo; **jeter par-dessus** ~ arrojar por la borda; **le commandant/les hommes du** ~

el comandante/los hombres de a bordo; **du même** ~ (*fig*) de la misma opinión; **au** ~ **de la mer/de la route** a orillas del mar/de la carretera; **être au** ~ **des larmes** (*fig*) estar a punto de llorar; **sur les** ~**s** (*fam*, *fig*) un poco, ligeramente; **de tous** ~**s** de todas clases; **le** ~ **du trottoir** el bordillo.

bordages [bɔʀdaʒ] *nmpl* (*NAUT*) borda, tablazón *m*.

bordeaux [bɔʀdo] *nm inv* (*vin*) burdeos *m inv* ♦ *adj inv* (*couleur*) burdeos *inv*, rojo violáceo *inv*.

bordée [bɔʀde] *nf* (*salve*) andanada; **tirer une** ~ (*fig*) correrse una juerga; **une** ~ **d'injures** una sarta de injurias.

bordel [bɔʀdɛl] (*fam*) *nm* burdel *m*; (*fig*) follón *m* ♦ *excl* ¡joder! (*fam!*); **mettre le** ~ (*dans une chambre*) crear un desbarajuste; (*dans un lieu public*) montar un follón.

bordelais, e [bɔʀdələ, ɛz] *adj* bordelés (-esa) ♦ *nm/f*: **B**~**, e** bordelés(-esa).

bordélique [bɔʀdelik] (*fam*) *adj* desordenado(-a).

border [bɔʀde] *vt* (*être le long de*) orillar, bordear; (*personne*, *lit*) arropar; ~ **qch de** (*garnir*) ribetear algo de.

bordereau, x [bɔʀdəʀo] *nm* (*formulaire*) impreso; (*relevé*) lista; (*facture*) factura.

bordure [bɔʀdyʀ] *nf* borde *m*; (*sur un vêtement*) ribete *m*; **en** ~ **de** a orillas de; ~ **de trottoir** bordillo.

boréal, e, aux [bɔʀeal, o] *adj* boreal.

borgne [bɔʀɲ] *adj* tuerto(-a); (*fenêtre*) tragaluz *m*; **hôtel** ~ hotel m de mala fama.

bornage [bɔʀnaʒ] *nm* deslinde *m*.

borne [bɔʀn] *nf* (*pour délimiter*) mojón *m*; (*gén*: **borne kilométrique**) mojón; ~**s** *nfpl* (*fig*) límites *mpl*; **dépasser les** ~**s** pasarse de la raya; **sans** ~(**s**) sin límites.

borné, e [bɔʀne] *adj* limitado(-a).

Bornéo [bɔʀneo] *nm* Borneo.

borner [bɔʀne] *vt* (*horizon*, *aussi fig*) limitar; (*terrain*) acotar; **se** ~ **à faire** limitarse a hacer.

bosniaque [bɔznjak] *adj* bosnio(-a) ♦ *nm/f*: **B**~ bosnio(-a).

Bosnie [bɔsni] *nf* Bosnia.

Bosphore [bɔsfɔʀ] *nm* Bósforo.

bosquet [bɔskɛ] *nm* bosquecillo.

bosse [bɔs] *nf* (*de terrain*) montículo; (*sur un objet*) protuberancia; (*enflure*) bulto; (*du bossu*, *du chameau*) joroba; **avoir la** ~ **des maths** ser ducho(-a) en matemáticas; **rouler sa** ~ ver mundo.

bosseler [bɔsle] *vt* (*ouvrer*) repujar; (*abîmer*) abollar.

bosser [bɔse] (*fam*) *vt* empollar.

bosseur, -euse [bɔsœʀ, øz] (*fam*) *nm/f* currante *m/f*.

bossu, e [bɔsy] *adj*, *nm/f* jorobado(-a).

bot [bɔ] *adj m*: **pied** ~ **pie** *m* zopo.
botanique [bɔtanik] *nf*: **la** ~ la botánica ◆ *adj* botánico(-a).
botaniste [bɔtanist] *nm/f* botánico(-a).
Botswana [bɔtswana] *nm* Botswana.
botte [bɔt] *nf* bota; (*ESCRIME*) estocada; ~ **de paille** haz *m* de paja; ▶ **botte d'asperges** manojo de espárragos; ▶ **botte de radis** manojo de rábanos; ▶ **bottes de caoutchouc** botas *fpl* de goma.
botter [bɔte] *vt* (*chausser de bottes*) poner las botas a; (*donner un coup de pied à*) dar un puntapié a; **ça me botte** (*fam*) eso me chifla.
bottier [bɔtje] *nm* zapatero(-a) a la medida.
bottillon [bɔtijɔ̃] *nm* botín *m*.
bottin [bɔtɛ̃] *nm* anuario del comercio.
bottine [bɔtin] *nf* botina.
botulisme [bɔtylism] *nm* botulismo.
bouc [buk] *nm* (*animal*) macho cabrío; (*barbe*) perilla; ▶ **bouc émissaire** cabeza de turco, chivo expiatorio.
boucan [bukã] *nm* jaleo.
bouche [buʃ] *nf* boca; **les** ~**s inutiles** los holgazanes; **une** ~ **à nourrir** una boca que mantener; **de** ~ **à oreille** confidencialmente; **pour la bonne** ~ para el final; **faire du** ~**-à-**~ **à qn** hacer el boca a boca a algn; **faire venir l'eau à la** ~ hacérsele a algn la boca agua; "~ **cousue!**" "¡punto en boca!"; ▶ **bouche d'aération** respiradero; ▶ **bouche de chaleur** entrada de aire caliente; ▶ **bouche d'égout** sumidero, alcantarilla; ▶ **bouche de métro/d'incendie** boca de metro/de incendios.
bouché, e [buʃe] *adj* (*flacon*) tapado(-a); (*vin, cidre*) embotellado(-a); (*temps, ciel*) encapotado(-a); (*personne, carrière*) cerrado(-a); (*trompette*) con sordina; **avoir le nez** ~ tener la nariz tapada.
bouchée [buʃe] *nf* bocado; **ne faire qu'une** ~ **de qn** hacer picadillo a algn; **pour une** ~ **de pain** por una bicoca; ▶ **bouchée à la reine** pastel de hojaldre de pollo.
boucher [buʃe] *nf* carnicero ◆ *vt* (*mettre un bouchon*) taponar; (*colmater*) rellenar; (*passage*) cerrar; (*porte*) obstruir; **se boucher** *vpr* (*tuyau*) taponarse; **se** ~ **le nez** taparse la nariz.
bouchère [buʃɛʀ] *nf* carnicera.
boucherie [buʃʀi] *nf* (*aussi fig*) carnicería.
bouche-trou [buʃtʀu] (*pl* ~**-**~**s**) *nm* comodín *m*.
bouchon [buʃɔ̃] *nm* (*en liège*) corcho; (*autre matière*) tapón *m*; (*embouteillage*) atasco; (*PÊCHE*) flotador *m*; ▶ **bouchon doseur** tapón dosificador.
bouchonner [buʃɔne] *vt* (*frotter*) restregar; (*fam: caresser*) acariciar ◆ *vi*: **ça**

commence à ~ se ha formado un atasco.
bouchot [buʃo] *nm* vivero para mariscos.
bouclage [buklaʒ] *nm* (*d'un quartier*) acordonamiento; (*d'un journal*) cierre *m*.
boucle [bukl] *nf* curva; (*d'un fleuve*) meandro; (*INFORM*) bucle *m*; (*objet*) argolla; (*de ceinture*) hebilla; ▶ **boucle (de cheveux)** bucle; ▶ **boucles d'oreilles** pendientes *mpl*, aretes *mpl* (*esp AM*).
bouclé, e [bukle] *adj* (*cheveux, personne*) ensortijado(-a); (*tapis*) rizado(-a).
boucler [bukle] *vt* (*ceinture etc*) cerrar, ajustar; (*magasin, circuit*) cerrar; (*affaire*) concluir; (*budget*) equilibrar; (*enfermer*) encerrar; (*condamné*) meter en chirona; (*quartier*) acordonar ◆ *vi*: **faire** ~ **rizar**; ~ **la boucle** (*AVIAT*) rizar el rizo; **arriver à** ~ **ses fins de mois** llegar a fin de mes.
bouclette [buklɛt] *nf* tirabuzón *m*.
bouclier [buklije] *nm* escudo.
bouddha [buda] *nm* buda *m*.
bouddhisme [budism] *nm* budismo.
bouddhiste [budist] *nm/f* budista *m/f*.
bouder [bude] *vi* enojarse ◆ *vt* (*suj: personne: cadeaux, chose*) poner mala cara a.
bouderie [budʀi] *nf* enojo.
boudeur, -euse [budœʀ, øz] *adj* enojadizo(-a).
boudin [budɛ̃] *nm* (*CULIN*) morcilla; (*TECH*) pestaña; ▶ **boudin blanc** morcilla blanca.
boudiné, e [budine] *adj* (*doigt*) amorcillado(-a); ~ **dans** (*vêtement*) embutido(-a) en.
boudoir [budwaʀ] *nm* (*salon*) tocador *m*; (*biscuit*) soletilla.
boue [bu] *nf* barro, fango; ▶ **boues industrielles** vertidos *mpl* industriales.
bouée [bwe] *nf* (*balise*) boya; (*de baigneur*) flotador *m*; ▶ **bouée (de sauvetage)** (*aussi fig*) salvavidas *m inv*.
boueux, -euse [bwø, øz] *adj* fangoso(-a) ◆ *nm* basurero.
bouffant, e [bufã, ãt] *adj* bufado(-a).
bouffarde [bufaʀd] (*fam*) *nf* pipa.
bouffe [buf] (*fam*) *nf* comilona.
bouffée [bufe] *nf* bocanada; ▶ **bouffée de chaleur** sofoco; ▶ **bouffée de fièvre** calenturón *m* breve; ▶ **bouffée de honte** sofoco; ▶ **bouffée d'orgueil** arranque *m* de orgullo.
bouffer [bufe] *vi* (*fam*) jalar; (*COUTURE*) abullonar ◆ *vt* (*fam*) jalar.
bouffi, e [bufi] *adj* hinchado(-a).
bouffon, ne [bufɔ̃, ɔn] *adj* bufón(-ona) ◆ *nm* bufón *m*.
bouge [buʒ] *nm* tugurio.
bougeoir [buʒwaʀ] *nm* palmatoria.
bougeotte [buʒɔt] *nf*: **avoir la** ~ tener hor-

migas en los pies.

bouger [buʒe] *vi* moverse; (*changer*) alterarse; (*agir*) agitarse ♦ *vt* mover; **se bouger** *vpr* (*fam*) moverse, menearse.

bougie [buʒi] *nf* vela; (*AUTO*) bujía.

bougon, ne [bugɔ̃, ɔn] *adj* gruñón(-ona).

bougonner [bugɔne] *vi* refunfuñar, gruñir.

bougre [bugʀ] *nm* tipo; **ce ~ de ...** (*fam*) este bribón de ... .

boui-boui [bwibwi] (*pl* ~s-~s *fam*) *nm* cafetucho.

bouillabaisse [bujabɛs] *nf* sopa de pescado.

bouillant, e [bujã, ãt] *adj* hirviendo; (*fig*) ardiente; **~ de colère** *etc* lleno(-a) de cólera *etc*.

bouille [buj] (*fam*) *nf* cara; (*sens négatif*) jeta.

bouilleur [bujœʀ] *nm*: **~ de cru** cosechero destilador.

bouillie [buji] *nf* gachas *fpl*; (*de bébé*) papilla; **en ~** (*fig*) en papilla.

bouillir [bujiʀ] *vi* hervir; (*fig*) hervir, arder ♦ *vt* (*gén: faire bouillir*) hervir; **~ de colère** *etc* arder de cólera *etc*.

bouilloire [bujwaʀ] *nf* hervidor *m*.

bouillon [bujɔ̃] *nm* (*CULIN*) caldo; (*bulles, écume*) borbotón *m*, burbuja; ► **bouillon de culture** caldo de cultivo.

bouillonnement [bujɔnmã] *nm* (*d'un liquide*) hervor *m*; (*des idées*) efervescencia.

bouillonner [bujɔne] *vi* borbotear; (*fig*) arder.

bouillotte [bujɔt] *nf* calentador *m*, bolsa de agua caliente.

boulanger, -ère [bulãʒe, ʒɛʀ] *nm/f* panadero(-a).

boulangerie [bulãʒʀi] *nf* panadería.

boulangerie-pâtisserie [bulãʒʀipɑtisʀi] (*pl* ~s-~s) *nf* panadería-pastelería.

boule [bul] *nf* bola; (*pour jouer*) bolo; **roulé en ~** hecho un ovillo; **se mettre en ~** cabrearse; **perdre la ~** (*fam*) perder la chaveta; **faire ~ de neige** (*nouvelle, information*) aumentar como una bola de nieve; ► **boule de gomme** gominola; ► **boule de neige** bola de nieve.

bouleau, x [bulo] *nm* abedul *m*.

bouledogue [buldɔg] *nm* buldog *m*.

bouler [bule] *vt*: **envoyer ~ qn** mandar a algn a paseo.

boulet [bulɛ] *nm* (*aussi*: **~ de canon**) bala de cañón; (*de bagnard*) bola de hierro; (*charbon*) bola.

boulette [bulɛt] *nf* (*petite boule*) bolita; (*fam: gaffe*) torpeza.

boulevard [bulvaʀ] *nm* bulevar *m*.

bouleversant, e [bulvɛʀsã, ãt] *adj* (*affligeant*) afectado(-a); (*émouvant*) conmovedor(a).

bouleversé, e [bulvɛʀse] *adj* (*peiné*) afectado(-a); (*ému*) conmovido(-a).

bouleversement [bulvɛʀsəmã] *nm* trastorno.

bouleverser [bulvɛʀse] *vt* (*changer*) trastornar; (*émouvoir*) conmover; (*causer du chagrin à*) afectar; (*papiers, objets*) revolver.

boulier [bulje] *nm* ábaco.

boulimie [bulimi] *nf* bulimia.

boulimique [bulimik] *adj* bulímico(-a).

bouliste [bulist] *nm/f* jugador(a) de bolos.

boulocher [bulɔʃe] *vi* formar bolas.

boulodrome [bulodʀom] *nm* bolera.

boulon [bulɔ̃] *nm* perno.

boulonner [bulɔne] *vt* empernar.

boulot, te [bulo, ɔt] (*fam*) *adj* rechoncho (-a) ♦ *nm* trabajo, curro.

boum [bum] *nm* bum *m* ♦ *nf* fiesta.

bouquet [bukɛ] *nm* (*de fleurs*) ramo, ramillete *m*; (*de persil*) manojo; (*parfum*) aroma *m*; **"c'est le ~!"** (*fig*) "¡es el colmo!"; ► **bouquet garni** hierbas *fpl* finas.

bouquetin [buk(ə)tɛ̃] *nm* cabra *f* montés *inv*.

bouquin [bukɛ̃] (*fam*) *nm* libro.

bouquiner [bukine] (*fam*) *vi* leer.

bouquiniste [bukinist] *nm/f* librero de viejo.

bourbeux, -euse [buʀbø, øz] *adj* cenagoso(-a).

bourbier [buʀbje] *nm* cenagal *m*.

bourde [buʀd] *nf* (*erreur*) fallo; (*gaffe*) metedura de pata.

bourdon [buʀdɔ̃] *nm* abejorro; **avoir le ~** (*fam*) tener morriña.

bourdonnement [buʀdɔnmã] *nm* zumbido; **avoir des ~s d'oreilles** tener zumbidos en los oídos.

bourdonner [buʀdɔne] *vi* zumbar.

bourg [buʀ] *nm* burgo.

bourgade [buʀgad] *nf* aldea.

bourgeois, e [buʀʒwa, waz] *adj* (*souvent péj*) burgués(-esa); (*maison etc*) acomodado(-a) ♦ *nm/f* burgués(-esa).

bourgeoisie [buʀʒwazi] *nf* burguesía; **petite ~** pequeña burguesía.

bourgeon [buʀʒɔ̃] *nm* brote *m*, yema.

bourgeonner [buʀʒɔne] *vi* brotar.

bourgmestre [buʀgmɛstʀ] *nm* burgomaestre *m*.

Bourgogne [buʀgɔɲ] *nf* Borgoña ♦ *nm*: **b~** (*vin*) vino de borgoña.

bourguignon, ne [buʀgiɲɔ̃, ɔn] *adj, nm/f* borgoñón(-ona); (*bœuf*) **~** encebollado de vaca.

bourlinguer [buʀlɛ̃ge] *vi* correr mundo.

bourrade [buʀad] *nf* empellón *m*.

bourrage [buʀaʒ] *nm* (*papier*) relleno;

▸**bourrage de crâne** lavado de cerebro; (*SCOL*) empolle *m*.

bourrasque [buʀask] *nf* borrasca.

bourratif, -ive [buʀatif, iv] *adj* pesado(-a).

bourre [buʀ] *nf* (*de coussin, matelas*) borra; **être à la ~** (*fam*) tener que darse prisa.

bourré, e [buʀe] *adj* (*fam*) trompa *inv*; **~ de** (*rempli*) cargado(-a) de.

bourreau [buʀo] *nm* (*aussi fig*) verdugo; ▸**bourreau de travail** fiera para el trabajo.

bourreler [buʀle] *vt*: **être bourrelé de remords** estar torturado por los remordimientos.

bourrelet [buʀlɛ] *nm* (*isolant*) burlete *m*; (*de peau*) papada.

bourrer [buʀe] *vt* (*pipe*) cargar; (*valise, poêle*) rellenar; **~ de** (*de nourriture*) atiborrar de; **~ qn de coups** moler a golpes a algn; **~ le crâne à qn** calentar la cabeza a algn; (*endoctriner*) lavar el cerebro a algn.

bourrichon [buʀiʃɔ̃] (*fam*) *nm*: **se monter le ~** hacerse ilusiones.

bourricot [buʀiko] *nm* borriquillo.

bourrique [buʀik] *nf* borrico.

bourru, e [buʀy] *adj* rudo(-a).

bourse [buʀs] *nf* (*subvention*) beca; (*porte-monnaie*) bolsa; **la B~** la Bolsa; **sans ~ délier** sin soltar un céntimo; ▸**Bourse du travail** bolsa del trabajo.

boursicoter [buʀsikɔte] *vi* jugar flojo a la Bolsa.

boursier, -ière [buʀsje, jɛʀ] *adj* (*élève*) becario(-a); (*COMM*) bursátil ♦ *nm/f* becario(-a).

boursouflé, e [buʀsufle] *adj* (*visage*) abotargado(-a); (*style*) ampuloso(-a).

boursoufler [buʀsufle] *vt* hinchar; **se boursoufler** *vpr* (*visage*) abotargarse; (*peinture*) ampollarse.

boursouflure [buʀsuflyʀ] *nf* (*du visage*) abotargamiento; (*de la peinture*) ampolla; (*du style*) ampulosidad *f*.

bous [bu] *vb voir* **bouillir**.

bousculade [buskylad] *nf* (*précipitation*) atropello; (*mouvements de foule*) aglomeración *f*.

bousculer [buskyle] *vt* empujar; (*presser*) meter prisa a.

bouse [buz] *nf*: **~ (de vache)** boñiga (de vaca).

bousiller [buzije] (*fam*) *vt* hacer polvo.

boussole [busɔl] *nf* brújula.

bout [bu] *vb voir* **bouillir** ♦ *nm* (*morceau*) trozo; (*extrémité*) punta; (*de table*) extremo; (*fin, rue*) final *m*; **au ~ de** (*après*) al cabo de, al final de; **au ~ du compte** a fin de cuentas; **être à ~** no poder más; **pousser qn à ~** poner a algn al límite;

venir à ~ de qch terminar algo; **venir à ~ de qn** poder con algn; **~ à ~** uno tras otro; **à tout ~ de champ** a cada paso; **d'un ~ à l'autre, de ~ en ~** de cabo a rabo; **à ~ portant** a quemarropa; **un ~ de chou** (*enfant*) un angelito; ▸**bout filtre** emboquillado.

boutade [butad] *nf* ocurrencia.

boute-en-train [butɑ̃tʀɛ̃] *nm inv* animador(a).

bouteille [butɛj] *nf* botella; (*de gaz*) bombona; **prendre de la ~** entrar en años.

boutique [butik] *nf* tienda; (*de mode, de grand couturier*) tienda, boutique *f*.

boutoir [butwaʀ] *nm*: **coup de ~** golpe *m* violento; (*fig*) puñalada.

bouton [butɔ̃] *nm* botón *m*; (*sur la peau*) grano; (*de porte*) pomo; ▸**bouton de manchette** gemelo; ▸**bouton d'or** (*BOT*) botón de oro.

boutonnage [butɔnaʒ] *nm* abotonamiento.

boutonner [butɔne] *vt* abotonar; **se boutonner** *vpr* abotonarse.

boutonneux, -euse [butɔnø, øz] *adj* lleno(-a) de granos.

boutonnière [butɔnjɛʀ] *nf* ojal *m*.

bouton-poussoir [butɔ̃puswaʀ] (*pl ~s-~s*) *nm* pulsador *m*.

bouton-pression [butɔ̃pʀesjɔ̃] (*pl ~s-~s*) *nm* automático.

bouture [butyʀ] *nf* esqueje *m*; **faire des ~s** desquejar.

bouvreuil [buvʀœj] *nm* pardillo.

bovidé [bɔvide] *nm* (*gén pl*) bóvido.

bovin, e [bɔvɛ̃, in] *adj* (*aussi fig*) bovino(-a); **~s** *nmpl* ganado *msg* bovino.

bowling [bulin] *nm* juego de bolos; (*salle*) bolera.

box [bɔks] *nm* (*de garage*) plaza de garaje; (*de salle, dortoir*) compartimento; (*d'écurie*) box *m*; **le ~ des accusés** el banquillo de los acusados.

box(-calf) [bɔks(kalf)] *nm inv* box-calf *f*.

boxe [bɔks] *nf* boxeo, box *m* (*AM*).

boxer [bɔkse] *vi* boxear ♦ *nm* [bɔksɛʀ] (*chien*) bóxer *m*.

boxeur, -euse [bɔksœʀ, øz] *nm/f* boxeador(a).

boyau, x [bwajo] *nm* (*corde de raquette*) cuerda de tripa; (*galerie*) pasadizo; (*pneu de bicyclette*) tubular *m*; **~x** *nmpl* (*viscères*) tripas *fpl*.

boycottage [bɔjkɔtaʒ] *nm* boicoteo.

boycotter [bɔjkɔte] *vt* boicotear.

BP [bepe] *sigle f* (= *boîte postale*) Apdo. (= *Apartado de correos*), C.P. *f* (*AM*) (= *Casilla Postal*).

brabançon, ne [bʀabɑ̃sɔ̃, ɔn] *adj* brabanzón(-ona) ♦ *nm/f*: **B~, ne** brabanzón(-ona).

bracelet [bʀaslɛ] nm pulsera.
bracelet-montre [bʀaslɛmɔ̃tʀ] (pl ~s-~s) nm reloj m de pulsera.
braconnage [bʀakɔnaʒ] nm caza/pesca furtiva.
braconner [bʀakɔne] vt cazar/pescar furtivamente.
braconnier [bʀakɔnje] nm cazador m/ pescador m furtivo.
brader [bʀade] vt vender a precio de saldo.
braderie [bʀadʀi] nf (marché) mercadillo.
braguette [bʀagɛt] nf bragueta.
braillard, e [bʀajaʀ, aʀd] adj gritón(-ona), chillón(-ona).
braille [bʀaj] nm braille m.
braillement [bʀajmɑ̃] nm grito, chillido.
brailler [bʀaje] vi, vt gritar, chillar.
braire [bʀɛʀ] vi rebuznar.
braise [bʀɛz] nf brasas fpl.
braiser [bʀeze] vt estofar; **bœuf braisé** carne f de vaca estofada.
bramer [bʀame] vi bramar; (fig) lamentarse.
brancard [bʀɑ̃kaʀ] nm (civière) camilla; (bras, perche) varal m.
brancardier [bʀɑ̃kaʀdje] nm camillero.
branchages [bʀɑ̃ʃaʒ] nmpl ramajes mpl.
branche [bʀɑ̃ʃ] nf rama; (de lunettes) patilla.
branché, e [bʀɑ̃ʃe] (fam) adj (personne) a la última; (boîte de nuit) de moda; **un mec** ~ un chico que va a la última.
branchement [bʀɑ̃ʃmɑ̃] nm empalme m.
brancher [bʀɑ̃ʃe] vt enchufar; (téléphone etc) conectar; ~ **qn/qch sur** (fig) orientar algo/a algn hacia.
branchies [bʀɑ̃ʃi] nfpl branquias fpl.
brandade [bʀɑ̃dad] nf bacalao a la provenzal.
brandebourgeois, e [bʀɑ̃dbuʀʒwa, waz] adj brandeburgués(-esa).
brandir [bʀɑ̃diʀ] vt (arme) blandir; (document) esgrimir.
brandon [bʀɑ̃dɔ̃] nm tea.
branlant, e [bʀɑ̃lɑ̃, ɑ̃t] adj oscilante.
branle [bʀɑ̃l] nm: **mettre en** ~ poner en movimiento; **donner le** ~ **à** poner en marcha.
branle-bas [bʀɑ̃lba] nm inv zafarrancho.
branler [bʀɑ̃le] vi moverse ♦ vt: ~ **la tête** menear la cabeza.
braquage [bʀakaʒ] nm (fam) atraco (a mano armada); **rayon de** ~ (AUTO) ángulo de giro.
braque [bʀak] nm perro perdiguero.
braquer [bʀake] vi (AUTO) girar ♦ vt (regard) clavar; ~ **qch sur qn** (revolver) apuntar a algn con algo; **se braquer** vpr cerrarse en banda; ~ **qn** enfurecer a

algn; **se** ~ (contre) rebelarse (contra).
bras [bʀɑ] nm brazo ♦ nmpl (travailleurs) brazos mpl; ~ **dessus** ~ **dessous** cogidos(-as) del brazo; **avoir le** ~ **long** tener mucha influencia; **à** ~ **raccourcis** a brazo partido; **à tour de** ~ con toda la fuerza; **baisser les** ~ tirar la toalla; **une partie de** ~ **de fer** una prueba de fuerza; ► **bras de fer** brazo de hierro; ► **bras de levier/de mer** brazo de palanca/de mar; ► **bras droit** (fig) brazo derecho.
brasero [bʀazeʀo] nm brasero.
brasier [bʀazje] nm (aussi fig) hoguera.
Brasilia [bʀazilja] n Brasilia.
bras-le-corps [bʀalkɔʀ] adv: **à** ~-~-~ por la cintura.
brassage [bʀasaʒ] nm (de la bière) elaboración f; (fig) mezcla.
brassard [bʀasaʀ] nm brazalete m.
brasse [bʀas] nf braza; ► **brasse papillon** braza mariposa.
brassée [bʀase] nf brazada.
brasser [bʀase] vt (bière) fabricar; (remuer) mezclar; ~ **de l'argent/des affaires** manejar dinero/negocios.
brasserie [bʀasʀi] nf (restaurant) cervecería; (usine) fábrica de cerveza.
brasseur [bʀasœʀ] nm (de bière) cervecero; ► **brasseur d'affaires** hombre m de negocios.
brassière [bʀasjɛʀ] nf (de bébé) camisita; (de sauvetage) chaleco.
bravache [bʀavaʃ] nm/f fanfarrón(-ona).
bravade [bʀavad] nf: **par** ~ por fanfarronería.
brave [bʀav] adj (courageux, aussi péj) valiente; (bon, gentil) bueno(-a).
bravement [bʀavmɑ̃] adv valientemente; (résolument) decididamente.
braver [bʀave] vt (ordre) desafiar; (danger) afrontar.
bravo [bʀavo] excl, nm bravo.
bravoure [bʀavuʀ] nf bravura.
break [bʀɛk] nm (AUTO) ranchera.
brebis [bʀəbi] nf oveja; ► **brebis galeuse** oveja negra.
brèche [bʀɛʃ] nf brecha; **être sur la** ~ (fig) estar en la brecha; **battre en** ~ batir en brecha.
bredouille [bʀəduj] adj: **revenir** ~ volver con las manos vacías.
bredouiller [bʀəduje] vi, vt farfullar.
bref, brève [bʀɛf, ɛv] adj breve ♦ adv total; **d'un ton** ~ con un tono tajante; **en** ~ en resumen; **à** ~ **délai** en breve plazo.
brelan [bʀəlɑ̃] nm: **un** ~ un trío; **un** ~ **d'as** un trío de ases.
breloque [bʀəlɔk] nf dije m.
brème [bʀɛm] nf brema.
Brésil [bʀezil] nm Brasil m.

brésilien, ne [bʀeziljɛ̃, jɛn] *adj* brasileño (-a) ♦ *nm/f:* B~, **ne** brasileño(-a).

bressan, e [bʀɛsɑ̃, an] *adj* de la Bresse ♦ *nm/f:* B~, **e** nativo(-a) *ou* habitante *m/f* de la Bresse.

Bretagne [bʀətaɲ] *nf* Bretaña.

bretelle [bʀətɛl] *nf* (*de fusil*) correa; (*de vêtement*) tirante *m*; (*d'autoroute*) enlace *m*; ~**s** *nfpl* (*pour pantalons*) tirantes *mpl*, suspensores *mpl* (*AM*); ▸**bretelle de contournement** carretera de circunvalación; ▸**bretelle de raccordement** carretera *ou* vía de acceso.

breton, ne [bʀətɔ̃, ɔn] *adj* bretón(-ona) ♦ *nm* (*LING*) bretón *m* ♦ *nm/f:* B~, **ne** bretón(-ona).

breuvage [bʀœvaʒ] *nm* brebaje *m*.

brève [bʀɛv] *adj f voir* **bref** ♦ *nf* (*nouvelle*) breve *f*; (**voyelle**) ~ vocal *f* breve.

brevet [bʀəvɛ] *nm* certificado; ▸**brevet (d'invention)** patente *f*; ▸**brevet d'apprentissage** certificado de idoneidad; ▸**brevet (des collèges)** ≈ Graduado Escolar; ▸**brevet d'études du premier cycle** bachillerato elemental.

breveté, e [bʀəve(ə)te] *adj* (*invention*) patentado(-a); (*diplômé*) cualificado(-a).

breveter [bʀəve(ə)te] *vt* patentar.

bréviaire [bʀevjɛʀ] *nm* breviario.

briard, e [bʀijaʀ, aʀd] *adj* de Brie ♦ *nm/f:* B~, **e** nativo(-a) *ou* habitante *m/f* de Brie ♦ *nm* (*chien*) mastín *m*.

bribes [bʀib] *nfpl* (*de conversation*) fragmentos *mpl*; **par** ~ por retazos.

bric [bʀik] *adv:* **un ameublement de** ~ **et de broc** muebles *mpl* de aquí y de allí.

bric-à-brac [bʀikabʀak] *nm inv* baratillo.

bricolage [bʀikɔlaʒ] *nm* bricolaje *m*; (*péj*) chapuza.

bricole [bʀikɔl] *nf* (*babiole*) menudencia; (*chose insignifiante*) nadería; (*petit travail*) chapuza.

bricoler [bʀikɔle] *vi* hacer chapuzas; (*passe-temps*) hacer bricolaje ♦ *vt* (*réparer*) arreglar; (*mal réparer*) hacer una chapuza con; (*trafiquer*) amañar.

bricoleur, -euse [bʀikɔlœʀ, øz] *nm/f* mañoso(-a), manitas *m/f inv* ♦ *adj* mañoso(-a).

bride [bʀid] *nf* brida; (*d'un bonnet*) cinta; à ~ **abattue** a rienda suelta; **tenir en** ~ sujetar; **lâcher la** ~ à, **laisser la** ~ **sur le cou** à dar rienda suelta a.

bridé, e [bʀide] *adj:* **yeux** ~**s** ojos *mpl* oblicuos.

brider [bʀide] *vt* (*réprimer*) sujetar; (*cheval*) embridar; (*CULIN*) atar.

bridge [bʀidʒ] *nm* (*jeu*) bridge *m*; (*dentaire*) puente *m*.

bridger [bʀidʒe] *vi* jugar al bridge.

brie [bʀi] *nm* queso de Brie.

brièvement [bʀijɛvmɑ̃] *adv* brevemente.

brièveté [bʀijɛvte] *nf* brevedad *f*.

brigade [bʀigad] *nf* (*gén*) cuadrilla; (*POLICE, MIL*) brigada.

brigadier [bʀigadje] *nm* (*MIL*) cabo; (*POLICE*) jefe *m*.

brigadier-chef [bʀigadjeʃɛf] (*pl* ~**s**-~**s**) *nm* cabo *m* primera *inv*.

brigand [bʀigɑ̃] *nm* salteador *m*, bandolero.

brigandage [bʀigɑ̃daʒ] *nm* bandolerismo.

briguer [bʀige] *vt* (*poste*) pretender; (*suffrages*) solicitar.

brillamment [bʀijamɑ̃] *adv* estupendamente.

brillant, e [bʀijɑ̃, ɑ̃t] *adj* brillante; (*luisant*) reluciente ♦ *nm* brillante *m*.

briller [bʀije] *vi* (*aussi fig*) brillar.

brimade [bʀimad] *nf* (*vexation*) incordio.

brimbaler [bʀɛ̃bale] *vb* = **bringuebaler**.

brimer [bʀime] *vt* incordiar.

brin [bʀɛ̃] *nm* hebra; **un** ~ **de** (*fig*) una pizca de; **un** ~ **mystérieux** *etc* (*fam*) un poquito misterioso *etc*; ▸**brin d'herbe** brizna de hierba; ▸**brin de muguet** ramita de muguete; ▸**brin de paille** brizna de paja.

brindille [bʀɛ̃dij] *nf* ramita.

bringue [bʀɛ̃g] (*fam*) *nf:* **faire la** ~ irse de juerga, ir de farra (*fam:* AM).

bringuebaler [bʀɛ̃g(ə)bale] *vi* bambolearse ♦ *vt* bambolear.

brio [bʀijo] *nm* brío; **avec** ~ con brío.

brioche [bʀijɔʃ] *nf* bollo, queque *m* (*AM*); (*fam: ventre*) buche *m*.

brioché, e [bʀijɔʃe] *adj* que tiene la consistencia o el sabor de un bollo.

brique [bʀik] *nf* ladrillo ♦ *adj inv* (*couleur*) de color teja.

briquer [bʀike] (*fam*) *vt* frotar.

briquet [bʀikɛ] *nm* mechero, encendedor *m*.

briqueterie [bʀik(ə)tʀi] *nf* fábrica de ladrillos.

bris [bʀi] *nm:* ~ **de clôture** (*JUR*) allanamiento; ▸**bris de glaces** (*AUTO*) rotura de cristales.

brisant [bʀizɑ̃] *nm* (*rocher*) rompiente *m*; (*vague*) rompeolas *m inv*.

brise [bʀiz] *nf* brisa.

brisé, e [bʀize] *adj* quebrado(-a); **d'une voix** ~**e** con voz quebrada; ~ (*de fatigue*) molido(-a); **pâte** ~**e** pasta quebrada.

brisées [bʀize] *nfpl:* **aller** *ou* **marcher sur les** ~ **de qn** pisar el terreno a algn; **suivre les** ~ **de qn** seguir las huellas de algn.

brise-glace(s) [bʀizglas] *nm inv* rompehielos *m inv*.

brise-jet [bʀizʒɛ] *nm inv* tubo amortiguador.

brise-lames [bʀizlam] *nm inv* rompeolas *m inv.*

briser [bʀize] *vt* (*casser*) romper; (*fig*) arruinar, destrozar; (*volonté*) quebrantar; (*grève*) romper; (*résistance*) vencer; (*personne*) destrozar; (*fatiguer*) moler; **se briser** *vpr* romperse; (*fig*) venirse abajo.

brise-tout [bʀiztu] *nm inv* destrozón *m.*

briseur, -euse [bʀizœʀ, øz] *nm/f*: ~ **de grève** esquirol *m.*

brise-vent [bʀizvɑ̃] *nm inv* abrigaño.

bristol [bʀistɔl] *nm* (*carte de visite*) tarjeta de visita.

britannique [bʀitanik] *adj* británico(-a) ♦ *nm/f*: **B~** británico(-a); **les B~s** los británicos.

broc [bʀo] *nm* jarra.

brocante [bʀɔkɑ̃t] *nf* (*objets*) baratillo; (*commerce*) chamarileo.

brocanteur, -euse [bʀɔkɑ̃tœʀ, øz] *nm/f* chamarilero(-a).

brocart [bʀɔkaʀ] *nm* brocado.

broche [bʀɔʃ] *nf* (*bijou*) broche *m*; (*CULIN*) espetón *m*; (*fiche*) clavija; (*MÉD*) alambre *m*; **à la** ~ (*CULIN*) al asador.

broché, e [bʀɔʃe] *adj* (*livre*) en rústica; (*tissu*) brochado(-a), briscado(-a).

brochet [bʀɔʃɛ] *nm* lucio.

brochette [bʀɔʃɛt] *nf* pincho, brocheta; ► **brochette de décorations** sarta de condecoraciones.

brochure [bʀɔʃyʀ] *nf* folleto.

brocoli [bʀɔkɔli] *nm* brécol *m.*

brodequins [bʀɔdkɛ̃] *nmpl* borceguíes *mpl.*

broder [bʀɔde] *vt* bordar ♦ *vi*: ~ (**sur des faits/une histoire**) adornar (hechos/una historia).

broderie [bʀɔdʀi] *nf* bordado.

bromure [bʀɔmyʀ] *nm* bromuro.

broncher [bʀɔ̃ʃe] *vi*: **sans** ~ sin protestar.

bronches [bʀɔ̃ʃ] *nfpl* bronquios *mpl.*

bronchite [bʀɔ̃ʃit] *nf* bronquitis *f inv.*

broncho-pneumonie [bʀɔ̃kopnømɔni] (*pl* ~-~**s**) *nf* bronconeumonía.

bronzage [bʀɔ̃zaʒ] *nm* bronceado.

bronze [bʀɔ̃z] *nm* bronce *m.*

bronzé, e [bʀɔ̃ze] *adj* bronceado(-a).

bronzer [bʀɔ̃ze] *vt* (*peau*) broncear; (*métal*) pavonar ♦ *vi* broncearse; **se bronzer** *vpr* broncearse.

brosse [bʀɔs] *nf* cepillo, escobilla (*AM*); **donner un coup de** ~ **à qch** cepillar algo; **coiffé en** ~ peinado al cepillo; ► **brosse à cheveux** cepillo para el pelo; ► **brosse à dents/à habits** cepillo de dientes/de (la) ropa.

brosser [bʀɔse] *vt* (*nettoyer*) cepillar; (*fig*) bosquejar; **se brosser** *vpr* cepillarse; **se** ~ **les dents** cepillarse los dientes; "**tu peux te ~!**" (*fam*) "¡espérate sentado!".

brou de noix [bʀud(ə)nwa] *nm* (*pour bois*) nogalina; (*liqueur*) licor *m* de nuez.

brouette [bʀuɛt] *nf* carretilla.

brouhaha [bʀuaa] *nm* alboroto.

brouillage [bʀujaʒ] *nm* interferencia.

brouillard [bʀujaʀ] *nm* niebla; **être dans le** ~ (*fig*) no enterarse.

brouille [bʀuj] *nf* desavenencia.

brouillé, e [bʀuje] *adj*: **il est** ~ **avec ses parents** está reñido con sus padres; (*teint*) alterado(-a).

brouiller [bʀuje] *vt* mezclar; (*embrouiller*) embarullar, enredar; (*RADIO*) interferir; (*rendre trouble, confus*) enturbiar; (*amis*) enemistar; **se brouiller** *vpr* (*ciel, temps*) cubrirse, nublarse; (*vue*) nublarse; (*détails*) confundirse; **se** ~ (**avec**) enfadarse (con); ~ **les pistes** (*fig*) borrar el rastro.

brouillon, ne [bʀujɔ̃, ɔn] *adj* desordenado(-a) ♦ *nm* (*écrit*) borrador *m*, copia en sucio; **cahier de** ~ cuaderno para trabajos en sucio.

broussailles [bʀusaj] *nfpl* maleza *fsg.*

broussailleux, -euse [bʀusajø, øz] *adj* cubierto(-a) de maleza.

brousse [bʀus] *nf* monte *m* bajo.

brouter [bʀute] *vt* pacer ♦ *vi* vibrar.

broutille [bʀutij] *nf* fruslería.

broyer [bʀwaje] *vt* triturar; ~ **du noir** verlo todo negro.

bru [bʀy] *nf* nuera.

brugnon [bʀyɲɔ̃] *nm* nectarina.

bruine [bʀɥin] *nf* llovizna, garúa (*AM*).

bruiner [bʀɥine] *vi*: **il bruine** llovizna.

bruire [bʀɥiʀ] *vi* (*eau*) murmurar; (*feuilles, étoffe*) crujir.

bruissement [bʀɥismɑ̃] *nm* (*eau*) murmullo; (*feuilles, étoffe*) crujido.

bruit [bʀɥi] *nm* ruido; (*rumeur*) rumor *m*; **pas/trop de** ~ nada/demasiado ruido; **sans** ~ sin ruido; **faire du** ~ hacer ruido; **faire grand** ~ **de** hablar mucho de; ► **bruit de fond** ruido de fondo.

bruitage [bʀɥitaʒ] *nm* efectos *mpl* sonoros.

bruiter [bʀɥite] *vt* (*film*) producir efectos sonoros para.

bruiteur [bʀɥitœʀ] *nm* especialista *m/f* en efectos sonoros.

brûlant, e [bʀylɑ̃, ɑ̃t] *adj* ardiente; (*liquide*) hirviendo; (*fiévreux*) caliente; (*sujet*) candente.

brûlé, e [bʀyle] *adj* (*démasqué*) descubierto(-a); (*homme politique etc*) acabado(-a) ♦ *nm*: **odeur de** ~ olor *m* a quemado; **les grands ~s** los grandes quemados.

brûle-pourpoint [bʀylpuʀpwɛ̃] *adv*: **à ~-~** a quemarropa.

brûler [bʀyle] *vt* quemar; (*consumer, consommer*) consumir; (*suj: eau bouillante*) escaldar; (*enfiévrer*) arder; (*feu rouge, signal*) saltarse ♦ *vi* (*se consumer*) consumirse; (*feu*) arder; (*lampe, bougie*) lucir; (*être brûlant, ardent*) estar caliente; (*jeu*): **tu brûles** caliente-caliente; **se brûler** *vpr* (*accidentellement*) quemarse; **se ~ la cervelle** pegarse un tiro; **~ les étapes** quemar etapas; **~ (d'impatience) de faire qch** consumirse (de impaciencia) por hacer algo.

brûleur [bʀylœʀ] *nm* (*TECH*) quemador *m*.

brûlot [bʀylo] *nm* (*CULIN*) aguardiente destilado con azúcar.

brûlure [bʀylyʀ] *nf* (*lésion*) quemadura; (*sensation*) ardor *m*; ► **brûlures d'estomac** ardores *mpl* de estómago.

brume [bʀym] *nf* bruma.

brumeux, -euse [bʀymø, øz] *adj* brumoso(-a); (*fig*) confuso(-a).

brumisateur [bʀymizatœʀ] *nm* vaporizador *m*.

brun, e [bʀɛ̃, bʀyn] *adj* moreno(-a) ♦ *nm* pardo.

brunâtre [bʀynatʀ] *adj* parduzco(-a).

brunch [bʀœntʃ] *nm* desayuno-almuerzo.

brune [bʀyn] *nf* anochecer *m*.

Brunei [bʀunɛi] *nm* Brunei *m*.

brunette [bʀynɛt] *nf* morena, morocha (*AM*), prieta (*MEX*).

brunir [bʀyniʀ] *vi* ponerse moreno ♦ *vt* tostar.

brushing [bʀœʃiŋ] *nm* marcado; **faire un ~** lavar y marcar.

brusque [bʀysk] *adj* (*soudain*) repentino (-a); (*rude*) brusco(-a).

brusquement [bʀyskəmɑ̃] *adv* (*soudainement*) repentinamente.

brusquer [bʀyske] *vt* (*personne*) apremiar; (*événements, affaire*) precipitar; **ne rien ~** no precipitarse.

brusquerie [bʀyskəʀi] *nf* brusquedad *f*.

brut, e [bʀyt] *adj* bruto(-a); (*diamant*) en bruto ♦ *nm*: **(champagne) ~** champán *m* ou cava *m* seco; **(pétrole) ~** crudo.

brutal, e, -aux [bʀytal, o] *adj* brutal; (*franchise*) rudo(-a).

brutalement [bʀytalmɑ̃] *adv* brutalmente.

brutaliser [bʀytalize] *vt* maltratar.

brutalité [bʀytalite] *nf* (*voir adj*) brutalidad *f*; **~s** *nfpl* (*violences*) malos tratos *mpl*.

brute [bʀyt] *adj f voir* **brut** ♦ *nf* bruto.

Bruxelles [bʀysɛl] *n* Bruselas.

bruxellois, e [bʀysɛlwa, waz] *adj* bruselense ♦ *nm/f*: **B~, e** bruselense *m/f*.

bruyamment [bʀɥijamɑ̃] *adv* ruidosamente.

bruyant, e [bʀɥijɑ̃, ɑ̃t] *adj* ruidoso(-a).

bruyère [bʀyjɛʀ] *nf* brezo.

BT [bete] *sigle m* (= *brevet de Technicien*) ≈ título de bachillerato técnico.

BTA [betea] *sigle m* (= *brevet de technicien agricole*) ≈ título de bachillerato técnico agrícola.

BTP [betepe] *sigle mpl* (= *Bâtiments et travaux publics*) sector de la construcción y obras públicas.

BTS [betees] *sigle m* (= *brevet de technicien supérieur*) diploma de enseñanza técnica.

BU [bey] *sigle f* = *bibliothèque universitaire*.

bu, e [by] *pp de* **boire**.

buanderie [bɥɑ̃dʀi] *nf* lavadero.

Bucarest [bykaʀɛst] *n* Bucarest.

buccal, e, -aux [bykal, o] *adj*: **par voie ~e** por vía oral.

bûche [byʃ] *nf* leño; **prendre une ~** (*fig*) caerse; ► **bûche de Noël** bizcocho de navidad.

bûcher [byʃe] *nm* hoguera ♦ *vi, vt* (*fam*) empollar.

bûcheron [byʃʀɔ̃] *nm* leñador(a).

bûchette [byʃɛt] *nf* astilla.

bûcheur, -euse [byʃœʀ, øz] (*fam*) *adj, nm/f* empollón(-ona).

bucolique [bykɔlik] *adj* bucólico(-a).

Budapest [bydapɛst] *n* Budapest.

budget [bydʒɛ] *nm* presupuesto.

budgétaire [bydʒetɛʀ] *adj* presupuestario(-a).

budgétiser [bydʒetize] *vt* presupuestar.

buée [bɥe] *nf* vaho.

Buenos Aires [bwenɔzɛʀ] *n* Buenos Aires.

buffet [byfɛ] *nm* (*meuble*) aparador *m*; (*de réception*) buffet *m*; ► **buffet (de gare)** cantina (de estación).

buffle [byfl] *nm* búfalo.

buis [bɥi] *nm* boj *m*.

buisson [bɥisɔ̃] *nm* matorral *m*.

buissonnière [bɥisɔnjɛʀ] *adj f*: **faire l'école ~** hacer novillos.

bulbe [bylb] *nm* bulbo.

bulgare [bylɡaʀ] *adj* búlgaro(-a) ♦ *nm* (*LING*) búlgaro ♦ *nm/f*: **B~** búlgaro(-a).

Bulgarie [bylɡaʀi] *nf* Bulgaria.

bulldozer [buldozɛʀ] *nm* bul(l)dozer *m*.

bulle [byl] *adj, nm*: **(papier) ~** papel *m* en estraza ♦ *nf* burbuja; (*de bande dessinée*) bocadillo; (*papale*) bula; ► **bulle de savon** pompa de jabón.

bulletin [byltɛ̃] *nm* boletín *m*; (*papier*) folleto; (*de bagages*) recibo; ► **bulletin d'informations** boletín informativo; ► **bulletin de naissance** partida de nacimiento; ► **bulletin de salaire** nómina; ► **bulletin de santé** parte médico; ► **bulletin (de vote)** papeleta; ► **bulletin météorologique** boletín *ou* parte *m* meteorológico; ► **bulletin réponse** bono de respuesta.

buraliste [byʀalist] *nm/f* (*de bureau de tabac*) estanquero(-a); (*de poste*)

empleado(-a) de correos.
bure [byʀ] *nf* sayal *m*.
bureau, x [byʀo] *nm* (*meuble*) escritorio; (*pièce*) despacho; (*gén pl: d'une entreprise*) oficinas *fpl*; ► **bureau de change/de poste** oficina de cambio/de correos; ► **bureau d'embauche/de placement** oficina de empleo/de colocación; ► **bureau de location** agencia de alquiler; ► **bureau de tabac** estanco; ► **bureau de vote** colegio electoral.
bureaucrate [byʀokʀat] *nm* burócrata *m/f*.
bureaucratie [byʀokʀasi] *nf* burocracia.
bureaucratique [byʀokʀatik] *adj* burocrático(-a).
bureautique [byʀotik] *nf* ofimática.
burette [byʀɛt] *nf* (*de mécanicien*) aceitera; (*de chimiste*) bureta.
burin [byʀɛ̃] *nm* escoplo; (*ART*) buril *m*.
buriné, e [byʀine] *adj* (*visage*) marcado (-a), ajado(-a).
Burkina(-Faso) [byʀkina(faso)] *nm* Burkina Faso.
burlesque [byʀlɛsk] *adj* burlesco(-a).
burnous [byʀnu(s)] *nm* albornoz *m*.
Burundi [buʀundi] *nm* Burundi *m*.
bus [bys] *vb voir* **boire** ♦ *nm* autobús *m*, bus *m* (*esp AM*), camión *m* (*MEX*); (*INFORM*) bus *m*.
busard [byzaʀ] *nm* dardabasí *m*.
buse [byz] *nf* cernícalo, gallinazo (*AM*), zopilote *m* (*CAM, MEX*).
busqué, e [byske] *adj*: **nez** ~ nariz *f* aguileña.
buste [byst] *nm* busto; (*de femme*) pecho.
bustier [bystje] *nm* (*soutien-gorge*) sujetador *m* con cuerpo.
but [*vb* by, *nm* byt] *vb voir* **boire** ♦ *nm* (*cible*) meta; (*d'un voyage*) destino; (*d'une entreprise, d'une action*) objetivo; (*FOOTBALL: limites*) portería, arco (*AM*); (: *point*) gol *m*, tanto; **de** ~ **en blanc** de buenas a primeras; **avoir pour** ~ **de faire** tener como objetivo hacer; **dans le** ~ **de** con el propósito de; **gagner par 3** ~**s à 2** ganar por 3 tantos a 2.
butane [bytan] *nm* butano; (*domestique*) gas *m* butano.
buté, e [byte] *adj* terco(-a).
butée [byte] *nf* (*TECH*) tope *m*; (*ARCHIT*) contrafuerte *m*.
buter [byte] *vi*: ~ **contre** *ou* **sur qch** tropezar con algo ♦ *vt* (*mur etc*) apuntalar; (*fam: personne*) cargarse a; **se buter** *vpr* obstinarse.
buteur [bytœʀ] *nm* goleador *m*.
butin [bytɛ̃] *nm* botín *m*.
butiner [bytine] *vt*, *vi* libar.
butor [bytɔʀ] *nm* (*fig*) bruto.
butte [byt] *nf* (*éminence*) loma; **être en** ~ **à** estar expuesto(-a) a.
buvable [byvabl] *adj* bebible; (*roman etc*) pasable.
buvais *etc* [byvɛ] *vb voir* **boire**.
buvard [byvaʀ] *nm* secante *m*.
buvette [byvɛt] *nf* puesto de bebidas.
buveur, -euse [byvœʀ, øz] *nm/f* (*péj*) borracho(-a); (*consommateur*) bebedor(a); ► **buveur de cidre/de vin** bebedor(a) de sidra/de vino.
buvons [byvɔ̃] *vb voir* **boire**.
BVP [bevepe] *sigle m* (= *Bureau de vérification de la publicité*) centro de control publicitario.
byzantin, e [bizɑ̃tɛ̃, in] *adj* bizantino(-a).
BZH *abr* (= *Breizh*) Bretaña.

$$C, c$$

C, c [se] *nm inv* C, c *f*; ~ **comme Célestin** ≈ C de Carmen.
C [se] *abr* = **centime**; (= *Celsius*) C.
c' [s] *dét voir* **ce**.
c [se] *abr* = **centime**.
CA *sigle m* (= *chiffre d'affaires*) *voir* **chiffre**; (= *conseil d'administration*) *voir* **conseil**.
ça [sa] *pron* (*proche*) esto; (*pour désigner*) eso; (*plus loin*) aquello; **ça m'étonne que** me sorprende que; **ça va?** ¿qué tal?; (*d'accord?*) ¿vale?; (*désapprobation*) ¡pero bueno!; (*étonnement*) ¡y entonces!; **c'est ça** eso es; **ça fait une heure que j'attends** hace una hora que espero.
çà [sa] *adv*: ~ **et là** aquí y allá.
cabale [kabal] *nf* cábala.
cabalistique [kabalistik] *adj*: **signe** ~ signo cabalístico.
caban [kabɑ̃] *nm* chaquetón *m*.
cabane [kaban] *nf* cabaña; (*de skieurs, de montagne*) cabaña, refugio.
cabanon [kabanɔ̃] *nm* cabañuela; (*en Provence*) casita de campo; (*remise*) cobertizo.
cabaret [kabaʀɛ] *nm* cabaret *m*.
cabas [kabɑ] *nm* cabás *m*, capazo.
cabestan [kabɛstɑ̃] *nm* cabrestante *m*.
cabillaud [kabijo] *nm* bacalao fresco.
cabine [kabin] *nf* cabina; (*de bateau*) camarote *m*; (*de plage*) caseta; (*de piscine etc*) cabina, vestuario; ► **cabine (d'ascenseur)** caja (de ascensor); ► **cabine**

d'essayage probador *m;* ▶ **cabine de projection** cabina de proyección; ▶ **cabine spatiale** cabina de nave espacial; ▶ **cabine (téléphonique)** cabina (telefónica), locutorio.

cabinet [kabinɛ] *nm* (*aussi POL*) gabinete *m;* (*de médecin*) gabinete, consulta; (*d'avocat, de notaire*) gabinete, despacho; (*clientèle*) clientela; ~**s** *nmpl* servicios *mpl;* ▶ **cabinet d'affaires** gestoría; ▶ **cabinet de toilette** cuarto de aseo; ▶ **cabinet de travail** gabinete de trabajo, despacho.

câble [kabl] *nm* cable *m;* (*télégramme*) cable, cablegrama *m.*

câblé, e [kable] (*fam*) *adj* enterado(-a); (*TECH*) cableado(-a).

câbler [kable] *vt* (*nouvelle*) cablegrafiar; (*quartier: TV*) cablear.

cabosser [kabɔse] *vt* abollar.

cabot [kabo] (*péj*) *nm* chucho.

cabotage [kabɔtaʒ] *nm* cabotaje *m.*

caboteur [kabɔtœʀ] *nm* barco de cabotaje.

cabotin, e [kabɔtɛ̃, in] (*péj*) *nm/f* (*personne maniérée*) comediante *m/f;* (*acteur*) comicastro(-a).

cabotinage [kabɔtinaʒ] *nm* comedia.

cabrer [kabʀe] *vt* encabritar; **se cabrer** *vpr* (*aussi fig*) encabritarse.

cabri [kabʀi] *nm* cabrito.

cabriole [kabʀijɔl] *nf* (*d'un enfant*) cabriola; (*d'un clown, gymnaste*) voltereta, cabriola.

cabriolet [kabʀijɔlɛ] *nm* (*aussi:* **voiture** ~) descapotable *m.*

CAC [kak] *sigle f* = *Compagnie des agents de change;* **indice** ~ ≈ índice *m* de valores.

caca [kaka] *nm* caca; **faire** ~ hacer caca; ▶ **caca d'oie** (*couleur*) de color verdoso.

cacahuète [kakaɥɛt] *nf* cacahuete *m,* maní *m* (*AM*), cacahuate *m* (*AM*).

cacao [kakao] *nm* cacao.

cachalot [kaʃalo] *nm* cachalote *m.*

cache [kaʃ] *nm* (*pour texte, photo, diapositive*) ocultador *m;* (*pour protéger l'objectif*) tapa ♦ *nf* (*cachette*) escondite *m.*

caché, e [kaʃe] *adj* oculto(-a), escondido (-a).

cache-cache [kaʃkaʃ] *nm inv:* **jouer à** ~-~ jugar al escondite.

cache-col [kaʃkɔl] *nm inv* bufanda.

cachemire [kaʃmiʀ] *nm* cachemira, cachemir *m* ♦ *adj* de cachemira; **C~** Cachemira.

cache-nez [kaʃne] *nm inv* bufanda.

cache-pot [kaʃpo] *nm inv* macetero.

cache-prise [kaʃpʀiz] *nm inv* tapa protectora de enchufe.

cacher [kaʃe] *vt* ocultar, esconder; **se cacher** *vpr* esconderse, ocultarse; ~ **qch à**

qn ocultar algo a algn; **je ne vous cache pas que** no le oculto que; ~ **son jeu** *ou* **ses cartes** ocultar sus intenciones; **il se cache d'elle pour fumer** fuma a escondidas de ella; **il ne s'en cache pas** no lo oculta.

cache-sexe [kaʃsɛks] *nm inv* taparrabo.

cachet [kaʃɛ] *nm* (*MÉD*) pastilla; (*sceau*) sello; (*rétribution*) caché *m;* (*caractère*) carácter *m.*

cacheter [kaʃte] *vt* cerrar, sellar; **vin cacheté** vino en botellas lacradas.

cachette [kaʃɛt] *nf* escondite *m;* **en** ~ a escondidas.

cachot [kaʃo] *nm* calabozo.

cachotterie [kaʃɔtʀi] *nf* (*gén pl*) misterio; **faire des** ~**s** andar con misterios.

cachottier, -ière [kaʃɔtje, jɛʀ] *adj* misterioso(-a).

cachou [kaʃu] *nm:* **pastilles de** ~ pastillas *fpl* Juanolas.

cacophonie [kakɔfɔni] *nf* cacofonía.

cacophonique [kakɔfɔnik] *adj* cacofónico(-a).

cactus [kaktys] *nm inv* cactus *m inv.*

c.-à-d. *abr* = **c'est-à-dire.**

cadastral, e, -aux [kadastʀal, o] *adj* catastral.

cadastre [kadastʀ] *nm* catastro.

cadavérique [kadaveʀik] *adj* cadavérico (-a).

cadavre [kadavʀ] *nm* cadáver *m.*

caddie [kadi] *nm* (*au supermarché*) carrito.

caddy [kadi] *nm* = **caddie.**

cadeau, x [kado] *nm* regalo; **faire un** ~ **à qn** hacer un regalo a algn; **ne pas faire de** ~ **à qn** (*fig*) no ponérselo fácil a algn; **faire** ~ **de qch à qn** regalar algo a algn.

cadenas [kadna] *nm* candado.

cadenasser [kadnase] *vt* cerrar con candado.

cadence [kadɑ̃s] *nf* cadencia; (*rythme*) compás *m;* (*de travail*) ritmo; **en** ~ (*régulièrement*) rítmicamente; (*ensemble, en mesure*) al compás; **à la** ~ **de 10 par jour** a un ritmo de 10 diarios.

cadencé, e [kadɑ̃se] *adj* cadencioso(-a), acompasado(-a); **au pas** ~ a paso acompasado.

cadet, te [kadɛ, ɛt] *adj* (*plus jeune*) menor; (*le plus jeune*) menor, más pequeño(-a) ♦ *nm/f* (*de la famille*) benjamín(-ina); **le** ~/**la cadette** el/la menor; **il est mon** ~ **de deux ans**) (*rapports non familiaux*) él es (dos años) menor que yo; **les** ~**s** (*SPORT*) los juveniles; **le** ~ **de mes soucis** lo que menos me preocupa.

cadrage [kadʀaʒ] *nm* enfoque *m,* encuadre *m.*

cadran [kadʀɑ̃] *nm* (*de pendule, montre*) esfera; (*du téléphone*) disco; ► **cadran solaire** reloj *m* de sol.

cadre [kɑdʀ] *nm* marco; (*de vélo*) cuadro; (*sur formulaire*) recuadro; (*limites*) límite *m* ♦ *nm/f* (*ADMIN*) ejecutivo(-a), cuadro ♦ *adj*: **loi** ~ ley *f* marco; **rayer qn des** ~**s** (*MIL, ADMIN*) dar de baja a algn; **dans le** ~ **de** (*fig*) en el marco de; ► **cadre moyen/supérieur** (*ADMIN*) cuadro medio/superior.

cadrer [kɑdʀe] *vi*: ~ **avec qch** cuadrar con algo ♦ *vt* encuadrar.

cadreur, -euse [kɑdʀœʀ, øz] *nm/f* encuadrador(a).

caduc, caduque [kadyk] *adj* caduco(-a).

CAF [seaɛf] *sigle f* (= *Caisse d'allocations familiales*) servicio de ayuda familiar ♦ *abr* (= *coût, assurance, fret*) c.s.f. (= *coste, seguro y flete*).

cafard [kafaʀ] *nm* cucaracha; **avoir le** ~ estar melancólico(-a).

cafardeux, -euse [kafaʀdø, øz] *adj* triste.

café [kafe] *nm* café ♦ *adj* café; ► **café au lait** café con leche; ► **café crème** café cortado; ► **café en grains/en poudre** café en grano/molido; ► **café liégeois** helado de café con nata; ► **café noir** café solo; ► **café tabac** café-estanco.

café-concert [kafekɔ̃sɛʀ] (*pl* ~**s**-~**s**) *nm* (*aussi*: **caf' conc'**) café *m* concierto.

caféine [kafein] *nf* cafeína.

cafétéria [kafeteʀja] *nf* cafetería.

café-théâtre [kafeteatʀ] (*pl* ~**s**-~**s**) *nm* café *m* teatro.

cafetier, -ière [kaftje, jɛʀ] *nm/f* cafetero (-a).

cafetière [kaftjɛʀ] *nf* cafetera.

cafouillage [kafujaʒ] *nm* (*paroles confuses*) farfulla; (*actions confuses*) enredo.

cafouiller [kafuje] *vi* (*dans ses paroles*) farfullar; (*dans ses actions*) no dar pie con bola; (*appareil, projet*) fallar.

cage [kaʒ] *nf* jaula; **en** ~ enjaulado(-a); ► **cage d'ascenseur** caja del ascensor; ► **cage (des buts)** portería; ► **cage (d'escalier)** caja de la escalera; ► **cage thoracique** caja torácica.

cageot [kaʒo] *nm* caja.

cagibi [kaʒibi] *nm* trastero.

cagneux, -euse [kaɲø, øz] *adj* patizambo(-a), zambo(-a).

cagnotte [kaɲɔt] *nf* hucha; (*argent*) dinerillo ahorrado.

cagoule [kagul] *nf* (*de moine*) capucha; (*de bandit*) pasa montañas *m inv*; (*ski etc*) gorro; (*d'enfant*) verdugo.

cahier [kaje] *nm* (*de classe*) cuaderno, libreta; (*TYPO*) cuadernillo, pliego; ~**s** (*revue*) cuadernos *mpl*; ► **cahier d'exercices** cuaderno de ejercicios; ► **cahier de**

brouillon cuaderno de sucio; ► **cahier de doléances** libro de quejas; ► **cahier de revendications** pliego de reivindicaciones; ► **cahier des charges** pliego de condiciones.

cahin-caha [kaɛ̃kaa] *adv* (*fig*) a trompicones.

cahot [kao] *nm* traqueteo.

cahoter [kaɔte] *vi* traquetear, dar sacudidas ♦ *vt* sacudir.

cahoteux, -euse [kaɔtø, øz] *adj* lleno(-a) de baches.

cahute [kayt] *nf* chabola, choza.

caïd [kaid] *nm* cabecilla *m*.

caillasse [kajas] *nf* guijarros *mpl*.

caille [kaj] *nf* codorniz *f*.

caillé, e [kaje] *adj*: **lait** ~ leche *f* cuajada.

caillebotis [kajbɔti] *nm* enrejado.

cailler [kaje] *vi* (*lait*) cuajar; (*sang*) coagular; (*fam*: **faire froid**) hacer pelete; (: *avoir froid*) tener pelete.

caillot [kajo] *nm* coágulo.

caillou, x [kaju] *nm* guijarro, piedra.

caillouter [kajute] *vt* empedrar.

caillouteux, -euse [kajutø, øz] *adj* pedregoso(-a).

cailloutis [kajuti] *nm* guijo, grava.

caïman [kaimɑ̃] *nm* caimán *m*.

Caire [kɛʀ] *nm*: **le** ~ el Cairo.

caisse [kɛs] *nf* caja; (*recettes*) caja, recaudación *f*; **faire sa** ~ (*COMM*) hacer caja; ► **caisse claire** tambor *m* pequeño; ► **caisse d'épargne/de retraite** caja de ahorros/de jubilaciones; ► **caisse enregistreuse** caja registradora; ► **caisse noire** caja negra.

caissier, -ière [kesje, jɛʀ] *nm/f* cajero(-a).

caisson [kesɔ̃] *nm* arcón *m*; (*de décompression*) campana.

cajoler [kaʒɔle] *vt* mimar.

cajoleries [kaʒɔlʀi] *nfpl* mimos *mpl*, arrumacos *mpl*.

cajou [kaʒu] *nm* anacardo.

cake [kɛk] *nm* plum-cake *m*.

CAL [seaɛl] *sigle m* (= *Comité d'action lycéen*) grupo estudiantil para la reforma de los colegios.

cal[1] [kal] *nm* callo.

cal[2] *abr* (= *calorie(s)*) cal. (= *caloría(s)*).

calamar [kalamaʀ] *nm* = **calmar**.

calaminé, e [kalamine] *adj* (*AUTO*) cubierto de sustancia carbonosa.

calamité [kalamite] *nf* calamidad *f*.

calandre [kalɑ̃dʀ] *nf* (*AUTO*) rejilla del radiador, calandra; (*machine*) calandria.

calanque [kalɑ̃k] *nf* cala.

calcaire [kalkɛʀ] *nm* caliza ♦ *adj* calcáreo(-a); (*GÉO*) calcáreo(-a), calizo (-a).

calciné, e [kalsine] *adj* calcinado(-a).

calcium [kalsjɔm] *nm* calcio.

calcul [kalkyl] *nm* (*aussi fig*) cálculo; le ~ el cálculo; **d'après mes** ~**s** según mis cálculos; ▶**calcul (biliaire)** cálculo (biliar); ▶**calcul différentiel/intégral/mental** cálculo diferencial/integral/mental; ▶**calcul rénal** (*MÉD*) cálculo renal.

calculateur [kalkylatœʀ] *nm* calculadora.

calculatrice [kalkylatʀis] *nf* calculadora.

calculé, e [kalkyle] *adj*: **risque** ~ riesgo calculado.

calculer [kalkyle] *vt* calcular ♦ *vi* calcular; (*péj: combiner*) maquinar; ~ **qch de tête** calcular algo de memoria.

calculette [kalkylɛt] *nf* calculadora de bolsillo.

cale [kal] *nf* (*de bateau*) bodega; (*en bois*) cuña; ▶**cale de construction** grada; ▶**cale de radoub** dique *m* de carena; ▶**cale sèche** dique seco.

calé, e [kale] *adj* (*fixé*) fijo(-a); (*voiture*) calado(-a); (*fam: personne*) empollado (-a); (: *problème*) difícil.

calebasse [kalbɑs] *nf* calabaza.

calèche [kalɛʃ] *nf* calesa.

caleçon [kalsɔ̃] *nm* calzoncillos *mpl*.

calembour [kalɑ̃buʀ] *nm* retruécano, calambur *m*.

calendes [kalɑ̃d] *nfpl*: **renvoyer qch aux** ~ **grecques** dejar algo para el día del juicio final.

calendrier [kalɑ̃dʀije] *nm* calendario; (*programme*) calendario, programa *m*.

cale-pied [kalpje] *nm inv* rastral *m*.

calepin [kalpɛ̃] *nm* agenda.

caler [kale] *vt* (*fixer*) calzar, fijar; (*malade*) acomodar; (*avec une pile de livres etc*) arrellanar ♦ *vi* (*fig: ne plus pouvoir continuer*) rendirse; **se caler** *vpr*: **se** ~ **dans un fauteuil** arrellanarse en un sillón; ~ (**son moteur/véhicule**) calar (el motor/ vehículo).

calfater [kalfate] *vt* calafatear.

calfeutrage [kalføtʀaʒ] *nm acción de tapar con burletes*.

calfeutrer [kalføtʀe] *vt* tapar con burletes; **se calfeutrer** *vpr* encerrarse en casa.

calibre [kalibʀ] *nm* (*d'un fruit*) diámetro; (*d'une arme*) calibre *m*; (*fig*) calibre, envergadura.

calibrer [kalibʀe] *vt* clasificar.

calice [kalis] *nm* cáliz *m*.

calicot [kaliko] *nm* calicó.

calife [kalif] *nm* califa *m*.

Californie [kalifɔʀni] *nf* California.

californien, ne [kalifɔʀnjɛ̃, jɛn] *adj* californiano(-a) ♦ *nm/f*: **C**~, **ne** californiano(-a).

califourchon [kalifuʀʃɔ̃]: **à** ~ *adv* a horcajadas; **à** ~ **sur** a horcajadas en *ou* sobre.

câlin, e [kɑlɛ̃, in] *adj* mimoso(-a).

câliner [kɑline] *vt* mimar.

câlineries [kɑlinʀi] *nfpl* mimos *mpl*.

calisson [kalisɔ̃] *nm* pastelillo de turrón.

calleux, -euse [kalø, øz] *adj* calloso(-a), encallecido(-a).

calligraphie [ka(l)ligʀafi] *nf* caligrafía.

calligraphier [ka(l)ligʀafje] *vt* caligrafiar.

callosité [kalozite] *nf* callosidad *f*.

calmant, e [kalmɑ̃, ɑ̃t] *adj, nm* calmante *m*.

calmar [kalmaʀ] *nm* calamar *m*.

calme [kalm] *adj* tranquilo(-a); (*ville, mer, endroit*) tranquilo(-a), apacible ♦ *nm* (*d'un lieu*) tranquilidad *f*; (*d'une personne*) tranquilidad, calma; **sans perdre son** ~ sin perder la calma; ▶**calme plat** (*NAUT*) calma chicha.

calmement [kalmǝmɑ̃] *adv* tranquilamente.

calmer [kalme] *vt* tranquilizar, calmar; (*douleur, colère*) calmar, sosegar; **se calmer** *vpr* calmarse; (*personne*) calmarse, tranquilizarse.

calomniateur, -trice [kalɔmnjatœʀ, tʀis] *nm/f* calumniador(a).

calomnie [kalɔmni] *nf* calumnia.

calomnier [kalɔmnje] *vt* calumniar.

calomnieux, -euse [kalɔmnjø, jøz] *adj* calumnioso(-a).

calorie [kalɔʀi] *nf* caloría.

calorifère [kalɔʀifɛʀ] *nm* estufa.

calorifique [kalɔʀifik] *adj* calorífico(-a).

calorifuge [kalɔʀifyʒ] *adj* calorífugo(-a) ♦ *nm* aislante *m*.

calot [kalo] *nm* gorra.

calotte [kalɔt] *nf* (*coiffure*) birreta; (*gifle*) bofetada; **la** ~ (*péj: clergé*) los curas, el clero; ▶**calotte glaciaire** casquete *m* glaciar.

calque [kalk] *nm* (*aussi*: **papier** ~) calco, papel *m* de calco; (*dessin*) calco.

calquer [kalke] *vt* (*aussi fig*) calcar.

calvados [kalvados] *nm* calvados *m inv*.

calvaire [kalvɛʀ] *nm* calvario.

calvitie [kalvisi] *nf* calvicie *f*.

camaïeu [kamajø] *nm*: (**motif en**) ~ (*motivo en*) camafeo.

camarade [kamaʀad] *nm/f* compañero(-a), amigo(-a); (*POL, SYNDICATS*) camarada *m/f*; ▶**camarade d'école/de jeu** compañero(-a) de escuela/de juegos.

camaraderie [kamaʀadʀi] *nf* amistad *f*, camaradería.

camarguais, e [kamaʀgɛ, ɛz] *adj* de Camarga ♦ *nm/f*: **C**~, **e** nativo(-a) *ou* habitante *m/f* de Camarga.

Camargue [kamaʀg] *nf* Camarga.

cambiste [kɑ̃bist] *nm* cambista *m*.

Cambodge [kɑ̃bɔdʒ] *nm* Camboya.

cambodgien, ne [kɑ̃bɔdʒjɛ̃, jɛn] *adj*

camboyano(-a) ♦ *nm/f:* **C~, ne** camboyano(-a).

cambouis [kãbwi] *nm* grasa (sucia).

cambré, e [kãbʀe] *adj:* **avoir les reins ~s, être** ~ tener la espalda arqueada; **avoir le pied très** ~ tener el pie muy combado *ou* arqueado.

cambrer [kãbʀe] *vt* combar; **se cambrer** *vpr* arquearse; ~ **la taille** *ou* **les reins** arquear la espalda.

cambriolage [kãbʀijɔlaʒ] *nm* robo (con efracción).

cambrioler [kãbʀijɔle] *vt* robar (con efracción).

cambrioleur, -euse [kãbʀijɔlœʀ, øz] *nm/f* atracador(a), ladrón(-ona).

cambrure [kãbʀyʀ] *nf (du pied)* combadura, arqueo; *(de la route)* combadura, alabeo; ► **cambrure des reins** arqueo de la espalda.

cambuse [kãbyz] *nf (NAUT)* pañol *m*; *(péj: chambre)* cuchitril *m*.

came [kam] *nf (fam: drogue)* droga; **arbre à ~s (en tête)** árbol *m* de levas (en cabeza).

camée [kame] *nm* camafeo.

caméléon [kameleɔ̃] *nm (aussi fig)* camaleón *m*.

camélia [kamelja] *nm* camelia.

camelot [kamlo] *nm* vendedor *m* ambulante.

camelote [kamlɔt] *nf* baratija.

camembert [kamãbɛʀ] *nm* camembert *m*.

caméra [kameʀa] *nf* cámara.

caméraman [kameʀaman] *nm* cameraman *m*, operador *m*.

Cameroun [kamʀun] *nm* Camerún *m*.

camerounais, e [kamʀune, ɛz] *adj* del Camerún ♦ *nm/f:* **C~, e** nativo(-a) *ou* habitante *m/f* del Camerún.

caméscope [kameskɔp] *nm* cámara de vídeo.

camion [kamjɔ̃] *nm* camión *m*; ~ **de sable/cailloux** *(charge)* camión de arena/de grava.

camion-citerne [kamjɔ̃sitɛʀn] *(pl ~s-~s) nm* camión *m* cisterna.

camionnage [kamjɔnaʒ] *nm:* **frais/entreprise de** ~ gastos *mpl*/empresa de camionaje.

camionnette [kamjɔnɛt] *nf* camioneta.

camionneur [kamjɔnœʀ] *nm (entrepreneur)* transportista *m/f*; *(chauffeur)* camionero(-a).

camisole [kamizɔl] *nf:* ~ **(de force)** camisa (de fuerza).

camomille [kamɔmij] *nf* manzanilla.

camouflage [kamuflaʒ] *nm* camuflaje *m*.

camoufler [kamufle] *vt* camuflar; *(fig)* camuflar, disimular.

camouflet [kamuflɛ] *nm (fam)* desaire *m*, feo.

camp [kã] *nm (militaire, d'expédition)* campo, campamento; *(réfugiés, prisonniers)* campamento; *(fig)* campo; ► **camp de concentration** campo de concentración; ► **camp de nudistes/de vacances** colonia nudista/de vacaciones.

campagnard, e [kãpaɲaʀ, aʀd] *adj, nm/f* campesino(-a).

campagne [kãpaɲ] *nf* campo; *(MIL, POL, COMM)* campaña; **en ~** *(MIL)* de campaña; **à la** ~ en el campo; **faire** ~ **pour** hacer campaña por; ► **campagne de publicité** campaña de publicidad; ► **campagne électorale** campaña electoral.

campanile [kãpanil] *nm* campanario; *(séparé)* campanilo.

campé, e [kãpe] *adj:* **bien** ~ *(fig: personnage, tableau)* bien logrado(-a).

campement [kãpmã] *nm* campamento.

camper [kãpe] *vi* acampar ♦ *vt (chapeau, casquette)* plantarse; *(dessin, tableau, personnage)* representar; **se camper** *vpr:* **se** ~ **devant** qn/qch plantarse delante de algn/algo.

campeur, -euse [kãpœʀ, øz] *nm/f* campista *m/f*.

camphre [kãfʀ] *nm* alcanfor *m*.

camphré, e [kãfʀe] *adj* alcanforado(-a).

camping [kãpiŋ] *nm* camping *m*; **(terrain de)** ~ (terreno de) camping; **faire du** ~ hacer camping; **faire du** ~ **sauvage** hacer camping salvaje.

camping-car [kãpiŋkaʀ] *(pl ~-~s) nm* coche caravana *m*.

campus [kãpys] *nm inv* campus *m inv*.

camus, e [kamy, yz] *adj:* **nez** ~ nariz *f* chata.

Canada [kanada] *nm* Canadá *m*.

canadair ® [kanadɛʀ] *nm* avión *apaga incendios*.

canadien, ne [kanadjɛ̃, jɛn] *adj* canadiense ♦ *nm/f:* **C~, ne** canadiense *m/f*.

canadienne [kanadjɛn] *nf (veste)* cazadora.

canaille [kanaj] *nf (crapule)* canalla *m* ♦ *adj (air, sourire)* picarón(-ona), pillín(-ina).

canal, -aux [kanal, o] *nm (rivière)* canal *m*; *(ANAT)* conducto; **par le** ~ **de** *(ADMIN)* por medio de; ► **canal de distribution** canal de distribución; ► **canal de Panama/de Suez** canal de Panamá/de Suez; ► **canal de télévision** canal de televisión.

canalisation [kanalizasjɔ̃] *nf (d'un cours d'eau)* canalización *f*; *(tuyau)* canalización, cañería.

canaliser [kanalize] *vt* canalizar; *(fig)* canalizar, encauzar.

canapé [kanape] *nm (fauteuil)* canapé *m*, sofá *m*; *(CULIN)* canapé.

canapé-lit [kanapeli] (*pl* ~s-~s) *nm* sofá-cama *m*.

canaque [kanak] *adj* canaco(-a) ◊ *nm/f*: **C~** canaco(-a).

canard [kanaʀ] *nm* pato; (*fam*: *journal*) periódico.

canari [kanaʀi] *nm* canario.

Canaries [kanaʀi] *nfpl*: **les (îles)** ~ las (islas) Canarias.

cancaner [kãkane] *vi* chismorrear, cotillear; (*canard*) parpar.

cancanier, -ière [kãkanje, jɛʀ] *adj* chismoso(-a), cotilla.

cancans [kãkã] *nmpl* chismes *mpl*.

cancer [kãsɛʀ] *nm* (*aussi fig*) cáncer *m*; (*ASTROL*): **le C~** Cáncer *m*; **il a un** ~ tiene un cáncer; **être (du) C~** ser Cáncer.

cancéreux, -euse [kãseʀø, øz] *adj, nm/f* canceroso(-a).

cancérigène [kãseʀiʒɛn] *adj* cancerígeno (-a).

cancérologue [kãseʀɔlɔg] *nm/f* cancerólogo(-a).

cancre [kãkʀ] *nm* holgazán *m/f*.

cancrelat [kãkʀəla] *nm* cucaracha.

candélabre [kãdelabʀ] *nm* candelabro.

candeur [kãdœʀ] *nf* candor *m*.

candi [kãdi] *adj inv*: **sucre** ~ azúcar *m* cande.

candidat, e [kãdida, at] *nm/f* (*examen, POL*) candidato(-a); (*à un poste*) candidato(-a), aspirante *m/f*; **être** ~ **à** ser candidato(-a) a.

candidature [kãdidatyʀ] *nf* candidatura; **poser sa** ~ presentar su candidatura.

candide [kãdid] *adj* cándido(-a).

cane [kan] *nf* pata.

caneton [kantɔ̃] *nm* patito.

canette [kanɛt] *nf* (*de bière*) botellín *m*; (*de machine à coudre*) canilla.

canevas [kanva] *nm* (*COUTURE*) cañamazo; (*d'un texte, récit*) bosquejo.

caniche [kaniʃ] *nm* caniche *m*.

caniculaire [kanikylɛʀ] *adj* de canícula.

canicule [kanikyl] *nf* canícula.

canif [kanif] *nm* navaja.

canin, e [kanɛ̃, in] *adj* canino(-a); **exposition ~e** exposición *f* canina.

canine [kanin] *nf* canino.

caniveau [kanivo] *nm* cuneta.

cannabis [kanabis] *nm* can(n)abis *m*.

canne [kan] *nf* bastón *m*; ► **canne à pêche** caña de pescar; ► **canne à sucre** caña de azúcar.

canné, e [kane] *adj* de rejilla.

cannelé, e [kanle] *adj* acanalado(-a).

cannelle [kanɛl] *nf* canela.

cannelure [kan(ə)lyʀ] *nf* acanaladura.

canner [kane] *vt* poner asiento de rejilla a.

cannibale [kanibal] *adj, nm/f* caníbal *m/f*.

cannibalisme [kanibalism] *nm* canibalismo.

canoë [kanɔe] *nm* canoa; ► **canoë (kayak)** (*SPORT*) piragüismo.

canon [kanɔ̃] *nm* cañón *m*; (*MUS*) canon *m*; (*fam*: *de vin*) chato ◊ *adj*: **droit** ~ derecho canónico; ► **canon rayé** cañón rayado.

cañon [kaɲɔ̃] *nm* cañón *m*.

canonique [kanɔnik] *adj*: **âge** ~ edad *f* canónica.

canoniser [kanɔnize] *vt* canonizar.

canonnade [kanɔnad] *nf* cañoneo.

canonnier [kanɔnje] *nm* artillero.

canonnière [kanɔnjɛʀ] *nf* lancha cañonera.

canot [kano] *nm* (*bateau*) bote *m*, lancha; ► **canot de sauvetage** bote salvavidas; ► **canot pneumatique** bote neumático.

canotage [kanɔtaʒ] *nm* pasear *m* en bote.

canoter [kanɔte] *vi* pasear en bote.

canotier [kanɔtje] *nm* canotié *m*.

Cantal [kãtal] *nm* Cantal *m*.

cantate [kãtat] *nf* cantata.

cantatrice [kãtatʀis] *nf* cantante *f*.

cantilène [kãtilɛn] *nf* cantilena.

cantine [kãtin] *nf* (*malle*) baúl *m*; (*réfectoire*) cantina; **manger à la** ~ comer en la cantina.

cantique [kãtik] *nm* cántico.

canton [kãtɔ̃] *nm* (*en France*) distrito; (*en Suisse*) cantón *m*.

cantonade [kãtɔnad]: **à la** ~ *adv* por los cuatro vientos.

cantonais, e [kãtɔnɛ, ɛz] *adj* cantonés (-esa) ◊ *nm* (*LING*) cantonés *m* ◊ *nm/f*: **C~**, **e** cantonés(-esa).

cantonal, e, -aux [kãtɔnal, o] *adj* (*en Suisse*) cantonal; (*en France*: *élections*) por distritos.

cantonnement [kãtɔnmã] *nf* (*MIL*) acantonamiento.

cantonner [kãtɔne] *vt* (*MIL*) acantonar; **se cantonner dans** *vpr* (*maison, attitude*) encerrarse en; (*études*) aislarse en.

cantonnier [kãtɔnje] *nm* peón *m* caminero.

canular [kanylaʀ] *nm* inocentada.

canule [kanyl] *nf* (*MÉD*) cánula.

CAO [seao] *sigle f* (= *conception assistée par ordinateur*) CAO *f* (= *concepción asistida por ordenador*).

caoutchouc [kautʃu] *nm* caucho; (*bande élastique*) goma; **en** ~ de goma, de caucho; ► **caoutchouc mousse** ® goma-espuma.

caoutchouté, e [kautʃute] *adj* impermeabilizado(-a).

caoutchouteux, -euse [kautʃutø, øz] *adj* gomoso(-a), correoso(-a).

CAP [seape] *sigle m* (= *certificat d'aptitude professionnelle*) ≈ título de FP1.

cap [kap] *nm* (*GÉO*) cabo; **changer de** ~

(*NAUT*) cambiar de rumbo; **doubler** *ou* **passer le ~** (*fig*) superar *ou* pasar el obstáculo; (: *limite*) superar *ou* pasar el límite; **mettre le ~ sur** poner rumbo a; **le C~** el Cabo; **le C~ de Bonne Espérance** el Cabo de Buena Esperanza; **le C~ Horn** el cabo de Hornos.

capable [kapabl] *adj* (*compétent*) competente; **~ de faire** capaz de hacer; **~ de dévouement/d'un effort** capaz de dedicación/de un esfuerzo; **il est ~ d'oublier** es capaz de olvidar; **spectacle/livre ~ d'intéresser** espectáculo/libro susceptible de interesar.

capacité [kapasite] *nf* capacidad *f*; ▸ **capacité (en droit)** capacitación *f* (en derecho).

caparaçonner [kaparasɔne] *vt* (*fig*) cubrir a.

cape [kap] *nf* capa; **rire sous ~** reír para sus adentros.

capeline [kaplin] *nf* capelina.

CAPES [kapes] *sigle m* (= *certificat d'aptitude au professorat de l'enseignement du second degré*) título de profesor de enseñanza secundaria.

capésien, ne [kapesjɛ̃, jɛn] *nm/f* capesiano(-a).

CAPET [kapɛt] *sigle m* (= *certificat d'aptitude au professorat de l'enseignement technique*) título de profesor de formación profesional.

capharnaüm [kafaʀnaɔm] *nf* leonera.

capillaire [kapilɛʀ] *adj* capilar ▸ *nm* culantrillo.

capillarité [kapilaʀite] *nf* capilaridad *f*.

capilotade [kapilɔtad]: **en ~** *adv* en papilla.

capitaine [kapitɛn] *nm* capitán *m*; ▸ **capitaine au long cours** capitán de altura.

capitainerie [kapitɛnʀi] *nf* capitanía.

capital, e, -aux [kapital, o] *adj*, *nm* (*aussi fig*) capital *m*; **capitaux** *nmpl* (*fonds*) capitales *mpl*; **les sept péchés capitaux** los siete pecados capitales; **exécution/peine ~e** ejecución *f*/pena capital; ▸ **capital d'exploitation** capital de explotación; ▸ **capital (social)** capital social.

capitale [kapital] *nf* (*ville*) capital *f*; (*lettre*) mayúscula.

capitaliser [kapitalize] *vt* (*aussi fig*) capitalizar.

capitalisme [kapitalism] *nm* capitalismo.

capitaliste [kapitalist] *adj*, *nm/f* capitalista *m/f*.

capiteux, -euse [kapitø, øz] *adj* (*parfum, vin*) embriagador(a).

capitonnage [kapitɔnaʒ] *nm* acolchado.

capitonné, e [kapitɔne] *adj* acolchado(-a).

capitonner [kapitɔne] *vt* acolchar.

capitulation [kapitylasjɔ̃] *nf* capitulación *f*.

capituler [kapityle] *vi* capitular.

caporal, -aux [kapɔʀal, o] *nm* cabo.

caporal-chef [kapɔʀalʃef] (*pl* **caporaux-chefs**) *nm* cabo primero.

capot [kapo] *nm* capó ▸ *adj inv* (*CARTES*): **être ~** quedarse zapatero(-a).

capote [kapɔt] *nf* (*de voiture*) capota; (*de soldat*) capote *m*; ▸ **capote anglaise** (*fam*) condón *m*.

capoter [kapɔte] *vi* (*voiture*) volcar; (*négociations*) fracasar.

câpre [kɑpʀ] *nf* alcaparra.

caprice [kapʀis] *nm* capricho, antojo; (*toquade amoureuse*) capricho; **~s** *nmpl* (*de la mode etc*) caprichos *mpl*; **faire un ~** coger una rabieta; **faire des ~s** tener caprichos.

capricieux, -euse [kapʀisjø, jøz] *adj* (*aussi fig*) caprichoso(-a).

Capricorne [kapʀikɔʀn] *nm* (*ASTROL*) Capricornio; **être (du) ~** ser Capricornio.

capsule [kapsyl] *nf* cápsula; (*de bouteille*) cápsula, chapa.

captage [kaptaʒ] *nm* captación *f*.

capter [kapte] *vt* (*aussi fig*) captar.

capteur [kaptœʀ] *nm*: **~ solaire** captador *m* solar.

captieux, -euse [kapsjø, jøz] *adj* capcioso(-a).

captif, -ive [kaptif, iv] *adj*, *nm/f* cautivo(-a).

captivant, e [kaptivɑ̃, ɑ̃t] *adj* cautivador(-a).

captiver [kaptive] *vt* cautivar.

captivité [kaptivite] *nf* cautiverio; **en ~** en cautiverio.

capture [kaptyʀ] *nf* captura.

capturer [kaptyʀe] *vt* capturar, apresar.

capuche [kapyʃ] *nf* capucha.

capuchon [kapyʃɔ̃] *nm* (*de vêtement*) capucha, capuchón *m*; (*de stylo*) capuchón.

capucin [kapysɛ̃] *nm* capuchino.

capucine [kapysin] *nf* capuchina.

Cap-Vert [kapvɛʀ] *nm*: **les îles du ~ ~** las islas de Cabo Verde.

caquelon [kaklɔ̃] *nm* cacerola para la fondue.

caquet [kakɛ] *nm*: **rabattre le ~ à qn** bajar los humos a algn.

caqueter [kakte] *vi* cacarear.

car [kaʀ] *nm* autocar *m* ▸ *conj* pues, porque; ▸ **car de police/de reportage** furgoneta de policía/de reportaje.

carabine [kaʀabin] *nf* carabina; ▸ **carabine à air comprimé** carabina de aire comprimido.

carabiné, e [kaʀabine] *adj* endiablado(-a).

Caracas [kaʀakas] *n* Caracas.

caraco [kaʀako] *nm* chambra.

caracoler [kaʀakɔle] *vi* (*cheval*) caracolear; (*gambader*) cabriolar.

caractère [kaʀaktɛʀ] *nm* (*humeur, tempéra-ment*) carácter *m*; (*de choses*) naturale-za; (*cachet*) carácter, personalidad *f*; **avoir bon/mauvais** ~ tener buen/mal ca-rácter; **~s/seconde** pulsaciones *fpl*/ segundo; **en ~s gras** en negrita; **en petits ~s** en minúsculas; **en ~s d'imprimerie** en letras mayúsculas; **avoir du** ~ tener ca-rácter.

caractériel, le [kaʀaktɛʀjɛl] *adj, nm/f* inadaptado(-a); **troubles ~s** trastornos *mpl* de carácter.

caractérisé, e [kaʀakteʀize] *adj*: **c'est une grippe ~e** es una gripe característica; **c'est de l'insubordination ~e** es una clara insubordinación.

caractériser [kaʀakteʀize] *vt* caracterizar; **se caractériser par** *vpr* caracterizarse por.

caractéristique [kaʀakteʀistik] *adj* característico(-a) ♦ *nf* característica.

caractérologie [kaʀakteʀɔlɔ3i] *nf* caracte-rología.

carafe [kaʀaf] *nf* (*pot*) jarra, garrafa; (*d'eau, de vin*) jarra.

carafon [kaʀafɔ̃] *nm voir* **carafe**.

caraïbe [kaʀaib] *adj* caribeño(-a); **les C~s** *nfpl* el Caribe; **la mer des C~s** el mar (del) Caribe.

carambolage [kaʀɑ̃bɔla3] *nm* colisiones *fpl* en serie.

caramel [kaʀamɛl] *nm* caramelo; (*bonbon*) caramelo blando ♦ *adj inv* caramelo *inv*.

caraméliser [kaʀamelize] *vt* caramelizar.

carapace [kaʀapas] *nf* (*d'animal, fig*) capa-razón *m*; (*de crabe etc*) concha.

carapater [kaʀapate] (*fam*) *vi*: **se** ~ pirar-se.

carat [kaʀa] *nm* quilate *m*; **or à 18 ~s** oro de 18 quilates; **pierre de 12 ~s** piedra de 12 quilates.

caravane [kaʀavan] *nf* caravana.

caravanier [kaʀavanje] *nm* (*camping*) cam-pista *m/f* con caravana.

caravaning [kaʀavaniŋ] *nm* (*camping*) cam-ping *m* en caravana; (*terrain*) camping para caravanas.

caravelle [kaʀavɛl] *nf* carabela.

carbonate [kaʀbɔnat] *nm*: ~ **de soude** car-bonato de sosa.

carbone [kaʀbɔn] *nm* carbono; (*aussi*: **pa-pier** ~) papel *m* carbón; (*document*) co-pia.

carbonique [kaʀbɔnik] *adj* carbónico(-a); **gaz** ~ gas *m* carbónico; **neige** ~ nieve *f* carbónica.

carbonisé, e [kaʀbɔnize] *adj* carbonizado(-a); **mourir** ~ morir carbonizado(-a).

carboniser [kaʀbɔnize] *vt* carbonizar.

carburant [kaʀbyʀɑ̃] *nm* carburante *m*.

carburateur [kaʀbyʀatœʀ] *nm* carburador *m*.

carburation [kaʀbyʀasjɔ̃] *nf* carburación *f*.

carburer [kaʀbyʀe] *vi*: **bien/mal** ~ carbu-rar bien/mal.

carcan [kaʀkɑ̃] *nm* (*fig*) yugo.

carcasse [kaʀkas] *nf* (*d'animal*) caparazón *m*; (*de voiture*) chasis *m inv*.

carcéral, e, -aux [kaʀseʀal, o] *adj* carcelario(-a).

carcinogène [kaʀsinɔʒɛn] *adj* car-cinógeno(-a).

cardan [kaʀdɑ̃] *nm* cardán *m*.

carder [kaʀde] *vt* cardar.

cardiaque [kaʀdjak] *adj, nm/f* cardíaco(-a); **être** ~ estar cardíaco(-a).

cardigan [kaʀdigɑ̃] *nm* rebeca.

cardinal, e, -aux [kaʀdinal, o] *adj* cardinal ♦ *nm* cardenal *m*.

cardiologie [kaʀdjɔlɔ3i] *nf* cardiología.

cardiologue [kaʀdjɔlɔg] *nm/f* cardiólogo (-a).

cardio-vasculaire [kaʀdjovaskylɛʀ] (*pl* ~-~s) *adj* cardiovascular.

cardon [kaʀdɔ̃] *nm* cardo.

carême [kaʀɛm] *nm*: **le C~** Cuaresma.

carénage [kaʀena3] *nm* carenadura.

carence [kaʀɑ̃s] *nf* ineptitud *f*; (*manque*) carencia; (*fig*) insuficiencia; ▶ **carence vitaminique** carencia vitamínica.

carène [kaʀɛn] *nf* carena, obra viva.

caréner [kaʀene] *vt* carenar.

caressant, e [kaʀesɑ̃, ɑ̃t] *adj* (*enfant, ani-mal*) cariñoso(-a); (*voix, regard*) tierno (-a).

caresse [kaʀɛs] *nf* caricia.

caresser [kaʀese] *vt* (*aussi fig*) acariciar; (*espoir*) abrigar.

cargaison [kaʀgɛzɔ̃] *nf* carga, cargamento.

cargo [kaʀgo] *nm* carguero, buque *m* de carga; ▶ **cargo mixte** carguero mixto.

cari [kaʀi] *nm* = **curry**.

caricatural, e, aux [kaʀikatyʀal, o] *adj* caricaturesco(-a).

caricature [kaʀikatyʀ] *nf* caricatura.

caricaturer [kaʀikatyʀe] *vt* caricaturizar.

caricaturiste [kaʀikatyʀist] *nm/f* caricatu-rista *m/f*.

carie [kaʀi] *nf* caries *f inv*; **la** ~ (**dentaire**) la caries (dental).

carié, e [kaʀje] *adj*: **dent** ~e diente *m* ca-riado.

carillon [kaʀijɔ̃] *nm* (*d'église*) carillón *m*; (*pendule*) reloj *m* de pared con carillón; ~ (**électrique**) timbre *m*.

carillonner [kaʀijɔne] *vi* (*cloches*) repicar; (*à la porte*) dar timbrazos ♦ *vt* (*heure*) dar; (*nouvelle*) pregonar.

caritatif, -ive [kaʀitatif, iv] *adj* caritativo

(-a).
carlingue [kaʀlɛ̃g] *nf* carlinga.
carmélite [kaʀmelit] *nf* carmelita.
carmin [kaʀmɛ̃] *adj inv* carmín *inv*.
carnage [kaʀnaʒ] *nm* carnicería.
carnassier, -ière [kaʀnasje, jɛʀ] *adj* carnicero(-a) ♦ *nm* carnicero.
carnation [kaʀnasjɔ̃] *nf* encarnación *f*.
carnaval [kaʀnaval] *nm* carnaval *m*.
carné, e [kaʀne] *adj* a base de carne.
carnet [kaʀnɛ] *nm* libreta; (*de loterie etc*) taco; (*de timbres*) cuadernillo; (*journal intime*) diario; ► **carnet à souches** taco de matrices; ► **carnet d'adresses** agenda de direcciones; ► **carnet de chèques** talonario de cheques; ► **carnet de commandes** talonario *ou* libreta de pedidos; ► **carnet de notes** boletín *m* de notas.
carnier [kaʀnje] *nm* morral *m*.
carnivore [kaʀnivɔʀ] *adj* carnívoro(-a) ♦ *nm* carnívoro.
carotide [kaʀɔtid] *nf* carótida.
carotte [kaʀɔt] *nf* (*aussi fig*) zanahoria.
carpe [kaʀp] *nf* carpa.
carpette [kaʀpɛt] *nf* alfombrilla.
carquois [kaʀkwa] *nm* carcaj *m*.
carre [kaʀ] *nf* (*de ski*) ángulo.
carré, e [kaʀe] *adj* cuadrado(-a); (*franc*) directo(-a) ♦ *nm* (*GÉOM*) cuadrado; (*de jardin*) cuadro; (*NAUT*) cámara de oficiales; ~ **de soie** pañuelo de seda; ~ **d'agneau** brazuelo de cordero; **le** ~ (**d'un nombre**) el cuadrado (de un número); **élever un nombre au** ~ elevar un número al cuadrado; **mètre/kilomètre** ~ metro/kilómetro cuadrado; ► **carré d'as/de rois** (*CARTES*) póker *m* de ases/de reyes.
carreau, x [kaʀo] *nm* (*par terre*) baldosa; (*au mur*) azulejo; (*de fenêtre*) cristal *m*; (*dessin*) cuadro; (*CARTES: couleur*) diamante *mpl*; (: *carte*) diamante *m*; **papier/tissu à** ~**x** papel *m*/tela de cuadros.
carrefour [kaʀfuʀ] *nm* (*aussi fig*) encrucijada.
carrelage [kaʀlaʒ] *nm* (*sol*) embaldosado; (*mur*) alicatado.
carreler [kaʀle] *vt* (*sol*) embaldosar; (*mur*) alicatar.
carrelet [kaʀlɛ] *nm* (*filet*) red *f* cuadrada; (*poisson*) platija, acedía.
carreleur [kaʀlœʀ] *nm* embaldosador *m*, alicatador *m*.
carrément [kaʀemɑ̃] *adv* (*franchement*) francamente; (*sans détours, sans hésiter*) directamente; (*nettement*) verdaderamente; **il l'a** ~ **mis à la porte** lo puso directamente de patitas en la calle.
carrer [kaʀe]: **se** ~ *vpr*: **se** ~ **dans un fauteuil** arrellanarse en un sillón.

carrier [kaʀje] *nm*: (**ouvrier**) ~ cantero.
carrière [kaʀjɛʀ] *nf* (*de craie, sable*) cantera; (*métier*) carrera; **militaire de** ~ militar *m* de carrera; **faire** ~ **dans** hacer carrera en.
carriériste [kaʀjeʀist] *nm/f* arribista *m/f*.
carriole [kaʀjɔl] *nf* (*charrette*) carreta; (*péj*) cacharro.
carrossable [kaʀɔsabl] *adj* transitable.
carrosse [kaʀɔs] *nm* carroza.
carrosserie [kaʀɔsʀi] *nf* carrocería; **atelier de** ~ taller *m* de carrocería.
carrossier [kaʀɔsje] *nm* (*ouvrier*) carrocero; (*dessinateur*) diseñador *m* de carrocerías.
carrousel [kaʀuzɛl] *nm* (*aussi fig*) carrusel *m*.
carrure [kaʀyʀ] *nf* (*d'une personne*) anchura de espalda; (*d'un vêtement*) espalda; (*fig*) clase *f*; **de** ~ **athlétique** de complexión atlética.
cartable [kaʀtabl] *nm* cartera.
carte [kaʀt] *nf* mapa *m*; (*GÉO, au restaurant*) carta; (*de fichier*) ficha; (*CARTES*) carta, naipe *m*; (*de parti*) carnet *m*; (*d'électeur*) tarjeta; (*d'abonnement etc*) abono; (*aussi:* ~ **postale**) postal *f*; (*aussi:* ~ **de visite**) tarjeta; **avoir/donner** ~ **blanche** tener/dar carta blanca; **jouer aux** ~**s** jugar a las cartas; **jouer** ~**s sur table** (*fig*) poner las cartas boca arriba; **tirer les** ~**s à qn** echar las cartas a algn; **à la** ~ a la carta; ► **carte à puce** tarjeta magnética; ► **carte bancaire/de crédit** tarjeta bancaria/de crédito; ► **carte de séjour** permiso de residencia; ► **carte des vins** carta de vinos; ► **carte d'état-major** mapa de Estado Mayor; ► **carte d'identité** carnet de identidad, documento nacional de identidad, cédula (de identidad) (*AM*); ► **carte grise** documentación *f* de un automóvil; ► **carte orange** abono de transporte de París; ► **carte perforée** ficha perforada; ► **carte routière** mapa de carreteras; ► **carte vermeil** abono de transporte para jubilados; ► **carte verte** (*AUTO*) carta verde.
cartel [kaʀtɛl] *nm* cartel *m*.
carte-lettre [kaʀtəlɛtʀ] (*pl* ~**s**-~**s**) *nf* aerograma *m*.
carte-mère [kaʀtəmɛʀ] (*pl* ~**s**-~**s**) *nf* (*INFORM*) tarjeta maestra.
carter [kaʀtɛʀ] *nm* cárter *m*.
carte-réponse [kaʀt(ə)ʀepɔ̃s] (*pl* ~**s**-~**s**) *nf* cupón *m* de respuesta.
cartésien, ne [kaʀtezjɛ̃, jɛn] *adj* cartesiano(-a).
carthaginois, e [kaʀtaʒinwa, waz] *adj* cartaginés(-esa).
cartilage [kaʀtilaʒ] *nm* cartílago.

cartilagineux, -euse [kartilaʒinø, øz] *adj* cartilaginoso(-a).

cartographe [kartɔgraf] *nm* cartógrafo (-a).

cartographie [kartɔgrafi] *nf* cartografía.

cartomancie [kartɔmɑ̃si] *nf* cartomancia.

cartomancien, ne [kartɔmɑ̃sjɛ̃, jɛn] *nm/f* cartomántico(-a).

carton [kartɔ̃] *nm* (*matériau*, ART) cartón *m*; (*boîte*) caja (de cartón); (*d'invitation*) tarjeta; **en ~ de** cartón; **faire un ~** (*au tir*) tirar al blanco; ► **carton (à dessin)** cartapacio.

cartonnage [kartɔnaʒ] *nm* embalaje *m* de cartón.

cartonné, e [kartɔne] *adj* de tapa dura.

carton-pâte [kartɔ̃pat] (*pl* ~**s**-~**s**) *nm* cartón piedra *m*; **de** ~-~ (*fig*) de cartón piedra.

cartouche [kartuʃ] *nf* (*de fusil*) cartucho; (*de stylo*) cartucho, recambio; (*de cigarettes*) cartón *m*; (*de film, de ruban encreur*) carrete *m*.

cartouchière [kartuʃjɛR] *nf* (*ceinture*) cartuchera, canana; (*sac*) cartuchera.

cas [kɑ] *nm* caso; **faire peu de ~/grand ~ de** hacer poco/mucho caso a; **le ~ échéant** llegado el caso; **en aucun ~** en ningún caso, bajo ningún concepto; **au ~ où** en caso de que, por si acaso; **dans** *ou* **en ce ~** en ese caso; **en ~ de** en caso de; **en ~ de besoin** en caso de necesidad; **en ~ d'urgence** en caso de urgencia; **en tout ~** de todas maneras; ► **cas de conscience** caso de conciencia; ► **cas de force majeure** caso de fuerza mayor; ► **cas limite** caso extremo; ► **cas social** caso social.

Casablanca [kazablɑ̃ka] *n* Casablanca.

casanier, -ière [kazanje, jɛR] *adj* hogareño(-a).

casaque [kazak] *nf* casaca.

cascade [kaskad] *nf* cascada; (*fig*) lluvia.

cascadeur, -euse [kaskadœr, øz] *nm/f* (*CINÉ*) doble *m/f*.

case [kaz] *nf* casilla; (*hutte*) choza; (*pour le courrier*) casillero; **cochez la ~ réservée à cet effet** marque la casilla que corresponda.

caséine [kazein] *nf* caseína.

casemate [kazmat] *nf* casamata.

caser [kaze] *vt* (*aussi péj*) colocar; **se caser** *vpr* (*personne*) colocarse; (*péj*) conseguir casarse.

caserne [kazɛRn] *nf* cuartel *m*.

casernement [kazɛRnəmɑ̃] *nm* acuartelamiento.

cash [kaʃ] *adv*: **payer ~** pagar al contado.

casier [kazje] *nm* casillero; (*à journaux*) revistero; (*de bureau*) fichero; (: *à clef*) ta-

quilla; (*PÊCHE*) nasa; ► **casier à bouteilles** botellero; ► **casier judiciaire** antecedentes *mpl* penales.

casino [kazino] *nm* casino.

casque [kask] *nm* casco; (*chez le coiffeur*) secador *m*; (*pour audition*) casco, auricular *m*; **les C~s bleus** los cascos azules.

casquer [kaske] (*fam*) *vi* apoquinar, soltar la mosca.

casquette [kaskɛt] *nf* gorra.

cassable [kɑsabl] *adj* (*fragile*) quebradizo(-a).

cassant, e [kɑsɑ̃, ɑ̃t] *adj* quebradizo(-a); (*personne, voix*) áspero(-a).

cassate [kasat] *nf*: (*glace*) ~ helado de tutti frutti.

cassation [kasasjɔ̃] *nf*: **se pourvoir en ~** apelar al Tribunal Supremo; **recours en ~** recurso de casación; **cour de ~** Tribunal Supremo.

casse [kas] *nf*: **mettre à la ~** dar *ou* vender como chatarra; (*dégâts*): **il y a eu de la ~** hubo unos destrozos; **haut/bas de ~** (*TYPO*) caja alta/baja.

cassé, e [kase] *adj* (*voix*) cascado(-a); (*vieillard*) achacoso(-a); **blanc ~** color hueso *inv*.

casse... [kas] *préf*: **casse-cou** ♦ *adj inv* (*dangereux*) superpeligroso(-a); (*imprudent*) alocado(-a) ♦ *nm inv* (*personne*) cabeza loca; **crier casse-cou à qn** avisar a algn a voces de un peligro.

casse-croûte [kaskrut] *nm inv* tentempié *m*.

casse-noisette(s) [kasnwazɛt], **casse-noix** [kasnwa] *nm inv* cascanueces *m inv*.

casse-pieds [kaspje] (*fam*) *adj*, *nm/f inv* pesado(-a).

casser [kase] *vt* (*verre etc*) romper; (*montre, moteur*) estropear; (*gradé*) cesar; (*JUR*) anular ♦ *vi* (*corde etc*) romperse; **se casser** *vpr* romperse; (*fam*) largarse; (*être fragile*) romperse, quebrarse; **se ~ la jambe** romperse la pierna; **~ les prix** romper los precios; **à tout ~** (*extraordinaire*) fenomenal, formidable; (*tout au plus*) a lo más; **se ~ net** romperse de un golpe.

casserole [kasrɔl] *nf* cacerola, cazuela; **à la ~** a la cazuela.

casse-tête [kɑstɛt] *nm inv* (*fig*) quebradero de cabeza; (*jeu*) rompecabezas *m inv*.

cassette [kasɛt] *nf* (*bande magnétique*) cassette *f*, casete *f*; (*coffret*) joyero.

casseur [kasœr] *nm* (*POL*) provocador *m*.

cassis [kasis] *nm* grosellero negro, casis *m*; (*liqueur*) licor *m* de grosella negra; (*de la route*) badén *m*.

cassonade [kasɔnad] *nf* azúcar *m* moreno.

cassoulet [kasulɛ] *nm* guiso de alubias.

cassure [kɑsyʀ] nf rotura.
castagnettes [kastaɲɛt] nfpl castañuelas fpl.
caste [kast] nf casta.
castillan, e [kastijã, an] adj castellano(-a) ♦ nm (LING) castellano ♦ nm/f: C~, e castellano(-a).
Castille [kastij] nf Castilla.
castor [kastɔʀ] nm castor m.
castrer [kastʀe] vt (animal mâle, homme) castrar, capar; (femelle) castrar.
cataclysme [kataklism] nm cataclismo.
catacombes [katakɔ̃b] nfpl catacumbas fpl.
catadioptre [katadjɔptʀ] nm = **cataphote**.
catafalque [katafalk] nm catafalco.
catalan, e [katalã, an] adj catalán(-ana) ♦ nm (LING) catalán m ♦ nm/f: C~, e catalán(-ana).
catalepsie [katalɛpsi] nf catalepsia.
Catalogne [katalɔɲ] nf Cataluña.
catalogue [katalɔg] nm (aussi fig) catálogo.
cataloguer [katalɔge] vt catalogar; ~ qn (péj) tener fichado a algn.
catalyse [kataliz] nf catálisis f.
catalyseur [katalizœʀ] nm catalizador m.
catamaran [katamaʀã] nm catamarán m.
cataphote [katafɔt] nm reflectante m, catadióptrico.
cataplasme [kataplasm] nm cataplasma.
catapulte [katapylt] nf catapulta.
catapulter [katapylte] vt catapultar.
cataracte [kataʀakt] nf catarata; **opérer qn de la** ~ operar a algn de cataratas.
catarrhe [kataʀ] nm catarro.
catarrheux, -euse [kataʀø, øz] adj catarroso(-a).
catastrophe [katastʀɔf] nf catástrofe f; **atterrir en** ~ aterrizar por emergencia; **partir en** ~ salir a escape.
catastrophé, e [katastʀɔfe] (fam) adj desalentado(-a).
catastrophique [katastʀɔfik] adj catastrófico(-a).
catch [katʃ] nm (SPORT) lucha libre, catch m.
catcheur, -euse [katʃœʀ, øz] nm/f luchador(a) de catch.
catéchiser [kateʃize] vt catequizar; (fig) adoctrinar.
catéchisme [kateʃism] nm catecismo.
catéchumène [katekymɛn] nm/f catecúmeno(-a).
catégorie [kategɔʀi] nf categoría; (BOUCHERIE): **morceaux de première/deuxième** ~ trozos de primera/segunda categoría.
catégorique [kategɔʀik] adj categórico(-a), tajante.
catégoriquement [kategɔʀikmã] adv tajantemente.
catégoriser [kategɔʀize] vt categorizar.

caténaire [katenɛʀ] nf catenaria.
cathédrale [katedʀal] nf catedral f.
cathéter [katetɛʀ] nm catéter m.
cathode [katɔd] nf cátodo.
cathodique [katɔdik] adj catódico(-a).
catholicisme [katɔlisism] nm catolicismo.
catholique [katɔlik] adj, nm/f católico(-a); **pas très** ~ (fig) no muy católico(-a).
catimini [katimini]: **en** ~ adv a escondidas.
catogan [katɔgã] nm lazo para el pelo.
cauchemar [koʃmaʀ] nm pesadilla.
cauchemardesque [koʃmaʀdɛsk] adj de pesadilla.
causal, e [kozal, o] adj (LING) causal.
causalité [kozalite] nf causalidad f.
causant, e [kozã, ãt] (fam) adj hablador(a).
cause [koz] nf causa; (accident) causa, motivo; (JUR) caso; (intérêts) causa; **faire** ~ **commune avec qn** hacer causa común con algn; **être** ~ **de** ser causa de; **à** ~ **de** (gén) debido a; (par la faute de) por culpa de; **pour** ~ **de** por causa de, por; **(et) pour** ~ claro está; **être en** ~ (personne) tener parte de culpa; (qualité, intérêts etc) estar en juego; **mettre en** ~ culpar; **remettre en** ~ poner en tela de juicio; **être hors de** ~ quedar fuera de sospecha; **en tout état de** ~ de todas formas.
causer [koze] vt causar ♦ vi charlar; (jaser) chismorrear.
causerie [kozʀi] nf charla, plática (MEX).
causette [kozɛt] nf: **faire la** ~ **à qn** dar conversación a algn; **faire un brin de** ~ darle a la lengua.
caustique [kostik] adj (aussi fig) cáustico(-a).
cauteleux, -euse [kotlø, øz] adj (personne, air) taimado(-a).
cautère [kotɛʀ] nm: **c'est un** ~ **sur une jambe de bois** es la carabina de Ambrosio.
cautériser [koteʀize] vt cauterizar.
caution [kosjɔ̃] nf (argent, JUR) fianza; (fig) garantía, aval m; **payer la** ~ **de qn** pagar la fianza de algn; **se porter** ~ **pour qn** ser aval de algn; **libéré sous** ~ libre bajo fianza; **sujet à** ~ en tela de juicio.
cautionnement [kosjɔnmã] nm (contrat) contrato de garantía; (somme) fianza.
cautionner [kosjɔne] vt (moralement) responder por; (financièrement) ser aval de; (fig) apoyar.
cavalcade [kavalkad] nf (fig) correteo.
cavale [kaval] nf: **être en** ~ ser un(a) fugado(-a).
cavalerie [kavalʀi] nf caballería.
cavalier, -ière [kavalje, jɛʀ] adj brusco(-a) ♦ nm/f (à cheval) jinete m/f; (au bal) pareja ♦ nm (ÉCHECS) caballo; **faire** ~ **seul** hacer rancho aparte; **allée** ou **piste cavalière**

camino de herradura.

cavalièrement [kavaljɛRmɑ̃] *adv* brusca-mente.

cave [kav] *nf* sótano; (*réserve de vins*) bo-dega; (*cabaret*) cabaret *m* ♦ *adj:* **yeux ~s** ojos *mpl* hundidos; **joues ~s** mejillas *fpl* chupadas.

caveau, x [kavo] *nm* cripta.

caverne [kavɛRn] *nf* caverna.

caverneux, -euse [kavɛRnø, øz] *adj:* **voix caverneuse** voz *f* cavernosa.

caviar [kavjaR] *nm* caviar *m*.

cavité [kavite] *nf* cavidad *f*.

Cayenne [kajɛn] *n* Cayena.

CB [sibi] *sigle f* (= *citizens' band, canaux ba-nalisés*) BC (= *Banda Ciudadana*).

CC [sese] *abr* (= *corps consulaire*) CC (= *Cuerpo Consular*); (= *compte courant*) c/c (= *cuenta corriente*).

CCI [sesei] *sigle f* (= *Chambre de commerce et d'industrie*) *voir* **chambre**; (= *Chambre de commerce international*) CCI *f* (= *Cámara de Comercio Internacional*).

CCP [sesepe] *sigle m* (= *compte chèque pos-tal*) *voir* **compte**.

CD [sede] *sigle m* (= *compact disc*) CD *m* (= *compact disc*); (= *corps diplomatique*) CD *m* (= *Cuerpo Diplomático*).

CDI [sedei] *sigle m* (= *centre de documenta-tion et d'information*) *centro de orientación sobre estudios y profesiones.*

CD-Rom [sedeRɔm] *sigle m* CD-Rom.

CDS [sedeɛs] *sigle m* (= *Centre des démocra-tes sociaux*) *partido político.*

CE [seə] *sigle f* (= *Communauté européenne*) CE *f* ♦ *sigle m* (= *comité d'entreprise*) *voir* **comité**; (= *cours élémentaire*) *voir* **cours**.

=================== *MOT-CLÉ*

ce, c', cette [sə, sɛt] (*devant nm commençant par voyelle ou h aspiré* **cet**) (*pl* **ces**) *dét* (*pro-che*) este(esta); (*intermédiaire*) ese(esa); (*éloigné: plus loin*) aquel(la); **cette maison(-ci/là)** esta casa/esa *ou* aquella casa; **cette nuit** esta noche

♦ *pron* **1: c'est** es; **c'est un peintre/ce sont des peintres** (*métier*) es un pintor/son pintores; (*en désignant*) es un pintor/son unos pintores; **c'est le facteur** (*à la porte*) es el cartero; **qui est-ce?** ¿quién es?; **qu'est-ce?** ¿sí?; **c'est toi qui le dis** lo dices tú; **c'est toi qui lui as parlé** eres tú quien le hablaste; **sur ce** tras esto; **c'est qu'il est lent/a faim** es que es lento/tiene ham-bre; **c'est petit/grand** es pequeño/grande **2:** **ce qui, ce que** lo que; (*chose qui*): **il est bête, ce qui me chagrine** es tonto, lo cual me apena; **tout ce qui bouge** todo lo que se mueve; **tout ce que je sais** todo lo que sé; **ce dont j'ai parlé** eso de lo que

hablé; **ce que c'est grand!** ¡qué grande es!; **veiller à ce que ...** procurar que ...; *voir aussi* **-ci**; **est-ce que**; **n'est-ce pas**; **c'est-à-dire**.

─────────────────────

CEA [seəa] *sigle m* (= *Commissariat à l'énergie atomique*) ≈ Consejo de Energía Nuclear.

ceci [səsi] *pron* esto.

cécité [sesite] *nf* ceguera.

céder [sede] *vt* (*maison, droit*) ceder, tras-pasar ♦ *vi* ceder; **~ à** (*tentation etc*) ce-der a; **~ à qn** (*se soumettre*) someterse a algn.

CEDEX [sedɛks] *sigle m* (= *courrier d'entreprise à distribution exceptionnelle*) *correo especial para empresas.*

cédille [sedij] *nf* cedilla.

cédrat [sedRa] *nm* cidro.

cèdre [sɛdR] *nm* cedro.

CEE [seəə] *sigle f* (= *Communauté économi-que européenne*) CEE *f* (= *Comunidad Eco-nómica Europea*).

CEI [seəi] *sigle f* (= *Communauté des États indépendants*) CEI *f* (= *Comunidad de los Estados Independientes*).

ceindre [sɛ̃dR] *vt* ceñir; **~ qch de qch** (*en-tourer*) ceñir algo con *ou* de algo.

ceinture [sɛ̃tyR] *nf* cinturón *m*; (*taille*) cin-tura; (*d'un pantalon, d'une jupe*) cintura, cinturilla; ► **ceinture de sauvetage** cin-turón salvavidas; ► **ceinture de sécurité** cinturón de seguridad; ► **ceinture (de sécurité) à enrouleur** cinturón (de se-guridad) de enrollar; ► **ceinture noire** (*JUDO*) cinturón negro; ► **ceinture verte** cinturón verde.

ceinturer [sɛ̃tyRe] *vt* (*saisir*) agarrar por la cintura a; (*entourer*) rodear.

ceinturon [sɛ̃tyRɔ̃] *nm* cinto, cinturón *m*.

cela [s(ə)la] *pron* eso; (*plus loin*) aquello; **~ m'étonne que** me extraña que; **quand ~?** ¿cuándo?

célébrant [selebRɑ̃] *nm* (*REL*) celebrante *m*.

célébration [selebRasjɔ̃] *nf* celebración *f*.

célèbre [selɛbR] *adj* famoso(-a), célebre.

célébrer [selebRe] *vt* celebrar; (*louer*) cele-brar, encomiar.

célébrité [selebRite] *nf* (*gloire, star*) celebri-dad *f*.

céleri [sɛlRi] *nm:* **~(-rave)** apio (nabo); ► **cé-leri en branche** apio.

célérité [seleRite] *nf* celeridad *f*.

céleste [selɛst] *adj* celeste.

célibat [seliba] *nm* (*prêtre*) celibato; (*d'homme, de femme*) soltería.

célibataire [selibatɛR] *adj* soltero(-a) ♦ *nm/f* soltero(-a); **mère ~** madre *f* soltera.

celle, celles [sɛl] *pron voir* **celui**.

cellier [selje] *nm* bodega.

cellophane ® [selɔfan] *nf* celofán *m*.
cellulaire [selylɛʀ] *adj* celular; **voiture** *ou* **fourgon** ~ coche *m ou* furgón *m* celular; **régime** ~ régimen *m* celular.
cellule [selyl] *nf* (*aussi fig*) célula; (*de prisonnier, moine*) celda; ▸ **cellule (photoélectrique)** célula (fotoeléctrica).
cellulite [selylit] *nf* celulitis *f inv*.
celluloïd ® [selylɔid] *nm* celuloide *m*.
cellulose [selyloz] *nf* celulosa.
celte [sɛlt] *adj* celta.
celtique [sɛltik] *adj voir* **celte**.
celui, celle [səlμi, sɛl] (*pl* **ceux**, *f* **celles**) *pron*: ~**-ci** éste/ése; **celle-ci** ésta/ésa; ~**-là**/ **celle-là** aquél/aquélla; **ceux-ci/celles-ci** éstos/éstas; **ceux-là/celles-là** ésos *ou* aquéllos/ésas *ou* aquéllas; ~ **de mon frère** el de mi hermano; ~ **du salon/du dessous** el del salón/de abajo; ~ **qui bouge** (*pour désigner*) el que se mueve; ~ **que je vois** el que veo; ~ **dont je parle** (*personne*) ése del que hablo; (*chose*) eso de lo que hablo; ~ **qui veut** (*valeur indéfinie*) el que quiera.
cénacle [senakl] *nm* cenáculo.
cendre [sɑ̃dʀ] *nf* ceniza; ~**s** *nfpl* cenizas *fpl*; **sous la** ~ (*CULIN*) en las cenizas.
cendré, e [sɑ̃dʀe] *adj* ceniciento(-a); (**piste**) ~**e** pista de ceniza.
cendrier [sɑ̃dʀije] *nm* cenicero.
cène [sɛn] *nf* cena.
censé, e [sɑ̃se] *adj*: **je suis** ~ **faire 7 h par jour** se supone que hago 7 horas diarias.
censément [sɑ̃semɑ̃] *adv* aparentemente.
censeur [sɑ̃sœʀ] *nm* (*du lycée*) subdirector *m*; (*POL, PRESSE, CINÉ*) censor *m*.
censure [sɑ̃syʀ] *nf* censura.
censurer [sɑ̃syʀe] *vt* censurar.
cent [sɑ̃] *adj* (*avant un nombre*) ciento; (*avant un substantif*) cien ▸ *nm* ciento; (*MATH*) cien *m inv*; ~ **cinquante** ciento cincuenta; ~ **francs** cien francos; **pour** ~ por ciento; **un** ~ **de** un centenar de; **faire les** ~ **pas** ir y venir, ir de un lado para otro.
centaine [sɑ̃tɛn] *nf* centena; **une** ~ **(de)** un centenar (de); **plusieurs** ~**s (de)** varios centenares (de); **des** ~**s (de)** centenares (de).
centenaire [sɑ̃t(ə)nɛʀ] *adj*, *nm/f* centenario(-a) ▸ *nm* (*anniversaire*) centenario.
centième [sɑ̃tjɛm] *adj*, *nm/f* centésimo(-a); **un** ~ **de seconde** una centésima de segundo; *voir aussi* **cinquantième**.
centigrade [sɑ̃tigʀad] *nm* centígrado.
centigramme [sɑ̃tigʀam] *nm* centigramo.
centilitre [sɑ̃tilitʀ] *nm* centilitro.
centime [sɑ̃tim] *nm* céntimo.
centimètre [sɑ̃timɛtʀ] *nm* centímetro; (*ru-*

ban) cinta métrica.
centrafricain, e [sɑ̃tʀafʀikɛ̃, ɛn] *adj* centroafricano(-a).
central, e, -aux [sɑ̃tʀal, o] *adj* (*aussi fig*) central ▸ *nm*: ~ (**téléphonique**) central *f* (telefónica).
centrale [sɑ̃tʀal] *nf* (*prison*) central *f*; ▸ **centrale d'achat** centro de compras; ▸ **centrale électrique/nucléaire** central eléctrica/nuclear; ▸ **centrale syndicale** central sindical.
centralisation [sɑ̃tʀalizasjɔ̃] *nf* centralización *f*.
centraliser [sɑ̃tʀalize] *vt* centralizar.
centralisme [sɑ̃tʀalism] *nm* centralismo.
centraméricain, e [sɑ̃tʀamerikɛ̃, ɛn] *adj* centroamericano(-a).
centre [sɑ̃tʀ] *nm* centro; (*FOOTBALL: joueur*) centro(campista); **le** ~ (*POL*) el centro; ▸ **centre aéré** campamento de verano para niños; ▸ **centre commercial/ culturel** centro comercial/cultural; ▸ **centre d'apprentissage** centro de formación profesional; ▸ **centre d'attractions** parque *m* de atracciones; ▸ **centre d'éducation surveillée** centro de enseñanza vigilada; ▸ **centre de détention** centro penitenciario; ▸ **centre de gravité** centro de gravedad; ▸ **centre de semi-liberté** centro de reclusión en régimen abierto; ▸ **centre de tri** centro de correos; ▸ **centre hospitalier/sportif** centro hospitalario/deportivo; ▸ **centres nerveux** (*ANAT*) centros *mpl* nerviosos.
centrer [sɑ̃tʀe] *vt*, *vi* centrar; ~ **sur** (*débat*) centrar en.
centre-ville [sɑ̃tʀəvil] (*pl* ~**s-**~**s**) *nm* centro de la ciudad.
centrifuge [sɑ̃tʀifyʒ] *adj*: **force** ~ fuerza centrífuga.
centrifuger [sɑ̃tʀifyʒe] *vt* centrifugar.
centrifugeuse [sɑ̃tʀifyʒøz] *nf* centrifugadora.
centripète [sɑ̃tʀipɛt] *adj*: **force** ~ fuerza centrípeta.
centrisme [sɑ̃tʀism] *nm* centrismo.
centriste [sɑ̃tʀist] *adj*, *nm/f* centrista *m/f*.
centuple [sɑ̃typl] *nm*: **le** ~ **de qch** el céntuplo de algo; **au** ~ con creces.
centupler [sɑ̃typle] *vi*, *vt* centuplicar.
CEP [seape] *sigle m* (= *certificat d'études primaires*) *voir* **certificat**.
cep [sɛp] *nm* cepa.
cépage [sepaʒ] *nm* cepa.
cèpe [sɛp] *nm* seta.
cependant [s(ə)pɑ̃dɑ̃] *conj* sin embargo, no obstante.
céramique [seʀamik] *nf* cerámica.
céramiste [seʀamist] *nm/f* ceramista *m/f*.
cerbère [sɛʀbɛʀ] (*péj*) *nm* cancerbero.

cerceau, x [sɛrso] *nm* aro.

cercle [sɛrkl] *nm* (*GÉOM*) círculo; (*objet circulaire*) círculo, aro; (*de jeu, bridge*) club *m*; **décrire un** ~ describir un círculo; ► **cercle d'amis** círculo de amigos; ► **cercle de famille** entorno familiar; ► **cercle vicieux** círculo vicioso.

cercler [sɛrkle] *vt*: **lunettes cerclées d'or** gafas *fpl* con montura de oro.

cercueil [sɛrkœj] *nm* ataúd *m*, féretro.

céréale [sereal] *nf* cereal *m*.

céréalier, -ière [serealje, jɛr] *adj* cerealista.

cérébral, e, -aux [serebral, o] *adj* cerebral; (*fig*) cerebral, analizador(a).

cérémonial [seremɔnjal] *nm* ceremonial *m*.

cérémonie [seremɔni] *nf* ceremonia; ~**s** *nfpl* (*péj: façons, chichis*) formalidades *fpl*.

cérémonieux, -euse [seremɔnjø, jøz] (*péj*) *adj* ceremonioso(-a).

cerf [sɛr] *nm* ciervo.

cerfeuil [sɛrfœj] *nm* perifollo.

cerf-volant [sɛrvɔlɑ̃] (*pl* ~**s**-~**s**) *nm* cometa; **jouer au** ~-~ jugar a la cometa.

cerisaie [s(ə)rizɛ] *nf* cerezal *m*.

cerise [s(ə)riz] *nf*, *adj inv* cereza.

cerisier [s(ə)rizje] *nm* cerezo.

CERN [sɛrn] *sigle m* (= *Conseil européen pour la recherche nucléaire*) CERN *m* (= *Consejo Europeo para la Investigación Nuclear*).

cerné, e [sɛrne] *adj* (*ville, armée*) cercado(-a); (*yeux*) ojeroso(-a).

cerner [sɛrne] *vt* (*armée, ville*) cercar; (*problème*) delimitar; (*être autour*) rodear.

cernes [sɛrn] *nmpl* (*des yeux*) ojeras *fpl*.

certain, e [sɛrtɛ̃, ɛn] *adj* (*indéniable*) cierto(-a), seguro(-a); (*personne*): ~ (**de/ que**) seguro(-a) (de/de que), convencido(-a) (de/de que) ♦ *dét*: **un** ~ **Georges** un tal Georges; **un** ~ **courage** (*non négligeable*) mucho valor; ~**s cas** algunos casos; **d'un** ~ **âge** de cierta edad; **un** ~ **temps** cierto tiempo; **sûr et** ~ completamente seguro.

certainement [sɛrtɛnmɑ̃] *adv* (*probablement*) probablemente; (*bien sûr*) sin duda, por supuesto.

certains [sɛrtɛ̃] *pron pl* algunos.

certes [sɛrt] *adv* (*bien sûr*) por supuesto; (*sans doute*) sin duda alguna; (*en réponse*) ciertamente.

certificat [sɛrtifika] *nm* certificado; ► **certificat de fin d'études secondaires** *certificado de fin de estudios secundarios*; ► **certificat médical/de vaccination** certificado médico/de vacunación.

certifié, e [sɛrtifje] *adj*: **professeur** ~ profe-

sor *m* diplomado; **copie** ~**e conforme** (**à l'original**) copia compulsada.

certifier [sɛrtifje] *vt* asegurar; (*document, signature*) certificar; ~ **à qn que** asegurar a algn que.

certitude [sɛrtityd] *nf* certeza.

cérumen [serymɛn] *nm* cerumen *m*.

cerveau, x [sɛrvo] *nm* (*aussi fig*) cerebro.

cervelas [sɛrvəla] *nm* salchicha corta y gruesa de carne y sesos.

cervelle [sɛrvɛl] *nf* (*ANAT*) cerebro; (*CULIN*) sesos *mpl*; **se creuser la** ~ romperse la cabeza, devanarse los sesos.

cervical, e, -aux [sɛrvikal, o] *adj* cervical.

cervidés [sɛrvide] *nmpl* cérvidos *mpl*.

CES [seɛs] *sigle m* (= *collège d'enseignement secondaire*) ≈ Instituto de Enseñanza Media.

ces [se] *dét voir* **ce**.

césarienne [sezarjɛn] *nf* cesárea.

cessantes [sɛsɑ̃t] *adj fpl*: **toutes affaires** ~ con prioridad.

cessation [sesasjɔ̃] *nf* cese *m*; ► **cessation de commerce** cese de comercio; ► **cessation de paiements** suspensión *f* de pagos; ► **cessation des hostilités** cese de hostilidades.

cesse [sɛs]: **sans** ~ *adv* sin parar; **n'avoir de** ~ **que** no descansar hasta que.

cesser [sese] *vt* detener ♦ *vi* parar, cesar; ~ **de faire** dejar de hacer; **faire** ~ (*bruit, scandale*) acabar con.

cessez-le-feu [sesel(ə)fø] *nm inv* alto el fuego.

cession [sesjɔ̃] *nf* cese *m*.

c'est [sɛ] *pron* +*vb voir* **ce**.

c'est-à-dire [sɛtadir] *adv* es decir; ~-~-~? (*demander de préciser*) ¿es decir?, ¿y?; ~-~-~ **que** (*en conséquence*) es decir que, o sea que; (*manière d'excuse*) es decir que.

CET [seate] *sigle m* (= *collège d'enseignement technique*) ≈ centro de FP.

cet [sɛt] *dét voir* **ce**.

cétacé [setase] *nm* cetáceo.

cette [sɛt] *dét voir* **ce**.

ceux [sø] *pron voir* **celui**.

cévenol, e [sevnɔl] *adj* de Cévennes ♦ *nm/f*: **C**~, **e** nativo(-a) *ou* habitante *m/f* de Cévennes.

cf. [seef] *abr* (= *confer*) cfr (= *confróntese*).

CFAO [seefao] *sigle f* = *conception et fabrication assistées par ordinateur*.

CFC [seefse] *sigle m* (= *chlorofluorocarbone*) CFC *m* (= *clorofluorocarbono*).

CFF [seefɛf] (*SUISSE*) *sigle m* (= *Chemins de fer fédéraux*) ≈ RENFE *ou* Renfe *f* (= *Red Nacional de los Ferrocarriles Españoles*).

CFP [seɛfpe] *sigle m* (= *Centre de formation professionnelle*) ≈ centro de formación profesional para adultos.

CFTC [seɛftese] *sigle f* (= *Confédération française des travailleurs chrétiens*) sindicato obrero.

CGC [segese] *sigle f* (= *Confédération générale des cadres*) sindicato de cuadros.

CGT [seʒete] *sigle f* (= *Confédération générale du travail*) sindicato obrero.

CH *abr* = *Confédération helvétique.*

ch. *abr* = **charge; chauffage; cherche.**

chacal [ʃakal] *nm* chacal *m*.

chacun, e [ʃakœ̃, yn] *pron* cada uno(-a); (*indéfini*) todos(-as).

chagrin, e [ʃagʀɛ̃, in] *adj* triste, taciturno(-a) ♦ *nm* pena; **avoir du ~** sentir pena.

chagriner [ʃagʀine] *vt* apenar; (*contrarier*) enojar.

chahut [ʃay] *nm* jaleo; (*SCOL*) alboroto.

chahuter [ʃayte] *vt* incordiar ♦ *vi* alborotar.

chahuteur, -euse [ʃaytœʀ, øz] *nm/f* alborotador(a).

chai [ʃɛ] *nm* bodega.

chaîne [ʃɛn] *nf* cadena; (*TV*) cadena, canal *m*; **~s** *nfpl* (*liens, asservissement*) lazos *mpl*; (*pour pneus*) cadenas *fpl*; **travail à la ~** trabajo en cadena; **réactions en ~** reacciones *fpl* en cadena; **faire la ~** hacer una cadena; ► **chaîne audio** equipo *ou* cadena audio; ► **chaîne (de fabrication)/(de montage)** cadena (de fabricación)/(de montaje); ► **chaîne (de montagnes)** cadena (de montañas), cordillera; ► **chaîne de solidarité** cadena de solidaridad; ► **chaîne (hi-fi)** cadena (hi-fi) *ou* equipo de música; ► **chaîne stéréo** cadena *ou* equipo estéreo.

chaînette [ʃɛnɛt] *nf* cadenita, esclava.

chaînon [ʃɛnɔ̃] *nm* (*fig*) eslabón *m*.

chair [ʃɛʀ] *nf* carne *f* ♦ *adj inv:* (**couleur**) ~ (color) carne *inv*; **la ~** (*REL*) la carne; **avoir la ~ de poule** tener la carne *ou* piel de gallina; **être bien en ~** estar entrado(-a) en carnes; **en ~ et en os** de carne y hueso; ► **chair à saucisses** carne picada.

chaire [ʃɛʀ] *nf* (*d'église*) púlpito; (*UNIV*) cátedra.

chaise [ʃɛz] *nf* silla; ► **chaise de bébé** silla de bebé; ► **chaise électrique** silla eléctrica; ► **chaise longue** tumbona, hamaca.

chaland [ʃalɑ̃] *nm* chalana, gabarra.

châle [ʃal] *nm* chal *m*.

chalet [ʃale] *nm* chalet *m*, chalé *m*.

chaleur [ʃalœʀ] *nf* (*aussi fig*) calor *m*; (*ardeur, emportement*) ardor *m*; **en ~** en celo.

chaleureusement [ʃalœʀøzmɑ̃] *adv* calurosamente.

chaleureux, -euse [ʃalœʀø, øz] *adj* (*accueil, gens*) caluroso(-a).

challenge [ʃalɑ̃ʒ] *nm* (*SPORT*) trofeo.

challenger [ʃalɑ̃ʒɛʀ] *nm* (*SPORT*) aspirante *m/f*.

chaloupe [ʃalup] *nf* (*de sauvetage*) bote *m* salvavidas.

chalumeau, x [ʃalymo] *nm* soplete *m*.

chalut [ʃaly] *nm* red *f*; **pêcher au ~** pescar con redes *ou* traínas.

chalutier [ʃalytje] *nm* trainera; (*pêcheur*) pescador *m*.

chamade [ʃamad] *nf*: **battre la ~** retumbar.

chamailler [ʃamaje]: **se ~** (*fam*) *vpr* reñir.

chamarré, e [ʃamaʀe] *adj* recargado(-a).

chambard [ʃɑ̃baʀ] *nm* (*fam*) jaleo, alboroto.

chambardement [ʃɑ̃baʀdəmɑ̃] *nm* (*fam*): **c'est le grand ~** es el gran desbarajuste.

chambarder [ʃɑ̃baʀde] *vt* (*fam: objets*) revolver; (*projets*) cambiar.

chamboulement [ʃɑ̃bulmɑ̃] *nm* (*fam*) desbarajuste *m*, desorden *m*.

chambouler [ʃɑ̃bule] *vt* (*fam: objets*) revolver; (*projets*) cambiar.

chambranle [ʃɑ̃bʀɑ̃l] *nm* chambrana, marco.

chambre [ʃɑ̃bʀ] *nf* (*d'un logement*) habitación *f*, cuarto; (*TECH, POL, COMM*) cámara; (*JUR*) sala; **faire ~ à part** dormir en habitaciones separadas; **stratège/alpiniste en ~** estratega *m/f*/alpinista *m/f* de tres al cuarto; ► **chambre à air** cámara de aire; ► **chambre à coucher** dormitorio; ► **chambre à gaz** cámara de gas; ► **chambre à un lit/deux lits** (*à l'hôtel*) habitación individual/doble; ► **chambre d'accusation** sala de acusación; ► **chambre d'agriculture** cámara agrícola; ► **chambre d'amis** cuarto de invitados; ► **chambre de combustion** cámara de combustión; ► **Chambre de commerce et d'industrie** cámara de comercio y de industria; ► **Chambre des députés** Cámara de los diputados; ► **chambre des machines** sala de máquinas; ► **Chambre des métiers** Cámara de oficios; ► **chambre d'hôte** habitación de huéspedes; ► **chambre forte** cámara acorazada; ► **chambre frigorifique** *ou* **froide** cámara frigorífica; ► **chambre meublée** habitación amueblada; ► **chambre noire** (*PHOTO*) cámara oscura; ► **chambre pour une/deux personne(s)** habitación para una/dos persona(s).

chambrée [ʃãbʀe] *nf* dormitorio.
chambrer [ʃãbʀe] *vt* (*vin*) poner a temperatura ambiente.
chameau, x [ʃamo] *nm* camello.
chamois [ʃamwa] *nm* gamuza ♦ *adj inv*: **(couleur)** ~ (color) gamuza.
champ [ʃã] *nm* (*aussi fig*) campo; **les** ~**s** *nmpl* (*la campagne*) el campo; **dans le** ~ (*PHOTO*) en el campo visual; **prendre du** ~ alejarse, tomar distancia; **laisser le** ~ **libre à qn** dejar el campo libre a algn; ▶**champ d'action** campo de acción; ▶**champ de bataille** campo de batalla; ▶**champ de courses** hipódromo; ▶**champ de manœuvre/de mines/de tir** campo de maniobras/de minas/de tiro; ▶**champ d'honneur** campo de honor; ▶**champ visuel** campo visual.
Champagne [ʃãpaɲ] *nf* Champaña.
champagne [ʃãpaɲ] *nm* champán *m*; **fine** ~ coñac *m*.
champenois, e [ʃãpənwa, waz] *adj* de Champaña ♦ *nm/f*: **C**~, **e** nativo(-a) *ou* habitante *m/f* de Champaña.
champêtre [ʃãpɛtʀ] *adj* campestre.
champignon [ʃãpiɲɔ̃] *nm* seta; (*BOT*) hongo; (*fam*: *accélérateur*) acelerador *m*; ▶**champignon de couche** *ou* **de Paris** champiñón; ▶**champignon vénéneux** seta venenosa.
champion, ne [ʃãpjɔ̃, jɔn] *adj* campeón (-ona) ♦ *nm/f* (*SPORT*) campeón (-ona); (*d'une cause*) adalid *m/f*; ▶**champion du monde** campeón del mundo.
championnat [ʃãpjɔna] *nm* campeonato.
chance [ʃãs] *nf* suerte *f*; (*occasion*) oportunidad *f*; ~**s** *nfpl* (*probabilités*) posibilidades *fpl*; **il y a de fortes** ~**s pour que Paul soit malade** es muy posible que Paul esté enfermo; **bonne** ~! ¡buena suerte!; **avoir de la** ~ tener suerte; **il a des** ~**s de gagner** tiene posibilidades de ganar; **je n'ai pas de** ~ no tengo suerte; **encore une** ~ **que tu viennes!** ¡qué suerte *ou* bien que vengas!; **donner sa** ~ **à qn** dar una oportunidad a algn.
chancelant, e [ʃãs(ə)lã, ãt] *adj* (*personne, pas*) tambaleante; (*santé*) delicado(-a).
chanceler [ʃãs(ə)le] *vi* tambalearse.
chancelier [ʃãsəlje] *nm* canciller *m*.
chancellerie [ʃãselʀi] *nf* cancillería.
chanceux, -euse [ʃãsø, øz] *adj* afortunado(-a).
chancre [ʃãkʀ] *nm* chancro.
chandail [ʃãdaj] *nm* jersey *m*.
Chandeleur [ʃãdlœʀ] *nf*: **la** ~ la Candelaria.
chandelier [ʃãdəlje] *nm* candelabro.
chandelle [ʃãdɛl] *nf* vela; **faire une** ~

(*SPORT*) hacer un voleo; **monter en** ~ (*AVIAT*) elevarse verticalmente; **dîner aux** ~**s** cenar a la luz de las velas; **tenir la** ~ llevar el cesto, ir de carabina.
change [ʃãʒ] *nm* cambio; **opérations de** ~ operaciones *fpl* de cambio; **le contrôle des** ~**s** el control de cambio; **gagner/perdre au** ~ ganar/perder al *ou* con el cambio; **donner le** ~ **à qn** (*fig*) dar gato por liebre a algn.
changeant, e [ʃãʒã, ãt] *adj* variable.
changement [ʃãʒmã] *nm* cambio; ▶**changement de vitesse** cambio de velocidades *ou* marchas.
changer [ʃãʒe] *vt* cambiar ♦ *vi* cambiar; **se changer** *vpr* cambiarse; ~ **de** cambiar de; ~ **d'air** cambiar de aires; ~ **de vêtements** cambiarse de ropa; ~ **de place avec qn** cambiar de sitio con algn; ~ **de vitesse** (*AUTO*) cambiar de velocidad *ou* de marcha; ~ **qn/qch de place** cambiar a algo/algn de lugar; ~ **qch en** convertir algo en; **il faut** ~ **à Lyon** hay que cambiar en Lyon; **cela me change** esto es un cambio para mí.
changeur [ʃãʒœʀ] *nm* cambista *m/f*; ▶**changeur automatique** máquina (automática) para (dar) cambio.
chanoine [ʃanwan] *nm* canónigo.
chanson [ʃãsɔ̃] *nf* canción *f*.
chansonnette [ʃãsɔnɛt] *nf* cancioncilla.
chansonnier [ʃãsɔnje] *nm* (*de cabaret*) tonadillero(-a); (*livre*) cancionero.
chant [ʃã] *nm* canto; **posé de** *ou* **sur** ~ (*TECH*) colocado de canto; ▶**chant de Noël** villancico.
chantage [ʃãtaʒ] *nm* chantaje *m*; **faire du** ~ chantajear *ou* hacer chantaje.
chantant, e [ʃãtã, ãt] *adj* melodioso(-a).
chanter [ʃãte] *vt* cantar; (*louer*) alabar ♦ *vi* cantar; **juste** cantar sin desafinar; ~ **faux** desafinar; **si cela lui chante** (*fam*) si le apetece.
chanterelle [ʃãtʀɛl] *nf* cantarela.
chanteur, -euse [ʃãtœʀ, øz] *nm/f* cantante *m/f*; ▶**chanteur de charme** cantante de melodías sentimentales.
chantier [ʃãtje] *nm* obra; **être/mettre en** ~ estar/poner en obras; ▶**chantier naval** astillero.
chantilly [ʃãtiji] *nf voir* **crème**.
chantonner [ʃãtɔne] *vi, vt* canturrear.
chantre [ʃãtʀ] *nm* (*fig*) poeta cantor *m*.
chanvre [ʃãvʀ] *nm* cáñamo.
chaos [kao] *nm* caos *m inv*.
chaotique [kaɔtik] *adj* caótico(-a).
chapardage [ʃapaʀdaʒ] *nm* sisa, hurto.
chaparder [ʃapaʀde] *vt* sisar, hurtar.
chapeau, x [ʃapo] *nm* sombrero; (*PRESSE*) entradilla; ~! *excl* ¡bravo!; **partir sur les**

~x de roues arrancar a toda velocidad; ▶ chapeau melon bombín *m*; ▶ chapeau mou sombrero flexible.

chapeauter [ʃapote] *vt* (*ADMIN*) tener bajo su mando.

chapelain [ʃaplɛ̃] *nm* capellán *m*.

chapelet [ʃaplɛ] *nm* (*REL*, *fig*) rosario; (*d'ail*) ristra; dire son ~ rezar el rosario.

chapelier, -ère [ʃapəlje, jɛR] *nm/f* sombrerero(-a).

chapelle [ʃapɛl] *nf* capilla; ▶ chapelle ardente capilla ardiente.

chapellerie [ʃapɛlRi] *nf* sombrerería.

chapelure [ʃaplyR] *nf* pan rallado.

chaperon [ʃapRɔ̃] *nm* carabina.

chaperonner [ʃapRɔne] *vt* hacer de carabina, acompañar.

chapiteau, x [ʃapito] *nm* (*ARCHIT*) capitel *m*; (*de cirque*) carpa.

chapitre [ʃapitR] *nm* capítulo; (*sujet*) tema; (*REL*) cabildo; avoir voix au ~ tener voz y voto.

chapitrer [ʃapitRe] *vt* reprender, echar una bronca.

chapon [ʃapɔ̃] *nm* capón *m*.

chaque [ʃak] *dét* cada; c'est cinq francs ~ son cinco francos cada uno(-a).

char [ʃaR] *nm* carro; (*MIL*: *aussi*: ~ d'assaut) carro de combate; (*de carnaval*) carroza.

charabia [ʃaRabja] (*péj*) *nm* galimatías *msg*.

charade [ʃaRad] *nf* charada.

charbon [ʃaRbɔ̃] *nm* carbón *m*; ▶ charbon de bois carbón de leña.

charbonnage [ʃaRbɔnaʒ] *nm*: C~s de France (*compagnie*) *explotaciones hulleras francesas*.

charbonnier, -ière [ʃaRbɔnje, jɛR] *adj*, *nm/f* carbonero(-a).

charcuterie [ʃaRkytRi] *nf* (*magasin*) charcutería; (*produits*) embutidos *mpl*.

charcutier, -ière [ʃaRkytje, jɛR] *nm/f* chacinero(-a).

chardon [ʃaRdɔ̃] *nm* cardo.

chardonneret [ʃaRdɔnRɛ] *nm* jilguero.

charentais, e [ʃaRɑ̃tɛ, ɛz] *adj* de Charente ♦ *nm/f*: C~, e nativo(-a) *ou* habitante *m/f* de Charente.

charentaise [ʃaRɑ̃tɛz] *nf* (*pantoufle*) zapatilla.

Charentes [ʃaRɑ̃t] *nfpl* Charentes *mpl*.

charge [ʃaRʒ] *nf* carga; (*rôle*, *mission*) misión *f*; (*MIL*) ataque *m*; (*JUR*) cargo; ~s *nfpl* (*du loyer*) facturas *fpl*; (*d'un commerçant*) gastos *mpl*; à la ~ de a cargo de; prise en ~ (par la Sécurité Sociale) gastos cubiertos por la Seguridad Social; à ~ de revanche en desquite; prendre en ~ hacerse cargo de; revenir à la ~ volver a la carga; ▶ charges sociales cargas sociales; ▶ charge utile carga máxima; (*COMM*) carga rentable.

chargé, e [ʃaRʒe] *adj* cargado(-a); (*journée*) ocupado(-a); (*estomac*) pesado(-a); ~ de encargado(-a) de; ▶ chargé d'affaires *nm* encargado de negocios; ▶ chargé de cours *nm* (*UNIV*) encargado de curso.

chargement [ʃaRʒəmɑ̃] *nm* (*action*) carga; (*marchandises*) cargamento.

charger [ʃaRʒe] *vt* cargar; (*JUR*) declarar en contra de; (*un portrait*, *une description*) recargar ♦ *vi* cargar; ~ qn de qch/faire qch (*fig*) encargar a algn de algo/que haga algo; se ~ de encargarse de; se ~ de faire qch encargarse de hacer algo.

chargeur [ʃaRʒœR] *nm* cargador *m*; ~ de batterie cargador de batería.

chariot [ʃaRjo] *nm* carretilla; (*à bagages*, *provisions*) carro; (*charrette*) carreta; (*de machine à écrire*) rodillo; ▶ chariot élévateur carretilla elevadora.

charisme [kaRism] *nm* carisma *m*.

charitable [ʃaRitabl] *adj* caritativo(-a); (*gentil*) amable.

charité [ʃaRite] *nf* caridad *f*; (*aumône*) limosna; faire la ~ à dar limosna a; fête/vente de ~ fiesta/venta benéfica.

charivari [ʃaRivaRi] *nm* cencerrada, jaleo.

charlatan [ʃaRlatɑ̃] *nm* charlatán *m*.

charlotte [ʃaRlɔt] *nf* tarta de frutas recubierta con bizcochos de azúcar.

charmant, e [ʃaRmɑ̃, ɑ̃t] *adj* encantador(a).

charme [ʃaRm] *nm* encanto; (*BOT*) carpe *m*; (*envoûtement*) encanto, hechizo; ~s *nmpl* (*appas*) encanto *msg*; c'est ce qui en fait le ~ es lo que le da el encanto; faire du ~ coquetear; aller *ou* se porter comme un ~ estar más sano que una manzana.

charmer [ʃaRme] *vt* (*plaire*) fascinar; (*envoûter*) encantar, hechizar; je suis charmé de (*enchanté*) estoy encantado de.

charmeur, -euse [ʃaRmœR, øz] *adj*, *nm/f* seductor(a); ▶ charmeur de serpents encantador *m* de serpientes.

charnel, le [ʃaRnɛl] *adj* carnal.

charnier [ʃaRnje] *nm* osario.

charnière [ʃaRnjɛR] *nf* (*de porte*) bisagra, gozne *m*; (*fig*: *du siècle*) punto decisivo; (: *du texte*) punto de inflexión.

charnu, e [ʃaRny] *adj* carnoso(-a).

charogne [ʃaRɔɲ] *nf* carroña; (*fam!*) ruin *m*.

charolais, e [ʃaRɔlɛ, ɛz] *adj* charolés(-esa) ♦ *nm*: le C~ el Charolais ♦ *nm/f*: C~, e charolés(-esa).

charpente [ʃaRpɑ̃t] *nf* (*d'un bâtiment*) esqueleto; (*fig*) estructura; (*carrure*) estructura, constitución *f*.

charpenté, e [ʃaRpɑ̃te] *adj*: bien *ou* solidement ~ (*personne*) de constitución fuerte; (*texte*) bien estructurado(-a).

charpenterie [ʃaʀpɑ̃tʀi] *nf* albañilería.

charpentier [ʃaʀpɑ̃tje] *nm* albañil *m*.

charpie [ʃaʀpi] *nf*: **en** ~ hecho(-a) trizas *ou* picadillo.

charretier [ʃaʀtje] *nm* carretero; **de** ~ (*péj*: *langage etc*) de carretero.

charrette [ʃaʀɛt] *nf* carreta.

charrier [ʃaʀje] *vt* transportar; (*fleuve*) arrastrar ♦ *vi* (*fam*) pasarse de la raya.

charroyer [ʃaʀwaje] *vt* acarrear.

charrue [ʃaʀy] *nf* arado.

charte [ʃaʀt] *nf* carta.

charter [ʃaʀtɛʀ] *nm* chárter *m*.

chas [ʃa] *nm* ojo.

chasse [ʃas] *nf* caza; (*aussi*: ~ **d'eau**) cisterna; **la** ~ **est ouverte/fermée** la veda está levantada/cerrada; **aller à la** ~ ir de caza; **prendre en** ~ perseguir, dar caza a; **donner la** ~ **à** (*fugitif*) dar caza a; **tirer la** ~ (**d'eau**) tirar de la cadena; ► **chasse à courre** caza a caballo; ► **chasse à l'homme** cacería humana; ► **chasse aérienne** caza aérea; ► **chasse gardée** (*aussi fig*) coto vedado; ► **chasse sous-marine** caza submarina.

châsse [ʃas] *nf* relicario.

chassé-croisé [ʃasekʀwaze] (*pl* ~**s**-~**s**) *nm* (*DANSE*) cruzado; (*fig*) cruce *m*.

chasse-neige [ʃasnɛʒ] *nm inv* quitanieves *m inv*.

chasser [ʃase] *vt* cazar; (*expulser*) echar; (*idée*) desechar; (*dissiper*) disipar ♦ *vi* cazar; (*AUTO*) patinar, derrapar.

chasseur, -euse [ʃasœʀ, øz] *nm/f* (*de gibier*) cazador(a) ♦ *nm* (*avion*) avión de caza *m*; (*domestique*) botones *m inv*; ► **chasseur de son** aficionado en busca de sonidos extraordinarios; ► **chasseur de têtes** (*fig*) cazatalentos *m inv*; ► **chasseur d'images** fotógrafo en busca de imágenes insólitas; ► **chasseurs alpins** (*MIL*) *cazadores de montaña del ejército francés*.

chassieux, -ieuse [ʃasjø, jøz] *adj* legañoso(-a).

châssis [ʃasi] *nm* (*de voiture*) chasis *m inv*; (*cadre: en bois, métal*) bastidor *m*; (*de jardin*) vivero.

chaste [ʃast] *adj* casto(-a).

chasteté [ʃastəte] *nf* castidad *f*.

chasuble [ʃazybl] *nf* casulla; **robe** ~ casulla.

chat [ʃa] *nm* gato; **avoir un** ~ **dans la gorge** tener carraspera; **avoir d'autres** ~**s à fouetter** tener cosas más importantes; ► **chat sauvage** gato montés.

châtaigne [ʃatɛɲ] *nf* castaña.

châtaignier [ʃatɛɲe] *nm* castaño.

châtain [ʃatɛ̃] *adj inv* castaño(-a).

château, x [ʃato] *nm* castillo; ► **château d'eau** arca de agua; ► **château de sable** castillo de arena; ► **château fort** fortaleza, alcázar *m*.

châtelain, e [ʃat(ə)lɛ̃] *nm/f* castellano(-a) ♦ *nf* (*ceinture*) cadena con dijes.

châtier [ʃatje] *vt* castigar; (*style, langage*) pulir.

chatière [ʃatjɛʀ] *nf* gatera.

châtiment [ʃatimɑ̃] *nm* castigo; ► **châtiment corporel** castigo corporal.

chatoiement [ʃatwamɑ̃] *nm* viso.

chaton [ʃatɔ̃] *nm* (*ZOOL*) gatito; (*BOT*) candelilla; (*de bague*) engaste *m*.

chatouillement [ʃatujmɑ̃] *nm* cosquilleo; (*chatouilles*) cosquillas *fpl*.

chatouiller [ʃatuje] *vt* hacer cosquillas; ~ **l'odorat** abrir el olfato; ~ **le palais** estimular el paladar; **ça chatouille!** ¡qué cosquillas!

chatouilleux, -euse [ʃatujø, øz] *adj* (*aussi fig*) cosquilloso(-a).

chatoyant, e [ʃatwajɑ̃, ɑ̃t] *adj* tornasolado(-a).

chatoyer [ʃatwaje] *vi* tornasolar.

châtrer [ʃatʀe] *vt* (*aussi fig*) castrar, capar.

chatte [ʃat] *nf* gata.

chatterton [ʃatɛʀtɔn] *nm* (*ÉLEC*) cinta aislante.

chaud, e [ʃo, ʃod] *adj* caliente; (*très chaud*) ardiente; (*vêtement*) abrigado(-a); (*couleur*) cálido(-a); (*félicitations*) ardiente, cálido(-a); (*discussion*) acalorado(-a) ♦ *nm* calor *m*; **il fait** ~ hace calor; **manger/boire** ~ comer/beber caliente; **avoir** ~ tener calor; **tenir** ~ abrigar; **tenir au** ~ mantener caliente; **ça me tient** ~ eso me abriga; (*trop chaud*) eso me da calor; **rester au** ~ permanecer abrigado(-a); ► **chaud et froid** *nm* (*MÉD*) enfriamiento.

chaudement [ʃodmɑ̃] *adv* (*s'habiller*) con ropa de abrigo; (*féliciter, défendre etc*) ardientemente.

chaudière [ʃodjɛʀ] *nf* caldera.

chaudron [ʃodʀɔ̃] *nm* caldero.

chaudronnerie [ʃodʀɔnʀi] *nf* calderería.

chauffage [ʃofaʒ] *nm* calentamiento, calefacción *f*; (*appareils*) calefacción; **arrêter le** ~ apagar la calefacción; ► **chauffage à l'électricité** calefacción eléctrica; ► **chauffage au charbon/au gaz** calefacción de carbón/de gas; ► **chauffage central** calefacción central; ► **chauffage par le sol** calefacción por suelo.

chauffagiste [ʃofaʒist] *nm* calefactor *m*.

chauffant, e [ʃofɑ̃, ɑ̃t] *adj*: **couverture/plaque** ~**e** manta/placa térmica.

chauffard [ʃofaʀ] (*péj*) *nm* loco(-a) del vo-

lante.
chauffe-bain [ʃofbɛ̃] (pl ~-~s) nm = **chauffe-eau.**
chauffe-biberon [ʃofbibʀɔ̃] nm inv calientabiberones m inv.
chauffe-eau [ʃofo] nm inv calentador m de agua.
chauffe-plats [ʃofpla] nm inv calientaplatos m inv.
chauffer [ʃofe] vt calentar ♦ vi calentar; (trop chauffer) recalentar; **se chauffer** vpr (aussi fig) calentarse.
chaufferie [ʃofʀi] nf sala de máquinas.
chauffeur, -euse [ʃofœʀ, øz] nm/f chófer m, chofer m (AM); **voiture avec/sans** ~ coche m con/sin conductor.
chauffeuse [ʃoføz] nf sillita para sentarse junto al fuego.
chauler [ʃole] vt (mur) encalar; (terre) abonar con cal.
chaume [ʃom] nm (du toit) paja; (tiges) caña.
chaumière [ʃomjɛʀ] nf choza.
chaussée [ʃose] nf calzada; (digue) terraplén m.
chausse-pied [ʃospje] (pl ~-~s) nm calzador m.
chausser [ʃose] vt calzar; **se chausser** vpr calzarse; ~ **du 38/42** calzar el 38/42; ~ **grand/bien** (suj: soulier) quedar grande/bien.
chausse-trappe [ʃostʀap] (pl ~-~s) nf trampa para alimañas.
chaussette [ʃosɛt] nf calcetín m, media (AM).
chausseur [ʃosœʀ] nm zapatero.
chausson [ʃosɔ̃] nm zapatilla; (de bébé) patuco; ► **chausson (aux pommes)** pastel m de manzana.
chaussure [ʃosyʀ] nf zapato; **la** ~ (COMM) el calzado; ► **chaussures basses** zapatos mpl bajos; ► **chaussures de ski** botas fpl de esquí; ► **chaussures montantes** botas.
chaut [ʃo] vt: **peu me** ~ poco me atañe.
chauve [ʃov] adj calvo(-a).
chauve-souris [ʃovsuʀi] (pl ~s-~) nf murciélago.
chauvin, e [ʃovɛ̃, in] adj, nm/f patriotero (-a).
chauvinisme [ʃovinism] nm patriotería.
chaux [ʃo] nf cal f; **blanchi à la** ~ encalado.
chavirer [ʃaviʀe] vi zozobrar.
chef [ʃɛf] nm jefe m; **au premier** ~ ante todo; **coupable au premier** ~ culpable en el más alto grado; **de son propre** ~ por su propia iniciativa; **général/commandant en** ~ general m/comandante m en jefe; ► **chef d'accusation** base f de acusación; ► **chef d'atelier** jefe de taller;

► **chef d'entreprise** empresario; ► **chef d'équipe** jefe de equipo; ► **chef d'État** jefe de estado; ► **chef d'orchestre** director m de orquesta; ► **chef de bureau** jefe de oficina; ► **chef de clinique** director de clínica; ► **chef de famille** cabeza de familia; ► **chef de file** (de parti etc) cabeza de fila; ► **chef de gare** jefe de estación; ► **chef de rayon/de service** jefe de sección/de servicio.
chef-d'œuvre [ʃɛdœvʀ] (pl ~s-~) nm obra maestra.
chef-lieu [ʃɛfljø] (pl ~s-~x) nm cabeza de distrito.
cheftaine [ʃɛftɛn] nf jefa de scouts.
cheikh [ʃɛk] nm jeque m.
chemin [ʃ(ə)mɛ̃] nm (aussi fig) camino, sendero; (itinéraire) camino; (trajet) trayecto, camino; **en** ~ por el camino; ~ **faisant** de camino; **les** ~**s de fer** (organisation) los ferrocarriles mpl; ► **chemin de terre** camino de tierra.
cheminée [ʃ(ə)mine] nf chimenea.
cheminement [ʃ(ə)minmã] nm evolución f.
cheminer [ʃ(ə)mine] vi caminar; (fig) evolucionar, progresar.
cheminot [ʃ(ə)mino] nm ferroviario.
chemise [ʃ(ə)miz] nf (vêtement) camisa; (dossier) carpeta; ► **chemise de nuit** camisón m.
chemiserie [ʃ(ə)mizʀi] nf camisería.
chemisette [ʃ(ə)mizɛt] nf camiseta.
chemisier [ʃ(ə)mizje] nm blusa.
chenal, -aux [ʃənal, o] nm canal m.
chenapan [ʃ(ə)napã] nm (garnement) pillín m; (péj: vaurien) granuja m.
chêne [ʃɛn] nm castaño.
chenet [ʃ(ə)nɛ] nm morillo.
chenil [ʃ(ə)nil] nm perrera; (élevage) criadero de perros.
chenille [ʃ(ə)nij] nf oruga; **véhicule à** ~**s** coche m oruga.
chenillette [ʃ(ə)nijɛt] nf automóvil m oruga.
cheptel [ʃɛptɛl] nm ganado.
chèque [ʃɛk] nm cheque m, talón m; **faire/toucher un** ~ extender/cobrar un cheque; **par** ~ con cheque; ► **chèque au porteur** cheque al portador; ► **chèque barré** cheque cruzado; ► **chèque de voyage** cheque de viaje; ► **chèque en blanc** cheque en blanco; ► **chèque postal** cheque postal; ► **chèque sans provision** cheque sin fondos.
chèque-cadeau [ʃɛkkado] (pl ~s-~x) nm cheque m regalo.
chèque-repas [ʃɛkʀəpa] (pl ~s-~) nm cheque m de comida.
chèque-restaurant [ʃɛkʀɛstɔʀã] (pl ~s-~) nm cheque m de comida.
chéquier [ʃekje] nm talonario de cheques.

cher, chère [ʃɛʀ] *adj* (*aimé*) querido(-a); (*coûteux*) caro(-a) ♦ *adv*: coûter ~ costar caro; **payer** ~ pagar mucho dinero; **mon** ~, **ma chère** querido(-a); **cela coûte** ~ esto cuesta caro.

chercher [ʃɛʀʃe] *vt* buscar; ~ **des ennuis** buscarse problemas; ~ **la bagarre** buscar pelea; **aller** ~ ir a buscar; ~ **à faire** tratar de hacer.

chercheur, -euse [ʃɛʀʃœʀ, øz] *nm/f* investigador(a); ►**chercheur d'or** buscador(a) de oro.

chère [ʃɛʀ] *nf*: **la bonne** ~ la buena mesa; *voir aussi* **cher**.

chèrement [ʃɛʀmɑ̃] *adv* cariñosamente.

chéri, e [ʃeʀi] *adj* querido(-a); (**mon**) ~ querido (mío).

chérir [ʃeʀiʀ] *vt* querer.

cherté [ʃɛʀte] *nf*: **la** ~ **de la vie** la carestía de la vida.

chérubin [ʃeʀybɛ̃] *nm* querubín *m*.

chétif, -ive [ʃetif, iv] *adj* enclenque.

cheval, -aux [ʃ(ə)val, o] *nm* caballo; ~ **vapeur** caballo de vapor; **10 chevaux** 10 caballos; **faire du** ~ practicar equitación; **à** ~ **a caballo**; **à** ~ **sur** (*mur etc*) a horcajadas en *ou* sobre; (*périodes*) a caballo entre; **être à** ~ **sur** (*domaines*) emanar de; **monter sur ses grands chevaux** subirse a la parra; ►**cheval à bascule** caballito de balancín; ►**cheval d'arçons** potro; ►**cheval de bataille** (*fig*) caballo de batalla; ►**cheval de course** caballo de carreras; ►**chevaux de bois** (*des manèges*) caballitos *mpl*; (*manège*) tiovivo; ►**chevaux de frise** alambradas *fpl*.

chevaleresque [ʃ(ə)valʀɛsk] *adj* caballeresco(-a).

chevalerie [ʃ(ə)valʀi] *nf* caballería.

chevalet [ʃ(ə)valɛ] *nm* caballete *m*.

chevalier [ʃ(ə)valje] *nm* caballero; ►**chevalier servant** galán *m*.

chevalière [ʃ(ə)valjɛʀ] *nf* (sortija de) sello.

chevalin, e [ʃ(ə)valɛ̃, in] *adj* (*air, profil*) caballuno(-a); (*race*) caballar; **boucherie** ~**e** carnicería de carne de caballo.

cheval-vapeur [ʃəvalvapœʀ] (*pl* **chevaux-vapeur**) *nm voir* **cheval**.

chevauchée [ʃ(ə)voʃe] *nf* cabalgada.

chevauchement [ʃ(ə)voʃmɑ̃] *nm* coincidencia.

chevaucher [ʃ(ə)voʃe] *vi* (*aussi*: **se** ~) montar ♦ *vt* montar.

chevaux [ʃəvo] *nmpl voir* **cheval**.

chevelu, e [ʃəv(ə)ly] *adj* cabelludo(-a); (*péj*) melenudo(-a).

chevelure [ʃəv(ə)lyʀ] *nf* cabello.

chevet [ʃ(ə)vɛ] *nm* presbiterio; **au** ~ **de qn** al lecho de algn; **lampe de** ~ lámpara de noche; **livre de** ~ libro que se lee antes

de dormir; **table de** ~ mesilla de noche.

cheveu, x [ʃ(ə)vø] *nm* cabello, pelo; ~**x** *nmpl* pelo *msg*; **se faire couper les** ~**x** cortarse el pelo; **avoir les** ~**x courts/en brosse** tener el pelo corto/de punta; **tiré par les** ~**x** (*histoire*) inverosímil; ►**cheveux d'ange** (*vermicelle*) cabello *msg* de ángel; (*décoration*) pelusa plateada para árboles de Navidad.

cheville [ʃ(ə)vij] *nf* (*ANAT*) tobillo; (*de bois*) clavija, tarugo; (*pour enfoncer une vis*) clavija; **être en** ~ **avec qn** tener relación con algn; ►**cheville ouvrière** (*AUTO*) clavija maestra; (*fig*) alma.

chèvre [ʃɛvʀ] *nf* cabra ♦ *nm* queso de cabra; **ménager la** ~ **et le chou** saber nadar y guardar la ropa.

chevreau, x [ʃəvʀo] *nm* (*ZOOL*) cabrito, chivo; (*peau*) cabritilla.

chèvrefeuille [ʃɛvʀəfœj] *nm* madreselva.

chevreuil [ʃəvʀœj] *nm* corzo.

chevron [ʃəvʀɔ̃] *nm* (*poutre*) cabrio; (*galon*) galón *m*; (*motif*) espiga, espiguilla; **à** ~**s** de espiguilla.

chevronné, e [ʃəvʀɔne] *adj* veterano(-a).

chevrotant, e [ʃəvʀɔtɑ̃, ɑ̃t] *adj* trémulo (-a).

chevroter [ʃəvʀɔte] *vi* (*personne*) hablar con voz temblorosa; (*voix*) temblar.

chevrotine [ʃəvʀɔtin] *nf* perdigón *m*.

chewing-gum [ʃwiŋɡɔm] (*pl* ~-~**s**) *nm* chicle *m*.

chez [ʃe] *prép* (*à la demeure de*) en casa de; (: *direction*) a casa de; (*auprès de, parmi*) entre ♦ *nm inv*: ~-**moi/chez-soi/ chez-toi** casa; ~ **qn** en casa de algn; ~ **moi** (*à la maison*) en mi casa; (*direction*) a mi casa; ~ **Racine** en Racine; ~ **ce poète** en este poeta; ~ **les Français/les renards** entre los franceses/los zorros; ~ **lui c'est un devoir** es un deber en él; **aller** ~ **le boulanger/le dentiste** ir a la panadería/al dentista; **il travaille** ~ **Renault** trabaja en la Renault.

chf. cent. *abr* (= *chauffage central*) cal. cen. (= *calefacción central*).

chiader [ʃjade] (*fam*) *vt*: **tu l'as chiadé, ton dessin** el dibujo te ha quedado hecho una virguería.

chialer [ʃjale] (*fam*) *vt* lloriquear.

chiant, e [ʃjɑ̃, ʃjɑ̃t] (*fam*) *adj*: **c'est** ~! ¡qué paliza!; **t'es** ~! ¡qué paliza eres!

chic [ʃik] *adj inv* (*élégant*) elegante; (*de la bonne société*) distinguido(-a); (*généreux*) amable ♦ *nm* (*élégance*) elegancia; **avoir le** ~ **pour** tener el don de; **faire qch de** ~ ser generoso(-a) al hacer algo; **c'était** ~ **de sa part** ha sido muy amable de su parte; ~! ¡estupendo!

chicane [ʃikan] *nf* (*obstacle*): ~**s** obstácu-

los *mpl* en zigzag; (*querelle*) pleito.
chicaner [ʃikane] *vi:* ~ **sur** ser quisquilloso(-a) con.
chiche¹ [ʃiʃ] *adj* tacaño(-a).
chiche² [ʃiʃ] *excl* (*en réponse à un défi*) ¡a que sí!; **tu n'es pas chiche de lui parler!** ¡a que no te atreves a hablarle!
chichement [ʃiʃmã] *adv* miserablemente; (*mesquinement*) con tacañería.
chichis [ʃiʃi] *nmpl:* **faire des** ~ hacer cursilerías.
chicorée [ʃikɔʀe] *nf* achicoria; ► **chicorée frisée** escarola.
chicot [ʃiko] *nm* raigón *m*.
chien [ʃjɛ̃] *nm* perro; (*de pistolet*) gatillo; **temps de** ~ tiempo de perros; **vie de** ~ vida perra; **en** ~ **de fusil** hecho(-a) un ovillo; **entre** ~ **et loup** entre dos luces; ► **chien d'aveugle** perro lazarillo; ► **chien de chasse/de garde** perro de caza/guardián; ► **chien de traîneau/de race** perro esquimal/de raza; ► **chien policier** perro policía.
chiendent [ʃjɛ̃dã] *nm* grama.
chien-loup [ʃjɛ̃lu] (*pl* ~**s-**~**s**) *nm* perro lobo.
chienne [ʃjɛn] *nf* perra.
chier [ʃje] (*fam!*) *vi* cagar (*fam!*); **faire** ~ **qn** (*importuner*) dar el coñazo a algn (*fam!*); (*causer des ennuis à*) joder a algn (*fam!*); **se faire** ~ (*s'ennuyer*) amuermarse.
chiffe [ʃif] *nf:* **il est mou comme une** ~, **c'est une** ~ **molle** (*fig*) es débil de carácter, no tiene personalidad.
chiffon [ʃifɔ̃] *nm* trapo.
chiffonné, e [ʃifɔne] *adj* (*visage*) cansado(-a).
chiffonner [ʃifɔne] *vt* arrugar; (*tracasser*) inquietar.
chiffonnier [ʃifɔnje] *nm* trapero; (*meuble*) mueble con cajones para guardar trapos, joyas etc.
chiffrable [ʃifʀabl] *adj* calculable.
chiffre [ʃifʀ] *nm* cifra, número; (*montant, total*) importe *m*; (*d'un code*) clave *f*; **en** ~**s ronds** en números redondos; **écrire un nombre en** ~**s** escribir un número en cifras; ► **chiffres arabes/romains** números *mpl* arábigos/romanos; ► **chiffre d'affaires** volumen *m* de negocios; ► **chiffre de ventes** volumen de ventas.
chiffrer [ʃifʀe] *vt* (*dépense*) calcular; (*message*) cifrar ♦ *vi:* ~ **à** ascender a; **se chiffrer à** *vpr* ascender a.
chignole [ʃiɲɔl] *nf* taladradora de mano.
chignon [ʃiɲɔ̃] *nm* moño.
chiite [ʃiit] *adj* chiíta.
Chili [ʃili] *nm* Chile *m*.
chilien, ne [ʃiljɛ̃, jɛn] *adj* chileno(-a) ♦ *nm/f:* C~, **ne** chileno(-a).

chimère [ʃimɛʀ] *nf* quimera.
chimérique [ʃimeʀik] *adj* quimérico(-a).
chimie [ʃimi] *nf* química.
chimio [ʃimjɔ] *nf voir* **chimiothérapie**.
chimiothérapie [ʃimjotɛʀapi] *nf* quimioterapia.
chimique [ʃimik] *adj* químico(-a); **produits** ~**s** productos *mpl* químicos.
chimiste [ʃimist] *nm/f* químico(-a).
chimpanzé [ʃɛ̃pãze] *nm* chimpancé *m*.
chinchilla [ʃɛ̃ʃila] *nm* chinchilla.
Chine [ʃin] *nf* China; **la** ~ **libre** China libre; **la république de** ~ la república de China.
chine [ʃin] *nm* papel *m* de China; (*porcelaine*) porcelana china ♦ *nf* (*brocante*) chamarileo.
chiné, e [ʃine] *adj* de varios colores.
chiner [ʃine] *vt* teñir de varios colores ♦ *vi* chamarilear.
chinois, e [ʃinwa, waz] *adj* chino(-a) ♦ *nm* (*LING*) chino ♦ *nm/f:* C~, **e** chino(-a).
chinoiserie(s) [ʃinwazʀi] (*péj*) *nf* (*gén pl*) tabarra.
chiot [ʃjo] *nm* cachorro (de perro).
chiper [ʃipe] (*fam*) *vt* birlar, mangar.
chipie [ʃipi] *nf* bruja.
chipolata [ʃipɔlata] *nf* salchicha corta.
chipoter [ʃipɔte] *vi* (*manger*) comiscar, picotear; (*ergoter*) discutir por nimiedades; (*marchander*) regatear.
chips [ʃips] *nfpl* (*aussi:* **pommes** ~) patatas *fpl* fritas.
chique [ʃik] *nf* mascada.
chiquenaude [ʃiknod] *nf* papirotazo, papirotada.
chiquer [ʃike] *vi, vt* mascar.
chiromancie [kiʀɔmãsi] *nf* quiromancia.
chiromancien, ne [kiʀɔmãsjɛ̃, jɛn] *nm/f* quiromántico(-a).
chiropracteur [kiʀɔpʀaktœʀ] *nm voir* **chiropraticien**.
chiropraticien, ne [kiʀɔpʀatisjɛ̃, jɛn] *nm/f* quiropráctico(-a).
chirurgical, e, -aux [ʃiʀyʀʒikal, o] *adj* quirúrgico(-a).
chirurgie [ʃiʀyʀʒi] *nf* cirugía; ► **chirurgie esthétique** cirugía estética.
chirurgien, ne [ʃiʀyʀʒjɛ̃, jɛn] *nm/f* cirujano(-a); ► **chirurgien dentiste** dentista *m/f*, odontólogo(-a).
chiure [ʃjyʀ] *nf:* ~**s de mouche** cagadas *fpl* de mosca.
ch.-l. *abr* = **chef-lieu**.
chlore [klɔʀ] *nm* cloro.
chloroforme [klɔʀɔfɔʀm] *nm* cloroformo.
chlorophylle [klɔʀɔfil] *nf* clorofila.
chlorure [klɔʀyʀ] *nm* cloruro.
choc [ʃɔk] *nm* choque *m*; (*moral*) impacto; (*affrontement*) enfrentamiento ♦ *adj:* **prix** ~ precio de ganga; **de** ~ de choque;

▶ **choc en retour** (*fig*) choque de rechazo; ▶ **choc nerveux** ataque *m* de nervios; ▶ **choc opératoire** choque operatorio.

chocolat [ʃɔkɔla] *nm* chocolate *m*; (*bonbon*) bombón *m*; ▶ **chocolat à croquer** chocolate para crudo; ▶ **chocolat à cuire** chocolate a la taza; ▶ **chocolat au lait** chocolate con leche; ▶ **chocolat en poudre** chocolate en polvo.

chocolaté, e [ʃɔkɔlate] *adj* con chocolate.

chocolaterie [ʃɔkɔlatʀi] *nf* chocolatería.

chocolatier, -ière [ʃɔkɔlatje, jɛʀ] *nm/f* chocolatero(-a).

chœur [kœʀ] *nm* coro; **en ~** a coro.

choir [ʃwaʀ] *vi*: **laisser ~** abandonar.

choisi, e [ʃwazi] *adj* (*de premier choix*) escogido(-a), selecto(-a); **textes ~s** (*d'anthologie*) textos *mpl* escogidos.

choisir [ʃwaziʀ] *vt* escoger, elegir; (*candidat*) elegir; **~ de faire qch** elegir hacer algo.

choix [ʃwa] *nm* elección *f*; (*assortiment*) selección *f*, surtido; **avoir le ~ de/entre** tener la opción de/entre; **de premier ~** (*COMM*) de primera calidad; **je n'avais pas le ~** no tenía opción; **de ~** escogido(-a), de calidad; **au ~** a escoger; **de mon/son ~** por mi/su gusto; **tu peux partir ou rester, tu as le ~** te vas o te quedas, tú eliges.

choléra [kɔleʀa] *nm* cólera *m*.

cholestérol [kɔlesteʀɔl] *nm* colesterol *m*.

chômage [ʃomaʒ] *nm* paro, cesantía (*AM*); **mettre au ~** dejar en el paro; **être au ~** estar en paro; ▶ **chômage partiel/structurel/technique** paro parcial/estructural/técnico.

chômé, e [ʃome] *adj*: **jour ~** día *m* festivo.

chômer [ʃome] *vi* (*travailleur, équipements*) estar en paro forzoso.

chômeur, -euse [ʃomœʀ, øz] *nm/f* parado(-a).

chope [ʃɔp] *nf* jarra.

choquant, e [ʃɔkɑ̃, ɑ̃t] *adj* chocante.

choquer [ʃɔke] *vt* chocar; (*commotionner*) conmocionar.

choral, e [kɔʀal] *adj* coral ♦ *nm* coral *m*.

chorale [kɔʀal] *nf* coral *f*.

chorégraphe [kɔʀegʀaf] *nm/f* coreógrafo (-a).

chorégraphie [kɔʀegʀafi] *nf* coreografía.

choriste [kɔʀist] *nm/f* corista *m/f*.

chorus [kɔʀys] *nm*: **faire ~ (avec)** hacer coro (con).

chose [ʃoz] *nf* cosa ♦ *nm* (*fam: machin*) cosa; **~s** *nfpl* (*situation*) cosas *fpl* ♦ *adj inv*: **être/se sentir tout ~** (*bizarre*) estar/sentirse raro(-a); (*malade*) estar/sentirse mal; **dire bien des ~s à qn** dar muchos

recuerdos a algn; **faire bien les ~s** hacer las cosas bien; **parler de ~s et d'autres** hablar un poco de todo; **c'est peu de ~** es poca cosa.

chou, x [ʃu] *nm* col *f*, berza ♦ *adj inv* mono(-a), encantador(a); **mon petit ~** tesoro mío, amor mío, mi negro (*AM*); **faire ~ blanc** fracasar; **bout de ~** niñito(-a); **feuille de ~** (*fig*) periodicucho; ▶ **chou (à la crème)** pastelillo (de crema); ▶ **chou de Bruxelles** col de Bruselas.

choucas [ʃuka] *nm* chova.

chouchou, te [ʃuʃu, ut] (*fam*) *nm/f* preferido(-a).

chouchouter [ʃuʃute] (*fam*) *vt* mimar.

choucroute [ʃukʀut] *nf* chucrut *m*.

chouette [ʃwɛt] *nf* lechuza ♦ *adj* (*fam*) estupendo(-a), formidable; **~!** ¡qué guay!

chou-fleur [ʃuflœʀ] (*pl* **~x-~s**) *nm* coliflor *f*.

chou-rave [ʃuʀav] (*pl* **~x-~s**) *nm* colinabo.

choyer [ʃwaje] *vt* mimar.

chrétien, ne [kʀetjɛ̃, jɛn] *adj, nm/f* cristiano(-a).

chrétiennement [kʀetjɛnmɑ̃] *adv* cristianamente.

chrétienté [kʀetjɛ̃te] *nf* cristiandad *f*.

Christ [kʀist] *nm*: **le ~** el Cristo; **un c~** (*crucifix, peinture*) un cristo; **Jésus ~** Jesucristo.

christianiser [kʀistjanize] *vt* cristianizar.

christianisme [kʀistjanism] *nm* cristianismo.

chromatique [kʀɔmatik] *adj* cromático(-a).

chrome [kʀom] *nm* cromo.

chromé, e [kʀome] *adj* cromado(-a).

chromosome [kʀomozom] *nm* cromosoma *m*.

chronique [kʀɔnik] *adj* crónico(-a) ♦ *nf* crónica; **la ~ sportive/théâtrale** la crónica deportiva/teatral; **la ~ locale** la crónica local.

chroniqueur [kʀɔnikœʀ] *nm* cronista *m/f*.

chronologie [kʀɔnɔlɔʒi] *nf* cronología.

chronologique [kʀɔnɔlɔʒik] *adj* cronológico(-a); **tableau ~** cuadro cronológico.

chronologiquement [kʀɔnɔlɔʒikmɑ̃] *adv* cronológicamente.

chrono(mètre) [kʀɔnɔ(mɛtʀ)] *nm* cronómetro.

chronométrer [kʀɔnɔmetʀe] *vt* cronometrar.

chronométreur [kʀɔnɔmetʀœʀ] *nm* cronometrador *m*.

chrysalide [kʀizalid] *nf* crisálida.

chrysanthème [kʀizɑ̃tɛm] *nm* crisantemo.

CHU [seaʃy] *sigle m* (= *centre hospitalo-universitaire*) hospital universitario.

chuchotement [ʃyʃɔtmã] *nm* cuchicheo.
chuchoter [ʃyʃɔte] *vt, vi* cuchichear.
chuintement [ʃɥɛ̃tmã] *nm* sonido silbante.
chuinter [ʃɥɛ̃te] *vi* silbar.
chut [ʃyt] *excl* ¡chitón!
chute [ʃyt] *nf* (*aussi fig*) caída; (*de température, pression*) descenso; (*déchet*) recorte *m*; **la ~ des cheveux** la caída del cabello; **faire une ~ (de 10 m)** caerse (10 metros); ► **chute (d'eau)** salto de agua; ► **chute des reins** rabadilla; ► **chute libre** caída libre; ► **chutes de neige** nevadas *fpl*; ► **chutes de pluie** chaparrones *mpl*.
Chypre [ʃipʀ] *n* Chipre *f*.
chypriote [ʃipʀiɔt] *adj, nm/f* – **cypriote**.
ci-, -ci [si] *adv voir* **par; comme; ci-contre** *etc* ♦ *dét*: **ce garçon/cet homme-ci** este chico/este hombre; **ces hommes/femmes-ci** estos hombres/estas mujeres.
CIA [seia] (*ÉTATS-UNIS*) *sigle f* CIA *f*.
ciao [tʃao] (*fam*) *excl* ¡chao!
ci-après [siapʀɛ] *adv* a continuación.
cibiste [sibist] *nm* radioaficionado.
cible [sibl] *nf* blanco; (*fig*) blanco, objetivo.
cibler [sible] *vt* dirigirse a, poner la mira en.
ciboire [sibwaʀ] *nm* copón *m*.
ciboule [sibul] *nf* cebollino.
ciboulette [sibulɛt] *nf* cebolleta.
ciboulot [sibulo] (*fam*) *nm* chola.
cicatrice [sikatʀis] *nf* cicatriz *f*.
cicatriser [sikatʀize] *vt* cicatrizar; **se cicatriser** *vpr* cicatrizarse.
ci-contre [sikɔ̃tʀ] *adv* al lado.
ci-dessous [sidəsu] *adv* más abajo.
ci-dessus [sidəsy] *adv* arriba.
ci-devant [sidəvã] *nm/f inv* (*HIST*) noble *m/f* (*nombre que recibían durante la revolución francesa*).
CIDJ [seideʒi] *sigle m* (= *centre d'information et de documentation de la jeunesse*) Centro de Información y Documentación Juvenil.
cidre [sidʀ] *nm* sidra.
cidrerie [sidʀəʀi] *nf* sidrería.
Cie *abr* (= *compagnie*) Cía (= *compañía*).
ciel [sjɛl] (*pl* ~**s** *ou* (*litt*) **cieux**) *nm* cielo; **cieux** *nmpl* cielos *mpl*; **à ~ ouvert** a cielo abierto; **tomber du ~** (*arriver à l'improviste*) venir como caído del cielo; (*être stupéfait*) caer de las nubes; ~! ¡cielos!; ► **ciel de lit** dosel *m*.
cierge [sjɛʀʒ] *nm* cirio; ► **cierge pascal** cirio pascual.
cieux [sjø] *nmpl voir* **ciel**.
cigale [sigal] *nf* cigarra.
cigare [sigaʀ] *nm* cigarro, puro.
cigarette [sigaʀɛt] *nf* cigarrillo, pitillo; ► **cigarette (à) bout filtre** cigarrillo con

filtro.
ci-gît [siʒi] *adv* +*vb* aquí yace.
cigogne [sigɔɲ] *nf* cigüeña.
ciguë [sigy] *nf* cicuta.
ci-inclus, e [siɛ̃kly, yz] *adj* incluso(-a) ♦ *adv* incluso.
ci-joint, e [siʒwɛ̃, ɛ̃t] *adj* adjunto(-a) ♦ *adv* adjunto; **veuillez trouver ~-~ ...** encontrará adjunto.
cil [sil] *nm* pestaña.
ciller [sije] *vi* pestañear, parpadear.
cimaise [simɛz] *nf* gola, cimacio.
cime [sim] *nf* cima.
ciment [simã] *nm* cemento; ► **ciment armé** cemento armado.
cimenter [simãte] *vt* cimentar; (*fig*) cimentar, afirmar.
cimenterie [simãtʀi] *nf* fábrica de cemento.
cimetière [simtjɛʀ] *nm* cementerio, camposanto; ► **cimetière de voitures** cementerio de coches.
cinéaste [sineast] *nm/f* cineasta *m/f*.
ciné-club [sineklœb] (*pl* ~-~**s**) *nm* cineclub *m*.
cinéma [sinema] *nm* cine *m*; **aller au ~** ir al cine; ► **cinéma d'animation** cine de dibujos animados.
cinémascope ® [sinemaskɔp] *nm* cinemascope *m* ®.
cinémathèque [sinematɛk] *nf* cinemateca.
cinématographie [sinematɔgʀafi] *nf* cinematografía.
cinématographique [sinematɔgʀafik] *adj* cinematográfico(-a).
cinéphile [sinefil] *nm/f* cinéfilo(-a).
cinétique [sinetik] *adj* cinético(-a).
cing(h)alais, e [sɛ̃gale, ɛz] *adj* cingalés (-esa) ♦ *nm* (*LING*) cingalés *m* ♦ *nm/f*: **C~, e** cingalés(-esa).
cinglant, e [sɛ̃glã, ãt] *adj* (*froid, vent*) azotador(a); (*propos, ironie*) mordaz; (*échec*) estrepitoso(-a).
cinglé, e [sɛ̃gle] (*fam*) *adj* chiflado(-a).
cingler [sɛ̃gle] *vt* azotar; (*suj: insulte etc*) fustigar ♦ *vi* (*NAUT*): ~ **vers** singlar hacia.
cinq [sɛ̃k] *adj inv, nm inv* cinco *inv*; **avoir ~ ans** tener cinco años; **le ~ décembre** el cinco de diciembre; **à ~ heures** a las cinco; **nous sommes ~** somos cinco; **Henri V (cinq)** Enrique V (quinto).
cinquantaine [sɛ̃kãtɛn] *nf*: **une ~ (de)** una cincuentena (de); **avoir la ~** estar en la cincuentena.
cinquante [sɛ̃kãt] *adj inv, nm inv* cincuenta *inv*; *voir aussi* **cinq**.
cinquantenaire [sɛ̃kãtnɛʀ] *adj* (*institution*) cincuentenario(-a); (*personne*) cincuentón(-ona) ♦ *nm/f* cincuentón(-ona).

cinquantième [sɛ̃kɑ̃tjɛm] *adj, nm/f* quincuagésimo(-a) ♦ *nm* (*partitif*) cincuentavo; **son ~ anniversaire** su cincuenta cumpleaños; **vous êtes le ~** Usted es el (número) cincuenta.

cinquième [sɛ̃kjɛm] *adj, nm/f* quinto(-a) ♦ *nm* (*partitif*) quinto ♦ *nf* (*AUTO*) quinta; (*SCOL*) segundo año de educación secundaria en el sistema francés; **un ~ de la population** un quinto de la población; **trois ~s** tres quintos.

cinquièmement [sɛ̃kjɛmmɑ̃] *adv* en quinto lugar.

cintre [sɛ̃tʀ] *nm* percha; **plein ~** (*ARCHIT*) medio punto.

cintré, e [sɛ̃tʀe] *adj* (*chemise*) entallado (-a); (*porte, fenêtre*) con cimbra.

CIO [seio] *sigle m* (= *Comité international olympique*) COI *m* (= *Comité Olímpico Internacional*).

cirage [siʀaʒ] *nm* betún *m*.

circoncire [siʀkɔ̃siʀ] *vt* circuncidar.

circoncis [siʀkɔ̃si] *adj m* circunciso.

circoncision [siʀkɔ̃sizjɔ̃] *nf* circuncisión *f*.

circonférence [siʀkɔ̃feʀɑ̃s] *nf* circunferencia.

circonflexe [siʀkɔ̃flɛks] *adj*: **accent ~** acento circunflejo.

circonlocution [siʀkɔ̃lɔkysjɔ̃] *nf* (*gén pl*) circunloquio.

circonscription [siʀkɔ̃skʀipsjɔ̃] *nf*: **~ électorale** circunscripción *f* electoral.

circonscrire [siʀkɔ̃skʀiʀ] *vt* (*incendie*) circunscribir; (*propriété*) delimitar.

circonspect, e [siʀkɔ̃spɛ(kt), ɛkt] *adj* circunspecto(-a).

circonspection [siʀkɔ̃spɛksjɔ̃] *nf* circunspección *f*.

circonstance [siʀkɔ̃stɑ̃s] *nf* circunstancia; **œuvre/air/tête de ~** obra/aspecto/cara de circunstancias; ► **circonstances atténuantes** circunstancias *fpl* atenuantes.

circonstancié, e [siʀkɔ̃stɑ̃sje] *adj* detallado(-a).

circonstanciel, le [siʀkɔ̃stɑ̃sjɛl] *adj* (*LING*) circunstancial.

circonvenir [siʀkɔ̃v(ə)niʀ] *vt* embaucar.

circonvolutions [siʀkɔ̃vɔlysjɔ̃] *nfpl* circunvoluciones *fpl*.

circuit [siʀkɥi] *nm* circuito; ► **circuit automobile** circuito automovilístico; ► **circuit de distribution** circuito de distribución; ► **circuit fermé/intégré** circuito cerrado/integrado.

circulaire [siʀkylɛʀ] *adj, nf* circular *f*.

circulation [siʀkylasjɔ̃] *nf* circulación *f*; **bonne/mauvaise ~** (*du sang*) buena/mala circulación; **la ~** (*AUTO*) la circulación, el tráfico; **il y a beaucoup de ~** hay mucho tráfico; **mettre en ~** poner en circulación.

circulatoire [siʀkylatwaʀ] *adj*: **avoir des troubles ~s** tener problemas circulatorios.

circuler [siʀkyle] *vi* (*aussi fig*) circular; **faire ~** hacer circular.

cire [siʀ] *nf* cera; ► **cire à cacheter** lacre *m*.

ciré, e [siʀe] *adj* encerado(-a) ♦ *nm* impermeable *m*.

cirer [siʀe] *vt* encerar.

cireur, -euse [siʀœʀ, øz] *nm/f* limpiabotas *m/f inv*.

cireuse [siʀøz] *nf* (*appareil*) enceradora.

cireux, -euse [siʀø, øz] *adj* (*teint*) ceroso (-a).

cirque [siʀk] *nm* circo; (*désordre*) desbarajuste *m*.

cirrhose [siʀoz] *nf*: **~ du foie** cirrosis *f* (hepática).

cisailler [sizaje] *vt* cizallar.

cisaille(s) [sizaj] *nf* cizalla.

ciseau, x [sizo] *nm*: **~ (à bois)** escoplo; **~x** *nmpl* (*gén, de tailleur*) tijeras *fpl*; **saut en ~x** salto de tijeras.

ciseler [siz(ə)le] *vt* cincelar.

ciselure [siz(ə)lyʀ] *nf* cinceladura, cincelado.

Cisjordanie [sisʒɔʀdani] *nf* Cisjordania.

citadelle [sitadɛl] *nf* (*aussi fig*) ciudadela.

citadin, e [sitadɛ̃, in] *nm/f, adj* ciudadano (-a).

citation [sitasjɔ̃] *nf* (*d'auteur*) cita; (*JUR*) citación *f*; (*MIL*) mención *f*.

cité [site] *nf* ciudad *f*; ► **cité ouvrière** ciudad obrera; ► **cité universitaire** ciudad universitaria.

cité-dortoir [sitedɔʀtwaʀ] (*pl* **~s-~s**) *nf* ciudad *f* dormitorio.

cité-jardin [siteʒaʀdɛ̃] (*pl* **~s-~s**) *nf* ciudad *f* jardín.

citer [site] *vt* citar; (*nommer*) citar, mencionar; **~ (en exemple)** (*personne*) poner como ejemplo; **je ne veux ~ personne** no quiero nombrar a nadie.

citerne [sitɛʀn] *nf* cisterna.

cithare [sitaʀ] *nf* cítara.

citoyen, ne [sitwajɛ̃, jɛn] *nm/f* ciudadano (-a).

citoyenneté [sitwajɛnte] *nf* ciudadanía.

citrique [sitʀik] *adj*: **acide ~** ácido cítrico.

citron [sitʀɔ̃] *nm* limón *m*; ► **citron pressé** (*boisson*) zumo natural de limón; ► **citron vert** limón verde.

citronnade [sitʀɔnad] *nf* limonada.

citronné, e [sitʀɔne] *adj* (*boisson*) con limón; (*eau de toilette*) al limón.

citronnelle [sitʀɔnɛl] *nf* toronjil *m*.

citronnier [sitʀɔnje] *nm* limonero.

citrouille [sitʀuj] *nf* calabaza.

cive(s) [siv] nf(pl) cebolleta fsg.
civet [sivɛ] nm encebollado; ~ **de lièvre** encebollado de liebre.
civette [sivɛt] nf (BOT, CULIN) = **cive(s)**; (ZOOL) gato de algalia.
civière [sivjɛʀ] nf camilla.
civil, e [sivil] adj civil; (poli) cortés ♦ nm civil m; **habillé en** ~ vestido de paisano ou de civil; **dans le** ~ en la vida civil; **mariage/enterrement** ~ matrimonio/ entierro civil.
civilement [sivilmã] adv cortésmente; **se marier** ~ casarse por lo civil.
civilisation [sivilizasjɔ̃] nf civilización f.
civilisé, e [sivilize] adj civilizado(-a).
civiliser [sivilize] vt civilizar.
civilité [sivilite] nf cortesía; **présenter ses** ~**s** presentar sus respetos.
civique [sivik] adj cívico(-a); **instruction** ~ educación f cívica.
civisme [sivism] nm civismo.
cl abr (= centilitre(s)) cl. (= centilitro(s)).
clafoutis [klafuti] nm pastel m de cerezas.
claie [klɛ] nf (de fruit, fromage) enrejado, encañizado; (crible) rejilla de tamizar.
clair, e [klɛʀ] adj (aussi fig) claro(-a); (sauce, soupe) flojo(-a) ♦ adv: **voir** ~ ver claro ♦ nm: ~ **de lune** claro de luna; **pour être** ~ para ser claro(-a); **y voir** ~ (comprendre) verlo claro; **bleu/rouge** ~ azul/rojo claro; **par temps** ~ en un día claro; **tirer qch au** ~ sacar algo en claro; **il ne voit plus très** ~ ya no ve con mucha claridad; **mettre au** ~ (notes etc) poner en limpio, pasar a limpio; **le plus** ~ **de son temps/argent** la mayor parte de su tiempo/dinero; **en** ~ (non codé) no cifrado(-a); (c'est-à-dire) claramente, es decir.
claire [klɛʀ] nf: (huître de) ~ ostra de criadero.
clairement [klɛʀmã] adv claramente.
claire-voie [klɛʀvwa] nf: **à** ~-~ (porte, fenêtre) enrejado(-a); (volets, caisse) con aberturas.
clairière [klɛʀjɛʀ] nf claro, calvero.
clair-obscur [klɛʀɔpskyʀ] (pl ~**s**-~**s**) nm claroscuro.
clairon [klɛʀɔ̃] nm clarín m.
claironner [klɛʀɔne] vt (fig) pregonar, vocear.
clairsemé, e [klɛʀsəme] adj escaso(-a); (cheveux, herbe) ralo(-a), escaso(-a); (maisons) esparcido(-a).
clairvoyance [klɛʀvwajãs] nf clarividencia.
clairvoyant, e [klɛʀvwajã, ãt] adj (perspicace) clarividente; (doué de vision) vidente.
clam [klam] nm especie de almeja grande.
clamer [klame] vt clamar.

clameur [klamœʀ] nf clamor m.
clan [klã] nm clan m.
clandestin, e [klãdɛstɛ̃, in] adj clandestino(-a); **passager** ~ polizón m; **immigration** ~**e** inmigración f clandestina.
clandestinement [klãdɛstinmã] adv clandestinamente.
clandestinité [klãdɛstinite] nf: **dans la** ~ en la clandestinidad; **entrer dans la** ~ entrar en la clandestinidad.
clapet [klapɛ] nm válvula.
clapier [klapje] nm conejera, madriguera.
clapotement [klapɔtmã] nm chapoteo.
clapoter [klapɔte] vi chapotear.
clapotis [klapɔti] nm chapoteo.
claquage [klakaʒ] nm distensión f, tirón m.
claque [klak] nf bofetada ♦ nm (chapeau) clac m; **la** ~ (THÉÂTRE) la claque.
claquement [klakmã] nm (de porte) portazo.
claquemurer [klakmyʀe]: **se** ~ vpr encerrarse en casa.
claquer [klake] vi (coup de feu) sonar; (porte) golpear ♦ vt (doigts) castañetear; (gifler) abofetear; ~ **la porte** dar un portazo; **elle claquait des dents** le castañeteaban los dientes; **se** ~ **un muscle** distenderse un músculo.
claquettes [klakɛt] nfpl claquetas fpl.
clarification [klaʀifikasjɔ̃] nf (fig) aclaración f.
clarifier [klaʀifje] vt (fig) aclarar.
clarinette [klaʀinɛt] nf clarinete m.
clarinettiste [klaʀinetist] nm/f clarinetista m/f.
clarté [klaʀte] nf claridad f.
classe [klas] nf (aussi fig) clase f; (local) clase, aula; **un (soldat de) deuxième** ~ un soldado raso; **1ère/2ème** ~ 1ª/2ª clase; **de** ~ (de qualité) de clase, de calidad; **faire la** ~ dar clase; **aller en** ~ ir a clase; **faire ses** ~**s** (MIL) hacer la instrucción; **aller en** ~ **verte/de neige/de mer** ir al campo/a la nieve/a la playa con el colegio; ► **classe dirigeante** clase dirigente; ► **classe grammaticale** clase ou categoría gramatical; ► **classe ouvrière/ sociale/touriste** clase obrera/social/ turista.
classement [klasmã] nm clasificación f; **premier au** ~ **général** primero en la clasificación general.
classer [klase] vt clasificar; (personne: péj) encasillar; (JUR) archivar, cerrar; **se** ~ **premier/dernier** clasificarse el primero/el último.
classeur [klasœʀ] nm (cahier) clasificador m; (meuble) archivador m; ► **classeur (à feuillets mobiles)** carpeta (de anillas).

classification [klasifikasjɔ̃] nf clasificación f.

classifier [klasifje] vt clasificar.

classique [klasik] adj clásico(-a); (habituel) típico(-a) ♦ nm (œuvre, auteur) clásico; **études** ~s estudios mpl clásicos.

claudication [klodikasjɔ̃] nf claudicación f.

clause [kloz] nf cláusula.

claustrer [klostʀe] vt enclaustrar.

claustrophobie [klostʀɔfɔbi] nf claustrofobia.

clavecin [klav(ə)sɛ̃] nm clavicordio, clavecín m.

claveciniste [klav(ə)sinist] nm/f clavicordista m/f.

clavicule [klavikyl] nf clavícula.

clavier [klavje] nm teclado.

clé [kle] nf = **clef.**

clef [kle] nf llave f; (de boîte de conserves) abrelatas m inv, abridor m; (fig) clave f ♦ adj: **problème/position** ~ problema m/ posición f clave; **mettre sous** ~ poner bajo llave; **prendre la** ~ **des champs** tomar las de Villadiego; **prix** ~**s en main** precio llave en mano; **roman à** ~ novela en la que personas reales aparecen como personajes de ficción; **à la** ~ (à la fin) al final; ► **clef à molette** ou **clef anglaise** llave inglesa; ► **clef d'ut/de fa/de sol** clave de do/de fa/de sol; ► **clef de contact** llave de contacto; ► **clef de voûte** piedra angular.

clématite [klematit] nf clemátide f.

clémence [klemɑ̃s] nf clemencia.

clément, e [klemɑ̃, ɑ̃t] adj (temps) suave; (indulgent) clemente.

clémentine [klemɑ̃tin] nf clementina.

cleptomane [klɛptɔman] nm/f = **kleptomane.**

clerc [klɛʀ] nm: ~ **de notaire** ou **d'avoué** pasante m/f de notario ou de abogado.

clergé [klɛʀʒe] nm clero.

clérical, e, -aux [kleʀikal, o] adj clerical.

cliché [kliʃe] nm cliché m; (LING) tópico, cliché.

client, e [klijɑ̃, klijɑ̃t] nm/f cliente(-a).

clientèle [klijɑ̃tɛl] nf clientela; **accorder/ retirer sa** ~ **à** hacerse/dejar de ser cliente(-a) de.

cligner [kliɲe] vi: ~ **des yeux** (rapidement) parpadear; (fermer à demi) entornar los ojos; ~ **de l'œil** guiñar (el ojo).

clignotant, e [kliɲɔtɑ̃, ɑ̃t] adj intermitente ♦ nm (AUTO) intermitente m, direccional m (AM); (indice de danger) señal f de peligro.

clignoter [kliɲɔte] vi parpadear; (yeux) parpadear, pestañear.

climat [klima] nm clima m; (fig) clima, ambiente m.

climatique [klimatik] adj climático(-a).

climatisation [klimatizasjɔ̃] nf climatización f.

climatisé, e [klimatize] adj climatizado(-a).

climatiser [klimatize] vt climatizar.

climatiseur [klimatizœʀ] nm climatizador m.

clin d'œil [klɛ̃dœj] nm guiño; **en un** ~ ~ **en un abrir y cerrar de ojos.**

clinique [klinik] adj clínico(-a) ♦ nf clínica.

cliniquement [klinikmɑ̃] adv clínicamente.

clinquant, e [klɛ̃kɑ̃, ɑ̃t] adj chillón(-ona), de relumbrón.

clip [klip] nm clip m.

clique [klik] nf (péj: bande) pandilla; **prendre ses** ~**s et ses claques** (fam) liar el petate.

cliquet [klikɛ] nm trinquete m.

cliqueter [klik(ə)te] vi tintinear; (AUTO) picar.

cliquetis [klik(ə)ti] nm tintineo.

clitoris [klitɔʀis] nm clítoris m inv.

clivage [klivaʒ] nm (GÉO) crucero; (fig) divergencia, discrepancia.

cloaque [klɔak] nm cloaca.

clochard, e [klɔʃaʀ, aʀd] nm/f mendigo(-a).

cloche [klɔʃ] nf (d'église) campana; (fam: niais) tonto(-a); (: les clochards) los mendigos; (chapeau) sombrero de campana; **se faire sonner les** ~**s** (fam) recibir un rapapolvo; ► **cloche à fromage** quesera.

cloche-pied [klɔʃpje]: **à** ~-~ adv a la pata coja.

clocher [klɔʃe] nm campanario ♦ vi (fam) fallar, no andar bien; **de** ~ (péj) de pueblo.

clocheton [klɔʃtɔ̃] nm pináculo.

clochette [klɔʃɛt] nf campanilla; (de vache) esquila.

clodo [klodo] (fam) nm = **clochard.**

cloison [klwazɔ̃] nf tabique m; (fig) separación f, barrera; ► **cloison étanche** (fig) compartimento estanco.

cloisonner [klwazɔne] vt (TECH) tabicar; (fig) compartimentar.

cloître [klwatʀ] nm claustro.

cloîtrer [klwatʀe] vt: **se** ~ (aussi REL) enclaustrarse.

clone [klon] nm clon m.

clope [klɔp] (fam) nm ou f pitillo, pito.

clopin-clopant [klɔpɛ̃klɔpɑ̃] adv cojeando, renqueando; (fig) renqueando.

clopiner [klɔpine] vi cojear, renquear.

cloporte [klɔpɔʀt] nm cochinilla.

cloque [klɔk] nf ampolla.

cloqué, e [klɔke] adj: **étoffe** ~**e** tejido de cloqué.

cloquer [klɔke] vi formar ampollas.

clore [klɔʀ] vt (séance, inscriptions) cerrar, clausurar; ~ **une session** (INFORM) cerrar

una sesión; **la séance est close** se cierra
la sesión.

clos, e [klo, kloz] *adj (fermé)* cerrado(-a) ♦
nm cercado.

clôt [klo] *vb voir* **clore**.

clôture [klotyʀ] *nf (des débats, d'un festival)*
clausura; *(des portes)* cierre *m; (des inscriptions)* cierre del plazo; *(d'une manifestation)* cierre, final *m; (barrière)* cercado, valla.

clôturer [klotyʀe] *vt (terrain)* cercar; *(festival, débats)* clausurar.

clou [klu] *nm* clavo; *(MÉD)* divieso; ~**s** *nmpl*
(= *passage clouté) voir* **passage, pneus à
~s** neumáticos *mpl* para nieve *ou* montaña; **le ~ du spectacle** *(fig)* la principal
atracción del espectáculo; ► **clou de girofle** clavo de especia.

clouer [klue] *vt* clavar; *(de surprise)* dejar
clavado(-a); *(suj: coup, maladie)* inmovilizar.

clouté, e [klute] *adj* claveteado(-a),
tachonado(-a).

clown [klun] *nm* payaso, clown *m;* **faire le
~** hacer el payaso *ou* el tonto.

clownerie [klunʀi] *nf:* **faire des ~s** hacer
payasadas.

club [klœb] *nm* club *m.*

CM *sigle f (SCOL = cours moyen) voir* **cours.**

cm *abr* (= *centimètre(s))* cm. (= *centíme-
tro(s)).*

CNC [seɛnse] *sigle m* (= *Conseil national de
la consommation) oficina nacional del consumidor.*

CNCL [seɛnseɛl] *sigle f = Commission nationale de la communication et des libertés.*

CNDP [seɛndepe] *sigle m = Centre national
de documentation pédagogique.*

CNEC *sigle m = Centre national de
l'enseignement par correspondance.*

CNED [knɛd] *sigle m* (= *Centre national
d'enseignement à distance)* UNED *f* (=
*Universidad Nacional de Educación a Dis-
tancia).*

CNIT [knit] *sigle m* (= *Centre national des industries et des techniques) centro de exposiciones en Paris.*

CNPF [seɛnpeɛf] *sigle m* (= *Conseil national
du patronat français)* ≈ CEOE *f* (= *Confederación Española de Organizaciones Empresariales).*

CNRS [seɛnɛʀɛs] *sigle m* (= *Centre national
de la recherche scientifique)* ≈ CSIC *m* (=
*Consejo Superior de Investigaciones Científi-
cas).*

c/o *abr* (= *care of)* a/c (= *al cuidado de).*

coagulant [kɔagylɑ̃] *nm* coagulante *m.*

coaguler [kɔagyle] *vi (aussi:* **se ~**) coagularse.

coaliser [kɔalize] *vi:* **se ~** agruparse.

coalition [kɔalisjɔ̃] *nf* coalición *f.*

coasser [kɔase] *vi* croar.

coauteur [kootœʀ] *nm* coautor *m.*

coaxial, e, aux [koaksjal, jo] *adj* coaxial.

cobalt [kɔbalt] *nm* cobalto.

cobaye [kɔbaj] *nm* cobaya *m ou f,* conejillo
de Indias; *(fig)* cobaya.

COBOL, cobol [kɔbɔl] *nm* COBOL *m,* lenguaje *m* común a los problemas de gestión.

cobra [kɔbʀa] *nm* cobra.

coca [kɔka] *nm* coca.

cocagne [kɔkaɲ] *nf:* **pays de ~** Jauja; **mât
de ~** cucaña.

cocaïne [kɔkain] *nf* cocaína.

cocarde [kɔkaʀd] *nf* escarapela.

cocardier, -ère [kɔkaʀdje, jɛʀ] *adj*
patriotero(-a).

cocasse [kɔkas] *adj* chistoso(-a).

coccinelle [kɔksinɛl] *nf* mariquita.

coccyx [kɔksis] *nm* coxis *m.*

coche [kɔʃ] *nm:* **manquer** *ou* **louper le ~**
perder la oportunidad.

cocher [kɔʃe] *nm* cochero ♦ *vt* marcar *(con
una cruz).*

cochère [kɔʃɛʀ] *adj f:* **porte ~** puerta cochera.

cochon [kɔʃɔ̃] *nm* cerdo, cancho *(AM)* ♦
nm/f (péj) cerdo(-a) ♦ *adj (fam: livre, his
toire, propos)* verde; ► **cochon d'Inde** conejillo de Indias, cobaya *m ou f;* ► **cochon de lait** cochinillo, lechón *c.*

cochonnaille [kɔʃɔnaj] *(péj) nf* charcutería.

cochonnerie [kɔʃɔnʀi] *(fam) nf* porquería;
(grivoiserie) cochinada.

cochonnet [kɔʃɔnɛ] *nm* bolín *m.*

cocker [kɔkɛʀ] *nm* cocker *m.*

cocktail [kɔktɛl] *nm* cóctel *m,* highball *ou*
jaibol *m (AM),* daiquiri *ou* daiquirí *m
(AM).*

coco [koko] *nm voir* **noix;** *(fam)* tipo ♦ *nf
(fam: cocaïne)* coca.

cocon [kɔkɔ̃] *nm* capullo.

cocorico [kɔkɔʀiko] *excl* ¡quiquiriquí! ♦ *nm*
quiquiriquí *m.*

cocotier [kɔkɔtje] *nm* cocotero.

cocotte [kɔkɔt] *nf* olla, cacerola; **ma ~**
(fam) guapa; ► **cocotte en papier** pajarita de papel; ► **cocotte (minute)** ®
olla a presión.

cocu, e [kɔky] *(fam) adj* cornudo(-a) ♦ *nm*
cornudo.

codage [kɔdaʒ] *nm* codificación *f.*

code [kɔd] *nm* código; *(conventions)* reglas
fpl; **se mettre en ~(s)** *(AUTO)* poner las
luces de cruce; **éclairage** *ou* **phares ~(s)**
luz *f* de cruce; ► **code à barres**
código de barras; ► **code civil** código civil; ► **code de caractère** código de ca-

rácter; ▶ **code de la route** código de la circulación; ▶ **code machine** código máquina; ▶ **code pénal** código penal; ▶ **code postal** código postal; ▶ **code secret** código secreto.

codéine [kɔdein] *nf* codeína.

coder [kɔde] *vt* codificar.

codétenu, e [kodet(ə)ny] *nm/f* compañero(-a) de cárcel.

codicille [kɔdisil] *nm* codicilo.

codifier [kɔdifje] *vt* codificar.

codirecteur, -trice [kodiʀɛktœʀ, tʀis] *nm/f* codirector(a).

coéditeur, -trice [koeditœʀ, tʀis] *nm/f* coeditor(a); (*rédacteur*) corredactor(a).

coefficient [kɔefisjɑ̃] *nm* coeficiente *m*; ▶ **coefficient d'erreur** coeficiente de error.

coéquipier, -ière [koekipje, jɛʀ] *nm/f* compañero(-a) de equipo.

coercition [kɔɛʀsisjɔ̃] *nf* coerción *f*.

cœur [kœʀ] *nm* corazón *m*; (*CARTES: couleur*) corazones *mpl*; (: *carte*) corazón; **affaire de** ~ asunto del corazón, asunto sentimental; **avoir bon/du** ~ tener buen corazón; **avoir mal au** ~ tener náuseas; **contre son** ~ contra su pecho; **opérer qn à** ~ **ouvert** operar a algn a corazón abierto; **recevoir qn à** ~ **ouvert** recibir a algn con las manos llenas; **parler à** ~ **ouvert** hablar con el corazón en la mano; **de tout son** ~ de todo corazón; **avoir le** ~ **gros** *ou* **serré** estar acongojado; **en avoir le** ~ **net** saber a qué atenerse; **avoir le** ~ **sur la main** ser muy generoso; **par** ~ de memoria; **de bon/grand** ~ con toda el alma; **avoir à** ~ **de faire** empeñarse en hacer; **cela lui tient à** ~ esto le apasiona; **prendre les choses à** ~ tomar las cosas a pecho; **s'en donner à** ~ **joie** gozar; **être de (tout)** ~ **avec qn** apoyar a algn, estar (moralmente) con algn; ▶ **cœur d'artichaut** corazón de alcachofa; ▶ **cœur de la forêt** corazón del bosque; ▶ **cœur de laitue** cogollo de lechuga; ▶ **cœur de l'été** pleno verano; ▶ **cœur du débat** (*fig*) centro del debate, meollo del debate.

coexistence [kɔɛgzistɑ̃s] *nf* coexistencia; ▶ **coexistence pacifique** coexistencia pacífica.

coexister [kɔɛgziste] *vi* coexistir.

coffrage [kɔfʀaʒ] *nm* (*CONSTR*) encofrado.

coffre [kɔfʀ] *nm* (*meuble*) arca; (*coffre-fort*) cofre *m*; (*d'auto*) maletero, baúl *m* (*AM*), maletera (*AND, CSUR*); **avoir du** ~ (*fam*) tener mucho fuelle.

coffre-fort [kɔfʀəfɔʀ] (*pl* ~**s**-~**es**) *nm* caja fuerte.

coffrer [kɔfʀe] (*fam*) *vt* meter en chirona.

coffret [kɔfʀɛ] *nm* cofrecito; ▶ **coffret à bijoux** joyero.

cogérant, e [koʒeʀɑ̃, ɑ̃t] *nm/f* cogerente *mf*.

cogestion [koʒɛstjɔ̃] *nf* cogestión *f*.

cogiter [koʒite] *vi, vt* cavilar.

cognac [kɔɲak] *nm* coñac *m*.

cognement [kɔɲmɑ̃] *nm* golpeteo.

cogner [kɔɲe] *vt, vi* golpear; **se cogner** *vpr* darse un golpe; ~ **sur/contre** golpear en/contra; ~ **à la porte/fenêtre** golpear a la puerta/ventana.

cohabitation [kɔabitasjɔ̃] *nf* cohabitación *f*.

cohabiter [kɔabite] *vi* cohabitar.

cohérence [kɔeʀɑ̃s] *nf* coherencia.

cohérent, e [kɔeʀɑ̃, ɑ̃t] *adj* coherente.

cohésion [kɔezjɔ̃] *nf* cohesión *f*.

cohorte [kɔɔʀt] *nf* cohorte *f*.

cohue [kɔy] *nf* tropel *m*.

coi, coite [kwa, kwat] *adj*: **rester** ~ no decir esta boca es mía.

coiffe [kwaf] *nf* cofia.

coiffé, e [kwafe] *adj*: **bien/mal** ~ bien/mal peinado(-a); ~ **d'un béret** cubierto(-a) con una boina; ~ **d'un chapeau** cubierto(-a) con un sombrero; ~ **en arrière** peinado(-a) hacia atrás; ~ **en brosse** peinado(-a) con el cepillo.

coiffer [kwafe] *vt* peinar; (*colline, sommet*) coronar; (*ADMIN*) estar al frente de; (*dépasser*) ganar, sobrepasar; **se coiffer** *vpr* peinarse; (*se couvrir*) tocarse; ~ **qn d'un béret** cubrir la cabeza de algn con una boina.

coiffeur, -euse [kwafœʀ, øz] *nm/f* peluquero(-a).

coiffeuse [kwaføz] *nf* (*table*) tocador *m*, coqueta.

coiffure [kwafyʀ] *nf* (*cheveux*) peinado; (*chapeau*) tocado; **la** ~ la peluquería.

coin [kwɛ̃] *nm* (*gén*) esquina; (*pour caler*) calzo; (*pour fendre le bois*) cuña; (*d'une table etc*) rincón *m*; (*poinçon*) troquel *m*; **l'épicerie du** ~ el ultramarinos de la esquina; **dans le** ~ por aquí; **au** ~ **du feu** al amor de la lumbre; **du** ~ **de l'œil** de reojo; **regard/sourire en** ~ mirada/sonrisa de soslayo.

coincé, e [kwɛ̃se] *adj* (*tiroir, pièce mobile*) atascado(-a); (*fig*) corto(-a).

coincer [kwɛ̃se] *vt* calzar; (*fam: par une question, une manœuvre*) pillar; **se coincer** *vpr* atascarse.

coïncidence [kɔɛ̃sidɑ̃s] *nf* coincidencia.

coïncider [kɔɛ̃side] *vi*: ~ **avec** coincidir con.

coin-coin [kwɛ̃kwɛ̃] *nm inv* cuac cuac *m*.

coing [kwɛ̃] *nm* membrillo.

coït [kɔit] *nm* coito.

coite [kwat] *adj f* voir **coi**.

coke[1] [kɔk] *nm* (*charbon*) cok *m*; coque *m*.

coke² [kɔk] (*fam*) *nf* (*cocaïne*) coca.

col¹ [kɔl] *nm* cuello; (*de montagne*) puerto; ► **col de l'utérus** cuello del útero; ► **col du fémur** cuello del fémur; ► **col roulé** cuello vuelto.

col² [kɔl] *abr* (= *colonne*) col., col.ª (= *columna*).

coléoptère [kɔleɔptɛʀ] *nm* coleóptero.

colère [kɔlɛʀ] *nf* ira, cólera, enojo (*esp AM*); **être en ~** (**contre qn**) estar enfadado(-a) *ou* enojado(-a) (*esp AM*) (con algn); **mettre qn en ~** hacer enfadar a algn, enojar a algn (*esp AM*); **se mettre en ~** enfadarse, enojarse (*esp AM*); **piquer une ~** (*fam*) ponerse hecho una furia.

coléreux, -euse [kɔleʀø, øz] *adj* colérico (-a).

colérique [kɔleʀik] *adj* colérico(-a).

colibacille [kɔlibasil] *nm* colibacilo.

colibacillose [kɔlibasiloz] *nf* colibacilosis *f*.

colifichet [kɔlifiʃɛ] *nm* baratija, bagatela.

colimaçon [kɔlimasɔ̃] *nm* caracol *m*; **escalier en ~** escalera de caracol.

colin [kɔlɛ̃] *nm* merluza.

colin-maillard [kɔlɛ̃majaʀ] (*pl* **~-~s**) *nm* gallina ciega.

colique [kɔlik] *nf* cólico; (*fig*) tostón *m*; ► **colique néphrétique** cólico nefrítico.

colis [kɔli] *nm* paquete *m*; **par ~ postal** por paquete postal.

colistier [kolistje] *nm* miembro de una misma candidatura.

colite [kɔiit] *nf* colitis *f*.

collaborateur, -trice [kɔ(l)labɔʀatœʀ, tʀis] *nm/f* colaborador(a); (*POL*) colaboracionista *m/f*.

collaboration [kɔ(l)labɔʀasjɔ̃] *nf* colaboración *f*; (*POL*) colaboracionismo; **en ~ avec** en colaboración con.

collaborer [kɔ(l)labɔʀe] *vi* (*aussi POL*) colaborar; **~ à** colaborar en.

collage [kɔlaʒ] *nm* collage *m*.

collagène [kɔlaʒɛn] *nm* colágeno.

collant, e [kɔlɑ̃, ɑ̃t] *adj* adherente; (*robe*) ajustado(-a); (*péj: personne*) pegajoso(-a) ♦ *nm* (*bas*) pantis *mpl*; (*de danseur*) malla.

collatéral, e, -aux [kɔ(l)lateʀal, o] *adj*: **les collatéraux** los familiares colaterales.

collation [kɔlasjɔ̃] *nf* colación *f*.

colle [kɔl] *nf* (*à papier*) pegamento; (*à papiers peints*) cola; (*devinette*) pega; **avoir une ~** (*SCOL*) quedarse castigado; ► **colle de bureau** goma de pegar; ► **colle forte** cola fuerte.

collecte [kɔlɛkt] *nf* colecta; **faire une ~** hacer una colecta.

collecter [kɔlɛkte] *vt* colectar.

collecteur [kɔlɛktœʀ] *nm* (*égout*) colector *m*.

collectif, -ive [kɔlɛktif, iv] *adj* colectivo(-a)

♦ *nm* colectivo; **immeuble ~** edificio social; ► **collectif budgétaire** ley *f* de presupuestos adicional.

collection [kɔlɛksjɔ̃] *nf* colección *f*; (*COMM*) muestrario; **pièce de ~** pieza de colección; **faire (la) ~ de** coleccionar, hacer (una) colección de; (**toute**) **une ~ de** (*fig*) (toda) una colección de; ► **collection (de mode)** colección (de moda).

collectionner [kɔlɛksjɔne] *vt* coleccionar.

collectionneur, -euse [kɔlɛksjɔnœʀ, øz] *nm/f* coleccionista *m/f*.

collectivement [kɔlɛktivmɑ̃] *adv* colectivamente.

collectiviser [kɔlɛktivize] *vt* colectivizar.

collectivisme [kɔlɛktivism] *nm* colectivismo.

collectivité [kɔlɛktivite] *nf* colectivo; **la ~** la colectividad; ► **collectivités locales** administraciones *fpl* locales.

collège [kɔlɛʒ] *nm* colegio; ► **collège d'enseignement secondaire** colegio de enseñanza media; ► **collège électoral** colegio electoral.

collégial, e, -aux [kɔleʒjal, jo] *adj* colegiado(-a).

collégien, ne [kɔleʒjɛ̃, jɛn] *nm/f* colegial *m/f*.

collègue [kɔ(l)lɛg] *nm/f* colega *m/f*.

coller [kɔle] *vt* pegar; (*papier peint*) encolar; (*fam: mettre*) meter; (*par une devinette*) pillar; (*SCOL: fam*) catear ♦ *vi* (*être collant*) pegarse; (*adhérer*) pegar; **~ son front à la vitre** pegar la frente contra el cristal; **~ qch sur** pegar algo en; **~ à** adherir a; (*fig*) cuadrar con.

collerette [kɔlʀɛt] *nf* cuello de encaje; (*TECH*) collar.

collet [kɔlɛ] *nm* lazo; **prendre qn au ~** (*cou*) agarrar a algn por el cuello; ► **collet monté** encopetado(-a).

colleter [kɔlte] *vt* coger por el cuello; **se ~ avec** agarrarse con.

colleur, -euse [kɔlœʀ, øz] *nm/f*: **~ d'affiches** cartelero.

collier [kɔlje] *nm* collar *m*; (*TECH*) collar *m*, abrazadera; **~ (de barbe)**, **barbe en ~** sotabarba; ► **collier de serrage** brida de apriete.

collimateur [kɔlimatœʀ] *nm*: **être dans le ~** (*fig*) ser el punto de mira; **avoir qn/qch dans le ~** (*fig*) tener a algn/a algo en el punto de mira.

colline [kɔlin] *nf* colina.

collision [kɔlizjɔ̃] *nf* colisión *f*; (*fig*) choque *m*; **entrer en ~ (avec)** chocar (con).

colloque [kɔ(l)lɔk] *nm* coloquio.

collusion [kɔlyzjɔ̃] *nf* colusión *f*.

collutoire [kɔlytwaʀ] *nm* colutorio.

collyre [kɔliʀ] *nm* colirio.

colmater [kɔlmate] *vt* taponar.

colombage [kɔlɔ̃baʒ] *nm* entramado.
colombe [kɔlɔ̃b] *nf* paloma.
Colombie [kɔlɔ̃bi] *nf* Colombia.
colombien, ne [kɔlɔ̃bjɛ̃, jɛn] *adj* colombiano(-a) ♦ *nm/f*: C~, ne colombiano(-a).
colon [kɔlɔ̃] *nm* colono; (*enfant*) niño de una colonia de vacaciones.
côlon [kolɔ̃] *nm* colon *m*.
colonel [kɔlɔnɛl] *nm* coronel *m*.
colonial, e, -aux [kɔlɔnjal, jo] *adj* colonial.
colonialisme [kɔlɔnjalism] *nm* colonialismo.
colonialiste [kɔlɔnjalist] *adj, nm/f* colonialista.
colonie [kɔlɔni] *nf* colonia; ► **colonie (de vacances)** colonia (de vacaciones).
colonisation [kɔlɔnizasjɔ̃] *nf* colonización *f*.
coloniser [kɔlɔnize] *vt* colonizar.
colonnade [kɔlɔnad] *nf* columnata.
colonne [kɔlɔn] *nf* columna; **se mettre en ~ par deux/quatre** formar columna de a dos/cuatro; **en ~ par deux** en columna de a dos; ► **colonne de secours** columna de socorro; ► **colonne (vertébrale)** columna vertebral.
colophane [kɔlɔfan] *nf* colofonía.
colorant, e [kɔlɔRɑ̃, ɑ̃t] *adj* colorante ♦ *nm* colorante *m*.
coloration [kɔlɔRasjɔ̃] *nf* (*couleur*) color *m*; **se faire faire une ~** teñirse.
coloré, e [kɔlɔRe] *adj* (*style*) florido(-a).
colorer [kɔlɔRe] *vt* colorear; **se colorer** *vpr* (*ciel*) colorearse; (*joues*) sonrojarse; (*tomates, raisins*) coger color.
coloriage [kɔlɔRjaʒ] *nm* coloreado.
colorier [kɔlɔRje] *vt* colorear, pintar; **album à ~** álbum *m* de colorear.
coloris [kɔlɔRi] *nm* colorido.
coloriste [kɔlɔRist] *nm/f* colorista *m/f*.
colossal, e, -aux [kɔlɔsal, o] *adj* colosal.
colosse [kɔlɔs] *nm* coloso.
colostrum [kɔlɔstRɔm] *nm* calostro.
colporter [kɔlpɔRte] *vt* (*marchandises*) vender de forma ambulante; (*nouvelle*) propagar.
colporteur, -euse [kɔlpɔRtœR, øz] *nm/f* vendedor(a) ambulante.
colt [kɔlt] *nm* colt *m*.
coltiner [kɔltine] *vt* llevar a hombros; **se coltiner** *vpr* cargar con.
colza [kɔlza] *nm* colza.
coma [kɔma] *nm* coma *m*; **être dans le ~** estar en coma.
comateux, -euse [kɔmatø, øz] *adj* comatoso(-a).
combat [kɔ̃ba] *vb voir* **combattre** ♦ *nm* (*MIL*) combate *m*; (*fig*) lucha; ► **combat de boxe** combate de boxeo; ► **combat de rues** pelea callejera.

combatif, -ive [kɔ̃batif, iv] *adj* combativo(-a).
combativité [kɔ̃bativite] *nf* combatividad *f*.
combattant, e [kɔ̃batɑ̃, ɑ̃t] *vb voir* **combattre** ♦ *adj* combatiente ♦ *nm* combatiente *m*; (*d'une rixe*) contendiente *m*; **ancien ~** antiguo combatiente.
combattre [kɔ̃batʀ] *vt, vi* combatir.
combien [kɔ̃bjɛ̃] *adv* (*interrogatif*) cuánto (-a); (*nombre*) cuántos(-as); (*exclamatif*): **comme, que**) cómo, qué; **~ de** cuántos (-as); **~ de temps** cuánto tiempo; **~ coûte/pèse ceci?** ¿cuánto cuesta/pesa esto?; **vous mesurez ~?** ¿cuánto mide usted?; **ça fait ~?** ¿cuánto es?; **ça fait ~ en largeur?** ¿cuánto mide de ancho?
combinaison [kɔ̃binɛzɔ̃] *nf* combinación *f*; (*astuce*) plan *m*; (*vestido, SPORT*) traje *m*; (*bleu de travail*) mono, overol *m* (*AM*).
combine [kɔ̃bin] *nf* truco, artimaña.
combiné [kɔ̃bine] *nm* (*aussi*: **~ téléphonique**) auricular *m*; (*SKI*) prueba mixta; (*vêtement*) conjunto de lencería.
combiner [kɔ̃bine] *vt* combinar; (*organiser*) organizar.
comble [kɔ̃bl] *adj* abarrotado(-a) ♦ *nm* (*du bonheur, plaisir*) colmo; **~s** *nmpl* (*CONSTR*) armazón *msg* del tejado; **de fond en ~ de** arriba abajo; **pour ~ de malchance** para colmo de desgracia; **c'est le ~!** ¡es el colmo!; **sous les ~s** en el desván.
combler [kɔ̃ble] *vt* (*trou*) llenar; (*fig*) llenar, cubrir; (*satisfaire*) colmar; **~ qn de joie/d'honneurs** colmar a algn de alegría/de honores.
combustible [kɔ̃bystibl] *adj, nm* combustible *m*.
combustion [kɔ̃bystjɔ̃] *nf* combustión *f*.
comédie [kɔmedi] *nf* comedia; **jouer la ~** (*fig*) hacer la comedia; ► **comédie musicale** comedia musical.
comédien, ne [kɔmedjɛ̃, jɛn] *nm/f* (*THÉÂTRE, fig*) comediante(-a); (*comique*) cómico(-a).
comédon [kɔmedɔ̃] *nm* comedón *m*.
comestible [kɔmɛstibl] *adj* comestible; **~s** *nmpl* comestibles *mpl*.
comète [kɔmɛt] *nf* cometa *m*.
comice [kɔmis] *nm*: **~s agricoles** círculos *mpl* de labradores.
comique [kɔmik] *adj* cómico(-a) ♦ *nm* cómico(-a); **le ~ de qch** lo gracioso de algo
comité [kɔmite] *nm* comité *m*; **petit ~** reunión *f* íntima; ► **comité d'entreprise** comité de empresa; ► **comité des fêtes** comité de las fiestas; ► **comité directeur** junta directiva.
commandant [kɔmɑ̃dɑ̃] *nm* comandante *m*; ► **commandant (de bord)** comandan-

te (de a bordo).

commande [kɔmɑ̃d] *nf* (COMM) pedido; (INFORM) mando; ~s *nfpl* mandos *mpl*; **passer une ~ (de)** cursar un pedido (de); **sur ~** de encargo; **véhicule à double ~** vehículo de doble mando; ► **commande à distance** mando a distancia.

commandement [kɔmɑ̃dmɑ̃] *nm* (d'une armée) mando; (ordre) mandato; (REL) mandamiento.

commander [kɔmɑ̃de] *vt* (COMM) encargar, pedir; (diriger, ordonner) mandar; (contrôler) regular, controlar; (imposer) exigir; ~ **à** (MIL) mandar a; (fig) dominar a; ~ **à qn de faire qch** ordenar a algn que haga algo.

commanditaire [kɔmɑ̃ditɛʀ] *nm* socio comanditario.

commandite [kɔmɑ̃dit] *nf*: **(société en) ~** (sociedad *f* en) comandita.

commanditer [kɔmɑ̃dite] *vt* comanditar.

commando [kɔmɑ̃do] *nm* comando.

=============== **MOT-CLÉ** ===============

comme [kɔm] *prép* **1** (comparaison) como; **tout comme son père** igual que su padre; **fort comme un bœuf** fuerte como un toro; **il est petit comme tout** es muy pequeño; **il est rond comme une bille** (fam) está como una cuba; **comme c'est pas permis** (fam) como él(ella) solo(-a)
2 (manière) comme ça así; **comment ça va? – comme ça** ¿qué tal? – así, así; **comme ci, comme ça** así, así; **faites comme cela** hágalo así; **on ne parle pas comme ça à ...** no se habla así a ...
3 (en tant que) **donner comme prix/heure** dar como precio/hora; **travailler comme secrétaire** trabajar de secretaria
♦ *conj* **1** (ainsi que) como; **elle écrit comme elle parle** escribe como habla; **comme on dit** como se dice; **comme si** como si; **comme quoi** ... (disant que) en el/la/los/las que dice *etc* que ...; (d'où il s'ensuit que) lo que demuestra que; **comme de juste** como es natural; **comme il faut** como es debido
2 (au moment où, alors que) cuando; **il est parti comme j'arrivais** se marchó cuando yo llegaba
3 (parce que, puisque) como; **comme il était en retard, ...** como se retrasaba, ...
♦ *adv* (exclamation): **comme c'est bon/il est fort!** ¡qué bueno está!/¡qué fuerte es!

commémoratif, -ive [kɔmemɔʀatif, iv] *adj* conmemorativo(-a).

commémoration [kɔmemɔʀasjɔ̃] *nf* conmemoración *f*.

commémorer [kɔmemɔʀe] *vt* conmemo-

rar.

commencement [kɔmɑ̃smɑ̃] *nm* comienzo; ~s comienzos *mpl*.

commencer [kɔmɑ̃se] *vt, vi* comenzar, empezar; (être placé au début de) iniciar; ~ **à** *ou* **de faire** comenzar *ou* empezar a hacer; ~ **par qch** comenzar *ou* empezar por algo; ~ **par faire qch** comenzar *ou* empezar por hacer algo.

commensal, e, -aux [kɔmɑ̃sal, o] *nm/f* comensal *m/f*.

comment [kɔmɑ̃] *adv* (interrogatif) cómo; ~? ¿cómo?, ¿mande (usted)?; ~! (affirmatif: de quelle façon) ¡claro!; et ~! ¡pero cómo!; ~ **donc!** (bien sûr) ¡por supuesto!, ¡pues claro!; ~ **aurais-tu fait?** ¿cómo habrías hecho?; ~ **tu t'y serais pris?** ¿qué habrías hecho tú?; ~ **faire?** ¿cómo hacemos?; ~ **se fait-il que?** ¿cómo es que ... ?; ~ **est-ce que ça s'appelle?** ¿cómo se llama eso?; ~ **est-ce qu'on ...?** ¿cómo se ...?; **le ~ et le pourquoi** el cómo y el por qué.

commentaire [kɔmɑ̃tɛʀ] *nm* (gén pl) comentario; ► **commentaire (de texte)** comentario (de textos); ► **commentaire sur image** comentario con soporte gráfico.

commentateur, -trice [kɔmɑ̃tatœʀ, tʀis] *nm/f* comentarista *m/f*.

commenter [kɔmɑ̃te] *vt* comentar.

commérages [kɔmeʀaʒ] *nmpl* chismes *mpl*.

commerçant, e [kɔmɛʀsɑ̃, ɑ̃t] *adj* (rue, ville) comercial; (personne) comerciante ♦ *nm/f* comerciante *m/f*.

commerce [kɔmɛʀs] *nm* (activité) comercio, negocio; (boutique) comercio, tienda; (fig: rapports) trato; **le petit ~** el pequeño comercio; **faire ~ de** comerciar *ou* negociar en; (fig: péj) comerciar en; **chambre de ~** cámara de comercio; **livres de ~** libros de comercio; **vendu dans le ~** de venta en comercios; **vendu hors-~** de venta fuera de comercio; ► **commerce en** *ou* **de gros** comercio al por mayor; ► **commerce extérieur** comercio exterior; ► **commerce intérieur** comercio interior.

commercer [kɔmɛʀse] *vi*: ~ **avec** comerciar *ou* negociar con.

commercial, e, -aux [kɔmɛʀsjal, jo] *adj* (aussi péj) comercial ♦ *nm*: **les commerciaux** los representantes.

commerciale [kɔmɛʀsjal] *nf* (véhicule) furgoneta.

commercialisable [kɔmɛʀsjalizabl] *adj* comercializable.

commercialisation [kɔmɛʀsjalizasjɔ̃] *nf* comercialización *f*.

commercialiser [kɔmɛʀsjalize] *vt* comercializar.

commère [kɔmɛʀ] *nf* comadre *f*.

commettant [kɔmetã] *vb voir* **commettre**
♦ *nm* (*JUR*) comitente *m*.

commettre [kɔmɛtʀ] *vt* cometer; **se
commettre** *vpr* comprometerse; **avocat
commis d'office** abogado (nombrado) de
oficio.

commis [kɔmi] *vb voir* **commettre** ♦ *nm*
empleado; ▶ **commis voyageur** viajante
m.

commisération [kɔmizeʀasjɔ̃] *nf* conmiseración *f*.

commissaire [kɔmisɛʀ] *nm* comisario;
▶ **commissaire aux comptes** interventor *m* *ou* censor *m* de cuentas;
▶ **commissaire du bord** sobrecargo.

commissaire-priseur [kɔmisɛʀpʀizœʀ] (*pl
~s-~s*) *nm* perito tasador.

commissariat [kɔmisaʀja] *nm* comisaría;
(*ADMIN*) administración *f*.

commission [kɔmisjɔ̃] *nf* comisión *f*; (*message*) recado; (*course*) encargo, recado;
~s nfpl compras *fpl*; ▶ **commission
d'examen** comisión de examen, tribunal *m*.

commissionnaire [kɔmisjɔnɛʀ] *nm* (*livreur*)
repartidor *m*; (*messager*) intermediario;
(*TRANSPORT*) transportista *m*.

commissure [kɔmisyʀ] *nf*: **la ~ des lèvres**
la comisura de los labios.

commode [kɔmɔd] *adj* cómodo(-a); (*air,
personne*) amable; (*personne*): **pas ~** difícil ♦ *nf* cómoda.

commodément [kɔmɔdemã] *adv* cómodamente.

commodité [kɔmɔdite] *nf* comodidad *f*; *~s
nfpl* comodidades *fpl*.

commotion [kɔmosjɔ̃] *nf* conmoción *f*; **~
(cérébrale)** conmoción (cerebral).

commotionné, e [kɔmosjɔne] *adj*
conmocionado(-a).

commuer [kɔmɥe] *vt* conmutar.

commun, e [kɔmœ̃, yn] *adj* común,
colectivo(-a) ♦ *nm*: **cela sort du ~** eso
sale de lo común; *~s nmpl* dependencias
fpl; **le ~ des mortels** el común de las gentes; **sans ~e mesure** sin comparación;
bien ~ bien *m* común; **être ~ à** ser propio de; **en ~** en común; **peu ~** poco común; **d'un ~ accord** de común acuerdo.

communal, e, -aux [kɔmynal, o] *adj* municipal.

communard, e [kɔmynaʀ, aʀd] *nm/f* partidario de la Comuna.

communautaire [kɔmynotɛʀ] *adj*
comunitario(-a).

communauté [kɔmynote] *nf* comunidad *f*;
(*JUR*): **régime de la ~** régimen *m* de la
comunidad.

commune [kɔmyn] *adj f voir* **commun** ♦ *nf*
municipio.

communément [kɔmynemã] *adv* comúnmente.

communiant, e [kɔmynjã, jãt] *nm/f* comul-
gante *m/f*; **premier ~** niño que hace la Primera Comunión.

communicant, e [kɔmynikã, ãt] *adj*
comunicante.

communicatif, -ive [kɔmynikatif, iv] *adj*
(*personne*) comunicativo(-a); (*rire*)
contagioso(-a).

communication [kɔmynikasjɔ̃] *nf* comunicación *f*; *~s nfpl* comunicaciones *fpl*; **vous
avez la ~** ya tiene la llamada; **donnez-
moi la ~** avec páseme la llamada con;
avoir la ~ (avec) recibir la llamada (de);
mettre qn en ~ avec qn (*en contact*) poner
a algn en contacto con algn; (*au téléphone*) poner a algn en comunicación con;
▶ **communication avec préavis** aviso
de conferencia; ▶ **communication interurbaine** llamada interurbana.

communier [kɔmynje] *vi* comulgar.

communion [kɔmynjɔ̃] *nf* comunión *f*; **première ~** primera comunión; ▶ **communion solennelle** comunión solemne.

communiqué [kɔmynike] *nm* comunicado;
▶ **communiqué de presse** comunicado
de prensa.

communiquer [kɔmynike] *vt* comunicar;
(*demande, dossier*) presentar; (*maladie,
chaleur*) transmitir ♦ *vi* comunicarse; **se
communiquer à** *vpr* tra(n)smitirse a; **~ avec**
avec comunicar con.

communisme [kɔmynism] *nm* comunismo.

communiste [kɔmynist] *adj, nm/f* comunista *m/f*.

commutateur [kɔmytatœʀ] *nm* conmutador *m*.

commutation [kɔmytasjɔ̃] *nf* (*INFORM*)
conmutación *f*; ▶ **commutation de mes-
sages** conmutación de mensajes;
▶ **commutation de paquets** conmutación de paquetes.

Comores [kɔmɔʀ] *nmpl*: **les (îles) ~** las
(islas) Comores.

comorien, ne [kɔmɔʀɛ̃, jɛn] *adj* de Comores ♦ *nm/f*: **C~, ne** nativo(-a) *ou* habitante
m/f de Comores.

compact, e [kɔ̃pakt] *adj* compacto(-a);
(*foule*) denso(-a).

compagne [kɔ̃paɲ] *nf* compañera.

compagnie [kɔ̃paɲi] *nf* compañía; **la ~ de
qn** la compañía de algn; **homme/femme
de ~** hombre *m*/mujer *f* de compañía; **tenir ~ à qn** hacer compañía a algn; **fausser ~ à qn** plantar a algn; **en ~ de** en
compañía de; **Dupont et ~, Dupont et Cie**
Dupont y compañía, Dupont y Cía;
▶ **compagnie aérienne** compañía aérea.

compagnon [kɔ̃paɲɔ̃] *nm* compañero; (*au-*

trefois: ouvrier) obrero.
comparable [kɔ̃paʀabl] *adj*: ~ **(à)** comparable (a).
comparaison [kɔ̃paʀɛzɔ̃] *nf* comparación *f*; **en ~ (de)** en comparación (con); **par ~ (à)** comparado(-a) (a); **sans ~** (*indubitablement*) sin comparación.
comparaître [kɔ̃paʀɛtʀ] *vi*: ~ **(devant)** comparecer (ante).
comparatif, -ive [kɔ̃paʀatif, iv] *adj* comparativo(-a) ♦ *nm* (*LING*) comparativo.
comparativement [kɔ̃paʀativmɑ̃] *adv* comparativamente; ~ **à** en comparación con.
comparé, e [kɔ̃paʀe] *adj*: **littérature/grammaire** ~**e** literatura/gramática comparada.
comparer [kɔ̃paʀe] *vt* comparar; ~ **qch/qn à** *ou* **et** comparar algo/algn a *ou* con.
comparse [kɔ̃paʀs] (*péj*) *nm/f* comparsa *m/f*.
compartiment [kɔ̃paʀtimɑ̃] *nm* (*de train*) compartim(i)ento; (*case*) casilla.
compartimenté, e [kɔ̃paʀtimɑ̃te] *adj* con compartimientos; (*fig*) dividido(-a).
comparu [kɔ̃paʀy] *pp de* **comparaître**.
comparution [kɔ̃paʀysjɔ̃] *nf* comparecencia.
compas [kɔ̃pa] *nm* compás *m*.
compassé, e [kɔ̃pɑse] *adj* afectado(-a).
compassion [kɔ̃pasjɔ̃] *nf* compasión *f*.
compatibilité [kɔ̃patibilite] *nf* compatibilidad *f*.
compatible [kɔ̃patibl] *adj*: ~ **(avec)** compatible (con).
compatir [kɔ̃patiʀ] *vi*: ~ **(à)** compadecerse (de).
compatissant, e [kɔ̃patisɑ̃, ɑ̃t] *adj* compasivo(-a).
compatriote [kɔ̃patʀijɔt] *nm/f* compatriota *m/f*.
compensateur, -trice [kɔ̃pɑ̃satœʀ, tʀis] *adj* compensador(a).
compensation [kɔ̃pɑ̃sasjɔ̃] *nf* (*dédommagement*) compensación *f*; **en ~** en compensación.
compensé, e [kɔ̃pɑ̃se] *adj*: **semelle** ~**e** plataforma.
compenser [kɔ̃pɑ̃se] *vt* compensar.
compère [kɔ̃pɛʀ] *nm* compinche *m*.
compétence [kɔ̃petɑ̃s] *nf* (*aussi JUR*) competencia.
compétent, e [kɔ̃petɑ̃, ɑ̃t] *adj* competente.
compétitif, -ive [kɔ̃petitif, iv] *adj* (*COMM*) competitivo(-a).
compétition [kɔ̃petisjɔ̃] *nf* competencia; (*SPORT*) competición *f*; **la ~** la competición; **être en ~ avec** estar en competencia con; ▶ **compétition automobile**

competición automovilística.
compétitivité [kɔ̃petitivite] *nf* competitividad *f*.
compilateur [kɔ̃pilatœʀ] *nm* compilador *m*.
compiler [kɔ̃pile] *vt* compilar.
complainte [kɔ̃plɛ̃t] *nf* endecha.
complaire [kɔ̃plɛʀ]: **se** ~ **dans/parmi** disfrutar con/entre.
complaisais [kɔ̃plɛzɛ] *vb voir* **complaire**.
complaisamment [kɔ̃plɛzamɑ̃] *adv* amablement; (*péj*) con suficiencia.
complaisance [kɔ̃plɛzɑ̃s] *nf* (*amabilité*) amabilidad *f*; (*péj*) suficiencia; **attestation de** ~ certificado expedido con benevolencia; **pavillon de** ~ pabellón *m* de conveniencia.
complaisant, e [kɔ̃plɛzɑ̃, ɑ̃t] *vb voir* **complaire** ♦ *adj* (*aimable*) complaciente; (*péj*) suficiente.
complaît [kɔ̃plɛ] *vb voir* **complaire**.
complément [kɔ̃plemɑ̃] *nm* (*gén*, *aussi LING*) complemento; (*reste*) resto; ▶ **complément (circonstanciel) de lieu** complemento (circunstancial) de lugar; ▶ **complément d'agent** complemento agente; ▶ **complément d'information** (*ADMIN*) suplemento (informativo); ▶ **complément (d'objet) direct/indirect** complemento directo/indirecto; ▶ **complément de nom** complemento del nombre.
complémentaire [kɔ̃plemɑ̃tɛʀ] *adj* complementario(-a).
complet, -ète [kɔ̃plɛ, ɛt] *adj* completo(-a) ♦ *nm* (*aussi*: ~**-veston**) traje *m*; **au (grand)** ~ en pleno.
complètement [kɔ̃plɛtmɑ̃] *adv* completamente; (*étudier*) a fondo; ~ **nu** completamente desnudo.
compléter [kɔ̃plete] *vt* completar; **se compléter** *vpr* complementarse.
complexe [kɔ̃plɛks] *adj* complejo(-a) ♦ *nm* complejo; ~ **industriel/portuaire/hospitalier** complejo industrial/portuario/hospitalario.
complexé, e [kɔ̃plɛkse] *adj* acomplejado(-a).
complexité [kɔ̃plɛksite] *nf* complejidad *f*.
complication [kɔ̃plikasjɔ̃] *nf* complicación *f*; ~**s** *nfpl* (*MÉD*) complicaciones *fpl*.
complice [kɔ̃plis] *nm/f* cómplice *m/f*.
complicité [kɔ̃plisite] *nf* complicidad *f*.
compliment [kɔ̃plimɑ̃] *nm* cumplido; ~**s** *nmpl* (*félicitations*) enhorabuena *fsg*.
complimenter [kɔ̃plimɑ̃te] *vt* felicitar.
compliqué, e [kɔ̃plike] *adj* complicado(-a).
compliquer [kɔ̃plike] *vt* complicar; **se compliquer** *vpr* complicarse; **se** ~ **la vie** complicarse la vida.
complot [kɔ̃plo] *nm* complot *m*.

comploter [kɔ̃plɔte] *vi* complotar ♦ *vt* tramar.

complu [kɔ̃ply] *pp de* **complaire**.

comportement [kɔ̃pɔʀtəmã] *nm* comportamiento.

comporter [kɔ̃pɔʀte] *vt* constar de; (*impliquer*) conllevar; **se comporter** *vpr* comportarse.

composant [kɔ̃pozã] *nm* componente *m*.

composante [kɔ̃pozãt] *nf* componente *m*.

composé, e [kɔ̃poze] *adj* compuesto(-a); (*visage, air*) de circunstancia ♦ *nm* (*CHIM*) compuesto; (*LING*) nombre *m* compuesto; ~ **de** compuesto(-a) por.

composer [kɔ̃poze] *vt* componer ♦ *vi* (*SCOL*) redactar; (*transiger*) transigir; **se ~ de** componerse de; ~ **un numéro** marcar *ou* discar (*AM*) un número.

composite [kɔ̃pozit] *adj* variado(-a).

compositeur, -trice [kɔ̃pozitœʀ, tʀis] *nm/f* (*MUS*) compositor(a); (*TYPO*) cajista *m/f*.

composition [kɔ̃pozisjɔ̃] *nf* composición *f*; (*SCOL*: *d'histoire, de math*) prueba; **de bonne ~** acomodadizo(-a); ▶**composition française** redacción *f* de francés.

compost [kɔ̃pɔst] *nm* compost *m*, abono.

composter [kɔ̃pɔste] *vt* (*dater*) fechar; (*poinçonner*) picar, perforar.

composteur [kɔ̃pɔstœʀ] *nm* (*timbre dateur*) sello de caracteres móviles; (*poinçon*) cuño.

compote [kɔ̃pɔt] *nf* compota; ~ **de pommes** compota de manzana.

compotier [kɔ̃pɔtje] *nm* frutero.

compréhensible [kɔ̃pʀeãsibl] *adj* (*aussi fig*) comprensible.

compréhensif, -ive [kɔ̃pʀeãsif, iv] *adj* comprensivo(-a).

compréhension [kɔ̃pʀeãsjɔ̃] *nf* comprensión *f*.

comprendre [kɔ̃pʀãdʀ] *vt* (*se composer de, être muni de*) comprender, constar de; (*sens, problème*) comprender, entender; (*sympathiser avec*) comprender; (*point de vue*) entender; **se faire ~** hacerse entender; **je me fais ~?** ¿me explico?

compresse [kɔ̃pʀɛs] *nf* compresa.

compresseur [kɔ̃pʀɛsœʀ] *adj m voir* **rouleau** ♦ *nm* (*TECH*) compresor *m*.

compressible [kɔ̃pʀɛsibl] *adj* (*PHYS*) compresible; (*dépenses*) reducible.

compression [kɔ̃pʀɛsjɔ̃] *nf* (*d'un gaz*) compresión *f*; (*d'un crédit, des effectifs*) reducción *f*.

comprimé, e [kɔ̃pʀime] *adj*: **air ~** aire *m* comprimido ♦ *nm* comprimido, pastilla.

comprimer [kɔ̃pʀime] *vt* (*substance, air*) comprimir; (*crédit, effectifs*) reducir; (*larmes, colère*) reprimir.

compris, e [kɔ̃pʀi, iz] *pp de* **comprendre** ♦

adj (*inclus*) incluido(-a); ~ **entre ... (situé)** situado(-a) entre ...; ~? ¿entendido?; **la maison ~e/non ~e** incluida la casa/sin incluir la casa; **y/non ~ la maison** inclusive la casa/sin incluir la casa; **service ~** servicio incluido; **100 F tout ~** 100 francos con todo incluido.

compromettant, e [kɔ̃pʀɔmetã, ãt] *adj* comprometedor(a).

compromettre [kɔ̃pʀɔmɛtʀ] *vt* comprometer.

compromis [kɔ̃pʀɔmi] *vb voir* **compromettre** ♦ *nm* arreglo.

compromission [kɔ̃pʀɔmisjɔ̃] *nf* compromiso.

comptabiliser [kɔ̃tabilize] *vt* contabilizar.

comptabilité [kɔ̃tabilite] *nf* contabilidad *f*; ▶**comptabilité en partie double** contabilidad por partida doble.

comptable [kɔ̃tabl] *nm/f, adj* contable *m/f*, contador *m* (*AM*); ~ **de** responsable de.

comptant [kɔ̃tã] *adv*: **payer/acheter ~** pagar/comprar al contado.

compte [kɔ̃t] *nm* cuenta; ~**s** *nmpl* (*comptabilité*) cuentas *fpl*; **ouvrir un ~** abrir una cuenta; **rendre des ~s à qn** (*fig*) dar cuentas a algn; **faire le ~ de** hacer la cuenta de; **tout ~ fait, au bout du ~** después de todo; **à ce ~-là** (*dans ce cas*) en este caso; (*à ce train-là*) a este paso; **en fin de ~** (*fig*) a fin de cuentas; **à bon ~** a buen precio; **avoir son ~** (*fig: fam*) tener su merecido; **pour le ~ de qn** por cuenta de algn; **pour son propre ~** por su propia cuenta; **sur le ~ de qn** (*à son sujet*) acerca de algn; **travailler à son ~** trabajar por su cuenta; **mettre qch sur le ~ de** echar la culpa de algo a algn; **prendre qch à son ~** hacerse cargo de algo; **trouver son ~ à** sacar provecho a, tener interés en; **régler un ~** ajustar cuentas; **rendre ~ (à qn) de qch** dar cuenta de algo (a algn); **tenir ~ de qch/que** tener en cuenta algo/que; ~ **tenu de** teniendo en cuenta, habida cuenta de; **il a fait cela sans avoir tenu ~ de ...** hizo eso sin haber tenido en cuenta ...; ▶**compte à rebours** cuenta atrás; ▶**compte chèque postal, compte chèques postaux** cuenta de cheques postales; ▶**compte chèques** cuenta corriente con cheques; ▶**compte client** cuentas por cobrar; ▶**compte courant** cuenta corriente; ▶**compte de dépôt/d'exploitation** cuenta de depósito/de explotación; ▶**compte fournisseur** cuentas por pagar; ▶**compte rendu** informe *m*; (*de film, livre*) reseña.

compte-gouttes [kɔ̃tgut] *nm inv* cuentagotas *m inv*.

compter [kɔ̃te] *vt* contar; *(facturer)* cobrar; *(comporter)* constar de ♦ *vi* contar; *(être économe)* hacer números; ~ **pour** *(valoir)* servir para, contar para; ~ **parmi** figurar entre; ~ **réussir/revenir** esperar aprobar/volver; ~ **sur** *(se fier à)* contar con; ~ **avec/sans qch/qn** contar con/sin algo/algn; **sans** ~ **que** sin contar con que; **à** ~ **du 10 janvier** a partir del 10 de enero; **ça compte beaucoup pour moi** esto tiene mucha importancia para mí; **je compte bien que** espero que.

compte-tours [kɔ̃ttuʀ] *nm inv* cuentarrevoluciones *m inv.*

compteur [kɔ̃tœʀ] *nm (d'auto)* cuentakilómetros *m inv*; *(à gaz, électrique)* contador *m*; ► **compteur de vitesse** velocímetro.

comptine [kɔ̃tin] *nf* canción *f* infantil.

comptoir [kɔ̃twaʀ] *nm (de magasin)* mostrador *m*; *(de café)* barra; *(ville coloniale)* factoría.

compulser [kɔ̃pylse] *vt* compulsar.

comte, comtesse [kɔ̃t, kɔ̃tɛs] *nm/f* conde(condesa).

con, ne [kɔ̃, kɔn] *(fam!)* adj, *nm/f* gilipollas *m/f inv (fam!)*.

concasser [kɔ̃kase] *vt* machacar.

concave [kɔ̃kav] *adj* cóncavo(-a).

concéder [kɔ̃sede] *vt (défaite, point)* reconocer, admitir; *(avantage, droit)* conceder; ~ **que** admitir que.

concélébrer [kɔ̃selebʀe] *vt* concelebrar.

concentration [kɔ̃sɑ̃tʀasjɔ̃] *nf* concentración *f.*

concentrationnaire [kɔ̃sɑ̃tʀasjɔnɛʀ] *adj* de campo de concentración.

concentré, e [kɔ̃sɑ̃tʀe] *adj* concentrado(-a) ♦ *nm* concentrado.

concentrer [kɔ̃sɑ̃tʀe] *vt* concentrar; **se concentrer** *vpr* concentrarse.

concentrique [kɔ̃sɑ̃tʀik] *adj* concéntrico(-a).

concept [kɔ̃sɛpt] *nm* concepto.

concepteur [kɔ̃sɛptœʀ] *nm* diseñador *m.*

conception [kɔ̃sɛpsjɔ̃] *nf (d'un projet, d'un enfant)* concepción *f*; *(d'une machine etc)* diseño.

concernant [kɔ̃sɛʀnɑ̃] *prép (se rapportant à)* referente a, relativo(-a) a; *(en ce qui concerne)* en lo concerniente a.

concerner [kɔ̃sɛʀne] *vt* concernir a; **en ce qui me concerne** en lo que a mí respecta; **en ce qui concerne ceci** en lo que concierne a esto, en lo referente a esto.

concert [kɔ̃sɛʀ] *nm (MUS)* concierto; *(fig)* coro; **de** ~ de concierto.

concertation [kɔ̃sɛʀtasjɔ̃] *nf (échange de vues)* concertación *f*; *(rencontre)* encuentro.

concerter [kɔ̃sɛʀte] *vt* concertar; **se concerter** *vpr* ponerse de acuerdo, concertarse.

concertiste [kɔ̃sɛʀtist] *nm/f* concertista *m/f.*

concerto [kɔ̃sɛʀto] *nm* concierto.

concession [kɔ̃sesjɔ̃] *nf* concesión *f.*

concessionnaire [kɔ̃sesjɔnɛʀ] *nm/f* concesionario(-a).

concevable [kɔ̃s(ə)vabl] *adj* concebible.

concevoir [kɔ̃s(ə)vwaʀ] *vt* concebir; *(décoration etc)* imaginar; *(machine)* diseñar; *(éprouver)* sentir; *(comprendre, saisir)* comprender; **appartement bien/mal conçu** piso bien/mal diseñado.

concierge [kɔ̃sjɛʀ3] *nm/f* portero(-a); *(d'hôtel)* conserje *m.*

conciergerie [kɔ̃sjɛʀ3əʀi] *nf* portería.

concile [kɔ̃sil] *nm* concilio.

conciliable [kɔ̃siljabl] *adj* conciliable.

conciliabules [kɔ̃siljabyl] *nmpl* conciliábulos *mpl.*

conciliant, e [kɔ̃siljɑ̃, jɑ̃t] *adj* conciliador(a).

conciliateur, -trice [kɔ̃siljatœʀ, tʀis] *nm/f* conciliador(a).

conciliation [kɔ̃siljasjɔ̃] *nf* conciliación *f.*

concilier [kɔ̃silje] *vt* conciliar; **se** ~ **qn/l'appui de qn** ganarse a algn/el apoyo de algn.

concis, e [kɔ̃si, iz] *adj* conciso(-a).

concision [kɔ̃sizjɔ̃] *nf* concisión *f.*

concitoyen, ne [kɔ̃sitwajɛ̃, jɛn] *nm/f* conciudadano(-a).

conclave [kɔ̃klav] *nm* cónclave *m.*

concluant, e [kɔ̃klyɑ̃, ɑ̃t] *vb voir* **conclure** ♦ *adj* concluyente.

conclure [kɔ̃klyʀ] *vt (accord, pacte)* firmar; *(terminer)* concluir, terminar; ~ **qch de qch** deducir algo de algo; ~ **à** *(JUR, gén)*: ~ **au suicide** decidirse *ou* pronunciarse por un suicidio; ~ **à l'acquittement** pronunciarse por la absolución, dictar la libre absolución; ~ **un marché** cerrar un trato; **j'en conclus que** deduzco que.

conclusion [kɔ̃klyzjɔ̃] *nf* conclusión *f*; ~**s** *nfpl (JUR)* conclusiones *fpl*; **en** ~ en conclusión.

concocter [kɔ̃kɔkte] *vt* tramar.

conçois *etc* [kɔ̃swa] *vb voir* **concevoir.**

conçoive *etc* [kɔ̃swav] *vb voir* **concevoir.**

concombre [kɔ̃kɔ̃bʀ] *nm* pepino.

concomitant, e [kɔ̃kɔmitɑ̃, ɑ̃t] *adj* concomitante.

concordance [kɔ̃kɔʀdɑ̃s] *nf* concordancia; **la** ~ **des temps** la concordancia de los tiempos.

concordant, e [kɔ̃kɔʀdɑ̃, ɑ̃t] *adj* concordante.

concorde [kɔ̃kɔʀd] *nf* concordia.

concorder [kɔ̃kɔʀde] *vi* concordar.

concourir [kɔ̃kuʀiʀ] *vi (en sport)* competir; ~ **à** contribuir a.

concours [kɔ̃kuʀ] *vb voir* **concourir** ♦ *nm* concurso; (*SCOL*) examen *m* eliminatorio; **recrutement par voie de ~** (*ADMIN*) incorporación *f* mediante oposición; (*SCOL*) incorporación mediante examen eliminatorio; **apporter son ~ à** ayudar a; ► **concours de circonstances** cúmulo de circunstancias; ► **concours hippique** concurso hípico.

concret, -ète [kɔ̃kʀɛ, ɛt] *adj* concreto(-a); **musique concrète** música concreta.

concrètement [kɔ̃kʀɛtmɑ̃] *adv* concretamente.

concrétisation [kɔ̃kʀetizasjɔ̃] *nf* concreción *f*.

concrétiser [kɔ̃kʀetize] *vt* concretar; **se concrétiser** *vpr* concretarse.

conçu, e [kɔ̃sy] *pp de* **concevoir**.

concubin, e [kɔ̃kybɛ̃, in] *nm/f* (*JUR*) compañero(-a).

concubinage [kɔ̃kybinaʒ] *nm* concubinato.

concubine [kɔ̃kybin] *nf* (*maîtresse*) concubina; *voir aussi* **concubin**.

concupiscence [kɔ̃kypisɑ̃s] *nf* concupiscencia.

concurremment [kɔ̃kyʀamɑ̃] *adv* (*conjointement*) conjuntamente; (*en même temps*) simultáneamente.

concurrence [kɔ̃kyʀɑ̃s] *nf* competencia; **en ~ avec** en competencia con; **jusqu'à ~ de** hasta un total de; ► **concurrence déloyale** competencia desleal.

concurrencer [kɔ̃kyʀɑ̃se] *vt* hacer la competencia a.

concurrent, e [kɔ̃kyʀɑ̃, ɑ̃t] *adj* (*société*) competidor(a); (*parti*) opositor(a) ♦ *nm/f* (*SPORT, ÉCON*) competidor(a); (*SCOL*) candidato(-a).

concurrentiel, le [kɔ̃kyʀɑ̃sjɛl] *adj* competitivo(-a).

concus [kɔ̃sy] *vb voir* **concevoir**.

condamnable [kɔ̃danabl] *adj* condenable.

condamnation [kɔ̃danasjɔ̃] *nf* condena; ► **condamnation à mort** condena de muerte.

condamné, e [kɔ̃dane] *nm/f* condenado(-a).

condamner [kɔ̃dane] *vt* condenar; (*malade*) desahuciar; (*fig*) invalidar; **~ qn à qch/à faire** (*obliger*) condenar a algn a algo/a hacer; **~ qn à 2 ans de prison** condenar a algn a 2 años de prisión; **~ qn à une amende** imponer una multa a algn.

condensateur [kɔ̃dɑ̃satœʀ] *nm* condensador *m*.

condensation [kɔ̃dɑ̃sasjɔ̃] *nf* condensación *f*.

condensé, e [kɔ̃dɑ̃se] *adj* condensado(-a) ♦ *nm* extracto.

condenser [kɔ̃dɑ̃se] *vt* (*texte*) resumir, condensar; (*gaz*) condensar; **se conden-**

ser *vpr* (*matière*) condensarse.

condescendance [kɔ̃desɑ̃dɑ̃s] *nf* condescendencia.

condescendant, e [kɔ̃desɑ̃dɑ̃, ɑ̃t] *adj* condescendiente.

condescendre [kɔ̃desɑ̃dʀ] *vi*: **~ à qch/à faire qch** condescender a algo/a hacer algo.

condiment [kɔ̃dimɑ̃] *nm* condimento.

condisciple [kɔ̃disipl] *nm/f* condiscípulo (-a).

condition [kɔ̃disjɔ̃] *nf* condición *f*; (*rang social*) condición, clase *f*; (*ouvrière etc*) clase; **~s** *nfpl* (*tarif, prix, circonstances*) condiciones *fpl*; **sans ~** *adj* sin condición ♦ *adv* incondicionalmente; **à/sous ~ de/que** a/ con la condición de/de que; **en bonne ~** (*aliments, envoi*) en buen estado; **mettre en ~** (*SPORT*) entrenar; (*PSYCH*) condicionar; ► **conditions atmosphériques** condiciones atmosféricas; ► **conditions de vie** condiciones de vida.

conditionné, e [kɔ̃disjɔne] *adj* (*produit*) envasado(-a); **air ~** aire *m* acondicionado; **réflexe ~** reflejo condicionado.

conditionnel, le [kɔ̃disjɔnɛl] *adj* condicional ♦ *nm* (*LING*) condicional *m*.

conditionnement [kɔ̃disjɔnmɑ̃] *nm* acondicionamiento; (*emballage*) embalaje *m*, envasado; (*fig*) condicionamiento.

conditionner [kɔ̃disjɔne] *vt* (*aussi fig*) condicionar; (*produit*) envasar, acondicionar.

condoléances [kɔ̃dɔleɑ̃s] *nfpl* pésame *m*.

conducteur, -trice [kɔ̃dyktœʀ, tʀis] *adj* conductor(a) ♦ *nm* (*ÉLEC*) conductor *m* ♦ *nm/f* conductor(a).

conduire [kɔ̃dɥiʀ] *vt* conducir; (*passager*) llevar; (*diriger*) dirigir; **se conduire** *vpr* comportarse, portarse; **~ vers/à** (*suj: route*) conducir a, llevar hacia/a; **~ à** (*suj: attitude, erreur*) llevar a; **~ qn quelque part** llevar a algn a algún sitio; **se ~ bien/mal** portarse bien/mal.

conduit [kɔ̃dɥi] *pp de* **conduire** ♦ *nm* conducto.

conduite [kɔ̃dɥit] *nf* (*en auto*) conducción *f*, manejo (*AM*); (*comportement*) conducta; (*d'eau, gaz*) conducto; **sous la ~ de** bajo la dirección de; ► **conduite à gauche** volante *m* a la izquierda; ► **conduite forcée** tubería *ou* conducción *f* forzada; ► **conduite intérieure** coche *m* cerrado, limusina.

cône [kon] *nm* cono; **en forme de ~** en forma de cono; ► **cône d'avalanche** cono de avalancha; ► **cône de déjection** cono de deyección.

confection [kɔ̃fɛksjɔ̃] *nf* confección *f*; **la ~** (*COUTURE*) la confección; **vêtement de ~** ropa de confección.

confectionner [kɔfɛksjɔne] vt confeccionar.
confédération [kɔfedeRasjɔ̃] nf confederación f.
conférence [kɔfeRɑ̃s] nf conferencia;
► conférence au sommet conferencia
cumbre; ► conférence de presse conferencia de prensa.
conférencier, -ère [kɔfeRɑ̃sje, jɛR] nm/f
conferenciante m/f.
conférer [kɔfeRe] vt: ~ à qn (titre, grade)
otorgar ou conferir a algn; ~ à qn/qch
(attitude, aspect) conferir a algn/algo.
confesser [kɔfese] vt confesar; se confesser vpr confesarse.
confesseur [kɔfescœR] nm confesor m.
confession [kɔfesjɔ̃] nf confesión f.
confessionnal, -aux [kɔfesjɔnal, o] nm
confesionario.
confessionnel, le [kɔfesjɔnɛl] adj confesional.
confetti [kɔfeti] nm confetis mpl.
confiance [kɔfjɑ̃s] nf confianza; avoir ~ en
tener confianza en; faire ~ à confiar en;
en toute ~ con toda confianza; mettre qn
en ~ dar confianza a algn; de ~ de confianza; question/vote de ~ moción f/voto
de confianza; inspirer ~ à inspirar confianza a; digne de ~ digno de confianza;
► confiance en soi confianza en sí mismo.
confiant, e [kɔfjɑ̃, jɑ̃t] adj confiado(-a).
confidence [kɔfidɑ̃s] nf confidencia.
confident, e [kɔfidɑ̃, ɑ̃t] nm/f confidente m/f.
confidentiel, le [kɔfidɑ̃sjɛl] adj confidencial.
confidentiellement [kɔfidɑ̃sjɛlmɑ̃] adv
confidencialmente.
confier [kɔfje] vt confiar; ~ à qn (en dépôt,
garde) confiar a algn; se ~ à qn confiarse a algn.
configuration [kɔfigyRasjɔ̃] nf configuración f.
confiné, e [kɔfine] adj (air) viciado(-a);
(chez soi) recluido(-a).
confiner [kɔfine] vt: ~ à limitar con; (toucher) lindar con; se confiner dans ou à
vpr (se restreindre) encerrarse en; (dans
un lieu) confinarse en, encerrarse en; la
maladie le confine chez lui la enfermedad
lo tiene recluido en casa.
confins [kɔfɛ̃] nmpl: aux ~ de en los confines de.
confire [kɔfiR] vt (au sucre) confitar; (au vinaigre) encurtir.
confirmation [kɔfiRmasjɔ̃] nf confirmación
f.
confirmer [kɔfiRme] vt confirmar; ~ qn
dans une croyance reafirmar a algn en
sus creencias; ~ qn dans ses fonctions

ratificar a algn en sus funciones; ~ qch
à qn confirmar algo a algn.
confiscation [kɔfiskasjɔ̃] nf confiscación f.
confiserie [kɔfizRi] nf confitería; ~s nfpl golosinas fpl.
confiseur, -euse [kɔfizœR, øz] nm/f
confitero(-a).
confisquer [kɔfiske] vt (JUR) confiscar; (à
un enfant) quitar.
confit, e [kɔfi, it] adj: fruits ~s frutas fpl
confitadas; ► confit d'oie nm conserva
de oca en su grasa.
confiture [kɔfityR] nf confitura, mermelada; ► confiture d'oranges confitura de
naranja.
conflagration [kɔflagRasjɔ̃] nf conflagración f.
conflictuel, le [kɔfliktɥɛl] adj conflictivo
(-a).
conflit [kɔfli] nm conflicto; (fig) choque m,
conflicto; ► conflit armé conflicto armado.
confluent [kɔflyɑ̃] nm confluencia.
confondre [kɔfɔ̃dR] vt confundir; se
confondre vpr confundirse; se ~ en
excuses/remerciements deshacerse en
disculpas/agradecimientos; ~ qch/qn
avec qch/qn d'autre confundir algo/a algn
con algo/con algn.
confondu, e [kɔfɔ̃dy] pp de confondre ♦
adj (stupéfait) confuso(-a), perplejo(-a);
toutes catégories ~es para todas las categorías.
conformation [kɔfɔRmasjɔ̃] nf conforma-
ción f.
conforme [kɔfɔRm] adj: ~ à conforme a;
copie certifiée ~ (à l'original) copia compulsada; ~ à la commande según el pedido, conforme con el pedido.
conformé, e [kɔfɔRme] adj: bien ~ bien
formado(-a).
conformément [kɔfɔRmemɑ̃] adv: ~ à
conforme a, según.
conformer [kɔfɔRme] vt: ~ qch à adecuar
algo a; se conformer à vpr adecuarse
a, adaptarse a.
conformisme [kɔfɔRmism] nm conformismo.
conformiste [kɔfɔRmist] adj, nm/f conformista m/f.
conformité [kɔfɔRmite] nf conformidad f;
en ~ avec (un modèle, une règle) en conformidad con; (idées) de acuerdo con.
confort [kɔfɔR] nm confort m; tout ~ con
todas las comodidades.
confortable [kɔfɔRtabl] adj confortable,
cómodo(-a); (avance) considerable.
confortablement [kɔfɔRtablmɑ̃] adv (dans
le confort) cómodamente; (dans la richesse) holgadamente; (dans une association)

generosamente.
conforter [kɔ̃fɔʀte] *vt* confortar.
confrère [kɔ̃fʀɛʀ] *nm* colega *m*.
confrérie [kɔ̃fʀeʀi] *nf* cofradía.
confrontation [kɔ̃fʀɔ̃tasjɔ̃] *nf* confrontación *f*; (*JUR*) careo.
confronté, e [kɔ̃fʀɔ̃te] *adj*: ~ à enfrentado(-a) a.
confronter [kɔ̃fʀɔ̃te] *vt* confrontar; (*textes*) cotejar, confrontar; (*JUR*) confrontar, hacer un careo entre.
confus, e [kɔ̃fy, yz] *adj* confuso(-a).
confusément [kɔ̃fyzemɑ̃] *adv* (*distinguer*) confusamente; (*parler*) de forma ininteligible.
confusion [kɔ̃fyzjɔ̃] *nf* confusión *f*; ▶ **confusion des peines** confusión de las penas.
congé [kɔ̃ʒe] *nm* (*vacances*) vacaciones *fpl*; (*arrêt de travail*) descanso; (*MIL*) permiso; (*avis de départ*) baja; **en** ~ **de vacaciones**; (*en arrêt de travail*) de descanso; (*soldat*) de licencia; **semaine/jour de** ~ semana/día *m* de vacaciones; **prendre** ~ **de qn** despedirse de algn; **donner son** ~ **à** despedir a; ▶ **congé de maladie** baja por enfermedad; ▶ **congé de maternité** baja maternal; ▶ **congés payés** vacaciones pagadas.
congédier [kɔ̃ʒedje] *vt* despedir.
congélateur [kɔ̃ʒelatœʀ] *nm* congelador *m*.
congélation [kɔ̃ʒelasjɔ̃] *nf* congelación *f*.
congeler [kɔ̃ʒ(ə)le] *vt* congelar.
congénère [kɔ̃ʒenɛʀ] *nm/f* congénere *m/f*.
congénital, e, -aux [kɔ̃ʒenital, o] *adj* congénito(-a).
congère [kɔ̃ʒɛʀ] *nf* montón *m* de nieve.
congestion [kɔ̃ʒɛstjɔ̃] *nf* (*routière, postale*) congestión *f*; ▶ **congestion cérébrale** derrame *m* cerebral; ▶ **congestion pulmonaire** congestión pulmonar.
congestionner [kɔ̃ʒɛstjɔne] *vt* congestionar.
conglomérat [kɔ̃ɡlomeʀa] *nm* conglomerado.
Congo [kɔ̃ɡo] *nm*: **le** ~ (*pays, fleuve*) el Congo.
congolais, e [kɔ̃ɡɔlɛ, ɛz] *adj* congolés (-esa) ♦ *nm/f*: **C~, e** congolés(-esa).
congratuler [kɔ̃ɡʀatyle] *vt* congratular.
congre [kɔ̃ɡʀ] *nm* congrio.
congrégation [kɔ̃ɡʀeɡasjɔ̃] *nf* congregación *f*.
congrès [kɔ̃ɡʀɛ] *nm* congreso.
congressiste [kɔ̃ɡʀesist] *nm/f* congresista *m/f*.
congru, e [kɔ̃ɡʀy] *adj*: **portion** ~e porción *f* congrua.
conifère [kɔnifɛʀ] *nm* conífera *f*.
conique [kɔnik] *adj* cónico(-a).

conjecture [kɔ̃ʒɛktyʀ] *nf* conjetura.
conjecturer [kɔ̃ʒɛktyʀe] *vt* conjeturar ♦ *vi* hacer conjeturas.
conjoint, e [kɔ̃ʒwɛ̃, wɛ̃t] *adj* conjunto(-a) ♦ *nm/f* (*époux*) cónyuge *m/f*.
conjointement [kɔ̃ʒwɛ̃tmɑ̃] *adv* conjuntamente.
conjonctif, -ive [kɔ̃ʒɔ̃ktif, iv] *adj*: **tissu** ~ tejido conjuntivo.
conjonction [kɔ̃ʒɔ̃ksjɔ̃] *nf* conjunción *f*.
conjonctivite [kɔ̃ʒɔ̃ktivit] *nf* conjuntivitis *f* *inv*.
conjoncture [kɔ̃ʒɔ̃ktyʀ] *nf* coyuntura; ▶ **la conjoncture économique** la coyuntura económica.
conjoncturel, le [kɔ̃ʒɔ̃ktyʀɛl] *adj* coyuntural.
conjugaison [kɔ̃ʒyɡɛzɔ̃] *nf* conjugación *f*.
conjugal, e, -aux [kɔ̃ʒyɡal, o] *adj* conyugal.
conjugué, e [kɔ̃ʒyɡe] *adj* conjugado(-a).
conjuguer [kɔ̃ʒyɡe] *vt* (*LING*) conjugar; (*efforts*) conjugar, aunar.
conjuration [kɔ̃ʒyʀasjɔ̃] *nf* conjuración *f*.
conjuré, e [kɔ̃ʒyʀe] *nm/f* conjurado(-a).
conjurer [kɔ̃ʒyʀe] *vt* conjurar; ~ **qn de faire qch** (*supplier*) rogar *ou* suplicar a algn que haga algo.
connais [kɔnɛ] *vb voir* **connaître**.
connaissais [kɔnɛsɛ] *vb voir* **connaître**.
connaissance [kɔnɛsɑ̃s] *nf* (*savoir*) conocimiento; (*personne connue*) conocido (-a); (*conscience, perception*) conocimiento, sentido; ~**s** *nfpl* (*savoir*) conocimientos *mpl*; **être sans** ~ (*MÉD*) estar sin conocimiento; **perdre/reprendre** ~ perder/ recobrar el conocimiento; **à ma/sa** ~ por lo que sé/sabe; **faire** ~ **avec qn** *ou* **la** ~ **de qn** (*rencontrer*) conocer a algn; (*apprendre à connaître*) llegar a conocer a algn; **avoir** ~ **de** (*document, fait*) tener conocimiento de; **j'ai pris** ~ **de** ... ha llegado a mi conocimiento ...; **en** ~ **de cause** con conocimiento de causa; **de** ~ conocido (-a).
connaissant [kɔnɛsɑ̃] *vb voir* **connaître**.
connaissement [kɔnɛsmɑ̃] *nm* conocimiento.
connaisseur, -euse [kɔnɛsœʀ, øz] *nm/f* conocedor(a), entendido(-a) ♦ *adj* de entendido(-a).
connaître [kɔnɛtʀ] *vt* conocer; (*adresse*) conocer, saber; **se connaître** *vpr* conocerse; (*se rencontrer*) conocerse, encontrarse; ~ **qn de nom/vue** conocer a algn de nombre/vista; **ils se sont connus à Genève** se conocieron en Ginebra; **s'y** ~ **en qch** entender mucho de algo.
connasse [kɔnas] (*fam!*) *nf* gilipollas *m/f inv* (*fam!*).

connecté, e [kɔnɛkte] *adj* (*INFORM*) conectado(-a), en línea.

connecter [kɔnɛkte] *vt* conectar.

connerie [kɔnʀi] (*fam!*) *nf* gilipollez *f*.

connexe [kɔnɛks] *adj* conexo(-a).

connexion [kɔnɛksjɔ̃] *nf* conexión *f*.

connivence [kɔnivɑ̃s] *nf* connivencia.

connotation [kɔ(n)nɔtasjɔ̃] *nf* connotación *f*.

connu, e [kɔny] *pp de* **connaître** ♦ *adj* conocido(-a).

conque [kɔ̃k] *nf* caracola.

conquérant, e [kɔ̃keʀɑ̃, ɑ̃t] *adj* conquistador(a).

conquérir [kɔ̃keʀiʀ] *vt* (*en luttant*) conquistar; (*en séduisant*) conquistar, cautivar.

conquerrai [kɔ̃kɛʀʀe] *vb voir* **conquérir**.

conquête [kɔ̃kɛt] *nf* conquista.

conquière *etc* [kɔ̃kjɛʀ] *vb voir* **conquérir**.

conquiers *etc* [kɔ̃kjɛʀ] *vb voir* **conquérir**.

conquis, e [kɔ̃ki, iz] *pp de* **conquérir**.

consacré, e [kɔ̃sakʀe] *adj* consagrado(-a); ~ à (*destiné à*) destinado(-a) a.

consacrer [kɔ̃sakʀe] *vt* (*REL*): ~ qch (à) consagrar algo (a); (*fig*) consagrar; ~ qch à (*employer*) dedicar algo a; se consacrer *vpr*: se ~ à qch/à faire dedicarse a algo/a hacer; ~ son temps/argent à faire dedicar su tiempo/dinero a hacer.

consanguin, e [kɔ̃sɑ̃gɛ̃, in] *adj*: frère ~ hermano consanguíneo; mariage ~ matrimonio consanguíneo.

consciemment [kɔ̃sjamɑ̃] *adv* conscientemente.

conscience [kɔ̃sjɑ̃s] *nf* conciencia; avoir ~ de ser consciente de, tomar conciencia de; prendre ~ de (*présence, situation*) darse cuenta de; (*responsabilité*) tomar conciencia de; avoir qch sur la ~ tener el peso de algo en la conciencia; perdre/reprendre ~ perder/recuperar el conocimiento; avoir bonne/mauvaise ~ tener buena/mala conciencia; en (toute) ~ en conciencia; ▶ conscience professionnelle conciencia profesional.

consciencieux, -euse [kɔ̃sjɑ̃sjø, jøz] *adj* concienzudo(-a).

conscient, e [kɔ̃sjɑ̃, jɑ̃t] *adj* consciente; ~ de consciente de.

conscription [kɔ̃skʀipsjɔ̃] *nf* quinta, reclutamiento.

conscrit [kɔ̃skʀi] *nm* recluta *m*.

consécration [kɔ̃sekʀasjɔ̃] *nf* consagración *f*.

consécutif, -ive [kɔ̃sekytif, iv] *adj* consecutivo(-a); ~ à debido(-a) a.

consécutivement [kɔ̃sekytivmɑ̃] *adv* consecutivamente; ~ à a consecuencia de.

conseil [kɔ̃sɛj] *nm* consejo ♦ *adj*: ingénieur-~ ingeniero consultor; ~ en recrutement (*expert*) asesor *m* de contratación; tenir ~ celebrar consejo; je n'ai pas de ~ à recevoir de vous no necesito recibir consejo de usted; donner un ~/des ~s à qn dar un consejo/consejos a algn; demander ~ à qn pedir consejo a algn; prendre ~ (auprès de qn) consultar (a algn); ▶ conseil d'administration consejo de administración; ▶ conseil de classe/de discipline (*SCOL*) consejo escolar/disciplinario; ▶ conseil de guerre consejo de guerra; ▶ conseil de révision junta de clasificación *ou* de revisión; ▶ conseil des ministres consejo de ministros; ▶ conseil général consejo general; ▶ conseil municipal concejo, pleno municipal; ▶ conseil régional consejo regional.

conseiller¹ [kɔ̃seje] *vt* aconsejar a; ~ qch à qn aconsejar algo a algn; ~ à qn de faire qch aconsejar a algn hacer algo.

conseiller², -ère [kɔ̃seje, ɛʀ] *nm/f* consejero(-a); ▶ conseiller matrimonial asesor *m* matrimonial; ▶ conseiller municipal concejal *m*.

consensus [kɔ̃sɛ̃sys] *nm* consenso.

consentement [kɔ̃sɑ̃tmɑ̃] *nm* consentimiento.

consentir [kɔ̃sɑ̃tiʀ] *vt*: ~ (à qch/à faire) consentir (en algo/en hacer); ~ qch à qn consentir algo a algn.

conséquence [kɔ̃sekɑ̃s] *nf* consecuencia; ~s *nfpl* (*effet, répercussion*) consecuencias *fpl*; en ~ (*donc*) en consecuencia, por consiguiente; (*de façon appropriée*) en consecuencia; ne pas tirer à ~ no traer consecuencias; sans ~ sin consecuencia; lourd de ~ lleno de consecuencias.

conséquent, e [kɔ̃sekɑ̃, ɑ̃t] *adj* (*personne, attitude*) consecuente; (*fam: important*) importante; par ~ por consiguiente.

conservateur, -trice [kɔ̃sɛʀvatœʀ, tʀis] *adj* conservador(a) ♦ *nm/f* conservador(a) ♦ *nm* (*BIOL, CHIM: produit*) conservante *m*.

conservation [kɔ̃sɛʀvasjɔ̃] *nf* conservación *f*.

conservatisme [kɔ̃sɛʀvatism] *nm* conservadurismo.

conservatoire [kɔ̃sɛʀvatwaʀ] *nm* (*de musique*) conservatorio; (*de comédiens*) escuela de arte dramático.

conserve [kɔ̃sɛʀv] *nf* (*gén pl: aliments*) conserva; en ~ en conserva; de ~ (*ensemble*) juntos(-as); (*naviguer*) en conserva; ▶ conserves de poisson conservas de pescado.

conservé, e [kɔ̃sɛʀve] *adj*: bien ~ (*personne*) bien conservado(-a).

conserver [kɔ̃sɛʀve] *vt* conservar; (*habitude*) mantener, conservar; se conserver *vpr* conservarse; "~ au frais" "conservar en frío".

conserverie [kɔ̃sɛʀvəʀi] *nf* fábrica de conservas, conservería.

considérable [kɔ̃sideʀabl] *adj* considerable.

considérablement [kɔ̃sideʀabləmɑ̃] *adv* considerablemente.

considération [kɔ̃sideʀasjɔ̃] *nf* consideración *f*; (*raison*) razonamiento, consideración; ~s *nfpl* (*remarques, réflexions*) consideraciones *fpl*; **prendre en** ~ tomar en consideración; **ceci mérite** ~ esto merece ser considerado; **en** ~ **de** en consideración a.

considéré, e [kɔ̃sideʀe] *adj* considerado (-a); **tout bien** ~ considerándolo mejor.

considérer [kɔ̃sideʀe] *vt* considerar; (*regarder*) examinar; ~ **que** considerar que; ~ **qch comme** considerar algo como.

consigne [kɔ̃siɲ] *nf* (*de bouteilles*) importe *m* (del envase); (*retenue*) castigo; (*MIL*) arresto; (*ordre, instruction, de gare*) consigna; ▶ **consigne automatique** consigna automática; ▶ **consignes de sécurité** consignas de seguridad.

consigné, e [kɔ̃siɲe] *adj*: ~/**non** ~ retornable/no retornable.

consigner [kɔ̃siɲe] *vt* (*note, pensée*) consignar, anotar; (*marchandises*) consignar; (*MIL*) arrestar; (*élève*) castigar; (*emballage*) cobrar el envase.

consistance [kɔ̃sistɑ̃s] *nf* (*d'une substance*) consistencia; (*fig*) solidez *f*.

consistant, e [kɔ̃sistɑ̃, ɑ̃t] *adj* consistente; (*argument*) consistente, de peso.

consister [kɔ̃siste] *vi*: ~ **en** *ou* **dans** consistir en; ~ **à faire** consistir en hacer.

consœur [kɔ̃sœʀ] *nf* colega.

consolation [kɔ̃sɔlasjɔ̃] *nf*: **avoir la** ~ **de** tener el consuelo de; **lot/prix de** ~ lote *m*/ premio de consolación.

console [kɔ̃sɔl] *nf* (*table*) consola; (*CONSTR*) ménsula; (*INFORM*) tablero; (*d'enregistrement*) mesa de grabación; ▶ **console de visualisation** consola de visualización; ▶ **console graphique** mesa de trazador.

consoler [kɔ̃sɔle] *vt* consolar; **se** ~ (**de qch**) consolarse (de algo).

consolider [kɔ̃sɔlide] *vt* (*aussi fig*) consolidar; (*meuble*) reforzar; **bilan consolidé** balance *m* consolidado.

consommateur, -trice [kɔ̃sɔmatœʀ, tʀis] *nm/f* (*ÉCON*) consumidor(a); (*dans un café*) cliente *m/f*.

consommation [kɔ̃sɔmasjɔ̃] *nf* consumición *f*; **la** ~ (*ÉCON*) el consumo; **de** ~ (*biens*) de consumo; ~ **aux 100 km** (*AUTO*) consumo cada 100 Km.

consommé, e [kɔ̃sɔme] *adj* consumado(-a)

◆ *nm* consomé *m*.

consommer [kɔ̃sɔme] *vt* consumir; (*mariage*) consumar ◆ *vi* (*dans un café*) consumir, tomar.

consonance [kɔ̃sɔnɑ̃s] *nf* consonancia; **nom à** ~ **étrangère** nombre *m* que suena extranjero.

consonne [kɔ̃sɔn] *nf* consonante *f*.

consortium [kɔ̃sɔʀsjɔm] *nm* consorcio.

consorts [kɔ̃sɔʀ] (*péj*) *nmpl*: **et** ~ y secuaces.

conspirateur, -trice [kɔ̃spiʀatœʀ, tʀis] *nm/f* conspirador(a).

conspiration [kɔ̃spiʀasjɔ̃] *nf* conspiración *f*.

conspirer [kɔ̃spiʀe] *vi* conspirar; ~ **à** (*tendre à*) contribuir a; (*qch de négatif*) conspirar a.

conspuer [kɔ̃spɥe] *vt* abuchear.

constamment [kɔ̃stamɑ̃] *adv* constantemente.

constance [kɔ̃stɑ̃s] *nf* constancia.

constant, e [kɔ̃stɑ̃, ɑ̃t] *adj* constante.

constante [kɔ̃stɑ̃t] *nf* constante *f*.

constat [kɔ̃sta] *nm* (*d'huissier*) acta; (*après un accident*) atestado; **faire un** ~ **démoralisant** llegar a una conclusión desmoralizante; **faire un** ~ **d'échec** reconocer su *etc* fracaso; ▶ **constat (à l'amiable)** (*AUTO*) parte *m* amistoso.

constatation [kɔ̃statasjɔ̃] *nf* (*d'un fait*) constatación *f*; (*remarque*) constatación, observación *f*.

constater [kɔ̃state] *vt* (*remarquer*) advertir, observar; (*ADMIN, JUR*) testificar; (*dégâts*) constatar; ~ **que** (*remarquer*) notar que; (*faire remarquer, dire*) advertir que.

constellation [kɔ̃stelasjɔ̃] *nf* constelación *f*.

constellé, e [kɔ̃stele] *adj*: ~ **de** (*joyaux, lumières*) cuajado(-a) de; (*taches*) salpicado(-a) de.

consternant, e [kɔ̃stɛʀnɑ̃, ɑ̃t] *adj* desolador(a).

consternation [kɔ̃stɛʀnasjɔ̃] *nf* consternación *f*.

consterner [kɔ̃stɛʀne] *vt* consternar.

constipation [kɔ̃stipasjɔ̃] *nf* estreñimiento.

constipé, e [kɔ̃stipe] *adj* estreñido(-a); (*fig*) crispado(-a).

constiper [kɔ̃stipe] *vt* estreñir.

constituant, e [kɔ̃stitɥɑ̃, ɑ̃t] *adj* constituyente; **assemblée** ~**e** asamblea constituyente.

constitué, e [kɔ̃stitɥe] *adj*: ~ **de** constituido(-a) por, integrado(-a) por; **bien/mal** ~ bien/mal constituido(-a) *ou* formado(-a).

constituer [kɔ̃stitɥe] *vt* constituir; (*équipe*) crear; (*dossier*) elaborar; (*collection*) reu-

nir; **se ~ partie civile** constituirse en parte civil; **se ~ prisonnier** entregarse a la justicia.
constitution [kɔ̃stitysjɔ̃] *nf* constitución *f*; *(d'une équipe)* creación *f*; *(d'un dossier)* elaboración *f*; *(composition)* composición *f*.
constitutionnel, le [kɔ̃stitysjɔnɛl] *adj* constitucional.
constructeur [kɔ̃stʀyktœʀ] *nm* constructor *m*; ► **constructeur automobile** fabricante *m* de coches.
constructible [kɔ̃stʀyktibl] *adj* edificable.
constructif, -ive [kɔ̃stʀyktif, iv] *adj* constructivo(-a).
construction [kɔ̃stʀyksjɔ̃] *nf* construcción *f*.
construire [kɔ̃stʀɥiʀ] *vt* construir; **se construire** *vpr*: **ça s'est beaucoup construit dans la région** se edificó mucho en la región.
consul [kɔ̃syl] *nm* cónsul *m*.
consulaire [kɔ̃sylɛʀ] *adj* consular.
consulat [kɔ̃syla] *nm* consulado.
consultant, e [kɔ̃syltɑ̃, ɑ̃t] *adj* consultor(a).
consultatif, -ive [kɔ̃syltatif, iv] *adj* consultivo(-a).
consultation [kɔ̃syltasjɔ̃] *nf* consulta; **~s** *nfpl* *(pourparlers)* deliberaciones *fpl*; **être en ~** *(délibération)* estar en deliberación; *(MÉD)* estar pasando consulta; **aller à la ~** *(MÉD)* ir a la consulta; **heures de ~** *(MÉD)* horas *fpl* de consulta.
consulter [kɔ̃sylte] *vt* consultar ♦ *vi* *(médecin)* examinar; **se consulter** *vt* consultarse.
consumer [kɔ̃syme] *vt* consumir; **se consumer** *vpr* consumirse; **se ~ de chagrin/douleur** consumirse de pena/dolor.
consumérisme [kɔ̃symeʀism] *nm* protección de los intereses de los consumidores.
contact [kɔ̃takt] *nm* contacto; **au ~ de** al contacto con; **mettre/couper le ~** *(AUTO)* encender *ou* poner/apagar *ou* quitar el contacto; **entrer en ~** *(fils, objets)* hacer contacto; **se mettre en ~ avec qn** *(RADIO)* ponerse en contacto con algn; **prendre ~ avec** ponerse en contacto con.
contacter [kɔ̃takte] *vt* contactar con.
contagieux, -euse [kɔ̃taʒjø, jøz] *adj* contagioso(-a).
contagion [kɔ̃taʒjɔ̃] *nf* contagio.
contamination [kɔ̃taminasjɔ̃] *nf* contaminación *f*.
contaminer [kɔ̃tamine] *vt* contaminar.
conte [kɔ̃t] *nm* cuento; ► **conte de fées** cuento de hadas.
contemplatif, -ive [kɔ̃tɑ̃platif, iv] *adj* contemplativo(-a).
contemplation [kɔ̃tɑ̃plasjɔ̃] *nf* *(aussi REL, PHILOSOPHIE)* contemplación *f*; **être en ~ devant** estar ensimismado(-a) delante de.
contempler [kɔ̃tɑ̃ple] *vt* contemplar.
contemporain, e [kɔ̃tɑ̃pɔʀɛ̃, ɛn] *adj, nm/f* contemporáneo(-a).
contenance [kɔ̃t(ə)nɑ̃s] *nf* *(d'un récipient)* capacidad *f*, cabida; *(attitude)* compostura, actitud *f*; **perdre ~** *(se mettre en colère)* perder los estribos; *(être embarrassé)* perder el aplomo; **se donner une ~** fingir serenidad, disimular; **faire bonne ~** *devant* mostrar aplomo ante.
conteneur [kɔ̃t(ə)nœʀ] *nm* contenedor *m*.
conteneurisation [kɔ̃tnœʀizasjɔ̃] *nf* contenerización *f*.
contenir [kɔ̃t(ə)niʀ] *vt* *(aussi fig)* contener; *(local)* tener una capacidad de *ou* para; **se contenir** *vpr* contenerse.
content, e [kɔ̃tɑ̃, ɑ̃t] *adj* contento(-a); **~ de qn/qch** contento(-a) con algn/algo; **~ de soi** contento(-a) de sí mismo(-a), satisfecho(-a) de sí mismo(-a); **je serais ~ que tu ...** me alegraría que tú ... .
contentement [kɔ̃tɑ̃tmɑ̃] *nm* satisfacción *f*.
contenter [kɔ̃tɑ̃te] *vt* *(personne)* contentar; *(envie, caprice)* satisfacer; **se contenter de** *vpr* contentarse con.
contentieux [kɔ̃tɑ̃sjø] *nm* *(litiges)* contencioso; **le ~** *(service)* lo contencioso.
contenu, e [kɔ̃t(ə)ny] *pp de* **contenir** ♦ *adj* *(colère, sentiments)* contenido(-a) ♦ *nm* contenido.
conter [kɔ̃te] *vt* contar, relatar; **il m'en a conté de belles!** ¡lo que me ha contado!
contestable [kɔ̃tɛstabl] *adj* discutible.
contestataire [kɔ̃tɛstatɛʀ] *adj, nm/f* contestatario(-a).
contestation [kɔ̃tɛstasjɔ̃] *nf* *(d'un résultat)* cuestionamiento; *(discussion)* polémica; **la ~** *(POL)* la oposición.
conteste [kɔ̃tɛst]: **sans ~** *adv* sin discusión.
contesté, e [kɔ̃tɛste] *adj* controvertido(-a).
contester [kɔ̃tɛste] *vt* discutir, cuestionar ♦ *vi* discutir.
conteur, -euse [kɔ̃tœʀ, øz] *nm/f* *(écrivain)* cuentista *m/f*; *(narrateur)* narrador(a).
contexte [kɔ̃tɛkst] *nm* *(aussi fig)* contexto.
contiendrai *etc* [kɔ̃tjɛ̃dʀe] *vb voir* **contenir**.
contiens *etc* [kɔ̃tjɛ̃] *vb voir* **contenir**.
contigu, -uë [kɔ̃tigy] *adj* *(choses)* contiguo(-a); *(domaines)* afín; **~ à** contiguo(-a) a.
continent [kɔ̃tinɑ̃] *nm* continente *m*.
continental, e, -aux [kɔ̃tinɑ̃tal, o] *adj* continental.

contingences [kɔ̃tɛ̃ʒɑ̃s] *nfpl* contingencias *fpl*; *(de la vie quotidienne)* hechos *mpl* intrascendentes.

contingent [kɔ̃tɛ̃ʒɑ̃] *nm (MIL)* contingente *m*; *(COMM)* provisión *f*, abastecimiento ♦ *adj (sans importance)* intrascendente.

contingenter [kɔ̃tɛ̃ʒɑ̃te] *vt (COMM)* contingentar, fijar un contingente sobre.

contins *etc* [kɔ̃tɛ̃] *vb voir* **contenir**.

continu, e [kɔ̃tiny] *adj* continuo(-a); **(courant)** ~ (corriente *f*) continua.

continuation [kɔ̃tinyasjɔ̃] *nf* continuación *f*.

continuel, e [kɔ̃tinɥɛl] *adj (qui se répète)* constante; *(continu: pluie etc)* continuo (-a).

continuellement [kɔ̃tinɥɛlmɑ̃] *adv* continuamente.

continuer [kɔ̃tinɥe] *vt* continuar; *(voyage, études etc)* continuar, proseguir; *(suj: allée, rue)* seguir a continuación de ♦ *vi* continuar; *(voyageur)* continuar, seguir; **se continuer** *vpr* continuar; **vous continuez tout droit** siga todo derecho; ~ **à** *ou* **de faire** seguir haciendo.

continuité [kɔ̃tinɥite] *nf* continuidad *f*.

contondant, e [kɔ̃tɔ̃dɑ̃, ɑ̃t] *adj:* **arme** ~e arma contundente.

contorsion [kɔ̃tɔʀsjɔ̃] *nf (gén pl)* contorsión *f*.

contorsionner [kɔ̃tɔʀsjɔne]: **se** ~ *vpr (aussi péj)* contorsionarse.

contorsionniste [kɔ̃tɔʀsjɔnist] *nm/f* contorsionista *m/f*.

contour [kɔ̃tuʀ] *nm (d'un objet)* contorno; *(d'un visage)* perfil *m*; ~**s** *nmpl (d'une rivière etc)* meandros *mpl*.

contourner [kɔ̃tuʀne] *vt (aussi fig)* rodear, evitar.

contraceptif, -ive [kɔ̃tʀasɛptif, iv] *adj* anticonceptivo(-a) ♦ *nm* anticonceptivo.

contraception [kɔ̃tʀasɛpsjɔ̃] *nf* contracepción *f*.

contracté, e [kɔ̃tʀakte] *adj (muscle)* contraído(-a); *(personne)* tenso(-a); **article** ~ *(LING)* artículo contracto.

contracter [kɔ̃tʀakte] *vt (aussi fig)* contraer; *(assurance)* contratar; **se contracter** *vpr (métal, muscles)* contraerse; *(fig: personne)* crisparse.

contraction [kɔ̃tʀaksjɔ̃] *nf* contracción *f*; ~**s** *nfpl (de l'accouchement)* contracciones *fpl*.

contractuel, le [kɔ̃tʀaktɥɛl] *adj* contractual ♦ *nm/f (agent)* controlador(a) del estacionamiento; *(employé)* empleado(-a) eventual del estado.

contradicteur, -trice [kɔ̃tʀadiktœʀ, tʀis] *nm/f* contradictor(a).

contradiction [kɔ̃tʀadiksjɔ̃] *nf* contradic-

ción *f*; **en** ~ **avec** en contradicción con.

contradictoire [kɔ̃tʀadiktwaʀ] *adj* contradictorio(-a); **débat** ~ debate *m* contradictorio.

contraignant, e [kɔ̃tʀɛɲɑ̃, ɑ̃t] *vb voir* **contraindre** ♦ *adj* apremiante.

contraindre [kɔ̃tʀɛ̃dʀ] *vt:* ~ **qn à qch/à faire qch** forzar a algn a algo/a hacer algo.

contraint, e [kɔ̃tʀɛ̃, ɛ̃t] *pp de* **contraindre** ♦ *adj (air)* afectado(-a); *(geste, sourire, mine)* forzado(-a).

contrainte [kɔ̃tʀɛ̃t] *nf* coacción *f*; **sans** ~ sin coacción.

contraire [kɔ̃tʀɛʀ] *adj* contrario(-a), opuesto(-a) ♦ *nm* contrario; ~ **à** contrario(-a) a, opuesto(-a) a; **au** ~ al contrario; **je ne peux pas dire le** ~ no puedo decir lo contrario; **le** ~ **de** lo contrario de.

contrairement [kɔ̃tʀɛʀmɑ̃] *adv:* ~ **à** contrariamente a; *(dans une comparaison)* al contrario de.

contralto [kɔ̃tʀalto] *nm* contralto.

contrariant, e [kɔ̃tʀaʀjɑ̃, jɑ̃t] *adj:* **être** ~ *(personne)* llevar siempre la contraria; *(incident)* ser una contrariedad.

contrarier [kɔ̃tʀaʀje] *vt (irriter)* contrariar; *(mouvement, action)* dificultar.

contrariété [kɔ̃tʀaʀjete] *nf* contrariedad *f*.

contraste [kɔ̃tʀast] *nm* contraste *m*.

contraster [kɔ̃tʀaste] *vi:* ~ **(avec)** contrastar (con).

contrat [kɔ̃tʀa] *nm* contrato; *(accord)* acuerdo; ▶ **contrat de mariage/travail** contrato de matrimonio/trabajo.

contravention [kɔ̃tʀavɑ̃sjɔ̃] *nf (infraction)* contravención *f*; *(amende)* multa; **dresser** ~ **à** poner una multa a.

contre [kɔ̃tʀ] *prép* contra; *(en échange)* por; **par** ~ en cambio.

contre-amiral [kɔ̃tʀamiʀal] *(pl* **contre-amiraux)** *nm* contra(a)lmirante *m*.

contre-attaque [kɔ̃tʀatak] *(pl* ~-~**s)** *nf* contraataque *m*.

contre-attaquer [kɔ̃tʀatake] *vi* contraatacar.

contre-balancer [kɔ̃tʀəbalɑ̃se] *vt (compenser)* contrapesar; *(fig)* contrarrestar.

contrebande [kɔ̃tʀəbɑ̃d] *nf* contrabando; **faire la** ~ **de** hacer contrabando de.

contrebandier, -ière [kɔ̃tʀəbɑ̃dje, jɛʀ] *nm/f* contrabandista *m/f*.

contrebas [kɔ̃tʀəba]: **en** ~ *adv* más abajo.

contrebasse [kɔ̃tʀəbas] *nf* contrabajo.

contrebassiste [kɔ̃tʀəbasist] *nm/f* contrabajo *m/f*.

contre-braquer [kɔ̃tʀəbʀake] *vi* virar en sentido contrario.

contrecarrer [kɔ̃tʀəkaʀe] *vt* oponerse a.

contrechamp [kɔ̃tʀəʃɑ̃] *nm (CINÉ)* toma

desde el ángulo opuesto.

contrecœur [kɔ̃tRəkœR]: **à ~** adv de mala gana, a regañadientes.

contrecoup [kɔ̃tRəku] nm rebote m; **par ~** de rebote.

contre-courant [kɔ̃tRəkuRɑ̃] (pl ~-~s) nm contracorriente f; **à ~-~** (NAUT) contra la corriente.

contredire [kɔ̃tRədiR] vt contradecir; **se contredire** vpr contradecirse.

contredit, e [kɔ̃tRədi] pp de **contredire** ♦ nm: **sans ~** indiscutiblemente.

contrée [kɔ̃tRe] nf comarca.

contre-écrou [kɔ̃tRekRu] (pl ~-~s) nm contratuerca.

contre-enquête [kɔtRɑ̃kɛt] (pl ~-~s) nf investigación f de comprobación.

contre-espionnage [kɔ̃tRɛspjɔnaʒ] (pl ~-~s) nm contraespionaje m.

contre-exemple [kɔ̃tRɛgzɑ̃pl(ə)] (pl ~-~s) nm ejemplo contrario.

contre-expertise [kɔ̃tRɛkspɛRtiz] (pl ~-~s) nf peritaje m de comprobación.

contrefaçon [kɔ̃tRəfasɔ̃] nf falsificación f; ► **contrefaçon de brevet** falsificación de la patente.

contrefaire [kɔ̃tRəfɛR] vt (document) falsificar; (personne, démarche) imitar; (sa voix, son écriture) desfigurar.

contrefait, e [kɔ̃tRəfɛ, ɛt] pp de **contrefaire** ♦ adj (difforme) contrahecho(-a).

contrefasse etc [kɔ̃tRəfas] vb voir **contrefaire**.

contreferal etc [kɔ̃tRəfəRe] vb voir **contrefaire**.

contre-filet [kɔ̃tRəfilɛ] (pl ~-~s) nm solomillo.

contreforts [kɔ̃tRəfɔR] nmpl estribaciones fpl.

contre-haut [kɔ̃tRəo]: **en ~-~** adv más arriba; (regarder) de abajo arriba.

contre-indication [kɔ̃tRɛ̃dikasjɔ̃] (pl ~-~s) nf contraindicación f.

contre-indiqué, e [kɔ̃tRɛ̃dike] (pl ~-~s, es) adj contraindicado(-a).

contre-indiquer [kɔ̃tRɛ̃dike] vt contraindicar.

contre-interrogatoire [kɔ̃tRɛ̃teRɔgatwaR] (pl ~-~s) nm segundo interrogatorio; (au tribunal) interrogatorio realizado por la parte adversa.

contre-jour [kɔ̃tRəʒuR]: **à ~-~** adv a contraluz.

contremaître [kɔ̃tRəmɛtR] nm contramaestre m, capataz m.

contre-manifestant, e [kɔ̃tRəmanifɛstɑ̃, ɑ̃t] (pl ~-~s, es) nm/f contramanifestante m/f.

contre-manifestation [kɔ̃tRəmanifɛstasjɔ̃] (pl ~-~s) nf contramanifestación f.

contremarque [kɔ̃tRəmaRk] nf contraseña.

contre-offensive [kɔ̃tRɔfɑ̃siv] (pl ~-~s) nf contraofensiva.

contre-ordre [kɔ̃tRɔRdR] (pl ~-~s) nm = **contrordre**.

contrepartie [kɔ̃tRəpaRti] nf (compensation) contrapartida; **en ~** como contrapartida.

contre-performance [kɔ̃tRəpɛRfɔRmɑ̃s] (pl ~-~s) nf (SPORT) actuación f desfavorable.

contrepèterie [kɔ̃tRəpetRi] nf trastocamiento de letras (como juego de palabras).

contre-pied [kɔ̃tRəpje] (pl ~-~s) nm: **le ~-~ de ...** lo contrario de ...; **prendre le ~-~ de qn** llevar la contraria a algn; **prendre qn à ~-~** (SPORT) despistar a algn.

contre-plaqué [kɔ̃tRəplake] (pl ~-~s) nm contrachapado.

contre-plongée [kɔ̃tRəplɔ̃ʒe] (pl ~-~s) nf (CINÉ) contrapicado.

contrepoids [kɔ̃tRəpwɑ] nm contrapeso; **faire ~** hacer contrapeso.

contre-poil [kɔ̃tRəpwal]: **à ~-~** adv (aussi fig) a contra pelo.

contrepoint [kɔ̃tRəpwɛ̃] nm contrapunto.

contrepoison [kɔ̃tRəpwazɔ̃] nm contraveneno, antídoto.

contrer [kɔ̃tRe] vt (SPORT) parar; (adversaire, gén) oponerse a.

contre-révolution [kɔ̃tRəRevɔlysjɔ̃] (pl ~-~s) nf contrarrevolución f.

contre-révolutionnaire [kɔ̃tRəRevɔlysjɔnɛR] (pl ~-~s) adj, nm/f contrarrevolucionario(-a).

contresens [kɔ̃tRəsɑ̃s] nm contrasentido; **à ~** en sentido contrario.

contresigner [kɔ̃tRəsiɲe] vt refrendar.

contretemps [kɔ̃tRətɑ̃] nm contratiempo; **à ~** (MUS) a contratiempo; (fig) a destiempo.

contre-terrorisme [kɔ̃tRəteRɔRism] (pl ~-~s) nm contraterrorismo.

contre-terroriste [kɔ̃tRəteRɔRist(ə)] (pl ~-~s) nm/f contraterrorista m/f.

contre-torpilleur [kɔ̃tRətɔRpijœR] (pl ~-~s) nm contratorpedo.

contrevenant, e [kɔ̃tRəv(ə)nɑ̃, ɑ̃t] vb voir **contrevenir** ♦ nm/f contraventor(a).

contrevenir [kɔ̃tRəv(ə)niR]: **~ à** vt contravenir, transgredir.

contre-voie [kɔ̃tRəvwa]: **à ~-~** adv (en sens inverse) por la vía contraria; (du mauvais côté) por el lado contrario.

contribuable [kɔ̃tRibɥabl] nm/f contribuyente m/f.

contribuer [kɔ̃tRibɥe]: **~ à** vt contribuir a.

contribution [kɔ̃tRibysjɔ̃] nf contribución f; **les ~s** (ADMIN) la oficina de recaudación; **mettre à ~** utilizar los servicios de;

▶ **contributions directes/indirectes** impuestos *mpl* directos/indirectos.

contrit, e [kɔ̃tri, it] *adj* contrito(-a).

contrôlable [kɔ̃trolabl] *adj* controlable.

contrôle [kɔ̃trol] *nm* (*SCOL, d'un véhicule, gén*) control *m*; (*vérification*) control, comprobación *f*; (*maîtrise: de soi*) control, dominio; ▶ **contrôle continu** (*SCOL*) evaluación *f* continua; ▶ **contrôle d'identité** control de identidad; ▶ **contrôle des changes/des prix** control de cambios/de precios; ▶ **contrôle des naissances** control de natalidad; ▶ **contrôle judiciaire** control judicial.

contrôler [kɔ̃trole] *vt* controlar; (*vérifier*) comprobar; (*maîtriser*) dominar, controlar; **se contrôler** *vpr* (*personne*) controlarse, dominarse.

contrôleur, -euse [kɔ̃trolœr, øz] *nm/f* revisor(a), inspector(a) de boletos (*AM*); ▶ **contrôleur aérien** controlador *m* aéreo; ▶ **contrôleur de la navigation aérienne** controlador del tráfico aéreo; ▶ **contrôleur des postes** inspector *m* de correos; ▶ **contrôleur financier** interventor *m*.

contrordre [kɔ̃trɔrdr] *nm* contraorden *f*; **sauf** ~ salvo contraorden.

controverse [kɔ̃trovɛrs] *nf* controversia.

controversé, e [kɔ̃trovɛrse] *adj* controvertido(-a).

contumace [kɔ̃tymas]: **par** ~ *adv* (*JUR*) en rebeldía.

contusion [kɔ̃tyzjɔ̃] *nf* contusión *f*.

contusionné, e [kɔ̃tyzjone] *adj* contusionado(-a).

conurbation [kɔnyrbasjɔ̃] *nf* conurbación *f*.

convaincant, e [kɔ̃vɛ̃kɑ̃, ɑ̃t] *vb voir* **convaincre** ♦ *adj* convincente.

convaincre [kɔ̃vɛ̃kr] *vt*: ~ **qn (de qch/de faire)** convencer a algn (de algo/para que haga); ~ **qn de** (*JUR*) inculpar a algn de.

convaincu, e [kɔ̃vɛ̃ky] *pp de* **convaincre** ♦ *adj* convencido(-a); **d'un ton** ~ con un tono seguro *ou* convencido; ~ **de** convencido(-a) de.

convainquais [kɔ̃vɛ̃kɛ] *vb voir* **convaincre**.

convalescence [kɔ̃valesɑ̃s] *nf* convalecencia; **maison de** ~ casa de reposo.

convalescent, e [kɔ̃valesɑ̃, ɑ̃t] *adj, nm/f* convaleciente *m/f*.

convecteur [kɔ̃vɛktœr] *nm* convector *m*.

convenable [kɔ̃vnabl] *adj* (*personne, manières*) decoroso(-a), correcto(-a); (*moment, endroit*) adecuado(-a); (*salaire, travail*) aceptable.

convenablement [kɔ̃vnabləmɑ̃] *adv* (*placé, choisi*) adecuadamente; (*s'habiller,*

s'exprimer) correctamente; **il est** ~ **payé/logé** tiene un sueldo/alojamiento aceptable.

convenance [kɔ̃vnɑ̃s] *nf*: **à ma/votre** ~ a mi/su conveniencia; ~**s** *nfpl* (*bienséance*) conveniencias *fpl*; **pour** ~**s personnelles** por motivos personales.

convenir [kɔ̃vnir] *vi* convenir; ~ **à** (*être approprié à*) ser apropiado(-a) para; (*être utile à*) venir bien a; (*arranger, plaire à*) convenir a; **il convient de** (*bienséant*) es conveniente; ~ **de** (*admettre*) admitir, reconocer; (*fixer*) convenir, acordar; ~ **que** (*admettre*) admitir que; ~ **de faire qch** acordar hacer algo; **il a été convenu que/de faire ...** se ha acordado que/hacer ...; **comme convenu** como estaba acordado.

convention [kɔ̃vɑ̃sjɔ̃] *nf* (*accord*) convenio; (*ART, THÉÂTRE*) reglas *fpl*; (*POL*) convención *f*; ~**s** *nfpl* (*règles, convenances*) convenciones *fpl*; **de** ~ convencional; (*péj*) de cumplido; ▶ **convention collective** convenio colectivo.

conventionnalisme [kɔ̃vɑ̃sjɔnalism(ə)] *nm* convencionalismo.

conventionné, e [kɔ̃vɑ̃sjone] *adj* (*clinique*) concertado(-a); (*médecin, pharmacie*) que tiene un acuerdo con la Seguridad Social.

conventionnel, le [kɔ̃vɑ̃sjonɛl] *adj* convencional.

conventionnellement [kɔ̃vɑ̃sjonɛlmɑ̃] *adv* convencionalmente.

conventuel, le [kɔ̃vɑ̃tɥɛl] *adj* conventual.

convenu, e [kɔ̃vny] *pp, adj* (*heure*) acordado(-a).

convergent, e [kɔ̃vɛrʒɑ̃, ɑ̃t] *adj* convergente.

converger [kɔ̃vɛrʒe] *vi* converger, convergir; ~ **vers** *ou* **sur** converger *ou* convergir hacia *ou* en.

conversation [kɔ̃vɛrsasjɔ̃] *nf* conversación *f*; **avoir de la** ~ tener conversación.

converser [kɔ̃vɛrse] *vi* conversar.

conversion [kɔ̃vɛrsjɔ̃] *nf* conversión *f*; (*SKI*) viraje *m*.

convertible [kɔ̃vɛrtibl] *adj* (*ÉCON*) canjeable ♦ *nm* (*aussi*: **canapé** ~) sofá cama *m*.

convertir [kɔ̃vɛrtir] *vt*: **se** ~ (**à**) *vpr* convertirse (a); ~ **qn (à)** convertir a algn (a); ~ **qch en** transformar algo en, convertir algo en.

convertisseur [kɔ̃vɛrtisœr] *nm* (*ÉLEC*) transformador *m*.

convexe [kɔ̃vɛks] *adj* convexo(-a).

conviction [kɔ̃viksjɔ̃] *nf* convicción *f*; **sans** ~ sin convicción.

conviendrai *etc* [kɔ̃vjɛ̃dre] *vb voir* **convenir**.

convienne *etc* [kɔ̃vjɛn] *vb voir* **convenir**.

conviens *etc* [kɔ̃vjɛ̃] *vb voir* **convenir**.

convier [kɔ̃vje] *vt*: ~ **qn à** invitar a algn a.

convint [kɔ̃vɛ̃] *vb voir* **convenir**.

convive [kɔ̃viv] *nm/f* convidado(-a).

convivial, e [kɔ̃vivjal, jo] *adj* sociable; (*INFORM*) fácil de usar.

convocation [kɔ̃vɔkasjɔ̃] *nf* convocatoria.

convoi [kɔ̃vwa] *nm* convoy *m*; ~ **(funèbre)** cortejo (fúnebre).

convoiter [kɔ̃vwate] *vt* codiciar.

convoitise [kɔ̃vwatiz] *nf* codicia; (*sexuelle*) concupiscencia.

convoler [kɔ̃vɔle] *vi*: ~ **en justes noces** pasar por la vicaría.

convoquer [kɔ̃vɔke] *vt* (*assemblée, candidat*) convocar; (*subordonné, témoin*) convocar, citar; (*patient*) citar; ~ **qn (à)** convocar a algn (a).

convoyer [kɔ̃vwaje] *vt* escoltar.

convoyeur [kɔ̃vwajœʀ] *nm* (*NAUT*) buque *m* de escolta; (*bande de transport*) cinta transportadora; ► **convoyeur de fonds** guarda jurado.

convulsé, e [kɔ̃vylse] *adj* convulso(-a).

convulsif, -ive [kɔ̃vylsif, iv] *adj* convulsivo(-a).

convulsions [kɔ̃vylsjɔ̃] *nfpl* (*MÉD*) convulsiones *fpl*.

coopérant, e [kɔɔpeʀɑ̃, ɑ̃t] *nm/f* cooperante *m/f*.

coopératif, -ive [kɔɔpeʀatif, iv] *adj* cooperativo(-a).

coopération [kɔɔpeʀasjɔ̃] *nf* cooperación *f*; **la C~ militaire/technique** la cooperación militar/técnica.

coopérative [kɔɔpeʀativ] *nf* cooperativa.

coopérer [kɔɔpeʀe] *vi*: ~ **(à)** cooperar (en).

coordination [kɔɔʀdinasjɔ̃] *nf* coordinación *f*.

coordonnateur, -trice [kɔɔʀdɔnatœʀ, tʀis] *nm/f* coordinador(a).

coordonné, e [kɔɔʀdɔne] *adj* coordinado (-a); ~**s** *nmpl* (*vêtements*) coordinados *mpl*.

coordonnée [kɔɔʀdɔne] *nf* (*LING*) oración *f* coordinada; ~**s** *nfpl* (*MATH, gén*) coordenadas *fpl*; (*détails personnels*) complementos *mpl*.

coordonner [kɔɔʀdɔne] *vt* coordinar.

copain, copine [kɔpɛ̃, kɔpin] *nm/f* (*ami*) amigo(-a); (*de classe, de régiment*) compañero(-a) ♦ *adj*: **être ~ avec** ser amigo(-a) de.

copeau, x [kɔpo] *nm* viruta.

Copenhague [kɔpənag] *n* Copenhague.

copie [kɔpi] *nf* copia; (*feuille d'examen*) hoja de examen; (*devoir*) examen *m*; (*JOURNALISME*) ejemplar *m*; ► **copie certifiée conforme** copia compulsada;

► **copie papier** copia impresa.

copier [kɔpje] *vt* copiar ♦ *vi* (*tricher*) copiar; ~ **sur** copiar a.

copieur [kɔpjœʀ] *nm* copiadora.

copieusement [kɔpjøzmɑ̃] *adv* abundantemente, copiosamente.

copieux, -euse [kɔpjø, jøz] *adj* (*repas*) copioso(-a), abundante; (*portion, notes, exemples*) abundante.

copilote [kɔpilɔt] *nm* copiloto.

copinage [kɔpinaʒ] (*péj*) *nm* amiguismo.

copine [kɔpin] *nf voir* **copain**.

copiste [kɔpist] *nm/f* copista *m/f*.

coproduction [kɔpʀɔdyksjɔ̃] *nf* coproducción *f*.

copropriétaire [kɔpʀɔpʀijetɛʀ] *nm/f* copropietario(-a).

copropriété [kɔpʀɔpʀijete] *nf* copropiedad *f*; **acheter un appartement en ~** comprar un apartamento en copropiedad.

copulation [kɔpylasjɔ̃] *nf* cópula.

copuler [kɔpyle] *vi* copular.

copyright [kɔpiʀajt] *nm* copyright *m*.

coq [kɔk] *nm* gallo ♦ *adj inv*: **poids ~** (*BOXE*) peso gallo; ► **coq au vin** pollo al vino; ► **coq de bruyère** urogallo; ► **le coq du village** (*fig, péj*) el Don Juan del pueblo.

coq-à-l'âne [kɔkalɑn] *nm inv*: **passer du ~-~-~** saltar de una cosa a otra.

coque [kɔk] *nf* (*de noix*) cáscara; (*de bateau, d'avion*) casco; (*mollusque*) berberecho; **à la ~** (*CULIN*) pasado por agua.

coquelet [kɔklɛ] *nm* gallo joven.

coquelicot [kɔkliko] *nm* amapola.

coqueluche [kɔklyʃ] *nf* (*MÉD*) tos *f* ferina; **être la ~ de** (*fig*) ser el(la) preferido(-a) de.

coquet, te [kɔkɛ, ɛt] *adj* (*qui veut plaire*) coqueto(-a); (*bien habillé*) elegante; (*robe, appartement*) coquetón(-ona); (*salaire*) considerable; (*somme*) bonito(-a).

coquetier [kɔk(ə)tje] *nm* huevera.

coquettement [kɔkɛtmɑ̃] *adv* (*sourire, regarder*) con coquetería; (*s'habiller, meubler*) con gusto.

coquetterie [kɔkɛtʀi] *nf* coquetería.

coquillage [kɔkijaʒ] *nm* (*mollusque*) marisco; (*coquille*) concha.

coquille [kɔkij] *nf* (*de mollusque*) concha; (*de noix, d'œuf*) cáscara; (*TYPO*) errata; ► **coquille de noix** (*NAUT*) barquita; ► **coquille d'œuf** *adj inv* (*couleur*) blanquecino(-a); ► **coquille St Jacques** vieira.

coquin, e [kɔkɛ̃, in] *adj* (*enfant, sourire, regard*) picaro(-a); (*histoire*) picarón(-ona) ♦ *nm/f* pícaro(-a).

cor [kɔʀ] *nm* (*MUS*) trompa; (*au pied*) callo; **réclamer à ~ et à cri** reclamar a grito pelado; ► **cor anglais** corno inglés;

▶ **cor de chasse** cuerno de caza.
corail, -aux [kɔʀaj, o] *nm* coral *m*.
Coran [kɔʀɑ̃] *nm*: **le ~** el Corán.
coraux [kɔʀo] *npl de* **corail**.
corbeau, x [kɔʀbo] *nm* cuervo.
corbeille [kɔʀbɛj] *nf* cesta; (*THÉÂTRE*) piso principal; **la ~** (*à la Bourse*) el corro; ▶ **corbeille à ouvrage** costurero; ▶ **corbeille à pain** cesta del pan; ▶ **corbeille à papiers** cesto de los papeles; ▶ **corbeille de mariage** regalos *mpl* de boda.
corbillard [kɔʀbijaʀ] *nm* coche *m* fúnebre.
cordage [kɔʀdaʒ] *nm* cordaje *m*, jarcia; **~s** *nmpl* (*de voiture*) jarcias *fpl*.
corde [kɔʀd] *nf* (*gén*) cuerda; (*de violon, raquette*) cuerda; **la ~** (*trame de tissu*) la trama; (*ATHLÉTISME, AUTO*) la cuerda; **les ~s** (*BOXE*) las cuerdas; **la ~ sensible** la vena sensible; **les (instruments à) ~s** los instrumentos de cuerda; **tapis/semelles de ~** alfombra/suelas *fpl* de esparto; **tenir la ~** (*ATHLÉTISME, AUTO*) llevar la cuerda; **tomber des ~s** llover a cántaros; **tirer sur la ~** tirar de la cuerda; **usé jusqu'à la ~** raído; ▶ **corde à linge** tendedero; ▶ **corde à nœuds** cuerda de nudos; ▶ **corde à sauter** comba; ▶ **corde lisse/raide** cuerda lisa/floja; ▶ **cordes vocales** cuerdas *fpl* vocales.
cordeau, x [kɔʀdo] *nm* cordel *m*; **tracé au ~** trazado a cordel.
cordée [kɔʀde] *nf* cordada.
cordelette [kɔʀdəlɛt] *nf* cuerdecilla.
cordelière [kɔʀdəljɛʀ] *nf* cordón *m*.
cordial, e, -aux [kɔʀdjal, jo] *adj, nm* cordial *m*.
cordialement [kɔʀdjalmɑ̃] *adv* cordialmente.
cordialité [kɔʀdjalite] *nf* cordialidad *f*.
cordillère [kɔʀdijɛʀ] *nf*: **la ~ des Andes** la cordillera de los Andes.
cordon [kɔʀdɔ̃] *nm* cordón *m*; ▶ **cordon littoral** cordón litoral; ▶ **cordon ombilical** cordón umbilical; ▶ **cordon sanitaire/de police** cordón sanitario/policial.
cordon-bleu [kɔʀdɔ̃blø] (*pl* **~s-~s**) *nm* gran cocinero(-a).
cordonnerie [kɔʀdɔnʀi] *nf* zapatería.
cordonnet [kɔʀdɔnɛ] *nm* cordoncillo.
cordonnier [kɔʀdɔnje] *nm* zapatero.
Cordoue [kɔʀdu] *n* Córdoba.
Corée [kɔʀe] *nf* Corea; **la ~ du Sud/du Nord** Corea del Sur/del Norte; **la République (démocratique populaire de) ~** la República (democrática popular de) Corea.
coréen, ne [kɔʀeɛ̃, ɛn] *adj* coreano(-a) ♦ *nm* (*LING*) coreano ♦ *nm/f*: **C~, ne** coreano(-a).
coreligionnaire [kɔʀ(ə)liʒɔnɛʀ] *nm/f* correligionario(-a).

coriace [kɔʀjas] *adj* correoso(-a).
coriandre [kɔʀjɑ̃dʀ] *nf* cilantro.
cormoran [kɔʀmɔʀɑ̃] *nm* cormorán *m*.
cornac [kɔʀnak] *nm* cornaca *m*.
corne [kɔʀn] *nf* cuerno; ▶ **corne d'abondance** cuerno de la abundancia; ▶ **corne de brume** sirena de bruma.
cornée [kɔʀne] *nf* córnea.
corneille [kɔʀnɛj] *nf* corneja.
cornélien, ne [kɔʀneljɛ̃, jɛn] *adj* corneliano(-a).
cornemuse [kɔʀnəmyz] *nf* cornamusa, gaita; **joueur de ~** gaitero.
corner [*n* kɔʀnɛʀ, *vb* kɔʀne] *nm* (*FOOTBALL*) córner *m*, saque *m* de banda ♦ *vt* (*pages*) doblar la esquina de ♦ *vi* (*klaxonner*) tocar la bocina.
cornet [kɔʀnɛ] *nm* cucurucho; ▶ **cornet à piston** cornetín *m*.
cornette [kɔʀnɛt] *nf* toca, cofia.
corniaud [kɔʀnjo] *nm* (*chien*) perro de cruce; (*péj*) gilipollas *m inv* (*fam!*).
corniche [kɔʀniʃ] *nf* (*d'armoire*) cornisa; (*route*) carretera de cornisa.
cornichon [kɔʀniʃɔ̃] *nm* pepinillo.
cornue [kɔʀny] *nf* retorta.
corollaire [kɔʀɔlɛʀ] *nm* corolario.
corolle [kɔʀɔl] *nf* corola.
coron [kɔʀɔ̃] *nm* (*maison*) casa de mineros; (*quartier*) barrio minero.
coronaire [kɔʀɔnɛʀ] *adj* coronario(-a).
corporation [kɔʀpɔʀasjɔ̃] *nf* (*d'artisans*) gremio.
corporel, le [kɔʀpɔʀɛl] *adj* corporal; **soins ~s** cuidados *mpl* corporales.
corps [kɔʀ] *nm* (*aussi fig*) cuerpo; **à son ~ défendant** a pesar suyo; **à ~ perdu** en cuerpo y alma; **le ~ diplomatique** el cuerpo diplomático; **perdu ~ et biens** (*NAUT*) perdido con toda su carga; **prendre ~** tomar cuerpo; **faire ~ avec** formar cuerpo con, confundirse con; **~ et âme** cuerpo y alma; ▶ **corps à corps** *nm, adv* cuerpo a cuerpo; ▶ **corps constitués** (*POL*) instituciones *fpl*; ▶ **corps consulaire/législatif** cuerpo consular/legal; ▶ **corps de ballet/de garde** cuerpo de ballet/de guardia; ▶ **corps du délit** (*JUR*) cuerpo del delito; ▶ **corps électoral** censo electoral; ▶ **corps enseignant** cuerpo docente; ▶ **corps étranger** (*MÉD, BIOL*) cuerpo extraño; ▶ **corps expéditionnaire/d'armée** cuerpo expedicionario/de ejército; ▶ **corps médical** clase *f* médica.
corpulence [kɔʀpylɑ̃s] *nf* corpulencia; **de forte ~** de gran complexión.
corpulent, e [kɔʀpylɑ̃, ɑ̃t] *adj* corpulento(-a).
corpus [kɔʀpys] *nm* corpus *m inv*.

corpusculaire [kɔrpyskylɛr] *adj* corpuscular.

correct, e [kɔrɛkt] *adj* (*exact, bienséant*) correcto(-a); (*honnête*) justo(-a); (*passable*) correcto(-a), pasable.

correctement [kɔrɛktəmɑ̃] *adv* correctamente.

correcteur, -trice [kɔrɛktœr, tris] *nm/f* (*d'examen*) examinador(a); (*TYPO*) corrector(a).

correctif, -ive [kɔrɛktif, iv] *adj* correctivo(-a) ♦ *nm* (*mise au point*) correctivo.

correction [kɔrɛksjɔ̃] *nf* corrección *f*; (*idée, trajectoire*) modificación *f*; (*coups*) paliza, golpiza (*AM*); ▶ **correction (des épreuves)** corrección (de pruebas); ▶ **correction sur écran** corrección en pantalla.

correctionnel, le [kɔrɛksjɔnɛl] *adj*: **tribunal** ~ tribunal *m* correccional.

corrélation [kɔrelasjɔ̃] *nf* correlación *f*.

correspondance [kɔrɛspɔ̃dɑ̃s] *nf* correspondencia; (*de train, d'avion*) empalme *m*; **ce train assure la** ~ **avec l'avion de 10 heures** este tren enlaza con el vuelo de las 10; **cours par** ~ curso por correspondencia; **vente par** ~ venta por correo.

correspondancier, -ère [kɔrɛspɔ̃dɑ̃sje, jɛr] *nm/f* corresponsal *m/f*.

correspondant, e [kɔrɛspɔ̃dɑ̃, ɑ̃t] *adj* correspondiente ♦ *nm/f* corresponsal *m/f*; (*au téléphone*) interlocutor(a).

correspondre [kɔrɛspɔ̃dr] *vi* corresponder; (*chambres*) corresponderse; ~ **à** corresponder a; (*se rapporter à*) corresponderse con; ~ **avec qn** cartearse con algn.

Corrèze [kɔrɛz] *nf* Corrèze *f*.

corrida [kɔrida] *nf* corrida.

corridor [kɔridɔr] *nm* pasillo.

corrigé [kɔriʒe] *nm* (*SCOL*) solución *f*.

corriger [kɔriʒe] *vt* (*aussi MÉD*) corregir; (*idée, trajectoire*) rectificar; (*punir*) castigar; ~ **qn de qch** (*défaut*) corregir (algo) a algn; **il l'a corrigé** le dio una paliza; **se** ~ **de** corregirse de.

corroborer [kɔrɔbɔre] *vt* corroborar.

corroder [kɔrɔde] *vt* corroer.

corrompre [kɔrɔ̃pr] *vt* corromper.

corrompu, e [kɔrɔ̃py] *adj* corrompido(-a).

corrosif, -ive [kɔrozif, iv] *adj* corrosivo (-a).

corrosion [kɔrozjɔ̃] *nf* corrosión *f*.

corruption [kɔrypsjɔ̃] *nf* corrupción *f*.

corsage [kɔrsaʒ] *nm* (*d'une robe*) cuerpo; (*chemisier*) blusa.

corsaire [kɔrsɛr] *nm* corsario.

corse [kɔrs] *adj* corso(-a) ♦ *nf*: C~ Córcega ♦ *nm/f*: C~ corso(-a).

corsé, e [kɔrse] *adj* (*café etc*) fuerte; (*pro-*blème*) arduo(-a); (*histoire*) escabroso(-a).

corselet [kɔrsəlɛ] *nm* (*vêtement*) corpiño; (*ZOOL*) coselete *m*.

corser [kɔrse] *vt* (*difficulté*) incrementar; (*histoire, intrigue, récit*) complicar, dar interés a; (*sauce*) salpimentar.

corset [kɔrsɛ] *nm* corsé *m*; (*d'une robe*) corpiño; ▶ **corset orthopédique** corsé ortopédico.

corso [kɔrso] *nm*: ~ **fleuri** desfile *m* de carrozas de flores.

cortège [kɔrtɛʒ] *nm* (*funèbre*) comitiva; (*de manifestants*) desfile *m*.

corticostéroïde [kɔrtikostɛrɔid] *nm* corticosterona.

cortisone [kɔrtizon] *nf* cortisona.

corvée [kɔrve] *nf* (*aussi MIL*) faena.

cosaque [kɔzak] *nm* cosaco.

cosignataire [kosiɲatɛr] *adj, nm/f* cofirmante *m/f*.

cosinus [kɔsinys] *nm* coseno.

cosmétique [kɔsmetik] *nm* (*pour les cheveux*) fijador *m*; (*produit de beauté*) cosmético.

cosmétologie [kɔsmetɔlɔʒi] *nf* cosmética.

cosmique [kɔsmik] *adj* cósmico(-a).

cosmonaute [kɔsmɔnot] *nm/f* cosmonauta *mf*.

cosmopolite [kɔsmɔpɔlit] *adj* cosmopolita.

cosmos [kɔsmos] *nm* cosmos *m*.

cosse [kɔs] *nf* (*BOT*) vaina; (*ÉLEC*) guardacabos *m inv*.

cossu, e [kɔsy] *adj* señorial.

Costa Rica [kɔstaʀika] *nm* Costa Rica.

costaricien, ne [kɔstaʀisjɛ̃, jɛn] *adj* costarricense, costarriqueño(-a) ♦ *nm/f*: C~, ne costarricense *m/f*, costarriqueño(-a).

costaud, e [kɔsto, od] *adj* robusto(-a).

costume [kɔstym] *nm* traje *m*; (*de théâtre*) vestuario.

costumé, e [kɔstyme] *adj* disfrazado(-a).

costumer [kɔstyme] *vt* vestir; **se costumer** *vpr* disfrazarse; (*acteur*) vestirse; **se** ~ **en qn/qch** disfrazarse de algn/algo.

costumier, -ière [kɔstymje, jɛr] *nm/f* (*fabricant*) sastre(-a); (*loueur*) dueño(-a) de una tienda de trajes de alquiler; (*THÉÂTRE*) guardarropa *m/f*.

cotangente [kɔtɑ̃ʒɑ̃t] *nf* cotangente *f*.

cotation [kɔtasjɔ̃] *nf* cotización *f*.

cote [kɔt] *nf* (*d'une valeur boursière*) cotización *f*; (*d'une voiture, d'un timbre*) valoración *f*; (*d'un cheval*): **la** ~ **de** la clasificación de; (*d'un candidat etc*) popularidad *f*; (*mesure*) cota; (*de classement, d'un document*) signatura; **avoir la** ~ estar muy cotizado(-a); **inscrit à la** ~ registrado; ▶ **cote d'alerte** nivel *m* de alarma; ▶ **cote de popularité** cota de popularidad; ▶ **cote mal taillée** (*fig*) cuenta aproximada.

côte [kot] *nf* (*rivage*) costa; (*pente*) cuesta; (*ANAT, BOUCHERIE*) costilla; (*d'un tricot, tissu*) canalé *m*; **point de ~s** (*TRICOT*) punto de canalé; ~ **à** ~ uno al lado de otro; ▶**la côte (d'Azur)** la costa Azul; ▶**la Côte d'Ivoire** la costa de Marfil.

côté [kote] *nm* (*gén, GÉOM*) lado; (*du corps*) costado; (*feuille*) cara; (*de la rivière*) orilla; **de 10 m de** ~ de 10 m. de lado; **des deux ~s de la route/frontière** en ambos lados de la carretera/frontera; **de tous les ~s** por todos lados, por todas partes; **de quel** ~ **est-il parti?** ¿en qué dirección salió?; **de ce/de l'autre** ~ de este/del otro lado; **d'un** ~ ... **de l'autre** ~ por una parte ... por otra; **du** ~ **de** (*provenance*) por el lado de; (*direction*) en dirección a; **du** ~ **de Lyon** (*proximité*) por Lyon; **de** ~ (*marcher, regarder*) de lado; (*être, se tenir*) a un lado; **laisser de** ~ dejar de lado; **mettre de** ~ poner a un lado; **sur le** ~ **de** por el lado de; **de chaque** ~ **(de)** a cada lado (de), a ambos lados (de); **du** ~ **gauche** por la izquierda; **de mon** ~ por mi parte; **regarder de** ~ mirar de soslayo; **à** ~ al lado; **à** ~ **de** (*aussi fig*) al lado de; **à** ~ **(de la cible)** cerca (de la diana); **être aux ~s de** estar al/del lado de.

coté, e [kote] *adj*: **être** ~ **en Bourse** cotizarse en Bolsa; **être bien/mal** ~ estar bien/mal considerado(-a).

coteau [kɔto] *nm* colina.

côtelé, e [kot(ə)le] *adj* de canalé; **pantalons en velours** ~ pantalones *mpl* de pana.

côtelette [kotlɛt] *nf* chuleta.

coter [kɔte] *vt* cotizar.

coterie [kɔtRi] *nf* clan *m*.

côtier, -ière [kotje, jɛR] *adj* costero(-a).

cotillons [kɔtijõ] *nmpl* objetos *mpl* de fiesta.

cotisation [kɔtizasjõ] *nf* (*à un club, syndicat*) cuota; (*pour une pension, sécurité sociale*) cotización *f*.

cotiser [kɔtize] *vi* (*à une assurance etc*): ~ **(à)** cotizar; (*à une association*) pagar la cuota (de); **se cotiser** *vpr* pagar a escote.

coton [kɔtõ] *nm* algodón *m*; **drap/robe de** ~ sábana/vestido de algodón; ▶**coton hydrophile** algodón hidrófilo.

cotonnade [kɔtɔnad] *nf* cotonada.

Coton-Tige ® [kɔtõtiʒ] (*pl* ~**s**-~**s**) *nm* bastoncillo.

côtoyer [kotwaje] *vt* (*rencontrer*) codearse con; (*précipice, rivière*) bordear; (*fig*) rayar en.

cotte [kɔt] *nf*: ~ **de mailles** cota de mallas.

cou [ku] *nm* cuello.

couac [kwak] (*fam*) *nm* gallo.

couard, e [kwaR, kwaRd] *adj* cobarde.

couchage [kuʃaʒ] *nm* ropa de cama; ~ **pour 6 personnes** cama para 6 personas.

couchant [kuʃã] *adj*: **soleil** ~ sol m poniente.

couche [kuʃ] *nf* (*de bébé*) pañal *m*; (*gén, GÉOLOGIE*) capa; ~**s** *nfpl* (*MÉD*) parto *m*; ▶**couches sociales** capas *fpl* sociales.

couché, e [kuʃe] *adj* tumbado(-a), tendido(-a); (*au lit*) acostado(-a).

couche-culotte [kuʃkylɔt] (*pl* ~**s**-~**s**) *nf* pañal braguita *m*.

coucher [kuʃe] *nm* (*du soleil*) puesta (de sol) ♦ *vt* (*mettre au lit*) acostar; (*étendre*) tumbar, tender; (*loger*) alojar; (*idées*) anotar ♦ *vi* dormir; (*fam*): ~ **avec qn** acostarse con algn; **se coucher** *vpr* (*pour dormir*) acostarse; (*pour se reposer*) tumbarse, acostarse; (*se pencher*) inclinarse; (*soleil*) ponerse; **à prendre avant le** ~ (*MÉD*) tomar antes de acostarse; ▶**coucher de soleil** puesta de sol.

couchette [kuʃɛt] *nf* litera.

coucheur [kuʃœR] *nm*: **mauvais** ~ individuo de malas pulgas.

couci-couça [kusikusa] (*fam*) *adv* así así.

coucou [kuku] *nm* cuclillo ♦ *excl* ¡hola!

coude [kud] *nm* codo; (*de la route*) recodo; ~ **à** ~ codo a codo.

coudée [kude] *nf*: **avoir les** ~**s franches** tener campo libre, tener carta blanca.

cou-de-pied [kudpje] (*pl* ~**s**-~-~) *nm* empeine *m*.

coudoyer [kudwaje] *vt* (*frôler*) rozar al pasar; (*fig*) codearse.

coudre [kudR] *vt, vi* coser.

couenne [kwan] *nf* tocino.

couette [kwɛt] *nf* (*édredon*) edredón *m*; ~**s** *nfpl* (*cheveux*) coletas *fpl*.

couffin [kufɛ̃] *nm* (*de bébé*) moisés *m*.

couilles [kuj] (*fam!*) *nfpl* cojones *mpl* (*fam!*).

couiner [kwine] *vi* chillar.

coulage [kulaʒ] *nm* (*COMM*) pérdida.

coulant, e [kulã, ãt] *adj* (*indulgent*) tolerante; (*fromage etc*) derretido(-a); (*style*) fluido(-a).

coulée [kule] *nf* colada; (*neige*) deslizamiento (de la nieve).

couler [kule] *vi* (*fleuve*) fluir; (*liquide, sang*) correr; (*stylo*) perder tinta; (*récipient*) gotear; (*nez*) moquear; (*bateau*) hundirse ♦ *vt* colar; (*bateau*) hundir; (*entreprise*) hundir, arruinar; **se couler dans** *vpr* colarse en; ~ **une vie heureuse** llevar una vida feliz; **faire ou laisser** ~ dejar correr; **faire** ~ **un bain** preparar un baño; ~ **une bielle** (*AUTO*) fundir una biela; ~ **de source** caer por su peso; ~ **à pic** irse a pique.

couleur [kulœR] *nf* (*aussi fig*) color *m*; (*CARTES*) palo; ~s *nfpl* (*du teint, dans un tableau*) colores *mpl*, colorido; (*MIL*) bandera; **film/télévision en** ~s película/ televisión *f* en color; **de** ~ de color; **sous** ~ **de faire** con el pretexto de hacer.
couleuvre [kulœvR] *nf* culebra.
coulissant, e [kulisã, ãt] *adj* corredizo(-a).
coulisse [kulis] *nf* (*TECH*) ranura; ~s *nfpl* (*THÉÂTRE*) bastidores *mpl*; (*fig*): **dans les** ~s entre bastidores; **porte à** ~ puerta de corredera.
coulisser [kulise] *vi* deslizarse.
couloir [kulwaR] *nm* pasillo; (*SPORT, route*) calle *f*; (*ravin*) garganta; ► **couloir aérien** pasillo aéreo; ► **couloir d'avalanche** corredor *m* de aludes; ► **couloir de navigation** ruta de navegación.
coulpe [kulp] *nf*: **battre sa** ~ llorar con lágrimas de sangre.
coup [ku] *nm* golpe *m*; (*avec arme à feu*) disparo; (*frappé par une horloge*) campanada; (*fam: fois*) vez *f*; (*SPORT: geste*) jugada; (*ÉCHECS*) movimiento; **à** ~s **de hache** a hachazos; **à** ~s **de marteau** a martillazos; **être sur un** ~ tener un asuntillo entre manos; **en** ~ **de vent** como un rayo; **donner un** ~ **de corne à qn** dar una cornada a algn; **donner** *ou* **passer un** ~ **de balai (dans)** dar un barrido (a), pasar la escoba (por); **boire un** ~ echar un trago; **à tous les** ~s todas las veces; **à tous les** ~s **il a oublié** seguro que se le ha olvidado; **être dans le/hors du** ~ estar/no estar en el ajo; **il a raté son** ~ le falló la jugada; **du** ~ así que; **pour le** ~ por una vez; **d'un seul** ~ (*subitement*) de repente; (*à la fois*) de un solo golpe; **du premier** ~ al primer intento; **faire un** ~ **bas à qn** dar un golpe bajo a algn; **du même** ~ al mismo tiempo; **à** ~ **sûr** ... seguro que ...; **après** ~ después; ~ **sur** ~ uno(-a) tras otro(-a); **sur le** ~ en el acto; **sous le** ~ **de** (*surprise etc*) afectado(-a) por; **tomber sous la** ~ **de la loi** (*JUR*) caer bajo el peso de la ley; ► **coup d'éclat** proeza; ► **coup d'envoi** saque *m* de centro; ► **coup d'essai** ensayo; ► **coup d'État** golpe de estado; ► **coup d'œil** vistazo, ojeada; ► **coup de chance** golpe de suerte; ► **coup de chapeau** sombrerazo; ► **coup de coude** codazo; ► **coup de couteau** cuchillada; ► **coup de crayon** trazo; ► **coup de feu** disparo; ► **coup de fil** (*fam*) llamada; ► **coup de filet** redada; ► **coup de foudre** flechazo; ► **coup de fouet** latigazo; ► **coup de frein** (*AUTO*) frenazo; ► **coup de fusil** clavada; ► **coup de genou** rodillazo; ► **coup de grâce** golpe de suerte; ► **coup de main**:

donner un ~ **de main à qn** echar una mano a algn; ► **coup de maître** acción *f* magistral; ► **coup de pied** patada; ► **coup de pinceau** pincelada; ► **coup de poing** puñetazo; ► **coup de soleil** insolación *f*; ► **coup de sonnette** timbrazo; ► **coup de téléphone** telefonazo, llamado (*AM*); ► **coup de tête** (*fig*) cabezonada; ► **coup de théâtre** (*fig*) hecho imprevisto; ► **coup de tonnerre** trueno; ► **coup de vent** ráfaga de viento; ► **coup du lapin** (*AUTO*) golpe en la nuca; ► **coup dur** golpe duro; ► **coup fourré** mala jugada; ► **coup franc** golpe franco; ► **coup sec** golpe seco.
coupable [kupabl] *adj, nm/f* culpable *m/f*.
coupant, e [kupã, ãt] *adj* cortante.
coupe [kup] *nf* corte *f*; (*verre, SPORT*) copa; (*à fruits*) frutero; **vue en** ~ corte transversal; **être sous la** ~ **de** estar bajo la férula de; **faire des** ~s **sombres dans** hacer un recorte drástico en.
coupé, e [kupe] *adj* cortado(-a); (*vêtement*): **bien/mal** ~ bien/mal cortado(-a) ♦ *nm* (*AUTO*) cupé *m*.
coupe-circuit [kupsiRkɥi] *nm inv* cortacircuitos *m inv*.
coupe-feu [kupfø] *nm inv* cortafuego.
coupe-gorge [kupgɔRʒ] *nm inv* sitio peligroso.
coupelle [kupɛl] *nf* copela.
coupe-ongles [kupɔ̃gl] *nm inv* cortaúñas *m inv*.
coupe-papier [kuppapje] *nm inv* cortapapeles *m inv*.
couper [kupe] *vt* cortar; (*retrancher*) suprimir; (*eau, courant*) cortar, quitar; (*appétit, fièvre*) quitar; (*vin, liquide*) aguar; (*TENNIS etc*) volear ♦ *vi* cortar; (*prendre un raccourci*) atajar; (*CARTES*) cortar; (: *avec l'atout*) cortar triunfo; **se couper** *vpr* cortarse; (*en témoignant etc*) contradecirse; **se faire** ~ **les cheveux** cortarse el pelo; ~ **l'appétit à qn** quitar el apetito a algn; ~ **la parole à qn** quitar la palabra a algn, interrumpir a algn; ~ **les vivres à qn** suprimir los subsidios a algn; ~ **le contact** *ou* **l'allumage** (*AUTO*) quitar el contacto o el encendido; ~ **les ponts** (*avec qn*) cortar el contacto (con algn).
couperet [kupRɛ] *nm* machete *m*.
couperosé, e [kupRoze] *adj* congestionado(-a).
couple [kupl] *nm* pareja; ~ **de torsion** par *m* de torsión.
coupler [kuple] *vt* acoplar.
couplet [kuplɛ] *nm* (*MUS*) copla, estrofa; (*péj*) cantilena.
coupleur [kuplœR] *nm*: ~ **acoustique** acoplador *m* acústico.

coupole [kupɔl] *nf* cúpula.
coupon [kupɔ̃] *nm* (*ticket*) cupón *m*, bono; (*tissu: rouleau*) pieza; (: *reste*) retal *m*.
coupon-réponse [kupɔ̃Repɔ̃s] (*pl* ~s-~s) *nm* cupón *m* de respuesta.
coupure [kupyR] *nf* corte *m*; (*billet de banque*) billete *m* de banco; (*de presse*) recorte *m*; ▶ **coupure de courant/d'eau** corte de corriente/de agua.
cour [kuR] *nf* (*de ferme*) corral *m*; (*jardin, immeuble*) patio; (*JUR*) tribunal *m*; (*royale*) corte *f*; **faire la ~ à qn** hacer la corte a algn; ▶ **cour d'appel** ≈ tribunal de apelación; ▶ **cour d'assises** ≈ Audiencia; ▶ **cour de cassation** ≈ tribunal supremo; ▶ **cour de récréation** patio; ▶ **cour des comptes** (*ADMIN*) tribunal de cuentas; ▶ **cour martiale** tribunal militar.
courage [kuRaʒ] *nm* valor *m*; (*ardeur, énergie*) coraje *m*; **un peu de ~** ánimo; **bon ~!** ¡ánimo!
courageusement [kuRaʒøzmɑ̃] *adv* valientemente.
courageux, -euse [kuRaʒø, øz] *adj* valiente, valeroso(-a).
couramment [kuRamɑ̃] *adv* (*souvent*) frecuentemente; (*parler*) con soltura.
courant, e [kuRɑ̃, ɑ̃t] *adj* (*fréquent*) corriente, común; (*gén, COMM*) corriente; (*en cours*) en curso ♦ *nm* (*aussi fig*) corriente *f*; **être au ~ (de)** estar al corriente (de); **mettre qn au ~ (de)** poner a algn al corriente (de); **se tenir au ~ (de)** mantenerse al corriente (de); **dans le ~ de** durante; **~ octobre** a lo largo de octubre; **le 10 ~** el 10 del corriente; ▶ **courant d'air** corriente de aire; ▶ **courant électrique** corriente eléctrica.
courbature [kuRbatyR] *nf* agotamiento; (*SPORT*) agujetas *fpl*.
courbaturé, e [kuRbatyRe] *adj* derrengado(-a); (*SPORT*): **je suis tout ~** tengo agujetas por todas partes.
courbe [kuRb] *adj* curvo(-a) ♦ *nf* curva; ▶ **courbe de niveau** curva de nivel.
courber [kuRbe] *vt* doblar; **se courber** *vpr* (*branche etc*) doblarse; (*personne*) inclinarse; **~ la tête** inclinar la cabeza.
courbette [kuRbɛt] *nf* corveta, reverencia.
coure [kuR] *vb voir* **courir**.
coureur, -euse [kuRœR, øz] *nm/f* corredor(a) ♦ *adj m, nm* (*péj*) mujeriego ♦ *adj f, nf* (*péj*) pendón *m*; ▶ **coureur automobile** corredor automovilístico; ▶ **coureur cycliste** ciclista *m*.
courge [kuRʒ] *nf* calabaza.
courgette [kuRʒɛt] *nf* calabacín *m*.
courir [kuRiR] *vi* (*aussi fig*) correr ♦ *vt* (*SPORT*) disputar; (*danger, risque*) correr;

~ **les cafés/bals** frecuentar los cafés/bailes; ~ **les magasins** ir de compras, ir de tiendas; **le bruit court que** ... corre la voz de que ...; **par les temps qui courent** en los tiempos que corren, en estos tiempos; ~ **après qn** correr detrás de algn; (*péj*) andar detrás de algn; **laisser ~ qch/qn** dejar en paz algo/a algn; **faire ~ qn** llevar a algn al retortero; **tu peux (toujours) ~!** ¡espera sentado!
couronne [kuRɔn] *nf* (*aussi fig*) corona; ~ (**funéraire** *ou* **mortuaire**) corona (mortuoria).
couronnement [kuRɔnmɑ̃] *nm* coronación *f*.
couronner [kuRɔne] *vt* (*roi*) coronar; (*lauréat, livre, ouvrage*) galardonar; (*carrière, efforts*) coronar.
courons *etc* [kuRɔ̃] *vb voir* **courir**.
courrai *etc* [kuRe] *vb voir* **courir**.
courre [kuR] *vb voir* **chasse**.
courrier [kuRje] *nm* correo; (*rubrique*) prensa; **qualité ~** calidad *f* de correspondencia; **long/moyen ~** (*AVIAT*) avión *m* de distancias largas/medias; ▶ **courrier du cœur** prensa del corazón; ▶ **courrier électronique** correo electrónico.
courroie [kuRwa] *nf* correa; ▶ **courroie de transmission/du ventilateur** correa de transmisión/del ventilador.
courrons *etc* [kuRɔ̃] *vb voir* **courir**.
courroucé, e [kuRuse] *adj* encolerizado (-a).
cours [kuR] *vb voir* **courir** ♦ *nm* clase *f*; (*série de leçons*) clases *fpl*, curso; (*établissement*) academia; (*des événements, d'une rivière*) curso; (*avenue*) avenida, paseo; (*COMM*) valor *m*, precio; (*BOURSE*) cotización *f*; (*des matières premières*) valor; (*déroulement*) transcurso; **donner libre ~ à** dar rienda suelta a; **avoir ~** (*monnaie*) estar en circulación; (*fig*) estilarse; (*SCOL*) tener clase; **en ~** (*année*) en curso; (*travaux*) en curso, pendiente; **en ~ de route** en el camino; **au ~ de** durante, en el transcurso de; **le ~ du change** el cambio; ▶ **cours d'eau** río; ▶ **cours du soir** (*SCOL*) clase nocturna; ▶ **cours élémentaire** (*SCOL*) ciclo inicial de educación primaria en el sistema francés; ▶ **cours moyen** (*SCOL*) ciclo medio de educación primaria en el sistema francés; ▶ **cours préparatoire** (*SCOL*) año preparatorio de educación primaria en el sistema francés.
course [kuRs] *nf* (*gén, d'un taxi, du soleil*) carrera; (*d'un projectile*) trayectoria; (*d'une pièce mécanique*) recorrido; (*excursion en montagne*) marcha, excursión *f*; (*autocar*) recorrido; (*petite mission*) reca-

do; ~s *nfpl* compras *fpl*; (*HIPPISME*) carreras *fpl* hípicas; **faire les** *ou* **ses ~s** ir de compras; **jouer aux ~s** apostar en las carreras; **à bout de ~** reventado(-a); ▸ **course à pied/automobile** carrera a pie/automovilística; ▸ **course de côte** (*AUTO*) carrera de ascensión; ▸ **courses de chevaux** carreras de caballos; ▸ **course d'obstacles/de vitesse/par étapes** carrera de obstáculos/de velocidad/por etapas.

coursier, -ière [kuʀsje, jɛʀ] *nm/f* recadero(-a).

coursive [kuʀsiv] *nf* (*NAUT*) pasillo.

court, e [kuʀ, kuʀt] *adj* (*temps*) corto(-a), breve; (*en longueur, distance*) corto(-a); (*en hauteur*) bajo(-a) ♦ *adv* corto ♦ *nm* (*de tennis*) pista, cancha; **tourner ~** cambiar completamente; **couper ~ à ...** acabar con ...; **à ~ de** escaso de; **prendre qn de ~** pillar a algn de imprevisto; **ça fait ~** es un poco escaso; **pour faire ~** para abreviar; **avoir le souffle ~** quedarse en seguida sin aliento; **tirer à la ~e paille** echar pajas; **faire la ~e échelle à qn** aupar a algn; ▸ **court métrage** (*CINÉ*) cortometraje *m*.

courtage [kuʀtaʒ] *nm* (*COMM*) corretaje *m*.

court-bouillon [kuʀbujɔ̃] (*pl* ~**s**-~**s**) *nm* caldo de pescado.

court-circuit [kuʀsiʀkɥi] (*pl* ~**s**-~**s**) *nm* cortocircuito.

court-circuiter [kuʀsiʀkɥite] *vt* (*fig*) saltarse.

courtier, -ière [kuʀtje, jɛʀ] *nm/f* corredor(a).

courtisan [kuʀtizɑ̃] *nm* cortesano; (*fig*) adulador *m*.

courtisane [kuʀtizan] *nf* cortesana.

courtiser [kuʀtize] *vt* cortejar.

courtois, e [kuʀtwa, waz] *adj* cortés.

courtoisement [kuʀtwazmɑ̃] *adv* cortésmente.

courtoisie [kuʀtwazi] *nf* cortesía.

couru [kuʀy] *pp de* **courir** ♦ *adj* (*spectacle*) concurrido(-a); **c'est ~** (**d'avance**)! (*fam*) ¡está claro!

cousais *etc* [kuzɛ] *vb voir* **coudre**.

couscous [kuskus] *nm* cuscús *m*, alcuzcuz *m*.

cousin, e [kuzɛ̃, in] *nm/f* primo(-a); (*ZOOL*) mosquito; ▸ **cousin germain** primo carnal; ▸ **cousin issu de germain** primo segundo.

cousons [kuzɔ̃] *vb voir* **coudre**.

coussin [kusɛ̃] *nm* cojín *m*; (*TECH*) almohadilla; ▸ **coussin d'air** (*TECH*) almohadilla neumática.

cousu, e [kuzy] *pp de* **coudre** ♦ *adj*: **~ d'or** forrado(-a) de dinero.

coût [ku] *nm* (*d'un travail, objet*) coste *m*, precio; **le ~ de la vie** el coste de la vida.

coûtant [kutɑ̃] *adj m*: **au prix ~** a precio de coste.

couteau, x [kuto] *nm* cuchillo; ▸ **couteau à cran d'arrêt** navaja de resorte; ▸ **couteau à pain/de cuisine** cuchillo del pan/de cocina; ▸ **couteau de poche** navaja de bolsillo.

couteau-scie [kutosi] (*pl* ~**x**-~**s**) *nm* cuchillo de sierra.

coutelier, -ière [kutəlje, jɛʀ] *nm/f* cuchillero(-a).

coutellerie [kutɛlʀi] *nf* cuchillería.

coûter [kute] *vt* (*aussi fig*) costar ♦ *vi*: **~ à qn** costarle a algn; **~ cher** costar caro; **ça va lui ~ cher** (*fig*) va a pagarlo caro; **combien ça coûte?** ¿cuánto cuesta?, ¿cuánto vale?; **coûte que coûte** a toda costa.

coûteusement [kutøzmɑ̃] *adv* a alto precio.

coûteux, -euse [kutø, øz] *adj* costoso(-a); (*fig*) sacrificado(-a).

coutume [kutym] *nf* costumbre *f*; (*JUR*): **la ~** el derecho consuetudinario; **de ~** de costumbre, de ordinario.

coutumier, -ière [kutymje, jɛʀ] *adj* habitual; **être ~ de** (*péj*): **elle est coutumière du fait** es habitual en ella.

couture [kutyʀ] *nf* costura.

couturier [kutyʀje] *nm* modisto.

couturière [kutyʀjɛʀ] *nf* modista.

couvée [kuve] *nf* (*de poussins*) pollada.

couvent [kuvɑ̃] *nm* convento.

couver [kuve] *vt* (*œufs, maladie*) incubar; (*personne*) mimar ♦ *vi* (*feu*) mantenerse; (*révolte*) incubarse, prepararse; **~ qch/qn des yeux** no quitar los ojos de algo/de algn; (*convoiter*) comerse con los ojos algo/a algn.

couvercle [kuvɛʀkl] *nm* tapa.

couvert, e [kuvɛʀ, ɛʀt] *pp de* **couvrir** ♦ *adj* (*ciel, coiffé d'un chapeau*) cubierto(-a); (*protégé*) protegido(-a), resguardado(-a) ♦ *nm* cubierto; ~**s** *nmpl* cubiertos *mpl*; **~ de** cubierto(-a) por; **bien ~** bien abrigado(-a); **mettre le ~** poner la mesa; **service de 12 ~s en argent** juego de 12 cubiertos de plata; **à ~** a cubierto, a resguardo; **sous le ~ de** bajo la apariencia de.

couverture [kuvɛʀtyʀ] *nf* (*de lit*) manta, frazada (*AM*), cobija (*AM*); (*de bâtiment*) cubierta; (*de livre, cahier*) forro; (*d'un espion*) máscara; (*ASSURANCE, PRESSE*) cobertura; **de ~** (*lettre etc*) de garantía; ▸ **couverture chauffante** manta térmica.

couveuse [kuvøz] *nf* incubadora.

couvre [kuvʀ] *vb voir* **couvrir.**
couvre-chef [kuvʀəʃɛf] (*pl* ~-~s) *nm* sombrero.
couvre-feu [kuvʀəfø] (*pl* ~-~x) *nm* toque *m* de queda.
couvre-lit [kuvʀəli] (*pl* ~-~s) *nm* colcha.
couvre-pieds [kuvʀəpje] *nm inv* cubrepiés *m inv.*
couvreur [kuvʀœʀ] *nm* techador *m.*
couvrir [kuvʀiʀ] *vt* cubrir; (*d'ornements, d'éloges*): ~ **qch/qn de** cubrir a algo/algn de; (*supérieur hiérarchique*) proteger; (*voix, pas*) cubrir, tapar; (*erreur*) ocultar; (*distance*) recorrer; (*ZOOL*) cubrir; **se couvrir** *vpr* cubrirse; **se** ~ **de** (*fleurs, boutons*) llenarse de.
cover-girl [kɔvœʀgœʀl] (*pl* ~-~s) *nf* modelo *f.*
cow-boy [kobɔj] (*pl* ~-~s) *nm* vaquero.
coyote [kɔjɔt] *nm* coyote *m.*
CP *sigle m* (= *cours préparatoire*) *voir* **cours.**
CPAM [sepeacm] *sigle f* (= *Caisse primaire d'assurances maladie*) organismo que gestiona las cotizaciones de la Seguridad Social.
CQFD [sekyɛfde] *abr* (= *ce qu'il fallait démontrer*) QED.
crabe [kʀab] *nm* cangrejo (de mar).
crachat [kʀaʃa] *nm* escupitajo.
craché, e [kʀaʃe] *adj*: **son père tout** ~ **el** retrato vivo de su padre.
cracher [kʀaʃe] *vi, vt* escupir; (*lave, injures*) escupir, arrojar; ~ **du sang** escupir sangre.
crachin [kʀaʃɛ̃] *nm* llovizna, garúa (*AM*).
crachiner [kʀaʃine] *vi* lloviznar.
crachoir [kʀaʃwaʀ] *nm* escupidera.
crachotement [kʀaʃɔtmã] *nm* escupitajo, parásitos *mpl.*
crachoter [kʀaʃɔte] *vi* tener parásitos.
crack [kʀak] *nm* (*intellectuel*) hacha, as *m*; (*sportif*) as; (*poulain*) potro favorito.
Cracovie [kʀakɔvi] *n* Cracovia.
cradingue [kʀadɛ̃g] (*fam*) *adj* guarro(-a).
craie [kʀɛ] *nf* (*substance*) greda; (*morceau*) tiza, gis *m* (*MEX*).
craignais [kʀɛɲɛ] *vb voir* **craindre.**
craindre [kʀɛ̃dʀ] *vt* temer; (*être sensible à*) no tolerar; **je crains que vous (ne) fassiez erreur** (me) temo que se equivoca; ~ **de/que** temer/temer que; **crains-tu de ...?** ¿temes ...?
crainte [kʀɛ̃t] *nf* temor *m*; **soyez sans** ~ no tema nada; (**de**) ~ **de/que** por temor a/a que.
craintif, -ive [kʀɛ̃tif, iv] *adj* temeroso(-a).
craintivement [kʀɛ̃tivmã] *adv* temerosamente.
cramer [kʀame] (*fam*) *vi* chamuscarse.
cramoisi, e [kʀamwazi] *adj* carmesí.

crampe [kʀãp] *nf* calambre *m*; ► **crampe d'estomac** cólico de estómago.
crampon [kʀãpɔ̃] *nm* (*de semelle*) taco; (*ALPINISME*) crampón *m.*
cramponner [kʀãpɔne]: **se** ~ *vpr*: **se** ~ (**à**) agarrarse (a).
cran [kʀã] *nm* (*entaille, trou*) muesca; (*de courroie*) ojete *m*; (*courage*) agallas *fpl*; **être à** ~ estar que se lo llevan los demonios; ► **cran d'arrêt** muelle *m*; ► **cran de sûreté** seguro.
crâne [kʀɑn] *nm* cráneo.
crâner [kʀɑne] (*fam*) *vi* farolear, fanfarronear.
crânien, ne [kʀɑnjɛ̃, jɛn] *adj* craneal, craneano(-a).
crapaud [kʀapo] *nm* sapo.
crapule [kʀapyl] *nf* depravado(-a).
crapuleux, -euse [kʀapylø, øz] *adj*: **crime** ~ crimen *m* depravado.
craquelure [kʀaklyʀ] *nf* desconchón *m.*
craquement [kʀakmã] *nm* crujido.
craquer [kʀake] *vi* (*bois, plancher*) crujir; (*fil, branche*) romperse; (*couture*) estallar; (*s'effondrer*) derrumbarse ♦ *vt*: ~ **une allumette** frotar una cerilla; **je craque** (*enthousiasmé*) me vuelvo loco(-a).
crasse [kʀas] *nf* mugre *f* ♦ *adj* (*ignorance*) craso(-a).
crasseux, -euse [kʀasø, øz] *adj* mugriento(-a), mugroso(-a) (*AM*).
crassier [kʀasje] *nm* escorial *m.*
cratère [kʀatɛʀ] *nm* cráter *m.*
cravache [kʀavaʃ] *nf* fusta.
cravacher [kʀavaʃe] *vt* azotar con la fusta.
cravate [kʀavat] *nf* corbata.
cravater [kʀavate] *vt* poner la corbata a; (*fig*) tirarse al cuello de.
crawl [kʀol] *nm* crol *m.*
crawlé, e [kʀole] *adj*: **dos** ~ crol *m* de espaldas.
crayeux, -euse [kʀɛjø, øz] *adj* gredoso(-a); (*fig*) pálido(-a).
crayon [kʀɛjɔ̃] *nm* lápiz *m*; (*de rouge à lèvres etc*) perfilador *m*, lápiz; **écrire au** ~ escribir con lápiz; ► **crayon à bille** bolígrafo; ► **crayon de couleur** lápiz de color; ► **crayon optique** lápiz óptico.
crayon-feutre [kʀɛjɔ̃føtʀ] (*pl* ~s-~s) *nm* rotulador *m.*
crayonnage [kʀɛjɔnaʒ] *nm* bosquejo.
crayonner [kʀɛjɔne] *vt* bosquejar.
CRDP [seɛʀdepe] *sigle m* = *Centre régional de documentation pédagogique.*
créance [kʀeãs] *nf* (*COMM*) crédito; **donner** ~ **à qch** dar crédito a algo.
créancier, -ière [kʀeãsje, jɛʀ] *nm/f* acreedor(a).
créateur, -trice [kʀeatœʀ, tʀis] *adj* creador(a) ♦ *nm/f* (*gén*) creador(a); (*de mode*

etc) diseñador(a); **le C~** (*REL*) el Creador.
créatif, -ive [kʀeatif, iv] *adj* (*personne*) creativo(-a).
création [kʀeasjɔ̃] *nf* creación *f*; (*nouvelle robe, voiture etc*) creación, diseño.
créativité [kʀeativite] *nf* creatividad *f*.
créature [kʀeatyʀ] *nf* criatura.
crécelle [kʀesɛl] *nf* carraca.
crèche [kʀɛʃ] *nf* (*de Noël*) nacimiento, belén *m*; (*garderie*) guardería.
crédence [kʀedɑ̃s] *nf* aparador *m*.
crédibilité [kʀedibilite] *nf* credibilidad *f*.
crédible [kʀedibl] *adj* creíble.
crédit [kʀedi] *nm* (*confiance, autorité, ÉCON*) crédito; (*d'un compte bancaire*) crédito, haber *m*; **~s** *nmpl* fondos *mpl*; **payer/acheter à ~** pagar/comprar a plazos; **faire ~ à qn** tener confianza en algn.
crédit-bail [kʀedibaj] (*pl* **~s-~s**) *nm* arrendamiento financiero, leasing *m*.
créditer [kʀedite] *vt*: **~ un compte (de)** abonar en cuenta.
créditeur, -trice [kʀeditœʀ, tʀis] *adj, nm/f* acreedor(a).
credo [kʀedo] *nm* credo.
crédule [kʀedyl] *adj* crédulo(-a).
crédulité [kʀedylite] *nf* credulidad *f*.
créer [kʀee] *vt* crear; (*spectacle*) montar; (*rôle*) crear.
crémaillère [kʀemajɛʀ] *nf* cremallera; **direction à ~** (*AUTO*) dirección *f* de cremallera; **pendre la ~** festejar el estreno de una casa.
crémation [kʀemasjɔ̃] *nf* cremación *f*.
crématoire [kʀematwaʀ] *adj*: **four ~** horno crematorio.
crématorium [kʀematɔʀjɔm] *nm* crematorio.
crème [kʀɛm] *nf* crema; (*du lait*) nata, crema; (*PHARMACIE*) crema, pomada ♦ *adj inv* crema; **un (café) ~** un café con leche; **► crème à raser** crema de afeitar; **► crème Chantilly** nata Chantilly; **► crème fouettée** nata batida; **► crème glacée** helado.
crémerie [kʀɛmʀi] *nf* lechería.
crémeux, -euse [kʀemø, øz] *adj* cremoso(-a).
crémier, -ière [kʀemje, jɛʀ] *nm/f* lechero(-a).
créneau, x [kʀeno] *nm* (*de fortification*) almena; (*fig*) hueco; (*COMM*) segmento de mercado; **faire un ~** (*AUTO*) aparcar hacia atrás.
créole [kʀeɔl] *adj* criollo(-a) ♦ *nm* (*LING*) criollo ♦ *nm/f*: **C~** criollo(-a).
crêpe [kʀɛp] *nf* crêpe *f*, panqueque *m* (*AM*) ♦ *nm* (*tissu*) crespón *m*; (*de deuil*) crespón, gasa negra; **semelle (de) ~** suela de crepé; **► crêpe de Chine** crespón de China.

crêpé, e [kʀepe] *adj* encrespado(-a).
crêperie [kʀɛpʀi] *nf* crepería.
crépi [kʀepi] *nm* enlucido.
crépir [kʀepiʀ] *vt* enlucir.
crépitement [kʀepitmɑ̃] *nm* (*du feu*) chasquido; (*d'une mitrailleuse*) tableteo.
crépiter [kʀepite] *vi* crepitar; (*mitrailleuse*) tabletear.
crépon [kʀepɔ̃] *nm* crespón *m*; **► papier crépon** papel *m* crespón.
crépu, e [kʀepy] *adj* crespo(-a).
crépuscule [kʀepyskyl] *nm* crepúsculo.
crescendo [kʀeʃɛndo] *nm, adv* (*MUS*) crescendo; (*fig*): **aller ~** ir en crescendo.
cresson [kʀesɔ̃] *nm* berro.
Crète [kʀɛt] *nf* Creta.
crête [kʀɛt] *nf* cresta; (*montagne*) cumbre *f*, cresta.
crétin, e [kʀetɛ̃, in] *nm/f* (*aussi péj*) cretino(-a).
crétois, e [kʀetwa, waz] *adj* cretense ♦ *nm/f*: **C~**, **e** cretense *m/f*.
cretonne [kʀətɔn] *nf* cretona.
Creuse [kʀøz] *nf*: **la ~** la Creuse.
creuser [kʀøze] *vt* cavar; (*bois*) vaciar; (*problème, idée*) cavilar; **ça creuse** (*l'estomac*) eso abre el apetito; **se ~ la cervelle** *ou* **la tête** romperse la cabeza.
creuset [kʀøzɛ] *nm* crisol *m*.
creusois, e [kʀøzwa, waz] *adj* de la Creuse ♦ *nm/f*: **C~**, **e** nativo(-a) *ou* habitante *m/f* de la Creuse.
creux, -euse [kʀø, kʀøz] *adj* hueco(-a) ♦ *nm* hueco; (*fig*) vacío; **heures creuses** (*transports*) horas *fpl* de menos tráfico; (*travail*) horas muertas; (*pour électricité, téléphone*) horas de tarifa baja; **mois/jours ~** meses *mpl*/días *mpl* muertos; **le ~ de l'estomac** la boca del estómago.
crevaison [kʀəvɛzɔ̃] *nf* pinchazo.
crevant, e [kʀəvɑ̃, ɑ̃t] *adj* agotador(a); (*amusant*) para desternillarse de risa.
crevasse [kʀəvas] *nf* grieta.
crevé, e [kʀəve] *adj* (*pneu*) pinchado(-a); (*fam*): **je suis ~** estoy reventado(-a).
crève-cœur [kʀɛvkœʀ] *nm inv* pesadumbre *f*.
crever [kʀəve] *vt* estallar, explotar ♦ *vi* (*pneu, automobiliste*) pinchar; (*abcès, outre*) reventar; (*nuage*) descargar; (*fam*: *mourir*) palmarla; **~ d'envie/de peur** morirse de ganas/de miedo; **~ de faim/de soif/de froid** morirse de hambre/de sed/de frío; **~ l'écran** barrer; **cela lui a crevé un œil** esto le dejó tuerto.
crevette [kʀəvɛt] *nf*: **~ rose** gamba; **► crevette grise** quisquilla, camarón *m*.
cri [kʀi] *nm* grito; **à grands ~s** a grito pelado; **~s d'enthousiasme** gritos *mpl* de entusiasmo; **c'est le dernier ~** es el último

grito; ~s **de protestation** gritos de protesta.

criant, e [kʀijɑ̃, kʀijɑ̃t] *adj* (*injustice*) escandaloso(-a).

criard, e [kʀijaʀ, kʀijaʀd] *adj* (*couleur*) chillón(-ona).

crible [kʀibl] *nm* criba; **passer qch au** ~ cribar algo; (*fig*) mirar algo con lupa.

criblé, e [kʀible] *adj*: ~ **de** acribillado(-a) de.

cric [kʀik] *nm* (*AUTO*) gato.

cricket [kʀikɛt] *nm* cricket *m.*

criée [kʀije] *nf*: (**vente à la**) ~ (venta en) pública subasta.

crier [kʀije] *vi* gritar; (*grincer*) chirriar ♦ *vt* (*ordre*) dar a gritos; (*injure*) lanzar; **sans** ~ **gare** sin avisar; ~ **au secours** pedir socorro; ~ **famine** quejarse de hambre; ~ **grâce** pedir merced; ~ **au scandale** poner el grito en el cielo; ~ **au meurtre** clamar contra el asesinato.

crieur [kʀijœʀ] *nm*: ~ **de journaux** vendedor *m* de periódicos.

crime [kʀim] *nm* crimen *m.*

Crimée [kʀime] *nf* Crimea.

criminalité [kʀiminalite] *nf* criminalidad *f.*

criminel, le [kʀiminɛl] *adj* (*acte*) criminal; (*poursuites, droit*) penal; (*fig*) abominable ♦ *nm/f* criminal *m/f*; ► **criminel de guerre** criminal de guerra.

criminologie [kʀiminɔlɔʒi] *nf* criminología.

criminologue [kʀiminɔlɔg] *nm/f* criminologista *m/f.*

crin [kʀɛ̃] *nm* crin *f*; (*comme fibre*) crin, cerda; **à tous** ~**s**, **à tout** ~ de tomo y lomo.

crinière [kʀinjɛʀ] *nf* (*de cheval*) crines *fpl*; (*lion*) melena.

crique [kʀik] *nf* cala.

criquet [kʀikɛ] *nm* langosta.

crise [kʀiz] *nf* crisis *f inv*; ► **crise cardiaque** ataque *m* cardíaco; ► **crise de foie** cólico biliar; ► **crise de la foi** crisis de (la) fe; ► **crise de nerfs** ataque de nervios, crisis nerviosa.

crispant, e [kʀispɑ̃, ɑ̃t] *adj* irritante.

crispation [kʀispasjɔ̃] *nf* crispación *f.*

crispé, e [kʀispe] *adj* crispado(-a).

crisper [kʀispe] *vt* crispar; **se crisper** *vpr* crisparse.

crissement [kʀismɑ̃] *nm* (*des pneus*) rechinamiento.

crisser [kʀise] *vi* crujir; (*pneu*) rechinar.

cristal, -aux [kʀistal, o] *nm* cristal *m*; (*neige*) cristal, copo; **cristaux** *nmpl* (*objets de verre*) cristalería *fsg*; ► **cristal de plomb** vidrio de plomo, cristal de plomo; ► **cristal de roche** cristal de roca; ► **cristaux de soude** sosa *fsg* en polvo.

cristallin, e [kʀistalɛ̃, in] *adj* cristalino(-a)

♦ *nm* (*ANAT*) cristalino.

cristalliser [kʀistalize] *vi, vt* (*aussi*: **se** ~) cristalizar.

critère [kʀitɛʀ] *nm* criterio.

critérium [kʀiteʀjɔm] *nm* (*SPORT*) prueba de clasificación.

critiquable [kʀitikabl] *adj* discutible.

critique [kʀitik] *adj* crítico(-a) ♦ *nf* (*aussi article*) crítica ♦ *nm* crítico; **la** ~ (*activité, personnes*) la crítica.

critiquer [kʀitike] *vt* criticar.

croasser [kʀɔase] *vi* graznar.

croate [kʀɔat] *adj* croata ♦ *nm* (*LING*) croata *m* ♦ *nm/f*: **C**~ croata *m/f.*

Croatie [kʀɔasi] *nf* Croacia.

croc [kʀo] *nm* (*dent*) colmillo; (*de boucher*) gancho.

croc-en-jambe [kʀɔkɑ̃ʒɑ̃b] (*pl* ~**s**-~-~) *nm*: **faire un** ~-~-~ **à qn** poner *ou* echar una zancadilla a algn.

croche [kʀɔʃ] *nf* corchea; **double** ~ semicorchea; **triple** ~ fusa.

croche-pied [kʀɔʃpje] (*pl* ~-~**s**) *nm* = **croc-en-jambe.**

crochet [kʀɔʃɛ] *nm* gancho; (*tige, clef*) ganzúa; (*détour*) desvío, rodeo; (*TRICOT*) ganchillo; (*BOXE*): ~ **du gauche** gancho de izquierda; ~**s** *nmpl* (*TYPO*) corchetes *mpl*; **vivre aux** ~**s de qn** vivir a expensas de algn.

crocheter [kʀɔʃte] *vt* (*serrure*) abrir con una ganzúa.

crochu, e [kʀɔʃy] *adj* corvo(-a); (*mains, doigts*) ganchudo(-a).

crocodile [kʀɔkɔdil] *nm* cocodrilo.

crocus [kʀɔkys] *nm* croco.

croire [kʀwaʀ] *vt* creer; ~ **qn honnête** creer en la honestidad de algn; **se** ~ **fort** considerarse fuerte; ~ **que** creer que; **j'aurais cru que si** hubiera creido que sí; **je n'aurais pas cru cela** (**de lui**) nunca lo hubiera pensado (de él); **vous croyez?** ¿lo cree usted?, ¿lo piensa usted?; **vous ne croyez pas?** ¿no lo cree así?; ~ **à** *ou* **en** creer en; ~ (**en Dieu**) creer (en Dios).

crois [kʀwa] *vb voir* **croître.**

croisade [kʀwazad] *nf* cruzada.

croisé, e [kʀwaze] *adj* cruzado(-a) ♦ *nm* (*guerrier*) cruzado.

croisée [kʀwaze] *nf* ventana; **à la** ~ **des chemins** en el cruce de (los) caminos; ► **croisée d'ogives** bóveda de crucería.

croisement [kʀwazmɑ̃] *nm* (*carrefour, BIOL*) cruce *m.*

croiser [kʀwaze] *vt* cruzar; (*personne, voiture*) cruzarse con, encontrar ♦ *vi* navegar; **se croiser** *vpr* cruzarse; ~ **les jambes/les bras** cruzar las piernas/los brazos; **se** ~ **les bras** (*fig*) cruzarse de brazos.

croiseur [kʀwazœʀ] *nm* crucero.
croisière [kʀwazjɛʀ] *nf* crucero; **vitesse de** ~ velocidad *f* de crucero.
croisillon [kʀwazijɔ̃] *nm*: **motif/fenêtre à** ~**s** enrejado.
croissais [kʀwasɛ] *vb voir* **croître**.
croissance [kʀwasãs] *nf* desarrollo, crecimiento; **troubles de la/maladie de** ~ trastornos *mpl*/enfermedad *f* del crecimiento; ▶ **croissance économique** desarrollo económico.
croissant, e [kʀwasã, ãt] *vb voir* **croître** ♦ *adj* creciente ♦ *nm* (*gâteau*) croissant *m*; (*motif*) media luna; ▶ **croissant de lune** media luna.
croître [kʀwatʀ] *vi* crecer.
croix [kʀwa] *nf* cruz *f*; **en** ~ *adj* en cruz ♦ *adv* en forma de cruz, en cruz; ▶ **la Croix Rouge** la Cruz Roja.
croquant, e [kʀɔkã, ãt] *adj* crujiente ♦ *nm* (*péj*) campesino.
croque-madame [kʀɔkmadam] *nm inv* sandwich de jamón, queso (*tostado*) con un huevo frito encima.
croque-mitaine [kʀɔkmitɛn] (*pl* ~-~**s**) *nm* coco.
croque-monsieur [kʀɔkməsjø] *nm inv* sandwich de jamón y queso (*tostado*).
croque-mort [kʀɔkmɔʀ] (*pl* ~-~**s** *péj*) *nm* enterrador *m*.
croquer [kʀɔke] *vt* (*manger, fruit*) comer; (*dessiner*) bosquejar ♦ *vi* crujir; **chocolat à** ~ chocolate *m* para comer.
croquet [kʀɔkɛ] *nm* croquet *m*.
croquette [kʀɔkɛt] *nf* croqueta.
croquis [kʀɔki] *nm* croquis *m inv*, boceto; (*description*) bosquejo.
cross(-country) [kʀɔs(kuntʀi)] (*pl* **cross (-countries)**) *nm* (*SPORT*) cross *m*; (*course*) carrera campo a través *ou* a campo traviesa.
crosse [kʀɔs] *nf* (*d'arme à feu*) culata; (*d'évêque*) báculo; (*de hockey*) palo.
crotale [kʀɔtal] *nm* crótalo.
crotte [kʀɔt] *nf* caca; ~! (*fam*) ¡córcholis!, ¡concho!
crotté, e [kʀɔte] *adj* (*sale*) embarrado(-a).
crottin [kʀɔtɛ̃] *nm*: ~ (**de cheval**) excremento (de caballo); (*petit fromage de chèvre*) quesito redondo de cabra.
croulant, e [kʀulã, ãt] (*fam*) *nm/f* vejestorio(-a).
crouler [kʀule] *vi* (*s'effondrer*) derrumbarse; (*être délabré*) venirse abajo, hundirse; ~ **sous (le poids de) qch** hundirse bajo (el peso de) algo.
croupe [kʀup] *nf* grupa; **en** ~ a la grupa.
croupi, e [kʀupi] *adj* estancado(-a).
croupier [kʀupje] *nm* crupier *m*.
croupion [kʀupjɔ̃] *nm* rabadilla.

croupir [kʀupiʀ] *vi* (*eau*) estancarse; (*personne*) pudrirse.
CROUS [kʀus] *sigle m* (= *Centre régional des œuvres universitaires et scolaires*) organización estudiantil.
croustade [kʀustad] *nf* empanada de paté.
croustillant, e [kʀustijã, ãt] *adj* crujiente; (*histoire*) picante.
croustiller [kʀustije] *vi* crujir.
croûte [kʀut] *nf* (*du fromage, pain*) corteza; (*de vol-au-vent*) hojaldre *m*; (*de glace*) capa; (*MÉD*) costra, postilla; (*de tartre, peinture*) costra; (*péj: peinture*) mamarracho; **en** ~ (*CULIN*) en pastel; ▶ **croûte au fromage/aux champignons** rebanada de pan tostado con queso/con champiñones; ▶ **croûte de pain** (*morceau*) mendrugo; ▶ **croûte terrestre** corteza terrestre.
croûton [kʀutɔ̃] *nm* (*CULIN*) picatoste *m*; (*extrémité: du pain*) cuscurro.
croyable [kʀwajabl] *adj* creíble.
croyais [kʀwajɛ] *vb voir* **croire**.
croyance [kʀwajãs] *nf* creencia.
croyant, e [kʀwajã, ãt] *vb voir* **croire** ♦ *adj* (*REL*): **être/ne pas être** ~ ser/no ser creyente ♦ *nm/f* (*REL*) creyente *m/f*.
Crozet [kʀɔzɛ] *n*: **les îles** ~ las islas Crozet.
CRS [seɛʀɛs] *sigle fpl* = *Compagnies républicaines de sécurité*.
cru, e [kʀy] *pp de* **croire** ♦ *adj* (*non cuit*) crudo(-a); (*lumière, couleur*) fuerte, vivo(-a); (*description, langage*) crudo(-a); (*grossier*) grosero(-a) ♦ *nm* (*vignoble*) viñedo; (*vin*) caldo; **monter à** ~ (*cheval*) montar a pelo; **de son (propre)** ~ (*fig*) de su (propia) cosecha; **du** ~ de la región.
crû [kʀy] *pp de* **croître**.
cruauté [kʀyote] *nf* crueldad *f*.
cruche [kʀyʃ] *nf* cántaro.
crucial, e, -aux [kʀysjal, jo] *adj* crucial.
crucifier [kʀysifje] *vt* crucificar.
crucifix [kʀysifi] *nm* crucifijo.
crucifixion [kʀysifiksjɔ̃] *nf* crucifixión *f*.
cruciforme [kʀysifɔʀm] *adj* cruciforme.
cruciverbiste [kʀysivɛʀbist] *nm/f* aficionado(-a) a los crucigramas.
crudité [kʀydite] *nf* (*d'un éclairage, d'une couleur*) viveza; ~**s** *nfpl* (*CULIN*) verduras *fpl* y hortalizas crudas.
crue [kʀy] *adj f voir* **cru** ♦ *nf* crecida; **en** ~ con crecida.
cruel, le [kʀyɛl] *adj* (*personne, sort*) cruel; (*froid*) despiadado(-a).
cruellement [kʀyɛlmã] *adv* cruelmente.
crûment [kʀymã] *adv* crudamente.
crus *etc* [kʀy] *vb voir* **croire**.
crûs *etc* [kʀy] *vb voir* **croître**.
crustacés [kʀystase] *nmpl* crustáceos *mpl*.

crypte [kʀipt] *nf* cripta.
crypté, e [kʀipte] *adj* codificado(-a).
CSA [seɛsa] *sigle m* = *Conseil supérieur de l'audiovisuel.*
CSG [seɛsʒe] *sigle f* (= *contribution sociale généralisée*) contribución suplementaria *para ayudar al desfavorecido.*
Cuba [kyba] *nm* Cuba.
cubage [kybaʒ] *nm* volumen *m.*
cubain, e [kybɛ̃, ɛn] *adj* cubano(-a) ♦ *nm/f*: **C~, e** cubano(-a).
cube [kyb] *nm* cubo; (*MATH*): **2 au ~ = 8** 2 al cubo = 8; **gros ~** cubo grande; **mètre ~** metro cúbico; **élever au ~** (*MATH*) elevar al cubo.
cubique [kybik] *adj* cúbico(-a).
cubisme [kybism] *nm* cubismo.
cubiste [kybist] *nm/f* cubista *m/f.*
cubitus [kybitys] *nm* cúbito.
cueillette [kœjɛt] *nf* recolección *f*, cosecha.
cueillir [kœjiʀ] *vt* recoger; (*attraper*) pillar.
cuiller [kɥijɛʀ] *nf* cuchara; ▶ **cuiller à café** cucharilla; ▶ **cuiller à soupe** cuchara sopera.
cuillère [kɥijɛʀ] *nf* = **cuiller.**
cuillerée [kɥijʀe] *nf* cucharada; **~ à soupe/café** cucharada sopera/de café.
cuir [kɥiʀ] *nm* cuero.
cuirasse [kɥiʀas] *nf* coraza.
cuirassé [kɥiʀase] *nm* acorazado.
cuire [kɥiʀ] *vt* (*aliments, poterie*) cocer; (*au four*) asar ♦ *vi* cocerse; (*picoter*) escocer; **bien cuit** (*viande*) bien hecho *ou* pasado; **trop cuit** demasiado hecho *ou* pasado; **pas assez cuit** no muy hecho *ou* pasado; **cuit à point** hecho en su punto.
cuisant, e [kɥizɑ̃, ɑ̃t] *vb voir* **cuire** ♦ *adj* (*douleur*) punzante; (*souvenir, échec*) doloroso(-a).
cuisine [kɥizin] *nf* cocina; (*nourriture*) comida; **faire la ~** preparar la comida.
cuisiné, e [kɥizine] *adj*: **plat ~** plato cocinado.
cuisiner [kɥizine] *vt* cocinar; (*fam*) acribillar a preguntas a ♦ *vi* cocinar.
cuisinette [kɥizinɛt] *nf* cocina pequeña.
cuisinier, -ière [kɥizinje, jɛʀ] *nm/f* cocinero(-a).
cuisinière [kɥizinjɛʀ] *nf* (*poêle*) cocina.
cuissardes [kɥisaʀd] *nfpl* botas *fpl.*
cuisse [kɥis] *nf* (*ANAT*) muslo; (*de poulet*) muslo; (*de mouton*) pierna.
cuisson [kɥisɔ̃] *nf* cocción *f.*
cuissot [kɥiso] *nm* pernil *m.*
cuistre [kɥistʀ] *nm* sabihondo(-a).
cuit, e [kɥi, kɥit] *pp de* **cuire** ♦ *adj* cocido (-a); (*viande*): **bien/très ~** bien/muy hecho(-a).
cuite [kɥit] *nf* (*fam*) moña, cogorza.

cuivre [kɥivʀ] *nm* cobre *m*; **les ~s** (*MUS*) los cobres; ▶ **cuivre jaune** latón *m*; ▶ **cuivre (rouge)** cobre (rojizo).
cuivré, e [kɥivʀe] *adj* cobrizo(-a).
cul [ky] (*fam!*) *nm* culo (*fam!*); ▶ **cul de bouteille** culo de botella.
culasse [kylas] *nf* culata.
culbute [kylbyt] *nf* (*en jouant*) voltereta; (*accidentelle*) batacazo.
culbuter [kylbyte] *vi* darse un batacazo.
culbuteur [kylbytœʀ] *nm* (*AUTO*) balancín *m.*
cul-de-jatte [kydʒat] (*pl ~s-~-~*) *nm* lisiado sin piernas.
cul-de-sac [kydsak] (*pl ~s-~-~*) *nm* callejón *m* sin salida.
culinaire [kylinɛʀ] *adj* culinario(-a).
culminant [kylminɑ̃] *adj*: **point ~** punto culminante.
culminer [kylmine] *vi*: **~ (à)** culminar (en).
culot [kylo] *nm* (*d'ampoule*) casquillo; (*effronterie*) desfachatez *f*, descaro; **il a du ~** tiene cara.
culotte [kylɔt] *nf* (*pantalon*) pantalón *m* corto; (*d'homme*) calzoncillos *mpl*, calzones *mpl* (*AM*); (*de femme*): (**petite**) ~ bragas *fpl*, calzones *mpl* (*AM*); ▶ **culotte de cheval** pantalón de montar; (*chez les femmes*) celulitis *f inv.*
culotté, e [kylɔte] *adj* (*pipe*) curado(-a); (*cuir*) usado(-a); (*effronté*) descarado(-a).
culpabiliser [kylpabilize] *vt*: **~ qn** culpabilizar a algn.
culpabilité [kylpabilite] *nf* culpabilidad *f.*
culte [kylt] *nm* culto.
cultivable [kyltivabl] *adj* cultivable.
cultivateur, -trice [kyltivatœʀ, tʀis] *nm/f* cultivador(a).
cultivé, e [kyltive] *adj* (*terre*) cultivado(-a); (*personne*) culto(-a).
cultiver [kyltive] *vt* cultivar.
culture [kyltyʀ] *nf* cultivo; (*connaissances*) cultura; **~s** cultivos *mpl*; **champs de ~s** campos *mpl* de cultivo; ▶ **culture physique** culturismo.
culturel, le [kyltyʀɛl] *adj* cultural.
culturisme [kyltyʀism] *nm* culturismo.
culturiste [kyltyʀist] *nm/f* culturista *m/f.*
cumin [kymɛ̃] *nm* comino.
cumul [kymyl] *nm* cúmulo, acumulación *f*; ▶ **cumul de peines** acumulación de penas.
cumulable [kymylabl] *adj* acumulable.
cumuler [kymyle] *vt* acumular.
cupide [kypid] *adj* codicioso(-a).
cupidité [kypidite] *nf* codicia.
curable [kyʀabl] *adj* curable.
Curaçao [kyʀaso] *n* Curasao, Curaçao.
curaçao [kyʀaso] *nm* curasao.
curare [kyʀaʀ] *nm* curare *m.*

curatif, -ive [kyʀatif, iv] *adj* curativo(-a).
cure [kyʀ] *nf* (*MÉD*) cura; (*REL: fonction*) curato; (: *maison*) casa del cura; **faire une ~ de fruits** hacer una cura de frutas; **n'avoir ~ de** traerle a uno sin cuidado; **faire une ~ thermale** hacer una cura de aguas termales; ► **cure d'amaigrissement** régimen *m* de adelgazamiento; ► **cure de repos** cura de reposo; ► **cure de sommeil** cura de sueño.
curé [kyʀe] *nm* cura *m*, párroco; **M. le ~** el Señor cura.
cure-dent [kyʀdɑ̃] (*pl* ~-~**s**) *nm* palillo, mondadientes *m inv*.
curée [kyʀe] *nf* (*fig*) forcejeo.
cure-ongles [kyʀɔ̃gl] *nm inv* limpiaúñas *m inv*.
cure-pipe [kyʀpip] (*pl* ~-~**s**) *nm* limpiapipas *m inv*.
curer [kyʀe] *vt* limpiar; **se curer** *vpr*: **se ~ les dents** limpiarse los dientes con un palillo.
curetage [kyʀtaʒ] *nm* (*MÉD*) raspado, legrado.
curieusement [kyʀjøzmɑ̃] *adv* curiosamente.
curieux, -euse [kyʀjø, jøz] *adj* curioso(-a) ♦ *nmpl* curiosos *mpl*, mirones *mpl*.
curiosité [kyʀjozite] *nf* curiosidad *f*; (*objet, site*) singularidad *f*.
curiste [kyʀist] *nm/f* agüista *m/f*.
curriculum vitae [kyʀikylɔmvite] *nm inv* curriculum vitae *m*.
curry [kyʀi] *nm* curry *m*; **poulet au ~** pollo al curry.
curseur [kyʀsœʀ] *nm* cursor *m*.
cursif, -ive [kyʀsif, iv] *adj*: **écriture cursive** escritura cursiva.
cursus [kyʀsys] *nm* carrera.
curviligne [kyʀviliɲ] *adj* curvilíneo(-a).
cutané, e [kytane] *adj* cutáneo(-a).
cuti-réaction [kytiʀeaksjɔ̃] (*pl* ~-~**s**) *nf* reacción *f* cutánea.
cuve [kyv] *nf* cuba; (*à mazout etc*) depósito, tanque *m*.
cuvée [kyve] *nf* cuba, cosecha.
cuvette [kyvɛt] *nf* (*récipient*) palangana; (*du lavabo*) pila; (*des w-c*) taza; (*GÉO*) hondonada.
CV [seve] *sigle m* (= *cheval vapeur*) C.V. (= *caballos de vapor*); = *curriculum vitae*.
cyanure [sjanyʀ] *nm* cianuro.
cybernétique [sibɛʀnetik] *nf* cibernética.
cyclable [siklabl] *adj*: **piste ~** pista para ciclistas.
cyclamen [siklamɛn] *nm* ciclamen *m*.
cycle [sikl] *nm* (*vélo*) velocípedo; (*naturel, biologique*) ciclo; **1er ~** (*SCOL*) ≈ segunda etapa de educación primaria; **2ème ~** ≈ educación secundaria.

cyclique [siklik] *adj* cíclico(-a).
cyclisme [siklism] *nm* ciclismo.
cycliste [siklist] *nm/f* ciclista *m/f* ♦ *adj*: **coureur ~** corredor *m* ciclista.
cyclo-cross [siklokʀɔs] *nm inv* (*SPORT*) ciclocross *m*; (*épreuve*) carrera de ciclocross.
cyclomoteur [siklomɔtœʀ] *nm* ciclomotor *m*.
cyclomotoriste [siklomɔtɔʀist] *nm/f* ciclomotorista *m/f*.
cyclone [siklon] *nm* ciclón *m*.
cyclotourisme [siklotuʀism(ə)] *nm* cicloturismo.
cygne [siɲ] *nm* cisne *m*.
cylindre [silɛ̃dʀ] *nm* cilindro; **moteur à 4 ~s en ligne** motor *m* de 4 cilindros en línea.
cylindrée [silɛ̃dʀe] *nf* cilindrada; **une (voiture de) grosse ~** un coche de gran cilindrada.
cylindrique [silɛ̃dʀik] *adj* cilíndrico(-a).
cymbale [sɛ̃bal] *nf* platillo.
cynique [sinik] *adj* cínico(-a).
cyniquement [sinikmɑ̃] *adv* cínicamente.
cynisme [sinism] *nm* cinismo.
cyprès [sipʀɛ] *nm* ciprés *m*.
cypriote [sipʀijɔt] *adj* chipriota ♦ *nm/f*: **C~** chipriota *m/f*.
cyrillique [siʀilik] *adj* cirílico(-a).
cystite [sistit] *nf* cistitis *f*.
cytise [sitiz] *nm* cítiso, codeso.
cytologie [sitɔlɔʒi] *nf* citología.

D, d

D, d [de] *nm inv* (*lettre*) D, d *f*; **~ comme Désiré** ≈ D de Dinamarca.
d' [d] *prép voir* **de**.
Dacca [dəkə] *n* Dacca.
dactylo [daktilo] *nf* (*aussi*: **dactylographe**) mecanógrafa; (*aussi*: **dactylographie**) mecanografía.
dactylographier [daktilɔgʀafje] *vt* mecanografiar.
dada [dada] *nm* tema *m* de siempre.
dadais [dadɛ] *nm* bobo.
dague [dag] *nf* daga.
dahlia [dalja] *nm* dalia.
daigner [deɲe] *vt* dignarse.
daim [dɛ̃] *nm* (*ZOOL*) gamo; (*peau*) ante *m*;

(*imitation*) piel *f* vuelta.
dais [dɛ] *nm* dosel *m*.
Dakar [dakaʀ] *n* Dakar.
dallage [dalaʒ] *nm* enlosado.
dalle [dal] *nf* losa.
daller [dale] *vt* enlosar.
dalmatien [dalmasjɛ̃] *nm* dálmata *m/f*.
daltonien, ne [daltɔnjɛ̃, jɛn] *adj, nm/f* daltónico(-a).
daltonisme [daltɔnism] *nm* daltonismo.
dam [dɑ̃] *nm*: **au grand ~ de** con gran perjuicio de.
damas [dama(s)] *nm* damasco.
damassé, e [damase] *adj* adamascado(-a).
dame [dam] *nf* señora; (*femme du monde*) dama; (*CARTES, ÉCHECS*) reina; **~s** *nfpl* (*jeu*) damas *nfpl*; **les (toilettes des) ~s** los servicios de señoras; ▶ **dame de charité** dama de la caridad; ▶ **dame de compagnie** señora de compañía.
dame-jeanne [damʒɑn] (*pl* **~s-~s**) *nf* damajuana.
damer [dame] *vt* apisonar; **~ le pion à qn** ganar la partida a algn.
damier [damje] *nm* (*échiquier*) damero; (*dessin*) de cuadros; **en ~** de cuadros.
damner [dɑne] *vt* condenar.
dancing [dɑ̃siŋ] *nm* sala de baile.
dandinement [dɑ̃dinmɑ̃] *nm* contoneo.
dandiner [dɑ̃dine]: **se ~** *vpr* bambolearse; (*en marchant*) contonearse.
dandy [dɑ̃di] *nm* dandi *m*.
Danemark [danmaʀk] *nm* Dinamarca.
danger [dɑ̃ʒe] *nm*: **le ~** el peligro; **un ~** un peligro; **être/mettre en ~** estar/poner en peligro; **être en ~ de mort** estar en peligro de muerte; **être hors de ~** estar fuera de peligro.
dangereusement [dɑ̃ʒʀøzmɑ̃] *adv* (*blessé, malade*) gravemente; (*vivre*) peligrosamente.
dangereux, -euse [dɑ̃ʒʀø, øz] *adj* peligroso(-a).
danois, e [danwa, waz] *adj* danés(-esa) ♦ *nm* (*LING, chien*) danés *msg* ♦ *nm/f*: **D~, e** danés(-esa).

═══════════ *MOT-CLÉ*

dans [dɑ̃] *prép* **1** (*position*) en; **dans le tiroir/le salon** en el cajón/el salón; **marcher dans la ville** andar por la ciudad; **je l'ai lu dans un journal** lo leí en un periódico; **monter dans une voiture/le bus** subir en un coche/el autobús; **dans la rue** en la calle; **être dans les premiers** ser de los primeros
2 (*direction*) a; **elle a couru dans le salon** corrió al salón
3 (*provenance*) de; **je l'ai pris dans le tiroir/salon** lo saqué del cajón/salón; boi-

re **dans un verre** beber en un vaso
4 (*temps*) dentro de; **dans 2 mois** dentro de dos meses; **dans quelques instants** dentro de unos momentos; **dans quelques jours** dentro de unos días; **il part dans quinze jours** se marcha dentro de quince días; **je serai là dans la matinée** estaré allí por la mañana
5 (*approximation*) alrededor de; **dans les 20F/4 mois** alrededor de 20 francos/4 meses
6 (*intention*) con; **dans le but de faire qch** con objeto de hacer algo.

dansant, e [dɑ̃sɑ̃, ɑ̃t] *adj*: **soirée ~e** velada con baile; (*bal*) bailable *m*.
danse [dɑ̃s] *nf* danza; **une ~** un baile; ▶ **danse du ventre** danza del vientre; ▶ **danse moderne** danza moderna.
danser [dɑ̃se] *vt, vi* bailar, danzar.
danseur, -euse [dɑ̃sœʀ, øz] *nm/f* (*de ballet*) bailarín(-ina); (*cavalier*) pareja; **en danseuse** (*cyclisme*) de pie sobre los pedales; ▶ **danseur de claquettes** bailarín(-ina) de claqué.
DAO [deao] *sigle m* (= *dessin assisté par ordinateur*) diseño asistido por ordenador.
dard [daʀ] *nm* aguijón *m*.
darder [daʀde] *vt* lanzar.
dare-dare [daʀdaʀ] *adv* volando.
Dar-es-Salaam, Dar-es-Salam [daʀɛsalam] *n* Dar es Salam.
darne [daʀn] *nf* rodaja.
darse [daʀs] *nf* dársena.
dartre [daʀtʀ] *nf* (*MÉD*) descamación *f*.
datation [datasjɔ̃] *nf* datación *f*.
date [dat] *nf* (*jour*) fecha; **de longue ~** *ou* **vieille ~** (*amitié*) viejo(-a); **de fraîche ~** reciente; **premier/dernier en ~** más antiguo/reciente; **prendre ~ (avec qn)** fijar fecha (con algn); **faire ~** hacer época; ▶ **date limite** fecha límite; (*d'un aliment: aussi*: **~ limite de vente**) fecha de caducidad; ▶ **date de naissance** fecha de nacimiento.
dater [date] *vt* fechar ♦ *vi* estar anticuado(-a); **~ de** (*remonter à*) datar de; **à ~ de** a partir de.
dateur [datœʀ] *nm* (*timbre*) fechador *m*; (*de montre*) calendario.
datif [datif] *nm* dativo.
datte [dat] *nf* dátil *m*.
dattier [datje] *nm* datilera *f*.
daube [dob] *nf*: **bœuf en ~** (carne *f* de) vaca estofada.
dauphin [dofɛ̃] *nm* (*aussi HIST, fig*) delfín *m*.
Dauphiné [dofine] *nm* Delfinado.
dauphinois, e [dofinwa, waz] *adj* de Delfinado.

daurade [dɔʀad] nf besugo.

davantage [davãtaʒ] adv más; (plus longtemps) más tiempo; ~ de más; ~ que más que.

DCA [desea] sigle f (= défense contre avions) defensa antiaérea.

DDASS [das] sigle f (= Direction départementale de l'action sanitaire et sociale) delegación provincial de sanidad y seguridad social.

DDT [dedete] sigle m (= dichloro-diphénoltrichloréthane) DDT m (= diclorodifeniltricloroetano).

===================== MOT-CLÉ

de, d' [də] (de + le = du, de + les = des) prép
1 (appartenance) de; **le toit de la maison** el tejado de la casa; **la voiture d'Élisabeth/de mes parents** el coche de Elisabeth/de mis padres
2 (moyen) con; **suivre des yeux** seguir con la mirada; **nier de la tête** negar con la cabeza; **estimé de ses collègues** estimado por sus colegas
3 (provenance) de; **il vient de Londres** viene de Londres; **elle est sortie du cinéma** salió del cine
4 (caractérisation, mesure): **un mur de brique** un muro de ladrillo; **un verre d'eau** un vaso de agua; **un billet de 50 F** un billete de 50 francos; **une pièce de 2 m de large** ou **large de 2 m** una habitación de 2m de ancho; **un bébé de 10 mois** un bebé de 10 meses; **12 mois de crédit/travail** 12 meses de crédito/trabajo; **augmenter** etc **de 10 F** aumentar etc 10 francos; **3 jours de libres** 3 días libres; **de nos jours** en nuestros días; **être payé 20 F de l'heure** cobrar 20 francos por hora
5 (rapport): **de 14 à 18** de 14 a 18; **de Madrid à Paris** de Madrid a París; **voyager de pays en pays** viajar de país en país
6 de; (cause): **mourir de faim** morir(se) de hambre; **rouge de colère** rojo(-a) de ira
7 (vb + de + infinitif): **je vous prie de venir** le ruego que venga; **il m'a dit de rester** me dijo que me quedara
8: **cet imbécile de Pierre** el tonto de Pierre
♦ dét (partitif): **du vin/de l'eau/des pommes** vino/agua/manzanas; **des enfants sont venus** vinieron unos niños; **pendant des mois** durante meses; **il mange de tout** come de todo; **y a-t-il du vin?** ¿hay vino?; **il n'a pas de chance/d'enfants** no tiene suerte/niños.

dé [de] nm (aussi: ~ **à coudre**) dedal m; (à jouer) dado m; (CULIN): **couper en ~s** cortar

en dados; ~**s** nmpl (jeu) dados mpl; **un coup de ~s** un golpe de suerte.

DEA [deɔa] sigle m (= diplôme d'études approfondies) diploma de pos(t)grado.

déambuler [deãbyle] vi deambular.

débâcle [debakl] nf (dégel) deshielo; (armée) desbandada.

déballage [debalaʒ] nm desembalaje m; (fig) revoltijo.

déballer [debale] vt desembalar; (fam: savoir, connaissance) desembuchar.

débandade [debãdad] nf desbandada.

débander [debãde] vt desvendar.

débaptiser [debatize] vt (rue) cambiar el nombre de.

débarbouillage [debaʀbujaʒ] nm aseo.

débarbouiller [debaʀbuje] vt lavar la cara a; **se débarbouiller** vpr lavarse la cara.

débarcadère [debaʀkadɛʀ] nm desembarcadero.

débardeur [debaʀdœʀ] nm estibador m; (maillot) camiseta corta sin mangas.

débarquement [debaʀkəmã] nm desembarco.

débarquer [debaʀke] vt desembarcar ♦ vi desembarcar; (fam) plantarse.

débarras [debaʀa] nm trastero; (placard) armario trastero; **"bon ~!"** "¡anda y que te zurzan!"

débarrasser [debaʀase] vt desalojar ♦ vi quitar la mesa; **se débarrasser** vpr: **se ~ de** desembarazarse de; (vêtement) quitarse; (habitude) librarse de; ~ **la table** quitar la mesa; ~ **qn de qch** (vêtements) recogerle algo a algn; (paquets) ayudar a algn con algo; ~ **qch** de desembarazar algo de.

débat [deba] nm debate m; ~**s** nmpl (POL) debate msg.

débattre [debatʀ] vt (question, prix) debatir, discutir; **se débattre** vpr debatirse.

débauchage [deboʃaʒ] nm (de personnel) despido.

débauche [deboʃ] nf (libertinage) vicio; (profusion) derroche m; **une ~ de** (fig) un derroche de.

débauché, e [deboʃe] adj, nm/f vicioso(-a).

débaucher [deboʃe] vt (licencier) despedir; (entraîner) corromper; (inciter à la grève) instigar.

débile [debil] adj débil; (fam: idiot) imbécil ♦ nm/f: ~ **mental** retrasado(-a) mental.

débilitant, e [debilitã, ãt] adj (climat) agotador(a); (atmosphère) desmoralizador(a).

débilité [debilite] nf debilidad f; (fam) estupidez f; ► **débilité mentale** debilidad mental.

débit [debi] nm (d'un liquide) flujo; (fleuve) caudal m; (élocution) cadencia; (d'un ma-

gasin) ventas *fpl*; (*du trafic*) fluidez *f*; (*bancaire*) débito; **avoir un ~ de 10F** tener un débito de 10 francos; **gros/faible ~** mucho/poco débito; ▶ **débit de boissons** establecimiento de bebidas; ▶ **débit de données** (*INFORM*) velocidad *f* de datos; ▶ **débit de tabac** estanco.

débiter [debite] *vt* (*compte*) cargar (en cuenta); (*liquide, gaz*) suministrar; (*bois, viande*) cortar; (*vendre*) despachar; (*péj: discours*) soltar.

débiteur, -trice [debitœr, tris] *adj, nm/f* deudor(a).

déblai [deblɛ] *nm* desmonte *m*.

déblaiement [deblɛmɑ̃] *nm* desmonte *m*; **travaux de ~** trabajos *mpl* de desmonte.

déblatérer [deblatere] *vi*: **~ contre** despotricar contra.

déblayage [deblɛjaʒ] *nm* despejo, despeje *m*.

déblayer [debleje] *vt* despejar.

déblocage [deblɔkaʒ] *nm* desbloqueo.

débloquer [deblɔke] *vt* desbloquear ◆ *vi* (*fam*) disparatar; **~ le crédit** desbloquear los créditos.

débobiner [debɔbine] *vt* desbobinar.

déboires [debwar] *nmpl* sinsabores *mpl*; **avoir/essuyer des ~** tener/recibir sinsabores.

déboisement [debwazmɑ̃] *nm* desmonte *m*.

déboiser [debwaze] *vt* desmontar; **se déboiser** *vpr* deforestarse.

déboîter [debwate] *vi* (*AUTO*) salirse de la fila ◆ *vt*: **se ~** dislocarse.

débonnaire [debɔnɛr] *adj* bonachón(-ona).

débordant, e [debɔrdɑ̃, ɑ̃t] *adj* desbordante.

débordé, e [debɔrde] *adj*: **être ~** estar desbordado(-a).

débordement [debɔrdəmɑ̃] *nm* (*rivière*) desbordamiento; (*eau, lait*) derramamiento; (*MIL, SPORT*) adelantamiento; ▶ **débordement d'enthousiasme/de vitalité** exceso de entusiasmo/de vitalidad.

déborder [debɔrde] *vi* (*rivière*) desbordarse; (*eau, lait*) derramarse ◆ *vt* (*MIL, SPORT*) adelantar; (*dépasser*): **~ (de) qch** rebosar de algo; **~ de joie/zèle** (*fig*) rebosar de alegría/fervor.

débouché [debuʃe] *nm* (*gén pl: pour vendre un produit*) mercado; (*perspectives d'emploi*) posibilidades *fpl*; **au ~ de la vallée** a la salida del valle.

déboucher [debuʃe] *vt* (*évier, tuyau etc*) destapar; (*bouteille*) descorchar ◆ *vi* desembocar; **~ sur** desembocar en; (*fig*) conducir a; **~ de** salir de.

débouler [debule] *vi* caer rodando ◆ *vt*: **~ l'escalier** rodar escaleras abajo.

déboulonner [debulɔne] *vt* desmontar; (*renvoyer*) despedir; (*détruire le prestige de*) desacreditar.

débours [debur] *nmpl* desembolso *m*.

débourser [deburse] *vt* desembolsar.

déboussoler [debusɔle] *vt* despistar.

debout [d(ə)bu] *adv* (*personne, chose*) de pie; (*levé, éveillé*) levantado(-a); **être encore ~** (*fig*) estar todavía en pie; **mettre qch/qn ~** poner algo/a algn de pie; **se mettre ~** ponerse de pie; **se tenir ~** mantenerse en pie; **"~!"** "¡pie!"; (*du lit*) **"¡arriba!"**; **cette histoire/ça ne tient pas ~** esta historia/eso no se tiene en pie.

débouter [debute] *vt* (*JUR*): **~ qn de sa demande** desestimar la demanda de algn.

déboutonner [debutɔne] *vt* desabrochar, desabotonar; **se déboutonner** *vpr* desabrocharse, desabotonarse; (*fig*) desahogarse.

débraillé, e [debraje] *adj* (*tenue*) desaliñado(-a); (*manières*) descuidado (-a).

débrancher [debrɑ̃ʃe] *vt* (*appareil électrique*) desenchufar; (*téléphone*) desconectar.

débrayage [debrɛjaʒ] *nm* (*AUTO: aussi action*) desembrague *m*; (*grève*) paro.

débrayer [debreje] *vi* (*AUTO*) desembragar; (*cesser le travail*) hacer paro.

débridé, e [debride] *adj* desenfrenado(-a).

débrider [debride] *vt* (*cheval*) desembridar; (*volaille*) quitar los hilos a; **sans ~** de un tirón.

débris [debri] *nm* trozo ◆ *nmpl* restos *mpl*.

débrouillard, e [debrujar, ard] *adj* avispado(-a).

débrouillardise [debrujardiz] *nf* ingenio.

débrouiller [debruje] *vt* (*affaire, cas*) desembrollar; (*écheveau*) desenredar; **se débrouiller** *vpr* arreglárselas.

débroussailler [debrusaje] *vt* desbrozar.

débusquer [debyske] *vt* desemboscar.

début [deby] *nm* comienzo, principio; **~s** *nmpl* (*CINÉ, SPORT etc*) debut *msg*; (*carrière*) comienzos *mpl*; **un bon/mauvais ~** un buen/mal comienzo; **faire ses ~s** debutar; **au ~** al principio; **dès le ~** desde el principio.

débutant, e [debytɑ̃, ɑ̃t] *nm/f, adj* principiante *m/f*.

débuter [debyte] *vi* comenzar; (*personne*) debutar.

deçà [dəsa] *prép*: **en ~ de** de este lado de; **être en ~ de** (*vérité, réalité*) no alcanzar ◆ *adv*: **en ~** de este lado.

décacheter [dekaʃ(ə)te] *vt* desellar, abrir.

décade [dekad] *nf* década.

décadence [dekadɑ̃s] *nf* decadencia.

décadent, e [dekadɑ̃, ɑ̃t] *adj* decadente.

décaféiné, e [dekafeine] *adj* descafeinado(-a).

décalage [dekalaʒ] *nm* desfase *m*; (*écart*) separación *f*; (*désaccord*) desacuerdo; **un** ~ (*de position*) un desplazamiento; (*temporel*) una diferencia; (*fig*) un desfase; ► **décalage horaire** diferencia de horario.

décalaminer [dekalamine] *vt* descalaminar.

décalcifiant, e [dekalsifjɑ̃, ɑ̃t] *adj* descalcificador(a).

décalcification [dekalsifikasjɔ̃] *nf* descalcificación *f*.

décalcifier [dekalsifje] *vt* descalcificar; **se décalcifier** *vpr* descalcificarse.

décalcomanie [dekalkɔmani] *nf* calcomanía.

décaler [dekale] *vt* (*changer de position*) desplazar; (*dans le temps: avancer*) adelantar; (: *retarder*) aplazar; ~ **de 10 cm** desplazar 10 cm; ~ **de 2 h** variar en 2h.

décalitre [dekalitʀ] *nm* decalitro.

décalogue [dekalɔg] *nm* decálogo.

décalque [dekalk] *nm* calco.

décalquer [dekalke] *vt* calcar.

décamètre [dekamɛtʀ] *nm* decámetro.

décamper [dekɑ̃pe] *vi* largarse, rajarse (*AM*).

décan [dekɑ̃] *nm* decanato.

décanter [dekɑ̃te] *vt* clarificar; **se décanter** *vpr* clarificarse; (*fig*) aclararse.

décapage [dekapaʒ] *nm* decapado.

décapant [dekapɑ̃] *adj* corrosivo(-a) ♦ *nm* decapante *m*.

décaper [dekape] *vt* decapar.

décapiter [dekapite] *vt* (*par accident*) decapitar; (*arbres etc*) descabezar; (*une organisation*) decapitar, eliminar la cúpula de.

décapotable [dekapɔtabl] *adj* descapotable.

décapoter [dekapɔte] *vt* descapotar.

décapsuler [dekapsyle] *vt* abrir.

décapsuleur [dekapsylœʀ] *nm* abrebotellas *m inv*.

décarcasser [dekaʀkase] *vt*: **se** ~ **partirse** el pecho.

décathlon [dekatlɔ̃] *nm* decatlón *m*.

décati, e [dekati] *adj* (*tissu*) deslustrado (-a); (*personne*) ajado(-a).

décatir [dejatiʀ] *vt*: **se** ~ ajarse.

décédé, e [desede] *adj* fallecido(-a); ~ **le 10 janvier** fallecido(-a) el 10 de enero.

décéder [desede] *vi* fallecer.

décelable [des(ə)labl] *adj* detectable.

déceler [des(ə)le] *vt* detectar; (*révéler*) revelar.

décélération [deseleʀasjɔ̃] *nf* desaceleración *f*.

décélérer [deseleʀe] *vi* desacelerar.

décembre [desɑ̃bʀ] *nm* diciembre *m*; *voir aussi* **juillet**.

décemment [desamɑ̃] *adv* decentemente.

décence [desɑ̃s] *nf* decencia.

décennal, e, -aux [desenal, o] *adj* decenal.

décennie [deseni] *nf* decenio.

décent, e [desɑ̃, ɑ̃t] *adj* decente.

décentralisation [desɑ̃tʀalizasjɔ̃] *nf* descentralización *f*.

décentraliser [desɑ̃tʀalize] *vt* descentralizar.

décentrer [desɑ̃tʀe] *vt* descentrar; **se décentrer** *vpr* descentrarse.

déception [desɛpsjɔ̃] *nf* decepción *f*.

décerner [desɛʀne] *vt* (*prix*) otorgar; (*compliment*) presentar.

décès [desɛ] *nm* fallecimiento; **acte de** ~ partida de defunción.

décevant, e [des(ə)vɑ̃, ɑ̃t] *adj* decepcionante.

décevoir [des(ə)vwaʀ] *vt* decepcionar; (*espérances, confiance*) defraudar.

déchaîné, e [deʃene] *adj* (*mer*) encrespado(-a); (*personne, foule, passions*) desenfrenado(-a); (*opinion publique*) encolerizado(-a).

déchaînement [deʃɛnmɑ̃] *nm* (*passions, colère*) desencadenamiento.

déchaîner [deʃene] *vt* desencadenar; **se déchaîner** *vpr* (*tempête*) desencadenarse; (*mer, passions, colère*) desatarse; (*se mettre en colère*) encolerizarse; **se** ~ **contre qn** enfurecerse contra algn.

déchanter [deʃɑ̃te] *vi* desengañarse.

décharge [deʃaʀʒ] *nf* (*dépôt d'ordures*) vertedero; (*JUR*) descargo; (*salve, électrique*) descarga; **à la** ~ **de** en descargo de.

déchargement [deʃaʀʒəmɑ̃] *nm* descargo.

décharger [deʃaʀʒe] *vt* descargar; ~ **qn de** dispensar a algn de; ~ **sa colère (sur)** (*fig*) descargar su cólera (en); ~ **sa conscience** (*fig*) descargar la conciencia; **se** ~ **dans** (*se déverser*) derramarse en; **se** ~ **d'une affaire sur qn** delegar un asunto en algn.

décharné, e [deʃaʀne] *adj* descarnado(-a), demacrado(-a); (*arbre etc*) seco(-a).

déchaussé, e [deʃose] *adj* (*dent*) descarnado(-a).

déchausser [deʃose] *vt* descalzar; (*skis*) quitar; **se déchausser** *vpr* (*personne*) descalzarse; (*dent*) descarnarse.

dèche [dɛʃ] (*fam*) *nf*: **être dans la** ~ no tener un duro.

déchéance [deʃeɑ̃s] *nf* decadencia.

déchet [deʃɛ] *nm* desecho; (*perte*) pérdida; ~**s** *nmpl* (*ordures*) restos *mpl*, residuos *mpl*; ► **déchets radioactifs** residuos radiactivos.

déchiffrage [deʃifʀaʒ] nm descifrado, ejecución f por primera vez.

déchiffrement [deʃifʀəmã] nm desciframiento, descifre m.

déchiffrer [deʃifʀe] vt (nouvelle, dépêche) leer; (musique, partition) ejecutar por primera vez; (texte illisible) descifrar.

déchiqueté, e [deʃik(ə)te] adj despedazado(-a).

déchiqueter [deʃik(ə)te] vt despedazar.

déchirant, e [deʃiʀã, ãt] adj desgarrador(a).

déchiré, e [deʃiʀe] adj roto(-a); (muscle) desgarrado(-a); (fig) destrozado(-a).

déchirement [deʃiʀmã] nm desgarrón m; (chagrin) desgarramiento; (gén pl: conflit) conflictividad f.

déchirer [deʃiʀe] vt (vêtement, livre) desgarrar; (mettre en morceaux) rasgar; (pour ouvrir) rasgar; (arracher) arrancar; (fig) destrozar; **se déchirer** vpr desgarrarse; (fig) destrozarse; **se ~ un muscle/tendon** desgarrarse un músculo/tendón.

déchirure [deʃiʀyʀ] nf desgarrón m; ▶ **déchirure musculaire** desgarrón muscular.

déchoir [deʃwaʀ] vi (personne) venir a menos; **~ de** perder.

déchu, e [deʃy] pp de **déchoir** ♦ adj venido(-a) a menos.

décibel [desibɛl] nm decibelio, decibel m.

décidé, e [deside] adj decidido(-a); **c'est ~** está decidido; **être ~ à faire** estar resuelto(-a) a hacer.

décidément [desidemã] adv decididamente.

décider [deside] vt: **~ qch** decidir algo; **se décider** vpr (personne) decidirse; (problème, affaire) resolverse; **~ que** decidir que; **~ qn (à faire qch)** animar a algn (a hacer algo); **~ de faire** decidir hacer; **~ de qch** decidir algo; **se ~ à faire qch** decidirse a hacer algo; **se ~ pour qch** decidirse por algo; "**décide-toi!**" "¡decídete!".

décideur [desidœʀ] nm apoderado.

décilitre [desilitʀ] nm decilitro.

décimal, e, -aux [desimal, o] adj decimal.

décimale [desimal] nf decimal m.

décimaliser [desimalize] vt reducir al sistema decimal.

décimer [desime] vt diezmar.

décimètre [desimetʀ] nm decímetro; **double ~** doble decímetro.

décisif, -ive [desizif, iv] adj decisivo(-a).

décision [desizjɔ̃] nf decisión f; (ADMIN, JUR) resolución f; **prendre la ~ de faire** tomar la decisión de hacer; **emporter** ou **faire la ~** zanjar la cuestión.

déclamation [deklamasjɔ̃] nf declamación f; (péj) perorata.

déclamatoire [deklamatwaʀ] adj declamatorio(-a).

déclamer [deklame] vt declamar; (péj) perorar.

déclarable [deklaʀabl] adj declarable.

déclaration [deklaʀasjɔ̃] nf declaración f; ▶ **déclaration (d'amour)** declaración (de amor); ▶ **déclaration (de changement de domicile)** certificado (de cambio de domicilio); ▶ **déclaration de décès** certificación f de fallecimiento; ▶ **déclaration de guerre** declaración de guerra; ▶ **déclaration de naissance** partida de nacimiento; ▶ **déclaration (de perte)** denuncia (de pérdida); ▶ **déclaration de revenus** declaración de la renta; ▶ **déclaration (de sinistre)** declaración (de siniestro); ▶ **déclaration (de vol)** denuncia (de robo); ▶ **déclaration d'impôts** declaración de impuestos.

déclaré, e [deklaʀe] adj declarado(-a).

déclarer [deklaʀe] vt declarar; (vol etc: à la police) denunciar; (décès, naissance) certificar; **se déclarer** vpr declararse; **~ que** declarar que; **~ qch/qn inutile** etc declarar algo/a algn inútil etc; **se ~ favorable/prêt à** declararse favorable/dispuesto a; **~ la guerre** declarar la guerra.

déclassé, e [deklɑse] adj desclasado(-a); (matériel) anticuado(-a).

déclassement [deklɑsmã] nm (RAIL etc) cambio de clase.

déclasser [deklɑse] vt (sportif, cheval) descalificar; (hôtel) rebajar de categoría; (déranger) desordenar.

déclenchement [deklãʃmã] nm detonante m; (mécanisme etc) puesta en marcha.

déclencher [deklãʃe] vt activar; (attaque) lanzar; (grève) poner en marcha; (fig) provocar; **se déclencher** vpr desencadenarse.

déclencheur [deklãʃœʀ] nm disparador m.

déclic [deklik] nm (mécanisme) trinquete m; (bruit) chasquido.

déclin [deklɛ̃] nm (v vi) decadencia f.

déclinaison [deklinɛzɔ̃] nf (LING) declinación f.

décliner [dekline] vi (empire, acteur) decaer; (jour, soleil, santé) declinar ♦ vt (aussi LING) declinar; (identité) dar a conocer; **se décliner** vpr (LING) declinarse.

déclivité [deklivite] nf declive m; **en ~** en declive.

décloisonner [deklwazɔne] vt (fig) descompartimentalizar.

déclouer [deklue] vt desclavar.

décocher [dekɔʃe] vt arrojar; (regard) lanzar.

décoction [dekɔksjɔ̃] *nf* decocción *f*.

décodage [dekɔdaʒ] *nm* descodificación *f*.

décoder [dekɔde] *vt* descodificar.

décodeur [dekɔdœʀ] *nm* (*TV*) descodificador *m*.

décoiffé, e [dekwafe] *adj*: **elle est toute ~e** está completamente despeinada.

décoiffer [dekwafe] *vt* (*déranger la coiffure*) despeinar; **se décoiffer** *vpr* despeinarse.

décoincer [dekwɛ̃se] *vt* desencajar.

déçois etc [deswa] *vb voir* **décevoir**.

déçoive etc [deswav] *vb voir* **décevoir**.

décolérer [dekɔleʀe] *vi*: **il ne décolère pas** sigue enfadado.

décollage [dekɔlaʒ] *nm* despegue *m*, decolaje *m* (*AM*).

décollé, e [dekɔle] *adj*: **oreilles ~es** orejas *fpl* de soplillo.

décollement [dekɔlmã] *nm*: **~ de la rétine** desprendimiento de retina.

décoller [dekɔle] *vt, vi* despegar, decolar (*AM*); **se décoller** *vpr* despegarse.

décolletage [dekɔltaʒ] *nm* (*TECH*) torneado.

décolleté, e [dekɔlte] *adj* escotado(-a) ♦ *nm* escote *m*.

décolleter [dekɔlte] *vt* (*vêtement*) escotar; (*TECH*) desmochar.

décolonisation [dekɔlɔnizasjɔ̃] *nf* descolonización *f*.

décoloniser [dekɔlɔnize] *vt* descolonizar.

décolorant, e [dekɔlɔʀɑ̃, ɑ̃t] *adj, nm* decolorante *m*.

décoloration [dekɔlɔʀasjɔ̃] *nf* decoloración *f*; **se faire faire une ~** (*chez le coiffeur*) decolorarse (el pelo).

décoloré, e [dekɔlɔʀe] *adj* (*vêtement, cheveux*) decolorado(-a); (: *avec l'âge*) descolorido(-a).

décolorer [dekɔlɔʀe] *vt* decolorar; (*suj: âge, lumière*) descolorir; **se décolorer** *vpr* descolorirse.

décombres [dekɔ̃bʀ] *nmpl* escombros *mpl*.

décommander [dekɔmãde] *vt* (*marchandise*) anular; (*réception*) cancelar; **se décommander** *vpr* (*invité etc*) excusarse; **il faut ~ les invités** tenemos que avisar a los invitados que no vengan.

décomposable [dekɔ̃pozabl] *adj* descomponible.

décomposé, e [dekɔ̃poze] *adj* descompuesto(-a).

décomposer [dekɔ̃poze] *vt* descomponer; **se décomposer** *vpr* descomponerse.

décomposition [dekɔ̃pozisjɔ̃] *nf* descomposición *f*; **en ~** en descomposición.

décompresser [dekɔ̃pʀese] *vt* distenderse.

décompresseur [dekɔ̃pʀesœʀ] *nm* descompresor *m*.

décompression [dekɔ̃pʀesjɔ̃] *nf* descompresión *f*.

décomprimer [dekɔ̃pʀime] *vt* descomprimir.

décompte [dekɔ̃t] *nm* descuento; (*facture détaillée*) desglose *m*.

décompter [dekɔ̃te] *vt* descontar.

déconcentration [dekɔ̃sɑ̃tʀasjɔ̃] *nf* (*d'une entreprise, d'une administration*) descentralización *f*; **~ des pouvoirs** descentralización de poderes.

déconcentré, e [dekɔ̃sɑ̃tʀe] *adj* desconcentrado(-a).

déconcentrer [dekɔ̃sɑ̃tʀe] *vt* (*ADMIN*) descentralizar; **se déconcentrer** *vpr* desconcentrarse.

déconcertant, e [dekɔ̃sɛʀtɑ̃, ɑ̃t] *adj* desconcertante.

déconcerter [dekɔ̃sɛʀte] *vt* desconcertar.

déconditionner [dekɔ̃disjɔne] *vt* desintoxicar.

déconfit, e [dekɔ̃fi, it] *adj* decepcionado(-a).

déconfiture [dekɔ̃fityʀ] *nf* derrota; (*morale*) decepción *f*; (*financière*) quiebra.

décongélation [dekɔ̃ʒelasjɔ̃] *nf* descongelación *f*.

décongeler [dekɔ̃ʒ(ə)le] *vt* descongelar.

décongestionner [dekɔ̃ʒɛstjɔne] *vt* (*MÉD, circulation*) descongestionar.

déconnecter [dekɔnɛkte] *vt* (*ÉLEC*) desconectar.

déconner [dekɔne] (*fam*) *vi* (*en parlant*) decir pijadas; (*faire des bêtises*) hacer pijadas; **sans ~** en serio.

déconseiller [dekɔ̃seje] *vt*: **~ qch (à qn)** desaconsejar algo (a algn); **~ à qn de faire** desaconsejar a algn hacer; **c'est déconseillé** no es aconsejable.

déconsidérer [dekɔ̃sideʀe] *vt* desacreditar.

déconsigner [dekɔ̃siɲe] *vt* (*valise*) retirar de la consigna; (*bouteille*) devolver el dinero del/el casco de.

décontamination [dekɔ̃taminasjɔ̃] *nf* descontaminación *f*.

décontaminer [dekɔ̃tamine] *vt* descontaminar.

décontenancer [dekɔ̃t(ə)nɑ̃se] *vt* turbar.

décontracté, e [dekɔ̃tʀakte] *adj* (*personne*) relajado(-a); (*ambiance*) distendido(-a).

décontracter [dekɔ̃tʀakte] *vt* descontraer; (*muscle*) relajar; **se décontracter** *vpr* (*personne*) relajarse.

décontraction [dekɔ̃tʀaksjɔ̃] *nf* (*d'un muscle*) descontracción *f*; (*détente, fig*) relajación *f*.

déconvenue [dekɔ̃v(ə)ny] *nf* decepción *f*.

décor [dekɔʀ] *nm* (*d'un palais etc*) decoración *f*; (*paysage*) panorama *m*; (*gén pl*: *THÉÂTRE, CINÉ*) decorado; **changement de**

~ (*fig*) cambio de situación; **entrer dans le** ~ (*fig*) salirse de la carretera; **en** ~ **naturel** (*CINÉ*) en exteriores.

décorateur, -trice [dekɔʀatœʀ, tʀis] *nm/f* (*ouvrier*) decorador(a); (*CINÉ*) escenógrafo(-a).

décoratif, -ive [dekɔʀatif, iv] *adj* decorativo(-a); **arts** ~**s** artes *fpl* decorativas.

décoration [dekɔʀasjɔ̃] *nf* decoración *f*; (*médaille*) condecoración *f*.

décorer [dekɔʀe] *vt* decorar; (*médailler*) condecorar.

décortiqué, e [dekɔʀtike] *adj* pelado(-a).

décortiquer [dekɔʀtike] *vt* (*riz*) descascarillar; (*amandes, crevettes*) pelar; (*fig*) desmenuzar.

décorum [dekɔʀɔm] *nm* protocolo.

décote [dekɔt] *nf* exoneración *f*.

découcher [dekuʃe] *vi* dormir fuera de casa.

découdre [dekudʀ] *vt* descoser; **se découdre** *vpr* descoserse; **en** ~ (*fig*) pelearse.

découler [dekule] *vi*: ~ **de** derivarse de.

découpage [dekupaʒ] *nm* recorte *m*, corte *m*; (*gén pl: image*) recortables *mpl*; ► **découpage électoral** establecimiento de las circunscripciones electorales.

découper [dekupe] *vt* recortar; (*volaille, viande*) trinchar; (*fig*) fragmentar; **se** ~ **sur** (*le ciel, fond*) perfilarse en.

découplé, e [dekuple] *adj*: **bien** ~ bien plantado(-a).

découpure [dekupyʀ] *nf*: ~**s** recortes *mpl*; (*d'une côte, arête*) sinuosidades *fpl*.

décourageant, e [dekuʀaʒɑ̃, ɑ̃t] *adj* desalentador(a).

découragement [dekuʀaʒmɑ̃] *nm* desánimo, desaliento.

décourager [dekuʀaʒe] *vt* desanimar, desalentar; **se décourager** *vpr* desanimarse; ~ **qn de faire/de qch** desalentar *ou* desanimar a algn de hacer/de algo.

décousu, e [dekuzy] *pp de* **découdre** ♦ *adj* descosido(-a); (*fig*) deshilvanado(-a).

découvert, e [dekuvɛʀ, ɛʀt] *pp de* **découvrir** ♦ *adj* (*tête*) descubierto(-a); (*lieu*) pelado(-a) ♦ *nm* (*bancaire*) descubierto; **à** ~ (*MIL*) al descubierto; (*ouvertement*) abiertamente; (*COMM*) en descubierto; **à visage** ~ a cara descubierta.

découverte [dekuvɛʀt(ə)] *nf* descubrimiento; **aller à la** ~ (**de**) ir en busca de (de).

découvrir [dekuvʀiʀ] *vt* descubrir; (*casserole*) destapar; (*apercevoir*) divisar; (*voiture*) descapotar ♦ *vi* (*mer*) descubrirse; **se découvrir** *vpr* (*ôter le chapeau*) descubrirse; (*se déshabiller*) desvestirse; (*au lit*) destaparse; (*ciel*) despejarse; ~ **que** descubrir que; **se** ~ **des talents de** descu-

brir que se tiene talento para.

décrasser [dekʀase] *vt* desengrasar.

décrêper [dekʀepe] *vt* alisar.

décrépi, e [dekʀepi] *adj* desconchado(-a).

décrépit, e [dekʀepi, it] *adj* decrépito(-a).

décrépitude [dekʀepityd] *nf* decrepitud *f*.

decrescendo [dekʀeʃɛndo] *nm* (*MUS*) decrescendo; **aller** ~ (*fig*) ir decreciendo.

décret [dekʀɛ] *nm* decreto.

décréter [dekʀete] *vt* decretar; ~ **que** decretar que.

décret-loi [dekʀɛlwa] (*pl* ~**s**-~**s**) *nm* decreto-ley *m*.

décrié, e [dekʀije] *adj* desprestigiado(-a).

décrire [dekʀiʀ] *vt* describir.

décrochement [dekʀɔʃmɑ̃] *nm* desenganche *m*; (*d'un mur etc*) retranqueo.

décrocher [dekʀɔʃe] *vt* descolgar; (*contrat etc*) conseguir ♦ *vi* (*pour répondre au téléphone*) descolgar; (*abandonner*) retirarse; (*perdre sa concentration*) desconectar; **se décrocher** *vpr* (*tableau, rideau*) descolgarse.

décroîs *etc* [dekʀwa] *vb voir* **décroître**.

décroiser [dekʀwaze] *vt* descruzar.

décroissant, e [dekʀwasɑ̃, ɑ̃t] *vb voir* **décroître** ♦ *adj* decreciente; **par ordre** ~ por orden decreciente.

décroître [dekʀwatʀ] *vi* decrecer.

décrotter [dekʀɔte] *vt* limpiar; **se** ~ **le nez** limpiarse la nariz.

décru [dekʀy] *pp de* **décroître**.

décrue [dekʀy] *nf* decrecida.

décrypter [dekʀipte] *vt* descifrar.

déçu, e [desy] *pp de* **décevoir** ♦ *adj* (*personne*) decepcionado(-a); (*espoir*) frustrado(-a).

déculotter [dekylɔte] *vt*: ~ **qn** quitar los pantalones *ou* los calzoncillos a algn; **se déculotter** *vpr* quitarse los pantalones *ou* los calzoncillos.

déculpabiliser [dekylpabilize] *vt* librar del sentimiento de culpa a.

décuple [dekypl] *nm*: **le** ~ **de** el décuplo de; **au** ~ diez veces más.

décupler [dekyple] *vt* decuplicar ♦ *vi* decuplicarse.

déçut *etc* [desy] *vb voir* **décevoir**.

dédaignable [dedɛɲabl] *adj*: **pas** ~ nada despreciable.

dédaigner [dedɛɲe] *vt* desdeñar; ~ **de faire** desdeñar hacer.

dédaigneusement [dedɛɲøzmɑ̃] *adv* desdeñosamente.

dédaigneux, -euse [dedɛɲø, øz] *adj* desdeñoso(-a).

dédain [dedɛ̃] *nm* desdén.

dédale [dedal] *nm* dédalo.

dedans [dədɑ̃] *adv* dentro, adentro (*esp AM*) ♦ *nm* interior *m*; **là-**~ ahí dentro; **au**

~ (por) dentro; **en** ~ por dentro.
dédicace [dedikas] *nf* dedicatoria.
dédicacer [dedikase] *vt* dedicar.
dédié, e [dedje] *adj*: **ordinateur** ~ ordenador *m* dedicado *ou* especializado.
dédier [dedje] *vt*: ~ **à** (*livre*) dedicar a; (*efforts*) consagrar a.
dédire [dediʀ]: **se** ~ *vpr* desdecirse.
dédit [dedi] *pp de* **dédire** ♦ *nm* indemnización *f*; (*COMM*) retracto.
dédommagement [dedɔmaʒmɑ̃] *nm* (*indemnité*) indemnización *f*.
dédommager [dedɔmaʒe] *vt*: ~ **qn (de)** indemnizar a algn (por); (*remercier*) recompensar a algn (por).
dédouaner [dedwane] *vt* aduanar.
dédoublement [dedublǝmɑ̃] *nm* desdoblamiento; (*d'un train*) servicio complementario; ~ **de la personnalité** (*PSYCH*) desdoblamiento de la personalidad.
dédoubler [deduble] *vt* desdoblar; (*couverture etc*) desplegar; **se dédoubler** *vpr* (*PSYCH*) desdoblarse; ~ **un train/les trains** poner un tren/trenes complementario(s).
dédramatiser [dedʀamatize] *vt* (*situation, événement*) desdramatizar.
déductible [dedyktibl] *adj* deducible.
déduction [dedyksjɔ̃] *nf* (*d'argent*) descuento; (*raisonnement*) deducción *f*.
déduire [dedɥiʀ] *vt*: ~ **qch (de)** deducir algo (de).
déesse [deɛs] *nf* diosa.
défaillance [defajɑ̃s] *nf* desfallecimiento; (*technique*) fallo; (*morale*) debilidad *f*; ► **défaillance cardiaque** fallo cardíaco.
défaillant, e [defajɑ̃, ɑ̃t] *adj* (*mémoire*) que falla; (*personne*) desfalleciente; (*témoin*) contumaz.
défaillir [defajiʀ] *vi* desfallecer; (*mémoire etc*) fallar.
défaire [defɛʀ] *vt* (*installation, échafaudage*) desmontar; (*paquet etc*) abrir; (*nœud*) desatar; (*vêtement*) descoser; (*déranger*) deshacer; (*cheveux*) despeinar; **se défaire** *vpr* (*cheveux, nœud*) deshacerse; **se** ~ **de** deshacerse de; ~ **ses bagages** deshacer las maletas; ~ **le lit** (*pour changer les draps*) deshacer la cama; (*pour se coucher*) abrir la cama.
défait, e [defɛ, ɛt] *pp de* **défaire** ♦ *adj* deshecho(-a); (*nœud*) desatado(-a); (*visage*) descompuesto(-a).
défaite [defɛt] *nf* (*MIL*) derrota; (*gén: échec*) fracaso.
défaites [defɛt] *vb voir* **défaire**.
défaitisme [defetism] *nm* derrotismo.
défaitiste [defetist] *adj, nm/f* derrotista *m/f*.
défalcation [defalkasjɔ̃] *nf* desfalco.
défalquer [defalke] *vt* desfalcar.

défasse [defas] *vb voir* **défaire**.
défausser [defose] *vt* rectificar; **se défausser** *vpr* (*CARTES*) descartarse.
défaut [defo] *nm* (*moral*) defecto; (*d'étoffe, métal*) falla; (*INFORM*) fallo; ~ **de** (*manque, carence*) falto de; ~ **de la cuirasse** (*fig*) punto débil; **en** ~ en falta; **faire** ~ faltar; **à** ~ al menos; **à** ~ **de** a falta de; **par** ~ (*JUR*) en rebeldía; (*INFORM*) por defecto.
défaveur [defavœʀ] *nf* descrédito.
défavorable [defavɔʀabl] *adj* desfavorable.
défavorablement [defavɔʀabləmɑ̃] *adv* desfavorablemente.
défavoriser [defavɔʀize] *vt* desfavorecer.
défécation [defekasjɔ̃] *nf* defecación *f*.
défectif, -ive [defɛktif, iv] *adj*: **verbe** ~ verbo defectivo.
défection [defɛksjɔ̃] *nf* defección *f*; **faire** ~ desertar.
défectueux, -euse [defɛktɥø, øz] *adj* defectuoso(-a).
défectuosité [defɛktɥozite] *nf* imperfección *f*; (*défaut*) defecto.
défendable [defɑ̃dabl] *adj* defendible.
défendeur, -eresse [defɑ̃dœʀ, dʀɛs] *nm/f* (*JUR*) demandado(-a).
défendre [defɑ̃dʀ] *vt* defender; (*interdire*) prohibir; **se défendre** *vpr* defenderse; (*se justifier*) justificarse; ~ **à qn qch/de faire** prohibir a algn algo/hacer; **il est défendu de cracher** está prohibido escupir; **c'est défendu** está prohibido; **il se défend** (*fig*) va defendiéndose; **ça se défend** (*fig*) esto se sostiene; **se** ~ **de/contre** (*se protéger*) protegerse de/contra; **se** ~ **de** (*se garder de*) evitar; (*nier*) negar; **se** ~ **de vouloir** no tener la intención de.
défendu, e [defɑ̃dy] *adj voir* **défendre**.
défenestrer [defǝnɛstʀe] *vt* defenestrar.
défense [defɑ̃s] *nf* defensa; **ministre de la** ~ ministro de defensa; **la** ~ **nationale** la defensa nacional; **la** ~ **contre avions** la defensa aérea; *"~ de fumer/cracher"* "prohibido fumar/escupir"; **prendre la** ~ **de qn** defender a algn; ► **défense des consommateurs** defensa de los consumidores.
défenseur [defɑ̃sœʀ] *nm* defensor(a).
défensif, -ive [defɑ̃sif, iv] *adj* defensivo(-a) ♦ *nf*: **être sur la défensive** estar a la defensiva.
déféquer [defeke] *vi* defecar.
déferai [defʀe] *vb voir* **défaire**.
déférence [defeʀɑ̃s] *nf* deferencia; **par** ~ **pour** por deferencia a.
déférent, e [defeʀɑ̃, ɑ̃t] *adj* deferente.
déférer [defeʀe] *vt* (*JUR*) deferir; ~ **à** deferir a; ~ **qn à la justice** hacer comparecer a algn ante la justicia.

déferlant, e [defɛʀlɑ̃, ɑ̃t] *adj*: **vague** ~e ola que se rompe.

déferlement [defɛʀləmɑ̃] *nm* (*vagues*) rompimiento; (*foule*) oleada.

déferler [defɛʀle] *vi* (*vagues*) romper; (*foule*) desplegarse.

défi [defi] *nm* desafío, reto; **mettre qn au** ~ **de faire qch** desafiar *ou* retar a algn a hacer algo; **relever un** ~ aceptar un desafío.

défiance [defjɑ̃s] *nf* desconfianza.

déficeler [defis(ə)le] *vt* desatar.

déficience [defisjɑ̃s] *nf* deficiencia.

déficient, e [defisjɑ̃, jɑ̃t] *adj* deficiente.

déficit [defisit] *nm* (*COMM*) déficit *m*; (*PSYCH etc*) deficiencia; **être en** ~ tener déficit; ▶ **déficit budgétaire** déficit presupuestario.

déficitaire [defisitɛʀ] *adj* deficitario(-a).

défier [defje] *vt* desafiar; **se défier de** *vpr* desconfiar de; ~ **qn de faire qch** desafiar a algn a hacer algo; ~ **qn à** desafiar a algn a; ~ **toute comparaison/concurrence** excluir toda comparación/competencia.

défigurer [defigyʀe] *vt* desfigurar.

défilé [defile] *nm* (*GÉO*) desfiladero; (*soldats, manifestants*) desfile *m*; **un** ~ **de** (*voitures, visiteurs*) un desfile de.

défiler [defile] *vi* desfilar; **se défiler** *vpr* escaquearse; **faire** ~ (*bande, film*) proyectar; (*INFORM*) hacer un scroll.

défini, e [defini] *adj* definido(-a).

définir [definiʀ] *vt* definir.

définissable [definisabl] *adj* definible.

définitif, -ive [definitif, iv] *adj* definitivo (-a); (*décision, refus*) irrevocable.

définition [definisjɔ̃] *nf* definición *f*.

définitive [definitiv] *nf*: **en** ~ en definitiva.

définitivement [definitivmɑ̃] *adv* definitivamente.

déflagration [deflagʀasjɔ̃] *nf* deflagración *f*.

déflation [deflasjɔ̃] *nf* (*ÉCON*) deflación *f*.

déflationniste [deflasjɔnist] *adj* deflacionista.

déflecteur [deflɛktœʀ] *nm* (*AUT*) deflector *m*.

déflorer [deflɔʀe] *vt* desflorar.

défoncé, e [defɔ̃se] *adj* hundido(-a); (*sous l'effet d'une drogue*) colgado(-a).

défoncer [defɔ̃se] *vt* hundir; (*caisse*) desfondar; **se défoncer** *vpr* (*fam: se donner à fond*) desmadrarse; (*se droguer*) colocarse.

défont [defɔ̃] *vb voir* **défaire**.

déformant, e [defɔʀmɑ̃, ɑ̃t] *adj*: **glace** *ou* **miroir déformant(e)** cristal *m* *ou* espejo deformante.

déformation [defɔʀmasjɔ̃] *nf* deformación *f*; ▶ **déformation professionnelle** deformación profesional.

déformer [defɔʀme] *vt* deformar; **se déformer** *vpr* deformarse.

défoulement [defulmɑ̃] *nm* (*gén*) desahogo; (*PSYCH*) liberación *f*.

défouler [defule]: **se** ~ *vpr* (*gén*) desahogarse; (*PSYCH*) liberarse.

défraîchi, e [defʀeʃi] *adj* (*peinture*) deslucido(-a); (*article à vendre*) pasado (-a).

défraîchir [defʀeʃiʀ]: **se** ~ *vpr* deslucirse.

défrayer [defʀeje] *vt*: ~ **qn (de)** resarcir a algn (de); ~ **la chronique** (*fig*) saltar a los titulares.

défrichement [defʀiʃmɑ̃] *nm* desbrozo.

défricher [defʀiʃe] *vt* desbrozar.

défriser [defʀize] *vt* (*cheveux*) desrizar; (*fig*) fastidiar.

défroisser [defʀwase] *vt* desarrugar.

défroque [defʀɔk] *nf* harapo.

défroqué [defʀɔke] *nm* exclaustrado.

défroquer [defʀɔke] *vt* exclaustrar ♦ *vi* colgar los hábitos.

défunt, e [defœ̃, œ̃t] *adj*: **son** ~ **père** su difunto padre ♦ *nm/f* difunto(-a).

dégagé, e [degaʒe] *adj* (*ciel, vue*) despejado(-a); (*ton, air*) desenvuelto(-a).

dégagement [degaʒmɑ̃] *nm* despejo; (*espace libre*) espacio despejado; (*couloirs*) pasillo; (*FOOTBALL*) saque *m*; (*MIL*) levantamiento del cerco; **voie de** ~ vía muerta; **itinéraire de** ~ carretera de circunvalación.

dégager [degaʒe] *vt* liberar; (*exhaler*) desprender; (*désencombrer*) despejar; (*idée, aspect etc*) extraer; (*crédits*) desbloquear; **se dégager** *vpr* (*odeur*) desprenderse; (*passage bloqué, ciel*) despejarse; **se** ~ **de** liberarse de; ~ **qn de** liberar a algn de; **dégagé des obligations militaires** exento de las obligaciones militares.

dégaine [degɛn] *nf* facha.

dégainer [degene] *vt* (*revolver*) desenfundar; (*épée*) desenvainar.

dégarni, e [degaʀni] *adj*: **il a le crâne** ~ se está quedando calvo; **il a les tempes ~es** cada vez tiene más entradas.

dégarnir [degaʀniʀ] *vt* vaciar; **se dégarnir** *vpr* vaciarse; (*tempes, crâne*) despoblarse.

dégâts [degɑ] *nmpl*: **faire des** ~ causar daños.

dégauchir [degoʃiʀ] *vt* (*TECH*) desalabear.

dégazage [degɑzaʒ] *nm* desgasificación *f*.

dégazer [degɑze] *vt* desgasificar.

dégel [deʒɛl] *nm* deshielo; (*des prix etc*) descongelación *f*.

dégeler [deʒ(ə)le] *vt* (*fig*) descongelar ♦ *vi* deshelarse; **se dégeler** *vpr* (*atmosphère, relations*) animarse; ~ **l'atmosphère** romper el hielo.

dégénéré, e [deʒeneʀe] *adj, nm/f*

degenerado(-a).
dégénérer [deʒeneʀe] *vi* degenerar; ~ **en** degenerar en.
dégénérescence [deʒeneʀesɑ̃s] *nf* degeneración *f*.
dégingandé, e [deʒɛ̃gɑ̃de] *adj* desgarbado(-a).
dégivrage [deʒivʀaʒ] *nm* (*frigo*) descongelación *f*; (*vitres*) deshielo.
dégivrer [deʒivʀe] *vt* (*frigo*) descongelar; (*vitres*) deshelar.
dégivreur [deʒivʀœʀ] *nm* descongelador *m*.
déglinguer [deglɛ̃ge] *vt* descuajaringar.
déglutir [deglytiʀ] *vi* deglutir.
déglutition [deglytisjɔ̃] *nf* deglución *f*.
dégonflé, e [degɔ̃fle] *adj* (*pneu*) desinflado(-a), deshinchado(-a) ♦ *nm/f* (*fam*) rajado(-a).
dégonfler [degɔ̃fle] *vt* desinflar, deshinchar ♦ *vi* deshincharse; **se dégonfler** *vpr* (*fam*) rajarse.
dégorger [degɔʀʒe] *vi* (*CULIN*): **faire ~ les concombres/escargots** dejar que suelten el agua los pepinos/caracoles; (*aussi*: **se ~**: *rivière*): ~ **dans** desembocar en ♦ *vt* desaguar.
dégoter [degɔte] *vt* encontrar.
dégouliner [deguline] *vi* chorrear; ~ **de** chorrear.
dégoupiller [degupije] *vt* (*grenade*) quitar el pasador.
dégourdi, e [deguʀdi] *adj* espabilado(-a).
dégourdir [deguʀdiʀ] *vt* (*sortir de l'engourdissement*) desentumecer; (*faire tiédir*) templar; (*personne*) despabilar, espabilar; **se dégourdir** *vpr*: **se ~ (les jambes)** desentumecerse (las piernas).
dégoût [degu] *nm* asco; (*aversion*) repugnancia.
dégoûtant, e [degutɑ̃, ɑ̃t] *adj* asqueroso (-a); **c'est ~!** (*injuste*) ¡no hay derecho!
dégoûté, e [degute] *adj* asqueado(-a); (*fig*) melindroso(-a); ~ **de** asqueado(-a) de.
dégoûter [degute] *vt* asquear; ~ **qn de faire qch** (*aussi fig*) quitarle a algn las ganas de hacer algo; **se ~ de** (*se lasser de*) hartarse de.
dégoutter [degute] *vi* gotear; ~ **de** gotear de.
dégradant, e [degʀadɑ̃, ɑ̃t] *adj* degradante.
dégradation [degʀadasjɔ̃] *nf* degradación *f*; (*gén pl*: *dégâts*) deterioro.
dégradé, e [degʀade] *adj* (*couleur, teinte*) en gradación; (*cheveux*) en capas ♦ *nm* gradación *f*.
dégrader [degʀade] *vt* (*MIL, fig*) degradar; (*abîmer*) deteriorar; **se dégrader** *vpr* deteriorarse; (*roche*) erosionarse; (*PHYS*) degradarse.

dégrafer [degʀafe] *vt* desabrochar.
dégraissage [degʀɛsaʒ] *nm* desengrase *m*; (*ÉCON*) reducción *f* de plantilla.
dégraissant [degʀɛsɑ̃] *nm* desengrasante *m*.
dégraisser [degʀɛse] *vt* (*soupe*) desengrasar; (*vêtement*) quitar las manchas de grasa de; (*ÉCON*) reducir la plantilla de.
degré [dəgʀe] *nm* grado; (*escalier*) peldaño; (*niveau, taux*) punto; **brûlure/équation au 1er/2ème ~** quemadura/ecuación *f* de 1er/2º grado; **le premier ~** (*SCOL*) el primer grado; **alcool à 90 ~s** alcohol *m* de 90 grados; **vin de 10 ~s** vino de 10 grados; **par ~(s)** gradualmente.
dégressif, -ive [degʀesif, iv] *adj* decreciente; **tarif ~** tarifa decreciente.
dégrèvement [degʀɛvmɑ̃] *nm* desgravación *f*.
dégrever [degʀəve] *vt* desgravar.
dégriffé, e [degʀife] *adj* (*vêtement*) rebajado por no llevar la etiqueta del diseñador.
dégringolade [degʀɛ̃gɔlad] *nf* caída.
dégringoler [degʀɛ̃gɔle] *vi* caer rodando; (*prix, Bourse etc*) hundirse ♦ *vt* (*escalier*) bajar corriendo.
dégriser [degʀize] *vt* desembriagar.
dégrossir [degʀosiʀ] *vt* (*bois, personne*) desbastar; (*ébaucher*) bosquejar.
déguenillé, e [deg(ə)nije] *adj* harapiento (-a).
déguerpir [degɛʀpiʀ] *vi* largarse.
dégueulasse [degœlas] (*fam*) *adj* asqueroso(-a).
dégueuler [degœle] (*fam*) *vi* echar las tripas.
déguisé, e [degize] *adj* disfrazado(-a); ~ **en** disfrazado(-a) de.
déguisement [degizmɑ̃] *nm* disfraz *m*.
déguiser [degize] *vt* disfrazar; **se déguiser** *vpr* disfrazarse; **se ~ en** disfrazarse de.
dégustation [degystasjɔ̃] *nf* degustación *f*; (*vin*) cata.
déguster [degyste] *vt* degustar; (*vin*) catar; (*fig*) saborear; (*fam*) pasarlas moradas.
déhancher [deɑ̃ʃe]: **se ~** *vpr* contonearse.
dehors [dəɔʀ] *adv* fuera, afuera (*esp AM*) ♦ *nm* exterior *m* ♦ *nmpl* (*apparences*) apariencias *fpl*; **mettre** *ou* **jeter ~** echar fuera; **au ~** (por) fuera; (*en apparence*) por fuera; **au ~ de** fuera de; **de ~** desde afuera; **en ~** (*vers l'extérieur*) hacia afuera; **en ~ de** (*hormis*) fuera de.
déifier [deifje] *vt* deificar.
déiste [deist] *adj* deísta.
déjà [deʒa] *adv* ya; **quel nom, ~?** (*interrogatif*) entonces, ¿qué nombre?; **c'est ~ pas mal** (*intensif*) no está nada mal; **as-tu ~**

été en France? ¿ya has estado en Francia?; **c'est ~ quelque chose** ya es algo.

déjanter [deʒɑ̃te] *vpr*: **se ~** (*pneu*) salirse de la llanta.

déjà-vu [deʒavy] *nm inv*: **c'est du ~-~** no es nada nuevo.

déjeuner [deʒœne] *vi* (*matin*) desayunar; (*à midi*) almorzar, comer ♦ *nm* (*petit déjeuner*) desayuno; (*à midi*) almuerzo, comida; ▸ **déjeuner d'affaires** comida de negocios.

déjouer [deʒwe] *vt* (*personne, attention*) burlar; (*complot*) hacer fracasar.

déjuger [deʒyʒe]: **se ~** *vpr* retractarse.

delà [dəla] *prép, adv*: **par-~** (*plus loin que*) más allá de; (*de l'autre côté de*) al otro lado de; **en ~ (de)/au-~ (de)** más allá (de).

délabré, e [delabʀe] *adj* deteriorado(-a).

délabrement [delabʀəmɑ̃] *nm* deterioro.

délabrer [delabʀe]: **se ~** *vpr* deteriorarse.

délacer [delase] *vt* desatar.

délai [delɛ] *nm* plazo; (*sursis*) prórroga; **sans ~** sin demora; **à bref ~** en breve plazo; **dans les ~s** dentro de los plazos; **un ~ de 30 jours** un plazo de 30 días; ▸ **délai de livraison** plazo de entrega; **compter un ~ de livraison de 10 jours** contar un plazo de entrega de 10 días.

délaissé, e [delese] *adj* abandonado(-a).

délaisser [delese] *vt* abandonar.

délassant, e [delɑsɑ̃, ɑ̃t] *adj* relajante.

délassement [delɑsmɑ̃] *nm* recreo.

délasser [delɑse] *vt* (*membres*) descansar; (*personne, esprit*) recrear; **se délasser** *vpr* recrearse.

délateur, -trice [delatœʀ, tʀis] *nm/f* delator(a).

délation [delasjɔ̃] *nf* delación *f*.

délavé, e [delave] *adj* descolorido(-a).

délayage [deleja ʒ] *nm* desleimiento, dilución *f*.

délayer [deleje] *vt* diluir; (*discours, devoir*) alargar.

delco ® [dɛlko] *nm* (*AUT*) delco.

délectation [delɛktasjɔ̃] *nf* deleite *m*.

délecter [delɛkte]: **se ~** *vpr*: **se ~ de** deleitarse con.

délégation [delegasjɔ̃] *nf* delegación *f*; ▸ **délégation de pouvoir** (*document*) poder *m*.

délégué, e [delege] *adj* delegado(-a) ♦ *nm/f* delegado(-a); (*syndical*) enlace *m/f*; **ministre ~ à** ministro delegado de; ▸ **délégué médical** delegado médico.

déléguer [delege] *vt* delegar.

délestage [delɛstaʒ] *nm* deslastre *m*; **itinéraire de ~** desviación *f*.

délester [delɛste] *vt* deslastrar; **~ une route** descongestionar una carretera.

Delhi [dɛli] *n* Delhi.

délibérant, e [delibeʀɑ̃, ɑ̃t] *adj*: **assemblée ~e** asamblea deliberativa.

délibératif, -ive [delibeʀatif, iv] *adj*: **avoir voix délibérative** tener voz deliberativa.

délibération [delibeʀasjɔ̃] *nf* deliberación *f*; **~s** *nfpl* (*décisions*) deliberaciones *fpl*.

délibéré, e [delibeʀe] *adj* deliberado(-a); (*déterminé*) resuelto(-a); **de propos ~** adrede.

délibérément [delibeʀemɑ̃] *adv* deliberadamente; (*résolument*) resueltamente.

délibérer [delibeʀe] *vi* deliberar; **~ de** (*décider*) deliberar sobre.

délicat, e [delika, at] *adj* delicado(-a); (*attentionné*) atento(-a); **procédés peu ~s** procedimientos *mpl* poco limpios.

délicatement [delikatmɑ̃] *adv* delicadamente; (*subtilement*) con delicadeza.

délicatesse [delikatɛs] *nf* delicadeza; (*gén pl*: *attentions*) atenciones *fpl*.

délice [delis] *nm* delicia; **~s** *nfpl* (*plaisirs*) placeres *mpl*.

délicieusement [delisjøzmɑ̃] *adv* deliciosamente.

délicieux, -euse [delisjø, jøz] *adj* (*goût, femme*) delicioso(-a); (*sensation*) placentero(-a); (*robe*) precioso(-a).

délictueux, -euse [deliktɥø, øz] *adj* delictivo(-a).

délié, e [delje] *adj* (*mince*) delgado(-a); (*doigts etc*) ágil ♦ *nm*: **les ~s** los trazos finos.

délier [delje] *vt* desatar; **~ qn d'un serment/vœu** liberar a algn de su juramento/promesa.

délimitation [delimitasjɔ̃] *nf* delimitación *f*; **~s** *nfpl* (*d'un terrain*) deslinde *msg*.

délimiter [delimite] *vt* delimitar.

délinquance [delɛ̃kɑ̃s] *nf* delincuencia; ▸ **délinquance juvénile** delincuencia juvenil.

délinquant, e [delɛ̃kɑ̃, ɑ̃t] *adj, nm/f* delincuente *m/f*.

déliquescence [delikesɑ̃s] *nf*: **en ~** en decadencia.

déliquescent, e [delikesɑ̃, ɑ̃t] *adj* decadente.

délirant, e [deliʀɑ̃, ɑ̃t] *adj* (*MÉD, imagination*) delirante; (*fam*: *déraisonnable*) loco(-a).

délire [deliʀ] *nm* (*fièvre, fig*) delirio; (*folie*) locura.

délirer [deliʀe] *vi* delirar.

délirium tremens [deliʀjɔmtʀemɛ̃s] *nm* delírium *m* trémens.

délit [deli] *nm* (*JUR, gén*) delito; ▸ **délit de droit commun** delito común; ▸ **délit de fuite** delito de fuga; ▸ **délit de presse** delito de prensa; ▸ **délit politique** delito político.

délivrance [delivRãs] *nf* liberación *f*; (*sentiment*) alivio.

délivrer [delivRe] *vt* (*prisonnier*) liberar; (*passeport, certificat*) expedir; ~ **qn de** (*ennemis, responsabilité*) liberar a algn de; (*maladie*) curar a algn de.

déloger [deløʒe] *vt* (*locataire, ennemi*) desalojar; (*objet coincé*) desenganchar.

déloyal, e, -aux [delwajal, o] *adj* desleal; **concurrence ~e** (*COMM*) competencia desleal.

delta [dɛlta] *nm* (*GÉO*) delta *m*.

deltaplane ® [dɛltaplan] *nm* ala delta.

déluge [delyʒ] *nm* diluvio; ~ **de** (*grand nombre*) avalancha de.

déluré, e [delyRe] *adj* avispado(-a); (*péj*) descarado(-a).

démagnétiser [demaɲetize] *vt* desmagnetizar.

démagogie [demagɔʒi] *nf* demagogia.

démagogique [demagɔʒik] *adj* demagógico(-a).

démagogue [demagɔg] *adj, nm/f* demagogo(-a).

démaillé, e [demaje] *adj* (*bas*) desmallado(-a).

démailloter [demajɔte] *vt* (*enfant*) quitar los pañales a.

demain [d(ə)mẽ] *adv* mañana; ~ **matin/soir** mañana por la mañana/tarde; ~ **midi** mañana a mediodía; **à** ~ hasta mañana.

demande [d(ə)mãd] *nf* petición *f*; (*ADMIN, formulaire*) instancia, solicitud *f*; **la** ~ (*ÉCON*) la demanda; **à la** ~ **générale** a petición general; **faire sa** ~ **(en mariage)** pedir la mano; ▶ **demande d'emploi** solicitud de empleo; **"~s d'emploi"** "demandas *fpl* de empleo"; ▶ **demande de naturalisation/poste** solicitud de nacionalidad/empleo.

demandé, e [d(ə)mãde] *adj*: **très** ~ muy solicitado(-a).

demander [d(ə)mãde] *vt* pedir; (*autorisation*) solicitar; (*JUR*) requerir; (*médecin, plombier, infirmier*) necesitar; (*personnel*) precisar; (*de l'habileté, du courage*) requerir; (*à qn*) exigir; ~ **de la ponctualité** *etc* **de qn** (*suj: personne*) exigir puntualidad *etc* a algn; ~ **la main de qn** (*fig*) pedir la mano de algn; ~ **qch à qn** preguntar algo a algn; ~ **des nouvelles de qn** pedir noticias de algn; ~ **l'heure/son chemin** preguntar la hora/el camino; ~ **pardon à qn** pedir perdón a algn; ~ **à** *ou* **de voir/faire** solicitar ver/hacer; ~ **à qn de faire** pedir a algn que haga; ~ **que** pedir *ou* solicitar que; **se** ~ **si/pourquoi** *etc* preguntarse si/por qué *etc*; **il a demandé 2000 F par mois** pidió 2000 francos al

mes; **ils demandent 2 secrétaires et un ingénieur** solicitan 2 secretarias y un ingeniero; ~ **la parole** pedir la palabra; ~ **la permission de** pedir permiso para; **je n'en demandais pas davantage** no necesitaba más; **je me demande comment tu as pu ...** me pregunto cómo has podido ...; **je me le demande** me lo pregunto; **je me demande vraiment pourquoi** es que no entiendo por qué; **on vous demande au téléphone** le llaman por teléfono; **il ne demande que ça/qu'à faire ...** (*iro*) justo lo que quería/lo que quería hacer ...; **je ne demande pas mieux que ...** no deseo otra cosa más que ... .

demandeur, -euse [dəmãdœR, øz] *nm/f*: ~ **d'emploi** demandante *m/f* de empleo.

démangeaison [demãʒɛzɔ̃] *nf* picor *m*.

démanger [demãʒe] *vi* picar; **la main me démange** pegaría a algn; **l'envie** *ou* **ça le démange de faire ...** (*fig*) tiene muchas ganas de hacer ... .

démantèlement [demãtɛlmã] *nm* desmantelamiento.

démanteler [demãt(ə)le] *vt* desmantelar.

démaquillant, e [demakijã, ãt] *adj* desmaquillador(a) ♦ *nm* desmaquillador *m*.

démaquiller [demakije] *vt* desmaquillar; **se démaquiller** *vpr* desmaquillarse.

démarcage [demaRkaʒ] *nm* = **démarquage**.

démarcation [demaRkasjɔ̃] *nf* demarcación *f*; (*fig*) frontera; **ligne de** ~ línea de demarcación.

démarchage [demaRʃaʒ] *nm* (*COMM*) venta domiciliaria.

démarche [demaRʃ] *nf* (*allure*) paso; (*intervention*) trámite *m*; (*intellectuelle etc*) proceso; (*requête, tractation*) gestión *f*; **faire** *ou* **entreprendre des ~s (auprès de qn)** hacer *ou* iniciar gestiones (ante algn).

démarcheur, -euse [demaRʃœR, øz] *nm/f* (*COMM*) vendedor(a) a domicilio; (*POL etc*) gestor(a).

démarquage [demaRkaʒ] *nm* (*SPORT*) desmarque *m*.

démarque [demaRk] *nf* (*COMM*) saldo, rebaja.

démarqué, e [demaRke] *adj* (*FOOTBALL*) desmarcado(-a); **prix ~s** (*COMM*) precios *mpl* rebajados.

démarquer [demaRke] *vt* (*prix*) rebajar, saldar; (*SPORT*) desmarcar; **se démarquer** *vpr* (*SPORT*) desmarcarse.

démarrage [demaRaʒ] *nm* (*d'une voiture, SPORT*) salida; (*AUT*) arranque *m*; ~ **en côte** salida en pendiente.

démarrer [demaRe] *vi* arrancar; (*coureur*) acelerar; (*travaux, affaire*) ponerse en marcha ♦ *vt* (*voiture*) arrancar; (*travail*) poner en marcha.

démarreur [demaʀœʀ] *nm* (*AUTO*) botón *m* de arranque.

démasquer [demaske] *vt* desenmascarar; **se démasquer** *vpr* (*fig*) desenmascararse.

démâter [demɑte] *vt* desarbolar ♦ *vi* desarbolarse.

démêlant, e [demɛlɑ̃, ɑ̃t] *adj*: **crème ~e** *ou* **baume ~** crema suavizante.

démêler [demele] *vt* (*fil, cheveux*) desenredar; (*problèmes*) desembrollar.

démêlés [demele] *nmpl* diferencias *fpl*.

démembrement [demɑ̃bʀəmɑ̃] *nm* desmembramiento.

démembrer [demɑ̃bʀe] *vt* (*fig*) desmembrar.

déménagement [demenaʒmɑ̃] *nm* mudanza; **entreprise/camion de ~** empresa/camión *m* de mudanzas.

déménager [demenaʒe] *vt* mudar ♦ *vi* mudarse.

déménageur [demenaʒœʀ] *nm* encargado de mudanzas; (*entrepreneur*) empresario de mudanzas.

démence [demɑ̃s] *nf* (*MÉD*) demencia; (*extravagance*) locura.

démener [dem(ə)ne]: **se ~** *vpr* agitarse; (*fig*) bregar.

dément¹, e [demɑ̃, ɑ̃t] *vb voir* **démentir**.

dément², e [demɑ̃, ɑ̃t] *adj* (*fou*) demente; (*fam*) loco(-a).

démenti [demɑ̃ti] *nm* desmentido.

démentiel, le [demɑ̃sjɛl] *adj* demencial.

démentir [demɑ̃tiʀ] *vt* desmentir; **ne pas se ~** no cesar.

démerder [demɛʀde] (*fam!*) *vi*: **se ~** arreglárselas; **démerde-toi tout seul!** ¡búscate la vida!

démériter [demeʀite] *vi*: **~ (auprès de qn)** desmerecer (ante algn).

démesure [dem(ə)zyʀ] *nf* desmesura.

démesuré, e [dem(ə)zyʀe] *adj* desmesurado(-a).

démesurément [dem(ə)zyʀemɑ̃] *adv* desmesuradamente.

démettre [demɛtʀ] *vt*: **~ qn de** destituir a algn de; **se démettre** *vpr* (*épaule etc*) dislocarse; **se ~ (de ses fonctions)** dimitir (de sus funciones).

demeurant [d(ə)mœʀɑ̃]: **au ~** *adv* por lo demás, después de todo.

demeure [d(ə)mœʀ] *nf* residencia; **dernière ~** (*fig*) tumba; **mettre qn en ~ de faire ...** intimar a algn a hacer ...; **à ~** de forma permanente.

demeuré, e [d(ə)mœʀe] *adj, nm/f* retrasado(-a).

demeurer [d(ə)mœʀe] *vi* (*habiter*) residir, vivir; (*séjourner*) permanecer; (*rester*)

demi, e [dəmi] *adj*: **~-rempli** medio lleno (-a) ♦ *nm* (*bière*) caña; (*FOOTBALL*) medio; **trois bouteilles et ~e** tres botellas y media; **il est deux heures/midi et ~e** son las dos/doce y media; **à ~** a medias; (*presque*: *sourd, idiot*) medio(-a); (*fini, corrigé*) a medio; **à la ~e** (*heure*) a la media; ▶ **demi de mêlée/d'ouverture** (*RUGBY*) medio de melé/de apertura.

demi... [dəmi] *préf voir* **demi**.

demi-bas [dəmibɑ] *nm inv* (*chaussette*) medias *fpl* de media pierna.

demi-bouteille [dəmibutɛj] (*pl* ~-~**s**) *nf* media botella.

demi-cercle [dəmisɛʀkl] (*pl* ~-~**s**) *nm* semicírculo; **en ~-~** *adj, adv* en semicírculo.

demi-douzaine [dəmiduzɛn] (*pl* ~-~**s**) *nf* media docena.

demi-finale [dəmifinal] (*pl* ~-~**s**) *nf* semifinal *f*.

demi-finaliste [dəmifinalist] (*pl* ~-~**s**) *nm/f* semifinalista *m/f*.

demi-fond [dəmifɔ̃] *nm inv* mediofondo.

demi-frère [dəmifʀɛʀ] (*pl* ~-~**s**) *nm* medio hermano, hermanastro.

demi-gros [dəmigʀo] *nm inv* comercio intermedio entre el por mayor y el por menor.

demi-heure [dəmijœʀ] (*pl* ~-~**s**) *nf* media hora.

demi-jour [dəmiʒuʀ] (*pl* ~-~(**s**)) *nm* media luz.

demi-journée [dəmiʒuʀne] (*pl* ~-~**s**) *nf* media jornada.

démilitariser [demilitaʀize] *vt* desmilitarizar.

demi-litre [dəmilitʀ] (*pl* ~-~**s**) *nm* medio litro.

demi-livre [dəmilivʀ] (*pl* ~-~**s**) *nf* media libra.

demi-longueur [dəmilɔ̃gœʀ] (*pl* ~-~**s**) *nf* medio cuerpo.

demi-lune [dəmilyn]: **en ~-~** *adj inv* en media luna *inv*.

demi-mal [dəmimal] (*pl* **demi-maux**) *nm*: **il n'y a que ~-~** el daño es poco.

demi-mesure [dəmimzyʀ] (*pl* ~-~**s**) *nf* medida insuficiente.

demi-mot [dəmimo] *adv*: **se comprendre à ~-~** entenderse perfectamente.

déminer [demine] *vt* levantar las minas.

démineur [deminœʀ] *nm* técnico que levanta las minas.

demi-pension [dəmipɑ̃sjɔ̃] (*pl* ~-~**s**) *nf* media pensión *f*; **être en ~-~** estar de media pensión.

demi-pensionnaire [dəmipɑ̃sjɔnɛʀ] (*pl* ~-~**s**) *nm/f* (*lycée*) mediopensionista *m/f*.

demi-place [dəmiplas] (*pl* ~-~s) *nf* medio billete *m*.

démis, e [demi, iz] *pp de* **démettre** ♦ *adj* (*épaule etc*) dislocado(-a).

demi-saison [dəmisɛzɔ̃] (*pl* ~-~s) *nf*: **vêtements de** ~-~ ropa de entretiempo.

demi-sel [dəmisɛl] *adj inv* semisalado(-a).

demi-sœur [dəmisœr] (*pl* ~-~s) *nf* media hermana, hermanastra.

demi-sommeil [dəmisɔmɛj] (*pl* ~-~s) *nm* somnolencia.

demi-soupir [dəmisupir] (*pl* ~-~s) *nm* (*MUS*) silencio de corchea.

démission [demisjɔ̃] *nf* dimisión *f*; **donner sa** ~ presentar la dimisión.

démissionnaire [demisjɔnɛr] *adj*, *nm/f* demisionario(-a).

démissionner [demisjɔne] *vi* dimitir.

demi-tarif [dəmitarif] (*pl* ~-~s) *nm* media tarifa; **voyager à** ~-~ viajar con media tarifa.

demi-ton [dəmitɔ̃] (*pl* ~-~s) *nm* (*MUS*) semitono.

demi-tour [dəmitur] (*pl* ~-~s) *nm* media vuelta; **faire un** ~-~ dar media vuelta; **faire** ~-~ dar la vuelta.

démobilisation [demɔbilizasjɔ̃] *nf* desmovilización *f*.

démobiliser [demɔbilize] *vt* (*MIL*) desmovilizar.

démocrate [demɔkrat] *adj*, *nm/f* demócrata *m/f*.

démocrate-chrétien, ne [demɔkratkretjɛ̃, jɛn] (*pl* ~s-~s, **–ennes**) *adj*, *nm/f* democristiano(-a).

démocratie [demɔkrasi] *nf* democracia; ▶ **démocratie libérale/populaire** democracia liberal/popular.

démocratique [demɔkratik] *adj* democrático(-a); (*sport, moyen de transport etc*) popular.

démocratiquement [demɔkratikmɑ̃] *adv* democráticamente.

démocratisation [demɔkratizasjɔ̃] *nf* democratización *f*.

démocratiser [demɔkratize] *vt* democratizar.

démodé, e [demɔde] *adj* pasado(-a) de moda.

démoder [demɔde]: **se** ~ *vpr* pasarse de moda.

démographe [demɔgraf] *nm/f* demógrafo(-a).

démographie [demɔgrafi] *nf* demografía.

démographique [demɔgrafik] *adj* demográfico(-a); **poussée** ~ alza demográfica.

demoiselle [d(ə)mwazɛl] *nf* señorita; ▶ **demoiselle d'honneur** dama de honor.

démolir [demɔlir] *vt* (*bâtiment*) demoler;

(*théorie, système*) echar abajo; (*personne*) arruinar.

démolisseur [demɔlisœr] *nm* (*ouvrier*) obrero demoledor.

démolition [demɔlisjɔ̃] *nf* demolición *f*; **entreprise de** ~ empresa de demolición.

démon [demɔ̃] *nm* demonio; **le** ~ **du jeu** el demonio del juego; **le D**~ el demonio.

démonétiser [demɔnetize] *vt* desmonetizar.

démoniaque [demɔnjak] *adj* demoníaco (-a).

démonstrateur, -trice [demɔ̃stratœr, tris] *nm/f* (*dans un magasin, à domicile*) demostrador(a).

démonstratif, -ive [demɔ̃stratif, iv] *adj* (*affectueux*) expresivo(-a); (*LING*) demostrativo(-a) ♦ *nm* demostrativo.

démonstration [demɔ̃strasjɔ̃] *nf* demostración *f*; (*aérienne, navale*) exhibición *f*.

démontable [demɔ̃tabl] *adj* desmontable.

démontage [demɔ̃taʒ] *nm* desmonte *m*.

démonté, e [demɔ̃te] *adj* encrespado(-a).

démonte-pneu [demɔ̃t(ə)pnø] (*pl* ~-~s) *nm* desmontable *m*.

démonter [demɔ̃te] *vt* desmontar; (*discours, théorie*) desmoronar; (*personne*) desconcertar; **se démonter** *vpr* desconcertarse.

démontrable [demɔ̃trabl] *adj* demostrable.

démontrer [demɔ̃tre] *vt* demostrar; (*des talents, du courage*) mostrar.

démoralisant, e [demɔralizɑ̃, ɑ̃t] *adj* desmoralizante.

démoralisateur, -trice [demɔralizatœr, tris] *adj* desmoralizador(a).

démoraliser [demɔralize] *vt* desmoralizar.

démordre [demɔrdr] *vi*: **ne pas** ~ **de** no ceder en.

démoulage [demulaʒ] *nm* extracción *f* del molde.

démouler [demule] *vt* (*gâteau*) extraer del molde.

démultiplicateur, -trice [demyltiplikatœr, tris] *adj* decelerador(a).

démultiplication [demyltiplikasjɔ̃] *nf* desmultiplicación *f*.

démuni, e [demyni] *adj* pelado(-a); ~ **de** desprovisto(-a) de.

démunir [demynir] *vt* desproveer; **se** ~ **de** desprenderse de.

démuseler [demyzle] *vt* quitar el bozal.

démystifier [demistifje] *vt* desengañar.

démythifier [demitifje] *vt* desmitificar.

dénatalité [denatalite] *nf* disminución *f* de la natalidad.

dénationalisation [denasjɔnalizasjɔ̃] *nf* desnacionalización *f*.

dénationaliser [denasjɔnalize] *vt* desnacionalizar.

dénaturé,   e   [denatyʀe]   *adj* desnaturalizado(-a).

dénaturer [denatyʀe] *vt* (*goût*) desnaturalizar; (*pensée, fait*) desvirtuar.

dénégations [denegasjɔ̃] *nfpl* negativas *fpl*.

déneigement [denɛʒmã] *nm* retirada de la nieve.

déneiger [deneʒe] *vt* quitar la nieve.

déni [deni] *nm*: ~ (**de justice**) denegación *f* (de justicia).

déniaiser [denjeze] *vt*: ~ **qn** espabilar a algn.

dénicher [deniʃe] *vt* dar con.

dénicotinisé, e [denikɔtinize] *adj*: **cigarette** ~e cigarrillo bajo en nicotina.

denier [dənje] *nm* (*monnaie*) denario; (*de bas*) denier *m*; **de ses** (**propres**) ~**s** de su (propio) bolsillo; ▶ **denier du culte** ofrenda para el culto; ▶ **deniers publics** erario *msg* público.

dénier [denje] *vt* negar; ~ **qch à qn** denegar algo a algn.

dénigrement [denigʀəmã] *nm* denigración *f*; **campagne de** ~ campaña de denigración.

dénigrer [denigʀe] *vt* denigrar.

dénivelé, e [denivle] *adj* desnivelado(-a) ♦ *nm* desnivel *m*.

déniveler [deniv(ə)le] *vt* desnivelar.

dénivellation [denivelasjɔ̃] *nf* desnivel *m*.

dénivellement [denivɛlmã] *nm* = **dénivellation**.

dénombrer [denɔ̃bʀe] *vt* (*compter*) contar; (*énumérer*) enumerar.

dénominateur [denɔminatœʀ] *nm* (*MATH*) denominador *m*; ▶ **dénominateur commun** común denominador.

dénomination [denɔminasjɔ̃] *nf* (*nom*) denominación *f*.

dénommé, e [denɔme] *adj*: **le** ~ **Dupont** el tal *ou* llamado Dupont.

dénommer [denɔme] *vt* denominar.

dénoncer [denɔ̃se] *vt* denunciar; **se dénoncer** *vpr* denunciarse.

dénonciateur, -trice [denɔ̃sjatœʀ, tʀis] *nm/f* denunciante *m/f*.

dénonciation [denɔ̃sjasjɔ̃] *nf* denuncia *f*.

dénoter [denɔte] *vt* denotar.

dénouement [denumã] *nm* desenlace *m*.

dénouer [denwe] *vt* desatar; (*intrigue, affaire*) aclarar.

dénoyauter [denwajote] *vt* deshuesar, despepitar; **appareil à** ~ deshuesadora.

dénoyauteur [denwajotœʀ] *nm* deshuesadora.

denrée [dãʀe] *nf* producto; ▶ **denrées alimentaires** productos *mpl* alimenticios.

dense [dãs] *adj* denso(-a).

densité [dãsite] *nf* densidad *f*.

dent [dã] *nf* diente *m*; **avoir une** ~ **contre qn** tener manía a algn; **avoir les** ~**s longues** tener hambre; **se mettre quelque chose sous la** ~ tener algo que llevarse a la boca; **être sur les** ~**s** andar de cabeza; **faire ses** ~**s** salirle los dientes; **à belles** ~**s con ganas**; **en** ~**s de scie** dentado(-a); **ne pas desserrer les** ~**s** no despegar los labios; ▶ **dent de lait** diente de leche; ▶ **dent de sagesse** muela del juicio.

dentaire [dãtɛʀ] *adj* dental; **cabinet** ~ clínica dental; **école** ~ escuela de odontología.

denté, e [dãte] *adj*: **roue** ~**e** rueda dentada.

dentelé, e [dãt(ə)le] *adj* dentado(-a).

dentelle [dãtɛl] *nf* encaje *m*.

dentelure [dãt(ə)lyʀ] *nf* (*gén pl*) perfil *m* dentado.

dentier [dãtje] *nm* dentadura *f*.

dentifrice [dãtifʀis] *adj*: **pâte/eau** ~ pasta/ agua dentífrica ♦ *nm* dentífrico.

dentiste [dãtist] *nm/f* dentista *m/f*.

dentition [dãtisjɔ̃] *nf* (*dents*) dentadura; (*formation*) dentición *f*.

dénucléariser [denykleaʀize] *vt* desnuclearizar.

dénudé, e [denyde] *adj* pelado(-a).

dénuder [denyde] *vt* (*corps*) desnudar; (*sol*) pelar; (*fil électrique*) quitar la funda; **se dénuder** *vpr* desnudarse.

dénué, e [denye] *adj*: ~ **de** desprovisto(-a) de; (*intérêt*) falto(-a) de.

dénuement [denymã] *nm* indigencia.

dénutrition [denytʀisjɔ̃] *nf* desnutrición *f*.

déodorant [deɔdɔʀã] *nm* desodorante *m*.

déontologie [deɔ̃tɔlɔʒi] *nf* deontología.

dép. *abr* = **département; départ**.

dépannage [depanaʒ] *nm* reparación *f*; **service de** ~ (*AUTO*) servicio de reparaciones; **camion de** ~ (*AUTO*) camión *m* grúa *inv*.

dépanner [depane] *vt* reparar; (*fig*) sacar de apuros.

dépanneur [depanœʀ] *nm* (*AUTO*) mecánico; (*TV*) técnico.

dépanneuse [depanøz] *nf* grúa.

dépareillé, e [depaʀeje] *adj* (*collection, service*) descabalado(-a); (*gant, volume, objet*) desparejado(-a).

déparer [depaʀe] *vt* afear.

départ [depaʀ] *nm* partida, marcha; (*d'un employé*) despido; (*SPORT, sur un horaire*) salida; **à son** ~ a su marcha; **au** ~ al principio; **courrier au** ~ correo saliente.

départager [depaʀtaʒe] *vt* desempatar.

département [depaʀtəmã] *nm* ≈ provincia; (*de ministère*) ministerio; (*d'université*) departamento; (*de magasin*) sección *f*; ▶ **département d'outre-mer** provincia

de ultramar.
départemental, e, -aux [depaʀtəmãtal, o] *adj* (*ADMIN*) ≈ provincial.
départementaliser [depaʀtəmãtalize] *vt* descentralizar.
départir [depaʀtiʀ]: **se ~ de** *vpr* abandonar.
dépassé, e [depɑse] *adj* pasado(-a) de moda; (*fig*) desbordado(-a).
dépassement [depɑsmã] *nm* rebasamiento; (*AUTO*) adelantamiento; (*PSYCH*) superación *f*.
dépasser [depɑse] *vt* (*véhicule, concurrent*) adelantar; (*endroit*) dejar atrás; (*somme, limite fixée, prévisions*) rebasar; (*fig*) superar; (*être en saillie sur*) sobresalir ♦ *vi* (*AUTO*) adelantarse; (*ourlet, jupon*) sobresalir; **se dépasser** *vpr* (*se surpasser*) superarse; **cela me dépasse** esto no me cabe en la cabeza; **être dépassé** estar desbordado.
dépassionner [depasjɔne] *vt* moderar.
dépaver [depave] *vt* levantar el pavimento.
dépaysé, e [depeize] *adj* extrañado(-a).
dépaysement [depeizmã] *nm* extrañamiento.
dépayser [depeize] *vt* (*désorienter*) extrañar; (*changer agréablement*) cambiar de aires.
dépecer [depəse] *vt* descuartizar.
dépêche [depɛʃ] *nf* despacho; ► **dépêche (télégraphique)** despacho (telegráfico).
dépêcher [depeʃe] *vt* despachar; **se dépêcher** *vpr* darse prisa, apresurarse, apurarse (*AM*); **se ~ de faire qch** darse prisa *ou* apurarse (*AM*) en hacer algo.
dépeindre [depɛdʀ] *vt* describir.
dépendance [depãdãs] *nf* dependencia; (*MÉD*) adicción *f*.
dépendant, e [depãdã, ãt] *vb voir* **dépendre** ♦ *adj* dependiente.
dépendre [depãdʀ] *vt* descolgar; **~ de** depender de; **ça dépend** depende.
dépens [depã] *nmpl*: **aux ~ de** a expensas de.
dépense [depãs] *nf* gasto; (*comptabilité*) desembolso; (*fig*) consumo; **une ~ de 100 F** un gasto de 100 francos; **pousser qn à la ~** incitar a algn al consumo; ► **dépenses de fonctionnement** gastos *mpl* de funcionamiento; ► **dépense de temps** consumo *ou* gasto de tiempo; ► **dépenses d'investissement** gastos de inversión; ► **dépense physique** consumo *ou* gasto físico; ► **dépenses publiques** gastos públicos.
dépenser [depãse] *vt* gastar; (*fig*) consumir; **se dépenser** *vpr* fatigarse.
dépensier, -ière [depãsje, jɛʀ] *adj*: **il est ~** es un derrochador.

déperdition [depɛʀdisjɔ] *nf* pérdida.
dépérir [depeʀiʀ] *vi* (*personne, animal*) debilitarse; (*plante*) marchitarse.
dépersonnaliser [depɛʀsɔnalize] *vt* despersonalizar.
dépêtrer [depetʀe] *vt*: **se ~ de** librarse de.
dépeuplé, e [depœple] *adj* despoblado(-a).
dépeuplement [depœpləmã] *nm* despoblamiento.
dépeupler [depœple] *vt* despoblar; **se dépeupler** *vpr* despoblarse.
déphasage [defazaʒ] *nm* (*fig*) desfase *m*.
déphasé, e [defaze] *adj* desfasado(-a).
déphaser [defaze] *vt* (*fig*) desfasar.
dépilation [depilasjɔ] *nf* depilación *f*.
dépilatoire [depilatwaʀ] *adj* depilatorio(-a).
dépistage [depistaʒ] *nm* (*MÉD*) reconocimiento; **~ du sida** prueba del sida.
dépister [depiste] *vt* (*MÉD*) identificar; (*voleur*) descubrir el rastro de; (*semer, déjouer*) despistar.
dépit [depi] *nm* despecho; **en ~ de** a pesar de; **en ~ du bon sens** sin sentido común.
dépité, e [depite] *adj* contrariado(-a).
dépiter [depite] *vt* contrariar.
déplacé, e [deplase] *adj* fuera de lugar *inv*; **personne ~e** persona desplazada.
déplacement [deplasmã] *nm* traslado; (*voyage*) viaje *m*; **en ~ de** viaje; ► **déplacement d'air** corriente *f* de aire; ► **déplacement de vertèbre** vértebra dislocada.
déplacer [deplase] *vt* mover; (*employé*) trasladar; (*conversation, sujet*) cambiar; **se déplacer** *vpr* (*objet, personne*) moverse; (*voyager*) desplazarse, viajar; (*vertèbre etc*) desplazarse; **se ~ en voiture/avion** desplazarse en coche/avión.
déplaire [deplɛʀ] *vi* desagradar; **se déplaire** *vpr* hallarse a disgusto; **ceci me déplaît** esto me desagrada; **~ à qn** desagradar a algn; **il cherche à nous ~** intenta molestarnos.
déplaisant, e [deplezã, ãt] *vb voir* **déplaire** ♦ *adj* desagradable.
déplaisir [depleziʀ] *nm* disgusto.
déplaît [deplɛ] *vb voir* **déplaire**.
dépliant [deplijã] *nm* folleto.
déplier [deplije] *vt* desplegar; **se déplier** *vpr* desplegarse.
déplisser [deplise] *vt* quitar los pliegues.
déploiement [deplwamã] *nm* despliegue *m*.
déplomber [deplɔbe] *vt* (*caisse, compteur*) quitar el precinto; (*INFORM*) romper el precinto.
déplorable [deplɔʀabl] *adj* deplorable; (*blâmable*) lamentable.
déplorer [deplɔʀe] *vt* deplorar.
déployer [deplwaje] *vt* desplegar.

déplu [deply] *pp de* **déplaire.**
dépointer [depwɛ̃te] *vi* desapuntar.
dépoli, e [depɔli] *adj*: **verre** ~ vidrio esme-rilado.
dépolitiser [depɔlitize] *vt* despolitizar.
dépopulation [depɔpylasjɔ̃] *nf* despobla-miento.
déportation [depɔʀtasjɔ̃] *nf* deportación *f*.
déporté, e [depɔʀte] *nm/f* (*POL: 1939-1945*) deportado(-a).
déporter [depɔʀte] *vt* (*POL*) deportar; (*voi-ture*) desviar; **se déporter** *vpr* (*voiture*) desviarse.
déposant, e [depozɑ̃, ɑ̃t] *nm/f* (*épargnant*) depositante *m/f*.
dépose [depoz] *nf* desmonte *m*.
déposé, e [depoze] *adj* depositado(-a); (*marque*) registrado(-a).
déposer [depoze] *vt* poner, dejar; (*à la banque*) ingresar; (*caution*) prestar; (*ser-rure, moteur*) desmontar; (*rideau*) descol-gar; (*roi*) deponer; (*ADMIN, JUR*) presen-tar ♦ *vi* (*vin etc*) sedimentar; (*JUR*): ~ (**contre**) declarar (contra); **se déposer** *vpr* depositarse; ~ **son bilan** (*COMM*) de-clararse en quiebra; ~ **de l'argent** ingre-sar dinero.
dépositaire [depozitɛʀ] *nm/f* (*d'un secret*) confidente *m/f*; (*COMM*) concesionario (-a); ▶ **dépositaire agréé** concesionario autorizado.
déposition [depozisjɔ̃] *nf* (*JUR*) deposición *f*.
déposséder [depɔsede] *vt* desposeer.
dépôt [depo] *nm* (*d'argent*) ingreso; (*de sa-ble*) sedimento; (*de poussière*) acumula-ción *f*; (*de candidature*) presentación *f*; (*entrepôt*) depósito; (*gare*) cochera; (*pri-son*) cárcel *f* transitoria; ▶ **dépôt ban-caire** depósito bancario; ▶ **dépôt de bi-lan** declaración *f* de suspensión de pa-gos; ▶ **dépôt d'ordures** basurero, verte-dero; ▶ **dépôt légal** depósito legal.
dépoter [depɔte] *vt* transplantar.
dépotoir [depɔtwaʀ] *nm* vertedero.
dépouille [depuj] *nf* (*d'animal*) piel *f*; ~ (**mortelle**) (*humaine*) despojos *mpl*.
dépouillé, e [depuje] *adj* (*style*) sobrio(-a); ~ **de** despojado(-a) de.
dépouillement [depujmɑ̃] *nm* (*de scrutin*) escrutinio.
dépouiller [depuje] *vt* (*animal*) desollar; (*personne*) despojar; (*résultats, docu-ments*) analizar; ~ **qch/qn de** despojar algo/a algn de; ~ **le scrutin** hacer el es-crutinio.
dépourvu, e [depuʀvy] *adj*: ~ **de** desprovisto(-a) de; **au** ~: **prendre qn au** ~ coger a algn desprevenido(-a).
dépoussiérer [depusjeʀe] *vt* quitar el pol-

vo.
dépravation [depʀavasjɔ̃] *nf* depravación *f*.
dépravé, e [depʀave] *adj* depravado(-a).
dépraver [depʀave] *vt* depravar.
dépréciation [depʀesjasjɔ̃] *nf* (*d'un bien*) depreciación *f*.
déprécier [depʀesje] *vt* (*personne*) menos-preciar; (*chose*) depreciar; **se déprécier** *vpr* depreciarse.
déprédations [depʀedasjɔ̃] *nfpl* (*dégâts*) daños *mpl*; (*MIL*) depredaciones *fpl*.
dépressif, -ive [depʀesif, iv] *adj* depresivo(-a).
dépression [depʀesjɔ̃] *nf* depresión *f*; ▶ **dépression (nerveuse)** depresión (nerviosa).
déprimant, e [depʀimɑ̃, ɑ̃t] *adj* deprimen-te.
déprime [depʀim] *nf* depresión *f*.
déprimé, e [depʀime] *adj* deprimido(-a).
déprimer [depʀime] *vt* deprimir.
déprogrammer [depʀɔgʀame] *vt* suspen-der.
dépt *abr* = **département.**
dépuceler [depys(ə)le] (*fam*) *vt* desvirgar.
depuis [dəpɥi] *prép* desde ♦ *adv* (*temps*) desde entonces; ~ **que** desde que; ~ **qu'il m'a dit ça** desde que me dijo eso; ~ **combien de temps?** ¿cuánto tiempo hace?; **il habite Paris** ~ **5 ans** vive en Pa-rís desde hace 5 años, lleva 5 años vi-viendo en París; ~ **quand le connaissez-vous?** ¿desde cuándo lo conoce usted?; **je le connais** ~ **9 ans** lo conozco desde hace 9 años; ~ **quand?** (*excl*) ¿desde cuándo?; **il a plu** ~ **Metz** ha estado llo-viendo desde Metz; **elle a téléphoné** ~ **Valence** llamó por teléfono desde Valen-cia; ~ **les plus petits jusqu'aux plus grands** desde los más pequeños hasta los más grandes; **je ne lui ai pas parlé** ~ **no** he vuelto a hablar con él *ou* ella; ~ **lors** desde entonces.
dépuratif, -ive [depyʀatif, iv] *adj* depurativo(-a).
députation [depytasjɔ̃] *nf* (*groupe*) delega-ción *f*; (*fonction*) diputación *f*.
député [depyte] *nm* (*POL*) diputado(-a).
députer [depyte] *vt* delegar; ~ **qn auprès de** enviar a algn como delegado de.
déraciné, e [deʀasine] *adj* desarraigado (-a).
déracinement [deʀasinmɑ̃] *nm* desarraigo.
déraciner [deʀasine] *vt* desarraigar.
déraillement [deʀajmɑ̃] *nm* descarrila-miento.
dérailler [deʀaje] *vi* (*train*) descarrilar; (*fam*) desvariar; **faire** ~ hacer desca-rrilar.
dérailleur [deʀajœʀ] *nm* cambio de veloci-

dades.
déraison [deʀɛzɔ̃] nf desatino.
déraisonnable   [deʀɛzɔnabl]   adj
desatinado(-a).
déraisonner [deʀɛzɔne] vi desatinar, disparatar.
dérangement [deʀɑ̃ʒmɑ̃] nm molestia; en
~ averiado(-a).
déranger [deʀɑ̃ʒe] vt desordenar; (personne) molestar; (projet) desarreglar; **se
déranger** vpr molestarse; (changer de place) cambiar de sitio; **est-ce que cela vous
dérange si ...?** ¿le molesta si ...?; **ça te dé-
rangerait de faire ...?** ¿te importaría hacer
... ?; **ne vous dérangez pas** no se moleste.
dérapage [deʀapaʒ] nm patinazo, derrape
m; (des prix) disparo; ▶**dérapage
contrôlé** (AUTO) derrape controlado.
déraper [deʀape] vi (voiture) derrapar, patinar; (personne, couteau) resbalar; (économie etc) dispararse.
dératé, e [deʀate] nm/f: **courir comme un** ~
correr como un desesperado.
dératiser [deʀatize] vt desratizar.
derby [dɛʀbi] nm (sportif) derby m.
déréglé, e [deʀegle] adj (montre, mécanisme) estropeado(-a); (estomac) revuelto
(-a); (mœurs, vie) desordenado(-a).
dérèglement [deʀeɡləmɑ̃] nm (mécanisme)
desarreglo; (estomac) indisposición f;
(mœurs, vie) desorden m.
dérégler [deʀeɡle] vt (mécanisme) estropear; (estomac) indisponer; (mœurs, vie)
desordenar; **se dérégler** vpr (mécanisme)
estropearse; (estomac) indisponerse;
(mœurs, vie) descarriarse.
dérider [deʀide] vt alegrar; **se dérider** vpr
sonreír.
dérision [deʀizjɔ̃] nf burla; **par** ~ **en broma**; **tourner en** ~ burlarse de.
dérisoire [deʀizwaʀ] adj irrisorio(-a).
dérivatif [deʀivatif] nm distracción f.
dérivation [deʀivasjɔ̃] nf (d'un cours d'eau)
desviación f; (LING) derivación f.
dérive [deʀiv] nf (NAUT) orza de quilla; **aller à la** ~ (NAUT, fig) ir a la deriva; ▶**dérive des continents** (GÉOLOGIE) deriva
de los continentes.
dérivé, e [deʀive] adj derivado(-a) ♦ nm
derivado.
dérivée [deʀive] nf (MATH) derivada.
dériver [deʀive] vt (MATH, ÉLEC) derivar;
(cours d'eau etc) desviar ♦ vi (bateau,
avion) desviarse; ~ **de** (LING) derivar de;
(CHIM, gén) derivarse de.
dériveur [deʀivœʀ] nm (NAUT) balandro.
dermatite [dɛʀmatit] nf dermatitis f inv.
dermato [dɛʀmato] (fam) nm/f = **dermatologue**.
dermatologie [dɛʀmatɔlɔʒi] nf dermatolo-

gía.
dermatologue   [dɛʀmatɔlɔɡ]   nm/f
dermatólogo(-a).
dermatose [dɛʀmatoz] nf dermatosis f inv.
dermite [dɛʀmit] nf = **dermatite**.
dernier, -ière [dɛʀnje, jɛʀ] adj último(-a) ♦
nm/f último(-a) ♦ nm (étage) último piso;
lundi/le mois ~ el lunes/el mes pasado;
du ~ **chic** de última moda; **le** ~ **cri**
(MODE) el último grito; **les** ~**s honneurs**
los últimos honores; **rendre le** ~ **soupir**
exhalar el último suspiro; **en** ~ al final,
por último; **en** ~ **ressort** en última instancia; **avoir le** ~ **mot** tener la última palabra; **ce** ~/**cette dernière** este último/
esta última.
dernièrement [dɛʀnjɛʀmɑ̃] adv últimamente.
dernier-né,   dernière-née [dɛʀnjene,
dɛʀnjɛʀne] (pl ~**s-**~**s, dernières-nées**)
nm/f (enfant) último(-a) hijo(-a); (voiture)
último modelo.
dérobade [deʀɔbad] nf escapatoria.
dérobé, e [deʀɔbe] adj (porte, escalier)
falso(-a); **à la** ~**e** a hurtadillas.
dérober [deʀɔbe] vt hurtar; **se dérober**
vpr eludir, zafarse; ~ **qch à (la vue de) qn**
ocultar algo a (a la vista de) algn; **se** ~
sous (s'effondrer) hundirse bajo; **se** ~ **à**
librarse de.
dérogation [deʀɔɡasjɔ̃] nf contravención f.
déroger [deʀɔʒe] vi: ~ **à** contravenir (a).
dérouiller [deʀuje] vt: **se** ~ **les jambes** estirar las piernas.
déroulement [deʀulmɑ̃] nm desenrolla-
miento; (d'une opération etc) desarrollo.
dérouler [deʀule] vt (ficelle, papier) desenrollar; **se dérouler** vpr (avoir lieu) desarrollarse.
déroutant, e [deʀutɑ̃, ɑ̃t] adj desconcertante.
déroute [deʀut] nf desbandada; (entreprise,
parti) hundimiento; **mettre en** ~ poner en
desbandada; **en** ~ en desbandada.
dérouter [deʀute] vt (avion, train) desviar;
(fig) despistar.
derrick [deʀik] nm torre f de perforación.
derrière [dɛʀjɛʀ] prép detrás de; (fig) tras,
más allá de ♦ adv detrás, atrás ♦ nm
(d'une maison) trasera; (postérieur) trasero; **les pattes/roues de** ~ las patas/ruedas
traseras; **par** ~ por detrás.
derviche [dɛʀviʃ] nm derviche m.
DES [deɛs] sigle m (= diplôme d'études
supérieures) diploma de pos(t)grado.
des [de] dét voir **de** ♦ prép + dét = **de**.
dès [dɛ] prép desde; ~ **que** tan pronto
como; ~ **à présent** desde ahora; ~ **réception** en cuanto se reciba; ~ **son retour** en
cuanto vuelva; ~ **lors** desde entonces;

(*en conséquence*) por lo tanto; ~ **lors que** en cuanto; (*puisque, étant donné que*) ya que.

désabusé, e [dezabyze] *adj* desengañado (-a).

désaccord [dezakɔʀ] *nm* desacuerdo; (*contraste*) discordancia.

désaccordé, e [dezakɔʀde] *adj* desafinado(-a).

désacraliser [dezakʀalize] *vt* desacralizar.

désaffecté, e [dezafɛkte] *adj* en desuso.

désaffection [dezafɛksjɔ̃] *nf*: ~ **pour** desafecto por.

désagréable [dezagʀeabl] *adj* desagradable.

désagréablement [dezagʀeabləmã] *adv* desagradablemente.

désagrégation [dezagʀegasjɔ̃] *nf* disgregación *f*.

désagréger [dezagʀeʒe]: **se** ~ *vpr* disgregarse.

désagrément [dezagʀemã] *nm* desagrado.

désaltérant, e [dezalteʀã, ãt] *adj* refrescante.

désaltérer [dezalteʀe] *vt* quitar la sed a ♦ *vi* refrescar; **se désaltérer** *vpr* beber; **ça désaltère** esto refresca.

désamorcer [dezamɔʀse] *vt* (*bombe*) desactivar; (*fig*) neutralizar.

désappointé, e [dezapwɛ̃te] *adj* decepcionado(-a).

désappointement [dezapwɛ̃tmã] *nm* decepción *f*.

désappointer [dezapwɛ̃te] *vt* decepcionar.

désapprobateur, -trice [dezapʀɔbatœʀ, tʀis] *adj* desaprobatorio(-a).

désapprobation [dezapʀɔbasjɔ̃] *nf* desaprobación *f*.

désapprouver [dezapʀuve] *vt* desaprobar.

désarçonner [dezaʀsɔne] *vt* desarzonar; (*fig*) desconcertar.

désargenté, e [dezaʀʒãte] *adj* sin un duro.

désarmant, e [dezaʀmã, ãt] *adj* conmovedor(a).

désarmé, e [dezaʀme] *adj* (*fig*) conmovido(-a).

désarmement [dezaʀməmã] *nm* desarme *m*.

désarmer [dezaʀme] *vt* (*aussi fig*) desarmar; (*fusil*) descargar; (: *mettre le cran de sûreté*) desmontar ♦ *vi* (*pays*) desarmarse; (*haine*) cesar; (*personne*) rendirse.

désarroi [dezaʀwa] *nm* desasosiego.

désarticulé, e [dezaʀtikyle] *adj* desarticulado(-a).

désarticuler [dezaʀtikyle]: **se** ~ *vpr* desarticularse.

désassorti, e [dezasɔʀti] *adj* (*incomplet*) desemparejado(-a); (*magasin, marchand*) desprovisto(-a); (*mal assorti*) desavenido(-a).

désastre [dezastʀ] *nm* desastre *m*.

désastreux, -euse [dezastʀø, øz] *adj* desastroso(-a).

désavantage [dezavãtaʒ] *nm* (*handicap*) inferioridad *f*; (*inconvénient*) desventaja.

désavantager [dezavãtaʒe] *vt* desfavorecer.

désavantageux, -euse [dezavãtaʒø, øz] *adj* desventajoso(-a).

désaveu [dezavø] *nm* desaprobación *f*.

désavouer [dezavwe] *vt* desaprobar.

désaxé, e [dezakse] *adj, nm/f* (*fig*) desequilibrado(-a).

désaxer [dezakse] *vt* (*roue*) descentrar; (*personne*) desequilibrar.

desceller [desele] *vt* (*pierre*) arrancar.

descendance [desãdãs] *nf* descendencia.

descendant, e [desãdã, ãt] *vb voir* **descendre** ♦ *adj voir* **marée** ♦ *nm/f* descendiente *m/f*.

descendeur, -euse [desãdœʀ, øz] *nm/f* (*cycliste, skieur*) especialista *m/f* en descensos.

descendre [desãdʀ] *vt* bajar; (*abattre*) cargarse; (*boire*) pimplar, soplar ♦ *vi* bajar, descender; (*passager*) bajar(se); (*avion, chemin, marée*) bajar; (*nuit*) caer; ~ **à pied/en voiture** bajar a pie/en coche; ~ **de** (*famille*) descender de; ~ **du train/d'un arbre/de cheval** bajar(se) del tren/de un árbol/del caballo; ~ **à l'hôtel** quedarse en un hotel; ~ **dans l'estime de qn** bajar en la estima de algn; ~ **dans la rue** (*manifester*) salir a la calle; ~ **dans le Midi** bajar al Sur de Francia; ~ **la rue/rivière** ir calle/río abajo; ~ **en ville** ir al centro.

descente [desãt] *nf* bajada, descenso; (*route*) pendiente *f*; (*SKI*) descenso; **au milieu de la** ~ en medio de la bajada;
► **descente de lit** alfombra de cama;
► **descente (de police)** redada (de la policía), allanamiento (*AM*).

descriptif, -ive [dɛskʀiptif, iv] *adj*: **linguistique/mathématique descriptive** lingüística/matemática descriptiva ♦ *nm* plan *m*.

description [dɛskʀipsjɔ̃] *nf* descripción *f*.

désembourber [dezãbuʀbe] *vt* desatollar.

désembuer [dezãbɥe] *vt* desempañar.

désemparé, e [dezãpaʀe] *adj* desamparado(-a); (*bateau, avion*) averiado(-a).

désemparer [dezãpaʀe] *vi*: **sans** ~ sin parar.

désemplir [dezãpliʀ] *vi*: **ne pas** ~ (*fig*) estar siempre lleno(-a).

désenchanté, e [dezãʃãte] *adj* desencantado(-a).

désenchantement [dezɑ̃ʃɑ̃tmɑ̃] nm desencanto.

désenclaver [dezɑ̃klave] vt acabar con el aislamiento de.

désencombrer [dezɑ̃kɔ̃bʀe] vt despejar.

désenfler [dezɑ̃fle] vi deshinchar.

désengagement [dezɑ̃gaʒmɑ̃] nm (POL) ruptura del compromiso.

désensabler [dezɑ̃sable] vt desencallar.

désensibiliser [desɑ̃sibilize] vt insensibilizar.

désenvenimer [dezɑ̃vnime] vt (plaie) desinfectar; (fig) suavizar.

désépaissir [dezepesiʀ] vt desmontar.

déséquilibre [dezekilibʀ] nm desequilibrio; **en ~** desequilibrado(-a).

déséquilibré, e [dezekilibʀe] nm/f (PSYCH) desequilibrado(-a).

déséquilibrer [dezekilibʀe] vt desequilibrar.

désert, e [dezɛʀ, ɛʀt] adj desierto(-a) ♦ nm desierto.

déserter [dezɛʀte] vi (MIL) desertar ♦ vt (salle) abandonar; (école) dejar desierto(-a).

déserteur [dezɛʀtœʀ] nm desertor m.

désertion [dezɛʀsjɔ̃] nf deserción f.

désertique [dezɛʀtik] adj desértico(-a).

désescalade [dezeskalad] nf (MIL) reducción f del dispositivo militar; (sociale) descenso de tensión.

désespérant, e [dezɛspeʀɑ̃, ɑ̃t] adj desesperante.

désespéré, e [dezɛspeʀe] adj, nm/f desesperado(-a); **état ~** (MÉD) estado desesperado.

désespérément [dezɛspeʀemɑ̃] adv desesperadamente; (avec acharnement) encarnizadamente.

désespérer [dezɛspeʀe] vi desesperar; **se désespérer** vpr desesperarse; **~ de qn/ qch** perder la esperanza en algn/algo; **~ de (pouvoir) faire qch** desesperar de (poder) hacer algo.

désespoir [dezɛspwaʀ] nm desesperación f, desesperanza; **être** ou **faire le ~ de qn** ser la desesperación de algn; **en ~ de cause** como último recurso.

déshabillé, e [dezabije] adj desvestido(-a) ♦ nm salto de cama.

déshabiller [dezabije] vt desvestir; **se déshabiller** vpr desnudarse, desvestirse (esp AM).

déshabituer [dezabitɥe] vt: **se ~ de** desacostumbrarse de.

désherbant [dezɛʀbɑ̃] nm herbicida m.

désherber [dezɛʀbe] vt desherbar.

déshérité, e [dezeʀite] adj desheredado (-a) ♦ nm/f (gén pl: pauvre) desheredado(-a).

déshériter [dezeʀite] vt desheredar.

déshonneur [dezɔnœʀ] nm deshonor m.

déshonorant, e [dezɔnɔʀɑ̃, ɑ̃t] adj deshonroso(-a).

déshonorer [dezɔnɔʀe] vt deshonrar (a); **se déshonorer** vpr deshonrarse.

déshumaniser [dezymanize] vt deshumanizar.

déshydratation [dezidʀatasjɔ̃] nf deshidratación f.

déshydraté, e [dezidʀate] adj deshidratado(-a).

déshydrater [dezidʀate] vt deshidratar.

desiderata [dezideʀata] nmpl desiderata fsg.

design [dizajn] nm diseño ♦ adj de diseño.

désignation [deziɲasjɔ̃] nf (à un poste) nombramiento; (signe, mot) designación f.

designer [dizajnœʀ] nm diseñador(a).

désigner [deziɲe] vt (montrer) enseñar; (dénommer) designar; (représentant) nombrar.

désillusion [dezi(l)lyzjɔ̃] nf desilusión f.

désillusionner [dezi(l)lyzjɔne] vt desilusionar.

désincarné [dezɛ̃kaʀne] adj desencarnado(-a).

désinence [dezinɑ̃s] nf (LING) desinencia.

désinfectant, e [dezɛ̃fɛktɑ̃, ɑ̃t] adj desinfectante ♦ nm desinfectante m.

désinfecter [dezɛ̃fɛkte] vt desinfectar.

désinfection [dezɛ̃fɛksjɔ̃] nf desinfección f.

désinformation [dezɛ̃fɔʀmasjɔ̃] nf desinformación f.

désintégration [dezɛ̃tegʀasjɔ̃] nf desintegración f.

désintégrer [dezɛ̃tegʀe] vt desintegrar; **se désintégrer** vpr desintegrarse.

désintéressé, e [dezɛ̃teʀese] adj desinteresado(-a).

désintéressement [dezɛ̃teʀɛsmɑ̃] nm desinterés msg.

désintéresser [dezɛ̃teʀese] vt: **se ~ (de qn/qch)** desinteresarse (por algn/algo), perder el interés (por algn/algo).

désintérêt [dezɛ̃teʀɛ] nm desinterés msg.

désintoxication [dezɛ̃tɔksikasjɔ̃] nf (MÉD) desintoxicación f; **faire une cure de ~** hacer una cura de desintoxicación.

désintoxiquer [dezɛ̃tɔksike] vt desintoxicar.

désinvolte [dezɛ̃vɔlt] adj impertinente.

désinvolture [dezɛ̃vɔltyʀ] nf impertinencia.

désir [deziʀ] nm deseo; **exprimer le ~ de** (politesse) expresar el deseo de.

désirable [deziʀabl] adj (femme) deseable.

désirer [deziʀe] vt desear; **je désire ...** (formule de politesse) desearía ...; **~ que** de-

sear que; **il désire que tu l'aides** desea que
le ayudes; ~ **faire qch** desear hacer algo;
ça laisse à ~ deja mucho que desear.
désireux, -euse [deziʀø, øz] *adj:* ~ **de**
deseoso(-a) de.
désistement [dezistəmã] *nm* desistimien-
to; (*POL*) abandono.
désister [deziste]: **se** ~ *vpr* desistir.
désobéir [dezɔbeiʀ] *vi:* ~ **(à qn/qch)** desobedecer (a algn/algo).
désobéissance [dezɔbeisãs] *nf* desobediencia.
désobéissant, e [dezɔbeisã, ãt] *adj* desobediente.
désobligeant, e [dezɔbliʒã, ãt] *adj* desagradable.
désobliger [dezɔbliʒe] *vt* disgustar.
désodorisant, e [dezɔdɔʀizã, ãt] *adj* desodorante ♦ *nm* desodorante *m*;
(*d'appartement*) ambientador *m*.
désodorisé, e [dezɔdɔʀize] *adj* inodoro(-a).
désodoriser [dezɔdɔʀize] *vt* desodorizar.
désœuvré, e [dezœvʀe] *adj, nm/f*
desocupado(-a), ocioso(-a).
désœuvrement [dezœvʀəmã] *nm* desocupación *f*, ocio.
désolant, e [dezɔlã, ãt] *adj* (*affligeant*) de-
solador(a); **"c'est ~!"** "¡es lamentable!".
désolation [dezɔlasjɔ̃] *nf* desolación *f*;
scène/paysage de ~ escena desolada/
paisaje *m* desolado.
désolé, e [dezɔle] *adj* desolado(-a); **je suis**
~, **il n'y en a plus** lo siento, ya no hay
más.
désoler [dezɔle] *vt* entristecer; **se désoler**
vpr entristecerse.
désolidariser [desɔlidaʀize] *vt:* **se** ~ **de** *ou*
d'avec desolidarizarse de.
désopilant, e [dezɔpilã, ãt] *adj* hilarante.
désordonné, e [dezɔʀdɔne] *adj*
desordenado(-a).
désordre [dezɔʀdʀ] *nm* desorden *m*; **~s**
nmpl (*POL*) disturbios *mpl*; **en** ~ en desorden; **dans le** ~ (*tiercé*) sin dar el orden.
désorganisation [dezɔʀganizasjɔ̃] *nf* desorganización *f*.
désorganiser [dezɔʀganize] *vt* desorganizar.
désorienté, e [dezɔʀjãte] *adj*
desorientado(-a).
désorienter [dezɔʀjãte] *vt* desorientar.
désormais [dezɔʀmɛ] *adv* (de ahora) en
adelante.
désosser [dezɔse] *vt* (*viande*) deshuesar;
côtelette désossée costilla deshuesada.
désoxyder [dezɔkside] *vt* desoxidar.
despote [dɛspɔt] *nm* déspota *m/f*.
despotique [dɛspɔtik] *adj* despótico(-a).
despotisme [dɛspɔtism] *nm* despotismo.
desquamer [dɛskwame]: **se** ~ *vpr* desca-

marse.
desquelles [dekɛl] *prép + pron voir* **lequel**.
desquels [dekɛl] *prép + pron voir* **lequel**.
DESS [deəsɛs] *sigle m* (= *diplôme d'études
supérieures spécialisées*) *diploma de
pos(t)grado*.
dessaisir [deseziʀ] *vt:* ~ **un tribunal d'une
affaire** declarar a un tribunal incompetente sobre un caso; **se dessaisir** *vpr:* **se**
~ **de** desprenderse de.
dessaler [desale] *vt* desalar; (*fig, fam*): ~
qn espabilar a algn ♦ *vi* (*voilier*) capotar.
desséché, e [deseʃe] *adj* seco(-a).
dessèchement [desɛʃmã] *nm* (*de la peau*)
deshidratación *f*.
dessécher [deseʃe] *vt* desecar; (*cœur*) endurecer; **se dessécher** *vpr* secarse;
(*peau, lèvres*) secarse, resecarse.
dessein [desɛ̃] *nm* intención *f*, propósito;
dans le ~ **de** con la intención de, con el
propósito de; **à** ~ a propósito.
desseller [desele] *vt* desensillar.
desserrer [deseʀe] *vt* aflojar; (*poings,
dents*) abrir; (*objets alignés*) espaciar;
(*crédit*) reabrir; **ne pas** ~ **les dents** no
despegar los labios.
dessert [desɛʀ] *vb voir* **desservir** ♦ *nm* (*moment du repas*) postres *mpl*; (*mets*) postre
m.
desserte [desɛʀt] *nf* (*table*) mesa de servicio; **le bus assure la** ~ **du village** el autobús cubre el servicio de comunicación
del pueblo; **chemin** *ou* **voie de** ~ camino
vecinal.
desservir [desɛʀviʀ] *vt* (*suj: moyen de
transport*) cubrir el servicio de; (: *voie
de communication*) comunicar; (: *vicaire:
paroisse*) atender; (*personne*) perjudicar
a; ~ **la table** quitar la mesa.
dessiccation [desikasjɔ̃] *nf* desecación *f*.
dessiller [desije] *vt* (*fig*): ~ **les yeux à qn**
abrir los ojos a algn.
dessin [desɛ̃] *nm* dibujo; **le** ~ **industriel** el
diseño industrial; ▶**dessin animé** dibu-
jos *mpl* animados; ▶**dessin humoristique** dibujo humorístico, viñeta.
dessinateur, -trice [desinatœʀ, tʀis] *nm/f*
dibujante *m/f*; ▶**dessinatrice de mode**
diseñadora de moda; ▶**dessinateur industriel** delineante *m/f*.
dessiner [desine] *vt* dibujar; (*concevoir*)
diseñar; (*suj: robe: taille*) resaltar; **se
dessiner** *vpr* perfilarse.
dessoûler [desule] *vt* quitar la borrachera
a ♦ *vi* pasársele a algn la borrachera.
dessous [d(ə)su] *adv* debajo, abajo ♦ *nm*
parte *f* inferior; (*de voiture*) bajos *mpl*;
(*étage inférieur*): **les voisins/l'appartement
du** ~ los vecinos/el piso de abajo; ~ *nmpl*
(*fig*) secretos *mpl*; (*sous-vêtements*) ropa

interior *fsg*; **en** ~ (*sous*) debajo; (*plus bas*) por debajo; (*fig*: *en catimini*) a hurtadillas; **par-**~ *adv* por debajo; **par** ~ *prép* por debajo de; **de** ~ de abajo; **de** ~ **le lit** debajo de la cama; **au-**~ abajo, debajo; **au-**~ **de** por debajo de; (*zéro*) bajo; **au-**~ **de tout** incalificable; **avoir le** ~ tener *ou* llevar la peor parte.

dessous-de-bouteille [dǝsudbutɛj] *nm inv* posavasos *m inv*.

dessous-de-plat [dǝsudpla] *nm inv* salvamanteles *m inv*.

dessous-de-table [dǝsudtabl] *nm inv* (dinero de) soborno.

dessus [d(ǝ)sy] *adv* encima, arriba ♦ *nm* parte *f* superior; (*étage supérieur*): **les voisins/l'appartement du** ~ los vecinos/el piso de arriba; **en** ~ encima, arriba; **c'est écrit** ~ está ahí; **par-**~ *adv* por encima, por arriba ♦ *prép* por encima de, por arriba de; **au-**~ encima, arriba; **au-**~ **de** por encima de; (*zéro*) sobre; **de** ~ de arriba, de encima; **avoir/prendre le** ~ ir ganando; **reprendre le** ~ recobrarse; **bras** ~ **bras dessous** cogidos(-as) del brazo; **sens** ~ **dessous** patas arriba.

dessus-de-lit [dǝsydli] *nm inv* colcha.

déstabiliser [destabilize] *vt* (*POL*) desestabilizar.

destin [dɛstɛ̃] *nm* destino.

destinataire [dɛstinatɛʀ] *nm/f* destinatario(-a); **aux risques et périls du** ~ a cuenta y riesgo del destinatario.

destination [dɛstinasjɔ̃] *nf* destino; (*usage*) función *f*; **à** ~ **de** con destino a.

destiné, e [dɛstine] *adj*: **être** ~ **à** (*personne*) estar destinado(-a) a; (*outil, objet*) servir para.

destinée [dɛstine] *nf* destino.

destiner [dɛstine] *vt*: ~ **qn à** destinar a algn a/para; ~ **qch à** destinar algo a; ~ **qch à qn** destinar algo a algn para algo; **se** ~ **à l'enseignement** pensar dedicarse a la enseñanza; **être destiné à** estar destinado(-a) a; (*usage*) ser para.

destituer [dɛstitɥe] *vt* destituir; ~ **qn de ses fonctions** destituir a algn de su cargo.

destitution [dɛstitysjɔ̃] *nf* destitución *f*.

destroyer [dɛstʀwaje] *nm* destructor *m*.

destructeur, -trice [dɛstʀyktœʀ, tʀis] *adj* destructor(a).

destructif, -ive [dɛstʀyktif, iv] *adj* destructivo(-a).

destruction [dɛstʀyksjɔ̃] *nf* destrucción *f*.

déstructuré, e [destʀyktyʀe] *adj*: **vêtements** ~**s** ropa desestructurada.

déstructurer [destʀyktyʀe] *vt*: ~ **un vêtement** quitarle la estructura de *ou* a una prenda.

désuet, -ète [dezɥɛ, ɛt] *adj* desusado(-a).

désuétude [desɥetyd] *nf*: **tomber en** ~ caer en desuso.

désuni, e [dezyni] *adj* desunido(-a).

désunion [dezynjɔ̃] *nf* desunión *f*.

désunir [dezyniʀ] *vt* desunir; **se désunir** *vpr* (*athlète*) perder el ritmo.

détachable [detaʃabl] *adj* separable; (*capuche*) de quita y pon.

détachant [detaʃɑ̃] *nm* quitamanchas *m inv*.

détaché, e [detaʃe] *adj* (*air, ton*) indiferente.

détachement [detaʃmɑ̃] *nm* (*action*) desprendimiento; (*désintéressement*) desapego; (*MIL*) destacamento; **être en** ~ tener un destino temporal.

détacher [detaʃe] *vt* (*ôter*) desprender; (*délier*) desatar, soltar; (*MIL*) destacar; (*vêtement*) limpiar; **se détacher** *vpr* (*SPORT*) descolgarse; (*prisonnier etc*) desatarse; (*tomber, se défaire*) desprenderse; ~ **qn (auprès de** *ou* **à)** (*ADMIN*) enviar a algn (a); **se** ~ (**de qn** *ou* **qch**) (*se désintéresser*) perder interés (por algn *ou* algo); **se** ~ **sur** (*se dessiner*) destacarse en.

détail [detaj] *nm* detalle *m*; **le** ~ (*COMM*) la venta al por menor; **prix de** ~ precio al por menor; **au** ~ (*COMM*) al por menor; (*individuellement*) por unidades; **faire/donner le** ~ **de** detallar; (*compte, facture*) desglosar; **en** ~ en detalle.

détaillant, e [detajɑ̃, ɑ̃t] *nm/f* minorista *m/f*.

détaillé, e [detaje] *adj* detallado(-a).

détailler [detaje] *vt* detallar; (*personne*) examinar.

détaler [detale] *vi* salir corriendo.

détartrant [detaʀtʀɑ̃] *nm* desincrustante *m*.

détartrer [detaʀtʀe] *vt* (*radiateur*) desincrustar; (*dents*) limpiar el sarro de.

détaxe [detaks] *nf* (*réduction*) descuento; (*suppression*) supresión *f* de la tasa; (*remboursement*) devolución *f* de la tasa.

détaxer [detakse] *vt* (*réduire*) desgravar; (*supprimer*) suprimir la tasa.

détecter [detɛkte] *vt* detectar.

détecteur [detɛktœʀ] *nm* (*TECH*) detector *m*; ▶**détecteur de mensonges** detector de mentiras; ▶**détecteur (de mines)** detector (de minas).

détection [detɛksjɔ̃] *nf* detección *f*.

détective [detɛktiv] *nm* (*en Grande Bretagne*: *policier*) inspector(a); ▶**détective (privé)** detective *m/f*.

déteindre [detɛ̃dʀ] *vi* desteñir; (*suj: soleil*) decolorar; ~ **sur** teñir; (*influencer*) influir sobre.

déteint, e [detɛ̃, ɛ̃t] *pp de* **déteindre**.

dételer [det(ǝ)le] *vt* desenganchar ♦ *vi* pararse.

détendeur [detɑ̃dœʀ] *nm* (*de bouteille à gaz*) descompresor *m*.

détendre [detɑ̃dʀ] *vt* aflojar; (*lessive, linge*) recoger; (*gaz*) descomprimir; (*atmosphère etc*) relajar; **se détendre** *vpr* (*ressort*) aflojarse; (*se reposer*) descansar; (*se décontracter*) relajarse.

détendu, e [detɑ̃dy] *adj* (*personne, atmosphère*) distendido(-a), relajado(-a).

détenir [det(ə)niʀ] *vt* poseer; (*otage*) retener; (*prisonnier*) tener preso a; (*record*) ostentar; ~ **le pouvoir** (*POL*) ostentar el poder.

détente [detɑ̃t] *nf* distensión *f*, relajación *f*; (*politique, sociale*) distensión; (*loisirs*) esparcimiento, descanso; (*d'une arme*) disparador *m*, gatillo; (*d'un athlète qui saute*) resorte *m*.

détenteur, -trice [detɑ̃tœʀ, tʀis] *nm/f* (*d'un record*) poseedor(a); (*d'un prix*) ganador(a); **le** ~ **du pouvoir** el que ostenta el poder.

détention [detɑ̃sjɔ̃] *nf* posesión *f*; (*d'un otage*) retención *f*; (*d'un prisonnier*) encarcelamiento; **la** ~ **du pouvoir par ...** el hecho de que el poder fuera ostentado por ...; ▶ **détention préventive** *ou* **provisoire** prisión *f* preventiva.

détenu, e [det(ə)ny] *pp de* **détenir** ♦ *nm/f* (*prisonnier*) preso(-a).

détergent [detɛʀʒɑ̃] *nm* detergente *m*.

détérioration [deteʀjɔʀasjɔ̃] *nf* deterioro.

détériorer [deteʀjɔʀe] *vt* deteriorar; **se détériorer** *vpr* deteriorarse.

déterminant, e [detɛʀminɑ̃, ɑ̃t] *adj* determinante ♦ *nm* (*LING*) determinante *m*; **un facteur** ~ un factor determinante.

détermination [detɛʀminasjɔ̃] *nf* determinación *f*.

déterminé, e [detɛʀmine] *adj* (*personne, air*) decidido(-a); (*but, intentions*) claro(-a); (*fixé: quantité etc*) determinado(-a).

déterminer [detɛʀmine] *vt* (*date etc*) determinar; ~ **qn à faire qch** decidir a algn a hacer algo; **se** ~ **à faire qch** determinarse a hacer algo.

déterminisme [detɛʀminism] *nm* determinismo.

déterministe [detɛʀminist] *adj, nm/f* determinista *m/f*.

déterré, e [deteʀe] *nm/f*: **avoir une mine de** ~ tener cara de muerto(-a).

déterrer [deteʀe] *vt* desenterrar.

détersif, -ive [detɛʀsif, iv] *adj* detersivo(-a), detergente ♦ *nm* detergente *m*.

détestable [detɛstabl] *adj* detestable.

détester [detɛste] *vt* (*haïr*) detestar, odiar; (*sens affaibli*) detestar.

détiendrai *etc* [detjɛ̃dʀe] *vb voir* **détenir**.

détiens *etc* [detjɛ̃] *vb voir* **détenir**.

détonant, e [detɔnɑ̃, ɑ̃t] *adj*: **mélange** ~ mezcla explosiva.

détonateur [detɔnatœʀ] *nm* detonador *m*.

détonation [detɔnasjɔ̃] *nf* detonación *f*.

détoner [detɔne] *vi* detonar.

détonner [detɔne] *vi* (*MUS, aussi fig*) desentonar.

détortiller [detɔʀtije] *vt* destorcer.

détour [detuʀ] *nm* rodeo; (*tournant, courbe*) curva, recodo; (*subterfuge*) subterfugio; **au** ~ **du chemin** a la vuelta del camino; **sans** ~ (*fig*) sin rodeos.

détourné, e [detuʀne] *adj* (*sentier, chemin*) indirecto(-a); (*moyen*) dudoso(-a).

détournement [detuʀnəmɑ̃] *nm* desvío; ▶ **détournement d'avion** secuestro aéreo; ▶ **détournement (de fonds)** malversación *f* (de fondos); ▶ **détournement de mineur** corrupción *f* de menores.

détourner [detuʀne] *vt* desviar; (*avion: par la force*) secuestrar; (*yeux*) apartar; (*tête*) volver; (*de l'argent*) malversar; **se détourner** *vpr* (*tourner la tête*) apartar la cara; ~ **la conversation/l'attention (de qn)** desviar la conversación/la atención (de algn); ~ **qn de son devoir/travail** apartar a algn de su deber/trabajo.

détracteur, -trice [detʀaktœʀ, tʀis] *nm/f* detractor(a).

détraqué, e [detʀake] *adj* fastidiado(-a) ♦ *nm/f* majara *m/f*.

détraquer [detʀake] *vt* fastidiar, cargarse; (*santé, estomac*) estropear; **se détraquer** *vpr*: **ma montre s'est détraquée** se me ha fastidiado el reloj.

détrempe [detʀɑ̃p] *nf* (*ART*) temple *m*.

détrempé, e [detʀɑ̃pe] *adj* (*sol*) empapado(-a).

détremper [detʀɑ̃pe] *vt* (*peinture*) desleír.

détresse [detʀɛs] *nf* angustia; (*misère*) desamparo; **en** ~ en peligro; **appel/signal de** ~ llamada/señal *f* de socorro.

détriment [detʀimɑ̃] *nm*: **au** ~ **de** en detrimento de; **à mon/son** ~ en mi/su perjuicio.

détritus [detʀity(s)] *nmpl* detritus *msg*.

détroit [detʀwa] *nm* estrecho; ▶ **le détroit de Be(h)ring/de Gibraltar/de Magellan/du Bosphore** el estrecho de Bering/de Gibraltar/de Magallanes/del Bósforo.

détromper [detʀɔ̃pe] *vt* desengañar; **se détromper** *vpr*: **détrompez-vous** no se engañe.

détrôner [detʀone] *vt* destronar.

détrousser [detʀuse] *vt* atracar.

détruire [detʀɥiʀ] *vt* destruir; (*population*) acabar con; (*hypothèse*) echar abajo;

(espoir) romper; (santé) perjudicar.

détruit, e [detʁɥi, it] pp de **détruire**.

dette [dɛt] nf deuda; ▶ **dette de l'État** ou **publique** deuda pública.

DEUG [døg] sigle m (= diplôme d'études universitaires générales) diplomatura.

deuil [dœj] nm luto; **porter le** ~ llevar luto; **être en/prendre le** ~ estar/ponerse de luto.

DEUST [døst] sigle m (= diplôme d'études universitaires scientifiques et techniques) diplomatura.

deux [dø] adj inv, nm inv dos m inv; **les** ~ los(las) dos, ambos(-as); **ses** ~ **mains** las dos manos; **tous les** ~ **jours/mois** cada dos días/meses; **à** ~ **pas** a dos pasos; ▶ **deux points** (ponctuation) dos puntos mpl; voir aussi **cinq**.

deuxième [døzjɛm] adj, nm/f segundo(-a); ~ **classe** segunda clase f; voir aussi **cinquième**.

deuxièmement [døzjɛmmã] adv en segundo lugar.

deux-pièces [døpjɛs] nm inv dos piezas m inv; (appartement) apartamento de dos habitaciones.

deux-roues [døʁu] nm inv vehículo de dos ruedas.

deux-temps [døtã] adj inv (moteur) de dos tiempos ◆ nm inv (moteur) motor m de dos tiempos.

devais [dəvɛ] vb voir **devoir**.

dévaler [devale] vt bajar rápidamente.

dévaliser [devalize] vt desvalijar.

dévalorisant, e [devalɔʁizã, ãt] adj que desvaloriza.

dévalorisation [devalɔʁizasjɔ̃] nf desvalorización f.

dévaloriser [devalɔʁize] vt desvalorizar; **se dévaloriser** vpr desvalorizarse.

dévaluation [devalɥasjɔ̃] nf devaluación f.

dévaluer [devalɥe] vt devaluar; **se dévaluer** vpr devaluarse.

devancer [d(ə)vãse] vt adelantar; (arriver avant, aussi fig) adelantarse a; ~ **l'appel** (MIL) alistarse como voluntario.

devancier, -ière [d(ə)vãsje, jɛʁ] nm/f antecesor(a).

devant [d(ə)vã] vb voir **devoir** ◆ adv delante, adelante ◆ prép (en face de) delante de, frente a; (passer, être) delante de; (en présence de) ante; (face à) ante, delante de; (étant donné) ante ◆ nm (de maison) fachada; (vêtement, voiture) delantera; **prendre les** ~s adelantarse; **de** ~ delantero(-a); **par** ~ por delante; **aller au-**~ **de qn** ir al encuentro de algn; **aller au-**~ **de** (désirs de qn) anticiparse a; (ennuis, difficultés) encontrarse con; **par-**~ **notaire** ante notario.

devanture [d(ə)vãtyʁ] nf (façade) fachada; (étalage, vitrine) escaparate m, vidriera (AM).

dévastateur, -trice [devastatœʁ, tʁis] adj devastador(a).

dévastation [devastasjɔ̃] nf devastación f.

dévasté, e [devaste] adj devastado(-a).

dévaster [devaste] vt devastar.

déveine [devɛn] (fam) nf mala suerte f.

développement [dev(ə)lɔpmã] nm desarrollo; (photo) revelado; (exposé) exposición f; (GÉOM) proyección f; (gén pl) evolución f.

développer [dev(ə)lɔpe] vt desarrollar; (PHOTO) revelar; (GÉOM) proyectar; **se développer** vpr desarrollarse; (affaire) evolucionar.

devenir [dəv(ə)niʁ] vt volverse; **que sont-ils devenus?** ¿qué ha sido de ellos?; ~ **médecin** hacerse médico; ~ **vieux/grand** hacerse viejo/mayor.

devenu [dəvny] pp de **devenir**.

dévergondé, e [devɛʁgɔ̃de] adj desvergonzado(-a).

dévergonder [devɛʁgɔ̃de] vt: **se dévergonder** espabilarse.

déverrouiller [devɛʁuje] vt abrir el cerrojo de.

devers [dəvɛʁ] adv: **par-**~ **soi** para sí, en su poder.

déverser [devɛʁse] vt verter, derramar; (injure, colère) descargar; **se** ~ **dans** verterse en.

déversoir [devɛʁswaʁ] nm vertedero.

dévêtir [devetiʁ] vt desvestir; **se dévêtir** vpr desvestirse.

devez [dəve] vb voir **devoir**.

déviation [devjasjɔ̃] nf desviación f; (AUTO) desvío; ▶ **déviation de la colonne (vertébrale)** desviación de la columna vertebral.

déviationnisme [devjasjɔnism] nm desviacionismo.

déviationniste [devjasjɔnist] nm/f desviacionista m/f.

dévider [devide] vt devanar.

dévidoir [devidwaʁ] nm devanadera.

deviendrai etc [dəvjɛ̃dʁe] vb voir **devenir**.

devienne etc [dəvjɛn] vb voir **devenir**.

deviens etc [dəvjɛ̃] vb voir **devenir**.

dévier [devje] vt, vi desviar.

devin [dəvɛ̃] nm adivino.

deviner [d(ə)vine] vt adivinar; (apercevoir) atisbar.

devinette [d(ə)vinɛt] nf adivinanza.

devint etc [dəvɛ̃] vb voir **devenir**.

devis [d(ə)vi] nm presupuesto; ▶ **devis descriptif/estimatif** presupuesto detallado/aproximado.

dévisager [deviza3e] vt mirar de arriba

abajo.

devise [dəviz] *nf (formule)* lema *m*, divisa; *(ÉCON)* divisa; ~s *nfpl* dinero *msg* extranjero.

deviser [dəvize] *vi* platicar.

dévisser [devise] *vt* desatornillar; **se dévisser** *vpr* desatornillarse.

de visu [devizy] *adv* en persona.

dévitaliser [devitalize] *vt (dent)* matar el nervio de.

dévoiler [devwale] *vt* descubrir, revelar.

devoir [d(ə)vwaʀ] *nm* deber *m* ◊ *vt* deber; **il doit le faire** *(obligation)* debe hacerlo, tiene que hacerlo; **cela devait arriver** *(fatalité)* tenía que ocurrir (un día); **il doit partir demain** *(intention)* se va mañana; **il doit être tard** *(probabilité)* debe (de) ser tarde; **se faire un** ~ **de faire** creerse en la obligación de hacer; **se** ~ **de faire qch** sentirse obligado(-a) a hacer algo; **je devrais faire** tendría que hacer; **tu n'aurais pas dû** no deberías haberlo hecho; *(politesse)* no tendrías que haberlo hecho; **comme il se doit** *(comme il faut)* como debe ser; **se mettre en** ~ **de faire qch** empezar a hacer algo; **derniers** ~s honras *fpl* fúnebres; **je lui dois beaucoup** le debo mucho; ▶ **devoirs de vacances** deberes *mpl* de vacaciones.

dévolu, e [devɔly] *adj (temps, part)* destinado(-a), atribuido(-a) ◊ *nm*: **jeter son** ~ **sur** poner sus miras en.

devons [dəvɔ̃] *vb voir* **devoir**.

dévorant, e [devɔʀɑ̃, ɑ̃t] *adj (faim)* voraz; *(feu, passion)* devastador(a).

dévorer [devɔʀe] *vt* devorar; ~ **qch/qn des yeux** *ou* **du regard** devorar algo/a algn con la mirada.

dévot, e [devo, ɔt] *adj, nm/f* devoto(-a); **un faux** ~ un mojigato.

dévotion [devosjɔ̃] *nf* devoción *f*; **être à la** ~ **de qn** estar dedicado(-a) a algn; **avoir une** ~ **pour qn** querer a algn con devoción.

dévoué, e [devwe] *adj* dedicado(-a).

dévouement [devumɑ̃] *nm* dedicación *f*.

dévouer [devwe]: **se dévouer** *vpr*: **se** ~ **(pour)** sacrificarse (por); **se** ~ **à** dedicarse a.

dévoyé, e [devwaje] *adj* descarriado(-a) ◊ *nm/f* descarriado(-a).

dévoyer [devwaje] *vt* descarriar; **se dévoyer** *vpr* descarriarse; ~ **l'opinion publique** engañar a la opinión pública.

devrai [dəvʀe] *vb voir* **devoir**.

dextérité [dɛksteʀite] *nf* destreza.

DG [deʒe] *sigle m* (= *directeur général*) *voir* **directeur**.

DGE [deʒeə] *sigle f* (= *dotation globale d'équipement*) contribución *del Estado al*

presupuesto municipal.

dia [dja] *abr* = **diapositive**.

diabète [djabɛt] *nm (MÉD)* diabetes *f inv*.

diabétique [djabetik] *adj, nm/f* diabético (-a).

diable [djabl] *nm* diablo; *(chariot à deux roues)* carretilla; **(petit)** ~ *(enfant)* diablillo; **pauvre** ~ pobre diablo; **une musique du** ~ una música infernal; **il fait une chaleur du** ~ hace un calor infernal; **avoir le** ~ **au corps** tener el diablo en el cuerpo; **habiter/être situé au** ~ vivir/estar en el quinto infierno.

diablement [djabləmɑ̃] *adv* endiabladamente.

diableries [djabləʀi] *nfpl (d'enfant)* diabluras *fpl*, travesuras *fpl*.

diablesse [djablɛs] *nf (petite fille)* diablillo.

diablotin [djablɔtɛ̃] *nm* diablillo; *(pétard)* petardo.

diabolique [djabɔlik] *adj* diabólico(-a).

diabolo [djabɔlo] *nm (jeu)* diábolo; *(boisson)* mezcla de gaseosa y almíbar; ▶ **diabolo menthe** menta con gas.

diacre [djakʀ] *nm* diácono.

diadème [djadɛm] *nm* diadema.

diagnostic [djagnɔstik] *nm* diagnóstico.

diagnostiquer [djagnɔstike] *vt* diagnosticar.

diagonal, e, -aux [djagɔnal, o] *adj* diagonal.

diagonale [djagɔnal] *nf* diagonal *f*; **en** ~ **en** diagonal; *(fig)*: **lire en** ~ leer por encima.

diagramme [djagʀam] *nm* diagrama *m*.

dialecte [djalɛkt] *nm* dialecto.

dialectique [djalɛktik] *adj* dialéctico(-a).

dialogue [djalɔg] *nm* diálogo; **cesser/ reprendre le** ~ interrumpir/reanudar el diálogo; ▶ **dialogue de sourds** diálogo de besugos.

dialoguer [djalɔge] *vi* dialogar.

dialoguiste [djalɔgist] *nm/f* dialoguista *m/f*.

dialyse [djaliz] *nf* diálisis *f inv*.

diamant [djamɑ̃] *nm* diamante *m*.

diamantaire [djamɑ̃tɛʀ] *nm* diamantista *m/f*.

diamantifère [djamɑ̃tifɛʀ] *adj* diamantífero(-a).

diamétralement [djametʀalmɑ̃] *adv* diametralmente; ~ **opposés** totalmente opuestos.

diamètre [djamɛtʀ] *nm* diámetro.

diapason [djapazɔ̃] *nm* diapasón *m*; **être/se mettre au** ~ **(de)** *(fig)* estar/ponerse al nivel (de).

diaphane [djafan] *adj* diáfano(-a).

diaphragme [djafʀagm] *nm* diafragma *m*.

diapo [djapo] *nf* diapositiva.

diaporama [djapɔʀama] *nm* montaje *m* audiovisual.

diapositive [djapozitiv] *nf* diapositiva.
diapré, e [djapʀe] *adj* tornasolado(-a).
diarrhée [djaʀe] *nf* diarrea.
diatribe [djatʀib] *nf* diatriba.
dichotomie [dikɔtɔmi] *nf* dicotomía.
dictaphone ® [diktafɔn] *nm* dictáfono.
dictateur [diktatœʀ] *nm* dictador *m*.
dictatorial, e, -aux [diktatɔʀjal, jo] *adj* dictatorial.
dictature [diktatyʀ] *nf* dictadura.
dictée [dikte] *nf* dictado; **prendre sous ~** tomar al dictado.
dicter [dikte] *vt* (*aussi fig*) dictar.
diction [diksjɔ̃] *nf* dicción *f*; **cours de ~** curso de dicción.
dictionnaire [diksjɔnɛʀ] *nm* diccionario; ▶ **dictionnaire bilingue** diccionario bilingüe; ▶ **dictionnaire encyclopédique/ de langue** diccionario enciclopédico/de la lengua.
dicton [diktɔ̃] *nm* refrán *m*, dicho.
didacticiel [didaktisjɛl] *nm* programa *m* educativo.
didactique [didaktik] *adj* didáctico(-a).
dièse [djɛz] *nm* sostenido.
diesel [djezɛl] *nm* diesel *m*; **un (véhicule/ moteur) ~** un (vehículo/motor) diesel.
diète [djɛt] *nf* dieta; **être à la ~** estar a dieta.
diététicien, ne [djetetisjɛ̃, jɛn] *nm/f* dietista *m/f*.
diététique [djetetik] *adj* dietético(-a) ♦ *nf* dietética; **magasin ~** tienda de dietética.
dieu, x [djø] *nm* (*aussi fig*) dios *msg*; **D~** Dios; **le bon D~** Dios; **mon D~!** ¡Dios mío!
diffamant, e [difamɑ̃, ɑ̃t] *adj* difamatorio(-a).
diffamateur, -trice [difamatœʀ, tʀis] *adj*, *nm/f* difamador(a).
diffamation [difamasjɔ̃] *nf* difamación *f*; **attaquer qn en ~** atacar a algn por difamación.
diffamatoire [difamatwaʀ] *adj* difamatorio(-a).
diffamer [difame] *vt* difamar.
différé, e [difeʀe] *adj* (*INFORM*): **traitement ~** procesamiento por lotes ♦ *nm* (*TV*): **en ~** en diferido; **crédit ~** crédito con carencia.
différemment [difeʀamɑ̃] *adv* de forma diferente.
différence [difeʀɑ̃s] *nf* diferencia; **à la ~ de** a diferencia de.
différenciation [difeʀɑ̃sjasjɔ̃] *nf* diferenciación *f*.
différencier [difeʀɑ̃sje] *vt* diferenciar; **se différencier** *vpr* diferenciarse; **se ~ (de)** diferenciarse (de).
différend [difeʀɑ̃] *nm* discrepancia.

différent, e [difeʀɑ̃, ɑ̃t] *adj*: **~ (de)** distinto(-a) (de), diferente (de); **~s objets/personnages** varios objetos/ personajes; **à ~es reprises** en varias ocasiones; **pour ~es raisons** por distintas razones.
différentiel, le [difeʀɑ̃sjɛl] *adj* diferencial ♦ *nm* diferencial *m*.
différer [difeʀe] *vt* diferir, postergar (*AM*) ♦ *vi*: **~ (de)** diferir (de).
difficile [difisil] *adj* difícil; **faire le** *ou* **la ~** hacer remilgos.
difficilement [difisilmɑ̃] *adv* difícilmente; **~ compréhensible/lisible** difícil de comprender/leer.
difficulté [difikylte] *nf* dificultad *f*; **faire des ~s (pour)** poner dificultades (para); **en ~** en apuros; **avoir de la ~ à faire qch** tener dificultad en hacer algo.
difforme [difɔʀm] *adj* deforme.
difformité [difɔʀmite] *nf* deformidad *f*.
diffracter [difʀakte] *vt* difractar.
diffus, e [dify, yz] *adj* difuso(-a).
diffuser [difyze] *vt* emitir; (*nouvelle, idée*) difundir; (*COMM*) distribuir.
diffuseur [difyzœʀ] *nm* emisor *m*; (*de chaleur*) difusor *m*; (*COMM*) distribuidor *m*.
diffusion [difyzjɔ̃] *nf* emisión *f*; (*de journaux*) distribución *f*; **journal/magazine à grande ~** periódico/revista de gran difusión.
digérer [diʒeʀe] *vt* (*aussi fig*) digerir.
digeste [diʒɛst] *adj* digestible.
digestible [diʒɛstibl] *adj* digestible.
digestif, -ive [diʒɛstif, iv] *adj* digestivo(-a) ♦ *nm* licor *m*.
digestion [diʒɛstjɔ̃] *nf* digestión *f*; **bonne/ mauvaise ~** buena/mala digestión.
digit [didʒit] *nm* dígito; ▶ **digit binaire** dígito binario.
digital, e, -aux [diʒital, o] *adj* digital; (*empreintes*) dactilar.
digitale [diʒital] *nf* (*BOT*) digital *f*, dedalera.
digitaline [diʒitalin] *nf* digitalina.
digne [diɲ] *adj* (*respectable*) digno(-a); **~ d'intérêt/d'admiration** digno de interés/de admiración; **~ de foi** digno de fe; **~ de qn/qch** digno de algn/algo.
dignitaire [diɲitɛʀ] *nm* dignatario.
dignité [diɲite] *nf* dignidad *f*.
digression [digʀesjɔ̃] *nf* digresión *f*.
digue [dig] *nf* dique *m*; (*pour protéger la côte*) rompeolas *m inv*.
dijonnais, e [diʒɔnɛ, ɛz] *adj* de Dijon ♦ *nm/f*: **D~, e** nativo(-a) *ou* habitante *m/f* de Dijon.
diktat [diktat] *nm* imposición *f*.
dilapidation [dilapidasjɔ̃] *nf* dilapidación *f*.
dilapider [dilapide] *vt* dilapidar.

dilater [dilate] *vt* dilatar; (*joues, etc*) hinchar; **se dilater** *vpr* dilatarse.

dilatoire [dilatwaʀ] *adj* dilatorio(-a).

dilemme [dilɛm] *nm* dilema *m*.

dilettante [diletãt] *nm/f* diletante *m/f*, aficionado(-a); **en ~** como aficionado(-a).

dilettantisme [diletãtism] *nm* diletantismo.

diligence [diliʒãs] *nf* diligencia; **faire ~** apresurarse.

diligent, e [diliʒã, ãt] *adj* diligente.

diluant [dilɥã] *nm* disolvente *m*.

diluer [dilɥe] *vt* diluir; (*péj: discours etc*) meter paja en.

dilution [dilysjɔ̃] *nf* dilución *f*.

diluvien, ne [dilyvjɛ̃, jɛn] *adj*: **pluie ~ne** lluvia torrencial.

dimanche [dimãʃ] *nm* domingo; **le ~ des Rameaux/de Pâques** el domingo de Ramos/de Pascua; *voir aussi* **lundi**.

dîme [dim] *nf* diezmo.

dimension [dimãsjɔ̃] *nf* dimensión *f*; (*gén pl: cotes, coordonnées*) dimensiones *fpl*.

diminué, e [diminɥe] *adj* (*personne*) disminuido(-a).

diminuer [diminɥe] *vt* disminuir; (*dénigrer*) desacreditar; (*tricot*) menguar ♦ *vi* disminuir.

diminutif [diminytif] *nm* (*LING*) diminutivo; (*surnom*) diminutivo cariñoso.

diminution [diminysjɔ̃] *nf* disminución *f*; (*morale*) descrédito; (*tricot*) menguado.

dînatoire [dinatwaʀ] *adj*: **goûter ~** merienda y cena.

dinde [dɛ̃d] *nf* pava.

dindon [dɛ̃dɔ̃] *nm* pavo.

dindonneau [dɛ̃dɔno] *nm* pavipollo, pavezno.

dîner [dine] *nm* cena, comida (*AM*) ♦ *vi* cenar; ▶ **dîner de famille/d'affaires** cena familiar/de negocios.

dînette [dinɛt] *nf* **jouer à la ~** jugar a los cacharritos; ▶ **dînette de poupée** cacharritos *mpl*.

dîneur, -euse [dinœʀ, øz] *nm/f* comensal *m/f*.

dinghy [dingi] *nm* bote *m* neumático de salvamento.

dingue [dɛ̃g] (*fam*) *adj* chalado(-a).

dinosaure [dinozɔʀ] *nm* dinosaurio.

diocèse [djɔsɛz] *nm* diócesis *f inv*.

diode [djɔd] *nf* diodo.

diphasé, e [difaze] *adj* (*ÉLEC*) difásico(-a).

diphtérie [difteʀi] *nf* difteria.

diphtongue [diftɔ̃g] *nf* diptongo.

diplomate [diplɔmat] *adj* diplomático(-a) ♦ *nm/f* diplomático(-a) ♦ *nm* (*CULIN*) especie de bizcocho.

diplomatie [diplɔmasi] *nf* diplomacia.

diplomatique [diplɔmatik] *adj* diplomático(-a).

diplôme [diplom] *nm* diploma *m*, título; (*examen*) examen *m* de diplomatura; **avoir des ~s** tener títulos.

diplômé, e [diplome] *adj*, *nm/f* titulado(-a), diplomado(-a).

dire [diʀ] *nm*: **au ~ de** al decir de, en la opinión de ♦ *vt* decir; (*suj: horloge etc*) decir, marcar; (*ordre, invitation*): **~ à qn qu'il fasse** *ou* **de faire qch** decir a algn que haga algo; (*objecter*): **n'avoir rien à ~ (à)** no tener nada que decir (a); (*signifier*): **vouloir ~ que** querer decir que; (*plaire*): **cela me/lui dit de faire** me/le apetece hacer; (*penser*): **que dites-vous de ...?** ¿qué opina usted de ...?; **~s** *nmpl* opiniones *fpl*; **se dire** *vpr* decirse; (*se prétendre*): **se ~ malade** *etc* pretenderse enfermo(-a) *etc*; **ça se dit ... en anglais** se dice ... en inglés; **~ quelque chose/ce qu'on pense** decir algo/lo que uno piensa; **~ la vérité/l'heure** decir la verdad/la hora; **dis pardon** pide perdón; **dis merci** da las gracias; **on dit que** dicen que; **comme on dit** como se dice; **on dirait que** parece que; **on dirait du vin** *etc* parece vino *etc*; **ça ne me dit rien** no me apetece; (*rappeler qch*) no me suena; **à vrai ~** a decir verdad; **pour ainsi ~** por decirlo así; **cela va sans ~** ni qué decir tiene; **dis donc!/dites donc!** (*pour attirer attention*) ¡oye!/¡oiga!; (*au fait*) ¡a propósito!; (*agressif*) ¡oye!/¡oiga Vd!; **et ~ que ...** y pensar que ...; **ceci** *ou* **cela dit** a pesar de todo; (*à ces mots*) dicho esto; **c'est dit, voilà qui est dit** está dicho; **il n'y a pas à ~** realmente; **c'est ~ si** muestra hasta qué punto; **c'est beaucoup/peu ~** es mucho/poco decir; **cela ne se dit pas comme ça** no se dice así; **se ~ au revoir** decirse adiós; **c'est toi qui le dis** lo dices tú; **je ne vous le fais pas ~** estoy muy de acuerdo; **je te l'avais dit** te lo había dicho; **je ne peux pas ~ le contraire** no puedo decir lo contrario; **tu peux le ~, à qui le dis-tu** y que lo digas.

direct, e [diʀɛkt] *adj* directo(-a); (*personne*) franco(-a) ♦ *nm* (*train, boxe*) directo; (*boxe*): **~ du gauche/du droit** directo con la izquierda/derecha; **train/bus ~** tren *m*/autobús *msg* directo; **en ~** en directo.

directement [diʀɛktəmã] *adv* directamente.

directeur, -trice [diʀɛktœʀ, tʀis] *adj* (*principe, fil*) rector(a) ♦ *nm/f* director(a); **comité ~** comité *m* directivo; ▶ **directeur général/commercial/du personnel** director(a) general/comercial/de personal; ▶ **directeur de thèse** director(a) de tesis.

direction [diʀɛksjɔ̃] *nf* dirección *f*; **sous la ~ de** (*MUS*) bajo la dirección de; **en ~ de**

en dirección a; "toutes ~s" (*AUTO*) "todas las direcciones".

directionnel, le [dirɛksjɔnɛl] *adj* direccional.

directive [dirɛktiv] *nf* (*gén pl*) directriz *f*.

directoire [dirɛktwar] *nm* directorio.

directorial, e, -aux [dirɛktɔrjal, jo] *adj* de director.

directrice [dirɛktris] *adj, nf voir* **directeur**.

dirent [dir] *vb voir* **dire**.

dirigeable [diriʒabl] *adj* dirigible ♦ *nm*: (ballon) ~ (globo) dirigible *m*.

dirigeant, e [diriʒɑ̃, ɑ̃t] *adj, nm/f* dirigente *m/f*.

diriger [diriʒe] *vt* dirigir; **se diriger** *vpr* orientarse; ~ **sur** (*regard*) dirigir hacia; ~ **son arme sur qn** apuntar a algn con un arma; ~ **contre** (*critiques, plaisanteries*) dirigir contra; **se** ~ **vers** *ou* **sur** dirigirse hacia.

dirigisme [diriʒism] *nm* (*ÉCON*) dirigismo.

dirigiste [diriʒist] *adj* dirigista.

dis [di] *vb voir* **dire**.

discal, e, -aux [diskal, o] *adj* **hernie** ~**e** hernia discal.

discernable [disɛrnabl] *adj* detectable.

discernement [disɛrnəmɑ̃] *nm* discernimiento.

discerner [disɛrne] *vt* (*apercevoir*) divisar; (*motif, cause*) discernir.

disciple [disipl] *nm/f* (*REL, aussi fig*) discípulo(-a).

disciplinaire [disiplinɛr] *adj* disciplinario (-a); **bataillon** ~ (*MIL*) batallón *m* disciplinario.

discipline [disiplin] *nf* disciplina.

discipliné, e [disipline] *adj* disciplinado (-a).

discipliner [disipline] *vt* disciplinar; (*cheveux*) mantener.

discobole [diskɔbɔl] *nm* discóbolo.

discographie [diskɔɡrafi] *nf* discografía.

discontinu, e [diskɔ̃tiny] *adj* discontinuo (-a).

discontinuer [diskɔ̃tinɥe] *vi*: **sans** ~ sin interrupción.

disconvenir [diskɔ̃v(ə)nir] *vi*: **ne pas** ~ **de qch/que** no negar algo/que.

discordance [diskɔrdɑ̃s] *nf* discordancia.

discordant, e [diskɔrdɑ̃, ɑ̃t] *adj* discordante.

discorde [diskɔrd] *nf* discordia.

discothèque [diskɔtɛk] *nf* discoteca.

discourais [diskure] *vb voir* **discourir**.

discourir [diskurir] *vi* disertar.

discours [diskur] *vb voir* **discourir** ♦ *nm* discurso ♦ *nmpl* (*bavardages*) palabrería *fsg*; **le** ~ (*LING*) el enunciado; ~ **direct/ indirect** discurso directo/indirecto.

discourtois, e [diskurtwa, waz] *adj* descor-

tés.

discrédit [diskredi] *nm*: **jeter le** ~ **sur** desacreditar.

discréditer [diskredite] *vt* desacreditar; **se discréditer** *vpr*: **se** ~ **aux yeux de** *ou* **auprès de qn** desacreditarse a los ojos de algn.

discret, -ète [diskrɛ, ɛt] *adj* discreto(-a); **un endroit** ~ un lugar tranquilo.

discrètement [diskrɛtmɑ̃] *adv* discretamente.

discrétion [diskresjɔ̃] *nf* discreción *f*; **à** ~ (*boisson etc*) a discreción; **à la** ~ **de qn** según la voluntad de algn.

discrétionnaire [diskresjɔnɛr] *adj* discrecional.

discrimination [diskriminasjɔ̃] *nf* discriminación *f*; **sans** ~ sin discriminación.

discriminatoire [diskriminatwar] *adj* discriminatorio(-a).

disculper [diskylpe] *vt* (*JUR*) absolver; **se disculper** *vpr* disculparse.

discussion [diskysjɔ̃] *nf* discusión *f*; ~**s** *nfpl* negociaciones *fpl*.

discutable [diskytabl] *adj* discutible.

discuté, e [diskyte] *adj* controvertido(-a).

discuter [diskyte] *vt, vi* discutir; ~ **de qch** discutir algo.

dise [diz] *vb voir* **dire**.

disert, e [dizɛr, ɛrt] *adj* elocuente.

disette [dizɛt] *nf* hambruna.

diseur, -euse [dizœr, øz] *nm/f* recitador(a); ▶**diseuse de bonne aventure** echadora de buenaventura.

disgrâce [disɡrɑs] *nf* desgracia; **être en** ~ estar en desgracia.

disgracié, e [disɡrɑsje] *adj* caído(-a) en desgracia.

disgracieux, -euse [disɡrɑsjø, jøz] *adj* desagradable.

disjoindre [disʒwɛ̃dr] *vt* desunir; **se disjoindre** *vpr* separarse.

disjoint, e [disʒwɛ̃, wɛt] *pp de* **disjoindre** ♦ *adj* separado(-a), desunido(-a).

disjoncteur [disʒɔ̃ktœr] *nm* (*ÉLEC*) interruptor *m*.

dislocation [dislɔkasjɔ̃] *nf* (*d'une articulation*) dislocación *f*; (*d'une empire*) desmembramiento.

disloquer [dislɔke] *vt* (*membre*) dislocar; (*chaise*) desencajar; (*troupe, manifestants*) disolver; **se disloquer** *vpr* (*parti*) desmembrarse, disgregarse; (*empire*) desmembrarse; **se** ~ **l'épaule** dislocarse el hombro.

disons [dizɔ̃] *vb voir* **dire**.

disparaître [disparɛtr] *vi* desaparecer; **faire** ~ **qch/qn** hacer desaparecer algo/a algn.

disparate [disparat] *adj* discordante.

disparité [dispaʀite] *nf* disparidad *f*.
disparition [dispaʀisjɔ̃] *nf* desaparición *f*.
disparu, e [dispaʀy] *pp de* **disparaître** ♦ *nm/f* (*dont on a perdu la trace*) desaparecido(-a); (*défunt*) fallecido(-a); **être porté** ~ ser dado por desaparecido.
dispendieux, -euse [dispɑ̃djø, jøz] *adj* dispendioso(-a).
dispensaire [dispɑ̃sɛʀ] *nm* dispensario.
dispense [dispɑ̃s] *nf* dispensa; ▶ **dispense d'âge** dispensa de edad.
dispenser [dispɑ̃se] *vt* (*soins etc*) prestar; (*exempter*): ~ **qn de qch/faire qch** dispensar a algn de algo/hacer algo; **se** ~ **de qch/faire qch** librarse de algo/hacer algo; **se faire** ~ **de qch** lograr eximirse de algo.
dispersant [dispɛʀsɑ̃] *nm* dispersante *m*.
dispersé, e [dispɛʀse] *adj* disperso(-a).
disperser [dispɛʀse] *vt* dispersar; (*efforts*) dividir; **se disperser** *vpr* (*foule*) dispersarse; (*fig*) dividirse.
dispersion [dispɛʀsjɔ̃] *nf* dispersión *f*; (*fig*) división *f*.
disponibilité [disponibilite] *nf* disponibilidad *f*; (*ADMIN*): **être/se mettre en** ~ estar/ponerse en excedencia; ~**s** *nfpl* (*COMM*) fondos *mpl* disponibles.
disponible [disponibl] *adj* disponible.
dispos [dispo] *adj m*: (**frais et**) ~ fresco(-a).
disposé, e [dispoze] *adj* dispuesto(-a); **bien/mal** ~ **de** buen/mal humor; **être bien/mal** ~ **pour** *ou* **envers qn** estar bien/mal dispuesto(-a) hacia algn; ~ **à** dispuesto(-a) a; **pièces bien/mal** ~**es** habitaciones *fpl* bien/mal distribuidas.
disposer [dispoze] *vt* disponer; (*préparer, inciter*): ~ **qn à qch/faire qch** predisponer a algn para algo/hacer algo ♦ *vi*: **vous pouvez** ~ puede retirarse; **de** disponer de; **se** ~ **à faire qch** disponerse a hacer algo.
dispositif [dispozitif] *nm* dispositivo; (*d'un texte de loi*) parte *f* resolutiva; ▶ **dispositif de sûreté** dispositivo de seguridad.
disposition [dispozisjɔ̃] *nf* disposición *f*; (*arrangement*) distribución *f*; (*gén pl: mesures*) medidas *fpl*; (: *préparatifs*) preparativos *mpl*; ~**s** *nfpl* disposición *fsg*; **à la** ~ **de qn** a disposición de algn.
disproportion [dispʀɔpɔʀsjɔ̃] *nf* desproporción *f*.
disproportionné, e [dispʀɔpɔʀsjɔne] *adj* desproporcionado(-a).
dispute [dispyt] *nf* riña, disputa.
disputer [dispyte] *vt* disputar; **se disputer** *vpr* reñir; (*match, etc*) disputarse; ~ **qch à qn** disputar algo a algn.
disquaire [diskɛʀ] *nm/f* vendedor(-a) de discos.

disqualification [diskalifikasjɔ̃] *nf* descalificación *f*.
disqualifier [diskalifje] *vt* descalificar; **se disqualifier** *vpr* descalificarse.
disque [disk] *nm* disco; **le lancement du** ~ el lanzamiento de disco; ▶ **disque compact** disco compacto; ▶ **disque d'embrayage** (*AUTO*) disco de embrague; ▶ **disque de stationnement** disco de estacionamiento; ▶ **disque dur** (*INFORM*) disco duro; ▶ **disque laser** disco láser; ▶ **disque système** sistema *m* de disco.
disquette [diskɛt] *nf* (*INFORM*) diskette *m*; ▶ **disquette à double/simple densité** diskette de densidad doble/sencilla; ▶ **disquette double/une face** diskette de doble/una cara.
dissection [disɛksjɔ̃] *nf* disección *f*.
dissemblable [disɑ̃blabl] *adj* desemejante.
dissemblance [disɑ̃blɑ̃s] *nf* desemejanza.
dissémination [diseminasjɔ̃] *nf* diseminación *f*.
disséminer [disemine] *vt* diseminar.
dissension [disɑ̃sjɔ̃] *nf* (*gén pl: familiales*) desavenencias *fpl*; (*politiques*) disensiones *fpl*.
disséquer [diseke] *vt* disecar; (*fig*) analizar minuciosamente.
dissertation [disɛʀtasjɔ̃] *nf* (*SCOL*) redacción *f*.
disserter [disɛʀte] *vi* disertar; (*gén, SCOL*) redactar; ~ **sur** disertar sobre.
dissidence [disidɑ̃s] *nf* disidencia.
dissident, e [disidɑ̃, ɑ̃t] *adj, nm/f* disidente *m/f*.
dissimilitude [disimilityd] *nf* disimilitud *f*.
dissimulateur, -trice [disimylatœʀ, tʀis] *adj, nm/f* disimulador(a).
dissimulation [disimylasjɔ̃] *nf* disimulación *f*, ocultación *f*; (*duplicité*) disimulo; ▶ **dissimulation de bénéfices/revenus** ocultación de beneficios/rentas.
dissimulé, e [disimyle] *adj* hipócrita.
dissimuler [disimyle] *vt* disimular, ocultar; **se dissimuler** *vpr* cubrirse; (*être masqué, caché*) ocultarse.
dissipation [disipasjɔ̃] *nf* disipación *f*; (*indiscipline*) distracción *f*.
dissipé, e [disipe] *adj* (*indiscipliné*) distraído(-a).
dissiper [disipe] *vt* disipar; (*fortune*) derrochar; **se dissiper** *vpr* disiparse; (*élève*) distraerse.
dissociable [disɔsjabl] *adj* disociable.
dissocier [disɔsje] *vt* disociar; **se dissocier** *vpr* (*éléments, groupe*) desunirse; **se** ~ **de** (*point de vue*) disociarse de; (*groupe*) separarse de.
dissolu, e [disɔly] *adj* disoluto(-a).

dissolution [disɔlysjɔ̃] *nf (aussi POL, JUR)* disolución *f.*

dissolvant, e [disɔlvã, ãt] *vb voir* **dissoudre ♦** *nm (CHIM)* disolvente *m.*

dissonant, e [disɔnã, ãt] *adj* disonante.

dissoudre [disudʀ] *vt* disolver; **se dissoudre** *vpr* disolverse.

dissous [disu] *pp de* **dissoudre**.

dissuader [disɥade] *vt:* ~ qn de faire qch/ de qch disuadir a algn de hacer algo/de algo.

dissuasif, -ive [disɥazif, iv] *adj* disuasivo(-a).

dissuasion [disɥazjɔ̃] *nf* disuasión *f;* **force de** ~ fuerza de disuasión.

dissymétrie [disimetʀi] *nf* disimetría.

dissymétrique [disimetʀik] *adj* disimétrico(-a).

distance [distãs] *nf* distancia; *(de temps)* diferencia; **à** ~ a distancia; **avec la** ~ con el tiempo; **(situé) à** ~ *(INFORM)* (situado) a distancia; **tenir qn à** ~ tener a algn a raya; **se tenir à** ~ mantenerse a distancia; **une** ~ **de 10 km** una distancia de 10km; **à 10 km de** ~ a 10km de distancia; **à 2 ans de** ~ con 2 años de diferencia; **prendre ses** ~s tomar las distancias; **garder ses** ~s guardar las distancias; **tenir la** ~ resistir el recorrido; **▶ distance focale** *(PHOTO)* distancia focal.

distancer [distãse] *vt (concurrent)* distanciarse de; **se laisser** ~ quedarse atrás.

distancier [distãsje]: **se** ~ *vpr* distanciarse.

distant, e [distã, ãt] *adj (aussi fig)* distante; ~ **de 5 km** distante 5km.

distendre [distãdʀ] *vt* distender, aflojar; **se distendre** *vpr (aussi fig)* distenderse.

distillation [distilasjɔ̃] *nf* destilación *f.*

distillé, e [distile] *adj:* **eau** ~e agua destilada.

distiller [distile] *vt (aussi fig)* destilar.

distillerie [distilʀi] *nf* destilería.

distinct, e [distɛ̃(kt), ɛ̃kt] *adj* distinto(-a); *(net)* claro(-a).

distinctement [distɛ̃ktəmã] *adv (voir)* con nitidez; *(parler)* con claridad.

distinctif, -ive [distɛ̃ktif, iv] *adj* distintivo(-a).

distinction [distɛ̃ksjɔ̃] *nf* distinción *f;* **sans** ~ sin distinción.

distingué, e [distɛ̃ge] *adj* distinguido(-a).

distinguer [distɛ̃ge] *vt* distinguir; *(suj: caractéristique, trait)* caracterizar; **se distinguer** *vpr:* **se** ~ **(de)** distinguirse (de).

distinguo [distɛ̃go] *nm* distingo.

distorsion [distɔʀsjɔ̃] *nf (fig)* distorsión *f.*

distraction [distʀaksjɔ̃] *nf* distracción *f.*

distraire [distʀɛʀ] *vt* distraer; *(amuser)* distraer, entretener; *(somme d'argent)* distraer **♦** *vi* distraer; **se distraire** *vpr* distraerse; ~ **qn de qch** distraer a algn de algo; ~ **l'attention** distraer la atención.

distrait, e [distʀɛ, ɛt] *pp de* **distraire ♦** *adj* distraído(-a).

distraitement [distʀɛtmã] *adv* distraídamente.

distrayant, e [distʀɛjã, ãt] *vb voir* **distraire ♦** *adj* distraído(-a), entretenido(-a).

distribuer [distʀibɥe] *vt* repartir; *(hum: gifles, coups)* propinar; *(rôles)* repartir; *(CARTES)* dar; *(COMM)* distribuir.

distributeur, -trice [distʀibytœʀ, tʀis] *nm/f (COMM)* distribuidor(a) **♦** *nm (AUTO)* delco; **▶ distributeur (automatique)** máquina (expendedora); *(BANQUE)* cajero.

distribution [distʀibysjɔ̃] *nf* reparto; *(livres, ordonnance, répartition)* distribución *f;* **circuits de** ~ circuitos *mpl* de distribución; ~ **des prix** reparto de premios.

district [distʀikt] *nm* distrito.

dit [di] *pp de* **dire ♦** *adj:* **le jour** ~ el día fijado; **X,** ~ **Pierrot X,** llamado Pierrot.

dites [dit] *vb voir* **dire**.

dithyrambique [ditiʀãbik] *adj* elogioso(-a).

diurétique [djyʀetik] *adj* diurético(-a) **♦** *nm* diurético.

diurne [djyʀn] *adj* diurno(-a).

divagations [divagasjɔ̃] *nfpl* divagaciones *fpl.*

divaguer [divage] *vi* divagar; *(malade)* delirar.

divan [divã] *nm* sofá *m.*

divan-lit [divãli] *nm* sofá cama *m.*

divergence [divɛʀʒãs] *nf (gén pl: d'opinion)* discrepancia; *(GÉOM, OPTIQUE)* divergencia.

divergent, e [divɛʀʒã, ãt] *adj (lignes)* divergente; *(interprétations etc)* discrepante.

diverger [divɛʀʒe] *vi (personnes, idées)* discrepar; *(rayons, lignes)* divergir.

divers, e [divɛʀ, ɛʀs] *adj (varié)* diverso (-a), vario(-a); *(différent)* variado(-a) **♦** *dét (plusieurs)* varios(-as), diversos(-as); "~" "varios"; **(frais)** ~ gastos *mpl* varios.

diversement [divɛʀsəmã] *adv* de forma diversa.

diversification [divɛʀsifikasjɔ̃] *nf* diversificación *f.*

diversifier [divɛʀsifje] *vt* diversificar; **se diversifier** *vpr* diversificarse.

diversion [divɛʀsjɔ̃] *nf (dérivatif)* distracción *f;* *(MIL etc)* diversión *f;* **faire** ~ **(à)** desviar la atención (de).

diversité [divɛʀsite] *nf* diversidad *f.*

divertir [divɛʀtiʀ] *vt* divertir; **se divertir** *vpr* divertirse.

divertissant, e [divɛrtisɑ̃, ɑ̃t] *adj* entretenido(-a).

divertissement [divɛrtismɑ̃] *nm* diversión *f*; (*MUS*) divertimento.

dividende [dividɑ̃d] *nm* (*MATH, COMM*) dividendo.

divin, e [divɛ̃, in] *adj* (*aussi fig*) divino(-a).

divinateur, -trice [divinatœr, tris] *adj* adivinador(-a).

divination [divinasjɔ̃] *nf* adivinación *f*.

divinatoire [divinatwar] *adj* adivinatorio (-a); **baguette** ~ varilla de zahorí.

divinement [divinmɑ̃] *adv* divinamente.

divinisation [divinizasjɔ̃] *nf* divinización *f*.

diviniser [divinize] *vt* divinizar.

divinité [divinite] *nf* divinidad *f*.

divisé, e [divize] *adj* (*opinions*) dividido (-a).

diviser [divize] *vt* dividir; **se diviser** *vpr*: **se** ~ **en** dividirse en; ~ **par** dividir por; ~ **un nombre par un autre** dividir un número entre otro.

diviseur [divizœr] *nm* (*MATH*) divisor *m*.

divisible [divizibl] *adj* divisible.

division [divizjɔ̃] *nf* división *f*; **1ère/2ème** ~ (*SPORT*) 1a/2a división; ▶ **division du travail** (*ÉCON*) división del trabajo.

divisionnaire [divizjɔner] *adj* **commissaire** ~ inspector(a) de división.

divorce [divɔrs] *nm* (*aussi fig*) divorcio.

divorcé, e [divɔrse] *adj, nm/f* divorciado (-a).

divorcer [divɔrse] *vi* divorciarse; ~ **de** *ou* **d'avec qn** divorciarse de algn.

divulgation [divylgasjɔ̃] *nf* divulgación *f*.

divulguer [divylge] *vt* divulgar.

dix [dis] *adj inv, nm inv* diez *m inv*; *voir aussi* **cinq**.

dix-huit [dizɥit] *adj inv, nm inv* dieciocho *m inv*; *voir aussi* **cinq**.

dix-huitième [dizɥitjɛm] *adj, nm/f* decimoctavo(-a) ♦ *nm* (*partitif*) dieciochoavo; *voir aussi* **cinquantième**.

dixième [dizjɛm] *adj, nm/f* décimo(-a) ♦ *nm* décimo; *voir aussi* **cinquième**.

dixièmement [dizjɛmmɑ̃] *adv* en décimo lugar.

dix-neuf [diznœf] *adj inv, nm inv* diecinueve *m inv*; *voir aussi* **cinq**.

dix-neuvième [diznœvjɛm] *adj, nm/f* decimonoveno(-a) ♦ *nm* (*partitif*) diecinueveavo; *voir aussi* **cinquantième**.

dix-sept [disɛt] *adj inv, nm inv* diecisiete *m inv*; *voir aussi* **cinq**.

dix-septième [disɛtjɛm] *adj, nm/f* decimoséptimo(-a) ♦ *nm* (*partitif*) diecisieteavo; *voir aussi* **cinquantième**.

dizaine [dizɛn] *nf* (*unité*) decena; **une** ~ **de** ... unos(-as) diez ...; **dire une** ~ **de chapelet** rezar una decena del rosario.

Djakarta [dʒakarta] *n* Yakarta.

Djibouti [dʒibuti] *n* Yibuti.

DM *abr* (= *deutschmark*) *marco alemán*.

dm *abr* (= *décimètre(s)*) dm.

do [do] *nm inv* (*MUS*) do.

doberman [dɔbɛrman] *nm* dóberman *m*.

docile [dɔsil] *adj* dócil.

docilement [dɔsilmɑ̃] *adv* dócilmente.

docilité [dɔsilite] *nf* docilidad *f*.

dock [dɔk] *nm* dique *m*; (*hangar, bâtiment*) depósito, almacén *m*; ▶ **dock flottant** dique flotante.

docker [dɔkɛr] *nm* estibador *m*.

docte [dɔkt] (*péj*) *adj* docto(-a).

docteur [dɔktœr] *nm* (*médecin*) médico, doctor(a); (*d'Université*) doctor(a); ▶ **docteur en médecine** doctor(a) en medicina.

doctoral, e, -aux [dɔktɔral, o] *adj* doctoral.

doctorat [dɔktɔra] *nm* (*aussi*: ~ **d'État**) doctorado.

doctoresse [dɔktɔrɛs] *nf* médica, doctora.

doctrinaire [dɔktrinɛr] *adj* doctrinal; (*péj*: *ton, personne*) sentencioso(-a).

doctrinal, e, -aux [dɔktrinal, o] *adj* doctrinal.

doctrine [dɔktrin] *nf* doctrina.

document [dɔkymɑ̃] *nm* documento.

documentaire [dɔkymɑ̃tɛr] *adj* documental ♦ *nm*: (**film**) ~ documental *m*.

documentaliste [dɔkymɑ̃talist] *nm/f* documentalista *m/f*.

documentation [dɔkymɑ̃tasjɔ̃] *nf* documentación *f*.

documenté, e [dɔkymɑ̃te] *adj* documentado(-a).

documenter [dɔkymɑ̃te] *vt* documentar; **se** ~ (**sur**) documentarse (sobre).

dodelinement [dɔd(ə)linmɑ̃] *nm* cabezada.

dodeliner [dɔd(ə)line] *vi*: ~ **de la tête** cabecear, dar cabezadas.

dodo [dɔdo] *nm*: **aller faire** ~ ir a la cama.

dodu, e [dɔdy] *adj* rollizo(-a).

dogmatique [dɔgmatik] *adj* dogmático(-a).

dogmatiquement [dɔgmatikmɑ̃] *adv* dogmáticamente.

dogmatisme [dɔgmatism] *nm* dogmatismo.

dogme [dɔgm] *nm* dogma *m*.

dogue [dɔg] *nm* (perro) dogo.

doigt [dwa] *nm* dedo; **être à deux** ~**s de** estar a dos dedos de; **un** ~ **de** (*fig*: *lait*) una gota de; (: *whisky*) un dedo de; **le petit** ~ el (dedo) meñique; **au** ~ **et à l'œil** (*obéir*) puntualmente; **désigner** *ou* **montrer du** ~ señalar con el dedo; **connaître qch sur le bout du** ~ saber algo al dedillo; **mettre le** ~ **sur la plaie** poner el dedo en la llaga; ▶ **doigt de pied** dedo del pie.

doigté [dwate] *nm* (*MUS*) digitación *f*; (*fig*)

tiento.
doigtier [dwatje] *nm* dedil *m*.
dois *etc* [dwa] *vb voir* **devoir**.
doit *etc* [dwa] *vb voir* **devoir**.
doive *etc* [dwav] *vb voir* **devoir**.
doléances [dɔleãs] *nfpl* quejas *fpl*.
dolent, e [dɔlã, ãt] *adj* penoso(-a).
dollar [dɔlaʀ] *nm* dólar *m*.
dolmen [dɔlmɛn] *nm* dolmen *m*.
DOM [dɔm] *sigle m ou mpl* (= *département(s) d'outre-mer*) provincias de ultramar.
domaine [dɔmɛn] *nm* (*aussi fig*) dominio; (*JUR*): **tomber dans le ~ public** pasar al dominio público; **dans tous les ~s** en todos los órdenes.
domanial, e, -aux [dɔmanjal, jo] *adj* público(-a).
dôme [dom] *nm* cúpula.
domestication [dɔmɛstikasjɔ̃] *nf* (*animaux*) domesticación *f*; (*peuple*) sometimiento; (*vent, marées*) aprovechamiento.
domesticité [dɔmɛstisite] *nf* domesticidad *f*.
domestique [dɔmɛstik] *adj* doméstico(-a) ♦ *nm/f* doméstico(-a), sirviente(-a), criado(-a).
domestiquer [dɔmɛstike] *vt* (*animal*) domesticar; (*peuple*) someter; (*vent, marées*) aprovechar.
domicile [dɔmisil] *nm* domicilio; **à ~ a** domicilio; **élire ~ à** fijar el domicilio en; **sans ~ fixe** sin domicilio fijo; ▶ **domicile conjugal/légal** domicilio conyugal/legal.
domicilié, e [dɔmisilje] *adj*: **être ~ à** estar domiciliado(-a) en.
dominant, e [dɔminã, ãt] *adj* dominante.
dominante [dɔminãt] *nf* (*trait*) rasgo dominante; (*couleur*) color *m* dominante.
dominateur, -trice [dɔminatœʀ, tʀis] *adj* dominante.
domination [dɔminasjɔ̃] *nf* dominación *f*; (*influence*) dominio.
dominer [dɔmine] *vt* dominar; (*passions etc*) dominar, controlar; (*surpasser*) sobrepasar a ♦ *vi* dominar; (*être le plus nombreux*) predominar; **se dominer** *vpr* dominarse, controlarse.
dominicain, e [dɔminikɛ̃, ɛn] *adj* (*GÉO*) dominicano(-a); (*REL*) dominico(-a) ♦ *nm/f*: **D~, e** (*GÉO*) dominicano(-a); (*REL*) dominico(-a).
dominical, e, -aux [dɔminikal, o] *adj* dominical.
Dominique [dɔminik] *nf* Dominica.
domino [dɔmino] *nm* dominó *m*; **~s** *nmpl* (*jeu*) dominó *msg*.
dommage [dɔmaʒ] *nm* daño, perjuicio; (*gén pl*: *dégâts, pertes*) daños *mpl*, pérdidas *fpl*; **c'est ~ de faire/que ...** es una lás-

tima hacer/que ...; ▶ **dommages corporels** daños físicos; ▶ **dommages matériels** daños materiales.
dommages-intérêts [dɔmaʒ(əz)ɛ̃teʀɛ] *nmpl* daños y perjuicios *mpl*.
dompter [dɔ̃(p)te] *vt* domar; (*passions*) dominar.
dompteur, -euse [dɔ̃(p)tœʀ, øz] *nm/f* domador(a).
DOM-TOM [dɔmtɔm] *sigle m ou mpl* (= *département(s) d'outre-mer/territoire(s) d'outre-mer*) provincias y territorios franceses de ultramar.
don [dɔ̃] *nm* (*cadeau*) regalo; (*charité*) donativo; (*aptitude*) don *m*; **avoir des ~s pour** tener *ou* tener gracia para; **faire ~ de** regalar; ▶ **don en argent** regalo en metálico.
donateur, -trice [dɔnatœʀ, tʀis] *nm/f* donante *m/f*.
donation [dɔnasjɔ̃] *nf* donación *f*.
donc [dɔ̃k] *conj* (*en conséquence*) por tanto; (*après une digression*) así pues; **voilà ~ la solution** (*intensif*) aquí está la solución; **je disais ~** como *ou* como decía; **c'est ~ que** así que; **c'est ~ que j'avais raison** entonces yo tenía razón; **venez ~ dîner à la maison** venid por favor a cenar a casa; **faites ~ ¡adelante!; "allons ~!"** "¡no me digas!", "¡anda, vamos!".
donjon [dɔ̃ʒɔ̃] *nm* torreón *m*.
don Juan [dɔ̃ʒɥã] *nm* (*séducteur*) don Juan *m*.
donnant, e [dɔnã, ãt] *adj*: **~, ~** a toma y daca.
donne [dɔn] *nf* (*CARTES*) reparto; **il y a mauvaise** *ou* **fausse ~** (las cartas) están mal dadas.
donné, e [dɔne] *adj* (*convenu*): **prix/jour ~** precio/día *m* determinado; **c'est ~** es tirado, está regalado; **étant ~ que ...** puesto *ou* dado que ... .
donnée [dɔne] *nf* dato.
donner [dɔne] *vt* dar; (*offrir*) regalar; (*maladie*) pegar; (*film, spectacle*) echar, poner ♦ *vi* (*fenêtre, chambre*): **~ sur** dar a; **se donner** *vpr*: **se ~ à fond (à son travail)** entregarse a fondo (a su trabajo); **~ dans** (*piège etc*) caer en; **faire ~ l'infanterie** hacer cargar a la infantería; **~ qch à qn** dar algo a algn; **~ l'heure à qn** decir la hora a algn; **~ le ton** (*fig*) marcar la tónica; **se ~ du mal** *ou* **de la peine (pour faire qch)** afanarse (por hacer algo); **s'en ~ (à cœur joie)** (*fam*) pasarlo bomba; **~ à penser/entendre que ...** parecer indicar que ... .
donneur, -euse [dɔnœʀ, øz] *nm/f* (*MÉD*) donante *m/f*; (*CARTES*) que da las cartas; ▶ **donneur de sang** donante de sangre.

========================= *MOT-CLÉ*

dont [dɔ̃] *pron relatif* **1** (*complément d'un nom sujet*) cuyo(-a), cuyos(-as); **une méthode dont je ne connais pas les résultats** un método cuyos resultados desconozco; **c'est le chien dont le maître habite en face** es el perro cuyo dueño vive enfrente
2 (*complément de verbe ou adjectif*): **le voyage dont je t'ai parlé** el viaje del que te hablé; **le pays dont il est originaire** el país del que es originario; **la façon dont il l'a fait** la forma en que lo hizo
3 (*parmi lesquel(le)s*): **2 livres, dont l'un est gros** 2 libros, uno de los cuales es gordo; **il y avait plusieurs personnes, dont Gabrielle** había varias personas, entre ellas Gabriela; **10 blessés, dont 2 grièvement** 10 heridos, 2 de ellos de gravedad.

donzelle [dɔ̃zɛl] (*péj*) *nf* mocita.
dopage [dɔpaʒ] *nm* doping *m*.
dopant, e [dɔpɑ̃] *adj* dopante ♦ *nm* dopante *m*.
doper [dɔpe] *vt* dopar; **se doper** *vpr* doparse.
doping [dɔpiŋ] *nm* doping *m*.
dorade [dɔrad] *nf* = **daurade**.
doré, e [dɔre] *adj* dorado(-a).
dorénavant [dɔrenavɑ̃] *adv* en adelante, en lo sucesivo.
dorer [dɔre] *vt* dorar ♦ *vi* (*CULIN: poulet*): **(faire)** ~ dorar; (: *gâteau*) bañar en yema; **se** ~ **au soleil** tostarse al sol; ~ **la pilule à qn** dorar la píldora a algn.
dorloter [dɔrlɔte] *vt* mimar; **se faire** ~ dejarse mimar.
dormant, e [dɔrmɑ̃, ɑ̃t] *adj*: **eau** ~**e** agua estancada ♦ *nm* (*de porte*) durmiente *m*.
dorme [dɔrm] *vb voir* **dormir**.
dormeur, -euse [dɔrmœr, øz] *nm/f* durmiente *m/f*; **je suis un grand** ~ me gusta mucho dormir.
dormir [dɔrmir] *vi* (*aussi fig*) dormir; (*être endormi*) dormir, estar dormido(-a); **il dort bien/mal** duerme bien/mal; **ne fais pas de bruit, il dort** no hagas ruido, está durmiendo; ~ **à poings fermés** dormir a pierna suelta.
dorsal, e, -aux [dɔrsal, o] *adj* dorsal.
dortoir [dɔrtwar] *nm* dormitorio; **cité** ~ ciudad *f* dormitorio.
dorure [dɔryr] *nf* dorado.
doryphore [dɔrifɔr] *nm* (*ZOOL*) dorífora, escarabajo de la patata.
dos [do] *nm* espalda; (*d'un animal, de livre*) lomo; (*d'un chèque etc*) dorso; (*de la main*) dorso; **voir au** ~ véase al dorso; **robe décolletée dans le** ~ vestido escota-do de espalda; **de** ~ de espaldas; ~ **à** ~ de espaldas uno a otro; **sur le** ~ (*s'allonger*) boca arriba; **à** ~ **de** (*chameau*) a lomo de; **elle a bon** ~, **ta mère!** ¡qué fácil es echarle la culpa a tu madre!; **se mettre qn à** ~ enemistarse con algn.
dosage [dozaʒ] *nm* dosificación *f*.
dos-d'âne [dodɑn] *nm inv* badén *m*; **pont en** ~-~ puente *m* en escarpe.
dose [doz] *nf* dosis *f inv*; **forcer la** ~ (*fig*) exagerar.
doser [doze] *vt* (*aussi fig*) dosificar.
doseur [dozœr] *nm* dosificador *m*; **bouchon** ~ tapón *m* dosificador.
dossard [dosar] *nm* dorsal *m*.
dossier [dosje] *nm* expediente *m*; (*chemise, enveloppe*) carpeta; (*de chaise*) respaldo; (*PRESSE*) dossier *m*; **le** ~ **social/monétaire** (*fig*) la cuestión social/monetaria; ► **dossier suspendu** expediente archivado.
dot [dɔt] *nf* dote *f*.
dotation [dɔtasjɔ̃] *nf* dotación *f*.
doté, e [dɔte] *adj*: ~ **de** dotado(-a) de.
doter [dɔte] *vt* (*équiper*): ~ **qch/qn de** dotar algo/a algn de.
douairière [dwɛrjɛr] *nf* señora anciana.
douane [dwan] *nf* aduana; (*taxes*) arancel *m*; **passer la** ~ pasar la aduana; **en** ~ en la aduana.
douanier, -ière [dwanje, jɛr] *adj, nm/f* aduanero(-a).
doublage [dublaʒ] *nm* (*film*) doblaje *m*.
double [dubl] *adj* doble ♦ *adv*: **voir** ~ ver doble ♦ *nm* (*autre exemplaire*) copia; (*sosie*) doble; **le** ~ **(de)** el doble (de); ~ **messieurs/mixte** (*TENNIS*) dobles *mpl* masculinos/mixtos; **à** ~ **sens** con doble sentido; **à** ~ **tranchant** de doble filo; **faire** ~ **emploi** sobrar; **à** ~**s commandes** de doble mando; **en** ~ por duplicado; ► **double carburateur** doble carburador *m*; ► **double toit** (*tente*) doble techo; ► **double vue** doble vista.
doublé, e [duble] *adj* (*lettre*) doble; (*voyelle*) geminado(-a); (*vêtement*) forrado(-a); (*film*) doblado(-a); ~ **de** forrado(-a) de; (*fig*) además de.
doublement [dubləmɑ̃] *nm* duplicación *f* ♦ *adv* doblemente.
doubler [duble] *vt* duplicar; (*vêtement, chaussures*) forrar; (*voiture etc*) adelantar; (*film*) doblar; (*acteur*) doblar a ♦ *vi* duplicarse; (*SCOL*): ~ **(la classe)** repetir (curso); **se doubler** *vpr*: **se** ~ **de** (*fig*) complicarse con; ~ **un cap** (*NAUT*) doblar un cabo; (*fig*) pasar una etapa.
doublure [dublyr] *nf* (*de vêtement*) forro; (*acteur*) doble *m*.
douce [dus] *adj voir* **doux**.

douceâtre [dusɑtʀ] adj dulzón(-ona).

doucement [dusmɑ̃] adv (délicatement) con cuidado; (à voix basse) bajo; (lentement) despacio; (graduellement) poco a poco.

doucereux, -euse [dus(ə)ʀø, øz] (péj) adj empalagoso(-a).

douceur [dusœʀ] nf suavidad f; (d'une personne, saveur etc) dulzura; (de gestes) delicadeza; ~s nfpl golosinas fpl; **en** ~ con suavidad.

douche [duʃ] nf ducha; ~s nfpl (salle) duchas fpl; **prendre une** ~ ducharse; ► **douche écossaise** ou **froide** (fig) jarro de agua fría.

doucher [duʃe] vt: ~ **qn** duchar a algn; (fig) echar un jarro de agua fría a algn; **se doucher** vpr ducharse.

doudoune [dudun] nf anorak m.

doué, e [dwe] adj dotado(-a); ~ **de** (possédant) dotado(-a) de; **être** ~ **pour** tener facilidad para.

douille [duj] nf (ÉLEC) casquillo; (de projectile) casquete m.

douillet, te [dujε, εt] adj (péj) delicado (-a); (lit) mullido(-a); (maison) confortable.

douleur [dulœʀ] nf dolor m; **ressentir des** ~s sentir dolores; **il a eu la** ~ **de perdre son père** tuvo la desgracia de perder a su padre.

douloureux, -euse [duluʀø, øz] adj doloroso(-a); (membre) dolido(-a).

doute [dut] nm duda; **sans** ~ seguramente; **sans nul** ou **aucun** ~ sin ninguna duda; **hors de** ~ fuera de duda; **nul** ~ **que** no hay ninguna duda de que; **mettre en** ~ poner en duda; **mettre en** ~ **que** dudar que.

douter [dute] vt dudar; ~ **de** dudar de; ~ **que** dudar que; **j'en doute** lo dudo; **se** ~ **de qch/que** sospechar algo/que; **je m'en doutais** me lo figuraba; **ne** ~ **de rien** estar muy seguro(-a).

douteux, -euse [dutø, øz] adj dudoso(-a); (discutable) discutible; (péj) de aspecto dudoso.

douve [duv] nf (de château) foso; (de tonneau, du foie) duela.

doux, douce [du, dus] adj suave (personne, saveur) dulce; (gestes) delicado(-a); (climat, région) templado(-a); (eau) blando(-a); **en douce** (partir etc) a la chita callando; **tout** ~ despacio.

douzaine [duzɛn] nf docena; **une** ~ **(de)** unos(-as) doce.

douze [duz] adj inv, nm inv doce m inv; **les D**~ los Doce; voir aussi **cinq**.

douzième [duzjɛm] adj, nm/f duodécimo(-a) ♦ nm duodécimo; voir aussi **cinquième**.

doyen, ne [dwajɛ̃, jɛn] nm/f (en âge) mayor m/f; (de faculté) decano(-a); **le** ~ **de** ... (en ancienneté) el(la) más antiguo (-a) **de** ... .

DPLG [depeɛlʒe] sigle (= diplômé par le gouvernement) con un título especial del Estado.

Dr abr (= docteur) Dr(a). (= doctor(a)).

dr. abr (= droit) der.; (= droite) dcha.

draconien, ne [dʀakɔnjɛ̃, jɛn] adj draconiano(-a); (mesure) drástico(-a).

dragée [dʀaʒe] nf peladilla; (MÉD) gragea.

dragéifié, e [dʀaʒeifje] adj: **comprimé** ~ grageo.

dragon [dʀagɔ̃] nm dragón m.

drague [dʀag] nf (filet) red f barredera; (bateau) draga.

draguer [dʀage] vt (rivière) dragar; (fam: filles) ligar con ♦ vi ligar.

dragueur [dʀagœʀ] nm dragaminas m inv; **quel** ~! (péj: séducteur) ¡menudo ligón!

drain [dʀɛ̃] nm (MÉD) cánula.

drainage [dʀɛnaʒ] nm drenaje m; (des capitaux) atracción f.

drainer [dʀene] vt drenar; (visiteurs, capitaux) atraer.

dramatique [dʀamatik] adj dramático(-a) ♦ nf (TV) teledrama m.

dramatiquement [dʀamatikmɑ̃] adv dramáticamente.

dramatisation [dʀamatizasjɔ̃] nf dramatización f.

dramatiser [dʀamatize] vt (exagérer) dramatizar.

dramaturge [dʀamatyʀʒ] nm/f dramaturgo(-a).

drame [dʀam] nm drama m; ► **drame de l'alcoolisme** drama del alcoolismo; ► **drame familial** drama familiar.

drap [dʀa] nm sábana; (tissu) paño; ► **drap de dessous/de dessus** (sábana) bajera/encimera; ► **drap de plage** toalla de playa.

drapé [dʀape] nm (d'un vêtement) pliegues mpl.

drapeau, x [dʀapo] nm bandera; **sous les** ~x en filas; **le** ~ **blanc** la bandera blanca.

draper [dʀape] vt (personne, statue) vestir; (robe, jupe) colocar los pliegues de.

draperies [dʀapʀi] nfpl colgaduras fpl.

drap-housse [dʀaus] (pl ~**s**-~**s**) nm sábana ajustable.

drapier [dʀapje] nm pañero(-a).

drastique [dʀastik] adj drástico(-a).

dressage [dʀesaʒ] nm (d'un animal domestique) entrenamiento; (d'un animal de cirque) amaestramiento.

dresser [dʀese] vt levantar; (liste) redactar; (animal domestique) entrenar; (animal de cirque) amaestrar; **se dresser** vpr (église, falaise) erguirse; (obstacle) presentarse; (*sur la pointe des pieds*) ponerse de puntillas; (*avec grandeur, menace*) erguirse; ~ l'oreille aguzar el oído; ~ la table poner la mesa; ~ qn contre qn d'autre indisponer a algn con algn; ~ un procès-verbal *ou* une contravention à qn levantar acta a algn.

dresseur, -euse [dʀɛsœʀ, øz] *nm/f* domador(a).

dressoir [dʀɛswaʀ] *nm* trinchero.

dribble [dʀibl] *nm* (*SPORT*) dribling *m*.

dribbler [dʀible] *vt, vi* driblar.

dribbleur [dʀiblœʀ] *nm* jugador(a) que dribla a menudo.

drille [dʀij] *nm*: joyeux ~ persona jovial.

drogue [dʀɔg] *nf* droga; ▸ drogue douce/dure droga blanda/dura.

drogué [dʀɔge] *nm/f* drogadicto(-a).

droguer [dʀɔge] *vt* drogar; se droguer *vpr* drogarse.

droguerie [dʀɔgʀi] *nf* droguería.

droguiste [dʀɔgist] *nm/f* droguero(-a).

droit, e [dʀwa, dʀwat] *adj* derecho(-a), recto(-a); (*opposé à gauche*) derecho(-a); (*fig*) recto(-a) ♦ *adv* derecho ♦ *nm* derecho; (*BOXE*): direct/crochet du ~ directo/gancho de derecha; (*lois, matière*): le ~ el derecho; ~s *nmpl* (*taxes*) derechos *mpl*; ~ au but *ou* au fait al grano; ~ au cœur al corazón; avoir le ~ de tener el derecho de; avoir ~ à tener derecho a; être en ~ de tener el derecho de; faire ~ à hacer justicia a; être dans son ~ estar en su derecho; à bon ~ con razón; de quel ~? ¿con qué derecho?; à qui de ~ a quien corresponda; avoir ~ de cité (dans) (*fig*) tener derecho de entrada (en); ▸ droit coutumier derecho consuetudinario; ▸ droit de regard derecho de control; ▸ droit de réponse/de visite/de vote derecho de réplica/de visita/al voto; ▸ droits d'auteur derechos de autor; ▸ droits de douane aranceles *mpl*, derechos arancelarios *ou* de aduana; ▸ droits d'inscription matrícula.

droite [dʀwat] *nf* (*direction*) derecha; (*MATH*) recta; (*POL*): la ~ la derecha; à ~ (de) a la derecha (de); de ~ (*POL*) de derechas.

droit-fil [dʀwafil] (*pl* ~s-~s) *nm* sentido de los hilos; (*fig*) orientación *f*; jupe ~ falda cortada en el sentido de los hilos.

droitier, -ière [dʀwatje, jɛʀ] *adj, nm/f* diestro(-a).

droiture [dʀwatyʀ] *nf* (*morale*) rectitud *f*.

drôle [dʀol] *adj* gracioso(-a); (*bizarre*) raro(-a); un ~ de ... un ... muy raro.

drôlement [dʀolmɑ̃] *adv* tremendamente; il fait ~ froid hace un frío que pela.

drôlerie [dʀolʀi] *nf* gracia.

dromadaire [dʀɔmadɛʀ] *nm* dromedario.

dru, e [dʀy] *adj* (*cheveux*) tupido(-a); (*pluie*) recio(-a) ♦ *adv* (*pousser*) tupido; la pluie tombait ~ llovía a cántaros.

drugstore [dʀœgstɔʀ] *nm* drugstore *m*.

druide [dʀɥid] *nm* druida *m*.

DST [deɛste] *sigle f* (= *Direction de la surveillance du territoire*) dirección de la seguridad del Estado.

du [dy] *prép + dét voir* de.

dû, e [dy] *pp de* devoir ♦ *adj* (*somme*) debido(-a); ~ à debido a ♦ *nm*: le ~ lo debido.

dualisme [dɥalism] *nm* dualismo.

dubitatif, -ive [dybitatif, iv] *adj* dubitativo(-a).

duc [dyk] *nm* duque *m*.

duché [dyʃe] *nm* ducado.

duchesse [dyʃɛs] *nf* duquesa.

duel [dɥɛl] *nm* duelo; (*oratoire*) enfrentamiento; (*économique*) guerra.

duettiste [dɥetist] *nm/f* duetista *m/f*.

duffel-coat, duffle-coat [dœfœlkot] (*pl* ~-~s *ou* ~-~s) *nm* trenca.

dûment [dymɑ̃] *adv* debidamente.

dumping [dœmpiŋ] *nm* dumping *m*, abaratamiento.

dune [dyn] *nf* duna.

Dunkerque [dœ̃kɛʀk] *n* Dunkerque.

duo [dɥo] *nm* (*MUS*) dúo; (*couple*) pareja.

duodénal, e, -aux [dɥɔdenal, o] *adj* duodenal.

dupe [dyp] *nf* engañado(-a) ♦ *adj*: (ne pas) être ~ de (no) dejarse engañar por.

duper [dype] *vt* engañar.

duperie [dypʀi] *nf* engaño.

duplex [dyplɛks] *nm* (*appartement*) dúplex *m*; émission en ~ doble emisión *f*.

duplicata [dyplikata] *nm* duplicado.

duplicateur [dyplikatœʀ] *nm* multicopista *m*.

duplicité [dyplisite] *nf* duplicidad *f*.

duquel [dykɛl] *prép + pron voir* lequel.

dur, e [dyʀ] *adj* duro(-a); (*problème*) difícil; (*lumière*) fuerte; (*fam*) almidonado(-a) ♦ *nm* (*construction*): en ~ de fábrica ♦ *adv* (*travailler, taper etc*) duramente, mucho ♦ *nf*: à la ~ en condiciones penosas; mener la vie ~e à qn dar mala vida a algn; ~ d'oreille duro(-a) de oído.

durabilité [dyʀabilite] *nf* durabilidad *f*.

durable [dyʀabl] *adj* duradero(-a).

durablement [dyʀabləmɑ̃] *adv* duraderamente.

duralumin [dyʀalymɛ̃] *nm* duraluminio.

durant [dyʀɑ̃] *prép* durante; ~ des mois, des mois ~ durante meses enteros.

durcir [dyʀsiʀ] *vt, vi* endurecer; se durcir *vpr* endurecerse.

durcissement [dyʀsismɑ̃] *nm* endureci-

miento.
durée [dyʀe] *nf* duración *f*; **de courte/ longue** ~ breve/prolongado(-a); **pile de longue** ~ pila de larga duración; **pour une** ~ **illimitée** por un periodo ilimitado.
durement [dyʀmɑ̃] *adv* (*très*) fuertemente; (*traiter*) severamente, duramente.
durent [dyʀ] *vb voir* **devoir**.
durer [dyʀe] *vi* durar.
dureté [dyʀte] *nf* dureza; (*de la lumière*) fuerza.
durillon [dyʀijɔ̃] *nm* callosidad *f*.
durit ⓡ [dyʀit] *nm* durita.
DUT [deyte] *sigle m* (= *diplôme universitaire de technologie*) diplomatura en ingeniería técnica.
dut *etc* [dy] *vb voir* **devoir**.
duvet [dyvɛ] *nm* plumón *m*; **(sac de couchage en)** ~ (saco de dormir de) plumón.
duveteux, -euse [dyv(ə)tø, øz] *adj* suave.
dynamique [dinamik] *adj* dinámico(-a).
dynamiser [dinamize] *vt* dinamizar, agilizar.
dynamisme [dinamism] *nm* dinamismo.
dynamite [dinamit] *nf* dinamita.
dynamiter [dinamite] *vt* dinamitar.
dynamo [dinamo] *nf* dinamo *f* (*m en AM*).
dynastie [dinasti] *nf* dinastía.
dysenterie [disɑ̃tʀi] *nf* disentería.
dyslexie [dislɛksi] *nf* dislexia.
dyslexique [dislɛksik] *adj* disléxico(-a).
dyspepsie [dispɛpsi] *nf* dispepsia.

E, e

E, e [ə] *nm inv* (*lettre*) E, e *f*; ~ **comme Eugène** ≈ E de España.
E [ə] *abr* (= *Est*) E.
EAO [əao] *sigle m* (= *enseignement assisté par ordinateur*) EAO *f* (= *enseñanza asistida por ordenador*).
EAU *abr* (= *Émirats arabes unis*) EAU *mpl* (= *Emiratos Árabes Unidos*).
eau, x [o] *nf* agua; ~**x** *nfpl* (*thermales*) aguas *fpl*; **sans** ~ (*whisky etc*) sin agua; **prendre l'**~ (*chaussure etc*) dejar pasar el agua; **prendre les** ~**x** tomar las aguas; **tomber à l'**~ (*fig*) fracasar; **à l'**~ **de rose** rosa; ▶ **eau bénite** agua bendita; ▶ **eau courante/douce/salée** agua corriente/ dulce/salada; ▶ **eau de Cologne/de toi-**

lette agua de Colonia/de olor; ▶ **eau de javel** lejía; ▶ **eau de pluie** agua de lluvia; ▶ **eau distillée/lourde** agua destilada/pesada; ▶ **eau minérale/ oxygénée** agua mineral/oxigenada; ▶ **eau plate/gazeuse** agua natural (del grifo)/con gas; ▶ **les Eaux et Forêts** *administración de montes*; ▶ **eaux ménagères** *ou* **usées** aguas *fpl* residuales; ▶ **eaux territoriales** aguas jurisdiccionales.
eau-de-vie [odvi] (*pl* ~**x**-~-~) *nf* aguardiente *m*.
eau-forte [ofɔʀt] (*pl* ~**x**-~**s**) *nf* aguafuerte *f*.
ébahi, e [ebai] *adj* atónito(-a).
ébahir [ebaiʀ] *vt* dejar atónito(-a).
ébats [eba] *vb voir* **ébattre** ♦ *nmpl* retozos *mpl*.
ébattre [ebatʀ]: **s'**~ *vpr* retozar.
ébauche [eboʃ] *nf* esbozo, boceto.
ébaucher [eboʃe] *vt* esbozar, bosquejar; ~ **un sourire/geste** esbozar una sonrisa/un gesto; **s'ébaucher** *vpr* esbozarse.
ébène [ebɛn] *nf* ébano.
ébéniste [ebenist] *nm* ebanista *m/f*.
ébénisterie [ebenist(ə)ʀi] *nf* (*métier*) ebanistería; (*bâti*) armazón *m*.
éberlué, e [ebɛʀlɥe] *adj* boquiabierto(-a).
éblouir [ebluiʀ] *vt* (*aussi fig*) deslumbrar; (*aveugler*) cegar.
éblouissant, e [ebluisɑ̃, ɑ̃t] *adj* (*aussi fig*) deslumbrante.
éblouissement [ebluismɑ̃] *nm* deslumbramiento; (*faiblesse*) vahído.
ébonite [ebɔnit] *nf* ebonita.
éborgner [ebɔʀɲe] *vt*: ~ **qn** dejar tuerto (-a) a algn.
éboueur [ebwœʀ] *nm* basurero.
ébouillanter [ebujɑ̃te] *vt* escaldar; **s'ébouillanter** *vpr* escaldarse.
éboulement [ebulmɑ̃] *nm* derrumbamiento; (*amas*) escombros *mpl*.
ébouler [ebule]: **s'**~ *vpr* derrumbarse.
éboulis [ebuli] *nm* desprendimiento.
ébouriffé, e [ebuʀife] *adj* desgreñado(-a).
ébouriffer [ebuʀife] *vt* desgreñar.
ébranlement [ebʀɑ̃lmɑ̃] *nm* estremecimiento.
ébranler [ebʀɑ̃le] *vt* (*vitres, immeuble*) estremecer; (*poteau, mur*) mover; (*résolution, personne*) hacer vacilar; (*régime*) desestabilizar; (*santé*) debilitar; **s'ébranler** *vpr* (*partir*) ponerse en movimiento.
ébrécher [ebʀeʃe] *vt* (*assiette*) lascar; (*lame*) mellar.
ébriété [ebʀijete] *nf*: **en état d'**~ en estado de embriaguez.
ébrouer [ebʀue]: **s'**~ *vpr* (*cheval*) resoplar; (*s'agiter*) sacudirse.

ébruiter [ebʀɥite] vt divulgar; **s'ébruiter** vpr divulgarse.
ébullition [ebylisjɔ̃] nf ebullición f; **en** ~ en ebullición; (*fig*) en efervescencia.
écaille [ekaj] nf (*de poisson*) escama; (*de coquillage*) concha; (*matière*) concha, carey m; (*de peinture*) desconchón m.
écaillé, e [ekaje] adj desconchado(-a).
écailler [ekaje] vt (*poisson*) escamar; (*huître*) abrir; (*aussi*: **faire s'**~) desconchar; **s'écailler** vpr (*peinture*) desconcharse.
écarlate [ekaʀlat] adj escarlata.
écarquiller [ekaʀkije] vt: ~ **les yeux** abrir desmesuradamente los ojos.
écart [ekaʀ] nm (*de temps*) lapso; (*dans l'espace*) separación f; (*de prix etc*) diferencia; (*embardée, mouvement*) desvío brusco; **à l'**~ (*éloigné*) alejado(-a), apartado(-a); (*fig*) aislado(-a); **faire le grand** ~ hacer el spaccato; ▶ **écart de conduite** desviación f de conducta; ▶ **écart de langage** grosería.
écarté, e [ekaʀte] adj (*isolé*) apartado(-a); (*ouvert*) abierto(-a); **les jambes** ~**es** las piernas abiertas; **les bras** ~**s** los brazos abiertos.
écarteler [ekaʀtəle] vt (*aussi fig*) descuartizar.
écartement [ekaʀtəmɑ̃] nm (*distance, intervalle*) separación f; (*des rails*) ancho.
écarter [ekaʀte] vt (*éloigner*) alejar; (*personnes*) separar; (*ouvrir*) abrir; (*CARTES, candidat, possibilité*) descartar; **s'écarter** vpr (*parois, jambes*) abrirse; (*personne*) alejarse; **s'**~ **de** alejarse de; (*fig*) desviarse de.
ecchymose [ekimoz] nf equimosis f inv.
ecclésiastique [eklezjastik] adj eclesiástico(-a) ♦ nm eclesiástico.
écervelé, e [esɛʀvəle] adj atolondrado(-a).
échafaud [eʃafo] nm cadalso.
échafaudage [eʃafodaʒ] nm (*CONSTR*) andamiaje m; (*amas*) montón m.
échafauder [eʃafode] vt (*fig*) trazar.
échalas [eʃala] nm rodrigón m; (*personne*) espárrago.
échalote [eʃalɔt] nf chalote m, chalota.
échancré, e [eʃɑ̃kʀe] adj (*robe, corsage*) escotado(-a); (*côte*) recortado(-a).
échancrer [eʃɑ̃kʀe] vt escotar.
échancrure [eʃɑ̃kʀyʀ] nf (*de robe*) escote m; (*de côte, arête rocheuse*) escotadura.
échange [eʃɑ̃ʒ] nm intercambio; **en** ~ **(de)** a cambio (de); ▶ **échanges commerciaux/culturels** intercambios mpl comerciales/culturales; ▶ **échanges de lettres/de politesses** intercambio msg de cartas/de cumplidos; ▶ **échange de vues** cambio de impresiones.

échangeable [eʃɑ̃ʒabl] adj intercambiable.
échanger [eʃɑ̃ʒe] vt intercambiar; ~ **qch (contre)** (*troquer*) canjear algo (por); ~ **qch avec qn** intercambiar algo con algn.
échangeur [eʃɑ̃ʒœʀ] nm cruce m (a diferentes niveles).
échantillon [eʃɑ̃tijɔ̃] nm (*aussi fig*) muestra.
échantillonnage [eʃɑ̃tijɔnaʒ] nm muestrario.
échappatoire [eʃapatwaʀ] nf escapatoria.
échappée [eʃape] nf (*vue*) punto de vista, vista; (*CYCLISME*) escapada.
échappement [eʃapmɑ̃] nm escape m; ▶ **échappement libre** escape libre.
échapper [eʃape] ~ **à** vt escapar de; (*punition, péril*) librarse de; **s'échapper** vpr escaparse; ~ **à qn** escapársele a algn; ~ **des mains de qn** escaparse de las manos de algn; **laisser** ~ dejar escapar; **l'**~ **belle** escapar por los pelos.
écharde [eʃaʀd] nf astilla.
écharpe [eʃaʀp] nf (*cache-nez*) bufanda; (*de maire*) banda; **avoir un bras en** ~ tener un brazo en cabestrillo; **prendre en** ~ (*dans une collision*) coger de refilón.
écharper [eʃaʀpe] vt despedazar; (*fig*) linchar.
échasse [eʃas] nf zanco.
échassier [eʃasje] nm (ave f) zancuda.
échaudé, e [eʃode] adj (*fig*) escarmentado(-a).
échauder [eʃode] vt: **se faire** ~ recibir un palmetazo.
échauffement [eʃofmɑ̃] nm (*de moteur*) recalentamiento; (*SPORT*) calentamiento.
échauffer [eʃofe] vt (*métal, moteur*) recalentar; (*corps, personne*) calentar; (*exciter*) irritar; **s'échauffer** vpr (*SPORT*) calentarse; (*dans la discussion*) acalorarse.
échauffourée [eʃofuʀe] nf escaramuza.
échéance [eʃeɑ̃s] nf (*date*) vencimiento; (*somme due*) deuda; (*d'engagements, promesses*) plazo; **à brève/longue** ~ adj, adv a corto/largo plazo.
échéancier [eʃeɑ̃sje] nm registro de vencimientos.
échéant [eʃeɑ̃]: **le cas** ~ adv llegado el caso.
échec [eʃɛk] nm fracaso; (*ÉCHECS*) jaque m; ~**s** nmpl (*jeu*) ajedrez msg; ~ **et mat/au roi** jaque mate/al rey; **mettre en** ~ hacer fracasar; **tenir en** ~ tener en jaque; **faire** ~ **à** fracasar.
échelle [eʃɛl] nf (*de bois*) escalera de mano; (*fig*) escala; **à l'**~ **de** a escala de; **sur une grande/petite** ~ en gran/pequeña escala; **faire la courte** ~ **à qn** aupar a algn; ▶ **échelle de corde** escala de cuerda.

échelon [eʃ(ə)lɔ̃] *nm* (*d'échelle*) escalón *m*; (*ADMIN*) escalafón *m*; (*SPORT*) categoría.
échelonner [eʃ(ə)lɔne] *vt* escalonar; (*versement*) **échelonné** pago a plazos.
écheveau, x [eʃ(ə)vo] *nm* madeja.
échevelé, e [eʃəv(ə)le] *adj* desgreñado(-a); (*fig*) alocado(-a).
échine [eʃin] *nf* espinazo.
échiner [eʃine]: **s'~** *vpr* deslomarse.
échiquier [eʃikje] *nm* tablero.
écho [eko] *nm* (*aussi fig*) eco; (*potins*) cotilleo; **~s** *nmpl* (*PRESSE*) gacetilla *fsg*; **rester sans ~** (*suggestion*) no tener eco; **se faire l'~ de** hacerse eco de.
échographie [ekɔgʀafi] *nf* ecografía.
échoir [eʃwaʀ] *vi* vencer; **~ à** corresponder a.
échoppe [eʃɔp] *nf* tenderete *m*.
échouer [eʃwe] *vi* (*tentative*) fracasar; (*candidat*) suspender; (*bateau*) encallar; (*débris*) ser arrastrado(-a) a; (*aboutir: personne dans un café etc*) ir a parar ♦ *vt* (*bateau*) embarrancar; **s'échouer** *vpr* embarrancarse.
échu, e [eʃy] *pp de* **échoir.**
échut [eʃy] *vb voir* **échoir.**
éclabousser [eklabuse] *vt* salpicar; (*fig*) mancillar.
éclaboussure [eklabusyʀ] *nf* salpicadura; (*fig*) repercusión *f*.
éclair [eklɛʀ] *nm* (*d'orage*) relámpago; (*de flash*) disparo; (*de génie, d'intelligence*) chispa ♦ *adj inv* (*voyage etc*) relámpago *inv*.
éclairage [eklɛʀaʒ] *nm* iluminación *f*; (*CINÉ, lumière*) luz *f*; (*fig*) punto de vista; **▶ éclairage indirect** iluminación indirecta.
éclairagiste [eklɛʀaʒist] *nm/f* técnico(-a) en iluminación.
éclaircie [eklɛʀsi] *nf* escampada.
éclaircir [eklɛʀsiʀ] *vt* (*aussi fig*) aclarar; (*sauce*) aguar; **s'éclaircir** *vpr* (*ciel*) despejarse; (*cheveux*) caerse; (*situation*) aclararse; **s'~ la voix** aclararse la voz.
éclaircissement [eklɛʀsismɑ̃] *nm* (*d'une couleur*) aclarado; (*gén pl: explication*) aclaración *f*.
éclairer [eklɛʀe] *vt* (*suj: lampe, lumière*) iluminar; (*avec une lampe de poche*) alumbrar; (*instruire*) instruir; (*rendre compréhensible*) aclarar ♦ *vi*: **~ bien/mal** iluminar bien/mal; **s'éclairer** *vpr* (*phare, rue*) iluminarse; (*situation*) aclararse; **s'~ à la bougie/l'électricité** alumbrarse con velas/con electricidad.
éclaireur, -euse [eklɛʀœʀ, øz] *nm* (*MIL*) explorador *m* ♦ *nm/f* (*scout*) explorador(a); **partir en ~** adelantarse.
éclat [ekla] *nm* (*de bombe, verre*) fragmen-

to; (*du soleil, d'une couleur*) brillo; (*d'une cérémonie*) brillantez *f*; **faire un ~** (*scandale*) montar un número; **action d'~** hazaña; **voler en ~s** volar en pedazos; **des ~s de verre** cristales *mpl*; **▶ éclat de rire** carcajada; **▶ éclats de voix** subidas *fpl* de tono.
éclatant, e [eklatɑ̃, ɑ̃t] *adj* (*couleur*) brillante; (*lumière*) resplandeciente; (*voix, son*) vibrante; (*évident*) incuestionable; (*succès*) clamoroso(-a); (*revanche*) sensacional.
éclater [eklate] *vi* (*aussi fig*) estallar; (*groupe, parti*) fragmentarse; **s'éclater** *vpr* (*fam*) pasarlo bomba; **~ de rire/en sanglots** reventar de risa/en llanto.
éclectique [eklɛktik] *adj* ecléctico(-a).
éclipse [eklips] *nf* (*aussi fig*) eclipse *m*.
éclipser [eklipse] *vt* eclipsar; **s'éclipser** *vpr* eclipsarse.
éclopé, e [eklɔpe] *adj* cojo(-a).
éclore [eklɔʀ] *vi* (*œuf, fleur*) abrirse; (*talent*) surgir.
éclosion [eklozjɔ̃] *nf* eclosión *f*.
écluse [eklyz] *nf* esclusa.
éclusier, -ière [eklyzje, jɛʀ] *nm/f* esclusero(-a).
écœurant [ekœʀɑ̃] *adj* asqueroso(-a).
écœurement [ekœʀmɑ̃] *nm* asco.
écœurer [ekœʀe] *vt* (*suj: gâteau, goût*) dar asco; (*personne, attitude*) desagradar; (*démoraliser*) destrozar.
école [ekɔl] *nf* escuela; **aller à l'~** ir a la escuela; **faire ~** formar escuela; **les Grandes Écoles** las Grandes Escuelas; **▶ école de danse/de dessin/de musique/de secrétariat** escuela de baile/de dibujo/de música/de secretariado; **▶ école hôtelière** escuela de hostelería; **▶ école maternelle** escuela de párvulos; **▶ école normale (d'instituteurs)/supérieure** escuela normal (de maestros)/superior; **▶ école élémentaire, école primaire** escuela primaria; **▶ école privée/publique/secondaire** escuela privada/pública/secundaria.
écolier, -ière [ekɔlje, jɛʀ] *nm/f* escolar *m/f*.
écolo [ekɔlo] *nm/f* (*fam*) verde *m/f*.
écologie [ekɔlɔʒi] *nf* ecología.
écologique [ekɔlɔʒik] *adj* ecológico(-a).
écologiste [ekɔlɔʒist] *nm/f* ecologista *m/f*.
éconduire [ekɔ̃dɥiʀ] *vt* (*congédier*) despedir.
économat [ekɔnɔma] *nm* economato.
économe [ekɔnɔm] *adj* ahorrador(a) ♦ *nm/f* (*de lycée etc*) ecónomo(-a).
économétrie [ekɔnɔmetʀi] *nf* econometría.
économie [ekɔnɔmi] *nf* economía; (*vertu*) ahorro; (*plan, arrangement d'ensemble*)

organización *f*; ~**s** *nfpl* ahorros *mpl*; **une** ~ **de temps/d'argent** un ahorro de tiempo/de dinero; ▶ **économie dirigée** economía planificada.

économique [ekɔnɔmik] *adj* económico (-a).

économiquement [ekɔnɔmikmɑ̃] *adv* económicamente; **les** ~ **faibles** los económicamente débiles.

économiser [ekɔnɔmize] *vt* ahorrar, economizar ♦ *vi* ahorrar dinero.

économiste [ekɔnɔmist] *nm/f* economista *m/f*.

écoper [ekɔpe] *vt* achicar ♦ *vi* achicar; (*fig*) pagar el pato; ~ **(de)** (*recevoir*) ganarse.

écorce [ekɔʀs] *nf* corteza; (*de fruit*) piel *f*.

écorcer [ekɔʀse] *vt* descortezar.

écorché [ekɔʀʃe] *nm* (*TECH*) figura anatómica desollada; ~ **vif** (*fig*) despellejado vivo.

écorcher [ekɔʀʃe] *vt* (*animal*) desollar; (*égratigner*) arañar; (*une langue*) lastimar; **s'**~ **le genou** *etc* arañarse la rodilla *etc*.

écorchure [ekɔʀʃyʀ] *nf* arañazo.

écorner [ekɔʀne] *vt* (*taureau*) descornar; (*livre*) doblar las puntas de la página de.

écossais, e [ekɔsɛ, ɛz] *adj* escocés(-esa) ♦ *nm* (*LING*) escocés *m*; (*tissu*) tela escocesa ♦ *nm/f*: **Écossais, e** escocés(-esa).

Écosse [ekɔs] *nf* Escocia.

écosser [ekɔse] *vt* desgranar.

écosystème [ekosistɛm] *nm* ecosistema *m*.

écot [eko] *nm*: **payer son** ~ pagar a escote.

écoulement [ekulmɑ̃] *nm* (*d'un liquide*) canalización *f*; (*faux billets*) circulación *f*; (*stock*) liquidación *f*.

écouler [ekule] *vt* (*stock*) liquidar; (*faux billets*) hacer circular; **s'écouler** *vpr* (*rivière, eau*) fluir; (*foule*) dispersarse; (*jours, temps*) transcurrir.

écourter [ekuʀte] *vt* acortar.

écoute [ekut] *nf* (*RADIO, TV*): **temps/heure d'**~ tiempo/hora de audición; (*NAUT*) escota; **heure de grande** ~ hora de gran audiencia; **bonne/mauvaise** ~ buena/mala audición; **prendre l'**~ sintonizar; **être/rester à l'**~ **(de)** estar/seguir a la escucha (de); ▶ **écoutes téléphoniques** escuchas *fpl* telefónicas.

écouter [ekute] *vt* escuchar; (*fig*) hacer caso de *ou* a, escuchar a ♦ *vi* escuchar; **s'écouter** *vpr* (*s'apitoyer*) hacerse caso; **si je m'écoutais** (*suivre son impulsion*) si por mí fuera; **s'**~ **parler** escucharse hablar.

écouteur [ekutœʀ] *nm* (*téléphone*) auricular *m*; ~**s** *nmpl* (*RADIO*) auriculares *mpl*.

écoutille [ekutij] *nf* escotilla.

écouvillon [ekuvijɔ̃] *nm* escobillón *m*.

écrabouiller [ekʀabuje] *vt* (*fam*) espachurrar.

écran [ekʀɑ̃] *nm* pantalla; **porter à l'**~ llevar a la pantalla; **faire** ~ hacer pantalla; **le petit** ~ la pequeña pantalla; ▶ **écran de fumée** pantalla de humo.

écrasant, e [ekʀazɑ̃, ɑ̃t] *adj* (*responsabilité, travail*) agobiante; (*supériorité, avance*) abrumador(a), aplastante.

écraser [ekʀaze] *vt* (*broyer*) aplastar; (*suj: voiture, train etc*) atropellar; (*ennemi, équipe adverse*) aplastar; (*INFORM*) sobreescribir; (*suj: travail, impôts*) abrumar; (: *responsabilités*) agobiar; (*dominer, humilier*) humillar; **écrase(-toi)!** ¡cierra el pico!; **se faire** ~ ser atropellado(-a); **s'**~ **(au sol)** (*avion*) estrellarse (contra el suelo); **s'**~ **contre/sur** (*suj: voiture, objet*) estrellarse contra.

écrémer [ekʀeme] *vt* descremar.

écrevisse [ekʀəvis] *nf* cangrejo de río.

écrier [ekʀije]: **s'**~ *vpr* exclamar.

écrin [ekʀɛ̃] *nm* joyero.

écrire [ekʀiʀ] *vt, vi* escribir; **s'écrire** *vpr* (*réciproque*) escribirse; (*mot*): **ça s'écrit comment?** ¿cómo se escribe eso?; ~ **à qn (que)** escribir a algn (que).

écrit, e [ekʀi, it] *pp de* **écrire** ♦ *adj*: **bien/mal** ~ bien/mal escrito(-a) ♦ *nm* escrito; **par** ~ por escrito.

écriteau, x [ekʀito] *nm* letrero.

écritoire [ekʀitwaʀ] *nf* escritorio.

écriture [ekʀityʀ] *nf* escritura; (*style*) estilo; ~**s** *nfpl* (*COMM*) escrituras *fpl*; **les Écritures** las Escrituras; ▶ **Écriture (sainte)**: **l'Écriture (sainte)** la (sagrada) Escritura.

écrivain [ekʀivɛ̃] *nm* escritor(a).

écrivais [ekʀivɛ] *vb voir* **écrire**.

écrou [ekʀu] *nm* tuerca.

écrouer [ekʀue] *vt* encarcelar.

écroulé, e [ekʀule] *adj* (*de fatigue*) derrumbado(-a); ~ **(de rire)** muerto(-a) (de risa).

écroulement [ekʀulmɑ̃] *nm* (*d'un mur*) derrumbamiento; (*d'un animal etc*) desplome *m*.

écrouler [ekʀule]: **s'**~ *vpr* (*mur*) derrumbarse; (*personne, animal*) desplomarse; (*projet etc*) venirse abajo.

écru [ekʀy] *adj* crudo(-a).

écu [eky] *nm* (*monnaie de la CE*) ecu *m*.

écueil [ekœj] *nm* (*aussi fig*) escollo.

écuelle [ekɥɛl] *nf* escudilla.

éculé, e [ekyle] *adj* (*chaussure*) destaconado(-a); (*péj: plaisanterie etc*) trasnochado(-a).

écume [ekym] *nf* espuma; ▶ **écume de mer** espuma de mar.

écumer [ekyme] *vt* (*CULIN*) espumar; (*ré-*

gion, bibliothèque) recorrer ♦ *vi* (*mer*) hacer espuma; (*fig*) echar chispas por la boca.

écumoire [ekymwaʀ] *nf* espumadera.

écureuil [ekyʀœj] *nm* ardilla.

écurie [ekyʀi] *nf* cuadra; (*de course automobile*) escudería; (*de course hippique*) caballeriza.

écusson [ekysɔ̃] *nm* insignia.

écuyer, -ère [ekɥije, jɛʀ] *nm/f* jinete *m/f*.

eczéma [ɛgzema] *nm* eczema *m*.

éd. *abr* (= *édition*) ed. (= *edición*).

édam [edam] *nm* edam *m*.

edelweiss [edɛlvajs] *nm inv* edelweiss *m inv*.

Éden [edɛn] *nm* Edén *m*.

édenté, e [edɑ̃te] *adj* desdentado(-a).

EDF [ədeɛf] *sigle* = *Électricité de France*.

édicter [edikte] *vt* decretar.

édifiant, e [edifjɑ̃, jɑ̃t] *adj* edificante.

édification [edifikasjɔ̃] *nf* edificación *f*.

édifice [edifis] *nm* (*bâtiment*) edificio; (*fig*) estructura.

édifier [edifje] *vt* (*bâtiment*) edificar; (*plan, théorie*) construir; (*REL: personne*) edificar; (: *iro*) informar.

édiles [edil] *nmpl* (*ADMIN*) ediles *mpl*, concejales *mpl*; (*hum*) ediles.

Édimbourg [edɛ̃buʀ] *n* Edimburgo.

édit [edi] *nm* edicto.

éditer [edite] *vt* editar.

éditeur, -trice [editœʀ, tʀis] *nm/f* editor(a).

édition [edisjɔ̃] *nf* edición *f*; (*PRESSE: exemplaires d'un journal*) tirada; ~ **sur écran** (*INFORM*) edición en pantalla; l'~ (*industrie du livre*) la edición.

édito [edito] (*fam*) *nm* = **éditorial**.

éditorial, -aux [editɔʀjal, jo] *nm* editorial *f*.

éditorialiste [editɔʀjalist] *nm/f* editorialista *m/f*.

édredon [edʀədɔ̃] *nm* edredón *m*.

éducateur, -trice [edykatœʀ, tʀis] *adj* educativo(-a) ♦ *nm/f* educador(a); ► **éducateur spécialisé** educador especializado.

éducatif, -ive [edykatif, iv] *adj* educativo(-a).

éducation [edykasjɔ̃] *nf* educación *f*; **bonne/mauvaise** ~ buena/mala educación; **sans** ~ (*mal élevé*) sin educación; ► **éducation permanente** educación permanente; ► **éducation physique** educación física; ► l'**Éducation (Nationale)** (*ADMIN*) ≈ Educación.

édulcorer [edylkɔʀe] *vt* edulcorar; (*fig*) suavizar.

éduquer [edyke] *vt* educar; **bien/mal éduqué** bien/mal educado.

effacé, e [efase] *adj* (*personne*) eclipsado

(-a); (*rôle*) secundario(-a).

effacer [efase] *vt* (*aussi fig*) borrar; **s'effacer** *vpr* borrarse; (*pour laisser passer*) apartarse.

effarant, e [efaʀɑ̃, ɑ̃t] *adj* espantoso(-a).

effaré, e [efaʀe] *adj* espantado(-a).

effarement [efaʀmɑ̃] *nm* espanto.

effarer [efaʀe] *vt* espantar.

effarouchement [efaʀuʃmɑ̃] *nm* espantada.

effaroucher [efaʀuʃe] *vt* (*animal*) espantar; (*personne*) asustar.

effectif, -ive [efɛktif, iv] *adj* efectivo(-a) ♦ *nm* (*MIL, COMM*: *gén pl*) efectivos *mpl*; (*d'une classe*) alumnado.

effectivement [efɛktivmɑ̃] *adv* efectivamente; (*réellement*) realmente.

effectuer [efɛktɥe] *vt* efectuar; (*mouvement*) realizar; **s'effectuer** *vpr* efectuarse; (*mouvement*) producirse.

efféminé, e [efemine] *adj* afeminado(-a).

effervescence [efɛʀvesɑ̃s] *nf* (*fig*): **en** ~ en efervescencia.

effervescent, e [efɛʀvesɑ̃, ɑ̃t] *adj* (*aussi fig*) efervescente.

effet [efɛ] *nm* efecto; ~**s** *nmpl* (*vêtements etc*) prendas *fpl*; **avec** ~ **rétroactif** con efecto retroactivo; **faire de l'**~ (*médicament, menace*) hacer efecto; (*nouvelle, décor*) causar efecto; **sous l'**~ **de** bajo el efecto de; **donner de l'**~ **à une balle** dar efecto a una pelota; **à cet** ~ con este fin; **en** ~ en efecto; ► **effet (de commerce)** efecto (comercial); ► **effet de couleur/de lumière/de style** efecto de color/de luz/de estilo; ► **effets de voix** efectos *mpl* de voz; ► **effets spéciaux** efectos especiales.

effeuiller [efœje] *vt* deshojar.

efficace [efikas] *adj* eficaz.

efficacité [efikasite] *nf* eficacia.

effigie [efiʒi] *nf* efigie *f*; **brûler qn en** ~ quemar la efigie de algn.

effilé, e [efile] *adj* afilado(-a); (*doigt*) delgado(-a); (*pointe*) aguzado(-a); (*carrosserie*) refinado(-a).

effiler [efile] *vt* (*cheveux*) atusar; (*tissu*) deshilachar.

effilocher [efilɔʃe] : **s'**~ *vpr* deshilacharse.

efflanqué, e [eflɑ̃ke] *adj* flaco(-a).

effleurement [eflœʀmɑ̃] *nm*: **touche à** ~ tecla sensible al tacto.

effleurer [eflœʀe] *vt* (*avec la main, le corps*) rozar; (*fig: sujet, idée*) tocar; ~ **qn** (*suj: pensée*) pasar por la cabeza.

effluves [eflyv] *nmpl* efluvios *mpl*.

effondré, e [efɔ̃dʀe] *adj* (*par un malheur*) abatido(-a).

effondrement [efɔ̃dʀəmɑ̃] *nm* (*d'un mur*) desmoronamiento; (*des prix, du marché*) hundimiento; (*d'un coureur etc*) desplome m; (*moral*) decaimiento.

effondrer [efɔ̃dʀe]: **s'~** *vpr* (*mur, bâtiment*) desmoronarse; (*prix, marché*) hundirse; (*blessé, coureur etc*) desplomarse; (*craquer moralement*) hundirse.

efforcer [efɔʀse]: **s'~ de** *vpr* esforzarse por; **s'~ de faire** esforzarse por hacer.

effort [efɔʀ] *nm* esfuerzo; **faire un ~** hacer un esfuerzo; **faire tous ses ~s** hacer todos los esfuerzos posibles; **faire l'~ de ...** hacer el esfuerzo de ...; **sans ~** *adj, adv* sin esfuerzo; ▸ **effort de mémoire/de volonté** esfuerzo de memoria/de voluntad.

effraction [efʀaksjɔ̃] *nf* allanamiento de morada; **s'introduire par ~ dans** entrar con allanamiento de morada en.

effrangé, e [efʀɑ̃ʒe] *adj* con flecos; (*effiloché*) deshilachado(-a).

effrayant, e [efʀɛjɑ̃, ɑ̃t] *adj* horroroso(-a), espantoso(-a).

effrayer [efʀeje] *vt* asustar; **s'effrayer (de)** *vpr* asustarse (de).

effréné, e [efʀene] *adj* desenfrenado(-a).

effritement [efʀitmɑ̃] *nm* desmoronamiento.

effriter [efʀite]: **s'~** *vpr* desmoronarse.

effroi [efʀwa] *nm* pavor m.

effronté, e [efʀɔ̃te] *adj* descarado(-a).

effrontément [efʀɔ̃temɑ̃] *adv* descaradamente.

effronterie [efʀɔ̃tʀi] *nf* descaro.

effroyable [efʀwajabl] *adj* espantoso(-a).

effusion [efyzjɔ̃] *nf* (*gén pl*) efusión f; **sans ~ de sang** sin derramamiento de sangre.

égailler [egaje]: **s'~** *vpr* dispersarse.

égal, e, -aux [egal, o] *adj* (*gén*) igual; (*terrain, surface*) liso(-a); (*vitesse, rythme*) regular ♦ *nm/f* igual *m/f*; **être ~ à** ser igual a; **ça lui/nous est ~** le/nos da igual; **c'est ~** es igual; **sans ~** sin igual; **à l'~ de** (*comme*) al igual que; **d'~ à ~** de igual a igual.

également [egalmɑ̃] *adv* (*partager etc*) en partes iguales; (*en outre, aussi*) igualmente.

égaler [egale] *vt* igualar; **3 plus 3 égalent 6** 3 más 3 igual a 6.

égalisateur, -trice [egalizatœʀ, tʀis] *adj* (*SPORT*): **but ~** tanto del empate.

égalisation [egalizasjɔ̃] *nf* (*SPORT*) empate m.

égaliser [egalize] *vt* igualar ♦ *vi* (*SPORT*) empatar.

égalitaire [egalitɛʀ] *adj* igualitario(-a).

égalitarisme [egalitaʀism] *nm* igualitarismo.

égalité [egalite] *nf* igualdad f; **être à ~ (de points)** estar empatados(-as) (en tantos);

▸ **égalité d'humeur** serenidad f; ▸ **égalité de droits** igualdad de derechos.

égard [egaʀ] *nm* consideración f; **~s** *nmpl* (*marques de respect*) atenciones fpl; **à cet ~/certains ~s/tous ~s** a este respecto/ en ciertos aspectos/por todos los conceptos; **en ~ à** en consideración a; **par/sans ~ pour** por/sin consideración para; **à l'~ de** con respecto a.

égaré, e [egaʀe] *adj* (*personne, animal*) perdido(-a); (*air, regard*) extraviado(-a).

égarement [egaʀmɑ̃] *nm* (*d'esprit*) extravío; (*gén pl: débauche*) desliz m.

égarer [egaʀe] *vt* (*perdre*) perder; (*personne*) echar a perder; **s'égarer** *vpr* (*aussi fig*) perderse; (*objet*) extraviarse.

égayer [egeje] *vt* (*personne: divertir*) distraer; (*récit, endroit*) alegrar.

Égée [eʒe] *adj*: **l'~, la mer ~** el (mar) Egeo.

égéen, ne [eʒeɛ̃, ɛn] *adj* del Egeo.

égérie [eʒeʀi] *nf*: **l'~ de qn/qch** la inspiración de algn/algo.

égide [eʒid] *nf*: **sous l'~ de** bajo la égida de.

églantier [eglɑ̃tje] *nm* escaramujo.

églantine [eglɑ̃tin] *nf* zarzarrosa.

églefin [egləfɛ̃] *nm* abadejo.

église [egliz] *nf* iglesia; **aller à l'~** (*être pratiquant*) ir a la iglesia; ▸ **Église catholique: l'Église catholique** la Iglesia católica; ▸ **Église presbytérienne: l'Église presbytérienne** la Iglesia presbiteriana.

égocentrique [egosɑ̃tʀik] *adj* egocéntrico(-a).

égocentrisme [egosɑ̃tʀism] *nm* egocentrismo.

égoïne [egɔin] *nf* serrucho.

égoïsme [egɔism] *nm* egoísmo.

égoïste [egɔist] *adj*, *nm/f* egoísta *m/f*.

égoïstement [egɔistəmɑ̃] *adv* egoístamente.

égorger [egɔʀʒe] *vt* degollar.

égosiller [egozije]: **s'~** *vpr* desgañitarse.

égotisme [egotism] *nm* egotismo.

égout [egu] *nm* alcantarilla; **eaux d'~** aguas fpl residuales.

égoutier [egutje] *nm* pocero.

égoutter [egute] *vt* escurrir ♦ *vi* gotear; **s'égoutter** *vpr* escurrirse; (*eau*) gotear.

égouttoir [egutwaʀ] *nm* escurridero.

égratigner [egʀatiɲe] *vt* rasguñar; (*fig*) burlarse; **s'égratigner** *vpr* rasguñarse.

égratignure [egʀatiɲyʀ] *nf* rasguño.

égrener [egʀəne] *vt* desgranar; **s'égrener** *vpr* desgranarse; (*se disperser*) diseminarse; **~ une grappe/des raisins** desgranar un racimo/las uvas.

égrillard, e [egʀijaʀ, aʀd] *adj* verde.

Égypte [eʒipt] *nf* Egipto.

égyptien, ne [eʒipsjɛ̃, jɛn] *adj* egipcio(-a)
♦ *nm/f*: **Egyptien, ne** egipcio(-a).
égyptologie [eʒiptɔlɔʒi] *nf* egiptología.
égyptologue [eʒiptɔlɔg] *nm/f* egiptólogo
(-a).
eh [e] *excl* eh; ~ **bien!** (*surprise*) ¡pero bueno!; ~ **bien?** (*attente, doute*) ¿y bien?; ~
bien (*donc*) entonces.
éhonté, e [eɔ̃te] *adj* desvergonzado(-a).
éjaculation [eʒakylasjɔ̃] *nf* eyaculación *f*.
éjaculer [eʒakyle] *vi* eyacular.
éjectable [eʒɛktabl] *adj*: **siège** ~ asiento
eyectable.
éjecter [eʒɛkte] *vt* (*TECH*) eyectar; (*fam*)
echar.
éjection [eʒɛksjɔ̃] *nf* (*TECH*) eyección *f*;
(*fam*) echamiento.
élaboration [elabɔrasjɔ̃] *nf* elaboración *f*.
élaboré, e [elabɔre] *adj* elaborado(-a).
élaborer [elabɔre] *vt* elaborar.
élagage [elagaʒ] *nm* poda.
élaguer [elage] *vt* (*aussi fig*) podar.
élan [elɑ̃] *nm* (*ZOOL*) alce *m*; (*mouvement,
lancée*) impulso; (*fig*) arrebato; **perdre
son** ~ perder impulso; **prendre de l'**~ tomar carrerilla; **prendre son** ~ tomar impulso.
élancé, e [elɑ̃se] *adj* esbelto(-a).
élancement [elɑ̃smɑ̃] *nm* (*gén pl*: *douleur*)
punzada.
élancer [elɑ̃se]: **s'**~ *vpr* lanzarse; (*arbre,
clocher*) alzarse.
élargir [elarʒir] *vt* (*porte, route*) ensanchar; (*vêtement*) sacar a; (*fig*: *groupe, débat*) ampliar; (*JUR*) liberar; **s'élargir** *vpr*
ensancharse.
élargissement [elarʒismɑ̃] *nm* ensanchamiento; (*d'un groupe*) ampliación *f*; (*JUR*)
puesta en libertad.
élasticité [elastisite] *nf* elasticidad *f*; ~ **de
l'offre/de la demande** elasticidad de la
oferta/de la demanda.
élastique [elastik] *adj* elástico(-a); (*PHYS*)
flexible; (*fig*: *parfois péj*) contemporiza-
dor(a) ♦ *nm* (*de bureau*) elástico, goma;
(*pour la couture*) goma.
élastomère [elastɔmɛr] *nm* goma.
Eldorado [ɛldɔrado] *nm* Eldorado.
électeur, -trice [elɛktœr, tris] *nm/f* elec-
tor(a).
électif, -ive [elɛktif, iv] *adj* (*président, charge*) electivo(-a); (*MÉD*) localizado(-a).
élection [elɛksjɔ̃] *nf* elección *f*; ~**s** *nfpl*
(*POL*) elecciones *fpl*; **sa terre/patrie d'**~ su
tierra/patria de elección; ▶ **élection par-
tielle** elección parcial; ▶ **élections législatives** elecciones legislativas.
électoral, e, -aux [elɛktɔral, o] *adj* electoral.
électoralisme [elɛktɔralism] *nm* electora-

lismo.
électorat [elɛktɔra] *nm* electorado.
électricien, ne [elɛktrisjɛ̃, jɛn] *nm/f* electricista *m/f*.
électricité [elɛktrisite] *nf* electricidad *f*;
(*fig*) tensión *f*; **avoir l'**~ tener corriente
eléctrica; **fonctionner à l'**~ funcionar con
electricidad; **allumer/éteindre l'**~
encender/apagar la luz; ▶ **électricité
statique** electricidad estática.
électrification [elɛktrifikasjɔ̃] *nf* electrifi-
cación *f*.
électrifier [elɛktrifje] *vt* electrificar.
électrique [elɛktrik] *adj* eléctrico(-a); (*fig*)
tenso(-a).
électriser [elɛktrize] *vt* (*aussi fig*) electrizar.
électro- [elɛktrɔ] *préf* electro-.
électro-aimant [elɛktrɔɛmɑ̃] (*pl* ~-~**s**) *nm*
electroimán *m*.
électrocardiogramme [elɛktrɔ-
kardjɔgram] *nm* electrocardiograma *m*.
électrocardiographe [elɛktrɔkardjɔgraf]
nm electrocardiógrafo.
électrochoc [elɛktrɔʃɔk] *nm* electrochoque *m*.
électrocuter [elɛktrɔkyte] *vt* electrocutar.
électrocution [elɛktrɔkysjɔ̃] *nf* electrocu-
ción *f*.
électrode [elɛktrɔd] *nf* electrodo.
électroencéphalogramme [elɛktrɔɑ̃-
sefalɔgram] *nm* electroencefalograma *m*.
électrogène [elɛktrɔʒɛn] *adj voir* **groupe**.
électrolyse [elɛktrɔliz] *nf* electrólisis *f inv*.
électromagnétique [elɛktrɔmaɲetik] *adj*
electromagnético(-a).
électroménager [elɛktrɔmenaʒe] *adj*: **appareils** ~**s** aparatos *mpl* electrodomésticos; **l'**~ (*secteur commercial*) el sector de
electrodomésticos.
électron [elɛktrɔ̃] *nm* electrón *m*.
électronicien, ne [elɛktrɔnisjɛ̃, jɛn] *nm/f*
electrónico(-a).
électronique [elɛktrɔnik] *adj* electróni-
co(-a) ♦ *nf* electrónica.
électronucléaire [elɛktrɔnykleɛr] *adj* electronuclear ♦ *nm*: **l'**~ lo electronuclear.
électrophone [elɛktrɔfɔn] *nm* tocadiscos
m inv.
électrostatique [elɛktrɔstatik] *adj* elec-
tro(e)stático(-a) ♦ *nf* electro(e)stática.
élégamment [elegamɑ̃] *adv* elegantemen-
te.
élégance [elegɑ̃s] *nf* elegancia.
élégant, e [elegɑ̃, ɑ̃t] *adj* (*aussi fig*) elegante.
élément [elemɑ̃] *nm* elemento; ~**s** *nmpl*
(*eau, air etc*) elementos *mpl*; (*rudiments*)
rudimentos *mpl*.
élémentaire [elemɑ̃tɛr] *adj* elemental.

éléphant [elefɑ̃] *nm* elefante *m*; ▸ **éléphant de mer** elefante marino.
éléphanteau, x [elefɑ̃to] *nm* elefantillo.
éléphantesque [elefɑ̃tɛsk] *adj* enorme.
élevage [el(ə)vaʒ] *nm* (*de bétail, de volaille etc*) cría; (*activité, secteur économique*) ganadería; (*vin*) crianza.
élévateur [elevatœʀ] *nm* elevador *m*.
élévation [elevasjɔ̃] *nf* elevación *f*; (*de la température*) ascenso; (*GÉOM, REL*) elevación.
élève [elɛv] *nm/f* alumno(-a); ▸ **élève infirmière** aspirante *f* a enfermera.
élevé, e [el(ə)ve] *adj* (*aussi fig*) elevado (-a); **bien/mal** ~ bien/mal educado(-a).
élever [el(ə)ve] *vt* (*enfant, animaux, vin*) educar, criar; (*hausser*) subir; (*monument, âme, esprit*) elevar; **s'élever** *vpr* (*avion, alpiniste*) ascender; (*clocher, montagne*) alzarse; (*protestations*) levantar; (*cri*) oírse; (*niveau*) subir; (*température*) ascender; (*survenir*: *difficultés*) surgir; ~ **une protestation/critique** elevar una protesta/crítica; ~ **la voix/le ton** levantar la voz/el tono; ~ **qn au rang/grade de** ascender *ou* elevar a algn al rango/grado de; ~ **un nombre au carré/cube** elevar un número al cuadrado/al cubo; **s'~ contre qch** rebelarse contra algo; **s'~ à** (*frais, dégâts*) elevarse a.
éleveur, -euse [el(ə)vœʀ, øz] *nm/f* (*de bétail*) ganadero(-a).
elfe [ɛlf] *nm* elfo.
élidé, e [elide] *adj*: **article/pronom** ~ artículo/pronombre *m* elidido.
élider [elide] *vt*: **s'~** elidirse.
éligibilité [eliʒibilite] *nf* elegibilidad *f*.
éligible [eliʒibl] *adj* elegible.
élimé, e [elime] *adj* raído(-a).
élimination [eliminasjɔ̃] *nf* eliminación *f*.
éliminatoire [eliminatwaʀ] *adj* eliminatorio(-a) ♦ *nf* eliminatoria.
éliminer [elimine] *vt* eliminar.
élire [eliʀ] *vt* (*POL etc*) elegir; ~ **domicile à ...** domiciliarse en ....
élision [elizjɔ̃] *nf* elisión *f*.
élite [elit] *nf* élite *f*; **tireur d'~** tirador *m* de primera; **chercheur d'~** investigador *m* de categoría.
élitisme [elitism] *nm* elitismo.
élitiste [elitist] *adj* elitista.
élixir [eliksiʀ] *nm* elixir *m*.
elle [ɛl] *pron* ella; **Marie est-~ grande?** ¿María es grande?; **c'est à** ~ es suyo(-a), es de ella; **ce livre est à** ~ ese libro es suyo; **~-même** ella misma; (*après préposition*) sí misma; **avec** ~ (*réfléchi*) consigo.
ellipse [elips] *nf* elipsis *f inv*.
elliptique [eliptik] *adj* elíptico(-a).

élocution [elɔkysjɔ̃] *nf* elocución *f*; **défaut d'~** defecto de dicción.
éloge [elɔʒ] *nm* (*compliment*: *gén pl*) elogio; (*discours*) panegírico; **faire l'~ de qn/qch** hacer el elogio de algn/algo.
élogieusement [elɔʒjøzmɑ̃] *adv* elogiosamente.
élogieux, -euse [elɔʒjø, jøz] *adj* elogioso(-a).
éloigné, e [elwaɲe] *adj* (*gén*) alejado(-a); (*date, échéance, parent*) lejano(-a).
éloignement [elwaɲmɑ̃] *nm* (*action d'éloigner*) alejamiento; (*distance*: *aussi fig*) lejanía.
éloigner [elwaɲe] *vt* (*échéance, but*) retrasar; (*soupçons, danger*) ahuyentar; **s'éloigner** *vpr* alejarse; (*fig*) distanciarse; ~ **qch (de)** alejar algo (de); ~ **qn (de)** distanciar a algn (de); **s'~ de** alejarse de; (*fig*: *sujet, but*) salirse de.
élongation [elɔ̃gasjɔ̃] *nf* elongación *f*.
éloquence [elɔkɑ̃s] *nf* elocuencia.
éloquent, e [elɔkɑ̃, ɑ̃t] *adj* elocuente.
élu, e [ely] *pp de* **élire** ♦ *nm/f* (*POL*) elegido(-a), electo(-a); (*REL*) elegido(-a).
élucider [elyside] *vt* dilucidar.
élucubrations [elykybʀasjɔ̃] *nfpl* elucubraciones *fpl*.
éluder [elyde] *vt* eludir.
élus [ely] *vb voir* **élire**.
élusif, -ive [elyzif, iv] *adj* elusivo(-a).
Élysée [elize] *nm*: **l'~, le palais de l'~** el Elíseo, el palacio del Elíseo; **les Champs ~s** los Campos Elíseos.
émacié, e [emasje] *adj* demacrado(-a).
émail, -aux [emaj, o] *nm* esmalte *m*.
émaillé, e [emaje] *adj* esmaltado(-a); ~ **de** (*parsemé*) plagado(-a) de.
émailler [emaje] *vt* esmaltar; ~ **de** (*parsemer*) plagar de.
émanation [emanasjɔ̃] *nf* (*gén pl*) emanación *f*; **être l'~ de** (*provenir de*) emanar de.
émancipation [emɑ̃sipasjɔ̃] *nf* emancipación *f*.
émancipé, e [emɑ̃sipe] *adj* emancipado (-a).
émanciper [emɑ̃sipe] *vt* (*JUR*) emancipar; (*gén*: *aussi moralement*) liberar; **s'émanciper** *vpr* (*fig*) liberarse.
émaner [emane] : ~ **de** *vt* emanar de.
émarger [emaʀʒe] *vt* marginar; ~ **de 1000 F à un budget** cobrar 1000 francos de un presupuesto.
émasculer [emaskyle] *vt* emascular; (*fig*) mutilar.
emballage [ɑ̃balaʒ] *nm* embalaje *m*; (*d'un cadeau*) envoltura; ▸ **emballage perdu** embalaje no retornable.
emballer [ɑ̃bale] *vt* (*gén, moteur*) embalar;

(*cadeau*) envolver; (*fig: fam*) apetecer; **s'emballer** *vpr* (*moteur, personne*) embalarse; (*cheval*) desbocarse; (*fig*) propasarse.
emballeur, -euse [ɑ̃balœʀ, øz] *nm/f* embalador(a).
embarcadère [ɑ̃baʀkadɛʀ] *nm* embarcadero.
embarcation [ɑ̃baʀkasjɔ̃] *nf* embarcación *f*.
embardée [ɑ̃baʀde] *nf* bandazo; **faire une ~** dar un bandazo.
embargo [ɑ̃baʀgo] *nm* embargo; **mettre l'~ sur** embargar.
embarquement [ɑ̃baʀkəmɑ̃] *nm* embarque *m*.
embarquer [ɑ̃baʀke] *vt* embarcar; (*fam: voler*) mangar; (: *arrêter*) detener ♦ *vi* embarcar; **s'embarquer** *vpr* embarcarse; **s'~ dans** (*affaire, aventure*) embarcarse en.
embarras [ɑ̃baʀa] *nm* (*gén pl: obstacle*) inconveniente *m*; (*confusion*) turbación *f*; (*ennui*) problema *m*; **être dans l'~** (*gêne financière*) estar en apuros; ► **embarras gastrique** molestia intestinal.
embarrassant, e [ɑ̃baʀasɑ̃, ɑ̃t] *adj* molesto(-a).
embarrassé, e [ɑ̃baʀase] *adj* (*encombré*) atestado(-a); (*air, sourire*) incómodo(-a); (*persona*) violento(-a); (*explications etc*) confuso(-a).
embarrasser [ɑ̃baʀase] *vt* (*encombrer*) estorbar; (*gêner*) molestar; (*troubler*) turbar; **s'~ de** (*paquets*) cargarse de; (*scrupules, problèmes*) preocuparse por.
embauche [ɑ̃boʃ] *nf* contratación *f*; (*travail*) trabajo; **bureau d'~** oficina de contratación.
embaucher [ɑ̃boʃe] *vt* contratar; **s'embaucher comme** *vpr* inscribirse como.
embauchoir [ɑ̃boʃwaʀ] *nm* horma.
embaumer [ɑ̃bome] *vt* embalsamar ♦ *vi* oler muy bien; **~ la lavande/l'encaustique** oler a lavanda/a cera.
embellie [ɑ̃beli] *nf* (*aussi fig*) calma.
embellir [ɑ̃beliʀ] *vt* (*aussi fig*) embellecer ♦ *vi* estar cada vez más bonito(-a).
embellissement [ɑ̃belismɑ̃] *nm* (*décoration etc*) adorno; (*d'une ville, d'une maison*) arreglo.
embêtant, e [ɑ̃bɛtɑ̃, ɑ̃t] *adj* molesto(-a), embromado(-a) (*AM*).
embêtement [ɑ̃bɛtmɑ̃] *nm* (*gén pl*) contratiempo.
embêter [ɑ̃bete] *vt* (*importuner*) molestar, embromar (*AM*); (*ennuyer*) aburrir; (*contrarier*) fastidiar; **s'embêter** *vpr* aburrirse; (*iro*): **il ne s'embête pas!** ¡no se aburre!

emblée [ɑ̃ble]: **d'~** *adv* de golpe.
emblème [ɑ̃blɛm] *nm* (*aussi fig*) emblema *m*.
embobiner [ɑ̃bɔbine] *vt* encanillar; **~ qn** (*enjôler*) embaucar a algn.
emboîtable [ɑ̃bwatabl] *adj* encajable.
emboîter [ɑ̃bwate] *vt* encajar; **~ le pas à qn** pisarle los talones a algn; **s'~ dans** encajarse en; **s'~** (*l'un dans l'autre*) encajarse (uno en otro).
embolie [ɑ̃bɔli] *nf* embolia.
embonpoint [ɑ̃bɔ̃pwɛ̃] *nm* gordura; **prendre de l'~** engordar.
embouché, e [ɑ̃buʃe] *adj*: **mal ~** mal hablado(-a).
embouchure [ɑ̃buʃyʀ] *nf* (*GÉO*) desembocadura; (*MUS*) embocadura.
embourber [ɑ̃buʀbe]: **s'~** *vpr* atascarse; **s'~ dans** (*fig*) atrancarse en.
embourgeoiser [ɑ̃buʀʒwaze]: **s'~** *vpr* aburguesarse.
embout [ɑ̃bu] *nm* contera.
embouteillage [ɑ̃butɛjaʒ] *nm* embotellamiento.
embouteiller [ɑ̃buteje] *vt* embotellar.
emboutir [ɑ̃butiʀ] *vt* (*TECH*) forjar; (*entrer en collision avec*) chocar contra.
embranchement [ɑ̃bʀɑ̃ʃmɑ̃] *nm* (*routier*) bifurcación *f*; (*SCIENCE*) tipo.
embrancher [ɑ̃bʀɑ̃ʃe] *vt* empalmar; **~ qch sur** empalmar algo con.
embraser [ɑ̃bʀaze]: **s'~** *vpr* abrasarse; (*fig*) encenderse.
embrassade [ɑ̃bʀasad] *nf* (*gén pl*) abrazo.
embrasse [ɑ̃bʀas] *nf* alzapaño.
embrasser [ɑ̃bʀase] *vt* (*étreindre*) abrazar; (*donner un baiser*) besar; (*sujet, période*) abarcar; **s'embrasser** *vpr* besarse; **~ une carrière/un métier** abrazar una carrera/un oficio; **~ du regard** abarcar con la mirada.
embrasure [ɑ̃bʀazyʀ] *nf* vano; **dans l'~ de la porte** en el vano de la puerta.
embrayage [ɑ̃bʀɛjaʒ] *nm* embrague *m*.
embrayer [ɑ̃bʀeje] *vi* embragar ♦ *vt* (*affaire*) emprender; **~ sur qch** empalmar con algo.
embrigader [ɑ̃bʀigade] *vt* enrolar.
embrocher [ɑ̃bʀɔʃe] *vt* ensartar; (*fig*) atravesar (con espada).
embrouillamini [ɑ̃bʀujamini] (*fam*) *nm* barahúnda.
embrouillé, e [ɑ̃bʀuje] *adj* embrollado(-a).
embrouiller [ɑ̃bʀuje] *vt* (*aussi fig*) enredar; (*personne*) liar; **s'embrouiller** *vpr* enredarse.
embroussaillé, e [ɑ̃bʀusaje] *adj* (*terrain*) lleno(-a) de maleza; (*cheveux*) enmarañado(-a).
embruns [ɑ̃bʀɛ̃] *nmpl* salpicaduras *fpl*.

embryologie [ɑ̃bʀijɔlɔʒi] *nf* embriología.
embryon [ɑ̃bʀijɔ̃] *nm* (*aussi fig*) embrión *m*.
embryonnaire [ɑ̃bʀijɔnɛʀ] *adj* (*aussi fig*) embrionario(-a).
embûches [ɑ̃byʃ] *nfpl* obstáculos *mpl*.
embué, e [ɑ̃bɥe] *adj* empañado(-a); **yeux ~s de larmes** ojos *mpl* empañados por las lágrimas.
embuscade [ɑ̃byskad] *nf* emboscada; **tendre une ~ à qn** tender una emboscada a algn.
embusqué [ɑ̃byske] (*péj*) *nm* enchufado.
embusquer [ɑ̃byske] *vt* emboscar; **s'embusquer** *vpr* emboscarse; (*péj*) enchufarse.
éméché, e [emeʃe] *adj* achispado(-a).
émeraude [em(ə)ʀod] *nf, adj inv* esmeralda.
émergence [emɛʀʒɑ̃s] *nf* emergencia.
émerger [emɛʀʒe] *vi* emerger; (*fig*) surgir.
émeri [em(ə)ʀi] *nm*: **papier ~** papel *m* de esmeril.
émérite [emeʀit] *adj* emérito(-a).
émerveillement [emɛʀvɛjmɑ̃] *nm* maravilla.
émerveiller [emɛʀveje] *vt* maravillar; **s'émerveiller** *vpr*: **s'~ (de qch)** maravillarse (de algo).
émet [emɛ] *vb voir* **émettre**.
émétique [emetik] *nm* emético(-a).
émetteur, -trice [emetœʀ, tʀis] *adj* emisor(a) ♦ *nm* emisor *m*.
émetteur-récepteur [emetœʀʀesɛptœʀ] (*pl ~s-~s*) *nm* emisor-receptor *m*.
émettre [emɛtʀ] *vt, vi* emitir; **~ sur ondes courtes** emitir en onda corta.
émeus *etc* [emø] *vb voir* **émouvoir**.
émeute [emøt] *nf* motín *m*.
émeutier, -ère [emøtje, jɛʀ] *nm/f* amotinado(-a).
émeuve [emœv] *vb voir* **émouvoir**.
émietter [emjete] *vt* (*pain*) desmigajar; (*terre*) deshacer; (*fig*) dividir; **s'émietter** *vpr* (*terre*) desmenuzarse; (*pain*) desmigajarse.
émigrant, e [emigʀɑ̃, ɑ̃t] *nm/f* emigrante *m/f*.
émigration [emigʀasjɔ̃] *nf* emigración *f*.
émigré, e [emigʀe] *nm/f* emigrado(-a).
émigrer [emigʀe] *vi* emigrar.
émincé [emɛ̃se] *nm*: **~ de veau** plato de rodajas muy finas de carne de ternera.
émincer [emɛ̃se] *vt* (*viande*) trinchar; (*oignons etc*) cortar en rodajas finas.
éminemment [eminamɑ̃] *adv* eminentemente.
éminence [eminɑ̃s] *nf* eminencia; (*colline*) elevación *f*; **Son/Votre Éminence** Su/Vuestra Eminencia; ▶ **éminence grise** eminencia gris.

éminent, e [eminɑ̃, ɑ̃t] *adj* eminente.
émir [emiʀ] *nm* emir *m*.
émirat [emiʀa] *nm* emirato; **les Émirats Arabes Unis** los Emiratos Arabes Unidos.
émis [emi] *pp de* **émettre**.
émissaire [emisɛʀ] *nm* emisario.
émission [emisjɔ̃] *nf* emisión *f*.
émit [emi] *vb voir* **émettre**.
emmagasinage [ɑ̃magazinaʒ] *nm* almacenamiento.
emmagasiner [ɑ̃magazine] *vt* almacenar.
emmailloter [ɑ̃majɔte] *vt* poner pañales a.
emmanchure [ɑ̃mɑ̃ʃyʀ] *nf* sisa.
emmêlement [ɑ̃mɛlmɑ̃] *nm* enmarañamiento.
emmêler [ɑ̃mele] *vt* (*aussi fig*) enmarañar; **s'emmêler** *vpr* enmarañarse.
emménagement [ɑ̃menaʒmɑ̃] *nm* mudanza.
emménager [ɑ̃menaʒe] *vi* mudarse; **~ dans** instalarse en.
emmener [ɑ̃m(ə)ne] *vt* llevar; (*comme otage, capture, avec soi*) llevarse; **~ qn au cinéma/restaurant** llevar a algn al cine/restaurante.
emment(h)al [emɛtal] *nm* emmental *m*.
emmerder [ɑ̃mɛʀde] (*fam!*) *vt* dar el coñazo (*fam!*), fregar (*AM: fam!*); **s'emmerder** *vpr* aburrirse la hostia (*fam!*); **je t'emmerde!** ¡que te den por culo! (*fam!*).
emmitoufler [ɑ̃mitufle] *vt* arropar; **s'emmitoufler** *vpr* arroparse.
emmurer [ɑ̃myʀe] *vt* (*dans un cachot*) encerrar; (*accidentellement*) emparedar.
émoi [emwa] *nm* emoción *f*; (*trouble*) inquietud *f*; **en ~** excitado(-a).
émollient, e [emɔljɑ̃, jɑ̃t] *adj* emoliente.
émoluments [emɔlymɑ̃] *nmpl* emolumentos *mpl*.
émonder [emɔ̃de] *vt* (*arbre*) podar; (*amande etc*) mondar.
émotif, -ive [emɔtif, iv] *adj* (*troubles etc*) emocional; (*personne*) emotivo(-a).
émotion [emɔsjɔ̃] *nf* emoción *f*; **avoir des ~s** (*fig*) tener sobresaltos; **donner des ~s à** dar sobresaltos a; **sans ~** sin emoción.
émotionnant, e [emosjɔnɑ̃, ɑ̃t] *adj* emocionante.
émotionnel, le [emosjɔnɛl] *adj* emocional.
émotionner [emosjɔne] *vt* emocionar.
émoulu, e [emuly] *adj*: **frais ~ de** recién salido de.
émoussé, e [emuse] *adj* desafilado(-a).
émousser [emuse] *vt* (*couteau, lame*) desafilar; (*fig*) debilitar.
émoustiller [emustije] *vt* alegrar.
émouvant, e [emuvɑ̃, ɑ̃t] *adj* conmovedor(a).

émouvoir [emuvwaʀ] vt (troubler) turbar; (attendrir) conmover; (indigner) indignar; (effrayer) atemorizar; **s'émouvoir** vpr (se troubler) turbarse; (s'attendrir) conmoverse; (s'indigner) indignarse; (s'effrayer) atemorizarse.

empailler [ɑ̃paje] vt disecar.

empailleur, -euse [ɑ̃pajœʀ, øz] nm/f disecador(a).

empaler [ɑ̃pale] vt empalar; **s'empaler sur** vpr empalarse en.

empaquetage [ɑ̃paktaʒ] nm empaquetado.

empaqueter [ɑ̃pakte] vt empaquetar.

emparer [ɑ̃paʀe]: **s'~ de** vpr apoderarse de; (MIL) adueñarse de.

empâter [ɑ̃pate]: **s'~** vpr engordar.

empattement [ɑ̃patmɑ̃] nm (AUTO) batalla; (TYPO) grueso.

empêché, e [ɑ̃peʃe] adj ocupado(-a).

empêchement [ɑ̃pɛʃmɑ̃] nm impedimento.

empêcher [ɑ̃peʃe] vt impedir; **~ qn de faire qch** impedir a algn que haga algo; **~ que qch (n')arrive/que qn (ne) fasse** impedir que algo pase/que algn haga; **il n'empêche que** lo que no quiere decir que; **je ne peux pas m'~ de penser** no puedo dejar de pensar; **il n'a pas pu s'~ de rire** no pudo evitar reírse.

empêcheur [ɑ̃peʃœʀ] nm: **~ de danser ou tourner en rond** aguafiestas m/f inv.

empeigne [ɑ̃pɛɲ] nf empeine m.

empennage [ɑ̃penaʒ] nm (AVIAT) estabilizador m.

empereur [ɑ̃pʀœʀ] nm emperador m.

empesé, e [ɑ̃pəze] adj (fig) afectado(-a).

empeser [ɑ̃pəze] vt almidonar.

empester [ɑ̃peste] vt, vi apestar; **~ le tabac/le vin** apestar a tabaco/a vino.

empêtrer [ɑ̃petʀe]: **s'~ dans** vpr (des fils etc, une affaire louche) enredarse en; (ses explications) enredarse con.

emphase [ɑ̃faz] nf énfasis msg; **avec ~** con énfasis.

emphatique [ɑ̃fatik] adj enfático(-a).

empiècement [ɑ̃pjɛsmɑ̃] nm (COUTURE) canesú m.

empierrer [ɑ̃pjeʀe] vt empedrar.

empiéter [ɑ̃pjete]: **~ sur** vt (terrain) invadir; (droits, attributions) usurpar.

empiffrer [ɑ̃pifʀe]: **s'~** vpr (péj) atracarse.

empiler [ɑ̃pile] vt apilar; **s'empiler** vpr amontonarse.

empire [ɑ̃piʀ] nm imperio; (fig) dominio; **style E~** estilo imperio; **sous l'~ de** bajo el efecto de.

empirer [ɑ̃piʀe] vi empeorar.

empirique [ɑ̃piʀik] adj empírico(-a).

empirisme [ɑ̃piʀism] nm empirismo.

emplacement [ɑ̃plasmɑ̃] nm emplazamiento; **sur l'~ de** en el emplazamiento de.

emplâtre [ɑ̃plɑtʀ] nm cataplasma.

emplette [ɑ̃plɛt] nf: **faire des ~s** ir de tiendas; **faire l'~ de** adquirir.

emplir [ɑ̃pliʀ] vt llenar; **s'emplir (de)** vpr llenarse (de).

emploi [ɑ̃plwa] nm empleo; **l'~** (COMM, ÉCON) el empleo; **d'~ facile/délicat** de uso fácil/delicado; **offre/demande d'~** oferta/demanda de empleo; **le plein ~** pleno empleo; ► **emploi du temps** horario.

emploie [ɑ̃plwa] vb voir employer.

employé, e [ɑ̃plwaje] nm/f empleado(-a); ► **employé de banque** empleado(-a) de banco; ► **employé de bureau** oficinista m/f; ► **employé de maison** criado(-a).

employer [ɑ̃plwaje] vt emplear; **~ la force/les grands moyens** emplear fuerza/fuerzas mayores; **s'~ à qch/à faire** esforzarse por algo/por hacer.

employeur, -euse [ɑ̃plwajœʀ, øz] nm/f patrón(ona), empresario(-a).

empocher [ɑ̃pɔʃe] vt embolsar.

empoignade [ɑ̃pwaɲad] nf altercado.

empoigne [ɑ̃pwaɲ] nf: **foire d'~** batalla campal.

empoigner [ɑ̃pwaɲe] vt empuñar; **s'empoigner** vpr (fig) ir a las manos.

empois [ɑ̃pwa] nm engrudo.

empoisonnement [ɑ̃pwazɔnmɑ̃] nm (intoxication) intoxicación f; (crime) envenenamiento; (fam: ennui) engorro.

empoisonner [ɑ̃pwazɔne] vt (volontairement) envenenar; (accidentellement, empester) intoxicar; (fam: embêter): **~ qn** fastidiar a algn; **s'empoisonner** vpr (suicide) envenenarse; (accidentellement) intoxicarse; **~ l'atmosphère** (fig) cargar la atmósfera; **il nous empoisonne l'existence** nos amarga la existencia.

empoissonner [ɑ̃pwasɔne] vt poblar de peces.

emporté, e [ɑ̃pɔʀte] adj arrebatado(-a).

emportement [ɑ̃pɔʀtəmɑ̃] nm enfurecimiento.

emporte-pièce [ɑ̃pɔʀtəpjɛs] nm inv (TECH) sacabocados m; **à l'~-~** (fig) mordaz.

emporter [ɑ̃pɔʀte] vt llevar; (en dérobant, enlevant) arrebatar; (suj: courant, vent, avalanche, choc) arrastrar; (: enthousiasme, colère) arrebatar; (gagner, MIL) lograr; **s'emporter** vpr enfurecerse; **la maladie qui l'a emporté** la enfermedad que se lo ha llevado; **l'~** ganar; **l'~ sur** desbancar a; **boissons/plats chauds à ~** bebidas fpl/comidas fpl calientes para llevar.

empoté, e [ɑ̃pɔte] adj torpe, zoquete.

empourpré, e [ɑ̃puʀpʀe] adj enrojecido(-a).

empreint, e [ɑ̃pʀɛ̃, ɛt] adj: **~ de**

impregnado(-a) de.

empreinte [ɑ̃pʀɛt] *nf* (*aussi fig*) huella;
▸ **empreintes (digitales)** huellas *fpl*
(dactilares).

empressé, e [ɑ̃pʀese] *adj* solícito(-a); (*péj:
prétendant, subordonné*) servil.

empressement [ɑ̃pʀɛsmɑ̃] *nm* (*sollicitude*)
solicitud *f*; (*hâte*) prisa.

empresser [ɑ̃pʀese]: **s'~** *vi* apresurarse;
s'~ auprès de qn mostrarse solícito con
algn; **s'~ de faire** apresurarse a hacer.

emprise [ɑ̃pʀiz] *nf* influencia; **sous l'~ de**
bajo la influencia de.

emprisonnement [ɑ̃pʀizɔnmɑ̃] *nm* encarcelamiento.

emprisonner [ɑ̃pʀizɔne] *vt* encarcelar;
(*fig*) encerrar.

emprunt [ɑ̃pʀœ̃] *nm* (*gén, FIN*) préstamo;
(*littéraire*) imitación *f*; **nom d'~**
(p)seudónimo; **~ d'État** empréstito de
Estado; **~ public à 5%** empréstito público
al 5%.

emprunté, e [ɑ̃pʀœ̃te] *adj* (*fig*) forzado
(-a).

emprunter [ɑ̃pʀœ̃te] *vt* (*gén, FIN*) pedir *ou*
tomar prestado; (*route, itinéraire*) seguir;
(*style, manière*) imitar.

emprunteur, -euse [ɑ̃pʀœ̃tœʀ, øz] *nm/f*
prestatario(-a).

empuantir [ɑ̃pɥɑ̃tiʀ] *vt* infestar.

ému, e [emy] *pp de* **émouvoir** ♦ *adj* (*de
joie, gratitude*) emocionado(-a);
(*d'attendrissement*) conmovido(-a).

émulation [emylasjɔ̃] *nf* emulación *f*.

émule [emyl] *nm/f* (*aussi péj*) émulo(-a).

émulsion [emylsjɔ̃] *nf* emulsión *f*.

émut [emy] *vb voir* **émouvoir**.

===================== *MOT-CLÉ*

en [ɑ̃] *prép* **1** (*endroit, pays*) en; (*direction*)
a; **habiter en France/en ville** vivir en
Francia/en la ciudad; **aller en France/en
ville** ir a Francia/a la ciudad
2 (*temps*) en; **en 3 jours/20 ans** en 3 días/
20 años; **en été/juin** en verano/junio
3 (*moyen*) en; **en avion/taxi** en avión/taxi
4 (*composition*) de; **c'est en verre/bois** es
de cristal/madera; **un collier en argent** un
collar de plata
5 (*description, état*): **une femme en rouge**
una mujer de rojo; **peindre qch en rouge**
pintar algo de rojo; **en T/étoile** en forma
de T/en estrella; **en chemise/chaussettes**
en camisa/calcetines; **en soldat** de soldado; **en civil** de civil *ou* paisano; **en deuil**
de luto; **cassé en plusieurs morceaux** roto
en varios pedazos; **en réparation** en reparación; **partir en vacances** marcharse de
vacaciones; **le même en plus grand** el
mismo en tamaño más grande; **en bon**

diplomate, il n'a rien dit como buen diplomático, no dijo nada; **expert/licencié en** ...
experto/licenciado en ...; **fort en maths**
fuerte en matemáticas; **être en bonne
santé** estar bien de salud; **en deux
volumes/une pièce** en dos volúmenes/una
pieza; (*pour locutions avec 'en'*) *voir* **tant**;
croire *etc*
6 (*en tant que*): **en bon chrétien** como
buen cristiano; **je te parle en ami** te hablo como amigo
7 (*avec gérondif*): **en travaillant/dormant** al
trabajar/dormir, trabajando/durmiendo;
en apprenant la nouvelle/sortant, ... al saber la noticia/al salir, ...; **sortir en courant** salir corriendo
♦ *pron* **1** (*indéfini*): **j'en ai ...** tengo ...; **en
as-tu?** ¿tienes?; **en veux-tu?** ¿quieres?; **je
n'en veux pas** no quiero; **j'en ai 2** tengo
dos; **j'en ai assez** (*fig*) tengo bastante;
(*j'en ai marre*) estoy harto de eso;
combien y en a-t-il? ¿cuántos hay?; **où en
étais-je?** ¿dónde estaba?; **j'en viens à penser que ...** eso me lleva a pensar que ...;
il en est ainsi *ou* **de même pour toi!** ¡y tú
igual!
2 (*provenance*) de allí; **j'en viens/sors**
vengo/salgo (de allí)
3 (*cause*): **il en est malade/perd le sommeil**
está enfermo/pierde el sueño (por ello);
(*instrument, agent*): **il en est aimé** es estimado (por ello)
4 (*complément de nom, d'adjectif, de verbe*): **j'en connais les dangers/défauts** conozco los peligros/defectos de eso; **j'en
suis fier** estoy orgulloso de ello; **j'en ai
besoin** lo necesito.

ENA [ena] *sigle f* (= *École nationale
d'administration*) universidad de élite para
altos cargos de la Administración.

énarque [enaʀk] *nm/f* diplomado por la
ENA (*École nationale d'administration*).

encablure [ɑ̃kablyʀ] *nf* (*NAUT*) cable *m*.

encadrement [ɑ̃kadʀəmɑ̃] *nm* (*de porte*)
marco; **~ du crédit** control *m* del crédito.

encadrer [ɑ̃kadʀe] *vt* (*tableau, image*) enmarcar; (*fig: entourer*) rodear; (*personnel*) formar; (*soldats etc*) tener a su
mando; (*crédit*) controlar.

encadreur [ɑ̃kadʀœʀ] *nm* montador *m* de
marcos.

encaisse [ɑ̃kɛs] *nf*: **~ or/métallique** respaldo de oro/de metal.

encaissé, e [ɑ̃kese] *adj* encajonado(-a).

encaisser [ɑ̃kese] *vt* (*chèque, argent*) cobrar; (*coup, défaite*) encajar.

encaisseur [ɑ̃kesœʀ] *nm* cobrador *m*.

encan [ɑ̃kɑ̃]: **à l'~** *adv* en subasta.

encanailler [ɑ̃kanaje]: **s'~** *vi* corromperse.

encart [ãkaʀ] nm encarte m; ~ **publicitaire** volante m publicitario.
encarter [ãkaʀte] vt insertar.
en-cas [ãkɑ] nm inv tentempié m.
encastrable [ãkastʀabl] adj empotrable.
encastré [ãkastʀe] adj empotrado(-a).
encastrer [ãkastʀe] vt: ~ **qch dans** (mur) empotrar algo en; (boîtier) encastrar algo en; **s'encastrer dans** vpr embutirse en; (boîtier) encastrarse en.
encaustique [ãkostik] nf cera.
encaustiquer [ãkostike] vt encerar.
enceinte [ãsɛ̃t] adj f: ~ **(de 6 mois)** encinta ou embarazada (de 6 meses) ♦ nf (mur) muralla; (espace) recinto; ▸ **enceinte (acoustique)** bafle m.
encens [ãsã] nm incienso.
encenser [ãsãse] vt incensar; (fig) adular.
encensoir [ãsãswaʀ] nm incensario.
encéphalogramme [ãsefalɔgʀam] nm encefalograma m.
encercler [ãsɛʀkle] vt cercar.
enchaîné [ãʃene] nm (CINÉ) encadenado.
enchaînement [ãʃɛnmã] nm encadenamiento.
enchaîner [ãʃene] vt encadenar ♦ vi proseguir.
enchanté, e [ãʃãte] adj encantado(-a); ~ **de faire votre connaissance** encantado(-a) de conocerle.
enchantement [ãʃãtmã] nm encantamiento; **comme par** ~ como por arte de magia.
enchanter [ãʃãte] vt encantar.
enchanteur, -eresse [ãʃãtœʀ, tʀɛs] adj encantador(-a).
enchâsser [ãʃase] vt (diamant) engarzar; ~ **qch dans** encastrar algo en.
enchère [ãʃɛʀ] nf oferta; **faire une** ~ hacer una oferta; **mettre/vendre aux** ~s sacar/ vender en subasta; **les** ~**s montent** las ofertas suben; **faire monter les** ~**s** (fig) hacer subir las ofertas.
enchérir [ãʃeʀiʀ] vi: ~ **sur qn** (aussi fig) sobrepujar a algn.
enchevêtrement [ãʃ(ə)vɛtʀəmã] nm lío.
enchevêtrer [ãʃ(ə)vɛtʀe] vt enredar; **s'enchevêtrer** vpr enredarse.
enclave [ãklav] nf enclave m.
enclaver [ãklave] vt encerrar.
enclencher [ãklãʃe] vt (mécanisme) enganchar; (affaire) iniciar; **s'enclencher** vpr ponerse en marcha.
enclin, e [ãklɛ̃, in] adj: ~ **à qch/à faire** propenso(-a) a algo/a hacer.
enclore [ãklɔʀ] vt cercar.
enclos [ãklo] nm cercado.
enclume [ãklym] nf yunque m.
encoche [ãkɔʃ] nf muesca.
encoder [ãkɔde] vt codificar.

encodeur [ãkɔdœʀ] nm codificador m.
encoignure [ãkɔɲyʀ] nf rincón m.
encoller [ãkɔle] vt encolar.
encolure [ãkɔlyʀ] nf (mesure) (medida del) cuello; (col, cou) cuello.
encombrant, e [ãkɔ̃bʀã, ãt] adj voluminoso(-a).
encombre [ãkɔ̃bʀ]: **sans** ~ adv sin dificultad.
encombré, e [ãkɔ̃bʀe] adj (pièce, passage) abarrotado(-a); (lignes téléphoniques, marché) saturado(-a).
encombrement [ãkɔ̃bʀəmã] nm (d'un lieu) obstrucción f; (de circulation) embotellamiento; (des lignes téléphoniques) saturación f; (d'un objet) volumen m.
encombrer [ãkɔ̃bʀe] vt (couloir, rue) obstruir; (mémoire, marché) abarrotar; (personne) estorbar; **s'encombrer de** vpr (bagages etc) cargarse de ou con; ~ **le passage** obstruir el paso.
encontre [ãkɔ̃tʀ]: **à l'**~ **de** prép (contre) en contra de, contra; (contraire à) en contra de.
encorbellement [ãkɔʀbɛlmã] nm saledizo; **fenêtre en** ~ ventana en saliente.
encorder [ãkɔʀde] vt: **s'**~ encordarse.

=========================== MOT-CLÉ

encore [ãkɔʀ] adv **1** (continuation) todavía; **il travaille encore** trabaja todavía; **pas encore** todavía no
2 (de nouveau): **elle m'a encore demandé de l'argent** me ha vuelto a pedir dinero; **encore!** (insatisfaction) ¡otra vez!; **encore un effort** un esfuerzo más; **j'irai encore demain** iré también mañana; **encore une fois** una vez más; **encore deux jours** dos días más
3 (intensif): **encore plus fort/mieux** aún más fuerte/mejor; **hier encore** todavía ayer; **non seulement ... , mais encore** no sólo ... sino también
4 (restriction) al menos; **encore pourrais-je le faire, si j'avais de l'argent** si al menos tuviera dinero, podría hacerlo; **si encore** si por lo menos; **(et puis) quoi encore?** ¿y qué más?

encore que conj aunque.

encourageant, e [ãkuʀaʒã, ãt] adj alentador(a).
encouragement [ãkuʀaʒmã] nm (récompense) estímulo; (acte, parole) ánimos mpl.
encourager [ãkuʀaʒe] vt (personne) animar; (activité, tendance) fomentar; ~ **qn à faire qch** animar a algn para que haga algo.
encourir [ãkuʀiʀ] vt exponerse a.

encrasser [ãkrase] *vt* ensuciar.
encre [ãkr] *nf* tinta; ▶ **encre de Chine** tinta china; ▶ **encre indélébile** tinta indeleble; ▶ **encre sympathique** tinta simpática *ou* invisible.
encrer [ãkre] *vt* entintar.
encreur [ãkrœr] *adj m*: **rouleau ~** rodillo entintador.
encrier [ãkrije] *nm* tintero.
encroûter [ãkrute]: **s'~** *vpr* (*fig*) embrutecerse.
encyclique [ãsiklik] *nf* encíclica.
encyclopédie [ãsiklɔpedi] *nf* enciclopedia.
encyclopédique [ãsiklɔpedik] *adj* enciclopédico(-a).
endémique [ãdemik] *adj* (*aussi fig*) endémico(-a).
endetté, e [ãdete] *adj* endeudado(-a); **très ~ envers qn** (*fig*) muy endeudado(-a) con algn.
endettement [ãdɛtmã] *nm* endeudamiento.
endetter [ãdete] *vt* endeudar; **s'endetter** *vpr* endeudarse.
endeuiller [ãdœje] *vt* enlutar; **manifestation endeuillée par …** manifestación *f* marcada por … .
endiablé, e [ãdjable] *adj* (*allure, rythme*) endiablado(-a); (*enfant*) revoltoso(-a).
endiguer [ãdige] *vt* encauzar; (*fig*) refrenar.
endimancher [ãdimãʃe] *vt*: **s'~** endomingarse, vestirse de domingo; **avoir l'air endimanché** parecer endomingado(-a).
endive [ãdiv] *nf* endibia.
endocrine [ãdɔkrin] *adj f*: **glande ~** glándula endocrina.
endoctrinement [ãdɔktrinmã] *nm* adoctrinamiento.
endoctriner [ãdɔktrine] *vt* adoctrinar.
endolori, e [ãdɔlɔri] *adj* dolorido(-a).
endommager [ãdɔmaʒe] *vt* perjudicar.
endormant, e [ãdɔrmã, ãt] *adj* adormecedor(a).
endormi, e [ãdɔrmi] *pp de* **endormir** ♦ *adj* dormido(-a); (*indolent, lent*) lento(-a).
endormir [ãdɔrmir] *vt* adormecer, dormir; (*soupçons*) engañar; (*ennemi*) burlar; (*ennuyer*) adormecer; (*MÉD*) anestesiar; **s'endormir** *vpr* (*aussi fig*) dormirse.
endoscope [ãdɔskɔp] *nm* endoscopio.
endoscopie [ãdɔskɔpi] *nf* endoscopia.
endosser [ãdose] *vt* (*responsabilité*) asumir; (*chèque*) endosar; (*uniforme*) ponerse.
endroit [ãdrwa] *nm* lugar *m*, sitio; (*opposé à l'envers*) derecho; **à l'~** (*vêtement*) al derecho; **à l'~ de** (*à l'égard de*) con respecto a; **les gens de l'~** la gente del lugar; **par ~s** en algunos sitios; **à cet ~ en** ese sitio.

enduire [ãdɥir] *vt*: **~ qch de** recubrir algo con *ou* de; **s'enduire** *vpr* untarse.
enduit, e [ãdɥi, it] *pp de* **enduire** ♦ *nm* argamasa.
endurance [ãdyrãs] *nf* resistencia.
endurant, e [ãdyrã, ãt] *adj* resistente.
endurci, e [ãdyrsi] *adj*: **buveur/célibataire ~** borracho/solterón *m* empedernido.
endurcir [ãdyrsir] *vt* endurecer; **s'endurcir** *vpr* endurecerse.
endurer [ãdyre] *vt* aguantar.
énergétique [enɛrʒetik] *adj* energético(-a).
énergie [enɛrʒi] *nf* (*aussi fig*) energía.
énergique [enɛrʒik] *adj* enérgico(-a).
énergiquement [enɛrʒikmã] *adv* enérgicamente.
énergisant, e [enɛrʒizã, ãt] *adj* energético(-a).
énergumène [enɛrgymɛn] *nm* energúmeno.
énervant, e [enɛrvã, ãt] *adj* irritante.
énervé, e [enɛrve] *adj* nervioso(-a); (*agacé*) irritado(-a).
énervement [enɛrvəmã] *nm* nerviosismo.
énerver [enɛrve] *vt* poner nervioso, enervar; **s'énerver** *vpr* ponerse nervioso, enervarse.
enfance [ãfãs] *nf* (*âge*) niñez *f*; (*fig*) principio, (*enfants*) infancia; **c'est l'~ de l'art** está tirado; **petite ~** primera infancia; **souvenir/ami d'~** recuerdo/amigo de infancia; **retomber en ~** volver a la niñez.
enfant [ãfã] *nm/f* (*garçon, fillette: aussi fig*) niño(-a); (*fils, fille: aussi fig*) hijo(-a); **petit ~ nene(-a)**; **bon ~** bonachón(-ona); ▶ **enfant adoptif** hijo adoptivo; ▶ **enfant de chœur** (*REL, fig*) monaguillo; ▶ **enfant naturel/unique** hijo natural/único; ▶ **enfant prodige** niño prodigio.
enfanter [ãfãte] *vi* dar a luz, parir ♦ *vt* (*œuvre*) dar a luz.
enfantillage [ãfãtijaʒ] (*péj*) *nm* chiquillada.
enfantin, e [ãfãtɛ̃, in] *adj* (*aussi péj*) infantil.
enfer [ãfɛr] *nm* infierno; **allure/bruit d'~** ritmo/ruido infernal.
enfermer [ãfɛrme] *vt* (*à clef etc*) encerrar; **s'enfermer** *vpr* encerrarse; **s'~ à clef** cerrarse con llave; **s'~ dans la solitude/le mutisme** encerrarse en la soledad/el mutismo.
enferrer [ãfere] *vt*: **s'~** *vpr*: **s'~ dans** enredarse con.
enfiévré [ãfjevre] *adj* (*fig*) enardecido(-a).
enfilade [ãfilad] *nf*: **une ~ de ruelles/de maisons** una hilera de calles/de casas; **en ~** en fila; **prendre des rues en ~** enfilar las calles.
enfiler [ãfile] *vt* (*perles*) ensartar; (*aiguille*)

enhebrar; (*rue, couloir*) enfilar; **s'enfiler dans** *vpr* (*entrer dans*) enfilar; ~ **qch** (*vêtement*) ponerse algo; ~ **qch dans** (*insérer*) meter algo en.

enfin [ɑ̃fɛ̃] *adv* (*pour finir*) finalmente; (*en dernier lieu, pour conclure*) por último; (*de restriction, résignation*) en fin; (*eh bien!*) ¡por fin!

enflammé, e [ɑ̃flame] *adj* (*torche, allumette*) encendido(-a); (*MÉD*) inflamado(-a); (*nature, discours*) entusiasta.

enflammer [ɑ̃flame] *vt* (*aussi fig*) inflamar; **s'enflammer** *vpr* inflamarse.

enflé, e [ɑ̃fle] *adj* (*aussi péj*) hinchado(-a).

enfler [ɑ̃fle] *vi* (*MÉD*) inflamar, hincharse.

enflure [ɑ̃flyʀ] *nf* inflamación *f*.

enfoncé, e [ɑ̃fɔ̃se] *adj* hundido(-a); **yeux ~s (dans les orbites)** ojos *mpl* hundidos (en las órbitas).

enfoncement [ɑ̃fɔ̃smɑ̃] *nm* (*recoin*) hueco.

enfoncer [ɑ̃fɔ̃se] *vt* (*clou*) clavar; (*forcer, défoncer, faire pénétrer*) hundir; (*lignes ennemies*) derrotar; (*fam: surpasser*) derribar ♦ *vi* (*dans la vase etc*) hundirse; **s'enfoncer** *vpr* hundirse; **s'~ dans** hundirse en; (*forêt, ville*) adentrarse en; (*mensonge*) sumirse en; (*erreur*) andar en; ~ **un chapeau sur la tête** calarse un sombrero en la cabeza; ~ **qn dans la dette** hundir a algn en deudas.

enfouir [ɑ̃fwiʀ] *vt* (*dans le sol*) enterrar; (*dans un tiroir, une poche*) meter en el fondo; **s'enfouir dans/sous** *vpr* refugiarse en/ocultarse bajo.

enfourcher [ɑ̃fuʀʃe] *vt* montar a horcajadas; ~ **son dada** (*fig*) comenzar con su tema.

enfourner [ɑ̃fuʀne] *vt* poner al horno, meter en el horno; **s'enfourner dans** *vpr* meterse en; ~ **qch dans** meter algo en.

enfreignais [ɑ̃fʀɛɲɛ] *vb voir* **enfreindre**.

enfreindre [ɑ̃fʀɛ̃dʀ] *vt* infringir.

enfuir [ɑ̃fɥiʀ]: **s'~** *vpr* huir.

enfumer [ɑ̃fyme] *vt* ahumar.

enfuyais [ɑ̃fɥijɛ] *vb voir* **enfuir**.

engagé, e [ɑ̃gaʒe] *adj* (*littérature, politique*) comprometido(-a) ♦ *nm* (*MIL*) voluntario.

engageant, e [ɑ̃gaʒɑ̃, ɑ̃t] *adj* atractivo(-a).

engagement [ɑ̃gaʒmɑ̃] *nm* compromiso; (*contrat professionnel*) contrato; (*combat*) intervención *f*; (*recrutement*) alistamiento voluntario; (*SPORT*) saque *m* de centro; **prendre l'~ de faire** comprometerse a hacer; **sans ~** (*COMM*) sin compromiso.

engager [ɑ̃gaʒe] *vt* (*embaucher*) contratar; (*débat*) iniciar; (: *négociations*) entablar; (*lier*) comprometer; (*impliquer, entraîner*) implicar; (*argent*) colocar; (*faire intervenir*) hacer intervenir; **s'engager** *vpr* (*s'embaucher*) incorporarse a; (*MIL*) alistar-

se; (*politiquement, promettre*) comprometerse; (*négociations*) entablarse; **10 chevaux sont engagés dans cette course** 10 caballos toman parte en esta carrera; ~ **qn à faire/à qch** incitar a algn a hacer/a algo; ~ **qch dans** (*faire pénétrer*) meter algo en; **s'~ à faire qch** comprometerse a hacer algo; **s'~ dans** (*rue, passage*) enfilar; (*s'emboîter*) encajarse en; (*voie, carrière, discussion*) meterse en.

engazonner [ɑ̃gazɔne] *vt* sembrar césped.

engeance [ɑ̃ʒɑ̃s] *nf* (*péj*) gentuza.

engelures [ɑ̃ʒlyʀ] *nfpl* sabañones *mpl*.

engendrer [ɑ̃ʒɑ̃dʀe] *vt* engendrar.

engin [ɑ̃ʒɛ̃] *nm* máquina; (*péj*) artefacto; (*missile*) proyectil *m*; ► **engin blindé** vehículo blindado; ► **engin de terrassement** excavadora; ► **engin (explosif)** artefacto explosivo; ► **engins (spéciaux)** misiles *mpl*.

englober [ɑ̃glɔbe] *vt* englobar.

engloutir [ɑ̃glutiʀ] *vt* (*aussi fig*) tragar; **s'engloutir** *vpr* hundirse.

englué, e [ɑ̃glye] *adj* enviscado(-a).

engoncé, e [ɑ̃gɔ̃se] *adj*: ~ **dans** embutido(-a) en.

engorgement [ɑ̃gɔʀʒəmɑ̃] *nm* atasco; (*MÉD*) hinchazón *f*.

engorger [ɑ̃gɔʀʒe] *vt* (*tuyau, rue*) atascar; (*marché*) saturar; **s'engorger** *vpr* atascarse.

engouement [ɑ̃gumɑ̃] *nm* apasionamiento.

engouffrer [ɑ̃gufʀe] *vt* engullir; **s'engouffrer dans** *vpr* (*suj: vent, eau*) penetrar en; (: *personnes*) precipitarse en.

engourdi, e [ɑ̃guʀdi] *adj* entumecido(-a).

engourdir [ɑ̃guʀdiʀ] *vt* (*membres*) entumecer; (*esprit*) entorpecer; **s'engourdir** *vpr* entumecerse; entorpecerse.

engrais [ɑ̃gʀɛ] *nm* abono; ► **engrais chimique/minéral/naturel** abono químico/mineral/natural; ► **engrais organique/vert** abono orgánico/verde.

engraisser [ɑ̃gʀese] *vt* (*animal*) cebar; (*terre*) abonar ♦ *vi* (*péj: personne*) forrarse.

engranger [ɑ̃gʀɑ̃ʒe] *vt* (*foin*) entrojar; (*fig*) almacenar.

engrenage [ɑ̃gʀənaʒ] *nm* (*aussi fig*) engranaje *m*.

engueuler [ɑ̃gœle] (*fam*) *vt*: ~ **qn** cabrearse con algn.

enguirlander [ɑ̃giʀlɑ̃de] (*fam*) *vt* echar un rapapolvo a.

enhardir [ɑ̃aʀdiʀ] *vt* animar; **s'enhardir** *vpr* envalentonarse.

énième [ɛnjɛm] *adj voir* **nième**.

énigmatique [enigmatik] *adj* enigmático(-a).

énigmatiquement [enigmatikmɑ̃] *adv* enigmáticamente.

énigme [enigm] *nf* enigma *m*.
enivrant, e [ᾱnivrᾱ, ᾱt] *adj* embriagador(a).
enivrer [ᾱnivʀe] *vt* (*aussi fig*) embriagar, emborrachar; **s'enivrer** *vpr* (*en buvant*) emborracharse, embriagarse; **s'~ de** (*fig*) embriagarse de, emborracharse de.
enjambée [ᾱʒᾱbe] *nf* zancada; **d'une ~ de** una zancada.
enjamber [ᾱʒᾱbe] *vt* franquear.
enjeu, x [ᾱʒø] *nm* apuesta; (*d'une élection, d'un match*) lo que está en juego.
enjoindre [ᾱʒwɛ̃dʀ] *vt*: ~ **à qn de faire** ordenar a algn que haga.
enjôler [ᾱʒole] *vt* engatusar.
enjôleur, -euse [ᾱʒolœʀ, øz] *adj* zalamero(-a).
enjolivement [ᾱʒɔlivmᾱ] *nm* adorno.
enjoliver [ᾱʒɔlive] *vt* (*aussi fig*) adornar.
enjoliveur [ᾱʒɔlivœʀ] *nm* (*AUTO*) embellecedor *m*.
enjoué, e [ᾱʒwe] *adj* alegre.
enlacer [ᾱlase] *vt* (*étreindre*) abrazar; (*suj: corde, liane*) enredarse alrededor de.
enlaidir [ᾱlediʀ] *vt* afear ♦ *vi* afearse.
enlevé, e [ᾱl(ə)ve] *adj* (*MUS*) ejecutado(-a) brillantemente.
enlèvement [ᾱlɛvmᾱ] *nm* (*rapt*) rapto; **l'~ des ordures ménagères** la recogida de basuras.
enlever [ᾱl(ə)ve] *vt* quitar; (*ordures, meubles à déménager*) recoger; (*kidnapper*) raptar; (*prix, victoire*) conseguir; (*MIL*) tomar; (*MUS*) ejecutar brillantemente; **s'enlever** *vpr* (*tache*) quitarse; ~ **qch à qn** (*possessions, espoir*) quitar algo a algn; **la maladie qui nous l'a enlevé** (*euphémisme*) la enfermedad que nos lo ha llevado.
enliser [ᾱlize]: **s'~** *vpr* hundirse; (*dialogue*) llegar a un punto muerto.
enluminure [ᾱlyminyʀ] *nf* iluminación *f*.
enneigé, e [ᾱneʒe] *adj* (*pente, col*) nevado(-a); (*maison*) cubierto(-a) de nieve.
enneigement [ᾱnɛʒmᾱ] *nm* cantidad *f* de nieve; **bulletin d'~** estado de la nieve.
ennemi, e [ɛnmi] *adj, nm/f* enemigo(-a) ♦ *nm* (*MIL, gén*) enemigo; **être ~ de** (*tendance, activité*) ser enemigo(-a) de.
ennoblir [ᾱnɔbliʀ] *vt* ennoblecer.
ennui [ᾱnɥi] *nm* (*lassitude*) aburrimiento; (*difficulté*) problema *m*; **avoir/s'attirer des ~s** tener/buscarse problemas.
ennuie [ᾱnɥi] *vb voir* **ennuyer**.
ennuyé, e [ᾱnɥije] *adj* (*préoccupé, contrarié*) contrariado(-a).
ennuyer [ᾱnɥije] *vt* (*importuner, gêner*) molestar; (*contrarier*) fastidiar; (*lasser*) aburrir; **s'ennuyer** *vpr* (*se lasser*) aburrirse;

si cela ne vous ennuie pas si no le molesta; **s'~ de qch/qn** (*regretter*) echar de menos algo/a algn.
ennuyeux, -euse [ᾱnɥijø, øz] *adj* (*lassant*) aburrido(-a); (*contrariant*) molesto(-a).
énoncé [enɔ̃se] *nm* enunciado.
énoncer [enɔ̃se] *vt* enunciar; (*conditions*) formular.
énonciation [enɔ̃sjasjɔ̃] *nf* enunciación *f*.
enorgueillir [ᾱnɔʀgœjiʀ]: **s'~ de** *vpr* enorgullecerse de.
énorme [enɔʀm] *adj* enorme.
énormément [enɔʀmemᾱ] *adv* (*avec vb*) muchísimo; ~ **de neige/gens** muchísima nieve/gente.
énormité [enɔʀmite] *nf* barbaridad *f*; (*d'une faute etc*) enormidad *f*.
enquérir [ᾱkeʀiʀ]: **s'~ de** *vpr* preguntar por.
enquête [ᾱkɛt] *nf* (*judiciaire, administrative, de police*) investigación *f*; (*de journaliste, sondage*) encuesta.
enquêter [ᾱkete] *vi* (*gén, police*) investigar; (*journaliste, sondage*) hacer una encuesta; ~ **sur** investigar sobre.
enquêteur, -euse, -trice [ᾱkɛtœʀ, øz, tris] *nm/f* investigador(a).
enquière *etc* [ᾱkjɛʀ] *vb voir* **enquérir**.
enquiers *etc* [ᾱkje] *vb voir* **enquérir**.
enquiquiner [ᾱkikine] *vt* chinchar.
enquis [ᾱki] *pp de* **enquérir**.
enraciné, e [ᾱʀasine] *adj* arraigado(-a).
enragé, e [ᾱʀaʒe] *adj* (*MÉD*) rabioso(-a); (*furieux*) furioso(-a); (*passionné*) apasionado(-a); ~ **de** fanático(-a) de.
enrageant, e [ᾱʀaʒᾱ] *adj* irritante.
enrager [ᾱʀaʒe] *vi* dar rabia; **faire ~ qn** hacer rabiar a algn.
enrayer [ᾱʀeje] *vt* (*maladie*) cortar; (*processus*) interrumpir; **s'enrayer** *vpr* (*arme à feu*) encasquillarse.
enrégimenter [ᾱʀeʒimᾱte] (*péj*) *vt* incorporar a.
enregistrement [ᾱʀ(ə)ʒistʀəmᾱ] *nm* (*d'un disque*) grabación *f*; (*d'un fichier, d'une plainte*) registro; ~ **des bagages** facturación *f*; ▶ **enregistrement magnétique** grabación magnética.
enregistrer [ᾱʀ(ə)ʒistʀe] *vt* (*MUS, INFORM*) grabar; (*ADMIN, COMM, fig*) registrar; (*aussi: faire ~: bagages*) facturar.
enregistreur, -euse [ᾱʀ(ə)ʒistʀœʀ, øz] *adj* registrador(a) ♦ *nm* aparato registrador; ▶ **enregistreur de vol** registrador *m* de vuelo.
enrhumé, e [ᾱʀyme] *adj*: **il est ~** está acatarrado *ou* constipado *ou* resfriado.
enrhumer [ᾱʀyme]: **s'~** *vpr* acatarrarse, constiparse, resfriarse.
enrichi, e [ᾱʀiʃi] *adj* enriquecido(-a).

enrichir [ɑ̃ʀiʃiʀ] vt enriquecer; **s'enrichir** vpr enriquecerse.

enrichissant, e [ɑ̃ʀiʃisɑ̃, ɑ̃t] adj enriquecedor(a).

enrichissement [ɑ̃ʀiʃismɑ̃] nm enriquecimiento.

enrober [ɑ̃ʀɔbe] vt: ~ **qch de** envolver algo con, cubrir algo con; (fig) disfrazar algo con.

enrôlement [ɑ̃ʀolmɑ̃] nm (v vt) alistamiento, reclutamiento.

enrôler [ɑ̃ʀole] vt reclutar; (MIL) alistar; **s'onrôler (dans)** vpr enrolarse (en), alistarse (en).

enroué, e [ɑ̃ʀwe] adj ronco(-a).

enrouer [ɑ̃ʀwe]: **s'~** vpr enronquecer.

enrouler [ɑ̃ʀule] vt enrollar; **s'enrouler** vpr enrollarse; ~ **qch autour de** enrollar algo alrededor de.

enrouleur, -euse [ɑ̃ʀulœʀ, øz] adj enrollador(a) ♦ nm voir **ceinture**.

enrubanné, e [ɑ̃ʀybane] adj adornado(-a) con cintas.

ENS sigle f (= école normale supérieure) voir **école**.

ensabler [ɑ̃sable] vt (port, canal) enarenar; (embarcation) encallar; **s'ensabler** vpr (v vt) enarenarse, encallarse.

ensacher [ɑ̃saʃe] vt ensacar.

ensanglanté, e [ɑ̃sɑ̃ɡlɑ̃te] adj ensangrentado(-a).

enseignant, e [ɑ̃sɛɲɑ̃, ɑ̃t] adj, nm/f docente m/f.

enseigne [ɑ̃sɛɲ] nf rótulo ♦ nm: ~ **de vaisseau** alférez m de navío; **à telle ~ que** ... la prueba es que ...; **être logé à la même ~** (fig) estar en el mismo caso; ▶ **enseigne lumineuse** rótulo luminoso.

enseignement [ɑ̃sɛɲ(ə)mɑ̃] nm enseñanza; ▶ **enseignement ménager/technique** enseñanza doméstica/técnica; ▶ **enseignement primaire/secondaire** enseñanza primaria/secundaria; ▶ **enseignement privé/public** enseñanza privada/pública.

enseigner [ɑ̃sɛɲe] vt (suj: professeur) enseñar, dar clase de; (: choses) enseñar ♦ vi (être professeur) dar clases; ~ **qch à qn** enseñar algo a algn; ~ **à qn que** enseñar a algn que.

ensemble [ɑ̃sɑ̃bl] adv (l'un avec l'autre) juntos(-as); (en même temps) juntos(-as) ♦ nm conjunto; **l'~ du/de la** la totalidad del/de la; **aller ~** (être assorti) combinarse; **impression/idée d'~** impresión f/idea de conjunto; **dans l'~** (en gros) en conjunto; **dans son ~** (en gros, au total) en su conjunto; ▶ **ensemble instrumental/vocal** conjunto ou grupo instrumental/vocal.

ensemblier [ɑ̃sɑ̃blije] nm decorador(a).

ensemencer [ɑ̃s(ə)mɑ̃se] vt sembrar.

enserrer [ɑ̃seʀe] vt (cou, taille) ceñir; (village, champ) rodear.

ensevelir [ɑ̃səv(ə)liʀ] vt sepultar.

ensilage [ɑ̃silaʒ] nm ensilaje m.

ensoleillé, e [ɑ̃sɔleje] adj soleado(-a).

ensoleillement [ɑ̃sɔlɛjmɑ̃] nm: **journées d'~** días soleados.

ensommeillé, e [ɑ̃sɔmeje] adj adormilado(-a).

ensorceler [ɑ̃sɔʀsəle] vt hechizar.

ensuite [ɑ̃sɥit] adv (dans une succession: après) a continuación; (plus tard) después; **~ de quoi** después de lo cual.

ensuivre [ɑ̃sɥivʀ]: **s'~** vpr resultar; **il s'ensuit que** ... de lo que resulta que ...; **et tout ce qui s'ensuit** y toda la pesca.

entaché [ɑ̃taʃe] adj: ~ **de nullité** con vicio de nulidad.

entacher [ɑ̃taʃe] vt manchar.

entaille [ɑ̃taj] nf (encoche) muesca; (blessure) cortada; **se faire une ~** hacerse una cortada.

entailler [ɑ̃taje] vt cortar; **s'~ le doigt** etc cortarse el dedo etc.

entamer [ɑ̃tame] vt (pain, bouteille) empezar; (hostilités, pourparlers) iniciar; (réputation, confiance) mermar; (bonne humeur) hacer perder.

entartrer [ɑ̃taʀtʀe]: **s'~** vpr cubrirse de sarro; (dents) tener sarro.

entassement [ɑ̃tasmɑ̃] nm amontonamiento.

entasser [ɑ̃tase] vt (empiler) amontonar; (prisonniers etc) hacinar; **s'entasser** vpr (v vt) amontonarse; hacinarse; **s'~ dans** hacinarse en, amontonarse en.

entendement [ɑ̃tɑ̃dmɑ̃] nm entendimiento.

entendre [ɑ̃tɑ̃dʀ] vt oír; (comprendre) entender; (vouloir dire) querer decir; **s'entendre** vpr (sympathiser) entenderse; (: se mettre d'accord) ponerse de acuerdo; **j'ai entendu dire que** he oído que; **s'~ à qch/à faire qch** ser competente para algo/para hacer algo; ~ **être obéi/que** (vouloir) pretender ser obedecido/que; ~ **parler de** oír hablar de; ~ **raison** entrar en razón; **je m'entends** sé lo que (me) digo; **entendons-nous** expliquémonos; **(cela) s'entend** por supuesto, naturalmente; **laisser ~ que, donner à ~ que** dar a entender que; **qu'est-ce qu'il ne faut pas ~!** ¡lo que hay que oír!; **j'ai mal entendu** no he comprendido; **je suis heureux de vous l'~ dire** es un placer oírselo decir; **ça s'entend!** (c'est audible) ¡se oye!; **je vous entends très mal** le oigo muy mal.

entendu, e [ɑ̃tɑ̃dy] pp de **entendre** ♦ adj

(*affaire*) concluido(-a); (*air*) entendido (-a); **étant** ~ **que** dando por supuesto que; **(c'est)** ~**!** ¡de acuerdo!, ¡entendido!; **c'est** ~ (*concession*) entendido; **bien** ~**!** ¡por supuesto!

entente [ɑ̃tɑ̃t] *nf* (*entre amis, pays*) entendimiento; (*accord, traité*) acuerdo; **à double** ~ de doble sentido.

entériner [ɑ̃teʀine] *vt* ratificar.

entérite [ɑ̃teʀit] *nf* enteritis *f inv.*

enterrement [ɑ̃tɛʀmɑ̃] *nm* entierro.

enterrer [ɑ̃teʀe] *vt* enterrar; (*suj: avalanche etc*) sepultar; (*dispute, projet*) echar tierra sobre.

entêtant, e [ɑ̃tɛtɑ̃, ɑ̃t] *adj* (*odeur, atmosphère*) mareante.

en-tête [ɑ̃tɛt] (*pl* ~-~**s**) *nm* membrete *m*; **enveloppe/papier à** ~-~ sobre *m*/papel *m* con membrete.

entêté, e [ɑ̃tete] *adj* obstinado(-a), cabezota.

entêtement [ɑ̃tɛtmɑ̃] *nm* cabezonería.

entêter [ɑ̃tete]: **s'**~ *vpr* obstinarse, empeñarse; **s'**~ **(à faire)** empeñarse (en hacer).

enthousiasmant, e [ɑ̃tuzjasmɑ̃, ɑ̃t] *adj* apasionante.

enthousiasme [ɑ̃tuzjasm] *nm* entusiasmo; **avec** ~ con entusiasmo.

enthousiasmé, e [ɑ̃tuzjasme] *adj* entusiasmado(-a).

enthousiasmer [ɑ̃tuzjasme] *vt* entusiasmar; **s'enthousiasmer** *vpr*: **s'**~ **(pour qch)** entusiasmarse (con algo).

enthousiaste [ɑ̃tuzjast] *adj, nm/f* entusiasta *m/f.*

enticher [ɑ̃tiʃe]: **s'**~ **de** *vpr* encapricharse con *ou* por.

entier, -ère [ɑ̃tje, jɛʀ] *adj* entero(-a); (*en totalité*) entero(-a), completo(-a); (*personne, caractère*) íntegro(-a) ♦ *nm* (*MATH*) entero; **en** ~ por completo; **se donner tout** ~ **à qch** entregarse enteramente a algo; **lait** ~ leche *f* entera; **nombre** ~ número entero.

entièrement [ɑ̃tjɛʀmɑ̃] *adv* enteramente.

entité [ɑ̃tite] *nf* entidad *f.*

entomologie [ɑ̃tɔmɔlɔʒi] *nf* entomología.

entomologiste [ɑ̃tɔmɔlɔʒist] *nm/f* entomólogo(-a).

entonner [ɑ̃tɔne] *vt* entonar.

entonnoir [ɑ̃tɔnwaʀ] *nm* (*ustensile*) embudo; (*trou*) hoyo.

entorse [ɑ̃tɔʀs] *nf* esguince *m*; ~ **à la loi/au règlement** infracción *f* de la ley/del reglamento; **se faire une** ~ **à la cheville/au poignet** hacerse un esguince en el tobillo/en la muñeca.

entortiller [ɑ̃tɔʀtije] *vt*: ~ **qch dans/avec** envolver algo en/con; **s'entortiller dans**

vpr (*draps*) enroscarse en; (*fig*) enredarse en; ~ **qch autour de** enrollar algo alrededor de; ~ **qn** (*fam*) liar a algn.

entourage [ɑ̃tuʀaʒ] *nm* (*personnes proches*) allegados *mpl*; (*ce qui enclôt*) cerco.

entouré, e [ɑ̃tuʀe] *adj* (*recherché, admiré*) agasajado(-a); ~ **de** rodeado(-a) de.

entourer [ɑ̃tuʀe] *vt* (*par une clôture etc*) cercar; (*MIL, gén*) sitiar; (*faire cercle autour de*) rodear; (*apporter son soutien à*) atender; **s'entourer de** *vpr* (*collaborateurs*) rodearse de; ~ **qch de** rodear algo con; ~ **qn de soins/prévenances** prodigar a algn cuidados/atenciones; **s'**~ **de mystère/de luxe/de précautions** rodearse de misterio/de lujo/de precauciones.

entourloupette [ɑ̃tuʀlupɛt] *nf* (*gén pl*) mala pasada.

entournures [ɑ̃tuʀnyʀ] *nfpl*: **être gêné aux** ~ estar apretado de hombros; (*moralement*) estar a disgusto; (*financièrement*) andar escaso de dinero.

entracte [ɑ̃tʀakt] *nm* entreacto.

entraide [ɑ̃tʀɛd] *nf* ayuda mutua.

entraider [ɑ̃tʀede]: **s'**~ *vpr* ayudarse mutuamente.

entrailles [ɑ̃tʀaj] *nfpl* (*aussi fig*) entrañas *fpl.*

entrain [ɑ̃tʀɛ̃] *nm* ánimo; **avec** ~ con entusiasmo; **faire qch sans** ~ hacer algo sin entusiasmo *ou* sin ganas.

entraînant, e [ɑ̃tʀɛnɑ̃, ɑ̃t, øz] *adj* (*musique, air*) animado(-a).

entraînement [ɑ̃tʀɛnmɑ̃] *nm* entrenamiento; ~ **à chaîne/galet** tracción *f* a cadena/rodillo; **manquer d'**~ estar desentrenado(-a); ~ **par ergots/friction** (*INFORM*) arrastre *m* por tracción/fricción.

entraîner [ɑ̃tʀene] *vt* (*tirer*) arrastrar; (*charrier*) acarrear; (*moteur, poulie*) accionar; (*emmener*) llevarse; (*joueurs, soldats*) guiar; (*SPORT*) entrenar; (*influencer*) influenciar; (*impliquer, causer*) ocasionar; **s'entraîner** *vpr* (*SPORT*) entrenarse; ~ **qn a/à faire qch** (*inciter*) arrastrar a algn a/a hacer algo; **s'**~ **à qch/à faire qch** (*s'exercer*) ejercitarse en algo/en hacer algo.

entraîneur, -euse [ɑ̃tʀenœʀ, øz] *nm/f* (*SPORT*) entrenador(a); (*HIPPISME*) picador(a).

entraîneuse [ɑ̃tʀenøz] *nf* (*de bar*) cabaretera, gancho.

entrapercevoir [ɑ̃tʀapɛʀsəvwaʀ] *vt* ver de pasada.

entrave [ɑ̃tʀav] *nf* obstáculo.

entraver [ɑ̃tʀave] *vt* obstaculizar.

entre [ɑ̃tʀ] *prép* entre; **l'un d'**~ **eux/nous** uno de ellos/nosotros; **le meilleur d'**~ **eux/nous** el mejor de ellos/nosotros; **ils**

préfèrent rester ~ eux prefieren permanecer entre ellos; ~ autres (choses) entre otras (cosas); ~ nous, ... entre nosotros, ...; ils se battent ~ eux se pelean entre sí; ~ ces deux solutions, il n'y a guère de différence entre estas dos soluciones no hay mucha diferencia.

entrebâillé, e [ɑ̃trəbaje] adj entreabierto(-a).

entrebâillement [ɑ̃trəbajmɑ̃] nm: dans l'~ (de la porte) en el resquicio (de la puerta).

entrebâiller [ɑ̃trəbaje] vt entreabrir.

entrechat [ɑ̃trəʃa] nm trenzado.

entrechoquer [ɑ̃trəʃɔke]: s'~ vpr entrechocar.

entrecôte [ɑ̃trəkot] nf entrecot(e) m.

entrecoupé, e [ɑ̃trəkupe] adj entrecortado(-a).

entrecouper [ɑ̃trəkupe] vt: ~ qch de interrumpir algo por; s'entrecouper vpr (traits, lignes) entrecruzarse.

entrecroiser [ɑ̃trəkrwaze] vt entrecruzar; s'entrecroiser vpr entrecruzarse.

entrée [ɑ̃tre] nf entrada; ~s nfpl: avoir ses ~s chez/auprès de tener libre acceso a/ fácil contacto con; erreur d'~ error m de principio; faire son ~ dans (aussi fig) hacer su entrada en; d'~ de entrada; ▶ entrée de service/des artistes entrada de servicio/de artistas; ▶ entrée en matière comienzo; ▶ entrée en scène salida a escena; ▶ entrée en vigueur entrada en vigor; ▶ "entrée interdite" "prohibida la entrada"; ▶ "entrée libre" "entrada libre".

entrefaites [ɑ̃trəfɛt]: sur ces ~ adv en ese momento.

entrefilet [ɑ̃trəfile] nm noticia breve.

entregent [ɑ̃trəʒɑ̃] nm: avoir de l'~ tener don de gentes.

entre-jambes [ɑ̃trəʒɑ̃b] nm inv (COUTURE) cruz f.

entrelacement [ɑ̃trəlasmɑ̃] nm: un ~ de ... un entrelazado de ... .

entrelacer [ɑ̃trəlase] vt entrelazar; s'entrelacer vpr entrelazarse.

entrelarder [ɑ̃trəlarde] vt (viande) mechar; entrelardé de (fig) salpicado de.

entremêler [ɑ̃trəmele] vt entremezclar; ~ qch de entremezclar algo con.

entremets [ɑ̃trəmɛ] nm postre m.

entremetteur, -euse [ɑ̃trəmetœr, øz] nm/f intermediario(-a); (péj) alcahuete(-a).

entremettre [ɑ̃trəmɛtr]: s'~ vpr mediar; (péj) entrometerse.

entremise [ɑ̃trəmiz] nf mediación f; par l'~ de por mediación de.

entrepont [ɑ̃trəpɔ̃] nm entrecubierta; dans l'~ en la entrecubierta.

entreposer [ɑ̃trəpoze] vt almacenar.

entrepôt [ɑ̃trəpo] nm almacén m, galpón m (CSUR); ▶ entrepôt frigorifique almacén frigorífico.

entreprenant, e [ɑ̃trəprənɑ̃, ɑ̃t] vb voir entreprendre ♦ adj emprendedor(a); (trop galant) atrevido(-a).

entreprendre [ɑ̃trəprɑ̃dr] vt emprender; ~ qn sur un sujet abordar a algn con un tema; ~ de faire qch decidir hacer algo.

entrepreneur [ɑ̃trəprənœr] nm empresario; ▶ entrepreneur de pompes funèbres empresario de pompas fúnebres; ▶ entrepreneur (en bâtiment) contratista m/f (de obras).

entreprise [ɑ̃trəpriz] nf empresa; ▶ entreprise agricole/de travaux publics empresa agraria/de obras públicas.

entrer [ɑ̃tre] vi entrar ♦ vt (marchandises: aussi faire entrer) introducir; (INFORM) meter; (faire) ~ qch dans (objet) meter algo en; ~ dans entrar en; (entrer en collision avec) chocar con; (vues, craintes de qn) compartir; ~ au couvent/à l'hôpital ingresar en el convento/en el hospital; ~ en fureur enfurecerse; ~ en ébullition entrar en ebullición; ~ en scène salir a escena; ~ dans le système (INFORM) entrar en el sistema; laisser ~ qch/qn (lumière, air) dejar pasar algo/a algn; faire ~ hacer pasar.

entresol [ɑ̃trəsɔl] nm entresuelo.

entre-temps [ɑ̃trətɑ̃] adv entretanto.

entretenir [ɑ̃trət(ə)nir] vt mantener; s'entretenir vpr: s'~ (de qch) conversar (sobre algo); ~ qn (de qch) conversar con algn (sobre algo); ~ qn dans l'erreur mantener a algn en el error.

entretenu, e [ɑ̃trət(ə)ny] pp de entretenir ♦ adj: femme ~e querida; bien/mal ~ (maison) bien/mal cuidado(-a).

entretien [ɑ̃trətjɛ̃] nm (d'une maison, d'une famille, service) mantenimiento; (discussion) conversación f; (audience) entrevista; ~s nmpl (pourparlers) conversaciones fpl; frais d'~ gastos mpl de mantenimiento.

entretiendrai [ɑ̃trətjɛ̃dre], entretiens [ɑ̃trətjɛ̃] vb voir entretenir.

entretuer [ɑ̃trətɥe]: s'~ vpr matarse.

entreverrai [ɑ̃tr(ə)vere], entrevit [ɑ̃tr(ə)vi] vb voir entrevoir.

entrevoir [ɑ̃trəvwar] vt entrever; (solution, problème) vislumbrar.

entrevu, e [ɑ̃trəvy] pp de entrevoir ♦ nf entrevista.

entrouvert, e [ɑ̃truver, ɛrt] pp de entrouvrir ♦ adj entreabierto(-a).

entrouvrir [ɑ̃truvrir] vt entreabrir; s'entrouvrir vpr entreabrirse.

énumération [enymeʀasjɔ̃] *nf* enumeración *f*.

énumérer [enymeʀe] *vt* enumerar.

énurésie [enyʀezi] *nf* enuresis *f inv*.

énurétique [enyʀetik] *adj* enurético(-a).

envahir [ɑ̃vaiʀ] *vt* invadir.

envahissant, e [ɑ̃vaisɑ̃, ɑ̃t] *adj* (*péj: personne*) avasallador(a).

envahissement [ɑ̃vaismɑ̃] *nm* invasión *f*.

envahisseur [ɑ̃vaisœʀ] *nm* invasor *m*.

envasement [ɑ̃vazmɑ̃] *nm* encenagamiento.

envaser [ɑ̃vɑze]: **s'~** *vpr* encenagarse; (*bateau*) encallarse.

enveloppe [ɑ̃v(ə)lɔp] *nf* sobre *m*; (*revêtement, gaine*) revestimiento; **mettre sous ~** poner en un sobre; ▶ **enveloppe à fenêtre** sobre de ventana; ▶ **enveloppe autocollante** sobre autoadhesivo; ▶ **enveloppe budgétaire** límite *m* presupuestario.

envelopper [ɑ̃v(ə)lɔpe] *vt* (*aussi fig*) envolver; **s'~** *vpr* **dans une châle/une couverture** envolverse en un chal/una manta.

envenimer [ɑ̃v(ə)nime] *vt* envenenar; **s'envenimer** *vpr* (*relations*) envenenarse; (*plaie*) infectarse.

envergure [ɑ̃vɛʀgyʀ] *nf* envergadura; (*d'une personne*) valía.

enverrai etc [ɑ̃vɛʀe] *vb voir* **envoyer**.

envers [ɑ̃vɛʀ] *prép* hacia ♦ *nm*: **l'~** (*d'une feuille*) el dorso; (*d'un vêtement*) el revés; (*d'un problème*) la otra cara; **à l'~** al revés; **~ et contre tous** *ou* **tout** contra viento y marea.

enviable [ɑ̃vjabl] *adj* envidiable; **peu ~** poco envidiable.

envie [ɑ̃vi] *nf* envidia; (*sur la peau*) antojo; (*autour des ongles*) padrastro; **avoir ~ de qch/de faire qch** tener ganas de algo/de hacer algo; **avoir ~ que** tener ganas de que; **donner à qn l'~ de qch/de faire qch** dar a algn ganas de algo/de hacer algo; **ça lui fait ~** le da envidia.

envier [ɑ̃vje] *vt* envidiar; **~ qch à qn** envidiar algo a algn; **n'avoir rien à ~ à** no tener nada que envidiarle a.

envieux, -euse [ɑ̃vjø, jøz] *adj, nm/f* envidioso(-a).

environ [ɑ̃viʀɔ̃] *adv* aproximadamente; **3 h/2 km ~** 3 h/2 Km aproximadamente; **~ 3 h/2 km** alrededor de 3 h/2 Km.

environnant, e [ɑ̃viʀɔnɑ̃, ɑ̃t] *adj* cercano(-a); (*fig*): **milieu ~** entorno.

environnement [ɑ̃viʀɔnmɑ̃] *nm* medioambiente.

environnementaliste [ɑ̃viʀɔnmɑ̃talist] *nm/f* ecologista *m/f*.

environner [ɑ̃viʀɔne] *vt* rodear.

environs [ɑ̃viʀɔ̃] *nmpl* alrededores *mpl*; **aux ~ de** en los alrededores de; (*fig: temps, somme*) alrededor de.

envisageable [ɑ̃vizaʒabl] *adj* posible.

envisager [ɑ̃vizaʒe] *vt* considerar; (*avoir en vue*) prever; **~ de faire** tener planeado hacer.

envoi [ɑ̃vwa] *nm* envío; (*paquet, colis*) paquete *m*; **~ contre remboursement** (*COMM*) envío contra reembolso.

envoie [ɑ̃vwa] *vb voir* **envoyer**.

envol [ɑ̃vɔl] *nm* (*d'un oiseau*) vuelo; (*d'un avion*) despegue *m*.

envolée [ɑ̃vɔle] *nf* (*des cours*) subida vertiginosa.

envoler [ɑ̃vɔle]: **s'~** *vpr* (*oiseau*) echarse a volar; (*avion*) despegar; (*papier, feuille*) volarse; (*espoir, illusion*) esfumarse.

envoûtant, e [ɑ̃vutɑ̃, ɑ̃t] *adj* hechizador(a).

envoûtement [ɑ̃vutmɑ̃] *nm* hechizo.

envoûter [ɑ̃vute] *vt* hechizar.

envoyé, e [ɑ̃vwaje] *nm/f* (*POL*) enviado(-a) ♦ *adj*: **bien ~** (*remarque*) atinado(-a); ▶ **envoyé spécial** enviado especial; ▶ **envoyé permanent** corresponsal *m* permanente.

envoyer [ɑ̃vwaje] *vt* enviar; (*projectile, ballon*) lanzar; **s'envoyer** *vpr* (*fam: repas etc*) zamparse; **~ une gifle à qn** propinar una bofetada a algn; **~ une critique à qn** lanzar una crítica a algn; **~ les couleurs** izar la bandera nacional; **~ chercher qch/qn** mandar a buscar algo/a algn; **~ par le fond** (*bateau*) hundir.

envoyeur, -euse [ɑ̃vwajœʀ, øz] *nm/f* remitente *m/f*.

enzyme [ɑ̃zim] *nm ou f* enzima.

éolien, ne [eɔljɛ̃, jɛn] *adj* eólico(-a).

éolienne [eɔljɛn] *nf* motor *m* de viento.

épagneul, e [epaɲœl] *nm/f* podenco(-a).

épais, se [epɛ, ɛs] *adj* espeso(-a); (*foule*) denso(-a); (*tissu, mur*) grueso(-a), gordo(-a); (*forêt*) tupido(-a); (*péj: esprit*) corto(-a).

épaisseur [epɛsœʀ] *nf* (*v adj*) espesor *m*, grosor *m*.

épaissir [epesiʀ] *vt* espesar ♦ *vi* (*suj: sauce*) espesar; (*: partie du corps etc*) engordar; **s'épaissir** *vpr* (*sauce*) espesarse; (*brouillard*) ponerse espeso(-a).

épaississement [epesismɑ̃] *nm* (*du brouillard*) espesamiento; (*de la peau*) engrosamiento; (*de la taille*) engordamiento.

épanchement [epɑ̃ʃmɑ̃] *nm* (*fig: du cœur*) desahogo; **~s** *nmpl* (*fig*) desahogos *mpl*; **~ de synovie** derrame *m* sinovial.

épancher [epɑ̃ʃe] *vt* desahogar; **s'épancher** *vpr* desahogarse; (*liquide*) derramarse.

épandage [epɑ̃daӡ] *nm* (*d'engrais*) abono.
épanoui, e [epanwi] *adj* (*éclos, ouvert, sourire*) abierto(-a); (*visage*) radiante; (*corps, formes*) desarrollado(-a).
épanouir [epanwiʀ]: **s'~** *vpr* (*fleur*) abrirse; (*visage*) iluminarse; (*fig*) florecer.
épanouissement [epanwismɑ̃] *nm* (*d'une fleur*) abertura; (*d'un visage*) iluminación *f*; (*fig*) florecimiento.
épargnant, e [epaʀɲɑ̃, ɑ̃t] *nm/f* ahorrador(a).
épargne [epaʀɲ] *nf* ahorro; **l'~-logement** el ahorro-vivienda.
épargner [epaʀɲe] *vt* ahorrar; (*ennemi, récolte, région*) perdonar ♦ *vi* ahorrar; **~ qch à qn** evitarle algo a algn.
éparpillement [epaʀpijmɑ̃] *nm* (*de papiers*) esparcimiento; (*des efforts*) dispersión *f*.
éparpiller [epaʀpije] *vt* esparcir; (*pour répartir*) diseminar; (*fig: efforts*) dispersar; **s'éparpiller** *vpr* esparcirse; (*fig: étudiant, chercheur etc*) dispersarse los esfuerzos.
épars, e [epaʀ, aʀs] *adj* (*maisons*) disperso(-a); (*cheveux*) despeinado(-a).
épatant, e [epatɑ̃, ɑ̃t] (*fam*) *adj* estupendo(-a).
épaté, e [epate] *adj*: **nez ~** nariz *f* chata.
épater [epate] *vt* (*fam*) impresionar.
épaule [epol] *nf* (*ANAT*) hombro; (*CULIN*) espaldilla.
épaulé [epole] *nm* (*SPORT*) levantada.
épaulé-jeté [epoleӡ(ə)te] (*pl* ~**s**-~**s**) *nm* (*SPORT*) levantada y tierra.
épaulement [epolmɑ̃] *nm* (*MIL, mur*) parapeto; (*GÉO*) escarpa.
épauler [epole] *vt* (*aider*) apoyar; (*arme*) apoyar en el hombro; (*viser*) apuntar.
épaulette [epolɛt] *nf* (*MIL*) charretera; (*bretelle*) tirante *m*; (*rembourrage*) hombrera.
épave [epav] *nf* restos *mpl*; (*fig: personne*) desecho.
épée [epe] *nf* espada.
épeler [ep(ə)le] *vt* deletrear; **comment s'épelle ce mot?** ¿cómo se deletrea esa palabra?
éperdu, e [epɛʀdy] *adj* (*personne, regard*) desquiciado(-a); (*sentiment*) imperioso (-a); (*fuite*) enloquecido(-a).
éperdument [epɛʀdymɑ̃] *adv* desesperadamente; (*aimer*) perdidamente; **~ amoureux** perdidamente enamorado; **je m'en fiche ~** me da exactamente igual.
éperlan [epɛʀlɑ̃] *nm* eperlano.
éperon [epʀɔ̃] *nm* (*de botte*) espuela; (*GÉO, de navire*) espolón *m*.
éperonner [epʀɔne] *vt* (*cheval, fig*) espolear; (*navire*) embestir con el espolón.
épervier [epɛʀvje] *nm* (*ZOOL*) gavilán *m*; (*PÊCHE*) esparavel *m*.

éphèbe [efɛb] *nm* efebo.
éphémère [efemɛʀ] *adj* efímero(-a).
éphéméride [efemeʀid] *nf* efeméride *f*.
épi [epi] *nm* (*de blé*) espiga; **~ de cheveux** remolino; **stationnement/se garer en ~** estacionamiento/aparcar en batería.
épice [epis] *nf* especia.
épicé, e [epise] *adj* (*aussi fig*) picante.
épicéa [episea] *nm* abeto del Norte.
épicentre [episɑ̃tʀ] *nm* epicentro.
épicer [epise] *vt* condimentar; (*fig*) salpimentar.
épicerie [episʀi] *nf* (*magasin*) tienda de ultramarinos, boliche *m* (*AM*); (*produits*) comestibles *mpl*; ▶ **épicerie fine** ultramarinos *mpl* finos.
épicier, -ière [episje, jɛʀ] *nm/f* tendero(-a).
épicurien, ne [epikyʀjɛ̃, jɛn] *adj* epicúreo(-a).
épidémie [epidemi] *nf* epidemia.
épidémique [epidemik] *adj* epidémico(-a).
épiderme [epidɛʀm] *nm* epidermis *f inv*.
épidermique [epidɛʀmik] *adj* (*MÉD*) epidérmico(-a); (*fig*) superficial.
épier [epje] *vt* (*personne*) espiar; (*arrivée, occasion*) estar pendiente de.
épieu, x [epjø] *nm* venablo.
épigramme [epigʀam] *nf* epigrama.
épigraphe [epigʀaf] *nf* epígrafe *m*.
épilation [epilasjɔ̃] *nf* depilación *f*.
épilatoire [epilatwaʀ] *adj* depilatorio(-a).
épilepsie [epilɛpsi] *nf* epilepsia.
épileptique [epilɛptik] *adj*, *nm/f* epiléptico(-a).
épiler [epile] *vt* depilar; **s'~ les jambes/les sourcils** depilarse las piernas/las cejas; **se faire ~** (ir a) depilarse; **crème à ~** crema depilatoria; **pince à ~** pinzas *fpl* de depilar.
épilogue [epilɔg] *nm* (*THÉÂTRE*) epílogo; (*fig: dénouement*) desenlace *m*.
épiloguer [epilɔge] *vi*: **~ (sur)** comentar (sobre).
épinard [epinaʀ] *nm* (*BOT*) espinaca; ~**s** *nmpl* (*CULIN*) espinacas *fpl*.
épine [epin] *nf* espina; ▶ **épine dorsale** espina dorsal.
épineux, -euse [epinø, øz] *adj* (*aussi fig*) espinoso(-a).
épine-vinette [epinvinɛt] (*pl* ~**s**-~**s**) *nf* (*BOT*) agracejo.
épinglage [epɛ̃glaӡ] *nm* sujección *f* con alfileres.
épingle [epɛ̃gl] *nf* alfiler *m*; **tirer son ~ du jeu** salir del apuro; **tiré à quatre** ~**s** de punta en blanco; **monter qch en ~** poner algo de manifiesto; **virage en ~ à cheveux** curva muy cerrada; ▶ **épingle à chapeau** alfiler de sombrero; ▶ **épingle à cheveux** horquilla; ▶ **épingle de crava-**

te alfiler de corbata; ▶ **épingle de nour-rice** *ou* **de sûreté** *ou* **double** imperdible *m*.

épingler [epɛ̃gle] *vt* sujetar con alfileres; (*sur un mur*) clavar con alfileres; ~ **qn** (*fam*) pillar a algn.

épinière [epinjɛʀ] *adj f voir* **moelle**.

Epiphanie [epifani] *nf* epifanía.

épiphénomène [epifenɔmɛn] *nm* epifenómeno.

épique [epik] *adj* épico(-a); (*fig: extraordinaire, aussi hum*) memorable.

épiscopal, e, -aux [episkɔpal, o] *adj* episcopal.

épiscopat [episkɔpa] *nm* episcopado.

épisode [epizɔd] *nm* episodio; **film en trois ~s** película en tres episodios.

épisodique [epizɔdik] *adj* episódico(-a).

épisodiquement [epizɔdikmɑ̃] *adv* episódicamente.

épissure [episyʀ] *nf* empalme *m*.

épistémologie [epistemɔlɔʒi] *nf* epistemología.

épistolaire [epistɔlɛʀ] *adj* epistolar; **être en relations ~s avec qn** cartearse con algn.

épitaphe [epitaf] *nf* epitafio.

épithète [epitɛt] *nf* (*LING*) epíteto; (*nom, surnom*) apodo ♦ *adj*: **adjectif ~** adjetivo epíteto.

épître [epitʀ] *nf* epístola.

épizootie [epizɔɔti] *nf* epizootia.

éploré, e [eplɔʀe] *adj* desconsolado(-a); (*carta*) desesperado(-a).

épluchage [eplyʃaʒ] *nm* (*de légumes*) peladura; (*de dossier*) examen *m* minucioso.

épluche-légumes [eplyʃlegym] *nm inv* pelador *m*, mondador *m*.

éplucher [eplyʃe] *vt* (*fruit, légumes*) pelar; (*fig: texte*) examinar minuciosamente.

éplucheur [eplyʃœʀ] *nm* peladora.

épluchures [eplyʃyʀ] *nfpl* mondas *fpl*.

épointer [epwɛ̃te] *vt* despuntar.

éponge [epɔ̃ʒ] *nf* esponja ♦ *adj*: **tissu ~** tela de felpa; **passer l'~** (*fig*) hacer borrón y cuenta nueva; **passer l'~ sur** correr un tupido velo sobre; **jeter l'~** (*fig*) tirar la toalla; ▶ **éponge métallique** estropajo metálico.

éponger [epɔ̃ʒe] *vt* (*liquide, fig*) enjugar; (*surface*) pasar una esponja por; **s'~ le front** enjugarse la frente.

épopée [epɔpe] *nf* epopeya.

époque [epɔk] *nf* época; **d'~** (*meuble etc*) de época; **à cette ~** (*dans l'histoire*) en aquella/esa época; (*les mois/années qui précèdent*) entonces; **à l'~ de/où** en la época de/en que; **faire ~** hacer época.

épouiller [epuje] *vt* despiojar.

époumoner [epumɔne]: **s'~** *vpr* desgañitarse.

épouse [epuz] *nf* esposa.

épouser [epuze] *vt* casarse con; (*vues, idées*) adherirse a; (*forme, mouvement*) adaptarse a.

époussetage [epustaʒ] *nm* limpieza del polvo.

épousseter [epuste] *vt* limpiar el polvo de.

époustouflant, e [epustuflɑ̃, ɑ̃t] *adj* (*fam*) pasmante.

époustoufler [epustufle] *vt* (*fam*) dejar pasmado(-a).

épouvantable [epuvɑ̃tabl] *adj* horroroso (-a); (*bruit, vent etc*) espantoso(-a).

épouvantablement [epuvɑ̃tabləmɑ̃] *adv* tremendamente.

épouvantail [epuvɑ̃taj] *nm* (*aussi fig*) espantapájaros *m inv*.

épouvante [epuvɑ̃t] *nf* espanto; **film/livre d'~** película/novela de terror.

épouvanter [epuvɑ̃te] *vt* (*terrifier*) horrorizar; (*sens affaibli*) espantar.

époux, épouse [epu, uz] *nm/f* esposo(-a) ♦ *nmpl*: **les ~** los esposos.

éprendre [epʀɑ̃dʀ]: **s'~ de** *vpr* enamorarse de.

épreuve [epʀœv] *nf* prueba; (*SCOL*) examen *m*; **à l'~ des balles/du feu** a prueba de balas/de fuego; **à toute ~** a toda prueba; **mettre à l'~** poner a prueba; ▶ **épreuve de force/de résistance** prueba de fuerza/de resistencia; ▶ **épreuve de sélection** (prueba) eliminatoria.

épris, e [epʀi, iz] *vb voir* **éprendre** ♦ *adj*: **~ de** enamorado(-a) de.

éprouvant, e [epʀuvɑ̃, ɑ̃t] *adj* duro(-a).

éprouvé, e [epʀuve] *adj* probado(-a); **un homme ~** (*par les malheurs*) un hombre a quien la vida ha puesto a prueba.

éprouver [epʀuve] *vt* (*machine*) probar; (*mettre à l'épreuve*) poner a prueba; (*faire souffrir*) marcar; (*fatigue, douleur*) sufrir, padecer; (*sentiment*) sentir; (*difficultés etc*) encontrar.

éprouvette [epʀuvɛt] *nf* probeta.

EPS [əpɛɛs] *sigle f* = *éducation physique et sportive*.

épuisant, e [epɥizɑ̃, ɑ̃t] *adj* agotador(a).

épuisé, e [epɥize] *adj* agotado(-a).

épuisement [epɥizmɑ̃] *nm* agotamiento; **jusqu'à ~ des stocks** hasta que se agoten los stocks.

épuiser [epɥize] *vt* agotar; **s'épuiser** *vpr* agotarse.

épuisette [epɥizɛt] *nf* (*PÊCHE*) salabre *m*.

épuration [epyʀasjɔ̃] *nf* depuración *f*.

épure [epyʀ] *nf* alzado.

épurer [epyʀe] *vt* (*aussi fig*) depurar.

équarrir [ekaʀiʀ] *vt* (*tronc d'arbre*) escuadrar; (*animal*) desollar.

équateur [ekwatœʀ] *nm* ecuador *m*; Équateur Ecuador *m*; **la république de l'Équateur** la república de Ecuador.

équation [ekwasjɔ̃] *nf* ecuación *f*; **mettre en** ~ convertir en ecuación; ► **équation du premier/second degré** ecuación de primer/segundo grado.

équatorial, e, -aux [ekwatɔʀjal, jo] *adj* ecuatorial.

équatorien, ne [ekwatɔʀjɛ̃, jɛn] *adj* ecuatoriano(-a) ♦ *nm/f*: **Équatorien, ne** ecuatoriano(-a).

équerre [ekɛʀ] *nf* (*pour dessiner, mesurer*) escuadra; (*pour fixer*) angular *m*; **à l'**~, **en** ~, **d'**~ a *ou* en escuadra; **les jambes en** ~ las piernas en ángulo recto; **double** ~ doble escuadra.

équestre [ekɛstʀ] *adj* ecuestre; **statue** ~ estatua ecuestre.

équeuter [ekøte] *vt* quitar el rabillo a.

équidé [ekide] *nm* équido.

équidistance [ekɥidistɑ̃s] *nf*: **à** ~ **(de)** equidistante (de).

équidistant, e [ekɥidistɑ̃, ɑ̃t] *adj* equidistante; ~ **de** equidistante de.

équilatéral, e, -aux [ekɥilateʀal, o] *adj* equilátero(-a).

équilibrage [ekilibʀaʒ] *nm*: ~ **des roues** equilibrado de las ruedas.

équilibre [ekilibʀ] *nm* equilibrio; **être/ mettre en** ~ estar/poner en equilibrio; **avoir le sens de l'**~ tener sentido del equilibrio; **garder/perdre l'**~ guardar/ perder el equilibrio; **en** ~ **instable** en equilibrio inestable; ► **équilibre budgétaire** equilibrio presupuestario.

équilibré, e [ekilibʀe] *adj* equilibrado(-a).

équilibrer [ekilibʀe] *vt* equilibrar; **s'équilibrer** *vpr* equilibrarse.

équilibriste [ekilibʀist] *nm/f* equilibrista *m/ f*.

équinoxe [ekinɔks] *nm* equinoccio; ► **équinoxe d'automne/de printemps** equinoccio de otoño/de primavera.

équipage [ekipaʒ] *nm* (*de bateau, d'avion*) tripulación *f*; (*SPORT, AUTOMOBILE*) equipo; (*d'un roi*) séquito; **en grand** ~ con gran cortejo.

équipe [ekip] *nf* (*de joueurs*) equipo; (*de travailleurs*) cuadrilla; (*bande: parfois péj*) panda; **travailler par** ~s trabajar por equipos; **travailler en** ~ trabajar en equipo; **faire** ~ **avec** formar equipo con; ► **équipe de chercheurs/de sauveteurs/de secours** equipo de investigadores/de salvamento/de socorro.

équipé, e [ekipe] *adj* equipado(-a).

équipée [ekipe] *nf* escapada.

équipement [ekipmɑ̃] *nm* equipo; (*d'une* cuisine) instalación *f*; **biens/dépenses d'**~ bienes *mpl*/gastos *mpl* de equipo; ~**s sportifs/collectifs** instalaciones *fpl* deportivas/colectivas; **(le ministère de) l'Équipement** (*ADMIN*) ≈ MOPT *m* (*Ministerio de Obras Públicas y Transportes*).

équiper [ekipe] *vt* equipar; (*région*) dotar; **s'équiper** *vpr* equiparse; ~ **qch/qn de** equipar algo/a algn con.

équipier, -ière [ekipje, jɛʀ] *nm/f* compañero(-a) de equipo.

équitable [ekitabl] *adj* equitativo(-a).

équitablement [ekitabləmɑ̃] *adv* equitativamente.

équitation [ekitasjɔ̃] *nf* equitación *f*; **faire de l'**~ practicar la equitación.

équité [ekite] *nf* equidad *f*.

équivaille [ekivaj] *vb voir* **équivaloir**.

équivalence [ekivalɑ̃s] *nf* equivalencia; (*de diplômes*) convalidación *f*.

équivalent, e [ekivalɑ̃, ɑ̃t] *adj* equivalente ♦ *nm*: **l'**~ **de qch** el equivalente de algo.

équivaloir [ekivalwaʀ]: ~ **à** *vt* equivaler a.

équivaut [ekivo] *vb voir* **équivaloir**.

équivoque [ekivɔk] *adj* equívoco(-a) ♦ *nf* equívoco.

érable [eʀabl] *nm* arce *m*.

éradication [eʀadikasjɔ̃] *nf* erradicación *f*.

éradiquer [eʀadike] *vt* erradicar.

érafler [eʀafle] *vt* arañar; **s'**~ **(la main/les jambes)** arañarse (la mano/las piernas).

éraflure [eʀaflyʀ] *nf* rasguño, arañazo.

éraillé, e [eʀaje] *adj* (*voix*) cascado(-a).

ère [ɛʀ] *nf* era; **en l'an 1050 de notre** ~ en el año 1050 de nuestra era; ► **ère chrétienne: l'**~ **chrétienne** la era cristiana.

érection [eʀɛksjɔ̃] *nf* erección *f*.

éreintant, e [eʀɛ̃tɑ̃, ɑ̃t] *nm* matador(a).

éreinté, e [eʀɛ̃te] *adj* muerto(-a).

éreintement [eʀɛ̃tmɑ̃] *nm* derrengamiento.

éreinter [eʀɛ̃te] *vt* matar; (*fig: œuvre, auteur*) poner por los suelos; **s'éreinter** *vpr*: **s'**~ **(à faire qch/à qch)** volcarse (haciendo algo/con algo).

ergonomie [ɛʀɡɔnɔmi] *nf* ergonomía.

ergonomique [ɛʀɡɔnɔmik] *adj* ergonómico(-a).

ergonomiste [ɛʀɡɔnɔmist] *nm/f* ergonomista *m/f*.

ergot [ɛʀɡo] *nm* (*de coq*) espolón *m*; (*TECH*) saliente *m*; ~ **du seigle** cornezuelo.

ergoter [ɛʀɡɔte] *vi* discutir.

ergoteur, -euse [ɛʀɡɔtœʀ, øz] *nm/f* discutidor(a).

ergothérapie [ɛʀɡɔteʀapi] *nf* ergoterapia.

ériger [eʀiʒe] *vt* erigir; ~ **qch en principe/ loi** elevar algo a principio/ley; **s'**~ **en juge/critique de ...** erigirse en juez/crítico de ... .

ermitage [ɛʀmitaʒ] *nm* ermita; (*retraite isolée*) retiro.
ermite [ɛʀmit] *nm* ermitaño.
éroder [eʀɔde] *vt* erosionar; (*suj: acide*) corroer.
érogène [eʀɔʒɛn] *adj* erógeno(-a).
érosion [eʀozjɔ̃] *nf* erosión *f*; (*par acide*) corrosión *f*.
érotique [eʀɔtik] *adj* erótico(-a).
érotiser [eʀɔtize] *vt* erotizar.
érotisme [eʀɔtism] *nm* erotismo.
errance [eʀɑ̃s] *nf* vagabundeo.
errant, e [eʀɑ̃, ɑ̃t] *adj*: **chien ~** perro vagabundo.
errata [eʀata] *nm ou nmpl* (*liste*) fe *f* de erratas.
erratum [eʀatɔm] (*pl* **errata**) *nm* errata.
errements [eʀmɑ̃] *nmpl* hábitos *mpl*.
errer [eʀe] *vi* vagar.
erreur [eʀœʀ] *nf* error *m*; (*de jeunesse*) desliz *m*; **tomber/être dans l'~** (*état*) incurrir/estar en el error; **induire qn en ~** inducir a algn a error; **par ~** por error; **faire ~** equivocarse; ► **erreur d'écriture/d'impression** error de escritura/de imprenta; ► **erreur de date** equivocación *f* de fecha; ► **erreur de fait/de jugement** error de hecho/de juicio; ► **erreur judiciaire/matérielle/tactique** error judicial/material/táctico.
erroné, e [eʀɔne] *adj* erróneo(-a).
ersatz [ɛʀzats] *nm* sucedáneo.
éructer [eʀykte] *vi* eructar ♦ *vt* (*fig: injures*) proferir.
érudit, e [eʀydi, it] *adj, nm/f* erudito(-a).
érudition [eʀydisjɔ̃] *nf* erudición *f*.
éruptif, -ive [eʀyptif, iv] *adj* eruptivo(-a).
éruption [eʀypsjɔ̃] *nf* erupción *f*; (*de joie, colère*) arrebato.
es [ɛ] *vb voir* **être**.
ès [ɛs] *prép*: **licencié ~ lettres/sciences** licenciado en letras/ciencias; **docteur ~ lettres** doctor(a) en letras.
esbroufe [ɛsbʀuf] *nf*: **faire de l'~** chulear.
escabeau, x [ɛskabo] *nm* (*tabouret*) escabel *m*; (*échelle*) escalera de tijera.
escadre [ɛskɑdʀ] *nf* escuadra.
escadrille [ɛskadʀij] *nf* escuadrilla.
escadron [ɛskadʀɔ̃] *nm* escuadrón *m*.
escalade [ɛskalad] *nf* escalada; **l'~ de la guerre/violence** la escalada de la guerra/violencia; ► **escalade artificielle/libre** escalada artificial/libre.
escalader [ɛskalade] *vt* escalar.
escalator [ɛskalatɔʀ] *nm* escalera mecánica.
escale [ɛskal] *nf* escala; **faire ~ (à)** hacer escala (en); **vol sans ~** vuelo sin escala; ► **escale technique** escala técnica.
escalier [ɛskalje] *nm* escalera; **dans l'~** *ou* **les ~s** en la escalera *ou* las escaleras; **descendre l'~** *ou* **les ~s** bajar la escalera *ou* las escaleras; ► **escalier à vis** *ou* **en colimaçon** escalera de caracol; ► **escalier de secours/de service** escalera de socorro/de servicio; ► **escalier roulant** *ou* **mécanique** escalera mecánica.
escalope [ɛskalɔp] *nf* escalope *m*.
escamotable [ɛskamɔtabl] *adj* (*train d'atterrissage, antenne*) replegable; (*table, lit*) plegable.
escamoter [ɛskamɔte] *vt* escamotear; (*train d'atterrissage*) replegar; (*mots*) saltarse.
escampette [ɛskɑ̃pɛt] *nf voir* **poudre**.
escapade [ɛskapad] *nf* escapada.
escarbille [ɛskaʀbij] *nf* carbonilla.
escarcelle [ɛskaʀsɛl] *nf*: **faire tomber dans l'~** hacer caer en la bolsa.
escargot [ɛskaʀgo] *nm* caracol *m*.
escarmouche [ɛskaʀmuʃ] *nf* escaramuza.
escarpé, e [ɛskaʀpe] *adj* escarpado(-a).
escarpement [ɛskaʀpəmɑ̃] *nm* escarpadura.
escarpin [ɛskaʀpɛ̃] *nm* escarpín *m*.
escarre [ɛskaʀ] *nf* escara.
Escaut [ɛsko] *nm*: **les grottes de l'~** las cuevas de Escalda.
escient [ɛsjɑ̃] *nm*: **à bon ~** juiciosamente.
esclaffer [ɛsklafe]: **s'~** *vpr* reírse a carcajadas.
esclandre [ɛsklɑ̃dʀ] *nm* escándalo; **faire un ~** armar un escándalo.
esclavage [ɛsklavaʒ] *nm* esclavitud *f*.
esclavagiste [ɛsklavaʒist] *adj, nm/f* esclavista *m/f*.
esclave [ɛsklav] *nm/f* esclavo(-a); **être ~ de qn/de qch** ser esclavo(-a) de algn/de algo.
escogriffe [ɛskɔgʀif] (*péj*) *nm* espingarda.
escomptable [ɛskɔ̃tabl] *adj* descontable.
escompte [ɛskɔ̃t] *nm* descuento.
escompter [ɛskɔ̃te] *vt* (*COMM*) descontar; (*espérer*) contar con.
escorte [ɛskɔʀt] *nf* escolta; **faire ~ à** escoltar a.
escorter [ɛskɔʀte] *vt* escoltar (a).
escorteur [ɛskɔʀtœʀ] *nm* barco escolta.
escouade [ɛskwad] *nf* (*MIL*) escuadra; (*groupe de personnes*) cuadrilla.
escrime [ɛskʀim] *nf* esgrima; **faire de l'~** practicar la esgrima.
escrimer [ɛskʀime]: **s'~** *vpr*: **s'~ à faire qch** empeñarse en hacer algo.
escrimeur, -euse [ɛskʀimœʀ, øz] *nm/f* esgrimidor(a).
escroc [ɛskʀo] *nm* estafador(a).
escroquer [ɛskʀɔke] *vt*: **~ qn (de qch)** timar a algn (con algo); **~ qch (à qn)** estafar algo (a algn).

escroquerie [ɛskʀɔkʀi] *nf* estafa.
ésotérique [ezɔteʀik] *adj* esotérico(-a).
ésotérisme [ezɔteʀism] *nm* esoterismo.
espace [ɛspas] *nm* espacio; **manquer d'~**
faltarle a algn espacio; ▶**espace
publicitaire/vital** espacio publicitario/
vital.
espacé, e [ɛspase] *adj* espaciado(-a).
espacement [ɛspasmɑ̃] *nm* espaciamiento;
▶**espacement proportionnel** distancia
proporcional.
espacer [ɛspase] *vt* espaciar; **s'espacer** *vpr*
espaciarse.
espadon [ɛspadɔ̃] *nm* pez *m* espada *inv*,
emperador *m*.
espadrille [ɛspadʀij] *nf* alpargata.
Espagne [ɛspaɲ] *nf* España.
espagnol, e [ɛspaɲɔl] *adj* español(a) ♦ *nm*
(*LING*) español *m*, castellano (*esp AM*) ♦
nm/f: E~, e español(a).
espagnolette [ɛspaɲɔlɛt] *nf* falleba; **fermé
à l'~** cerrado(-a) con falleba.
espalier [ɛspalje] *nm* (*arbre fruitier*) espal-
dera; **culture en ~s** cultivo en emparrado.
espèce [ɛspɛs] *nf* especie *f*; **~s** *nfpl* (*COMM*)
metálico; (*REL*) especies *fpl*; (*sorte, genre*)
clases *fpl*; **une ~ de** una especie de; **~ de
maladroit/de brute!** ¡pedazo de *ou* so
inútil/bruto!; **de toute ~** de toda clase;
payer en ~s pagar en metálico; **l'~ humaine** la especie humana; **cas d'~** caso
especial.
espérance [ɛspeʀɑ̃s] *nf* esperanza; **contre
toute ~** contra toda esperanza; ▶**espérance de vie** esperanza de vida.
espérantiste [ɛspeʀɑ̃tist] *adj*, *nm/f* esperan-
tista *m/f*.
espéranto [ɛspeʀɑ̃to] *nm* esperanto.
espérer [ɛspeʀe] *vt* esperar ♦ *vi* confiar;
j'espère (bien) eso espero; **~ que/faire esperar que/hacer**; **~ en qn/qch** confiar en
algo/algn; **je n'en espérais pas tant** no esperaba tanto.
espiègle [ɛspjɛgl] *adj* travieso(-a).
espièglerie [ɛspjɛgləʀi] *nf* travesura.
espion, ne [ɛspjɔ̃, jɔn] *nm/f* espía *m/f* ♦ *adj*:
bateau/avion ~ barco/avión *m* espía.
espionnage [ɛspjɔnaʒ] *nm* espionaje *m*;
film/roman d'~ película/novela de espionaje; ▶**espionnage industriel** espionaje
industrial.
espionner [ɛspjɔne] *vt* espiar.
esplanade [ɛsplanad] *nf* explanada.
espoir [ɛspwaʀ] *nm* esperanza; **l'~ de qch/
de faire qch** la esperanza de algo/de hacer algo; **avoir bon ~ que** tener muchas
esperanzas de que; **garder l'~ que** conservar la esperanza de que; **dans l'~
de/que** con la esperanza de/de que; **re-**

prendre ~ recuperar la esperanza; **un ~
de la boxe/du ski** una promesa del
boxeo/del esquí; **c'est sans ~** no tiene esperanza.
esprit [ɛspʀi] *nm* espíritu *m*; **l'~ de parti/de
clan** espíritu de partido/de clan;
paresse/vivacité d'~ pereza/vivacidad
mental; **l'~ d'une loi/réforme** el espíritu
de una ley/reforma; **l'~ d'équipe/de
compétition/d'entreprise** espíritu de
equipo/de competencia/de empresa;
dans mon ~ en mi opinión; **faire de l'~**
hacerse el gracioso; **reprendre ses ~s** recuperar el sentido; **perdre l'~** perder la
razón; **avoir bon/mauvais ~** tener
buenas/malas intenciones; **avoir l'~ à faire qch** estar con ánimos para hacer
algo; **avoir l'~ critique** tener sentido crítico; *voir aussi* **lettre**; ▶**esprits chagrins**
espíritus *mpl* sombríos; ▶**esprit de
contradiction** espíritu de contradicción;
▶**esprit de corps** sentido de solidaridad; ▶**esprit de famille** espíritu de familia; ▶**l'esprit malin** el espíritu del
mal.
esquif [ɛskif] *nm* esquife *m*.
esquimau, de, x [ɛskimo, od] *adj* esquimal ♦ *nm* (*LING*) esquimal *m*; (*glace*) pingüino ♦ *nm/f*: E~, de esquimal *m/f*; **chien
~** perro esquimal.
esquinter [ɛskɛ̃te] (*fam*) *vt* hacer polvo;
s'esquinter (*fam*) *vpr*: **s'~ à faire qch** empeñarse haciendo algo.
esquisse [ɛskis] *nf* esbozo; (*de changement*) amago; **l'~ d'un sourire** el esbozo
de una sonrisa.
esquisser [ɛskise] *vt* esbozar; **s'esquisser**
vpr esbozarse; **~ un geste/un sourire** esbozar un gesto/una sonrisa.
esquive [ɛskiv] *nf* finta.
esquiver [ɛskive] *vt* esquivar; **s'esquiver**
vpr esquivarse.
essai [ɛsɛ] *nm* (*d'une voiture, d'un vêtement*)
prueba; (*tentative, aussi SPORT*) intento;
(*RUGBY, LITT*) ensayo; **~s** *nmpl* (*SPORT*)
pruebas *fpl*; **à l'~** a prueba; **~ gratuit**
prueba gratuita.
essaim [ɛsɛ̃] *nm* enjambre *m*; **~ d'enfants**
(*fig*) enjambre de niños.
essaimer [ɛseme] *vi* (*abeilles*) enjambrar;
(*fig*) extenderse.
essayage [ɛsejaʒ] *nm* prueba; **salon** *ou* **cabine d'~** probador *m*.
essayer [ɛseje] *vt* probar ♦ *vi* intentar, tratar de; **~ de faire qch** intentar hacer
algo, tratar de hacer algo; **essayez un
peu!** ¡inténtalo!; **s'~ à faire qch/à qch**
ejercitarse en hacer algo/en algo.
essayeur, -euse [ɛsɛjœʀ, øz] *nm/f maniquí
que se prueba el traje delante del cliente.*

essayiste [esejist] *nm/f* ensayista *m/f*.

ESSEC [esɛk] *sigle f* (= *École supérieure des sciences économiques et sociales*) *universidad de élite de ciencias económicas y empresariales*.

essence [esɑ̃s] *nf* (*carburant*) gasolina, nafta (ARG), bencina (CHI); (*d'une plante, fig*) esencia; (*espèce: d'arbre*) especie *f*; par ~ (*par définition*) por esencia; **prendre** *ou* **faire de l'~** echar gasolina, repostar; ► **essence de café** extracto de café; ► **essence de citron/lavande/térébenthine** esencia de limón/lavanda/trementina.

essentiel, le [esɑ̃sjɛl] *adj* esencial; **être ~ à** ser esencial para; **l'~ d'un discours/d'une œuvre** lo fundamental de un discurso/de una obra; **emporter/acheter l'~** llevar/comprar lo esencial; **c'est l'~** es lo esencial; **l'~ de** la mayor parte de.

essentiellement [esɑ̃sjɛlmɑ̃] *adv* esencialmente; (*absolument*) principalmente.

esseulé, e [esœle] *adj* solo(-a), desamparado(-a).

essieu, x [esjø] *nm* eje *m*.

essor [esɔʀ] *nm* (*de l'économie etc*) auge *m*; **prendre son ~** (*oiseau*) tomar el vuelo.

essorage [esɔʀaʒ] *nm* escurrido; (*à la machine*) centrifugado.

essorer [esɔʀe] *vt* escurrir; (*à la machine*) centrifugar.

essoreuse [esɔʀøz] *nf* (*à rouleaux*) escurridor *m*; (*à tambour*) secadora.

essouffler [esufle] *vt* sofocar; **s'essouffler** *vpr* sofocarse; (*fig: écrivain, cinéaste*) perder la inspiración; (*économie*) tambalearse.

essuie [esɥi] *vb voir* **essuyer**.

essuie-glace [esɥiglas] *nm inv* limpiaparabrisas *m inv*.

essuie-mains [esɥimɛ̃] *nm inv* toalla de manos.

essuierai *etc* [esɥiʀe] *vb voir* **essuyer**.

essuie-tout [esɥitu] *nm inv* rollo de papel (de cocina).

essuyage [esɥijaʒ] *nm* (*chose mouillée*) secado; (*meuble*) limpieza.

essuyer [esɥije] *vt* secar; (*épousseter*) limpiar; (*fig: défaite, tempête*) soportar; **s'essuyer** *vpr* secarse; **~ la vaisselle** secar los platos.

est¹ [ɛ] *vb voir* **être**.

est² [ɛst] *nm* este *m* ♦ *adj inv* este *inv*; **à l'~** (*situation*) al este; (*direction*) hacia el este; **à l'~ de** al este de; **les pays de l'E~** los países del Este.

estafette [ɛstafɛt] *nf* (MIL) mensajero.

estafilade [ɛstafilad] *nf* cuchillada, tajo.

est-allemand, e [ɛstalmɑ̃, ɑ̃d] (*pl* ~-~**s, es**) *adj* de Alemania del Este.

estaminet [ɛstaminɛ] *nm* cafetín *m*.

estampe [ɛstɑ̃p] *nf* (*image*) estampa, lámina.

estamper [ɛstɑ̃pe] *vt* (*monnaies etc*) acuñar, estampar; (*fam*) timar.

estampille [ɛstɑ̃pij] *nf* sello.

est-ce que [ɛskə] *adv*: ~-~ ~ **c'est cher/c'était bon?** ¿es caro?/¿estaba bueno?; **quand est-ce qu'il part?** ¿cuándo se marcha?; **où est-ce qu'il va?** ¿dónde va?; **qui est-ce qui le connaît/a fait ça?** ¿quién le conoce/ha hecho esto?

este [ɛst] *adj* estonio(-a) ♦ *nm/f*: **E~** estonio(-a).

esthète [ɛstɛt] *nm/f* esteta *m/f*.

esthéticien, ne [ɛstetisjɛ̃, jɛn] *nm/f* (ART, PHILOS) esteta *m/f*.

esthéticienne [ɛstetisjɛn] *nf* (*d'institut de beauté*) esteticista.

esthétique [ɛstetik] *adj* estético(-a) ♦ *nf* estética; ► **esthétique industrielle** diseño industrial.

esthétiquement [ɛstetikmɑ̃] *adv* estéticamente.

estimable [ɛstimabl] *adj* estimable.

estimatif, -ive [ɛstimatif, iv] *adj* estimativo(-a).

estimation [ɛstimasjɔ̃] *nf* valoración *f*; **d'après mes ~s** según mis cálculos.

estime [ɛstim] *nf* estima; **avoir de l'~ pour qn** tener estima a algn.

estimer [ɛstime] *vt* (*personne, qualité*) estimar, apreciar; (*expertiser: bijou etc*) valorar; (*évaluer: prix, distance*) calcular; ~ **que/être ...** (*penser*) estimar que/ser ..., considerar que/ser ...; **s'~ satisfait/heureux** sentirse satisfecho/feliz; **j'estime le temps nécessaire à 3 jours** calculo que necesitaremos unos 3 días.

estival, e, -aux [ɛstival, o] *adj* estival; **station ~e** estación *f* estival.

estivant, e [ɛstivɑ̃, ɑ̃t] *nm/f* veraneante *m/f*.

estoc [ɛstɔk] *nm*: **frapper d'~ et de taille** dar tajos y estocadas.

estocade [ɛstɔkad] *nf*: **donner l'~ à** dar la estocada a.

estomac [ɛstɔma] *nm* estómago; **avoir l'~ creux/mal à l'~** tener el estómago vacío/tener dolor de estómago.

estomaqué, e [ɛstɔmake] *adj* atónito(-a).

estompe [ɛstɔ̃p] *nf* esfumino.

estompé, e [ɛstɔ̃pe] *adj* difuminado(-a).

estomper [ɛstɔ̃pe] *vt* (ART, PHOTO) difuminar; (*suj: brume etc*) desdibujar; (*fig: souvenir, sentiment*) esfumar; **s'estomper** *vpr* (*bruit, souvenirs*) atenuarse; (*couleurs, forme*) difuminarse.

Estonie [ɛstɔni] *nf* Estonia.

estonien, ne [ɛstɔnjɛ̃, jɛn] *adj* estonio(-a) ♦ *nm* (LING) estonio ♦ *nm/f*: **E~, ne** estonio(-a).

estrade [ɛstʀad] *nf* estrado.
estragon [ɛstʀagɔ̃] *nm* estragón *m*.
Estrémadure [ɛstʀemadyʀ] *nf* Extremadura.
estropié, e [ɛstʀɔpje] *nm/f* lisiado(-a), tullido(-a).
estropier [ɛstʀɔpje] *vt* lisiar, tullir; (*fig: mot*) alterar.
estuaire [ɛstɥɛʀ] *nm* estuario.
estudiantin, e [ɛstydjɑ̃tɛ̃, in] *adj* estudiantil.
esturgeon [ɛstyʀʒɔ̃] *nm* esturión *m*.
et [e] *conj* y; ~ **aussi/lui** y también/él; ~ **puis?** ¿y qué?; ~ **alors** *ou* **(puis) après?** (*qu'importe!*) ¿y qué?; (*ensuite*) ¿y entonces?
ét. *abr* = **étage.**
ETA [ətea] *sigle m* (= *Euskadi Ta Askatasuna*) ETA *f*.
étable [etabl] *nf* establo.
établi, e [etabli] *adj* (*en place, solide*) establecido(-a); (*vérité*) confirmado(-a) ♦ *nm* banco.
établir [etabliʀ] *vt* establecer; (*papiers d'identité*) hacer; (*facture*) hacer, realizar; (*liste, programme*) establecer, fijar; (*installer: entreprise, camp*) establecer, instalar; (*personne: aider à s'établir*) colocar; (*relations, liens d'amitié*) entablar, establecer; **s'établir** *vpr* establecerse; (*colonie*) asentarse; ~ **un record** establecer un récord; **s'~** (**à son compte**) establecerse (por su cuenta).
établissement [etablismɑ̃] *nm* establecimiento; (*papiers d'identité*) realización *f*; ▸ **établissement commercial/industriel** establecimiento comercial/industrial; ▸ **établissement de crédit** entidad *f* de crédito; ▸ **établissement hospitalier/public** establecimiento hospitalario/público; ▸ **établissement scolaire** establecimiento escolar.
étage [etaʒ] *nm* (*d'immeuble*) piso, planta; (*de fusée*) cuerpo; (*de culture, végétation*) capa, estrato; **habiter à l'~/au deuxième** ~ vivir en el primer piso/en el segundo piso; **maison à deux ~s** casa de dos pisos *ou* plantas; **de bas** ~ de clase baja; (*médiocre*) de baja estofa.
étagement [etaʒmɑ̃] *nm* escalonamiento.
étager [etaʒe] *vt* (*aussi fig*) escalonar; **s'étager** *vpr* escalonarse.
étagère [etaʒɛʀ] *nf* estante *m*.
étai [etɛ] *nm* puntal *m*.
étain [etɛ̃] *nm* estaño; **pot en** ~ vasija de estaño.
étais *etc* [etɛ] *vb voir* **être.**
étal [etal] *nm* (*de marché*) puesto.
étalage [etalaʒ] *nm* (*de richesses, connaissances*) ostentación *f*; (*de magasin*) escaparate *m*; **faire** ~ **de** hacer alarde de, hacer ostentación de.
étalagiste [etalaʒist] *nm/f* escaparatista *m/f*.
étale [etal] *adj* quieto(-a).
étalement [etalmɑ̃] *nm* (*v vt*) extensión *f*; exposición *f*; ostentación *f*; (*échelonnement*) escalonamiento.
étaler [etale] *vt* (*carte, nappe*) extender, desplegar; (*beurre, liquide*) extender; (*paiements, dates*) escalonar; (*marchandises*) exponer; (*richesses, connaissances*) ostentar; **s'étaler** *vpr* (*liquide*) desparramarse; (*luxe etc*) ser ostensible; (*fam: tomber*) caer a lo largo; **s'~ sur** (*suj: travaux, paiements*) repartirse en.
étalon [etalɔ̃] *nm* (*mesure*) patrón *m*; (*cheval*) semental *m*; **l'~-or** el patrón oro.
étalonner [etalɔne] *vt* graduar.
étamer [etame] *vt* estañar.
étameur [etamœʀ] *nm* estañador *m*.
étamine [etamin] *nf* (*de fleur*) estambre *m*; (*tissu*) estameña.
étanche [etɑ̃ʃ] *adj* impermeable; (*fig: cloison*) entero(-a); ~ **à l'air** hermético(-a).
étanchéité [etɑ̃ʃeite] *nf* impermeabilidad *f*.
étancher [etɑ̃ʃe] *vt* (*liquide*) estancar; (*sang*) restañar; ~ **sa soif** apagar la sed.
étançon [etɑ̃sɔ̃] *nm* puntal *m*.
étançonner [etɑ̃sɔne] *vt* apuntalar.
étang [etɑ̃] *nm* estanque *m*.
étant [etɑ̃] *vb voir* **être; donné.**
étape [etap] *nf* etapa; **faire** ~ **à** hacer una etapa en; **brûler les ~s** quemar etapas.
état [eta] *nm* estado; (*liste, inventaire*) registro; **être boucher de son** ~ (*condition professionnelle*) ser carnicero de oficio; **en bon/mauvais** ~ en buen/mal estado; **être en** ~ (**de marche**) funcionar; **remettre en** ~ volver a poner en condiciones, arreglar; **hors d'~** fuera de uso, inservible; **être en ~/hors d'~ de faire qch** estar/no estar en condiciones de hacer algo; **en tout** ~ **de cause** en todo caso, de todos modos; **être dans tous ses ~s** estar fuera de sí; **faire** ~ **de** hacer valer; **être en** ~ **d'arrestation** (*JUR*) quedar arrestado(-a), estar detenido(-a); **en** ~ **de grâce** (*REL, fig*) en estado de gracia; **en** ~ **d'ivresse** en estado de embriaguez; ▸ **état civil** (*ADMIN*) estado civil; ▸ **état d'urgence/de guerre/de siège** estado de excepción/de guerra/de sitio; ▸ **état d'alerte** estado de alerta; ▸ **état d'esprit** mentalidad *f*; ▸ **état de choses** estado de cosas; ▸ **état de santé** estado de salud; ▸ **état de veille** estado de vigilia; ▸ **état des lieux** estado del inmueble; ▸ **états de service** (*MIL, ADMIN*) hoja *fsg* de servicios; ▸ **les États du Golfe**

los Estados del Golfo.
étatique [etatik] _adj_ estatal.
étatisation [etatizasjɔ̃] _nf_ nacionalización _f_.
étatiser [etatize] _vt_ nacionalizar.
étatisme [etatism] _nm_ estatismo.
étatiste [etatist] _adj_ partidario(-a) del estatismo.
état-major [etamaʒɔR] (_pl_ ~**s-**~**s**) _nm_ (_MIL_) estado mayor; (_de parti, d'entreprise_) plana mayor.
État-providence [etapRɔvidɑ̃s] _nm_ Estado de bienestar.
États-Unis [etazyni] _nmpl_: **les** ~**-**~ los Estados Unidos.
étau, x [eto] _nm_ (_TECH_) torno; **être pris dans un** ~ (_fig_) estar acorralado.
étayer [eteje] _vt_ (_construction, fig_) apuntalar.
etc. [ɛtseteRa] _abr_ (= _et c(a)etera_) etc.
et c(a)etera [ɛtseteRa] _adv_ etcétera.
été [ete] _pp de_ **être** ♦ _nm_ verano; **en** ~ en verano.
éteignais [eteɲɛ] _vb voir_ **éteindre**.
éteignoir [eteɲwaR] _nm_ (_objet_) apagavelas _m inv_; (_personne_) aguafiestas _m/f inv_.
éteindre [etɛ̃dR] _vt_ apagar; (_incendie_) extinguir, apagar; (_JUR: dette_) extinguir; **s'éteindre** _vpr_ (_aussi fig_) apagarse.
éteint, e [etɛ̃, ɛ̃t] _pp de_ **éteindre** ♦ _adj_ apagado(-a); **tous feux** ~**s** (_rouler_) con las luces apagadas.
étendard [etɑ̃daR] _nm_ estandarte _m_.
étendre [etɑ̃dR] _vt_ extender; (_carte, tapis_) extender, desplegar; (_lessive, linge_) tender, colgar; (_blessé, malade_) tender; (_vin, sauce_) diluir, rebajar; (_fig: agrandir_) extender, ampliar; (_fam_) tumbar; (_SCOL_) catear; **s'étendre** _vpr_ extenderse; **s'**~ **(sur)** (_personne_) tenderse (sobre _ou_ en); (_fig: sujet, problème_) extenderse (en); **s'**~ **jusqu'à/d'un endroit à un autre** extenderse hasta/de un sitio a otro.
étendu, e [etɑ̃dy] _adj_ (_terrain_) extenso(-a); (_connaissances, pouvoirs etc_) amplio(-a).
étendue [etɑ̃dy] _nf_ extensión _f_; (_des connaissances_) amplitud _f_; (_importance_) alcance _m_.
éternel, le [etɛRnɛl] _adj_ eterno(-a); (_habituel_) inseparable; **les neiges** ~**les** las nieves eternas _ou_ perpetuas.
éternellement [etɛRnɛlmɑ̃] _adv_ eternamente.
éterniser [etɛRnize] : **s'**~ _vpr_ eternizarse.
éternité [etɛRnite] _nf_ eternidad _f_; **il y a** _ou_ **ça fait une** ~ **que** hace una eternidad que; **de toute** ~ de tiempo inmemorial.
éternuement [etɛRnymɑ̃] _nm_ estornudo.
éternuer [etɛRnɥe] _vi_ estornudar.
êtes [ɛt(z)] _vb voir_ **être**.
étêter [etete] _vt_ descabezar.

éther [etɛR] _nm_ éter _m_.
éthéré, e [eteRe] _adj_ etéreo(-a).
Éthiopie [etjɔpi] _nf_ Etiopía.
éthiopien, ne [etjɔpjɛ̃, jɛn] _adj_ etíope ♦ _nm/f_: **Éthiopien, ne** etíope _m/f_.
éthique [etik] _adj_ ético(-a) ♦ _nf_ ética.
ethnie [ɛtni] _nf_ etnia.
ethnique [ɛtnik] _adj_ étnico(-a).
ethnographe [ɛtnɔgRaf] _nm/f_ etnógrafo(-a).
ethnographie [ɛtnɔgRafi] _nf_ etnografía.
ethnographique [ɛtnɔgRafik] _adj_ etnográfico(-a).
ethnologie [ɛtnɔlɔʒi] _nf_ etnología.
ethnologique [ɛtnɔlɔʒik] _adj_ etnológico (-a).
ethnologue [ɛtnɔlɔg] _nm/f_ etnólogo(-a).
éthologie [etɔlɔʒi] _nf_ etología.
éthylique [etilik] _adj_ etílico(-a); **alcool** ~ alcohol _m_ etílico.
éthylisme [etilism] _nm_ etilismo.
étiage [etjaʒ] _nm_ estiaje _m_.
étiez [etjɛ] _vb voir_ **être**.
étincelant, e [etɛ̃s(ə)lɑ̃, ɑ̃t] _adj_ resplandeciente.
étinceler [etɛ̃s(ə)le] _vi_ resplandecer.
étincelle [etɛ̃sɛl] _nf_ chispa, fulgor _m_; (_fig_) destello, chispa.
étiolement [etjɔlmɑ̃] _nm_ (_d'une plante_) marchitamiento.
étioler [etjɔle] : **s'**~ _vpr_ (_fleur_) marchitarse; (_enfant, esprit_) languidecer, marchitarse.
étique [etik] _adj_ enteco(-a), flaco(-a).
étiquetage [etik(ə)taʒ] _nm_ etiquetado.
étiqueter [etik(ə)te] _vt_ (_aussi fig_) etiquetar.
étiqueteuse [etiktøz] _nf_ (_machine_) etiquetadora.
étiquette [etikɛt] _nf_ (_aussi fig_) etiqueta; **l'**~ (_protocole_) la etiqueta; **sans** ~ (_POL_) sin etiqueta.
étirer [etiRe] _vt_ estirar; **s'étirer** _vpr_ estirarse; (_convoi, route_): **s'**~ **sur plusieurs kilomètres** extenderse por varios kilómetros; ~ **ses bras/jambes** estirar los brazos/las piernas.
étoffe [etɔf] _nf_: **avoir l'**~ **d'un chef** tener madera de jefe; **avoir de l'**~ tener personalidad.
étoffer [etɔfe] _vt_ (_discours, récit_) dar cuerpo a; **s'étoffer** _vpr_ (_personne_) desarrollarse.
étoile [etwal] _nf_ estrella; (_signe_) asterisco ♦ _adj_: **danseur/danseuse** ~ primer bailarín/primera bailarina; **la bonne/mauvaise** ~ **de qn** la buena/mala estrella de algn; **à la belle** ~ al sereno, al aire libre; ▶**étoile de mer** estrella de mar; ▶**étoile filante** estrella fugaz; ▶**étoile polaire** estrella polar.

étoilé, e [etwale] *adj* estrellado(-a).
étoiler [etwale] *vt* (*parsemer*) sembrar de estrellas; (*fêler*) resquebrajar.
étole [etɔl] *nf* estola.
étonnamment [etɔnamɑ̃] *adv* asombrosamente.
étonnant, e [etɔnɑ̃, ɑ̃t] *adj* (*surprenant*) asombroso(-a), sorprendente; (*valeur intensive*) sorprendente.
étonné, e [etɔne] *adj* asombrado(-a).
étonnement [etɔnmɑ̃] *nm* asombro, estupefacción *f*; **à mon grand ~** ... con gran asombro mío ... .
étonner [etɔne] *vt* asombrar, sorprender; **s'~ que/de** asombrarse de que/de; **cela m'étonnerait (que)** me sorprendería (que).
étouffant, e [etufɑ̃, ɑ̃t] *adj* (*ambiance*) asfixiante.
étouffé, e [etufe] *adj* ahogado(-a).
étouffée [etufe]: **à l'~** *adv* (*CULIN*) estofado(-a).
étouffement [etufmɑ̃] *nm* ahogo.
étouffer [etufe] *vt* (*personne*) ahogar; (*bruit*) acallar; (*nouvelle, scandale*) ocultar, tapar ♦ *vi* (*aussi fig*) ahogarse; (*avoir trop chaud*) sofocarse, ahogarse; **s'étouffer** *vpr* (*en mangeant*) atragantarse.
étouffoir [etufwaʀ] *nm* (*MUS*) apagador *m*.
étoupe [etup] *nf* estopa.
étourderie [etuʀdəʀi] *nf* descuido; **faute d'~** despiste *m*.
étourdi, e [etuʀdi] *adj* aturdido(-a), distraído(-a).
étourdiment [etuʀdimɑ̃] *adv* con descuido.
étourdir [etuʀdiʀ] *vt* (*assommer*) aturdir, atontar; (*griser*) aturdir.
étourdissant, e [etuʀdisɑ̃, ɑ̃t] *adj* impresionante.
étourdissement [etuʀdismɑ̃] *nm* aturdimiento.
étourneau, x [etuʀno] *nm* estornino.
étrange [etʀɑ̃ʒ] *adj* extraño(-a), raro(-a).
étrangement [etʀɑ̃ʒmɑ̃] *adv* (*bizarrement*) de forma extraña; (*étonnamment*) sorprendentemente.
étranger, -ère [etʀɑ̃ʒe, ɛʀ] *adj* (*d'un autre pays*) extranjero(-a), gringo(-a) (*AM*); (*pas de la famille*) extraño(-a); (*non familier*) extraño(-a), desconocido(-a) ♦ *nm/f* (*d'un autre pays*) extranjero(-a); (*inconnu*) extraño(-a) ♦ *nm*: **l'~** el extranjero; **~ à** ajeno(-a) a; **de l'~** del extranjero.
étrangeté [etʀɑ̃ʒte] *nf* extrañeza, rareza.
étranglée [etʀɑ̃gle] *adj*: **d'une voix ~e** con una voz sofocada.
étranglement [etʀɑ̃gləmɑ̃] *nm* (*action*) estrangulación *f*; (*d'une route, vallée, canalisation*) estrechamiento.
étrangler [etʀɑ̃gle] *vt* (*intentionnellement*) estrangular; (*accidentellement*) ahogar; (*fig: presse, libertés*) ahogar, asfixiar; **s'étrangler** *vpr* (*en mangeant etc*) atragantarse; (*se resserrer: tuyau, rue*) estrecharse.
étrave [etʀav] *nf* roda.

═══════════════════════════ *MOT-CLÉ*

être [ɛtʀ] *vb* +*attribut, vi* **1** (*qualité essentielle, permanente, profession*) ser; **il est fort/intelligent** es fuerte/inteligente; **être journaliste** ser periodista
2 (*état temporaire, position,* + *adj/pp*) estar; **comme tu es belle!** ¡qué guapa estás!; **être marié** estar casado; **il est à Paris/au salon** está en París/en el salón; **je ne serai pas ici demain** no estaré aquí mañana; **ça y est!** ¡ya está!
3: **être à** (*appartenir*) ser de; **le livre est à Paul** el libro es de Pablo; **c'est à moi/eux** es mío(-a)/suyo(-a) *ou* de ellos
4 (+*de: provenance, origine*): **il est de Paris** es de París; (: *appartenance*): **il est des nôtres** es de los nuestros; **être de Genève/de la même famille** ser de Ginebra/de la misma familia
5 (*date*): **nous sommes le 5 juin** estamos a 5 de junio
♦ *vb aux* **1** haber; **être arrivé/allé** haber llegado/ido; **il est parti** (él) se ha marchado; **il est parti hier** (*verbe au passé simple quand la période dans laquelle se situe l'action est révolue*) se marchó ayer
2 (*forme passive*) ser; **être fait par** ser hecho por; **il a été promu** ha sido ascendido
3 (+*à*: *obligation*): **c'est à faire/réparer** está por hacer/reparar; **c'est à essayer** está por ensayar; **il est à espérer/souhaiter que** es de esperar/desear que
♦ *vb impers* **1**: **il est** +*adjectif* es; **il est impossible de le faire** es imposible hacerlo; **il serait facile de/souhaitable que** sería fácil/deseable que
2 (*heure, date*): **il est** *ou* **c'est 10 heures** son las 10
3 (*emphatique*): **c'est moi** soy yo; **c'est à lui de le faire/de décider** tiene que hacerlo/decidirlo él
♦ *nm* ser *m*; **être humain** ser humano.

étreindre [etʀɛ̃dʀ] *vt* (*pour s'accrocher, retenir*) agarrarse a; (*amoureusement, amicalement*) abrazar; (*suj: douleur, peur*) oprimir; **s'étreindre** *vpr* (*personnes*) abrazarse.
étreinte [etʀɛ̃t] *nf* (*amicale, amoureuse*) abrazo; (*pour s'accrocher, retenir: aussi de lutteurs*) apretón *m*; **resserrer son ~ autour de** (*fig*) cerrar el cerco en torno a.
étrenner [etʀene] *vt* estrenar.

étrennes [etʀɛn] *nfpl* (*cadeaux*) regalos *mpl*; (*gratifications*) aguinaldo *msg*.

étrier [etʀije] *nm* estribo.

étriller [etʀije] *vt* (*cheval*) almohazar; (*fam*: *battre*) zurrar.

étriper [etʀipe] *vt* destripar; ~ qn (*fam*) rajar a algn.

étriqué, e [etʀike] *adj* (*aussi* *fig*) estrecho(-a).

étroit, e [etʀwa, wat] *adj* (*gén, fig*) estrecho(-a); à l'~ con estrechez; ► étroit d'esprit de miras estrechas.

étroitement [etʀwatmã] *adv* estrechamente; (*rigoureusement*) estrictamente.

étroitesse [etʀwatɛs] *nf* estrechez *f*; ► étroitesse d'esprit estrechez de miras.

étrusque [etʀysk] *adj* etrusco(-a).

étude [etyd] *nf* estudio; (*de notaire*) bufete *m*; (*SCOL: salle de travail*) sala de estudio; ~s *nfpl* (*SCOL*) estudios *mpl*; être à l'~ (*projet etc*) estar en estudio; faire une ~ de cas ver un caso práctico; faire des ~s de droit/médecine cursar estudios de *ou* estudiar derecho/medicina; ~s secondaires/supérieures estudios secundarios/superiores; ► étude de faisabilité/de marché estudio de factibilidad/de mercado.

étudiant, e [etydjã, jãt] *nm/f* (*UNIV*) estudiante *m/f*, universitario(-a) ♦ *adj* estudiante.

étudié, e [etydje] *adj* estudiado(-a).

étudier [etydje] *vt, vi* estudiar.

étui [etɥi] *nm* (*à lunettes*) funda, estuche *m*; (*cigarettes*) estuche.

étuve [etyv] *nf* baño turco; (*appareil*) estufa.

étuvée [etyve]: à l'~ *adv* (*CULIN*) estofado(-a).

étymologie [etimɔlɔʒi] *nf* etimología.

étymologique [etimɔlɔʒik] *adj* etimológico(-a).

eu, eue [y] *pp de* avoir.

EU(A) *sigle mpl* (= *États-Unis (d'Amérique)*) EE. UU. (= *Estados Unidos*).

eucalyptus [økaliptys] *nm* eucalipto.

Eucharistie [økaʀisti] *nf* Eucaristía.

eucharistique [økaʀistik] *adj* eucarístico (-a).

euclidien, ne [øklidjɛ̃, jɛn] *adj*: géométrie ~ne geometría euclidiana.

eugénique [øʒenik] *adj* eugenésico(-a).

eugénisme [øʒenism] *nm* eugenesia.

euh [ø] *excl* ee.

eunuque [ønyk] *nm* eunuco.

euphémique [øfemik] *adj* eufemístico(-a).

euphémisme [øfemism] *nm* eufemismo.

euphonie [øfɔni] *nf* eufonía.

euphorbe [øfɔʀb] *nf* euforbio.

euphorie [øfɔʀi] *nf* euforia.

euphorique [øfɔʀik] *adj* eufórico(-a).

euphorisant, e [øfɔʀizã, ãt] *adj* (*atmosphère*) que provoca euforia; (*médicament*) estimulante.

eurafricain, e [øʀafʀikɛ̃, ɛn] *adj* euroafricano(-a).

eurasiatique [øʀazjatik] *adj* euroasiático (-a).

Eurasie [øʀazi] *nf* Eurasia.

eurasien, ne [øʀazjɛ̃, jɛn] *adj* euroasiático(-a) ♦ *nm/f*: E~, ne euroasiático(-a).

EURATOM [øʀatom] *sigle f* Euratom *f*.

eurent [yʀ] *vb voir* avoir.

eurocrate [øʀɔkʀat] (*péj*) *nm/f* eurócrata *m/f*.

eurodevise [øʀɔdəviz] *nf* eurodivisa.

eurodollar [øʀɔdɔlaʀ] *nm* eurodólar *m*.

euromonnaie [øʀomɔnɛ] *nf* euromoneda.

Europe [øʀɔp] *nf* Europa; ► l'Europe centrale la Europa central; ► l'Europe verte la Europa verde.

européanisation [øʀɔpeanizasjɔ̃] *nf* europeización *f*.

européaniser [øʀɔpeanize] *vt* europeizar; s'européaniser *vpr* europeizarse.

européen, ne [øʀɔpeɛ̃, ɛn] *adj* europeo(-a) ♦ *nm/f*: E~, ne europeo(-a).

Eurovision [øʀɔvizjɔ̃] *nf* Eurovisión *f*; (*émission*) en ~ (emisión *f*) vía Eurovisión.

eus *etc* [y] *vb voir* avoir.

euthanasie [øtanazi] *nf* eutanasia.

eux [ø] *pron* ellos; ~, ils ont fait ... ellos han hecho ... .

évacuation [evakɥasjɔ̃] *nf* evacuación *f*.

évacué, e [evakɥe] *adj* evacuado(-a).

évacuer [evakɥe] *vt* evacuar.

évadé, e [evade] *adj, nm/f* evadido(-a).

évader [evade]: s'~ *vpr* (*aussi fig*) evadirse.

évaluation [evalɥasjɔ̃] *nf* evaluación *f*.

évaluer [evalɥe] *vt* evaluar, calcular.

évanescent, e [evanesã, ãt] *adj* evanescente.

évangélique [evãʒelik] *adj* evangélico(-a).

évangélisateur, -trice [evãʒelizatœʀ, tʀis] *adj* evangelizador(a) ♦ *nm* evangelizador *m*.

évangélisation [evãʒelizasjɔ̃] *nf* evangelización *f*.

évangéliser [evãʒelize] *vt* evangelizar.

évangéliste [evãʒelist] *nm* evangelista *m*.

évangile [evãʒil] *nm* evangelio; (*texte de la Bible*): É~ Evangelio; ce n'est pas l'É~ (*fig*) esto no es la Biblia.

évanoui, e [evanwi] *adj* desvanecido(-a); tomber ~ caer desvanecido(-a).

évanouir [evanwiʀ]: s'~ *vpr* desmayarse,

desvanecerse; (fig) desvanecerse, desaparecer.

évanouissement [evanwismɑ̃] nm (MÉD) desmayo, desvanecimiento.

évaporation [evapɔrasjɔ̃] nf evaporación f.

évaporé, e [evapɔre] (péj) adj (personne) alocado(-a), atolondrado(-a).

évaporer [evapɔre]: **s'~** vpr evaporarse.

évasé, e [evɑze] adj acampanado(-a).

évaser [evɑze] vt (tuyau) ensanchar; (jupe, pantalon) acampanar; **s'évaser** vpr ensancharse.

évasif, -ive [evazif, iv] adj evasivo(-a).

évasion [evɑzjɔ̃] nf (aussi fig) evasión f, littérature d'~ literatura de evasión; ► **évasion des capitaux** evasión de capitales; ► **évasion fiscale** evasión fiscal.

évasivement [evazivmɑ̃] adv evasivamente.

évêché [eveʃe] nm obispado.

éveil [evɛj] nm despertar m; **être en ~** estar sobre aviso; **mettre qn en ~**, donner l'~ à qn poner sobre aviso ou avisar a algn; **activités d'~** actividades fpl de aprendizaje.

éveillé, e [eveje] adj despierto(-a).

éveiller [eveje] vt despertar; **s'éveiller** vpr (aussi fig) despertarse.

événement [evɛnmɑ̃] nm acontecimiento; **~s** nmpl (POL etc: situation générale) acontecimientos mpl.

éventail [evɑ̃taj] nm abanico; **en ~** en abanico.

éventaire [evɑ̃tɛʀ] nm escaparate m.

éventé, e [evɑ̃te] adj alterado(-a); (secret) descubierto(-a).

éventer [evɑ̃te] vt (secret, complot) descubrir; **s'éventer** vpr (vin, parfum) alterarse; (avec un éventail) abanicarse.

éventrer [evɑ̃tʀe] vt (animal, personne) destripar; (sac, matelas etc) reventar.

éventualité [evɑ̃tɥalite] nf eventualidad f; **dans l'~ de** en la eventualidad de; **parer à toute ~** prevenir contra toda eventualidad.

éventuel, le [evɑ̃tɥɛl] adj eventual.

éventuellement [evɑ̃tɥɛlmɑ̃] adv eventualmente.

évêque [evɛk] nm obispo.

Everest [ɛv(ə)ʀɛst] nm: l'~, le mont ~ el (monte) Everest.

évertuer [evɛʀtɥe]: **s'~** vpr: **s'~ à faire** afanarse por ou en hacer.

éviction [eviksjɔ̃] nf exclusión f; (de locataire) expulsión f.

évidemment [evidamɑ̃] adv evidentemente; **~!** ¡claro!

évidence [evidɑ̃s] nf evidencia; **se rendre à/nier l'~** rendirse ante/negar la evidencia; **à l'~** sin duda alguna; **de toute ~** a

todas luces; **en ~** en evidencia; **mettre en ~** (problème, détail) poner de manifiesto.

évident, e [evidɑ̃, ɑ̃t] adj evidente; **ce n'est pas ~** (cela pose des problèmes) no es nada fácil; (pas sûr) no está claro.

évider [evide] vt ahuecar.

évier [evje] nm fregadero.

évincer [evɛ̃se] vt excluir.

évitable [evitabl] adj evitable.

éviter [evite] vt evitar; (fig: problème, question) evitar, eludir; (importun, raseur: fuir) rehuir, evitar; (coup, projectile, obstacle) esquivar; **~ de faire/que qch ne se passe** evitar hacer/que algo suceda; **~ qch à qn** evitar algo a algn.

évocateur, -trice [evɔkatœʀ, tʀis] adj evocador(a).

évocation [evɔkasjɔ̃] nf evocación f.

évolué, e [evɔlɥe] adj desarrollado(-a); (personne) moderno(-a).

évoluer [evɔlɥe] vi evolucionar.

évolutif, -ive [evɔlytif, iv] adj evolutivo (-a).

évolution [evɔlysjɔ̃] nf evolución f; **~s** nfpl evoluciones fpl.

évolutionnisme [evɔlysjɔnism] nm evolucionismo.

évolutionniste [evɔlysjɔnist] adj, nm/f evolucionista m/f.

évoquer [evɔke] vt evocar.

ex- [ɛks] préfixe: **ex-ministre/président** exministro/-presidente; **son ex-mari/femme** su ex-marido/mujer.

ex. abr (= exemple) ej (= ejemplo).

exacerbé, e [ɛgzasɛʀbe] adj exacerbado (-a).

exacerber [ɛgzasɛʀbe] vt exacerbar.

exact, e [ɛgza(kt), ɛgzakt] adj (précis) exacto(-a); (personne: ponctuel) puntual; **l'heure ~e** la hora exacta.

exactement [ɛgzaktəmɑ̃] adv exactamente.

exaction [ɛgzaksjɔ̃] nf exacción f.

exactitude [ɛgzaktityd] nf exactitud f.

ex aequo [ɛgzeko] adv iguales ♦ adj inv: **ils sont ~ ~** han quedado iguales.

exagération [ɛgzaʒeʀasjɔ̃] nf exageración f.

exagéré, e [ɛgzaʒeʀe] adj exagerado(-a).

exagérément [ɛgzaʒeʀemɑ̃] adv exageradamente.

exagérer [ɛgzaʒeʀe] vt exagerar ♦ vi (abuser) abusar; (déformer les faits, la vérité) exagerar; **encore en retard, tu exagères!** (dépasser les bornes) ¡otra vez tarde, te estás pasando!; **sans ~** sin exagerar; **s'~ qch** sobreestimar algo; **il ne faut pas/rien ~** no hay que exagerar.

exaltant, e [ɛgzaltɑ̃, ɑ̃t] adj exaltador(a).

exaltation [ɛgzaltasjɔ̃] nf exaltación f.

exalté, e [εgzalte] *adj, nm/f (aussi péj)* exaltado(-a).

exalter [εgzalte] *vt* exaltar; **s'exalter** *vpr* exaltarse.

examen [εgzamɛ̃] *nm* examen *m*; ~ **médical** examen *ou* reconocimiento médico; **à l'~** en examen; ► **examen blanc** prueba preliminar; ► **examen de conscience** examen de conciencia; ► **examen de la vue** examen de la vista; ► **examen final/d'entrée** examen final/de ingreso.

examinateur, -trice [εgzaminatœʀ, tʀis] *nm/f* examinador(a).

examiner [εgzamine] *vt* examinar.

exaspérant, e [εgzaspeʀɑ̃, ɑ̃t] *adj* exasperante.

exaspération [εgzaspeʀasjɔ̃] *nf* exasperación *f*.

exaspéré, e [εgzaspeʀe] *adj* exasperado (-a).

exaspérer [εgzaspeʀe] *vt* exasperar.

exaucer [εgzose] *vt (vœu)* otorgar; ~ **qn** satisfacer a algn.

ex cathedra [εkskatedʀa] *adv, adj* ex cátedra.

excavateur [εkskavatœʀ] *nm* excavadora.

excavation [εkskavasjɔ̃] *nf* excavación *f*.

excavatrice [εkskavatʀis] *nf* = **excavateur**.

excédent [εksedɑ̃] *nm* excedente *m*; **en ~** en excedente; **payer 600 F d'~** pagar 600 francos en exceso; ► **excédent commercial** excedente comercial; ► **excédent de bagages/de poids** exceso de equipaje/de peso.

excédentaire [εksedɑ̃tεʀ] *adj* excedente, sobrante.

excéder [εksede] *vt (dépasser)* exceder, sobrepasar; *(agacer)* crispar; **excédé de fatigue/travail** agotado de cansancio/de trabajo.

excellence [εksεlɑ̃s] *nf* excelencia; **son E~** su Excelencia; **par ~** por excelencia.

excellent, e [εksεlɑ̃, ɑ̃t] *adj* excelente.

exceller [εksεle] *vi*: ~ **(en ou dans)** destacar (en), sobresalir (en).

excentricité [εksɑ̃tʀisite] *nf* excentricidad *f*.

excentrique [εksɑ̃tʀik] *adj* excéntrico(-a).

excentriquement [εksɑ̃tʀikmɑ̃] *adv* excéntricamente.

excepté, e [εksεpte] *adj*: **les élèves ~s/ dictionnaires ~s** excepto los alumnos/los diccionarios ♦ *prép*: ~ **les élèves** salvo los alumnos; ~ **si/quand** ... salvo si/cuando ...; ~ **que** salvo que.

excepter [εksεpte] *vt* exceptuar.

exception [εksεpsjɔ̃] *nf* excepción *f*; **faire ~** ser una excepción; **faire une ~** *(dérogation)* hacer una excepción; **sans ~** sin excepción; **à l'~ de** con excepción de;

mesure/loi d'~ medida/ley *f* de excepción.

exceptionnel, le [εksεpsjɔnɛl] *adj* excepcional.

exceptionnellement [εksεpsjɔnεlmɑ̃] *adv* excepcionalmente.

excès [εksε] *nm* exceso ♦ *nmpl (abus)* excesos *mpl*; **à l'~** *(méticuleux, généreux)* en exceso; **tomber dans l'~ inverse** pasar de un extremo al otro; **avec/sans ~** con/sin exceso; ► **excès de langage** lenguaje *m* abusivo; ► **excès de pouvoir/de zèle** exceso de poder/de celo; ► **excès de vitesse** exceso de velocidad.

excessif, -ive [εksesif, iv] *adj* excesivo(-a).

excessivement [εksesivmɑ̃] *adv* excesivamente.

excipient [εksipjɑ̃] *nm* excipiente *m*.

exciser [εksize] *vt (MÉD)* extirpar.

excision [εksizjɔ̃] *nf (MÉD)* excisión *f*.

excitant [εksitɑ̃] *adj, nm* excitante *m*.

excitation [εksitasjɔ̃] *nf* excitación *f*.

excité, e [εksite] *adj* excitado(-a).

exciter [εksite] *vt* excitar; **s'exciter** *vpr* excitarse; ~ **qn à** *(la révolte, au combat)* incitar a algn a.

exclamatif, -ive [εksklamatif, iv] *adj* exclamativo(-a).

exclamation [εksklamasjɔ̃] *nf* exclamación *f*.

exclamer [εksklame]: **s'~** *vpr* exclamar; **"zut", s'exclama-t-il** "caramba", exclamó.

exclu, e [εkskly] *pp de* **exclure** ♦ *adj*: **il est/n'est pas ~ que** cabe/no cabe la posibilidad de que; **ce n'est pas ~** cabe esa posibilidad.

exclure [εksklyʀ] *vt* excluir; *(d'une salle, d'un parti)* expulsar, excluir.

exclusif, -ive [εksklyzif, iv] *adj* exclusivo (-a); **avec la mission exclusive/dans le but ~ de** con la misión exclusiva/con la finalidad exclusiva de.

exclusion [εksklyzjɔ̃] *nf* expulsión *f*, exclusión *f*; **à l'~ de** con exclusión de.

exclusivement [εksklyzivmɑ̃] *adv (s'intéresser)* exclusivamente; *(jouir d'un droit)* en exclusiva; *(gén COMM: non inclus)* exclusiva.

exclusivité [εksklyzivite] *nf* exclusividad *f*; **en ~** en exclusiva; **film passant en ~** película en exclusiva.

excommunier [εkskɔmynje] *vt* excomulgar.

excréments [εkskʀemɑ̃] *nmpl* excrementos *mpl*.

excréter [εkskʀete] *vt* excretar.

excroissance [εkskʀwasɑ̃s] *nf* excrecencia.

excursion [εkskyʀsjɔ̃] *nf* excursión *f*; **faire une ~** hacer una *ou* ir de excursión.

excursionniste [εkskyʀsjɔnist] *nm/f* excursionista m/f.

excusable [ɛkskyzabl] adj excusable.

excuse [ɛkskyz] nf excusa; ~s nfpl (expression de regret) disculpas fpl; **faire des** ~s disculparse, excusarse; **mot d'**~ (SCOL) justificante m; **faire/présenter ses** ~s pedir disculpas; **lettre d'**~s carta de disculpa.

excuser [ɛkskyze] vt excusar, disculpar; **s'excuser** vpr (par politesse) disculparse, excusarse; ~ **qn de qch** (dispenser) dispensar a algn de algo; **s'**~ **(de)** disculparse (de), excusarse (por); "**excusez-moi**" (en passant devant qn) "discúlpeme"; (pour attirer l'attention) "perdón"; **se faire** ~ excusarse.

exécrable [ɛgzekʀabl] adj execrable.

exécrer [ɛgzekʀe] vt execrar.

exécutant, e [ɛgzekytɑ̃, ɑ̃t] nm/f ejecutante m/f.

exécuter [ɛgzekyte] vt (INFORM, MUS, prisonnier) ejecutar; (opération, mouvement) efectuar, realizar; **s'exécuter** vpr cumplir.

exécuteur, -trice [ɛgzekytœʀ, tʀis] nm/f (JUR) ejecutor(a) ♦ nm (bourreau) verdugo.

exécutif, -ive [ɛgzekytif, iv] adj ejecutivo(-a) ♦ nm: **l'**~ (POL) el ejecutivo.

exécution [ɛgzekysjɔ̃] nf ejecución f, **mettre à** ~ llevar a cabo; ► **exécution capitale** ejecución capital.

exécutoire [ɛgzekytwaʀ] adj ejecutorio(-a).

exégèse [ɛgzeʒɛz] nf exégesis f.

exégète [ɛgzeʒɛt] nm exégeta m.

exemplaire [ɛgzɑ̃plɛʀ] adj ejemplar ♦ nm ejemplar m; **en deux/trois** ~s por duplicado/triplicado.

exemplairement [ɛgzɑ̃plɛʀmɑ̃] adv ejemplarmente.

exemplarité [ɛgzɑ̃plaʀite] nf ejemplaridad f.

exemple [ɛgzɑ̃pl] nm ejemplo; **par** ~ por ejemplo; (valeur intensive) ¡no es posible!; **sans** ~ (bêtise, gourmandise) sin igual; **donner l'**~ dar ejemplo; **prendre** ~ **sur qn** tomar ejemplo de algn; **suivre l'**~ **de qn** seguir el ejemplo de algn; **à l'**~ **de** a ejemplo de; **servir d'**~ **(à qn)** servir de ejemplo (a algn); **pour l'**~ (punir) para que sirva etc de escarmiento ou de ejemplo.

exempt, e [ɛgzɑ̃, ɑ̃(p)t] adj: ~ **de** exento (-a) de; ~ **de taxes** exento(-a) de tasas.

exempter [ɛgzɑ̃(p)te] vt: ~ **qn de** eximir a algn de.

exercé, e [ɛgzɛʀse] adj ejercitado(-a).

exercer [ɛgzɛʀse] vt ejercer; (former: personne) acostumbrar; (animal) adiestrar;

(faculté, partie du corps) ejercitar ♦ vi (médecin) ejercer; **s'exercer** vpr (sportif) entrenarse; (musicien) practicar; **s'**~ **(sur/contre)** (pression, poussée) ejercerse (sobre/contra); **s'**~ **à faire qch** ejercitarse en hacer algo.

exercice [ɛgzɛʀsis] nm ejercicio; **à l'**~ (MIL) de maniobras; **en** ~ (ADMIN) en ejercicio, en activo; **dans l'**~ **de ses fonctions** en ejercicio de sus funciones; ~s **d'assouplissement** ejercicios mpl de flexibilidad.

exergue [ɛgzɛʀg] nm: **mettre en** ~ poner de relieve; **porter en** ~ llevar inscrito (-a).

exhalaison [ɛgzalɛzɔ̃] nf exhalación f.

exhaler [ɛgzale] vt exhalar; **s'exhaler** vpr desprenderse.

exhausser [ɛgzose] vt (construction) levantar.

exhaustif, -ive [ɛgzostif, iv] adj exhaustivo(-a).

exhaustivement [ɛgzostivmɑ̃] adv exhaustivamente.

exhiber [ɛgzibe] vt exhibir; **s'exhiber** vpr exhibirse.

exhibitionnisme [ɛgzibisjɔnism] nm exhibicionismo.

exhibitionniste [ɛgzibisjɔnist] nm/f exhibicionista m/f.

exhortation [ɛgzɔʀtasjɔ̃] nf exhortación f.

exhorter [ɛgzɔʀte] vt: ~ **qn à faire qch** exhortar a algn a hacer algo.

exhumer [ɛgzyme] vt exhumar.

exigeant, e [ɛgziʒɑ̃, ɑ̃t] adj exigente.

exigence [ɛgziʒɑ̃s] nf exigencia.

exiger [ɛgziʒe] vt exigir.

exigible [ɛgziʒibl] adj exigible.

exigu, -uë [ɛgzigy] adj exiguo(-a).

exiguïté [ɛgzigɥite] nf exigüidad f.

exil [ɛgzil] nm exilio; **en** ~ en el exilio.

exilé, e [ɛgzile] nm/f exiliado(-a).

exiler [ɛgzile] vt exiliar; **s'exiler** vpr exiliarse.

existant, e [ɛgzistɑ̃, ɑ̃t] adj (tarif) vigente; (bâtiment) existente.

existence [ɛgzistɑ̃s] nf existencia; **moyens d'**~ medios mpl de existencia, medios de vida.

existentialisme [ɛgzistɑ̃sjalism] nm existencialismo.

existentiel, le [ɛgzistɑ̃sjɛl] adj existencial.

exister [ɛgziste] vi existir; **il existe une solution/des solutions** existe una solución/existen soluciones.

exode [ɛgzɔd] nm éxodo; ► **exode rural** éxodo rural.

exonération [ɛgzɔneʀasjɔ̃] nf exoneración f.

exonéré, e [ɛgzɔneʀe] adj: ~ **de TVA**

exento(-a) de IVA.

exonérer [εgzɔneʀe] *vt*: ~ **qn/qch de** eximir a algn/a algo de.

exorbitant, e [εgzɔʀbitã, ãt] *adj* exorbitante.

exorbité, e [εgzɔʀbite] *adj*: **yeux** ~**s** ojos *mpl* desorbitados.

exorciser [εgzɔʀsize] *vt* exorcizar.

exorde [εgzɔʀd] *nm* exordio.

exotique [εgzɔtik] *adj* exótico(-a).

exotisme [εgzɔtism] *nm* exotismo.

exp. *abr* (= *expéditeur*) Rte. (= *remite, remitente*).

expansif, -ive [εkspãsif, iv] *adj* expansivo(-a), comunicativo(-a).

expansion [εkspãsjɔ̃] *nf* expansión *f*.

expansionniste [εkspãsjɔnist] *adj* expansionista.

expansivité [εkspãsivite] *nf* carácter *m* expansivo.

expatrié, e [εkspatʀije] *nm/f* expatriado (-a).

expatrier [εkspatʀije] *vt* (*argent*) llevar al extranjero; **s'expatrier** *vpr* expatriarse.

expectative [εkspεktativ] *nf*: **être dans l'**~ estar a la expectativa.

expectorant, e [εkspεktɔʀã, ãt] *adj*: **sirop** ~ jarabe *m* expectorante.

expectorer [εkspεktɔʀe] *vi* expectorar.

expédient [εkspedjã] *nm* (*parfois péj*) recurso; **vivre d'**~**s** vivir del cuento.

expédier [εkspedje] *vt* (*lettre*) expedir; (*troupes, renfort*) enviar; (*péj: faire rapidement*) despachar; ~ **par la poste** expedir por correo; ~ **par bateau/avion** enviar por barco/avión.

expéditeur, -trice [εkspeditœʀ, tʀis] *nm/f* remitente *m/f*.

expéditif, -ive [εkspeditif, iv] *adj* expeditivo(-a).

expédition [εkspedisjɔ̃] *nf* (*d'une lettre*) envío; (*MIL, scientifique*) expedición *f*; ► **expédition punitive** expedición de castigo.

expéditionnaire [εkspedisjɔnεʀ] *adj*: **corps** ~ cuerpo expedicionario.

expérience [εkspeʀjãs] *nf* experiencia; **une** ~ (*scientifique*) un experimento; **avoir de l'**~ tener experiencia; **avoir l'**~ **de** tener experiencia en; **faire l'**~ **de qch** experimentar algo; ► **expérience d'électricité** prueba de electricidad; ► **expérience de chimie** experimento de química.

expérimental, e, -aux [εkspeʀimãtal, o] *adj* experimental.

expérimentalement [εkspeʀimãtalmã] *adv* experimentalmente.

expérimenté, e [εkspeʀimãte] *adj* experimentado(-a).

expérimenter [εkspeʀimãte] *vt* experi-

mentar.

expert, e [εkspεʀ, εʀt] *adj*: ~ **en** experto (-a) en ♦ *nm* experto(-a), perito(-a); ► **expert en assurances** perito de seguros.

expert-comptable [εkspεʀkɔ̃tabl] (*pl* ~**s-** ~) *nm* perito contable.

expertise [εkspεʀtiz] *nf* peritaje *m*; (*JUR*) prueba pericial.

expertiser [εkspεʀtize] *vt* valorar pericialmente, hacer un peritaje de.

expier [εkspje] *vt* expiar.

expiration [εkspiʀasjɔ̃] *nf* expiración *f*.

expirer [εkspiʀe] *vi* (*passeport, bail*) vencer, expirar; (*respirer*) espirar; (*litt: mourir*) expirar.

explétif, -ive [εkspletif, iv] *adj* (*LING*) expletivo(-a).

explicable [εksplikabl] *adj*: **pas** ~ (*erreur, geste*) incomprensible, inexplicable.

explicatif, -ive [εksplikatif, iv] *adj* explicativo(-a).

explication [εksplikasjɔ̃] *nf* explicación *f*; (*discussion*) discusión *f*; ► **explication de texte** (*SCOL*) comentario de texto.

explicite [εksplisit] *adj* explícito(-a).

explicitement [εksplisitmã] *adv* explícitamente.

expliciter [εksplisite] *vt* explicitar.

expliquer [εksplike] *vt* explicar; **s'expliquer** *vpr* explicarse; (*discuter*) discutir; (*se disputer*) pelearse; **je m'explique son retard/absence** (*comprendre*) me explico su retraso/ausencia; ~ **(à qn) comment/ que** explicar (a algn) cómo/que; **son erreur s'explique** su error tiene una explicación.

exploit [εksplwa] *nm* hazaña.

exploitable [εksplwatabl] *adj* explotable.

exploitant [εksplwatã] *nm* (*AGR*) agricultor(a), labrador(a); **les petits** ~**s** (*AGR*) los pequeños agricultores.

exploitation [εksplwatasjɔ̃] *nf* explotación *f*; ► **agricole** explotación agrícola.

exploiter [εksplwate] *vt* explotar; (*tirer parti de: faiblesse de qn*) aprovecharse de.

exploiteur, -euse [εksplwatœʀ, øz] (*péj*) *nm/f* explotador(a).

explorateur, -trice [εksplɔʀatœʀ, tʀis] *nm/f* explorador(a).

exploration [εksplɔʀasjɔ̃] *nf* exploración *f*.

explorer [εksplɔʀe] *vt* (*pays, grotte*) explorar; (*fig: domaine, problème*) examinar.

exploser [εksploze] *vi* (*bombe*) explotar, estallar; (*joie, colère*) estallar; **faire** ~ hacer estallar.

explosif, -ive [εksplozif, iv] *adj* explosivo(-a) ♦ *nm* explosivo.

explosion [εksplozjɔ̃] *nf* explosión *f*; ► **explosion démographique** explosión de-

mográfica.
exponentiel, le [ɛkspɔnɑ̃sjɛl] *adj* exponencial.
exportateur, -trice [ɛkspɔʀtatœʀ, tʀis] *adj, nm/f* exportador(a).
exportation [ɛkspɔʀtasjɔ̃] *nf* exportación *f*.
exporter [ɛkspɔʀte] *vt (aussi fig)* exportar.
exposant [ɛkspozɑ̃] *nm (personne)* expositor *m*; *(MATH)* exponente *m*.
exposé, e [ɛkspoze] *adj (orienté)* orientado(-a) ♦ *nm (écrit)* informe *m*; *(oral)* charla; *(SCOL)* exposición *f*; ~ **à l'est/au sud** orientado(-a) al este/al sur; **bien ~ bien** orientado(-a); **très ~** *(fig: personne)* muy expuesto.
exposer [ɛkspoze] *vt* exponer; *(orienter: maison)* orientar; **s'exposer à** *vpr* exponerse a; ~ **sa vie** *(mettre en danger)* exponer su vida; ~ **qn/qch à** exponer a algn/algo a.
exposition [ɛkspozisjɔ̃] *nf* exposición *f*; **temps d'~** *(PHOTO)* tiempo de exposición.
exprès¹, expresse [ɛkspʀɛs] *adj* expreso (-a) ♦ *adj inv:* **lettre/colis** ~ carta/paquete *m* urgente; **envoyer qch en** ~ enviar algo urgente.
exprès² [ɛkspʀɛ] *adv (délibérément)* a propósito, adrede; *(spécialement)* expresamente; **faire** ~ **de faire** qch hacer algo deliberadamente; **il l'a fait/ne l'a pas fait** ~ lo hizo/no lo hizo adrede *ou* a propósito.
express [ɛkspʀɛs] *adj, nm:* **(café)** ~ (café) exprés *m*; **(train)** ~ (tren) expreso.
expressément [ɛkspʀesemɑ̃] *adv* expresamente.
expressif, -ive [ɛkspʀesif, iv] *adj* expresivo(-a).
expression [ɛkspʀesjɔ̃] *nf* expresión *f*; **réduit à sa plus simple** ~ reducido a su mínima expresión; **liberté/moyens d'~** libertad *f*/medios *mpl* de expresión; ► **expression toute faite** frase *f* hecha.
expressivité [ɛkspʀesivite] *nf* expresividad *f*.
exprimer [ɛkspʀime] *vt (sentiment, idée)* expresar; *(litt, jus, liquide)* exprimir; **s'exprimer** *vpr* expresarse; **bien s'~** expresarse bien; **s'~ en français** expresarse en francés.
expropriation [ɛkspʀɔpʀijasjɔ̃] *nf* expropiación *f*; **frapper d'~** declarar como expropiado(-a).
exproprier [ɛkspʀɔpʀije] *vt* expropiar.
expulser [ɛkspylse] *vt* expulsar; *(locataire)* echar.
expulsion [ɛkspylsjɔ̃] *nf* expulsión *f*.
expurger [ɛkspyʀʒe] *vt* expurgar.
exquis, e [ɛkski, iz] *adj (personne, élégance, parfum)* exquisito(-a); *(temps)*

delicioso(-a).
exsangue [ɛksɑ̃g] *adj* exangüe.
exsuder [ɛksyde] *vt* exudar.
extase [ɛkstaz] *nf* éxtasis *msg*; **être en** ~ estar en éxtasis.
extasier [ɛkstazje]: **s'~** *vpr:* **s'~ sur** extasiarse ante.
extatique [ɛkstatik] *adj* extático(-a).
extenseur [ɛkstɑ̃sœʀ] *nm* extensor *m*.
extensible [ɛkstɑ̃sibl] *adj* extensible.
extensif, -ive [ɛkstɑ̃sif, iv] *adj* extensivo (-a).
extension [ɛkstɑ̃sjɔ̃] *nf* extensión *f*; *(fig: développement)* expansión *f*, **en ~** *(MÉD)* en extensión.
exténuant, e [ɛkstenɥɑ̃, ɑ̃t] *adj* extenuante.
exténuer [ɛkstenɥe] *vt* extenuar.
extérieur, e [ɛksteʀjœʀ] *adj* exterior; *(pressions, calme)* externo(-a) ♦ *nm* exterior *m*; **contacts avec l'**~ contactos *mpl* con el exterior; **à l'**~ *(dehors)* fuera, afuera *(AM)*; *(à l'étranger)* en el exterior; *(SPORT)* por el exterior.
extérieurement [ɛksteʀjœʀmɑ̃] *adv* exteriormente.
extérioriser [ɛksteʀjɔʀize] *vt* exteriorizar.
extermination [ɛkstɛʀminasjɔ̃] *nf* exterminación *f*.
exterminer [ɛkstɛʀmine] *vt* exterminar.
externat [ɛkstɛʀna] *nm* externado.
externe [ɛkstɛʀn] *adj* externo(-a) ♦ *nm/f* externo(-a); *(étudiant en médecine)* alumno(-a) en prácticas.
extincteur [ɛkstɛ̃ktœʀ] *nm* extintor *m*.
extinction [ɛkstɛ̃ksjɔ̃] *nf* extinción *f*; ► **extinction de voix** afonía *f*.
extirper [ɛkstiʀpe] *vt* extirpar.
extorquer [ɛkstɔʀke] *vt:* ~ **qch à qn** sacar algo a algn.
extorsion [ɛkstɔʀsjɔ̃] *nf:* ~ **de fonds** extorsión *f* de fondos.
extra [ɛkstʀa] *adj inv, préf* extra ♦ *nm* extra *m*; *(employé)* eventual *m/f*.
extraction [ɛkstʀaksjɔ̃] *nf* extracción *f*.
extrader [ɛkstʀade] *vt* extraditar.
extradition [ɛkstʀadisjɔ̃] *nf* extradición *f*.
extra-fin, e [ɛkstʀafɛ̃, fin] *(pl* ~-~**s, es)** *adj* extra fino(-a).
extra-fort, e [ɛkstʀafɔʀ, fɔʀt] *(pl* ~-~**s, es)** *adj* extra fuerte.
extraire [ɛkstʀɛʀ] *vt* extraer; ~ **qch de** extraer algo de.
extrait, e [ɛkstʀɛ, ɛt] *pp de* **extraire** ♦ *nm* extracto; *(de film, livre)* pasaje *m*; ► **extrait de naissance** partida de nacimiento.
extra-lucide [ɛkstʀalysid] *(pl* ~-~**s)** *adj:* **voyante** ~-~ vidente *f*.
extraordinaire [ɛkstʀaɔʀdinɛʀ] *adj* extraordinario(-a); **si par** ~ ... en el caso

poco probable de que ...; **mission/envoyé**
~ misión *f*/enviado especial; **ambassadeur** ~ embajador *m* especial *ou* extraordinario; **assemblée** ~ asamblea extraordinaria.

extraordinairement [ɛkstʀaɔʀdinɛʀmɑ̃]
adv extraordinariamente.

extrapoler [ɛkstʀapɔle] *vi* extrapolar.

extra-sensoriel, le [ɛkstʀasɑ̃sɔʀjɛl] (*pl* ~-
~s, les) *adj* extrasensorial.

extra-terrestre [ɛkstʀatɛʀɛstʀ(ə)] (*pl* ~-
~s) *nm/f* extraterrestre *m/f*.

extra-utérin, e [ɛkstʀayteʀɛ̃, in] (*pl* ~-~s,
es) *adj* extrauterino(-a).

extravagance [ɛkstʀavagɑ̃s] *nf* extravagancia.

extravagant, e [ɛkstʀavagɑ̃, ɑ̃t] *adj* extravagante.

extraverti, e [ɛkstʀavɛʀti] *adj*
extravertido(-a), extrovertido(-a).

extrayais *etc* [ɛkstʀɛjɛ] *vb voir* **extraire**.

extrême [ɛkstʀɛm] *adj* extremo(-a) ♦ *nm*:
les ~s los extremos *mpl*; **d'une ~
simplicité/brutalité** (*intensif*) de una extrema simplicidad/brutalidad; **d'un ~ à l'autre** de un extremo a(l) otro; **à l'~** al extremo, en sumo grado; **à l'~ rigueur** en
extremo rigor.

extrêmement [ɛkstʀɛmmɑ̃] *adv* extremadamente.

extrême-onction [ɛkstʀɛmɔ̃ksjɔ̃] (*pl* ~-~s)
nf (*REL*) extremaunción *f*.

Extrême-Orient [ɛkstʀɛmɔʀjɑ̃] *nm* Extremo Oriente *m*.

extrême-oriental, e, -aux [ɛkstʀɛm-
ɔʀjɑ̃tal, o] (*pl* **extrême-orientaux, –orien-
tales**) *adj* extremoriental.

extrémisme [ɛkstʀemism] *nm* extremismo.

extrémiste [ɛkstʀemist] *adj, nm/f* extremista *m/f*.

extrémité [ɛkstʀemite] *nf* extremo; (*d'un
doigt, couteau*) punta; (*geste désespéré*)
extremos *mpl*; **~s** *nfpl* (*pieds et mains*) ex-
tremidades *fpl*; **à la dernière ~** en las últimas.

exubérance [ɛgzybeʀɑ̃s] *nf* exuberancia.

exubérant, e [ɛgzybeʀɑ̃, ɑ̃t] *adj* exuberante.

exulter [ɛgzylte] *vi* exultar.

exutoire [ɛgzytwaʀ] *nm* derivativo.

ex-voto [ɛksvɔto] *nm inv* exvoto.

eye-liner [ajlajnœʀ] (*pl* ~-~s) *nm* lápiz *m*
de ojos.

F, f

F, f [ɛf] *nm inv* F, f *f*; ~ **comme François** ≈ F
de Francia.

F [ɛf] *abr* = **franc**; **Fahrenheit**; (*appartement*): **un F2/F3** un piso de 2/3 habitaciones.

fa [fa] *nm inv* fa *m*.

fable [fabl] *nf* fábula; (*mensonge*) cuento.

fabricant [fabʀikɑ̃] *nm* fabricante *m/f*.

fabrication [fabʀikasjɔ̃] *nf* fabricación *f*.

fabrique [fabʀik] *nf* fábrica.

fabriquer [fabʀike] *vt* (*produire*) producir;
(*construire*) fabricar; (*inventer*) inventar;
(*forger*) acuñar; ~ **en série** fabricar en
serie; **qu'est-ce qu'il fabrique?** (*fam*) ¿qué
está tramando?

fabulateur, -trice [fabylatœʀ, tʀis] *nm/f* fa-
bulador(a).

fabulation [fabylasjɔ̃] *nf* fabulación *f*.

fabuleusement [fabyløzmɑ̃] *adv* fabulosamente.

fabuleux, -euse [fabylø, øz] *adj*
fabuloso(-a).

fac [fak] (*fam*) *abr f* = **faculté**.

façade [fasad] *nf* fachada; (*fig*) apariencia.

face [fas] *nf* (*visage*) cara, rostro; (*côté*)
cara; (*d'un problème, sujet*) aspecto ♦ *adj*:
le côté ~ cara; **perdre la ~** perder prestigio; **sauver la ~** salvar las apariencias;
regarder qn en ~ mirar a algn a la cara;
la maison/le trottoir d'en ~ la casa/la acera de enfrente; **en ~ de** enfrente de;
prép (*fig*) frente a; **de ~** de frente; ~ **à**
(*aussi fig*) frente a, ante; **faire ~ à qn/qch**
hacer frente *ou* cara a algn/algo; **faire ~
à la demande** (*COMM*) hacer frente a la
demanda; ~ **à ~** *adv* frente a frente ♦ *nm
inv* debate *m*.

facéties [fasesi] *nfpl* broma *fsg*.

facétieux, -euse [fasesjø, jøz] *adj* bromista.

facette [fasɛt] *nf* (*aussi fig*) faceta; **à ~s**
con muchas facetas.

fâché, e [fɑʃe] *adj* enfadado(-a); (*désolé,
contrarié*) contrariado(-a); **être ~ avec qn**
(*brouillé*) estar enfadado(-a) con algn.

fâcher [fɑʃe] *vt* enfadar; **se fâcher** *vpr*: se
~ (**contre** *ou* **avec qn**) enfadarse (con
algn).

fâcherie [faʃʀi] *nf* enfado.
fâcheusement [faʃøzmɑ̃] *adv* desagradablemente; **avoir ~ tendance à** tener la mala costumbre de.
fâcheux, -euse [faʃø, øz] *adj* (*événement, affaire*) lamentable; (*contretemps, initiative*) fastidioso(-a).
facho [faʃo] (*fam*) *adj, nm/f* = **fasciste**.
facial, e, -aux [fasjal, jo] *adj* facial.
faciès [fasjɛs] *nm* facciones *fpl*.
facile [fasil] *adj* (*aussi péj*) fácil; (*accommodant*) sencillo(-a); **~ à faire** fácil de hacer; **personne ~ à tromper** persona fácil de engañar.
facilement [fasilmɑ̃] *adv* con facilidad, fácilmente; (*au moins*) por lo menos; **se fâcher/se tromper ~** enfadarse/ equivocarse con facilidad.
facilité [fasilite] *nf* facilidad *f*; (*occasion*) oportunidad *f*; **~s** *nfpl* (*possibilités*) facilidades *fpl*; **il a la ~ de rencontrer des gens** tiene facilidad para encontrar gente; ▶ **facilités de crédit/paiement** facilidades de crédito/pago.
faciliter [fasilite] *vt* facilitar.
façon [fasɔ̃] *nf* modo, manera; (*d'une robe, veste*) hechura; **~s** *nfpl* (*péj*) modales *mpl*; **faire des ~s** (*péj: être affecté*) ser remilgado(-a); (: *faire des histoires*) venir con historias; **de quelle ~ l'a-t-il fait/ construit?** ¿cómo lo ha hecho/ construido?; **sans ~** ◆ *adv* simplemente ◆ *adj* (*personne, déjeuner*) sencillo(-a); **d'une autre ~** de otra manera; **en aucune ~** de ningún modo; **de ~ agréable/agressive** *etc* de manera agradable/agresiva *etc*; **de ~ à faire/à ce que** de modo que haga/de modo que; **de (telle) ~ que** de tal forma que; **de toute ~** de todos modos; **~ de parler** manera de hablar; **travail à ~** trabajo a destajo; **châle ~ cachemire** chal *m* imitación cachemir.
faconde [fakɔ̃d] *nf* (*souvent péj*) verborrea.
façonner [fasɔne] *vt* (*fabriquer*) fabricar, hacer; (*travailler*) dar forma a; (*personne, caractère*) formar.
fac-similé [faksimile] (*pl ~-~s*) *nm* facsímil *m*.
facteur, -trice [faktœʀ, tʀis] *nm/f* cartero (-a) ◆ *nm* (*MATH, fig*) factor *m*; ▶ **facteur d'orgues** fabricante *m/f* de órganos; ▶ **facteur de pianos** fabricante de pianos; ▶ **facteur rhésus** factor Rh.
factice [faktis] *adj* falso(-a).
faction [faksjɔ̃] *nf* (*groupe*) facción *f*; (*MIL, gén*) guardia; (*dans une entreprise*) turno; **en ~** de guardia.
factoriel, le [faktɔʀjɛl] *adj* factorial.
factotum [faktɔtɔm] *nm* factótum *m*.
facturation [faktyʀasjɔ̃] *nf* facturación *f*.

facture [faktyʀ] *nf* factura; (*façon de faire: d'un artisan*) ejecución *f*.
facturer [faktyʀe] *vt* facturar.
facturier, -ière [faktyʀje, jɛʀ] *nm/f* facturador(a).
facultatif, -ive [fakyltatif, iv] *adj* facultativo(-a); (*arrêt de bus*) discrecional.
faculté [fakylte] *nf* facultad *f*; **~s** *nfpl* (*moyens intellectuels*) facultades *fpl*.
fadaises [fadɛz] *nfpl* sandeces *fpl*.
fade [fad] *adj* soso(-a), insípido(-a); (*couleur*) apagado(-a); (*fig*) insulso(-a).
fading [fadiŋ] *nm* fading *m*.
fagot [fago] *nm* haz *m*, gavilla.
fagoté, e [fagɔte] (*fam*) *adj*: **tu es drôlement ~** estás hecho(-a) una facha.
Fahrenheit [faʀɛnajt] *adj, nm* Fahrenheit *m*.
faible [fɛbl] *adj* débil; (*sans volonté*) apático(-a); (*intellectuellement*) flojo(-a); (*protestations, résistance*) escaso(-a); (*rendement, revenu*) bajo(-a) ◆ *nm*: **le ~ de qn/qch** el punto flaco de algn/algo; **avoir un ~ pour qn/qch** tener debilidad por algn/algo; ▶ **faible d'esprit** retrasado(-a) mental.
faiblement [fɛbləmɑ̃] *adv* (*mollement*) sin convicción; (*éclairer etc*) débilmente.
faiblesse [fɛblɛs] *nf* debilidad *f*; (*défaillance*) desmayo; (*lacune*) punto flaco; (*défaut*) defecto, debilidad.
faiblir [fɛbliʀ] *vi* debilitarse; (*vent*) amainar; (*résistance, intérêt*) decaer.
faïence [fajɑ̃s] *nf* loza.
faignant, e [fɛɲɑ̃, ɑ̃t] *nm/f, adj* = **fainéant**.
faille [faj] *vb voir* **falloir** ◆ *nf* (*GÉO*) falla; (*fig: d'une théorie*) fallo.
failli, e [faji] *adj, nm/f* quebrado(-a).
faillible [fajibl] *adj* falible.
faillir [fajiʀ] *vi*: **j'ai failli tomber/lui dire** estuve a punto de caer/decirle; **~ à une promesse/un engagement** faltar a una promesa/un compromiso.
faillite [fajit] *nf* (*échec*) fracaso; **être en/ faire ~** (*COMM*) estar en/hacer quiebra.
faim [fɛ̃] *nf* hambre *f*; **la ~ dans le monde** el hambre en el mundo; **~ d'amour/de richesses** (*fig*) hambre de amor/de riquezas; **avoir ~** tener hambre; **je suis resté sur ma ~** me he quedado con hambre; (*fig*) me ha sabido a poco.
fainéant, e [fɛneɑ̃, ɑ̃t] *adj, nm/f* holgazán (-ana), flojo(-a) (*AM*).
fainéantise [fɛneɑ̃tiz] *nf* holgazanería.

━━━━━━━━━━━━━━━━ *MOT-CLÉ*

faire [fɛʀ] *vt* **1** (*fabriquer, être l'auteur de*) hacer; (*blé, soie*) producir; **faire du vin/ une offre/un film** hacer vino/una oferta/ una película; **faire du bruit/des taches/des**

dégâts hacer ruido/manchas/destrozos; **fait à la main/la machine** hecho a mano/máquina **2** (*effectuer: travail, opération*) hacer; que **faites-vous?** ¿qué hace?; (*quel métier etc*) ¿a qué se dedica (usted)?; **faire la lessive** hacer la colada; **faire la cuisine/le ménage/les courses** hacer la cocina/la limpieza/las compras; **faire les magasins/l'Europe** ir de tiendas/por Europa **3** (*étudier, pratiquer*): **faire du droit/du français** hacer derecho/francés; **faire du sport/rugby** hacer deporte/rugby; **faire du cheval** montar a caballo; **faire du ski/du vélo** ir a esquiar/en bicicleta; **faire du violon/piano** tocar el violín/piano **4** (*simuler*): **faire le malade/l'ignorant** hacerse el enfermo/el ignorante **5** (*transformer, avoir un effet sur*): **faire de qn un frustré/avocat** hacer de algn un frustrado/abogado; **ça ne me fait rien** *ou* **ni chaud ni froid** no me importa nada; **ça ne fait rien** no importa; **je n'ai que faire de tes conseils** no me hacen falta tus consejos **6** (*calculs, prix, mesures*): **2 et 2 font 4** 2 y 2 son 4; **9 divisé par 3 fait 3** 9 entre 3 es 3; **ça fait 10 m/15 F** son 10 m/15 francos; **je vous le fais 10 F** (*j'en demande 10 F*) se lo dejo en 10 francos; *voir* **mal; entrer; sortir 7:** **qu'a-t-il fait de sa valise/de sa sœur?** ¿qué ha hecho con su maleta/con su hermana?; **que faire?** ¿qué voy *etc* a hacer?; **tu fais bien de me le dire** haces bien en decírmelo **8:** **ne faire que: il ne fait que critiquer** no hace más que criticar **9** (*dire*) decir; **"vraiment?" fit-il** "¿de verdad?" dijo **10** (*maladie*) tener; **faire du diabète/de la tension/de** la **fièvre** tener diabetes/tensión/fiebre
♦ *vi* **1** (*agir, s'y prendre*) hacer; (*faire ses besoins*) hacer sus necesidades; **il faut faire vite** hay que darse prisa; **comment a-t-il fait?** ¿cómo ha hecho?; **faites comme chez vous** está en su casa **2** (*paraître*): **tu fais jeune dans ce costume** este traje te hace joven; **ça fait bien** queda bien
♦ *vb substitut* hacer; **je viens de le faire** acabo de hacerlo; **ne le casse pas comme je l'ai fait** no lo rompas como he hecho yo; **je peux le voir? – faites!** ¿puedo verlo? – desde luego
♦ *vb impers* **1**: **il fait beau** hace bueno; *voir aussi* **jour; froid** *etc* **2** (*temps écoulé, durée*): **ça fait 5 ans/heures qu'il est parti** hace 5 años/horas

que se fue; **ça fait 2 ans/heures qu'il y est** hace 2 años/horas que está allí
♦ *vb semi-aux*: **faire + infinitif** hacer + infinitivo; **faire tomber/bouger qch** hacer caer/mover algo; **cela fait dormir** esto hace dormir; **faire réparer qch** llevar algo a arreglar; **que veux-tu me faire croire/comprendre?** ¿qué quieres hacerme creer/comprender?; **il m'a fait ouvrir la porte** me hizo abrir la puerta; **il m'a fait traverser la rue** me ayudó a cruzar la calle
se faire *vi* **1** (*vin, fromage*) hacerse **2:** **cela se fait beaucoup** eso se hace mucho; **cela ne se fait pas** eso no se hace **3:** **se faire + nom ou pron: se faire une jupe** hacerse una falda; **se faire des amis** hacer amigos; **se faire du souci** inquietarse; **il ne s'en fait pas** no se preocupa; **se faire des illusions** hacerse ilusiones; **se faire beaucoup d'argent** hacer mucho dinero **4:** **se faire + adj** (*devenir*): **se faire vieux** hacerse viejo; (*délibérément*): **se faire beau** ponerse guapo **5:** **se faire à** (*s'habituer*) acostumbrarse a; **je n'arrive pas à me faire à la nourriture/au climat** no acabo de acostumbrarme a la comida/al clima **6:** **se faire** +*infinitif*: **se faire opérer/examiner la vue** operarse/examinarse la vista; **se faire couper les cheveux** cortarse el pelo; **il va se faire tuer/punir** le van a matar/castigar; **il s'est fait aider par qn** le ha ayudado algn; **se faire faire un vêtement** hacerse un vestido; **se faire ouvrir (la porte)** hacerse abrir (la puerta); **je me suis fait expliquer le texte par Anne** Anne me explicó el texto **7** (*impersonnel*): **comment se fait-il que ...?** ¿cómo es que ...?; **il peut se faire que ...** puede ocurrir que ... .

faire-part [fɛrpar] *nm inv*: ~-~ **de mariage** participación *f* de boda; ~-~ **de décès** esquela de defunción.
fair-play [fɛrplɛ] *adj inv*: **il n'est pas très ~-~** no juega muy limpio.
fais [fɛ] *vb voir* **faire**.
faisabilité [fəzabilite] *nf* factibilidad *f*.
faisable [fəzabl] *adj* factible.
faisais [fəzɛ] *vb voir* **faire**.
faisan, e [fəzɑ̃, an] *nm/f* faisán(-ana).
faisandé, e [fəzɑ̃de] *adj* (*aussi fig, péj*) manido(-a).
faisceau, x [fɛso] *nm* haz *m*; (*de branches etc*) haz, gavilla.
faiseur, -euse [fəzœr, øz] *nm/f*: ~ **d'embarras** (*péj*) intrigante *m/f* ♦ *nm* (*tailleur*) sastre *m*.
faisons [fəzɔ̃] *vb voir* **faire**.
faisselle [fɛsɛl] *nf* escurridor *m*.

fait¹ [fɛ] vb voir **faire ♦** nm hecho; **le ~ que ... el hecho de que** ...; **le ~ de manger/ travailler** el hecho de comer/trabajar; **être le ~ de** ser la característica de; (causé par) ser cosa de, ser obra de; **être au ~ de** estar al corriente de; **au ~ a** propósito; **aller droit au ~** ir al grano; **en venir au ~** pasar a los hechos; **mettre qn au ~** poner a algn al corriente; **de ~** adj (opposé à: de droit) de hecho **♦** adv (en fait) en realidad; **du ~ que** por el hecho de que; **du ~ de** a causa de; **de ce ~** por esto; **en ~ de** hecho; **en ~ de repas/ vacances** a guisa de comida/vacaciones; **c'est un ~** es un hecho, es verdad; **le ~ est que ...** el caso es que ...; **prendre ~ et cause pour qn** tomar partido por algn; **prendre qn sur le ~** coger a algn con las manos en la masa; **hauts ~s** hazañas fpl; **dire à qn son ~** decir a algn cuatro cosas; **les ~s et gestes de qn** todos los movimientos de algn; **▶ fait accompli** hecho consumado; **▶ fait d'armes** hecho de armas; **▶ fait divers** suceso.

fait², e [fɛ, fɛt] pp de **faire ♦** adj (fromage) curado(-a); (melon) maduro(-a); (yeux) maquillado(-a); (ongles) pintado(-a); **un homme ~** un hombre hecho; **être ~ pour** (conçu pour) estar pensado(-a) para; (naturellement doué pour) estar dotado(-a) para; **c'en est ~ de lui** es su fin; **c'en est ~ de notre tranquillité** se acabó la tranquilidad; **tout(e) fait(e)** (préparé à l'avance) ya listo(-a), ya preparado(-a); **idée toute ~e** idea común; **c'est bien ~ pour lui!** ¡le está bien empleado!

faîte [fɛt] nm (d'arbre) copa; (du toit) caballete m; **au ~ de la gloire/des honneurs** (fig) en la cima de la gloria/de los honores.

faites [fɛt] vb voir **faire**.

faîtière [fɛtjɛʀ] nf (de tente) cumbrera.

faitout [fɛtu] nm = **fait-tout**.

fait-tout [fɛtu] nm inv cacerola.

fakir [fakiʀ] nm faquir m.

falaise [falɛz] nf acantilado.

falbalas [falbala] nmpl faralaes mpl; (grande toilette) vestido msg de tiros largos.

fallacieux, -euse [fa(l)lasjø, jøz] adj falaz.

falloir [falwaʀ] vb impers (besoin): **il va ~ 100 F** se necesitarán 100 francos; **il doit ~ du temps pour ...** se necesitará tiempo para ...; **il faut faire les lits** (obligation) hay que hacer las camas; **il faut qu'il ait oublié/qu'il soit malade** (hypothèse) debe haberse olvidado/estar enfermo; **il faut que tu arrives à ce moment!** (fatalité) ¡sólo nos faltaba que llegaras ahora!; **il me faut/faudrait 100 F/de l'aide** necesito/ necesitaría 100 francos/ayuda; **il vous**

faut tourner à gauche après l'église tiene que girar a la izquierda después de la iglesia; **nous avons ce qu'il (nous) faut** tenemos lo necesario; **il faut que je fasse les lits** tengo que hacer las camas; **il a fallu que je parte** tuve que irme; **il faudrait qu'elle rentre** convendría que volviese; **il faut toujours qu'il s'en mêle** está siempre entrometiéndose; **comme il faut** adj, adv (bien, convenable) como Dios manda; **s'en ~**: **il s'en faut/s'en est fallu de 5 minutes/100 F (pour que ...)** faltan/ faltaron 5 minutos/100 francos (para que ...); **il t'en faut peu!** ¡con poco te conformas!; **il ne fallait pas** (pour remercier) no era necesario; **faut le faire!** (surprise) ¡hay que ver!; **il faudrait que ...** convendría que ...; **il s'en faut de beaucoup que ... mucho falta para que ...; **il s'en est fallu de peu que ...** faltó poco para que ...; **tant s'en faut!** ¡ni mucho menos!; **... ou peu s'en faut ...** o poco falta.

fallu [faly] pp de **falloir**.

falot, e [falo, ɔt] adj (personne) insignificante **♦** nm (lanterne) farol m.

falsification [falsifikasjɔ̃] nf falsificación f.

falsifier [falsifje] vt falsificar.

famé, e [fame] adj: **mal ~ de** mala fama.

famélique [famelik] adj famélico(-a).

fameux, -euse [famø, øz] adj (illustre) famoso(-a), ilustre; (bon) excelente; (parfois péj: de référence) famoso(-a); **~ problème** (intensif) menudo problema; **ce n'est pas ~** no es maravilloso.

familial, e, -aux [familjal, jo] adj familiar.

familiale [familjal] nf (AUTO) coche m familiar.

familiariser [familjaʀize] vt: **~ qn avec** familiarizar a algn con; **se ~ avec** familiarizarse con.

familiarité [familjaʀite] nf familiaridad f; **~s** nfpl familiaridades fpl, confianzas fpl; **~ avec** (connaissance) conocimiento de.

familier, -ière [familje, jɛʀ] adj (connu) familiar; (rapports) de confianza; (LING) familiar, coloquial **♦** nm asiduo(-a); **tu es un peu trop ~ avec lui** (cavalier, impertinent) te tomas demasiadas confianzas con él.

familièrement [familjɛʀmɑ̃] adv (simplement, sans recherche) llanamente; (cavalièrement) con familiaridades.

famille [famij] nf familia; **il a de la ~ à Paris** tiene familia en París; **de ~** (secrets) de familia; (dîner, fête) en familia.

famine [famin] nf hambruna.

fan [fan] nm/f admirador(a).

fanal, -aux [fanal, o] nm fanal m; (lanterne à main) linterna.

fanatique [fanatik] adj, nm/f fanático(-a); **~**

de rugby/de voile (*sens affaibli*) entusiasta *m/f* del rugby/de la vela.
fanatiquement [fanatikmã] *adv* fanática- mente.
fanatiser [fanatize] *vt* fanatizar.
fanatisme [fanatism] *nm* fanatismo.
fane [fan] *nf* mata.
fané, e [fane] *adj* (*fleur*) marchito(-a).
faner [fane]: **se ~** *vpr* (*fleur*) marchitarse; (*couleur, tissu*) deslucirse.
faneuse [fanøz] *nf* (*TECH*) henificadora.
fanfare [fãfaʀ] *nf* fanfarria, charanga; (*musique*) fanfarria; **en ~** (*avec bruit*) con gran estruendo.
fanfaron, ne [fãfaʀɔ̃, ɔn] *nm/f* fanfarrón (-ona).
fanfaronnades [fãfaʀɔnad] *nfpl* fanfarro- nadas *fpl*.
fanfreluches [fãfʀəlyʃ] *nfpl* perendengues *mpl*.
fange [fãʒ] *nf* fango; (*fig*) abyección *f*.
fanion [fanjɔ̃] *nm* banderín *m*.
fanon [fanɔ̃] *nm* (*de baleine*) barba; (*repli de peau*) papada.
fantaisie [fãtezi] *nf* fantasía; (*caprice*) ca- pricho ♦ *adj*: **bijou/pain ~** joya/pan *m* de fantasía; **œuvre de ~** obra de imagina- ción; **agir selon sa ~** hacer lo que le pla- ce.
fantaisiste [fãtezist] *adj* (*péj*) caprichoso (-a) ♦ *nm/f* (*de music-hall*) artista *m/f* de variedades.
fantasmagorique [fãtasmagɔʀik] *adj* fantasmagórico(-a).
fantasme [fãtasm] *nm* fantasma *m*.
fantasmer [fãtasme] *vi* ensoñar, fantasear.
fantasque [fãtask] *adj* peregrino(-a).
fantassin [fãtasɛ̃] *nm* infante *m*, soldado de infantería.
fantastique [fãtastik] *adj* fantástico(-a); **littérature/cinéma ~** literatura fantástica/cine *m* fantástico.
fantoche [fãtɔʃ] (*péj*) *nm* fantoche *m*.
fantomatique [fãtɔmatik] *adj* fantasmal.
fantôme [fãtom] *nm* fantasma *m*; **gouver- nement ~** gobierno en la sombra.
FAO [ɛfao] *sigle f* (= *Food and Agricultural Organization*) FAO *f*.
faon [fã] *nm* cervatillo.
faramineux, -euse [faʀaminø, øz] (*fam*) *adj* (*bêtise*) pasmoso(-a); (*quantité*) desco- munal.
farandole [faʀãdɔl] *nf* farándula.
farce [faʀs] *nf* (*viande*) relleno; (*THÉÂTRE*) farsa; **faire une ~ à qn** gastar una broma a algn; **magasin de ~s et attrapes** tienda de objetos de broma; ► **farces et attra- pes** bromas *fpl* y engaños.
farceur, -euse [faʀsœʀ, øz] *nm/f* bromista *m/f*; (*péj*) payaso(-a).

farci, e [faʀsi] *adj* relleno(-a).
farcir [faʀsiʀ] *vt* (*viande*) rellenar; **se farcir** *vpr* (*fam*): **je me suis farci la vaisselle** me tragué todo el fregado; **~ qch de** (*fig*) atiborrar algo con.
fard [faʀ] *nm* maquillaje *m*; ► **fard à joues** maquillaje para mejillas.
fardeau, x [faʀdo] *nm* (*aussi fig*) carga.
farder [faʀde] *vt* maquillar; (*vérité*) disfra- zar; **se farder** *vpr* maquillarse.
farfelu, e [faʀfəly] *adj* estrambótico(-a).
farfouiller [faʀfuje] (*péj*) *vi* revolver.
fariboles [faʀibɔl] *nfpl* pamplinas *fpl*.
farine [faʀin] *nf* harina; ► **farine de blé/de maïs** harina de trigo/de maíz; ► **farine lactée** harina lacteada.
fariner [faʀine] *vt* enharinar.
farineux, -euse [faʀinø, øz] *adj* harinoso- (-a) ♦ *nmpl* harinosos *mpl*.
farniente [faʀnjɛnte] *nm* ocio.
farouche [faʀuʃ] *adj* (*animal*) arisco(-a); (*personne*) esquivo(-a); (*déterminé*) tenaz; **peu ~** (*péj*) fácil.
farouchement [faʀuʃmã] *adv* enérgica- mente.
fart [faʀt] *nm* (*SKI*) cera.
fartage [faʀtaʒ] *nm* enceramiento.
farter [faʀte] *vt* encerar.
fascicule [fasikyl] *nm* fascículo.
fascinant, e [fasinã, ãt] *adj* (*aussi fig*) fas- cinante.
fascination [fasinasjɔ̃] *nf* (*fig*) fascinación *f*.
fasciner [fasine] *vt* (*aussi fig*) fascinar.
fascisant, e [faʃizã, ãt] *adj* de tendencia fascista.
fascisme [faʃism] *nm* fascismo.
fasciste [faʃist] *adj, nm/f* fascista *m/f*.
fasse *etc* [fas] *vb voir* **faire**.
faste [fast] *nm* fasto ♦ *adj*: **c'est un jour ~** es un día de suerte.
fastidieux, -euse [fastidjø, jøz] *adj* fastidioso(-a).
fastueux, -euse [fastɥø, øz] *adj* fastuoso (-a).
fat [fa(t)] *adj m* fatuo(-a).
fatal, e [fatal] *adj* mortal; (*inévitable*) fatal.
fatalement [fatalmã] *adv* fatalmente.
fatalisme [fatalism] *nm* fatalismo.
fataliste [fatalist] *adj* fatalista.
fatalité [fatalite] *nf* fatalidad *f*.
fatidique [fatidik] *adj* fatídico(-a).
fatigant, e [fatigã, ãt] *adj* fatigante; (*aga- çant*) pesado(-a).
fatigue [fatig] *nf* fatiga, cansancio; (*d'un matériau*) deterioro; **les ~s du voyage** el cansancio del viaje.
fatigué, e [fatige] *adj* fatigado(-a); (*esto- mac, foie*) malo(-a).
fatiguer [fatige] *vt* (*personne, membres*) fa-

tigar, cansar; (*moteur etc*) forzar; (*importuner*) cansar ♦ *vi* (*moteur*) forzarse; **se fatiguer** *vpr* fatigarse, cansarse; **se ~ de** (*fig*) cansarse de; **se ~ à faire qch** molestarse en hacer algo.
fatras [fatʀa] *nm* revoltijo.
fatuité [fatɥite] *nf* fatuidad *f*.
faubourg [fobuʀ] *nm* suburbio.
faubourien, ne [fobuʀjɛ̃, jɛn] *adj* (*accent*) ordinario(-a).
fauché, e [foʃe] (*fam*) *adj* pelado(-a).
faucher [foʃe] *vt* (*aussi fig*) segar; (*herbe*) segar, cortar; (*fam: voler*) birlar.
faucheur, -euse [foʃœʀ, øz] *nm/f* segador(a).
faucheuse [foʃøz] *nf* (*machine*) segadora.
faucheux [foʃø] *nm* segador *m*.
faucille [fosij] *nf* hoz *f*.
faucon [fokɔ̃] *nm* halcón *m*.
faudra [fodʀa] *vb voir* **falloir**.
faufil [fofil] *nm* hilván *m*.
faufilage [fofilaʒ] *nm* hilvanado.
faufiler [fofile] *vt* hilvanar; **se faufiler** *vpr*: **se ~ dans/parmi/entre** deslizarse en/entre.
faune [fon] *nf* (*fig, péj*) fauna ♦ *nm* fauno; ► **faune marine** fauna marina.
faussaire [fosɛʀ] *nm* falseador(a).
fausse [fos] *adj voir* **faux²**.
faussement [fosmɑ̃] *adv* (*accuser*) en falso; (*croire*) engañosamente.
fausser [fose] *vt* (*serrure, objet*) torcer; (*résultat, données*) falsear; **~ compagnie à qn** dejar plantado(-a) a algn.
fausset [fosɛ] *nm*: **voix de ~** voz *f* de falsete.
fausseté [foste] *nf* falsedad *f*.
faut [fo] *vb voir* **falloir**.
faute [fot] *nf* (*de calcul*) error *m*; (*SPORT, d'orthographe*) falta; (*REL*) pecado, culpa; **par la ~ de** por culpa de; **c'est de sa/ma ~ es** culpa suya/mía; **être en ~** hacer mal; (*être responsable*) tener la culpa; **prendre qn en ~** pillar a algn; **~ de** por falta de; **~ de mieux** ... a falta de algo mejor ...; **sans ~** (*à coup sûr*) sin falta; ► **faute d'inattention/d'orthographe** falta de atención/de ortografía; ► **faute de frappe** error de máquina; ► **faute de goût** falta de educación; ► **faute professionnelle** error profesional.
fauteuil [fotœj] *nm* sillón *m*; ► **fauteuil à bascule** mecedora; ► **fauteuil club** sillón amplio de cuero; ► **fauteuil d'orchestre** (*THÉÂTRE*) butaca de patio; ► **fauteuil roulant** sillón de ruedas.
fauteur [fotœʀ] *nm*: **~ de troubles** promotor *m ou* instigador *m* de disturbios.
fautif, -ive [fotif, iv] *adj* (*incorrect*) erróneo(-a); (*responsable*) culpable ♦ *nm/f* culpable *m/f*.

fauve [fov] *nm* fiera; (*peintre*) fauvista *m/f* ♦ *adj* (*couleur*) rojizo(-a).
fauvette [fovɛt] *nf* curruca.
fauvisme [fovism] *nm* fauvismo.
faux¹ [fo] *nf* (*AGR*) guadaña.
faux², fausse [fo, fos] *adj* falso(-a); (*inexact*) erróneo(-a); (*rire, personne*) falso(-a), hipócrita; (*barbe, dent*) postizo(-a); (*MUS*) desafinado(-a); (*opposé à bon, correct*: *numéro, clé*) confundido(-a) ♦ *adv*: **jouer/chanter ~** tocar/cantar desafinadamente ♦ *nm* (*peinture, billet*) falsificación *f*; **le ~** (*opposé au vrai*) lo falso; **faire fausse route** ir por mal camino; **faire ~ bond à qn** fallarle a algn; ► **fausse alerte** falsa alarma; ► **fausse clé** llave *f* maestra; ► **fausse couche** aborto; ► **fausse joie** alegría fingida; ► **fausse note** (*MUS, fig*) nota discordante; ► **faux ami** (*LING*) falso amigo; ► **faux col** cuello postizo; ► **faux départ** (*SPORT, fig*) salida falsa; ► **faux frais** *nmpl* gastos *mpl* menudos; ► **faux frère** (*fig: péj*) cabrón *m*; ► **faux mouvement** movimiento en falso; ► **faux nez** nariz *f* postiza; ► **faux nom** seudónimo; ► **faux pas** (*aussi fig*) paso en falso; ► **faux témoignage** (*délit*) falso testimonio.
faux-filet [fofilɛ] (*pl ~-~s*) *nm* solomillo bajo.
faux-fuyant [fofɥijɑ̃] (*pl ~-~s*) *nm* pretexto, evasiva.
faux-monnayeur [fomɔnɛjœʀ] (*pl ~-~s*) *nm* falsificador(a) de moneda.
faux-semblant [fosɑ̃blɑ̃] (*pl ~-~s*) *nm* engaño.
faux-sens [fosɑ̃s] *nm inv* interpretación *f* errónea.
faveur [favœʀ] *nf* favor *m*; (*ruban*) cinta; **~s** *nfpl* favores *mpl*; **avoir la ~ de qn** gozar del favor de algn; **régime/traitement de ~** régimen *m*/tratamiento preferencial; **à la ~ de** (*la nuit, une erreur*) aprovechando; (*grâce à*) gracias a; **en ~ de** qn/qch en favor de algn/algo.
favorable [favɔʀabl] *adj* favorable; **~ à** qn/qch favorable a algn/algo.
favorablement [favɔʀabləmɑ̃] *adv* favorablemente.
favori, te [favɔʀi, it] *adj* favorito(-a) ♦ *nm/f* (*SPORT*) favorito(-a); **~s** *nmpl* (*barbe*) patillas *fpl*.
favoriser [favɔʀize] *vt* favorecer.
favorite [favɔʀit] *nf* favorita.
favoritisme [favɔʀitism] (*péj*) *nm* favoritismo.
fayot [fajo] (*fam*) *nm* pelota *m/f*.
FB *abr* = **franc belge**.
FBI [ɛfbiaj] *sigle m* (= *Federal Bureau of Investigation*) FBI *m*.

FC [ɛfse] *sigle m* (= *Football Club*) FC (= *Fútbol Club*), C.F. (= *Club de Fútbol*).
fébrifuge [febʀifyʒ] *nm* antitérmico.
fébrile [febʀil] *adj* febril; **capitaux** ~s (*ÉCON*) dinero *msg* caliente.
fébrilement [febʀilmɑ̃] *adv* febrilmente.
fécal, e, -aux [fekal, o] *adj voir* **matière.**
fécond, e [fekɔ̃, ɔ̃d] *adj* (*aussi fig*) fértil, fecundo(-a).
fécondation [fekɔ̃dasjɔ̃] *nf* fecundación *f*.
féconder [fekɔ̃de] *vt* fecundar.
fécondité [fekɔ̃dite] *nf* fecundidad *f*.
fécule [fekyl] *nf* fécula.
féculents [fekylɑ̃] *nmpl* féculas *fpl*.
FED [ɛfəde] *sigle m* (= *Fonds européen de développement*) FED *m* (= *Fondo Europeo de Desarrollo*).
fédéral, e, -aux [federal, o] *adj* federal.
fédéralisme [federalism] *nm* federalismo.
fédéraliste [federalist] *adj* federalista.
fédération [federasjɔ̃] *nf* federación *f*.
fée [fe] *nf* hada.
féerie [fe(e)ʀi] *nf* mundo de hadas.
féerique [fe(e)ʀik] *adj* (*histoire*) fantástico(-a); (*paysage, vision*) mágico (-a).
feignant, e [fɛɲɑ̃, ɑ̃t] *nm/f, adj* = **fainéant.**
feindre [fɛ̃dʀ] *vt, vi* fingir; ~ **de faire** fingir hacer.
feint, e [fɛ̃, fɛ̃t] *pp de* **feindre** ♦ *adj* fingido(-a).
feinte [fɛ̃t] *nf* finta.
feinter [fɛ̃te] *vi* (*SPORT*) fintar.
fêlé, e [fele] *adj* (*v vt*) resquebrajado(-a); astillado(-a); (*fig*) chiflado(-a).
fêler [fele] *vt* (*verre, assiette*) resquebrajar; (*os*) astillar; **se fêler** *vpr* (*v vt*) resquebrajase; astillarse.
félicitations [felisitasjɔ̃] *nfpl* felicidades *fpl*.
félicité [felisite] *nf* felicidad *f*.
féliciter [felisite] *vt* felicitar; ~ **qn (de qch/ d'avoir fait qch)** felicitar a algn (por algo/por haber hecho algo); **se** ~ **de qch/d'avoir fait qch** alegrarse de algo/de haber hecho algo.
félin, e [felɛ̃, in] *adj* felino(-a) ♦ *nm* felino.
félon, ne [felɔ̃, ɔn] *adj* traidor(a).
félonie [feloni] *nf* felonía.
fêlure [felyʀ] *nf* resquebrajadura; (*d'un os*) astillamiento.
femelle [fəmɛl] *nf* hembra ♦ *adj*: **souris/ perroquet** ~ ratón *m*/loro hembra; **prise/ tuyau** ~ (*ÉLEC, TECH*) enchufe *m*/tubo hembra.
féminin, e [feminɛ̃, in] *adj* femenino(-a); (*vêtements etc*) de mujer; (*parfois péj*) afeminado(-a) ♦ *nm* (*LING*) femenino.
féminiser [feminize] *vt* (*rendre efféminé*) afeminar; **se féminiser** *vpr*: **cette profession se féminise** en esta profesión el nú-

mero de mujeres aumenta.
féminisme [feminism] *nm* feminismo.
féministe [feminist] *adj, nm/f* feminista *m/f*.
féminité [feminite] *nf* feminidad *f*.
femme [fam] *nf* mujer *f*; **être très** ~ ser muy femenina; **devenir** ~ hacerse mujer; **jeune** ~ mujer joven; ► **femme au foyer** ama de casa; ► **femme célibataire/mariée** mujer soltera/ casada; ► **femme d'affaires/d'intérieur** mujer de negocios/de su casa; ► **femme de chambre** doncella; ► **femme de ménage** asistenta; ► **femme de tête/du monde** mujer de carácter/de mundo; ► **femme fatale** mujer fatal.
fémoral, e, -aux [femoral, o] *adj* femoral.
fémur [femyʀ] *nm* fémur *m*.
FEN [fɛn] *sigle f* (= *Fédération de l'éducation nationale*) asociación del profesorado estatal.
fenaison [fənɛzɔ̃] *nf* siega del heno.
fendillé, e [fɑ̃dije] *adj* agrietado(-a).
fendiller [fɑ̃dije]: **se** ~ *vpr* agrietarse.
fendre [fɑ̃dʀ] *vt* hender; (*suj: gel, séisme etc*) resquebrajar; (*foule, flots*) abrirse paso entre; **se fendre** *vpr* henderse; ~ **l'air** surcar el aire.
fendu, e [fɑ̃dy] *adj* resquebrajado(-a); (*crâne, lèvre*) partido(-a); (*jupe*) abierto (-a).
fenêtre [f(ə)nɛtʀ] *nf* ventana; **regarder par la** ~ mirar por la ventana; ► **fenêtre à guillotine** ventana de guillotina; ► **fenêtre de lancement** (*ESPACE*) ventana de lanzamiento.
fennec [fenɛk] *nm* zorro del Sáhara.
fenouil [fənuj] *nm* hinojo.
fente [fɑ̃t] *nf* (*fissure*) grieta, hendidura; (*de boîte à lettres*) ranura; (*dans un vêtement*) abertura.
féodal, e, -aux [feodal, o] *adj* feudal.
féodalisme [feodalism] *nm* feudalismo.
féodalité [feodalite] *nf* feudalidad *f*.
fer [fɛʀ] *nm* hierro; (*de cheval*) herradura; ~s *nmpl* (*MÉD*): forceps; fórceps *m inv*; **objet de ou en** ~ objeto de hierro; **santé/ main de** ~ salud *f*/mano de hierro; **mettre aux** ~s encadenar; **au** ~ **rouge** con el hierro al rojo; ► **fer à cheval** herradura; **en** ~ **à cheval** (*fig*) en herradura; ► **fer à friser** plancha de rizar; ► **fer (à repasser)** plancha; ► **fer à souder** soldador *m*; ► **fer à vapeur** plancha de vapor; ► **fer de lance** (*MIL, fig*) punta de lanza; ► **fer forgé** hierro forjado.
ferai *etc* [fəʀe] *vb voir* **faire.**
fer-blanc [fɛʀblɑ̃] (*pl* ~s-~s) *nm* hojalata.
ferblanterie [fɛʀblɑ̃tʀi] *nf* (*métier*) hojalatería; (*produit*) objetos *mpl* de hojalata.
ferblantier [fɛʀblɑ̃tje] *nm* hojalatero.

férié, e [fɛʀje] adj: **jour ~** día m festivo.
ferions etc [fərjɔ̃] vb voir **faire**.
férir [feʀiʀ]: **sans coup ~** adv sin la menor dificultad.
fermage [fɛʀmaʒ] nm arrendamiento rústico.
ferme [fɛʀm] adj firme; (chair) prieto(-a) ♦ adv: **travailler ~** trabajar mucho ♦ nf granja; **discuter ~** discutir enérgicamente; **tenir ~** mantenerse firme; **~ désir/intention de faire** firme deseo/intención f de hacer.
fermé, e [fɛʀme] adj (aussi fig) cerrado (a); (gaz, eau) cortado(-a); (personne, visage) huraño(-a).
fermement [fɛʀməmɑ̃] adv firmemente, con firmeza; **~ décidé à faire/opposé à** firmemente decidido a hacer/opuesto a.
ferment [fɛʀmɑ̃] nm fermento.
fermentation [fɛʀmɑ̃tasjɔ̃] nf fermentación f.
fermenter [fɛʀmɑ̃te] vi (aussi fig) fermentar.
fermer [fɛʀme] vt cerrar; (rideaux) correr; (eau, électricité, route) cortar ♦ vi cerrar; **se fermer** vpr cerrarse; **~ à clef** cerrar con llave; **~ au verrou** cerrar con cerrojo; **~ la lumière/la radio/la télévision** apagar la luz/la radio/la televisión; **~ les yeux (sur qch)** (fig) hacer la vista gorda (sobre algo); **elle se ferme à l'amour** rehúye el amor.
fermeté [fɛʀməte] nf firmeza; (des muscles) dureza; **avec ~** con firmeza.
fermette [fɛʀmɛt] nf pequeña granja.
fermeture [fɛʀmətyʀ] nf cierre m, cerradura; (dispositif) cerradura; **jour/heure de ~** día m/hora de cierre; ▸**fermeture à glissière** cierre de cremallera; ▸**fermeture éclair ®** cierre relámpago.
fermier, -ière [fɛʀmje, jɛʀ] adj: **beurre/cidre ~** mantequilla/sidra de granja ♦ nm/f (locataire) granjero(-a), colono; (propriétaire) granjero(-a), arrendatario(-a).
fermière [fɛʀmjɛʀ] nf (femme de fermier) granjera.
fermoir [fɛʀmwaʀ] nm cierre m.
féroce [feʀɔs] adj (aussi fig) feroz.
férocement [feʀɔsmɑ̃] adv ferozmente.
férocité [feʀɔsite] nf ferocidad f.
ferons [fəʀɔ̃] vb voir **faire**.
ferrage [feʀaʒ] nm (d'un cheval) herraje m.
ferraille [feʀaj] nf chatarra; **mettre à la ~** tirar a la chatarra; **bruit de ~** ruido de chatarra.
ferrailler [feʀaje] vi batirse a sable ou a espada; (faire du bruit) rechinar.
ferrailleur [feʀajœʀ] nm chatarrero.
ferrant [fɛʀɑ̃] adj m voir **maréchal**.
ferré, e [feʀe] adj guarnecido(-a) con hie-

rro, ferrado(-a); **~ en** ou **sur** (fam) fuerte en.
ferrer [feʀe] vt (cheval) herrar; (chaussure, canne) guarnecer con hierro, ferrar; (poisson) enganchar con el anzuelo.
ferreux, -euse [feʀø, øz] adj ferroso(-a).
ferronnerie [feʀɔnʀi] nf ferrería; ▸**ferronnerie d'art** artesanía de hierro forjado.
ferronnier [feʀɔnje] nm (ouvrier) herrero; (commerçant) vendedor m de objetos de forja.
ferroviaire [feʀɔvjɛʀ] adj ferroviario(-a).
ferrugineux, -euse [feʀyʒinø, øz] adj ferruginoso(-a).
ferrure [feʀyʀ] nf (objet) herraje m.
ferry(-boat) [feʀe(bɔt)] (pl **ferry-boats** ou **ferries**) nm ferry m, transbordador m.
fertile [fɛʀtil] adj (aussi fig) fértil; **~ en événements/incidents** fértil en acontecimientos/incidentes.
fertilisant [fɛʀtilizɑ̃] nm fertilizante m.
fertilisation [fɛʀtilizasjɔ̃] nf fertilización f.
fertiliser [fɛʀtilize] vt (terre) fertilizar.
fertilité [fɛʀtilite] nf fertilidad f.
féru, e [feʀy] adj: **~ de** apasionado(-a) de.
férule [feʀyl] nf: **être sous la ~ de qn** estar bajo la férula de algn.
fervent, e [fɛʀvɑ̃, ɑ̃t] adj ferviente.
ferveur [fɛʀvœʀ] nf fervor m.
fesse [fɛs] nf nalga; **les ~s** las nalgas.
fessée [fese] nf nalgada; **donner une ~ à** dar una nalgada a.
fessier [fesje] (fam) nm trasero.
festin [fɛstɛ̃] nm festín m.
festival [fɛstival] nm festival m.
festivalier [fɛstivalje] nm asiduo(-a) de los festivales.
festivités [fɛstivite] nfpl fiestas fpl.
feston [fɛstɔ̃] nm festón m.
festoyer [fɛstwaje] vi festejar.
fêtard, e [fɛtaʀ] (péj) nm/f juerguista m/f.
fête [fɛt] nf fiesta; (kermesse) romería; (d'une personne) santo; **faire la ~** irse de juerga ou de farra (AM); **faire ~ à qn** festejar a algn; **se faire une ~ de** estar deseando; **jour de ~** día m de fiesta; **les ~s (de fin d'année)** las fiestas (de fin de año); **salle/comité des ~s** sala/comité m de fiestas; **la ~ des Mères/des Pères** el día de la madre/del padre; **la F~ Nationale** aniversario de la revolución francesa; ▸**fête de charité** fiesta de caridad; ▸**fête foraine** feria; ▸**fête mobile** fiesta móvil.
Fête-Dieu [fɛtdjø] (pl **~s-~**) nf: **la ~-~** el Corpus Christi.
fêter [fete] vt (personne) festejar; (événement, anniversaire) festejar, celebrar.
fétiche [fetiʃ] nm fetiche m; **animal/objet ~** animal m/objeto amuleto.

fétichisme [fetiʃism] *nm* fetichismo.
fétichiste [fetiʃist] *adj* fetichista.
fétide [fetid] *adj* fétido(-a).
fétu [fety] *nm*: ~ **de paille** brizna de paja.
feu¹ [fø] *adj inv*: ~ **le roi/M Dupont** el difunto rey/Sr Dupont; ~ **son père** su difunto padre.
feu², x [fø] *nm* fuego; *(signal lumineux)* luz *f*; *(fig)* fuego, ardor *m*; (: *sensation de brûlure*) escocedura; ~**x** *nmpl* (*éclat, lumière*) destello *msg*; (*AUTO*: *de circulation*) semáforo *msg*; **tous** ~**x éteints** con las luces apagadas; **au** ~**!** ¡fuego!; **à** ~ **doux/vif** a poco fuego/fuego vivo; **à petit** ~ **a fuego lento**; *(fig)* lentamente; **faire** ~ abrir fuego; **ne pas faire long** ~ *(fig)* no durar mucho; **commander le** ~ (*MIL*) dirigir el combate; **tué au** ~ (*MIL*) muerto en combate; **mettre à** ~ (*fusée*) encender; ~ **nourri/roulant** (*MIL*) fuego intenso/graneado; **être pris entre deux** ~**x** *(fig)* estar entre la espada y la pared; **en** ~ ardiendo, quemando; **être tout** ~ **tout flamme (pour)** estar entusiasmadísimo(-a) (con); **avoir le** ~ **sacré** tener el fuego sagrado; **prendre** ~ (*maison*) incendiarse; (*vêtements, rideaux*) prender fuego; **mettre le** ~ **à** meterle fuego a; **faire du** ~ hacer fuego; **avez-vous du** ~? ¿tiene fuego?; **donner le** ~ **vert à qch/qn** *(fig)* dar luz verde a algo/a algn; **s'arrêter aux** ~**x** *ou* **au** ~ **rouge** pararse en el semáforo *ou* con el disco rojo; **leur amour fut un** ~ **de paille** su amor fue efímero; ▶ **feu arrière** (*AUTO*) luz *f* trasera, piloto trasero; ▶ **feu d'artifice** fuegos *mpl* de artificio; (*spectacle*) fuegos artificiales; ▶ **feu de camp/de cheminée** fuego de campamento/de chimenea; ▶ **feu de joie** fogata; ▶ **feu orange/rouge/vert** (*AUTO*) disco ámbar/rojo/verde; ▶ **feux de brouillard/de croisement/de position/de stationnement** (*AUTO*) luces *fpl* de niebla/de cruce/de posición/intermitentes; ▶ **feux de route** (*AUTO*) luces largas *ou* de carretera.
feuillage [fœjaʒ] *nm* follaje *m*.
feuille [fœj] *nf* hoja; (*plaque: de carton*) lámina; **rendre** ~ **blanche** (*SCOL*) entregar el examen en blanco; ▶ **feuille de chou** (*fam: péj*) periodicucho; ▶ **feuille de déplacement** (*MIL*) parte de desplazamiento; ▶ **feuille de maladie** informe *m* médico; ▶ **feuille de métal** lámina de metal; ▶ **feuille (de papier)** hoja (de papel); ▶ **feuille de paye** aviso de pago; ▶ **feuille de présence** parte de asistencia; ▶ **feuille de route** (*COMM*) hoja de ruta; ▶ **feuille de température** gráfico de temperatura; ▶ **feuille de vigne** hoja

de parra; ▶ **feuille d'impôts** declaración *f* de impuestos; ▶ **feuille d'or** lámina de oro; ▶ **feuille morte** hoja seca; ▶ **feuille volante** hoja suelta.
feuillet [fœjɛ] *nm* pliego, página.
feuilletage [fœjtaʒ] *nm* (*aspect feuilleté*) hojaldrado.
feuilleté, e [fœjte] *adj* (*CULIN*) hojaldrado(-a); (*verre*) laminado(-a) ♦ *nm* (*gâteau*) hojaldre *m*.
feuilleter [fœjte] *vt* (*livre*) hojear.
feuilleton [fœjtɔ̃] *nm* (*aussi TV, RADIO*) serial *m*; (*partie*) capítulo.
feuillette [fœjɛt] *vb voir* **feuilleter**.
feuillu, e [fœjy] *adj* frondoso(-a) ♦ *nm* árbol *m* frondoso.
feulement [følmɑ̃] *nm* bufido.
feutre [føtʀ] *nm* fieltro; (*chapeau*) sombrero de fieltro; (*stylo*) rotulador *m*.
feutré, e [føtʀe] *adj* (*tissu*) afelpado(-a); (*pas, voix, atmosphère*) amortiguado(-a).
feutrer [føtʀe] *vt* afelpar; (*bruits*) amortiguar ♦ *vi* apelmazarse; **se feutrer** *vpr* apelmazarse.
feutrine [føtʀin] *nf* paño.
fève [fɛv] *nf* haba; (*dans la galette des Rois*) sorpresa.
février [fevʀije] *nm* febrero; *voir aussi* **juillet**.
fez [fɛz] *nm* fez *m*.
FF [ɛfɛf] *abr* = **franc français**.
FFA *sigle fpl* = **Forces françaises en Allemagne**.
FFI *sigle fpl* = **Forces françaises de l'intérieur**.
fi [fi] *excl*: **faire** ~ **de** hacer caso omiso de.
fiabilité [fjabilite] *nf* fiabilidad *f*.
fiable [fjabl] *adj* fiable.
fiacre [fjakʀ] *nm* coche *m* de punto.
fiançailles [fjãsaj] *nfpl* noviazgo.
fiancé, e [fjãse] *nm/f* novio(-a) ♦ *adj*: **être** ~ **(à)** estar prometido(-a) (con).
fiancer [fjãse]: **se** ~ *vpr*: **se** ~ **(avec)** prometerse (con).
fiasco [fjasko] *nm* fiasco.
fiasque [fjask] *nf* garrafa.
fibranne [fibʀan] *nf* fibrana.
fibre [fibʀ] *nf* fibra; (*de bois*) veta; *(fig)* vena; **avoir la** ~ **paternelle/militaire/patriotique** tener la vena paternal/militar/patriótica; ▶ **fibre de verre/optique** fibra de vidrio/óptica.
fibreux, -euse [fibʀø, øz] *adj* fibroso(-a).
fibrillation [fibʀijasjɔ̃] *nf* fibrilación *f*.
fibrome [fibʀom] *nm* fibroma *m*.
ficelage [fis(ə)laʒ] *nm* atadura; (*liens*) ligadura.
ficelé, e [fisle] *adj* (*fam*): **bien/mal** ~ (*habillé*) bien/mal arreglado(-a); (*conçu*) bien/mal estructurado(-a).
ficeler [fis(ə)le] *vt* atar.

ficelle [fisεl] *nf* cordón; (*pain*) violín *m*; ~s *nfpl* (*procédés cachés*) artificios *mpl*; **tirer sur la ~** (*fig*) pasarse.

fiche [fiʃ] *nf* ficha; (*formulaire*) ficha, impreso; (*ÉLEC*) enchufe *m*; ▶**fiche de paye** nómina; ▶**fiche signalétique** (*PO-LICE*) ficha; ▶**fiche technique** ficha técnica.

ficher [fiʃe] *vt* (*pour un fichier*) anotar en fichas; (*suj: police, personne*) fichar; ~ **qch dans** clavar algo en; **il ne fiche rien** (*fam*) no da golpe; **cela me fiche la trouille** (*fam*) eso me da miedo; **fiche-le dans un coin** (*fam*) ponlo en un rincón; ~ **qn à la porte** (*fam*) poner a algn de patitas en la calle; **fiche(-moi) le camp** (*fam*) lárgate; **fiche-moi la paix** (*fam*) déjame en paz; **se ~ dans** *vpr* (*s'enfoncer*) clavarse en, hundirse en; **se ~ de** (*fam*) tomar el pelo a.

fichier [fiʃje] *nm* fichero; (*à cartes*) archivador *m*, fichero; ~ **actif** *ou* **en cours d'utilisation** (*INFORM*) fichero activo *ou* en uso; ▶**fichier d'adresses** fichero de direcciones.

fichu, e [fiʃy] *pp de* **ficher** ♦ *adj* (*fam: fini, inutilisable*) estropeado(-a) ♦ *nm* (*foulard*) pañoleta; **être/n'être pas ~ de** (*fam*) ser/no ser capaz de; **être mal ~** (*fam: santé*) estar fastidiado(-a); **bien/mal ~** (*fam: habillé*) bien/mal arreglado(-a); ~ **temps/caractère** tiempo/carácter *m* pajolero.

fictif, -ive [fiktif, iv] *adj* ficticio(-a); (*promesse, nom*) falso(-a).

fiction [fiksjɔ̃] *nf* ficción *f*.

fictivement [fiktivmã] *adv* ficticiamente.

fidèle [fidεl] *adj* fiel; (*loyal*) fiel, leal ♦ *nm/f* (*REL, fig*) devoto(-a); **les ~s** (*REL*) los fieles; ~ **à** fiel a.

fidèlement [fidεlmã] *adv* fielmente.

fidélité [fidelite] *nf* fidelidad *f*; ~ **conjugale** fidelidad conyugal.

Fidji [fidʒi] *nfpl*: **(les îles) ~** (las islas) Fiji.

fiduciaire [fidysjεʀ] *adj* fiduciario(-a).

fief [fjεf] *nm* feudo.

fieffé, e [fjefe] *adj* empedernido(-a).

fiel [fjεl] *nm* hiel *f*; (*fig*) hiel, amargura.

fiente [fjãt] *nf* excremento.

fier¹ [fje]: **se ~ à** *vpr* fiarse de.

fier², **fière** [fje, jεʀ] *adj* orgulloso(-a); (*hautain, méprisant*) arrogante, altivo(-a); ~ **de qch/qn** orgulloso(-a) de algo/algn; **avoir fière allure** tener muy buen aspecto.

fièrement [fjεʀmã] *adv* (*dignement*) con orgullo.

fierté [fjεʀte] *nf* (*v adj*) orgullo; arrogancia.

fièvre [fjεvʀ] *nf* (*aussi fig*) fiebre *f*; **avoir de la ~/39 de ~** tener fiebre/39 de fiebre; ▶**fièvre jaune/typhoïde** fiebre amarilla/tifoidea.

fiévreusement [fjevʀøzmã] *adv* (*fig*) febrilmente.

fiévreux, -euse [fjevʀø, øz] *adj* febril.

FIFA [fifa] *sigle f* (= *Fédération internationale de football association*) FIFA *f* (= *Federación Internacional de Fútbol Asociado*).

fifre [fifʀ] *nm* pífano.

figer [fiʒe] *vt* (*sang*) coagular; (*sauce*) cuajar; (*mode de vie, institutions etc*) entorpecer; (*personne*) petrificar; **se figer** *vpr* (*sang*) coagularse; (*huile*) cuajarse; (*personne, sourire*) petrificarse; (*institutions etc*) anquilosarse.

fignoler [fiɲole] *vt* dar el último toque a.

figue [fig] *nf* higo.

figuier [figje] *nm* higuera.

figurant, e [figyʀã, ãt] *nm/f* (*aussi péj*) figurante *m/f*; (*THÉÂTRE*) figurante, comparsa *m/f*; (*CINÉ*) figurante, extra *m*.

figuratif, -ive [figyʀatif, iv] *adj* (*art*) figurativo(-a).

figuration [figyʀasjɔ̃] *nf*: **la ~** (*les figurants*: *THÉÂTRE*) los figurantes, la comparsa; (*CINÉ*) los figurantes, los extras.

figure [figyʀ] *nf* figura; (*visage*) cara; (*illustration, dessin*) figura, ilustración *f*; (*aspect*) aspecto; **se casser la ~** (*fam*) partirse la cara; **faire ~ de** (*avoir l'air de*) aparentar ser; (*passer pour*) quedar como; **faire bonne ~** poner buena cara; **faire triste ~** estar cabizbajo(-a); **prendre ~** tomar cuerpo; ▶**figure de rhétorique/de style** figura retórica/estilística.

figuré, e [figyʀe] *adj* figurado(-a).

figurer [figyʀe] *vi* figurar ♦ *vt* representar, figurar; **se ~ qch/que** imaginarse algo/que; **figurez-vous que ...** figúrese que ... .

figurine [figyʀin] *nf* figurita.

fil [fil] *nm* hilo; (*du téléphone*) cable *m*; (*tranchant*) filo; **au ~ des heures/des années** a lo largo *ou* en el correr de las horas/de los años; **le ~ d'une histoire/de ses pensées** el hilo de una historia/de sus pensamientos; **au ~ de l'eau** a favor de la corriente; **de ~ en aiguille** de una cosa a otra; **ne tenir qu'à un ~** estar pendiente de un hilo; **donner du ~ à retordre à qn** dar mucha guerra a algn; **donner/recevoir un coup de ~** dar/recibir un telefonazo; ▶**fil à coudre** hilo de coser; ▶**fil à pêche** sedal *m*; ▶**fil à plomb** plomada; ▶**fil à souder** hilo de estaño; ▶**fil de fer** alambre *m*; ▶**fil de fer barbelé** alambre de espino; ▶**fil électrique** cable eléctrico.

filage [filaʒ] *nm* hilado.

filament [filamã] *nm* (*ÉLEC*) filamento; (*de liquide etc*) hilo.

filandreux, -euse [filãdʀø, øz] *adj* fibroso(-a).

filant, e [filɑ̃, ɑ̃t] *adj*: **étoile ~e** estrella fugaz.

filasse [filas] *adj inv*: **les cheveux (couleur) ~** el pelo rubio de estopa.

filature [filatyʀ] *nf (fabrique)* hilandería; *(policière)* vigilancia; **prendre qn en ~** seguirle los pasos a algn.

file [fil] *nf (de voitures)* fila; *(de clients)* cola; **prendre la ~** ponerse a la cola; **prendre la ~ de droite** *(AUTO)* coger el carril de la derecha; **se mettre en ~** *(AUTO)* ponerse en fila; **stationner en double ~** *(AUTO)* aparcar en doble fila; **à la ~** *(d'affilée)* seguidos(-as); *(l'un derrière l'autre)* en fila; **à la** *ou* **en ~ indienne** en fila india; ▸ **file (d'attente)** cola.

filer [file] *vt* hilar; *(verre)* soplar; *(dérouler)* soltar; *(note)* modular; *(prendre en filature)* seguir los pasos a ♦ *vi (bas, maille)* correrse, hacerse una carrera; *(liquide, pâte)* fluir; *(aller vite)* pasar volando; *(fam: partir)* largarse; **~ qch à qn** *(fam: donner)* dar algo a algn; **~ à l'anglaise** despedirse a la francesa; **~ doux** ser dócil; **~ un mauvais coton** estar de capa caída.

filet [filɛ] *nm* red *f*; *(à cheveux)* redecilla; *(de poisson)* filete *m*; *(viande)* solomillo; *(d'eau, sang)* hilo; **tendre un ~** *(suj: police)* tender una trampa; ▸ **filet (à bagages)** red (del equipaje); ▸ **filet (à provisions)** bolsa (de la compra).

filetage [filtaʒ] *nm* roscado, rosca.

fileter [filte] *vt* filetear, roscar.

filial, e, -aux [filjal, jo] *adj* filial.

filiale [filjal] *nf* filial *f*, sucursal *f*.

filiation [filjasjɔ̃] *nf (aussi fig)* filiación *f*.

filière [filjɛʀ] *nf* escalafón *m*; **suivre la ~** seguir el escalafón.

filiforme [filifɔʀm] *adj* filiforme.

filigrane [filigʀan] *nm* filigrana; **en ~** *(fig)* sutilmente.

filin [filɛ̃] *nm* (*NAUT*) beta.

fille [fij] *nf* chica; *(opposé à fils)* hija; *(vieilli: opposé à femme mariée)* soltera; *(péj)* mujerzuela; **petite ~** niña; **vieille ~** solterona; ▸ **fille de joie** prostituta; ▸ **fille de salle** *(d'un restaurant)* camarera; *(d'un hôpital)* auxiliar *f*.

fille-mère [fijmɛʀ] *(pl* **~s-~s** *péj) nf* madre *f* soltera.

fillette [fijɛt] *nf* chiquilla.

filleul, e [fijœl] *nm/f* ahijado(-a).

film [film] *nm* película; *(couche)* capa; ▸ **film d'animation** película de animación; ▸ **film muet/parlant** película muda/sonora; ▸ **film policier** película policíaca.

filmer [filme] *vt* filmar.

filon [filɔ̃] *nm (aussi fig)* filón *m*.

filou [filu] *nm (escroc)* timador *m*.

fils [fis] *nm* hijo; **le F~** **(de Dieu)** *(REL)* el Hijo (de Dios); ▸ **fils à papa** *(péj)* niño de papá; ▸ **fils de famille** niño bien.

filtrage [filtʀaʒ] *nm (d'un liquide)* filtrado; *(de visiteurs, nouvelles)* control *m*.

filtrant, e [filtʀɑ̃, ɑ̃t] *adj* filtrante.

filtre [filtʀ] *nm* filtro; **"~ ou sans ~?"** "¿con filtro o sin filtro?"; ▸ **filtre à air** filtro de aire.

filtrer [filtʀe] *vt* filtrar; *(candidats, nouvelles)* hacer una criba de ♦ *vi* filtrarse; *(nouvelle, rumeurs)* filtrarse.

fin¹ [fɛ̃] *nf* final *m*; *(d'un projet, d'un rêve: aussi mort)* final, fin *m* ♦ *nm voir* **fin²**; **~s** *nfpl (desseins)* fines *mpl*; **à (la) ~ mai/juin** a finales de mayo/junio; **en ~ de journée** al final del día; **prendre ~** terminar, acabar; **mener à bonne ~** llevar a buen término; **toucher à sa ~** llegar a su fin; **mettre ~ à qch** poner fin a algo; **mettre ~ à ses jours** poner fin a sus días; **à la ~** finalmente; **sans ~** sin fin, interminable; *(sans cesse)* sin cesar; **à cette ~** para *ou* con este fin; **à toutes ~s utiles** por si es *etc* de utilidad; ▸ **fin de non-recevoir** *(JUR, ADMIN)* desestimación *f* de demanda; ▸ **fin de section** *(de ligne d'autobus)* final de zona.

fin², e [fɛ̃, fin] *adj* fino(-a); *(taille)* delgado(-a); *(effilé)* afilado(-a); *(subtil)* agudo(-a) ♦ *adv* fino ♦ *nm*: **vouloir jouer au plus ~ (avec qn)** querer dárselas de listo (con algn); **c'est ~!** *(iro)* ¡qué gracioso!; **avoir la vue ~e/l'ouïe ~e** tener vista aguda/buen oído; **le ~ fond de ...** lo más recóndito de ...; **le ~ mot de ...** el quid de ...; **la ~e fleur de ...** la flor y nata de ...; **or ~** oro puro; **linge ~** lencería fina *ou* selecta; **vin ~** vino selecto; **être ~ gourmet** tener un paladar muy fino; **être ~ tireur** ser un muy buen tirador; ▸ **fines herbes** hierbas *fpl* aromáticas; ▸ **fine mouche** *(fig)* persona perspicaz; ▸ **fin prêt/soûl** completamente listo/borracho.

final, e [final] *adj* último(-a); *(PHILOS)* final ♦ *nm (MUS)* final *m*; **quart/8èmes/16èmes de ~e** cuarto/octavos/dieciseisavos de final; **cause ~e** causa final.

finale [final] *nf (SPORT)* final *f*.

finalement [finalmɑ̃] *adv* finalmente; *(après tout)* al final, después de todo.

finaliste [finalist] *nm/f* finalista *m/f*.

finalité [finalite] *nf* finalidad *f*.

finance [finɑ̃s] *nf*: **la ~** las finanzas; **~s** *nfpl (d'un club, pays)* fondos *mpl*; *(activités et problèmes financiers)* finanzas; **moyennant ~** con dinero.

financement [finɑ̃smɑ̃] *nm* financiación *f*.
financer [finɑ̃se] *vt* financiar.
financier, -ière [finɑ̃sje, jɛʀ] *adj* financiero(-a) ♦ *nm* financiero.
financièrement [finɑ̃sjɛʀmɑ̃] *adv* financieramente.
finasser [finase] (*péj*) *vi* trapacear.
finaud, e [fino, od] *adj* ladino(-a).
fine [fin] *adj f voir* **fin²** ♦ *nf* aguardiente *m* fino.
finement [finmɑ̃] *adv* con finura; con delicadeza; esmeradamente; con agudeza.
finesse [finɛs] *nf* finura; delgadez *f*; afilamiento; agudeza; ~**s** *nfpl* (*subtilités*) sutilezas *fpl*; ▶ **finesse de goût** delicadeza de gusto; ▶ **finesse d'esprit** agudeza de espíritu.
fini, e [fini] *adj* terminado(-a), acabado(-a); (*mode*) pasado(-a); (*persona*) acabado(-a); (*machine etc*) obsoleto(-a); (*MATH, PHILOSOPHIE*) finito(-a) ♦ *nm* (*d'un objet manufacturé*) perfección *f*; **bien/mal** ~ (*travail, vêtement*) bien/mal terminado(-a), bien/mal rematado(-a); **un égoïste/artiste** ~ (*valeur intensive*) un egoísta/artista consumado.
finir [finiʀ] *vt* acabar, terminar; (*être placé en fin de: période, livre*) finalizar ♦ *vi* terminarse, acabarse; ~ **quelque part** terminar en algún sitio; ~ **de faire qch** (*terminer*) acabar de hacer algo; (*cesser*) dejar de hacer algo; ~ **par qch/par faire qch** (*gén*) acabar con algo/haciendo *ou* por hacer algo; **il finit par m'agacer** acaba molestándome; ~ **en pointe/tragédie** acabar en punta/tragedia; **en** ~ (**avec qn/qch**) acabar (con algn/algo); **à n'en plus** ~ **interminable**; **il a fini son travail** acabó su trabajo; **il n'a pas encore fini de parler** no ha acabado todavía de hablar; **il finit de manger** está acabando de comer; **cela/il va mal** ~ eso/él acabará mal; **c'est bientôt fini?** ¿terminas o no?
finish [finiʃ] *nm* (*SPORT*) sprint *m* final.
finissage [finisaʒ] *nm* acabado, remate *m*.
finisseur, -euse [finisœʀ, øz] *nm/f* (*SPORT*) corredor que termina en buena posición.
finition [finisjɔ̃] *nf* acabado, último toque *m*.
finlandais, e [fɛ̃lɑ̃dɛ, ɛz] *adj* finlandés(-esa) ♦ *nm/f*: **F~, e** finlandés(-esa).
Finlande [fɛ̃lɑ̃d] *nf* Finlandia.
finnois, e [finwa, waz] *adj* finlandés(-esa) ♦ *nm* (*LING*) finlandés *m*.
fiole [fjɔl] *nf* frasco.
fiord [fjɔʀ(d)] *nm voir* **fjord**.
fioriture [fjɔʀityʀ] *nf* floritura.
fioul [fjul] *nm* fuel oil *m*.
firent [fiʀ] *vb voir* **faire**.
firmament [fiʀmamɑ̃] *nm* firmamento.

firme [fiʀm] *nf* firma.
fis [fi] *vb voir* **faire**.
fisc [fisk] *nm*: **le** ~ el fisco.
fiscal, e, -aux [fiskal, o] *adj* fiscal; **l'année** ~**e** el año fiscal.
fiscaliser [fiskalize] *vt* fiscalizar, gravar.
fiscaliste [fiskalist] *nm/f* especialista *m/f* en derecho fiscal.
fiscalité [fiskalite] *nf* (*système*) régimen *m* tributario; (*charges*) cargas *fpl* fiscales.
fissible [fisibl] *adj* fisible.
fission [fisjɔ̃] *nf* fisión *f*.
fissure [fisyʀ] *nf* (*aussi fig*) fisura.
fissurer [fisyʀe]: **se** ~ *vpr* agrietarse.
fiston [fistɔ̃] (*fam*) *nm* hijito.
fistule [fistyl] *nf* fístula.
fit [fi] *vb voir* **faire**.
fixage [fiksaʒ] *nm* (*PHOTO*) fijado.
fixateur [fiksatœʀ] *nm* fijador *m*.
fixatif [fiksatif] *nm* fijador *m*.
fixation [fiksasjɔ̃] *nf* fijación *f*; ~ (**de sécurité**) (*de ski*) fijación (de seguridad).
fixe [fiks] *adj* fijo(-a) ♦ *nm* (*salaire de base*) sueldo base; **à date/heure** ~ en fecha/hora fijada; **menu à prix** ~ menú *m* de precio fijo.
fixé, e [fikse] *adj*: **être** ~ (**sur**) saber a qué atenerse (respecto a); **à l'heure** ~**e** en la hora fijada; **au jour** ~ en el día fijado.
fixement [fiksəmɑ̃] *adv* (*regarder*) fijamente.
fixer [fikse] *vt* fijar; (*personne*) estabilizar; (*poser son regard sur*) fijar la mirada en; ~ **qch à/sur** sujetar algo a/en, fijar algo a/en; ~ **son regard/son attention sur** fijar su mirada/su atención en; ~ **son choix sur qch** elegir algo; **se** ~ **quelque part** establecerse en algún sitio; **se** ~ **sur** (*suj: regard, attention*) fijarse en.
fixité [fiksite] *nf* (*d'un regard*) fijeza.
fjord [fjɔʀ(d)] *nm* fiordo.
flacon [flakɔ̃] *nm* frasco.
flagada [flagada] *adj inv* molido(-a).
flagellation [flaʒelasjɔ̃] *nf* flagelación *f*.
flageller [flaʒele] *vt* flagelar.
flageolant, e [flaʒɔlɑ̃, ɑ̃t] *adj* tembloroso(-a).
flageoler [flaʒɔle] *vi* (*jambes*) flaquear, temblar.
flageolet [flaʒɔlɛ] *nm* (*MUS*) chirimía; (*CULIN: gén pl*) frijoles *mpl*.
flagornerie [flagɔʀnəʀi] *nf* adulación *f*.
flagorneur, -euse [flagɔʀnœʀ, øz] *nm/f* adulador(a).
flagrant, e [flagʀɑ̃, ɑ̃t] *adj* flagrante; **prendre qn en** ~ **délit** coger a algn en flagrante delito.
flair [flɛʀ] *nm* (*aussi fig*) olfato.
flairer [fleʀe] *vt* olfatear; (*fig*) oler.
flamand, e [flamɑ̃, ɑ̃d] *adj* flamenco(-a) ♦

nm (*LING*) flamenco ♦ *nm/f*: F~, e flamenco(-a); **les F~s** los flamencos.
flamant [flamɑ̃] *nm* (*ZOOL*) flamenco.
flambant [flɑ̃bɑ̃] *adv*: ~ **neuf** nuevo flamante.
flambé, e [flɑ̃be] *adj*: **banane/crêpe** ~e plátano/crêpe *m* flameado.
flambeau, x [flɑ̃bo] *nm* antorcha; **se passer le** ~ pasarse la antorcha.
flambée [flɑ̃be] *nf* llamarada; ~ **de violence** (*fig*) ola de violencia; ~ **des prix** disparo de los precios.
flamber [flɑ̃be] *vi* llamear ♦ *vt* (*poulet*) chamuscar; (*aiguille*) flamear.
flambeur, -euse [flɑ̃bœr, øz] *nm/f* (*fam*) persona rumbosa.
flamboyant, e [flɑ̃bwajɑ̃, ɑ̃t] *adj* (*yeux, couleur*) resplandeciente.
flamboyer [flɑ̃bwaje] *vi* (*aussi fig*) resplandecer.
flamenco [flamɛnko] *nm* flamenco.
flamingant, e [flamɛ̃gɑ̃, ɑ̃t] *adj* (*GÉO*) flamenco(-a) ♦ *nm/f*: F~, e nacionalista *m/f* flamenco(-a).
flamme [flɑm] *nf* llama; (*fig*) pasión *f*; **en ~s** en llamas.
flammèche [flamɛʃ] *nf* pavesa.
flammerole [flamrɔl] *nf* fuego fatuo.
flan [flɑ̃] *nm* flan *m*; **en rester comme deux ronds de** ~ quedarse patidifuso(-a).
flanc [flɑ̃] *nm* (*ANAT*) costado; (*d'une armée*) flanco; (*montagne*) ladera; **à** ~ **de montagne/colline** en la ladera de la montaña/colina; **tirer au** ~ (*fam*) escurrir el bulto; **prêter le** ~ à (*fig*) dar pie a.
flancher [flɑ̃ʃe] *vi* flaquear.
Flandre [flɑ̃dr] *nf*: **les ~s** Flandes *msg*.
flanelle [flanɛl] *nf* franela.
flâner [flɑne] *vi* callejear, deambular.
flânerie [flɑnri] *nf* callejeo.
flâneur, -euse [flɑnœr, øz] *adj*, *nm/f* callejero(-a).
flanquer [flɑ̃ke] *vt* flanquear; ~ **qch sur/dans** (*fam*: *mettre*) tirar algo a/en; ~ **par terre** (*fam*) arrojar al suelo; ~ **à la porte** (*fam*) echar a la calle; ~ **la frousse à qn** (*fam*) meter miedo a algn; **être flanqué de** (*suj*: *personne*) estar escoltado por.
flapi, e [flapi] *adj* reventado(-a).
flaque [flak] *nf* charco.
flash [flaʃ] (*pl* **~es**) *nm* (*PHOTO*: *dispositif*) flash *m*; (: *lumière*) flash, destello; **au** ~ con el flash; ▶ **flash d'information** flash informativo; ▶ **flash publicitaire** flash publicitario.
flasque [flask] *adj* flá(c)cido(-a) ♦ *nf* frasco.
flatter [flate] *vt* (*personne*) halagar, adular; (*suj*: *honneurs, amitié*) halagar; (*animal*) acariciar; **se** ~ **de qch/de pouvoir faire**

qch vanagloriarse de algo/de poder hacer algo.
flatterie [flatri] *nf*: **la** ~ adulación *f*; **une** ~ un halago.
flatteur, -euse [flatœr, øz] *adj* (*photo, profil*) halagüeño(-a); (*éloges*) halagador(a) ♦ *nm/f* (*personne*) adulador(a).
flatulence [flatylɑ̃s] *nf* flatulencia.
flatuosité [flatɥozite] *nf* flato.
fléau, x [fleo] *nm* (*calamité*) plaga, calamidad *f*; (*de balance*) fiel *m*; (*AGR*) mayal *m*.
fléchage [fleʃaʒ] *nm* señalización *f*.
flèche [flɛʃ] *nf* flecha; (*de clocher*) aguja; (*de grue*) aguilón *m*; (*critique*) dardo; **monter en** ~ (*fig*) subir como una flecha; **partir en** ~ (*fig*) marcharse como una flecha.
flécher [fleʃe] *vt* señalizar.
fléchette [fleʃɛt] *nf* dardo; **~s** *nfpl* (*jeu*) dardos *mpl*; **jouer aux ~s** jugar a los dardos.
fléchir [fleʃir] *vt* (*corps, genou*) flexionar, doblar; (*détermination de qn*) doblegar ♦ *vi* (*poutre*) combarse; (*fig*) ceder, claudicar; (*prix*) bajar.
fléchissement [fleʃismɑ̃] *nm* (*v vt, vi*) flexión *f*; doblegamiento; combadura; (*de l'économie*) empeoramiento; (*des prix, des cours*) disminución *f*.
flegmatique [flɛgmatik] *adj* flemático(-a).
flegme [flɛgm] *nm* flema.
flemmard, e [flɛmar, ard] *adj*, *nm/f* vago (-a).
flemme [flɛm] *nf*: **j'ai la** ~ **de faire** una pereza hacer.
flétan [fletɑ̃] *nm* halibut *m*.
flétri, e [fletri] *adj* (*feuilles, fleur*) marchito(-a); (*fruit*) pasado(-a); (*peau, visage*) ajado(-a).
flétrir [fletrir] *vt* (*fleur*) marchitar; (*fruit*) secar; (*peau, visage*) ajar; **se flétrir** *vpr* marchitarse; pasarse; ajarse; ~ **la mémoire de qn** (*fig*) mancillar la memoria de algn.
fleur [flœr] *nf* flor *f*; **être en** ~ estar en flor; **tissu/papier/assiette à ~s** tejido/ papel *m*/plato de flores; **la (fine)** ~ **de** (*fig*) la flor y nata de; **être** ~ **bleue** ser sentimental; **à** ~ **de terre/peau** a flor de tierra/piel; **faire une** ~ à **qn** hacer un favor a algn; ▶ **fleur de lis** flor de lis.
fleurer [flœre] *vt*: ~ **la lavande/l'odeur des foins** oler a lavanda/heno.
fleuret [flœrɛ] *nm* (*arme*) florete *m*; **le** ~ (*sport*) la esgrima.
fleurette [flœrɛt] *nf*: **conter** ~ à **qn** lanzar piropos a algn.
fleuri, e [flœri] *adj* (*aussi fig*) florido(-a); (*papier, tissu*) floreado(-a); (*péj*: *teint, nez*) colorado(-a).

fleurir [flœRiR] vi (aussi fig) florecer ♦ vt poner flores en.
fleuriste [flœRist] nm/f florista m/f.
fleuron [flœRɔ̃] nm (fig) florón m.
fleuve [flœv] nm río; ~ **de sang/boue** (fig) río de sangre/barro; **discours-**~ discurso interminable; **roman-**~ novelón m.
flexibilité [flɛksibilite] nf flexibilidad f.
flexible [flɛksibl] adj (aussi fig) flexible.
flexion [flɛksjɔ̃] nf flexión f.
flibustier [flibystje] nm (pirate) filibustero.
flic [flik] (fam: péj) nm poli m.
flingue [flɛ̃g] (fam) nm pistola.
flipper [n flipœR, vb flipe] nm flíper m ♦ vi (fam) amargarse.
flirt [flœRt] nm flirteo; (personne) flirt m.
flirter [flœRte] vi flirtear.
FLN [ɛfɛlɛn] sigle m (= Front de libération nationale) FLN m (= Frente de Liberación Nacional).
FLNKS [ɛfɛlɛnkɑɛs] sigle m (= Front de libération nationale kanak et socialiste) Frente de liberación nacional de Nueva Caledonia.
flocon [flɔkɔ̃] nm copo; (de laine etc: boulette) pelotilla; ▶ **flocons d'avoine** copos mpl de avena.
floconneux, -euse [flɔkɔnø, øz] adj (nuages) de algodón; (laine) esponjoso(-a).
flonflons [flɔ̃flɔ̃] nmpl tachín tachán m.
flood [flød] adj: **lampe** ~ (PHOTO) foco.
flopée [flɔpe] nf: **une** ~ **de** un montón de.
floraison [flɔRɛzɔ̃] nf floración f.
floral, e, -aux [flɔRal, o] adj floral.
floralies [flɔRali] nfpl exposición f de flores.
flore [flɔR] nf flora; ▶ **flore bactérienne/microbienne** flora bacteriana/microbiana.
Florence [flɔRɑ̃s] n Florencia.
florentin, e [flɔRɑ̃tɛ̃, in] adj florentino(-a) ♦ nm/f: F~, e florentino(-a).
floriculture [flɔRikyltyR] nf floricultura.
florifère [flɔRifɛR] adj florífero(-a).
florilège [flɔRilɛʒ] nm florilegio.
florissant, e [flɔRisɑ̃, ɑ̃t] vb voir **fleurir** ♦ adj (entreprise, commerce) floreciente, próspero(-a); (santé, mine) rebosante.
flot [flo] nm (fig) oleada; (de paroles, etc) río; (marée) marea; ~**s** nmpl (de la mer) olas fpl, mar fsg; **mettre/être à** ~ (aussi fig) sacar a/estar a flote; **à** ~**s** a raudales.
flottage [flɔtaʒ] nm (du bois) transporte m fluvial.
flottaison [flɔtɛzɔ̃] nf: **ligne de** ~ línea de flotación.
flottant, e [flɔtɑ̃, ɑ̃t] adj (vêtement) de vuelo, ancho(-a); (non fixe) fluctuante.
flotte [flɔt] nf flota; (fam: eau) agua; (: pluie) lluvia.
flottement [flɔtmɑ̃] nm (fig) vacilación f;

(ÉCON) fluctuación f.
flotter [flɔte] vi flotar; (drapeau, cheveux) ondear; (vêtements) volar; (ÉCON) fluctuar ♦ vb impers (fam): **il flotte** llueve ♦ vt (aussi: **faire** ~: bois) transportar mediante corriente fluvial.
flotteur [flɔtœR] nm (d'hydravion etc) flotador m; (de canne à pêche) boya.
flottille [flɔtij] nf flotilla.
flou, e [flu] adj borroso(-a); (idée) vago (-a); (robe) amplio(-a).
flouer [flue] vt timar.
fluctuant, e [flyktɥɑ̃, ɑ̃t] adj fluctuante; (opinions) voluble.
fluctuation [flyktɥasjɔ̃] nf fluctuación f.
fluctuer [flyktɥe] vi fluctuar.
fluet, te [flyɛ, ɛt] adj (personne) endeble; (voix) débil.
fluide [flɥid] adj fluido(-a) ♦ nm fluido; (force invisible) efluvio.
fluidifier [flɥidifje] vt fluidificar.
fluidité [flɥidite] nf fluidez f.
fluor [flyɔR] nm flúor m.
fluoration [flyɔRasjɔ̃] nf fluoración f.
fluoré, e [flyɔRe] adj fluorado(-a).
fluorescent, e [flyɔResɑ̃, ɑ̃t] adj fluorescente.
flûte [flyt] nf flauta; (verre) copa; (pain) barra pequeña de pan; **petite** ~ flautín m; ~! ¡caramba!; ▶ **flûte à bec/traversière** flauta dulce/travesera; ▶ **flûte de Pan** zampoña.
flûtiste [flytist] nm/f flautista m/f.
fluvial, e, -aux [flyvjal, jo] adj fluvial.
flux [fly] nm (aussi fig) flujo; **le** ~ **et le reflux** el flujo y el reflujo.
fluxion [flyksjɔ̃] nf: ~ **de poitrine** pulmonía.
FM [ɛfɛm] sigle f (= fréquence modulée) FM f (= frecuencia modulada).
FMI [ɛfɛmi] sigle m (= Fonds monétaire international) FMI m.
FN [ɛfɛn] sigle m (= Front national) partido de extrema derecha.
FNAC [fnak] sigle f (= Fédération nationale des achats des cadres) cadena de tiendas de libros y música.
FNSEA [ɛfɛnɛsəa] sigle f (= Fédération nationale des syndicats d'exploitants agricoles) sindicato de agricultores y ganaderos.
FO [ɛfo] sigle f (= Force ouvrière) sindicato.
foc [fɔk] nm foque m.
focal, e, -aux [fɔkal, o] adj focal.
focale [fɔkal] nf distancia focal.
focaliser [fɔkalize] vt (fig) focalizar.
foehn [føn] nm (viento) foehn m.
fœtal, e, -aux [fetal, o] adj fetal.
fœtus [fetys] nm feto.
foi [fwa] nf fe f; **sous la** ~ **du serment** bajo juramento; **avoir** ~ **en** tener fe en; **ajouter** ~ **à** dar crédito a; **faire** ~ acreditar,

testificar; **digne de** ~ fidedigno(-a); **sur la** ~ **de** en base a; **bonne/mauvaise** ~ buena/mala fe; **être de bonne/mauvaise** ~ actuar con buena/mala fe; **ma** ~**!** ¡lo juro!

foie [fwa] *nm* hígado; ► **foie gras** foie-gras *m inv.*

foin [fwɛ̃] *nm* heno; **faire les** ~**s** segar el heno; **faire du** ~ (*fig: fam*) armar jaleo.

foire [fwaʀ] *nf* mercado; (*fête foraine*) feria, romería; (*fam*) bulla; **faire la** ~ (*fig: fam*) irse de juerga *ou* de farra (*AM*); ► **foire (exposition)** feria de muestras.

fois [fwa] *nf*: **une/deux** ~ una vez/dos veces; **2** ~ **2** 2 por 2; **deux/quatre** ~ **plus grand (que)** dos/cuatro veces mayor (que); **encore une** ~ una vez más; **cette** ~ esta vez; **la** ~ **suivante/précédente** la próxima vez/vez anterior; **une (bonne)** ~ **pour toutes** de una vez por todas; **une** ~ **que c'est fait** una vez que esté hecho; **une** ~ **qu'il prend une décision, il ne ...** (*quand*) una vez que toma una decisión, no ...; **une** ~ **couché, il s'endort tout de suite** (*dès que*) en cuanto se acuesta, se duerme; **à la** ~ (*ensemble*) a la vez; **à la** ~ **grand et beau** grande y a la vez bonito; **des** ~ **a veces; chaque** ~ **que** cada vez que; **si des** ~ **...** (*fam*) si por casualidad ...; **"non mais, des** ~**!"** (*fam*) "¡ya vale!", "¡ya está bien!"; **il était une** ~ **...** había una vez ...

foison [fwazɔ̃] *nf*: **une** ~ **de** una profusión de; **à** ~ en profusión.

foisonnement [fwazɔnmɑ̃] *nm* abundancia, acopio.

foisonner [fwazɔne] *vi* abundar; ~ **en** *ou* **de** rebosar de.

fol [fɔl] *adj voir* **fou.**

folâtre [fɔlɑtʀ] *adj* juguetón(-ona).

folâtrer [fɔlɑtʀe] *vi* juguetear.

folichon, ne [fɔliʃɔ̃, ɔn] *adj* (*fam*): **ça n'a rien de** ~ no es para echarse a reír.

folie [fɔli] *nf* locura; **la** ~ **des grandeurs** el delirio de grandeza; **faire des** ~**s** hacer locuras, gastar a lo loco.

folklore [fɔlklɔʀ] *nm* folklore *m.*

folklorique [fɔlklɔʀik] *adj* folklórico(-a); (*péj*) estrambótico(-a).

folle [fɔl] *adj f, nf voir* **fou.**

follement [fɔlmɑ̃] *adv* (*amoureux*) locamente; (*drôle, intéressant*) tremendamente; **avoir** ~ **envie de** tener unos celos tremendos de.

follet [fɔlɛ] *adj m*: **feu** ~ fuego fatuo.

fomentateur, -trice [fɔmɑ̃tatœʀ, tʀis] *nm/f* instigador(a).

fomenter [fɔmɑ̃te] *vt* instigar.

foncé, e [fɔ̃se] *adj* oscuro(-a); **bleu/rouge** ~ azul/rojo oscuro.

foncer [fɔ̃se] *vt* oscurecer ♦ *vi* oscurecerse; (*fam: aller vite*) ir volando; ~ **sur** (*fam*) arremeter contra.

fonceur, -euse [fɔ̃sœʀ, øz] *nm/f* (*fam*) emprendedor(a).

foncier, -ière [fɔ̃sje, jɛʀ] *adj* (*honnêteté etc*) innato(-a); (*COMM: impôt*) territorial; **propriétaire** ~ dueño de tierras; (*grande superficie*) terrateniente *m.*

foncièrement [fɔ̃sjɛʀmɑ̃] *adv* profundamente; (*absolument*) totalmente.

fonction [fɔ̃ksjɔ̃] *nf* función *f*; (*profession*) profesión *f*; (*poste*) cargo; ~**s** *nfpl* (*activité, pouvoirs*) competencias *fpl*; (*corporelles, biologiques*) funciones *fpl*; **entrer en/reprendre ses** ~**s** tomar posesión de/reincorporarse a su cargo; **voiture/maison de** ~ coche *m*/casa oficial; **être** ~ **de** depender de; **en** ~ **de** dependiendo de; **faire** ~ **de** (*suj: personne*) hacer las veces de; (*chose*) servir para; **la** ~ **publique** la función pública.

fonctionnaire [fɔ̃ksjɔnɛʀ] *nm/f* funcionario(-a).

fonctionnaliser [fɔ̃ksjɔnalize] *vt*: ~ **qch** hacer algo funcional.

fonctionnariat [fɔ̃ksjɔnaʀja] *nm* funcionariado.

fonctionnariser [fɔ̃ksjɔnaʀize] *vt* (*personne*) convertir en *ou* hacer funcionario(-a) a; (*entreprise*) convertir en público(-a).

fonctionnel, le [fɔ̃ksjɔnɛl] *adj* funcional.

fonctionnellement [fɔ̃ksjɔnɛlmɑ̃] *adv* funcionalmente.

fonctionnement [fɔ̃ksjɔnmɑ̃] *nm* funcionamiento.

fonctionner [fɔ̃ksjɔne] *vi* funcionar; **faire** ~ poner en funcionamiento.

fond [fɔ̃] *nm* fondo; **un** ~ **de verre/bouteille** el resto del vaso/de la botella; **donnez m'en seulement un** ~ (*d'alcool etc*) póngame sólo un dedo; **le** ~ (*SPORT*) el fondo; **course/épreuve de** ~ carrera/prueba de fondo; **au** ~ **de** (*récipient*) en el fondo de; (*salle*) al fondo de; **aller au** ~ **des choses/du problème** ir al fondo de las cosas/del problema; **le** ~ **de sa pensée** el fondo de su pensamiento; **sans** ~ (*très profond*) sin fondo; **toucher le** ~ (*aussi fig*) tocar fondo; **envoyer par le** ~ echar a pique; **à** ~ a fondo; (*soutenir*) a capa y espada; **à** ~ **(de train)** (*fam*) a todo correr, a toda marcha; **dans le** ~, **au** ~ en resumidas cuentas; **de** ~ **en comble** de arriba a abajo; ► **fond de teint** maquillaje *m* de fondo; ► **fond sonore** fondo sonoro.

fondamental, e, -aux [fɔ̃damatal, o] *adj* fundamental.

fondamentalement [fɔ̃damɑ̃talmɑ̃] *adv* fundamentalmente.

fondant, e [fɔ̃dɑ̃, ɑ̃t] *adj*: **la neige/glace** ~**e** la nieve/el hielo que se derrite ♦ *nm* (*bonbon*) bombón *m* (extra fino); **gâteau** ~ (*au goût*) pastel que se deshace en la boca.

fondateur, -trice [fɔ̃datœʀ, tʀis] *nm/f* fundador(a); **groupe/membre** ~ grupo/miembro fundador.

fondation [fɔ̃dasjɔ̃] *nf* fundación *f*; ~**s** *nfpl* (*d'une maison*) cimientos *mpl*; **travaux de** ~ (*CONSTR*) trabajos *mpl* de cimentación.

fondé, e [fɔ̃de] *adj* fundado(-a); **bien/mal** ~ bien/mal fundado(-a); **être** ~ **à croire** *etc* estar facultado(-a) *ou* autorizado(-a) para creer *etc*.

fondé de pouvoir [fɔ̃dedpuvwaʀ] *nm* apoderado.

fondement [fɔ̃dmɑ̃] *nm* (*le postérieur*) trasero; ~**s** *nmpl* (*d'un édifice*) cimientos *mpl*; (*de la société, d'une théorie*) cimientos, base *fsg*; **sans** ~ sin fundamento.

fonder [fɔ̃de] *vt* fundar; ~ **qch sur** (*fig*) basar algo en; **se** ~ **sur qch** (*personne*) basarse en algo; ~ **un foyer** fundar un hogar.

fonderie [fɔ̃dʀi] *nf* fundición *f*.

fondeur, -euse [fɔ̃dœʀ, øz] *nm/f* (*skieur*) fondista *m/f* ♦ *nm*: (*ouvrier*) ~ fundidor *m*.

fondre [fɔ̃dʀ] *vt* (*neige, glace*) fundir, derretir; (*métal*) fundir; (*dans l'eau: sucre*) disolver; (*mélanger*) mezclar ♦ *vi* fundirse, derretirse; (*métal*) fundirse; (*dans l'eau*) disolverse; (*argent, courage*) esfumarse; ~ **sur** (*se précipiter*) abatirse sobre; **se fondre** *vpr* confundirse; **faire** ~ derretir; (*sucre*) disolver; ~ **en larmes** deshacerse en lágrimas.

fondrière [fɔ̃dʀijɛʀ] *nf* bache *m*, hoyo.

fonds [fɔ̃] *nm* (*aussi fig*) fondo ♦ *nmpl* (*argent*) fondos *mpl*; ~ (**de commerce**) fondo de comercio; **être en** ~ tener fondos *ou* dinero; **à** ~ **perdus** a fondo perdido; **mise de** ~ inversión *f* de capital; **le F**~ **monétaire international** el Fondo Monetario Internacional; ▶ **fonds de roulement** fondo de operaciones; ▶ **fonds publics** fondos *mpl* públicos.

fondu, e [fɔ̃dy] *adj* (*beurre*) derretido(-a); (*neige*) fundido(-a), derretido(-a); (*métal*) fundido(-a); (*fig*) desvanecido(-a) ♦ *nm* (*CINÉ*) fundido; ▶ **fondu enchaîné** fundido encadenado.

fondue [fɔ̃dy] *nf*: ~ (**savoyarde**)/ **bourguignonne** fondue *f* (saboyana)/ burguiñona.

fongicide [fɔ̃ʒisid] *nm* fungicida *m*.

font [fɔ̃] *vb voir* **faire**.

fontaine [fɔ̃tɛn] *nf* fuente *f*.

fontanelle [fɔ̃tanɛl] *nf* fontanela *f*.

fonte [fɔ̃t] *nf* (*de la neige*) deshielo; (*d'un*

métal) fundición *f*; (*métal*) hierro fundido *ou* colado; **en** ~ **émaillée** de hierro esmaltado; **la** ~ **des neiges** el deshielo.

fonts baptismaux [fɔ̃batismo] *nmpl* pila *fsg* bautismal.

foot(ball) [fut(bol)] *nm* fútbol *m*; **jouer au** ~ jugar al fútbol.

footballeur, -euse [futbolœʀ, øz] *nm/f* futbolista *m/f*.

footing [futiŋ] *nm*: **faire du** ~ hacer footing.

for [fɔʀ] *nm*: **dans** *ou* **en mon/son** ~ **intérieur** en mi/su fuero interno.

forage [fɔʀaʒ] *nm* perforación *f*.

forain, e [fɔʀɛ̃, ɛn] *adj* ferial ♦ *nm/f* (*marchand*) feriante *m/f*; (*bateleur*) saltimbanqui *m*, titiritero(-a).

forban [fɔʀbɑ̃] *nm* pirata *m*; (*escroc*) bandido.

forçat [fɔʀsa] *nm* forzado.

force [fɔʀs] *nf* fuerza; (*d'une armée*) potencia; (*intellectuelle, morale*) fortaleza; ~**s** *nfpl* (*MIL, physiques*) fuerzas *fpl*; **d'importantes** ~**s de police** importantes efectivos de la policía; **avoir de la** ~ tener fuerza; **ménager ses/reprendre des** ~**s** ahorrar/recuperar fuerzas; **être à bout de** ~ estar agotado(-a); **c'est au-dessus de mes/ses** ~**s** supera mis/sus fuerzas; **de toutes mes/ses** ~**s** con todas mis/sus fuerzas; **à la** ~ **du poignet** (*fig*) a pulso; **à** ~ **de critiques/de le critiquer/de faire** a fuerza de críticas/de criticarlo/de hacer; **arriver en** ~ llegar en gran número; **de** ~ (*prendre, enlever*) a la fuerza; **par la** ~ por fuerza; **à toute** ~ (*absolument*) a toda costa; **cas de** ~ **majeure** caso de fuerza mayor; **faire** ~ **de rames** remar con todas las fuerzas; **être de** ~ **à faire qch** ser capaz de hacer algo; **dans la** ~ **de l'âge** en la madurez; **de première** ~ de primera; **par la** ~ **des choses** debido a las circunstancias; **par la** ~ **de l'habitude** por la fuerza de la costumbre; **la** ~ (*ÉLEC*) la energía; **la** ~ **armée** las fuerzas armadas; **la** ~ **publique** la fuerza pública; **les** ~**s de l'ordre** las fuerzas del orden; **c'est une** ~ **de la nature** (*personne*) es un sansón; ▶ **force centrifuge/d'inertie** fuerza centrífuga/de la inercia; ▶ **force d'âme** ánimo, valor *m*; ▶ **force de caractère** fuerza de carácter; ▶ **force de dissuasion** *ou* **de frappe** fuerza de disuasión; ▶ **forces d'intervention** fuerzas de intervención.

forcé, e [fɔʀse] *adj* (*rire, attitude*) forzado(-a); (*bain, atterrissage*) forzoso(-a); (*comparaison*) rebuscado(-a); **c'est** ~! ¡es lógico!, ¡es inevitable!

forcément [fɔʀsemɑ̃] *adv* (*obligatoirement*)

forzosamente; (*bien sûr*) como es lógico; **pas** ~ no necesariamente; **il n'est pas** ~ **bête** no es que sea tonto.

forcené, e [fɔrsəne] *adj* encarnizado(-a) ♦ *nm/f* furioso(-a).

forceps [fɔrsɛps] *nm* fórceps *m inv*.

forcer [fɔrse] *vt* forzar; (*AGR*) impulsar el crecimiento de ♦ *vi* esforzarse; ~ **qn à qch/à faire qch** obligar a algn a algo/a hacer algo; **se** ~ **à qch/faire qch** obligarse a algo/a hacer algo; ~ **la main à qn** apretarle los tornillos a algn; ~ **la dose** cargar la mano; ~ **l'allure** aligerar; ~ **la décision** determinar la decisión; ~ **le destin** ir contra el destino; ~ **l'attention** llamar la atención; ~ **le respect** imponer el respeto; ~ **la consigne** desacatar las órdenes.

forcing [fɔrsiŋ] *nm*: **faire le** ~ redoblar el ataque.

forcir [fɔrsir] *vi* (*grossir*) engordar; (*vent*) arreciar.

forclore [fɔrklɔr] *vt* (*JUR*) privar de un derecho por prescripción.

forclos, e [fɔrklo, oz] *adj* (*JUR*) prescrito(-a).

forclusion [fɔrklyzjɔ̃] *nf* (*JUR*) prescripción *f*.

forer [fɔre] *vt* (*objet, rocher*) perforar, horadar; (*trou, puits*) perforar.

forestier, -ière [fɔrɛstje, jɛr] *adj* forestal.

foret [fɔrɛ] *nm* taladro.

forêt [fɔrɛ] *nf* bosque *m*; **Office national des f~s** ≈ ICONA (*Instituto para la conservación de la naturaleza*); ▶ **forêt vierge** selva virgen.

foreuse [fɔrøz] *nf* perforadora.

forfait [fɔrfɛ] *nm* (*COMM*) ajuste *m*; (*crime*) crimen *m*; **déclarer** ~ (*SPORT*) retirarse; **gagner par** ~ ganar por incomparecencia; **travailler à** ~ trabajar a destajo; **vendre/acheter à** ~ vender/comprar a tanto alzado.

forfaitaire [fɔrfɛtɛr] *adj* concertado(-a).

forfait-vacances [fɔrfɛvakɑ̃s] (*pl* ~**s**-~) *nm* paquete *m* turístico.

forfanterie [fɔrfɑ̃tri] *nf* (*caractère*) fanfarronería; (*parole, acte*) fanfarronada.

forge [fɔrʒ] *nf* forja; (*usine*) herrería.

forgé, e [fɔrʒe] *adj*: ~ **de toutes pièces** inventado(-a) de cabo a rabo.

forger [fɔrʒe] *vt* (*aussi fig*) forjar; (*prétexte, alibi*) urdir; (*histoire, plan*) urdir, inventar.

forgeron [fɔrʒərɔ̃] *nm* herrero.

formaliser [fɔrmalize]: **se** ~ *vpr* molestarse; **se** ~ **de qch** molestarse por algo.

formalisme [fɔrmalism] *nm* formalismo.

formaliste [fɔrmalist] *adj* formalista.

formalité [fɔrmalite] *nf* requisito, trámite *m*; **simple** ~ mera formalidad *f*.

format [fɔrma] *nm* formato; **petit** ~ de tamaño pequeño.

formater [fɔrmate] *vt* formatear; **non formaté** sin formatear.

formateur, -trice [fɔrmatœr, tris] *adj* formador(a) ♦ *nm/f* educador(a).

formation [fɔrmasjɔ̃] *nf* formación *f*; (*apprentissage*) educación *f*; **en** ~ (*MIL, AVIAT*) en formación; **la** ~ **permanente/continue** la formación permanente/continua; **la** ~ **professionnelle/des adultes** la formación profesional/de adultos.

forme [fɔrm] *nf* forma; (*type*) tipo; ~**s** *nfpl* (*manières*) formas *fpl*; **en** ~ **de poire** con forma de pera; **sous** ~ **de** en forma de; **être en (bonne/pleine)** ~ estar en (buena/plena) forma; **avoir la** ~ estar en forma; **en bonne et due** ~ con todos los requisitos; **y mettre les** ~**s** hacer las cosas como Dios manda; **sans autre** ~ **de procès** (*fig*) sin más ni más; **pour la** ~ para guardar las apariencias; **prendre** ~ tomar cuerpo.

formel, le [fɔrmɛl] *adj* (*preuve, décision*) categórico(-a); (*logique*) formal; (*extérieur*) formalista.

formellement [fɔrmɛlmɑ̃] *adv* absolutamente.

former [fɔrme] *vt* formar; (*projet, idée*) concebir; (*caractère, intelligence, goût*) formar, desarrollar; (*lettre etc*) componer; **se former** *vpr* formarse.

formidable [fɔrmidabl] *adj* (*important*: *excellent*) estupendo(-a).

formidablement [fɔrmidabləmɑ̃] *adv* formidablemente.

formol [fɔrmɔl] *nm* formol *m*.

formosan, e [fɔrmozɑ̃, an] *adj* formoseño(-a).

Formose [fɔrmoz] *n* Formosa.

formulaire [fɔrmylɛr] *nm* impreso.

formulation [fɔrmylasjɔ̃] *nf* formulación *f*.

formule [fɔrmyl] *nf* fórmula; (*de vacances, crédit*) sistema *m*; **selon la** ~ **consacrée** según la expresión consagrada; ▶ **formule de politesse** fórmula de cortesía; (*en fin de lettre*) fórmula epistolar.

formuler [fɔrmyle] *vt* formular.

forniquer [fɔrnike] *vi* fornicar.

forsythia [fɔrsisja] *nm* forsythia.

fort, e [fɔr, fɔrt] *adj* (*aussi fig*) fuerte; (*élevé*) alto(-a); (*gros*) grueso(-a); (*quantité*) importante; (*soleil*) intenso(-a) ♦ *adv* (*frapper, serrer, sonner*) con fuerza; (*parler*) alto; (*beaucoup*) mucho; (*très*) muy ♦ *nm* (*édifice, fig*) fuerte *m*; **le(s) fort(s)** (*gén pl*: *personne, pays*) los fuertes; **être** ~ **(en)** (*doué*) ser bueno(-a) (en); **c'est un peu** ~! ¡ya es demasiado!, ¡se pasa!; **à plus** ~**e raison** con mayor motivo; **se faire** ~ **de**

faire comprometerse a hacer; ~ **bien/peu** muy bien/poco; **au plus** ~ **de** en lo más álgido de; **vous aurez** ~ **à faire pour le convaincre** le costará trabajo convencerle; ~ **comme un Turc** fuerte como un toro; ▸ **forte tête** rebelde *m/f*.

forte [fɔʀte] *nm* forte *m*.

fortement [fɔʀtəmã] *adv* (*désirer, espérer*) ansiosamente; (*conseiller*) encarecidamente; (*s'intéresser*) vivamente.

forteresse [fɔʀtəʀɛs] *nf* fortaleza.

fortifiant, e [fɔʀtifjã, jãt] *adj* fortificante ♦ *nm* reconstituyente *m*.

fortifications [fɔʀtifikasjɔ̃] *nfpl* fortificaciones *fpl*.

fortifier [fɔʀtifje] *vt* (*corps*) fortalecer; (*MIL*) fortificar; **se fortifier** *vpr* fortalecerse.

fortin [fɔʀtɛ̃] *nm* fortín *m*.

fortiori [fɔʀsjɔʀi]: **à** ~ *adv* a fortiori.

FORTRAN [fɔʀtʀã] *nm* FORTRAN *m*.

fortuit, e [fɔʀtɥi, it] *adj* fortuito(-a).

fortuitement [fɔʀtɥitmã] *adv* fortuitamente.

fortune [fɔʀtyn] *nf* fortuna; **des ~s diverses** (*sort*) diversas suertes; **faire** ~ hacer fortuna; **de** ~ improvisado(-a); **bonne/mauvaise** ~ buena/mala fortuna.

fortuné, e [fɔʀtyne] *adj* afortunado(-a).

forum [fɔʀɔm] *nm* foro; (*débat*) debate *m*.

fosse [fos] *nf* fosa; ▸ **fosse à purin** depósito de aguas de estiércol; ▸ **fosse aux lions/aux ours** foso de los leones/de los osos; ▸ **fosse commune** fosa común; ▸ **fosse (d'orchestre)** foso (de la orquesta); ▸ **fosse septique** fosa séptica; ▸ **fosses nasales** fosas *fpl* nasales.

fossé [fose] *nm* zanja; (*fig*) abismo.

fossette [fosɛt] *nf* hoyuelo.

fossile [fosil] *nm* fósil *m* ♦ *adj*: **animal/ coquillage** ~ animal *m*/concha fósil.

fossilisé, e [fo(ɔ)zilize] *adj* fosilizado(-a).

fossoyeur [foswajœʀ] *nm* sepulturero.

fou (fol), folle [fu, fɔl] *adj* loco(-a); (*regard*) extraviado(-a); (*fam: extrême*) inmenso (-a) ♦ *nm/f* loco(-a) ♦ *nm* (*d'un roi*) bufón *m*; (*ÉCHECS*) alfil *m*; **fou de Bassan** alcatraz *m*; **fou à lier** loco(-a) de atar; **fou furieux/folle furieuse** loco(-a) agresivo(-a); **être fou de** estar loco(-a) por; **fou de chagrin** trastornado(-a) por el dolor; **fou de colère/joie** loco(-a) de ira/alegría; **faire le fou** hacer el tonto *ou* el indio; **avoir le fou rire** tener un ataque de risa; **ça prend un temps fou** (*fam*) esto lleva mucho tiempo; **il a eu un succès fou** (*fam*) tuvo un éxito loco; **herbe folle** hierbajo.

foucade [fukad] *nf* capricho.

foudre [fudʀ] *nf* rayo; **~s** *nfpl* (*colère*) iras *fpl*; **s'attirer les ~s de qn** ganarse las iras de algn.

foudroyant, e [fudʀwajã, ãt] *adj* fulminante.

foudroyer [fudʀwaje] *vt* fulminar; ~ **qn du regard** fulminar a algn con la mirada.

fouet [fwɛ] *nm* látigo, fuete (*AM*), rebenque (*AM*); (*CULIN*) batidor *m*; **de plein** ~ (*heurter*) de frente.

fouettement [fwɛtmã] *nm*: **le** ~ **de la pluie** el batir de la lluvia.

fouetter [fwete] *vt* dar latigazos a; (*CULIN, pluie, vagues etc*) batir.

fougasse [fugas] *nf* (*galette*) ≈ hogaza.

fougère [fuʒɛʀ] *nf* helecho.

fougue [fug] *nf* fogosidad *f*.

fougueusement [fugøzmã] *adv* fogosamente.

fougueux, -euse [fugø, øz] *adj* fogoso(-a).

fouille [fuj] *nf* (*v vt*) cacheo, registro; **~s** *nfpl* (*archéologiques*) excavaciones *fpl*.

fouillé, e [fuje] *adj* exhaustivo(-a).

fouiller [fuje] *vt* (*suspect*) cachear; (*local, quartier*) registrar; (*creuser*) excavar; (*approfondir*) ahondar en ♦ *vi* (*archéologue*) hacer excavaciones; ~ **dans/parmi** hurgar en/entre.

fouillis [fuji] *nm* revoltijo.

fouine [fwin] *nf* garduña, fuina.

fouiner [fwine] (*péj*) *vi*: ~ **dans** escudriñar en.

fouineur, -euse [fwinœʀ, øz] (*péj*) *adj* escudriñador(a).

fouir [fwiʀ] *vt* escarbar.

fouisseur, -euse [fwisœʀ, øz] *adj* escarbador(a).

foulage [fulaʒ] *nm* (*du raisin*) pisa.

foulante [fulãt] *adj f*: **pompe** ~ bomba impelente.

foulard [fulaʀ] *nm* pañuelo; (*étoffe*) fular *m*.

foule [ful] *nf*: **la** ~ la muchedumbre, el gentío; **une** ~ **énorme/émue** una muchedumbre inmensa/emocionada; **une** ~ **de** una multitud de; **les ~s** las masas; **venir en** ~ (*aussi fig*) llegar en masa.

foulée [fule] *nf* (*SPORT*) zancada; **dans la** ~ **de** inmediatamente después de.

fouler [fule] *vt* (*écraser*) prensar; (*raisin*) pisar; **se fouler** *vpr* (*fam*) matarse trabajando; **se** ~ **la cheville/le bras** torcerse el tobillo/el brazo; ~ **aux pieds** (*fig*) pasar por encima de; ~ **le sol de son pays** pisar el suelo de su país.

foulure [fulyʀ] *nf* esguince *m*.

four [fuʀ] *nm* horno; (*échec*) fracaso; **allant au** ~ resistente al horno.

fourbe [fuʀb] *adj* falso(-a).

fourberie [fuʀbəʀi] *nf* falsedad *f*.

fourbi [fuʀbi] (*fam*) *nm* (*choses*) bártulos *mpl*; (*désordre*) desbarajuste *m*.

fourbir [fuʀbiʀ] *vt* (*polir*) bruñir; ~ **ses armes** (*fig*) preparar las armas.

fourbu, e [fuʀby] *adj* (*animal*) extenuado (-a); (*personne*) rendido(-a).

fourche [fuʀʃ] *nf* horca; (*de bicyclette*) horquilla; (*d'une route*) bifurcación *f*.

fourcher [fuʀʃe] *vi*: **ma langue a fourché** se me trabó la lengua.

fourchette [fuʀʃɛt] *nf* tenedor *m*; (*STATISTIQUE*) gama; ▶ **fourchette à dessert** tenedor de postre.

fourchu, e [fuʀʃy] *adj* (*cheveu*) abierto(-a) en las puntas; (*arbre*) bifurcado(-a).

fourgon [fuʀgɔ̃] *nm* furgón *m*; ▶ **fourgon mortuaire** funeraria.

fourgonnette [fuʀgɔnɛt] *nf* furgoneta.

fourmi [fuʀmi] *nf* hormiga; **avoir des ~s dans les jambes/mains** (*fig*) tener un hormigueo en las piernas/manos.

fourmilière [fuʀmiljɛʀ] *nf* (*aussi fig*) hormiguero.

fourmillement [fuʀmijmɑ̃] *nm* (*démangeaison*) hormigueo; (*grouillement*) enjambre *m*.

fourmiller [fuʀmije] *vi* (*gens*) hormiguear; ~ **de** (*lieu*) estar plagado(-a) de.

fournaise [fuʀnɛz] *nf* (*aussi fig*) gran horno.

fourneau, x [fuʀno] *nm* horno.

fournée [fuʀne] *nf* (*aussi fig*) hornada.

fourni, e [fuʀni] *adj* (*barbe, cheveux*) tupido(-a), poblado(-a); **bien/mal ~ (en)** bien/mal equipado(-a) (en).

fournil [fuʀni] *nm* amasadero.

fourniment [fuʀnimɑ̃] *nm* (*fam*) equipo.

fournir [fuʀniʀ] *vt* proporcionar; (*effort*) realizar; (*chose*) dar, proporcionar; **se fournir** *vpr*: **se ~ chez** abastecerse en; ~ **qch à qn** proporcionar algo a algn; ~ **qn en** abastecer a algn de.

fournisseur, -euse [fuʀnisœʀ, øz] *nm/f* proveedor(a).

fourniture [fuʀnityʀ] *nf* abastecimiento, suministro; ~**s** *nfpl* material *msg*; ▶ **fournitures de bureau** artículos *mpl* de escritorio.

fourrage [fuʀaʒ] *nm* forraje *m*.

fourrager¹ [fuʀaʒe] *vi*: ~ **dans/parmi** revolver en/entre.

fourrager², **-ère** [fuʀaʒe, ɛʀ] *adj* forrajero(-a).

fourragère [fuʀaʒɛʀ] *nf* (*MIL*) forrajera.

fourré, e [fuʀe] *adj* (*bonbon*) relleno(-a); (*manteau, botte*) forrado(-a) ♦ *nm* maleza.

fourreau, x [fuʀo] *nm* (*d'épée*) vaina; (*de parapluie*) funda; **robe/jupe ~** vestido/falda de tubo.

fourrer [fuʀe] (*fam*) *vt*: ~ **qch dans** meter algo en; **se fourrer** *vpr*: **se ~ dans/sous** meterse en/bajo.

fourre-tout [fuʀtu] *nm inv* bolsa de viaje;

(*fam*: *local, meuble*) trastero; (*fig*) cajón *m* de sastre.

fourreur [fuʀœʀ] *nm* peletero.

fourrière [fuʀjɛʀ] *nf* (*pour chiens*) perrera; (*voitures*) depósito de coches.

fourrure [fuʀyʀ] *nf* piel *f*; **manteau/col de ~** abrigo/cuello de piel.

fourvoyer [fuʀvwaje]: **se ~** *vpr* (*aussi fig*) extraviarse, perderse; **se ~ dans** perderse en.

foutre [futʀ] (*fam!*) *vt* = **ficher**.

foutu, e [futy] (*fam!*) *adj* = **fichu**.

foyer [fwaje] *nm* hogar *m*; (*fig*) foco; (*THÉÂTRE*) vestíbulo; (*d'étudiants etc*) residencia; (*salon*) salón *m*; **lunettes à double ~** gafas *fpl* *ou* anteojos *mpl* (*AM*) bifocales.

FPA [ɛfpea] *sigle f* (= *formation professionnelle pour adultes*) *educación para adultos*.

fracas [fʀaka] *nm* estruendo.

fracassant, e [fʀakasɑ̃, ɑ̃t] *adj* (*fig*) estrepitoso(-a).

fracasser [fʀakase] *vt* destrozar; **se ~ contre** *ou* **sur** estrellarse contra; **se ~ la tête/le bras** romperse la cabeza/el brazo.

fraction [fʀaksjɔ̃] *nf* fracción *f*; (*MATH*) fracción, quebrado; **une ~ de seconde** una fracción de segundo.

fractionnaire [fʀaksjɔnɛʀ] *adj* fraccionario(-a).

fractionnement [fʀaksjɔnmɑ̃] *nm* fraccionamiento.

fractionner [fʀaksjɔne] *vt* fraccionar; **se fractionner** *vpr* fraccionarse.

fracture [fʀaktyʀ] *nf* (*MÉD*) fractura; ▶ **fracture de la jambe/du crâne** fractura de pierna/de cráneo; ▶ **fracture ouverte** fractura abierta.

fracturer [fʀaktyʀe] *vt* (*coffre, serrure*) forzar; (*os, membre*) fracturar; **se ~ la jambe/le crâne** fracturarse la pierna/el cráneo.

fragile [fʀaʒil] *adj* (*aussi fig*) frágil; (*santé, personne*) delicado(-a).

fragiliser [fʀaʒilize] *vt* debilitar.

fragilité [fʀaʒilite] *nf* fragilidad *f*.

fragment [fʀagmɑ̃] *nm* (*d'un objet*) fragmento, trozo; (*d'un discours*) fragmento.

fragmentaire [fʀagmɑ̃tɛʀ] *adj* fragmentario(-a).

fragmenter [fʀagmɑ̃te] *vt* fragmentar; **se fragmenter** *vpr* fragmentarse.

frai [fʀɛ] *nm* (*ponte*) desove *m*; (*œufs*) huevas *fpl*, ovas *fpl*.

fraîche [fʀɛʃ] *adj voir* **frais**.

fraîchement [fʀɛʃmɑ̃] *adv* (*sans enthousiasme*) fríamente; (*récemment*) recientemente.

fraîcheur [fʀɛʃœʀ] *nf* (*voir frais*) frescor *m*, frescura; lozanía; frialdad *f*.

fraîchir [fʀeʃiʀ] *vi* refrescar; *(vent)* levantarse.

frais, fraîche [fʀɛ, fʀɛʃ] *adj* fresco(-a);
(teint) lozano(-a); *(accueil)* frío(-a) ♦ *adv*:
il fait ~ hace *ou* está fresco ♦ *nm*: **mettre
au ~** poner en el frigorífico ♦ *nmpl*
(COMM, dépenses) gastos *mpl*; **le voilà ~!**
(iron) ¡va listo!, ¡está arreglado!; **des
troupes fraîches** tropas *fpl* de refresco; **~
et dispos** preparado y listo; **à boire/servir
~** beber/servir frío; **légumes/fruits ~**
verduras *fpl*/frutas *fpl* frescas; **~ débar-
qué de sa province** recién llegado de su
provincia; **prendre le ~** tomar el fresco;
faire des ~ hacer gasto; **à grands/peu de
~** con mucho/poco gasto; **faire les ~ de**
(fig) pagar la factura de; **faire les ~ de la
conversation** ser el centro de la conversación; **rentrer dans ses ~** recuperar su
dinero; **tous ~ payés** con todos los gastos pagados; **en être pour ses ~** *(aussi fig)*
haber perdido el tiempo; ► **frais d'entretien** *nmpl* gastos de mantenimiento;
► **frais de déplacement/logement** gastos de desplazamiento/alojamiento;
► **frais de scolarité** gastos de matrícula; ► **frais fixes/variables** gastos fijos/
variables; ► **frais généraux** gastos generales.

fraise [fʀɛz] *nf* *(BOT, TECH)* fresa, frutilla
(AM); *(de dentiste)* torno, fresa; ► **fraise
des bois** fresa silvestre.

fraiser [fʀeze] *vt* *(TECH)* fresar; *(CULIN)*
amasar.

fraiseuse [fʀezøz] *nf* *(TECH)* fresadora.

fraisier [fʀezje] *nm* *(BOT)* fresa.

framboise [fʀãbwaz] *nf* frambuesa.

framboisier [fʀãbwazje] *nm* frambueso.

franc, franche [fʀã, fʀãʃ] *adj* franco(-a);
(refus, couleur) claro(-a); *(coupure)*
limpio(-a); *(intensif)* auténtico(-a) ♦ *adv*:
à parler ~ francamente ♦ *nm* *(monnaie)*
franco; **~ de port** porte pagado; **ancien
~, ~ léger** franco viejo; **nouveau ~,
~ lourd** franco nuevo; ► **franc belge/
français/suisse** franco belga/francés/
suizo.

français, e [fʀãsɛ, ɛz] *adj* francés(-esa) ♦
nm *(LING)* francés *m* ♦ *nm/f*: **F~, e**
francés(-esa); **les F~** los franceses.

franc-comtois, e [fʀãkɔ̃twa, waz] *(pl* **~s-
~, –comtoises**) *adj* del Franco Condado
♦ *nm/f* nativo(-a) *ou* habitante *m/f* del
Franco Condado.

France [fʀãs] *nf* Francia.

franche [fʀãʃ] *adj f voir* **franc.**

Franche-Comté [fʀãʃkɔ̃te] *nf* Franco
Condado.

franchement [fʀãʃmã] *adv* francamente;
(tout à fait) realmente; *(excl)* ¡pero bue-

no!

franchir [fʀãʃiʀ] *vt* *(aussi fig)* salvar;
(seuil) franquear.

franchisage [fʀãʃizaʒ] *nm* *(COMM)* concesión *f* de licencia.

franchise [fʀãʃiz] *nf* franqueza; *(douanière,
ASSURANCE)* franquicia; *(COMM)* licencia; **en toute ~** con toda franqueza;
► **franchise de bagages** franquicia de
equipaje.

franchissable [fʀãʃisabl] *adj* *(obstacle)* sal-
vable.

franciscain, e [fʀãsiskɛ̃, ɛn] *adj*
franciscano(-a).

franciser [fʀãsize] *vt* afrancesar.

franc-jeu [fʀãʒø] *(pl* **~s-~x**) *nm:* **jouer ~-~**
jugar limpio.

franc-maçon [fʀãmasɔ̃] *(pl* **~-~s**) *nm*
francmasón(-ona).

franc-maçonnerie [fʀãmasɔnʀi] *(pl* **~-~s**)
nf francmasonería.

franco [fʀãko] *adv* *(COMM):* **~ (de port)**
porte pagado.

franco- [fʀãko] *préf* franco-.

franco-canadien [fʀãkokanadjɛ̃] *(pl* **~-~s**)
nm *(LING)* francocanadiense *m*.

francophile [fʀãkɔfil] *adj* francófilo(-a).

francophobe [fʀãkɔfɔb] *adj* francófobo
(-a).

francophone [fʀãkɔfɔn] *adj*, *nm/f*
francófono(-a).

francophonie [fʀãkɔfɔni] *nf* francofonía.

franco-québécois [fʀãkɔkebekwa] *nm*
(LING) francés *m* del Quebec.

franc-parler [fʀãpaʀle] *nm inv* franqueza.

franc-tireur [fʀãtiʀœʀ] *(pl* **~s-~s**) *nm* *(aussi fig)* francotirador *m*.

frange [fʀãʒ] *nf* fleco, franja; *(de cheveux)*
flequillo; *(fig)* franja.

frangé, e [fʀãʒe] *adj* con flecos.

frangipane [fʀãʒipan] *nf* crema almendra-
da.

franglais [fʀãglɛ] *nm* francés *plagado de
anglicismos.*

franquette [fʀãkɛt] *: à la bonne ~ adv* a la
buena de Dios, a la pata la llana.

frappant, e [fʀapã, ãt] *adj* sorprendente.

frappe [fʀap] *nf* *(d'une dactylo, pianiste)* tecleo; *(d'une machine à écrire)* impresión *f*;
(boxe) pegada; *(football)* toque *m*; *(péj:
voyou)* golfo.

frappé, e [fʀape] *adj* *(vin, café)* helado(-a);
~ de ou par qch impresionado(-a) por
algo; **~ de panique** presa del pánico; **~
de stupeur** estupefacto(-a).

frapper [fʀape] *vt* golpear; *(fig)* impresionar; *(malheur, impôt)* afectar; *(monnaie)*
acuñar; **se frapper** *vpr* *(s'inquiéter,
s'étonner)* impresionarse; **~ à la porte** llamar a la puerta; **~ dans ses mains** gol-

pear con las manos; ~ **du poing sur** dar un puñetazo en; ~ **un grand coup** (*fig*) asestar un duro golpe.

frasques [fʀask] *nfpl* calaveradas *fpl*; **faire des** ~ hacer calaveradas.

fraternel, le [fʀatɛʀnɛl] *adj* fraterno(-a); (*amical*) fraterno(-a), amistoso(-a).

fraternellement [fʀatɛʀnɛlmã] *adv* fraternalmente.

fraterniser [fʀatɛʀnize] *vi* fraternizar.

fraternité [fʀatɛʀnite] *nf* fraternidad *f*.

fratricide [fʀatʀisid] *adj* fratricida.

fraude [fʀod] *nf* fraude *m*; **passer qch en** ~ pasar algo fraudulentamente; ► **fraude électorale/fiscale** fraude electoral/fiscal.

frauder [fʀode] *vi* cometer un fraude ♦ *vt* defraudar; ~ **le fisc** defraudar al fisco.

fraudeur, -euse [fʀodœʀ, øz] *nm/f* defraudador(a).

frauduleusement [fʀodyløzmã] *adv* fraudulentamente.

frauduleux, -euse [fʀodylø, øz] *adj* fraudulento(-a).

frayer [fʀeje] *vt* abrir ♦ *vi* desovar; ~ **avec qn** tratarse con algn; **se** ~ **un passage/chemin dans** abrirse paso/camino en.

frayeur [fʀejœʀ] *nf* pavor *m*.

fredaines [fʀədɛn] *nfpl* calaveradas *fpl*.

fredonner [fʀədɔne] *vt* tararear.

freezer [fʀizœʀ] *nm* congelador *m*.

frégate [fʀegat] *nf* fragata.

frein [fʀɛ̃] *nm* freno; **mettre un** ~ **à** (*fig*) poner freno a; **sans** ~ sin freno; ► **freins à disques** frenos *mpl* de disco; ► **frein à main** freno de mano; ► **freins à tambours** frenos de tambor; ► **frein moteur** freno motor.

freinage [fʀɛnaʒ] *nm* frenado; **le** ~ **de** (*fig*) el receso de; **distance de** ~ distancia de frenado; **traces de** ~ marcas *fpl* de frenazo.

freiner [fʀene] *vi* frenar ♦ *vt* frenar, parar.

frelaté, e [fʀəlate] *adj* adulterado(-a); (*fig*) corrompido(-a).

frêle [fʀɛl] *adj* frágil.

frelon [fʀəlɔ̃] *nm* abejón *m*.

freluquet [fʀəlykɛ] (*péj*) *nm* engreído.

frémir [fʀemiʀ] *vi* estremecerse; (*eau*) empezar a hervir; (*feuille etc*) temblar; ~ **d'impatience/de colère** temblar de impaciencia/de ira.

frémissement [fʀemismã] *nm* estremecimiento; (*agitation*) excitación *f*.

frêne [fʀɛn] *nm* fresno.

frénésie [fʀenezi] *nf* frenesí *m*; (*ardeur, violence*) enardecimiento.

frénétique [fʀenetik] *adj* frenético(-a).

frénétiquement [fʀenetikmã] *adv* (*travailler*) frenéticamente; (*applaudir*) con frenesí.

fréquemment [fʀekamã] *adv* frecuentemente, seguido (*AM*).

fréquence [fʀekãs] *nf* frecuencia; **haute/basse** ~ (*RADIO*) alta/baja frecuencia.

fréquent, e [fʀekã, ãt] *adj* frecuente; (*opposé à rare*) corriente.

fréquentable [fʀekãtabl] *adj*: **il est peu** ~ es poco recomendable.

fréquentation [fʀekãtasjɔ̃] *nf* frecuentación *f*, trato; ~**s** *nfpl* (*relations*): **de bonnes** ~**s** buenas relaciones; **une mauvaise** ~ una mala compañía.

fréquenté, e [fʀekãte] *adj*: **très** ~ muy concurrido(-a); **mal** ~ frecuentado(-a) por gente indeseable.

fréquenter [fʀekãte] *vt* frecuentar; (*personne*) tratar, frecuentar; (*courtiser*) salir con; **se fréquenter** *vpr* tratarse, frecuentarse.

frère [fʀɛʀ] *nm* hermano; (*REL*) hermano, fraile *m*; **partis/pays** ~**s** partidos *mpl*/países *mpl* hermanos.

fresque [fʀɛsk] *nf* fresco; (*LITT*) retrato *m*.

fret [fʀɛ(t)] *nm* flete *m*.

fréter [fʀete] *vt* fletar.

frétiller [fʀetije] *vi* colear; (*de joie etc*) bullir; ~ **de la queue** mover la cola.

fretin [fʀətɛ̃] *nm*: **le menu** ~ la morralla.

freudien, ne [fʀødjɛ̃, jɛn] *adj* freudiano (-a).

freux [fʀø] *nm* grajo.

friable [fʀijabl] *adj* desmenuzable.

friand, e [fʀijã, fʀijãd] *adj*: ~ **de** entusiasta de ♦ *nm* (*CULIN*) empanadilla; (: *sucré*) empanadilla dulce.

friandise [fʀijãdiz] *nf* golosina.

fric [fʀik] (*fam*) *nm* pasta.

fricassée [fʀikase] *nf* fricasé *m*, guiso.

fric-frac [fʀikfʀak] *nm inv* robo con forzamiento.

friche [fʀiʃ] *nf*: **en** ~ *adj, adv* (*aussi fig*) inculto(-a).

friction [fʀiksjɔ̃] *nf* fricción *f*; (*chez le coiffeur*) masaje *m*; (*TECH*) rozamiento; (*fig*) fricciones *fpl*.

frictionner [fʀiksjɔne] *vt* friccionar.

frigidaire ® [fʀiʒidɛʀ] *nm* nevera, frigorífico.

frigide [fʀiʒid] *adj* frígido(-a).

frigidité [fʀiʒidite] *nf* frigidez *f*.

frigo [fʀigo] *nm* = **frigidaire**.

frigorifier [fʀigɔʀifje] *vt* meter en el frigorífico; (*fig*) helar, dejar helado(-a); (*intimider, figer*) intimidar.

frigorifique [fʀigɔʀifik] *adj* frigorífico(-a).

frileusement [fʀiløzmã] *adv* con frío.

frileux, -euse [fʀilø, øz] *adj* friolero(-a); (*fig*) encogido(-a).

frimas [fʀima] *nmpl* rocío.

frime [fʀim] (*fam*) *nf*: **c'est de la ~** es puro rollo; **pour la ~** (*fam*) para chulear.

frimer [fʀime] (*fam*) *vi* chulear.

frimeur, -euse [fʀimœʀ, øz] (*fam*) *nm/f* chulo(-a).

frimousse [fʀimus] *nf* carita.

fringale [fʀɛ̃gal] *nf*: **avoir la ~** tener un hambre canina.

fringant, e [fʀɛ̃gɑ̃, ɑ̃t] *adj* (*personne*) airoso(-a).

fringues [fʀɛ̃g] (*fam*) *nfpl* trapos *mpl*.

fripé, e [fʀipe] *adj* arrugado(-a).

friperie [fʀipʀi] *nf* (*commerce*) ropavejería, prendería; (*vêtements*) ropa usada.

fripes [fʀip] *nfpl* ropa usada.

fripier, -ière [fʀipje, jɛʀ] *nm/f* ropavejero (-a).

fripon, ne [fʀipɔ̃, ɔn] *adj, nm/f* pillo(-a).

fripouille [fʀipuj] (*péj*) *nf* canalla *m*.

frire [fʀiʀ] *vt* (*aussi*: **faire ~**) freír ♦ *vi* freírse.

frise [fʀiz] *nf* friso.

frisé, e [fʀize] *adj* rizado(-a); (**chicorée**) ~**e** (achicoria) rizada.

friser [fʀize] *vt* rizar ♦ *vi* ser rizado(-a); **se faire ~** rizarse el pelo.

frisette [fʀizɛt] *nf* rizo.

frisotter [fʀizɔte] *vi* encresparse.

frisquet [fʀiskɛ] *adj m* (*fam*): **il fait ~** hace fresquito.

frisson [fʀisɔ̃] *nm* escalofrío, estremecimiento.

frissonnement [fʀisɔnmɑ̃] *nm* escalofrío.

frissonner [fʀisɔne] *vi* tiritar, estremecerse; (*fig*) temblar.

frit, e [fʀi, fʀit] *pp de* **frire** ♦ *adj* frito(-a); (**pommes**) ~**es** patatas *fpl* ou papas *fpl* (*AM*) fritas.

frite [fʀit] *nf* patata frita.

friterie [fʀitʀi] *nf* freiduría.

friteuse [fʀitøz] *nf* freidora; **~ électrique** freidora eléctrica.

friture [fʀityʀ] *nf* (*huile*) aceite *m*; (*RADIO*) ruido de fondo; ~**s** *nfpl*: **les ~s** los fritos; **~ (de poissons)** fritura (de pescado).

frivole [fʀivɔl] *adj* frívolo(-a).

frivolité [fʀivɔlite] *nf* frivolidad *f*.

froc [fʀɔk] *nm* (*REL*) hábito; (*fam*) pantalón *m*.

froid, e [fʀwa, fʀwad] *adj* (*aussi fig*) frío(-a) ♦ *nm*: **le ~** el frío; (*industrie*) **la industria del frío; il y a un ~ entre eux** hay tirantez entre ellos; **il fait ~** hace frío; **manger/boire ~** comer/beber frío; **avoir/ prendre ~** tener/coger frío; **à ~** en frío; **les grands ~s** los grandes fríos; **jeter un ~** (*fig*) provocar el asombro; **être en ~ avec qn** estar enfadado(-a) con algn; **battre ~ à qn** tratar con frialdad a algn.

froidement [fʀwadmɑ̃] *adv* con frialdad.

froideur [fʀwadœʀ] *nf* frialdad *f*.

froisser [fʀwase] *vt* arrugar; (*fig*) ofender; **se froisser** *vpr* arrugarse; (*fig*) mosquearse; **se ~ un muscle** distendérsele a algn un músculo.

frôlement [fʀolmɑ̃] *nm* roce *m*.

frôler [fʀole] *vt* (*aussi fig*) rozar.

fromage [fʀɔmaʒ] *nm* queso; ► **fromage blanc** queso fresco, requesón *m*; ► **fromage de tête** queso de cerdo.

fromager, -ère [fʀɔmaʒe, ɛʀ] *adj, nm/f* quesero(-a).

fromagerie [fʀɔmaʒʀi] *nf* quesería; (*boutique*) quesería.

froment [fʀɔmɑ̃] *nm* trigo.

fronce [fʀɔ̃s] *nf* frunce *m*.

froncement [fʀɔ̃smɑ̃] *nm*: **il nous arrêta d'un ~ de sourcils** al fruncir el ceño nos detuvo.

froncer [fʀɔ̃se] *vt* fruncir; **~ les sourcils** fruncir el ceño.

frondaisons [fʀɔ̃dɛzɔ̃] *nfpl* fronda *fsg*.

fronde [fʀɔ̃d] *nf* honda; (*lance-pierre*) tirachinas *m inv*; **esprit de ~** (*fig*) espíritu *m* crítico.

frondeur, -euse [fʀɔ̃dœʀ, øz] *adj* crítico (-a).

front [fʀɔ̃] *nm* (*ANAT*) frente *f*; (*MIL*, *MÉTÉO, fig*) frente *m*; **le F~ de libération/ lutte pour el frente de liberación/lucha por; aller au/être sur le ~** (*MIL*) ir al/estar en el frente; **avoir le ~ de faire qch** tener la cara de hacer algo; **de ~** de frente; (*rouler*) al lado; (*simultanément*) al mismo tiempo; **faire ~ à** hacer frente a; ► **front de mer** paseo marítimo.

frontal, e, -aux [fʀɔ̃tal, o] *adj* frontal.

frontalier, -ière [fʀɔ̃talje, jɛʀ] *adj* fronterizo(-a) ♦ *nm/f*: (**travailleurs**) ~**s** (trabajadores *mpl*) fronterizos *mpl*.

frontière [fʀɔ̃tjɛʀ] *nf* (*aussi fig*) frontera; **poste ~** puesto fronterizo; **ville ~** ciudad *f* fronteriza; **à la ~** en la frontera.

frontispice [fʀɔ̃tispis] *nm* frontispicio.

fronton [fʀɔ̃tɔ̃] *nm* frontón *m*.

frottement [fʀɔtmɑ̃] *nm* frotamiento; (*bruit*) roce *m*; ~**s** *nmpl* (*fig: difficultés*) roces *mpl*.

frotter [fʀɔte] *vi* frotar ♦ *vt* frotar; (*pour nettoyer*) frotar, estregar; (*avec une brosse*) cepillar; **se ~ à qn/qch** (*fig: souvent nég*) acercarse a algn/algo; **~ une allumette** encender una cerilla; **se ~ les mains** (*fig*) frotarse las manos.

frottis [fʀɔti] *nm* (*MÉD*) citología.

frottoir [fʀɔtwaʀ] *nm* rascador *m*.

frou-frou [fʀufʀu] (*pl* ~**s**–~**s**) *nm* susurro.

frousse [fʀuʃ] (*fam*) *nf* miedo; **avoir la ~** tener miedo.

fructifier [fʀyktifje] *vi* fructificar; **faire ~**

rentabilizar.

fructueux, -euse [fʀyktɥø, øz] *adj* fructuoso(-a).

frugal, e, -aux [fʀygal, o] *adj* frugal.

frugalement [fʀygalmɑ̃] *adv* frugalmente.

frugalité [fʀygalite] *nf* frugalidad *f*.

fruit [fʀɥi] *nm* fruta; ~s *nmpl* (*fig*) frutos *mpl*; ▶ **fruits de mer** mariscos *mpl*; ▶ **fruits secs** frutos secos.

fruité, e [fʀɥite] *adj* afrutado(-a).

fruiterie [fʀɥitʀi] *nf* frutería.

fruitier, -ière [fʀɥitje, jɛʀ] *adj*: **arbre** ~ árbol *m* frutal ♦ *nm/f* frutero(-a).

fruste [fʀyst] *adj* tosco(-a).

frustrant, e [fʀystʀɑ̃, ɑ̃t] *adj* frustrante.

frustration [fʀystʀasjɔ̃] *nf* frustración *f*.

frustré, e [fʀystʀe] *adj* frustrado(-a).

frustrer [fʀystʀe] *vt* frustrar; ~ **qn de qch** privar a algn de algo.

FS *abr* (= *franc suisse*) franco suizo.

fuchsia [fyʃja] *nm* fucsia.

fuel(-oil) [fjul(ɔjl)] (*pl* **fuels(-oils)**) *nm* fuel(-oil) *m*.

fugace [fygas] *adj* fugaz.

fugitif, -ive [fyʒitif, iv] *adj* (*lueur, amour*) efímero(-a); (*prisonnier etc*) fugitivo(-a) ♦ *nm/f* fugitivo(-a).

fugue [fyg] *nf* (*aussi MUS*) fuga; **faire une** ~ fugarse.

fuir [fɥiʀ] *vt* huir ♦ *vi* huir; (*gaz, eau*) escapar; (*robinet*) perder agua; ~ **devant l'ennemi** huir ante el enemigo.

fuite [fɥit] *nf* huida; (*des capitaux etc*) fuga; (*d'eau*) escape *m*; (*divulgation*) filtración *f*; **être en** ~ ser un(-a) prófugo(-a); **mettre en** ~ ahuyentar; **prendre la** ~ escapar, huir.

fulgurant, e [fylgyʀɑ̃, ɑ̃t] *adj* fulgurante.

fulminant, e [fylminɑ̃, ɑ̃t] *adj* fulminante; ~ **de colère** montado(-a) en cólera.

fulminer [fylmine] *vi*: ~ (**contre**) despotricar (contra).

fumant, e [fymɑ̃, ɑ̃t] *adj* humeante; **un coup** ~ (*fam*) un golpe sensacional.

fumé, e [fyme] *adj* ahumado(-a).

fume-cigarette [fymsigaʀɛt] *nm inv* boquilla.

fumée [fyme] *nf* humo; **partir en** ~ (*fig*) volverse agua de borrajas.

fumer [fyme] *vi* echar humo; (*personne*) fumar ♦ *vt* (*cigarette, pipe*) fumar; (*jambon, poisson*) ahumar; (*terre, champ*) abonar.

fumerie [fymʀi] *nf*: ~ **d'opium** fumadero de opio.

fumerolles [fymʀɔl] *nfpl* fumarolas *fpl*.

fûmes [fym] *vb voir* **être**.

fumet [fymɛ] *nm* olor *m*.

fumeur, -euse [fymœʀ, øz] *nm/f* fumador(a); **compartiment (pour)** ~s/non-~s

compartimento de fumadores/no fumadores.

fumeux, -euse [fymø, øz] (*péj*) *adj* borroso(-a), confuso(-a).

fumier [fymje] *nm* estiércol *m*.

fumigation [fymigasjɔ̃] *nf* (*MÉD*) inhalación *f*.

fumigène [fymiʒɛn] *adj* fumigador(a).

fumiste [fymist] *nm* (*ramoneur*) deshollinador *m* ♦ *nm/f* (*péj*) gandul(a).

fumisterie [fymistəʀi] (*péj*) *nf* gandulería.

fumoir [fymwaʀ] *nm* fumadero.

funambule [fynɑ̃byl] *nm* funámbulo.

funèbre [fynɛbʀ] *adj* (*aussi fig*) fúnebre.

funérailles [fyneʀaj] *nfpl* funeral *msg*.

funéraire [fyneʀɛʀ] *adj* funerario(-a).

funeste [fynɛst] *adj* funesto(-a).

funiculaire [fynikylɛʀ] *nm* funicular *m*.

FUNU [fyny] *sigle f* = *Force d'urgence des Nations unies*.

fur [fyʀ]: **au** ~ **et à mesure** *adv* poco a poco; **au** ~ **et à mesure que** a medida que, conforme; **au** ~ **et à mesure de leur progression** a medida que avanzan, conforme avanzan.

furax [fyʀaks] (*fam*) *adj inv* hecho(-a) una fiera.

furent [fyʀ] *vb voir* **être**.

furet [fyʀɛ] *nm* (*ZOOL*) hurón *m*.

fureter [fyʀ(ə)te] (*péj*) *vi* husmear, fisgonear.

fureur [fyʀœʀ] *nf* furia, cólera; **la** ~ **du jeu** *etc* la pasión por el juego *etc*; **faire** ~ estar en boga, hacer furor.

furibard, e [fyʀibaʀ, aʀd] (*fam*) *adj* furioso(-a).

furibond, e [fyʀibɔ̃, ɔ̃d] *adj* furibundo(-a).

furie [fyʀi] *nf* furia; **en** ~ (*aussi fig*) desencadenado(-a).

furieusement [fyʀjøzmɑ̃] *adv* furiosamente.

furieux, -euse [fyʀjø, jøz] *adj* furioso(-a); (*combat, tempête*) violento(-a); **être** ~ **contre qn** estar furioso(-a) con algn.

furoncle [fyʀɔ̃kl] *nm* forúnculo.

furtif, -ive [fyʀtif, iv] *adj* furtivo(-a).

furtivement [fyʀtivmɑ̃] *adv* furtivamente.

fus [fy] *vb voir* **être**.

fusain [fyzɛ̃] *nm* (*BOT*) bonetero; (*ART*) carboncillo.

fuseau, x [fyzo] *nm* (*pantalon*) fuso; (*pour filer*) huso; **en** ~ (*jambes*) estilizado(-a); (*colonne*) ensanchado(-a) en el centro; ▶ **fuseau horaire** huso horario.

fusée [fyze] *nf* cohete *m*; (*de feu d'artifice*) volador *m*; ▶ **fusée éclairante** bengala.

fuselage [fyz(ə)laʒ] *nm* fuselaje *m*.

fuselé, e [fyz(ə)le] *adj* (*jambes*) estilizado(-a); (*doigts*) bien formado(-a).

fuser [fyze] *vi* (*rires*) resonar; (*questions*)

llover.
fusible [fyzibl] *nm* fusible *m*.
fusil [fyzi] *nm* (*de guerre, à canon rayé*) fusil *m*; (*de chasse, à canon lisse*) escopeta; ▶ **fusil à deux coups** escopeta de dos cañones; ▶ **fusil sous-marin** fusil submarino.
fusilier [fyzilje] *nm* fusilero; ▶ **fusilier marin** soldado de infantería de marina.
fusillade [fyzijad] *nf* (*bruit*) tiroteo; (*combat*) descarga de fusilería.
fusiller [fyzije] *vt* fusilar; ~ **qn du regard** fulminar a algn con la mirada.
fusil-mitrailleur [fyzimitʀajœʀ] (*pl* ~**s**-~**s**) *nm* fusil *m* ametrallador.
fusion [fyzjɔ̃] *nf* (*aussi fig*) fusión *f*; (**entrer**) **en** ~ (entrar) en fusión.
fusionner [fyzjɔne] *vi* fusionarse.
fustiger [fystiʒe] *vt* fustigar.
fut [fy] *vb voir* **être**.
fût [fy] *vb voir* **être** ♦ *nm* (*tonneau*) tonel *m*, barril *m*; (*de canon*) caña; (*d'arbre*) tronco; (*de colonne*) fuste *m*.
futaie [fytɛ] *nf* plantación *f* de árboles.
futé, e [fyte] *adj* ladino(-a).
fûtes [fyt] *vb voir* **être**.
futile [fytil] *adj* fútil.
futilement [fytilmã] *adv* fútilmente.
futilité [fytilite] *nf* futilidad *f*; (*chose futile*) bagatela.
futur, e [fytyʀ] *adj* futuro(-a) ♦ *nm*: **le** ~ (*LING*) el futuro; (*avenir*) el futuro, el porvenir; **son** ~ **époux** su futuro marido; **un** ~ **artiste** un futuro artista; **le** ~ **de qch/qn** el futuro de algo/algn; **au** ~ (*LING*) en futuro; ▶ **futur antérieur** futuro perfecto.
futuriste [fytyʀist] *adj* futurista.
futurologie [fytyʀɔlɔʒi] *nf* futurología.
fuyant, e [fɥijã, ãt] *vb voir* **fuir** ♦ *adj* (*regard, personne*) huidizo(-a); (*lignes etc*) de fuga; **perspective** ~**e** (*ART*) perspectiva de fuga.
fuyard, e [fɥijaʀ, aʀd] *nm/f* fugitivo(-a).
fuyons [fɥijɔ̃] *vb voir* **fuir**.

G, g

G, g [ʒe] *nm inv* G, g *f*; ~ **comme Gaston** ≈ G de Gerardo.
g *abr* (= *gramme(s)*) gr.; (= *gauche*) izda.
gabardine [gabaʀdin] *nf* gabardina.
gabarit [gabaʀi] *nm* (*TECH*) plantilla; (*fig*: *dimension, taille*) talla; (: *valeur*) nivel *m*; **du même** ~ (*fig*) del mismo estilo.
gabegie [gabʒi] (*péj*) *nf* desbarajuste *m*.
Gabon [gabɔ̃] *nm* Gabón *m*.
gabonais, e [gabɔnɛ, ɛz] *adj* gabonés(-esa) ♦ *nm/f*: **G**~, **e** gabonés(-esa).
gâcher [gɑʃe] *vt* arruinar, estropear; (*vie*) arruinar; (*argent*) malgastar; (*plâtre, mortier*) amasar.
gâchette [gɑʃɛt] *nf* gatillo.
gâchis [gɑʃi] *nm* (*désordre*) lío; (*gaspillage*) despilfarro.
gadget [gadʒɛt] *nm* artilugio.
gadgétiser [gadʒetize] *vt* llenar de artilugios.
gadin [gadɛ̃] (*fam*) *nm*: **prendre un** ~ caerse, darse un trompazo.
gadoue [gadu] *nf* fango.
gaélique [gaelik] *adj* gaélico(-a) ♦ *nm* (*LING*) gaélico.
gaffe [gaf] *nf* (*instrument*) bichero; (*fam*: *erreur*) metedura de pata; **faire** ~ (*fam*) tener cuidado.
gaffer [gafe] *vi* meter la pata.
gaffeur, -euse [gafœʀ, øz] *nm/f* metepatas *m/f inv*.
gag [gag] *nm* gag *m*.
gaga [gaga] (*fam*) *adj* chocho(-a).
gage [gaʒ] *nm* (*dans un jeu, comme garantie*) prenda; (*fig*: *de fidélité*) prueba; ~**s** *nmpl* (*salaire*) sueldo; **mettre en** ~ empeñar; **laisser en** ~ dejar en prenda.
gager [gaʒe] *vt*: ~ **que** apostar que.
gageure [gaʒyʀ] *nf*: **c'est une** ~ es una empresa imposible.
gagnant, e [gaɲã, ãt] *adj*: **billet/numéro** ~ billete *m*/número premiado ♦ *adv*: **jouer** ~ (*aux courses*) jugar a ganador ♦ *nm/f* (*aux courses*) acertante *m/f*; (*à la loterie*) ganador(a); (*dans un concours*) vencedor(a).
gagne-pain [gaɲpɛ̃] *nm inv* medio de vida.
gagne-petit [gaɲpəti] (*péj*) *nm inv*

empleaducho(-a) de poca monta.
gagner [gaɲe] *vt* ganar; (*suj: maladie, feu*)
extenderse a; (: *sommeil, faim, fatigue*)
apoderarse de; (*envahir*) invadir ♦ *vi*
(*être vainqueur*) ganar; ~ qn/l'amitié de qn
(*se concilier*) granjearse a algn/la amistad de algn; ~ du temps/de la place ganar tiempo/espacio; ~ sa vie ganarse la
vida; ~ du terrain (*aussi fig*) ganar terreno; ~ qn de vitesse (*aussi fig*) adelantarse
a algn; ~ à faire qch convenirle a algn
hacer algo; ~ en élégance/rapidité ganar
en elegancia/rapidez; il y gagne sale ganando.
gagneur, -euse [gaɲœʀ, øz] *nm/f* gana-
dor(a).
gai, e [ge] *adj* alegre.
gaiement [gemɑ̃] *adv* alegremente; (*de
bon cœur*) con entusiasmo.
gaieté [gete] *nf* alegría; de ~ de cœur de
buena gana.
gaillard, e [gajaʀ, aʀd] *adj* (*robuste*)
vigoroso(-a); (*grivois*) verde ♦ *nm/f*: c'est
un ~ es un roble.
gaillardement [gajaʀdəmɑ̃] *adv* alegremente.
gain [gɛ̃] *nm* (*revenu*) ingreso; (*bénéfice:
gén pl*) ganancias *fpl*; (*avantage*) ventaja;
(*lucre*) beneficio; ~ de temps/place ahorro de tiempo/espacio; avoir ~ de cause
(*fig*) ganar, tener razón; obtenir ~ de
cause (*fig*) salirse con la suya; quel ~ en
as-tu tiré? (*avantage*) ¿qué has ganado
con eso?
gaine [gɛn] *nf* (*corset*) faja; (*de couteau*)
funda; (*de sabre*) vaina.
gaine-culotte [gɛnkylɔt] (*pl ~s-~s*) *nf* faja
braga.
gainer [gene] *vt* enfundar.
gala [gala] *nm* gala; soirée de ~ fiesta de
gala.
galamment [galamɑ̃] *adv* galantemente.
galant, e [galɑ̃, ɑ̃t] *adj* galante; (*entreprenant*) galanteador(a); en ~e compagnie
(*homme*) en gentil compañía; (*femme*)
en galante compañía.
galanterie [galɑ̃tʀi] *nf* galantería.
galantine [galɑ̃tin] *nf* galantina.
Galapagos [galapagɔs] *nfpl*: les (îles) ~ las
(islas) Galápagos.
galaxie [galaksi] *nf* galaxia.
galbe [galb] *nm* curva.
galbé, e [galbe] *adj* (*jambes*) torneado(-a);
(*corps*) curvilíneo(-a).
gale [gal] *nf* sarna.
galère [galɛʀ] *nf* galera; (*fam*) fastidio.
galérer [galere] (*fam*) *vi* currar.
galerie [galʀi] *nf* galería; (*THÉÂTRE*) palco;
(*de voiture*) baca; (*fig: spectateurs*) público, galería; ► galerie de peinture gale-

ría de arte; ► galerie marchande centro
comercial, galería comercial.
galérien [galeʀjɛ̃] *nm* galeote *m*.
galet [galɛ] *nm* guijarro; (*TECH*) arandela;
~s *nmpl* guijarros *mpl*.
galette [galɛt] *nf* (*gâteau*) roscón *m*;
(*crêpe*) crepe *f*, panqueque *m* (*AM*); ► galette des Rois roscón de Reyes.
galeux, -euse [galø, øz] *adj*: un chien ~ un
perro sarnoso.
Galice [galis], **Galicie** [galisi] *nf* Galicia.
galiléen, ne [galileɛ̃, ɛn] *adj* galileo(-a).
galimatias [galimatja] (*péj*) *nm* galimatías
m inv.
galipette [galipɛt] *nf*: faire des ~s hacer
piruetas.
Galles [gal] *nfpl*: le pays de ~ el país de
Gales.
gallicisme [ga(l)lisism] *nm* galicismo.
gallois, e [galwa, waz] *adj* galés(-esa) ♦ *nm*
(*LING*) galés *m* ♦ *nm/f*: G~, e galés(-esa).
gallo-romain, e [ga(l)lɔʀɔmɛ̃, ɛn] (*pl ~-
~s, es*) *adj* galorromano(-a).
galoche [galɔʃ] *nf* zueco.
galon [galɔ̃] *nm* galón *m*; prendre du ~ (*MIL,
fig*) subir en el escalafón.
galop [galo] *nm* galope *m*; au ~ al galope;
► galop d'essai (*fig*) temporada de
prueba.
galopade [galɔpad] *nf* (*fig*) carrera.
galopant, e [galɔpɑ̃, ɑ̃t] *adj*: inflation/
démographie ~e inflación *f*/demografía
galopante.
galoper [galɔpe] *vi* galopar; (*fig*) ir a galope.
galopin [galɔpɛ̃] (*péj*) *nm* pillo.
galvaniser [galvanize] *vt* galvanizar; (*fig*)
galvanizar, enardecer.
galvaudé, e [galvode] *adj* trillado(-a).
galvauder [galvode] *vt* perjudicar.
gambade [gɑ̃bad] *nf*: faire des ~s dar brin-
cos.
gambader [gɑ̃bade] *vi* brincar.
gamberger [gɑ̃bɛʀʒe] (*fam*) *vt* maquinar ♦
vi (*réfléchir*) cavilar.
Gambie [gɑ̃bi] *nf* (*fleuve, pays*) Gambia.
gamelle [gamɛl] *nf* escudilla; ramasser une
~ (*fam*) caerse, darse un trompazo.
gamin, e [gamɛ̃, in] *nm/f* chiquillo(-a),
chamaco(-a) (*CAM, MEX*), pibe(-a) (*ARG*),
cabro(-a) (*AND, CHI*) ♦ *adj* de chiquillo *ou*
chamaco *ou* pibe *ou* cabro.
gaminerie [gaminʀi] *nf* chiquillada.
gamme [gam] *nf* (*MUS*) escala; (*fig*) gama.
gammée [game] *adj f*: croix ~ cruz *f* gamada.
Gand [gɑ̃] *n* Gante.
gang [gɑ̃g] *nm* banda.
ganglion [gɑ̃gliɔ̃] *nm* ganglio.
gangrène [gɑ̃gʀɛn] *nf* gangrena; (*fig*) gan-

grena, corrupción f.
gangrener [gɑ̃grəne] vt gangrenar; (fig) gangrenar, corromper; **se gangrener** vpr gangrenarse.
gangreneux, -euse [gɑ̃grənø, øz] adj gangrenoso(-a).
gangster [gɑ̃gstɛr] nm gánster m.
gangstérisme [gɑ̃gsterism] nm gansterismo.
gangue [gɑ̃g] nf ganga.
ganse [gɑ̃s] nf trencilla.
gant [gɑ̃] nm guante m; **prendre des ~s** (fig) actuar con miramiento; **relever le ~** (fig) recoger el guante; ▸ **gant de toilette** manopla de baño; ▸ **gants de boxe/ de caoutchouc/de crin** guantes mpl de boxeo/de goma/de crin.
ganté, e [gɑ̃te] adj: **~ de blanc** con guantes blancos.
ganterie [gɑ̃tri] nf guantería.
garage [garaʒ] nm garaje m; ▸ **garage à vélos** garaje de bicicletas.
garagiste [garaʒist] nm/f (propriétaire) dueño(-a) de un garaje; (mécanicien) mecánico(-a).
garance [garɑ̃s] adj inv grancé inv.
garant, e [garɑ̃, ɑ̃t] nm/f (JUR, POL) garante m/f, fiador(a) ♦ nm garantía; **se porter ~ de qch** salir fiador(a) de algo.
garantie [garɑ̃ti] nf garantía; **(bon de) ~** (bono de) garantía; ▸ **garantie de bonne exécution** garantía de funcionamiento.
garantir [garɑ̃tir] vt garantizar; (attester) asegurar; **~ de qch** proteger contra ou de algo; **je vous garantis que ... le** garantizo que ...; **garanti pure laine/2 ans** garantizado pura lana/por 2 años.
garce [gars] (péj) nf zorra.
garçon [garsɔ̃] nm niño; **mon/son ~** (fils) mi/su hijo; (célibataire) soltero; (jeune homme) chico; **petit ~** niño; **jeune ~** muchacho; ▸ **garçon boucher/coiffeur** aprendiz m de carnicero/de peluquero; ▸ **garçon d'écurie** mozo de cuadra; ▸ **garçon de bureau** ordenanza m; ▸ **garçon de café** camarero; ▸ **garçon de courses** recadero; ▸ **garçon manqué** medio chico.
garçonnet [garsɔnɛ] nm chiquillo.
garçonnière [garsɔnjɛr] nf piso de soltero.
garde [gard(ə)] nm guardia m; (de domaine etc) guarda m ♦ nf guardia f; (d'une arme) guarnición f; (TYPO) guarda f; **de ~** adj, adv de guardia; **mettre en ~** poner en guardia; **mise en ~** advertencia; **prendre ~ (à)** tener cuidado (con); **être sur ses ~s** estar en guardia; **monter la ~** montar guardia; **avoir la ~ des enfants** tener la custodia de los hijos; ▸ **garde à vue** nf

(JUR) detención f provisional; ▸ **garde champêtre** nm guarda rural; ▸ **garde d'enfants** nf niñera; ▸ **garde d'honneur** nf escolta; ▸ **garde des Sceaux** nm ≈ ministro de Justicia; ▸ **garde descendante** nf guardia saliente; ▸ **garde du corps** nm guardaespaldas m inv, guarura m (fam: MEX); ▸ **garde forestier** nm guarda forestal; ▸ **garde mobile** nm/f policía m/f antidisturbios; ▸ **garde montante** nf guardia entrante.
garde-à-vous [gardavu] nm inv: **être/se mettre au ~-~-~** estar/ponerse firmes; **~-~-~!** ¡atentos, firmes!
garde-barrière [gardəbarjɛr] (pl gardes- barrière(s)) nm/f guardabarrera m/f.
garde-boue [gardəbu] nm inv guardabarros m inv.
garde-chasse [gardəʃas] (pl gardes- chasse(s)) nm guarda m de caza.
garde-côte [gardəkot] (pl ~-~s) nm (vaisseau) guardacostas m inv.
garde-feu [gardəfø] nm inv pantalla.
garde-fou [gardəfu] (pl ~-~s) nm barandilla.
garde-malade [gardəmalad] (pl gardes- malade(s)) nm/f enfermero(-a).
garde-manger [gardəmɑ̃ʒe] nm inv fresquera.
garde-meuble [gardəmœbl] (pl garde- meuble(s)) nm guardamuebles m inv.
garde-pêche [gardəpɛʃ] nm inv (personne) guarda m de pesca; (navire) guardapesca m.
garder [garde] vt (conserver: personne) mantener; (: sur soi: vêtement, chapeau) quedarse con; (: attitude) conservar; (surveiller: enfants) cuidar; (: prisonnier, lieu) vigilar; **se garder** vpr (aliment) conservarse; **~ le lit** guardar cama; **~ la chambre** permanecer en la habitación; **~ la ligne** cuidar la línea; **~ le silence** guardar silencio; **~ à vue** (JUR) detener provisionalmente; **se ~ de faire qch** abstenerse de hacer algo; **pêche/chasse gardée** coto de pesca/caza.
garderie [gardəri] nf guardería.
garde-robe [gardərɔb] (pl ~-~s) nf (meuble) ropero; (vêtements) guardarropa m.
gardeur, -euse [gardœr, øz] nm/f guarda(-esa); ▸ **gardeur de chèvres** cabrero (a); ▸ **gardeur de vaches** vaquero(-a).
gardian [gardjɑ̃] nm vaquero.
gardien, ne [gardjɛ̃, jɛn] nm/f (garde) vigilante m/f; (de prison) oficial m/f; (de domaine, réserve, cimetière) guarda m/f; (de musée etc) guarda, vigilante; (de phare) farero; (fig: garant) garante m/f; (d'immeuble) portero(-a); ▸ **gardien de but** portero, arquero (esp AM); ▸ **gardien**

de la paix guardia *m* del orden público; ▶ **gardien de nuit** vigilante de noche.

gardiennage [gaʀdjenaʒ] *nm* (*emploi*) vigilancia; (*service de surveillance*) servicio de vigilancia.

gardon [gaʀdɔ̃] *nm* gobio.

gare [gaʀ] *nf* estación *f* ♦ *excl*: ~ à ... cuidado con ...; ~ à ne pas ... ten cuidado de no ...; ~ à toi cuidado con lo que haces; **sans crier** ~ sin avisar; ▶ **gare de triage** apartadero; ▶ **gare maritime** estación marítima; ▶ **gare routière** estación de autobuses; (*camions*) estacionamiento de camiones.

garenne [gaʀɛn] *nf voir* **lapin**.

garer [gaʀe] *vt* aparcar; **se garer** *vpr* (*véhicule, personne*) aparcar; (*pour laisser passer*) apartarse.

gargantuesque [gaʀɡãtɥɛsk] *adj* gargantuesco(-a).

gargariser [gaʀɡaʀize]: **se** ~ *vpr* hacer gárgaras; **se** ~ **de** (*fig*) relamerse de.

gargarisme [gaʀɡaʀism] *nm* gargarismo.

gargote [gaʀɡɔt] *nf* (*restaurant*) casa de comidas; (*péj*) restaurante *m* baratucho.

gargouille [gaʀɡuj] *nf* gárgola.

gargouillement [gaʀɡujmã] *nm* = **gargouillis**.

gargouiller [gaʀɡuje] *vi* (*eau*) gargotear; **mon estomac gargouille** me suenan las tripas.

gargouillis [gaʀɡuji] *nm* (*gén pl*) ruido de tripas.

garnement [gaʀnəmã] *nm* tunante *m*.

garni, e [gaʀni] *adj* (*plat*) con guarnición ♦ *nm* (*appartement*) piso amueblado.

garnir [gaʀniʀ] *vt* (*décorer*) decorar; (*remplir*) llenar; (*recouvrir*) cubrir; (*approvisionner*) proveer; (*table, pièce*) adornar; (*protéger*) revestir; (*CULIN*) guarnecer; **se garnir** *vpr* (*pièce, salle*) llenarse.

garnison [gaʀnizɔ̃] *nf* guarnición *f*.

garniture [gaʀnityʀ] *nf* (*CULIN*: *légumes*) guarnición *f*; (: *persil etc*) aderezo; (: *farce*) relleno; (*décoration*) adorno; (*protection*) revestimiento; ▶ **garniture de cheminée** juego de chimenea; ▶ **garniture de frein** (*AUTO*) forro de freno; ▶ **garniture périodique** compresa.

Garonne [gaʀɔn] *nf*: **la** ~ la Garona.

garrigue [gaʀiɡ] *nf* monte *m* bajo.

garrot [gaʀo] *nm* torniquete *m*.

garrotter [gaʀɔte] *vt* (*fig*) amordazar.

gars [ɡa] *nm* (*fam*: *garçon*) chico; (*homme*) tío.

Gascogne [ɡaskɔɲ] *nf* Gasconia.

gascon, ne [ɡaskɔ̃, ɔn] *adj* (*GÉO*) gascón (-ona) ♦ *nm* (*hâbleur*) fanfarrón *m* ♦ *nm/f*: **G~, ne** gascón(-ona).

gas-oil [ɡazwal] *nm* gas-oil *m*.

gaspillage [ɡaspijaʒ] *nm* derroche *m*.

gaspiller [ɡaspije] *vt* derrochar, malgastar.

gaspilleur, -euse [ɡaspijœʀ, øz] *adj* derrochador(a).

gastrique [ɡastʀik] *adj* gástrico(-a).

gastro-entérite [ɡastʀoɑ̃teʀit] (*pl* ~-~s) *nf* gastroenteritis *f inv*.

gastro-intestinal, e, -aux [ɡastʀoɛ̃tɛstinal, o] (*pl* **gastro-intestinaux, es**) *adj* gastrointestinal.

gastronome [ɡastʀɔnɔm] *nm/f* gastrónomo(-a).

gastronomie [ɡastʀɔnɔmi] *nf* gastronomía.

gastronomique [ɡastʀɔnɔmik] *adj*: **menu** ~ menú *m* gastronómico.

gâteau, x [ɡato] *nm* pastel *m* ♦ *adj inv* (*fam*): **papa-/maman-**~ padrazo/madraza; ▶ **gâteau d'anniversaire** pastel de cumpleaños; ▶ **gâteau de riz** pastel de arroz; ▶ **gâteau sec** galleta.

gâter [ɡate] *vt* (*personne*) mimar; (*plaisir, vacances*) estropear; **se gâter** *vpr* (*dent, fruit*) picarse; (*temps, situation*) empeorar.

gâterie [ɡatʀi] *nf* chuchería.

gâteux, -euse [ɡatø, øz] *adj* chocho(-a).

gâtisme [ɡatism] *nm* chochez *f*.

GATT [ɡat] *sigle m* (= *General Agreement on Tariffs and Trade*) GATT *m*.

gauche [ɡoʃ] *adj* izquierda(-o); (*personne, style*) torpe ♦ *nm* (*BOXE*): **direct du** ~ directo de izquierda ♦ *nf* izquierda; **à** ~ **a** la izquierda; **à (la)** ~ **de** a la izquierda de; **de** ~ (*POL*) de izquierdas.

gauchement [ɡoʃmã] *adv* torpemente.

gaucher, -ère [ɡoʃe, ɛʀ] *adj*, *nm/f* zurdo(-a).

gaucherie [ɡoʃʀi] *nf* torpeza.

gauchir [ɡoʃiʀ] *vt* (*planche, objet*) torcer; (*fig*) deformar.

gauchisant, e [ɡoʃizã, ãt] *adj* simpatizante de la izquierda.

gauchisme [ɡoʃism] *nm* política de izquierdas.

gauchiste [ɡoʃist] *adj*, *nm/f* izquierdista *m/f*.

gaufre [ɡofʀ] *nf* (*pâtisserie*) gofre *m*; (*de cire*) panal *m*.

gaufrer [ɡofʀe] *vt* gofrar.

gaufrette [ɡofʀɛt] *nf* barquillo.

gaufrier [ɡofʀije] *nm* barquillero (eléctrico).

Gaule [ɡol] *nf* Galia.

gaule [ɡol] *nf* (*perche*) vara; (*canne à pêche*) caña.

gauler [ɡole] *vt* varear.

gaullisme [ɡolism] *nm* gaullismo.

gaulliste [ɡolist] *adj*, *nm/f* gaullista *m/f*.

gaulois, e [ɡolwa, waz] *adj* galo(-a); (*grivois*) picante ♦ *nm/f*: **G~, e** galo(-a).

gauloiserie [ɡolwazʀi] *nf* chiste *m* verde.

gausser [ɡose]: **se** ~ **de** *vpr* mofarse de.

gaver [gave] *vt* cebar; ~ **de** (*fig*) atiborrar de; **se** ~ **de** atiborrarse de.

gaz [gɑz] *nm inv* gas *m*; **avoir des** ~ tener gases; **mettre les** ~ (*AUTO*) pisar el acelerador; **chambre/masque à** ~ cámara/máscara de gas; ► **gaz butane** gas butano; ► **gaz carbonique** gas carbónico; ► **gaz de ville** gas ciudad; ► **gaz en bouteilles** gas en bombonas; ► **gaz hilarant/lacrymogène** gas hilarante/lacrimógeno; ► **gaz naturel/propane** gas natural/propano.

gaze [gɑz] *nf* gasa.

gazéifié, e [gazeifje] *adj*. **eau/boisson ~e** agua/bebida gasificada.

gazelle [gazɛl] *nf* gacela.

gazer [gɑze] *vt* gasear ♦ *vi* (*fam*) ir bien; (: *projet*) marchar, pitar.

gazette [gazɛt] *nf* gaceta.

gazeux, -euse [gɑzø, øz] *adj* gaseoso(-a); **eau/boisson gazeuse** agua/bebida con gas.

gazoduc [gɑzodyk] *nm* gaseoducto.

gazole [gɑzɔl] *nm* = **gas-oil**.

gazomètre [gɑzɔmɛtʀ] *nm* gasómetro.

gazon [gɑzɔ̃] *nm* césped *m*; **motte de** ~ cepellón *m*.

gazonner [gɑzɔne] *vt* encespedar.

gazouillement [gazujmɑ̃] *nm* gorjeo.

gazouiller [gazuje] *vi* gorjear.

gazouillis [gazuji] *nmpl* gorjeo.

GDF [ʒedeɛf] *sigle m* = *Gaz de France*.

geai [ʒɛ] *nm* arrendajo.

géant, e [ʒeɑ̃, ɑ̃t] *adj* gigante ♦ *nm/f* gigante(-a).

geignement [ʒɛɲmɑ̃] *nm* gemido.

geindre [ʒɛ̃dʀ] *vi* gemir.

gel [ʒɛl] *nm* (*temps*) helada; (*de l'eau*) hielo; (*fig*) congelación *f*; (*produit de beauté*) gel *m*.

gélatine [ʒelatin] *nf* gelatina.

gélatineux, -euse [ʒelatinø, øz] *adj* gelatinoso(-a).

gelé, e [ʒ(ə)le] *adj* helado(-a); (*ÉCON*) congelado(-a).

gelée [ʒ(ə)le] *nf* (*CULIN*) gelatina; (*MÉTÉO*) helada; **viande en** ~ carne *f* en gelatina; ► **gelée blanche** escarcha; ► **gelée royale** jalea real.

geler [ʒ(ə)le] *vt* (*sol, liquide*) helar; (*ÉCON, aliment*) congelar ♦ *vi* (*sol, personne*) helarse; **il gèle** hiela.

gélule [ʒelyl] *nf* gragea.

gelure [ʒ(ə)lyʀ] *nf* congelación *f*.

Gémeaux [ʒemo] *nmpl* (*ASTROL*): **les** ~ Géminis *mpl*; **être (des)** ~ ser Géminis.

gémir [ʒemiʀ] *vi* gemir.

gémissant, e [ʒemisɑ̃, ɑ̃t] *adj* quejumbroso(-a).

gémissement [ʒemismɑ̃] *nm* gemido.

gemme [ʒɛm] *nf* gema; *voir aussi* **sel**.

gémonies [ʒemɔni] *nfpl*: **vouer qn aux** ~ cubrir de oprobio a algn.

gênant, e [ʒɛnɑ̃, ɑ̃t] *adj* (*aussi fig*) molesto(-a).

gencive [ʒɑ̃siv] *nf* encía.

gendarme [ʒɑ̃daʀm] *nm* gendarme *m*, ≈ guardia *m* civil.

gendarmer [ʒɑ̃daʀme]: **se** ~ *vpr* encolerizarse.

gendarmerie [ʒɑ̃daʀməʀi] *nf* ≈ Guardia Civil; (*caserne, bureaux*) ≈ cuartel *m* de la Guardia Civil.

gendre [ʒɑ̃dʀ] *nm* yerno.

gène [ʒɛn] *nf* (*à respirer, bouger*) molestia; (*dérangement*) malestar *m*; (*manque d'argent*) aprieto; (*embarras, confusion*) incomodidad *f*; **sans** ~ descarado(-a).

gène [ʒɛn] *nm* gen *m*; ► **gène dominant/récessif** gen dominante/recesivo.

gêné, e [ʒene] *adj* embarazoso(-a); (*dépourvu d'argent*) apurado(-a); **tu n'es pas** ~! ¡qué fresco eres!

généalogie [ʒenealɔʒi] *nf* genealogía.

généalogique [ʒenealɔʒik] *adj* genealógico(-a).

gêner [ʒene] *vt* (*incommoder*) molestar; (*encombrer*) estorbar; (*déranger*) trastornar; ~ **qn** (*embarrasser*) violentar a algn; **se gêner** *vpr* molestarse; **je vais me** ~! (*fam, iron*) ¡no pienso cortarme!; **ne vous gênez pas!** (*fam, iron*) ¡no se corte!

général, e, -aux [ʒeneʀal, o] *adj, nm* general ♦ *nf*: (*répétition*) ~**e** ensayo general; **en** ~ en general; **à la satisfaction** ~**e** con la satisfacción unánime; **à la demande** ~**e** a petición general; **assemblée/grève** ~**e** asamblea/huelga general; **culture/médecine** ~**e** cultura/medicina general.

généralement [ʒeneʀalmɑ̃] *adv* (*communément*) al nivel general; (*habituellement*) generalmente; ~ **parlant** en términos generales.

généralisable [ʒeneʀalizabl] *adj* generalizable.

généralisation [ʒeneʀalizasjɔ̃] *nf* generalización *f*.

généralisé, e [ʒeneʀalize] *adj* generalizado(-a).

généraliser [ʒeneʀalize] *vt, vi* generalizar; **se généraliser** *vpr* generalizarse.

généraliste [ʒeneʀalist] *nm* médico general.

généralité [ʒeneʀalite] *nf*: **la** ~ **des ...** la mayoría de ...; ~**s** *nfpl* (*banalités, introduction*) generalidades *fpl*; **dans la** ~ **des cas** en la mayoría de los casos.

générateur, -trice [ʒeneʀatœʀ, tʀis] *adj*: ~ **de** creador(a) de.

génération [ʒeneʀasjɔ̃] *nf* generación *f*.

génératrice [ʒeneʀatʀis] *nf* generador *m*.

généreusement [ʒenerøzmɑ̃] *adv* generosamente; (*avec abondance*) en abundancia.

généreux, -euse [ʒenerø, øz] *adj* generoso(-a).

générique [ʒenerik] *adj* genérico(-a) ♦ *nm* (*CINÉ, TV*) ficha técnica.

générosité [ʒenerozite] *nf* generosidad *f*.

genèse [ʒɑnɛz] *nf* génesis *f*.

genêt [ʒ(ə)nɛ] *nm* retama.

généticien, ne [ʒenetisjɛ̃, jɛn] *nm/f* genetista *m/f*.

génétique [ʒenetik] *adj* genético(-a) ♦ *nf* genética.

génétiquement [ʒenetikmɑ̃] *adv* genéticamente.

gêneur, -euse [ʒɛnœr, øz] *nm/f* (*qui gêne*) estorbo; (*importun*) importuno(-a).

Genève [ʒ(ə)nɛv] *n* Ginebra.

genevois, e [ʒən(ə)vwa, waz] *adj* ginebrino(-a) ♦ *nm/f*: G~, e ginebrino(-a).

genévrier [ʒənevrije] *nm* enebro.

génial, e, -aux [ʒenjal, jo] *adj* (*aussi fam*) genial.

génie [ʒeni] *nm* genio; **le ~** (*MIL*) el cuerpo de ingenieros; **de ~** genial; **bon/mauvais ~** espíritu *m* favorable/maligno; **avoir du ~** ser un genio; ▶ **génie civil** cuerpo de ingeniería civil.

genièvre [ʒənjɛvr] *nm* (*BOT, CULIN*) enebro; (*boisson*) ginebra; **grain de ~** enebrina.

génisse [ʒenis] *nf* ternera; **foie de ~** hígado de ternera.

génital, e, -aux [ʒenital, o] *adj* genital.

génitif [ʒenitif] *nm* genitivo.

génocide [ʒenɔsid] *nm* genocidio.

génois, e [ʒenwa, waz] *adj* genovés(-esa) ♦ *nm/f*: G~, e genovés(-esa) ♦ *nf* bizcocho.

genou, x [ʒ(ə)nu] *nm* rodilla; **à ~x** de rodillas; **se mettre à ~x** ponerse de rodillas; **prendre qn sur ses ~x** poner a algn encima de sus rodillas.

genouillère [ʒ(ə)nujɛr] *nf* rodillera.

genre [ʒɑ̃r] *nm* género; (*allure*) estilo; **se donner un ~** darse tono; **avoir bon/mauvais ~** (*allure*) tener buena/mala presencia; (*éducation*) tener buenos/malos modales.

gens [ʒɑ̃] *nmpl, parfois nfpl* gente *f*; **de braves ~** buena gente; **de vieilles ~** ancianos; **les ~ d'Église** el clero; **les ~ du monde** la gente mundana; **jeunes ~** jóvenes *mpl*; ▶ **gens de maison** servidumbre *f*.

gentiane [ʒɑ̃sjan] *nf* genciana; (*boisson*) aperitivo de genciana.

gentil, le [ʒɑ̃ti, ij] *adj* (*aimable*) amable; (*enfant*) bueno(-a); (*endroit etc*) agradable; (*intensif*) encantador(a); **c'est très ~ à vous** es muy amable de su parte.

gentilhommière [ʒɑ̃tijɔmjɛr] *nf* casa solariega.

gentillesse [ʒɑ̃tijɛs] *nf* (*v adj*) amabilidad *f*; bondad *f*; **lo agradable; encanto.**

gentillet, te [ʒɑ̃tijɛ, ɛt] *adj* agradable.

gentiment [ʒɑ̃timɑ̃] *adv* con amabilidad.

génuflexion [ʒenyflɛksjɔ̃] *nf* genuflexión *f*.

géodésique [ʒeɔdezik] *adj* geodésico(-a).

géographe [ʒeɔgraf] *nm/f* geógrafo(-a).

géographie [ʒeɔgrafi] *nf* geografía.

géographique [ʒeɔgrafik] *adj* geográfico (-a).

geôlier [ʒolje] *nm* carcelero.

géologie [ʒeɔlɔʒi] *nf* geología.

géologique [ʒeɔlɔʒik] *adj* geológico(-a).

géologiquement [ʒeɔlɔʒikmɑ̃] *adv* geológicamente.

géologue [ʒeɔlɔg] *nm/f* geólogo(-a).

géomètre [ʒeɔmɛtr] *nm/f*: **(arpenteur-)~** agrimensor(a).

géométrie [ʒeɔmetri] *nf* geometría; **à ~ variable** (*AVIAT*) de geometría variable.

géométrique [ʒeɔmetrik] *adj* geométrico(-a).

géomorphologie [ʒeɔmɔrfɔlɔʒi] *nf* geomorfología.

géophysique [ʒeɔfizik] *nf* geofísica.

géopolitique [ʒeɔpɔlitik] *nf* geopolítica.

Géorgie [ʒeɔrʒi] *nf* Georgia; ▶ **Géorgie du Sud** Georgias *fpl* del Sur.

géorgien, ne [ʒeɔrʒjɛ̃, jɛn] *adj* georgiano(-a) ♦ *nm/f*: G~, ne georgiano (-a).

géostationnaire [ʒeɔstasjɔnɛr] *adj* geoestacionario(-a).

géothermique [ʒeɔtɛrmik] *adj*: **énergie ~** energía geotérmica.

gérance [ʒerɑ̃s] *nf* gerencia; **mettre en ~** poner en gestión; **prendre en ~** gestionar.

géranium [ʒeranjɔm] *nm* geranio.

gérant, e [ʒerɑ̃] *nm/f* gerente *m/f*; ▶ **gérant d'immeuble** administrador(a) de fincas.

gerbe [ʒɛrb] *nf* (*de fleurs*) ramo; (*de blé*) gavilla; (*d'eau*) chorro; (*de particules*) haz *m*; (*d'étincelles*) lluvia.

gercé, e [ʒɛrse] *adj* agrietado(-a).

gercer [ʒɛrse] *vi* agrietar; **se gercer** *vpr* agrietarse.

gerçure [ʒɛrsyr] *nf* grieta.

gérer [ʒere] *vt* administrar.

gériatrie [ʒerjatri] *nf* geriatría.

gériatrique [ʒerjatrik] *adj* geriátrico(-a).

germain, e [ʒɛrmɛ̃, ɛn] *adj* voir **cousin**.

germanique [ʒɛrmanik] *adj* germánico(-a).

germaniste [ʒɛrmanist] *nm/f* germanista *m/f*.

germe [ʒɛrm] *nm* germen *m*; (*pousse*) brote *m*.

germer [ʒɛrme] *vi* germinar.

gérondif [ʒeRɔ̃dif] *nm* gerundio.
gérontologie [ʒeRɔ̃tɔlɔʒi] *nf* gerontología.
gérontologue [ʒeRɔ̃tɔlɔg] *nm/f* gerontólogo(-a).
gésier [ʒezje] *nm* molleja.
gésir [ʒeziR] *vi* yacer; *voir* ci-gît.
gestation [ʒɛstasjɔ̃] *nf* gestación *f*.
geste [ʒɛst] *nm* gesto; s'exprimer par ~s expresarse mediante gestos; faire un ~ de refus hacer un ademán de desaprobación; il fit un ~ de la main pour m'appeler me llamó con la mano; ne faites pas un ~ no haga ni el menor gesto.
gesticuler [ʒɛstikyle] *vi* gesticular.
gestion [ʒɛstjɔ̃] *nf* gestión *f*; ▶ gestion de fichier(s) (*INFORM*) gestión de fichero(s).
gestionnaire [ʒɛstjɔnɛR] *nm/f* gestor(-a).
geyser [ʒɛzɛR] *nm* géiser *m*.
Ghana [gana] *nm* Ghana.
ghetto [geto] *nm* gueto.
gibecière [ʒib(ə)sjɛR] *nf* (*de chasseur*) morral *m*; (*sac en bandoulière*) bandolera.
gibelotte [ʒiblɔt] *nf* estofado de conejo.
gibet [ʒibɛ] *nm* horca.
gibier [ʒibje] *nm* caza; (*fig*) presa.
giboulée [ʒibule] *nf* chaparrón *m*.
giboyeux, -euse [ʒibwajø, øz] *adj* rico(-a) en caza.
Gibraltar [ʒibRaltaR] *nm* Gibraltar *m*.
gibus [ʒibys] *nm* clac *m*.
giclée [ʒikle] *nf* chorro *m*.
gicler [ʒikle] *vi* brotar.
gicleur [ʒiklœR] *nm* (*AUTO*) surtidor *m* (de parabrisas).
GIE *sigle m* (= *groupement d'intérêt économique*) *voir* groupement.
gifle [ʒifl] *nf* bofetada.
gifler [ʒifle] *vt* abofetear.
gigantesque [ʒigɑ̃tɛsk] *adj* gigantesco(-a).
gigantisme [ʒigɑ̃tism] *nm* gigantismo.
GIGN [ʒeiʒɛɛn] *sigle m* (= *Groupe d'intervention de la gendarmerie nationale*) ≈ GEO *mpl* (= *Grupo Especial de Operaciones*).
gigogne [ʒigɔɲ] *adj*: **lits/tables ~s** camas *fpl*/mesas *fpl* nido; **poupées ~s** muñecas *fpl* encajables.
gigolo [ʒigɔlo] *nm* gigolo.
gigot [ʒigo] *nm* pierna.
gigoter [ʒigɔte] *vi* patalear.
gilet [ʒilɛ] *nm* (*de costume*) chaleco; (*tricot*) chaqueta (de punto); (*sous-vêtement*) camiseta; ▶ gilet de sauvetage chaleco salvavidas; ▶ gilet pare-balles chaleco antibalas.
gin [dʒin] *nm* ginebra.
gingembre [ʒɛ̃ʒɑ̃bR] *nm* jengibre *m*.
gingivite [ʒɛ̃ʒivit] *nf* gingivitis *f inv*.
girafe [ʒiRaf] *nf* jirafa.
giratoire [ʒiRatwaR] *adj*: **sens ~** sentido giratorio.

girofle [ʒiRɔfl] *nf*: **clou de ~** clavo.
giroflée [ʒiRɔfle] *nf* alhelí *m*.
girolle [ʒiRɔl] *nf* mízcalo.
giron [ʒiRɔ̃] *nm* (*genoux*) regazo; (*fig*) seno.
Gironde [ʒiRɔ̃d] *nf* Gironda *m*.
girouette [ʒiRwɛt] *nf* veleta.
gisait *etc* [ʒizɛ] *vb voir* gésir.
gisement [ʒizmɑ̃] *nm* yacimiento.
gît [ʒi] *vb voir* gésir.
gitan, e [ʒitɑ̃, an] *nm/f* gitano(-a).
gîte [ʒit] *nm* (*maison*) morada; (*du lièvre*) cama; ~ rural casa de turismo rural.
gîter [ʒite] *vi* dar de banda.
givrage [ʒivRaʒ] *nm* formación *f* de hielo.
givrant, e [ʒivRɑ̃, ɑ̃t] *adj*: brouillard ~ helada.
givre [ʒivR] *nm* escarcha.
givré, e [ʒivRe] *adj*: citron/orange ~(e) limón *m* escarchado/naranja escarchada; (*fam*) tronado(-a).
glabre [glabR] *adj* lampiño(-a).
glaçage [glasaʒ] *nm* glaseado.
glace [glas] *nf* hielo; (*crème glacée*) helado; (*verre*) cristal *m*; (*miroir*) espejo; (*de voiture*) ventanilla; ~s *nfpl* (*GÉO*) hielos *mpl*; de ~ (*fig*) frío(-a); il est resté de ~ ni se inmutó; rompre la ~ (*fig*) romper el hielo.
glacé, e [glase] *adj* helado(-a); (*fig*) frío (-a).
glacer [glase] *vt* (*lac, eau*) helar; (*refroidir*) enfriar; (*CULIN, papier, tissu*) glasear; ~ qn (*fig*) dejar helado(-a) a algn.
glaciaire [glasjɛR] *adj* glaciar.
glacial, e [glasjal] *adj* glacial.
glacier [glasje] *nm* (*GÉO*) glaciar *m*; (*marchand*) heladero; ▶ glacier suspendu glaciar suspendido.
glacière [glasjɛR] *nf* nevera.
glaçon [glasɔ̃] *nm* témpano; (*pour boisson*) cubito de hielo.
gladiateur [gladjatœR] *nm* gladiador *m*.
glaïeul [glajœl] *nm* gladiolo.
glaire [glɛR] *nf* flema.
glaise [glɛz] *nf* greda.
glaive [glɛv] *nm* espada.
gland [glɑ̃] *nm* (*de chêne*) bellota; (*décoration*) borla; (*ANAT*) glande *m*.
glande [glɑ̃d] *nf* glándula.
glander [glɑ̃de] (*fam*) *vi* holgazanear.
glaner [glane] *vi* (*AGR*) espigar ♦ *vt* (*fig*) recoger.
glapir [glapiR] *vi* gañir.
glapissement [glapismɑ̃] *nm* gañido.
glas [glɑ] *nm* doble *m*, toque *m* de difuntos; sonner le ~ doblar, tocar a muerto.
glauque [glok] *adj* glauco(-a); (*fig*) triste.
glissade [glisad] *nf* (*par jeu*) deslizamiento;

(*chute*) resbalón *m*; **faire des ~s** deslizarse.

glissant, e [glisɑ̃, ɑ̃t] *adj* resbaladizo(-a).

glisse [glis] *nf*: **sports de ~** *deportes de deslizamiento.*

glissement [glismɑ̃] *nm* (*aussi fig*) deslizamiento; ▸ **glissement de terrain** corrimiento de tierra.

glisser [glise] *vi* resbalar; (*patineur, fig*) deslizarse ♦ *vt* (*introduire: erreur, citation*) deslizar; (*mot, conseil*) decir discretamente; **se glisser** *vpr* (*erreur etc*) deslizarse; **~ qch sous/dans** meter algo bajo/en; **~ sur** (*détail, fait*) pasar por alto; **se ~ dans/entre** (*personne*) deslizarse *ou* escurrirse en/entre.

glissière [glisjɛR] *nf* corredera; **à ~** (*porte, fenêtre*) de corredera; ▸ **glissière de sécurité** valla de seguridad.

glissoire [gliswaR] *nf* resbaladero.

global, e, -aux [glɔbal, o] *adj* global.

globalement [glɔbalmɑ̃] *adv* globalmente.

globe [glɔb] *nm* globo; (*d'une pendule*) fanal *m*; (*d'un objet*) campana de cristal; **sous ~** (*fig*) en una urna; ▸ **globe oculaire/terrestre** globo ocular/terrestre.

globe-trotter [glɔbtRɔtœR] (*pl* ~-~s) *nm* trotamundos *m inv*.

globulaire [glɔbylɛR] *adj*: **numération ~** recuento globular.

globule [glɔbyl] *nm* glóbulo.

globuleux, -euse [glɔbylø, øz] *adj*: **yeux ~** ojos *mpl* saltones.

gloire [glwaR] *nf* gloria; (*mérite*) mérito; (*personne*) celebridad *f*.

glorieux, -euse [glɔRjø, jøz] *adj* glorioso (-a).

glorifier [glɔRifje] *vt* glorificar; **se glorifier de** *vpr* vanagloriarse de.

gloriole [glɔRjɔl] *nf* vanagloria.

glose [gloz] *nf* glosa.

glossaire [glɔsɛR] *nm* glosario.

glotte [glɔt] *nf* glotis *fsg*.

glouglouter [gluglute] *vi* hacer gluglú.

gloussement [glusmɑ̃] *nm* cloqueo; (*rire*) risa ahogada.

glousser [gluse] *vi* cloquear; (*rire*) reír ahogadamente.

glouton, ne [glutɔ̃, ɔn] *adj* glotón(-ona).

gloutonnerie [glutɔnRi] *nf* glotonería.

glu [gly] *nf* liga.

gluant, e [glyɑ̃, ɑ̃t] *adj* pegajoso(-a).

glucide [glysid] *nm* glúcido.

glucose [glykoz] *nm* glucosa.

gluten [glytɛn] *nm* gluten *m*.

glycérine [gliseRin] *nf* glicerina.

glycine [glisin] *nf* glicina.

GMT [ʒeɛmte] *sigle* (= *Greenwich Mean Time*) hora media de Greenwich.

gnangnan [ɲɑ̃ɲɑ̃] (*fam*) *adj inv* quejica.

GNL [ʒeɛnɛl] *sigle m* = *gaz naturel liquéfié.*

gnôle [ɲol] (*fam*) *nf* aguardiente *m*.

gnome [gnom] *nm* gnomo.

gnon [ɲɔ̃] (*fam*) *nm* porrazo.

GO [ʒeo] *sigle fpl* (= *grandes ondes*) OL ♦ *sigle m* (= *gentil organisateur*) animador turístico del Club Mediterráneo.

go [go]: **tout de ~** *adv* de sopetón.

goal [gol] *nm* portero, guardameta *m*.

gobelet [gɔblɛ] *nm* cubilete *m*.

gober [gɔbe] *vt* tragarse entero(-a); (*fig*) tragar.

Gobi [gɔbi] *n*: **désert de ~** desierto de Gobi.

godasse [gɔdas] (*fam*) *nf* zapato.

godet [gɔdɛ] *nm* (*verre*) vaso de chupito; (*récipient*) pocillo; (*COUTURE*) pliegue *m*.

godiller [gɔdije] *vi* (*NAUT*) cinglar; (*SKI*) virar en cuña.

goéland [gɔelɑ̃] *nm* gaviota.

goélette [gɔelɛt] *nf* goleta.

goémon [gɔemɔ̃] *nm* tipo de fuco.

gogo [gɔgo] (*péj*) *nm* primo; **à ~** en mogollón.

goguenard, e [gɔg(ə)naR, aRd] *adj* guasón(-ona).

goguette [gɔgɛt] *nf*: **en ~** achispado(-a).

goinfre [gwɛ̃fR] *adj, nm/f* tragón(-ona).

goinfrer [gwɛ̃fRe]: **se ~** *vpr* atiborrarse, atracarse.

goitre [gwatR] *nm* bocio.

golf [gɔlf] *nm* golf *m*; ▸ **golf miniature** minigolf *m*.

golfe [gɔlf] *nm* golfo; ▸ **golfe d'Aden/de Gascogne/du Lion** golfo de Adén/de Vizcaya/de León; ▸ **golfe Persique** golfo Pérsico.

golfeur, -euse [gɔlfœR, øz] *nm/f* jugador(a) de golf.

gominé, e [gɔmine] *adj* engominado(-a).

gommage [gɔmaʒ] *nm* peeling *m*.

gomme [gɔm] *nf* (*à effacer*) goma (de borrar); (*résine*) resina; **boule** *ou* **pastille de ~** gominola.

gommé, e [gɔme] *adj*: **papier ~** papel *m* engomado.

gommer [gɔme] *vt* (*aussi fig*) borrar; (*enduire de gomme*) engomar; (*détails etc*) atenuar.

gond [gɔ̃] *nm* gozne *m*; **sortir de ses ~s** (*fig*) salirse de sus casillas.

gondole [gɔ̃dɔl] *nf* góndola; (*pour l'étalage*) estantería.

gondoler [gɔ̃dɔle] *vi* abombarse; **se gondoler** *vpr* abombarse; (*fam*) desternillarse de risa.

gondolier [gɔ̃dɔlje] *nm* gondolero.

gonflable [gɔ̃flabl] *adj* hinchable.

gonflage [gɔ̃flaʒ] *nm* hinchado.

gonflé, e [gɔ̃fle] adj hinchado(-a); **être ~** (fam) tener jeta.

gonflement [gɔ̃fləmã] nm hinchamiento.

gonfler [gɔ̃fle] vt hinchar ♦ vi hincharse; (CULIN, pâte) inflarse.

gonfleur [gɔ̃flœr] nm bomba de aire.

gong [gɔ̃(g)] nm (MUS) gong m; (BOXE) campana.

gonzesse [gɔ̃zɛs] (fam) nf tía (!).

goret [gɔrɛ] nm lechón m.

gorge [gɔrʒ] nf garganta; (poitrine) pecho; (GÉO) garganta, desfiladero; (rainure) ranura; **avoir mal à la ~** tener dolor de garganta; **avoir la ~ serrée** tener un nudo en la garganta.

gorgé, e [gɔrʒe] adj: **~ de** ahíto(-a) de; (eau) empapado(-a) de.

gorgée [gɔrʒe] nf trago; **boire à petites/grandes ~s** beber a pequeños/grandes tragos.

gorille [gɔrij] nm (aussi fam) gorila.

gosier [gozje] nm garganta.

gosse [gɔs] nm/f chiquillo(a), chamaco(a) (CAM, MEX), pibe(-a) (ARG), cabro(-a) (AND, CHI).

gothique [gɔtik] adj gótico(-a); ► **gothique flamboyant** gótico flamígero.

gouache [gwaʃ] nf aguada.

goudron [gudrɔ̃] nm alquitrán m.

goudronner [gudrɔne] vt alquitranar.

gouffre [gufr] nm sima, precipicio; (fig) abismo.

goujat [guʒa] nm patán m.

goujon [guʒɔ̃] nm gobio.

goulée [gule] nf (bouchée) bocado; (gorgée) trago.

goulet [gulɛ] nm boca.

goulot [gulo] nm cuello; **boire au ~** beber a morro.

goulu, e [guly] adj glotón(-ona).

goulûment [gulymã] adv glotonamente, como un(a) glotón(-ona).

goupille [gupij] nf pasador m.

goupiller [gupije] vt sujetar (con pasador).

goupillon [gupijɔ̃] nm (REL) hisopo; (brosse) escobilla; **le ~** (fig) la Iglesia.

gourd, e [gur, gurd] adj entumecido(-a).

gourde [gurd] nf (récipient) cantimplora; (fam) zoquete m/f.

gourdin [gurdɛ̃] nm porra.

gourmand, e [gurmã, ãd] adj goloso(-a).

gourmandise [gurmãdiz] nf gula; (bonbon) golosina.

gourmet [gurmɛ] nm gastrónomo(-a).

gourmette [gurmɛt] nf pulsera (con el nombre).

gourou [guru] nm gurú m.

gousse [gus] nf vaina; ► **gousse d'ail** diente m de ajo.

gousset [gusɛ] nm bolsillo.

goût [gu] nm gusto, sabor m; (fig) gusto; **~s** nmpl: **chacun ses ~s** cada uno tiene sus gustos; **le (bon) ~** el (buen) gusto; **de bon/mauvais ~** de buen/mal gusto; **avoir du/manquer de ~** tener/no tener gusto; **avoir bon/mauvais ~** (aliment) saber bien/mal; (personne) tener mucho/poco gusto; **avoir du ~ pour** tener inclinación por; **prendre ~ à** aficionarse a.

goûter [gute] vt (aussi: **~ à**: essayer) probar; (apprécier) apreciar ♦ vi merendar ♦ nm merienda; **~ de qch** probar algo; ► **goûter d'anniversaire/d'enfants** merienda de cumpleaños/de niños.

goutte [gut] nf gota; (alcool) aguardiente m; **~s** nfpl (MÉD) gotas fpl; **tomber ~ à ~** caer gota a gota.

goutte-à-goutte [gutagut] nm inv bomba de perfusión; **alimenter au ~-~-~** alimentar gota a gota.

gouttelette [gut(ə)lɛt] nf gotita.

goutter [gute] vi gotear.

gouttière [gutjɛr] nf canalón m.

gouvernail [guvɛrnaj] nm timón m.

gouvernant, e [guvɛrnã, ãt] adj gobernante.

gouvernante [guvɛrnãt] nf institutriz f.

gouverne [guvɛrn] nf: **pour sa ~** para su gobierno.

gouvernement [guvɛrnəmã] nm gobierno; **membre du ~** miembro del gobierno.

gouvernemental, e, -aux [guvɛrnəmãtal, o] adj gubernamental.

gouverner [guvɛrne] vt gobernar; (fig: acte, émotion) dominar.

gouverneur [guvɛrnœr] nm gobernador m.

goyave [gɔjav] nf guayaba.

GPL [ʒepeel] sigle m = gaz de pétrole liquéfié.

grabataire [grabatɛr] adj encamado(-a).

grâce [gras] nf gracia; (faveur) favor m; (JUR) indulto; **~s** nfpl (REL) gracias fpl; **de bonne/mauvaise ~** de buena/mala gana; **dans les bonnes ~s de qn** con el beneplácito de algn; **faire ~ à qn de qch** perdonar algo a algn; **rendre ~(s) à** dar las gracias a; **demander ~** pedir perdón; **droit de/recours en ~** (JUR) derecho de/recurso de indulto; **~ à** gracias a.

gracier [grasje] vt indultar.

gracieusement [grasjøzmã] adv (aimablement) amablemente; (gratuitement) gratuitamente; (avec grâce) graciosamente.

gracieux, -euse [grasjø, jøz] adj elegante; (charmant, élégant) encantador(a); (aimable) amable; **à titre ~** con carácter gratuito; **concours ~** colaboración f desinteresada.

gracile [grasil] adj grácil.

gradation [gradasjɔ̃] nf gradación f.

grade [grad] nm grado; **monter en ~** as-

cender de grado.
gradé, e [gʀade] *nm/f* suboficial *m/f.*
gradin [gʀadɛ̃] *nm* grada; ~s *nmpl* (*de stade*) gradas *fpl*; **en ~s** en gradas.
graduation [gʀadɥasjɔ̃] *nf* graduación *f.*
gradué, e [gʀadɥe] *adj* graduado(-a); (*exercices*) progresivo(-a).
graduel, le [gʀadɥɛl] *adj* gradual.
graduellement [gʀadɥɛlmɑ̃] *adv* gradualmente.
graduer [gʀadɥe] *vt* graduar; (*effort*) dosificar.
graffiti [gʀafiti] *nmpl* grafiti *mpl.*
grain [gʀɛ̃] *nm* grano; (*de chapelet*) cuenta; (*averse*) aguacero; **un ~ de** (*fig*) una pizca de; **mettre son ~ de sel** (*fam*) meter la nariz; ► **grain de beauté** lunar *m*; ► **grain de café/de poivre** grano de café/de pimienta; ► **grain de poussière** mota de polvo; ► **grain de raisin** uva; ► **grain de sable** (*fig*) minucia.
graine [gʀɛn] *nf* semilla; **mauvaise ~** (*fig*) mala hierba; **une ~ de voyou** un macarra en ciernes.
graineterie [gʀɛntʀi] *nf* tienda de semillas.
grainetier, -ière [gʀɛntje, jɛʀ] *nm/f* comerciante *m/f* de semillas.
graissage [gʀɛsaʒ] *nm* engrase *m.*
graisse [gʀɛs] *nf* grasa.
graisser [gʀese] *vt* engrasar; (*tacher*) manchar de grasa.
graisseux, -euse [gʀesø, øz] *adj* grasiento(-a); (*ANAT*) adiposo(-a).
grammaire [gʀa(m)mɛʀ] *nf* gramática.
grammatical, e, -aux [gʀamatikal, o] *adj* gramatical.
gramme [gʀam] *nm* gramo.
grand, e [gʀɑ̃, gʀɑ̃d] *adj* grande; (*avant le nom*) gran; (*haut*) alto(-a); (*fil, voyage, période*) largo(-a) ♦ *adv*: **~ ouvert** abierto de par en par; **voir ~** pensar a otro nivel; **de ~ matin** de madrugada; **en ~** en grande; **un ~ homme/artiste** un gran hombre/artista; **avoir ~ besoin de** tener mucha necesidad de; **il est ~ temps de** ya es hora de; **son ~ frère** su hermano mayor; **il est assez ~ pour** ya es bastante mayor para, ya tiene años para; **au ~ air** al aire libre; **au ~ jour** (*fig*) en pleno día, en plena luz; ► **grand blessé/brûlé** herido/quemado grave; ► **grand écart** spagat *m*; ► **grand ensemble** gran barriada; ► **grande personne** persona mayor; ► **grandes écoles** *universidades de élite francesas*; ► **grandes lignes** líneas *fpl* principales; ► **grande surface** hipermercado; ► **grandes vacances** vacaciones *fpl* de verano; ► **grand livre** (*COMM*) libro mayor; ► **grand magasin**

grandes almacenes *mpl*; ► **grand malade/mutilé** enfermo/mutilado grave; ► **grand public** gran público.
grand-angle [gʀɑ̃tɑ̃gl] (*pl* ~s-~s) *nm* gran angular *m.*
grand-angulaire [gʀɑ̃tɑ̃gylɛʀ] (*pl* ~s-~s) *nm* (objetivo) gran angular *m.*
grand-chose [gʀɑ̃ʃoz] *nm/f inv*: **pas ~-~** poca cosa.
Grande-Bretagne [gʀɑ̃dbʀətaɲ] *nf* Gran Bretaña.
grandement [gʀɑ̃dmɑ̃] *adv* (*tout à fait*) completamente; (*largement*) ampliamente; (*généreusement*) generosamente; **faire les choses ~** hacer las cosas a lo grande.
grandeur [gʀɑ̃dœʀ] *nf* tamaño; (*mesure, quantité, aussi fig*) magnitud *f*; (*gloire, puissance*) grandeza; **~ nature** *adj* tamaño natural.
grand-guignolesque [gʀɑ̃giɲɔlɛsk] (*pl* ~-~s) *adj* teatral, histriónico(-a).
grandiloquent, e [gʀɑ̃dilɔkɑ̃, ɑ̃t] *adj* grandilocuente.
grandiose [gʀɑ̃djoz] *adj* grandioso(-a).
grandir [gʀɑ̃diʀ] *vi* (*enfant, arbre*) crecer; (*bruit, hostilité*) aumentar ♦ *vt*: **~ qn** (*suj: vêtement, chaussure*) hacer más alto(-a) a algn; (*fig*) ennoblecer a algn.
grandissant, e [gʀɑ̃disɑ̃, ɑ̃t] *adj* creciente.
grand-mère [gʀɑ̃mɛʀ] (*pl* **grand(s)-mères**) *nf* abuela.
grand-messe [gʀɑ̃mɛs] (*pl* **grand(s)-messes**) *nf* misa mayor.
grand-oncle [gʀɑ̃tɔ̃kl(ə)] (*pl* ~s-~s) *nm* tío abuelo.
grand-peine [gʀɑ̃pɛn]: **à ~-~** *adv* a duras penas.
grand-père [gʀɑ̃pɛʀ] (*pl* ~s-~s) *nm* abuelo.
grand-route [gʀɑ̃ʀut] (*pl* ~-~s) *nf* carretera general.
grand-rue [gʀɑ̃ʀy] (*pl* ~-~s) *nf* calle *f* mayor.
grands-parents [gʀɑ̃paʀɑ̃] *nmpl* abuelos *mpl.*
grand-tante [gʀɑ̃tɑ̃t] (*pl* **grand(s)-tantes**) *nf* tía abuela.
grand-voile [gʀɑ̃vwal] (*pl* **grand(s)-voiles**) *nf* vela mayor.
grange [gʀɑ̃ʒ] *nf* granero.
granit [gʀanit] *nm* granito.
granite [gʀanit] *nm* = **granit.**
granité [gʀanite] *nm* granizado.
granitique [gʀanitik] *adj* granítico(-a).
granule [gʀanyl] *nm* pastilla (pequeña).
granulé [gʀanyle] *nm* granulado.
granuleux, -euse [gʀanylø, øz] *adj* granuloso(-a).
graphe [gʀaf] *nm* grafo.
graphie [gʀafi] *nf* grafía.

graphique [gʀafik] adj gráfico(-a) ♦ nm gráfico.

graphisme [gʀafism] nm grafismo.

graphiste [gʀafist] nm grafista m/f.

graphite [gʀafit] nm grafito.

graphologie [gʀafɔlɔʒi] nf grafología.

graphologique [gʀafɔlɔʒik] adj grafológico(-a).

graphologue [gʀafɔlɔg] nm/f grafólogo(-a).

grappe [gʀap] nf (BOT) racimo; (fig) piña; ▶ **grappe de raisin** racimo de uvas.

grappiller [gʀapije] vt (fig) recolectar.

grappin [gʀapɛ̃] nm (TECH) gancho; **mettre le ~ sur** (fig) echar el guante a.

gras, se [gʀa, gʀas] adj (viande, soupe) graso(-a); (personne) gordo(-a); (surface, cheveux) grasiento(-a); (terre) viscoso (-a); (toux) flemático(-a); (rire) ordinario (-a); (plaisanterie) grosero(-a); (crayon) grueso(-a); (TYPO) en negrita ♦ nm (CULIN) gordo; **faire la ~se matinée** levantarse tarde.

gras-double [gʀadubl] (pl ~-~s) nm callos mpl.

grassement [gʀasmɑ̃] adv: ~ **payé** largamente pagado; (rire) de manera ordinaria.

grassouillet, te [gʀasujɛ, ɛt] adj regordete.

gratifiant, e [gʀatifjɑ̃, jɑ̃t] adj gratificante.

gratification [gʀatifikasjɔ̃] nf gratificación f.

gratifier [gʀatifje] vt: ~ **qn de** gratificar a algn con; (sourire etc) honrar a algn con.

gratin [gʀatɛ̃] nm gratín m; **au ~** gratinado(-a); **tout le ~ parisien** (fig) la flor y nata parisina.

gratiné, e [gʀatine] adj gratinado(-a); (fam) espantoso(-a).

gratinée [gʀatine] nf sopa gratinada.

gratis [gʀatis] adv, adj gratis.

gratitude [gʀatityd] nf gratitud f.

gratte-ciel [gʀatsjɛl] nm inv rascacielos m inv.

grattement [gʀatmɑ̃] nm ruido (al arañar o al raspar).

gratte-papier [gʀatpapje] (péj) nm inv chupatintas m inv.

gratter [gʀate] vt (frotter) raspar; (enlever) quitar, borrar; (bras, bouton) rascar; **se gratter** vpr rascarse.

grattoir [gʀatwaʀ] nm raspador m.

gratuit, e [gʀatɥi, ɥit] adj (aussi fig) gratuito(-a).

gratuité [gʀatɥite] nf gratuidad f.

gratuitement [gʀatɥitmɑ̃] adv gratuitamente.

gravats [gʀava] nmpl escombros mpl.

grave [gʀav] adj grave; (sujet, problème) grave, serio(-a) ♦ nm (MUS) grave m; **ce**

n'est pas ~! ¡no importa!; **blessé ~** herido grave.

graveleux, -euse [gʀav(ə)lø, øz] adj (terre) guijoso(-a); (fruit) granuloso(-a); (chanson, propos) escabroso(-a).

gravement [gʀavmɑ̃] adv gravemente.

graver [gʀave] vt grabar; ~ **qch dans son esprit/sa mémoire** (fig) grabar algo en su alma/su memoria.

graveur [gʀavœʀ] nm grabado.

gravier [gʀavje] nm grava.

gravillons [gʀavijɔ̃] nmpl gravilla.

gravir [gʀaviʀ] vt subir.

gravitation [gʀavitasjɔ̃] nf gravitación f.

gravité [gʀavite] nf (aussi PHYS) gravedad f.

graviter [gʀavite] vi (aussi fig): ~ **autour de** gravitar alrededor de.

gravure [gʀavyʀ] nf grabado m.

gré [gʀe] nm: **à son** ~ a su gusto; **au** ~ **de** a merced de; **contre le** ~ **de qn** contra la voluntad de algn; **de son (plein)** ~ por su propia voluntad; **de** ~ **ou de force** por las buenas o por las malas; **de bon** ~ con mucho gusto; **il faut le faire bon** ~ **mal** ~ hay que hacerlo, queramos o no; **de** ~ **à** ~ (COMM) de común acuerdo; **savoir** ~ **à qn de qch** estar agradecido(-a) a algn por algo.

grec, grecque [gʀɛk] adj griego(-a) ♦ nm (LING) griego ♦ nm/f: **G~, Grecque** griego(-a).

Grèce [gʀɛs] nf Grecia.

gredin, e [gʀədɛ̃, in] nm/f granuja m/f.

gréement [gʀemɑ̃] nm aparejo.

greffe [gʀɛf] nf (AGR) injerto; (MÉD) tra(n)splante m ♦ nm (JUR) archivo; ▶ **greffe du rein** transplante de riñón.

greffer [gʀefe] vt (tissu) injertar; (organe) transplantar; **se greffer** vpr: se ~ **sur qch** incorporarse a algo.

greffier, -ière [gʀefje, jɛʀ] nm/f escribano forense.

grégaire [gʀegɛʀ] adj gregario(-a).

grège [gʀɛʒ] adj: **soie** ~ seda cruda.

grêle [gʀɛl] adj flaco(-a) ♦ nf granizo.

grêlé, e [gʀele] adj picado(-a) de viruela.

grêler [gʀele] vb impers: **il grêle** graniza.

grêlon [gʀelɔ̃] nm granizo.

grelot [gʀəlo] nm cascabel m.

grelottant, e [gʀəlɔtɑ̃, ɑ̃t] adj tiritando.

grelotter [gʀəlɔte] vi tiritar.

Grenade [gʀənad] nf (ville, île) Granada.

grenade [gʀənad] nf granada; ▶ **grenade lacrymogène** bomba lacrimógena.

grenadier [gʀənadje] nm (MIL) granadero; (BOT) granado.

grenadine [gʀənadin] nf granadina.

grenat [gʀəna] adj inv granate.

grenier [gʀənje] nm (de maison) desván m,

altillo (AM), entretecho (AM); (de ferme) granero.

grenouille [gʀənuj] nf rana.

grenouillère [gʀənujɛʀ] nf pelele m.

grenu, e [gʀəny] adj granoso(-a).

grès [gʀɛ] nm (roche) arenisca; (poterie) gres msg.

grésil [gʀezil] nm granizo menudo.

grésillement [gʀezijmã] nm chirrido.

grésiller [gʀezije] vi (CULIN) chisporrotear; (RADIO) chirriar.

grève [gʀɛv] nf huelga; (plage) playa; **se mettre en/faire ~** declararse en/hacer huelga; ▶ **grève bouchon** huelga parcial; ▶ **grève de la faim** huelga de hambre; ▶ **grève de solidarité** huelga de solidaridad; ▶ **grève du zèle** huelga de celo; ▶ **grève perlée/sauvage** huelga intermitente/salvaje; ▶ **grève sur le tas** huelga de brazos caídos; ▶ **grève surprise/tournante** huelga sorpresa/escalonada.

grever [gʀəve] vt gravar; **grevé d'impôts/ d'hypothèques** gravado con impuestos/ con hipotecas.

gréviste [gʀevist] nm/f huelguista m/f.

gribouillage [gʀibujaʒ] nm garabato.

gribouiller [gʀibuje] vt, vi garabatear.

gribouillis [gʀibuji] nm garabato.

grief [gʀijɛf] nm queja; **faire ~ à qn de qch** reprochar algo a algn.

grièvement [gʀijɛvmã] adv gravemente; **~ blessé/atteint** herido/alcanzado de gravedad.

griffe [gʀif] nf garra; (fig: d'un couturier, parfumeur) marca.

griffé, e [gʀife] adj (fig) de marca.

griffer [gʀife] vt arañar.

griffon [gʀifɔ̃] nm grifón m.

griffonnage [gʀifɔnaʒ] nm garabato.

griffonner [gʀifɔne] vt garabatear.

griffure [gʀifyʀ] nf arañazo.

grignoter [gʀiɲɔte] vt roer; (argent, temps) consumir ♦ vi (manger peu) picar; **il lui a grignoté quelques secondes** (SPORT) consiguió arrancarle unos segundos.

gril [gʀil] nm parrilla.

grillade [gʀijad] nf carne f a la parrilla, asado (AM).

grillage [gʀijaʒ] nm (treillis) reja; (clôture) alambrada.

grillager [gʀijaʒe] vt enrejar, alambrar.

grille [gʀij] nf reja; (fig) red f; ▶ **grille (des programmes)** (RADIO, TV) parrilla (de programación); ▶ **grille des salaires** cuadro de salarios.

grille-pain [gʀijpɛ̃] nm inv tostador m de pan.

griller [gʀije] vt (aussi: **faire ~**: pain, café) tostar; (: viande) asar; (ampoule, résistan-

ce) fundir; (feu rouge) saltar ♦ vi (brûler) asarse.

grillon [gʀijɔ̃] nm grillo.

grimace [gʀimas] nf mueca; **faire des ~s** hacer muecas.

grimacer [gʀimase] vi: **~ de** hacer gestos de.

grimacier, -ière [gʀimasje, jɛʀ] adj que hace muecas.

grimer [gʀime] vt maquillar.

grimoire [gʀimwaʀ] nm (de sorcellerie) libro de magia; (ouvrage illisible) galimatías m inv.

grimpant, e [gʀɛ̃pã, ãt] adj: **plante/fleur ~e** planta/flor f trepadora.

grimper [gʀɛ̃pe] vt trepar a ou por ♦ vi empinarse; (prix, nombre) subir; (SPORT) escalar ♦ nm: **le ~** (SPORT) la cuerda; **~ à/sur** trepar a/por.

grimpeur, -euse [gʀɛ̃pœʀ, øz] nm/f escalador(a).

grinçant, e [gʀɛ̃sã, ãt] adj (fig) mordaz.

grincement [gʀɛ̃smã] nm chirrido; crujido; ▶ **grincement de dents** (fig) rechinar m de dientes.

grincer [gʀɛ̃se] vi (porte, roue) chirriar; (plancher) crujir; **~ des dents** rechinar los dientes.

grincheux, -euse [gʀɛ̃ʃø, øz] adj cascarrabias.

gringalet [gʀɛ̃galɛ] nm mequetrefe m.

griotte [gʀijɔt] nf guinda.

grippal, e, -aux [gʀipal, o] adj griposo(-a).

grippe [gʀip] nf gripe f; **avoir la ~** tener gripe; **prendre qn/qch en ~** (fig) coger manía a algn/algo.

grippé, e [gʀipe] adj: **être ~** estar griposo(-a); (moteur) estar gripado(-a).

gripper [gʀipe] vi gripar.

grippe-sou [gʀipsu] (pl **~-~s**) nm/f tacaño(-a).

gris, e [gʀi, gʀiz] adj gris inv; (ivre) alegre ♦ nm gris msg; **il fait ~** está nublado; **faire ~e mine (à qn)** poner mala cara (a algn); **~ perle** gris perla.

grisaille [gʀizaj] nf gris msg.

grisant, e [gʀizã, ãt] adj embriagador(a).

grisâtre [gʀizatʀ] adj grisáceo(-a); (ciel, jour) gris.

griser [gʀize] vt (fig) embriagar; **se ~ de** (fig) embriagarse de.

griserie [gʀizʀi] nf embriaguez f.

grisonnant, e [gʀizɔnã, ãt] adj entrecano(-a).

grisonner [gʀizɔne] vi encanecer.

Grisons [gʀizɔ̃] nmpl: **les ~** los Grisones.

grisou [gʀizu] nm grisú m.

gris-vert [gʀivɛʀ] adj inv gris verdoso(-a).

grive [gʀiv] nf tordo.

grivois, e [gʀivwa, waz] adj atrevido(-a).

grivoiserie [gʀivwazʀi] nf atrevimiento.
Groenland [gʀɔɛnlɑ̃d] nm Groenlandia.
grog [gʀɔg] nm ponche m.
groggy [gʀɔgi] adj inv grogui.
grogne [gʀɔɲ] (fam) nf descontento.
grognement [gʀɔɲmɑ̃] nm gruñido.
grogner [gʀɔɲe] vi gruñir; (personne) gruñir, refunfuñar.
grognon, ne [gʀɔɲɔ̃, ɔn] adj gruñón(-ona).
groin [gʀwɛ̃] nm hocico.
grommeler [gʀɔm(ə)le] vi mascullar.
grondement [gʀɔ̃dmɑ̃] nm (de tonnerre) tronido.
gronder [gʀɔ̃de] vt (canon, tonnerre) retumbar; (animal) gruñir; (fig) amenazar con estallar ♦ vt regañar.
groom [gʀum] nm botones m inv.
gros, se [gʀo, gʀos] adj (personne) gordo (-a); (paquet, problème, fortune) gran, grande; (travaux, dégâts) importante; (commerçant) acaudalado(-a); (orage, bruit) fuerte; (trait, fil) grueso(-a) ♦ adv: risquer/gagner ~ arriesgar/ganar mucho ♦ nm (COMM): le ~ el por mayor; écrire ~ escribir grueso; en ~ en líneas generales; prix de/vente en ~ precio/venta al por mayor; par ~ temps con temporal; par ~se mer con mar gruesa; le ~ de (troupe, fortune) el grueso de; en avoir ~ sur le cœur estar con el corazón muy triste; ► gros intestin intestino grueso; ► gros lot premio gordo; ► gros mot palabrota; ► gros œuvre (CONSTR) obra bruta; ► gros plan (PHOTO) primer plano; en ~ plan en primer plano; ► gros porteur (AVIAT) avión m de gran capacidad; ► grosse caisse (MUS) bombo; ► gros sel sal f gorda; ► gros titre (PRESSE) titular m.
groseille [gʀozɛj] nf grosella; ► groseille à maquereau grosella espinosa; ► groseille (blanche)/(rouge) grosella (blanca)/(roja).
groseillier [gʀozeje] nm grosellero.
grosse [gʀos] adj voir gros ♦ nf (COMM) gruesa.
grossesse [gʀosɛs] nf embarazo; ► grossesse nerveuse falso embarazo.
grosseur [gʀosœʀ] nf (d'une personne) gordura; (d'un paquet) tamaño; (d'un trait) grosor m; (tumeur) bulto.
grossier, -ière [gʀosje, jɛʀ] adj (vulgaire) grosero(-a); (laine) basto(-a); (travail, finition) tosco(-a); (erreur) burdo(-a), craso(-a).
grossièrement [gʀosjɛʀmɑ̃] adv groseramente; toscamente; (en gros, à peu près) aproximadamente; il s'est ~ trompé ha cometido un craso error.
grossièreté [gʀosjɛʀte] nf grosería.

grossir [gʀosiʀ] vi engordar; (fig) aumentar; (rivière, eaux) crecer ♦ vt (suj: vêtement): ~ qn hacer gordo a algn; (nombre, importance) aumentar; (histoire, erreur) exagerar.
grossissant, e [gʀosisɑ̃, ɑ̃t] adj de aumento.
grossissement [gʀosismɑ̃] nm aumento.
grossiste [gʀosist] nm/f (COMM) mayorista m/f.
grosso modo [gʀosomɔdo] adv grosso modo.
grotesque [gʀɔtɛsk] adj grotesco(-a).
grotte [gʀɔt] nf gruta.
grouiller [gʀuje] vi (foule) bullir; (fourmis) pulular; **se grouiller** vpr (fam) espabilar; ~ de estar atestado(-a) de.
groupe [gʀup] nm grupo; **médecine/thérapie de** ~ medicina/terapia de grupo; ► **groupe de pression** grupo de presión; ► **groupe électrogène** grupo electrógeno; ► **groupe sanguin/scolaire** grupo sanguíneo/escolar.
groupement [gʀupmɑ̃] nm agrupación f; ► **groupement d'intérêt économique** agrupación con intereses económicos.
grouper [gʀupe] vt agrupar; **se grouper** vpr agruparse.
groupuscule [gʀupyskyl] (péj) nm grupúsculo.
gruau [gʀyo] nm: **pain de** ~ pan m candeal.
grue [gʀy] nf grúa; (ZOOL) grulla; **faire le pied de** ~ (fam) estar de plantón.
gruger [gʀyʒe] vt timar.
grumeaux [gʀymo] nmpl grumos mpl.
grumeleux, -euse [gʀym(ə)lø, øz] adj (sauce) grumoso(-a); (peau) granuloso (-a).
grutier [gʀytje] nm conductor m ou operador m de grúa.
gruyère [gʀyjɛʀ] nm gruyère m.
Guadeloupe [gwadlup] nf Guadalupe f.
guadeloupéen, ne [gwadlupeɛ̃, ɛn] adj guadalupeño(-a) ♦ nm/f: **G~, ne** guadalupeño(-a).
guano [gwano] nm guano.
Guatemala [gwatemala] nm Guatemala.
guatémaltèque [gwatemaltɛk] adj guatemalteco(-a) ♦ nm/f: **G~** guatemalteco(-a).
gué [ge] nm vado; **passer à** ~ vadear.
guenilles [gənij] nfpl harapos mpl.
guenon [gənɔ̃] nf mona.
guépard [gepaʀ] nm guepardo.
guêpe [gɛp] nf avispa.
guêpier [gepje] nm (fig) avispero.
guère [gɛʀ] adv (avec adjectif, adverbe): **ne ... ~** poco; (avec verbe) poco, apenas; **tu n'es ~ raisonnable** eres poco razonable; **il ne la connaît ~** apenas la conoce; **il n'y a**

~ de apenas hay; **il n'y a** ~ **que toi qui puisse le faire** apenas hay otro que puede hacerlo más que tú.

guéri, e [geʀi] *adj* curado(-a); **être** ~ **de** *(fig)* estar curado(-a) de.

guéridon [geʀidɔ̃] *nm* velador *m*.

guérilla [geʀija] *nf* guerrilla.

guérillero [geʀijeʀo] *nm* guerrillero.

guérir [geʀiʀ] *vt* curar ♦ *vi (personne, chagrin)* curarse; *(plaie)* curarse, sanar; ~ **de** *(MÉD, fig)* curar de; ~ **qn** de curar a algn de.

guérison [geʀizɔ̃] *nf* curación *f*.

guérissable [geʀisabl] *adj* curable.

guérisseur, -euse [geʀisœʀ, øz] *nm/f* curandero(-a).

guérite [geʀit] *nf* garita.

Guernesey [gɛʀn(ə)zɛ] *nf* Guernesey *m*.

guerre [gɛʀ] *nf* guerra; ~ **atomique/de tranchées/d'usure** guerra atómica/de trincheras/de desgaste; **en** ~ en guerra; **faire la** ~ **à** hacer la guerra a; **de** ~ **lasse** *(fig)* cansado(-a) de luchar; **de bonne** ~ legítimo(-a); ► **guerre civile** guerra civil; ► **guerre de religion** guerra de religión; ► **guerre froide/mondiale** guerra fría/mundial; ► **guerre sainte** guerra santa; ► **guerre totale** guerra total.

guerrier, -ière [gɛʀje, jɛʀ] *adj, nm/f* guerrero(-a).

guerroyer [gɛʀwaje] *vi* guerrear.

guet [gɛ] *nm*: **faire le** ~ estar al acecho.

guet-apens [gɛtapɑ̃] *nm inv* emboscada.

guêtre [gɛtʀ(ə)] *nf* polaina.

guetter [gete] *vt (pour épier, surprendre)* acechar; *(attendre)* aguardar.

guetteur [getœʀ] *nm* centinela *m*.

gueule [gœl] *nf (d'animal)* hocico; *(du canon, tunnel)* boca; *(fam: visage)* jeta; *(: bouche)* pico; **ta** ~**!** *(fam)* ¡cierra el pico!; ► **gueule de bois** *(fam)* resaca.

gueule-de-loup [gœldəlu] *(pl* ~**s**-~-~*) nf (boca de)* dragón *m*.

gueuler [gœle] *(fam) vi* chillar.

gueuleton [gœltɔ̃] *(fam) nm* comilona.

gueux [gø] *nm* mendigo; *(coquin)* bribón *m*.

gui [gi] *nm* muérdago.

guibole [gibɔl] *(fam) nf* pata, zanca.

guichet [giʃɛ] *nm (d'un bureau, d'une banque)* ventanilla; *(d'une porte)* portillo; **les** ~**s** *(à la gare, au théâtre)* la taquilla, la boletería *(AM)*; **jouer à** ~**s fermés** actuar con todas las entradas vendidas.

guichetier, -ière [giʃ(ə)tje, jɛʀ] *nm/f* taquillero(-a).

guide [gid] *nm* guía *m*; *(livre)* guía *f* ♦ *nf* guía; ~**s** *nfpl (d'un cheval)* riendas *fpl*.

guider [gide] *vt* guiar.

guidon [gidɔ̃] *nm* manillar *m*.

guigne [giɲ] *nf*: **avoir la** ~ tener la negra.

guignol [giɲɔl] *nm* guiñol *m*; *(fig)* payaso.

guillemets [gijmɛ] *nmpl*: **entre** ~ entre comillas.

guilleret, te [gijʀɛ, ɛt] *adj* vivaracho(-a).

guillotine [gijɔtin] *nf* guillotina.

guillotiner [gijɔtine] *vt* guillotinar.

guimauve [gimov] *nf (BOT)* malvavisco; *(fig)* ñoñez *f*.

guimbarde [gɛ̃baʀd] *nf (vieille voiture)* cacharro; *(instrument de musique)* birimbao.

guindé, e [gɛ̃de] *adj* estirado(-a).

Guinée [gine] *nf*: **la (République de)** ~ **la** (República de) Guinea; **la** ~ **équatoriale** la Guinea Ecuatorial.

Guinée-Bissau [ginebiso] *nf* Guinea-Bissau.

guinéen, ne [ginéɛ̃, ɛn] *adj* guineano(-a) ♦ *nm/f*: **G~, ne** guineano(-a).

guingois [gɛ̃gwa]: **de** ~ *adv* de través.

guinguette [gɛ̃gɛt] *nf* merendero.

guirlande [giʀlɑ̃d] *nf* guirnalda; ► **guirlande de Noël/lumineuse** guirnalda de Navidad/de luces.

guise [giz] *nf*: **à votre** ~ como guste; **en** ~ **de** *(en manière de, comme)* a guisa de; *(à la place de)* en lugar de.

guitare [gitaʀ] *nf* guitarra; ► **guitare sèche** guitarra española.

guitariste [gitaʀist] *nm/f* guitarrista *m/f*.

gustatif, -ive [gystatif, iv] *adj* gustativo (-a); *voir* **papille**.

guttural, e, -aux [gytyʀal, o] *adj* gutural.

guyanais, e [gɥijanɛ, ɛz] *adj* guayanés (-esa) ♦ *nm/f*: **G~, e** guayanés(-esa).

Guyane [gɥijan] *nf* Guayana; **la** ~ **française** la Guayana francesa.

gymkhana [ʒimkana] *nm* gymkana; ► **gymkhana motocycliste** gymkana de motos.

gymnase [ʒimnɑz] *nm* gimnasio.

gymnaste [ʒimnast] *nm/f* gimnasta *m/f*.

gymnastique [ʒimnastik] *nf* gimnasia; ► **gymnastique corrective/rythmique** gimnasia correctiva/rítmica.

gymnique [ʒimnik] *adj* gímnico(-a).

gynécologie [ʒinekɔlɔʒi] *nf* ginecología.

gynécologique [ʒinekɔlɔʒik] *adj* ginecológico(-a).

gynécologue [ʒinekɔlɔg] *nm/f* ginecólogo (-a).

gypse [ʒips] *nm* yeso.

gyrocompas [ʒiʀokɔ̃pɑ] *nm* girocompás *msg*.

gyrophare [ʒiʀofaʀ] *nm (sur une voiture)* faro giratorio.

H, h

H, h [aʃ] *nm inv* (*lettre*) H, h *f*; **bombe ~** bomba H; **à l'heure ~** a la hora H; **~ comme Henri** ≈ H de Historia.
H [aʃ] *abr* (= *hydrogène*) H (= hidrógeno).
ha *abr* (= *hectare(s)*) ha. (= *hectárea(s)*).
habile [abil] *adj* hábil.
habilement [abilmɑ̃] *adv* hábilmente.
habileté [abilte] *nf* habilidad *f*.
habilité, e [abilite] *adj*: **~ à faire** habilitado(-a) para hacer.
habiliter [abilite] *vt* habilitar.
habillage [abijaʒ] *nm* (el) vestir *m*; (*d'un objet*) revestimiento.
habillé, e [abije] *adj* vestido(-a); (*robe, costume*) elegante; **~ de** (*TECH*) revestido (-a) de, forrado(-a) con.
habillement [abijmɑ̃] *nm* ropa; (*profession*) confección *f*.
habiller [abije] *vt* vestir; (*objet*) revestir, forrar; **s'habiller** *vpr* vestirse; (*mettre des vêtements chic*) vestir bien, ir bien vestido(-a); **s'~ de/en** vestirse de; **s'~ chez/à** vestirse en.
habilleuse [abijøz] *nf* (*CINÉ, THÉÂTRE*) encargada del vestuario.
habit [abi] *nm* traje *m*; **~s** *nmpl* (*vêtements*) ropa; **prendre l'~** (*REL*) tomar hábito; ▶ **habit (de soirée)** traje de etiqueta.
habitable [abitabl] *adj* habitable.
habitacle [abitakl] *nm* (*de voiture*) interior *m*; (*de fusée etc*) cabina.
habitant, e [abitɑ̃, ɑ̃t] *nm/f* habitante *m/f*; (*d'une maison*) ocupante *m/f*; (*d'un immeuble*) vecino(-a); **loger chez l'~** alojarse con gente local.
habitat [abita] *nm* hábitat *m*.
habitation [abitasjɔ̃] *nf* (*fait de résider*) habitación *f*; (*domicile*) domicilio; (*bâtiment*) vivienda; ▶ **habitations à loyer modéré** *viviendas oficiales de renta limitada*.
habité, e [abite] *adj* habitado(-a).
habiter [abite] *vt* vivir en; (*suj: sentiment, envie*) anidar ♦ *vi*: **~ à** *ou* **dans** vivir en; **~ chez** *ou* **avec qn** vivir en casa de *ou* con algn; **~ rue Montmartre** vivir en la calle Montmartre.
habitude [abityd] *nf* costumbre *f*; **avoir l'~**

de faire/qch tener la costumbre de hacer/algo; (*expérience*) estar acostumbrado(-a) a hacer/algo; **avoir l'~ des enfants** estar acostumbrado(-a) a los niños; **prendre l'~ de faire qch** acostumbrarse a hacer algo; **perdre une ~** perder una costumbre; **d'~** normalmente; **comme d'~** como de costumbre; **par ~** por hábito *ou* costumbre.
habitué, e [abitɥe] *adj*: **être ~ à** estar acostumbrado(-a) a ♦ *nm/f* (*d'une maison*) amigo(-a); (*client*: *d'un café etc*) parroquiano(-a).
habituel, le [abitɥɛl] *adj* habitual.
habituellement [abitɥɛlmɑ̃] *adv* habitualmente; (*presque toujours*) generalmente.
habituer [abitɥe] *vt*: **~ qn à qch/faire** acostumbrar a algn a algo/hacer; **s'~ à** acostumbrarse a; **s'~ à faire** acostumbrarse a hacer.
hâbleur, -euse ['ɑblœʀ, øz] *adj* fanfarrón(-ona).
hache ['aʃ] *nf* hacha.
haché, e ['aʃe] *adj* (*CULIN*) picado(-a); (*mot, style*) entrecortado(-a); **viande ~e** carne *f* picada, picadillo.
hache-légumes ['aʃlegym] *nm inv* picadora de legumbres.
hacher ['aʃe] *vt* (*viande, persil*) picar; (*entrecouper*) cortar; **~ menu** hacer picadillo.
hachette ['aʃɛt] *nf* hachuela.
hache-viande ['aʃvjɑ̃d] *nm inv* picadora; (*couteau*) cuchilla de carnicero.
hachis ['aʃi] *nm* picadillo; ▶ **hachis de viande** picadillo de carne.
hachisch ['aʃiʃ] *nm voir* **haschisch**.
hachoir ['aʃwaʀ] *nm* (*instrument*) cuchilla de carnicero; (*appareil*) picadora; (*planche*) tabla de picar.
hachurer ['aʃyʀe] *vt* (*ART*) plumear.
hachures ['aʃyʀ] *nfpl* (*ART*) plumeado *msg*.
hagard, e ['agaʀ, aʀd] *adj* enloquecido(-a).
haie ['ɛ] *nf* seto; (*SPORT*) valla; (*fig: rang*) hilera; **200 m/400 m ~s** 200m/400m vallas; ▶ **haie d'honneur** hilera de honor.
haillons ['ɑjɔ̃] *nmpl* harapos *mpl*, andrajos *mpl*.
haine ['ɛn] *nf* odio.
haineux, -euse ['ɛnø, øz] *adj*: **~ regard** mirada de odio.
haïr ['aiʀ] *vt* odiar; **se haïr** *vpr* odiarse.
hais ['ɛ] *vb voir* **haïr**.
haïs ['ai] *vb voir* **haïr**.
haïssable ['aisabl] *adj* aborrecible.
Haïti [aiti] *n* Haití *m*.
haïtien, ne [aisjɛ̃, ɛn] *adj* haitiano(-a) ♦ *nm/f*: **H~, ne** haitiano(-a).
halage ['alaʒ] *nm*: **chemin de ~** camino de sirga.

hâle ['ɑl] *nm* bronceado.
hâlé, e ['ɑle] *adj* bronceado(-a).
haleine [alɛn] *nf* aliento; **perdre** ~ perder el aliento *ou* la respiración; **à perdre** ~ hasta perder el aliento; **avoir mauvaise** ~ tener mal aliento; **reprendre** ~ recobrar el aliento; **hors d'**~ sin aliento; **tenir en** ~ tener en vilo; **de longue** ~ de mucho esfuerzo.
haler ['ale] *vt* (*câble*) halar; (*remorquer*) sirgar.
haleter ['alte] *vi* jadear.
hall ['ol] *nm* vestíbulo.
hallali [alali] *nm* toque *m* de acoso.
halle ['al] *nf* mercado; ~s *nfpl* (*marché principal*) mercado central.
hallebarde ['albaʀd] *nf* alabarda; **il pleut des** ~s llueve a cántaros.
hallucinant, e [alysinɑ̃, ɑ̃t] *adj* alucinante.
hallucination [alysinasjɔ̃] *nf* alucinación *f*; ▸ **hallucination collective** alucinación colectiva.
hallucinatoire [alysinatwaʀ] *adj* alucinador(a).
halluciné, e [alysine] *nm/f* alucinado(-a); (*fou*) loco(-a).
hallucinogène [a(l)lysinɔʒɛn] *adj* alucinógeno(-a) ♦ *nm* alucinógeno.
halo ['alo] *nm* halo.
halogène [alɔʒɛn] *nm*: **lampe (à)** ~ lámpara halógena.
halte ['alt] *nf* alto; (*escale*) parada; (*RAIL*) apeadero; (*excl*) ¡alto!; **faire** ~ hacer un alto, pararse.
halte-garderie ['altgaʀdəʀi] (*pl* ~**s**-~**s**) *nf* guardería.
haltère [altɛʀ] *nm* pesa; ~**s** *nmpl* (*activité*): **faire des** ~**s** hacer pesas.
haltérophile [alteʀɔfil] *nm/f* halterófilo(-a).
haltérophilie [alteʀɔfili] *nf* halterofilia.
hamac ['amak] *nm* hamaca.
hamburger ['ɑ̃buʀgœʀ] *nm* hamburguesa.
hameau, x ['amo] *nm* aldea.
hameçon [amsɔ̃] *nm* anzuelo.
hampe ['ɑ̃p] *nf* asta.
hamster ['amstɛʀ] *nm* hámster *m*.
hanche ['ɑ̃ʃ] *nf* cadera.
handball ['ɑ̃dbal] (*pl* ~**s**) *nm* balonmano.
handballeur, -euse ['ɑ̃dbalœʀ, øz] *nm/f* jugador(a) de balonmano.
handicap ['ɑ̃dikap] *nm* hándicap *m*.
handicapé, e ['ɑ̃dikape] *adj, nm/f* disminuido(-a); ▸ **handicapé mental** disminuido psíquico; ▸ **handicapé moteur** paralítico; ▸ **handicapé physique** minusválido(-a) *ou* disminuido(-a) físico(-a).
handicaper ['ɑ̃dikape] *vt* ser una desventaja para; (*SPORT*) handicapar.
hangar ['ɑ̃gaʀ] *nm* cobertizo, galpón *m*

(*CSUR*); (*AVIAT*) hangar *m*.
hanneton ['antɔ̃] *nm* abejorro.
hanter ['ɑ̃te] *vt* (*suj: fantôme*) aparecer en; (: *idée, souvenir*) obsesionar, atormentar.
hantise ['ɑ̃tiz] *nf* obsesión *f*.
happer ['ape] *vt* (*avec la bouche*) atrapar; (*suj: train, voiture*) atropellar.
harangue ['aʀɑ̃g] *nf* arenga.
haranguer ['aʀɑ̃ge] *vt* arengar; (*sermonner*) sermonear.
haras ['aʀɑ] *nm* acaballadero.
harassant, e ['aʀasɑ̃, ɑ̃t] *adj* abrumador(a).
harassé, e ['aʀase] *adj* abrumado(-a); **être** ~ **de** (*travail etc*) estar abrumado(-a) de.
harcèlement ['aʀsɛlmɑ̃] *nm* (*MIL*) hostigamiento; (*CHASSE, fig*) acoso; ▸ **harcèlement sexuel** acoso sexual.
harceler ['aʀsəle] *vt* (*MIL*) hostigar; (*CHASSE, fig*) acosar; ~ **de questions** acosar con preguntas.
hardes ['aʀd] (*péj*) *nfpl* trapos *mpl*.
hardi, e ['aʀdi] *adj* audaz; (*décolleté, passage*) atrevido(-a).
hardiesse ['aʀdjɛs] *nf* audacia; (*péj*: effronterie) atrevimiento; ~**s** *nfpl* (*actions, paroles*) libertades *fpl*.
hardiment ['aʀdimɑ̃] *adv* audazmente.
harem ['aʀɛm] *nm* harén *m*.
hareng ['aʀɑ̃] *nm* arenque *m*; ▸ **hareng saur** arenque ahumado.
hargne ['aʀɲ] *nf* saña.
hargneusement ['aʀɲøzmɑ̃] *adv* con saña.
hargneux, -euse ['aʀɲø, øz] *adj* arisco (-a), hosco(-a); (*critiques*) acerbo(-a).
haricot ['aʀiko] *nm* (*BOT*) judía; ▸ **haricot blanc/rouge** alubia blanca/pinta; ▸ **haricot vert** judía verde.
harmonica [aʀmɔnika] *nm* armónica.
harmonie [aʀmɔni] *nf* armonía.
harmonieusement [aʀmɔnjøzmɑ̃] *adv* armoniosamente.
harmonieux, -euse [aʀmɔnjø, øz] *adj* armonioso(-a).
harmonique [aʀmɔnik] *nm* (*MUS*) armónico.
harmoniser [aʀmɔnize] *vt* armonizar; **s'harmoniser** *vpr* armonizar.
harmonium [aʀmɔnjɔm] *nm* armonio.
harnaché, e ['aʀnaʃe] *adj* (*fig*) ataviado (-a).
harnachement ['aʀnaʃmɑ̃] *nm* (*habillement*) atavío; (*équipement*) arneses *mpl*.
harnacher ['aʀnaʃe] *vt* enjaezar.
harnais ['aʀnɛ] *nm* arreos *mpl*.
haro ['aʀo] *nm*: **crier** ~ **sur qn/qch** gritar indignado(-a) contra algn/algo.
harpe ['aʀp] *nf* arpa.
harpie ['aʀpi] *nf* arpía.
harpiste ['aʀpist] *nm/f* arpista *m/f*.

harpon ['arpɔ̃] *nm* arpón *m*.
harponner ['arpɔne] *vt* arponear; *(fam)* enganchar.
hasard ['azar] *nm* azar *m*; **un** ~ una casualidad; *(chance)* una suerte; **au** ~ al azar; *(à l'aveuglette)* a ciegas; **par** ~ por casualidad; **comme par** ~ como de casualidad; **à tout** ~ por si acaso.
hasarder ['azarde] *vt (mot)* aventurar; *(fortune)* arriesgar; **se** ~ **à faire** aventurarse a hacer.
hasardeux, -euse ['azardø, øz] *adj (entreprise)* arriesgado(-a); *(hypothèse)* aventurado(-a).
haschisch ['aʃiʃ] *nm* hachís *m*.
hâte ['at] *nf* prisa; **à la** ~ **de** prisa; **en** ~ rápidamente; **avoir** ~ **de** tener prisa por.
hâter ['ate] *vt* apresurar; **se hâter** *vpr* apresurarse; **se** ~ **de** apresurarse a.
hâtif, -ive ['atif, iv] *adj* precipitado(-a); *(fruit, légume)* temprano(-a).
hâtivement ['ativmã] *adv* apresuradamente.
hauban ['obã] *nm (NAUT)* obenque *m*.
hausse ['os] *nf* alza; *(de la température)* subida, aumento; **à la** ~ al alza; **en** ~ *(prix)* en alza; *(température)* en aumento.
hausser ['ose] *vt* subir; ~ **les épaules** encogerse de hombros; **se** ~ **sur la pointe des pieds** ponerse de puntillas.
haut, e ['o, 'ot] *adj* alto(-a); *(température, pression)* elevado(-a), alto(-a); *(idée, intelligence)* brillante ♦ *adv*: **être/monter/lever** ~ estar/subir/levantar en alto ♦ *nm* alto; *(d'un arbre)* copa; *(d'une montagne)* cumbre *f*; **de 3 m de** ~ de 3 m de alto *ou* altura; ~ **de 2 m/5 étages** de 2m/5 pisos de altura; **en** ~e **montagne** en alta montaña; **des** ~s **et des bas** altibajos *mpl*; **en** ~ **lieu** en las altas esferas; **à** ~e **voix, tout** ~ en voz alta; **du** ~ **de** desde lo alto de; **tomber de** ~ caer desde lo alto; *(fig)* quedarse de una pieza; **dire qch bien** ~ decir algo bien fuerte; **prendre qch de (très)** ~ tomar algo con desdén; **traiter qn de** ~ tratar con altanería a algn; **de** ~ **en bas** *(regarder)* de arriba abajo; *(frapper)* por todas partes; ~ **en couleur** muy coloreado(-a); **un personnage** ~ **en couleur** un personaje excéntrico; **plus** ~ más alto; *(dans un texte)* más arriba; **en** ~ arriba; **en** ~ **de** *(être situé)* por encima de; *(aller, monter)* a lo alto de; *"*~ **les mains!"** "¡arriba las manos!"; ► **haute coiffure/couture** alta peluquería/costura; ► **haute fidélité** *(ÉLEC)* alta fidelidad *f*; ► **haute finance** altas finanzas *fpl*; ► **haute trahison** alta traición *f*.
hautain, e ['otɛ̃, ɛn] *adj* altanero(-a).
hautbois ['obwa] *nm* oboe *m*.
hautboïste ['oboist] *nm/f* oboe *m/f*.
haut-de-forme ['odfɔrm] *(pl* ~s-~-~*) nm* sombrero de copa.
haute-contre ['otkɔ̃tr] *(pl* ~s-~*) nm/f (MUS)* contralto.
hautement ['otmã] *adv* sumamente.
hauteur ['otœr] *nf* altura; *(noblesse)* grandeza; *(arrogance)* altanería, altivez *f*; **à** ~ **de** a la altura de; **à** ~ **des yeux** a la altura de los ojos; **à la** ~ **de** al nivel de; **à la** ~ *(fig)* a la altura.
Haute-Volta ['otvɔlta] *nf* Alto Volta.
haut-fond ['ofɔ̃] *(pl* ~s-~s*) nm* bajío.
haut-fourneau ['ofurno] *(pl* ~s-~x*) nm* alto horno.
haut-le-cœur ['olkœr] *nm inv* náusea.
haut-le-corps ['olkɔr] *nm inv* sobresalto.
haut-parleur ['oparlœr] *(pl* ~-~s*) nm* altavoz *m*.
hauturier, -ière ['otyrje, jɛr] *adj (NAUT)*: **pêche hauturière** pesca de altura.
havanais, e ['avanɛ, ɛz] *adj* habano(-a) ♦ *nm/f*: **H**~, **e** habano(-a).
Havane ['avan] *nf*: **la** ~ La Habana ♦ *nm (cigare)* habano.
hâve ['av] *adj* macilento(-a).
havrais, e ['avrɛ, ɛz] *adj* de Le Havre ♦ *nm/f*: **H**~, **e** nativo(-a) *ou* habitante *m/f* de Le Havre.
havre ['avr] *nm* refugio.
havresac ['avrəsak] *nm* mochila.
Hawaï, Hawaii [awai] *n* Hawai; **les îles Hawaï** las islas Hawai.
hawaïen, ne [awajẽ, ɛn] *adj* hawaiano(-a) ♦ *nm (LING)* hawaiano ♦ *nm/f*: **H**~, **ne** hawaiano(-a).
Haye ['ɛ] *n*: **la** ~ La Haya.
hayon ['ɛjɔ̃] *nm (AUTO)* portón *m* trasero.
hé ['e] *excl* ¡eh!
hebdo ['ɛbdo] *(fam) nm* semanal *m*.
hebdomadaire [ɛbdɔmadɛr] *adj* semanal ♦ *nm* semanario.
hébergement [ebɛrʒəmã] *nm* alojamiento, hospedaje *m*.
héberger [ebɛrʒe] *vt* alojar, hospedar; *(réfugiés)* alojar.
hébété, e [ebete] *adj* atontado(-a).
hébétude [ebetyd] *nf* entorpecimiento.
hébraïque [ebraik] *adj* hebraico(-a).
hébreu, x [ebrø] *adj* hebreo(-a) ♦ *nm* hebreo.
HEC ['aʃese] *sigle fpl (= École des hautes études commerciales)* escuela de élite de comercio.
hécatombe [ekatɔ̃b] *nf* hecatombe *f*.
hectare [ɛktar] *nm* hectárea.
hecto... [ɛkto] *préfixe* hecto... .
hectolitre [ɛktɔlitr] *nm* hectolitro.
hédoniste [edɔnist] *adj* hedonista.
hégémonie [eʒemɔni] *nf* hegemonía.

hein ['ɛ̃] *excl* (*comment?*) ¿eh?; **tu m'approuves,** ~? ¿estás de acuerdo, eh?; **Paul est venu,** ~? Pablo vino, ¿no?; **j'ai mal fait/eu tort,** ~? hice mal/me equivoqué, ¿no?; **que fais-tu,** ~? ¿qué haces, eh?

hélas ['elɑs] *excl* ¡ay! ◊ *adv* desgraciadamente.

héler ['ele] *vt* llamar.

hélice [elis] *nf* hélice *f*; **escalier en** ~ escalera de caracol.

hélicoïdal, e, -aux [elikɔidal, o] *adj* helicoidal.

hélicoptère [elikɔptɛR] *nm* helicóptero.

hélio(gravure) [eljɔ(gRavyR)] *nf* heliograbado.

héliomarin, e [eljɔmaRɛ̃, in] *adj*: **centre** ~ sanatorio marítimo.

héliotrope [eljɔtRɔp] *nm* heliotropo.

héliport [elipɔR] *nm* helipuerto.

héliporté, e [elipɔRte] *adj* helitransportado(-a).

hélium [eljɔm] *nm* helio.

hellébore [e(ɛl)lebɔr] *nm* (*BOT*) eléboro.

hellénique [elenik] *adj* helénico(-a).

hellénisant, e [elenizã, ãt] *adj* helenista.

helléniste [elenist] *nmf* helenista *mf*.

Helsinki [ɛlzinki] *n* Helsinki.

helvète [ɛlvɛt] *adj* helvecio(-a) ◊ *nmf*: **H~** helvecio(-a).

Helvétie [ɛlvesi] *nf* Helvecia.

helvétique [ɛlvetik] *adj* helvético(-a).

hématologie [ematɔlɔʒi] *nf* hematología.

hématome [ematom] *nm* hematoma *m*.

hémicycle [emisikl] *nm* hemiciclo; (*POL*): **l'~** el hemiciclo.

hémiplégie [emipleʒi] *nf* hemiplejía.

hémisphère [emisfɛR] *nm*: ~ **nord/sud** hemisferio norte/sur.

hémisphérique [emisfeRik] *adj* hemisférico(-a).

hémoglobine [emɔglɔbin] *nf* hemoglobina.

hémophile [emɔfil] *adj* hemofílico(-a).

hémophilie [emɔfili] *nf* hemofilia.

hémorragie [emɔraʒi] *nf* hemorragia; ▶ **hémorragie cérébrale/interne/nasale** hemorragia cerebral/interna/nasal.

hémorroïdes [emɔRɔid] *nfpl* almorranas *fpl*, hemorroides *fpl*.

hémostatique [emɔstatik] *adj* hemostático(-a).

henné ['ene] *nm* alheña.

hennir ['eniR] *vi* relinchar.

hennissement ['enismã] *nm* relincho.

hep ['ɛp] *excl* ¡eh!

hépatique [epatik] *adj* hepático(-a).

hépatite [epatit] *nf* hepatitis *f*.

héraldique [eRaldik] *nf* heráldica.

herbacé, e [ɛRbase] *adj* herbáceo(-a); **plantes** ~es plantas *fpl* herbáceas.

herbage [ɛRbaʒ] *nm* herbaje *m*.

herbe [ɛRb] *nf* hierba; **en** ~ en cierne; **de l'~** hierba; **touffe/brin d'~** mata/brizna de hierba.

herbeux, -euse [ɛRbø, øz] *adj* herboso(-a).

herbicide [ɛRbisid] *nm* herbicida *m*.

herbier [ɛRbje] *nm* herbario.

herbivore [ɛRbivɔR] *nm* herbívoro.

herboriser [ɛRbɔRize] *vi* herborizar.

herboriste [ɛRbɔRist] *nmf* herbolario(-a).

herboristerie [ɛRbɔRistRi] *nf* (*magasin*) herbolario, herboristería; (*commerce*) comercio de plantas medicinales.

herculéen, ne [ɛRkyleɛ̃, ɛn] *adj* hercúleo (-a).

hère ['ɛR] *nm*: **pauvre** ~ pobre diablo.

héréditaire [eReditɛR] *adj* hereditario(-a).

hérédité [eRedite] *nf* herencia.

hérésie [eRezi] *nf* herejía.

hérétique [eRetik] *nmf* herético(-a).

hérissé, e ['eRise] *adj* erizado(-a); ~ **de** erizado(-a) de.

hérisser ['eRise] *vt*: ~ **qn** (*fig*) poner los pelos de punta a algn; **se hérisser** *vpr* erizarse.

hérisson ['eRisɔ̃] *nm* erizo.

héritage [eRitaʒ] *nm* herencia; (*legs*) testamento; **faire un (petit)** ~ recibir una (pequeña) herencia.

hériter [eRite] *vi*: ~ **qch (de qn)** heredar algo (de algn) ◊ *vt*: **il a hérité 2 millions de son oncle** heredó 2 millones de su tío; ~ **de qn** heredar de algn.

héritier, -ière [eRitje, jɛR] *nmf* heredero (-a).

hermaphrodite [ɛRmafRɔdit] *adj*, *nm* hermafrodita *mf*.

hermétique [ɛRmetik] *adj* hermético(-a); (*étanche*) impermeable.

hermétiquement [ɛRmetikmã] *adv* herméticamente.

hermine [ɛRmin] *nf* armiño.

hernie ['ɛRni] *nf* hernia.

héroïne [eRɔin] *nf* heroína.

héroïnomane [eRɔinɔman] *nmf* heroinómano(-a).

héroïque [eRɔik] *adj* heroico(-a).

héroïquement [eRɔikmã] *adv* heroicamente.

héroïsme [eRɔism] *nm* heroísmo.

héron ['eRɔ̃] *nm* garza.

héros ['eRo] *nm* héroe *m*.

herpès [ɛRpɛs] *nm* herpes *m inv*.

herse ['ɛRs] *nf* grada.

hertz [ɛRts] *nm* hercio, hertz *m*.

hertzien, ne [ɛRtsjɛ̃, ɛn] *adj* hertziano(-a).

hésitant, e [ezitã, ãt] *adj* vacilante, indeciso(-a).

hésitation [ezitasjɔ̃] *nf* indecisión *f*, vacilación *f*.

hésiter [ezite] *vi*: ~ **(à faire)** vacilar *ou* dudar (en hacer); **je le dis sans** ~ lo digo sin vacilar *ou* dudar; ~ **sur qch** vacilar *ou* dudar sobre algo; ~ **entre** dudar entre.

hétéro [eteʀo] *adj inv* = **hétérosexuel.**

hétéroclite [eteʀɔklit] *adj* heteróclito(-a).

hétérogène [eteʀɔʒɛn] *adj* heterogéneo (-a).

hétérosexuel, le [eteʀɔsɛkɥel] *adj* heterosexual.

hêtre [ˈɛtʀ] *nm* haya.

heure [œʀ] *nf* hora; *(SCOL)* clase *f*; **c'est l'**~ **es la hora; quelle** ~ **est-il?** ¿qué hora es?; **pourriez-vous me donner l'**~, **s'il vous plaît?** ¿me puede decir la hora, por favor?; **2** ~**s (du matin)** las 2 (de la mañana); **à la bonne** ~ *(parfois ironique)* ¡me alegro!; **être à l'**~ ser puntual; *(montre)* estar en hora; **mettre à l'**~ poner en hora; **100 km à l'**~ 100 km por hora; **à toute** ~ a todas horas; **24** ~**s sur 24** 24 horas al día; **à l'**~ **qu'il est** a esta hora; *(fig)* a estas horas *ou* alturas; **une** ~ **d'arrêt** una hora de parada; **sur l'**~ inmediatamente; **pour l'**~ por ahora; **d'**~ **en** ~ cada hora; *(d'une heure à l'autre)* de hora en hora; **d'une** ~ **à l'autre** dentro de nada; **de bonne** ~ de madrugada; **le bus passe à l'**~ el autobús pasa a la hora en punto; **2** ~**s de marche/travail** 2 horas de marcha/ trabajo; **à l'**~ **actuelle** a estas horas, actualmente; ▶ **heure de pointe** hora punta; ▶ **heure locale/d'été** hora local/de verano; ▶ **heures supplémentaires/de bureau** horas *fpl* extraordinarias/de oficina.

heureusement [œʀøzmɑ̃] *adv* afortunadamente; ~ **que** ... menos mal que ... .

heureux, -euse [œʀø, øz] *adj* feliz; *(caractère)* optimista; *(chanceux)* afortunado(-a); **être** ~ **de qch/faire** alegrarse de algo/hacer; **être** ~ **que** alegrarle a algn que; **s'estimer** ~ **que/de qch** darse por contento(-a) de que/de algo; **encore** ~ **que** ... y menos mal que ... .

heurt [ˈœʀ] *nm* choque *m*; ~**s** *nmpl (fig: bagarre)* choques *mpl*; *(: désaccord)* desavenencias *fpl*.

heurté, e [ˈœʀte] *adj* contrastado(-a); *(couleurs)* chocante.

heurter [ˈœʀte] *vt (mur, porte)* chocar con *ou* contra; *(personne)* tropezar con; *(fig: personne, sentiment)* chocar (con); **se heurter** *vpr* chocar (con); *(voitures, personnes)* chocar; *(couleurs, tons)* contrastar; **se** ~ **à** *(fig)* enfrentarse a; ~ **qn de front** enfrentarse a algn.

heurtoir [ˈœʀtwaʀ] *nm* aldaba.

hévéa [evea] *nm* jebe *m*.

hexagonal, e, -aux [ɛgzagɔnal, o] *adj*

hexagonal; *(souvent péj: français)* franchute.

hexagone [ɛgzagɔn] *nm* hexágono; *(la France)* Francia.

HF [ˈaʃɛf] *abr* (= *haute fréquence*) alta frecuencia.

hiatus [ˈjatys] *nm* hiato.

hibernation [ibɛʀnasjɔ̃] *nf* hibernación *f*; *(fig)* inactividad *f*.

hiberner [ibɛʀne] *vi* hibernar.

hibiscus [ibiskys] *nm* majagua, hibisco.

hibou, x [ˈibu] *nm* búho.

hic [ˈik] *(fam) nm* pega.

hideusement [ˈidøzmɑ̃] *adv* horrendamente.

hideux, -euse [ˈidø, øz] *adj* horrendo(-a).

hier [jɛʀ] *adv* ayer; ~ **matin/soir/midi** ayer por la mañana/por la tarde/al mediodía; **toute la journée/la matinée d'**~ todo el día/toda la mañana de ayer.

hiérarchie [ˈjeʀaʀʃi] *nf* jerarquía.

hiérarchique [ˈjeʀaʀʃik] *adj* jerárquico(-a).

hiérarchiquement [ˈjeʀaʀʃikmɑ̃] *adv* jerárquicamente.

hiérarchisation [ˈjeʀaʀʃizasjɔ̃] *nf* jerarquización *f*.

hiérarchiser [ˈjeʀaʀʃize] *vt* jerarquizar.

hiéroglyphe [ˈjeʀɔglif] *nm* jeroglífico.

hiéroglyphique [ˈjeʀɔglifik] *adj* jeroglífico(-a).

hi-fi [ˈifi] *nf inv* hi-fi *m*.

hilarant, e [ilaʀɑ̃, ɑ̃t] *adj* graciosísimo(-a).

hilare [ilaʀ] *adj* jovial.

hilarité [ilaʀite] *nf* hilaridad *f*.

Himalaya [imalaja] *n* Himalaya *m*.

hindou, e [ɛ̃du] *adj* hindú ♦ *nm/f*: **H**~, **e** hindú *m/f*.

hindouisme [ɛ̃duism] *nm* hinduismo.

hippie [ˈipi] *adj*, *nm/f* hippy *m/f*.

hippique [ipik] *adj* hípico(-a).

hippisme [ipism] *nm* hipismo.

hippocampe [ipɔkɑ̃p] *nm* hipocampo.

hippodrome [ipɔdʀom] *nm* hipódromo.

hippophagique [ipɔfaʒik] *adj*: **boucherie** ~ carnicería de carne de caballo.

hippopotame [ipɔpɔtam] *nm* hipopótamo.

hirondelle [iʀɔ̃dɛl] *nf* golondrina.

hirsute [iʀsyt] *adj (barbe)* hirsuto(-a); *(tête)* desgreñado(-a).

hispanique [ispanik] *adj* hispánico(-a).

hispanisant, e [ispanizɑ̃, ɑ̃t] *adj* hispanista.

hispaniste [ispanist] *nm/f* hispanista *m/f*.

hispano-américain, e [ispanɔameʀikɛ̃, ɛn] *(pl* ~**-**~**s, es)** *adj* hispanoamericano(-a) ♦ *nm/f*: **H**~**-**~, **e** hispanoamericano(-a).

hispano-arabe [ispanɔaʀab] *(pl* ~**-**~**s)** *adj* hispanoárabe.

hisser [ˈise] *vt* izar; **se** ~ **sur** levantarse sobre.

histoire [istwaʀ] *nf* historia; (*chichis*: *gén pl*) lío; ~s *nfpl* (*ennuis*) problemas *mpl*; l'~ de France la historia de Francia; l'~ sainte la historia sagrada; une ~ de (*fig*) una cuestión de.

histologie [istɔlɔʒi] *nf* histología.

historien, ne [istɔʀjɛ̃, ɛn] *nm/f* historiador(a).

historiographe [istɔʀjɔgʀaf] *nm* historiografía.

historique [istɔʀik] *adj* histórico(-a) ♦ *nm*: faire l'~ de hacer la crónica de.

historiquement [istɔʀikmɑ̃] *adv* históricamente.

hit-parade ['itpaʀad] (*pl* ~-~s) *nm* lista de éxitos.

hiver [ivɛʀ] *nm* invierno; en ~ en invierno.

hivernal, e, -aux [ivɛʀnal, o] *adj* invernal.

hivernant, e [ivɛʀnɑ̃, ɑ̃t] *nm/f* invernante *m/f*.

hiverner [ivɛʀne] *vi* invernar.

HLM ['aʃɛlɛm] *sigle m ou f* (= *habitations à loyer modéré*) viviendas oficiales de bajo alquiler.

hobby ['ɔbi] *nm* hobby *m*.

hobereau ['ɔbʀo] (*péj*) *nm* señor *m*.

hochement ['ɔʃmɑ̃] *nm*: ~ de tête cabeceo.

hocher ['ɔʃe] *vt*: ~ la tête cabecear; (*signe négatif ou dubitatif*) menear la cabeza.

hochet ['ɔʃɛ] *nm* sonajero.

hockey ['ɔkɛ] *nm*: ~ (sur glace/gazon) hockey *m* (sobre hielo/hierba).

hockeyeur, -euse ['ɔkɛjœʀ, øz] *nm/f* jugador(a) de hockey.

holà ['ɔla; hɔla] *nm*: mettre le ~ à qch poner fin a algo.

holding ['ɔldiŋ] *nm* holding *m*.

hold-up ['ɔldœp] *nm inv* atraco a mano armada.

hollandais, e ['ɔlɑ̃dɛ, ɛz] *adj* holandés (-esa) ♦ *nm* (*LING*) holandés *msg* ♦ *nm/f*: H~, e holandés(-esa); les H~ los holandeses.

Hollande ['ɔlɑ̃d] *nf* Holanda ♦ *nm*: h~ (*fromage*) queso de Holanda.

holocauste [ɔlɔkost] *nm* holocausto.

hologramme [ɔlɔgʀam] *nm* holograma *m*.

homard ['ɔmaʀ] *nm* bogavante *m*.

homélie [ɔmeli] *nf* homilía.

homéopathe [ɔmeɔpat] *nm/f* homeópata *m/f*.

homéopathie [ɔmeɔpati] *nf* homeopatía.

homéopathique [ɔmeɔpatik] *adj* homeopático(-a).

homérique [ɔmeʀik] *adj* homérico(-a).

homicide [ɔmisid] *nm* homicidio; ► homicide involontaire homicidio involuntario.

hommage [ɔmaʒ] *nm* homenaje *m*; ~s *nmpl* (*civilités*): présenter ses ~s presentar sus respetos; rendre ~ à rendir homenaje a; en ~ de en prueba de; faire ~ de qch à qn obsequiar algo a algn.

homme [ɔm] *nm* hombre *m*; (*individu de sexe masculin*) hombre, varón *m*; l'~ de la rue el hombre de la calle; ► homme à tout faire hombre para todo; ► homme d'affaires hombre de negocios; ► homme d'Église eclesiástico; ► homme d'État estadista *m*; ► homme de loi abogado; ► homme de main matón *m*; ► homme de paille hombre de paja; ► homme des cavernes hombre de las cavernas.

homme-grenouille [ɔmgʀənuj] (*pl* ~s-~s) *nm* hombre *m* rana *inv*.

homme-orchestre [ɔmɔʀkɛstʀ] (*pl* ~s-~s) *nm* hombre *m* orquesta *inv*.

homme-sandwich [ɔmsɑ̃dwitʃ] (*pl* ~s-~s) *nm* hombre *m* anuncio *inv*.

homogène [ɔmɔʒɛn] *adj* homogéneo(-a).

homogénéisé, e [ɔmɔʒeneize] *adj*: lait ~ leche *f* homogeneizada.

homogénéité [ɔmɔʒeneite] *nf* homogeneidad *f*.

homologation [ɔmɔlɔgasjɔ̃] *nf* homologación *f*.

homologue [ɔmɔlɔg] *nm/f* homólogo(-a).

homologué, e [ɔmɔlɔge] *adj* homologado(-a).

homologuer [ɔmɔlɔge] *vt* homologar.

homonyme [ɔmɔnim] *nm* (*LING*) homónimo; (*d'une personne*) tocayo(-a).

homosexualité [ɔmɔsɛksɥalite] *nf* homosexualidad *f*.

homosexuel, le [ɔmɔsɛksɥɛl] *adj* homosexual.

Honduras ['ɔ̃dyʀas] *nm* Honduras *f*.

hondurien, ne ['ɔ̃dyʀjɛ̃, ɛn] *adj* hondureño(-a) ♦ *nm/f*: H~, ne hondureño(-a).

Hong-Kong ['ɔ̃gkɔ̃g] *n* Hong-Kong.

hongre ['ɔ̃gʀ] *adj* castrado(-a) ♦ *nm* caballo castrado.

Hongrie ['ɔ̃gʀi] *nf* Hungría.

hongrois, e ['ɔ̃gʀwa, waz] *adj* húngaro(-a) ♦ *nm* (*LING*) húngaro ♦ *nm/f*: H~, e húngaro(-a).

honnête [ɔnɛt] *adj* (*intègre*) honrado(-a), honesto(-a); (*juste, satisfaisant*) justo(-a), razonable.

honnêtement [ɔnɛtmɑ̃] *adv* honestamente; (*équitablement*) justamente.

honnêteté [ɔnɛtte] *nf* honestidad *f*.

honneur [ɔnœʀ] *nm* honor *m*; (*faveur*) honra; (*mérite*): l'~ lui revient es mérito suyo; à qui ai-je l'~? ¿con quién tengo el honor de hablar?; cela me/te fait ~ esto me/te honra; "j'ai l'~ de ..." "tengo el honor de ...''; **en l'~ de** (*personne*) en honor de; (*événement*) en celebración de; **faire ~ à** (*engagements*) cumplir con; (*famille, professeur*) hacer honor a; (*repas*) hacer los honores a; **être à l'~** (*personne*) ser admirado(-a); (*vêtement*) estar de moda; **être en ~** gozar de consideración; **membre d'~** miembro de honor; **table d'~** mesa de honor.

Honolulu [ɔnɔlyly] *n* Honolulú.

honorable [ɔnɔRabl] *adj* honorable; (*suffisant*) satisfactorio(-a).

honorablement [ɔnɔRabləmã] *adv* honrosamente; (*suffisamment bien*) satisfactoriamente.

honoraire [ɔnɔRεR] *adj* honorario(-a); **~s** *nmpl* honorarios *mpl*; **professeur ~** profesor(a) honorario(-a).

honorer [ɔnɔRe] *vt* honrar; (*estimer*) respetar; (*COMM: chèque, dette*) pagar; **~ qn de** honrar a algn con; **s'~ de** honrarse con.

honorifique [ɔnɔRifik] *adj* honorífico(-a).

honte ['ɔ̃t] *nf* vergüenza; **avoir ~ de** tener vergüenza de; **faire ~ à qn** avergonzar a algn.

honteusement ['ɔ̃tøzmã] *adv* vergonzosamente.

honteux, -euse ['ɔ̃tø, øz] *adj* avergonzado(-a); (*conduite, acte*) vergonzoso(-a).

hôpital, -aux [ɔpital, o] *nm* hospital *m*.

hoquet ['ɔkε] *nm* hipo; **avoir le ~** tener hipo.

hoqueter ['ɔkte] *vi* tener hipo.

horaire [ɔRεR] *adj* por hora ♦ *nm* horario; **~s** *nmpl* (*conditions, heures de travail*) horario *msg*; ► **horaire mobile/à la carte** horario móvil/libre; ► **horaire souple** *ou* **flexible** horario flexible.

horde ['ɔRd] *nf* horda.

horizon [ɔRizɔ̃] *nm* horizonte *m*; (*paysage*) panorama *m*; **~s** *nmpl* (*fig*) horizontes *mpl*; **sur l'~** en el horizonte.

horizontal, e, -aux [ɔRizɔ̃tal, o] *adj* horizontal ♦ *nf*: **à l'~e** en horizontal.

horizontalement [ɔRizɔ̃talmã] *adv* horizontalmente.

horloge [ɔRlɔʒ] *nf* reloj *m*; ► **horloge normande** *modalidad de reloj de pie*; ► **horloge parlante** reloj parlante *ou* telefónico.

horloger, -ère [ɔRlɔʒe, εR] *nm/f* relojero (-a).

horlogerie [ɔRlɔʒRi] *nf* relojería; **pièces d'~** piezas *fpl* de relojería.

hormis ['ɔRmi] *prép* excepto.

hormonal, e, -aux [ɔRmɔnal, o] *adj* hormonal.

hormone [ɔRmɔn] *nf* hormona.

horodaté, e [ɔRɔdate] *adj* (*ticket*) con la fecha y la hora; (*stationnement*) con registro de la fecha y hora.

horodateur, -trice [ɔRɔdatœR, tRis] *adj* (*appareil*) expendedor(a) ♦ *nm* parquímetro.

horoscope [ɔRɔskɔp] *nm* horóscopo.

horreur [ɔRœR] *nf* horror *m*; **l'~ d'une action/d'une scène** lo horroroso de una acción/de una escena; **quelle ~!** ¡qué horror!; **avoir ~ de qch** sentir horror por algo; **cela me fait ~** eso me horroriza.

horrible [ɔRibl] *adj* horrible, horrendo(-a); (*laid*) horroroso(-a).

horriblement [ɔRibləmã] *adv* horriblemente; (*extrêmement*) terriblemente.

horrifiant, e [ɔRifjã, ãt] *adj* horripilante, horroroso(-a).

horrifier [ɔRifje] *vt* horrorizar.

horrifique [ɔRifik] *adj* horroroso(-a).

horripilant, e [ɔRipilã, ãt] *adj* horripilante, exasperante.

horripiler [ɔRipile] *vt* horripilar, exasperar.

hors ['ɔR] *prép* salvo; **~ de** fuera de; **~ de propos** fuera de lugar; **être ~ de soi** estar fuera de sí; ► **hors ligne/série** fuera de línea/de serie; ► **hors pair** fuera de serie; ► **hors service/d'usage** fuera de servicio de uso.

hors-bord ['ɔRbɔR] *nm inv* fuera borda *m inv*.

hors-concours ['ɔRkɔ̃kuR] *adj inv* fuera de concurso.

hors-d'œuvre ['ɔRdœvR] *nm inv* entremés *m*.

hors-jeu ['ɔRʒø] *nm inv* fuera *m* de juego.

hors-la-loi ['ɔRlalwa] *nm inv* forajido.

hors-piste(s) ['ɔRpist] *nm inv* (*SKI*) ski *m* fuera de pista.

hors-taxe [ɔRtaks] *adj* libre de impuestos.

hors-texte ['ɔRtεkst] *nm inv* lámina fuera de texto.

hortensia [ɔRtãsja] *nm* hortensia.

horticole [ɔRtikɔl] *adj* hortícola.

horticulteur, -trice [ɔRtikyltœR, tRis] *nm/f* horticultor(a).

horticulture [ɔRtikyltyR] *nf* horticultura.

hospice [ɔspis] *nm* (*de vieillards*) asilo; (*asile*) hospicio.

hospitalier, -ière [ɔspitalje, jεR] *adj* hospitalario(-a).

hospitalisation [ɔspitalizasjɔ̃] *nf* hospitalización *f*.

hospitaliser [ɔspitalize] *vt* hospitalizar.

hospitalité [ɔspitalite] *nf* hospitalidad *f*; **offrir l'~ à qn** dar hospitalidad a algn.

hostie [ɔsti] *nf* (*REL*) hostia.

hostile [ɔstil] *adj* hostil; **~ à** contrario(-a) a.

hostilité [ɔstilite] *nf* hostilidad *f*; ~**s** *nfpl* (*MIL*) hostilidades *fpl*.

hôte [ot] *nm* (*maître de maison*) anfitrión *m* ♦ *nm/f* (*invité*) huésped *m/f*; (*client*) cliente *m/f*; (*fig: occupant*) ocupante *m/f*; ▸ **hôte payant** huésped de pago.

hôtel [otɛl] *nm* hotel *m*; **aller à l'**~ ir a un hotel; ▸ **hôtel de ville** ayuntamiento; ▸ **hôtel (particulier)** palacete *m*.

hôtelier, -ière [otəlje, jɛʀ] *adj, nm/f* hotelero(-a).

hôtellerie [otɛlʀi] *nf* (*profession*) hostelería; (*auberge*) hostal *m*.

hôtesse [otɛs] *nf* (*maîtresse de maison*) anfitriona; (*dans une agence, une foire*) azafata, recepcionista; ▸ **hôtesse (de l'air)** azafata (de aviación), aeromoza (*AM*); ▸ **hôtesse (d'accueil)** azafata (de recepción).

hotte [ɔt] *nf* (*panier*) cuévano; (*de cheminée*) campana; ~ **aspirante** (*de cuisinière*) campana extractora.

houblon [ublɔ̃] *nm* lúpulo.

houe [u] *nf* azada.

houille [uj] *nf* hulla; ▸ **houille blanche** hulla blanca.

houiller, -ère [uje, ɛʀ] *adj* hullero(-a).

houillère [ujɛʀ] *nf* mina de hulla.

houle [ul] *nf* marejada.

houlette [ulɛt] *nf*: **sous la** ~ **de** bajo la dirección de.

houleux, -euse [ulø, øz] *adj* (*mer*) encrespado(-a); (*discussion*) agitado(-a).

houppe [up] *nf* (*cheveux*) tupé *m*; (*pour la poudre*) borla, pompón *m*.

houppette [upɛt] *nf* (*pour la poudre*) borla, pompón *m*; (*cheveux*) mechón *m*.

hourra [uʀa] *nm* hurra *m* ♦ *excl* ¡hurra!

houspiller [uspije] *vt* reprender.

housse [us] *nf* funda.

houx [u] *nm* acebo.

H.S. [aʃɛs] *abr* (= *hors service*) *voir* **hors**.

H.T. [aʃte] *abr* = **hors-taxe**.

hublot [yblo] *nm* portilla.

huche [yʃ] *nf*: ~ **à pain** artesa.

huées [ɥe] *nfpl* abucheo.

huer [ɥe] *vt* abuchear ♦ *vi* graznar.

huile [ɥil] *nf* aceite *m*; (*ART*) óleo; (*fam*) pez *m* gordo; **mer d'**~ balsa de aceite; **faire tache d'**~ (*fig*) extenderse como cosa buena; ▸ **huile d'arachide/de table** aceite de cacahuete/de mesa; ▸ **huile de ricin/de foie de morue** aceite de ricino/de hígado de bacalao; ▸ **huile détergente** (*AUTO*) aceite detergente; ▸ **huile essentielle** aceite volátil; ▸ **huile solaire** aceite bronceador.

huiler [ɥile] *vt* aceitar.

huilerie [ɥilʀi] *nf* fábrica de aceite.

huileux, -euse [ɥilø, øz] *adj* aceitoso(-a).

huilier [ɥilje] *nm* vinagreras *fpl*.

huis [ɥi] *nm*: **à** ~ **clos** a puerta cerrada.

huissier [ɥisje] *nm* ordenanza *m*; (*JUR*) ujier *m*.

huit [ˈɥi(t)] *adj inv, nm inv* ocho *m inv*; **samedi en** ~ el sábado en ocho días; **dans** ~ **jours** dentro de ocho días; *voir aussi* **cinq**.

huitaine [ˈɥitɛn] *nf*: **une** ~ **de** unos ocho; **une** ~ **de jours** unos ocho días.

huitante [ˈɥitɑ̃t] *num* (*SUISSE*) ochenta.

huitième [ˈɥitjɛm] *adj, nm/f* octavo(-a) ♦ *nm* (*partitif*) octavo; *voir aussi* **cinquième**.

huître [ɥitʀ] *nf* ostra.

hululement [ˈylylmɑ̃] *nm* ululato.

hululer [ˈylyle] *vi* ulular.

humain, e [ymɛ̃, ɛn] *adj* humano(-a) ♦ *nm* humano.

humainement [ymɛnmɑ̃] *adv* humanamente.

humanisation [ymanizasjɔ̃] *nf* humanización *f*.

humaniser [ymanize] *vt* humanizar.

humaniste [ymanist] *nm/f* humanista *m/f*.

humanitaire [ymanitɛʀ] *adj* humanitario (-a).

humanitarisme [ymanitaʀism] *nm* humanitarismo.

humanité [ymanite] *nf* humanidad *f*.

humanoïde [ymanɔid] *nm/f* humanoide *m/f*.

humble [œ̃bl] *adj* humilde.

humblement [œ̃bləmɑ̃] *adv* humildemente.

humecter [ymɛkte] *vt* humedecer; **s'**~ **les lèvres** humedecerse los labios.

humer [ˈyme] *vt* aspirar, oler.

humérus [ymeʀys] *nm* húmero.

humeur [ymœʀ] *nf* (*momentanée*) humor *m*; (*tempérament*) carácter *m*; (*irritation*) mal humor; **de bonne/mauvaise** ~ de buen/mal humor; **cela m'a mis de mauvaise/bonne** ~ eso me puso de mal/buen humor; **je suis de mauvaise/bonne** ~ estoy de mal/buen humor; **être d'**~ **à faire qch** estar de humor para hacer algo.

humide [ymid] *adj* húmedo(-a); (*route*) mojado(-a).

humidificateur [ymidifikatœʀ] *nm* humectador *m*, humedecedor *m*.

humidifier [ymidifje] *vt* humedecer.

humidité [ymidite] *nf* humedad *f*; **traces d'**~ rastros *mpl* de humedad.

humiliant, e [ymiljɑ̃, ɑ̃t] *adj* humillante.

humiliation [ymiljasjɔ̃] *nf* humillación *f*.

humilier [ymilje] *vt* humillar; **s'**~ **devant qn** humillarse delante de algn.

humilité [ymilite] *nf* humildad *f*.

humoriste [ymɔʀist] *nm/f* humorista *m/f*.

humoristique [ymɔʀistik] *adj* humorístico(-a).

humour [ymuʀ] *nm* humor *m*; **il a un** ~ **par-**

humus – id

ticulier tiene un humor muy particular; avoir de l'~ tener sentido del humor; ▶ **humour noir** humor negro.
humus [ymys] *nm* humus *msg.*
huppé, e ['ype] *(fam) adj* encopetado(-a).
hurlement ['yʀləmɑ̃] *nm* aullido, alarido.
hurler ['yʀle] *vi (animal)* aullar; *(personne)* dar alaridos; *(de peur)* chillar; *(fig: vent etc)* ulular; (: *couleurs etc)* chocar; ~ **à la mort** aullar a la muerte.
hurluberlu [yʀlybɛʀly] *(péj) nm* chiflado.
hutte ['yt] *nf* choza.
hybride [ibʀid] *adj* híbrido(-a).
hydratant, e [idʀatɑ̃, ɑ̃t] *adj* hidratante.
hydrate [idʀat] *nm*: ~s **de carbone** hidratos *mpl* de carbono.
hydrater [idʀate] *vt* hidratar.
hydraulique [idʀolik] *adj* hidráulico(-a).
hydravion [idʀavjɔ̃] *nm* hidroavión *m.*
hydro... [idʀɔ] *préf* hidro... .
hydrocarbure [idʀɔkaʀbyʀ] *nm* hidrocarburo.
hydrocution [idʀɔkysjɔ̃] *nf* hidrocución *f.*
hydro-électrique [idʀɔelɛktʀik] *(pl* ~-~s) *adj* hidroeléctrico(-a).
hydrogène [idʀɔʒɛn] *nm* hidrógeno.
hydroglisseur [idʀɔglisœʀ] *nm* hidroplano.
hydrographie [idʀɔgʀafi] *nf* hidrografía.
hydrographique [idʀɔgʀafik] *adj* hidrográfico(-a).
hydrophile [idʀɔfil] *adj voir* **coton.**
hyène [jɛn] *nf* hiena.
hygiène [iʒjɛn] *nf* higiene *f;* ▶ **hygiène corporelle/intime** higiene corporal/íntima.
hygiénique [iʒenik] *adj* higiénico(-a).
hygromètre [igʀɔmɛtʀ] *nm* higrómetro.
hymne [imn] *nm* himno; ▶ **hymne national** himno nacional.
hyper... [ipɛʀ] *préfixe* hiper... .
hypermarché [ipɛʀmaʀʃe] *nm* hipermercado.
hypermétrope [ipɛʀmetʀɔp] *adj* hipermétrope.
hypernerveux, -euse [ipɛʀnɛʀvø, øz] *adj* hipernervioso(-a).
hypersensible [ipɛʀsɑ̃sibl] *adj* hipersensible.
hypertendu, e [ipɛʀtɑ̃dy] *adj* hipertenso(-a).
hypertension [ipɛʀtɑ̃sjɔ̃] *nf* hipertensión *f.*
hypertrophié, e [ipɛʀtʀɔfje] *adj* hipertrofiado(-a).
hypnose [ipnoz] *nf* hipnosis *fsg.*
hypnotique [ipnɔtik] *adj* hipnótico(-a).
hypnotiser [ipnɔtize] *vt* hipnotizar.
hypnotiseur [ipnɔtizœʀ] *nm* hipnotizador(a).
hypnotisme [ipnɔtism] *nm* hipnotismo.
hypocondriaque [ipɔkɔ̃dʀijak] *adj*

hipocondríaco(-a).
hypocrisie [ipɔkʀizi] *nf* hipocresía.
hypocrite [ipɔkʀit] *adj, nm/f* hipócrita *m/f.*
hypocritement [ipɔkʀitmɑ̃] *adv* hipócritamente.
hypotendu, e [ipotɑ̃dy] *adj* hipotenso(-a).
hypotension [ipotɑ̃sjɔ̃] *nf* hipotensión *f.*
hypoténuse [ipotenyz] *nf* hipotenusa.
hypothécaire [ipotekɛʀ] *adj* hipotecario (-a); **garantie/prêt** ~ garantía hipotecaria/préstamo hipotecario.
hypothèque [ipotɛk] *nf* hipoteca.
hypothéquer [ipoteke] *vt* hipotecar; ~ l'avenir hipotecar el porvenir.
hypothermie [ipotɛʀmi] *nf* hipotermia.
hypothèse [ipotɛz] *nf* hipótesis *f inv;* **dans l'~ où** ... en la hipótesis de que ... .
hypothétique [ipotetik] *adj* hipotético(-a).
hypothétiquement [ipotetikmɑ̃] *adv* hipotéticamente.
hystérectomie [istɛʀɛktɔmi] *nf* histerectomía.
hystérie [istɛʀi] *nf* histeria, histerismo; ▶ **hystérie collective** histeria colectiva.
hystérique [isteʀik] *adj* histérico(-a).
Hz *abr (= Hertz)* Hz (= *hertzio).*

I, i

I, i [i] *nm inv* I, i *f;* ~ **comme Irma** ≈ I de Isabel.
IAC [iase] *sigle f (= insémination artificielle entre conjoints)* inseminación *f* artificial entre cónyuges.
IAD [iade] *sigle f (= insémination artificielle par donneur extérieur)* inseminación artificial por donante anónimo.
ibère [ibɛʀ] *adj* ibero(-a) ♦ *nm/f:* I~ ibero (-a).
ibérique [ibeʀik] *adj:* **la péninsule** ~ la península ibérica.
iceberg [ajsbɛʀg] *nm* iceberg *m.*
ici [isi] *adv* aquí; **jusqu'**~ hasta aquí; *(temporel)* hasta ahora; **d'**~ **là** para entonces; *(en attendant)* mientras tanto; **d'**~ **peu** dentro de poco.
icône [ikon] *nf (aussi INFORM)* icono.
iconoclaste [ikɔnɔklast] *nm/f* iconoclasta *m/f.*
iconographie [ikɔnɔgʀafi] *nf* iconografía.
id *abr (= idem)* íd. (= *ídem).*

idéal, e, -aux [ideal, o] *adj* ideal ◆ *nm* (*modèle, type parfait*) ideal *m*; (*système de valeurs*) ideales *mpl*; **l'~ serait de/que** lo ideal sería/sería que.

idéalement [idealmɑ̃] *adv* idealmente.

idéalisation [idealizasjɔ̃] *nf* idealización *f*.

idéaliser [idealize] *vt* idealizar.

idéalisme [idealism] *nm* idealismo.

idéaliste [idealist] *adj, nm/f* idealista *m/f*.

idée [ide] *nf* idea; **~s** *nfpl* (*opinions, conceptions*) ideas *fpl*; **se faire des ~s** hacerse ilusiones; **mon ~, c'est que …** mi opinión es que …; **je n'en ai pas la moindre ~** no tengo la menor idea; **à l'~ de/que** con la idea de/de que; **avoir ~ que, avoir dans l'~ que** tener la impresión de que; **il a dans l'~ que …** (*il est convaincu que*) se le ha metido en la cabeza que …; **en voilà des ~s!** ¡menuda idea!, ¡vaya ocurrencia!; **avoir des ~s larges/étroites** tener una mentalidad abierta/estrecha; **agir/ vivre à son ~** actuar/vivir de acuerdo con sus propias ideas; **venir à l'~ de qn** ocurrírsele a algn; ▶ **idée fixe** idea fija; ▶ **idées noires** pensamientos *mpl* negros; ▶ **idées reçues** ideas preconcebidas.

identifiable [idɑ̃tifjabl] *adj* identificable.

identification [idɑ̃tifikasjɔ̃] *nf* (*v vb*) identificación *f*; reconocimiento.

identifier [idɑ̃tifje] *vt* identificar; (*échantillons de pierre*) reconocer; **~ qch/qn à** identificar algo/a algn con; **s'~ avec** *ou* **à qch/qn** identificarse con algo/algn.

identique [idɑ̃tik] *adj* idéntico(-a); **~ à** idéntico a.

identité [idɑ̃tite] *nf* (*de vues, goûts*) semejanza; (*d'une personne*) identidad *f*; ▶ **identité judiciaire** identidad judicial.

idéogramme [ideɔgram] *nm* ideograma *m*.

idéologie [ideɔlɔʒi] *nf* ideología.

idéologique [ideɔlɔʒik] *adj* ideológico(-a).

idiomatique [idjɔmatik] *adj*: **expression ~** expresión *f* idiomática.

idiome [idjom] *nm* idioma *m*.

idiot, e [idjo, idjɔt] *adj* (*MÉD*) retrasado (-a); (*péj: personne*) idiota, estúpido(-a); (*film, réflexion*) estúpido(-a) ◆ *nm/f* idiota *m/f*; **l'~ du village** el tonto del pueblo.

idiotie [idjɔsi] *nf* retraso mental; idiotez *f*; (*propos, remarque inepte*) estupidez *f*, idiotez.

idiotisme [idjɔtism] *nm* modismo, idiotismo.

idoine [idwan] *adj* idóneo(-a).

idolâtrer [idolɑtʁe] *vt* idolatrar.

idolâtrie [idolɑtʁi] *nf* idolatría.

idole [idɔl] *nf* (*aussi fig*) ídolo.

IDS [ideɛs] *sigle f* (= *Initiative de défense stratégique*) IDE *f* (= *Iniciativa de Defensa*

Estratégica).

idylle [idil] *nf* idilio.

idyllique [idilik] *adj* idílico(-a).

if [if] *nm* (*BOT*) tejo.

IFOP [ifɔp] *sigle m* (= *Institut français d'opinion publique*) empresa de sondeos de opinión.

IGF [iʒeɛf] *sigle m* = *impôt sur les grandes fortunes*.

igloo [iglu] *nm* iglú *m*.

IGN [iʒeɛn] *sigle m* (= *Institut géographique national*) ≈ IGN *m* (= *Instituto Geográfico Nacional*).

ignare [iɲaʁ] *adj, nm/f* ignorante *m/f*.

ignifuge [iɲifyʒ] *adj* ignífugo(-a) ◆ *nm* agente *m* ignífugo.

ignifugé, e [iɲifyʒe] *adj* ignífugo(-a).

ignifuger [iɲifyʒe] *vt* ignifugar.

ignoble [iɲɔbl] *adj* (*individu, procédé*) ruin, innoble; (*taudis, nourriture*) asqueroso(-a).

ignoblement [iɲɔbləmɑ̃] *adv* ruinmente, innoblemente.

ignominie [iɲɔmini] *nf* (*déshonneur, honte, acte ignoble*) ignominia; (*conduite*) ruindad *f*.

ignominieux, -euse [iɲɔminjø, jøz] *adj* ignominioso(-a).

ignorance [iɲɔʁɑ̃s] *nf* (*d'un événement*) desconocimiento; (*manque d'instruction*) ignorancia; **tenir qn dans l'~ de** tener algn en la ignorancia de; **être dans l'~ de** desconocer.

ignorant, e [iɲɔʁɑ̃, ɑ̃t] *adj, nm/f* ignorante *m/f*; **~ en** (*une matière quelconque*) ignorante en; **faire l'~** hacerse el tonto.

ignoré, e [iɲɔʁe] *adj* ignorado(-a).

ignorer [iɲɔʁe] *vt* (*loi, faits*) ignorar; (*personne, demande*) no hacer caso a, ignorar a; (*être sans expérience de: plaisir, guerre*) desconocer; **j'ignore comment/si** no sé cómo/si; **~ que** ignorar que, desconocer que; **je n'ignore pas que …** soy consciente de que …; **je l'ignore** lo ignoro.

IGPN [iʒepeɛn] *sigle f* = *Inspection générale de la police nationale*.

IGS [iʒeɛs] *sigle f* (= *Inspection générale des services*) inspección general de los servicios de inteligencia.

iguane [igwan] *nm* iguana.

il [il] *pron* él; **~s** ellos; **~ fait froid** hace frío; **~ est midi** es mediodía; **Pierre est-~ arrivé?** ¿ha llegado Pedro?; *voir aussi* **avoir**.

île [il] *nf* isla; **les ~s** (*les Antilles*) las Antillas; **l'~ de Beauté** Córcega; **l'~ Maurice** la isla Mauricio; **les ~s anglo-normandes/Britanniques** las islas del Canal/Británicas; **les (îles) Baléares/ Canaries** las (islas) Baleares/Canarias;

les (îles) **Marquises** las (islas) Marquesas.

iliaque [iljak] *adj*: **os/artère** ~ hueso ilíaco/arteria ilíaca.

illégal, e, -aux [i(l)legal, o] *adj* ilegal.

illégalement [i(l)legalmã] *adv* ilegalmente.

illégalité [i(l)legalite] *nf* ilegalidad *f*; **être dans l'~** estar en la ilegalidad.

illégitime [i(l)leʒitim] *adj* ilegítimo(-a); (*craintes*) injustificado(-a).

illégitimement [i(l)leʒitimmã] *adv* ilegítimamente.

illégitimité [i(l)leʒitimite] *nf* ilegitimidad *f*; **gouverner dans l'~** gobernar en la ilegitimidad.

illettré, e [i(l)letRe] *adj* (*analphabète*) iletrado(-a), analfabeto(-a) ♦ *nmf* analfabeto(-a).

illicite [i(l)lisit] *adj* ilícito(-a).

illicitement [i(l)lisitmã] *adv* ilícitamente.

illico [i(l)liko] (*fam*) *adv*: ~ **(presto)** ahora mismo, desde ya (ARG), al tiro (CHI), luego luego (MEX).

illimité, e [i(l)limite] *adj* ilimitado(-a); (*confiance*) infinito(-a); (*congé, durée*) indefinido(-a).

illisible [i(l)lizibl] *adj* (*indéchiffrable*) ilegible; (*roman*) intragable, insoportable.

illisiblement [i(l)lizibləmã] *adv* ilegiblemente.

illogique [i(l)lɔʒik] *adj* ilógico(-a).

illogisme [i(l)lɔʒism] *nm* incongruencia.

illumination [i(l)lyminasjɔ̃] *nf* iluminación *f*; ~**s** *nfpl* (*lumières*) luces *fpl*.

illuminé, e [i(l)lymine] *adj* iluminado(-a) ♦ *nmf* (*fig: péj*) visionario(-a).

illuminer [i(l)lymine] *vt* iluminar; **s'illuminer** *vpr* iluminarse.

illusion [i(l)lyzjɔ̃] *nf* ilusión *f*; **se faire des** ~**s** hacerse ilusiones; **faire** ~ dar el pego; ► **illusion d'optique** ilusión óptica.

illusionner [i(l)lyzjɔne] *vt* (*éblouir, tromper*) ilusionar; **s'illusionner (sur qn/qch)** *vpr* ilusionarse (con algn/algo).

illusionnisme [i(l)lyzjɔnism] *nm* ilusionismo.

illusionniste [i(l)lyzjɔnist] *nmf* ilusionista *m/f*.

illusoire [i(l)lyzwaR] *adj* ilusorio(-a).

illusoirement [i(l)lyzwaRmã] *adv* ilusoriamente.

illustrateur, -trice [i(l)lystRatœR, tRis] *nmf* ilustrador(a).

illustratif, -ive [i(l)lystRatif, iv] *adj* ilustrativo(-a).

illustration [i(l)lystRasjɔ̃] *nf* ilustración *f*.

illustre [i(l)lystR] *adj* ilustre.

illustré, e [i(l)lystRe] *adj* ilustrado(-a) ♦ *nm* (*périodique*) revista ilustrada; (*pour enfants*) tebeo.

illustrer [i(l)lystRe] *vt* ilustrar; (*de notes, commentaires*) glosar; **s'illustrer** *vpr* (*personne*) distinguirse.

îlot [ilo] *nm* (*petite île*) islote *m*; (*bloc de maisons*) manzana; **un** ~ **de verdure** una isla verde.

ils [il] *pron voir* **il**.

image [imaʒ] *nf* imagen *f*; (*tableau, représentation*) imagen, representación *f*; ~ **de imagen de**; ► **image de marque** (*d'un produit*) imagen de marca; (*d'une personne, d'une entreprise*) reputación *f*; ► **image d'Épinal** cromo; (*présentation simpliste*) imagen estereotipada, ► **image pieuse** imagen piadosa.

imagé, e [imaʒe] *adj* rico(-a) en imágenes.

imaginable [imaʒinabl] *adj* imaginable; **difficilement** ~ difícil de imaginar.

imaginaire [imaʒinɛR] *adj* imaginario(-a); **nombre** ~ número imaginario.

imaginatif, -ive [imaʒinatif, iv] *adj* imaginativo(-a).

imagination [imaʒinasjɔ̃] *nf* imaginación *f*; (*chimère, invention*) imaginaciones *fpl*.

imaginer [imaʒine] *vt* imaginar; (*inventer*) idear; **s'imaginer** *vpr* (*scène*) imaginarse; ~ **que** suponer que; **j'imagine qu'il a voulu plaisanter** me figuro que habrá querido bromear; **que vas-tu** ~ **là?** ¡qué ocurrencias tienes!; **s'**~ **que** imaginarse que; **s'**~ **à 60 ans/en vacances** imaginarse a los 60 años/en vacaciones; **il s'imagine pouvoir faire** ... se imagina que va a poder hacer ...; **ne t'imagine pas que** no te imagines que.

imbattable [c̃batabl] *adj* imbatible.

imbécile [c̃besil] *adj, nmf* imbécil *m/f*.

imbécillité [c̃besilite] *nf* (MÉD) retraso mental, imbecilidad *f*; (*action, propos*) imbecilidad; (*film, livre*) estupidez *f*.

imberbe [c̃bɛRb] *adj* imberbe.

imbiber [c̃bibe] *vt* empapar; **s'imbiber de** *vpr* impregnarse de; ~ **qch de** empapar algo con; **imbibé d'eau** empapado (de agua).

imbriqué, e [c̃bRike] *adj* imbricado(-a); (*plaques*) superpuesto(-a).

imbriquer [c̃bRike] *vt* (*cubes*) encajar; (*plaques*) superponer; **s'imbriquer** *vpr* (*problèmes, affaires*) relacionarse; (*plaques*) superponerse.

imbroglio [c̃bRɔljo] *nm* embrollo; (*THÉÂTRE*) enredo.

imbu, e [c̃by] *adj*: ~ **de** imbuído(-a) de; ~ **de soi-même/sa supériorité** engreído(-a).

imbuvable [c̃byvabl] *adj* imbebible; (*personne*) inaguantable.

imitable [imitabl] *adj* imitable; **facilement** ~ fácil de imitar.

imitateur, -trice [imitatœR, tRis] *nmf* imi-

tador(a).
imitation [imitasjɔ̃] *nf* imitación *f*; **un sac ~ cuir** un bolso imitación cuero *ou* de cuero imitación; **c'est en ~ cuir** es de cuero de imitación; **à l'~ de** a imitación de.
imiter [imite] *vt* imitar; *(ressembler à)* imitar a; **il se leva et je l'imitai** se levantó y yo le imité.
immaculé, e [imakyle] *adj* inmaculado(-a); ▶ **Immaculée Conception: l'l~e Conception** la Inmaculada Concepción.
immanent, e [imanã, ãt] *adj* inmanente.
immangeable [ɛ̃mãʒabl] *adj* incomible.
immanquable [ɛ̃mãkabl] *adj*: **c'est ~** *(cible, but)* es imposible fallar; **c'était ~!** *(succès etc)* ¡era inevitable!
immanquablement [ɛ̃mãkabləmã] *adv* irremediablemente.
immatériel, le [i(m)materjɛl] *adj* inmaterial.
immatriculation [imatrikylasjɔ̃] *nf* matrícula; inscripción *f*.
immatriculer [imatrikyle] *vt* matricular; *(à la Sécurité sociale)* inscribir; **se faire ~** matricularse, inscribirse; **voiture immatriculée dans la Seine** coche *m* con matrícula del departamento del Sena.
immature [imatyr] *adj* inmaduro(-a).
immaturité [imatyrite] *nf* inmadurez *f*.
immédiat, e [imedja, jat] *adj* inmediato(-a) ♦ *nm*: **dans l'~** por ahora; **dans le voisinage ~ de** en el entorno próximo de.
immédiatement [imedjatmã] *adv* inmediatamente.
immémorial, e, -aux [i(m)memɔrjal, jo] *adj* inmemorial.
immense [i(m)mãs] *adj* inmenso(-a); *(succès, influence, avantage)* enorme.
immensément [i(m)mãsemã] *adv* inmensamente.
immensité [i(m)mãsite] *nf* inmensidad *f*; enormidad *f*.
immergé, e [imɛrʒe] *adj* sumergido(-a); *(rocher)* inmerso(-a).
immerger [imɛrʒe] *vt* sumergir; **s'immerger** *vpr (sous-marin)* sumergirse.
immérité, e [imerite] *adj* inmerecido(-a).
immersion [imɛrsjɔ̃] *nf* inmersión *f*.
immettable [ɛ̃metabl] *adj* imponible.
immeuble [imœbl] *nm (bâtiment)* edificio ♦ *adj (JUR: bien)* inmueble; ▶ **immeuble de rapport** edificio de renta; ▶ **immeuble locatif** edificio de alquiler.
immigrant, e [imigrã, ãt] *nm/f* inmigrante *m/f*.
immigration [imigrasjɔ̃] *nf* inmigración *f*.
immigré, e [imigre] *nm/f* inmigrado(-a).
immigrer [imigre] *vi* inmigrar.
imminence [iminãs] *nf* inminencia.
imminent, e [iminã, ãt] *adj* inminente.

immiscer [imise]: **s'~ dans** *vpr* inmiscuirse en.
immixtion [imiksjɔ̃] *nf* intromisión *f*.
immobile [i(m)mɔbil] *adj* inmóvil; *(pièce de machine)* fijo(-a); *(dogmes, institutions)* inamovible; **rester/se tenir ~** quedar/quedarse inmóvil.
immobilier, -ière [imɔbilje, jɛr] *adj* inmobiliario(-a) ♦ *nm*: **l'~** *(COMM)* el sector inmobiliario; *(JUR)* los bienes inmuebles; *voir aussi* **promoteur; société**.
immobilisation [imɔbilizasjɔ̃] *nf* inmovilización *f*; *(de la circulation)* detención *f*; **~s** *nfpl (COMM)* inmovilizaciones *fpl*.
immobiliser [imɔbilize] *vt* inmovilizar; *(file, circulation)* detener; *(véhicule: stopper)* detener, parar; **s'immobiliser** *vpr (personne)* inmovilizarse; *(machine, véhicule)* pararse.
immobilisme [imɔbilism] *nm* inmovilismo.
immobilité [imɔbilite] *nf* inmovilidad *f*.
immodéré, e [imɔdere] *adj* inmoderado (-a).
immodérément [imɔderemã] *adv* inmoderadamente.
immoler [imɔle] *vt (REL)* inmolar.
immonde [i(m)mɔ̃d] *adj* inmundo(-a).
immondices [imɔ̃dis] *nfpl* basura *fsg*.
immoral, e, -aux [i(m)mɔral, o] *adj* inmoral.
immoralement [i(m)mɔralmã] *adv* inmoralmente.
immoralisme [i(m)mɔralism] *nm* inmoralismo.
immoralité [i(m)mɔralite] *nf* inmoralidad *f*.
immortaliser [imɔrtalize] *vt* inmortalizar.
immortel, -elle [imɔrtɛl] *adj* inmortal.
immortelle [imɔrtɛl] *nf (BOT)* siempreviva.
immuable [imɥabl] *adj (bonheur, vérité, loi)* inmutable, inalterable; *(routine, paysage)* invariable; *(sourire, coutume)* inmutable; **~ dans ses convictions** de convicciones inamovibles.
immunisation [imynizasjɔ̃] *nf* inmunización *f*.
immunisé, e [im(m)ynize] *adj*: **~ contre** inmunizado(-a) contra.
immuniser [imynize] *vt (MÉD, fig)* inmunizar.
immunitaire [imynitɛr] *adj* inmunitario (-a).
immunité [imynite] *nf* inmunidad *f*; ▶ **immunité diplomatique/parlementaire** inmunidad diplomática/parlamentaria.
immunologie [imynɔlɔʒi] *nf* inmunología *f*.
immutabilité [i(m)mytabilite] *nf* inmutabilidad *f*.
impact [ɛ̃pakt] *nm* impacto; *(d'une person-*

ne) influencia.
impair, e [ɛ̃pɛʀ] *adj* impar ♦ *nm* (*gaffe*) torpeza; **numéros** ~**s** números *mpl* impares.
impalpable [ɛ̃palpabl] *adj* impalpable.
imparable [ɛ̃paʀabl] *adj* imparable.
impardonnable [ɛ̃paʀdɔnabl] *adj* imperdonable; **vous êtes** ~ **d'avoir fait cela** no tiene perdón por haber hecho esto.
imparfait, e [ɛ̃paʀfɛ, ɛt] *adj* (*guérison, connaissance*) incompleto(-a); (*imitation, œuvre*) deficiente ♦ *nm* (*LING*) (pretérito) imperfecto.
imparfaitement [ɛ̃paʀfɛtmã] *adv* de manera incompleta; deficientemente.
Impartial, e, -aux [ɛ̃paʀsjal, jo] *adj* imparcial.
impartialement [ɛ̃paʀsjalmã] *adv* imparcialmente.
impartialité [ɛ̃paʀsjalite] *nf* imparcialidad *f*.
impartir [ɛ̃paʀtiʀ] *vt*: ~ **qch à qn** impartir algo a algn; (*JUR*: *délai*) otorgar; **dans les délais impartis** en los plazos asignados.
impasse [ɛ̃pɑs] *nf* (*aussi fig*) callejón *m* sin salida; **faire une** ~ (*SCOL*) preparar sólo una parte del temario; **être dans l'**~ (*négociations*) estar en un punto muerto; ▶ **impasse budgétaire** descubierto presupuestario.
impassibilité [ɛ̃pasibilite] *nf* impasibilidad *f*.
impassible [ɛ̃pasibl] *adj* impasible.
impassiblement [ɛ̃pasiblǝmã] *adv* impasiblemente.
impatiemment [ɛ̃pasjamã] *adv* impacientemente.
impatience [ɛ̃pasjɑ̃s] *nf* impaciencia; **avec** ~ con impaciencia; **mouvement/signe d'**~ movimiento/signo de impaciencia.
impatient, e [ɛ̃pasjɑ̃, jɑ̃t] *adj* impaciente; ~ **de faire qch** impaciente por hacer algo.
impatienter [ɛ̃pasjɑ̃te] *vt* impacientar; **s'impatienter** *vpr* impacientarse; **s'**~ **de/contre** impacientarse por/contra.
impayable [ɛ̃pɛjabl] *adj* (*drôle, amusant*) graciosísimo(-a).
impayé, e [ɛ̃pɛje] *adj* impagado(-a); ~**s** *nmpl* (*COMM*) impagados *mpl*.
impeccable [ɛ̃pekabl] *adj* impecable; (*employé*) impecable, intachable; (*fam*: *formidable*) fenomenal.
impeccablement [ɛ̃pekablǝmã] *adv* impecablemente.
impénétrable [ɛ̃penetʀabl] *adj* impenetrable.
impénitent, e [ɛ̃penitã, ãt] *adj* impenitente.
impensable [ɛ̃pãsabl] *adj* (*inconcevable*)

impensable; (*incroyable*) increíble.
imper [ɛ̃pɛʀ] *nm* = **imperméable**.
impératif, -ive [ɛ̃peʀatif, iv] *adj* imperioso(-a); (*JUR*) preceptivo(-a) ♦ *nm* (*LING*): l'~ el imperativo; ~**s** *nmpl* (*d'une charge, fonction, de la mode*) imperativos *mpl*.
impérativement [ɛ̃peʀativmã] *adv* imperiosamente.
impératrice [ɛ̃peʀatʀis] *nf* emperatriz *f*.
imperceptible [ɛ̃pɛʀsɛptibl] *adj* imperceptible.
imperceptiblement [ɛ̃pɛʀsɛptiblǝmã] *adv* imperceptiblemente.
imperdable [ɛ̃pɛʀdabl] *adj* que no se puede perder.
imperfectible [ɛ̃pɛʀfɛktibl] *adj* imperfectible.
imperfection [ɛ̃pɛʀfɛksjɔ̃] *nf* imperfección *f*; (*d'un travail*) fallo.
impérial, e, -aux [ɛ̃peʀjal, jo] *adj* imperial.
impériale [ɛ̃peʀjal] *nf* (*d'un autobus*) imperial *f*; **autobus à** ~ autobús *m* con imperial.
impérialisme [ɛ̃peʀjalism] *nm* imperialismo.
impérialiste [ɛ̃peʀjalist] *adj* imperialista.
impérieusement [ɛ̃peʀjøzmã] *adv*: **avoir** ~ **besoin de qch** tener necesidad imperiosa de algo.
impérieux, -euse [ɛ̃peʀjø, jøz] *adj* (*air, ton*) imperioso(-a); (*pressant*) imperioso(-a), urgente.
impérissable [ɛ̃peʀisabl] *adj* imperecedero(-a).
imperméabilisation [ɛ̃pɛʀmeabilizasjɔ̃] *nf* impermeabilización *f*.
imperméabiliser [ɛ̃pɛʀmeabilize] *vt* impermeabilizar.
imperméable [ɛ̃pɛʀmeabl] *adj* impermeable ♦ *nm* impermeable *m*; ~ **à l'air** impermeable al aire; ~ **à** (*fig*: *personne*) inaccesible a.
impersonnel, -elle [ɛ̃pɛʀsɔnɛl] *adj* impersonal.
impertinemment [ɛ̃pɛʀtinamã] *adv* impertinentemente.
impertinence [ɛ̃pɛʀtinɑ̃s] *nf* impertinencia.
impertinent, e [ɛ̃pɛʀtinã, ãt] *adj* impertinente.
imperturbable [ɛ̃pɛʀtyʀbabl] *adj* (*personne*) imperturbable; (*sang-froid, sérieux*) impasible; **rester** ~ quedar impasible.
imperturbablement [ɛ̃pɛʀtyʀbablǝmã] *adv* imperturbablemente.
impétrant, e [ɛ̃petʀã, ãt] *nm/f* (*ADMIN*) interesado(-a); (*prétendant*) candidato (-a).

impétueux, -euse [ɛ̃petɥø, øz] *adj* impetuoso(-a).
impétuosité [ɛ̃petɥozite] *nf* impetuosidad *f*.
impie [ɛ̃pi] *adj* impío(-a).
impiété [ɛ̃pjete] *nf* impiedad *f*.
impitoyable [ɛ̃pitwajabl] *adj* despiadado (-a).
impitoyablement [ɛ̃pitwajabləmɑ̃] *adv* despiadadamente.
implacable [ɛ̃plakabl] *adj* implacable.
implacablement [ɛ̃plakabləmɑ̃] *adv* implacablemente.
implant [ɛ̃plɑ̃] *nm* (*MÉD*) implante *m*.
implantation [ɛ̃plɑ̃tasjɔ̃] *nf* (*v vt*) instalación *f*; implantación *f*; establecimiento.
implanter [ɛ̃plɑ̃te] *vt* (*usine*) instalar; (*MÉD, usage, mode*) implantar; (*race, immigrants, industrie*) establecer; (*idée*) inculcar; **s'implanter dans** *vpr* (*v vt*) implantarse en; instalarse en, establecerse en; **un préjugé solidement implanté** un prejuicio muy arraigado.
implication [ɛ̃plikasjɔ̃] *nf* implicación *f*; **~s** *nfpl* (*conséquences, répercussions*) implicaciones *fpl*.
implicite [ɛ̃plisit] *adj* implícito(-a).
implicitement [ɛ̃plisitmɑ̃] *adv* implícitamente.
impliquer [ɛ̃plike] *vt*: **~ qn (dans)** implicar a algn (en); (*supposer, entraîner*) implicar, suponer; (*MATH*) implicar; **~ qch/ que** significar algo/que.
implorant, e [ɛ̃plɔrɑ̃, ɑ̃t] *adj* implorante.
implorer [ɛ̃plɔʀe] *vt* implorar.
imploser [ɛ̃ploze] *vi* implosionar.
implosion [ɛ̃plozjɔ̃] *nf* implosión *f*.
impoli, e [ɛ̃pɔli] *adj* descortés.
impoliment [ɛ̃pɔlimɑ̃] *adv* descortésmente.
impolitesse [ɛ̃pɔlites] *nf* descortesía.
impondérable [ɛ̃pɔ̃deʀabl] *adj* imponderable; **~s** *nmpl* (*facteurs*) imponderables *mpl*; (*événements*) acontecimientos *mpl* imprevisibles.
impopulaire [ɛ̃pɔpylɛʀ] *adj* impopular.
impopularité [ɛ̃pɔpylaʀite] *nf* impopularidad *f*.
importable [ɛ̃pɔʀtabl] *adj* (*COMM*) importable; (*vêtement*) imponible.
importance [ɛ̃pɔʀtɑ̃s] *nf* importancia; **avoir de l'~** tener importancia; **sans ~** sin importancia; **quelle ~?** ¿qué más da?; **d'~** de importancia.
important, e [ɛ̃pɔʀtɑ̃, ɑ̃t] *adj* importante; (*gamme de produits*) extenso(-a); (*péj: airs, ton*) de importancia ♦ *nm*: **l'~ (est de/que)** lo importante (es/es que); **c'est ~ à savoir** es importante saberlo.
importateur, -trice [ɛ̃pɔʀtatœʀ, tʀis] *adj, nm/f* importador(a); **pays ~ de blé** país *m*

importador de trigo.
importation [ɛ̃pɔʀtasjɔ̃] *nf* (*de marchandises, fig*) importación *f*; (*d'animaux, plantes, maladies*) introducción *f*.
importer [ɛ̃pɔʀte] *vt* (*COMM*) importar; (*maladies, plantes*) importar, introducir ♦ *vi* (*être important*) importar; **~ à qn** importar a algn; **il importe de le faire/que nous le fassions** es importante hacerlo/ que lo hagamos; **peu m'importe** (*je n'ai pas de préférence*) ¡me da igual!; (*je m'en moque*) ¡a mí qué me importa!; **peu importe!** ¡qué importa!; **peu importe que** poco importa que; **peu importe le prix, nous paierons** no importa el precio, pagaremos; *voir aussi* **n'importe**.
import-export [ɛ̃pɔʀɛkspɔʀ] (*pl* **~s-~s**) *nm* importación-exportación *f*.
importun, e [ɛ̃pɔʀtœ̃, yn] *adj* (*curiosité, présence*) importuno(-a); (*visite, personne*) inoportuno(-a) ♦ *nm/f* inoportuno(-a).
importuner [ɛ̃pɔʀtyne] *vt* importunar; (*suj: insecte, bruit*) molestar.
imposable [ɛ̃pozabl] *adj* imponible.
imposant, e [ɛ̃pozɑ̃, ɑ̃t] *adj* (*aussi iron*) imponente.
imposé, e [ɛ̃poze] *adj* (*marchandises*) gravado(-a); (*GYMNASTIQUE etc: figure*) obligatorio(-a); **être ~** (*personne*) pagar contribuciones.
imposer [ɛ̃poze] *vt* (*taxer*) gravar; (*faire accepter par force*) imponer; **s'imposer** *vpr* imponerse; (*montrer sa prééminence*) destacar; (*être importun*) molestar; **~ qch à qn** imponer algo a algn; **~ les mains** (*REL*) imponer las manos; **en ~ à qn** impresionar a algn; **en ~** (*personne, présence*) imponer; **ça s'impose!** ¡es de rigor!
imposition [ɛ̃pozisjɔ̃] *nf* (*taxation*) contribución *f*; **l'~ des mains** (*REL*) la imposición de las manos.
impossibilité [ɛ̃posibilite] *nf* (*chose impossible*): **c'est pour elle une ~** es algo imposible para ella; **je suis dans l'~ de le faire** me es imposible hacerlo.
impossible [ɛ̃posibl] *adj* (*irréalisable, improbable*) imposible; (*enfant*) insoportable, inaguantable; (*absurde, extravagant*) increíble ♦ *nm*: **l'~** lo imposible; **~ à faire** imposible de hacer; **il est ~ que** es imposible que; **il m'est ~ de le faire** me resulta imposible hacerlo; **faire l'~** hacer lo imposible; **si, par ~, je ne venais pas ...** si no viniera, lo cual es imposible ... .
imposteur [ɛ̃postœʀ] *nm* impostor(a).
imposture [ɛ̃postyʀ] *nf* impostura.
impôt [ɛ̃po] *nm* (*taxe*) impuesto; **~s** *nmpl* (*contributions*) impuestos *mpl*; ► **impôt direct/foncier/indirect** impuesto directo/sobre la propiedad/indirecto; ► **im-**

pôts locaux impuestos municipales; ▶ impôt sur la fortune impuesto sobre el patrimonio; ▶ impôt sur le chiffre d'affaires/le revenu impuesto sobre el capital/la renta; ▶ impôt sur le revenu des personnes physiques impuesto sobre la renta de las personas físicas; ▶ impôt sur les plus-values impuesto sobre las plusvalías; ▶ impôt sur les sociétés impuesto de sociedades.

impotence [ɛ̃pɔtɑ̃s] nf invalidez f.

impotent, e [ɛ̃pɔtɑ̃, ɑ̃t] adj (personne) impedido(-a), inválido(-a); (jambe, bras) paralítico(-a).

impraticable [ɛ̃pratikabl] adj (projet, idée) impracticable; (piste, chemin, sentier) intransitable, impracticable.

imprécation [ɛ̃prekasjɔ̃] nf imprecación f.

imprécis, e [ɛ̃presi, iz] adj (contours, renseignement) impreciso(-a); (souvenir) impreciso(-a), borroso(-a); (tir) sin precisión.

imprécision [ɛ̃presizjɔ̃] nf imprecisión f.

imprégner [ɛ̃preɲe] vt: ~ (de) impregnar (con ou de); (de lumière) bañar (de); (suj: amertume, ironie etc) cargar (de); s'imprégner de vpr impregnarse de; (de lumière) bañarse de; (idée, culture) imbuirse de, empaparse de.

imprenable [ɛ̃prɛnabl] adj (forteresse, citadelle) inexpugnable; vue ~ vista panorámica asegurada.

imprésario [ɛ̃presarjo] nm (d'un artiste) empresario.

imprescriptible [ɛ̃prɛskriptibl] adj (JUR) imprescriptible.

impression [ɛ̃presjɔ̃] nf (sentiment, sensation: d'étouffement etc) sensación f; (PHOTO, d'un ouvrage) impresión f; (d'un tissu, papier peint) imprimación f; (dessin, motif) imprimación, estampación f; faire bonne/mauvaise ~ causar buena/mala impresión; faire/produire une vive ~ (émotion) causar/producir una viva impresión; donner l'~ d'être ... dar la impresión de ser ...; donner une ~ de/l'~ que dar una impresión de/la impresión de que; avoir l'~ de/que tener la impresión de/de que; faire ~ (orateur, déclaration) impresionar; ~s de voyage impresiones fpl de viaje.

impressionnable [ɛ̃presjɔnabl] adj (enfant, nature) impresionable; (PHOTO) sensible.

impressionnant, e [ɛ̃presjɔnɑ̃, ɑ̃t] adj impresionante.

impressionner [ɛ̃presjɔne] vt impresionar.

impressionnisme [ɛ̃presjɔnism] nm impresionismo.

impressionniste [ɛ̃presjɔnist] nm/f impresionista m/f.

imprévisible [ɛ̃previzibl] adj imprevi

imprévoyance [ɛ̃prevwajɑ̃s] nf imp sión f.

imprévoyant, e [ɛ̃prevwajɑ̃, ɑ̃t] adj p previsor(a).

imprévu, e [ɛ̃prevy] adj (événement, succès) imprevisto(-a); (dépense, réaction, geste) inesperado(-a) ♦ nm: l'~ lo imprevisto; en cas d'~ en caso de imprevisto; sauf ~ salvo imprevisto.

imprimante [ɛ̃primɑ̃t] nf (INFORM) impresora; ▶ imprimante à jet d'encre/à marguerite/(à) laser impresora de chorro de tinta/de margarita/láser; ▶ imprimante (ligne par) ligne impresora de líneas; ▶ imprimante matricielle impresora matricial; ▶ imprimante thermique impresora térmica.

imprimé, e [ɛ̃prime] adj (motif, tissu) estampado(-a); (livre, ouvrage) impreso (-a) ♦ nm impreso; (tissu) estampado; (dans une bibliothèque) libro (impreso); un ~ à fleurs/pois un estampado de flores/lunares.

imprimer [ɛ̃prime] vt imprimir; (tissu) estampar; (visa, cachet) sellar; (mouvement, vitesse) comunicar, transmitir; (direction) imprimir, comunicar.

imprimerie [ɛ̃primri] nf imprenta f; (technique) tipografía f.

imprimeur [ɛ̃primœr] nm impresor m; (ouvrier) tipógrafo.

imprimeur-éditeur [ɛ̃primœreditœr] nm impresor m editor.

imprimeur-libraire [ɛ̃primœrlibrɛr] nm impresor m librero.

improbable [ɛ̃prɔbabl] adj improbable.

improductif, -ive [ɛ̃prɔdyktif, iv] adj improductivo(-a).

impromptu, e [ɛ̃prɔ̃pty] adj improvisado(-a).

imprononçable [ɛ̃prɔnɔ̃sabl] adj impronunciable.

impropre [ɛ̃prɔpr] adj (incorrect) incorrecto(-a), impropio(-a); ~ à (suj: personne) inepto(-a) para; (: chose) inadecuado(-a) para.

improprement [ɛ̃prɔprəmɑ̃] adv impropiamente.

impropriété [ɛ̃prɔprijete] nf impropiedad f; ~ (de langage) incorrección f (linguística).

improvisation [ɛ̃prɔvizasjɔ̃] nf improvisación f.

improvisé, e [ɛ̃prɔvize] adj improvisado (-a); avec des moyens ~s con medios improvisados.

improviser [ɛ̃prɔvize] vt, vi improvisar; s'improviser vpr improvisarse; s'~ cuisinier improvisarse como ou de cocinero;

~ **qn cuisinier** improvisar a algn como *ou* de cocinero.

improviste [ɛ̃pʀɔvist]: **à l'**~ *adv* de improviso.

imprudemment [ɛ̃pʀydamɑ̃] *adv* imprudentemente.

imprudence [ɛ̃pʀydɑ̃s] *nf* imprudencia.

imprudent, e [ɛ̃pʀydɑ̃, ɑ̃t] *adj, nm/f* imprudente *m/f*.

impubère [ɛ̃pybɛʀ] *adj* impúber.

impubliable [ɛ̃pyblijabl] *adj* impublicable.

impudemment [ɛ̃pydamɑ̃] *adv* descaradamente.

impudence [ɛ̃pydɑ̃s] *nf* descaro.

impudent, e [ɛ̃pydɑ̃, ɑ̃t] *adj* descarado(-a).

impudeur [ɛ̃pydœʀ] *nf* impudor *m*.

impudique [ɛ̃pydik] *adj* impúdico(-a).

impudiquement [ɛ̃pydikmɑ̃] *adv* impúdicamente.

impuissance [ɛ̃pɥisɑ̃s] *nf* impotencia, inutilidad *f*.

impuissant, e [ɛ̃pɥisɑ̃, ɑ̃t] *adj* impotente; (*effort*) inútil, vano(-a) ♦ *nm* impotente *m*; ~ **à faire qch** incapaz de hacer algo.

impulsif, -ive [ɛ̃pylsif, iv] *adj* impulsivo (-a).

impulsion [ɛ̃pylsjɔ̃] *nf* impulso; ~ **donnée aux affaires/au commerce** (*fig*) impulso dado a los negocios/al comercio; **sous l'**~ **de leurs chefs** ... (*fig*) bajo la influencia de sus jefes ... .

impulsivement [ɛ̃pylsivmɑ̃] *adv* impulsivamente.

impulsivité [ɛ̃pylsivite] *nf* impulsividad *f*.

impunément [ɛ̃pynemɑ̃] *adv* impunemente.

impuni, e [ɛ̃pyni] *adj* impune.

impunité [ɛ̃pynite] *nf* impunidad *f*; **en toute** ~ con toda impunidad.

impur, e [ɛ̃pyʀ] *adj* (*aussi fig*) impuro(-a); (*race*) impuro(-a), no puro(-a).

impureté [ɛ̃pyʀte] *nf* impureza.

imputable [ɛ̃pytabl] *adj*: ~ **à** imputable a; ~ **sur** (*COMM*) imputable a.

imputation [ɛ̃pytasjɔ̃] *nf* imputación *f*.

imputer [ɛ̃pyte] *vt*: ~ **qch à** *ou* **sur** imputar algo a.

imputrescible [ɛ̃pytʀesibl] *adj* imputrescible.

in [in] *adj inv* (*à la mode*) in *inv*.

INA [ina] *sigle m* (= *Institut national de l'audio-visuel*) archivo nacional de radio y televisión.

inabordable [inabɔʀdabl] *adj* (*lieu*) inaccesible; (*cher, exorbitant*) exorbitante.

inaccentué, e [inaksɑ̃tɥe] *adj* átono(-a).

inacceptable [inakseptabl] *adj* inaceptable.

inaccessible [inaksesibl] *adj* (*endroit*) inaccesible; (*obscur*) incomprensible; (*personne*) inaccesible, inabordable; (*objec-*

tif) inalcanzable; ~ **à** (*insensible à*: *suj: personne*) insensible a.

inaccoutumé, e [inakutyme] *adj* desacostumbrado(-a).

inachevé, e [inaʃ(ə)ve] *adj* inacabado(-a).

inactif, -ive [inaktif, iv] *adj* inactivo(-a); (*machine, population*) inactivo(-a), parado(-a); (*inefficace*) ineficaz.

inaction [inaksjɔ̃] *nf* inacción *f*.

inactivité [inaktivite] *nf* (*ADMIN*): **(être/se faire mettre) en** ~ (estar/quedar) en suspensión de servicios.

inadaptation [inadaptasjɔ̃] *nf* (*PSYCH*) inadaptación *f*.

inadapté, e [inadapte] *adj, nm/f* inadaptado(-a).

inadéquat, e [inadekwa(t), kwat] *adj* inadecuado(-a).

inadéquation [inadekwasjɔ̃] *nf* inadecuación *f*.

inadmissible [inadmisibl] *adj* inadmisible.

inadvertance [inadvɛʀtɑ̃s]: **par** ~ *adv* por inadvertencia, por descuido.

inaliénable [inaljenabl] *adj* inalienable.

inaltérable [inalteʀabl] *adj* (*aussi fig*) inalterable; **couleur** ~ (**au lavage/à la lumière**) color *m* inalterable (al lavado/a la luz); ~ **à l'air/à la chaleur** inalterable al aire/al calor.

inamovibilité [inamɔvibilite] *nf* inamovilidad *f*.

inamovible [inamɔvibl] *adj* (*magistrat, sénateur*) inamovible; (*fixe: plaque, panneau*) fijo(-a).

inanimé, e [inanime] *adj* inanimado(-a); **tomber** ~ caer exánime.

inanité [inanite] *nf* (*d'un espoir, d'une illusion*) inutilidad *f*; (*d'une conversation*) futilidad *f*.

inanition [inanisjɔ̃] *nf*: **tomber/mourir d'**~ caer/morir de inanición.

inaperçu, e [inapɛʀsy] *adj*: **passer** ~ pasar desapercibido(-a).

inappétence [inapetɑ̃s] *nf* inapetencia; (*fig*) inapetencia, desgana.

inapplicable [inaplikabl] *adj* inaplicable.

inapplication [inaplikasjɔ̃] *nf* desaplicación *f*, falta de aplicación.

inappliqué, e [inaplike] *adj* (*inattentif*) desaplicado(-a); (*pas mis en pratique*) inaplicado(-a).

inappréciable [inapʀesjabl] *adj* (*avantage, bonheur*) inapreciable; (*aide, service*) inapreciable, inestimable.

inapte [inapt] *adj*: ~ **à qch/faire qch** incapaz para *ou* de algo/hacer algo; (*MIL*) no apto(-a), incapacitado(-a).

inaptitude [inaptityd] *nf* ineptitud *f*.

inarticulé, e [inaʀtikyle] *adj* inarticulado (-a).

inassimilable [inasimilabl] *adj* inasimilable.

inassouvi, e [inasuvi] *adj* insatisfecho(-a).

inattaquable [inatakabl] *adj* (*MIL*) intacable; (*texte*) incuestionable; (*argument, preuve*) irrebatible; (*réputation, personne*) irreprochable.

inattendu, e [inatãdy] *adj* inesperado(-a); (*insoupçonné*) insospechado(-a) ♦ *nm*: l'~ lo inesperado.

inattentif, -ive [inatãtif, iv] *adj* (*lecteur, élève*) desatento(-a); ~ à (*dangers, détails matériels*) despreocupado(-a) de.

inattontion [inatãsjɔ̃] *nf* desatención *f*, despreocupación *f*; par ~ por descuido; faute *ou* erreur d'~ despiste *m*; une minute d'~ un momento de despiste.

inaudible [inodibl] *adj* inaudible.

inaugural, e, -aux [inogyRal, o] *adj* inaugural; discours ~ discurso inaugural.

inauguration [inogyRasjɔ̃] *nf* inauguración *f*, descubrimiento; discours/cérémonie d'~ discurso/ceremonia de inauguración.

inaugurer [inogyRe] *vt* inaugurar; (*statue*) descubrir; (*politique*) inaugurar, estrenar.

inauthenticité [inotãtisite] *nf* falta de autenticidad.

inavouable [inavwabl] *adj* inconfesable.

inavoué, e [inavwe] *adj* inconfesado(-a).

INC [iɛnse] *sigle m* (= *Institut national de la consommation*) ≈ INC *m* (= *Instituto nacional de consumo*).

inca [ɛ̃ka] *adj* inca ♦ *nmf*: l~ inca *m/f*.

incalculable [ɛ̃kalkylabl] *adj* incalculable; un nombre ~ de un número incalculable de.

incandescence [ɛ̃kãdesãs] *nf* incandescencia; en ~ incandescente; porter qch à ~ poner algo incandescente; lampe/manchon à ~ lámpara/camisa incandescente.

incandescent [ɛ̃kãdesã] *adj* candente, incandescente; (*gaz*) incandescente.

incantation [ɛ̃kãtasjɔ̃] *nf* conjuro.

incantatoire [ɛ̃kãtatwaR] *adj* de conjuro.

incapable [ɛ̃kapabl] *adj* incapaz; ~ de faire qch incapaz de hacer algo; (*pour des raisons physiques*) incapacitado(-a) para hacer algo; je suis ~ d'y aller (*dans l'impossibilité*) no puedo ir.

incapacité [ɛ̃kapasite] *nf* (*incompétence*) incapacidad *f*; (*JUR*) inhabilitación *f*; je suis dans l'~ de vous aider (*impossibilité*) me resulta imposible ayudarle; ► **incapacité de travail** incapacidad laboral; ► **incapacité électorale** inhabilitación electoral; ► **incapacité partielle/permanente/totale** incapacidad parcial/definitiva/total.

incarcération [ɛ̃kaRseRasjɔ̃] *nf* encarcelamiento.

incarcérer [ɛ̃kaRseRe] *vt* encarcelar.

incarnat, e [ɛ̃kaRna, at] *adj* encarnado(-a).

incarnation [ɛ̃kaRnasjɔ̃] *nf* encarnación *f*.

incarné, e [ɛ̃kaRne] *adj* encarnado(-a); ongle ~ uña encarnada.

incarner [ɛ̃kaRne] *vt* encarnar; s'incarner dans *vpr* (*REL*) encarnarse en.

incartade [ɛ̃kaRtad] *nf* (*écart de conduite*) incorrección *f*; (*ÉQUITATION*) espantada.

incassable [ɛ̃kasabl] *adj* irrompible.

incendiaire [ɛ̃sãdjɛR] *adj*, *nm/f* incendiario(-a).

incendie [ɛ̃sãdi] *nm* incendio; ► **incendie criminel/de forêt** incendio doloso/forestal.

incendier [ɛ̃sãdje] *vt* incendiar; (*accabler de reproches*) vapulear; (*visage, pommette*) enrojecer.

incertain, e [ɛ̃sɛRtɛ̃, ɛn] *adj* incierto(-a); (*éventuel, douteux*) inseguro(-a), incierto(-a); (*temps*) inestable; (*indécis, imprécis*) indefinido(-a); (*personne*) indeciso(-a); (*pas, démarche*) inseguro (-a).

incertitude [ɛ̃sɛRtityd] *nf* (*d'un résultat, d'un fait*) incertidumbre *f*; (*d'une personne*) indecisión *f*; ~s *nfpl* (*hésitations*) vacilaciones *fpl*; (*impondérables*) eventualidades *fpl*.

incessamment [ɛ̃sesamã] *adv* inmediatamente.

incessant, e [ɛ̃sesã, ãt] *adj* incesante.

incessible [ɛ̃sesibl] *adj* (*JUR*) intransferible.

inceste [ɛ̃sɛst] *nm* incesto.

incestueux, -euse [ɛ̃sɛstɥø, øz] *adj* incestuoso(-a).

inchangé, e [ɛ̃ʃãʒe] *adj* invariable.

inchantable [ɛ̃ʃãtabl] *adj* incantable.

inchauffable [ɛ̃ʃofabl] *adj* imposible de calentar.

incidemment [ɛ̃sidamã] *adv* incidentalmente.

incidence [ɛ̃sidãs] *nf* incidencia, repercusión *f*; (*PHYS*) incidencia.

incident, e [ɛ̃sidã, ãt] *adj* (*JUR: accessoire*) incidental ♦ *nm* incidente *m*; proposition ~e (*LING*) inciso; ► **incident de frontière** incidente fronterizo; ► **incident de parcours** (*fig*) pequeño contratiempo; ► **incident diplomatique** incidente diplomático; ► **incident technique** dificultad *f* técnica.

incinérateur [ɛ̃sineRatœR] *nm* incinerador *m*.

incinération [ɛ̃sineRasjɔ̃] *nf* incineración *f*.

incinérer [ɛ̃sineRe] *vt* incinerar.

incise [ɛ̃siz] *nf* (*LING*) inciso.

inciser [ɛsize] *vt* hacer una incisión en.
incisif, -ive [ɛsizif, iv] *adj* incisivo(-a), mordaz.
incision [ɛsizjɔ̃] *nf* incisión *f*.
incisive [ɛsiziv] *nf* incisivo.
incitation [ɛsitasjɔ̃] *nf* (*encouragement*) incitación *f*.
inciter [ɛsite] *vt*: ~ qn à (faire) qch incitar a algn a (hacer) algo; (*à la révolte etc*) incitar a.
incivil, e [ɛsivil] *adj* descortés.
inclinable [ɛklinabl] *adj* reclinable; **siège à dossier** ~ asiento reclinable.
inclinaison [ɛklinɛzɔ̃] *nf* inclinación *f*; (*d'une route*) pendiente *f*.
inclination [ɛklinasjɔ̃] *nf* inclinación *f*; **montrer de l'**~ **pour les sciences** mostrar inclinación hacia *ou* por las ciencias; ~ **de (la) tête** inclinación de (la) cabeza; ~ **(du buste)** inclinación.
incliner [ɛkline] *vt* inclinar ◊ *vi*: ~ **à qch/à faire** tender a algo/a hacer; **s'incliner** *vpr* (*personne, toit*) inclinarse; (*chemin, pente*) bajar, descender; ~ **la tête** *ou* **le front** (*pour saluer*) inclinar la cabeza; **s'**~ **(devant qn/qch)** (*rendre hommage à*) inclinarse (ante algn/algo); **s'**~ **(devant qch)** (*céder*) ceder (ante algo); **s'**~ **devant qn/qch** (*s'avouer battu*) doblegarse ante algn/algo.
inclure [ɛklyʀ] *vt* incluir; (*joindre à un envoi*) adjuntar.
inclus, e [ɛkly, yz] *pp de* **inclure** ◊ *adj* (*joint à un envoi*) adjunto(-a); (*compris: frais*) incluido(-a); ~ **dans** (*MATH: ensemble*) incluido(-a) en; **jusqu'au troisième chapitre** ~ hasta el tercer capítulo inclusive; **jusqu'au 10 mars** ~ hasta el 10 de marzo inclusive.
inclusion [ɛklyzjɔ̃] *nf* inclusión *f*.
inclusivement [ɛklyzivmã] *adv* inclusive, inclusivamente.
inclut [ɛkly] *vb voir* **inclure**.
incoercible [ɛkɔɛʀsibl] *adj* (*rire, sentiment*) irrefrenable, incontenible.
incognito [ɛkɔɲito] *adv* de incógnito ◊ *nm*: **garder l'**~ mantener el incógnito.
incohérence [ɛkɔeʀãs] *nf* incoherencia.
incohérent, e [ɛkɔeʀã, ãt] *adj* incoherente.
incollable [ɛkɔlabl] *adj* (*riz*) que no se pega; **il est** ~ (*fam*) no hay quien lo pille.
incolore [ɛkɔlɔʀ] *adj* incoloro(-a); (*style*) insulso(-a).
incomber [ɛkɔ̃be]: ~ **à qn** *vt* (*suj: devoirs, responsabilités*) incumbir a algn; (: *frais, travail*) corresponder a algn.
incombustible [ɛkɔ̃bystibl] *adj* incombustible.

incommensurable [ɛkɔmãsyʀabl] *adj* inconmensurable.
incommodant, e [ɛkɔmɔdã, ãt] *adj* incómodo(-a), molesto(-a).
incommode [ɛkɔmɔd] *adj* incómodo(-a).
incommodément [ɛkɔmɔdemã] *adv* incómodamente.
incommoder [ɛkɔmɔde] *vt*: ~ **qn** incomodar a algn.
incommodité [ɛkɔmɔdite] *nf* incomodidad *f*.
incommunicable [ɛkɔmynikabl] *adj* (*droits, privilèges*) intransferible; (*pensée*) incomunicable.
incomparable [ɛkɔ̃paʀabl] *adj* (*dissemblable*) no comparable; (*inégalable*) incomparable.
incomparablement [ɛkɔ̃paʀablǝmã] *adv* incomparablemente.
incompatibilité [ɛkɔ̃patibilite] *nf* incompatibilidad *f*; ► **incompatibilité d'humeur** incompatibilidad de caracteres.
incompatible [ɛkɔ̃patibl] *adj* incompatible; ~ **avec** incompatible con.
incompétence [ɛkɔ̃petãs] *nf* incompetencia.
incompétent, e [ɛkɔ̃petã, ãt] *adj* (*ignorant*): ~ **(en)** incompetente (en); (*incapable*) incapaz; (*JUR*) incompetente.
incomplet, -ète [ɛkɔ̃plɛ, ɛt] *adj* incompleto(-a).
incomplètement [ɛkɔ̃plɛtmã] *adv* no completamente.
incompréhensible [ɛkɔ̃pʀeãsibl] *adj* incomprensible.
incompréhensif, -ive [ɛkɔ̃pʀeãsif, iv] *adj* (*intransigeant*) incomprensivo(-a), intransigente; (*peu coopératif*) poco comprensivo(-a).
incompréhension [ɛkɔ̃pʀeãsjɔ̃] *nf* incomprensión *f*.
incompressible [ɛkɔ̃pʀesibl] *adj* (*PHYS*) incompresible; (*JUR, fig: peine*) irreducible.
incompris, e [ɛkɔ̃pʀi, iz] *adj* incomprendido(-a).
inconcevable [ɛkɔ̃s(ǝ)vabl] *adj* inconcebible; (*extravagant*) increíble.
inconciliable [ɛkɔ̃siljabl] *adj* inconciliable.
inconditionnel, le [ɛkɔ̃disjɔnɛl] *adj, nm/f* incondicional *m/f*.
inconditionnellement [ɛkɔ̃disjɔnɛlmã] *adv* incondicionalmente.
inconduite [ɛkɔ̃dɥit] *nf* mala conducta.
inconfort [ɛkɔ̃fɔʀ] *nm* incomodidad *f*.
inconfortable [ɛkɔ̃fɔʀtabl] *adj* (*aussi fig*) incómodo(-a).
inconfortablement [ɛkɔ̃fɔʀtablǝmã] *adv* incómodamente.
incongru, e [ɛkɔ̃gʀy] *adj* (*attitude, remar-*

que) improcedente; (visite) intempestivo(-a), inoportuno(-a).

incongruité [ɛ̃kɔ̃gʀyite] nf improcedencia, inoportunidad f; (parole, action incongrue) salida de tono.

inconnu, e [ɛ̃kɔny] adj desconocido(-a); (joie, sensation) desconocido(-a), extraño(-a) ♦ nm/f desconocido(-a); (étranger, tiers) extraño(-a) ♦ nm: **l'**~ lo desconocido.

inconnue [ɛ̃kɔny] nf (MATH, fig) incógnita.

inconsciemment [ɛ̃kɔ̃sjamɑ̃] adv inconscientemente.

inconscience [ɛ̃kɔ̃sjɑ̃s] nf inconsciencia.

inconscient, e [ɛ̃kɔ̃sjɑ̃, jɑ̃t] adj inconsciente ♦ nm (PSYCH): **l'**~ el inconsciente ♦ nm/f inconsciente m/f; ~ **de** (événement extérieur) ajeno(-a) a; **il est** ~ **de** ... (conséquences) no es consciente de ... .

inconséquence [ɛ̃kɔ̃sekɑ̃s] nf inconsecuencia.

inconséquent, e [ɛ̃kɔ̃sekɑ̃, ɑ̃t] adj inconsecuente.

inconsidéré, e [ɛ̃kɔ̃sideʀe] adj desconsiderado(-a).

inconsidérément [ɛ̃kɔ̃sideʀemɑ̃] adv desconsideradamente.

inconsistant, e [ɛ̃kɔ̃sistɑ̃, ɑ̃t] adj inconsistente; (caractère, personne) débil; (intrigue d'un roman) flojo(-a).

inconsolable [ɛ̃kɔ̃sɔlabl] adj inconsolable.

inconstance [ɛ̃kɔ̃stɑ̃s] nf inconstancia.

inconstant, e [ɛ̃kɔ̃stɑ̃, ɑ̃t] adj inconstante.

inconstitutionnel, le [ɛ̃kɔ̃stitysjɔnɛl] adj inconstitucional.

inconstitutionnellement [ɛ̃kɔ̃stitysjɔnɛlmɑ̃] adv inconstitucionalmente.

inconstructible [ɛ̃kɔ̃stʀyktibl] adj no edificable.

incontestable [ɛ̃kɔ̃tɛstabl] adj indiscutible.

incontestablement [ɛ̃kɔ̃tɛstabləmɑ̃] adv indiscutiblemente.

incontesté, e [ɛ̃kɔ̃tɛste] adj indiscutido(-a), indiscutible.

incontinence [ɛ̃kɔ̃tinɑ̃s] nf (MÉD) incontinencia.

incontinent, e [ɛ̃kɔ̃tinɑ̃, ɑ̃t] adj (MÉD) incontinente ♦ adv (tout de suite) al instante, en el acto.

incontournable [ɛ̃kɔ̃tuʀnabl] adj inevitable.

incontrôlable [ɛ̃kɔ̃tʀolabl] adj (invérifiable) no comprobable.

incontrôlé, e [ɛ̃kɔ̃tʀole] adj incontrolado(-a).

inconvenance [ɛ̃kɔ̃v(ə)nɑ̃s] nf inconveniencia.

inconvenant, e [ɛ̃kɔ̃v(ə)nɑ̃, ɑ̃t] adj (malséant, déplacé) inconveniente; (indécent) incorrecto(-a).

inconvénient [ɛ̃kɔ̃venjɑ̃] nm inconveniente m, desventaja; (d'un remède, changement) inconveniente; ~**s** inconvenientes mpl; **y a-t-il un** ~ **à** ...? (risque) ¿hay algún problema en ...?; (objection) ¿hay algún inconveniente en ...?; **si vous n'y voyez pas d'**~ (obstacle, objection) si no tiene inconveniente.

inconvertible [ɛ̃kɔ̃vɛʀtibl] adj inconvertible.

incorporation [ɛ̃kɔʀpɔʀasjɔ̃] nf (MIL) incorporación f.

incorporé, e [ɛ̃kɔʀpɔʀe] adj incorporado(-a).

incorporel, le [ɛ̃kɔʀpɔʀɛl] adj (JUR): **biens** ~**s** bienes mpl incorporales.

incorporer [ɛ̃kɔʀpɔʀe] vt incorporar; ~ **(à)** (mélanger) incorporar (a); ~ **(dans)** (insérer) insertar (en); ~ **qn dans** (MIL: affecter) destinar a algn a.

incorrect, e [ɛ̃kɔʀɛkt] adj incorrecto(-a).

incorrectement [ɛ̃kɔʀɛktmɑ̃] adv incorrectamente.

incorrection [ɛ̃kɔʀɛksjɔ̃] nf incorrección f.

incorrigible [ɛ̃kɔʀiʒibl] adj incorregible.

incorruptible [ɛ̃kɔʀyptibl] adj incorruptible.

incrédibilité [ɛ̃kʀedibilite] nf incredibilidad f.

incrédule [ɛ̃kʀedyl] adj (REL) descreído(-a); (personne, moue) incrédulo(-a), escéptico(-a).

incrédulité [ɛ̃kʀedylite] nf incredulidad f; **avec** ~ con incredulidad.

increvable [ɛ̃kʀəvabl] adj (ballon, pneu) a prueba de pinchazos; (fam: personne) infatigable, incansable.

incriminer [ɛ̃kʀimine] vt incriminar; (mettre en doute) dudar de, sospechar de; **livre/article incriminé** libro/artículo incriminado.

incrochetable [ɛ̃kʀɔʃ(ə)tabl] adj (serrure) inviolable.

incroyable [ɛ̃kʀwajabl] adj increíble.

incroyablement [ɛ̃kʀwajabləmɑ̃] adv increíblemente.

incroyant, e [ɛ̃kʀwajɑ̃, ɑ̃t] nm/f (REL) descreído(-a).

incrustation [ɛ̃kʀystasjɔ̃] nf (technique, ornement) incrustación f; (dans un récipient, radiateur) sarro.

incruster [ɛ̃kʀyste] vt: ~ **qch dans** (ART) incrustar algo en; (récipient, radiateur) formar sarro en; **s'incruster** vpr: **s'**~ **dans** incrustarse en; (invité) instalarse, aposentarse; (radiateur, conduite) cubrirse de sarro; ~ **un bijou de diamants** (décorer) incrustar diamantes en una joya.

incubateur [ɛ̃kybatœʀ] nm incubadora.

incubation [ɛ̃kybasjɔ̃] *nf* (*aussi fig*) incubación *f*; **période d'~** (*MÉD*) período de incubación.
inculpation [ɛ̃kylpasjɔ̃] *nf* inculpación *f*, acusación *f*; (*chef d'accusation*) base *f* de acusación; **sous l'~ de** bajo la acusación de.
inculpé, e [ɛ̃kylpe] *nm/f* inculpado(-a), acusado(-a).
inculper [ɛ̃kylpe] *vt*: ~ **(de)** inculpar (de), acusar (de).
inculquer [ɛ̃kylke] *vt*: ~ **qch à qn** inculcar algo a *ou* en algn.
inculte [ɛ̃kylt] *adj* no cultivado(-a), yermo(-a); (*esprit, paysan, peuple*) inculto(-a); (*cheveux, barbe*) descuidado(-a).
incultivable [ɛ̃kyltivabl] *adj* incultivable.
inculture [ɛ̃kyltyʀ] *nf* incultura.
incurable [ɛ̃kyʀabl] *adj* (*maladie, malade*) incurable; (*sottise, ignorance*) irremediable.
incurie [ɛ̃kyʀi] *nf* incuria.
incursion [ɛ̃kyʀsjɔ̃] *nf* (*attaque, invasion*) incursión *f*; (*fig*) irrupción *f*.
incurvé, e [ɛ̃kyʀve] *adj* curvo(-a).
incurver [ɛ̃kyʀve] *vt* curvar; **s'incurver** *vpr* curvarse.
Inde [ɛ̃d] *nf* India.
indécemment [ɛ̃desamɑ̃] *adv* indecentemente.
indécence [ɛ̃desɑ̃s] *nf* indecencia, falta de decoro.
indécent, e [ɛ̃desɑ̃, ɑ̃t] *adj* indecente, indecoroso(-a); (*inconvenant, déplacé*) desconsiderado(-a).
indéchiffrable [ɛ̃deʃifʀabl] *adj* (*aussi fig*) indescifrable; (*pensée, personnage*) inescrutable.
indéchirable [ɛ̃deʃiʀabl] *adj* irrompible.
indécis, e [ɛ̃desi, iz] *adj* (*paix, victoire*) dudoso(-a); (*temps*) dudoso(-a), inestable; (*contours, formes*) impreciso(-a), vago(-a); (*personne*) indeciso(-a).
indécision [ɛ̃desizjɔ̃] *nf* indecisión *f*.
indéclinable [ɛ̃deklinabl] *adj* (*LING*) indeclinable.
indécomposable [ɛ̃dekɔ̃pozabl] *adj* no descomponible; **un tout** ~ (*fig*) un todo indivisible.
indécrottable [ɛ̃dekʀɔtabl] (*fam*) *adj* incorregible.
indéfectible [ɛ̃defɛktibl] *adj* indefectible.
indéfendable [ɛ̃defɑ̃dabl] *adj* (*aussi fig*) indefendible.
indéfini, e [ɛ̃defini] *adj* indefinido(-a); (*nombre*) ilimitado(-a); (*LING*: *article*) indeterminado(-a); **passé** ~ perfecto.
indéfiniment [ɛ̃definimɑ̃] *adv* indefinidamente.

indéfinissable [ɛ̃definisabl] *adj* indefinible.
indéformable [ɛ̃defɔʀmabl] *adj* indeformable.
indélébile [ɛ̃delebil] *adj* indeleble; (*fig*) imborrable.
indélicat, e [ɛ̃delika, at] *adj* (*grossier*) falto(-a) de delicadeza; (*malhonnête*) deshonesto(-a).
indélicatesse [ɛ̃delikatɛs] *nf* falta de delicadeza, indelicadeza; (*malhonnêteté*) deshonestidad *f*.
indémaillable [ɛ̃demajabl] *adj* indesmallable.
indemne [ɛ̃dɛmn] *adj* indemne.
indemnisable [ɛ̃dɛmnizabl] *adj* indemnizable.
indemnisation [ɛ̃dɛmnizasjɔ̃] *nf* indemnización *f*.
indemniser [ɛ̃dɛmnize] *vt* indemnizar; ~ **qn de qch** indemnizar a algn por algo; **se faire** ~ cobrar una indemnización.
indemnité [ɛ̃dɛmnite] *nf* (*dédommagement*) indemnización *f*; (*allocation*) subsidio; ▶ **indemnité de licenciement** indemnización por despido; ▶ **indemnité de logement** subsidio de vivienda; ▶ **indemnité journalière de chômage** subsidio de paro; ▶ **indemnité parlementaire** dietas *fpl* parlamentarias.
indémontable [ɛ̃demɔ̃tabl] *adj* indesmontable.
indéniable [ɛ̃denjabl] *adj* innegable.
indéniablement [ɛ̃denjabləmɑ̃] *adv* innegablemente.
indépendamment [ɛ̃depɑ̃damɑ̃] *adv* independientemente; ~ **de** (*en faisant abstraction de*) independientemente de; (*par surcroît, en plus*) además de.
indépendance [ɛ̃depɑ̃dɑ̃s] *nf* independencia; ▶ **indépendance matérielle** independencia económica.
indépendant, e [ɛ̃depɑ̃dɑ̃, ɑ̃t] *adj* independiente; ~ **de** independiente de; **travailleur** ~ trabajador autónomo; **chambre** ~**e** habitación *f* independiente.
indépendantiste [ɛ̃depɑ̃dɑ̃tist] *adj, nm/f* independentista *m/f*.
indéracinable [ɛ̃deʀasinabl] *adj* (*fig*) que no se puede desarraigar.
indéréglable [ɛ̃deʀeglabl] *adj* que no se puede desarreglar.
indescriptible [ɛ̃dɛskʀiptibl] *adj* indescriptible.
indésirable [ɛ̃deziʀabl] *adj* indeseable.
indestructible [ɛ̃dɛstʀyktibl] *adj* indestructible; (*marque, impression*) imborrable.
indéterminable [ɛ̃detɛʀminabl] *adj* indeterminable.
indétermination [ɛ̃detɛʀminasjɔ̃] *nf* indeterminación *f*.

indéterminé, e [ɛ̄detɛʀmine] adj indeterminado(-a); (texte, sens) impreciso(-a).
index [ɛ̄dɛks] nm índice m; mettre qn/qch à l'~ poner a algn/algo en la lista negra.
indexation [ɛ̄dɛksasjɔ̃] nf ajuste m.
indexé, e [ɛ̄dɛkse] adj (ÉCON): ~ (sur) ajustado(-a) (de acuerdo a ou según).
indexer [ɛ̄dɛkse] vt (ÉCON): ~ (sur) ajustar (de acuerdo a ou según).
indicateur, -trice [ɛ̄dikatœʀ, tʀis] nm/f (de la police) confidente m/f ♦ nm (livre, brochure): ~ immobilier guía inmobiliaria; (ÉCON) indicador m, índice m ♦ adj: poteau ~ indicador, señal f de orientación; panneau ~ panel m informativo; ► indicateur de changement de direction (AUTO) indicador de cambio de dirección; ► indicateur de niveau indicador de nivel; ► indicateur de pression manómetro; ► indicateur des chemins de fer horario de trenes; ► indicateur de vitesse velocímetro.
indicatif [ɛ̄dikatif] nm (LING) indicativo; (RADIO) sintonía; (téléphonique) prefijo ♦ adj: à titre ~ a título informativo; ► indicatif d'appel (RADIO) signo convencional.
indication [ɛ̄dikasjɔ̃] nf indicación f; ~s nfpl (directives) indicaciones fpl, instrucciones fpl; ► indication d'origine (COMM) indicación de origen ou de procedencia.
indice [ɛ̄dis] nm indicio; (POLICE) indicio, pista; (ÉCON, SCIENCE, TECH, ADMIN) índice m; ► indice de la production industrielle índice de producción industrial; ► indice de réfraction/des prix índice de refracción/de precios; ► indice de traitement (ADMIN) escala de sueldos; ► indice d'octane (d'un carburant) índice de octano; ► indice du coût de la vie índice de coste de la vida; ► indice inférieur (INFORM) índice inferior.
indicible [ɛ̄disibl] adj (joie, charme) inefable; (peine) indecible.
indien, ne [ɛ̄djɛ̄, jɛn] adj indio(-a), hindú ♦ nm/f: I~, ne (d'Amérique) indio(-a); (d'Inde) indio(-a), hindú m/f; l'océan I~ el Océano Indico.
indifféremment [ɛ̄difeʀamɑ̃] adv indiferentemente, indistintamente.
indifférence [ɛ̄difeʀɑ̃s] nf indiferencia.
indifférencié, e [ɛ̄difeʀɑ̃sje] adj indiferenciado(-a).
indifférent, e [ɛ̄difeʀɑ̃, ɑ̃t] adj indiferente; ~ à qn/qch indiferente a algn/algo; parler de choses ~es hablar de cosas sin importancia; ça m'est ~ (que ...) me es indiferente (que ...).
indifférer [ɛ̄difeʀe] vt: cela m'indiffère eso

me deja indiferente.
indigence [ɛ̄diʒɑ̃s] nf: être/vivre dans l'~ estar/vivir en la indigencia.
indigène [ɛ̄diʒɛn] adj, nm/f indígena, criollo(-a) (AM).
indigent, e [ɛ̄diʒɑ̃, ɑ̃t] adj (personne) indigente; (fig) pobre.
indigeste [ɛ̄diʒɛst] adj indigesto(-a); (fig) pesado(-a).
indigestion [ɛ̄diʒɛstjɔ̃] nf indigestión f; avoir une ~ tener una indigestión.
indignation [ɛ̄diɲasjɔ̃] nf indignación f; ► indignation générale/publique indignación general/pública.
indigne [ɛ̄diɲ] adj indigno(-a); ~ de indigno(-a) de.
indigné, e [ɛ̄diɲe] adj indignado(-a).
indignement [ɛ̄diɲmɑ̃] adv sin dignidad.
indigner [ɛ̄diɲe] vt indignar; s'indigner vpr: s'~ (de qch/contre qn) (se fâcher) indignarse (por ou con algo/contra ou con algn).
indignité [ɛ̄diɲite] nf indignidad f.
indigo [ɛ̄digo] nm añil m, índigo.
indiqué, e [ɛ̄dike] adj (date, lieu) indicado(-a), acordado(-a); (adéquat) indicado(-a), adecuado(-a); ce n'est pas très ~ no es muy adecuado; remède/ traitement ~ (prescrit) remedio/ tratamiento adecuado.
indiquer [ɛ̄dike] vt indicar; (heure, solution) indicar, informar; (déterminer) señalar, fijar; ~ qch/qn du doigt/du regard (désigner) indicar ou señalar algo/a algn con el dedo/con la mirada; à l'heure indiquée a la hora acordada; pourriez-vous m'~ les toilettes/l'heure? ¿puede indicarme dónde están los servicios/decirme la hora?
indirect, e [ɛ̄diʀɛkt] adj indirecto(-a).
indirectement [ɛ̄diʀɛktəmɑ̃] adv indirectamente.
indiscernable [ɛ̄disɛʀnabl] adj (identique) indiscernible; (nuance) inapreciable.
indiscipline [ɛ̄disiplin] nf indisciplina.
indiscipliné, e [ɛ̄disipline] adj (écolier, troupes) indisciplinado(-a); (cheveux etc) rebelde.
indiscret, -ète [ɛ̄diskʀɛ, ɛt] adj indiscreto(-a).
indiscrétion [ɛ̄diskʀesjɔ̃] nf indiscreción f; sans ~, ... si no es indiscreción, ...
indiscutable [ɛ̄diskytabl] adj indiscutible.
indiscutablement [ɛ̄diskytabləmɑ̃] adv indiscutiblemente.
indiscuté, e [ɛ̄diskyte] adj indiscutible.
indispensable [ɛ̄dispɑ̃sabl] adj (garanties, précautions, condition) indispensable; (objet, connaissances, personne) imprescindible; ~ à qn/pour faire qch imprescindible

ou indispensable a algn/para hacer algo.
indisponibilité [ɛ̃dispɔnibilite] *nf* indisponibilidad *f.*
indisponible [ɛ̃dispɔnibl] *adj* indisponible, no disponible.
indisposé, e [ɛ̃dispoze] *adj* indispuesto(-a).
indisposer [ɛ̃dispoze] *vt* (*incommoder*) indisponer; (*déplaire à, désobliger*) incomodar, disgustar.
indisposition [ɛ̃dispozisjɔ̃] *nf* indisposición *f.*
indissociable [ɛ̃disɔsjabl] *adj* indisociable.
indissoluble [ɛ̃disɔlybl] *adj* indisoluble.
indissolublement [ɛ̃disɔlyblǝmɑ̃] *adv* indisolublemente.
indistinct, e [ɛ̃distɛ̃(kt), ɛ̃kt] *adj* (*objet*) indistinto(-a); (*voix, bruits, souvenirs*) confuso(-a).
indistinctement [ɛ̃distɛ̃ktǝmɑ̃] *adv* indistintamente; **tous les Français** ~ todos los franceses sin distinción.
individu [ɛ̃dividy] *nm* individuo.
individualiser [ɛ̃dividɥalize] *vt* individualizar; **s'individualiser** *vpr* individualizarse.
individualisme [ɛ̃dividɥalism] *nm* individualismo.
individualiste [ɛ̃dividɥalist] *adj, nm/f* individualista *m/f.*
individualité [ɛ̃dividɥalite] *nf* individualidad *f.*
individuel, le [ɛ̃dividɥɛl] *adj* individual; (*opinion*) personal; (*cas*) particular ♦ *nm/f* (*athlète*) independiente *m/f*; **chambre/maison** ~**le** habitación *f*/casa individual; **propriété** ~**le** propiedad *f* particular.
individuellement [ɛ̃dividɥɛlmɑ̃] *adv* individualmente.
indivis, e [ɛ̃divi, iz] *adj* (*JUR*) indiviso(-a); (*cohéritiers, propriétaires*) por indiviso.
indivisible [ɛ̃divizibl] *adj* indivisible.
Indochine [ɛ̃dɔʃin] *nf* Indochina.
indochinois, e [ɛ̃dɔʃinwa, waz] *adj* indochino(-a) ♦ *nm/f:* **I~, e** indochino(-a).
indocile [ɛ̃dɔsil] *adj* indisciplinado(-a).
indo-européen, ne [ɛ̃doøʀɔpeɛ̃, ɛn] (*pl* ~-~**s, nes**) *adj* indoeuropeo(-a) ♦ *nm* (*LING*) indoeuropeo.
indolence [ɛ̃dɔlɑ̃s] *nf* indolencia.
indolent, e [ɛ̃dɔlɑ̃, ɑ̃t] *adj* indolente.
indolore [ɛ̃dɔlɔʀ] *adj* indoloro(-a).
indomptable [ɛ̃dɔ̃(p)tabl] *adj* (*fauve, fig*) indomable; (*volonté*) inquebrantable.
indompté, e [ɛ̃dɔ̃(p)te] *adj* indómito(-a).
Indonésie [ɛ̃dɔnezi] *nf* Indonesia.
indonésien, ne [ɛ̃dɔnezjɛ̃, jɛn] *adj* indonesio(-a) ♦ *nm/f:* **I~, ne** indonesio(-a).
indu, e [ɛ̃dy] *adj:* **à des heures** ~**es** (*travailler*) tarde; (*rentrer*) a horas imprudentes.
indubitable [ɛ̃dybitabl] *adj* indudable; **il**

est ~ **que** es indudable que.
indubitablement [ɛ̃dybitablǝmɑ̃] *adv* indudablemente.
induire [ɛ̃dɥiʀ] *vt:* ~ **qch de** deducir algo de; ~ **qn en erreur** inducir a algn a error.
indulgence [ɛ̃dylʒɑ̃s] *nf* indulgencia; **avec** ~ con indulgencia.
indulgent, e [ɛ̃dylʒɑ̃, ɑ̃t] *adj* indulgente.
indûment [ɛ̃dymɑ̃] *adv* indebidamente.
industrialisation [ɛ̃dystʀijalizasjɔ̃] *nf* industrialización *f.*
industrialiser [ɛ̃dystʀijalize] *vt* industrializar; **s'industrialiser** *vpr* industrializarse.
industrie [ɛ̃dystʀi] *nf* industria; **petite/moyenne/grande** ~ pequeña/mediana/gran industria; ► **industrie automobile** industria automovilística; ► **industrie du livre/du spectacle** industria del libro/del espectáculo; ► **industrie légère/lourde/textile** industria ligera/pesada/textil.
industriel, le [ɛ̃dystʀijɛl] *adj, nm/f* industrial *m/f.*
industriellement [ɛ̃dystʀijɛlmɑ̃] *adv* industrialmente.
industrieux, -euse [ɛ̃dystʀijø, ijøz] *adj* industrioso(-a).
inébranlable [inebʀɑ̃labl] *adj* inquebrantable; (*personne, certitude*) firme.
inédit, e [inedi, it] *adj* inédito(-a).
ineffable [inefabl] *adj* inefable.
ineffaçable [inefasabl] *adj* (*fig*) imborrable.
inefficace [inefikas] *adj* ineficaz; (*machine, employé*) ineficiente.
inefficacité [inefikasite] *nf* ineficacia; (*machine, employé*) ineficiencia.
inégal, e, -aux [inegal, o] *adj* desigual; (*partage, part*) desproporcionado(-a); (*rythme, pouls, écrivain*) irregular; (*humeur*) variable.
inégalable [inegalabl] *adj* inigualable.
inégalé, e [inegale] *adj* inigualado(-a).
inégalement [inegalmɑ̃] *adv* desigualmente; (*différemment*) diferentemente.
inégalité [inegalite] *nf* desigualdad *f*; (*d'un partage etc*) desproporción *f*; ~**s** *nfpl* (*dans une œuvre*) desigualdades *fpl*; ► **inégalités d'humeur** variaciones *fpl* de humor; ► **inégalités de terrain** desigualdades del terreno.
inélégance [inelegɑ̃s] *nf* (*de manières*) falta de finura; (*d'une personne*) falta de elegancia; (*d'un procédé*) falta de claridad.
inélégant, e [inelegɑ̃, ɑ̃t] *adj* (*manières, geste*) poco fino(-a); (*personne, allure*) poco elegante; (*procédés*) poco claro(-a).
inéligible [ineliʒibl] *adj* inelegible.
inéluctable [inelyktabl] *adj* inevitable, ineluctable.

inéluctablement [inelyktabləmɑ̃] *adv* inevitablemente.

inemployé, e [inɑ̃plwaje] *adj* desaprovechado(-a).

inénarrable [inenaʀabl] *adj* graciosísimo (-a).

inepte [inɛpt] *adj* necio(-a).

ineptie [inɛpsi] *nf* necedad *f*; (*idée, œuvre*) desatino.

inépuisable [inepɥizabl] *adj* inagotable; **il est ~ sur es** inagotable en.

inéquitable [inekitabl] *adj* desigual.

inerte [inɛʀt] *adi* inerte; (*apathique*) pasivo(-a).

inertie [inɛʀsi] *nf* (*fig*) pasividad *f*.

inespéré, e [inɛspeʀe] *adj* inesperado(-a).

inesthétique [inɛstetik] *adj* antiestético (-a).

inestimable [inɛstimabl] *adj* inestimable.

inévitable [inevitabl] *adj* inevitable; (*effet*) consabido(-a), inevitable; (*hum: rituel*) consabido(-a).

inévitablement [inevitabləmɑ̃] *adv* inevitablemente.

inexact, e [inɛgza(kt), akt] *adj* inexacto (-a); (*traduction etc*) incorrecto(-a); (*non ponctuel*) impuntual.

inexactement [inɛgzaktəmɑ̃] *adv* incorrectamente.

inexactitude [inɛgzaktityd] *nf* inexactitud *f*; (*d'une traduction*) incorrección *f*; (*d'une personne*) impuntualidad *f*; (*erreur*) error *m*.

inexcusable [inɛkskyzabl] *adj* inexcusable.

inexécutable [inɛgzekytabl] *adj* inejecutable.

inexistant, e [inɛgzistɑ̃, ɑ̃t] *adj* inexistente.

inexorable [inɛgzɔʀabl] *adj* (*personne*): ~ **(à)** implacable (ante); (*arrêt, loi*) inflexible; (*fatalité*) inevitable.

inexorablement [inɛgzɔʀabləmɑ̃] *adv* inevitablemente.

inexpérience [inɛkspeʀjɑ̃s] *nf* inexperiencia.

inexpérimenté, e [inɛkspeʀimɑ̃te] *adj* (*naïf*) ingenuo(-a); (*sans expérience: conducteur*) con poca experiencia; (*arme, procédé*) no probado(-a).

inexplicable [inɛksplikabl] *adj* inexplicable.

inexplicablement [inɛksplikabləmɑ̃] *adv* inexplicablemente.

inexpliqué, e [inɛksplike] *adj* inexplicado(-a).

inexploitable [inɛksplwatabl] *adj* inexplotable; (*données etc*) inutilizable.

inexploité, e [inɛksplwate] *adj* inexplotado(-a).

inexploré, e [inɛksplɔʀe] *adj* inexplorado(-a).

inexpressif, -ive [inɛkspʀesif, iv] *adj* inexpresivo(-a).

inexpressivité [inɛkspʀesivite] *nf* inexpresividad *f*.

inexprimable [inɛkspʀimabl] *adj* (*pensée*) inexpresable; (*haine, douceur*) indecible.

inexprimé, e [inɛkspʀime] *adj* inexpresado(-a).

inexpugnable [inɛkspygnabl] *adj* inexpugnable.

inextensible [inɛkstɑ̃sibl] *adj* (*tissu*) que no da de sí.

in extenso [inɛkstɛ̃so] *adv* íntegramente ♦ *adj* íntegro(-a).

inextinguible [inɛkstɛ̃gibl] *adj* (*soif*) insaciable; (*rire*) interminable.

in extremis [inɛkstʀemis] *adv* de milagro ♦ *adj* (*préparatifs, sauvetage*) en el último momento; (*mariage, testament*) in extremis.

inextricable [inɛkstʀikabl] *adj* inextricable; (*complications*) serio(-a); (*affaire*) enrevesado(-a); (*dédale, labyrinthe*) intrincado(-a).

inextricablement [inɛkstʀikabləmɑ̃] *adv* inextricablemente.

infaillibilité [ɛ̃fajibilite] *nf* infalibilidad *f*.

infaillible [ɛ̃fajibl] *adj* infalible.

infailliblement [ɛ̃fajibləmɑ̃] *adv* infaliblemente.

infaisable [ɛ̃fəzabl] *adj* imposible de hacer.

infamant, e [ɛ̃famɑ̃, ɑ̃t] *adj* infamante.

infâme [ɛ̃fam] *adj* (*personne, complaisance etc*) detestable; (*trahison, action*) infame; (*malpropre*) inmundo(-a).

infamie [ɛ̃fami] *nf* infamia.

infanterie [ɛ̃fɑ̃tʀi] *nf* infantería.

infanticide [ɛ̃fɑ̃tisid] *adj* infanticida ♦ *nm/f* infanticida *m/f* ♦ *nm* infanticidio.

infantile [ɛ̃fɑ̃til] *adj* (*aussi pej*) infantil.

infantilisme [ɛ̃fɑ̃tilism] *nm* infantilismo.

infarctus [ɛ̃faʀktys] *nm*: ~ **(du myocarde)** infarto (de miocardio).

infatigable [ɛ̃fatigabl] *adj* infatigable, incansable.

infatigablement [ɛ̃fatigabləmɑ̃] *adv* infatigablemente, incansablemente.

infatué, e [ɛ̃fatɥe] *adj* engreído(-a); **être ~ de son importance** estar creído(-a) de su importancia.

infécond, e [ɛ̃fekɔ̃, ɔ̃d] *adj* infecundo(-a).

infect, e [ɛ̃fɛkt] *adj* pestilente; (*goût*) asqueroso(-a); (*temps*) horroroso(-a); (*personne*) odioso(-a).

infecter [ɛ̃fɛkte] *vt* (*atmosphère, eau*) contaminar; (*personne*) contagiar; (*plaie*) infectar; **s'infecter** *vpr* infectarse.

infectieux, -euse [ɛ̃fɛksjø, jøz] *adj* infeccioso(-a).

infection [ɛ̃fɛksjɔ̃] *nf* (*puanteur*) pestilencia; (*MÉD*) infección *f*.
inféoder [ɛ̃feɔde]: **s'~** *vpr*: **s'~ à** qn/qch someterse a algn/algo.
inférer [ɛ̃feʀe] *vt*: ~ qch de inferir algo de.
inférieur, e [ɛ̃feʀjœʀ] *adj* inferior; (*classes sociales, intelligence*) bajo(-a) ♦ *nm/f* inferior *m/f*; ~ **à** inferior a.
infériorité [ɛ̃feʀjɔʀite] *nf* inferioridad *f*; ~ **en nombre** inferioridad numérica.
infernal, e, -aux [ɛ̃fɛʀnal, o] *adj* infernal; (*satanique*) diabólico(-a); **tu es ~!** (*fam*: *enfant*) ¡eres un diablo!
infester [ɛ̃fɛste] *vt* infestar; (*de moustiques etc*) infestar, plagar.
infidèle [ɛ̃fidɛl] *adj* infiel; (*narrateur, récit*) inexacto(-a).
infidélité [ɛ̃fidelite] *nf* infidelidad *f*; (*d'un récit*) inexactitud *f*.
infiltration [ɛ̃filtʀasjɔ̃] *nf* infiltración *f*.
infiltrer [ɛ̃filtʀe]: **s'~** *vpr*: **s'~ dans** infiltrarse en; (*vent, lumière*) colarse en.
infime [ɛ̃fim] *adj* ínfimo(-a).
infini, e [ɛ̃fini] *adj* infinito(-a); (*discussions*) interminable; (*précautions*) extremo(-a) ♦ *nm*: **l'~** (*MATH, PHOTO*) el infinito; **à l'~** (*MATH*) al infinito; (*discourir*) interminablemente; (*agrandir, varier*) ampliamente.
infiniment [ɛ̃finimã] *adv* infinitamente.
infinité [ɛ̃finite] *nf*: **une ~ de** una infinidad de.
infinitésimal, e, -aux [ɛ̃finitezimal, o] *adj* infinitesimal.
infinitif, -ive [ɛ̃finitif, iv] *nm* (*LING*) infinitivo ♦ *adj* (*mode, proposition*) infinitivo(-a).
infirme [ɛ̃fiʀm] *adj*, *nm/f* inválido(-a); ▶ **infirme moteur** deficiente *m/f* físico (-a).
infirmer [ɛ̃fiʀme] *vt* (*preuve, témoignage*) quitar valor a; (*jugement*) invalidar.
infirmerie [ɛ̃fiʀməʀi] *nf* enfermería.
infirmier, -ière [ɛ̃fiʀmje, jɛʀ] *nm/f* enfermero(-a), A.T.S. *m/f* ♦ *adj*: **élève ~** alumno(-a) de enfermería; ▶ **infirmière chef** enfermera jefe; ▶ **infirmière diplômée** diplomada en enfermería; ▶ **infirmière visiteuse** enfermera domiciliaria.
infirmité [ɛ̃fiʀmite] *nf* invalidez *f*.
inflammable [ɛ̃flamabl] *adj* inflamable.
inflammation [ɛ̃flamasjɔ̃] *nf* inflamación *f*.
inflammatoire [ɛ̃flamatwaʀ] *adj* inflamatorio(-a).
inflation [ɛ̃flasjɔ̃] *nf* inflación *f*; ▶ **inflation galopante/rampante** inflación galopante/lenta.
inflationniste [ɛ̃flasjɔnist] *adj* inflacionista.
infléchir [ɛ̃fleʃiʀ] *vt* (*politique*) reorientar; **s'infléchir** *vpr* (*poutre*) doblarse, curvarse.
infléchissement [ɛ̃fleʃismã] *nm* (*fig*) re-

orientación *f*; (*d'une poutre*) curvatura.
inflexibilité [ɛ̃flɛksibilite] *nf* inflexibilidad *f*.
inflexible [ɛ̃flɛksibl] *adj* inflexible.
inflexion [ɛ̃flɛksjɔ̃] *nf* inflexión *f*; ~ **de la tête** inclinación *f* de cabeza.
infliger [ɛ̃fliʒe] *vt* poner; **il m'infligea un affront** me agravió.
influençable [ɛ̃flyãsabl] *adj* influenciable.
influence [ɛ̃flyãs] *nf* influencia; (*d'une drogue*) efecto; (*POL*) predominio.
influencer [ɛ̃flyãse] *vt* influir.
influent, e [ɛ̃flyã, ãt] *adj* influyente.
influer [ɛ̃flye]: ~ **sur** *vt* (*fig*) influir en.
influx [ɛ̃fly] *nm*: ~ **magnétique/nerveux** flujo magnético/nervioso.
infographie ® [ɛ̃fografi] *nf* infografía.
informateur, -trice [ɛ̃fɔʀmatœʀ, tʀis] *nm/f* informador(a).
informaticien, ne [ɛ̃fɔʀmatisjɛ̃, jɛn] *nm/f* informático(-a).
informatif, -ive [ɛ̃fɔʀmatif, iv] *adj* informativo(-a).
information [ɛ̃fɔʀmasjɔ̃] *nf* información *f*; ~**s** *nfpl* (*RADIO*) noticias *fpl*; **voyage d'~** viaje *m* de investigación; ~ **politique/ sportive** (*TV etc*) información política/ deportiva; **journal d'~** diario informativo.
informatique [ɛ̃fɔʀmatik] *nf* informática.
informatisation [ɛ̃fɔʀmatizasjɔ̃] *nf* informatización *f*.
informatiser [ɛ̃fɔʀmatize] *vt* informatizar.
informe [ɛ̃fɔʀm] *adj* informe; (*vêtement*) deforme; (*essai, projet*) esbozado(-a).
informé, e [ɛ̃fɔʀme] *nm*: **jusqu'à plus ample ~** hasta mayor información.
informel, le [ɛ̃fɔʀmɛl] *adj* informal.
informer [ɛ̃fɔʀme] *vt*: ~ **qn (de)** informar a algn (de) ♦ *vi* (*JUR*): ~ **contre qn/sur qch** informar contra algn/ sobre algo; **s'informer** *vpr*: **s'~ (sur)** informarse (sobre).
informulé, e [ɛ̃fɔʀmyle] *adj* no expresado(-a).
infortune [ɛ̃fɔʀtyn] *nf* infortunio.
infos [ɛ̃fo] *nfpl* = **informations**.
infraction [ɛ̃fʀaksjɔ̃] *nf* infracción *f*; **être en ~** haber cometido una infracción.
infranchissable [ɛ̃fʀãʃisabl] *adj* infranqueable; (*fig*) insalvable.
infrarouge [ɛ̃fʀaʀuʒ] *adj* infrarrojo(-a) ♦ *nm* infrarrojo.
infrason [ɛ̃fʀasɔ̃] *nm* infrasonido.
infrastructure [ɛ̃fʀastʀyktyʀ] *nf* infraestructura; ~**s** *nfpl* (*d'un pays etc*) infraestructuras *fpl*; ~ **touristique/hôtelière/ routière** infraestructura turística/ hotelera/viaria.
infréquentable [ɛ̃fʀekãtabl] *adj* (*gens*) poco recomendable.
infroissable [ɛ̃fʀwasabl] *adj* que no se

arruga.
infructueux, -euse [ɛ̃fʀyktɥø, øz] adj infructuoso(-a).
infus, e [ɛ̃fy, yz] adj: **avoir la science ~e** tener ciencia infusa.
infuser [ɛ̃fyze] vt (aussi: **faire ~**) dejar reposar.
infusion [ɛ̃fyzjɔ̃] nf infusión f.
ingambe [ɛ̃gɑ̃b] adj ágil.
ingénier [ɛ̃ʒenje]: **s'~** vpr: **s'~ à faire qch** ingeniárselas para hacer algo.
ingénierie [ɛ̃zeniʀi] nf ingeniería; ▶ **ingénierie génétique** ingeniería genética.
ingénieur [ɛ̃ʒenjœʀ] nm ingeniero; ▶ **ingénieur agronome/du son** ingeniero agrónomo/de sonido; ▶ **ingénieur chimiste/des mines** ingeniero químico/de minas.
ingénieur-conseil [ɛ̃ʒenjœʀkɔ̃sɛj] (pl ~**s**-~**s**) nm ingeniero consultor.
ingénieusement [ɛ̃ʒenjøzmɑ̃] adv ingeniosamente.
ingénieux, -euse [ɛ̃ʒenjø, jøz] adj ingenioso(-a).
ingéniosité [ɛ̃ʒenjozite] nf ingeniosidad f.
ingénu, e [ɛ̃ʒeny] adj ingenuo(-a).
ingénue [ɛ̃ʒeny] nf (THÉÂTRE): **jouer les ~s** actuar de ingenua.
ingénuité [ɛ̃ʒenɥite] nf ingenuidad f.
ingénument [ɛ̃ʒenymɑ̃] adv ingenuamente.
ingérence [ɛ̃ʒeʀɑ̃s] nf ingerencia.
ingérer [ɛ̃ʒeʀe]: **s'~** vpr: **s'~ dans** interferir en.
ingouvernable [ɛ̃guvɛʀnabl] adj ingobernable.
ingrat, e [ɛ̃gʀa, at] adj (personne, travail) ingrato(-a); (sol) estéril; (visage) poco agraciado(-a) ♦ nm/f ingrato(-a); ~ **envers** ingrato con.
ingratitude [ɛ̃gʀatityd] nf ingratitud f.
ingrédient [ɛ̃gʀedjɑ̃] nm ingrediente m.
inguérissable [ɛ̃geʀisabl] adj incurable.
ingurgiter [ɛ̃gyʀʒite] vt tragar; (avec voracité) engullir; (connaissances) empollar.
inhabile [inabil] adj torpe; (fig) incompetente.
inhabitable [inabitabl] adj inhabitable.
inhabité, e [inabite] adj (régions) despoblado(-a); (maison) deshabitado(-a).
inhabituel, le [inabitɥɛl] adj inhabitual.
inhalateur [inalatœʀ] nm inhalador m; ▶ **inhalateur d'oxygène** inhalador de oxígeno.
inhalation [inalasjɔ̃] nf inhalación f; **faire une** ou **des ~(s)** (MÉD) hacer inhalaciones.
inhaler [inale] vt inhalar.
inhérent, e [ineʀɑ̃, ɑ̃t] adj: ~ **à** inherente a.
inhibé, e [inibe] adj inhibido(-a).

inhiber [inibe] vt inhibir.
inhibition [inibisjɔ̃] nf inhibición f.
inhospitalier, -ière [inɔspitalje, jɛʀ] adj inhospitalario(-a).
inhumain, e [inymɛ̃, ɛn] adj (barbare) inhumano(-a); (cri etc) atroz.
inhumation [inymasjɔ̃] nf inhumación f.
inhumer [inyme] vt inhumar.
inimaginable [inimaʒinabl] adj inimaginable.
inimitable [inimitabl] adj inimitable.
inimitié [inimitje] nf enemistad f.
ininflammable [inɛ̃flamabl] adj ininflamable.
inintelligent, e [inɛ̃teliʒɑ̃, ɑ̃t] adj poco inteligente.
inintelligible [inɛ̃teliʒibl] adj ininteligible.
inintelligiblement [inɛ̃teliʒibləmɑ̃] adv ininteligiblemente.
inintéressant, e [inɛ̃teʀesɑ̃, ɑ̃t] adj poco interesante.
ininterrompu, e [inɛ̃teʀɔ̃py] adj ininterrumpido(-a); (flot, vacarme) continuo(-a).
iniquité [inikite] nf iniquidad f.
initial, e, -aux [inisjal, jo] adj, nf inicial; ~**es** nfpl iniciales fpl.
initialement [inisjalmɑ̃] adv inicialmente.
initialiser [inisjalize] vt inicializar.
initiateur, -trice [inisjatœʀ, tʀis] nm/f precursor(-a).
initiation [inisjasjɔ̃] nf iniciación f.
initiatique [inisjatik] adj iniciático(-a).
initiative [inisjativ] nf (aussi POL) iniciativa; **avoir de l'~** tener iniciativa; **esprit d'~** (espíritu de) iniciativa; **à** ou **sur l'~ de qn** a iniciativa de algn; **de sa propre ~** por propia iniciativa.
initié, e [inisje] adj, nm/f iniciado(-a).
initier [inisje] vt iniciar; **s'initier** vpr: **s'~ à** iniciarse en; ~ **qn à** iniciar a algn en.
injectable [ɛ̃ʒɛktabl] adj inyectable.
injecté, e [ɛ̃ʒɛkte] adj: **yeux ~s de sang** ojos mpl ensangrentados.
injecter [ɛ̃ʒɛkte] vt inyectar.
injection [ɛ̃ʒɛksjɔ̃] nf inyección f; ~ **intraveineuse/sous-cutanée** inyección intravenosa/subcutánea; **à ~** (moteur, système) de inyección.
injonction [ɛ̃ʒɔ̃ksjɔ̃] nf orden f; ~ **de payer** mandamiento de pago.
injouable [ɛ̃ʒwabl] adj (pièce) irrepresentable; (musique) inejecutable.
injure [ɛ̃ʒyʀ] nf insulto.
injurier [ɛ̃ʒyʀje] vt insultar.
injurieux, -euse [ɛ̃ʒyʀjø, jøz] adj injurioso(-a).
injuste [ɛ̃ʒyst] adj injusto(-a); ~ **(avec** ou **envers qn)** injusto(-a) (con algn).
injustement [ɛ̃ʒystəmɑ̃] adv injustamente.

injustice [ɛ̃ʒystis] *nf* injusticia; **haïr/ abhorrer l'~** odiar/aborrecer la injusticia.
injustifiable [ɛ̃ʒystifjabl] *adj* injustificable.
injustifié, e [ɛ̃ʒystifje] *adj* injustificado(-a).
inlassable [ɛ̃lɑsabl] *adj* incansable, infatigable.
inlassablement [ɛ̃lɑsabləmɑ̃] *adv* incansablemente, infatigablemente.
inné, e [i(n)ne] *adj* innato(-a).
innocemment [inɔsamɑ̃] *adv* inocentemente.
innocence [inɔsɑ̃s] *nf* inocencia.
innocent, e [inɔsɑ̃, ɑ̃t] *adj* inocente; (*crédule, naïf*) inocente, ingenuo(-a); (*jeu, plaisir*) inofensivo(-a) ♦ *nm/f* inocente *m/f*; **faire l'~** hacerse el inocente.
innocenter [inɔsɑ̃te] *vt* disculpar.
innocuité [inɔkɥite] *nf* inocuidad *f.*
innombrable [i(n)nɔ̃bʀabl] *adj* incontable.
innommable [i(n)nɔmabl] *adj* (*ordures*) inmundo(-a); (*conduite, action*) repulsivo(-a).
innovateur, -trice [inɔvatœʀ, tʀis] *adj* innovador(a).
innovation [inɔvasjɔ̃] *nf* innovación *f.*
innover [inɔve] *vt* innovar ♦ *vi:* ~ **en art/en matière d'art** innovar en arte/en temas de arte.
inobservable [inɔpsɛʀvabl] *adj* inobservable.
inobservance [inɔpsɛʀvɑ̃s] *nf* inobservancia.
inobservation [inɔpsɛʀvasjɔ̃] *nf* (*JUR*) incumplimiento.
inoccupé, e [inɔkype] *adj* desocupado(-a).
inoculer [inɔkyle] *vt* (*volontairement*) inocular; (*accidentellement*) contagiar; (*fig:* *idées nocives*) inculcar.
inodore [inɔdɔʀ] *adj* inodoro(-a).
inoffensif, -ive [inɔfɑ̃sif, iv] *adj* inofensivo(-a); (*plaisanterie*) inocente.
inondable [inɔ̃dabl] *adj* inundable.
inondation [inɔ̃dasjɔ̃] *nf* inundación *f;* (*afflux massif*) invasión *f.*
inonder [inɔ̃de] *vt* (*aussi fig*) inundar; (*pluie*) empapar; (*envahir*) invadir; ~ **de** inundar de.
inopérable [inɔpeʀabl] *adj* inoperable.
inopérant, e [inɔpeʀɑ̃, ɑ̃t] *adj* inoperante.
inopiné, e [inɔpine] *adj* imprevisto(-a); (*mort*) repentino(-a).
inopinément [inɔpinemɑ̃] *adv* de improviso.
inopportun, e [inɔpɔʀtœ̃, yn] *adj* inoportuno(-a).
inorganisation [inɔʀganizasjɔ̃] *nf* desorganización *f.*
inorganisé, e [inɔʀganize] *adj* desorganizado(-a).
inoubliable [inublijabl] *adj* inolvidable.

inouï, e [inwi] *adj* inaudito(-a).
inox [inɔks] *adj, nm abr* acero inoxidable.
inoxydable [inɔksidabl] *adj* inoxidable; (*couteaux etc*) de acero inoxidable ♦ *nm* acero inoxidable.
inqualifiable [ɛ̃kalifjabl] *adj* incalificable.
inquiet, -ète [ɛ̃kjɛ, ɛ̃kjɛt] *adj* inquieto(-a) ♦ *nm/f* inquieto(-a); ~ **de qch/au sujet de qn** inquieto(-a) *ou* preocupado(-a) por algo/algn.
inquiétant, e [ɛ̃kjetɑ̃, ɑ̃t] *adj* inquietante, preocupante.
inquiéter [ɛ̃kjete] *vt* inquietar, preocupar; (*harceler*) hostigar; (*police*) molestar; **s'inquiéter** *vpr* inquietarse, preocuparse; **s'~ de** preocuparse por.
inquiétude [ɛ̃kjetyd] *nf* inquietud *f,* preocupación *f;* **donner de l'~** *ou* **des ~s à** preocupar a; **avoir de l'~** *ou* **des ~s au sujet de** estar preocupado(-a) por.
inquisiteur, -trice [ɛ̃kizitœʀ, tʀis] *adj* inquisidor(a).
inquisition [ɛ̃kizisjɔ̃] *nf* control *m.*
inracontable [ɛ̃ʀakɔ̃tabl] *adj* inenarrable, indescriptible.
insaisissable [ɛ̃sezisabl] *adj* (*ennemi*) incapturable; (*nuance*) imperceptible; (*bien*) inembargable.
insalubre [ɛ̃salybʀ] *adj* insalubre.
insalubrité [ɛ̃salybʀite] *nf* insalubridad *f.*
insanité [ɛ̃sanite] *nf* insensatez *f.*
insatiable [ɛ̃sasjabl] *adj* insaciable.
insatisfaction [ɛ̃satisfaksjɔ̃] *nf* insatisfacción *f.*
insatisfait, e [ɛ̃satisfɛ, ɛt] *adj* insatisfecho(-a).
inscription [ɛ̃skʀipsjɔ̃] *nf* inscripción *f;* (*indication*) inscripción, letrero; (*à une institution*) inscripción, matrícula.
inscrire [ɛ̃skʀiʀ] *vt* escribir, inscribir; (*renseignement*) anotar; (*à un budget*) hacer asiento de; (*nom: sur une liste etc*) anotar, apuntar; **s'inscrire** *vpr* (*pour une excursion etc*) apuntarse, inscribirse; ~ **qn à** matricular *ou* apuntar a algn a; **s'~ (à)** (*un club, parti*) apuntarse (a), matricularse (en); (*l'université, un examen*) matricularse (en); **s'~ dans** (*suj: projet*) insertarse en; **s'~ en faux contre qch** desmentir algo.
inscrit, e [ɛ̃skʀi, it] *pp de* **inscrire** ♦ *adj* (*étudiant*) matriculado(-a); (*électeur*) censado(-a).
insécable [ɛ̃sekabl] *adj:* **espace** ~ espacio indivisible.
insecte [ɛ̃sɛkt] *nm* insecto.
insecticide [ɛ̃sɛktisid] *adj* insecticida ♦ *nm* insecticida *m.*
insécurité [ɛ̃sekyʀite] *nf* inseguridad *f;* **vivre dans l'~** vivir en la inseguridad.

insémination [ɛ̃seminasjɔ̃] *nf* inseminación *f*; ► **insémination artificielle** inseminación artificial.

insensé, e [ɛ̃sɑ̃se] *adj* insensato(-a).

insensibiliser [ɛ̃sɑ̃sibilize] *vt* insensibilizar; ~ **à qch** insensibilizar contra algo.

insensibilité [ɛ̃sɑ̃sibilite] *nf* insensibilidad *f*.

insensible [ɛ̃sɑ̃sibl] *adj* insensible; (*pouls, mouvement*) imperceptible; ~ **aux compliments/à la chaleur** insensible a los halagos/al calor.

insensiblement [ɛ̃sɑ̃siblǝmɑ̃] *adv* imperceptiblemente.

inséparable [ɛ̃sepaʀabl] *adj* inseparable; ~**s** *nmpl* (*oiseaux*) periquitos *mpl*.

insérer [ɛ̃seʀe] *vt* insertar; (*exemples*) introducir; **s'~ dans** insertarse *ou* incluirse en.

INSERM [insɛʀm] *sigle m* (= *Institut national de la santé et de la recherche médicale*) *instituto nacional de investigación médica.*

insert [ɛ̃sɛʀ] *nm* inserto.

insertion [ɛ̃sɛʀsjɔ̃] *nf* inserción *f*.

insidieusement [ɛ̃sidjøzmɑ̃] *adv* insidiosamente.

insidieux, -euse [ɛ̃sidjø, jøz] *adj* insidioso(-a); (*odeur*) penetrante.

insigne [ɛ̃siɲ] *nm* emblema *m* ♦ *adj* insigne; (*service*) notable.

insignifiant, e [ɛ̃siɲifjɑ̃, jɑ̃t] *adj* insignificante; (*paroles, visage, livre*) insustancial.

insinuant, e [ɛ̃sinɥɑ̃, ɑ̃t] *adj* insinuante.

insinuation [ɛ̃sinɥasjɔ̃] *nf* insinuación *f*, indirecta; **procéder par** ~ proceder con insinuaciones.

insinuer [ɛ̃sinɥe] *vt* insinuar; **s'insinuer** *vpr*: **s'~ dans** (*odeur, humidité*) filtrarse en; (*personne*) colarse en.

insipide [ɛ̃sipid] *adj* insípido(-a), insulso (-a); (*film etc*) insulso(-a); (*personne*) soso(-a).

insistance [ɛ̃sistɑ̃s] *nf* insistencia.

insistant, e [ɛ̃sistɑ̃, ɑ̃t] *adj* insistente.

insister [ɛ̃siste] *vi* insistir; ~ **sur** insistir en; ~ **pour (faire) qch** insistir en (hacer) algo.

insociable [ɛ̃sɔsjabl] *adj* insociable.

insolation [ɛ̃sɔlasjɔ̃] *nf* insolación *f*.

insolence [ɛ̃sɔlɑ̃s] *nf* insolencia, descaro; **avec** ~ con insolencia *ou* descaro.

insolent, e [ɛ̃sɔlɑ̃, ɑ̃t] *adj* insolente, descarado(-a); (*indécent*) injurioso(-a) ♦ *nm/f* insolente *m/f*, descarado(-a).

insolite [ɛ̃sɔlit] *adj* extraño(-a).

insoluble [ɛ̃sɔlybl] *adj* (*problème*) sin solución; ~ (*dans*) insoluble (en).

insolvable [ɛ̃sɔlvabl] *adj* insolvente.

insomniaque [ɛ̃sɔmnjak] *adj* insomne.

insomnie [ɛ̃sɔmni] *nf* insomnio; **avoir des** ~**s** tener insomnio.

insondable [ɛ̃sɔ̃dabl] *adj* (*fig*) insondable; (*maladresse etc*) tremendo(-a).

insonore [ɛ̃sɔnɔʀ] *adj* insonoro(-a).

insonorisation [ɛ̃sɔnɔʀizasjɔ̃] *nf* insonorización *f*.

insonoriser [ɛ̃sɔnɔʀize] *vt* insonorizar.

insouciance [ɛ̃susjɑ̃s] *nf* despreocupación *f*; (*imprévoyance*) dejadez *f*.

insouciant, e [ɛ̃susjɑ̃, jɑ̃t] *adj* despreocupado(-a); (*imprévoyant*) dejado(-a).

insoumis, e [ɛ̃sumi, iz] *adj* insumiso(-a); (*contrée, tribu*) sublevado(-a), (*soldat*) desertor(a) ♦ *nm* (*soldat*) desertor(a).

insoumission [ɛ̃sumisjɔ̃] *nf* insumisión *f*; (*MIL*) deserción *f*.

insoupçonnable [ɛ̃supsɔnabl] *adj* insospechable.

insoupçonné, e [ɛ̃supsɔne] *adj* insospechado(-a).

insoutenable [ɛ̃sut(ǝ)nabl] *adj* (*argument, opinion*) insostenible; (*lumière, chaleur, spectacle*) insoportable; (*effort*) insufrible.

inspecter [ɛ̃spɛkte] *vt* inspeccionar; (*personne*) dar un repaso a; (*maison*) revisar.

inspecteur, -trice [ɛ̃spɛktœʀ, tʀis] *nm/f* inspector(a); ► **inspecteur d'Académie** inspector de enseñanza; ► **inspecteur (de police)** inspector (de policía); ► **inspecteur des Finances** *ou* **des impôts** inspector de hacienda; ► **inspecteur (de l'enseignement) primaire** ≈ inspector de educación primaria.

inspection [ɛ̃spɛksjɔ̃] *nf* inspección *f*; ► **inspection des Finances/du Travail** inspección de Hacienda/de trabajo.

inspirateur, -trice [ɛ̃spiʀatœʀ, tʀis] *nm/f* inspirador(a); (*instigateur*) instigador(a).

inspiration [ɛ̃spiʀasjɔ̃] *nf* inspiración *f*; (*conseil*) sugerencia; **sous l'~ de qn** bajo la inspiración de algn; **mode d'~** orientale moda de inspiración oriental.

inspiré, e [ɛ̃spiʀe] *adj*: **être bien/mal** ~ **de faire qch** tener la buena/mala idea de hacer algo.

inspirer [ɛ̃spiʀe] *vt* inspirar; (*intentions*) sugerir ♦ *vi* inspirar; **s'inspirer** *vpr*: **s'~ de qch** inspirarse en algo; ~ **qch à qn** sugerir algo a algn; (*crainte, horreur*) inspirar algo a algn; **ça ne m'inspire pas beaucoup/vraiment pas** eso no me dice mucho/nada.

instabilité [ɛ̃stabilite] *nf* inestabilidad *f*; (*d'une personne, population*) nomadismo.

instable [ɛ̃stabl] *adj* inestable; (*personne, population*) nómada.

installateur [ɛ̃stalatœʀ] *nm* instalador *m*.

installation [ɛ̃stalasjɔ̃] *nf* instalación *f*; (*dans un lieu précis*) colocación *f*; (*chez qn*) alojamiento; (*sur un siège*) acomodo; ~s *nfpl* (*équipement*): ~s portuaires instalaciones *fpl* portuarias; une ~ provisoire *ou* de fortune un alojamiento provisional; l'~ électrique la instalación eléctrica; ► installations industrielles instalaciones industriales.

installé, e [ɛ̃stale] *adj*: bien/mal ~ (*maison, cuisine etc*) bien/mal instalado(-a); (*personne*) bien/mal acomodado(-a) *ou* instalado(-a).

installer [ɛ̃stale] *vt* instalar; (*asseoir, coucher*) acomodar; (*dans un lieu déterminé*) colocar; (*appartement*) acondicionar; (*fonctionnaire, magistrat*) dar posesión a; s'installer *vpr* instalarse; (*à un emplacement*) acomodarse; (*maladie, grève*) arraigarse; ~ une chambre dans le grenier construir una habitación en el ático; s'~ à l'hôtel/chez qn alojarse en el hotel/en casa de algn.

instamment [ɛ̃stamɑ̃] *adv* insistentemente.

instance [ɛ̃stɑ̃s] *nf* (*JUR*) instancia; ~s *nfpl* (*prières*) insistencia *fsg*; les ~s internationales los organismos internacionales; affaire en ~ asunto pendiente; courrier en ~ correo pendiente; être en ~ de divorce estar en trámites de divorcio; train en ~ de départ tren *m* a punto de salir; en première ~ en primera instancia.

instant, e [ɛ̃stɑ̃, ɑ̃t] *adj* (*prière etc*) apremiante ♦ *nm* instante *m*; sans perdre un ~ sin perder un instante; en *ou* dans un ~ en un instante; à l'~: je l'ai vu à l'~ lo he visto hace nada; à l'~ (même) où *ou* en el (mismo) momento en que; à chaque *ou* tout ~ a cada instante; pour l'~ por el momento; par ~s por momentos; de tous les ~s constante; dès l'~ où *ou* que ... desde el momento en que *ou* en cuanto ...; d'un ~ à l'autre de un momento a otro, en cualquier momenta.

instantané, e [ɛ̃stɑ̃tane] *adj* instantáneo (-a) ♦ *nm* (*PHOTO*) instantánea.

instantanément [ɛ̃stɑ̃tanemɑ̃] *adv* instantáneamente.

instar [ɛ̃staʀ]: à l'~ de *prép* a semejanza de.

instaurer [ɛ̃stɔʀe] *vt* implantar; s'instaurer *vpr* establecerse.

instigateur, -trice [ɛ̃stigatœʀ, tʀis] *nm/f* instigador(a).

instigation [ɛ̃stigasjɔ̃] *nf*: à l'~ de bajo la influencia de.

instillation [ɛ̃stilasjɔ̃] *nf* instilación *f*.

instiller [ɛ̃stile] *vt* instilar.

instinct [ɛ̃stɛ̃] *nm* instinto; avoir l'~ des affaires/du commerce tener instinto para los negocios/el comercio; d'~ por instinto; ~ grégaire/de conservation instinto gregario/de conservación.

instinctif, -ive [ɛ̃stɛ̃ktif, iv] *adj* instintivo (-a); (*personne*) impulsivo(-a).

instinctivement [ɛ̃stɛ̃ktivmɑ̃] *adv* instintivamente.

instituer [ɛ̃stitɥe] *vt* establecer; (*un organisme*) fundar; (*évêque*) designar; (*héritier*) nombrar; s'instituer *vpr* (*relations*) establecerse; s'~ défenseur d'une cause erigirse en defensor(a) de una causa.

institut [ɛ̃stity] *nm* instituto; l'I~ de France institución que agrupa las cinco academias en Francia, ≈ Real Academia Española; ► institut de beauté instituto de belleza; ► institut médico-légal instituto médico legal; ► Institut universitaire de technologie (IUT) ≈ Escuela Politécnica.

instituteur, -trice [ɛ̃stitytœʀ, tʀis] *nm/f* maestro(-a).

institution [ɛ̃stitysjɔ̃] *nf* institución *f*; (*régime*) régimen *m*; (*collège*) colegio privado; ~s *nfpl* (*structures politiques et sociales*) instituciones *fpl*.

institutionnaliser [ɛ̃stitysjɔnalize] *vt* institucionalizar.

instructeur, -trice [ɛ̃stʀyktœʀ, tʀis] *adj* (*MIL*): officier ~ oficial *m/f* instructor(a); (*JUR*): juge ~ juez *m/f* de instrucción ♦ *nm/f* instructor(a).

instructif, -ive [ɛ̃stʀyktif, iv] *adj* instructivo(-a).

instruction [ɛ̃stʀyksjɔ̃] *nf* (*enseignement*) enseñanza; (*savoir*) cultura; (*JUR, INFORM*) instrucción *f*; ~s *nfpl* (*directives, mode d'emploi*) instrucciones *fpl*; ~ publique/primaire enseñanza pública/de educación primaria; ~ ministérielle/préfectorale circular *f* ministerial/de la Prefectura; ► instruction civique formación *f* cívica; ► instruction religieuse formación religiosa.

instruire [ɛ̃stʀɥiʀ] *vt* (*élèves*) enseñar; (*MIL, JUR*) instruir; s'instruire *vpr* instruirse; s'~ de qch auprès de qn informarse sobre algo por algn; ~ qn de qch informar a algn de algo.

instruit, e [ɛ̃stʀɥi, it] *pp de* instruire ♦ *adj* instruido(-a), culto(-a).

instrument [ɛ̃stʀymɑ̃] *nm* herramienta; (*MUS*) instrumento; ► instrument à cordes/à percussion/à vent/de musique instrumento de cuerda/de percusión/de viento/musical; ► instrument de mesure/de travail instrumento de medición/de trabajo.

instrumental, e, -aux [ɛ̃stʀymɑ̃tal, o] *adj*:

musique ~e música instrumental.
instrumentation [ɛ̃stʀymɑ̃tasjɔ̃] *nf* instrumentación *f.*
instrumentiste [ɛ̃stʀymɑ̃tist] *nm/f* instrumentista *m/f.*
Insu [ɛ̃sy] *nm:* à l'~ de qn a espaldas de algn; à son ~ a sus espaldas.
insubmersible [ɛ̃sybmɛʀsibl] *adj* insumergible.
insubordination [ɛ̃sybɔʀdinasjɔ̃] *nf* (*d'un élève*) indisciplina; (*MIL*) insubordinación *f.*
Insubordonné, e [ɛ̃sybɔʀdɔne] *adj* (*élève*) indisciplinado(-a); (*soldat*) insubordinado(-a).
insuccès [ɛ̃syksɛ] *nm* fracaso; (*à un examen*) suspenso.
insuffisamment [ɛ̃syfizamɑ̃] *adv* insuficientemente.
insuffisance [ɛ̃syfizɑ̃s] *nf* insuficiencia; ~s *nfpl* (*déficiences, lacunes*) insuficiencias *fpl*; ▸ **insuffisance cardiaque/hépatique** insuficiencia cardíaca/hepática.
insuffisant, e [ɛ̃syfizɑ̃, ɑ̃t] *adj* insuficiente; (*dimensions*) reducido(-a); ~ **en maths** insuficiente en matemáticas.
insuffler [ɛ̃syfle] *vt* (*MÉD*): ~ **qch (dans)** insuflar algo (en); ~ **qch à qn** transmitir algo a algn.
insulaire [ɛ̃sylɛʀ] *adj* insular; (*attitude*) cerrado(-a).
insularité [ɛ̃sylaʀite] *nf* insularidad *f*; (*d'un peuple*) mentalidad *f* cerrada.
insuline [ɛ̃sylin] *nf* insulina.
insultant, e [ɛ̃syltɑ̃, ɑ̃t] *adj* insultante.
insulte [ɛ̃sylt] *nf* insulto.
insulter [ɛ̃sylte] *vt* insultar.
insupportable [ɛ̃sypɔʀtabl] *adj* insoportable.
insurgé, e [ɛ̃syʀʒe] *adj, nm/f* sublevado(-a), insurrecto(-a).
insurger [ɛ̃syʀʒe]: s'~ **(contre)** *vpr* (*aussi fig*) sublevarse (contra).
insurmontable [ɛ̃syʀmɔ̃tabl] *adj* insuperable; (*angoisse, aversion*) invencible.
insurpassable [ɛ̃syʀpɑsabl] *adj* insuperable.
insurrection [ɛ̃syʀɛksjɔ̃] *nf* insurrección *f*, sublevación *f.*
insurrectionnel, le [ɛ̃syʀɛksjɔnɛl] *adj* (*mouvement*) insurreccional; (*gouvernement*) insurrecto(-a).
intact, e [ɛ̃takt] *adj* intacto(-a); (*réputation*) íntegro(-a).
intangible [ɛ̃tɑ̃ʒibl] *adj* intangible, intocable.
intarissable [ɛ̃taʀisabl] *adj* inagotable; **il est ~ sur ...** es incansable cuando habla de ... .
intégral, e, -aux [ɛ̃tegʀal, o] *adj* total;

(*édition*) completo(-a); **nu ~** desnudo integral.
intégrale [ɛ̃tegʀal] *nf* (*MATH*) integral *f*; (*œuvres complètes*) obra completa. ♦
intégralement [ɛ̃tegʀalmɑ̃] *adv* totalmente, completamente.
intégralité [ɛ̃tegʀalite] *nf* totalidad *f*; **dans son ~** en su totalidad.
intégrant, e [ɛ̃tegʀɑ̃, ɑ̃t] *adj*: **faire partie ~e de qch** formar parte integrante de algo.
intégration [ɛ̃tegʀasjɔ̃] *nf* integración *f.*
intégrationniste [ɛ̃tegʀasjɔnist] *adj* integracionista.
intègre [ɛ̃tɛgʀ] *adj* íntegro(-a).
intégré, e [ɛ̃tegʀe] *adj*: **circuit ~** circuito integrado; **être ~** estar integrado(-a).
intégrer [ɛ̃tegʀe] *vt* (*personnes*) integrar; (*théories, paragraphe*) incorporar ♦ *vi* (*argot universitaire*) ingresar; s'intégrer *vpr*: s'~ **à** *ou* **dans qch** integrarse en algo.
intégrisme [ɛ̃tegʀism] *nm* integrismo.
intégriste [ɛ̃tegʀist] *adj, nm/f* integrista *m/f.*
intégrité [ɛ̃tegʀite] *nf* integridad *f*; (*totalité*) totalidad *f.*
intellect [ɛ̃telɛkt] *nm* intelecto.
intellectualiser [ɛ̃telɛktɥalize] *vt* intelectualizar.
intellectualisme [ɛ̃telɛktɥalism] *nm* intelectualismo.
intellectuel, le [ɛ̃telɛktɥɛl] *adj, nm/f* intelectual *m/f.*
intellectuellement [ɛ̃telɛktɥɛlmɑ̃] *adv* intelectualmente.
intelligemment [ɛ̃teliʒamɑ̃] *adv* inteligentemente.
intelligence [ɛ̃teliʒɑ̃s] *nf* inteligencia; (*compréhension*) comprensión *f*; ~s *nfpl* (*fig*) cómplices *mpl*; **regard/sourire d'~** mirada/sonrisa de complicidad; **vivre en bonne/mauvaise ~ avec qn** llevarse bien/mal con algn; **avoir des ~s dans la place** (*MIL*) tener contactos en el sitio; **être d'~** estar de común acuerdo; ▸ **intelligence artificielle** inteligencia artificial.
intelligent, e [ɛ̃teliʒɑ̃, ɑ̃t] *adj* inteligente, listo(-a); (*personne, animal*) inteligente.
intelligentsia [ɛ̃teliʒɛnsja] *nf* inteligencia.
intelligible [ɛ̃teliʒibl] *adj* (*proposition etc*) inteligible; **parler de façon peu ~** hablar de forma poco clara.
intello [ɛ̃telo] (*fam*) *adj, nm/f* intelectual *m/f.*
intempérance [ɛ̃tɑ̃peʀɑ̃s] *nf* intemperancia.
intempérant, e [ɛ̃tɑ̃peʀɑ̃, ɑ̃t] *adj* intemperante, inmoderado(-a); (*gourmand, sensuel*) inmoderado(-a); **faire un usage ~ de l'alcool** hacer uso abusivo del alcohol.
intempéries [ɛ̃tɑ̃peʀi] *nfpl* tiempo inclemente.
intempestif, -ive [ɛ̃tɑ̃pɛstif, iv] *adj*

intempestivo(-a).

intenable [ɛ̃t(ə)nabl] adj inaguantable, insoportable; (position) indefendible; (enfant) inaguantable.

intendance [ɛ̃tɑ̃dɑ̃s] nf dirección f; (MIL) intendencia; (POL) administración f.

intendant, e [ɛ̃tɑ̃dɑ̃, ɑ̃t] nm/f (MIL) intendente m; (SCOL, régisseur) administrador(a).

intense [ɛ̃tɑ̃s] adj intenso(-a).

intensément [ɛ̃tɑ̃semɑ̃] adv intensamente.

intensif, -ive [ɛ̃tɑ̃sif, iv] adj intensivo(-a); **cours** ~ curso intensivo; **culture intensive** cultivo intensivo.

intensification [ɛ̃tɑ̃sifikasjɔ̃] nf intensificación f.

intensifier [ɛ̃tɑ̃sifje] vt intensificar; **s'intensifier** vpr intensificarse.

intensité [ɛ̃tɑ̃site] nf intensidad f; (d'une expression) fuerza.

intensivement [ɛ̃tɑ̃sivmɑ̃] adv intensamente.

intenter [ɛ̃tɑ̃te] vt: ~ **un procès/une action contre** ou **à qn** entablar proceso/una acción contra algn.

intention [ɛ̃tɑ̃sjɔ̃] nf intención f; (but, objectif) intención f, propósito; **contrecarrer les ~s de qn** oponerse a las intenciones de algn; **avec** ou **dans l'~ de nuire** con la premeditación de dañar; **avoir l'~ de faire qch** tener la intención de hacer algo; **à l'~ de qn** para algn; (prière, messe) por algn; (fête) en honor de algn; (film, ouvrage) dedicado(-a) a algn; **à cette ~** con este propósito; **sans ~ de** sin intención de; **faire qch sans mauvaise ~** hacer algo sin mala intención; **agir dans une bonne ~** actuar con buena intención.

intentionné, e [ɛ̃tɑ̃sjɔne] adj: **être bien/mal ~** tener buena/mala intención.

intentionnel, le [ɛ̃tɑ̃sjɔnɛl] adj intencionado(-a); (JUR) premeditado(-a).

intentionnellement [ɛ̃tɑ̃sjɔnɛlmɑ̃] adv intencionadamente.

interactif, -ive [ɛ̃tɛʀaktif, iv] adj (aussi INFORM) interactivo(-a).

interaction [ɛ̃tɛʀaksjɔ̃] nf interacción f.

interbancaire [ɛ̃tɛʀbɑ̃kɛʀ] adj interbancario(-a).

intercalaire [ɛ̃tɛʀkalɛʀ] adj intercalar ♦ nm separador m.

intercaler [ɛ̃tɛʀkale] vt: ~ **(dans)** introducir (en); **s'intercaler** vpr: s'~ **entre** interponerse (entre).

intercéder [ɛ̃tɛʀsede] vi: ~ **(pour qn)** interceder (en favor de algn).

intercepter [ɛ̃tɛʀsɛpte] vt interceptar; (lumière etc) impedir el paso de.

intercepteur [ɛ̃tɛʀsɛptœʀ] nm (AVIAT) interceptador m.

interception [ɛ̃tɛʀsɛpsjɔ̃] nf intercepción f;

avion d'~ interceptador m.

intercession [ɛ̃tɛʀsesjɔ̃] nf intercesión f.

interchangeabilité [ɛ̃tɛʀʃɑ̃ʒabilite] nf intercambiabilidad f.

interchangeable [ɛ̃tɛʀʃɑ̃ʒabl] adj intercambiable.

interclasse [ɛ̃tɛʀklɑs] nm descanso.

interclubs [ɛ̃tɛʀklœb] adj entre clubes inv.

intercommunal, e, -aux [ɛ̃tɛʀkɔmynal, o] adj intermunicipal.

intercommunautaire [ɛ̃tɛʀkɔmynotɛʀ] adj intercomunitario(-a).

interconnexion [ɛ̃tɛʀkɔnɛksjɔ̃] nf (aussi INFORM) interconexión f.

intercontinental, e, -aux [ɛ̃tɛʀkɔ̃tinɑ̃tal, o] adj intercontinental.

intercostal, e, -aux [ɛ̃tɛʀkɔstal, o] adj intercostal.

interdépartemental, e, -aux [ɛ̃tɛʀdepaʀtəmɑ̃tal, o] adj interdepartamental.

interdépendance [ɛ̃tɛʀdepɑ̃dɑ̃s] nf interdependencia.

interdépendant, e [ɛ̃tɛʀdepɑ̃dɑ̃, ɑ̃t] adj interdependiente.

interdiction [ɛ̃tɛʀdiksjɔ̃] nf interdicción f, prohibición f; ~ **de fumer** prohibido ou se prohibe fumar; ~ **de séjour** interdicción de residencia.

interdire [ɛ̃tɛʀdiʀ] vt prohibir; (ADMIN, REL: personne) inhabilitar; ~ **qch à qn** prohibir algo a algn; ~ **à qn de faire qch** prohibir a algn hacer algo; ~ **qch** impedir que algn haga algo; s'~ **qch** (éviter) privarse de algo; **il s'interdit d'y penser** se niega a pensar en ello.

interdisciplinaire [ɛ̃tɛʀdisiplinɛʀ] adj interdisciplinar.

interdit, e [ɛ̃tɛʀdi, it] pp de **interdire** ♦ adj (stupéfait) estupefacto(-a); (prêtre) inhabilitado(-a), incapacitado(-a); (écrivain) vedado(-a); (livre) censurado(-a) ♦ nm pauta; **prononcer l'~ contre qn** vetar a algn; **film ~ aux moins de 18/13 ans** película prohibida a los menores de 18/13 años; **sens/stationnement ~** dirección f/ estacionamiento prohibido(-a); ► **interdit de chéquier** persona a la que se le deniega un talonario de cheques; ► **interdit de séjour** expulsado(-a).

intéressant, e [ɛ̃teʀesɑ̃, ɑ̃t] adj interesante; **faire l'~** hacerse el interesante.

intéressé, e [ɛ̃teʀese] adj interesado(-a) ♦ nm/f: l'~, e el(la) interesado(-a).

intéressement [ɛ̃teʀesmɑ̃] nm (aux bénéfices) participación f.

intéresser [ɛ̃teʀese] vt (élèves etc) interesar; (ADMIN: mesure, loi) concernir; (COMM: aux bénéfices) dar participación en; **ce film m'a beaucoup intéressé** he en-

contrado muy interesante esta película;
ça n'intéresse personne eso no interesa a
nadie; ~ qn dans une affaire hacer partícipe a algn en un negocio; ~ qn à qch
interesar a algn en algo; s'~ à qn/à ce
que fait qn/qch interesarse por algn/por
lo que hace algn/algo; s'~ à un sport interesarse por un deporte.

intérêt [ɛ̃teʀɛ] nm interés msg; (avantage,
originalité): l'~ de ... lo interesante de ...;
~s nmpl (avantage) intereses mpl; porter
de l'~ à qn interesarse por algn; agir par
~ actuar por interés; avoir des ~s dans
une société tener intereses en una compañía; il a ~ à acheter cette voiture le interesa comprar ese coche; tu aurais ~ à
te taire! ¡más te vale callarte! il y a ~ à
... interesa ...; ▶ intérêt composé interés compuesto.

interface [ɛ̃teʀfas] nf (INFORM) interfaz m.

interférence [ɛ̃teʀfeʀɑ̃s] nf interferencia.

interférer [ɛ̃teʀfeʀe] vi (PHYS) interferir;
(fig): ~ (avec) interferir (en).

intergouvernemental, e, -aux
[ɛ̃teʀguvɛʀnəmɑ̃tal, o] adj interguberna-
mental.

intérieur, e [ɛ̃teʀjœʀ] adj interior ♦ nm interior m; ministère de l'I~ ministerio del
Interior; un ~ bourgeois/confortable una
decoración burguesa/confortable; à l'~
(de) en el interior ou dentro ou adentro
(esp AM) (de); (fig) dentro (de); en ~ (CI-
NÉ) en interiores; vêtement/veste/
chaussures d'~ prenda/chaqueta/zapatos
mpl de estar en casa.

intérieurement [ɛ̃teʀjœʀmɑ̃] adv por dentro.

intérim [ɛ̃teʀim] nm interinidad f; assurer
l'~ (de qn) hacer la interinidad (de
algn); faire de l'~ hacer sustituciones;
par ~ adj interino(-a) ♦ adv de interino.

intérimaire [ɛ̃teʀimɛʀ] adj, nm/f interino
(-a); personnel ~ personal m interino.

intérioriser [ɛ̃teʀjɔʀize] vt interiorizar.

interjection [ɛ̃teʀʒɛksjɔ̃] nf interjección f.

interjeter [ɛ̃teʀʒəte] vt (appel) interponer.

interligne [ɛ̃teʀliɲ] nm línea, espacio; simple/double ~ un/doble espacio.

interlocuteur, -trice [ɛ̃teʀlɔkytœʀ, tʀis]
nm/f interlocutor(a); ~ valable (POL) interlocutor válido.

interlope [ɛ̃teʀlɔp] adj fraudulento(-a);
(milieu, bar) sospechoso(-a).

interloquer [ɛ̃teʀlɔke] vt desconcertar.

interlude [ɛ̃teʀlyd] nm interludio.

intermède [ɛ̃teʀmɛd] nm intermedio; ~
chanté/dansé intermedio con canto/con
baile.

intermédiaire [ɛ̃teʀmedjɛʀ] adj
intermedio(-a) ♦ nm/f intermediario(-a);

~s nmpl (COMM) intermediarios mpl; par
l'~ de por mediación de.

interminable [ɛ̃teʀminabl] adj interminable.

interminablement [ɛ̃teʀminabləmɑ̃] adv
interminablemente.

interministériel, le [ɛ̃teʀministeʀjɛl] adj:
comité ~ comité m interministerial.

intermittence [ɛ̃teʀmitɑ̃s] nf: par ~ (travailler) con intermitencias; (entendre qch)
a intervalos.

intermittent, e [ɛ̃teʀmitɑ̃, ɑ̃t] adj intermitente; (source, fontaine) irregular; (efforts) discontinuo(-a).

internat [ɛ̃teʀna] nm internado; (MÉD:
fonction) interno; (: concours) ≈ MIR.

international, e, -aux [ɛ̃teʀnasjɔnal, o] adj
internacional ♦ nm/f (SPORT) jugador(a)
internacional.

internationalisation [ɛ̃teʀnasjɔnalizasjɔ̃] nf
internacionalización f.

internationaliser [ɛ̃teʀnasjɔnalize] vt inter-
nacionalizar.

internationalisme [ɛ̃teʀnasjɔnalism] nm in-
ternacionalismo.

interne [ɛ̃teʀn] adj interno(-a) ♦ nm/f
(élève) interno(-a); (MÉD) médico(-a)
interno(-a).

internement [ɛ̃teʀnəmɑ̃] nm (MÉD) internamiento; (POL) reclusión f.

interner [ɛ̃teʀne] vt (réfugiés, soldats) recluir; (MÉD) internar.

interparlementaire [ɛ̃teʀpaʀləmɑ̃tɛʀ] adj
interparlamentario(-a).

interpellation [ɛ̃teʀpelasjɔ̃] nf interpelación f; (POL) detención f.

interpeller [ɛ̃teʀpəle] vt interpelar; (police)
detener.

interphone [ɛ̃teʀfɔn] nm interfono; (d'un
appartement) portero automático.

interplanétaire [ɛ̃teʀplanetɛʀ] adj
interplanetario(-a).

INTERPOL [ɛ̃teʀpɔl] sigle m INTERPOL f.

interpoler [ɛ̃teʀpɔle] vt interpolar.

interposer [ɛ̃teʀpoze] vt interponer; s'interposer vpr interponerse; par personnes
interposées por un intermediario.

interprétariat [ɛ̃teʀpʀetaʀja] nm, interprétation [ɛ̃teʀpʀetasjɔ̃] nf interpretación f.

interprète [ɛ̃teʀpʀɛt] nm/f intérprete m/f;
être l'~ de qn/de qch ser el portavoz de
algn/de algo.

interpréter [ɛ̃teʀpʀete] vt interpretar.

interprofessionnel, le [ɛ̃teʀpʀɔfesjɔnɛl]
adj interprofesional.

interrogateur, -trice [ɛ̃teʀɔɡatœʀ, tʀis] adj
interrogante ♦ nm/f (SCOL) examina-
dor(a).

interrogatif, -ive [ɛ̃teʀɔɡatif, iv] adj
interrogativo(-a).

interrogation [ɛ̃teʀɔgasjɔ̃] *nf* interrogación *f*; ~ **écrite/orale** (*SCOL*) control *m* escrito/oral; ~ **directe/indirecte** (*LING*) interrogación directa/indirecta.

interrogatoire [ɛ̃teʀɔgatwaʀ] *nm* interrogatorio.

interroger [ɛ̃teʀɔʒe] *vt* interrogar; (*données*) consultar; (*candidat*) examinar; **s'interroger** *vpr* preguntarse; ~ **qn (sur qch)** preguntar a algn (por algo); ~ **qn du regard** preguntar a algn con la mirada.

interrompre [ɛ̃teʀɔ̃pʀ] *vt* interrumpir; (*circuit électrique, communications*) cortar; **s'interrompre** *vpr* interrumpirse.

interrupteur [ɛ̃teʀyptœʀ] *nm* interruptor *m*; ▶ **interrupteur à bascule** interruptor basculante.

interruption [ɛ̃teʀypsjɔ̃] *nf* interrupción *f*; **sans** ~ sin interrupción; ▶ **interruption (volontaire) de grossesse** interrupción (voluntaria) del embarazo.

interscolaire [ɛ̃teʀskɔlɛʀ] *adj* interescolar.

intersection [ɛ̃teʀsɛksjɔ̃] *nf* intersección *f*.

intersidéral, e, -aux [ɛ̃teʀsideʀal, o] *adj* intersideral.

interstice [ɛ̃teʀstis] *nm* intersticio.

intersyndical, e, -aux [ɛ̃teʀsɛ̃dikal, o] *adj* intersindical.

intertitre [ɛ̃teʀtitʀ] *nm* leyenda.

interurbain, e [ɛ̃teʀyʀbɛ̃, ɛn] *adj* interurbano(-a) ♦ *nm*: **l'~** el servicio telefónico interurbano.

intervalle [ɛ̃teʀval] *nm* intervalo; **à deux mois d'~** con dos meses de intervalo; **à ~s rapprochés** con mucha frecuencia; **par ~s a ratos; dans l'~** mientras tanto.

intervenant, e [ɛ̃teʀvǝnɑ̃, ɑ̃t] *vb voir* **intervenir** ♦ *nm/f* interventor(a).

intervenir [ɛ̃teʀvǝniʀ] *vi* (*survenir*) ocurrir, tener lugar; (*circonstances, volonté etc*) influir; ~ **dans** intervenir en; ~ (**pour faire qch**) intervenir (para hacer algo); ~ **auprès de qn/en faveur de qn** interceder ante algn/en favor de algn; **la police a dû** ~ la policía tuvo que intervenir; **les médecins ont dû** ~ los médicos tuvieron que intervenir.

intervention [ɛ̃teʀvɑ̃sjɔ̃] *nf* intervención *f*; ~ (**chirurgicale**) intervención (quirúrgica); **prix d'~** precio de intervención; ▶ **intervention armée** intervención armada.

interventionnisme [ɛ̃teʀvɑ̃sjɔnism] *nm* intervencionismo.

interventionniste [ɛ̃teʀvɑ̃sjɔnist] *adj* intervencionista.

intervenu [ɛ̃teʀv(ǝ)ny] *pp de* **intervenir**.

intervertir [ɛ̃teʀveʀtiʀ] *vt* invertir; ~ **les rôles** invertir los papeles.

interviendrai [ɛ̃teʀvjɛ̃dʀe], **interviens** [ɛ̃teʀvjɛ̃] *vb voir* **intervenir**.

interview [ɛ̃teʀvju] *nf* interviú *f*, entrevista.

interviewer [*vb* ɛ̃teʀvjuve, *n* ɛ̃teʀvjuvœʀ] *vt* entrevistar a ♦ *nm* entrevistador(a).

intervins [ɛ̃teʀvɛ̃] *vb voir* **intervenir**.

intestat [ɛ̃tɛsta] *adj* (*JUR*): **décéder** ~ morir sin testar.

intestin, e [ɛ̃tɛstɛ̃, in] *adj*: **querelles/luttes** ~**es** querellas *fpl*/luchas *fpl* internas ♦ *nm* intestino; ▶ **intestin grêle** intestino delgado.

intestinal, e, -aux [ɛ̃tɛstinal, o] *adj* intestinal; **occlusion/perforation** ~**e** oclusión *f*/perforación *f* intestinal.

intime [ɛ̃tim] *adj* íntimo(-a); (*convictions*) profundo(-a) ♦ *nm/f* íntimo(-a).

intimement [ɛ̃timmɑ̃] *adv* (*persuadé etc*) profundamente; (*liés etc*) íntimamente.

intimer [ɛ̃time] *vt* (*JUR: citer*) citar; (: *signifier légalement*) notificar; ~ **à qn l'ordre de faire** ordenar a algn hacer.

intimidant, e [ɛ̃timidɑ̃, ɑ̃t] *adj* intimidante.

intimidation [ɛ̃timidasjɔ̃] *nf*: **manœuvres d'~** intimidación *f*.

intimider [ɛ̃timide] *vt* intimidar.

intimiste [ɛ̃timist] *adj* intimista.

intimité [ɛ̃timite] *nf* intimidad *f*; **dans l'~** en la intimidad; (*sans formalités*) informalmente.

intitulé [ɛ̃tityle] *nm* (*d'une loi, d'un jugement*) epígrafe *m*; (*d'un ouvrage, chapitre*) título.

intituler [ɛ̃tityle] *vt*: **comment a-t-il intitulé son livre?** ¿cómo tituló su libro?; **s'intituler** *vpr* (*ouvrage*) titularse; (*personne*) llamarse, denominarse.

intolérable [ɛ̃tɔleʀabl] *adj* (*chaleur*) insoportable; (*inadmissible*) intolerable.

intolérance [ɛ̃tɔleʀɑ̃s] *nf* intolerancia; ~ **à** (*MÉD*) intolerancia a.

intolérant, e [ɛ̃tɔleʀɑ̃, ɑ̃t] *adj* intolerante.

intonation [ɛ̃tɔnasjɔ̃] *nf* entonación *f*.

intouchable [ɛ̃tuʃabl] *adj* (*fig*) intocable; (*REL*) inviolable.

intoxication [ɛ̃tɔksikasjɔ̃] *nf* intoxicación *f*; (*fig*) contaminación *f*; ▶ **intoxication alimentaire** intoxicación alimenticia.

intoxiqué, e [ɛ̃tɔksike] *adj*, *nm/f* intoxicado(-a).

intoxiquer [ɛ̃tɔksike] *vt* (*aussi fig*) intoxicar; (*fig*) contaminar; **s'intoxiquer** *vpr* intoxicarse.

intradermique [ɛ̃tʀadɛʀmik] *adj* intradérmico(-a).

intraduisible [ɛ̃tʀadµizibl] *adj* (*aussi fig*) intraducible.

intraitable [ɛ̃tʀɛtabl] *adj* despiadado(-a); ~

(sur) intransigente (en); **demeurer** ~ permanecer inflexible.

intramusculaire [ɛ̃tʀamyskylɛʀ] *adj, nf:* **(injection)** ~ (inyección *f*) intramuscular *f*.

intransigeance [ɛ̃tʀɑ̃ziʒɑ̃s] *nf* intransigencia.

intransigeant, e [ɛ̃tʀɑ̃ziʒɑ̃, ɑ̃t] *adj* intransigente; *(morale, passion)* firme.

intransitif, -ive [ɛ̃tʀɑ̃zitif, iv] *adj* intransitivo(-a).

intransportable [ɛ̃tʀɑ̃spɔʀtabl] *adj (blessé)* que no se puede trasladar; *(objet)* que no se puede transportar.

intraveineuse [ɛ̃tʀavɛnøz] *nf* intravenosa.

intraveineux, -euse [ɛ̃tʀavɛnø, øz] *adj:* **(injection) intraveineuse** (inyección *f*) intravenosa.

intrépide [ɛ̃tʀepid] *adj* intrépido(-a); *(inébranlable)* tenaz.

intrépidité [ɛ̃tʀepidite] *nf* intrepidez *f*.

intrigant, e [ɛ̃tʀigɑ̃, ɑ̃t] *adj* intrigante.

intrigue [ɛ̃tʀig] *nf* intriga; *(liaison amoureuse)* aventura.

intriguer [ɛ̃tʀige] *vi, vt* intrigar.

intrinsèque [ɛ̃tʀɛ̃sɛk] *adj* intrínseco(-a).

introduction [ɛ̃tʀɔdyksjɔ̃] *nf* introducción *f*, incorporación *f*; **paroles/chapitre d'**~ palabras *fpl*/capítulo de introducción; **lettre/mot d'**~ carta/nota de presentación.

introduire [ɛ̃tʀɔdɥiʀ] *vt* introducir; *(visiteur)* hacer pasar a; *(mots)* incorporar; **s'introduire** *vpr* introducirse; ~ **qn auprès de qn** conducir a algn ante algn; ~ **qn dans un club** introducir a algn en un club; **s'**~ **dans** introducirse en; ~ **une correction au clavier** teclear una corrección.

introduit, e [ɛ̃tʀɔdɥi, it] *pp de* **introduire** ◆ *adj:* **bien** ~ *(personne)* bien relacionado (-a).

introniser [ɛ̃tʀɔnize] *vt* entronizar.

introspection [ɛ̃tʀɔspɛksjɔ̃] *nf* introspección *f*.

introuvable [ɛ̃tʀuvabl] *adj (personne)* ilocalizable; *(COMM: rare: édition, livre)* imposible de encontrar; **ma montre est** ~ no encuentro mi reloj por ningún sitio.

introverti, e [ɛ̃tʀɔvɛʀti] *nm/f* introvertido(-a).

intrus, e [ɛ̃tʀy, yz] *nm/f* intruso(-a).

intrusion [ɛ̃tʀyzjɔ̃] *nf* intrusión *f*; *(ingérence)* intromisión *f*.

intuitif, -ive [ɛ̃tɥitif, iv] *adj* intuitivo(-a).

intuition [ɛ̃tɥisjɔ̃] *nf* intuición *f*; **avoir une** ~ tener un presentimiento; **avoir l'**~ **de qch** tener la intuición de algo; **avoir de l'**~ tener intuición.

intuitivement [ɛ̃tɥitivmɑ̃] *adv* intuitivamente.

inusable [inyzabl] *adj* duradero(-a).

inusité, e [inyzite] *adj (LING)* poco frecuente.

inutile [inytil] *adj* inútil; *(superflu)* innecesario(-a).

inutilement [inytilmɑ̃] *adv* inútilmente.

inutilisable [inytilizabl] *adj* inutilizable.

inutilisé, e [inytilize] *nf* inutilizado(-a).

inutilité [inytilite] *nf* inutilidad *f*.

invaincu, e [ɛ̃vɛ̃ky] *adj* invicto(-a).

invalide [ɛ̃valid] *adj, nm/f* inválido(-a); ▶ **invalide de guerre** inválido de guerra; ▶ **invalide du travail** inválido(-a) laboral.

invalider [ɛ̃valide] *vt* invalidar, anular.

invalidité [ɛ̃validite] *nf* invalidez *f*.

invariable [ɛ̃vaʀjabl] *adj* invariable.

invariablement [ɛ̃vaʀjabləmɑ̃] *adv* invariablemente.

invasion [ɛ̃vazjɔ̃] *nf (aussi fig)* invasión *f*; *(de sauterelles, rats)* plaga, invasión.

invective [ɛ̃vɛktiv] *nf* increpación *f*.

invectiver [ɛ̃vɛktive] *vt* increpar ◆ *vi:* ~ **(contre qch/qn)** lanzar increpaciones (contra algo/algn).

invendable [ɛ̃vɑ̃dabl] *adj* invendible.

invendu, e [ɛ̃vɑ̃dy] *adj* invendido(-a).

invendus [ɛ̃vɑ̃dy] *nmpl* invendidos *mpl*.

inventaire [ɛ̃vɑ̃tɛʀ] *nm (aussi fig)* inventario; **faire un** ~ *(COMM, JUR, gén)* hacer un inventario; **faire** *ou* **procéder à l'**~ hacer inventario.

inventer [ɛ̃vɑ̃te] *vt* inventar; *(moyen)* idear; ~ **de faire qch** discurrir hacer algo.

inventeur, -trice [ɛ̃vɑ̃tœʀ, tʀis] *nm/f* inventor(a).

inventif, -ive [ɛ̃vɑ̃tif, iv] *adj* inventivo(-a).

invention [ɛ̃vɑ̃sjɔ̃] *nf* invención *f*; *(objet inventé, expédient)* invento; *(fable, mensonge)* ficción *f*, invención; **manquer d'**~ no tener imaginación.

inventivité [ɛ̃vɑ̃tivite] *nf* inventiva.

inventorier [ɛ̃vɑ̃tɔʀje] *vt* inventariar.

invérifiable [ɛ̃veʀifjabl] *adj* incomprobable.

inverse [ɛ̃vɛʀs] *adj (ordre)* inverso(-a); *(sens)* inverso(-a), contrario(-a) ◆ *nm:* **l'**~ lo contrario; **en proportion** ~ en proporción inversa; **dans l'ordre** ~ en orden inverso; **dans le sens** ~ **des aiguilles d'une montre** en sentido contrario a las agujas del reloj; **en** *ou* **dans le sens** ~ en sentido contrario; **à l'**~ al contrario.

inversement [ɛ̃vɛʀsəmɑ̃] *adv* inversamente.

inverser [ɛ̃vɛʀse] *vt* invertir.

inversion [ɛ̃vɛʀsjɔ̃] *nf* inversión *f*.

invertébré, e [ɛ̃vɛʀtebʀe] *adj* invertebrado(-a) ◆ *nm* invertebrado.

inverti, e [ɛ̃vɛʀti] *nm/f* invertido(-a).

investigation [ɛ̃vɛstigasjɔ̃] *nf* investigación
f.

investir [ɛ̃vɛstiʀ] *vt* (*personne*) investir;
(*MIL*) cercar, sitiar; (*argent, capital*) invertir ♦ *vi* invertir; ~ qn de (*d'une fonction, d'un pouvoir*) investir a algn con.

investissement [ɛ̃vɛstismɑ̃] *nm* inversión
f.

investisseur [ɛ̃vɛstisœʀ] *nm* inversor(a).

investiture [ɛ̃vɛstityʀ] *nf* investidura.

invétéré, e [ɛ̃vetɛʀe] *adj* inveterado(-a);
(*bavard, buveur*) empedernido(-a).

invincible [ɛ̃vɛ̃sibl] *adj* (*ennemi, armée, obstacle*) invencible; (*argument*) irrebatible;
(*charme*) irresistible.

inviolabilité [ɛ̃vjɔlabilite] *nf*: ~ parlementaire inviolabilidad *f* parlamentaria.

inviolable [ɛ̃vjɔlabl] *adj* inviolable.

invisible [ɛ̃vizibl] *adj* invisible; il est ~ aujourd'hui (*fig*) hoy no está para nadie.

invitation [ɛ̃vitasjɔ̃] *nf* invitación *f*; à/sur l'~ de qn por/a invitación de algn; carte/lettre d'~ tarjeta/carta de invitación.

invite [ɛ̃vit] *nf* envite *m*, incitación *f*.

invité, e [ɛ̃vite] *nm/f* invitado(-a).

inviter [ɛ̃vite] *vt* invitar; ~ qn à faire qch (*engager, exhorter*) invitar a algn a hacer algo; ~ à qch (*à la méfiance*) incitar a algo; (*à la promenade, méditation*) invitar a algo.

invivable [ɛ̃vivabl] *adj* insoportable.

involontaire [ɛ̃vɔlɔ̃tɛʀ] *adj* involuntario
(-a).

involontairement [ɛ̃vɔlɔ̃tɛʀmɑ̃] *adv* involuntariamente.

invoquer [ɛ̃vɔke] *vt* invocar; (*excuse, argument*) invocar, alegar; (*loi, texte*) apelar;
(*jeunesse, ignorance*) alegar; ~ la clémence/le secours de qn implorar la clemencia/la ayuda de algn.

invraisemblable [ɛ̃vʀɛsɑ̃blabl] *adj* (*histoire*) inverosímil; (*aplomb, toupet*) increíble.

invraisemblance [ɛ̃vʀɛsɑ̃blɑ̃s] *nf* inverosimilitud *f*.

invulnérable [ɛ̃vylnɛʀabl] *adj* invulnerable; ~ à invulnerable a.

iode [jɔd] *nm* yodo.

iodé, e [jɔde] *adj* yodado(-a).

ion [jɔ̃] *nm* ión *m*.

ionique [jɔnik] *adj* (*ARCHIT*) jónico(-a);
(*SCIENCE*) iónico(-a).

iota [jɔta] *nm*: sans changer un ~ sin cambiar un ápice.

irai *etc* [iʀe] *vb voir* **aller**.

Irak [iʀak] *nm* Irak *m*.

irakien, ne [iʀakjɛ̃, jɛn] *adj* iraquí ♦ *nm/f*:
I~, ne iraquí *m/f*.

Iran [iʀɑ̃] *nm* Irán *m*.

iranien, ne [iʀanjɛ̃, jɛn] *adj* iraní ♦ *nm*
(*LING*) iraní *m* ♦ *nm/f*: I~, ne iraní *m/f*.

Iraq [iʀak] *nm* = **Irak**.

iraquien, ne [iʀakjɛ̃, jɛn] = **irakien**.

irascible [iʀasibl] *adj* irascible.

irions *etc* [iʀjɔ̃] *vb voir* **aller**.

iris [iʀis] *nm* (*BOT*) lirio; (*ANAT*) iris *m inv*.

irisé, e [iʀize] *adj* irisado(-a).

irlandais, e [iʀlɑ̃dɛ, ɛz] *adj* irlandés(-esa)
♦ *nm* (*LING*) irlandés *m* ♦ *nm/f*: I~, e irlandés(-esa); les I~ los irlandeses.

Irlande [iʀlɑ̃d] *nf* Irlanda; la mer d'~ el mar de Irlanda; ► Irlande du Nord/Sud Irlanda del Norte/Sur.

ironie [iʀɔni] *nf* ironía; ► ironie du sort ironía del destino.

ironique [iʀɔnik] *adj* irónico(-a).

ironiquement [iʀɔnikmɑ̃] *adv* irónicamente.

ironiser [iʀɔnize] *vi* ironizar.

irons *etc* [iʀɔ̃] *vb voir* **aller**.

IRPP [iɛʀpepe] *sigle m* (= *impôt sur le revenu des personnes physiques*) ≈ IRPF *m* (= *Impuesto sobre la Renta de las Personas Físicas*).

irradiation [iʀadjasjɔ̃] *nf* irradiación *f*.

irradier [iʀadje] *vi* irradiar ♦ *vt* irradiar, difundir.

irraisonné, e [iʀɛzɔne] *adj* irrazonable.

irrationnel, le [iʀasjɔnɛl] *adj* irracional.

irrattrapable [iʀatʀapabl] *adj* (*retard*) irrecuperable; (*bévue*) insubsanable.

irréalisable [iʀealizabl] *adj* irrealizable.

irréalisme [iʀealism] *nm* falta de realismo.

irréaliste [iʀealist] *adj* irrealista.

irréalité [iʀealite] *nf* irrealidad *f*.

irrecevable [iʀəs(ə)vabl] *adj* inadmisible.

irréconciliable [iʀekɔ̃siljabl] *adj* irreconciliable.

irrécouvrable [iʀekuvʀabl] *adj* incobrable, irrecuperable.

irrécupérable [iʀekypeʀabl] *adj* irrecuperable.

irrécusable [iʀekyzabl] *adj* (*JUR*) irrecusable.

irréductible [iʀedyktibl] *adj* irreductible;
(*volonté*) férreo(-a).

irréductiblement [iʀedyktibləmɑ̃] *adv* irreductiblemente.

irréel, le [iʀeɛl] *adj* irreal; (*LING*): (mode) ~ (modo) condicional *m ou* hipotético.

irréfléchi, e [iʀefleʃi] *adj* irreflexivo(-a);
(*geste, mouvement, acte*) inconsciente.

irréfutable [iʀefytabl] *adj* irrefutable.

irréfutablement [iʀefytabləmɑ̃] *adv* irrefutablemente.

irrégularité [iʀegylaʀite] *nf* irregularidad *f*;
~s *nfpl* irregularidades *fpl*; (*inégalité*) desigualdades *fpl*.

irrégulier, -ière [iʀegylje, jɛʀ] *adj* irregular; (*développement, accélération*) irregular, desigual; (*peu honnête*) deshonesto

(-a).
irrégulièrement [iʀegyljɛʀmɑ̃] adv irregularmente.
irrémédiable [iʀemedjabl] adj irremediable.
irrémédiablement [iʀemedjabləmɑ̃] adv irremediablemente.
irremplaçable [iʀɑ̃plasabl] adj irremplazable; (personne) irremplazable, insustituible.
irréparable [iʀepaʀabl] adj (aussi fig) irreparable.
irrépréhoncible [iʀepʀeɑ̃sibl] adj irreprensible.
irrépressible [iʀepʀesibl] adj irreprimible.
irréprochable [iʀepʀɔʃabl] adj (personne, vie) irreprochable, intachable; (tenue, toilette) intachable.
irrésistible [iʀezistibl] adj irresistible; (concluant: logique) contundente; (qui fait rire) graciosísimo(-a).
irrésistiblement [iʀezistibləmɑ̃] adv irresistiblemente.
irrésolu, e [iʀezɔly] adj irresoluto(-a).
irrésolution [iʀezɔlysjɔ̃] nf irresolución f.
irrespectueux, -euse [iʀɛspɛktɥø, øz] adj irrespetuoso(-a).
irrespirable [iʀɛspiʀabl] adj (aussi fig) irrespirable.
irresponsabilité [iʀɛspɔ̃sabilite] nf irresponsabilidad f.
irresponsable [iʀɛspɔ̃sabl] adj, nm/f irresponsable m/f.
irrévérencieux, -euse [iʀeveʀɑ̃sjø, jøz] adj irreverente.
irréversible [iʀevɛʀsibl] adj irreversible.
irréversiblement [iʀevɛʀsibləmɑ̃] adv irreversiblemente.
irrévocable [iʀevɔkabl] adj irrevocable.
irrévocablement [iʀevɔkabləmɑ̃] adv irrevocablemente.
irrigation [iʀigasjɔ̃] nf irrigación f.
irriguer [iʀige] vt irrigar.
irritabilité [iʀitabilite] nf irritabilidad f.
irritable [iʀitabl] adj irritable.
irritant, e [iʀitɑ̃, ɑ̃t] adj irritante.
irritation [iʀitasjɔ̃] nf (colère) irritación f, enfado; (inflammation) irritación.
irrité, e [iʀite] adj irritado(-a).
irriter [iʀite] vt irritar; **s'~ contre qn/de qch** irritarse con algn/por algo.
irruption [iʀypsjɔ̃] nf irrupción f; **faire ~ dans un endroit/chez qn** irrumpir en un lugar/en casa de algn.
ISBN [iɛsbeɛn] sigle m (= International Standard Book Number) ISBN m (= Número Internacional Uniforme para los Libros).
Islam [islam] nm: **l'~** el Islam.
islamique [islamik] adj islámico(-a).
islandais, e [islɑ̃dɛ, ɛz] adj islandés(-esa)

♦ nm (LING) islandés m ♦ nm/f: **l'~, e** islandés(-esa).
Islande [islɑ̃d] nf Islandia.
isocèle [izɔsɛl] adj isósceles inv.
isolant, e [izɔlɑ̃, ɑ̃t] adj, nm aislante m.
isolateur [izɔlatœʀ] nm aislador m.
isolation [izɔlasjɔ̃] nf: **~ acoustique/thermique** aislamiento acústico/térmico.
isolationnisme [izɔlasjɔnism] nm aislacionismo.
isolé, e [izɔle] adj (aussi fig) aislado(-a); (éloigné) apartado(-a).
isolement [izɔlmɑ̃] nm aislamiento.
isolément [izɔlemɑ̃] adv aisladamente.
isoler [izɔle] vt (aussi fig) aislar; **s'isoler** vpr (pour travailler) aislarse.
isoloir [izɔlwaʀ] nm cabina electoral.
isorel ® [izɔʀɛl] nm aglomerado.
isotherme [izɔtɛʀm] adj isotermo.
Israël [isʀaɛl] nm Israel m.
israélien, ne [isʀaeljɛ̃, jɛn] adj israelí ♦ nm/f: **l'~, ne** israelí m/f.
israélite [isʀaelit] adj (REL) israelita ♦ nm/f: **l'~** israelita m/f.
issu, e [isy] adj: **~ de** descendiente de; (fig) resultante de.
issue [isy] nf salida; (solution) salida, solución f; **à l'~ de** al concluir; **chemin/rue sans ~** camino/calle f sin salida; ► **issue de secours** salida de socorro.
Istamboul [istabul], **Istanbul** [istabul] nf Estambul.
isthme [ism] nm istmo.
Italie [itali] nf Italia.
italien, ne [italjɛ̃, jɛn] adj italiano(-a) ♦ nm (LING) italiano ♦ nm/f: **l'~, ne** italiano(-a).
italique [italik] nm: **(mettre un mot) en italique(s)** (poner una palabra) en cursiva.
item [itɛm] nm ítem m.
itératif, -ive [iteʀatif, iv] adj iterativo(-a), reiterado(-a).
itinéraire [itineʀɛʀ] nm itinerario m.
itinérant, e [itineʀɑ̃, ɑ̃t] adj itinerante.
IUT sigle m (= Institut universitaire de technologie) voir **institut**.
IVG [iveʒe] sigle f (= interruption volontaire de grossesse) interrupción f voluntaria del embarazo.
ivoire [ivwaʀ] nm marfil m.
ivoirien, ne [ivwaʀjɛ̃, jɛn] adj marfileño(-a) ♦ nm/f: **l'~, ne** marfileño(-a).
ivraie [ivʀɛ] nf: **séparer le bon grain de l'~** (fig) separar el grano de la cizaña.
ivre [ivʀ] adj (saoul) ebrio(-a), beodo(-a); **~ de colère/de bonheur** ebrio(-a) de ira/de felicidad; **~ mort** borracho perdido.
ivresse [ivʀɛs] nf embriaguez f.
ivrogne [ivʀɔɲ] nm/f borracho(-a).

J, j

J, j [ʒi] *nm inv* (*lettre*) J, j *f*; **jour** ~ ≈ día *m* D; ~ **comme Joseph** J de José.
j' [ʒ] *pron voir* **je**.
jabot [ʒabo] *nm* (*ZOOL*) buche *m*; (*de vêtement*) chorrera.
jacasser [ʒakase] *vi* cotorrear.
jachère [ʒaʃɛʀ] *nf*: (**être**) **en** ~ (estar) en barbecho.
jacinthe [ʒasɛ̃t] *nf* jacinto; ▶ **jacinthe des bois** jacinto silvestre.
jack [(d)ʒak] *nm* jack *m*.
jacquard [ʒakaʀ] *adj inv* jacquard.
jacquerie [ʒakʀi] *nf* motín *m*.
jade [ʒad] *nm* jade *m*.
jadis [ʒadis] *adv* antaño.
jaguar [ʒagwaʀ] *nm* jaguar *m*.
jaillir [ʒajiʀ] *vi* (*liquide*) brotar; (*fig*) surgir.
jaillissement [ʒajismɑ̃] *nm* (*v vb*) brote *m*; surgimiento.
jais [ʒɛ] *nm* azabache *m*; (**d'un noir**) **de** ~ (negro) azabache.
jalon [ʒalɔ̃] *nm* (*aussi fig*) jalón *m*, hito; **poser des** ~**s** (*fig*) preparar el terreno.
jalonner [ʒalɔne] *vt* (*aussi fig*) jalonar.
jalousement [ʒaluzmɑ̃] *adv* celosamente.
jalouser [ʒaluze] *vt* envidiar.
jalousie [ʒaluzi] *nf* celos *mpl*; (*store*) celosía.
jaloux, -se [ʒalu, uz] *adj* (*envieux*) envidioso(-a); (*possessif*) celoso(-a); **être** ~ **de qn/qch** estar celoso(-a) de algn/algo, tener envidia de algn/algo.
jamaïcain, e [ʒamaikɛ̃, ɛn], **jamaïquain, e** [ʒamaikɛ̃, ɛn] *adj* jamaicano(-a) ♦ *nm/f*: **J~, e** jamaicano(-a).
Jamaïque [ʒamaik] *nf* Jamaica.
jamais [ʒamɛ] *adv* nunca, jamás; (*sans négation*) alguna vez; ~ **de la vie!** ¡nunca jamás!; **ne ...** ~ no ... nunca; **si ~ ...** si alguna vez ...; **à (tout)** ~, **pour** ~ para siempre.
jambage [ʒɑ̃baʒ] *nm* (*de lettre*) trazo; (*de porte etc*) jamba.
jambe [ʒɑ̃b] *nf* (*ANAT*) pierna; (*d'un cheval*) pata; (*d'un pantalon*) pernil *m*; **à toutes** ~**s** a toda velocidad.
jambières [ʒɑ̃bjɛʀ] *nfpl* polainas *fpl*; (*SPORT*) espinilleras *fpl*.

jambon [ʒɑ̃bɔ̃] *nm* jamón *m*; ▶ **jambon cru/fumé** jamón crudo/ahumado.
jambonneau, x [ʒɑ̃bɔno] *nm* lacón *m*.
jante [ʒɑ̃t] *nf* llanta.
janvier [ʒɑ̃vje] *nm* enero; *voir aussi* **juillet**.
Japon [ʒapɔ̃] *nm* Japón *m*.
japonais, e [ʒapɔnɛ, ɛz] *adj* japonés(-esa) ♦ *nm* (*LING*) japonés *m* ♦ *nm/f*: **J~, e** japonés(-esa).
japonaiserie [ʒapɔnɛzʀi] *nf* objeto de arte japonés.
jappement [ʒapmɑ̃] *nm* gañido.
japper [ʒape] *vi* gañir.
jaquette [ʒakɛt] *nf* (*de femme*) chaqueta; (*d'homme*) chaqué *m*; (*d'un livre*) sobrecubierta.
jardin [ʒaʀdɛ̃] *nm* jardín *m*; ▶ **jardin botanique** jardín botánico; ▶ **jardin d'acclimatation** zoo de especies exóticas; ▶ **jardin d'enfants** jardín de infancia; ▶ **jardin japonais** jardín japonés; ▶ **jardin potager** huerto; ▶ **jardin public** parque *m* público; ▶ **jardins suspendus** jardines *mpl* colgantes.
jardinage [ʒaʀdinaʒ] *nm* jardinería.
jardiner [ʒaʀdine] *vi* cuidar el jardín.
jardinet [ʒaʀdinɛ] *nm* jardincillo.
jardinier, -ière [ʒaʀdinje, jɛʀ] *nm/f* jardinero(-a); ▶ **jardinier paysagiste** jardinero(-a) artístico(-a).
jardinière [ʒaʀdinjɛʀ] *nf* (*de fenêtre*) jardinera; ▶ **jardinière d'enfants** educadora infantil; ▶ **jardinière (de légumes)** (*CULIN*) menestra.
jargon [ʒaʀgɔ̃] *nm* jerga.
jarre [ʒaʀ] *nf* tinaja.
jarret [ʒaʀɛ] *nm* (*ANAT*) corva; (*CULIN*) morcillo.
jarretelle [ʒaʀtɛl] *nf* liga.
jarretière [ʒaʀtjɛʀ] *nf* liga.
jars [ʒaʀ] *nm* ganso.
jaser [ʒaze] *vi* charlar; (*indiscrètement*) cotorrear; (*médire*) cotillear.
jasmin [ʒasmɛ̃] *nm* jazmín *m*.
jaspe [ʒasp] *nm* jaspe *m*.
jatte [ʒat] *nf* cuenco.
jauge [ʒoʒ] *nf* (*capacité*) capacidad *f*; (*d'un navire*) arqueo; (*instrument*) aspilla, varilla graduada; ▶ **jauge (de niveau) d'huile** indicador *m* (del nivel) de aceite.
jauger [ʒoʒe] *vt* (*mesurer*) calibrar; (*fig*) juzgar ♦ *vi* (*NAUT*): ~ **6 mètres/3000 tonneaux** tener 6 metros de calado/una capacidad de 3000 toneladas.
jaunâtre [ʒonɑtʀ] *adj* amarillento(-a).
jaune [ʒon] *adj* amarillo(-a) ♦ *nm* amarillo; (*aussi*: ~ **d'œuf**) yema ♦ *nm/f* (*péj*): J~ (*de race jaune*) amarillo(-a); (*briseur de grève*) esquirol(a) ♦ *adv*: **rire** ~ (*fam*) reír falsamente.

jaunir [ʒoniʀ] *vt* amarillear ♦ *vi* amari-
llear(se).
jaunisse [ʒonis] *nf* ictericia.
Java [ʒava] *nf* Java; **faire la j~** (*fam*) estar
de juerga.
javanais, e [ʒavanɛ, ɛz] *adj* (*GÉO*)
javanés(-esa) ♦ *nm* (*LING*) javanés *m*;
(*type d'argot*) argot convencional consistente en intercalar las *s*ílabas "va" o "av"
en las palabras ♦ *nm/f*: **J~**, e javanés
(-esa).
Javel [ʒavɛl] *nf voir* eau.
javelliser [ʒavelize] *vt* desinfectar con lejía.
javelot [ʒavlo] *nm* jabalina; **faire du ~** hacer jabalina.
jazz [dʒɑz] *nm* jazz *m*.
je [ʒ] *pron* yo.
jean [dʒin] *nm* (*TEXTILE*) tela vaquera;
(*pantalon*) vaqueros *mpl*, blue-jean(s)
m(pl) (*esp AM*).
jeannette [ʒanɛt] *nf* (*planchette*) tabla pequeña para planchar; (*SCOUTISME*) niña
scout.
jeep [(d)ʒip] *nf* jeep *m*.
jérémiades [ʒeʀemjad] *nfpl* jeremiada, llo-
riqueos *mpl*.
jerrycan [dʒeʀikan] *nm* bidón *m* de reserva.
Jersey [ʒɛʀzɛ] *nf* Jersey *m*.
jersey [ʒɛʀzɛ] *nm* jersey *m*; **point de** ˷
(*TRICOT*) punto de jersey.
Jérusalem [ʒeʀyzalɛm] *n* Jerusalén.
jésuite [ʒezɥit] *nm* jesuita *m*.
Jésus-Christ [ʒezykʀi(st)] *n* Jesucristo;
600 avant/après ~·˷ *ou* **J.-C.** en el año 600
antes/después de Jesucristo *ou* J.C.
jet¹ [dʒɛt] *nm* (*avion*) jet *m*, avión *m* a
reacción.
jet² [ʒɛ] *nm* (*lancer*) lanzamiento; (*distance*) tiro; (*jaillissement, tuyau*) chorro; **premier ~** (*fig*) bosquejo, esbozo; **arroser au**
~ regar a chorro; **d'un (seul) ~** de un tirón, de una sola vez; **du premier ~** a la
primera; ▶ **jet d'eau** chorro de agua;
(*fontaine*) surtidor *m*.
jetable [ʒ(ə)tabl] *adj* desechable.
jeté [ʒ(ə)te] *nm*: **~ de lit** colcha; ▶ **jeté de
table** tapete *m*.
jetée [ʒəte] *nf* (*digue*) escollera; (*AVIAT*)
muelle *m* de embarque.
jeter [ʒ(ə)te] *vt* (*lancer*) lanzar, botar (*AM*);
(*se défaire de*) tirar; (*passerelle, pont*)
construir, tender; (*bases, fondations*) establecer, sentar; (*regard*) echar; (*cri, insultes*) lanzar; (*lumière, son*) dar; **~ l'ancre** echar el ancla; **~ un coup d'œil (à)**
echar un vistazo (a); **~ qch à qn** lanzar
algo a algn; **~ les bras en avant/la tête en
arrière** echar los brazos hacia adelante/la

cabeza hacia atrás; **~ le trouble/l'effroi
parmi ...** sembrar la confusión/el miedo
entre ...; **~ un sort à qn** echar una maldición a algn; **~ qn dans la misère** hundir a
algn en la miseria; **~ qn dans l'embarras**
meter a algn en un apuro; **~ qn dehors**
echar a algn fuera; **~ qn en prison** meter a algn en la cárcel; **~ l'éponge** (*fig*)
tirar la toalla; **~ des fleurs à qn** (*fig*)
echar flores a algn; **~ la pierre à qn** (*accuser, blâmer*) acusar a algn; **se ~
contre/dans/sur** arrojarse contra/en/
sobre; **se ~ dans** (*suj: fleuve*) desembocar en; **se ~ par la fenêtre** tirarse por la
ventana; **se ~ à l'eau** (*fig*) lanzarse a hacer algo.
jeton [ʒ(ə)tɔ̃] *nm* ficha; **~s** *nmpl* (*de présence*) dieta *fsg* *ou* prima *fsg* de asistencia.
jette *etc* [ʒɛt] *vb voir* **jeter**.
jeu, x [ʒø] *nm* juego; (*interprétation*) actuación *f*, interpretación *f*; (*MUS*) interpretación; (*TECH*) juego, holgura; (*défaut de
serrage*) holgura; **par ~** por juego; **d'entrée de ~** desde el principio; **cacher son
~** ocultar las intenciones; **c'est le ~** *ou* **la
règle du ~** es el juego, son las reglas del
juego; **c'est un ~ (d'enfant)** es un juego
(de niños); **il a beau ~ de dire ça** le resulta fácil decir eso; **être/remettre en ~**
(*FOOTBALL*) estar/poner en juego; **être en
~** (*fig*) estar en juego; **entrer/mettre en ~**
(*fig*) entrar/poner en juego; **entrer dans
le ~/le ~ de qn** (*fig*) entrar en el juego/
en el juego de algn; **se piquer** *ou* **se prendre au ~** cegarse por el juego; **jouer gros
~** jugar fuerte, arriesgar mucho; ▶ **jeu
d'orgue(s)** registros *mpl*; ▶ **jeu de boules** (*activité*) juego de bolos; (*endroit*) bolera; ▶ **jeu de cartes** juego de naipes;
(*paquet*) baraja; ▶ **jeu de clés/
d'aiguilles** (*série*) juego de llaves/de
agujas; ▶ **jeu de construction** juego de
construcción, mecano; ▶ **jeu d'échecs**
ajedrez *m*; ▶ **jeu d'écritures** traspaso de
cuenta a cuenta; ▶ **jeu de hasard/de
mots** juego de azar/de palabras; ▶ **jeu
de l'oie** juego de la oca; ▶ **jeu de massacre** (*à la foire, fig*) pim pam pum *m*;
▶ **jeu de patience/de société** juego de
paciencia/de salón; ▶ **jeu de physionomie** expresión *f*; ▶ **jeux de lumière** juego de luces; ▶ **Jeux olympiques** Juegos
mpl Olímpicos.
jeu-concours [ʒøkɔ̃kuʀ] (*pl* **~x-~**) *nm* juego concurso.
jeudi [ʒødi] *nm* jueves *m inv*; ▶ **jeudi saint**
jueves santo; *voir aussi* **lundi**.
jeun [ʒœ̃]: **à ~** *adv* en ayunas.
jeune [ʒœn] *adj* joven; (*récent*) joven, reciente ♦ *adv*: **faire ~** hacer joven; **s'habil-**

ler ~ vestirse juvenil; **les ~s** los jóvenes; ▸ **jeune fille** muchacha, chica; ▸ **jeune homme** muchacho, chico; ▸ **jeune loup** (*ÉCON, POL*) joven cachorro; ▸ **jeune premier** galán *m*; ▸ **jeunes gens** jóvenes *mpl*; ▸ **jeunes mariés** recién casados *mpl*.

jeûne [ʒøn] *nm* ayuno.

jeûner [ʒøne] *vi* ayunar.

jeunesse [ʒœnɛs] *nf* juventud *f*.

jf *sigle f* (= *jeune fille*) *voir* **jeune**.

jh *sigle m* (= *jeune homme*) *voir* **jeune**.

jiu-jitsu [ʒjyʒitsy] *nm inv* jiu-jitsu *m*.

JO [ʒio] *sigle m* (= *Journal officiel*) ≈ BOE *m* (= *Boletín Oficial del Estado*) ♦ *sigle mpl* (= *Jeux olympiques*) JJ. OO. (= *Juegos Olímpicos*).

joaillerie [ʒɔajʀi] *nf* joyería.

joaillier, -ière [ʒɔaje, jɛʀ] *nm/f* joyero(-a).

job [dʒɔb] *nm* trabajo.

jobard, e [ʒɔbaʀ, aʀd] (*péj*) *adj* pánfilo(-a).

jockey [ʒɔke] *nm* jockey *m*.

jogging [dʒɔgiŋ] *nm*: **faire du ~** hacer footing.

joie [ʒwa] *nf* (*bonheur intense*) alegría, gozo; (*vif plaisir*) alegría; **~s** *nfpl* (*agrément*) alegrías *fpl*; (*iron: ennuis*) encantos *mpl*.

joignais [ʒwaɲɛ] *vb voir* **joindre**.

joindre [ʒwɛ̃dʀ] *vt* juntar, unir; (*qch à qch*) juntar ♦ *vi* (*se toucher*) encajar; **se joindre** *vpr* (*mains etc*) unirse; **~ qch à** (*ajouter*) adjuntar algo a; **~ qn** (*réussir à contacter*) dar con algn, localizar a algn; **~ les mains/talons** juntar las manos/los talones; **~ les deux bouts** (*fig*) llegar a final de mes; **se ~ à** (*s'unir*) unirse a; (*se mêler*) sumarse a; **se ~ à qch** (*participer à*) sumarse a algo.

joint, e [ʒwɛ̃, ɛt] *pp de* **joindre** ♦ *adj* junto (-a) ♦ *nm* (*articulation, assemblage*) junta, empalme *m*; (*ligne, en ciment*) junta; **sauter à pieds ~s** saltar con los pies juntos; **~ à** (*un paquet, une lettre*) adjunto(-a) a; **pièce ~e** pieza adjunta; **chercher/trouver le ~** (*fig*) buscar/encontrar la solución; ▸ **joint de cardan/de culasse** junta de cardán/de culata; ▸ **joint de robinet** junta de grifo; ▸ **joint universel** junta universal.

jointure [ʒwɛ̃tyʀ] *nf* (*ANAT*) articulación *f*; (*TECH*) empalme *m*, junta.

joker [(d)ʒɔkɛʀ] *nm* (*CARTES*) comodín *m*.

joli, e [ʒɔli] *adj* bonito(-a), lindo(-a) (*fam: AM*); **une ~e somme/situation** una buena suma/un buen puesto; **c'est joli ~!** (*iron*) ¡muy bonito!; **un ~ gâchis/travail** (*iron*) menudo lío/trabajo; **c'est bien ~ mais ...** está muy bien pero ... .

joliment [ʒɔlimɑ̃] *adv* muy bien; (*fam: très*) muy.

jonc [ʒɔ̃] *nm* (*BOT*) junco; (*bague, bracelet*) anillo.

joncher [ʒɔ̃ʃe] *vt* (*répandre*) cubrir; (*être épars*) estar esparcido(-a) por; **jonché de** cubierto de.

jonction [ʒɔ̃ksjɔ̃] *nf* (*action*) unión *f*; (*point de*) ~ (*de routes*) empalme *m*, enlace *m*; (*de fleuves*) confluencia; **opérer une ~** (*MIL etc*) reunirse.

jongler [ʒɔ̃gle] *vi* hacer juegos malabares; **~ avec** (*fig*) hacer malabarismos con.

jongleur, -euse [ʒɔ̃glœʀ, øz] *nm/f* malabarista *m/f*.

jonquille [ʒɔ̃kij] *nf* junquillo.

Jordanie [ʒɔʀdani] *nf* Jordania.

jordanien, ne [ʒɔʀdanjɛ̃, jɛn] *adj* jordano(-a) ♦ *nm/f*: **J~**, **ne** jordano(-a).

jouable [ʒwabl] *adj* representable.

joue [ʒu] *nf* mejilla; **mettre en ~** apuntar.

jouer [ʒwe] *vt* jugar; (*pièce de théâtre*) representar; (*film, rôle*) interpretar; (*simuler*) fingir; (*morceau de musique*) ejecutar, tocar ♦ *vi* jugar; (*MUS*) ejecutar, tocar; (*CINÉ, THÉÂTRE*) actuar; (*aux cartes, à la roulette*) jugar a; (*bois, porte*) combarse; (*clé, pièce*) tener juego *ou* holgura; **~ au héros** dárselas de héroe; **~ sur** (*miser*) jugar con; **~ de** (*instrument*) tocar; (*fig*): **~ du couteau** manejar el cuchillo; **~ des coudes** abrirse paso con los codos; **~ à** (*jeu, sport*) jugar a; **~ avec** (*sa santé etc*) jugar con; **se ~ de** (*difficultés*) pasar por alto; **se ~ de qn** (*tromper*) engañar a algn; **~ un tour à qn** jugar una mala pasada a algn; **~ la comédie** (*fig*) hacer teatro; **~ à la baisse/à la hausse** (*BOURSE*) jugar a la baja/al alza; **~ serré** actuar con tiento; **~ de malchance** *ou* **malheur** tener mala suerte; **~ sur les mots** tergiversar las palabras; **à toi/nous de ~** (*fig*) te toca a ti/nos toca a nosotros; **~ aux courses** jugar a las carreras.

jouet [ʒwɛ] *nm* juguete *m*; **être le ~ de** (*fig*) ser el juguete de.

joueur, -euse [ʒwœʀ, øz] *nm/f* jugador(a); (*musique*) músico ♦ *adj* juguetón(-ona); **être beau/mauvais ~** (*fig*) ser un buen/mal perdedor.

joufflu, e [ʒufly] *adj* mofletudo(-a).

joug [ʒu] *nm* yugo; **sous le ~ de** (*fig*) bajo el yugo de.

jouir [ʒwiʀ]: **~ de** *vt* (*avoir*) gozar de; (*savourer*) disfrutar de.

jouissance [ʒwisɑ̃s] *nf* goce *m*; **la ~ de qch** (*JUR*) el usufructo de algo.

jouisseur, -euse [ʒwisœʀ, øz] (*péj*) *nm/f* vividor(a).

joujou, x [ʒuʒu] (*fam*) *nm* juguete *m*.

jour [ʒuʀ] *nm* día *m*; (*clarté*) luz *f*; (*ouvertu-*

re) hueco, vano; (*COUTURE*) calado; ~s nmpl (*vie*) días mpl; **de nos** ~s hoy en día; **sous un** ~ **favorable/nouveau** (*fig*) bajo el aspecto más favorable/nuevo; **tous les** ~s todos los días, a diario; **de** ~ **de día**; **d'un** ~ **à l'autre** de un día a otro; **du** ~ **au lendemain** de la noche a la mañana; **au** ~ **le** ~, **de** ~ **en** ~ día a día; **il fait** ~ **es de día**; **en plein** ~ en pleno día; **au** ~ **a la luz del día**; **au petit** ~ de madrugada, al amanecer; **au grand** ~ (*fig*) a todas luces, de forma evidente; **mettre au** ~ (*découvrir*) sacar a la luz; **être/mettre à** ~ estar/poner al día; **mise à** ~ puesta al día; **donner le** ~ **à** dar a luz a; **voir le** ~ salir a la luz; **se faire** ~ (*fig*) abrirse camino, triunfar; ▶ **jour férié** día festivo; ▶ **le jour J** ≈ el día D.

Jourdain [ʒuʀdɛ̃] nm Jordán m.

journal, -aux [ʒuʀnal, o] nm periódico; (*personnel*) diario; **le J~ officiel (de la République française)** el Boletín oficial (de la República Francesa), ≈ el Boletín oficial del Estado; ▶ **journal de bord** diario de a bordo; ▶ **journal de mode** revista de moda; ▶ **journal parlé** diario hablado; ▶ **journal télévisé** diario televisado, telediario.

journalier, -ière [ʒuʀnalje, jɛʀ] adj diario(-a) ♦ nm/f jornalero(-a).

journalisme [ʒuʀnalism] nm periodismo.

journaliste [ʒuʀnalist] nm/f periodista m/f.

journalistique [ʒuʀnalistik] adj periodístico(-a).

journée [ʒuʀne] nf día m; (*travail d'une journée*) jornada; **la** ~ **continue** la jornada continua.

journellement [ʒuʀnɛlmɑ̃] adv diariamente.

joute [ʒut] nf justa.

jouvence [ʒuvɑ̃s] nf: **bain de** ~ baño de juventud.

jouxter [ʒukste] vt lindar con.

jovial, e, -aux [ʒɔvjal, jo] adj jovial.

jovialité [ʒɔvjalite] nf jovialidad f.

joyau, x [ʒwajo] nm (*aussi fig*) joya.

joyeusement [ʒwajøzmɑ̃] adv con alegría.

joyeux, -euse [ʒwajø, øz] adj feliz, alegre; ~ **Noël!** ¡feliz Navidad!; ~ **anniversaire!** ¡feliz cumpleaños!

JT sigle m (= *journal télévisé*) voir **journal**.

jubilation [ʒybilasjɔ̃] nf júbilo, regocijo.

jubilé [ʒybile] nm quincuagésimo ou cincuenta aniversario.

jubiler [ʒybile] vi regocijarse.

jucher [ʒyʃe] vt: ~ **qch/qn sur** poner algo/a algn sobre ♦ vi (*oiseau*) ~ **sur** morar en; **se** ~ **sur** posarse en ou sobre.

judaïque [ʒydaik] adj judaico(-a).

judaïsme [ʒydaism] nm judaísmo.

judas [ʒyda] nm mirilla.

Judée [ʒyde] nf Judea.

judéo- [ʒydeɔ] préf judeo-.

judéo-allemand, e [ʒydeɔalmɑ̃, ɑ̃d] (pl ~-~s, es) adj, nm/f judeoalemán(-ana).

judéo-chrétien, ne [ʒydeɔkʀetjɛ̃, ɛn] (pl ~-~s, nes) adj judeocristiano(-a).

judiciaire [ʒydisjɛʀ] adj judicial.

judicieusement [ʒydisjøzmɑ̃] adv juiciosamente, sensatamente.

judicieux, -euse [ʒydisjø, jøz] adj juicioso(-a), sensato(-a).

judo [ʒydo] nm judo.

judoka [ʒydɔka] nm/f judoka m/f, yudoka m/f.

juge [ʒyʒ] nm juez m/f; **être bon/mauvais** ~ (*fig*) ser un buen/mal árbitro; ▶ **juge d'instruction/de paix** juez de instrucción/de paz; ▶ **juge de touche** (*FOOTBALL*) juez de línea; ▶ **juge des enfants** juez de menores.

jugé [ʒyʒe]: **au** ~ adv a bulto; (*fig*) a bulto, a ojo.

jugement [ʒyʒmɑ̃] nm (*JUR*) sentencia; (*gén*) juicio; ▶ **jugement de valeur** juicio de valor.

jugeote [ʒyʒɔt] (*fam*) nf sentido común.

juger [ʒyʒe] vt juzgar; (*JUR*) juzgar, sentenciar ♦ nm: **au** ~ a bulto; ~ **qn/qch satisfaisant** considerar a algn/algo satisfactorio; ~ **bon de faire ...** juzgar oportuno hacer ...; ~ **que** estimar que; ~ **de qch** juzgar algo; **jugez de ma surprise** imagine mi sorpresa.

jugulaire [ʒygylɛʀ] adj yugular ♦ nf (*ANAT*) yugular f; (*MIL*) barboquejo.

juguler [ʒygyle] vt atajar.

juif, -ive [ʒɥif, ʒɥiv] adj judío(-a) ♦ nm/f: **J~, -ive** judío(-a).

juillet [ʒɥijɛ] nm julio; **le premier** ~ el uno de julio; **le deux/onze** ~ el dos/once de julio; **début/fin** ~ a primeros/finales de julio; **le 14** ~ el 14 de julio (*la fiesta nacional francesa*).

juin [ʒɥɛ̃] nm junio; voir aussi **juillet**.

jumeau, -elle, x [ʒymo, ɛl] adj, nm/f gemelo(-a); **maisons jumelles** casas fpl gemelas.

jumelage [ʒym(ə)laʒ] nm (*de villes*) hermanamiento.

jumeler [ʒym(ə)le] vt (*TECH*) acoplar; (*villes*) hermanar; **roues jumelées** ruedas fpl gemelas; **billets de loterie jumelés** décimos mpl de lotería dobles; **pari jumelé** apuesta doble.

jumelle [ʒymɛl] vb voir **jumeler** ♦ adj, nf voir **jumeau**; ~s nfpl (*instrument*) gemelos mpl.

jument [ʒymɑ̃] nf yegua.

jungle [ʒœ̃gl] nf jungla, selva; (*fig*) jungla.

junior [ʒynjɔR] *adj* (*mode, style*) juvenil; (*SPORT*) júnior, juvenil ♦ *nm/f* (*SPORT*) júnior *m/f*.
junte [ʒœt] *nf* junta.
jupe [ʒyp] *nf* falda, pollera (*AM*).
jupe-culotte [ʒypkylɔt] (*pl* ~s-~s) *nf* falda *f* pantalón *inv*.
jupette [ʒypɛt] *nf* falda corta.
jupon [ʒypɔ̃] *nm* enaguas *fpl*.
Jura [ʒyRɑ] *nm* Jura *m*.
jurassien, ne [ʒyRasjɛ̃, jɛn] *adj* del Jura.
juré [ʒyRe] *nm* jurado ♦ *adj*: **ennemi** ~ enemigo jurado.
jurer [ʒyRe] *vt* jurar ♦ *vi* jurar; ~ **(avec)** (*couleurs etc*) chocar (con), desentonar (con); ~ **de faire/que** jurar hacer/que; ~ **de qch** jurar algo, responder de algo; **ils ne jurent que par lui** creen a ciegas en él; **je vous jure!** ¡se lo juro!
juridiction [ʒyRidiksjɔ̃] *nf* jurisdicción *f*.
juridique [ʒyRidik] *adj* jurídico(-a).
juridiquement [ʒyRidikmɑ̃] *adv* jurídicamente.
jurisconsulte [ʒyRiskɔ̃sylt] *nm* jurisconsulto.
jurisprudence [ʒyRispRydɑ̃s] *nf* jurisprudencia; **faire** ~ sentar jurisprudencia.
juriste [ʒyRist] *nm/f* jurista *m/f*.
juron [ʒyRɔ̃] *nm* juramento.
jury [ʒyRi] *nm* (*JUR*) jurado; (*SCOL*) tribunal *m*.
jus [ʒy] *nm* jugo, zumo (*Esp*); (*de viande*) jugo; (*fam: courant*) corriente *f* (eléctrica); (: *café*) café *m*; ▶ **jus de fruits** jugo *ou* zumo (*Esp*) de frutas; ▶ **jus d'orange/de pommes/de raisin/de tomates** zumo de naranja/de manzana/de uvas/de tomate.
jusant [ʒyzɑ̃] *nm* reflujo.
jusqu'au-boutiste [ʒyskobutist] *adj, nm/f* extremista *m/f*.
jusque [ʒysk]: **jusqu'à** *prép* hasta; **jusqu'au matin/soir** hasta la mañana/la tarde; **jusqu'à ce que** hasta que; **jusqu'à présent** *ou* **maintenant** hasta ahora; ~ **sur/dans** hasta arriba de/en; (*y compris*) hasta, incluso; ~ **vers** hasta cerca de; **~-là** hasta ahí; **jusqu'ici** (*temps*) hasta ahora; (*espace*) hasta aquí.
justaucorps [ʒystokɔR] *nm* malla.
juste [ʒyst] *adj* justo(-a); (*légitime*) justo (-a), legítimo(-a); (*étroit*) ajustado(-a); (*insuffisant*) escaso(-a) ♦ *adv* (*avec exactitude, précision*) con precisión; (*étroitement*) apretado; (*chanter*) afinado; (*seulement*) solamente, nomás (*AM*); ~ **assez/au-dessus** bastante/hasta por encima de; **pouvoir tout** ~ **faire qch** poder sólo hacer algo; **au** ~ exactamente; **comme de** ~ como es lógico; **le** ~ **milieu** el término

medio; **à** ~ **titre** con razón.
justement [ʒystəmɑ̃] *adv* justamente; **c'est** ~ **ce qu'il fallait faire** es precisamente lo que había que hacer.
justesse [ʒystɛs] *nf* (*exactitude, précision*) precisión *f*, exactitud *f*; (*d'une remarque*) propiedad *f*; (*d'une opinion*) rectitud *f*; **de** ~ por poco.
justice [ʒystis] *nf* justicia; **rendre la** ~ administrar justicia; **traduire en** ~ citar ante la justicia, hacer comparecer ante la justicia; **obtenir** ~ lograr justicia; **rendre** ~ **à qn** hacer justicia a algn; **se faire** ~ (*se venger*) tomarse la justicia por su mano; (*se suicider*) suicidarse.
justiciable [ʒystisjabl] *adj*: ~ **de** (*JUR*) sometido(-a) a la jurisdicción de; (*fig*) propio(-a) de.
justicier, -ière [ʒystisje, jɛR] *nm/f* justiciero(-a).
justifiable [ʒystifjabl] *adj* justificable.
justificatif, -ive [ʒystifikatif, iv] *adj* justificativo(-a) ♦ *nm* justificante *m*.
justification [ʒystifikasjɔ̃] *nf* justificación *f*.
justifier [ʒystifje] *vt* justificar; **se justifier** *vpr* justificarse; ~ **de** probar; **non justifié** injustificado(-a); **justifié à droite/gauche** justificado a la derecha/izquierda.
jute [ʒyt] *nm* yute *m*.
juteux, -euse [ʒytø, øz] *adj* jugoso(-a); (*fam*) jugoso(-a), sustancioso(-a).
juvénile [ʒyvenil] *adj* juvenil.
juxtaposer [ʒykstapoze] *vt* yuxtaponer.
juxtaposition [ʒykstapozisjɔ̃] *nf* yuxtaposición *f*.

K, k

K, k [kɑ] *nm inv* (*lettre*) K, k *f*; ~ **comme Kléber** ≈ K de kilo.
K [kɑ] *abr* (= *kilooctet*) K.
Kaboul [kabul], **Kabul** [kabul] *n* Kabul.
kabyle [kabil] *adj* cabileño(-a) ♦ *nm* (*LING*) lengua de Cabilia ♦ *nm/f*: **K~** cabileño (-a).
Kabylie [kabili] *nf* Cabilia.
kafkaïen, ne [kafkajɛ̃, jɛn] *adj* (*fig*) kafkiano(-a).
kaki [kaki] *adj inv* caqui.
kaléidoscope [kaleidɔskɔp] *nm* caleidoscopio.

Kampala [kãpala] *n* Kampala.
Kampuchéa [kãputʃea] *nm*: **le ~ (démocratique)** la Kampuchea (democrática).
kangourou [kãguʀu] *nm* canguro.
kaolin [kaɔlɛ̃] *nm* caolín *m*.
kapok [kapɔk] *nm* miraguano.
karaté [kaʀatɛ] *nm* kárate *m*.
kart [kaʀt] *nm* kart *m*.
karting [kaʀtiŋ] *nm* karting *m*.
kascher [kaʃɛʀ] *adj inv* de acuerdo con las normas dietéticas de la ley hebraica.
kayac [kajak] *nm* = **kayak**.
kayak [kajak] *nm* kayak *m*.
Kenya [kɛnja] *nm* Kenia.
kenyan, e [kenjã, an] *adj* keniano(-a) ♦ *nm/f*: **K~, e** keniano(-a).
képi [kepi] *nm* quepis *m*.
Kerguelen [kɛʀgelɛn]: **les (îles) ~** las (islas) Kerguelen.
kermesse [kɛʀmɛs] *nf* romería.
kérosène [keʀozɛn] *nm* queroseno.
kg *abr* (= *kilogramme(s)*) kg (= *kilogramo*).
KGB [kaʒebe] *sigle m* KGB *m*.
khmer, -ère [kmɛʀ] *adj* jémer ♦ *nm* (*LING*) jémer *m* ♦ *nm/f*: **K~, -ère** jémer *m/f*.
khôl [kol] *nm* khol *m*.
kibboutz [kibuts] *nm* kib(b)utz *m*.
kidnapper [kidnape] *vt* secuestrar.
kidnappeur, -euse [kidnapœʀ, øz] *nm/f* secuestrador(a).
kidnapping [kidnapiŋ] *nm* secuestro (de niños).
Kilimandjaro [kilimãdʒaʀo] *nm* Kilimanjaro.
kilo [kilo] *nm* kilo.
kilogramme [kilɔgʀam] *nm* kilogramo.
kilométrage [kilɔmetʀaʒ] *nm* kilometraje *m*; **faible ~** poco kilometraje, pocos kilómetros.
kilomètre [kilɔmɛtʀ] *nm* kilómetro; **~s (à l')heure** kilómetros por hora.
kilométrique [kilɔmetʀik] *adj* kilométrico(-a); **compteur ~** cuentakilómetros *m inv*.
kilooctet [kilɔɔktɛ] *nm* kilobyte *m*.
kilowatt [kilowat] *nm* kilovatio.
kinésithérapeute [kineziteʀapøt] *nm/f* kinesiólogo(-a).
kinésithérapie [kineziteʀapi] *nf* kinesiterapia.
kiosque [kjɔsk] *nm* (*de jardin, à journaux*) kiosco *ou* quiosco; (*fleurs*) puesto; (*TÉL etc*) torreta.
kirsch [kiʀʃ] *nm* aguardiente *m* de cerezas.
kitchenette [kitʃ(ə)nɛt] *nf* cocina pequeña.
kiwi [kiwi] *nm* kiwi *m*.
klaxon [klaksɔn] *nm* bocina, claxon *m*.
klaxonner [klaksɔne] *vi* tocar la bocina *ou* el claxon.

kleptomane [klɛptɔman] *nm/f* cleptómano(-a).
km *abr* (= *kilomètre(s)*) km. (= *kilómetro(s)*).
km/h *abr* (= *kilomètres/heure*) km/h.
knock-out [nɔkaut] *nm inv* (*BOXE*) knock-out *m*.
K.-O. [kao] *adj inv* K.O.
Ko *abr* (*INFORM* = *kilooctet*) K.
koala [kɔala] *nm* koala *m*.
kolkhoze [kɔlkoz] *nm* koljóz *msg*.
Koweit [kɔwɛt] *nm* Kuwait *m*.
koweitien, ne [kɔwɛtjɛ̃, jɛn] *adj* kuwaití ♦ *nm/f*: **K~, ne** kuwaití *m/f*.
krach [kʀak] *nm* quiebra, crac *m*.
kraft [kʀaft] *nm* papel *m* de embalaje.
Kremlin [kʀɛmlɛ̃] *nm* Kremlin *m*.
Kuala Lumpur [kwalalumpuʀ] *n* Kuala Lumpur.
kurde [kyʀd] *adj* kurdo(-a), curdo(-a) ♦ *nm* (*LING*) kurdo, curdo ♦ *nm/f*: **K~** kurdo(-a), curdo(-a).
Kurdistan [kyʀdistã] *nm* Kurdistán *m*.
kW *abr* (= *kilowatt*) kv.
kW/h *abr* (= *kilowatt-heure*) kv/h.
kyrielle [kiʀjɛl] *nf*: **une ~ de ...** una retahíla de ... .
kyste [kist] *nm* quiste *m*.

L, l

L, l [ɛl] *nm inv* L, l *f*; **~ comme Louis** ≈ L de león.
l *abr* (= *litre(s)*) l. (= *litro(s)*).
l' [l] *dét voir* **le**.
la [la] *nm* (*MUS*) la *m inv* ♦ *dét, pron voir* **le**.
là [la] *adv* (*plus loin*) ahí, allí; (*ici*) aquí; (*dans le temps*) entonces; **est-ce que Catherine est ~?** ¿está Catherine?; **elle n'est pas ~** no está; **c'est ~ que** ahí *ou* allí es donde; (*ici*) aquí es donde; **~ où** allí donde; **de ~** (*fig*) de ahí; **par ~** (*fig*) con eso; **tout est ~** todo está ahí; (*fig*) ahí está el fondo de la cuestión.
là-bas [laba] *adv* allí.
label [labɛl] *nm* etiqueta, sello; ▶ **label de qualité** etiqueta de calidad.
labeur [labœʀ] *nm* labor *f*.
labo [labo] *nm* = *laboratoire*.
laborantin, e [labɔʀãtɛ̃, in] *nm/f* técnico(-a) de laboratorio.

laboratoire [labɔʀatwaʀ] *nm* laboratorio; ▶ **laboratoire d'analyses/de langues** laboratorio de análisis/de idiomas.

laborieusement [labɔʀjøzmɑ̃] *adv* con mucho trabajo.

laborieux, -euse [labɔʀjø, jøz] *adj* laborioso(-a); (*vie*) sacrificado(-a); **classes laborieuses** clases *fpl* trabajadoras.

labour [labuʀ] *nm* labor *f*, labranza; ~**s** *nmpl* (*champs*) labrantíos *mpl*; **cheval/bœuf de** ~ caballo/buey *m* de labranza.

labourable [labuʀabl] *adj* laborable.

labourage [labuʀaʒ] *nm* labranza.

labourer [labuʀe] *vt* (*aussi fig*) labrar.

laboureur [labuʀœʀ] *nm* labrador *m*.

labrador [labʀadɔʀ] *nm* (*chien*) perro labrador; (*GÉO*): **le L**~ el Labrador.

labyrinthe [labiʀɛ̃t] *nm* laberinto.

lac [lak] *nm* lago; **les Grands L**~**s** los Grandes Lagos; ▶ **lac Léman** lago Lemán; *voir aussi* **lacs**.

lacer [lase] *vt* atar.

lacérer [laseʀe] *vt* rasgar; (*corps*) desgarrar.

lacet [lasɛ] *nm* (*de chaussure*) cordón *m*; (*de route*) curva cerrada; (*piège*) lazo; **chaussures à** ~**s** zapatos de cordones.

lâche [lɑʃ] *adj* (*poltron*) cobarde; (*procédé etc*) ruin, vil; (*desserré, pas tendu*) flojo (-a); (*morale, mœurs*) relajado(-a) ♦ *nm/f* cobarde *m/f*.

lâchement [lɑʃmɑ̃] *adv* cobardemente; (*par bassesse*) vilmente.

lâcher [lɑʃe] *nm* (*de ballons, d'oiseaux*) lanzamiento ♦ *vt* (*aussi fig*) soltar; (*SPORT*: *distancer*) despegarse de; (*fam: abandonner*) dejar colgado(-a) ♦ *vi* soltar; ~ **les amarres** (*NAUT*) soltar amarras; ~ **les chiens** (*contre*) soltar los perros; ~ **prise** (*fig*) soltarse.

lâcheté [lɑʃte] *nf* cobardía *f*; (*bassesse*) ruindad *f*, vileza.

lacis [lasi] *nm* (*de ruelles*) laberinto.

laconique [lakɔnik] *adj* lacónico(-a).

laconiquement [lakɔnikmɑ̃] *adv* lacónicamente.

lacrymal, e, -aux [lakʀimal, o] *adj* lacrimal.

lacrymogène [lakʀimɔʒɛn] *adj* lacrimógeno(-a).

lacs [lɑ] *nm* lazo.

lactation [laktasjɔ̃] *nf* lactancia.

lacté, e [lakte] *adj* lácteo(-a).

lactique [laktik] *adj*: **acide/ferment** ~ ácido/fermento láctico.

lactose [laktoz] *nm* lactosa.

lacune [lakyn] *nf* laguna.

lacustre [lakystʀ] *adj* lacustre.

lad [lad] *nm* mozo de cuadra.

là-dedans [ladədɑ̃] *adv* ahí dentro; (*fig*) en eso.

là-dehors [ladəɔʀ] *adv* allí afuera.

là-derrière [ladɛʀjɛʀ] *adv* allí detrás; (*fig*) detrás de eso.

là-dessous [ladsu] *adv* ahí debajo; (*fig*) detrás de eso.

là-dessus [ladsy] *adv* ahí encima; (*fig*) luego; (*à ce sujet*) al respecto.

là-devant [ladvɑ̃] *adv* allí delante.

ladite [ladit] *dét voir* **ledit**.

ladre [ladʀ] *adj* avariento(-a).

lagon [lagɔ̃] *nm* laguna (salada).

Lagos [lagɔs] *n* Lagos.

lagune [lagyn] *nf* laguna.

là-haut [lao] *adv* allí arriba.

laïc [laik] *adj, nm* = **laïque**.

laïcisation [laisizasjɔ̃] *nf* laicización *f*.

laïciser [laisize] *vt* laicizar.

laïcité [laisite] *nf* laicidad *f*.

laid, e [lɛ, lɛd] (*aussi fig*) *adj* feo(-a).

laideron [lɛdʀɔ̃] *nm* adefesio.

laideur [lɛdœʀ] *nf* fealdad *f*; (*fig*) vileza.

laie [lɛ] *nf* jabalina.

lainage [lɛnaʒ] *nm* (*vêtement*) jersey *m ou* chaqueta de lana; (*étoffe*) tejido de lana.

laine [lɛn] *nf* lana; **pure** ~ pura lana; ▶ **laine à tricoter** lana para tejer; ▶ **laine de verre** lana de vidrio; ▶ **laine peignée/vierge** lana cardada/virgen.

laineux, -euse [lɛnø, øz] *adj* lanoso(-a); (*cheveux*) lanudo(-a).

lainier, -ière [lɛnje, jɛʀ] *adj* lanero(-a).

laïque [laik] *adj, nm/f* laico(-a).

laisse [lɛs] *nf* (*de chien*) correa; **tenir en** ~ tener atado(-a); (*fig*) manejar a su antojo.

laissé-pour-compte, laissée-pour-compte [lesepuʀkɔ̃t] (*pl* ~**s**-~-~) *adj* (*COMM*) no vendido(-a); (: *refusé*) devuelto(-a) ♦ *nm/f* (*fig*): **les** ~**s**-~-~ **de la reprise économique** los que la recuperación económica ha dejado atrás.

laisser [lese] *vt* dejar; ~ **qch quelque part** dejar algo en algún sitio; **se** ~ **exploiter** dejarse explotar; **se** ~ **aller** abandonarse; **laisse-toi faire** déjate hacer; **rien ne laisse penser que ...** nada permite pensar que ...; **cela ne laisse pas de surprendre** esto no deja de sorprender; ~ **qn tranquille** dejar a algn en paz.

laisser-aller [leseale] *nm inv* abandono; (*péj: absence de soin*) desaliño.

laisser-faire [lesefɛʀ] *nm inv* inhibición *f*.

laissez-faire [lesefɛʀ] *nm inv* = **laisser-faire**.

laissez-passer [lesepase] *nm inv* salvoconducto.

lait [lɛ] *nm* leche *f*; **frère/sœur de** ~ hermano/hermana de leche; ▶ **lait concentré/condensé** leche concentra-

da/condensada; ► **lait de beauté** leche de belleza; ► **lait de chèvre/ de vache** leche de cabra/de vaca; ► **lait démaquillant** leche desmaquillante; ► **lait écrémé/entier/en poudre** leche descremada/entera/en polvo; ► **lait maternel** leche materna.
laitage [lɛtaʒ] *nm* producto lácteo.
laiterie [lɛtʀi] *nf* lechería.
laiteux, -euse [lɛtø, øz] *adj* lechoso(-a).
laitier, -ière [letje, jɛʀ] *adj* (*produit, industrie*) lácteo(-a); **vache laitière** vaca lechera.
laiton [lɛtɔ̃] *nm* latón *m*.
laitue [lety] *nf* lechuga.
laïus [lajys] (*péj*) *nm* perorata.
lama [lama] *nm* llama.
lambeau, x [lɑ̃bo] *nm* jirón *m*; (*de conversation*) retazo; **en ~x** hecho(-a) jirones.
lambin, e [lɑ̃bɛ̃, in] (*péj*) *adj* holgazán (-ana).
lambiner [lɑ̃bine] (*péj*) *vi* entretenerse.
lambris [lɑ̃bʀi] *nm* molduras *fpl*.
lambrissé, e [lɑ̃bʀise] *adj* con molduras.
lame [lam] *nf* (*de couteau etc*) hoja; (*de paquet etc*) lámina; (*vague*) ola; ► **lame de fond** mar *m* de fondo; ► **lame de rasoir** cuchilla de afeitar.
lamé, e [lame] *adj* laminado(-a) ♦ *nm* lamé *m*.
lamelle [lamɛl] *nf* laminilla; **couper en ~s** cortar en lascas.
lamentable [lamɑ̃tabl] *adj* lamentable.
lamentablement [lamɑ̃tabləmɑ̃] *adv* lamentablemente.
lamentation [lamɑ̃tasjɔ̃] *nf* lamentación *f*; (*récrimination*) queja.
lamenter [lamɑ̃te]: **se ~** *vpr*: **se ~ (sur)** quejarse (de).
lamifié, e [lamifje] *adj* laminado(-a) ♦ *nm* laminado.
laminage [laminaʒ] *nm* laminación *f*.
laminer [lamine] *vt* laminar; (*écraser*) aplastar.
lamineur [laminœʀ] *nm* laminador *m*.
laminoir [laminwaʀ] *nm* laminador *m*; **passer au ~** (*fig*) sudar tinta.
lampadaire [lɑ̃padɛʀ] *nm* lámpara de pie; (*dans la rue*) farola.
lampe [lɑ̃p] *nf* lámpara; (*de radio*) válvula; ► **lampe à alcool** lámpara de alcohol; ► **lampe à arc** arco voltaico; ► **lampe à bronzer** lámpara (de rayos) UVA; ► **lampe de chevet/halogène** lámpara de mesa/halógena; ► **lampe à pétrole** lámpara de petróleo, quinqué *m*; ► **lampe à souder** soplete *m*; ► **lampe de poche** linterna; ► **lampe témoin** piloto.
lampée [lɑ̃pe] *nf* (*fam*) trago, lingotazo.
lampe-tempête [lɑ̃ptɑ̃pɛt] (*pl* **~s-~s**) *nf*

lámpara de gas a prueba de viento.
lampion [lɑ̃pjɔ̃] *nm* farolillo.
lampiste [lɑ̃pist] *nm* lampista *m*; (*fig*) burro de carga.
lamproie [lɑ̃pʀwa] *nf* lamprea.
lance [lɑ̃s] *nf* lanza; ► **lance à eau** manguera; ► **lance d'incendie/d'arrosage** manguera de incendios/de riego.
lancée [lɑ̃se] *nf*: **être/continuer sur sa ~** aprovechar el impulso inicial.
lance-flammes [lɑ̃sflam] *nm inv* lanzallamas *m inv*.
lance-fusées [lɑ̃sfyze] *nm inv* lanzacohetes *m inv*.
lance-grenades [lɑ̃sgʀənad] *nm inv* lanzagranadas *m inv*.
lancement [lɑ̃smɑ̃] *nm* lanzamiento; (*d'un bateau*) botadura; **offre de ~** oferta de lanzamiento.
lance-missiles [lɑ̃smisil] *nm inv* lanzamisiles *m inv*.
lance-pierres [lɑ̃spjɛʀ] *nm inv* tirachinas *m inv*.
lancer [lɑ̃se] *nm* lanzamiento ♦ *vt* lanzar; (*bateau*) botar; (*mandat d'arrêt*) dictar; (*emprunt*) emitir; (*moteur*) poner en marcha; **se lancer** *vpr* lanzarse; **se ~ sur** *ou* **contre** lanzarse sobre *ou* contra; **~ qch à qn** lanzar algo a algn; (*de façon agressive*) arrojar algo a algn; **~ un appel** lanzar un llamamiento; **~ qn sur un sujet** mencionar un tema a algn; **se ~ dans** lanzarse en; ► **lancer du poids** lanzamiento de peso.
lance-roquettes [lɑ̃sʀɔkɛt] *nm inv* lanzacohetes *m inv*.
lance-torpilles [lɑ̃stɔʀpij] *nm inv* lanzatorpedos *m inv*.
lanceur, -euse [lɑ̃sœʀ, øz] *nm/f* lanzador(a) ♦ *nm* (*ESPACE*) lanzador *m*.
lancinant, e [lɑ̃sinɑ̃, ɑ̃t] *adj* obsesivo(-a); (*douleur*) punzante.
lanciner [lɑ̃sine] *vi* (*douleur*) punzar; (*fig*) obsesionar, atormentar.
landais, e [lɑ̃dɛ, ɛz] *adj, nm/f* landés(-esa).
landau [lɑ̃do] *nm* coche *m ou* carro de niño.
lande [lɑ̃d] *nf* landa.
Landes [lɑ̃d] *nfpl*: **les ~** las Landas.
langage [lɑ̃gaʒ] *nm* lenguaje *m*; ► **langage d'assemblage/de programmation** (*INFORM*) lenguaje ensamblador/de programación; ► **langage évolué** (*INFORM*) lenguaje evolucionado *ou* de última generación; ► **langage machine** (*INFORM*) lenguaje máquina.
lange [lɑ̃ʒ] *nm* pañal *m*; **~s** *nmpl* (*d'un bébé*) mantillas *fpl*.
langer [lɑ̃ʒe] *vt* envolver en mantillas; **table à ~** vestidor *m*.

langoureusement [lãgurøzmã] *adv* lánguidamente.

langoureux, -euse [lãgurø, øz] *adj* lánguido(-a).

langouste [lãgust] *nf* langosta.

langoustine [lãgustin] *nf* cigala.

langue [lãg] *nf* lengua; ~ de terre franja de tierra; **tirer la ~ (à)** sacar la lengua (a); **donner sa ~ au chat** rendirse; **de ~ française** de lengua francesa; ► **langue de bois** *lenguaje engañoso de los políticos*; ► **langue maternelle** lengua materna; ► **langue verte** germanía, argot *m*; ► **langue vivante** lengua viva; ► **langues étrangères** lenguas *fpl* extranjeras.

langue-de-chat [lãgdəʃa] (*pl* ~**s**-~-~) *nf* lengua de gato.

Languedoc [lãgdɔk] *nm* Languedoc *m*.

languedocien, ne [lãgdɔsjẽ, jɛn] *adj* languedociano(-a) ♦ *nm/f*: **L~, ne** languedociano(-a).

languette [lãgɛt] *nf* lengüeta.

langueur [lãgœr] *nf* languidez *f*.

languir [lãgir] *vi* languidecer; **se languir** *vpr* languidecer; **faire ~ qn** hacer esperar a algn.

languissant, e [lãgisã, ãt] *adj* lánguido (-a).

lanière [lanjɛr] *nf* (*de fouet*) tralla; (*de valise, bretelle*) correa.

lanoline [lanɔlin] *nf* lanolina.

lanterne [lãtɛrn] *nf* linterna; (*de voiture*) luz *f* de población; ► **lanterne rouge** (*fig*) farolillo rojo; ► **lanterne vénitienne** farolillo veneciano.

lanterneau, x [lãtɛrno] *nm* lucernario.

lanterner [lãtɛrne] *vi* holgazanear; **faire ~ qn** hacer esperar a algn.

Laos [laɔs] *nm* Laos *m*.

laotien, ne [laɔsjẽ, jɛn] *adj* laosiano(-a) ♦ *nm/f*: **L~, ne** laosiano(-a).

lapalissade [lapalisad] *nf* perogrullada.

La Paz [lapaz] *n* La Paz.

laper [lape] *vt* beber a lengüetadas.

lapereau, x [lapro] *nm* gazapo.

lapidaire [lapidɛr] *adj* (*aussi fig*) lapidario(-a); **musée ~** museo de lápidas.

lapider [lapide] *vt* apedrear, lapidar.

lapin [lapẽ] *nm* conejo; **coup du ~** golpe *m* en la nuca; **poser un ~ à qn** dar un plantón a algn; ► **lapin de garenne** conejo de monte.

lapis(-lazuli) [lapis(lazyli)] *nm inv* lapislázuli *m*.

lapon, ne [lapɔ̃, ɔn] *adj* lapón(-ona) ♦ *nm* (*LING*) lapón *m* ♦ *nm/f*: **L~, ne** lapón(-ona).

Laponie [lapɔni] *nf* Laponia.

laps [laps] *nm*: ~ **de temps** lapso.

lapsus [lapsys] *nm* lapsus *m inv*.

laquais [lakɛ] *nm* lacayo.

laque [lak] *nm ou f* laca.

laqué, e [lake] *adj* lacado(-a).

laquelle [lakɛl] *pron voir* **lequel**.

larbin [larbẽ] (*péj*) *nm* criado(-a).

larcin [larsẽ] *nm* ratería.

lard [lar] *nm* (*graisse*) tocino; (*bacon*) bacon *m*.

larder [larde] *vt* mechar.

lardon [lardɔ̃] *nm* (*CULIN*) torrezno; (*fam*: *enfant*) chiquillo(-a).

large [lar3] *adj* ancho(-a); (*généreux*) espléndido(-a) ♦ *adv*: **calculer ~** calcular por lo alto; **voir ~** ver con amplitud ♦ *nm*: **5 m de ~** 5m de ancho; **le ~** alta mar; **au ~ de** a la altura de; **ne pas en mener ~** temblarle las rodillas a algn; ~ **d'esprit** de mentalidad abierta.

largement [lar3əmã] *adv* ampliamente; (*au minimum*) al menos; (*de loin*) indudablemente; (*sans compter*) generosamente; **il a ~ le temps** tiene tiempo de sobra; **il a ~ de quoi vivre** tiene ampliamente de qué vivir.

largesse [lar3ɛs] *nf* esplendidez *f*, largueza; ~**s** *nfpl* (*dons*) regalos *mpl* espléndidos.

largeur [lar3œr] *nf* anchura; (*impression visuelle, fig*) amplitud *f*.

larguer [large] *vt* (*fam*) pasar de; ~ **les amarres** soltar amarras.

larigot [larigo] *nm* (*fam*): **à tire-~** *adv* hasta reventar.

larme [larm] *nf* lágrima; **une ~ de** (*fig*) una gota de; **en ~s** llorando; **pleurer à chaudes ~s** llorar a lágrima viva.

larmoyant, e [larmwajã, ãt] *adj* lloroso (-a).

larmoyer [larmwaje] *vi* (*yeux*) lagrimear; (*se plaindre*) lloriquear.

larron [larɔ̃] *nm* ladrón *m*.

larve [larv] *nf* (*aussi fig*) larva.

larvé, e [larve] *adj* larvado(-a).

laryngite [larẽ3it] *nf* laringitis *f inv*.

laryngologiste [larẽgɔlɔ3ist] *nm/f* laringólogo(-a).

larynx [larẽks] *nm* laringe *f*.

las, lasse [la, las] *adj* fatigado(-a); ~ **de qch/qn, de faire qch** cansado(-a) *ou* harto(-a) de algo/algn/de hacer algo.

lasagne [lazaɲ] *nf* lasaña.

lascar [laskar] *nm* bribón(-ona); (*malin*) pícaro(-a).

lascif, -ive [lasif, iv] *adj* lascivo(-a).

laser [lazɛr] *nm*: (**rayon**) ~ (**rayo**) láser *m*; **chaîne** *ou* **platine** ~ cadena *ou* pletina láser; **disque** ~ disco láser.

lassant, e [lasã, ãt] *adj* monótono(-a).

lasse [las] *adj f voir* **las**.

lasser [lase] *vt* (*ennuyer*) cansar; (*découra-*

ger) agotar; **se lasser de** vpr cansarse de.
lassitude [lɑsityd] nf cansancio.
lasso [laso] nm lazo; **prendre au** ~ **coger a** lazo.
latent, e [latɑ̃, ɑ̃t] adj latente.
latéral, e, -aux [lateʀal, o] adj lateral.
latéralement [lateʀalmɑ̃] adv lateralmente; (arriver, souffler) de lado.
latérite [lateʀit] nf laterita.
latex [lateks] nm inv látex m inv.
latin, e [latɛ̃, in] adj latino(-a) ♦ nm (LING) latín m ♦ nm/f: **L**~, **e** latino(-a); **j'y perds mon** ~ no me aclaro.
latiniste [latinist] nm/f latinista m/f; (étudiant) estudiante m/f de latin.
latino-américain, e [latinoameʀikɛ̃, ɛn] (pl ~-~s, es) adj latinoamericano(-a).
latitude [latityd] nf latitud f; **avoir la** ~ **de faire** (fig) tener la libertad de hacer; **à 48 degrés de** ~ **Nord** a 48 grados latitud norte; **sous toutes les** ~s (fig) en todas las latitudes.
latrines [latʀin] nfpl letrinas fpl.
latte [lat] nf listón m.
lattis [lati] nm enrejado de listones.
laudanum [lodanɔm] nm láudano.
laudatif, -ive [lodatif, iv] adj laudatorio (-a).
lauréat, e [lɔʀea, at] nm/f galardonado(-a).
laurier [lɔʀje] nm laurel m; ~s nmpl (fig) laureles mpl.
laurier-rose [lɔʀjeʀoz] (pl ~s-~s) nm adelfa.
laurier-tin [lɔʀjetɛ̃] (pl ~s-~s) nm viburno.
lavable [lavabl] adj lavable.
lavabo [lavabo] nm lavabo; ~s nmpl (toilettes) servicios mpl.
lavage [lavaʒ] nm lavado; ▶ **lavage d'estomac/d'intestin** lavado de estómago/de intestino; ▶ **lavage de cerveau** lavado de cerebro.
lavallière [lavaljeʀ] nf chalina.
lavande [lavɑ̃d] nf lavanda.
lavandière [lavɑ̃djeʀ] nf lavandera.
lave [lav] nf lava.
lave-glace [lavglas] (pl ~-~s) nm lavaparabrisas m inv.
lave-linge [lavlɛ̃ʒ] nm inv lavadora.
lavement [lavmɑ̃] nm (MÉD) lavativa.
laver [lave] vt (aussi fig) lavar; (baigner) bañar; (accusation, affront) limpiar; **se laver** vpr lavarse; ~ **se** ~ **les dents/les mains** lavarse los dientes/las manos; **se** ~ **les mains de qch** (fig) lavarse las manos con respecto a algo; ~ **la vaisselle** fregar los platos; ~ **le linge** lavar la ropa; ~ **qn d'une accusation** alejar una acusación que recae sobre algn; ~ **qn de tous soupçons** limpiar a algn de toda sospecha.

laverie [lavʀi] nf: ~ **(automatique)** lavandería.
lavette [lavɛt] nf estropajo; (brosse) cepillo; (fig: péj) calzonazos m inv.
laveur, -euse [lavœʀ, øz] nm/f (de carreaux) lavacristales m inv; (de voitures) lavacoches m/f inv.
lave-vaisselle [lavvɛsɛl] nm inv lavaplatos m inv.
lavis [lavi] nm aguada.
lavoir [lavwaʀ] nm lavadero; (bac) tina.
laxatif, -ive [laksatif, iv] adj, nm laxante m.
laxisme [laksism] nm laxismo.
laxiste [laksist] adj laxo(-a), flojo(-a).
layette [lɛjet] nf canastilla.
layon [lɛjɔ̃] nm sendero.
lazaret [lazaʀe] nm lazareto.
lazzi [la(d)zi] nm burlas fpl.

──────────── MOT-CLÉ

le, l', la [lə] (pl **les**) art déf **1** (masculin) el; (féminin) la; (pluriel) los(las); **la pomme/ l'arbre** la manzana/el árbol; **les étudiants/ femmes** los estudiantes/las mujeres
2 (indiquant la possession): **avoir les yeux gris/le nez rouge** tener los ojos grises/la nariz roja
3 (temps): **travailler le matin/le soir** trabajar por la mañana/la tarde; **le jeudi** (d'habitude) los jueves; (ce jeudi-là) el jueves; **le lundi je vais toujours au cinéma** los lunes voy siempre al cine
4 (distribution, évaluation) el(la); **10 F le mètre/la douzaine** 10 francos el metro/la docena; **le tiers/quart de** el tercio/cuarto de
♦ pron **1** (masculin) lo; (féminin) la; (pluriel) los(las); **je le/la/les vois** lo/la/los(las) veo
2 (remplaçant une phrase): **je ne le savais pas** no lo sabía; **il était riche et ne l'est plus** era rico y ya no lo es.

lé [le] nm ancho.
leader [lidœʀ] nm líder m.
leadership [lidœʀʃip] nm liderazgo.
leasing [liziŋ] nm leasing m; **acheter en** ~ comprar con leasing.
lèche-bottes [lɛʃbɔt] nm inv pelotillero(-a), pelota m/f.
lèchefrite [lɛʃfʀit] nf grasera.
lécher [leʃe] vt lamer; (finir, polir) pulir; **se lécher** vpr: **se** ~ **qch** chuparse algo; ~ **les vitrines** mirar los escaparates.
lèche-vitrines [lɛʃvitʀin] nm inv: **faire du** ~-~ mirar escaparates.
leçon [l(ə)sɔ̃] nf clase f; (fig) lección f; **faire la** ~ dar la lección; **faire la** ~ **à** (fig) dar una lección a; ▶ **leçon de choses** clase práctica; ▶ **leçons de conduite** clases

de conducir; ▶ **leçons particulières** clases particulares.

lecteur, -trice [lɛktœʀ, tʀis] *nm/f* lector(a) ♦ *nm* (*TECH*): ~ **de cassettes** cassette *m*; (*INFORM*): ~ **de disquette(s)** *ou* **de disque** lector *m* de disquete(s) *ou* de disco; ▶ **lecteur CD/de disques compacts** lector *m* *ou* reproductor *m* CD/de discos compactos.

lecture [lɛktyʀ] *nf* lectura; **en première/seconde** ~ (*d'une loi*) en primera/segunda lectura.

LED [lɛd] *sigle f* (= *light emitting diode*) LED *m*.

ledit, ladite [lədi, ladit] (*pl* **lesdits, lesdites**) *dét* susodicho(-a).

légal, e, -aux [legal, o] *adj* legal.

légalement [legalmã] *adv* legalmente.

légalisation [legalizasjɔ̃] *nf* legalización *f*.

légaliser [legalize] *vt* legalizar.

légalité [legalite] *nf* legalidad *f*; **être dans/sortir de la** ~ estar dentro/salirse de la ley.

légat [lega] *nm* (*REL*) legado.

légataire [legatɛʀ] *nm/f*: ~ **universel** legatario(-a) universal.

légation [legasjɔ̃] *nf* legación *f*.

légendaire [leʒɑ̃dɛʀ] *adj* legendario(-a); (*fig*) ilustre.

légende [leʒɑ̃d] *nf* leyenda; (*d'une photo*) pie *m*.

légender [leʒɑ̃de] *vt* poner el pie a.

léger, -ère [leʒe, ɛʀ] *adj* ligero(-a); (*erreur, retard*) leve; (*peu sérieux, personne*) superficial; (*volage*) frívolo(-a); **blessé** ~ herido leve; **à la légère** a la ligera.

légèrement [leʒɛʀmã] *adv* ligeramente, suavemente; (*parler, agir*) superficialmente; ~ **plus grand** ligeramente mayor; ~ **en retard** con un ligero *ou* pequeño retraso.

légèreté [leʒɛʀte] *nf* ligereza; (*d'une personne*) superficialidad *f*; (*d'une femme*) frivolidad *f*.

légiférer [leʒifeʀe] *vi* legislar.

légion [leʒjɔ̃] *nf* (*MIL*) legión *f*; **être** ~ ser legión; ▶ **légion d'honneur** legión de honor; ▶ **légion étrangère** legión extranjera.

légionnaire [leʒjɔnɛʀ] *nm* legionario.

législateur [leʒislatœʀ] *nm* legislador *m*.

législatif, -ive [leʒislatif, iv] *adj* legislativo(-a).

législation [leʒislasjɔ̃] *nf* legislación *f*.

législatives [leʒislativ] *nfpl* elecciones *fpl* legislativas.

législature [leʒislatyʀ] *nf* legislatura *f*.

légiste [leʒist] *adj*: **médecin** ~ médico forense.

légitime [leʒitim] *adj* (*aussi fig*) legítimo

(-a); **en (état de)** ~ **défense** (*JUR*) en (estado de) legítima defensa.

légitimement [leʒitimmã] *adv* legítimamente.

légitimer [leʒitime] *vt* (*enfant*) legitimar; (*justifier*) justificar.

légitimité [leʒitimite] *nf* legitimidad *f*.

legs [lɛg] *nm* (*JUR, fig*) legado.

léguer [lege] *vt*: ~ **qch à qn** (*aussi fig*) legar algo a algn.

légume [legym] *nm* verdura; ▶ **légumes secs** legumbres *fpl*; ▶ **légumes verts** verduras.

légumier [legymje] *nm* (*plat*) fuente *f* para verduras.

légumineuses [legyminøz] *nfpl* leguminosas *fpl*.

leitmotiv [lɛjtmɔtiv] *nm* leitmotiv *m*.

Léman [lemã] *nm voir* **lac**.

lendemain [lɑ̃dmɛ̃] *nm*: **le** ~ el día siguiente; **le** ~ **matin/soir** el día siguiente por la mañana/por la noche; **le** ~ **de** el día después de; **au** ~ **de** inmediatamente después de; **penser au** ~ pensar en el mañana; **sans** ~ sin futuro, sin porvenir; **de beaux** ~s **días** *mpl* felices; **des** ~s **qui chantent** un futuro feliz.

lénifiant, e [lenifjã, jãt] *adj* (*propos*) consolador(a); (*climat*) suave.

léninisme [leninism] *nm* leninismo.

léniniste [leninist] *adj, nm/f* leninista *m/f*.

lent, e [lã, lãt] *adj* lento(-a).

lente [lãt] *nf* liendre *f*.

lentement [lãtmã] *adv* lentamente.

lenteur [lãtœʀ] *nf* lentitud *f*; ~s *nfpl* (*actions, décisions lentes*) lentitud *fsg*.

lentille [lãtij] *nf* (*OPTIQUE*) lente *f*; (*BOT, CULIN*) lenteja; ▶ **lentille d'eau** (*BOT*) lenteja de agua; ▶ **lentilles de contact** lentillas *fpl*.

léonin, e [leɔnɛ̃, in] *adj* (*fig*) leonino(-a).

léopard [leɔpaʀ] *nm* leopardo; **tenue** ~ (*MIL*) ropa de camuflaje.

lèpre [lɛpʀ] *nf* lepra.

lépreux, -euse [lepʀø, øz] *nm/f* leproso(-a) ♦ *adj* (*fig*) desconchado(-a).

léproserie [lepʀozʀi] *nf* leprosería.

lequel, laquelle [ləkɛl, lakɛl] (*pl* **lesquels**, *f* **lesquelles**) (*à + lequel* = **auquel**, *de + lequel* = **duquel** *etc*) *pron* (*interrogatif*) cuál; (*relatif: personne*) el/la cual, que; (: *après préposition*) el/la cual; **laquelle des chambres est la sienne?** ¿cuál de las habitaciones es la suya?; **un homme sur la compétence duquel on ne peut compter** un hombre con cuya competencia no se puede contar ♦ *adj*: **auquel cas** en cuyo caso; **il prit un livre,** ~ **livre** ... cogió un libro, el cual ... .

les [le] *dét voir* **le**.

lesbienne [lɛsbjɛn] *nf* lesbiana.
lesdits, lesdites [ledi, dit] *dét voir* **ledit**.
lèse-majesté [lɛzmaʒɛste] *nf inv*: **crime de
~-~** crimen *m* de lesa majestad.
léser [leze] *vt* perjudicar; (*MÉD*) lesionar.
lésiner [lezine] *vi*: ~ **(sur)** escatimar (en).
lésion [lezjɔ̃] *nf* lesión *f*; ► **lésions céré-
brales** lesiones *fpl* cerebrales.
Lesotho [lezɔto] *nm* Lesoto.
lesquels, lesquelles [lekɛl] *pron voir* **lequel**.
lessivable [lesivabl] *adj* lavable.
lessivage [lesivaʒ] *nm* colada, lavado.
lessive [lesiv] *nf* detergente *m*; (*linge*) colada; (*opération*) lavado; **faire la ~** hacer
la colada.
lessivé, e [lesive] (*fam*) *adj* hecho(-a) polvo.
lessiver [lesive] *vt* lavar.
lessiveuse [lesivøz] *nf especie de caldera
donde se lava la ropa.*
lessiviel, le [lesivjɛl] *adj* de limpieza.
lest [lɛst] *nm* lastre *m*; **jeter** *ou* **lâcher du ~**
(*fig*) soltar lastre.
leste [lɛst] *adj* ágil, ligero(-a); (*désinvolte*)
confianzudo(-a); (*osé*) atrevido(-a).
lestement [lɛstəmɑ̃] *adv* ágilmente.
lester [lɛste] *vt* lastrar.
letchi [letʃi] *nm* = **litchi**.
léthargie [letaʀʒi] *nf* (*MÉD*) letargo; (*gén*)
modorra.
léthargique [letaʀʒik] *adj* (*MÉD*)
letárgico(-a); (*gén*) amodorrado(-a).
letton, ne [letɔ̃, ɔn] *adj* letón(-ona) ♦ *nm*
(*LING*) letón *m* ♦ *nm/f*: **L~, ne** letón(-ona).
Lettonie [letoni] *nf* Letonia.
lettre [lɛtʀ] *nf* carta; (*TYPO*) letra; ~**s** *nfpl*
(*ART, SCOL*) letras *fpl*; **à la ~** (*fig*) al pie
de la letra; **par ~** por carta; **en ~s majuscules** *ou* **capitales** en letras mayúsculas; **en toutes ~s** por extenso, sin abreviar; ► **lettre anonyme/piégée** carta
anónima/bomba; ► **lettre de change/de
crédit** letra de cambio/de crédito; ► **lettre de voiture aérienne** carta de porte;
► **lettre morte: rester ~ morte** quedarse
en papel mojado; ► **lettre ouverte** (*POL,
de journal*) carta abierta; ► **lettres de
noblesse** cartas *fpl* de nobleza.
lettré, e [letʀe] *adj* (*personne*) letrado(-a).
lettre-transfert [lɛtʀətʀɑ̃sfɛʀ] (*pl* ~**s-**~**s**)
nf calcomanías *fpl* de letras.
leu [lø] *nm voir* **queue**.
leucémie [løsemi] *nf* leucemia.
leucémique [løsemik] *adj* leucémico(-a).
leur [lœʀ] *adj possessif* su ♦ *pron* (*indirect*) les; (: *après un autre prénom à la
troisième personne*) se; ~ **maison** su casa;
~**s amis** sus amigos; **à ~ avis** en su opinión; **à ~ approche** al acercarse ellos; **à**

~ **vue** al verles; **je ~ ai dit la vérité** les
dije la verdad; **je le ~ ai donné** se lo di;
le(la) ~, les ~s (*possessif*) el(la) suyo(-a),
los(las) suyos(-as).
leurre [lœʀ] *nm* cebo; (*illusion*) ilusión *f*;
(*piège*) engaño, señuelo.
leurrer [lœʀe] *vt* dar ilusiones; **se leurrer**
vpr engañarse.
levain [ləvɛ̃] *nm* levadura; **sans ~** sin levadura.
levant, e [ləvɑ̃, ɑ̃t] *adj*: **soleil ~** sol *m* naciente ♦ *nm*: **le L~** el Levante; **au soleil ~**
al sol naciente.
levé, e [ləve] *adj*: **être ~** estar levantado
(-a) ♦ *nm*: ~ **de terrain** levantamiento de
terreno; **à mains ~es** (*vote*) a mano alzada; **au pied ~** de forma improvisada.
levée [ləve] *nf* (*POSTES*) recogida; (*CAR-
TES*) baza; ► **levée d'écrou** liberación *f*;
► **levée de boucliers** (*fig*) levantamiento
de protestas; ► **levée de terre** terraplén
m; ► **levée de troupes** reclutamiento;
► **levée du corps** levantamiento del cadáver; ► **levée en masse** (*MIL*) reclutamiento en masa.
lever [l(ə)ve] *vt* levantar; (*vitre*) subir;
(*difficulté*) superar; (*impôts*) recaudar;
(*armée*) reclutar; (*CHASSE*) ahuyentar;
(*fam: fille*) enrollarse con ♦ *vi* (*CULIN*) levantarse; (*semis, graine*) brotar ♦ *nm*: **au
~ al amanecer; se lever** *vpr* levantarse;
(*soleil*) salir; **ça va se ~** va a despejar;
► **lever de rideau** (*pièce*) pieza preliminar; ► **lever de soleil/du jour** amanecer
m; ► **lever du rideau** subida del telón.
lève-tard [lɛvtaʀ] *nm/f inv* remolón(-ona).
lève-tôt [lɛvto] *nm/f inv* madrugador(a).
levier [ləvje] *nm* palanca; (*fig*) incentivo;
faire ~ sur hacer palanca en; ► **levier de
changement de vitesse/de commande**
palanca de cambios/de mando.
lévitation [levitasjɔ̃] *nf* levitación *f*.
levraut [ləvʀo] *nm* lebrato.
lèvre [lɛvʀ] *nf* labio; (*d'une plaie*) labio,
borde *m*; **du bout des ~s** (*manger*) con
desgana; (*rire, parler*) de dientes afuera;
(*répondre*) con altivez; **petites/grandes ~s**
(*ANAT*) labios pequeños/grandes.
lévrier [levʀije] *nm* galgo.
levure [l(ə)vyʀ] *nf*: ~ **de boulanger/chimique**
levadura de pan/química; ► **levure de
bière** levadura de cerveza.
lexical, e, -aux [lɛksikal, o] *adj* léxico(-a).
lexicographe [lɛksikɔgʀaf] *nm/f*
lexicógrafo(-a).
lexicographie [lɛksikɔgʀafi] *nf* lexicogra-
fía.
lexicologie [lɛksikɔlɔʒi] *nf* lexicología.
lexique [lɛksik] *nm* glosario.
lézard [lezaʀ] *nm* lagarto.

lézarde [lezaʀd] *nf* grieta.
lézardé, e [lezaʀde] *adj* agrietado(-a).
lézarder [lezaʀde]: **se ~** *vpr* agrietarse ♦ *vi* ponerse al sol como los lagartos.
liaison [ljɛzɔ̃] *nf* (*rapport*) relación *f*; (*RAIL, AVIAT, PHONÉTIQUE*) enlace *m*; (*relation amoureuse*) relaciones *fpl*; (*hum*) lío; (*CULIN*) trabazón *f*; **entrer/être en ~ avec** entrar/estar en comunicación con; ► **liaison (de transmission de données)** (*INFORM*) enlace (de transmisión de datos); ► **liaison radio/téléphonique** (*contact*) contacto radiofónico/telefónico.
liane [ljan] *nf* liana.
liant, e [ljɑ̃, ljɑ̃t] *adj* sociable.
liasse [ljas] *nf* fajo.
Liban [libɑ̃] *nm* Líbano.
libanais, e [libanɛ, ɛz] *adj* libanés(-esa) ♦ *nm/f*: **L~, e** libanés(-esa).
libations [libasjɔ̃] *nfpl* (*fig*) libaciones *fpl*.
libelle [libɛl] *nm* libelo.
libellé [libɛle] *nm* redacción *f*.
libeller [libɛle] *vt*: **~ (au nom de)** extender (a la orden de); (*lettre, rapport*) redactar.
libellule [libɛlyl] *nf* libélula.
libéral, e, -aux [libeʀal, o] *adj*, *nm/f* liberal *m/f*; **les professions ~es** las profesiones liberales.
libéralement [libeʀalmɑ̃] *adv* liberalmente.
libéralisation [libeʀalizasjɔ̃] *nf* liberalización *f*; ► **libéralisation du commerce** liberalización del comercio.
libéraliser [libeʀalize] *vt* liberalizar.
libéralisme [libeʀalism] *nm* liberalismo.
libéralité [libeʀalite] *nf* liberalidad *f*; (*cadeau*) dádiva.
libérateur, -trice [libeʀatœʀ, tʀis] *adj*, *nm/f* libertador(a).
libération [libeʀasjɔ̃] *nf* (*v vt*) liberación *f*; puesta en libertad; licencia; **la L~** (*1945*) la liberación (*de Francia al final de la segunda guerra mundial*); ► **libération conditionnelle** puesta en libertad condicional.
libéré, e [libeʀe] *adj* liberado(-a); (*de prison*) puesto(-a) en libertad; **~ de** (*libre de*) liberado(-a) de; **être ~ sous caution/sur parole** ser puesto en libertad bajo fianza/bajo palabra.
libérer [libeʀe] *vt* liberar; (*de prison*) poner en libertad; (*soldat*) licenciar; (*cran d'arrêt, levier*) soltar; (*ÉCON*) liberalizar; **se libérer** (*de rendez-vous*) escaparse; **~ qn de** liberar a algn de.
Libéria [libeʀja] *nm* Liberia.
libérien, ne [libeʀjɛ̃, jɛn] *adj* liberiano(-a) ♦ *nm/f*: **L~, ne** liberiano(-a).
libertaire [libeʀtɛʀ] *adj* libertario(-a).
liberté [libɛʀte] *nf* libertad *f*; (*loisir*) tiempo libre; **~s** *nfpl* (*privautés*) libertades *fpl*;

mettre/être en ~ poner/estar en libertad; **en ~ provisoire/surveillée/conditionnelle** en libertad provisional/vigilada/condicional; **jours/heures de ~** días *mpl*/horas *fpl* libres; ► **liberté d'action** libertad de acción; ► **liberté d'association/de la presse/syndicale** libertad de asociación/de prensa/sindical; ► **liberté d'esprit/de conscience** libertad de juicio/de conciencia; ► **liberté d'opinion/de culte/de réunion** libertad de opinión/de culto/de reunión; ► **libertés individuelles** libertades individuales; ► **libertés publiques** libertades públicas.
libertin, e [libɛʀtɛ̃, in] *adj* libertino(-a).
libertinage [libɛʀtinaʒ] *nm* libertinaje *m*.
libidineux, -euse [libidinø, øz] *adj* libidinoso(-a).
libido [libido] *nf* líbido *f*.
libraire [libʀɛʀ] *nm/f* librero(-a).
libraire-éditeur [libʀɛʀeditœʀ] (*pl* ~s-~s) *nm* librero editor.
librairie [libʀɛʀi] *nf* librería.
librairie-papeterie [libʀɛʀipapetʀi] (*pl* ~s-~s) *nf* librería papelería.
libre [libʀ] *adj* (*aussi fig*) libre; (*propos, manières*) atrevido(-a); (*ligne téléphonique*) desocupado(-a); (*SCOL*) privado(-a); **de ~** (*place*) libre; **de libre de** *m*; **de qch/de faire** libre de algo/de hacer; **avoir le champ ~** tener el campo libre; **en vente ~** de venta libre; ► **libre arbitre** libre albedrío; ► **libre concurrence/entreprise** libre competencia/empresa.
libre-échange [libʀeʃɑ̃ʒ] *nm* librecambio.
librement [libʀəmɑ̃] *adv* libremente; con libertad; **il se conduit un peu ~** se toma demasiadas confianzas.
libre-penseur, -euse [libʀəpɑ̃sœʀ, øz] (*pl* ~s-~s, **euses**) *nm/f* librepensador(a).
libre-service [libʀəsɛʀvis] (*pl* ~s-~s) *nm* autoservicio.
librettiste [libʀetist] *nm/f* libretista *m/f*.
Libye [libi] *nf* Libia.
libyen, ne [libjɛ̃, ɛn] *adj* libio(-a) ♦ *nm/f*: **L~, ne** libio(-a).
lice [lis] *nf*: **entrer en ~** (*fig*) entrar en liza.
licence [lisɑ̃s] *nf* licencia; (*diplôme*) ≈ licenciatura; (*des mœurs*) libertinaje *m*.
licencié, e [lisɑ̃sje] *nm/f*: **~ ès lettres/en droit** ≈ licenciado(-a) en letras/derecho; (*SPORT*) poseedor(a) de licencia.
licenciement [lisɑ̃simɑ̃] *nm* despido.
licencier [lisɑ̃sje] *vt* despedir.
licencieux, -euse [lisɑ̃sjø, jøz] *adj* licencioso(-a).
lichen [likɛn] *nm* liquen *m*.
licite [lisit] *adj* lícito(-a).
licorne [likɔʀn] *nf* unicornio.

licou [liku] *nm* cabestro.
lie [li] *nf* heces *fpl*.
lié, e [lje] *adj*: **être très ~ avec qn** (*fig*) tener mucha confianza con algn; **être ~ par** (*serment, promesse*) estar comprometido(-a) por; **avoir partie ~e (avec qn)** actuar de común acuerdo (con algn).
Liechtenstein [liʃtɛnʃtajn] *nm* Liechtenstein *m*.
lie-de-vin [lidvɛ̃] *adj inv* de color vino.
liège [ljɛʒ] *nm* corcho.
liégeois, e [ljeʒwa, waz] *adj* de Lieja ♦ *nm/f*: **L~, e** nativo(-a) *ou* habitante *m/f* de Lieja; **café/chocolat ~** helado de café/chocolate con nata.
lien [ljɛ̃] *nm* ligadura; (*analogie*) vinculación *f*; (*rapport affectif, culturel*) vínculo; ▶ **liens de famille** lazos *mpl* familiares; ▶ **lien de parenté** lazo de parentesco.
lier [lje] *vt* (*attacher*) atar; (*joindre*) unir, ligar; (*fig*) unir; (*moralement*) vincular; (*sauce*) espesar; **se ~ (avec qn)** relacionarse (con algn); **~ qch à** (*attacher*) atar algo a; (*associer*) relacionar algo con; **~ amitié (avec)** trabar amistad (con); **~ conversation (avec)** entablar conversación (con); **~ connaissance (avec)** entablar relación (con), trabar conocimiento (con).
lierre [ljɛʀ] *nm* hiedra.
liesse [ljɛs] *nf*: **être en ~** estar alborozado(-a).
lieu, x [ljø] *nm* (*position*) lugar *m*, sitio; (*endroit*) lugar; **~x** *nmpl* (*habitation, salle*) **vider** *ou* **quitter les ~x** desalojar el lugar; (*d'un accident, manifestation*) **arriver/être sur les ~x** llegar al/estar en el lugar; **en ~ sûr** en lugar seguro; **en haut ~** en altas esferas; **en premier/dernier ~** en primer/último lugar; **avoir ~** tener lugar, suceder; **avoir ~ de faire** (*se demander, s'inquiéter*) tener razones *ou* motivos para hacer; **tenir ~ de** hacer las veces de, fungir de (*AM*); **donner ~ à** dar lugar a; **au ~ de** en lugar de, en vez de; **au ~ qu'il y aille** en vez de ir él; ▶ **lieu commun** lugar común; ▶ **lieu de départ** punto de partida; ▶ **lieu de naissance/rendez-vous/travail** lugar de nacimiento/encuentro/trabajo; ▶ **lieu géométrique** punto geométrico; ▶ **lieu public** lugar público.
lieu-dit [ljødi] (*pl* **~x-~s**) *nm* aldea.
lieue [ljø] *nf* legua.
lieutenant [ljøt(ə)nɑ̃] *nm* teniente *m*; ▶ **lieutenant de vaisseau** teniente de navío.
lieutenant-colonel [ljøtnɑ̃kɔlɔnɛl] (*pl* **~s-~s**) *nm* teniente coronel *m*.
lièvre [ljɛvʀ] *nm* liebre *f*; **lever un ~** (*fig*)

levantar la liebre.
liftier, -ière [liftje, jɛʀ] *nm/f* ascensorista *m/f*.
lifting [liftiŋ] *nm* lifting *m*.
ligament [ligamɑ̃] *nm* ligamento.
ligature [ligatyʀ] *nf* (*MÉD*) ligadura; ▶ **ligature des trompes** ligadura de trompas.
ligaturer [ligatyʀe] *vt* (*MÉD*) ligar.
ligne [liɲ] *nf* línea; **en ~** (*INFORM*) en línea; **en ~ droite** en línea recta; **"à la ~"** "aparte"; **entrer en ~ de compte** entrar en cuenta; **garder la ~** guardar la línea; ▶ **ligne de départ/d'arrivée** línea de salida/de llegada; ▶ **ligne d'horizon** línea del horizonte; ▶ **ligne de but/de touche** línea de meta/de banda; ▶ **ligne de conduite** línea de conducta; ▶ **ligne de flottaison/de mire** línea de flotación/de mira; ▶ **ligne directrice** línea directriz; ▶ **ligne médiane** línea media; ▶ **ligne ouverte**: **émission à ~ ouverte** emisión *f* en línea abierta.
ligné, e [liɲe] *adj*: **papier ~** papel *m* rayado.
lignée [liɲe] *nf* (*race, famille*) linaje *m*; (*postérité*) descendencia.
ligneux, -euse [liɲø, øz] *adj* leñoso(-a).
lignite [liɲit] *nm* lignito.
ligoter [ligɔte] *vt* (*bras, personne*) amarrar; (*fig*) atar.
ligue [lig] *nf* (*association*) liga, asociación *f*; (*SPORT*) liga; **~ arabe** (*POL*) liga árabe.
liguer [lige]: **se ~** *vpr* aliarse; **se ~ contre** (*fig*) aliarse contra.
lilas [lila] *nm* lila.
lillois, e [lilwa, waz] *adj* de Lille ♦ *nm/f*: **L~, e** nativo(-a) *ou* habitante *m/f* de Lille.
Lima [lima] *n* Lima.
limace [limas] *nf* babosa.
limaille [limaj] *nf*: **~ de fer** limaduras *fpl* de hierro.
limande [limɑ̃d] *nf* gallo.
limande-sole [limɑ̃dsɔl] *nf* lenguado.
limbes [lɛ̃b] *nmpl*: **être dans les ~** (*fig*) estar en el limbo.
lime [lim] *nf* lima; (*arbre*) lima, limero; ▶ **lime à ongles** lima de uñas.
limer [lime] *vt* limar.
limier [limje] *nm* sabueso.
liminaire [liminɛʀ] *adj* preliminar.
limitatif, -ive [limitatif, iv] *adj* limitativo(-a).
limitation [limitasjɔ̃] *nf* limitación *f*; **sans ~ de temps** sin límite de tiempo; ▶ **limitation de vitesse** limitación de velocidad; ▶ **limitation des armements/des naissances** reducción *f* de armamento/de nacimientos.
limite [limit] *nf* (*aussi fig*) límite *m*; (*de terrain*) límite, linde *m ou f*; **dans la ~ de**

dentro de; **à la ~** (*au pire*) como mucho; **sans ~s** sin límites; **vitesse/charge ~** velocidad *f*/carga límite; **cas ~** caso límite; **date ~ de vente/consommation** fecha límite de venta/consumo; **prix ~** precio límite; ▶ **limite d'âge** límite de edad.

limiter [limite] *vt* (*délimiter*) delimitar; **se limiter** *vpr*: **se ~** (**à qch/à faire**) limitarse (a algo/a hacer); (*chose*) reducirse a; **~ qch (à)** (*restreindre*) limitar algo (a).

limitrophe [limitʀɔf] *adj* limítrofe; **~ de** limítrofe con.

limogeage [limɔʒaʒ] *nm* destitución *f*.

limoger [limɔʒe] *vt* destituir.

limon [limɔ̃] *nm* limo.

limonade [limɔnad] *nf* gaseosa.

limonadier, -ière [limɔnadje, jɛʀ] *nm/f* (*commerçant*) vendedor(a) de refrescos; (*fabricant de limonade*) fabricante *m/f* de refrescos.

limoneux, -euse [limɔnø, øz] *adj* limoso (-a).

limousin, e [limuzɛ̃, in] *adj* lemosín(-ina) ♦ *nm* (*région*) Lemosín *m* ♦ *nm/f*: **L~, e** lemosín(-ina).

limousine [limuzin] *nf* limusina.

limpide [lɛ̃pid] *adj* límpido(-a); (*fig*) meridiano(-a), diáfano(-a).

lin [lɛ̃] *nm* lino.

linceul [lɛ̃sœl] *nm* mortaja.

linéaire [lineɛʀ] *adj* (*aussi fig*) lineal; **~ (de vente)** espacio de venta.

linge [lɛ̃ʒ] *nm* (*serviettes etc*) ropa blanca; (*pièce de tissu*) lienzo; (*aussi*: **~ de corps**) ropa interior; (*lessive*) colada; ▶ **linge sale** ropa sucia.

lingère [lɛ̃ʒɛʀ] *nf* ropera.

lingerie [lɛ̃ʒʀi] *nf* lencería.

lingot [lɛ̃go] *nm* lingote *m*.

linguiste [lɛ̃gɥist] *nm/f* lingüista *m/f*.

linguistique [lɛ̃gɥistik] *adj* lingüístico(-a) ♦ *nf* lingüística.

lino(léum) [lino(leɔm)] *nm* linóleo.

linotte [linɔt] *nf*: **tête de ~** cabeza de chorlito.

linteau [lɛ̃to] *nm* dintel *m*.

lion, ne [ljɔ̃, ɔn] *nm/f* león(leona); (*ASTROL*): **le L~** Leo; **être (du) L~** ser de Leo; ▶ **lion de mer** león marino.

lionceau, x [ljɔ̃so] *nm* cachorro de león.

lippu, e [lipy] *adj* bezudo(-a).

liquéfier [likefje] *vt* licuar; **se liquéfier** *vpr* (*gaz etc*) licuarse; (*fig*) derrumbarse.

liqueur [likœʀ] *nf* licor *m*.

liquidateur, -trice [likidatœʀ, tʀis] *nm/f* (*JUR*) liquidador(a); ▶ **liquidateur judiciaire** liquidador(a) judicial.

liquidation [likidasjɔ̃] *nf* liquidación *f*; (*règlement*) liquidación, pago; (*meurtre*) asesinato; ▶ **liquidation judiciaire** liqui-

dación judicial.

liquide [likid] *adj* líquido(-a) ♦ *nm* líquido; **en ~** (*COMM*) en líquido; **air ~** aire *m* líquido.

liquider [likide] *vt* liquidar.

liquidités [likidite] *nfpl* (*COMM*) liquidez *fsg*, disponibilidades *fpl*.

liquoreux, -euse [likɔʀø, øz] *adj* licoroso(-a).

lire [liʀ] *nf* (*monnaie italienne*) lira ♦ *vt*, *vi* (*aussi fig*) leer; **~ qch à qn** leer algo a algn.

lis [lis] *vb voir* **lire** ♦ *nm* = **lys**.

lisais [lizɛ] *vb voir* **lire**.

Lisbonne [lisbɔn] *n* Lisboa.

lise [liz] *vb voir* **lire**.

liseré [lizʀe] *nm* (*ruban*) ribete *m*; (*bande*) cenefa.

liseron [lizʀɔ̃] *nm* enredadera.

liseuse [lizøz] *nf* (*couvre-livre*) cubierta; (*veste*) mañanita.

lisible [lizibl] *adj* legible; **ce livre n'est pas ~** no merece la pena leer este libro.

lisiblement [liziblɔmɑ̃] *adv* de forma legible.

lisière [lizjɛʀ] *nf* (*de forêt, bois*) lindero, linde *m ou f*; (*de tissu*) orillo.

lisons [lizɔ̃] *vb voir* **lire**.

lisse [lis] *adj* liso(-a).

lisser [lise] *vt* alisar.

listage [listaʒ] *nm* (*INFORM*) listado.

liste [list] *nf* lista; **faire la ~ de** hacer la lista de; ▶ **liste civile** presupuesto de la casa real o del jefe del Estado; ▶ **liste d'attente** lista de espera; ▶ **liste de mariage** lista de boda; ▶ **liste électorale/noire** lista electoral/negra.

lister [liste] *vt* hacer una lista de, listar; **~ la mémoire** (*INFORM*) listar la memoria.

listing [listiŋ] *nm* (*INFORM*) listado; **qualité ~** calidad *f* de listado.

lit [li] *nm* cama; (*de rivière*) lecho; **faire son ~** hacerse la cama; **aller/se mettre au ~** ir a/meterse en la cama; **prendre le ~** (*malade etc*) guardar cama; **d'un premier ~** (*JUR*) del primer matrimonio; ▶ **lit d'enfant** cuna; ▶ **lit de camp** cama de campaña; ▶ **lit simple/double** cama sencilla/doble matrimonio.

litanie [litani] *nf* (*fig*) letanía.

lit-cage [likaʒ] (*pl* **~s-~s**) *nm* cama plegable.

litchi [litʃi] *nm* lichi *m*.

literie [litʀi] *nf* ropa de cama.

litho(graphie) [lito(gʀafi)] *nf* litografía.

lithographier [litogʀafje] *vt* litografiar.

litière [litjɛʀ] *nf* cama de paja.

litige [litiʒ] *nm* litigio; **en ~** en litigio.

litigieux, -euse [litiʒjø, jøz] *adj* litigioso(-a).

litote [litɔt] *nf* lítote *f*.
litre [litʀ] *nm* litro; ~ **de vin/bière** litro de vino/cerveza.
littéraire [liteʀɛʀ] *adj* literario(-a).
littéral, e, -aux [liteʀal, o] *adj* literal.
littéralement [liteʀalmã] *adv* literalmente.
littérature [liteʀatyʀ] *nf* literatura.
littoral, e, -aux [litɔʀal, o] *adj, nm* litoral *m*.
Lituanie [lityani] *nf* Lituania.
lituanien, ne [lityanjɛ̃, jɛn] *adj* lituano(-a) ♦ *nm* (*LING*) lituano ♦ *nm/f*: **L~, ne** lituano(-a).
liturgie [lityʀʒi] *nf* liturgia.
liturgique [lityʀʒik] *adj* litúrgico(-a).
livide [livid] *adj* lívido(-a).
living [liviŋ] *nm* living *m*.
living-room [liviŋʀum] (*pl* ~-~**s**) *nm* = **living**.
livrable [livʀabl] *adj* (*COMM*) a entregar.
livraison [livʀɛzɔ̃] *nf* entrega; (*de plusieurs marchandises*) reparto; ▶ **livraison à domicile** reparto a domicilio.
livre [livʀ] *nm* libro ♦ *nf* (*poids, monnaie*) libra; **traduire qch à** ~ **ouvert** traducir algo de corrido; ▶ **livre blanc** libro blanco; ▶ **livre d'or** libro de oro; ▶ **livre de bord** diario de navegación; ▶ **livre de chevet/de comptes** libro de cabecera/de cuentas; ▶ **livre de cuisine** libro de cocina; ▶ **livre de messe** libro de misa, misal *m*; ▶ **livre de poche** libro de bolsillo.
livré, e [livʀe] *adj*: ~ **à** (*soumis à*) sometido(-a) a; ~ **à soi-même** abandonado a sí mismo.
livrée [livʀe] *nf* librea.
livrer [livʀe] *vt* (*marchandises, otage, complice*) entregar; (*plusieurs colis etc*) repartir; (*client*) hacer una entrega a; (*secret, information*) revelar; **se livrer à** *vpr* entregarse a; (*se confier à*) confiarse a; (*s'abandonner à*) darse a, entregarse a; (*enquête*) llevar a cabo; ~ **bataille** librar una batalla.
livresque [livʀɛsk] (*péj*) *adj* libresco(-a).
livret [livʀɛ] *nm* (*petit livre*) librito; (*d'opéra*) libreto; ▶ **livret de caisse d'épargne** libreta de ahorros; ▶ **livret de famille** libro de familia; ▶ **livret scolaire** libro escolar.
livreur, -euse [livʀœʀ, øz] *nm/f* repartidor(a).
lob [lɔb] *nm* lob *m*.
lobe [lɔb] *nm*: ~ **de l'oreille** lóbulo de la oreja.
lobé, e [lɔbe] *adj* lobulado(-a).
lober [lɔbe] *vt* (*balle*) dar una volea a; (*adversaire, gardien de but*) volear (por alto).
local, e, -aux [lɔkal, o] *adj* local ♦ *nm* lo-

cal *m*; **locaux** *nmpl* (*d'une compagnie*) locales *mpl*.
localement [lɔkalmã] *adv* localmente.
localisé, e [lɔkalize] *adj* localizado(-a).
localiser [lɔkalize] *vt* (*dans l'espace*) localizar; (*dans le temps*) situar.
localité [lɔkalite] *nf* localidad *f*.
locataire [lɔkatɛʀ] *nm/f* inquilino(-a).
locatif, -ive [lɔkatif, iv] *adj* (*charges*) a cargo del inquilino; (*valeur*) del alquiler; (*immeuble*) de alquiler.
location [lɔkasjɔ̃] *nf* alquiler *m*; (*par le propriétaire*) arriendo, alquiler; "~ **de voitures**" "alquiler de coches".
location-vente [lɔkasjɔ̃vɑ̃t] (*pl* ~**s-**~**s**) *nf* alquiler *m* con opción a compra.
lock-out [lɔkaut] *nm inv* lock-out *m*.
lock-outer [lɔkaute] *vt* (*atelier, usine*) cerrar; (*employés*) despedir.
locomoteur, -trice [lɔkɔmɔtœʀ, tʀis] *adj* locomotor(a).
locomotion [lɔkɔmɔsjɔ̃] *nf* locomoción *f*.
locomotive [lɔkɔmɔtiv] *nf* (*aussi fig*) locomotora.
locomotrice [lɔkɔmɔtʀis] *nf* locomotora.
locuteur, -trice [lɔkytœʀ, tʀis] *nm/f* (*LING*) hablante *m/f*; ▶ **locuteur natif** hablante nativo.
locution [lɔkysjɔ̃] *nf* (*LING*) locución *f*.
loden [lɔdɛn] *nm* (*TEXTILE*) loden *m*; (*manteau*) abrigo loden.
lof [lɔf] *nm* (*NAUT*) barlovento; **aller au** ~ ir a barlovento; **virer** ~ **pour** ~ virar en redondo con viento en popa.
lofer [lɔfe] *vi* orzar.
logarithme [lɔgaʀitm] *nm* logaritmo.
loge [lɔʒ] *nf* (*d'artiste*) camerino; (*de spectateurs*) palco; (*de concierge*) portería, conserjería; (*de franc-maçon*) logia.
logeable [lɔʒabl] *adj* habitable.
logement [lɔʒmã] *nm* alojamiento; (*maison, appartement*) vivienda; **le** ~ (*POL, ADMIN*) la vivienda; **chercher un** ~ buscar una vivienda; **construire des** ~**s bon marché** construir viviendas baratas; **crise du** ~ crisis *fsg* de la vivienda; ▶ **logement de fonction** alojamiento de servicio.
loger [lɔʒe] *vt* alojar; (*suj: hôtel, école*) alojar, albergar ♦ *vi* alojar; **se loger** *vpr*: **trouver à se** ~ encontrar dónde alojarse *ou* vivir; **se** ~ **dans** (*suj: balle, flèche*) alojarse en.
logeur, -euse [lɔʒœʀ, øz] *nm/f* casero(-a).
loggia [lɔdʒja] *nf* loggia.
logiciel [lɔʒisjɛl] *nm* (*INFORM*) software *m*, soporte *m* lógico.
logicien, ne [lɔʒisjɛ̃, jɛn] *nm/f* lógico(-a).
logique [lɔʒik] *adj* lógico(-a) ♦ *nf* lógica; **la** ~ **de qch** la lógica de algo; **c'est** ~ (*fam*) es lógico.

logiquement [lɔʒikmɑ̃] *adv* lógicamente; (*raisonner etc*) con lógica; (*normalement*) normalmente.
logis [lɔʒi] *nm* casa.
logisticien, ne [lɔʒistisjɛ̃, jɛn] *adj, nm/f* lógico-matemático(-a).
logistique [lɔʒistik] *nf* logística ♦ *adj*: flotte ~ (*MIL*) flota logística; **soutien** ~ (*MIL*) apoyo logístico.
logo [lɔgo] *nm* (*COMM*) logotipo.
logotype [lɔgɔtip] *nm* (*COMM*) = **logo**.
loi [lwa] *nf* ley *f*; **livre/tables de la** ~ (*REL*) libro/tablas *fpl* de la ley; **les ~s de la mode** (*fig*) las leyes de la moda; **avoir force de** ~ tener fuerza de ley; **faire la** ~ dictar la ley; **la** ~ **de la jungle/du plus fort** la ley de la jungla/del más fuerte; **proposition/projet de** ~ propuesta/ proyecto de ley; ▶ **loi d'orientation** ≈ Ley de Autonomía Universitaria.
loi-cadre [lwakadʀ(ə)] (*pl* ~s-~s) *nf* (*POL*) ley *f* marco *inv*.
loin [lwɛ̃] *adv* lejos; ~ **de** lejos de; **pas** ~ **de 1 000 F** no mucho menos de 1000 francos; **au** ~ a lo lejos; **de** ~ de lejos; (*de beaucoup*) con mucho; **il revient de** ~ (*fig*) ha vuelto a nacer; **de** ~ **en** ~ de vez en cuando; **aussi** ~ **que je puisse me rappeler** ... que yo recuerde ...; ~ **de là** ni mucho menos.
lointain, e [lwɛ̃tɛ̃, ɛn] *adj* (*aussi fig*) lejano(-a) ♦ *nm*: **dans le** ~ en la lejanía.
loi-programme [lwapʀɔgʀam] (*pl* ~s-~s) *nf* (*POL*) ley *f* marco *inv*.
loir [lwaʀ] *nm* lirón *m*.
Loire [lwaʀ] *nf*: **la** ~ el Loira.
loisible [lwazibl] *adj*: **il vous est** ~ **de** ... le está permitido ... .
loisir [lwaziʀ] *nm*: **heures de** ~ horas *fpl* de ocio; **~s** *nmpl* tiempo libre *msg*; (*activités*) diversiones *fpl*; **prendre/avoir le** ~ **de faire qch** tomarse/tener tiempo para hacer algo; (**tout**) **à** ~ con (toda) tranquilidad; (*autant qu'on le désire*) todo lo que se quiera, tanto como se quiera.
lombaire [lɔ̃bɛʀ] *adj* lumbar.
lombalgie [lɔ̃balʒi] *nf* lumbalgia.
londonien, ne [lɔ̃dɔnjɛ̃, jɛn] *adj* londinense ♦ *nm/f*: **L~, ne** londinense *m/f*.
Londres [lɔ̃dʀ] *n* Londres.
long, longue [lɔ̃, lɔ̃g] *adj* (*aussi fig*) largo(-a) ♦ *adv*: **en dire/savoir** ~ decir/ saber mucho ♦ *nm*: **de 5 mètres de** ~ de 5 metros de largo; **faire/ne pas faire** ~ **feu** durar mucho/poco; **au** ~ **cours** (*NAUT*) de altura; **de longue date** de antiguo; **longue durée** larga duración; **de longue haleine** arduo(-a); **être** ~ **à faire** ser lento(-a) para hacer; **en** ~ a lo largo; (**tout**) **le** ~ **de** (*rue, bord*) a lo largo de;

tout au ~ **de** (*année, vie*) a lo largo de; **de** ~ **en large** de un lado a otro; **en** ~ **et en large** (*fig*) a fondo.
longanimité [lɔ̃ganimite] *nf* longanimidad *f*, paciencia.
long-courrier [lɔ̃kuʀje] (*pl* ~-~s) *nm* (*AVIAT*) avión *m* de larga distancia.
longe [lɔ̃ʒ] *nf* cabestro, correa; (*CULIN*) lomo.
longer [lɔ̃ʒe] *vt* bordear, costear; (*suj*: *mur, route*) bordear.
longévité [lɔ̃ʒevite] *nf* longevidad *f*.
longiligne [lɔ̃ʒiliɲ] *adj* longilíneo(-a).
longitude [lɔ̃ʒityd] *nf* longitud *f*; **à 45 degrés de** ~ **Nord** a 45 grados longitud norte.
longitudinal, e, -aux [lɔ̃ʒitydinal, o] *adj* longitudinal.
longtemps [lɔ̃tɑ̃] *adv* mucho tiempo; **avant** ~ dentro de poco; **pour/pendant** ~ para/ durante mucho tiempo; **je n'en ai pas pour** ~ no voy a tardar mucho tiempo; **mettre** ~ **à faire qch** costarle mucho tiempo a algn *ou* algo hacer algo; **ça ne va pas durer** ~ eso no va a durar mucho; **elle/il en a pour** ~ (**à le faire**) le va a llevar un buen rato (hacerlo); **il y a/n'y a pas** ~ **que je travaille** hace/no hace mucho que trabajo; **il y a** ~ **que je n'ai pas travaillé** llevo mucho tiempo sin trabajar.
longue [lɔ̃g] *adj f voir* **long** ♦ *nf*: **à la** ~ a la larga.
longuement [lɔ̃gmɑ̃] *adv* mucho tiempo, largamente; (*en détail*) detenidamente.
longueur [lɔ̃gœʀ] *nf* longitud *f*; **~s** *nfpl* (*fig*): **il y a des ~s dans ce film** hay momentos lentos en esta película; **une** ~ (**de piscine**) un largo (de piscina); **sur une** ~ **de 10 km** en una distancia de 10 Km; **en** ~ a lo largo; **tirer en** ~ alargarse demasiado; **à** ~ **de journée** durante todo el día; **d'une** ~ (*SPORT*) por un largo, por un cuerpo; ▶ **longueur d'onde** longitud de onda.
longue-vue [lɔ̃gvy] (*pl* ~s-~s) *nf* catalejo.
looping [lupiŋ] *nm* (*AVIAT*) looping *m*; **faire des ~s** hacer looping, hacer rizos.
lopin [lɔpɛ̃] *nm*: ~ **de terre** parcela de tierra.
loquace [lɔkas] *adj* locuaz.
loque [lɔk] *nf* (*personne*) ruina; **~s** *nfpl* (*habits*) harapos *mpl*, andrajos *mpl*; **être/ tomber en ~s** estar hecho(-a)/hacerse harapos.
loquet [lɔkɛ] *nm* picaporte *m*.
lorgner [lɔʀɲe] *vt* (*regarder*) mirar de reojo; (*convoiter*) echar la vista *ou* el ojo a.
lorgnette [lɔʀɲɛt] *nf* anteojo.
lorgnon [lɔʀɲɔ̃] *nm* (*face-à-main*) imperti-

nentes *mpl*; (*pince-nez*) quevedos *mpl*.
loriot [lɔʀjo] *nm* oropéndola.
lorrain, e [lɔʀɛ̃, ɛn] *adj* lorenés(-esa) ♦
nm/f: **L~**, **e** lorenés(-esa); **quiche ~e** *tarta
de huevo, crema y tocino*.
Lorraine [lɔʀɛn] *nf* Lorena.
lors [lɔʀ]: **~ de** *prép* durante; **~ même que**
aun cuando.
lorsque [lɔʀsk] *conj* cuando.
losange [lɔzɑ̃ʒ] *nm* rombo; **en ~** en forma
de rombo, romboidal.
lot [lo] *nm* lote *m*; (*de loterie*) premio; (*destin*) suerte *f*; ► **lot de consolation** premio de consolación.
loterie [lɔtʀi] *nf* (*tombola*) lotería, rifa;
(*fig*) lotería; ► **Loterie nationale** Lotería
nacional.
loti, e [lɔti] *adj*: **être bien/mal ~** tener
(buena)/mala suerte.
lotion [losjɔ̃] *nf* loción *f*; ► **lotion après ra-
sage** loción para después del afeitado;
► **lotion capillaire** loción capilar.
lotir [lɔtiʀ] *vt* parcelar.
lotissement [lɔtismɑ̃] *nm* (*de maisons,
d'immeubles*) urbanización *f*; (*parcelle*)
parcelación *f*.
lotisseur, -euse [lɔtisœʀ, øz] *nm/f* responsable *m/f* de la parcelación.
loto [lɔto] *nm* lotería; **le ~** (*jeu de hasard*)
la loto.
lotte [lɔt] *nf* (*de mer*) rape *m*.
louable [lwabl] *adj*: **~ à l'année** con contrato de alquiler anual; (*action, personne*)
loable.
louage [lwaʒ] *nm* (*à louer*) arrendamiento;
voiture de ~ coche *m* de alquiler.
louange [lwɑ̃ʒ] *nf*: **à la ~ de qn/de qch** en
elogio de algn/de algo; **~s** *nfpl* (*compliments*) elogios *mpl*, alabanzas *fpl*.
loubard [lubaʀ] *nm* macarra *m*.
louche [luʃ] *adj* sospechoso(-a) ♦ *nf* cucharón *m*.
loucher [luʃe] *vi* bizquear; **~ sur qch** (*fig*)
írsele los ojos tras de algo.
louer [lwe] *vt* alquilar; (*réserver*) reservar;
(*faire l'éloge de*) elogiar; (*REL: Dieu*) alabar a; **"à ~"** "se alquila"; **se ~ de qch/
d'avoir fait qch** felicitarse por algo/por
haber hecho algo.
loufoque [lufɔk] (*fam*) *adj* estrafalario(-a).
loukoum [lukum] *nm dulce oriental*.
loulou [lulu] *nm*: **~ de Poméranie** lulú *m*.
loup [lu] *nm* lobo; (*poisson*) róbalo, lubina;
(*masque*) antifaz *m*; **jeune ~** (joven) cachorro; ► **loup de mer** (*marin*) lobo de
mar.
loupe [lup] *nf* (*OPTIQUE*) lupa; **~ de noyer**
(*MENUISERIE*) nudo de nogal; **à la ~** (*fig*)
con lupa.
louper [lupe] (*fam*) *vt* (*train etc*) perder;

(*examen*) catear.
lourd, e [luʀ, luʀd] *adj* (*aussi fig*) pesado
(-a); (*chaleur, temps*) bochornoso(-a);
(*responsabilité, impôts*) importante; (*parfum, vin*) fuerte ♦ *adv*: **peser ~** pesar mucho; **~ de** (*conséquences, menaces*) lle-
no(-a) de; **artillerie/industrie ~e** artillería/
industria pesada.
lourdaud, e [luʀdo, od] (*péj*) *adj* torpe,
tosco(-a); (*au moral*) zafio(-a).
lourdement [luʀdəmɑ̃] *adv*: **marcher/
tomber ~** andar con paso pesado/caer
como un plomo; (*insister, appuyer*) excesivamente; **se tromper ~** equivocarse
burdamente.
lourdeur [luʀdœʀ] *nf* pesadez *f*; ► **lourdeur
d'estomac** pesadez de estómago.
loustic [lustik] *nm* (*farceur*) chistoso(-a);
(*fam, péj*) tío.
loutre [lutʀ] *nf* nutria.
louve [luv] *nf* loba.
louveteau, x [luv(ə)to] *nm* (*ZOOL*) lobezno;
(*scout*) joven scout *m/f*.
louvoyer [luvwaje] *vi* (*NAUT*) bordear; (*fig*)
andar con rodeos.
lover [lɔve]: **se ~** *vpr* (*serpent*) enroscarse,
enrollarse.
loyal, e, -aux [lwajal, o] *adj* leal; (*fair-play*)
legal.
loyalement [lwajalmɑ̃] *adv* legalmente.
loyalisme [lwajalism] *nm* lealtad *f*.
loyauté [lwajote] *nf* lealtad *f*.
loyer [lwaje] *nm* alquiler *m*; ► **loyer de
l'argent** interés *msg*.
LSD [ɛlɛsde] *sigle m* (= *Lyserg Säure
Diäthylamid*) LSD *m* (= *Dietilamida del Acido Lisérgico*).
lu [ly] *pp de* **lire**.
lubie [lybi] *nf* capricho, antojo.
lubricité [lybʀisite] *nf* lubricidad *f*.
lubrifiant [lybʀifjɑ̃] *nm* lubrificante *m*.
lubrifier [lybʀifje] *vt* lubrificar.
lubrique [lybʀik] *adj* lúbrico(-a).
lucarne [lykaʀn] *nf* tragaluz *m*.
lucide [lysid] *adj* lúcido(-a).
lucidité [lysidite] *nf* lucidez *f*.
luciole [lysjɔl] *nf* luciérnaga.
lucratif, -ive [lykʀatif, iv] *adj* lucrativo(-a);
à but non ~ sin ánimo de lucro.
ludique [lydik] *adj* lúdico(-a).
ludothèque [lydɔtɛk] *nf* ludoteca.
luette [lɥɛt] *nf* campanilla.
lueur [lɥœʀ] *nf* resplandor *m*; (*pâle:
d'étoile, de lune, lampe*) resplandor, fulgor *m*; (*fig: de désir, colère*) señal *f*; (*de
raison, d'intelligence*) chispa; (*d'espoir*)
rayo, chispa.
luge [lyʒ] *nf* trineo (*pequeño*); **faire de la ~**
deslizarse en trineo.
lugeur, -euse [lyʒœʀ, øz] *nm/f* patina-

dor(a) de trineo.
lugubre [lygybʀ] *adj* lúgubre; (*lumière, temps*) lóbrego(-a).
lui[1] [lɥi] *pron* (*objet indirect*) le; (: *après un autre pronom à la troisième personne*) se; (*sujet, objet direct*: *aussi forme emphatique*) él; **je ~ ai donné de l'argent** le di dinero; **je le ~ donne** se lo doy; **elle est riche, ~ est pauvre** ella es rica, él es pobre; **~, il est à Paris** él está en París; **c'est ~ qui l'a fait** lo hizo él; **à ~** (*possessif*) suyo(-a), suyos(-as), de él; **cette voiture est à ~** ese coche es suyo; **je la connais mieux que ~** la conozco mejor que él; **~-même** él mismo; **il a agi de ~-même** obró por sí mismo.
lui[2] [lɥi] *pp de* **luire**.
lui-même [lɥimɛm] *pron* (*personne*) él mismo; (*avec préposition*) sí mismo.
luire [lɥiʀ] *vi* brillar, relucir.
luisant, e [lɥizɑ̃, ɑ̃t] *vb voir* **luire** ♦ *adj* reluciente, brillante.
lumbago [lɔ̃bago] *nm* lumbago.
lumière [lymjɛʀ] *nf* luz *f*; (*éclaircissement*) iluminación *f*, luz; (*personne*) lumbrera; **~s** *nfpl* (*d'une personne*) luces *fpl*; **à la ~ de** (*aussi fig*) a la luz de; **à la ~ électrique** con luz eléctrica; **faire de la ~** encender la luz; **faire (toute) la ~ sur** (*fig*) esclarecer, aclarar; **mettre qch en ~** (*fig*) poner algo en claro, sacar algo a la luz; ► **lumière du jour/du soleil** luz del día/del sol.
luminaire [lyminɛʀ] *nm* luminaria.
luminescent, e [lyminesɑ̃, ɑ̃t] *adj* luminescente.
lumineux, -euse [lyminø, øz] *adj* (*aussi fig*) luminoso(-a); (*éclairé*) iluminado(-a).
luminosité [lyminozite] *nf* luminosidad *f*.
lump [lœ̃p] *nm*: **œufs de ~** huevas *fpl* de lumbo.
lunaire [lynɛʀ] *adj* lunar.
lunatique [lynatik] *adj* lunático(-a).
lunch [lœ̃tʃ] *nm* (*réception*) lunch *m*.
lundi [lœ̃di] *nm* lunes *m inv*; **on est ~** estamos a lunes; **le ~ 20 août** el lunes 20 de agosto; **il est venu ~** llegó el lunes; **le(s) lundi(s)** (*chaque lundi*) el (los) lunes; **"à ~"** "hasta el lunes"; ► **lundi de Pâques** lunes de Pascua; ► **lundi de Pentecôte** lunes de Pentecostés.
lune [lyn] *nf* luna; **pleine/nouvelle ~** luna llena/nueva; **être dans la ~** estar en la luna; ► **lune de miel** luna de miel.
luné, e [lyne] *adj*: **bien/mal ~** de buen/mal humor.
lunette [lynɛt] *nf*: **~s** *nfpl* gafas *fpl*, anteojos *mpl* (*AM*); ► **lunette arrière** (*AUTO*) ventanilla trasera; ► **lunette d'approche** catalejo; ► **lunettes de plongée** ga-

fas de bucear; ► **lunettes noires/de soleil** gafas negras/de sol.
lurent [lyʀ] *vb voir* **lire**.
lurette [lyʀɛt] *nf*: **il y a belle ~** hace siglos.
luron, ne [lyʀɔ̃, ɔn] *nm/f* barbián(-ana); **joyeux ou gai ~** jaranero, juerguista.
lus [ly] *vb voir* **lire**.
lustre [lystʀ] *nm* araña; (*éclat*) brillo.
lustrer [lystʀe] *vt* lustrar; (*vêtement*) gastar.
lut [ly] *vb voir* **lire**.
luth [lyt] *nm* laúd *m*.
luthier [lytje] *nm* fabricante *m/f* de instrumentos de cuerda.
lutin [lytɛ̃] *nm* duende *m*.
lutrin [lytʀɛ̃] *nm* atril *m*.
lutte [lyt] *nf* lucha; **de haute ~** en reñida lucha; ► **lutte des classes** lucha de clases; ► **lutte libre** (*SPORT*) lucha libre.
lutter [lyte] *vi* luchar; (*SPORT*) luchar, combatir; **~ pour/contre qn/qch** luchar por/contra algn/algo.
lutteur, -euse [lytœʀ, øz] *nm/f* (*aussi fig*) luchador(a).
luxation [lyksasjɔ̃] *nf* luxación *f*.
luxe [lyks] *nm* lujo; **de ~** de lujo; **un ~ de** (*fig*) un lujo de.
Luxembourg [lyksɑ̃buʀ] *nm* Luxemburgo.
luxembourgeois, e [lyksɑ̃buʀʒwa, waz] *adj* luxemburgués(-esa) ♦ *nm/f*: **L~, e** luxemburgués(-esa).
luxer [lykse] *vt*: **se ~ l'épaule/le genou** luxarse el hombro/la rodilla.
luxueusement [lyksɥøzmɑ̃] *adv* lujosamente.
luxueux, -euse [lyksɥø, øz] *adj* lujoso(-a).
luxure [lyksyʀ] *nf* lujuria.
luxuriant, e [lyksyʀjɑ̃, jɑ̃t] *adj* exuberante, lujuriante.
luzerne [lyzɛʀn] *nf* alfalfa.
lycée [lise] *nm* instituto, liceo (*AM*); ► **lycée technique** instituto técnico.
lycéen, ne [liseɛ̃, ɛn] *nm/f* alumno(-a) de instituto.
lymphatique [lɛ̃fatik] *adj* (*fig*) linfático (-a).
lymphe [lɛ̃f] *nf* linfa.
lyncher [lɛ̃ʃe] *vt* linchar.
lynx [lɛ̃ks] *nm* lince *m*.
Lyon [ljɔ̃] *n* Lyon.
lyonnais, e [ljɔnɛ, ɛz] *adj* lionés(-esa) ♦ *nm/f*: **L~, e** lionés(-esa); **à la L~e** (*CULIN*) al estilo de Lyon.
lyophilisé, e [ljɔfilize] *adj* liofilizado(-a).
lyre [liʀ] *nf* lira.
lyrique [liʀik] *adj* lírico(-a); **artiste ~** artista lírico(-a); **théâtre ~** teatro lírico; **comédie ~** comedia lírica.
lyrisme [liʀism] *nm* lirismo.
lys [lis] *nm* (*BOT*) lirio; (*emblème*) lis *m*.

M, m

M, m [ɛm] *nm inv* M, m ʃ; ~ **comme Marcel** ≈ M de Madrid.
M *abr* (= *Monsieur*) Sr. (= *Señor*).
m' [m] *pron voir* me.
m [ɛm] *abr* (= *mètre*) m. (= *metro*); (= *million(s)*) mill (= *millón(-ones)*).
MA [ɛma] *sigle m* (= *maître auxiliaire*) *voir* maître.
ma [ma] *dét voir* mon.
maboul, e [mabul] (*fam*) *adj* chiflado(-a).
macabre [makabʀ] *adj* macabro(-a).
macadam [makadam] *nm* macadán m.
Macao [makao] *n* Macao.
macaron [makaʀɔ̃] *nm* (*gâteau*) mostachón m; (*insigne*) insignia; (*natte*) rodete m.
macaroni [makaʀɔni] *nm* macarrones *mpl*; ~ **au fromage** *ou* **au gratin** macarrones al queso *ou* gratinados.
macédoine [masedwan] *nf*: ~ **de fruits** macedonia de frutas; ▶ **macédoine de légumes** menestra (*sin carne*).
macérer [maseʀe] *vi, vt* macerar.
mâchefer [maʃfɛʀ] *nm* cagafierro.
mâcher [maʃe] *vt* masticar; **ne pas ~ ses mots** no tener pelos en la lengua; ~ **le travail à qn** (*fig*) darle a algn el trabajo mascado.
machiavélique [makjavelik] *adj* maquiavélico(-a).
machin [maʃɛ̃] (*fam*) *nm* chisme m; (*personne*): **M~** fulano.
machinal, e, -aux [maʃinal, o] *adj* maquinal.
machination [maʃinasjɔ̃] *nf* maquinación f.
machine [maʃin] *nf* máquina; (*d'un navire, aussi fig*) maquinaria; (*fam: personne*): **M~** fulana; **faire ~ arrière** dar marcha atrás; ▶ **machine à coudre/à écrire/à tricoter** máquina de coser/de escribir/de tricotar; ▶ **machine à laver** lavadora; ▶ **machine à sous** máquina tragaperras *inv*; ▶ **machine à vapeur** máquina a *ou* de vapor.
machine-outil [maʃinuti] (*pl* ~**s**-~**s**) *nf* máquina herramienta.
machinerie [maʃinʀi] *nf* maquinaria; (*d'un navire*) sala de máquinas.
machinisme [maʃinism] *nm* maquinismo.

machiniste [maʃinist] *nm* (*THÉÂTRE*) tramoyista *m/f*; (*de bus, métro*) conductor(a).
mâchoire [maʃwaʀ] *nf* mandíbula; (*TECH*) mordaza; ▶ **mâchoire de frein** zapata.
mâchonner [maʃɔne] *vt* mordisquear.
mâcon [makɔ̃] *nm* vino de Macón.
maçon [masɔ̃] *nm* albañil m.
maçonner [masɔne] *vt* (*revêtir*) revestir; (*boucher*) taponar.
maçonnerie [masɔnʀi] *nf* albañilería; (*murs*) muros *mpl*.
maçonnique [masɔnik] *adj* masónico(-a).
macramé [makʀame] *nm* macramé m.
macrobiotique [makʀɔbjɔtik] *adj* macrobiótico(-a).
macrocosme [makʀɔkɔsm] *nm* macrocosmos *msg*.
macro-économie [makʀoekɔnɔmi] *nf* macroeconomía.
macrophotographie [makʀofɔtɔgʀafi] *nf* macrofotografía.
macroscopique [makʀɔskɔpik] *adj* macroscópico(-a).
maculer [makyle] *vt* manchar; (*TYPO: feuille*) macular.
Madagascar [madagaskaʀ] *nf* Madagascar m.
Madame [madam] (*pl* **Mesdames**) *nf*: ~ **X** la señora X; **occupez-vous de** ~/**de Monsieur/de Mademoiselle** atienda a la señora/al señor/a la señorita; **bonjour** ~/**Monsieur/Mademoiselle** (*ton déférent*) buenos días señora/señor/señorita; **m~**/**monsieur** (*pour appeler*) ¡(oiga) señora/señor!; ~/**Monsieur/Mademoiselle** (*sur lettre*) Señora/Señor/Señorita; **chère** ~/**cher Monsieur/chère Mademoiselle** estimado(-a) Señora/Señor/Señorita; ~ **la Directrice** (la) señora directora; **Mesdames** Señoras.
madeleine [madlɛn] *nf* (*gâteau*) magdalena.
Mademoiselle [madmwazɛl] (*pl* **Mesdemoiselles**) *nf* Señorita; *voir aussi* **Madame**.
madère [madɛʀ] *nm* madeira m.
madone [madɔn] *nf* madona.
madré, e [madʀe] *adj* astuto(-a).
Madrid [madʀid] *n* Madrid.
madrier [madʀije] *nm* madero.
madrigal, -aux [madʀigal, o] *nm* madrigal m.
madrilène [madʀilɛn] *adj* madrileño(-a) ♦ *nm/f*: **M~** madrileño(-a).
maestria [maɛstʀija] *nf* maestría.
maestro [maɛstʀo] *nm* maestro.
maf(f)ia [mafja] *nf* mafia.
magasin [magazɛ̃] *nm* tienda; (*entrepôt*) almacén m; (*d'une arme*) recámara; (*PHOTO*) carga; **en ~** (*COMM*) en almacén; **fai-**

re les ~s ir de tiendas; ▶ **magasin d'alimentation** tienda de ultramarinos.
magasinier [magazinje] *nm* almacenero.
magazine [magazin] *nm* revista; (*radiodiffusé, télévisé*) magazine *m*.
mage [maʒ] *nm*: **les Rois M~s** los Reyes Magos.
Maghreb [magʀɛb] *nm* Magreb *m*.
maghrébin, e [magʀebɛ̃, in] *adj* magrebí ♦ *nm/f*: **M~, e** magrebí *m/f*.
magicien, ne [maʒisjɛ̃, jɛn] *nm/f* mago(-a).
magie [maʒi] *nf* magia; ▶ **magie noire** magia negra.
magique [maʒik] *adj* mágico(-a).
magistral, -aux [maʒistʀal, o] *adj* magistral; **cours ~** (*ex cathedra*) clase *f* teórica.
magistralement [maʒistʀalmɑ̃] *adv* magistralmente.
magistrat [maʒistʀa] *nm* magistrado.
magistrature [maʒistʀatyʀ] *nf* magistratura; ▶ **magistrature assise** jueces *mpl*; ▶ **magistrature debout** fiscales *mpl*.
magma [magma] *nm* (*fig*) embrollo.
magnanerie [maɲanʀi] *nf* criadero de gusanos de seda.
magnanime [maɲanim] *adj* magnánimo (-a).
magnanimité [maɲanimite] *nf* magnanimidad *f*.
magnat [magna] *nm* magnate *m*; **~ de la presse** magnate de la prensa.
magner [maɲe]: **se ~** (*fam*) *vpr* correr.
magnésie [maɲezi] *nf* magnesia.
magnésium [maɲezjɔm] *nm* magnesio.
magnétique [maɲetik] *adj* magnético(-a).
magnétiser [maɲetize] *vt* magnetizar.
magnétiseur, -euse [maɲetizœʀ, øz] *nm/f* magnetizador(a).
magnétisme [maɲetism] *nm* magnetismo.
magnéto [maɲeto] *nf* (*ÉLEC*) magneto; (*à cassettes*) cassette *m*.
magnétocassette [maɲetokasɛt] *nm* cassette *m*.
magnétophone [maɲetɔfɔn] *nm* magnetófono; ▶ **magnétophone (à cassettes)** cassette *m*.
magnétoscope [maɲetɔskɔp] *nm* magnetoscopio.
magnificence [maɲifisɑ̃s] *nf* magnificencia.
magnifier [maɲifje] *vt* magnificar.
magnifique [maɲifik] *adj* magnífico(-a).
magnifiquement [maɲifikmɑ̃] *adv* magníficamente.
magnolia [maɲɔlja] *nm* magnolia.
magnum [magnɔm] *nm* botella de dos litros.
magot [mago] *nm* pasta (*fam*); (*économies*) hucha.
magouille [maguj] (*fam*) *nf* chanchullo.

mahométan, e [maɔmetɑ̃, an] *adj* mahometano(-a).
mai [mɛ] *nm* mayo; *voir aussi* **juillet**.
maigre [mɛgʀ] *adj* (*après nom: personne, animal*) delgado(-a), flaco(-a); (: *viande, fromage*) magro(-a); (*fig: avant nom: repas, salaire, profit*) escaso(-a); (: *résultat*) mediocre ♦ *adv*: **faire ~** comer de vigilia; **jours ~s** días *mpl* de vigilia.
maigrelet, te [mɛgʀəlɛ, ɛt] *adj* delgaducho(-a).
maigreur [mɛgʀœʀ] *nf* delgadez *f*, flaqueza; (*de la végétation*) escasez *f*.
maigrichon, ne [megʀiʃɔ̃, ɔn] *adj* delgaducho(-a).
maigrir [megʀiʀ] *vi* adelgazar ♦ *vt* (*suj: vêtement*): **~** qn hacer parecer más delgado(-a) a algn.
mailing [meliŋ] *nm* mailing *m*.
maille [maj] *nf* (*boucle*) eslabón *m*; (*ouverture: dans un filet etc*) punto; **avoir ~ à partir avec qn** andar en dimes y diretes con algn; ▶ **maille à l'endroit/à l'envers** punto del derecho/del revés.
maillechort [majʃɔʀ] *nm* alpaca.
maillet [majɛ] *nm* (*outil*) mazo; (*de croquet*) palo.
maillon [majɔ̃] *nm* (*d'une chaîne*) eslabón *m*.
maillot [majo] *nm* malla; (*de sportif*) camiseta; (*lange de bébé*) pañal *m*; ▶ **maillot (de corps)** camiseta; ▶ **maillot de bain** traje *m* de baño, bañador *m*; ▶ **maillot deux pièces** biquini *m*; ▶ **maillot jaune** (*CYCLISME*) maillot *m* amarillo.
main [mɛ̃] *nf* mano *f*; **la ~ dans la ~** cogidos(-as) de la mano; **à une ~** con una mano; **à deux ~s** con las dos manos; **à la ~** a mano; **se donner la ~** darse la mano; **donner** *ou* **tendre la ~ à** qn dar *ou* tender la mano a algn; **se serrer la ~** estrecharse la mano; **serrer la ~ à** qn estrechar la mano a algn; **demander la ~ d'une femme** pedir la mano de una mujer; **sous la ~** a mano; **haut les ~s** arriba las manos; **à ~ levée** (*ART*) a pulso; **à ~s levées** (*voter*) a mano alzada; **attaque à ~ armée** ataque *m* a mano armada; **à ~ droite/gauche** a mano derecha/izquierda; **de première ~** de primera mano; **de ~ de maître** con mano maestra; **à remettre en ~s propres** a entregar en mano; **faire ~ basse sur qch** apoderarse de algo; **mettre la dernière ~ à qch** dar el último toque a algo; **mettre la ~ à la pâte** poner manos a la obra; **avoir qch/qn bien en ~** conocer algo/a algn bien; **prendre qch en ~** (*fig*) hacerse cargo de algo; **avoir la ~** (*CARTES*) ser mano; **céder/passer la ~** (*CARTES*) ceder/pasar la mano; **forcer la ~ à**

qn obligar a algn; **s'en laver les ~s** (_fig_) lavarse las manos; **se faire la ~** entrenarse; **perdre la ~** estar desentrenado (-a); **en un tour de ~** (_fig_) en un periquete; ▶ **main courante** pasamanos _m inv._

mainate [mɛnat] _nm estornino de Malasia._

main-d'œuvre [mɛ̃dœvʀ] (_pl_ **~s-~**) _nf_ mano _f_ de obra.

main-forte [mɛ̃fɔʀt] _nf_: **prêter ~-~ à qn** echar una mano a algn.

mainmise [mɛ̃miz] _nf_ confiscación _f_; (_fig_): **avoir la ~ sur** tener control sobre.

maint, e [mɛ̃, mɛ̃t] _adj_ varios(-as); **à ~es reprises** en repetidas ocasiones.

maintenance [mɛ̃t(ə)nɑ̃s] _nf_ mantenimiento.

maintenant [mɛ̃t(ə)nɑ̃] _adv_ ahora; (_ceci dit_) ahora bien; **~ que** ahora que.

maintenir [mɛ̃t(ə)niʀ] _vt_ mantener; (_personne, foule, animal_) contener; **se maintenir** _vpr_ mantenerse; (_préjugé_) conservarse.

maintien [mɛ̃tjɛ̃] _nm_ mantenimiento; (_attitude, allure, contenance_) compostura; **~ de l'ordre** mantenimiento del orden.

maintiendrai [mɛ̃tjɛ̃dʀe] _vb voir_ **maintenir**.

maintiens [mɛ̃tjɛ̃] _vb voir_ **maintenir**.

maire [mɛʀ] _nm_ alcalde _m_, intendente _m_ (_CSUR_), regente _m_ (_MEX_).

mairie [meʀi] _nf_ ayuntamiento.

mais [mɛ] _conj_ pero; **~ non!** ¡que no!; **~ enfin!** ¡pero bueno!; **~ encore** sino que.

maïs [mais] _nm_ maíz _m_.

maison [mɛzɔ̃] _nf_ casa; (_famille_): **fils/ami de la ~** niño/amigo de la casa ♦ _adj inv_ (_CULIN_) casero(-a); (_dans un restaurant, fig_) de la casa; (_syndicat_) propio(-a); (_fam: bagarre etc_) bárbaro(-a); **à la ~** en casa; (_direction_) a casa; ▶ **maison centrale/mère** casa central/matriz; ▶ **maison close** _ou_ **de passe** casa de citas; ▶ **maison d'arrêt** prisión _f_; ▶ **maison de campagne** casa de campo; ▶ **maison de la culture** casa de la cultura; ▶ **maison de repos** casa de reposo; ▶ **maison de correction** correccional _m_; ▶ **maison de retraite** asilo de ancianos; ▶ **maison de santé** centro de salud; ▶ **maison des jeunes** casa de la juventud.

Maison-Blanche [mɛzɔ̃blɑ̃ʃ] _nf_: **la ~-~** la Casa Blanca.

maisonnée [mɛzɔne] _nf_ familia.

maisonnette [mɛzɔnɛt] _nf_ casita.

maître, maîtresse [mɛtʀ, mɛtʀɛs] _nm/f_ (_chef_) jefe(-a); (_possesseur, propriétaire_) dueño(-a); (_SCOL_) maestro(-a) ♦ _nm_ (_peintre etc_) maestro; (_JUR_): **M~** _título que se da en Francia a abogados, procuradores y notarios_ ♦ _adj_ maestro(-a); (_CARTES_) prin-

cipal; **voiture de ~** coche _m_ con chófer; **maison de ~** casa señorial; **être ~ de** dominar; **se rendre ~ de** (_pays, ville_) adueñarse de; (_situation, incendie_) dominar; **passer ~ dans l'art de** llegar a dominar el arte de; **rester ~ de soi** dominarse a sí mismo; **une ~sse femme** toda una mujer; ▶ **maître à penser** maestro; ▶ **maître auxiliaire** (_SCOL_) profesor _m_ adjunto; ▶ **maître chanteur** chantajista _m_; ▶ **maître d'armes** maestro de armas; ▶ **maître d'école** maestro de escuela; ▶ **maître d'hôtel** (_domestique_) mayordomo; (_d'hôtel_) jefe de comedor, maître _m_; ▶ **maître d'œuvre** (_CONSTR_) contratista _m/f_; ▶ **maître d'ouvrage** (_CONSTR_) maestro de obras; ▶ **maître de chapelle** maestro de capilla; ▶ **maître de conférences** (_UNIV_) profesor(a); ▶ **maître de maison** amo _ou_ dueño de casa; ▶ **maître nageur** monitor(a) de natación; ▶ **maître queux** jefe de cocina.

maître-assistant, e [mɛtʀasistɑ̃, ɑ̃t] (_pl_ **~s-~s, es**) _nm/f_ (_UNIV_) profesor(a) adjunto(-a).

maître-autel [mɛtʀotɛl] (_pl_ **~s-~s**) _nm_ altar _m_ mayor.

maîtresse [mɛtʀɛs] _nf_ (_amante_) amante _f_; ▶ **maîtresse d'école** maestra de escuela; ▶ **maîtresse de maison** (_hôtesse_) señora _ou_ dueña de la casa; (_ménagère_) ama de casa.

maîtrise [mɛtʀiz] _nf_ (_aussi_: **~ de soi**) dominio de sí mismo; (_calme_) serenidad _f_; (_habileté, virtuosité_) maestría; (_suprématie_) dominio; (_diplôme_) ≈ licenciatura; (_contremaîtres et chefs d'équipe_) capataces _mpl_.

maîtriser [mɛtʀize] _vt_ dominar; **se maîtriser** _vpr_ dominarse.

majesté [maʒɛste] _nf_: **~ royale/impériale** majestad _f_ real/imperial; (_titre_): **Sa/Votre M~** Su/Vuestra Majestad.

majestueusement [maʒɛstɥøzmɑ̃] _adv_ majestuosamente.

majestueux, -euse [maʒɛstɥø, øz] _adj_ majestuoso(-a); (_fleuve, édifice_) imponente.

majeur, e [maʒœʀ] _adj_ mayor; (_JUR: personne_) mayor de edad; (_préoccupation_) principal ♦ _nm/f_ (_JUR_) mayor _m/f_ de edad ♦ _nm_ (_doigt_) corazón _m_; **en ~e partie** en su mayor parte; **la ~e partie de** la mayor parte de.

major [maʒɔʀ] _nm_ (_MIL_) ≈ subteniente _m_; **~ de la promotion** (_SCOL_) primero de la promoción.

majoration [maʒɔʀasjɔ̃] _nf_ recargo.

majordome [maʒɔʀdɔm] _nm_ mayordomo.

majorer [maʒɔʀe] _vt_ recargar.

majorette [maʒɔʀɛt] *nf* majorette *f.*

majoritaire [maʒɔʀitɛʀ] *adj* mayoritario (-a); **système/scrutin** ~ sistema *m/* escrutinio mayoritario.

majorité [maʒɔʀite] *nf* mayoría; (*JUR*) mayoría de edad; **en** ~ en su mayoría; **avoir la** ~ tener la mayoría; **la** ~ **silencieuse** la mayoría silenciosa; ▶ **majorité absolue/relativa** mayoría absoluta/ relativa; ▶ **majorité civile** mayoría de edad (*para el ejercicio de los derechos civiles*); ▶ **majorité électorale** *mayoría de edad para votar*; ▶ **majorité pénale** mayoría de edad.

Majorque [maʒɔʀk] *nf* Mallorca.

majorquin, e [maʒɔʀkɛ̃, in] *adj* mallorquín(-ina) ♦ *nm/f*: **M~, e** mallorquín(-ina).

majuscule [maʒyskyl] *adj, nf*: **(lettre)** ~ (letra) mayúscula.

mal, maux [mal, mo] *nm* (*tort, épreuve, malheur*) desgracia; (*douleur physique*) dolor *m*; (*maladie*) mal *m*; (*difficulté*) dificultad *f*; (*souffrance morale*) sufrimiento; (*péché*): **le** ~ el mal ♦ *adv* mal ♦ *adj m*: **c'est** ~ **(de faire)** está mal (hacer); **être** ~ (*mal installé*) estar incómodo(-a); **se sentir/se trouver** ~ sentirse/encontrarse mal; **être** ~ **avec qn** andar de malas con algn; **il comprend** ~ no entiende bien; **il a** ~ **compris** ha entendido mal; ~ **tourner** ir mal; **dire du** ~ **de qn** hablar mal de algn; **ne vouloir de** ~ **à personne** no querer hacer daño a nadie; **il n'a rien fait de** ~ no ha hecho nada malo; **penser du** ~ **de qn** pensar mal de algn; **ne voir aucun** ~ **à** no ver ningún mal en; **sans penser** *ou* **songer à** ~ sin mala intención; **craignant** ~ **faire** temiendo hacer mal; **faire du** ~ **à qn** hacer daño a algn; **il n'y a pas de** ~ no pasa nada; **se donner du** ~ **pour faire qch** tomarse trabajo para hacer algo; **se faire** ~ hacerse daño; **se faire** ~ **au pied** hacerse daño en el pie; **ça fait** ~ duele; **j'ai** ~ **(ici)** me duele (aquí); **j'ai** ~ **au dos** me duele la espalda; **avoir** ~ **à la tête/aux dents** tener dolor de cabeza/de muelas; **avoir** ~ **au cœur** tener náuseas; **j'ai du** ~ **à faire** me cuesta hacerlo; **avoir le** ~ **de l'air** marearse (en los aviones); **avoir le** ~ **du pays** tener morriña; **prendre** ~ ponerse enfermo(-a); ▶ **mal de la route/de mer** mareo; ▶ **mal en point** *adj inv* bastante mal; ▶ **mal de ventre** dolor de barriga.

malabar [malabaʀ] *nm* grandullón *m.*

malade [malad] *adj* enfermo(-a); (*poitrine, jambe*) malo(-a) ♦ *nm/f* enfermo(-a); **tomber** ~ caer enfermo(-a); **être** ~ **du cœur** estar enfermo(-a) del corazón; ~ **mental**

enfermo mental; **grand** ~ enfermo grave.

maladie [maladi] *nf* enfermedad *f*; **être rongé par la** ~ estar consumido por la enfermedad; ▶ **maladie bleue** cianosis *f inv*; ▶ **maladie de peau** enfermedad de la piel.

maladif, -ive [maladif, iv] *adj* enfermizo (-a).

maladresse [maladʀɛs] *nf* torpeza.

maladroit, e [maladʀwa, wat] *adj* torpe.

maladroitement [maladʀwatmã] *adv* torpemente.

mal-aimé, e [maleme] (*pl* ~-~s, es) *nm/f* malquerido(-a).

malais, e [malɛ, ɛz] *adj* malayo(-a) ♦ *nm* (*LING*) malayo ♦ *nm/f*: **M~, e** malayo(-a).

malaise [malɛz] *nm* malestar *m*; **avoir un** ~ marearse.

malaisé, e [maleze] *adj* difícil.

Malaisie [malɛzi] *nf* Malasia.

malappris, e [malapʀi, iz] *nm/f* maleducado(-a).

malaria [malaʀja] *nf* malaria.

malavisé, e [malavize] *adj* desacertado(-a).

Malawi [malawi] *nm* Malawi *m.*

malaxer [malakse] *vt* amasar; (*mêler*) mezclar.

malaxeur [malaksœʀ] *nm* (*TECH*) hormigonera.

Malaysia [malɛzja] *nf* Malasia.

malchance [malʃɑ̃s] *nf* mala suerte; (*mésaventure*) desgracia; **par** ~ por desgracia; **quelle** ~**!** ¡qué mala suerte!

malchanceux, -euse [malʃɑ̃sø, øz] *adj* desafortunado(-a).

malcommode [malkɔmɔd] *adj* incómodo (-a).

Maldives [maldiv] *nfpl*: **les (îles)** ~ las (islas) Maldivas.

maldonne [maldɔn] *nf* (*CARTES*) *cartas mal dadas*; **il y a** ~ (*fig*) aquí hay un error.

mâle [mal] *nm* macho ♦ *adj* macho; (*enfant*) varón; (*viril*) varonil, viril; **prise** ~ (*ÉLEC*) clavija; **souris** ~ ratón *m* macho.

malédiction [malediksjɔ̃] *nf* maldición *f*; (*fatalité, malchance*) desgracia.

maléfice [malefis] *nm* maleficio.

maléfique [malefik] *adj* maléfico(-a).

malencontreusement [malɑ̃kɔ̃tʀøzmɑ̃] *adv* desgraciadamente.

malencontreux, -euse [malɑ̃kɔ̃tʀø, øz] *adj* desgraciado(-a).

mal-en-point [malɑ̃pwɑ̃] *adj inv* en mal estado.

malentendant, e [malɑ̃tɑ̃dɑ̃, ɑ̃t] *nm/f*: **les ~s** las personas con defectos de audición.

malentendu [malɑ̃tɑ̃dy] *nm* malentendido.

malfaçon [malfasɔ̃] *nf* defecto.

malfaisant, e [malfəzɑ̃, ɑ̃t] *adj* (*bête*) dañino(-a); (*être*) malo(-a); (*idées, influence*) nocivo(-a).

malfaiteur [malfɛtœʀ] *nm* malhechor *m*; (*voleur*) ladrón *m*.

malfamé, e [malfame] *adj* de mala fama.

malformation [malfɔʀmasjɔ̃] *nf* malformación *f*.

malfrat [malfʀa] *nm* malhechor *m*.

malgache [malgaʃ] *adj* malgache ♦ *nm* (*LING*) malgache *m* ♦ *nm/f*: **M~** malgache *m/f*.

malgré [malgʀe] *prép* (*contre le gré de*) contra la voluntad de; (*en dépit de*) a pesar de; ~ **moi/lui** a pesar mío/suyo; ~ **tout** a pesar de todo.

malhabile [malabil] *adj* torpe.

malheur [malœʀ] *nm* desgracia; (*ennui, inconvénient*) inconveniente *m*; **par** ~ por desgracia; **quel** ~! ¡qué desgracia!; **faire un** ~ (*fam: un éclat*) explotar; (: *avoir du succès*) arrasar.

malheureusement [maløʀøzmɑ̃] *adv* desgraciadamente.

malheureux, -euse [maløʀø, øz] *adj* (*triste: personne*) infeliz, desdichado(-a); (*existence, accident*) desgraciado(-a), desdichado(-a); (*malchanceux: candidat*) derrotado(-a); (: *tentative*) fracasado(-a); (*insignifiant*) miserable ♦ *nm/f* desgraciado(-a); **la malheureuse femme/ victime** la desdichada mujer/víctima; **avoir la main malheureuse** (*au jeu*) tener poca fortuna; (*tout casser*) ser un manazas; **les** ~ los desamparados.

malhonnête [malɔnɛt] *adj* deshonesto(-a).

malhonnêtement [malɔnɛtmɑ̃] *adv* sin honradez.

malhonnêteté [malɔnɛtte] *nf* falta de honradez.

Mali [mali] *nm* Mali *m*.

malice [malis] *nf* malicia; (*méchanceté*): **par** ~ por maldad; **sans** ~ sin malicia.

malicieusement [malisjøzmɑ̃] *adv* maliciosamente.

malicieux, -ieuse [malisjø, jøz] *adj* malicioso(-a).

malien, ne [maljɛ̃, ɛn] *adj* malinés(-esa) ♦ *nm/f*: **M~, ne** malinés(-esa).

malignité [maliɲite] *nf* malicia; (*MÉD*) malignidad *f*.

malin, -igne [malɛ̃, maliɲ] *adj* (*f gén maligne*) astuto(-a); (*malicieux: sourire*) pícaro(-a); (*MÉD*) maligno(-a); **faire le** ~ dárselas de listo; **éprouver un** ~ **plaisir à** regodearse con; **c'est** ~! (*ironique*) ¡qué listo!

malingre [malɛ̃gʀ] *adj* enteco(-a).

malintentionné, e [malɛ̃tɑ̃sjɔne] *adj* malintencionado(-a).

malle [mal] *nf* baúl *m*; ~ **arrière** (*AUTO*) maletero.

malléable [maleabl] *adj* maleable.

malle-poste [malpɔst] (*pl* ~**s-**~) *nf* coche *m* correo.

mallette [malɛt] *nf* maletín *m*; (*coffret*) cofre *m*; ► **mallette de voyage** maletín de viaje.

malmener [malməne] *vt* maltratar; (*fig*: *adversaire*) dejar maltrecho(-a).

malnutrition [malnytʀisjɔ̃] *nf* desnutrición *f*.

malodorant, e [malɔdɔʀɑ̃, ɑ̃t] *adj* maloliente.

malotru, e [malɔtʀy] *nm/f* grosero(-a).

malouin, e [malwɛ̃, in] *adj* de Saint-Malo ♦ *nm/f*: **M~, e** nativo(-a) *ou* habitante *m/f* de Saint-Malo.

Malouines [malwin] *nfpl*: **les (îles)** ~ las (islas) Malvinas.

malpoli, e [malpɔli] *nm/f* maleducado(-a).

malpropre [malpʀɔpʀ] *adj* sucio(-a); (*travail*) mal hecho(-a); (*histoire, plaisanterie*) grosero(-a); (*malhonnête*) inmoral.

malpropreté [malpʀɔpʀəte] *nf* suciedad *f*.

malsain, e [malsɛ̃, ɛn] *adj* malsano(-a); (*esprit, curiosité*) morboso(-a).

malséant, e [malseɑ̃, ɑ̃t] *adj* inoportuno (-a).

malsonnant, e [malsɔnɑ̃, ɑ̃t] *adj* malsonante.

malt [malt] *nm* malta; **whisky pur** ~ whisky *m* de malta.

maltais, e [maltɛ, ɛz] *adj* maltés(-esa) ♦ *nm/f*: **M~, e** maltés(-esa).

Malte [malt] *nf* Malta.

malté, e [malte] *adj* malteado(-a).

maltraiter [maltʀete] *vt* maltratar; (*critiquer, éreinter*) vapulear.

malus [malys] *nm* (*ASSURANCE*) recargo.

malveillance [malvejɑ̃s] *nf* mala voluntad *f*; (*intention de nuire*) mala intención *f*; (*JUR*) malevolencia.

malveillant, e [malvejɑ̃, ɑ̃t] *adj* malintencionado(-a).

malvenu, e [malvəny] *adj*: **être** ~ **de/à faire qch** no tener derecho a hacer algo.

malversation [malvɛʀsasjɔ̃] *nf* malversación *f*.

maman [mamɑ̃] *nf* mamá.

mamelle [mamɛl] *nf* teta.

mamelon [mam(ə)lɔ̃] *nm* (*ANAT*) pezón *m*; (*petite colline*) montecillo.

mamie [mami] (*fam*) *nf* abuelita, nana.

mammifère [mamifɛʀ] *nm* mamífero.

mammouth [mamut] *nm* mamut *m*.

manager [manadʒɛʀ] *nm* director *m*; (*COMM*) gerente *m*; (*SPORT*) manager *m*; ~ **commercial** gerente comercial.

manceau, -elle [mɑ̃so, ɛl] *adj* de le Mans

◆ *nm/f*: **M~**, **-elle** nativo(-a) *ou* habitante *m/f* de le Mans.

manche [mɑ̃ʃ] *nf* manga; (*d'un jeu, tournoi*) partida; (*GÉO*): **la M~** Canal *m* de la Mancha ◆ *nm* mango; (*de violon, guitare*) mástil *m*; **se débrouiller comme un ~** (*fam*: *maladroit*) hacer las cosas con los pies; **faire la ~** tocar en la calle; ▶ **manche à air** *nf* (*AVIAT*) manga de aire; ▶ **manche à balai** *nm* palo de escoba; (*AVIAT*) palanca de mando; (*INFORM*) palanca.

manchette [mɑ̃ʃɛt] *nf* (*de chemise*) puño; (*coup*) golpe dado con el antebrazo; (*PRESSE*) cabecera, titular *m*; **faire la ~ des journaux** saltar a los titulares.

manchon [mɑ̃ʃɔ̃] *nm* manguito; ▶ **manchon (à incandescence)** camisa (incandescente).

manchot, e [mɑ̃ʃo, ɔt] *adj* manco(-a) ◆ *nm* (*ZOOL*) pingüino.

mandarine [mɑ̃daʀin] *nf* mandarina.

mandat [mɑ̃da] *nm* (*postal*) giro; (*d'un député, président*) mandato; (*procuration*) poder *m*; (*POLICE*) orden *f*; **toucher un ~** cobrar un giro; ▶ **mandat d'amener** orden de comparecencia; ▶ **mandat d'arrêt** orden de arresto; ▶ **mandat de dépôt** orden de prisión; ▶ **mandat de police** orden de registro.

mandataire [mɑ̃datɛʀ] *nm/f* mandatario (-a).

mandat-carte [mɑ̃dakaʀt] (*pl* ~**s**-~**s**) *nm* giro postal (*en forma de postal*).

mandater [mɑ̃date] *vt* (*personne*) encargar; **~ un paiement** extender un libramiento.

mandat-lettre [mɑ̃dalɛtʀ] (*pl* ~**s**-~**s**) *nm* giro postal (*en forma de carta*).

mandat-poste [mɑ̃dapɔst] (*pl* ~**s**-~**s**) *nm* giro postal.

mandchou, e [mɑ̃tʃu] *adj* manchú ◆ *nm* (*LING*) manchú *m* ◆ *nm/f*: **M~**, **e** manchú *m/f*.

Mandchourie [mɑ̃tʃuʀi] *nf* Manchuria.

mander [mɑ̃de] *vt* ordenar.

mandibule [mɑ̃dibyl] *nf* mandíbula.

mandoline [mɑ̃dɔlin] *nf* mandolina.

manège [manɛʒ] *nm* (*école d'équitation*) picadero; (*à la foire*) tiovivo; (*fig*: *manœuvre*) maniobra; **faire un tour de ~** dar una vuelta en tiovivo; ▶ **manège de chevaux de bois** caballitos *mpl*.

manette [manɛt] *nf* palanca; ▶ **manette de jeu** (*INFORM*) palanca de juego.

manganèse [mɑ̃ganɛz] *nm* manganeso.

mangeable [mɑ̃ʒabl] *adj* (*comestible*) comestible; (*juste bon à manger*) comible.

mangeaille [mɑ̃ʒaj] (*péj*) *nf* bazofia.

mangeoire [mɑ̃ʒwaʀ] *nf* pesebre *m*.

manger [mɑ̃ʒe] *vt* comer; (*ronger*: *suj*: *rouille etc*) carcomer; (*consommer*) gastar; (*capital*) despilfarrar ◆ *vi* comer.

mange-tout [mɑ̃ʒtu] *nm inv* (*BOT*) tirabeque *m*; **haricot ~-~** judía verde.

mangeur, -euse [mɑ̃ʒœʀ, øz] *nm/f* comedor(a).

mangouste [mɑ̃gust] *nf* mangosta.

mangue [mɑ̃g] *nf* mango.

maniabilité [manjabilite] *nf* manejabilidad *f*.

maniable [manjabl] *adj* manejable; (*fig*: *personne*) manipulable.

maniaque [manjak] *adj* maniático(-a) ◆ *nm/f* (*obsédé, fou*) maníaco(-a); (*pointilleux*) maniático(-a).

manie [mani] *nf* manía.

maniement [manimɑ̃] *nm* manejo; ▶ **maniement d'armes** (*MIL*) manejo de armas.

manier [manje] *vt* manejar; **se manier** *vpr* (*fam*) darse prisa.

manière [manjɛʀ] *nf* manera; (*genre, style*) estilo; **~s** *nfpl* (*attitude*) modales *mpl*; (*chichis*) melindres *mpl*; **de ~ à** con objeto de; **de telle ~ que** de tal manera que; **de cette ~** de esta manera; **d'une ~ générale** en general; **de toute ~** de todas maneras; **d'une certaine ~** en cierto sentido; **manquer de ~s** carecer de educación; **faire des ~s** andar con remilgos; **sans ~s** sin ceremonias; **employer la ~ forte** emplear la fuerza; **complément/adverbe de ~** complemento/adverbio de modo.

maniéré, e [manjeʀe] *adj* amanerado(-a).

manif [manif] *nf* mani *f*.

manifestant, e [manifɛstɑ̃, ɑ̃t] *nm/f* manifestante *m/f*.

manifestation [manifɛstasjɔ̃] *nf* manifestación *f*; (*fête, réunion etc*) acto.

manifeste [manifɛst] *adj* manifiesto(-a) ◆ *nm* manifiesto.

manifestement [manifɛstəmɑ̃] *adv* manifiestamente.

manifester [manifɛste] *vt* manifestar ◆ *vi* (*POL*) manifestarse; **se manifester** *vpr* manifestarse; (*témoin*) presentarse.

manigance [manigɑ̃s] *nf* artimaña.

manigancer [manigɑ̃se] *vt* tramar.

Manille [manij] *n* Manila.

manioc [manjɔk] *nm* mandioca.

manipulateur, -trice [manipylatœʀ, tʀis] *nm/f* (*aussi péj*) manipulador(a); (*prestidigitateur*) ilusionista *m/f*.

manipulation [manipylasjɔ̃] *nf* manipulación *f*; ▶ **manipulation génétique** manipulación genética.

manipuler [manipyle] *vt* manipular.

manivelle [manivɛl] *nf* manivela.

manne [man] *nf* maná *m*.

mannequin [mankɛ̃] *nm* (*COUTURE*) maniquí *m*; (*MODE*) modelo; **taille** ~ talla maniquí.

manœuvrable [manœvʀabl] *adj* manejable.

manœuvre [manœvʀ] *nf* maniobra ♦ *nm* obrero; **fausse** ~ maniobra falsa.

manœuvrer [manœvʀe] *vt* maniobrar; (*levier, personne*) manejar ♦ *vi* maniobrar.

manoir [manwaʀ] *nm* casa solariega.

manomètre [manɔmɛtʀ] *nm* manómetro.

manquant, e [mɑ̃kɑ̃, ɑ̃t] *adj*: **la/les page(s) manquante(s)** la(s) página(s) que falta(n).

manque [mɑ̃k] *nm* falta; ~**s** *nmpl* (*lacunes*) lagunas *fpl*; **par** ~ **de** por falta de; ► **manque à gagner** lucro cesante.

manqué, e [mɑ̃ke] *adj* fracasado(-a), fallido(-a); **garçon** ~: **cette petite est un vrai garçon** ~ esta niña tenía que haber nacido chico.

manquement [mɑ̃kmɑ̃] *nm*: ~ **à** infracción *f* de.

manquer [mɑ̃ke] *vi* faltar; (*échouer*) fallar, fracasar ♦ *vt* (*coup, objectif*) fallar; (*cours, réunion*) faltar a; (*occasion*) perder ♦ *vb impers*: **il (nous) manque encore 100 F** nos faltan todavía 100 francos; **il manque des pages** faltan páginas; **l'argent qui leur manque** el dinero que les falta; **la voix lui a manqué** le falló la voz; ~ **à qn** (*absent etc*): **il/cela me manque** le/lo echo de menos; ~ **à** faltar a; ~ **de** carecer de; **nous manquons de feutres** se nos han agotado los rotuladores, no nos quedan rotuladores; **j'ai manqué la photo** no me ha salido bien la foto; **ne pas** ~ **qn** vérselas con algn; **ne pas** ~ **de faire**: **il n'a pas manqué de le dire** no dejó de decirlo; ~ **(de) faire**: **il a manqué (de) se tuer** por poco se mata; **il ne manquerait plus que ...** faltaría sólo que ...; **je n'y manquerai pas** no dejaré de hacerlo.

mansarde [mɑ̃saʀd] *nf* buhardilla.

mansardé, e [mɑ̃saʀde] *adj* abuhardillado(-a).

mansuétude [mɑ̃sɥetyd] *nf* mansedumbre *f*.

mante [mɑ̃t] *nf*: ~ **religieuse** santateresa, mantis *f inv* religiosa.

manteau, x [mɑ̃to] *nm* abrigo; (*de cheminée*) campana; **sous le** ~ bajo cuerda.

mantille [mɑ̃tij] *nf* mantilla.

manucure [manykyʀ] *nf* manicura.

manuel, le [manɥɛl] *adj* manual ♦ *nm/f*: **je suis un** ~ lo mío es trabajar con las manos ♦ *nm* (*livre*) manual *m*; **travailleur** ~ trabajador *m* manual.

manuellement [manɥɛlmɑ̃] *adv* manualmente.

manufacture [manyfaktyʀ] *nf* manufactura.

manufacturé, e [manyfaktyʀe] *adj* manufacturado(-a).

manufacturier, -ière [manyfaktyʀje, jɛʀ] *nm/f* fabricante *m/f*.

manuscrit, e [manyskʀi, it] *adj* manuscrito(-a) ♦ *nm* manuscrito.

manutention [manytɑ̃sjɔ̃] *nf* manipulación *f*.

manutentionnaire [manytɑ̃sjɔnɛʀ] *nm/f* manipulador(a).

manutentionner [manytɑ̃sjɔne] *vt* manipular.

mappemonde [mapmɔ̃d] *nf* mapamundi *m*.

maquereau, x [makʀo] *nm* (*ZOOL*) caballa; (*fam: proxénète*) chulo.

maquerelle [makʀɛl] *nf* (*fam*) patrona de casa de citas.

maquette [makɛt] *nf* maqueta; (*d'une page illustrée, affiche*) boceto.

maquettiste [maketist] *nm/f* maquetista *m/f*; ► **maquettiste publicitaire** maquetista publicitario(-a).

maquignon [makiɲɔ̃] *nm* chalán *m*.

maquillage [makijaʒ] *nm* maquillaje *m*.

maquiller [makije] *vt* (*aussi fig*) maquillar; (*passeport*) falsificar; **se maquiller** *vpr* maquillarse.

maquilleur, -euse [makijœʀ, øz] *nm/f* maquillador(a).

maquis [maki] *nm* (*GÉO*) monte *m* bajo; (*fig*) embrollo; (*MIL*) maquis *m inv*.

maquisard, e [makizaʀ, d] *nm/f* maquis *m/f inv*.

marabout [maʀabu] *nm* marabú *m*.

maraîchage [maʀeʃaʒ] *nm* cultivos *mpl* de huerta.

maraîcher, -ère [maʀeʃe, ɛʀ] *adj*: **cultures maraîchères** cultivos *mpl* de huerta ♦ *nm/f* hortelano(-a).

marais [maʀɛ] *nm* pantano; ► **marais salant** salina.

marasme [maʀasm] *nm* marasmo.

marathon [maʀatɔ̃] *nm* maratón *m*.

marâtre [maʀɑtʀ] *nf* madrastra.

maraude [maʀod] *nf* (*vol*) ratería; (*vagabondage*) merodeo; **en** ~ **de** ronda; (*taxi*) en busca de clientes.

maraudeur, -euse [maʀodœʀ, øz] *nm/f* ratero(-a).

marbre [maʀbʀ] *nm* mármol *m*; (*TYPO*) platina; **rester de** ~ quedarse de piedra.

marbrer [maʀbʀe] *vt* jaspear; (*peau*) amoratar.

marbrerie [maʀbʀəʀi] *nf* marmolería.

marbrier [maʀbʀije] *nm* marmolista *m*.

marbrière [maʀbʀijɛʀ] *nf* cantera de mármol.

marbrures [maʀbʀyʀ] *nfpl* moraduras *fpl*.

marc [maʀ] *nm* (*de raisin, pommes*) orujo; ▶ **marc de café** poso de café.

marcassin [maʀkasɛ̃] *nm* jabato.

marchand, e [maʀʃɑ̃, ɑ̃d] *nm/f* comerciante *m/f*; (*au marché*) vendedor(a) ◆ *adj*: **prix** ~ precio de coste; **valeur** ~**e** valor *m* comercial; **qualité** ~**e** calidad *f* corriente; ▶ **marchand au détail/en gros** vendedor minorista/mayorista; ▶ **marchand de biens** corredor *m* de fincas; ▶ **marchand de canons** (*péj*) traficante *m* de armas; ▶ **marchand de charbon/de cycles** vendedor de carbón/de bicicletas; ▶ **marchand de couleurs** droguero(-a); ▶ **marchand de fruits** frutero(-a); ▶ **marchand de journaux** vendedor de periódicos; ▶ **marchand de légumes** verdulero(-a); ▶ **marchand de poisson** pescadero(-a); ▶ **marchand de sable** (*fig*) genio fabuloso que duerme a los niños; ▶ **marchand de tableaux** marchante *m/f*; ▶ **marchand de tapis** vendedor de alfombras; ▶ **marchand de vins** vinatero(-a); ▶ **marchand des quatre saisons** vendedor ambulante de frutas y verduras.

marchandage [maʀʃɑ̃daʒ] *nm* regateo; (*péj: électoral*) negociaciones *fpl*.

marchander [maʀʃɑ̃de] *vt, vi* regatear.

marchandise [maʀʃɑ̃diz] *nf* mercancía.

marchant, e [maʀʃɑ̃, ɑ̃t] *adj*: **aile** ~**e** (*d'un parti*) ala activa.

marche [maʀʃ] *nf* marcha; (*d'escalier*) escalón *m*; (*allure, démarche*) paso; (*du temps, progrès*) curso; **ouvrir/fermer la** ~ abrir/cerrar la marcha; **à une heure de** ~ a una hora de camino; **dans le sens de la** ~ (*RAIL*) en el sentido de la marcha; **monter/prendre en** ~ subir/coger en marcha; **mettre en** ~ poner en marcha; **remettre qch en** ~ arreglar algo; **se mettre en** ~ ponerse en marcha; ▶ **marche à suivre** pasos *mpl* a seguir; (*sur notice*) método; ▶ **marche arrière** (*AUTO*) marcha atrás; **faire** ~ **arrière** (*AUTO*) dar marcha atrás.

marché [maʀʃe] *nm* mercado; (*accord, affaire*) trato; **par dessus le** ~ por añadidura; **faire son** ~ ir a la compra; **mettre le** ~ **en main à qn** obligar a algn a tomar una decisión; ▶ **marché à terme/au comptant** (*BOURSE*) operación *f* a plazo/al contado; ▶ **marché aux fleurs** mercado de flores; ▶ **marché aux puces** rastro, mercadillo; ▶ **Marché commun** Mercado Común; ▶ **marché du travail** mercado de trabajo; ▶ **marché noir** mercado negro.

marchepied [maʀʃəpje] *nm* (*RAIL*) estribo; (*fig*) trampolín *m*.

marcher [maʀʃe] *vi* andar; (*se promener*) caminar; (*MIL, affaires*) marchar; (*fonctionner*) funcionar; (*fam: croire naïvement*) tragar; **d'accord, je marche** (*fam*) bueno, me parece bien; ~ **sur** caminar por; (*mettre le pied sur*) pisar; (*MIL*) avanzar hacia; ~ **dans** (*herbe etc*) caminar por; (*flaque*) meterse en; **faire** ~ **qn** (*pour rire*) tomar el pelo a algn; (*pour tromper*) engañar a algn.

marcheur, -euse [maʀʃœʀ, øz] *nm/f* andarín(-ina).

marcotte [maʀkɔt] *nf* acodo.

marcotter [maʀkɔte] *vt* acodar.

mardi [maʀdi] *nm* martes *m inv*; ▶ **Mardi gras** martes de Carnaval; *voir aussi* **lundi**.

mare [maʀ] *nf* charco; ▶ **mare de sang** charco de sangre.

marécage [maʀekaʒ] *nm* ciénaga.

marécageux, -euse [maʀekaʒø, øz] *adj* cenagoso(-a).

maréchal, -aux [maʀeʃal, o] *nm* mariscal *m*; ▶ **maréchal des logis** sargento.

maréchal-ferrant [maʀeʃalfeʀɑ̃] (*pl* **maréchaux-ferrants**) *nm* herrador *m*.

maréchaussée [maʀeʃose] *nf* (*hum*) gendarmería.

marée [maʀe] *nf* marea; (*poissons*) pescado fresco; **contre vents et** ~**s** (*fig*) contra viento y marea; ▶ **marée basse/haute** marea baja/alta; ▶ **marée d'équinoxe** marea de equinoccio; ▶ **marée humaine** marea humana; ▶ **marée montante/descendante** flujo/reflujo; ▶ **marée noire** marea negra.

marelle [maʀɛl] *nf* rayuela.

marémotrice [maʀemɔtʀis] *adj*: **usine/énergie** ~ fábrica/energía maremotriz.

mareyeur, -euse [maʀɛjœʀ, øz] *nm/f* marisquero(-a).

margarine [maʀgaʀin] *nf* margarina.

marge [maʀʒ] *nf* margen *m*; **en** ~ **(de)** al margen (de); ▶ **marge bénéficiaire** (*COMM*) margen de beneficios; ▶ **marge de fluctuation** banda de fluctuación; ▶ **marge d'erreur/de sécurité** margen de error/de seguridad.

margelle [maʀʒɛl] *nf* brocal *m*.

margeur [maʀʒœʀ] *nm* marginador *m*.

marginal, e, -aux [maʀʒinal, o] *adj* marginal ◆ *nm/f* persona marginal.

marguerite [maʀgəʀit] *nf* margarita.

marguillier [maʀgije] *nm* mayordomo de una parroquia.

mari [maʀi] *nm* marido.

mariage [maʀjaʒ] *nm* matrimonio; (*noce*) boda; (*fig: de mots, couleurs*) combinación *f*; ▶ **mariage blanc** matrimonio no consumado; ▶ **mariage civil/religieux** matrimonio civil/religioso; ▶ **mariage**

d'amour/d'intérêt/de raison matrimonio por amor/por interés/de conveniencia.

marié, e [maʀje] *adj* casado(-a) ♦ *nm/f* novio(-a); **les ~s** los novios; **les (jeunes) ~s** los (recién) casados.

marier [maʀje] *vt* casar; (*fig: couleur*) combinar; **se marier** *vpr* casarse; **se ~ (avec)** casarse (con); (*fig*) casar (con).

marijuana [maʀiʒwana] *nf* marihuana, marijuana.

marin, e [maʀɛ̃, in] *adj* marino(-a); (*carte, lunette*) náutico(-a) ♦ *nm* marino; (*matelot*) marinero; avoir le pied ~ no marearse en los barcos.

marina [maʀina] *nf* puerto deportivo.

marinade [maʀinad] *nf* escabeche *m*.

marine [maʀin] *adj f voir* **marin** ♦ *nf* (*aussi* ART) marina; (*couleur*) azul marino ♦ *adj inv* azul marino ♦ *nm* marine *m*, soldado de infantería de marina; ▶ **marine à voiles** marina de vela; ▶ **marine marchande/de guerre** marina mercante/de guerra.

mariner [maʀine] *vt, vi* escabechar; **faire ~ qn** (*fam*) tener a algn plantado.

marinier [maʀinje] *nm* marinero.

marinière [maʀinjɛʀ] *nf* blusa marinera ♦ *adj inv:* **moules ~** mejillones *mpl* a la marinera.

marionnette [maʀjɔnɛt] *nf* (*aussi péj*) marioneta; **~s** *nfpl* (*spectacle*) marionetas *fpl*.

marital, e, -aux [maʀital, o] *adj:* **autorisation ~e** autorización *f* marital.

maritalement [maʀitalmɑ̃] *adv* maritalmente.

maritime [maʀitim] *adj* marítimo(-a).

marjolaine [maʀʒɔlɛn] *nf* mejorana.

mark [maʀk] *nm* marco.

marketing [maʀketiŋ] *nm* (*COMM*) márketing *m*, márquetin *m*; **faire du ~** hacer márketing.

marmaille [maʀmɑj] (*péj*) *nf* pandilla.

marmelade [maʀməlad] *nf* mermelada; **en ~** (*fig*) hecho(-a) migas; ▶ **marmelade d'oranges** mermelada de naranja.

marmite [maʀmit] *nf* (*récipient*) marmita; (*contenu*) cocido.

marmiton [maʀmitɔ̃] *nm* pinche *m*, marmitón *m*.

marmonner [maʀmɔne] *vt* mascullar.

marmot [maʀmo] (*fam*) *nm* renacuajo.

marmotte [maʀmɔt] *nf* marmota.

marmotter [maʀmɔte] *vt* mascullar.

marne [maʀn] *nf* marga.

Maroc [maʀɔk] *nm* Marruecos *msg*.

marocain, e [maʀɔkɛ̃, ɛn] *adj* marroquí ♦ *nm/f:* **M~, e** marroquí *m/f*.

maroquin [maʀɔkɛ̃] *nm* (*peau*) tafilete *m*; (*fig*) cartera de ministro.

maroquinerie [maʀɔkinʀi] *nf* marroquinería.

maroquinier [maʀɔkinje] *nm* marroquinero(-a).

marotte [maʀɔt] *nf* manía.

marquage [maʀkaʒ] *nm* marcado.

marquant, e [maʀkɑ̃, ɑ̃t] *adj* destacado(-a); (*personnalité*) especial.

marque [maʀk] *nf* marca; (*d'une fonction, d'un grade*) distintivo; ~ **du pluriel** (*LING*) terminación *f* de plural; **à vos ~s!** (*SPORT*) ¡preparados!; **quelle est la ~?** ¿cómo van?; ~ **d'affection/de joie** demostración *f* de afecto/de alegría; **de ~** *adj* (*COMM: produit*) de marca; (*fig*) destacado(-a); ▶ **marque de fabrique** marca de fábrica; ▶ **marque déposée** marca registrada.

marqué, e [maʀke] *adj* marcado(-a); (*visage*) envejecido(-a); (*taille*) acentuado(-a); **il n'y a rien de ~** no hay nada anotado.

marquer [maʀke] *vt* marcar; (*inscrire*) anotar; (*frontières*) señalar; (*suj: chose: laisser une trace sur*) dejar una marca en; (*endommager*) afectar; (*fig: impressionner*) impresionar; (*assentiment, refus*) manifestar ♦ *vi* dejar marca; (*SPORT*) marcar; ~ **qch de/par** señalar algo con; ~ **qn de son influence** influir en algn; ~ **qn de son empreinte** dejar su impronta en algn; ~ **un temps d'arrêt** hacer una pausa; ~ **le pas** (*fig*) marcar el paso; ~ **d'une pierre blanche** señalar con una piedra blanca; ~ **les points** apuntar los tantos.

marqueté, e [maʀkəte] *adj* taraceado(-a).

marqueterie [maʀkɛtʀi] *nf* marquetería.

marqueur, -euse [maʀkœʀ, øz] *nm/f* (*SPORT*) goleador(a) ♦ *nm* rotulador *m*.

marquis, e [maʀki, iz] *nm/f* marqués(-esa).

marquise [maʀkiz] *nf* (*auvent*) marquesina.

Marquises [maʀkiz] *nfpl:* **les (îles) ~** las (islas) Marquesas.

marraine [maʀɛn] *nf* madrina.

Marrakech [maʀakɛʃ] *n* Marrakech.

marrant, e [maʀɑ̃, ɑ̃t] (*fam*) *adj* divertido(-a); **ce n'est pas ~** no tiene gracia.

marre [maʀ] (*fam*) *adv:* **en avoir ~ de** estar harto(-a) de.

marrer [maʀe]: **se ~** (*fam*) *vpr* desternillarse de risa.

marron, ne [maʀɔ̃, ɔn] *nm* (*aussi fam*) castaña ♦ *adj inv* (*couleur*) marrón *inv* ♦ *adj* (*péj*) clandestino(-a); (: *faux*) falso(-a); ▶ **marrons glacés** castañas *fpl* confitadas.

marronnier [maʀɔnje] *nm* castaño.

Mars [maʀs] *nm ou f* Marte *m*.

mars [maʀs] *nm* marzo; *voir aussi* **juillet**.

marseillais, e [marsɛjɛ, ɛz] *adj* marsellés(-esa) ◊ *nm/f*: **M~**, **e** marsellés(-esa).
Marseille [marsɛj] *n* Marsella.
marsouin [marswɛ̃] *nm* marsopa.
marsupiaux [marsypjo] *nmpl* marsupiales *mpl*.
marteau [marto] *nm* martillo; (*de porte*) aldaba; ▶ **marteau pneumatique** martillo neumático.
marteau-pilon [martopilɔ̃] (*pl* ~x-~s) *nm* martillo pilón.
marteau-piqueur [martopikœr] (*pl* ~x-~s) *nm* martillo neumático.
martel [martɛl] *nm*: **se mettre ~ en tête** quemarse la sangre.
martèlement [martɛlmɑ̃] *nm* martilleo.
marteler [martəle] *vt* martillear; (*mots, phrases*) recalcar.
martial, e, -aux [marsjal, jo] *adj* marcial; **arts martiaux** artes *fpl* marciales; **cour ~e** tribunal *m* militar; **loi ~e** ley *f* marcial.
martien, ne [marsjɛ̃, jɛn] *adj* marciano (-a).
martinet [martinɛ] *nm* (*fouet*) disciplinas *fpl*; (*ZOOL*) vencejo.
martingale [martɛ̃gal] *nf* (*COUTURE*) trabilla; (*JEU*) martingala.
martiniquais, e [martinikɛ, ɛz] *adj* martiniqués(-esa) ◊ *nm/f*: **M~**, **e** martiniqués(-esa).
Martinique [martinik] *nf* Martinica.
martin-pêcheur [martɛ̃pɛʃœr] (*pl* ~s-~s) *nm* martín *m* pescador.
martre [martr] *nf* marta; ▶ **martre zibeline** marta cibelina.
martyr, e [martir] *nm/f* mártir *m/f* ◊ *adj* mártir; **enfants ~s** niños *mpl* mártires.
martyre [martir] *nm* (*aussi fig*) martirio; **souffrir le ~** pasar un martirio.
martyriser [martirize] *vt* martirizar.
marxisme [marksism] *nm* marxismo.
marxiste [marksist] *adj*, *nm/f* marxista *m/f*.
mas [mɑ(s)] *nm* masía.
mascara [maskara] *nm* rímel *m*.
mascarade [maskarad] *nf* mascarada.
mascotte [maskɔt] *nf* mascota.
masculin, e [maskylɛ̃, in] *adj* masculino (-a) ◊ *nm* masculino.
masochisme [mazɔʃism] *nm* masoquismo.
masochiste [mazɔʃist] *adj*, *nm/f* masoquista *m/f*.
masque [mask] *nm* (*aussi fig*) máscara; (*d'escrime, de soudeur*) careta; (*MÉD: pour endormir*) mascarilla; ▶ **masque à gaz** máscara de gas, careta antigás *inv*; ▶ **masque à oxygène** máscara de oxígeno; ▶ **masque de beauté** mascarilla de belleza; ▶ **masque de plongée** gafas *fpl* de bucear.

masqué, e [maske] *adj* enmascarado(-a); **bal ~** baile *m* de disfraces.
masquer [maske] *vt* ocultar; (*goût, odeur*) disimular.
massacrant, e [masakrɑ̃, ɑ̃t] *adj*: **être d'une humeur ~e** estar de un humor insoportable.
massacre [masakr] *nm* matanza; **jeu de ~** (*à la foire*) pim pam pum *m*; (*fig*) destrozo.
massacrer [masakre] *vt* matar, exterminar; (*fig*) destrozar.
massage [masaʒ] *nm* masaje *m*.
masse [mas] *nf* masa; (*de cailloux, documents, mots*) montón *m*; (*d'un édifice, navire*) mole *f*; (*maillet*) maza; **la ~** (*péj: peuple*) la masa; **les ~s laborieuses/paysannes** las masas trabajadoras/campesinas; **la grande ~ des ...** la gran masa de ...; **une ~ de, des ~s de** (*fam*) un montón de, montones de; **en ~** juntos (-as); (*plus nombreux*) en masa; ▶ **masse monétaire/salariale** (*FIN*) masa monetaria/salarial.
massepain [maspɛ̃] *nm* mazapán *m*.
masser [mase] *vt* concentrar; (*personne, jambe*) dar masaje a; **se masser** *vpr* concentrarse.
masseur, -euse [masœr, øz] *nm/f* masajista *m/f* ◊ *nm* (*appareil*) vibrador *m*.
massicot [masiko] *nm* (*TYPO*) guillotina.
massif, -ive [masif, iv] *adj* (*porte, silhouette, or*) macizo(-a); (*dose, déportations*) masivo(-a) ◊ *nm* macizo.
massivement [masivmɑ̃] *adv* masivamente.
mass média [masmedja] *nmpl* mass media *mpl*, medios *mpl* de comunicación.
massue [masy] *nf* maza; **argument ~** argumento contundente.
mastic [mastik] *nm* masilla.
masticage [mastikaʒ] *nm* enmasillado.
mastication [mastikasjɔ̃] *nf* masticación *f*.
mastiquer [mastike] *vt* masticar; (*fente, vitre*) enmasillar.
mastoc [mastɔk] *adj inv*: **c'est un type/édifice ~** ese tío/ese edificio es un mazacote *ou* una mole.
mastodonte [mastodɔ̃t] *nm* mastodonte *m*.
masturbation [mastyrbasjɔ̃] *nf* masturbación *f*.
masturber [mastyrbe] *vt*: **se ~** masturbarse.
m'as-tu-vu [matyvy] *nm/f inv* presumido (-a).
masure [mɑzyr] *nf* chabola.
mat, e [mat] *adj* mate *inv*; (*son*) sordo(-a); **être ~** (*ÉCHECS*) ser mate.
mât [mɑ] *nm* (*NAUT*) mástil *m*; (*poteau*) poste *m*.

matamore [matamɔʀ] *nm* matamoros *m inv*.

match [matʃ] *nm* partido; ▶ **match aller/ retour** partido de ida/de vuelta; ▶ **match nul** empate *m*; **faire ~ nul** empatar.

matelas [mat(ə)la] *nm* colchón *m*; ▶ **matelas à ressorts** colchón de muelles; ▶ **matelas pneumatique** colchón de aire.

matelasser [mat(ə)lase] *vt* (*fauteuil*) rellenar; (*manteau*) acolchar.

matelassier, -ière [mat(ə)lasje, jɛʀ] *nm/f* colchonero(-a).

matelot [mat(ə)lo] *nm* marinero.

mater [mate] *vt* (*personne*) someter; (*révolte*) dominar; (*fam*) controlar.

matérialisation [mateʀjalizasjɔ̃] *nf* materialización *f*.

matérialiser [mateʀjalize] *vt* materializar; **se matérialiser** *vpr* materializarse.

matérialisme [mateʀjalism] *nm* materialismo.

matérialiste [mateʀjalist] *adj, nm/f* materialista *m/f*.

matériau [mateʀjo] *nm* material *m*; **~x** *nmpl* (*documents*) material *msg*; ▶ **matériaux de construction** materiales *mpl* de construcción.

matériel, le [mateʀjɛl] *adj* material ♦ *nm* material *m*; (*de camping*) equipo; (*de pêche*) aparejos *mpl*; (*INFORM*) soporte *m* físico; **il n'a pas le temps ~ de le faire** no tiene tiempo material para hacerlo; ▶ **matériel d'exploitation** (*COMM*) material de explotación; ▶ **matériel roulant** (*RAIL*) material móvil.

matériellement [mateʀjɛlmɑ̃] *adv* materialmente; **c'est ~ impossible** es materialmente imposible.

maternel, le [matɛʀnɛl] *adj* (*amour*) maternal; (*par filiation: grand-père*) materno(-a).

maternelle [matɛʀnɛl] *nf* (*aussi*: **école ~**) escuela de párvulos.

materner [matɛʀne] *vt* maternizar.

maternisé, e [matɛʀnize] *adj*: **lait ~** leche *f* maternizada.

maternité [matɛʀnite] *nf* maternidad *f*.

math [mat] *nfpl* = **maths**.

mathématicien, ne [matematisjɛ̃, jɛn] *nm/f* matemático(-a).

mathématique [matematik] *adj* matemático(-a); **~s** *nfpl* matemáticas *fpl*; ▶ **mathématiques modernes** matemáticas modernas.

matheux, -euse [matø, øz] (*fam*) *nm/f* matemático(-a).

maths [mat] *nfpl* matemáticas *fpl*, mates *fpl* (*fam*).

matière [matjɛʀ] *nf* (*PHYS*) materia; (*COMM, TECH*) material *m*; (*d'un livre etc*) tema *m*; (*SCOL*) asignatura; **en ~ de** en materia de; (*en ce qui concerne*) en cuanto a; **donner ~ à** dar motivo de; ▶ **matière plastique** plástico; ▶ **matières fécales** heces *fpl*; ▶ **matières grasses** grasas *fpl*; ▶ **matières premières** materias primas.

MATIF [matif] *sigle m* (= *Marché à terme des instruments financiers*) organismo que regula las operaciones a término en la Bolsa.

Matignon [matiɲɔ̃] *n* residencia del primer ministro francés.

matin [matɛ̃] *nm* mañana; **le ~** por la mañana; **dimanche ~** el domingo por la mañana; **jusqu'au ~** hasta la mañana; **le lendemain ~** a la mañana siguiente; **hier/ demain ~** ayer/mañana por la mañana; **du ~ au soir** de la mañana a la noche; **une heure du ~** la una de la mañana; **à demain ~!** ¡hasta mañana por la mañana!; **un beau ~** un día de éstos; **de grand** *ou* **bon ~** de madrugada; **tous les dimanches ~s** todos los domingos por la mañana.

matinal, e, -aux [matinal, o] *adj* (*toilette, gymnastique*) matutino(-a), matinal; (*de bonne heure*) tempranero(-a); **être ~** (*personne*) ser madrugador(a).

mâtiné, e [matine] *adj* cruzado(-a).

matinée [matine] *nf* mañana; (*réunion*) sesión *f* de la tarde; (*spectacle*) función *f* de tarde, vermú *m* (*AM*); **en ~** por la tarde.

matois, e [matwa, waz] *adj* astuto(-a).

matou [matu] *nm* gato.

matraquage [matʀakaʒ] *nm* aporreamiento; ▶ **matraquage publicitaire** bombardeo publicitario.

matraque [matʀak] *nf* (*de malfaiteur*) cachiporra; (*de policier*) porra.

matraquer [matʀake] *vt* aporrear; (*fig*: *touristes etc*) clavar; (: *disque*) poner una y otra vez.

matriarcal, e, -aux [matʀijaʀkal, o] *adj* matriarcal.

matrice [matʀis] *nf* (*ANAT, MATH*) matriz *f*; (*TECH*) molde *m*.

matricule [matʀikyl] *nf* matrícula ♦ *nm* (*MIL*) número de registro; (*ADMIN*) registro.

matrimonial, e, -aux [matʀimɔnjal, jo] *adj* matrimonial.

matrone [matʀɔn] *nf* matrona.

mature [matyʀ] *adj* maduro(-a).

mâture [matyʀ] *nf* (*NAUT*) arboladura.

maturité [matyʀite] *nf* (*d'une personne*) madurez *f*; (*d'un fruit*) sazón *f*.

maudire [modiʀ] *vt* maldecir.
maudit, e [modi, it] *adj* maldito(-a).
maugréer [mogʀee] *vi* refunfuñar.
mauresque [mɔʀɛsk] *adj* moro(-a); (*ART*) árabe.
Maurice [mɔʀis] *nf*: **(l'île)** ~ (isla) Mauricio.
mauricien, ne [mɔʀisjɛ̃, jɛn] *adj* de (isla) Mauricio ♦ *nm/f*: **M~, ne** nativo(-a) *ou* habitante *m/f* de (isla) Mauricio.
Mauritanie [mɔʀitani] *nf* Mauritania.
mauritanien, ne [mɔʀitanjɛ̃, jɛn] *adj* mauritano(-a) ♦ *nm/f*: **M~, ne** mauritano(-a).
mausolée [mozɔle] *nm* mausoleo.
maussade [mosad] *adj* (*personne*) malhumorado(-a); (*ciel, temps*) desapacible.
mauvais, e [movɛ, ɛz] *adj* malo(-a); (*placé avant le nom*) mal; (*rire*) perverso(-a) ♦ *nm*: **le** ~ lo malo ♦ *adv*: **il fait** ~ hace malo; **sentir** ~ oler mal; **la mer est ~e** el mar está agitado; ► **mauvais coucheur** persona con malas pulgas; ► **mauvais coup** (*fig*) golpe *m*; ► **mauvais garçon** delincuente *m*; ► **mauvais joueur** mal jugador *m*; ► **mauvais pas** mal paso; ► **mauvais payeur** moroso; ► **mauvais plaisant** gracioso; ► **mauvais traitements** malos tratos *mpl*; ► **mauvaise herbe** mala hierba; ► **mauvaise langue** lengua viperina; ► **mauvaise passe** aprieto; (*période*) mala racha; ► **mauvaise tête** terco(-a).
mauve [mov] *nm* malva ♦ *adj* malva *inv*.
mauviette [movjɛt] *nf* (*péj*) *nf* alfeñique *m/f*.
maux [mo] *nmpl voir* **mal**.
max. [maks] *abr* (= *maximum*) max (= *máximo*).
maximal, e, -aux [maksimal, o] *adj* máximo(-a).
maxime [maksim] *nf* máxima.
maximum [maksimɔm] *adj* máximo(-a) ♦ *nm* máximo; **le** ~ **de chances** el máximo de posibilidades; **atteindre un/son** ~ alcanzar un/su máximo; **au** ~ *adv* (*le plus possible*) al máximo; (*tout au plus*) como máximo.
mayonnaise [majɔnɛz] *nf* mayonesa.
Mayotte [majɔt] *nf* isla Mayotte.
mazout [mazut] *nm* fuel-oil *m*; **chaudière/ poêle à** ~ caldera/estufa de fuel-oil.
mazouté, e [mazute] *adj* lleno(-a) de petróleo.
MDM [ɛmdeɛm] *sigle mpl* = *Médecins du monde*.
M(e) *abr* = **maître**.
me [mə] *pron* me; **il m'a donné un livre** me ha dado un libro.
méandres [meɑ̃dʀ] *nmpl* meandros *mpl*;

(*de la politique, pensée*) subterfugios *mpl*.
mec [mɛk] (*fam*) *nm* tío.
mécanicien, ne [mekanisjɛ̃, jɛn] *nm/f* mecánico(-a); (*RAIL*) maquinista *m/f*; ► **mécanicien de bord** *ou* **navigant** (*AVIAT*) mecánico(-a) de vuelo.
mécanicien-dentiste [mekanisjɛ̃dɑ̃tist] (*pl* ~**s**-~**s**) *nm* mecánico dentista.
mécanicienne-dentiste [mekanisjɛn-] (*pl* ~**s**-~**s**) *nf* mecánica dentista.
mécanique [mekanik] *adj* mecánico(-a) ♦ *nf* mecánica; (*mécanisme*) mecanismo; **s'y connaître en** ~ saber de mecánica; **ennui** ~ problema *m* mecánico; ► **mécanique hydraulique/ondulatoire** mecánica hidráulica/ondulatoria.
mécaniquement [mekanikmɑ̃] *adv* mecánicamente.
mécanisation [mekanizasjɔ̃] *nf* mecanización *f*.
mécaniser [mekanize] *vt* mecanizar.
mécanisme [mekanism] *nm* mecanismo.
mécano [mekano] (*fam*) *nm* mecánico.
mécanographe [mekanɔgʀaf] *nm/f* mecanógrafo(-a).
mécanographie [mekanɔgʀafi] *nf* mecanografía.
mécanographique [mekanɔgʀafik] *adj* mecanográfico(-a).
mécène [mesɛn] *nm* mecenas *m/f inv*.
méchamment [meʃamɑ̃] *adv* cruelmente.
méchanceté [meʃɑ̃ste] *nf* maldad *f*, malicia.
méchant, e [meʃɑ̃, ɑ̃t] *adj* (*personne*) malvado(-a); (*sourire*) malicioso(-a); (*enfant*) travieso(-a), revoltoso(-a); (*animal*) malo(-a); (*avant le nom: affaire, humeur*) mal; (: *intensif*) malísimo(-a).
mèche [mɛʃ] *nf* mecha; (*de fouet*) tralla; (*de cheveux: coupés*) mechón *m*; (: *d'une autre couleur*) mecha; **se faire faire des** ~**s** (*chez le coiffeur*) hacerse mechas; **vendre la** ~ irse de la lengua; **être de** ~ **avec qn** estar conchabado(-a) con algn.
méchoui [meʃwi] *nm* cordero asado.
mécompte [mekɔ̃t] *nm* (*erreur de calcul*) error *m* de cálculo; (*désillusion*) desengaño.
méconnais [mekɔnɛ] *vb voir* **méconnaître**.
méconnaissable [mekɔnɛsabl] *adj* irreconocible.
méconnaissais [mekɔnɛsɛ] *vb voir* **méconnaître**.
méconnaissance [mekɔnɛsɑ̃s] *nf* desconocimiento.
méconnaître [mekɔnɛtʀ] *vt* (*ignorer*) desconocer; (*méjuger*) infravalorar.
méconnu, e [mekɔny] *pp de* **méconnaître** ♦ *adj* (*génie etc*) infravalorado(-a).
mécontent, e [mekɔ̃tɑ̃, ɑ̃t] *adj*: ~ **(de)**

descontento(-a) (con); (*contrarié*) disgustado(-a) ♦ *nm* descontento.

mécontentement [mekɔ̃tɑ̃tmɑ̃] *nm* descontento.

mécontenter [mekɔ̃tɑ̃te] *vt* disgustar.

Mecque [mɛk] *nf*: **la ~** la Meca.

mécréant, e [mekRɑ̃, ɑ̃t] *adj* (*peuple*) infiel; (*personne*) descreído(-a).

médaille [medaj] *nf* medalla.

médaillé, e [medaje] *nm/f* medallista *m/f*.

médaillon [medajɔ̃] *nm* medallón *m*; **en ~** *adj* (*carte etc*) en forma de medallón.

médecin [med(ə)sɛ̃] *nm* médico(-a); ► **médecin de famille/du bord** médico de familia/de a bordo; ► **médecin généraliste/légiste/traitant** médico general/forense/de cabecera.

médecine [med(ə)sin] *nf* medicina; ► **médecine du travail/générale/infantile** medicina laboral/general/infantil; ► **médecine légale/préventive** medicina legal/preventiva.

médian, e [medjɑ̃, jan] *adj* mediano(-a).

médias [medja] *nmpl*: **les ~** los medios de comunicación, los media.

médiateur, -trice [medjatœR, tRis] *nm/f* mediador(a) ♦ *nm* juez *m* árbitro.

médiathèque [medjatɛk] *nf* mediateca.

médiation [medjasjɔ̃] *nf* mediación *f*; **la ~ de l'O.N.U.** la mediación de la O.N.U.

médiatique [medjatik] *adj* de *ou* en los medios de comunicación.

médiator [medjatɔR] *nm* púa.

médical, e, -aux [medikal, o] *adj* médico(-a).

médicalement [medikalmɑ̃] *adv* desde el punto de vista médico.

médicament [medikamɑ̃] *nm* medicamento.

médicamenteux, -euse [medikamɑ̃tø, øz] *adj* medicamentoso(-a).

médication [medikasjɔ̃] *nf* medicación *f*.

médicinal, e, -aux [medisinal, o] *adj* medicinal.

médico-légal, e, -aux [medikɔlegal, o] *adj* médico-forense.

médico-social, e, -aux [medikɔsɔsjal, o] *adj* médico-social.

médiéval, e, -aux [medjeval, o] *adj* medieval.

médiocre [medjɔkR] *adj* mediocre.

médiocrité [medjɔkRite] *nf* mediocridad *f*.

médire [mediR]: **~ de** *vt* hablar mal de.

médisance [medizɑ̃s] *nf* maledicencia.

médisant, e [medizɑ̃, ɑ̃t] *vb voir* **médire** ♦ *adj* maldiciente.

médit [medi] *pp de* **médire**.

méditatif, -ive [meditatif, iv] *adj* meditativo(-a).

méditation [meditasjɔ̃] *nf* meditación *f*; **se**

livrer à de longues ~s entregarse a largas meditaciones; **entrer en ~** empezar a meditar.

méditer [medite] *vt* meditar; (*préparer*) planear ♦ *vi* (*réfléchir*) meditar; **~ de faire qch** planear hacer algo; **~ sur qch** meditar sobre algo.

Méditerranée [mediteRane] *nf*: **la (mer) ~** el (mar) Mediterráneo.

méditerranéen, ne [mediteRaneɛ̃, ɛn] *adj* mediterráneo(-a) ♦ *nm/f*: **M~, ne** mediterráneo(-a).

médium [medjɔm] *nm* médium *m*.

médius [medjys] *nm* (dedo) medio, (dedo) corazón *m*.

méduse [medyz] *nf* medusa.

méduser [medyze] *vt* asombrar, dejar estupefacto.

meeting [mitiŋ] *nm* mitin *m*; ► **meeting aérien** exhibición *f* aérea.

méfait [mefɛ] *nm* (*faute*) fechoría; **~s** *nmpl* (*ravages*) daños *mpl*.

méfiance [mefjɑ̃s] *nf* desconfianza, recelo.

méfiant, e [mefjɑ̃, jɑ̃t] *adj* desconfiado(-a), receloso(-a).

méfier [mefje]: **se ~** *vpr* desconfiar; **se ~ de** desconfiar de; (*faire attention*) tener cuidado con.

mégahertz [megaɛRts] *nm* megahercio.

mégalomane [megalɔman] *adj* megalómano(-a).

mégalomanie [megalɔmani] *nf* megalomanía.

mégalopole [megalɔpɔl] *nf* megalópolis *f inv*.

méga-octet [megaɔktɛ] *nm* megabyte *m*.

mégarde [megaRd] *nf*: **par ~** por descuido; (*par erreur*) por equivocación.

mégatonne [megatɔn] *nf* megatón *m*.

mégawatt [megawat] *nm* megavatio.

mégère [meʒɛR] (*péj*) *nf* arpía, bruja.

mégot [mego] *nm* colilla.

mégoter [megote] (*fam*) *vi* racanear.

meilleur, e [mɛjœR] *adj* mejor; (*superlatif*): **le ~ (de)** (*personne*) el mejor (de); (*chose*) lo mejor (de) ♦ *adv* mejor ♦ *nm*: **le ~** (*personne*) el mejor; (*chose*) lo mejor ♦ *nf*: **la ~e** la mejor; **les deux** el mejor de los dos; **c'est la ~e!** ¡es el colmo!; **de ~e heure** más temprano; ► **meilleur marché** más barato.

méjuger [meʒyʒe] *vt* juzgar mal.

mélancolie [melɑ̃kɔli] *nf* melancolía.

mélancolique [melɑ̃kɔlik] *adj* melancólico(-a).

mélange [melɑ̃ʒ] *nm* mezcla; **sans ~** (*pur*) sin mezcla; (*parfait*) perfecto(-a).

mélangé, e [melɑ̃ʒe] *adj* (*laine*) con mezcla; (*fig*: *sentiments*) confuso(-a).

mélanger [melɑ̃ʒe] *vt* mezclar; (*mettre en*

désordre) mezclar, desordenar; (*confondre*): **vous mélangez tout!** ¡usted lo mezcla *ou* confunde todo!; **se mélanger** *vpr* mezclarse.

mélanine [melanin] *nf* melanina.

mélasse [melas] *nf* melaza.

mêlée [mele] *nf* (*bataille*) pelea, contienda; (*fig*) conflicto, lucha; (*RUGBY*) melé *f*.

mêler [mele] *vt* mezclar; (*thèmes*) reunir, juntar; (*brouiller*) enredar, revolver; **se mêler** *vpr* mezclarse; **se ~ à** mezclarse con; **se ~ de** entrometerse en; **~ qn à une affaire** implicar a algn en un asunto; **mêle-toi de tes affaires!** ¡métete en tus asuntos!

mélodie [melɔdi] *nf* melodía.

mélodieux, -euse [melɔdjø, jøz] *adj* melodioso(-a).

mélodique [melɔdik] *adj* melódico(-a).

mélodramatique [melɔdramatik] *adj* melodramático(-a).

mélodrame [melɔdram] *nm* melodrama *m*.

mélomane [melɔman] *nm/f* melómano(-a).

melon [m(ə)lɔ̃] *nm* melón *m*; (*aussi*: **chapeau ~**) sombrero hongo; ► **melon d'eau** sandía.

mélopée [melɔpe] *nf* melopea.

membrane [mɑ̃bran] *nf* membrana.

membre [mɑ̃br] *nm* (*aussi ANAT*) miembro; (*LING*): **~ de phrase** constituyente *m* de la frase ♦ *adj* miembro *inv*; **être ~ de** ser miembro de; ► **membre (viril)** miembro (viril).

═══════════════ *MOT-CLÉ*

même [mɛm] *adj* **1** (*avant le nom*) mismo(-a); **en même temps** al mismo tiempo; **ils ont les mêmes goûts** tienen los mismos gustos; **la même chose** lo mismo

2 (*après le nom*: *renforcement*): **il est la loyauté même** es la lealtad misma; **ce sont ses paroles mêmes** son sus mismas palabras

♦ *pron*: **le(la) même** el(la) mismo(-a)

♦ *adv* **1** (*renforcement*): **il n'a même pas pleuré** ni siquiera lloró; **même lui l'a dit** incluso él lo dijo; **ici même** aquí mismo

2: **à même: à même la bouteille** de la botella misma; **à même la peau** junto a la piel; **être à même de faire** estar en condiciones de hacer

3: **de même: faire de même** hacer lo mismo; **lui de même** también él; **de même que** lo mismo que; **de lui-même** por sí mismo; **il en va de même pour** lo mismo va para

4: **même si** *conj* aunque (+*subjonctif*).

mémé [meme] (*fam*) *nf* abuelita; (*vieille*

femme) viejecita.

mémento [memɛ̃to] *nm* (*agenda*) agenda; (*ouvrage*) compendio.

mémoire [memwar] *nf* memoria; (*souvenir*) recuerdo ♦ *nm* (*ADMIN, JUR, SCOL*) memoria; **~s** *nmpl* (*souvenirs*) memorias *fpl*; **avoir la ~ des visages/chiffres** tener memoria para las caras/los números; **n'avoir aucune ~** no tener nada de memoria; **avoir de la ~** tener memoria; **à la ~ de** en memoria de, en recuerdo de; **pour ~** *adv* a título de información; **de ~ d'homme** desde tiempo inmemorial; **de ~** *adv* de memoria; **mettre en ~** (*INFORM*) guardar en memoria; ► **mémoire morte/vive** memoria ROM/RAM; ► **mémoire non volatile** *ou* **rémanente** memoria no volátil.

mémorable [memɔrabl] *adj* memorable.

mémorandum [memɔrɑ̃dɔm] *nm* memorándum *m*; (*note*) nota.

mémorial, -aux [memɔrjal, jo] *nm* memorial *m*.

mémorialiste [memɔrjalist] *nm/f* memorialista *m/f*.

mémoriser [memɔrize] *vt* memorizar; (*INFORM*) almacenar.

menaçant, e [mənasɑ̃, ɑ̃t] *adj* amenazador(a).

menace [mənas] *nf* amenaza; ► **menace en l'air** amenaza vana.

menacer [mənase] *vt* amenazar; **~ qn de qch/de faire qch** amenazar a algn con algo/con hacer algo.

ménage [menaʒ] *nm* quehaceres *mpl* domésticos, limpieza; (*couple*) matrimonio; (*ADMIN, famille*) familia; **faire le ~** hacer la limpieza; **faire des ~s** trabajar de asistenta; **monter son ~** poner la casa; **se mettre en ~ (avec)** casarse (con); **heureux en ~** bien casado; **faire bon/mauvais ~ avec qn** hacer buenas/malas migas con algn; ► **ménage à trois** triángulo amoroso; ► **ménage de poupée** juego de batería de cocina de muñeca.

ménagement [menaʒmɑ̃] *nm* deferencia; **~s** *nmpl* (*égards*) miramientos *mpl*; **avec/sans ~** con/sin miramientos.

ménager¹ [menaʒe] *vt* (*personne*) tratar con deferencia; (*animal, adversaire*) tratar bien; (*monture*) no fatigar; (*vêtements*) tener cuidado con; (*entretien*) organizar; (*ouverture*) instalar; **se ménager** *vpr* cuidarse; **se ~ qch** procurarse algo; **~ qch à qn** tener algo guardado para algn.

ménager², -ère [menaʒe, ɛr] *adj* doméstico(-a); (*enseignement*) del hogar; (*eaux*) residual.

ménagère [menaʒɛr] *nf* ama de casa; (*ser-*

vice de couverts) estuche *m* de cubertería.

ménagerie [menaʒʀi] *nf (lieu)* jaulas *fpl* de fieras; (*animaux*) fieras *fpl.*

mendiant, e [mãdjã, jãt] *nm/f* mendigo(-a), pordiosero(-a) ♦ *nm* postre de almendras, higos, avellanas y uvas.

mendicité [mãdisite] *nf* (*ADMIN*): **être arrêté pour** ~ quedar detenido por mendicidad.

mendier [mãdje] *vt, vi* mendigar.

menées [məne] *nfpl* manejos *mpl*, tejemanejes *mpl.*

mener [m(ə)ne] *vt* dirigir; (*enquête, vie, affaire*) llevar ♦ *vi*: ~ (**à la marque**) (*SPORT*) estar a la *ou* ir en cabeza; ~ **à/dans/chez** (*emmener*) llevar a/en/a casa de; ~ **qch à bonne fin/à terme/à bien** llevar algo a buen fin/a término/a buen término; ~ **à rien/à tout** llevar *ou* conducir a nada/a todas partes.

meneur, -euse [mənœʀ, øz] *nm/f* dirigente *m/f*; (*péj: agitateur*) cabecilla *m/f*; ▶ **meneur d'hommes** líder *m* innato; ▶ **meneur de jeu** (*RADIO, TV*) animador(a).

menhir [meniʀ] *nm* menhir *m.*

méningite [menɛ̃ʒit] *nf* meningitis *f.*

ménisque [menisk] *nm* menisco.

ménopause [menopoz] *nf* menopausia.

menotte [mənɔt] *nf* (*langage enfantin*) manita; ~**s** *nfpl* esposas *fpl*; **passer les** ~**s à qn** poner las esposas a algn.

mens [mã] *vb voir* **mentir**.

mensonge [mãsɔ̃ʒ] *nm* mentira.

mensonger, -ère [mãsɔ̃ʒe, ɛʀ] *adj* falso (-a).

menstruation [mãstʀyasjɔ̃] *nf* menstruación *f.*

menstruel, le [mãstʀyɛl] *adj* menstrual.

mensualiser [mãsɥalize] *vt* (*salaire*) pagar mensualmente; (*ouvrier, salarié*) contratar por meses.

mensualité [mãsɥalite] *nf* mensualidad *f.*

mensuel, le [mãsɥɛl] *adj* mensual ♦ *nm/f* asalariado(-a) pagado(-a) mensualmente ♦ *nm* (*PRESSE*) publicación *f* mensual.

mensuellement [mãsɥɛlmã] *adv* mensualmente.

mensurations [mãsyʀasjɔ̃] *nfpl* medidas *fpl.*

mentais [mãtɛ] *vb voir* **mentir**.

mental, e, -aux [mãtal, o] *adj* mental.

mentalement [mãtalmã] *adv* mentalmente.

mentalité [mãtalite] *nf* mentalidad *f*; **quelle** ~**!** ¡qué mentalidad!

menteur, -euse [mãtœʀ, øz] *nm/f* mentiroso(-a), embustero(-a).

menthe [mãt] *nf* menta; ▶ **menthe (à l'eau)** menta (con agua).

mentholé, e [mãtɔle] *adj* mentolado(-a).

mention [mãsjɔ̃] *nf* mención *f*; (*SCOL, UNIV*): ~ **passable/assez bien/bien/très bien** aprobado/bien/notable/sobresaliente; **faire** ~ **de** hacer mención de; "**rayer la** ~ **inutile**" (*ADMIN*) "tache lo que no proceda".

mentionner [mãsjɔne] *vt* mencionar.

mentir [mãtiʀ] *vi* mentir; ~ **à qn** mentir a algn.

menton [mãtɔ̃] *nm* (*ANAT*) mentón *m*, barbilla; **double/triple** ~ papada.

mentonnière [mãtɔnjɛʀ] *nf* barboquejo.

menu, e [məny] *adj* menudo(-a); (*voix*) débil; (*frais*) módico(-a) ♦ *adv*: **couper/hacher** ~ cortar/picar en trocitos ♦ *nm* menú *m*; **par le** ~ (*raconter*) con todo detalle; ▶ **menue monnaie** dinero suelto.

menuet [mənɥɛ] *nm* minué *m.*

menuiserie [mənɥizʀi] *nf* carpintería; **plafond en** ~ artesonado.

menuisier [mənɥizje] *nm* carpintero.

méprendre [mepʀãdʀ]: **se** ~ *vpr* equivocarse, confundirse; **se** ~ **sur** confundirse en, equivocarse en; **à s'y** ~ hasta el punto de confundirse.

mépris [mepʀi] *pp de* **méprendre** ♦ *nm* desprecio, menosprecio; **au** ~ **de** a despecho de.

méprisable [mepʀizabl] *adj* despreciable.

méprisant, e [mepʀizã, ãt] *adj* despreciativo(-a).

méprise [mepʀiz] *nf* equivocación *f.*

mépriser [mepʀize] *vt* despreciar, menospreciar.

mer [mɛʀ] *nf* mar *m*; (*fig: vaste étendue*): ~ **de sable/de feu** mar de arena/de fuego; **en** ~ en el mar; **prendre la** ~ hacerse a la mar; **en haute/pleine** ~ en alta mar; **la** ~ **Adriatique** el mar Adriático; **la** ~ **des Antilles** *ou* **des Caraïbes** el mar de las Antillas *ou* del Caribe; **la** ~ **Baltique** el mar Báltico; **la** ~ **Caspienne** el mar Caspio; **la** ~ **de Corail** el mar del Coral; **la** ~ **Égée** el mar Egeo; ~ **fermée** mar interior; **la** ~ **Ionienne** el mar Jónico; **la** ~ **Morte** el mar Muerto; **la** ~ **Noire** el mar Negro; **la** ~ **du Nord** el mar del Norte; **la** ~ **Rouge** el mar Rojo; **la** ~ **des Sargasses** el mar de los Sargazos; **la** ~ **Tyrrhénienne** el mar Tirreno; **les** ~**s du Sud** los mares del Sur.

mercantile [mɛʀkãtil] (*péj*) *adj* mercantil.

mercantilisme [mɛʀkãtilism] *nm* mercantilismo.

mercenaire [mɛʀsənɛʀ] *nm* mercenario.

mercerie [mɛʀsəʀi] *nf* mercería.

merci [mɛʀsi] *excl* gracias ♦ *nm*: **dire** ~ **à qn** dar las gracias a algn ♦ *nf* merced *f*; **à la** ~ **de qn/qch** a merced de algn/algo; ~ **beaucoup** muchas gracias; ~ **de/pour**

gracias por; **non,** ~ no, gracias; **sans** ~ despiadado(-a).

mercier, -ière [mɛʀsje, jɛʀ] *nm/f* mercero(-a).

mercredi [mɛʀkʀədi] *nm* miércoles *m inv*; ~ **des cendres** miércoles de Ceniza; *voir aussi* **lundi.**

mercure [mɛʀkyʀ] *nm* mercurio.

merde [mɛʀd] *(fam!) nf* mierda *(fam!)* ♦ *excl* ¡mierda! *(fam!)*; *(surprise, impatience)* ¡joder! *(fam!),* ¡coño! *(fam!).*

merdeux, -euse [mɛʀdø, øz] *(fam!) nm/f* gilipollas *m/f inv (fam!).*

mère [mɛʀ] *nf* madre *f*; *(fam)* tía ♦ *adj (idée)* central; *(langue)* madre; ▶ **mère adoptive/porteuse** madre adoptiva/de alquiler; ▶ **mère célibataire/de famille** madre soltera/de familia.

merguez [mɛʀgɛz] *nf salchicha muy condimentada.*

méridien [meʀidjɛ̃] *nm* meridiano.

méridional, e, -aux [meʀidjɔnal, o] *adj* meridional; *(du midi de la France)* del Sur de Francia ♦ *nm/f* nativo(-a) *ou* habitante *m/f* del Sur de Francia.

meringue [məʀɛ̃g] *nf* merengue *m*.

mérinos [meʀinos] *nm* merino.

merisier [məʀizje] *nm* cerezo silvestre; *(bois)* cerezo.

méritant, e [meʀitɑ̃, ɑ̃t] *adj* meritorio(-a).

mérite [meʀit] *nm* mérito; *(valeur)* mérito, valor *m*; **le** ~ **lui revient** el mérito es suyo; **je n'ai pas de** ~ **à le faire** no tengo mérito al hacer eso.

mériter [meʀite] *vt* merecer, ameritar *(AM)*; ~ **de réussir** merecer aprobar; **il mérite qu'on fasse ... merece que se haga ... .**

méritocratie [meʀitɔkʀasi] *nf* meritocracia.

méritoire [meʀitwaʀ] *adj* meritorio(-a).

merlan [mɛʀlɑ̃] *nm* pescadilla.

merle [mɛʀl] *nm* mirlo.

merluche [mɛʀlyʃ] *nf* merluza.

mérou [meʀu] *nm* mero.

merveille [mɛʀvɛj] *nf* maravilla; **faire** ~/**des** ~**s** hacer maravillas; **à** ~ a las mil maravillas; **les sept** ~**s du monde** las siete maravillas del mundo.

merveilleux, -euse [mɛʀvɛjø, øz] *adj* maravilloso(-a).

mes [me] *dét voir* **mon.**

mésalliance [mezaljɑ̃s] *nf* mal casamiento.

mésallier [mezalje]: **se** ~ *vpr* malcasarse.

mésange [mezɑ̃ʒ] *nf* herrerillo; ▶ **mésange bleue** alionín *m*.

mésaventure [mezavɑ̃tyʀ] *nf* infortunio.

Mesdames [medam] *nfpl voir* **Madame.**

Mesdemoiselles [medmwazɛl] *nfpl voir* **Mademoiselle.**

mésentente [mezɑ̃tɑ̃t] *nf* desacuerdo.

mésestimer [mezɛstime] *vt* menospreciar.

mesquin, e [mɛskɛ̃, in] *adj:* **esprit** ~/ **personne** ~**e** espíritu ruin/persona mezquina.

mesquinerie [mɛskinʀi] *nf* mezquindad *f*.

mess [mɛs] *nm* comedor *m* de oficiales *ou* sub-oficiales.

message [mesaʒ] *nm* mensaje *m*; ▶ **message d'erreur/de guidage** *(INFORM)* mensaje de error/de ayuda; ▶ **message publicitaire** anuncio publicitario; ▶ **message téléphoné** aviso telefónico.

messager, -ère [mesaʒe, ɛʀ] *nm/f* mensajero(-a).

messagerie [mesaʒʀi] *nf* mensajería; ▶ **messagerie (électronique)** mensajería (electrónica); ▶ **messagerie rose** línea erótica; ▶ **messageries aériennes/ maritimes** servicio aéreo/marítimo de mensajería; ▶ **messageries de presse** *(agencias fpl)* distribuidoras *fpl* de prensa.

messe [mɛs] *nf* misa; **aller à la** ~ ir a misa; ▶ **messe basse/chantée/noire** misa rezada/cantada/negra; **faire des** ~**s basses** *(fig, péj)* andar con secretos; ▶ **messe de minuit** misa del gallo.

messie [mesi] *nm:* **Le M**~ el Mesías.

Messieurs [mesjø] *nmpl voir* **Monsieur.**

mesure [m(ə)zyʀ] *nf (dimension, étalon)* medida; *(évaluation)* medición *f*; *(MUS)* compás *msg*; *(modération, retenue)* mesura, comedimiento; **prendre des** ~**s** tomar medidas; **sur** ~ a la medida; **à la** ~ **de** a la medida de; **dans la** ~ **de/où** en la medida de/en que; **dans une certaine** ~ en cierta medida; **à** ~ **que** a medida que; **en** ~ *(MUS)* al compás; **être en** ~ **de** estar en condiciones de; **dépasser la** ~ *(fig)* pasarse de la raya; **unité/système de** ~ unidad *f*/sistema *m* de medida.

mesuré, e [məzyʀe] *adj (ton, effort)* mesurado(-a); *(personne)* comedido(-a).

mesurer [məzyʀe] *vt (aussi fig)* medir; *(limiter: argent, temps)* escatimar; ~ **qch à** evaluar algo según; **se** ~ **avec/à qn** medirse con algn; **il mesure 1 m 80** mide 1m 80.

met [mɛ] *vb voir* **mettre.**

métabolisme [metabɔlism] *nm* metabolismo.

métairie [meteʀi] *nf* finca en aparcería.

métal, -aux [metal, o] *nm* metal *m*.

métalangage [metalɑ̃gaʒ] *nm* metalenguaje *m*.

métallique [metalik] *adj* metálico(-a).

métallisé, e [metalize] *adj* metalizado(-a).

métallurgie [metalyʀʒi] *nf* metalurgia.

métallurgique [metalyʀʒik] *adj*

metalúrgico(-a).

métallurgiste [metalyʀʒist] *nm* (*ouvrier*) metalúrgico; (*industriel*) industrial *m* metalúrgico.

métamorphose [metamɔʀfoz] *nf* metamorfosis *f inv.*

métamorphoser [metamɔʀfoze] *vt* metamorfosear.

métaphore [metafɔʀ] *nf* metáfora.

métaphorique [metafɔʀik] *adj* metafórico(-a).

métaphoriquement [metafɔʀikmɑ̃] *adv* metafóricamente.

métaphysique [metafizik] *nf* metafísica ♦ *adj* metafísico(-a).

métapsychique [metapsiʃik] *adj* metasíquico(-a), metapsíquico(-a).

métayer, -ère [meteje, jɛʀ] *nm/f* aparcero(-a).

métempsycose [metɑ̃psikoz] *nf* metempsicosis *f inv*, metempsícosis *f inv.*

météo [meteo] *nf* (*bulletin*) tiempo; (*service*) servicio meteorológico.

météore [meteɔʀ] *nm* meteoro.

météorite [meteɔʀit] *nm ou f* meteorito.

météorologie [meteɔʀɔlɔʒi] *nf* meteorología; (*service*) instituto nacional de meteorología.

météorologique [meteɔʀɔlɔʒik] *adj* meteorológico(-a).

météorologiste [meteɔʀɔlɔʒist] *nm/f* meteorólogo(-a).

météorologue [meteɔʀɔlɔg] *nm/f* meteorólogo(-a).

métèque [metɛk] (*péj*) *nm* extranjero; (*maghrébin*) moro.

méthane [metan] *nm* metano.

méthanier [metanje] *nm* metanero.

méthode [metɔd] *nf* método.

méthodique [metɔdik] *adj* metódico(-a).

méthodiquement [metɔdikmɑ̃] *adv* metódicamente.

méthodiste [metɔdist] *adj, nm/f* (*REL*) metodista *m/f.*

méthylène [metilɛn] *nm*: **bleu de** ~ azul *m* de metileno.

méticuleux, -euse [metikylø, øz] *adj* meticuloso(-a).

métier [metje] *nm* oficio; (*technique, expérience*) práctica; (*aussi*: ~ **à tisser**) telar *m*; **le** ~ **de roi** (*fonction, rôle*) la función de rey; **être du** ~ ser del oficio.

métis, se [metis] *adj, nm/f* mestizo(-a), cholo(-a) (*ANDES*).

métisser [metise] *vt* mestizar.

métrage [metʀaʒ] *nm* medición *f* en metros; (*longueur de tissu*) medida en metros; (*CINÉ*) metraje *m*; **long/moyen/court** ~ (*CINÉ*) largometraje/mediometraje/ cortometraje *m.*

mètre [mɛtʀ] *nm* metro; **un 100/800** ~**s** (*SPORT*) los 100/800 metros; ▶ **mètre carré/cube** metro cuadrado/cúbico.

métrer [metʀe] *vt* medir por metros.

métreur, -euse [metʀœʀ, øz] *nm/f*: ~ (**vérificateur**), **métreuse (vérificatrice)** agrimensor(a); (*de travaux*) aparejador(a).

métrique [metʀik] *adj*: **système** ~ sistema métrico ♦ *nf* métrica.

métro [metʀo] *nm* metro, subterráneo (*AM*).

métronome [metʀɔnɔm] *nm* metrónomo.

métropole [metʀɔpɔl] *nf* metrópoli *f*, metrópolis *f inv.*

métropolitain, e [metʀɔpɔlitɛ̃, ɛn] *adj* metropolitano(-a).

mets [mɛ] *vb voir* **mettre** ♦ *nm* plato.

mettable [metabl] *adj*: **ce manteau n'est plus** ~ ya no me sienta *etc* bien *etc* este abrigo.

metteur [metœʀ] *nm*: ~ **en scène** (*THÉÂTRE*) director *m* escénico; (*CINÉ*) director.

============================ *MOT-CLÉ*

mettre [mɛtʀ] *vt* **1** poner; **mettre en bouteille** embotellar; **mettre en sac** poner en sacos; **mettre en pages** compaginar; **mettre qch en terre** enterrar algo; **mettre en examen** detener (*para ser interrogado*); **mettre à la poste** echar al correo; **mettre qn debout/assis** levantar/sentar a algn

2 (*vêtements: revêtir*) poner; (: *soi-même*) ponerse; (*installer*) poner; **mets ton gilet** ponte el chaleco

3 (*faire fonctionner: chauffage, réveil*) poner; (: *lumière*) dar; (*installer: gaz, eau*) poner; **faire mettre le gaz/l'électricité** poner gas/electricidad; **mettre en marche** poner en marcha

4 (*consacrer*): **mettre du temps/2 heures à faire qch** tardar tiempo/dos horas en hacer algo

5 (*noter, écrire*) poner; **qu'est-ce que tu as mis sur la carte?** ¿qué has puesto en la postal?; **mettre au pluriel** poner en plural

6 (*supposer*): **mettons que ...** pongamos que ...

7: **y mettre du sien** (*dépenser, dans une affaire*) poner de su parte

se mettre *vpr*: **vous pouvez vous mettre là** puede ponerse allí; **où ça se met?** ¿dónde se pone eso?; **se mettre au lit** meterse en la cama; **se mettre qn à dos** ganarse la enemistad de algn; **se mettre de l'encre sur les doigts** mancharse los dedos de tinta; **se mettre bien/mal avec qn** ponerse a bien/mal con algn; **se mettre en maillot de bain** ponerse en bañador; **n'avoir rien à se mettre** no tener nada que ponerse;

se mettre à faire qch ponerse a hacer algo; **se mettre au piano** (*s'asseoir*) sentarse al piano; (*apprendre*) estudiar piano; **se mettre au travail/à l'étude** ponerse a trabajar/a estudiar; **se mettre au régime** ponerse a régimen; **allons, il faut s'y mettre!** ¡venga, vamos a ponernos a trabajar!

meublant, e [mœblɑ̃, ɑ̃t] *adj* decorativo (-a).

meuble [mœbl] *nm* mueble *m*; (*ameublement, mobilier*) mobiliario ♦ *adj* mueble; **biens ~s** (*JUR*) bienes *mpl* muebles.

meublé, e [mœble] *adj*: **chambre ~e** habitación *f* amueblada ♦ *nm* (*pièce*) habitación amueblada; (*appartement*) piso amueblado.

meubler [mœble] *vt* amueblar; (*fig*) llenar ♦ *vi* decorar; **se meubler** *vpr* amueblar la casa.

meugler [møgle] *vi* mugir.

meule [møl] *nf* muela; (*AGR*) almiar *m*; (*de fromage*) rueda grande de queso.

meunerie [mønri] *nf* (*industrie*) molinería; (*métier*) oficio de molinero.

meunier, -ière [mønje, jɛR] *nm/f* molinero(-a) ♦ *adj inv*: **sole meunière** (*CULIN*) lenguado a la molinera.

meurs *etc* [mœR] *vb voir* **mourir**.

meurtre [mœRtR] *nm* asesinato.

meurtrier, -ière [mœRtRije, ijɛR] *nm/f* asesino(-a) ♦ *adj* mortal; (*arme, instinct*) asesino(-a).

meurtrière [mœRtRijɛR] *nf* tronera.

meurtrir [mœRtRiR] *vt* magullar; (*fig*) herir.

meurtrissure [mœRtRisyR] *nf* magulladura; (*d'un fruit, légume*) machacadura; (*fig*) herida, llaga.

meus *etc* [mœ] *vb voir* **mouvoir**.

Meuse [mœz] *nf*: **la ~** el Mosa.

meute [møt] *nf* jauría.

meuve [mœv] *vb voir* **mouvoir**.

mévente [mevɑ̃t] *nf* mala venta.

mexicain, e [mɛksikɛ̃, ɛn] *adj* mexicano (-a), mejicano(-a) ♦ *nm/f*: **M~, e** mexicano(-a), mejicano(-a).

Mexico [mɛksiko] *n* México, Méjico.

Mexique [mɛksik] *nm* México, Méjico.

mezzanine [mɛdzanin] *nf* parte superior de un dúplex.

Mgr *abr* (= *Monseigneur*) Mons. (= *Monseñor*).

mi [mi] *nm inv* (*MUS*) mi *m* ♦ *préf* medio; **à la ~-janvier** a mediados de enero; **~-bureau/chambre** mitad oficina/mitad dormitorio; **à ~-jambes/-corps** a media pierna/cuerpo; **à ~-hauteur/-pente** a media altura/pendiente.

miaou [mjau] *nm* miau *m*.

miaulement [mjolmɑ̃] *nm* maullido.

miauler [mjole] *vi* maullar.

mi-bas [miba] *nm inv* minimedias *fpl*, medias *fpl* de rodilla.

mica [mika] *nm* mica.

mi-carême [mikaRɛm] (*pl* ~-~s) *nf*: **la ~-~** jueves de la tercera semana de Cuaresma.

miche [miʃ] *nf* hogaza.

mi-chemin [miʃmɛ̃]: **à ~-~** *adv* (*aussi fig*) a medio camino.

mi-clos, e [miklo, kloz] (*pl* ~-~, **es**) *adj* entornado(-a).

micmac [mikmak] (*péj*) *nm* chanchullo.

mi-côte [mikot]: **à ~-~** *adv* en la mitad de la cuesta.

mi-course [mikuRs]: **à ~-~** *adv* a mitad de la carrera.

micro [mikRo] *nm* micrófono; (*INFORM*) micro.

microbe [mikRɔb] *nm* microbio.

microbiologie [mikRobjɔlɔʒi] *nf* microbiología.

microchirurgie [mikRoʃiRyRʒi] *nf* microcirugía.

microclimat [mikRoklima] *nm* microclima *m*.

microcosme [mikRɔkɔsm] *nm* microcosmos *m inv*.

micro-cravate [mikRokRavat] (*pl* ~s-~s) *nm pequeño micrófono oculto en la solapa*.

micro-économie [mikRoekɔnɔmi] *nf* microeconomía.

micro-édition [mikRoedisjɔ̃] *nf* microedición *f*.

micro-électronique [mikRoelɛktRɔnik] *nf* microelectrónica.

microfiche [mikRofiʃ] *nf* microficha.

microfilm [mikRofilm] *nm* microfilm(e) *m*.

micro-onde [mikRoɔ̃d] (*pl* ~-~s) *nf*: **four à ~-~s** horno microondas.

micro-ordinateur [mikRoɔRdinatœR] (*pl* ~-~s) *nm* microordenador *m*.

micro-organisme [mikRoɔRganism] (*pl* ~-~s) *nm* microorganismo.

microphone [mikRɔfɔn] *nm* micrófono.

microplaquette [mikRoplakɛt] *nf* microplaqueta.

microprocesseur [mikRopRosesœR] *nm* microprocesador *m*.

microprogrammation [mikRopRogramasjɔ̃] *nf* (*INFORM*) microprogramación *f*.

microscope [mikRɔskɔp] *nm* microscopio; **examiner au ~** examinar en el microscopio; ▶ **microscope électronique** microscopio electrónico.

microscopique [mikRɔskɔpik] *adj* microscópico(-a); (*opération*) con microscopio.

microsillon [mikRosijɔ̃] *nm* microsurco.

MIDEM [midɛm] *sigle m* (= *Marché interna-tional du disque et de l'édition musicale) fe-ria internacional del disco.*

midi [midi] *nm* mediodía *m*; (*sud*) sur *m*, mediodía; **le M~** (**de la France**) el sur de Francia; **à ~** a mediodía; **tous les ~s** to-dos los días a las doce; **le repas de ~** la comida de mediodía, el almuerzo; **en plein ~** en pleno día.

midinette [midinɛt] (*péj*) *nf* niña mona.

mie [mi] *nf* miga.

miel [mjɛl] *nm* miel *f*; **être tout ~** (*fig*) ser muy meloso(-a).

mielleux, -euse [mjelø, øz] (*péj*) *adj* meloso(-a).

mien, ne [mjɛ̃, mjɛn] *adj* mío(-a) ♦ *pron*: **le ~, la ~ne, les ~s** el mío, la mía, los míos; **les ~s** (*ma famille*) los míos.

miette [mjɛt] *nf* migaja; (*fig: de la conver-sation etc*) retazo; **en ~s** hecho añicos; **une ~ de** una pizca de.

════════════════════ *MOT-CLÉ*

mieux [mjø] *adv* **1** (*d'une meilleure façon*): **mieux (que)** mejor (que); **elle travaille/mange mieux** trabaja/come mejor; **elle va mieux** va mejor; **j'aime mieux le cinéma** me gusta más el cine; **j'attendais mieux de vous** esperaba algo más de usted; **qui mieux est** y lo que es mejor; **crier à qui mieux mieux** gritar a cual más; **de mieux en mieux** cada vez mejor

2 (*de la meilleure façon*) mejor; **ce que je sais le mieux** lo que mejor sé; **les livres les mieux faits** los libros mejor hechos

♦ *adj* **1** (*plus à l'aise, en meilleure forme*) mejor; **se sentir mieux** encontrarse me-jor

2 (*plus satisfaisant, plus joli*) mejor; **c'est mieux ainsi** es mejor así; **c'est le mieux des deux** es el mejor de los dos; **le(la) mieux, les mieux** el(la) mejor, los(las) mejores; **demandez-lui, c'est le mieux** pre-gúntele, es lo mejor; **il est mieux sans moustache** está mejor sin bigote; **il est mieux que son frère** es mejor que su her-mano

3: **au mieux** en el mejor de los casos; **être au mieux avec** llevarse muy bien con; **tout est pour le mieux** todo va de maravilla

♦ *nm* **1** (*amélioration, progrès*) mejoría; **faute de mieux** a falta de algo mejor

2: **faire de son mieux** hacer cuanto se pueda; **du mieux qu'il peut** lo mejor que puede.

════════════════════════════════

mieux-être [mjøzɛtʀ] *nm inv* mayor bienes-tar *m*.

mièvre [mjɛvʀ] *adj* relamido(-a).

mignon, ne [miɲɔ̃, ɔn] *adj* mono(-a); (*ai-mable*) majo(-a).

migraine [migʀɛn] *nf* jaqueca.

migrant, e [migʀɑ̃, ɑ̃t] *adj, nm/f* emigrante *m/f*.

migrateur, -trice [migʀatœʀ, tʀis] *adj* migratorio(-a).

migration [migʀasjɔ̃] *nf* migración *f*.

mijaurée [miʒɔʀe] *nf* remilgada.

mijoter [miʒɔte] *vt* (*plat*) cocer a fuego lento; (: *préparer avec soin*) hacer (con mimo); (*affaire*) tramar ♦ *vi* cocer a fue-go lento; (*personne: attendre*) esperar largo tiempo.

mil [mil] *nm* mil.

Milan [milɑ̃] *n* Milán.

milanais, e [milanɛ, ɛz] *adj* milanés(-esa) ♦ *nm/f*: **M~, e** milanés(-esa).

mildiou [mildju] *nm* mildiu *m*, mildeu *m*.

milice [milis] *nf* milicia.

milicien, ne [milisjɛ̃, jɛn] *nm/f* miliciano (-a).

milieu, x [miljø] *nm* medio; (*social, familial*) medio, entorno; **il y a un ~ entre ...** (*fig*) hay un término medio entre ...; **au ~ de** en medio de; (*fig*) entre; **au beau ou en plein ~ (de)** justo en medio ou mitad de; **le juste ~** el término medio; **le ~** (*pègre*) el hampa; ▶ **milieu de terrain** (*FOOT-BALL: joueur*) medio campo; (: *joueurs*) medio.

militaire [militɛʀ] *adj, nm* militar *m*; **marine/aviation ~** marina/aviación *f* mili-tar; **service ~** servicio militar.

militairement [militɛʀmɑ̃] *adv* militarmen-te.

militant, e [militɑ̃, ɑ̃t] *adj, nm/f* militante *m/f*.

militantisme [militɑ̃tism] *nm* militancia.

militariser [militaʀize] *vt* militarizar.

militarisme [militaʀism] (*péj*) *nm* militaris-mo.

militer [milite] *vi* militar; **~ pour/contre** militar a favor de/en contra de.

milk-shake [milkʃɛk] (*pl ~-~s*) *nm* batido de leche.

mille [mil] *adj inv, nm inv* mil ♦ *nm*: **~ marin** milla marina; **page ~** página mil; **mettre dans le ~** dar en el blanco; (*fig*) dar en el clavo.

millefeuille [milfœj] *nm* milhojas *m inv*.

millénaire [milenɛʀ] *nm* milenio ♦ *adj* milenario(-a).

mille-pattes [milpat] *nm inv* ciempiés *m inv*.

millésime [milezim] *nm* (*d'une médaille*) fe-cha; (*d'un vin*) año, cosecha.

millésimé, e [milezime] *adj* con el año de la cosecha.

millet [mijɛ] *nm* mijo.

milliard [miljaʀ] nm mil millones mpl.
milliardaire [miljaʀdɛʀ] adj, nm/f multimillonario(-a).
millième [miljɛm] adj, nm/f milésimo(-a); ~ de seconde milésima de segundo.
millier [milje] nm millar m; un ~ (de) un millar (de); par ~s por miles, a millares.
milligramme [miligʀam] nm miligramo.
millimètre [milimɛtʀ] nm milímetro.
millimétré, e [milimetʀe] adj: papier ~ papel m milimetrado.
million [miljɔ̃] nm millón m; deux ~s de dos millones de; toucher cinq ~s ganar cinco millones.
millionième [miljɔnjɛm] adj, nm/f millonésimo(-a).
millionnaire [miljɔnɛʀ] adj, nm/f millonario(-a).
mi-lourd [miluʀ] (pl ~-~s) adj, nm (SPORT) peso medio.
mime [mim] nm/f mimo; (imitateur) imitador(a) ♦ nm (art) mimo.
mimer [mime] vt mimar; (singer) imitar.
mimétisme [mimetism] nm mimetismo.
mimique [mimik] nf mímica.
mimosa [mimoza] nm mimosa.
mi-moyen [mimwajɛ̃] (pl ~-~s) adj, nm (SPORT) peso welter.
MIN [min] sigle m (= Marché d'intérêt national) mercado mayorista de frutos, verduras y productos del campo.
min. [min] abr min.
minable [minabl] adj penoso(-a).
minaret [minaʀɛ] nm minarete m, alminar m.
minauder [minode] vi hacer melindres ou remilgos.
minauderies [minodʀi] nfpl melindres mpl, remilgos mpl.
mince [mɛ̃s] adj delgado(-a); (étoffe, filet d'eau) fino(-a); (fig) escaso(-a) ♦ excl: ~ alors! ¡caramba!
minceur [mɛ̃sœʀ] nf delgadez f.
mincir [mɛ̃siʀ] vi adelgazar.
mine [min] nf (aussi fig) mina; (physionomie) cara, aspecto; ~s nfpl (péj) melindres mpl, remilgos mpl; les M~s (ADMIN) Dirección f de Minas; avoir bonne/mauvaise ~ tener buena/mala cara; tu as bonne ~! (iron: aspect) ¡vaya pinta que tienes!; (: action) ¡has hecho el ridículo!; faire grise ~ poner mala cara; faire ~ de faire simular hacer algo; ne pas payer de ~ tener mala pinta; ~ de rien como quien no quiere la cosa, como si nada; ► mine à ciel ouvert/de charbon mina a cielo abierto/de carbón.
miner [mine] vt minar.
minerai [minʀɛ] nm mineral m.
minéral, e, -aux [mineʀal, o] adj, nm mineral m.
minéralisé, e [mineʀalize] adj mineral.
minéralogie [mineʀalɔʒi] nf mineralogía.
minéralogique [mineʀalɔʒik] adj mineralógico(-a); plaque ~ matrícula; numéro ~ número de matrícula.
minet, te [minɛ, ɛt] nm/f gatito(-a), minino(-a); (péj) chuleta m/f.
mineur, e [minœʀ] adj (souci) secundario(-a); (poète, personne) menor ♦ nm/f (JUR) menor m/f ♦ nm (travailleur) minero; (MIL) minador m; ► mineur de fond minero de interior.
miniature [minjatyʀ] adj, nf miniatura; en ~ en miniatura.
miniaturisation [minjatyʀizasjɔ̃] nf miniaturización f.
miniaturiser [minjatyʀize] vt miniaturizar.
miniaturiste [minjatyʀist] nm/f miniaturista m/f.
minibus [minibys] nm microbús msg.
mini-cassette [minikasɛt] (pl ~-~s) nf cassette f.
minichaîne [miniʃɛn] nf minicadena f.
minier, -ière [minje, jɛʀ] adj minero(-a).
mini-jupe [miniʒyp] (pl ~-~s) nf minifalda.
minimal, e, -aux [minimal, o] adj mínimo(-a).
minime [minim] adj mínimo(-a) ♦ nm/f (SPORT) alevín m/f.
minimiser [minimize] vt minimizar.
minimum [minimɔm] adj mínimo(-a) ♦ nm mínimo; un ~ de un mínimo de; au ~ como mínimo; ► minimum vital (salaire) salario mínimo; (niveau de vie) mínimos mpl vitales.
mini-ordinateur [miniɔʀdinatœʀ] (pl ~-~s) nm miniordenador m.
ministère [ministɛʀ] nm ministerio; ► ministère public (JUR) ministerio público.
ministériel, le [ministeʀjɛl] adj ministerial; (partisan) gubernamental.
ministrable [ministʀabl] adj ministrable.
ministre [ministʀ] nm ministro; ► ministre d'Etat ministro de Estado.
Minitel ® [minitɛl] nm Minitel m ®.
minium [minjɔm] nm minio.
minois [minwa] nm cara.
minorer [minɔʀe] vt (minimiser) minimizar; (prix) reducir; (sous-évaluer) infravalorar.
minoritaire [minɔʀitɛʀ] adj minoritario(-a).
minorité [minɔʀite] nf minoría; (d'une personne) minoría de edad; la/une ~ de la/una minoría de; être en ~ estar en minoría; mettre en ~ (POL) poner en minoría.
Minorque [minɔʀk] nf Menorca.
minorquin, e [minɔʀkɛ̃, in] adj

menorquín(-ina) ♦ nm/f: M~, e menorquín(-ina).

minoterie [minɔtʀi] nf fábrica de harina.

minotier [minɔtje] nm fabricante m de harina.

minuit [minɥi] nm medianoche f.

minuscule [minyskyl] adj minúsculo(-a) ♦ nf: (lettre) ~ (letra) minúscula.

minutage [minytaʒ] nm cronometraje m.

minute [minyt] nf minuto; (JUR) minuta ♦ excl ¡un momento!; d'une ~ à l'autre de un momento a otro; à la ~ en seguida; entrecôte/steak ~ entrecot(e) m/bisté m al minuto.

minuter [minyte] vt cronometrar.

minuterie [minytʀi] nf programador m; (d'escalier d'immeuble) interruptor m (de la luz).

minuteur [minytœʀ] nm reloj m.

minutie [minysi] nf minucia; avec ~ minuciosamente.

minutieusement [minysjøzmã] adv minuciosamente.

minutieux, -euse [minysjø, jøz] adj minucioso(-a).

mioche [mjɔʃ] (fam) nm/f crío(-a), chiquillo(-a).

mirabelle [miʀabɛl] nf ciruela mirabel; (eau de vie) licor m de ciruela.

miracle [miʀakl] nm milagro; par ~ de milagro; faire/accomplir des ~s hacer milagros.

miraculé, e [miʀakyle] adj curado(-a) milagrosamente.

miraculeux, -euse [miʀakylø, øz] adj milagroso(-a).

mirador [miʀadɔʀ] nm (MIL) torre f de observación.

mirage [miʀaʒ] nm espejismo.

mire [miʀ] nf (d'un fusil) mira; (TV) carta de ajuste; point/ligne de ~ punto/línea de mira.

mirent [miʀ] vb voir mettre.

mirer [miʀe] vt (œufs) mirar al trasluz; se mirer vpr: se ~ dans (suj: personne) contemplarse en; (: chose) reflejarse en.

mirifique [miʀifik] adj mirífico(-a).

mirobolant, e [miʀɔbɔlã, ãt] adj extraordinario(-a).

miroir [miʀwaʀ] nm espejo; (fig) espejo, reflejo.

miroiter [miʀwate] vi espejear, relucir; faire ~ qch à qn seducir a algn con algo.

miroiterie [miʀwatʀi] nf (usine) taller m de espejos; (magasin) tienda de espejos.

mis, e [mi, miz] pp de mettre ♦ adj puesto(-a); bien/mal ~ bien/mal vestido(-a).

misaine [mizɛn] nf: mât de ~ palo de trinquete.

misanthrope [mizãtʀɔp] adj, nm/f misántropo(-a).

mise [miz] nf (argent) apuesta; (tenue) porte m; être de ~ estar de moda; ► mise à feu encendido; ► mise à jour puesta al día; ► mise à mort matanza; ► mise à pied despido; ► mise à prix tasación f; ► mise au point (PHOTO) enfoque m; (fig) aclaración f; ► mise de fonds inversión f de capital; ► mise en bouteilles embotellado; ► mise en plis marcado; ► mise en scène (THÉÂTRE, CINÉ) dirección f; (THÉÂTRE· matérielle) puesta en escena; ► mise en service puesta en servicio; ► mise sur pied organización f.

miser [mize] vt apostar; ~ sur vt apostar a; (fig) contar con.

misérable [mizeʀabl] adj miserable; (insignifiant) insignificante; (honteux) vergonzoso(-a) ♦ nm/f miserable m/f.

misère [mizɛʀ] nf miseria; ~s nfpl (malheurs, peines) desgracias fpl; (ennuis) dificultades fpl; être dans la ~ estar en la miseria; salaire de ~ salario de miseria; faire des ~s à qn hacer rabiar a algn; ► misère noire triste miseria.

miséreux, -euse [mizeʀø, øz] adj, nm/f pordiosero(-a).

miséricorde [mizeʀikɔʀd] nf misericordia.

miséricordieux, -euse [mizeʀikɔʀdjø, jøz] adj misericordioso(-a).

misogyne [mizɔʒin] adj, nm/f misógino(-a).

missel [misɛl] nm misal m.

missile [misil] nm misil m; ► missile autoguidé/balistique/stratégique misil teledirigido/balístico/estratégico; ► missile de croisière misil de crucero.

mission [misjɔ̃] nf misión f; (fonction, vocation) función f; partir en ~ (ADMIN, POL) ir a realizar una misión; ► mission de reconnaissance (MIL) misión de reconocimiento.

missionnaire [misjɔnɛʀ] nm/f misionero(-a).

missive [misiv] nf misiva.

mistral [mistʀal] nm mistral m.

mit [mi] vb voir mettre.

mitaine [mitɛn] nf mitón m.

mite [mit] nf polilla.

mité, e [mite] adj apolillado(-a).

mi-temps [mitã] nf inv (SPORT: période) tiempo; (: pause) descanso; à ~-~ adv media jornada ♦ adj de media jornada.

miteux, -euse [mitø, øz] adj mísero(-a).

mitigé, e [mitiʒe] adj moderado(-a).

mitonner [mitɔne] vt elaborar cuidadosamente.

mitoyen, ne [mitwajɛ̃, jɛn] adj medianero(-a); maisons ~nes casas fpl adosadas.

mitraille [mitʀaj] *nf* metralla.

mitrailler [mitʀaje] *vt* ametrallar; (*photographier*) fotografiar; ~ **qn de** (*fig*) bombardear a algn con *ou* a.

mitraillette [mitʀajɛt] *nf* metralleta.

mitrailleur [mitʀajœʀ] *nm* soldado ametrallador; ▶ **fusil mitrailleur** fusil *m* ametrallador.

mitrailleuse [mitʀajøz] *nf* ametralladora.

mitre [mitʀ] *nf* mitra.

mitron [mitʀɔ̃] *nm* mozo de panadero *ou* pastelero.

mi-voix [mivwa]: **à** ~-~ *adv* a media voz.

mixage [miksaʒ] *nm* (*CINÉ*) mezcla *f* de sonido.

mixer, mixeur [miksœʀ] *nm* (*CULIN*) batidora.

mixité [miksite] *nf* carácter mixto de los establecimientos escolares.

mixte [mikst] *adj* mixto(-a); **à usage** ~ **para** uso mixto; **cuisinière** ~ cocina mixta.

mixture [mikstyʀ] *nf* mixtura; (*péj*) mejunje *m*.

MJC [ɛmʒise] *sigle f* (= *Maison des jeunes et de la culture*) Casa de Cultura.

ml *abr* (= *millilitre(s)*) ml. (= *mililitro(s)*).

MLF [ɛmɛlɛf] *sigle m* (= *Mouvement de libération de la femme*) Movimiento de liberación de la mujer.

Mlle (*pl* ~**s**) *abr* (= *Mademoiselle*) Srta. (= *Señorita*).

MM *abr* (= *Messieurs*) ≈ Srs. (= *Señores*); *voir aussi* **Monsieur**.

mm. *abr* (= *millimètre(s)*) mm. (= *milímetros*).

Mme (*pl* ~**s**) *abr* (= *Madame*) ≈ Sra. (= *Señora*).

mn *abr* (= *minute(s)*) m.

mnémotechnique [mnemotɛknik] *adj* (m)nemotécnico(-a).

MNS *sigle m* (= *maître nageur sauveteur*) socorrista *m*.

Mo *abr* (= *méga-octet*) MB (= *megabyte*).

mobile [mɔbil] *adj* móvil, movible; (*pièce, feuillet*) suelto(-a); (*population, main d'œuvre*) móvil; (*reflets*) cambiante; (*regard*) vivo(-a), vivaz ♦ *nm* móvil *m*.

mobilier, -ière [mɔbilje, jɛʀ] *adj* mobiliario(-a) ♦ *nm* mobiliario; **effets/valeurs** ~**s** (*JUR*) efectos *mpl*/valores *mpl* mobiliarios; **vente/saisie mobilière** (*JUR*) venta/embargo de mobiliario.

mobilisable [mɔbilizabl] *adj* movilizable.

mobilisation [mɔbilizasjɔ̃] *nf* movilización *f*; ▶ **mobilisation générale** movilización general.

mobiliser [mɔbilize] *vt* movilizar.

mobilité [mɔbilite] *nf* movilidad *f*.

mobylette ® [mɔbilɛt] *nf* motocicleta.

mocassin [mɔkasɛ̃] *nm* mocasín *m*.

moche [mɔʃ] (*fam*) *adj* feo(-a).

modalité [mɔdalite] *nf* modalidad *f*; ~**s** *nfpl* (*JUR*) modalidades *fpl*; ▶ **modalités de paiement** modalidades de pago.

mode [mɔd] *nf* moda ♦ *nm* modo; (*INFORM*) modo, modalidad *f*; **à la** ~ de moda; **travailler dans la** ~ trabajar en la confección; ~ **de production/d'exploitation** modo de producción/de explotación; ▶ **mode d'emploi** instrucciones *fpl* de uso; ▶ **mode de paiement** forma de pago; ▶ **mode de vie** modo de vida; ▶ **mode dialogué** (*INFORM*) modalidad conversacional.

modelage [mɔd(ə)laʒ] *nm* modelado.

modèle [mɔdɛl] *nm* modelo; (*qualités*): **un** ~ **de fidélité/générosité** un modelo de fidelidad/generosidad ♦ *adj* modelo; (*cuisine, ferme*) piloto; ~ **en carton/métal** modelo en cartón/metal; ▶ **modèle courant/de série** (*COMM*) modelo corriente/de serie; ▶ **modèle déposé** (*COMM*) modelo patentado *ou* registrado; ▶ **modèle réduit** modelo reducido.

modelé [mɔd(ə)le] *nm* modelado.

modeler [mɔd(ə)le] *vt* modelar; (*suj: vêtement, érosion*) moldear; ~ **qch sur** *ou* **d'après** moldear algo según.

modélisation [mɔdelizasjɔ̃] *nf* (*MATH*) modelización *f*.

modéliste [mɔdelist] *nm/f* (*COUTURE*) diseñador(a); (*de modèles réduits*) modelista *m/f*.

modem [mɔdɛm] *nm* (*INFORM*) modem *m*, módem *m*.

modérateur, -trice [mɔdeʀatœʀ, tʀis] *adj*, *nm/f* moderador(a).

modération [mɔdeʀasjɔ̃] *nf* moderación *f*; ▶ **modération de peine** reducción *f* de la pena.

modéré, e [mɔdeʀe] *adj*, *nm/f* moderado(-a).

modérément [mɔdeʀemɑ̃] *adv* moderadamente.

modérer [mɔdeʀe] *vt* moderar; **se modérer** *vpr* moderarse.

moderne [mɔdɛʀn] *adj* moderno(-a) ♦ *nm* (*ART*) arte *m* moderno; **le** ~ (*ameublement*) lo moderno; **enseignement** ~ enseñanza moderna.

modernisation [mɔdɛʀnizasjɔ̃] *nf* modernización *f*.

moderniser [mɔdɛʀnize] *vt* modernizar; **se moderniser** *vpr* modernizarse.

modernisme [mɔdɛʀnism] *nm* modernismo.

modernité [mɔdɛʀnite] *nf* modernidad *f*.

modeste [mɔdɛst] *adj* modesto(-a).

modestement [mɔdɛstəmɑ̃] adv modestamente.
modestie [mɔdɛsti] nf modestia; **fausse ~** falsa modestia.
modicité [mɔdisite] nf modicidad f.
modifiable [mɔdifjabl] adj modificable.
modification [mɔdifikasjɔ̃] nf modificación f.
modifier [mɔdifje] vt modificar; **se modifier** vpr modificarse.
modique [mɔdik] adj módico(-a).
modiste [mɔdist] nf sombrerera.
modulaire [mɔdylɛʀ] adj modular.
modulation [mɔdylasjɔ̃] nf modulación f; ► **modulation de fréquence** frecuencia modulada.
module [mɔdyl] nm módulo; ► **module lunaire** módulo lunar.
moduler [mɔdyle] vt (air) entonar; (son) emitir; (adapter) adaptar.
moelle [mwal] nf médula; **jusqu'à la ~** (fig) hasta la médula; ► **moelle épinière** médula espinal.
moelleux, -euse [mwalø, øz] adj (étoffe) esponjoso(-a); (siège) mullido(-a); (vin, chocolat) suave; (voix, son) aterciopelado(-a).
moellon [mwalɔ̃] nm morrillo.
mœurs [mœʀ(s)] nfpl costumbres fpl; **~ simples/bohèmes** costumbres sencillas/bohemias; **femme de mauvaises ~** mujer f de la vida; **passer dans les ~** entrar en las costumbres; **contraire aux bonnes ~** contrario a las buenas costumbres.
mohair [mɔɛʀ] nm mohair m.
moi [mwa] pron (sujet) yo; (objet direct/ indirect) me ♦ nm (PSYCH) yo m; **c'est ~** soy yo; **c'est ~ qui l'ai fait** lo hice yo; **c'est ~ que vous avez appelé?** ¿me ha llamado a mí?; **apporte-le-~** tráemelo; **donnez m'en un peu** deme un poco; **à ~** (possessif) mío(mía), míos(mías); **le livre est à ~** ese libro es mío; **avec ~** conmigo; **des poèmes de ~** (appartenance) poemas míos; **sans ~** sin mí; **~, je ...** (emphatique) yo, ...; **plus grand que ~** más grande que yo.
moignon [mwaɲɔ̃] nm muñón m.
moi-même [mwamɛm] pron yo mismo.
moindre [mwɛ̃dʀ] adj menor; **le/la ~, les ~s** el/la menor, los/las menores; **c'est la ~ des politesses** es lo menos que se puede decir ou hacer; **c'est la ~ des choses** es lo mínimo.
moindrement [mwɛ̃dʀəmɑ̃] adv menormente; **pas le ~ de** ningún modo, en absoluto.
moine [mwan] nm monje m, fraile m.
moineau, x [mwano] nm gorrión m.

═══════════════════════ MOT-CLÉ

moins [mwɛ̃] adv **1** (comparatif): **moins (que)** menos (que); **il a 3 ans de moins que moi** tiene 3 años menos que yo; **moins intelligent que** menos inteligente que; **moins je travaille, mieux je me porte** cuanto menos trabajo, mejor me encuentro
2 (superlatif): **le moins** el(lo) menos; **c'est ce que j'aime le moins** es lo que menos me gusta; **le moins doué** el menos dotado; **pas le moins du monde** en lo más mínimo; **au moins, du moins** por lo menos, al menos
3: **moins de** (quantité, nombre) menos; **moins de sable/d'eau** menos arena/agua; **moins de livres/de gens** menos menos libros/ gente; **moins de 2 ans/100 F** menos de 2 años/100 francos; **moins de midi** antes de mediodía
4: **de/en moins: 100 F/3 jours de moins** 100 francos/3 días menos; **3 livres en moins** 3 libros menos; **de l'argent en moins** menos dinero; **le soleil en moins** sin el sol; **de moins en moins** cada vez menos; **en moins de deux** en un santiamén
5: **à moins de/que** conj a menos que, a no ser que; **à moins de faire** a no ser que se haga etc; **à moins que tu ne fasses** a menos que hagas; **à moins d'un accident** a no ser por un accidente
♦ prép: **4 moins 2** 4 menos 2; **il est moins 5** son menos 5; **il fait moins 5** hay cinco grados bajo cero.

moins-value [mwɛ̃valy] (pl ~-~s) nf minusvalía.
moire [mwaʀ] nf moaré m.
moiré, e [mwaʀe] adj tornasolado(-a).
mois [mwa] nm mes msg; (salaire, somme due) mensualidad f; **treizième ou double ~** (COMM) paga extra.
moïse [mɔiz] nm moisés m, cuna.
moisi, e [mwazi] adj enmohecido(-a) ♦ nm moho; **odeur/goût de ~** olor m/gusto a moho.
moisir [mwaziʀ] vi enmohecerse; (fig) criar moho ♦ vt enmohecer.
moisissure [mwazisyʀ] nf moho.
moisson [mwasɔ̃] nf (action) cosecha, (céréales) cosecha; (époque) siega; **faire ~ de souvenirs/renseignements** (fig) hacer acopio de recuerdos/informaciones.
moissonner [mwasɔne] vt segar, cosechar; (champ) segar; (fig) recolectar.
moissonneur, -euse [mwasɔnœʀ, øz] nm/f segador(a).

moissonneuse [mwasɔnøz] *nf* segadora.
moissonneuse-batteuse [mwasɔnøzbatøz] (*pl* ~s-~s) *nf* (segadora) trilladora.
moissonneuse-lieuse [mwasɔnøzlijøz] (*pl* ~s-~s) *nf* (segadora) agavilladora.
moite [mwat] *adj* (*peau*) sudoroso(-a); (*atmosphère*) húmedo(-a).
moitié [mwatje] *nf* mitad *f*; **sa** ~ (*épouse*) su media naranja; **la** ~ **la** mitad; **la** ~ **du temps/des gens** la mitad del tiempo/de la gente; **à la** ~ **de** a mitad de; ~ **moins grand** la mitad de grande; ~ **plus long** la mitad más largo; **à** ~ a medias; **à** ~ **prix** a mitad de precio; **de** ~ en la mitad; ~ ~ mitad y mitad.
moka [mɔka] *nm* moka; (*gâteau*) tarta de moka.
mol [mɔl] *adj voir* **mou.**
molaire [mɔlɛʀ] *nf* molar *m*.
môle [mol] *nm* malecón *m*; (*quai*) muelle *m*.
moléculaire [mɔlekylɛʀ] *adj* molecular.
molécule [mɔlekyl] *nf* molécula.
moleskine [mɔlɛskin] *nf* molesquín *m*.
molester [mɔlɛste] *vt* maltratar.
molette [mɔlɛt] *nf* (*de mise au point, de briquet*) rueda dentada.
mollasse [mɔlas] *adj* (*péj: personne*) desganado(-a); (: *chose*) blandengue.
molle [mɔl] *adj f voir* **mou.**
mollement [mɔlmɑ̃] *adv* débilmente; (*péj*) desganadamente.
mollesse [mɔlɛs] *nf* blandura; (*fig: d'une personne*) insulsez *f*.
mollet [mɔlɛ] *nm* pantorrilla ♦ *adj m*: **œuf** ~ huevo pasado por agua.
molletière [mɔltjɛʀ] *adj f* polaina; **bande** ~ venda de paño haciendo de media polaina.
molleton [mɔltɔ̃] *nm* (*TEXTILE*) muletón *m*.
molletonné, e [mɔltɔne] *adj* forrado(-a) de muletón.
mollir [mɔliʀ] *vi* flaquear; (*NAUT: vent*) amainar.
mollusque [mɔlysk] *nm* (*ZOOL*) molusco; (*fig: personne*) blandengue *m/f*.
molosse [mɔlɔs] *nm* moloso.
môme [mom] (*fam*) *nm/f* chiquillo(-a); (*fille*) chavala.
moment [mɔmɑ̃] *nm* momento; **les grands** ~**s de l'histoire** los grandes momentos de la historia; ~ **de gêne/de bonheur** momento violento/de felicidad; **profiter du** ~ aprovechar el momento; **ce n'est pas le** ~ no es el mejor momento; **à un certain** ~ en cierto momento; **à un** ~ **donné** en un momento dado; **à quel** ~? ¿en qué momento?; **au même** ~ en el mismo momento; **pour un bon** ~ un buen rato; **en avoir pour un bon** ~ tener para rato; **pour le** ~ por el momento; **au** ~ **de** en el momento de; **au** ~ **où** en el momento en

que; **à tout** ~ a cada momento *ou* rato; (*continuellement*) constantemente; **en ce** ~ en este momento; (*aujourd'hui*) en los momentos actuales; **sur le** ~ al principio; **par** ~**s** por momentos; **d'un** ~ **à l'autre** de un momento a otro; **du** ~ **où** *ou* **que** (*dès lors que*) puesto que; (*à condition que*) siempre que; **n'avoir pas un** ~ **à soi** no tener ni un momento libre para sí; **derniers** ~**s** últimos momentos *mpl*.
momentané, e [mɔmɑ̃tane] *adj* momentáneo(-a).
momentanément [mɔmɑ̃tanemɑ̃] *adv* momentáneamente.
momie [mɔmi] *nf* momia.
mon, ma [mɔ̃, ma] (*pl* **mes**) *dét* mi; (*pl*) mis.
monacal, e, -aux [mɔnakal, o] *adj*: **vie** ~**e** vida monacal.
Monaco [mɔnako] *nm*: (**la principauté de**) ~ (el principado de) Mónaco.
monarchie [mɔnaʀʃi] *nf* monarquía; ▶ **monarchie absolue/parlementaire** monarquía absoluta/parlamentaria.
monarchiste [mɔnaʀʃist] *adj*, *nm/f* monárquico(-a).
monarque [mɔnaʀk] *nm* monarca *m*.
monastère [mɔnastɛʀ] *nm* monasterio.
monastique [mɔnastik] *adj* monástico(-a).
monceau, x [mɔ̃so] *nm* montón *m*.
mondain, e [mɔ̃dɛ̃, ɛn] *adj* mundano(-a) ♦ *nm/f* hombre *m* mundano/mujer *f* mundana; **carnet** ~ agenda.
mondaine [mɔ̃dɛn] *nf*: **la M**~, **la police** ~ la brigada antidroga.
mondanités [mɔ̃danite] *nfpl* formulismos *mpl* mundanos; (*PRESSE*) crónica *fsg* social, ecos *mpl* de sociedad.
monde [mɔ̃d] *nm* mundo; **le** ~ **capitaliste/végétal/du spectacle** el mundo capitalista/vegetal/del espectáculo; **être/ne pas être du même** ~ ser/no ser del mismo mundo; **il y a du** ~ (*beaucoup de gens*) hay mucha gente; (*quelques personnes*) hay gente; **y a-t-il du** ~ **dans le salon?** ¿hay gente en el salón?; **beaucoup/peu de** ~ mucha/poca gente; **meilleur du** ~ mejor del mundo; **mettre au** ~ dar a luz; **l'autre** ~ el otro mundo; **tout le** ~ todo el mundo; **pas le moins du** ~ de ninguna manera; **se faire un** ~ **de qch** hacerse un mundo de algo; **tour du** ~ vuelta al mundo; **homme/femme du** ~ hombre *m*/mujer *f* de mundo.
mondial, e, -aux [mɔ̃djal, jo] *adj* mundial.
mondialement [mɔ̃djalmɑ̃] *adv* mundialmente.
mondialisation [mɔ̃djalizasjɔ̃] *nf* internacionalización *f*.
mondovision [mɔ̃dɔvizjɔ̃] *nf* mundovisión

f.

monégasque [mɔnegask] *adj* monegasco (-a) ♦ *nm/f:* **M~** monegasco(-a).

monétaire [mɔnetɛʀ] *adj* monetario(-a).

monétarisme [mɔnetaʀism] *nm* monetarismo.

monétique [mɔnetik] *nf* informatización *f* de la banca.

mongol, e [mɔ̃gɔl] *adj* mongol(a) ♦ *nm* (*LING*) mongol *m* ♦ *nm/f:* **M~, e** mongol(a).

Mongolie [mɔ̃gɔli] *nf* Mongolia.

mongolien, ne [mɔ̃gɔljɛ̃, jɛn] *adj, nm/f* mongólico(-a).

mongolisme [mɔ̃gɔlism] *nm* mongolismo.

moniteur, -trice [mɔnitœʀ, tʀis] *nm/f* monitor(a) ♦ *nm* (*INFORM*) monitor *m;* ~ **cardiaque** (*MÉD*) monitor cardíaco *ou* de electrocardiografía; ► **moniteur d'auto-école** monitor de auto-escuela.

monitorat [mɔnitɔʀa] *nm* (*formation*) formación *f* del monitor; (*fonction*) función *f* del monitor.

monnaie [mɔnɛ] *nf* moneda; **avoir de la** ~ (*petites pièces*) tener cambio; **avoir/faire la** ~ **de 20 F** tener cambio de/cambiar 20 francos; **donner/faire à qn la** ~ **de 20 F** dar el cambio de/cambiar 20 francos a algn; **rendre à qn la** ~ (**sur 20 F**) darle la vuelta a algn (de 20 francos); **servir de** ~ **d'échange** servir de moneda de cambio; **payer en** ~ **de singe** pagar con promesas vanas; **c'est** ~ **courante** es moneda corriente; ► **monnaie légale** moneda legal.

monnayable [mɔnejabl] *adj* vendible.

monnayer [mɔneje] *vt* convertir en dinero; (*talent*) sacar partido de.

monnayeur [mɔnejœʀ] *nm voir* **faux-monnayeur.**

mono [mɔnɔ] *nf* (= *monophonie*) mono.

monochrome [mɔnokʀom] *adj* monocromo(-a).

monocle [mɔnɔkl] *nm* monóculo.

monocoque [mɔnokɔk] *adj:* **voiture** ~ coche *m* monocasco ♦ *nm* velero monocasco.

monocorde [mɔnokɔʀd] *adj* monocorde.

monoculture [mɔnokyltyʀ] *nf* monocultivo.

monogamie [mɔnogami] *nf* monogamia.

monogramme [mɔnogʀam] *nm* monograma *m.*

monokini [mɔnokini] *nm* monokini *m.*

monolingue [mɔnolɛ̃g] *adj* monolingüe.

monolithique [mɔnolitik] *adj* monolítico(-a).

monologue [mɔnɔlɔg] *nm* monólogo; ► **monologue intérieur** monólogo interior.

monologuer [mɔnolɔge] *vi* monologar.

monôme [mɔnom] *nm* (*MATH*) monomio;

(*file d'étudiants*) manifestación *f* de estudiantes.

monoparental, e, -aux [mɔnopaʀɑ̃tal, o] *adj* monoparental.

monophasé, e [mɔnɔfɑze] *adj* monofásico(-a).

monophonie [mɔnɔfɔni] *nf* monofonía.

monoplace [mɔnoplas] *adj, nm/f* monoplaza *m.*

monoplan [mɔnoplɑ̃] *nm* monoplano.

monopole [mɔnɔpɔl] *nm* monopolio.

monopolisation [mɔnopɔlizasjɔ̃] *nf* monopolización *f.*

monopoliser [mɔnopɔlize] *vt* monopolizar.

monorail [mɔnoʀaj] *nm* monorraíl *m.*

monoski [mɔnoski] *nm* monoesquí *m;* **faire du** ~ hacer monoesquí.

monosyllabe [mɔnosi(l)lab] *nm* monosílabo.

monosyllabique [mɔnosi(l)labik] *adj* monosilábico(-a).

monotone, e [mɔnotɔn] *adj* monótono(-a).

monotonie [mɔnotɔni] *nf* monotonía.

monseigneur [mɔ̃sɛɲœʀ] *nm* (*archevêque, évêque*) Su Ilustrísima *m;* (*cardinal*) Su Eminencia; **Mgr Thomas** Monseñor Tomás.

Monsieur [məsjø] (*pl* **Messieurs**) *nm* (*titre*) señor, don; **un/le m~** un/el señor; *voir aussi* **Madame.**

monstre [mɔ̃stʀ] *nm* monstruo ♦ *adj* (*fam*) monstruo *inv;* **un travail** ~ un trabajo monstruo; ► **monstre sacré** (*THÉÂTRE, CINÉ*) monstruo sagrado.

monstrueux, -euse [mɔ̃stʀyø, øz] *adj* monstruoso(-a).

monstruosité [mɔ̃stʀyozite] *nf* monstruosidad *f.*

mont [mɔ̃] *nm:* **par** ~**s et par vaux** por todas partes; **le** ~ **de Vénus** el monte de Venus; **le M~ Blanc** el Mont Blanc.

montage [mɔ̃taʒ] *nm* montaje *m;* ► **montage sonore** montaje sonoro.

montagnard, e [mɔ̃taɲaʀ, aʀd] *adj, nm/f* montañés(-esa).

montagne [mɔ̃taɲ] *nf* montaña; (*fig*): **une** ~ **de** una montaña de; **la haute** ~ la alta montaña; **la moyenne** ~ la montaña media; **les** ~**s Rocheuses** las Montañas Rocosas; ► **montagnes russes** montaña *fsg* rusa.

montagneux, -euse [mɔ̃taɲø, øz] *adj* montañoso(-a).

montalbanais, e [mɔ̃talbanɛ, ɛz] *adj* de Montauban ♦ *nm/f:* **M~, e** nativo(-a) *ou* habitante *m/f* de Montauban.

montant, e [mɔ̃tɑ̃, ɑ̃t] *adj* ascendente; (*chemin*) ascendente, cuesta arriba; (*robe, corsage*) cerrado(-a) ♦ *nm* importe *m;* (*d'une fenêtre*) jamba; (*d'un lit, d'une* *échelle*) larguero.

mont-de-piété [mɔ̃dpjete] (*pl* ~**s**-~-~) *nm* monte *m* de piedad.

monte [mɔ̃t] *nf* monta.

monté, e [mɔ̃te] *adj*: **être ~ contre qn** estar enfurecido(-a) con algn; **~ en** (*fourni*) provisto(-a) de; **~ sur** montado(-a) en.

monte-charge [mɔ̃tʃaʀʒ] *nm inv* montacargas *m inv*.

montée [mɔ̃te] *nf* subida; (*côte*) cuesta; **au milieu de la ~** en medio de la cuesta *ou* de la subida.

monte-plats [mɔ̃tpla] *nm inv* montaplatos *m inv*.

monter [mɔ̃te] *vi* subir; (*CARTES*) echar una carta de más valor; (*à cheval*): **~ bien/mal** montar bien/mal ◊ *vt* montar; (*escalier, valise etc*) subir; (*tente, échafaudage, machine*) armar; **se monter** *vpr* proveerse; **~ dans un train/avion/taxi** subir en un tren/avión/taxi; **~ sur/à un arbre/une échelle** subir a un árbol/una escalera; **~ à cheval/bicyclette** montar a caballo/en bicicleta; **~ à pied/en voiture** subir a pie/en coche; **~ à bord** subir a bordo; **~ à la tête de qn** subírsele a la cabeza de algn; **~ son ménage** montar la casa; **~ son trousseau** preparar el ajuar; **~ sur les planches** subir a un escenario; **~ en grade** ascender; **~ à la tête à qn** fastidiar a algn; **~ la tête à qn** calentarle la cabeza a algn; **~ qch en épingle** destacar algo; **~ la garde** montar la guardia; **~ à l'assaut** lanzarse al asalto; **se ~ à** ascender a.

monteur, -euse [mɔ̃tœʀ, øz] *nm/f* montador(a).

monticule [mɔ̃tikyl] *nm* montículo.

montmartrois, e [mɔ̃maʀtʀwa, waz] *adj* de Montmartre ◊ *nm/f*: **M~, e** nativo(-a) *ou* habitante *m/f* de Montmartre.

montre [mɔ̃tʀ] *nf* reloj *m*; **~ en main** reloj en mano; **faire ~ de** hacer alarde de; (*faire preuve de*) dar muestras de; **contre la ~** contra reloj; ▶**montre de plongée** reloj sumergible.

Montréal [mɔ̃real] *n* Montreal.

montréalais, e [mɔ̃realɛ, ɛz] *adj* de Montreal ◊ *nm/f*: **M~, e** nativo(-a) *ou* habitante *m/f* de Montreal.

montre-bracelet [mɔ̃tʀəbraslɛ] (*pl* ~**s**-~**s**) *nf* reloj *m* de pulsera.

montrer [mɔ̃tʀe] *vt* mostrar, enseñar; (*suj: panneau*) señalar; (: *vêtement*) descubrir; **se montrer** *vpr* mostrarse; **~ qch à qn** mostrar algo a algn; **~ qch du doigt** señalar algo con el dedo; **~ à qn qu'il a tort** demostrar a algn que está equivocado; **~ à qn son affection/amitié** demostrar su

afecto/amistad a algn; **se ~ habile/à la hauteur/intelligent** mostrarse hábil/a la altura/inteligente.

montreur, -euse [mɔ̃tʀœʀ, øz] *nm/f*: **~ d'ours** amaestrador(a) de osos; **~ de marionnettes** titiritero(-a).

monture [mɔ̃tyʀ] *nf* (*bête*) montura.

monument [mɔnymɑ̃] *nm* monumento; ▶**monument aux morts** monumento a los caídos.

monumental, e, -aux [mɔnymɑ̃tal, o] *adj* monumental.

moquer [mɔke]: **se ~ de** *vt* burlarse de; (*mépriser*) importarle a algn muy poco; **se ~ de qn** (*tromper*) burlarse de algn.

moquerie [mɔkʀi] *nf* burla.

moquette [mɔkɛt] *nf* moqueta.

moqueur, -euse [mɔkœʀ, øz] *adj* burlón (-ona).

moral, e, -aux [mɔʀal, o] *adj*, *nm* moral *f*; **au ~, sur le plan ~** moralmente; **avoir le ~ à zéro** tener la moral por los suelos.

morale [mɔʀal] *nf* moral *f*; (*d'une fable etc*) moraleja; **faire la ~ à qn** echarle un sermón a algn.

moralement [mɔʀalmɑ̃] *adv* moralmente.

moralisateur, -trice [mɔʀalizatœʀ, tʀis] *adj*, *nm/f* moralizador(a).

moraliser [mɔʀalize] *vt* sermonear.

moraliste [mɔʀalist] *nm/f* moralista *m/f* ◊ *adj* moralizador(a).

moralité [mɔʀalite] *nf* moralidad *f*; (*conclusion*) moraleja.

moratoire [mɔʀatwaʀ] *adj m*: **intérêts ~s** (*FIN*) intereses *mpl* de demora.

morbide [mɔʀbid] *adj* mórbido(-a).

morceau, x [mɔʀso] *nm* trozo, pedazo; (*MUS, œuvre littéraire*) fragmento; (*CULIN: de viande*) tajada; **couper en/déchirer en ~x** cortar en/rasgar en trozos; **mettre en ~x** hacer pedazos.

morceler [mɔʀsəle] *vt* parcelar.

morcellement [mɔʀsɛlmɑ̃] *nm* parcelación *f*.

mordant, e [mɔʀdɑ̃, ɑ̃t] *adj* (*ironie*) mordaz; (*froid*) cortante ◊ *nm* (*dynamisme*) ímpetu *m*, bríos *mpl*; (*CHIM*) mordiente *m*; (*d'un article*) mordacidad *f*.

mordicus [mɔʀdikys] (*fam*) *adv*: **affirmer/soutenir qch ~** afirmar/sostener algo erre que erre.

mordiller [mɔʀdije] *vt* mordisquear.

mordoré, e [mɔʀdɔʀe] *adj* doradillo(-a).

mordre [mɔʀdʀ] *vt* morder; (*suj: insecte, froid*) picar; (: *ancre, vis*) penetrar en ◊ *vi* (*poisson*) picar; **~ dans** morder en; **~ sur** (*fig*) sobrepasar; **~ à qch** cogerle gusto a algo; **~ à l'hameçon** morder el anzuelo.

mordu, e [mɔʀdy] *pp de* **mordre** ◊ *adj*

(*amoureux*) loco(-a) ♦ *nm/f*: **un ~ de la voile/de jazz** un loco de la vela/del jazz.
morfondre [mɔrfɔ̃dR]: **se ~** *vpr* aburrirse esperando.
morgue [mɔrg] *nf* (*arrogance*) altivez *f*; (*endroit*) depósito de cadáveres.
moribond, e [mɔribɔ̃, ɔ̃d] *adj* moribundo(-a).
morille [mɔrij] *nf* colmenilla.
mormon, e [mɔrmɔ̃, ɔn] *adj*, *nm/f* mormón(-ona).
morne [mɔrn] *adj* (*personne, regard*) apagado(-a); (*temps*) desapacible; (*vie, conversation*) monótono(-a).
morose [mɔroz] *adj* taciturno(-a); (*ÉCON*) moroso(-a).
morphine [mɔrfin] *nf* morfina.
morphinomane [mɔrfinɔman] *nm/f* morfinómano(-a).
morphologie [mɔrfɔlɔʒi] *nf* morfología.
morphologique [mɔrfɔlɔʒik] *adj* morfológico(-a).
mors [mɔr] *nm* bocado.
morse [mɔrs] *nm* (*ZOOL*) morsa; (*TÉL*) morse *m*.
morsure [mɔrsyr] *nf* picadura; (*plaie*) mordedura.
mort, e [mɔr, mɔrt] *pp de* **mourir** ♦ *adj*, *nm/f* muerto(-a) ♦ *nf* muerte *f*; (*fig*) fin *m* ♦ *nm* (*CARTES*) muerto; **il y a eu plusieurs ~s** hubo varios muertos; **de ~** de muerte; **à ~** (*blessé etc*) de muerte; **à la ~ de** qn a la muerte de algn; **à la vie, à la ~** de por vida; **~ ou vif** vivo o muerto; **~ de peur/fatigue** muerto(-a) de miedo/ cansancio; **~s et blessés** muertos y heridos; **faire le ~** hacer el muerto; (*fig*) callarse como un muerto; **se donner la ~** darse muerte; ► **mort clinique** muerte clínica.
mortadelle [mɔrtadɛl] *nf* mortadela.
mortalité [mɔrtalite] *nf* mortalidad *f*; ► **mortalité infantile** mortalidad infantil.
mort-aux-rats [mɔrtɔra] *nf inv* matarratas *m inv*.
mortel, le [mɔrtɛl] *adj*, *nm/f* mortal *m/f*.
mortellement [mɔrtɛlmɑ̃] *adv* (*aussi fig*) mortalmente; (*pâle etc*) extremadamente.
morte-saison [mɔrtəsɛzɔ̃] (*pl* ~**s**-~**s**) *nf* (*ÉCON*) temporada baja.
mortier [mɔrtje] *nm* (*TECH*) mortero, argamasa; (*canon*) mortero.
mortifier [mɔrtifje] *vt* mortificar.
mort-né, e [mɔrne] (*pl* ~-~**s, es**) *adj* nacido(-a) muerto(-a); (*fig*) fracasado (-a).
mortuaire [mɔrtɥɛr] *adj*: **cérémonie ~** ceremonia fúnebre; **avis ~s** esquelas *fpl*;

chapelle ~ capilla ardiente; **couronne ~** corona mortuoria; **domicile ~** domicilio del difunto; **drap ~** mortaja.
morue [mɔry] *nf* bacalao.
morvandeau, -elle [mɔrvãdo, ɛl] *adj* de Morván ♦ *nm/f*: **M~, -elle** nativo(-a) *ou* habitante *m/f* de Morván.
morveux, -euse [mɔrvø, øz] (*fam*) *adj* mocoso(-a).
mosaïque [mɔzaik] *nf* mosaico; (*fig*): **une ~ de** un mosaico de; **parquet ~** parquet *m* mosaico.
mosan, e [mɔzã, ãn] *adj* del Mosa.
Moscou [mɔsku] *n* Moscú.
moscovite [mɔskɔvit] *adj* moscovita ♦ *nm/ f*: **M~** moscovita *m/f*.
mosellan, e [mɔzɛlã, an] *adj* de Mosela ♦ *nm/f*: **M~, e** nativo(-a) *ou* habitante *m/f* de Mosela.
mosquée [mɔske] *nf* mezquita.
mot [mo] *nm* palabra; (*bon mot etc*) ocurrencia, gracia; **mettre/écrire/recevoir un ~** (*message*) poner/escribir/recibir unas líneas; **le ~ de la fin** la conclusión; **~ à ~** *adj, adv* palabra por palabra ♦ *nm* traducción *f* literal; **sur/à ces ~s** después de/ con estas palabras; **en un ~** en una palabra; **~ pour ~** palabra por palabra; **à ~s couverts** con medias palabras; **avoir le dernier ~** tener la última palabra; **prendre qn au ~** coger *ou* tomar la palabra a algn; **se donner le ~** ponerse de acuerdo; **avoir son ~ à dire** tener algo que decir; **avoir des ~s avec qn** tener unas palabras con algn; ► **mot d'ordre** contraseña; ► **mot de passe** contraseña, santo y seña; ► **mots croisés** crucigrama *msg*.
motard [mɔtar] *nm* motociclista *m*; (*de la police*) motorista *m*.
motel [mɔtɛl] *nm* motel *m*.
moteur, -trice [mɔtœr, tris] *adj* (*ANAT*) motor(a); (*TECH*) motor(motriz); (*AUTO*): **à 4 roues motrices** con 4 ruedas motrices ♦ *nm* motor *m*; (*mobile*) causa; **à ~** a motor; ► **moteur à dos/à quatre temps** motor de dos/de cuatro tiempos; ► **moteur à explosion/à réaction** motor de explosión/de reacción; ► **moteur thermique** motor térmico.
moteur-fusée [mɔtœrfyze] (*pl* ~**s**-~**s**) *nm* motor *m* cohete.
motif [mɔtif] *nm* motivo; ~**s** *nmpl* (*JUR*) alegato; **sans ~** sin motivo.
motion [mosjɔ̃] *nf* moción *f*; ► **motion de censure** moción de censura.
motivation [mɔtivasjɔ̃] *nf* motivación *f*.
motivé, e [mɔtive] *adj* motivado(-a).
motiver [mɔtive] *vt* motivar.
moto [mɔto] *nf* moto *f*; ► **moto de trial** moto de trial; ► **moto verte** motocross

m.

moto-cross [motokʀɔs] *nm inv* motocross *m.*

motoculteur [mɔtɔkyltœʀ] *nm* motocultor *m*, motocultivador *m.*

motocyclette [mɔtɔsiklɛt] *nf* motocicleta.

motocyclisme [mɔtɔsiklism] *nm* motociclismo.

motocycliste [mɔtɔsiklist] *nm/f* motociclista *m/f.*

motoneige [motonɛʒ] *nf* motonieve *f.*

motorisé, e [mɔtɔʀize] *adj* motorizado(-a).

motoriser [mɔtɔʀize] *vt* motorizar.

motrice [mɔtʀis] *nf* (*RAIL*) locomotora ♦ *adj f voir* **moteur**.

motte [mɔt] *nf*: ~ **de terre** terrón *m*; ▸ **motte de beurre** pella de mantequilla; ▸ **motte de gazon** montón *m* de césped.

motus [mɔtys] *excl*: ~ **(et bouche cousue)!** ¡chitón (y boca cerrada)!

mou (mol), molle [mu, mɔl] *adj* blando (-a); (*péj: visage*) insulso(-a); (: *résistance*) débil ♦ *nm* débil *m*; (*abats*) bofe *m*; **avoir du mou** estar flojo(-a); **j'ai les jambes molles** me flaquean las piernas; **donner du mou** aflojar.

mouchard, e [muʃaʀ, aʀd] *nm/f* delator(a); (*péj: SCOL, POLICE*) chivato(-a) ♦ *nm* (*appareil*) alarma.

mouche [muʃ] *nf* mosca; (*ESCRIME*) zapatilla; (*de taffetas*) lunar *m* postizo; (*sur une cible*) diana; **prendre la** ~ picarse; **faire** ~ dar en el blanco; **bateau** ~ lancha del Sena; ▸ **mouche tsé-tsé** mosca tsé tsé.

moucher [muʃe] *vt* (*enfant*) sonar; (*chandelle, lampe*) despabilar; (*fig*) dar una lección a; **se moucher** *vpr* sonarse.

moucheron [muʃʀɔ̃] *nm* mosca pequeña.

moucheté, e [muʃ(ə)te] *adj* moteado(-a); (*ESCRIME*) con zapatilla.

mouchoir [muʃwaʀ] *nm* pañuelo; ▸ **mouchoir en papier** pañuelo de papel.

moudre [mudʀ] *vt* moler.

moue [mu] *nf* mueca; **faire la** ~ poner cara de asco.

mouette [mwɛt] *nf* gaviota.

mouf(f)ette [mufɛt] *nf* mofeta.

moufle [mufl] *nf* manopla; (*TECH*) aparejo.

mouflon [muflɔ̃] *nm* muflón *m.*

mouillage [mujaʒ] *nm* fondeadero.

mouillé, e [muje] *adj* mojado(-a).

mouiller [muje] *vt* mojar; (*CULIN*) añadir agua a; (*diluer*) aguar; (*NAUT*) fondear ♦ *vi* (*NAUT*) fondear; **se mouiller** *vpr* (*aussi fam*) mojarse; ~ **l'ancre** fondear, echar el ancla.

mouillette [mujɛt] *nf* rebanada estrecha de pan.

moulage [mulaʒ] *nm* moldeado, vaciado.

moulais [mulɛ] *vb voir* **moudre**.

moulant, e [mulɑ̃, ɑ̃t] *adj* ceñido(-a).

moule [mul] *vb voir* **moudre** ♦ *nf* mejillón *m* ♦ *nm* molde *m*; (*modèle plein*) modelo; ▸ **moule à gâteaux** molde para pasteles; ▸ **moule à gaufre/à tarte** molde para barquillos/para tartas.

moulent [mul] *vb voir* **moudre; mouler.**

mouler [mule] *vt* moldear, vaciar; (*lettre*) escribir cuidadosamente; (*suj: vêtement, bas*) ceñir, ajustar; ~ **qch sur** (*fig*) adaptar algo a.

moulin [mulɛ̃] *nm* molino; (*fam: moteur*) motor *m*; ▸ **moulin à café/à poivre** molinillo de café/de pimienta; ▸ **moulin à eau/à vent** molino de agua/de viento; ▸ **moulin à légumes** pasapurés *m inv*; ▸ **moulin à paroles** cotorra; ▸ **moulin à prières** cilindro de oraciones.

mouliner [muline] *vt* (*légumes*) pasar por el pasapurés.

moulinet [mulinɛ] *nm* (*d'un treuil*) torniquete *m*; (*d'une canne à pêche*) carrete *m*; **faire des** ~s **avec un bâton/les bras** hacer molinetes con un palo/los brazos.

moulinette ® [mulinɛt] *nf* pequeño pasapurés *m.*

moulons [mulɔ̃] *vb voir* **moudre.**

moulu, e [muly] *pp de* **moudre** ♦ *adj* molido(-a).

moulure [mulyʀ] *nf* moldura.

mourant, e [muʀɑ̃, ɑ̃t] *vb voir* **mourir** ♦ *adj* moribundo(-a); (*son*) mortecino(-a); (*regard*) lánguido(-a) ♦ *nm/f* moribundo(-a); **raviver le feu** ~ reavivar las ascuas.

mourir [muʀiʀ] *vi* morir(se); (*civilisation*) desaparecer; (*flamme*) apagarse; ~ **de faim/de froid/d'ennui** morir(se) de hambre/de frío/de aburrimiento; ~ **de rire/de vieillesse** morirse de risa/de viejo; ~ **assassiné** morir asesinado; ~ **d'envie de faire** morirse de ganas de hacer; **à** ~: **s'ennuyer à** ~ morirse de aburrimiento.

mousquetaire [muskətɛʀ] *nm* mosquetero.

mousqueton [muskətɔ̃] *nm* mosquetón *m.*

moussant, e [musɑ̃, ɑ̃t] *adj*: **bain** ~ baño de espuma.

mousse [mus] *nf* (*BOT*) musgo; (*écume*) espuma; (*CULIN*) mousse *f*; (*en caoutchouc etc*) gomaespuma ♦ *nm* grumete *m*; **bain de** ~ baño de espuma; **bas** ~ media de espuma; **balle** ~ pelota de esponja; ▸ **mousse à raser** espuma de afeitar; ▸ **mousse carbonique** espuma de gas carbónico; ▸ **mousse de foie gras** mousse de foie gras; ▸ **mousse de nylon** espuma de nylon; (*tissu*) tejido en espuma de nylon.

mousseline [muslin] *nf* (*TEXTILE*) muselina; **pommes** ~ (*CULIN*) puré *m* de pata-

tas.
mousser [muse] *vi* espumar, hacer espuma.
mousseux, -euse [musø, øz] *adj* (*chocolat*) cremoso(-a) ◊ *nm*: (**vin**) ~ (vino) espumoso.
mousson [musɔ̃] *nf* monzón *m*.
moussu, e [musy] *adj* musgoso(-a).
moustache [mustaʃ] *nf* bigote *m*; ~**s** *nfpl* (*d'animal*) bigotes *mpl*.
moustachu, e [mustaʃy] *adj* bigotudo(-a).
moustiquaire [mustikɛʀ] *nf* mosquitero.
moustique [mustik] *nm* mosquito.
moutarde [mutaʀd] *nf, adj inv* mostaza; ▶ **moutarde extra-forte** mostaza extra fuerte.
moutardier [mutaʀdje] *nm* mostacera, mostacero.
mouton [mutɔ̃] *nm* (*ZOOL*) carnero; (*peau*) piel *f* de carnero; (*fourrure*) mutón *m*; (*CULIN, péj: personne*) cordero; ~**s** *nmpl* (*fig: nuages*) nubecillas *fpl*; (*poussière*) pelusa *fsg*.
mouture [mutyʀ] *nf* molienda; (*péj: reprise*) refrito.
mouvant, e [muvɑ̃, ɑ̃t] *adj* movedizo(-a).
mouvement [muvmɑ̃] *nm* movimiento; (*geste*) gesto; (*d'une phrase*) expresividad *f*; (*d'un terrain, sol*) accidentes *mpl*; (*de montre*) mecanismo; **en** ~ en movimiento; **mettre qch en** ~ poner algo en funcionamiento; ▶ **mouvement de colère/d'humeur** arrebato de cólera/de mal humor; ▶ **mouvement d'opinion** cambio de opinión; ▶ **le mouvement perpétuel** el movimiento continuo; ▶ **mouvement révolutionnaire/syndical** movimiento revolucionario/sindical.
mouvementé, e [muvmɑ̃te] *adj* accidentado(-a); (*récit*) animado(-a); (*agité*) agitado(-a).
mouvoir [muvwaʀ] *vt* mover; (*machine*) accionar; (*fig: personne*) animar; **se mouvoir** *vpr* moverse.
moyen, ne [mwajɛ̃, jɛn] *adj* medio(-a); (*élève, résultat*) regular ◊ *nm* medio; ~**s** *nmpl* (*capacités*) medios *mpl*; **au** ~ **de** por medio de; **y a-t-il** ~ **de...?** ¿hay modo de ...?; **par quel** ~? ¿de qué manera?, ¿cómo?; **avec les** ~**s du bord** (*fig*) con todos los medios disponibles; **par tous les** ~**s** por todos los medios; **employer les grands** ~**s** emplear medios más persuasivos; **par ses propres** ~**s** por sus propios medios; ▶ **moyen âge** edad *f* media; ▶ **moyen d'expression** forma de expresión; ▶ **moyen de locomotion/de transport** medio de locomoción/de transporte; ▶ **moyen terme** término medio.
moyen-courrier [mwajɛ̃kuʀje] (*pl* ~**-**~**s**)

nm avión *m* de transporte de distancias medias.
moyennant [mwajɛnɑ̃] *prép* (*somme d'argent*: contre une acquisition*) al precio de; (: contre un service*) a cambio de; ~ **quoi** mediante lo cual.
moyenne [mwajɛn] *nf* media, promedio; (*MATH, STATISTIQUE*) media; (*SCOL*) nota media; (*AUTO*) promedio; **en** ~ por término medio; **faire la** ~ hacer la media; ▶ **moyenne d'âge** edad *f* media; ▶ **moyenne entreprise** (*COMM*) mediana empresa.
moyennement [mwajɛnmɑ̃] *adv* medianamente; (*faire qch*) regularmente.
Moyen-Orient [mwajɛnɔʀjɑ̃] *nm* Medio Oriente *m*.
moyeu, x [mwajø] *nm* cubo.
mozambicain, e [mɔzɑ̃bikɛ̃, ɛn] *adj* mozambiqueño(-a) ◊ *nm/f*: **M~, e** mozambiqueño(-a).
Mozambique [mɔzɑ̃bik] *nm* Mozambique *m*.
MRAP [mʀap] *sigle m* = *Mouvement contre le racisme, l'antisémitisme et pour la paix*.
MRG [ɛmɛʀʒe] *sigle m* = *Mouvement des radicaux de gauche*.
ms *abr* = **manuscrit**.
MST [ɛmɛste] *sigle f* = *maladie sexuellement transmissible*.
mû, mue [my] *pp de* **mouvoir**.
mucosité [mykozite] *nf* mucosidad *f*.
mucus [mykys] *nm* mucosidad *f*, mucus *m inv*.
mue [my] *pp de* **mouvoir** ◊ *nf* muda.
muer [mɥe] *vi* mudar; (*jeune garçon*): **il mue** está mudando la voz; **se muer** *vpr*: **se** ~ **en** convertirse en.
muet, te [mɥɛ, mɥɛt] *adj, nm/f* mudo(-a); (*protestation, joie, douleur*) silencioso(-a) ◊ *nm*: **le** ~ (*CINÉ*) el cine mudo; (*fig*): ~ **d'admiration/d'étonnement** mudo(-a) de admiración/de extrañeza.
mufle [myfl] *nm* hocico; (*goujat*) patán *m* ◊ *adj* patán.
mugir [myʒiʀ] *vi* mugir; (*sirène*) sonar.
mugissement [myʒismɑ̃] *nm* mugido.
muguet [mygɛ] *nm* muguete *m*, lirio del valle; (*MÉD*) muguete.
mulâtre, mulâtresse [mylɑtʀ, mylɑtʀɛs] *nm/f* mulato(-a).
mule [myl] *nf* mula; ~**s** *nfpl* (*pantoufles*) chinelas *fpl*.
mulet [mylɛ] *nm* mulo; (*poisson*) mújol *m*.
muletier, -ière [myl(ə)tje, jɛʀ] *adj*: **sentier/chemin** ~ sendero/camino de mulas.
mulot [mylo] *nm* ratón *m* campesino.
multicolore [myltikɔlɔʀ] *adj* multicolor.
multicoque [myltikɔk] *adj* de varios cas-

cos ♦ *nm* velero de varios cascos.

multidisciplinaire [myltidisiplinɛʀ] *adj*: **enseignement** ~ enseñanza multidisciplinar.

multiforme [myltifɔʀm] *adj* multiforme.

multilatéral, e, -aux [myltilateʀal, o] *adj* multilateral.

multimilliardaire [myltimiljaʀdɛʀ] *adj, nm/f* multibillonario(-a).

multimillionnaire [myltimiljɔnɛʀ] *adj, nm/f* multimillonario(-a).

multinational, e, -aux [myltinasjɔnal, o] *adj*: **firme/entreprise** ~e firma/empresa multinacional.

multinationale [myltinasjɔnal] *nf* multinacional *f*.

multiple [myltipl] *adj* múltiple ♦ *nm* múltiplo.

multiplex [myltiplɛks] *nm* múltiplex *m*.

multiplicateur [myltiplikatœʀ] *nm* multiplicador *m*.

multiplication [myltiplikasjɔ̃] *nf* multiplicación *f*.

multiplicité [myltiplisite] *nf* multiplicidad *f*.

multiplier [myltiplije] *vt* multiplicar; **se multiplier** *vpr* multiplicarse.

multiprogrammation [myltipʀɔgʀamasjɔ̃] *nf* multiprogramación *f*.

multipropriété [myltipʀɔpʀijete] *nf* multipropiedad *f*.

multirisque [myltiʀisk] *adj*: **assurance** ~ seguro a todo riesgo.

multitraitement [myltitʀɛtmɑ̃] *nm* (*INFORM*) multiprocesamiento.

multitude [myltityd] *nf* multitud *f*; **une** ~ **de** (una) multitud de.

municipal, e, -aux [mynisipal, o] *adj* municipal.

municipalité [mynisipalite] *nf* municipalidad *f*, ayuntamiento; (*commune*) municipio.

munificence [mynifisɑ̃s] *nf* munificencia.

munir [myniʀ] *vt*: ~ **qn de** proveer a algn de; ~ **qch de** dotar algo de; **se munir** *vpr*: **se** ~ **de** proveerse de.

munitions [mynisjɔ̃] *nfpl* municiones *fpl*.

muqueuse [mykøz] *nf* mucosa.

mur [myʀ] *nm* muro; (*cloison*) pared *f*; (*de terre*) tapia; (*de rondins*) cercado; ~ **d'incompréhension/de haine** (*obstacle*) muro de incomprensión/de odio; **faire le** ~ salir sin permiso; ▶ **mur du son** barrera del sonido.

mûr, e [myʀ] *adj* maduro(-a); (*fig*) a punto.

muraille [myʀɑj] *nf* muralla.

mural, e, -aux [myʀal, o] *adj* mural; (*plante*) trepador(a) ♦ *nm* mural *m*.

Murcie [myʀsi] *nf* Murcia.

mûre [myʀ] *nf* (*du mûrier*) mora; (*de la*

ronce) zarzamora.

mûrement [myʀmɑ̃] *adv*: **ayant** ~ **réfléchi** habiéndolo pensado a fondo.

murène [myʀɛn] *nf* morena.

murer [myʀe] *vt* amurallar; (*porte, issue*) tapiar; (*personne*) emparedar.

muret [myʀɛ] *nm* muro bajo.

mûrier [myʀje] *nm* morera; (*ronce*) zarza, zarzamora.

mûrir [myʀiʀ] *vt, vi* madurar.

murmure [myʀmyʀ] *nm* murmullo; ~ **d'approbation/d'admiration/de protestation** murmullo de aprobación/de admiración/de protesta; ~**s** *nmpl* (*plaintes*) murmullo *msg*, protesta *fsg*.

murmurer [myʀmyʀe] *vi* murmurar; ~ **que** murmurar que.

mus *etc* [my] *vb voir* **mouvoir**.

musaraigne [myzaʀɛɲ] *nf* musaraña.

musarder [myzaʀde] *vi* entretenerse con tonterías; (*en marchant*) callejear.

musc [mysk] *nm* almizcle *m*; (*parfum*) perfume *m* de almizcle.

muscade [myskad] *nf*: **noix de** ~ nuez *f* moscada.

muscat [myska] *nm* uva moscatel; (*vin*) moscatel *m*.

muscle [myskl] *nm* músculo.

musclé, e [myskle] *adj* musculoso(-a); (*fig*: *politique, régime*) duro(-a).

muscler [myskle] *vt* desarrollar los músculos de.

musculaire [myskylɛʀ] *adj* muscular.

musculation [myskylasjɔ̃] *nf*: **travail/ exercice de** ~ trabajo/ejercicio de musculación.

musculature [myskylatyʀ] *nf* musculatura.

muse [myz] *nf* musa.

museau, x [myzo] *nm* hocico.

musée [myze] *nm* museo.

museler [myz(ə)le] *vt* poner un bozal a; (*opposition, presse*) amordazar.

muselière [myzəljɛʀ] *nf* bozal *m*.

musette [myzɛt] *nf* morral *m* ♦ *adj inv*: **orchestre/valse** ~ orquesta/vals *msg* popular.

muséum [myzeɔm] *nm* museo.

musical, e, -aux [myzikal, o] *adj* musical.

music-hall [myzikol] (*pl* ~-~**s**) *nm* music-hall *m*.

musicien, ne [myzisjɛ̃, jɛn] *adj* músico(-a).

musique [myzik] *nf* música; (*d'un vers, d'une phrase*) musicalidad *f*; **faire de la** ~ componer música; (*jouer d'un instrument*) tocar música; ▶ **musique de chambre/ de fond** música de cámara/de fondo; ▶ **musique militaire/de film** música militar/de banda sonora.

musqué, e [myske] *adj* almizclado(-a).

must [mœst] *nm*: **le** ~ el no va más.

musulman, e [myzylmã, an] *adj, nm/f* musulmán(-ana).
mutant, e [mytã, ãt] *nm/f* mutante *m/f.*
mutation [mytasjɔ̃] *nf* (*ADMIN*) traslado; (*BIOL*) mutación *f.*
muter [myte] *vt* (*ADMIN*) trasladar.
mutilation [mytilasjɔ̃] *nf* mutilación *f.*
mutilé, e [mytile] *nm/f* mutilado(-a); **grand** ~ gravemente mutilado; ▶ **mutilé du travail/de guerre** mutilado(-a) laboral/ de guerra.
mutiler [mytile] *vt* mutilar; (*endroit*) deteriorar, degradar.
mutin, e [mytɛ̃, in] *adj* (*enfant*) travieso (-a); (*air, ton*) pícaro(-a) ♦ *nm/f* (*MIL*) amotinado(-a).
mutiner [mytine]: **se** ~ *vpr* amotinarse.
mutinerie [mytinʀi] *nf* motín *m.*
mutisme [mytism] *nm* mutismo.
mutualiste [mytɥalist] *adj* mutualista.
mutualité [mytɥalite] *nf* mutualidad *f.*
mutuel, le [mytɥɛl] *adj* mutuo(-a); (*établissement*) mutualista.
mutuelle [mytɥɛl] *nf* mutualidad *f,* mutua.
mutuellement [mytɥɛlmã] *adv* mutuamente.
myocarde [mjɔkaʀd] *nm voir* **infarctus.**
myope [mjɔp] *adj, nm/f* miope *m/f.*
myopie [mjɔpi] *nf* miopía.
myosotis [mjɔzɔtis] *nm* nomeolvides *m inv.*
myriade [miʀjad] *nf* miríada.
myrtille [miʀtij] *nf* arándano.
mystère [mistɛʀ] *nm* misterio; ~ **de la Trinité/de la foi** (*REL*) misterio de la Santísima Trinidad/de la fe.
mystérieusement [misteʀjøzmã] *adv* misteriosamente.
mystérieux, -euse [misteʀjø, jøz] *adj* misterioso(-a).
mysticisme [mistisism] *nm* misticismo.
mystificateur, -trice [mistifikatœʀ, tʀis] *nm/f* charlatán(-ana).
mystification [mistifikasjɔ̃] *nf* mistificación *f;* (*mythe*) mito.
mystifier [mistifje] *vt* mistificar; (*tromper*) engañar.
mystique [mistik] *adj, nm/f* místico(-a).
mythe [mit] *nm* mito; **le** ~ **de la galanterie française** el mito de la galantería francesa.
mythifier [mitifje] *vt* mitificar.
mythique [mitik] *adj* mítico(-a).
mythologie [mitɔlɔʒi] *nf* mitología.
mythologique [mitɔlɔʒik] *adj* mitológico (-a).
mythomane [mitɔman] *adj, nm/f* mitómano(-a).

N, n

N, n [ɛn] *nm inv* N, n *f;* ~ **comme Nicolas** ≈ N de Narciso.
N [ɛn] *abr* (– *nord*) N; (*LING* = *nom*) n. (= *nombre*).
n' [n] *adv voir* **ne.**
nabot [nabo] (*péj*) *nm* retaco.
nacelle [nasɛl] *nf* barquilla.
nacre [nakʀ] *nf* nácar *m.*
nacré, e [nakʀe] *adj* nacarado(-a).
nage [naʒ] *nf* natación *f;* (*style*) estilo; **traverser/s'éloigner à la** ~ atravesar/ alejarse a nado; **en** ~ bañado(-a) en sudor; **100 m** ~ **libre** 100m libres; ▶ **nage indienne** natación *f* de costado; ▶ **nage libre** estilo libre; ▶ **nage papillon** estilo mariposa.
nageoire [naʒwaʀ] *nf* aleta.
nager [naʒe] *vi* nadar; (*fig*) estar pez ♦ *vt* nadar (a); ~ **dans des vêtements** flotar en la ropa; ~ **dans le bonheur** rebosar de alegría.
nageur, euse [naʒœʀ, øz] *nm/f* nadador (-a).
naguère [nagɛʀ] *adv* antes.
naïf, -ïve [naif, naiv] *adj* ingenuo(-a); (*air*) inocente.
nain, e [nɛ̃, nɛn] *adj, nm/f* enano(-a).
nais *etc* [nɛ] *vb voir* **naître.**
naissais *etc* [nɛsɛ] *vb voir* **naître.**
naissance [nɛsãs] *nf* nacimiento; **donner** ~ **à** (*enfant*) dar a luz a; (*fig*) originar; **prendre** ~ nacer; **aveugle/Français de** ~ ciego/francés de nacimiento; **à la** ~ **des cheveux** en la raíz del cabello; **lieu de** ~ lugar de nacimiento.
naissant, e [nɛsã, ãt] *adj* (*calvitie, barbe*) incipiente; (*tumeur*) en fase inicial; (*amitié, jalousie*) naciente, nuevo(-a); **le jour** ~ el amanecer.
naît [nɛ] *vb voir* **naître.**
naître [nɛtʀ] *vi* nacer; (*résulter*): ~ (**de**) nacer (de); **il est né en 1960** ha nacido en 1960; **il naît plus de filles que de garçons** nacen más niñas que niños; **faire** ~ (*fig*) originar.
naïvement [naivmã] *adv* ingenuamente.
naïveté [naivte] *nf* ingenuidad *f.*
Namibie [namibi] *nf* Namibia.

nana [nana] (*fam*) *nf* chica.
nancéien, ne [nɑ̃sejɛ̃, ɛn] *adj* de Nancy ◊ *nm/f*: **N~**, **ne** nativo(-a) *ou* habitante *m/f* de Nancy.
nantais, e [nɑ̃tɛ, ɛz] *adj* nantés(-esa) ◊ *nm/f*: **N~**, **e** nantés(-esa).
Nantes [nɑ̃t] *n* Nantes.
nantir [nɑ̃tiʀ] *vt*: ~ **qn de** proveer a algn de; **les nantis** (*péj*) los pudientes.
napalm [napalm] *nm* napalm *m*.
naphtaline [naftalin] *nf*: **boules de** ~ bolas *fpl* de naftalina.
Naples [napl] *n* Nápoles.
napolitain, e [napɔlitɛ̃, ɛn] *adj* napolitano (-a) ◊ *nm/f*: **N~**, **e** napolitano(-a); **tranche ~e** (*glace*) helado (al corte) de tres sabores.
nappe [nap] *nf* mantel *m*; (*fig*): ~ **d'eau** capa de agua; ► **nappe de brouillard** capa de niebla; ► **nappe de gaz/ mazout** capa de gas/fuel-oil.
napper [nape] *vt*: ~ **qch de** cubrir algo con.
napperon [napʀɔ̃] *nm* tapete *m*; ► **napperon individuel** mantel *m* individual.
naquit *etc* [naki] *vb voir* **naître**.
narcisse [naʀsis] *nm* narciso.
narcissique [naʀsisik] *adj* narcisista.
narcissisme [naʀsisism] *nm* narcisismo.
narcotique [naʀkɔtik] *adj* narcótico(-a) ◊ *nm* narcótico.
narguer [naʀge] *vt* provocar.
narine [naʀin] *nf* ventana (de la nariz).
narquois, e [naʀkwa, waz] *adj* burlón (-ona).
narrateur, -trice [naʀatœʀ, tʀis] *nm/f* narrador(a).
narratif, -ive [naʀatif, iv] *adj* narrativo(-a).
narration [naʀasjɔ̃] *nf* narración *f*.
narrer [naʀe] *vt* narrar.
NASA [naza] *sigle f* (= *National Aeronautics and Space Administration*) NASA *f*.
nasal, e, -aux [nazal, o] *adj* nasal.
naseau, x [nazo] *nm* nariz *f*.
nasillard, e [nazijaʀ, aʀd] *adj* gangoso(-a).
nasiller [nazije] *vi* (*personne*) ganguear; (*microphone etc*) nasalizar.
nasse [nɑs] *nf* nasa.
natal, e [natal] *adj* natal.
nataliste [natalist] *adj* natalista.
natalité [natalite] *nf* natalidad *f*.
natation [natasjɔ̃] *nf* natación *f*; **faire de la** ~ hacer natación, nadar.
natif, -ive [natif, iv] *adj* nativo(-a); (*inné*) natural; (*originaire*): ~ **de** natural de.
nation [nasjɔ̃] *nf* nación *f*; ► **les Nations Unies** las Naciones Unidas.
national, e, -aux [nasjɔnal, o] *adj* nacional; **nationaux** *nmpl* nacionales *mpl*; **obsèques ~es** exequias *fpl* nacionales.

nationale [nasjɔnal] *nf*: (**route**) ~ (carretera) nacional *f*.
nationalisation [nasjɔnalizasjɔ̃] *nf* nacionalización *f*.
nationaliser [nasjɔnalize] *vt* nacionalizar.
nationalisme [nasjɔnalism] *nm* nacionalismo.
nationaliste [nasjɔnalist] *nm/f* nacionalista *m/f*.
nationalité [nasjɔnalite] *nf* nacionalidad *f*; **il est de ~ française** es de nacionalidad francesa.
natte [nat] *nf* (*tapis*) estera; (*cheveux*) coleta.
natter [nate] *vt* trenzar.
naturalisation [natyʀalizasjɔ̃] *nf* naturalización *f*.
naturalisé, e [natyʀalize] *adj* naturalizado(-a).
naturaliser [natyʀalize] *vt* naturalizar.
naturaliste [natyʀalist] *nm/f* taxidermista *m/f*; (*savant*) naturalista *m/f*.
nature [natyʀ] *nf* naturaleza; (*tempérament*) temperamento ◊ *adj* natural; (*café*) solo; (*CULIN*) al natural; **payer en** ~ pagar en especie; **peint d'après** ~ pintado del natural; ~ **morte** naturaleza muerta, bodegón *m*; **être de** ~ **à faire qch** (*propre à*) ser adecuado(-a) para hacer algo; **il n'est pas de** ~ **à accepter** está claro que no va a aceptar.
naturel, le [natyʀɛl] *adj* natural ◊ *nm* (*caractère*) natural *m*; (*aisance*) naturalidad *f*; **au** ~ (*CULIN*) al natural.
naturellement [natyʀɛlmɑ̃] *adv* naturalmente.
naturisme [natyʀism] *nm* naturismo.
naturiste [natyʀist] *adj*, *nm/f* naturista *m/f*.
naufrage [nofʀaʒ] *nm* naufragio; (*fig*) ruina; **faire** ~ naufragar.
naufragé, e [nofʀaʒe] *adj*, *nm/f* náufrago (-a).
nauséabond, e [nozeabɔ̃, ɔ̃d] *adj* nauseabundo(-a).
nausée [noze] *nf* náusea, asco; **avoir la** ~ *ou* **des ~s** tener náuseas.
nautique [notik] *adj* náutico(-a); **sports ~s** deportes náuticos.
nautisme [notism] *nm* náutica.
naval, e [naval] *adj* naval.
navarrais, e [navaʀɛ, ɛz] *adj* navarro(-a) ◊ *nm/f*: **N~**, **e** navarro(-a).
Navarre [navaʀ] *nf* Navarra.
navet [navɛ] *nm* nabo; (*péj*: *film*) tostón *m*.
navette [navɛt] *nf* lanzadera; (*en car etc*) recorrido; **faire la** ~ (**entre**) ir y venir (entre); ► **navette spatiale** nave *f* espacial.
navigabilité [navigabilite] *nf* navegabilidad *f*.

navigable [navigabl] *adj* navegable.
navigant, e [navigã, ãt] *adj* de vuelo ♦ *nm/f* miembro de la tripulación.
navigateur [navigatœR] *nm* navegante *m/f*.
navigation [navigasjɔ̃] *nf* navegación *f*; **compagnie de** ~ compañía de navegación.
naviguer [navige] *vi* navegar.
navire [naviR] *nm* buque *m*; ▶ **navire marchand/de guerre** buque mercante/ de guerra.
navire-citerne [navirsitɛRn] (*pl* ~**s**-~**s**) *nm* buque cisterna.
navrant, e [navRã, ãt] *adj* (*affligeant*) lastimoso(-a); (*consternant*) penoso(-a).
navrer [navRe] *vt* afligir; **je suis navré** lo siento en el alma; **je suis navré que** siento muchísimo que.
nazaréen, ne [nazaReɛ̃, ɛn] *adj* nazareno (-a).
Nazareth [nazaRɛt] *n* Nazaret.
N.B. [ɛnbe] *abr* (= *nota bene*) N.B.
ND *abr* (= *Notre-Dame*) Ntra. Sra. (= *Nuestra Señora*).
NDLR [ɛndeɛlɛR] *sigle f* (= *note de la rédaction*) N. de la R. (= *nota de la redacción*).
ne [n(ə)] *adv* no; (*explétif*) *non traduit*; **je ~ le veux pas** no lo quiero; **je crains qu'il ~ vienne** temo que venga; **je ~ veux que ton bonheur** sólo quiero tu felicidad; *voir* **pas; plus; jamais.**
né, e [ne] *pp de* **naître** ♦ *adj*: **un comédien** ~ un comediante nato; ~ **en 1960** nacido(-a) en 1960; ~**e Dupont** de soltera Dupont; **bien** ~**(e)** de buena cuna; ~ **de ... et de ...** (*sur acte de naissance etc*) hijo(-a) de ... y de ...; ~ **d'une mère française** hijo de madre francesa.
néanmoins [neãmwɛ̃] *adv* no obstante.
néant [neã] *nm* nada; **réduire à** ~ reducir a la nada; (*espoir*) quitar.
nébuleuse [nebyløz] *nf* nebulosa.
nébuleux, -euse [nebylø, øz] *adj* (*aussi fig*) nebuloso(-a).
nébuliser [nebylize] *vt* vaporizar.
nébulosité [nebylozite] *nf* nebulosidad *f*; ▶ **nébulosité variable** nebulosidad variable.
nécessaire [nesesɛR] *adj* necesario(-a) ♦ *nm*: **faire le** ~ hacer lo necesario; **est-il** ~ **que je m'en aille?** ¿es preciso que me vaya?; **il est** ~ **de ...** es necesario ...; **n'emporter que le strict** ~ llevar sólo lo estrictamente necesario; ▶ **nécessaire de couture** costurero; ▶ **nécessaire de toilette/de voyage** neceser *m* de aseo/ de viaje.
nécessairement [nesesɛRmã] *adv* necesariamente.
nécessité [nesesite] *nf* necesidad *f*; **se trou-**

ver dans la ~ **de faire qch** encontrarse en la necesidad de hacer algo; **par** ~ **por** necesidad.
nécessiter [nesesite] *vt* necesitar.
nécessiteux, -euse [nesesitø, øz] *adj* necesitado(-a) ♦ *nmpl*: **les** ~ los necesitados.
nec plus ultra [nɛkplysyltRa] *nm*: **le** ~ ~ ~ **de** el no va más de.
nécrologie [nekRɔlɔʒi] *nf* necrología; (*notice biographique*) nota necrológica.
nécrologique [nekRɔlɔʒik] *adj*: **article** ~ nota necrológica; **rubrique** ~ sección *f* necrológica.
nécromancie [nekRɔmãsi] *nf* nigromancia.
nécromancien, ne [nekRɔmãsjɛ̃, jɛn] *nm/f* nigromante *m/f*.
nécrose [nekRoz] *nf* necrosis *f inv*.
nectar [nɛktaR] *nm* néctar *m*.
nectarine [nɛktaRin] *nf* (*BOT*) nectarina.
néerlandais, e [neɛRlãdɛ, ɛz] *adj* neerlandés(-esa) ♦ *nm* (*LING*) neerlandés *m* ♦ *nm/f*: **N**~, **e** neerlandés(-esa).
nef [nɛf] *nf* nave *f*.
néfaste [nefast] *adj* nefasto(-a).
négatif, -ive [negatif, iv] *adj* negativo(-a) ♦ *nm* (*PHOTO*) negativo.
négation [negasjɔ̃] *nf* negación *f*.
négative [negativ] *nf*: **répondre par la** ~ contestar con una negativa.
négativement [negativmã] *adv*: **répondre** ~ contestar negativamente.
négligé, e [negliʒe] *adj* descuidado(-a) ♦ *nm* salto de cama.
négligeable [negliʒabl] *adj* despreciable; **non** ~ no *ou* nada despreciable.
négligemment [negliʒamã] *adv* descuidadamente; (*avec indifférence*) con indiferencia.
négligence [negliʒãs] *nf* descuido; (*faute, erreur*) negligencia.
négligent, e [negliʒã, ãt] *adj* (*personne*) descuidado(-a); (*geste, attitude*) negligente.
négliger [negliʒe] *vt* descuidar; (*avis, précautions*) ignorar, no hacer caso; **se négliger** *vpr* descuidarse; ~ **de faire qch** olvidarse de hacer algo.
négoce [negɔs] *nm* negocio.
négociable [negɔsjabl] *adj* negociable.
négociant, e [negɔsjã, jãt] *nm/f* negociante *m/f*.
négociateur, -trice [negɔsjatœR, tRis] *nm/f* negociador(a).
négociation [negɔsjasjɔ̃] *nf* negociación *f*; ▶ **négociations collectives** negociaciones *fpl* colectivas.
négocier [negɔsje] *vt* negociar; (*virage, obstacle*) sortear ♦ *vi* (*POL*) negociar.
nègre [nɛgR] (*péj*) *nm* (*aussi écrivain*) negro

♦ *adj* negro(-a).
négresse [negrɛs] (*péj*) *nf* negra.
négrier [negrije] *nm* (*fig*) negrero.
négroïde [negrɔid] *adj* negroide.
neige [nɛʒ] *nf* nieve *f*; **battre les œufs en ~** (*CULIN*) batir los huevos a punto de nieve; ▶**neige carbonique** nieve carbónica; ▶**neige fondue** aguanieve *f*; ▶**neige poudreuse** nieve fresca.
neiger [neʒe] *vi* nevar.
neigeux, -euse [neʒø, øz] *adj* nevado(-a).
nénuphar [nenyfaʀ] *nm* nenúfar *m*.
néo-calédonien, ne [neokaledɔnjɛ̃, jɛn] (*pl* ~-~s, **nes**) *adj* neocaledonio(-a) ♦ *nm/f*: N~-~, ne neocaledonio(-a).
néocapitalisme [neokapitalism] *nm* neocapitalismo.
néo-colonialisme [neokɔlɔnjalism] *nm* neocolonialismo.
néologisme [neɔlɔʒism] *nm* neologismo.
néon [neɔ̃] *nm* neón *m*.
néo-natal, e [neonatal] (*pl* ~-~s, **es**) *adj* neonatal.
néophyte [neɔfit] *nm/f* neófito(-a).
néo-zélandais, e [neozelɑ̃dɛ, ɛz] (*pl* ~-~, **es**) *adj* neocelandés(-esa) ♦ *nm/f*: N~-~, es neocelandés(-esa).
Népal [nepal] *nm* Nepal *m*.
népalais, e [nepalɛ, ɛz] *adj* nepalí ♦ *nm* (*LING*) nepalí *m* ♦ *nm/f*: N~, e nepalí *m/f*.
néphrétique [nefʀetik] *adj* nefrítico(-a).
néphrite [nefʀit] *nf* nefritis *f*.
népotisme [nepɔtism] *nm* nepotismo.
nerf [nɛʀ] *nm* nervio; ~**s** *nmpl* nervios *mpl*; **être** *ou* **vivre sur les ~s** estar *ou* vivir en tensión; **être à bout de ~s** estar al borde de un ataque de nervios; **passer ses ~s sur qn** pagarlas con algn.
nerveusement [nɛʀvøzmɑ̃] *adv* con nerviosismo.
nerveux, -euse [nɛʀvø, øz] *adj* nervioso (-a); (*cheval*) vigoroso(-a); (*tendineux*) con nervios; **une voiture nerveuse** un coche que tiene buena aceleración.
nervosité [nɛʀvozite] *nf* nerviosismo; (*passagère*) alteración *f*.
nervure [nɛʀvyʀ] *nf* nervadura.
n'est-ce pas [nɛspɑ] *adv*: "**c'est bon, ~-~ ~?**" "está bueno, ¿verdad?"; "**il a peur, ~-~ ~?**" "tiene miedo, ¿verdad?"; "**~-~ ~ que c'est bon?**" "¿verdad que está bueno?"; **lui, ~-~ ~, il peut se le permettre** él puede permitírselo, ¿no es así?
net, nette [nɛt] *adj* (*évident, sans équivoque*) evidente; (*distinct, propre, sans tache*) limpio(-a); (*photo, film*) nítido(-a); (*COMM*) neto(-a) ♦ *adv* (*refuser*) rotundamente ♦ *nm*: **mettre au ~** poner en limpio; **s'arrêter ~** pararse en seco; **la lame a cassé ~** la hoja se rompió de un golpe;

faire place ~te despejar; **~ d'impôt** exento de impuestos.
nettement [nɛtmɑ̃] *adv* claramente; **~ mieux/meilleur** mucho mejor.
netteté [nɛtte] *nf* (*v adj*) limpieza; nitidez *f*.
nettoie *etc* [nɛtwa] *vb voir* **nettoyer**.
nettoiement [netwamɑ̃] *nm* limpieza; **service du ~** servicio de limpieza.
nettoierai *etc* [nɛtwaʀe] *vb voir* **nettoyer**.
nettoyage [netwajaʒ] *nm* limpieza; ▶**nettoyage à sec** limpieza en seco.
nettoyant [netwajɑ̃] *nm* producto de limpieza.
nettoyer [netwaje] *vt* limpiar.
neuf¹ [nœf] *adj inv, nm inv* nueve *m inv*; *voir aussi* **cinq**.
neuf², neuve [nœf, nœv] *adj* nuevo(-a) ♦ *nm*: **repeindre à ~** pintar de nuevo; **remettre à ~** dejar como nuevo; **n'acheter que du ~** comprar sólo cosas nuevas; **quoi de ~?** ¿qué hay de nuevo?
neurasthénique [nøʀastenik] *adj* neurasténico(-a).
neurochirurgie [nøʀoʃiʀyʀʒi] *nf* neurocirugía.
neurochirurgien, ne [nøʀoʃiʀyʀʒjɛ̃, jɛn] *nm/f* neurocirujano(-a).
neuroleptique [nøʀɔlɛptik] *adj* neuroléptico(-a).
neurologie [nøʀɔlɔʒi] *nf* neurología.
neurologique [nøʀɔlɔʒik] *adj* neurológico(-a).
neurologue [nøʀɔlɔg] *nm/f* neurólogo(-a).
neurone [nøʀɔn] *nm* neurona.
neuropsychiatre [nøʀopsikjatʀ] *nm/f* neuropsiquiatra *m/f*.
neuropsychiatrie [nøʀopsikjatʀi] *nf* neuropsiquiatría.
neutralisation [nøtralizasjɔ̃] *nf* neutralización *f*.
neutraliser [nøtralize] *vt* neutralizar.
neutralisme [nøtralism] *nm* neutralismo.
neutraliste [nøtralist] *adj* neutralista.
neutralité [nøtralite] *nf* neutralidad *f*.
neutre [nøtʀ] *adj* neutro(-a); (*POL*) neutral ♦ *nm* neutro.
neutron [nøtʀɔ̃] *nm* neutrón *m*.
neuve [nœv] *adj voir* **neuf²**.
neuvième [nœvjɛm] *adj, nm/f* noveno(-a) ♦ *nm* (*partitif*) noveno; *voir aussi* **cinquième**.
névé [neve] *nm* nevero.
neveu, x [n(ə)vø] *nm* sobrino.
névralgie [nevralʒi] *nf* neuralgia.
névralgique [nevralʒik] *adj* neurálgico(-a); **centre ~** centro neurálgico.
névrite [nevrit] *nf* neuritis *f inv*.
névrose [nevroz] *nf* neurosis *f inv*.
névrosé, e [nevroze] *adj, nm/f* neurótico(-a).

névrotique [nevʀɔtik] *adj* neurótico(-a).

New York [njujɔʀk] *n* Nueva York.

new-yorkais, e [njujɔʀkɛ, ɛz] (*pl* ~-~, **es**) *adj* neoyorquino(-a) ◊ *nm/f*: **N**~-~, **e** neoyorquino(-a).

nez [ne] *nm* nariz *f*; (*d'avion etc*) morro; **rire au** ~ **de qn** reírse en las barbas *ou* narices de algn; **avoir du** ~ tener olfato; **avoir le** ~ **fin** tener buen olfato; ~ **à** ~ **avec** cara a cara con; **à vue de** ~ a ojo de buen cubero.

NF *sigle f* = *norme française*.

ni [ni] *conj*: ~ **l'un** ~ **l'autre ne sont** ... **ni** uno ni otro son ...; **il n'a rien vu** ~ **entendu** no ha visto ni oído nada.

Niagara [njagaʀa] *nm*: **les chutes du** ~ las cataratas del Niágara.

niais, e [njɛ, njɛz] *adj* bobo(-a).

niaiserie [njɛzʀi] *nf* necedad *f*; (*futilité*) banalidad *f*.

Nicaragua [nikaʀagwa] *nm* Nicaragua.

nicaraguayen, ne [nikaʀagwajɛ̃, jɛn] *adj* nicaragüense ◊ *nm/f*: **N**~, **ne** nicaragüense *m/f*.

Nice [nis] *n* Niza.

niche [niʃ] *nf* (*du chien*) perrera; (*de mur*) hornacina, nicho; (*farce*) diablura.

nichée [niʃe] *nf* (*d'oiseaux*) nidada; (*de chiens etc*) camada.

nicher [niʃe] *vi* anidar; **se** ~ **dans** (*oiseau*) anidar en; (*se cacher: enfant*) esconderse; (*se blottir*) acurrucarse.

nichon [niʃɔ̃] (*fam*) *nm* teta.

nickel [nikɛl] *nm* níquel *m* ◊ *adj* impecable.

niçois, e [niswa, waz] *adj* nizardo(-a), de Niza ◊ *nm/f*: **N**~, **e** nizardo(-a), nativo(-a) *ou* habitante *m/f* de Niza.

nicotine [nikɔtin] *nf* nicotina.

nid [ni] *nm* nido; ► **nid d'abeilles** (*COUTURE*) nido de abeja; ► **nid de poule** bache *m*.

nièce [njɛs] *nf* sobrina.

nième [ɛnjɛm] *adj*: **la** ~ **fois** la enésima vez.

nier [nje] *vt* negar.

nigaud, e [nigo, od] *nm/f* memo(-a).

Niger [niʒɛʀ] *nm* (*pays, fleuve*) Níger.

Nigéria [niʒeʀja] *n* Nigeria.

nigérian, e [niʒeʀjã, an] *adj* (*du Nigéria*) nigeriano(-a) ◊ *nm/f*: **N**~, **e** nigeriano(-a).

nigérien, ne [niʒeʀjɛ̃, jɛn] *adj* (*du Niger*) nigerio(-a) ◊ *nm/f*: **N**~, **ne** nigerio(-a).

night-club [najtklœb] (*pl* ~-~**s**) *nm* discoteca.

nihilisme [niilism] *nm* nihilismo.

nihiliste [niilist] *adj* nihilista.

Nil [nil] *nm*: **le** ~ el Nilo.

n'importe [nɛ̃pɔʀt] *adv*: "~!" "¡no tiene importancia!"; ~ **qui** cualquiera; ~ **quoi** cualquier cosa; ~ **où** a *ou* en cualquier sitio; ~ **quoi!** (*fam*) ¡pamplinas!; ~ **lequel/laquelle d'entre nous** cualquiera de nosotros(-as); ~ **quel/quelle** cualquier/cualquiera; **à** ~ **quel prix** a cualquier precio; ~ **quand** en cualquier momento; ~ **comment, il part ce soir** se va esta noche, sea como sea; ~ **comment** (*sans soin*) de cualquier manera.

nippes [nip] *nfpl* ropa vieja.

nippon, e [nipɔ̃, ɔn] *adj* nipón(-ona) ◊ *nm/f*: **N**~, **e** nipón(-ona).

niquo [nik] *nf*. **faire la** ~ **à** burlarse de.

nitouche [nituʃ] (*péj*) *nf*: **une sainte** ~ una mosquita muerta.

nitrate [nitʀat] *nm* nitrato.

nitrique [nitʀik] *adj*: **acide** ~ ácido nitroso.

nitroglycérine [nitʀogliseʀin] *nf* nitroglicerina.

niveau, x [nivo] *nm* nivel *m*; **au** ~ **de** a nivel de; (*à côté de*) a la altura de; (*fig*) en cuanto a; **de** ~ (**avec**) a nivel (con); **le** ~ **de la mer** el nivel del mar; ► **niveau (à bulle)** nivel (de aire); ► **niveau (d'eau)** nivel (de agua); ► **niveau de vie** (*ÉCON*) nivel de vida; ► **niveau social** (*ÉCON*) nivel social.

niveler [niv(ə)le] *vt* nivelar.

niveleuse [niv(ə)løz] *nf* niveladora.

nivellement [nivɛlmã] *nm* nivelación *f*.

nivernais, e [nivɛʀnɛ, ɛz] *adj* de Nevers ◊ *nm/f*: **N**~, **e** nativo(-a) *ou* habitante *m/f* de Nevers.

NN [ɛnɛn] *abr* = *nouvelle norme*.

n° *abr* (– *numéro*) nᵘ (= *número*).

nobiliaire [nɔbiljɛʀ] *adj voir* **particule**.

noble [nɔbl] *adj, nm/f* noble *m/f*.

noblesse [nɔblɛs] *nf* nobleza.

noce [nɔs] *nf* boda; **il l'a épousée en secondes** ~**s** se ha casado con ella en segundas nupcias; **faire la** ~ (*fam*) ir de juerga; ► **noces d'argent/d'or/de diamant** bodas de plata/de oro/de diamante.

noceur [nɔsœʀ] *nm* juerguista *m*.

nocif, -ive [nɔsif, iv] *adj* nocivo(-a).

nocivité [nɔsivite] *nf* nocividad *f*.

noctambule [nɔktãbyl] *nm/f* noctámbulo (-a).

nocturne [nɔktyʀn] *adj* nocturno(-a) ◊ *nf* (*SPORT*) nocturno; (*d'un magasin*): "~ **le mercredi**" "abrimos hasta tarde el miércoles".

nodule [nɔdyl] *nm* nódulo.

Noël [nɔɛl] *nm* Navidad *f*.

nœud [nø] *nm* nudo; (*ruban*) lazo; (*fig: liens*) vínculo; ► **nœud coulant** nudo corredizo; ► **nœud de vipères** (*fig*) nido de víboras; ► **nœud gordien** nudo gordiano; ► **nœud papillon** pajarita.

noie etc [nwa] vb voir **noyer**.

noir, e [nwaʀ] adj negro(-a); (obscur, sombre) oscuro(-a); (roman) policíaco(-a); (travail) sumergido(-a) ♦ nm/f (personne) negro(-a) ♦ nm negro; (obscurité): **dans le** ~ **en la oscuridad** ♦ adv: **au** ~ ilegalmente; **il fait** ~ está oscuro.

noirâtre [nwaʀɑtʀ] adj negruzco(-a).

noirceur [nwaʀsœʀ] nf negrura.

noircir [nwaʀsiʀ] vi ennegrecer ♦ vt ensombrecer; (réputation) manchar; (personne) difamar.

noire [nwaʀ] nf (MUS) negra.

noise [nwaz] nf: **chercher** ~ **à** buscar las cosquillas a.

noisetier [nwaz(ə)tje] nm avellano.

noisette [nwazɛt] nf avellana; (CULIN: de beurre etc) nuececilla ♦ adj (yeux) color avellana.

noix [nwa] nf nuez f; (CULIN): **une** ~ **de beurre** una nuez de mantequilla; **à la** ~ (fam) de tres al cuarto; ▶ **noix de cajou** nuez de acajú; ▶ **noix de coco** coco; ▶ **noix de veau** (CULIN) babilla de ternera; ▶ **noix muscade** nuez moscada.

nom [nɔ̃] nm nombre m; **connaître qn de** ~ conocer a algn de nombre; **au** ~ **de en nombre de**; ~ **d'une pipe** ou **d'un chien!** (fam) ¡caramba!; ▶ **nom commun/propre** nombre común/propio; ▶ **nom composé** (LING) nombre compuesto; ▶ **nom de Dieu!** (fam!) ¡maldito sea!; ▶ **nom d'emprunt** apodo; ▶ **nom de famille** apellido; ▶ **nom de fichier** nombre de fichero; ▶ **nom de jeune fille** apellido de soltera; ▶ **nom déposé** nombre registrado.

nomade [nɔmad] adj, nm/f nómada m/f.

nombre [nɔ̃bʀ] nm número; **venir en** ~ venir muchos; **depuis** ~ **d'années** desde hace muchos años; **ils sont au** ~ **de 3** son 3; **au** ~ **de mes amis** entre mis amigos; **sans** ~ innumerable; **(bon)** ~ **de** numerosos(-as); ▶ **nombre entier/premier** número entero/primo.

nombreux, -euse [nɔ̃bʀø, øz] adj (avec nom pl) numerosos(-as); **la foule nombreuse** la gran muchedumbre; **un public** ~ mucho público; **peu** ~ poco numeroso(-a); **de** ~ **cas** numerosos casos.

nombril [nɔ̃bʀi(l)] nm ombligo.

nomenclature [nɔmɑ̃klatyʀ] nf nomenclatura.

nominal, e, -aux [nɔminal, o] adj nominal.

nominatif, -ive [nɔminatif, iv] adj ♦ nm nominativo; (liste nominative) lista nominativa; **carte nominative** carnet m nominativo; **titre** ~ título nominativo.

nomination [nɔminasjɔ̃] nf nombramiento.

nommément [nɔmemɑ̃] adv por su nombre.

nommer [nɔme] vt nombrar; (baptiser) llamar; **se nommer** vpr: **il se nomme Jean** se llama Jean; (se présenter) presentarse; **un nommé Leduc** un tal Leduc.

non [nɔ̃] adv no; **Paul est venu,** ~**?** ha venido Paul, ¿verdad ou no?; **répondre** ou **dire que** ~ responder ou decir que no; ~ **(pas) que** ... no porque ...co; ~ **plus: moi** ~ **plus** yo tampoco; **je préférerais que** ~ preferiría que no; **il se trouve que** ~ resulta que no; **mais** ~**, ce n'est pas mal** que no, que no está mal; ~ **mais ...!** ¡pero bueno ...!; ~ **mais des fois!** ¡qué te etc has etc creído!; ~ **loin** no muy lejos; ~ **seulement** no sólo; ~ **sans** no sin antes.

non... [nɔ̃] préf no.

nonagénaire [nɔnaʒenɛʀ] adj, nm/f nonagenario(-a).

non-agression [nɔnagʀesjɔ̃] nf: **pacte de** ~-~ pacto de no agresión.

non alcoolisé, e [nɔ̃alkɔɔlize] adj sin alcohol.

non-aligné, e [nɔnaliɲe] adj no alineado(-a).

non-alignement [nɔnaliɲmɑ̃] nm no alineación f.

nonante [nɔnɑt] adj, nm (BELGIQUE, SUISSE) noventa.

non-assistance [nɔnasistɑ̃s] nf: ~-~ **à personne en danger** falta de asistencia a una persona en peligro.

nonce [nɔ̃s] nm nuncio.

nonchalamment [nɔ̃ʃalamɑ̃] adv indolentemente.

nonchalance [nɔ̃ʃalɑ̃s] nf indolencia.

nonchalant, e [nɔ̃ʃalɑ̃, ɑ̃t] adj indolente.

non-conformisme [nɔ̃kɔ̃fɔʀmism(ə)] nm no conformismo.

non-conformiste [nɔ̃kɔ̃fɔʀmist] adj, nm/f inconformista m/f.

non-conformité [nɔ̃kɔ̃fɔʀmite] nf disconformidad f.

non-croyant, e [nɔ̃kʀwajɑ̃, ɑ̃t] (pl ~-~s, es) nm/f no creyente m/f.

non-directif, -ive [nɔ̃diʀɛktif, iv] (pl ~-~s, ives) adj no directivo(-a).

non-engagé, e [nɔnɑ̃gaʒe] (pl ~-~s, ées) adj no comprometido(-a).

non-engagement [nɔnɑ̃gaʒmɑ̃] nm neutralidad f.

non-fumeur, -euse [nɔ̃fymœʀ, øz] (pl ~-~s, euses) nm/f no fumador(a).

non-ingérence [nɔnɛ̃ʒeʀɑ̃s] nf no ingerencia.

non-initié, e [nɔninisje] (pl ~-~s, es) adj no iniciado(-a).

non-inscrit, e [nɔnɛ̃skʀi, it] (pl ~-~s, es)

nm/f independiente *m/f*.
non-intervention [nɔnɛ̃tɛʀvɑ̃sjɔ̃] *nf* no intervención *f*.
non-lieu [nɔ̃ljø] *nm*: **il y a eu** ~-~ **hubo sobreseimiento.**
nonne [nɔn] *nf* monja.
nonobstant [nɔnɔpstɑ̃] *prép* no obstante.
non-paiement [nɔ̃pɛmɑ̃] (*pl* ~-~**s**) *nm* impago.
non-prolifération [nɔ̃pʀɔlifeʀasjɔ̃] *nf* no proliferación *f*.
non-résident [nɔ̃ʀesidɑ̃] (*pl* ~-~**s**) *nm* no residente *m/f*.
non-retour [nɔ̃ʀətuʀ] *nm*: **point de** ~-~ punto límite.
non-sens [nɔ̃sɑ̃s] *nm* disparate *m*.
non-spécialiste [nɔ̃spesjalist] (*pl* ~-~**s**) *nm/f* profano(-a).
non-stop [nɔnstɔp] *adj inv*, *adv* sin parada.
non-syndiqué, e [nɔ̃sɛ̃dike] (*pl* ~-~**s, es**) *nm/f* persona no sindicada.
non-violence [nɔ̃vjɔlɑ̃s] *nf* no violencia.
non-violent, e [nɔ̃vjɔlɑ̃, ɑ̃t] (*pl* ~-~**s, es**) *adj, nm/f* no violento(-a).
nord [nɔʀ] *nm* norte *m*; (*région*): **le N**~ el Norte ♦ *adj inv* norte; **au** ~ (*situation*) al norte; (*direction*) hacia el norte; **au** ~ **de** al norte de; **perdre le** ~ perder el norte; *voir aussi* **pôle**; **sud**.
nord-africain, e [nɔʀafʀikɛ̃, ɛn] (*pl* ~-~**s, es**) *adj* norteafricano(-a) ♦ *nm/f*: **N**~**-A**~-, **e** nortcafricano(-a).
nord-américain, e [nɔʀameʀikɛ̃, ɛn] (*pl* ~-~**s, es**) *adj* norteamericano(-a) ♦ *nm/f*: **N**~**-A**~-, **e** norteamericano(-a).
nord-coréen, ne [nɔʀkɔʀeɛ̃, ɛn] (*pl* ~-~**s, nes**) *adj* norcoreano(-a) ♦ *nm/f*: **N**~**-C**~-, **ne** norcoreano(-a).
nord-est [nɔʀɛst] *nm inv* nordeste *m*.
nordique [nɔʀdik] *adj* nórdico(-a).
nord-ouest [nɔʀwɛst] *nm inv* noroeste *m*.
nord-vietnamien, ne [nɔʀvjɛtnamjɛ̃, ɛn] (*pl* ~-~**s, nes**) *adj* norvietnamita ♦ *nm/f*: **N**~**-V**~-, **ne** norvietnamita *m/f*.
noria [nɔʀja] *nf* noria.
normal, e, -aux [nɔʀmal, o] *adj* normal.
normale [nɔʀmal] *nf*: **la** ~ la normalidad.
normalement [nɔʀmalmɑ̃] *adv* normalmente.
normalien, ne [nɔʀmaljɛ̃, jɛn] *nm/f* normalista *m/f*.
normalisation [nɔʀmalizasjɔ̃] *nf* normalización *f*.
normalisé, e [nɔʀmalize] *adj* normalizado(-a).
normaliser [nɔʀmalize] *vt* normalizar.
normand, e [nɔʀmɑ̃, ɑ̃d] *adj* normando(-a) ♦ *nm/f*: **N**~, **e** normando(-a).
Normandie [nɔʀmɑ̃di] *nf* Normandía.
normatif, -ive [nɔʀmatif, iv] *adj*

normativo(-a).
norme [nɔʀm] *nf* norma.
Norvège [nɔʀvɛʒ] *nf* Noruega.
norvégien, ne [nɔʀveʒjɛ̃, jɛn] *adj* noruego(-a) ♦ *nm* (*LING*) noruego ♦ *nm/f*: **N**~, **ne** noruego(-a).
nos [no] *dét voir* **notre**.
nostalgie [nɔstalʒi] *nf* nostalgia.
nostalgique [nɔstalʒik] *adj* nostálgico(-a).
notable [nɔtabl] *adj, nm/f* notable *m/f*.
notablement [nɔtabləmɑ̃] *adv* notablemente.
notaire [nɔtɛʀ] *nm* notario.
notamment [nɔtamɑ̃] *adv* particularmente, especialmente.
notariat [nɔtaʀja] *nm* notaría.
notarié [nɔtaʀje] *adj m*: **acte** ~ acta *m* notarial.
notation [nɔtasjɔ̃] *nf* (*SCOL*) calificación *f*; (*numérique, musicale*) notación *f*; (*lettres*) anotación *f*; (*art*) reproducción *f*.
note [nɔt] *nf* nota; (*facture*) cuenta; (*annotation*) nota, anotación *f*; **prendre des** ~**s** tomar notas *ou* apuntes; **prendre** ~ **de** tomar nota de; **forcer la** ~ pasarse de la raya; **une** ~ **de tristesse/de gaieté** una nota de tristeza/de alegría; ▸**note de service** nota de servicio.
noté, e [nɔte] *adj*: **être bien/mal** ~ (*employé etc*) estar bien/mal conceptuado(-a).
noter [nɔte] *vt* (*écrire*) anotar, apuntar; (*remarquer*) señalar, notar; (*SCOL*) calificar; (*ADMIN*) evaluar; **notez bien que** ... fíjense bien que ... .
notice [nɔtis] *nf* nota; (*brochure*): ~ **explicative** folleto explicativo.
notification [nɔtifikasjɔ̃] *nf* notificación *f*.
notifier [nɔtifje] *vt*: ~ **qch à qn** notificar algo a algn.
notion [nosjɔ̃] *nf* noción *f*; ~**s** *nfpl* nociones *fpl*.
notoire [nɔtwaʀ] *adj* notorio(-a); **le fait est** ~ el hecho es notorio.
notoirement [nɔtwaʀmɑ̃] *adv* notoriamente.
notoriété [nɔtɔʀjete] *nf* notoriedad *f*; **c'est de** ~ **publique** es público y notorio.
notre [nɔtʀ] *dét* nuestro(-a).
nôtre, nos [notʀ, nos] *adj* nuestro(-a) ♦ *pron*: **le** ~ el *ou* lo nuestro; **la** ~ la nuestra; **les** ~**s** los(las) nuestros(-as); **soyez des** ~**s** únase a nosotros.
nouba [nuba] *nf*: **faire la** ~ irse de juerga.
nouer [nwe] *vt* anudar, atar; (*fig: amitié*) trabar; (: *alliance*) formar; **se nouer** *vpr* (*pièce de théâtre*): **c'est là où l'intrigue se noue** es ahí donde se urde la intriga; ~ **la conversation** entablar conversación; **avoir la gorge nouée** tener un nudo en la garganta.

noueux, -euse [nwø, øz] *adj* nudoso(-a); (*main*) huesudo(-a); (*vieillard*) enjuto(-a).
nougat [nuga] *nm* tipo de turrón.
nougatine [nugatin] *nf* (*CULIN*) especie de turrón de caramelo muy fino con nueces y avellanas.
nouille [nuj] *nf* pasta; (*fam*) lelo(-a).
nounou [nunu] *nf* nodriza.
nounours [nunuʀs] *nm* osito de peluche.
nourri, e [nuʀi] *adj* denso(-a).
nourrice [nuʀis] *nf* nodriza; **mettre en ~** dar a criar.
nourricier, -ère [nuʀisje, jɛʀ] *adj* nutricio(-a).
nourrir [nuʀiʀ] *vt* alimentar; (*fig: espoir*) mantener; (: *haine*) guardar; **logé, nourri** alojamiento y comida; **bien/mal nourri** bien/mal alimentado(-a); **~ au sein** amamantar; **se ~ de légumes** alimentarse de verduras; **se ~ de rêves** vivir de fantasías.
nourrissant, e [nuʀisɑ̃, ɑ̃t] *adj* alimenticio(-a).
nourrisson [nuʀisɔ̃] *nm* niño de pecho.
nourriture [nuʀityʀ] *nf* alimento, comida; (*fig*) alimento.
nous [nu] *pron* nosotros(-as); (*objet direct, indirect*) nos; **c'est ~ qui l'avons fait** lo hicimos nosotros; **~ les Marseillais** nosotros los marselleses; **il ~ le dit** nos lo dice; **il ~ en a parlé** nos habló de eso; **à ~** (*possession*) nuestro(-a), nuestros(-as); **ce livre est à ~** ese libro es nuestro; **avec/sans ~** con/sin nosotros; **un poème de ~** un poema nuestro; **plus riche que ~** más rico que nosotros; **~ mêmes** nosotros(-as) mismos(-as).
nouveau (nouvel), -elle, -aux [nuvo, nuvɛl] *adj* nuevo(-a); (*original*) novedoso (-a) ♦ *nm/f* nuevo(-a), novato(-a) ♦ *nm*: **il y a du nouveau** hay novedades; **de nouveau, à nouveau** de nuevo, otra vez; ► **Nouvel An** año nuevo; ► **nouveaux mariés** recién casados; ► **nouveau riche** *adj* nuevo(-a) rico(-a); ► **nouvelle vague** *adj* (*gén*) nueva ola; (*CINÉ*) nouvelle vague *f*; ► **nouveau venu** recién llegado; ► **nouvelle venue** recién llegada.
nouveau-né [nuvone] (*pl* **~-~s, es**) *adj, nm/f* recién nacido(-a).
nouveauté [nuvote] *nf* (*aussi COMM*) novedad *f*.
nouvel [nuvɛl] *adj m voir* **nouveau.**
nouvelle [nuvɛl] *adj f voir* **nouveau** ♦ *nf* noticia; (*LITT*) cuento; **~s** *nfpl* noticias *fpl*; **je suis sans ~s de lui** no tengo noticias de él.
Nouvelle-Calédonie [nuvɛlkaledɔni] *nf* Nueva Caledonia.
Nouvelle-Guinée [nuvɛlgine] *nf* Nueva

Guinea.
nouvellement [nuvɛlmɑ̃] *adv* (*arrivé etc*) recién.
Nouvelle-Orléans [nuvɛlɔʀleã] *nf* Nueva Orleans.
Nouvelle-Zélande [nuvɛlzelɑ̃d] *nf* Nueva Zelanda, Nueva Zelandia (*AM*).
nouvelliste [nuvelist] *nm/f* autor(a) de cuentos.
novateur, -trice [nɔvatœʀ, tʀis] *adj, nm/f* innovador(a).
novembre [nɔvɑ̃bʀ] *nm* noviembre *m*; *voir aussi* **juillet.**
novice [nɔvis] *adj* novato(-a) ♦ *nm/f* (*REL*) novicio(-a).
noviciat [nɔvisja] *nm* noviciado.
noyade [nwajad] *nf* ahogamiento.
noyau, x [nwajo] *nm* núcleo; (*de fruit*) hueso.
noyautage [nwajotaʒ] *nm* infiltración *f*.
noyauter [nwajote] *vt* infiltrar.
noyé, e [nwaje] *nm/f* ahogado(-a) ♦ *adj* (*fig*) desbordado(-a).
noyer [nwaje] *nm* nogal *m* ♦ *vt* ahogar; (*fig: submerger*) sumergir; (: *délayer*) desleír; **se noyer** *vpr* ahogarse; **se ~ dans** (*fig*) perderse en; **~ son chagrin** ahogar su pena; **~ son moteur** (*AUTO*) inundar el motor; **~ le poisson** dar largas al asunto.
NT *abr* (= *Nouveau Testament*) NT.
NU *abr* (= *Nations unies*) NN.UU. *fpl*.
nu, e [ny] *adj* desnudo(-a) ♦ *nm* (*ART*) desnudo; **le ~ intégral** desnudo integral; **(les) pieds ~s** descalzo(-a); **(la) tête ~e** con la cabeza descubierta; **à mains ~es** sólo con las manos, con las manos desnudas; **se mettre ~** desnudarse; **mettre à ~** desnudar.
nuage [nɥaʒ] *nm* nube *f*; (*fig*): **sans ~s** (*bonheur etc*) completo(-a); **être dans les ~s** estar en las nubes; **un ~ de lait** una gota de leche.
nuageux, -euse [nɥaʒø, øz] *adj* nuboso (-a), nublado(-a).
nuance [nɥɑ̃s] *nf* matiz *m*; **il y a une ~ (entre ...)** hay una leve diferencia (entre ...); **une ~ de tristesse** un algo de tristeza.
nuancé, e [nɥɑ̃se] *adj* matizado(-a).
nuancer [nɥɑ̃se] *vt* matizar.
nubile [nybil] *adj* núbil.
nucléaire [nykleɛʀ] *adj* nuclear ♦ *nm*: **le ~** (*secteur*) la industria nuclear; (*énergie*) la energía nuclear.
nudisme [nydism] *nm* nudismo.
nudiste [nydist] *nm/f* nudista *m/f*.
nudité [nydite] *nf* desnudez *f*.
nuée [nɥe] *nf*: **une ~ de** una nube de.
nues [ny] *nfpl*: **tomber des ~** caerse de las nubes; **porter qn aux ~** poner a algn por

las nubes.

nuire [nɥiʀ] *vi* perjudicar; ~ **à qn/qch** ser perjudicial para algn/algo.

nuisance [nɥizɑ̃s] *nf* molestia; ~**s** *nfpl* perjuicios *mpl*.

nuisible [nɥizibl] *adj* perjudicial; **animal** ~ animal dañino.

nuisis *etc* [nɥizi] *vb voir* **nuire**.

nuit [nɥi] *nf* noche *f*; **5** ~**s de suite** 5 noches seguidas; **payer sa** ~ pagar la noche; **il fait** ~ es de noche; **cette** ~ esta noche; **de** ~ por la noche; ► **nuit blanche** noche en blanco *ou* en vela; ► **nuit de noces** noche de bodas; ► **nuit de Noël** Nochebuena; ► **nuit des temps**: **la** ~ **des temps** la noche de los tiempos.

nuitamment [nɥitamɑ̃] *adv* de la noche.

nuitées [nɥite] *nfpl* pernoctas *fpl*.

nul, nulle [nyl] *adj* (*aucun*) ninguno(-a); (*minime, non valable, péj*) nulo(-a) ♦ *pron* nadie; **résultat** ~, **match** ~ (*SPORT*) empate *m*; ~**le part** en ningún sitio; (*aller etc*) a ningún sitio.

nullement [nylmɑ̃] *adv* de ningún modo.

nullité [nylite] *nf* nulidad *f*.

numéraire [nymeʀɛʀ] *nm* numerario(-a).

numéral, e, -aux [nymeʀal, o] *adj* numeral.

numérateur [nymeʀatœʀ] *nm* numerador *m*.

numération [nymeʀasjɔ̃] *nf*: ~ **décimale/binaire** numeración *f* decimal/binaria.

numérique [nymeʀik] *adj* numérico(-a).

numériquement [nymeʀikmɑ̃] *adv* numéricamente.

numériser [nymeʀize] *vt* (*INFORM*) digitalizar.

numéro [nymeʀo] *nm* número; (*fig*): **(drôle de)** ~ un elemento gracioso; **faire** *ou* **composer un** ~ marcar un número; ► **numéro de téléphone** número de teléfono; ► **numéro d'identification personnel** número personal de identificación; ► **numéro d'immatriculation** *ou* **minéralogique** número de matrícula; ► **numéro vert** número verde.

numérotation [nymeʀɔtasjɔ̃] *nf* numeración *f*.

numéroter [nymeʀɔte] *vt* numerar.

numerus clausus [nymeʀys klozys] *nm inv* numerus clausus *msg*.

numismate [nymismat] *nm/f* numismático(-a).

numismatique [nymismatik] *nf* numismática.

nu-pieds [nypje] *nm inv* sandalia.

nuptial, e, -aux [nypsjal, jo] *adj* nupcial.

nuptialité [nypsjalite] *nf* nupcialidad *f*; **taux de** ~ índice *m* de matrimonios.

nuque [nyk] *nf* nuca.

nu-tête [nytɛt] *adj inv* cabeza descubierta.

nutritif, -ive [nytʀitif, iv] *adj* nutritivo(-a).

nutrition [nytʀisjɔ̃] *nf* nutrición *f*.

nutritionnel, le [nytʀisjɔnɛl] *adj* nutritivo(-a).

nutritionniste [nytʀisjɔnist] *nm/f* especialista *m/f* en nutrición.

nylon [nilɔ̃] *nm* nylon *m*.

nymphomane [nɛ̃fɔman] *adj, nf* ninfómana.

O, o

O, o [o] *nm inv* (*lettre*) O, o *m*; ~ **comme Oscar** ≈ O de Oviedo.

O, o [o] *abr* (= *ouest*) O.

OAS [oɑɛs] *sigle f* (= *Organisation de l'armée secrète*) organización del ejército francés contra el movimiento independentista argelino (1961-63).

oasis [ɔazis] *nf ou m* oasis *m inv*.

obédience [ɔbedjɑ̃s] *nf*: **d'**~ **communiste** de convicción comunista.

obéir [ɔbeiʀ] *vi* obedecer; ~ **à** obedecer a; (*loi*) acatar; (*suj: moteur, véhicule*) responder a.

obéissance [ɔbeisɑ̃s] *nf* obediencia.

obéissant, e [ɔbeisɑ̃, ɑ̃t] *adj* obediente.

obélisque [ɔbelisk] *nm* obelisco.

obèse [ɔbɛz] *adj* obeso(-a).

obésité [ɔbezite] *nf* obesidad *f*.

objecter [ɔbʒɛkte] *vt* (*prétexter*) pretextar; ~ **qch à** objetar algo a; ~ **(à qn) que** objetar (a algn) que.

objecteur [ɔbʒɛktœʀ] *nm*: ~ **de conscience** objetor *m* de conciencia.

objectif, -ive [ɔbʒɛktif, iv] *adj* objetivo(-a) ♦ *nm* objetivo; ► **objectif à focale variable** objetivo de distancia focal variable; ► **objectif grand angulaire** objetivo gran angular.

objection [ɔbʒɛksjɔ̃] *nf* objeción *f*; ► **objection de conscience** objeción de conciencia.

objectivement [ɔbʒɛktivmɑ̃] *adv* objetivamente.

objectivité [ɔbʒɛktivite] *nf* objetividad *f*.

objet [ɔbʒɛ] *nm* objeto; (*but*) objetivo; (*sujet*) tema *m*; **être** *ou* **faire l'**~ **de** ser objeto de; **sans** ~ sin objeto; **(bureau des)** ~**s trouvés** (oficina de) objetos perdidos;

▶ **objet d'art** objeto de arte; ▶ **objets de toilette** artículos *mpl* de tocador; ▶ **objets personnels** objetos personales.

obligataire [ɔbligatɛʀ] *adj* obligacionista.

obligation [ɔbligasjɔ̃] *nf* obligación *f*; (*gén pl*: *devoir*) compromisos *mpl*; **sans ~ d'achat/de votre part** sin compromiso de compra/por su parte; **être dans l'~ de faire qch** estar obligado(-a) a hacer algo; **avoir l'~ de faire qch** tener la obligación de hacer algo; ▶ **obligations familiales** obligaciones *fpl* familiares; ▶ **obligations militaires** obligaciones militares; ▶ **obligations mondaines** compromisos *mpl* sociales.

obligatoire [ɔbligatwaʀ] *adj* obligatorio(-a).

obligatoirement [ɔbligatwaʀmɑ̃] *adv* (*nécessairement*) obligatoriamente; (*fatalement*) a la fuerza.

obligé, e [ɔbliʒe] *adj* obligado(-a); **être très ~ à qn** estar muy agradecido a algn; **je suis ~ de le faire** estoy obligado a hacerlo.

obligeamment [ɔbliʒamɑ̃] *adv* atentamente.

obligeance [ɔbliʒɑ̃s] *nf*: **avoir l'~ de** tener la bondad de.

obligeant, e [ɔbliʒɑ̃, ɑ̃t] *adj* (*personne*) complaciente; (*offre*) amable.

obliger [ɔbliʒe] *vt* obligar; (*aider, rendre service à*): **votre offre m'oblige beaucoup** le agradezco mucho que se haya ofrecido.

oblique [ɔblik] *adj* oblicuo(-a); **regard ~** mirada torcida; **en ~** en diagonal.

obliquement [ɔblikmɑ̃] *adv* en posición oblicua.

obliquer [ɔblike] *vi*: **~ vers** torcer a.

oblitération [ɔbliteʀasjɔ̃] *nf* (*POSTES*) matado; (*MÉD*) obliteración *f*.

oblitérer [ɔbliteʀe] *vt* matar; (*MÉD*) obliterar; (*effacer peu à peu*) borrar.

oblong, oblongue [ɔblɔ̃, ɔ̃g] *adj* oblongo(-a).

obnubiler [ɔbnybile] *vt* obsesionar.

obole [ɔbɔl] *nf* óbolo.

obscène [ɔpsɛn] *adj* obsceno(-a).

obscénité [ɔpsenite] *nf* obscenidad *f*.

obscur, e [ɔpskyʀ] *adj* oscuro(-a); (*exposé*) confuso(-a); (*vague*) ligero(-a); (*inconnu*) desconocido(-a).

obscurantisme [ɔpskyʀɑ̃tism] *nm* oscurantismo.

obscurcir [ɔpskyʀsiʀ] *vt* oscurecer; (*rendre peu intelligible*) confundir; **s'obscurcir** *vpr* (*ciel, jour*) oscurecerse.

obscurément [ɔpskyʀemɑ̃] *adv* confusamente.

obscurité [ɔpskyʀite] *nf* oscuridad *f*; **dans l'~** en la oscuridad.

obsédant, e [ɔpsedɑ̃, ɑ̃t] *adj* obsesionante.

obsédé, e [ɔpsede] *nm/f*: **un ~ de** un obseso de; ▶ **obsédé sexuel** obseso sexual.

obséder [ɔpsede] *vt* obsesionar; **être obsédé par** estar obsesionado por.

obsèques [ɔpsɛk] *nfpl* exequias *fpl*.

obséquieux, -euse [ɔpsekjø, jøz] *adj* empalagoso(-a).

observable [ɔpsɛʀvabl] *adj* observable.

observance [ɔpsɛʀvɑ̃s] *nf* observancia.

observateur, -trice [ɔpsɛʀvatœʀ, tʀis] *adj, nm/f* observador(a).

observation [ɔpsɛʀvasjɔ̃] *nf* observación *f*; (*d'un règlement etc*) cumplimiento; **faire une ~ à qn** (*reproche*) criticarle a algn; **en ~** (*MÉD*) en observación; **avoir l'esprit d'~** tener un espíritu observador.

observatoire [ɔpsɛʀvatwaʀ] *nm* observatorio; (*lieu élevé*) puesto de observación.

observer [ɔpsɛʀve] *vt* observar; (*remarquer*) notar; **s'observer** *vpr* controlarse; **faire ~ qch à qn** hacer ver algo a algn.

obsession [ɔpsesjɔ̃] *nf* obsesión *f*; **avoir l'~ de** estar obsesionado(-a) por.

obsessionnel [ɔpsesjɔnɛl] *adj* obsesivo(-a).

obsolescence [ɔpsɔlesɑ̃s] *nf* obsolescencia.

obsolescent, e [ɔpsɔlesɑ̃, ɑ̃t] *adj* obsoleto(-a).

obstacle [ɔpstakl] *nm* obstáculo; **faire ~ à** obstaculizar.

obstétricien, ne [ɔpstetʀisjɛ̃, jɛn] *nm/f* tocólogo(-a).

obstétrique [ɔpstetʀik] *nf* obstetricia.

obstination [ɔpstinasjɔ̃] *nf* obstinación *f*.

obstiné, e [ɔpstine] *adj* (*caractère*) obstinado(-a); (*effort*) tenaz.

obstinément [ɔpstinemɑ̃] *adv* obstinadamente.

obstiner [ɔpstine]: **s'~** *vpr* obstinarse; **s'~ à faire qch** empeñarse en hacer algo; **s'~ sur qch** obcecarse con algo.

obstruction [ɔpstʀyksjɔ̃] *nf* obstrucción *f*; **faire de l'~** (*fig*) bloquear.

obstructionnisme [ɔpstʀyksjɔnism] *nm* (*POL*) obstruccionismo.

obstruer [ɔpstʀye] *vt* obstruir; **s'obstruer** *vpr* obstruirse.

obtempérer [ɔptɑ̃peʀe] *vi* obedecer; **~ à** (*JUR, ADMIN*) acatar; (*gén*) obedecer a.

obtenir [ɔptəniʀ] *vt* conseguir, obtener; (*diplôme*) obtener; **~ de pouvoir faire qch** conseguir poder hacer algo; **~ qch à qn** conseguir algo a algn; **~ de qn qu'il fasse** conseguir que algn haga; **ils ont obtenu satisfaction** se ha accedido a sus demandas.

obtention [ɔptɑ̃sjɔ̃] *nf* obtención *f*.

obtenu, e [ɔpt(ə)ny] *pp de* **obtenir**.

obtiendrai *etc* [ɔptjɛ̃dʀe] *vb voir* **obtenir**.

obtiens *etc* [ɔptjɛ̃] *vb voir* **obtenir**.

obtint *etc* [ɔptɛ̃] *vb voir* **obtenir**.

obturateur [ɔptyʀatœʀ] *nm* (*PHOTO*) obturador *m*; ▸ **obturateur à rideau** obturador de cortina.

obturation [ɔptyʀasjɔ̃] *nf* obturación *f*; **vitesse d'~** (*PHOTO*) velocidad *f* de obturación; ▸ **obturation (dentaire)** empaste *m* (dental).

obturer [ɔptyʀe] *vt* obturar; (*dent*) empastar.

obtus, e [ɔpty, yz] *adj* (*fig*) obtuso(-a), lerdo(-a).

obus [ɔby] *nm* obús *msg*.

obvier [ɔbvje]: **~ à** *vi* obviar.

OC *sigle fpl* (= *ondes courtes*) OC *f* (= *Onda Corta*).

occasion [ɔkazjɔ̃] *nf* ocasión *f*, oportunidad *f*, chance *m ou f* (*AM*); (*acquisition avantageuse*) ganga; (*circonstance*) ocasión; **à plusieurs ~s** en varias ocasiones; **à cette/la première ~** en esta/la primera ocasión; **avoir l'~ de faire** tener la oportunidad *ou* la ocasión de hacer; **être l'~ de** ser el momento para; **à l'~** si llega el caso; (*un jour*) en alguna ocasión; **à l'~ de** con motivo de; **d'~** de segunda mano, de ocasión.

occasionnel, le [ɔkazjɔnɛl] *adj* (*fortuit*) ocasional; (*non régulier*) eventual.

occasionnellement [ɔkazjɔnɛlmɑ̃] *adv* ocasionalmente.

occasionner [ɔkazjɔne] *vt* ocasionar, causar; **~ qch à qn** causar algo a algn.

occident [ɔksidɑ̃] *nm* (*GÉO*) occidente *m*; (*POL*) **l'O~** Occidente *m*.

occidental, e [ɔksidɑ̃tal, o] *adj* occidental ♦ *nm/f* occidental *m/f*.

occidentaliser [ɔksidɑ̃talize] *vt* occidentalizar.

occiput [ɔksipyt] *nm* occipucio.

occire [ɔksiʀ] *vt* matar.

occitan, e [ɔksitɑ̃, an] *adj* occitano(-a) ♦ *nm* (*LING*) occitano.

occlusion [ɔklyzjɔ̃] *nf*: **~ intestinale** oclusión *f* intestinal.

occulte [ɔkylt] *adj* oculto(-a).

occulter [ɔkylte] *vt* (*fig*) ocultar.

occultisme [ɔkyltism] *nm* ocultismo.

occupant, e [ɔkypɑ̃, ɑ̃t] *adj* de ocupación ♦ *nm/f* ocupante *m/f*.

occupation [ɔkypasjɔ̃] *nf* ocupación *f*; **l'O~** (*1941-44*) la Ocupación.

occupé, e [ɔkype] *adj* ocupado(-a); (*ligne téléphonique*) comunicando; **j'ai l'esprit ~** estoy preocupado(-a).

occuper [ɔkype] *vt* ocupar; (*surface, période*) cubrir; (*main d'œuvre, personnel*) emplear; **s'occuper** *vpr* ocuparse; **s'~ de** (*être responsable de*) encargarse de; (*clients etc*) ocuparse de; (*s'intéresser à*) dedicarse a; **ça occupe trop de place** esto

ocupa demasiado sitio.

occurrence [ɔkyʀɑ̃s] *nf*: **en l'~** en este caso.

OCDE [ɔsedeə] *sigle f* (= *Organisation de coopération et de développement économique*) OCDE *f* (= *Organización para la Cooperación y el Desarrollo Económico*).

océan [ɔseɑ̃] *nm* océano; ▸ **océan Indien** Océano Índico.

Océanie [ɔseani] *nf* Oceanía.

océanique [ɔseanik] *adj* oceánico(-a).

océanographe [ɔseanɔgʀaf] *nm/f* oceanógrafo(-a).

océanographie [ɔseanɔgʀafi] *nf* oceanografía.

océanographique [ɔseanɔgʀafik] *adj* oceanográfico(-a).

océanologie [ɔseanɔlɔʒi] *nf* oceanología.

ocelot [ɔs(ə)lo] *nm* ocelote *m*.

ocre [ɔkʀ] *adj inv* ocre *inv*.

octane [ɔktan] *nm* octano.

octante [ɔktɑ̃t] *adj, nm* (*BELGIQUE, SUISSE*) ochenta.

octave [ɔktav] *nf* octava.

octet [ɔktɛ] *nm* (*INFORM*) byte *m*, octeto.

octobre [ɔktɔbʀ] *nm* octubre *m*; *voir aussi* **juillet**.

octogénaire [ɔktɔʒenɛʀ] *adj, nm/f* octogenario(-a).

octogonal, e, -aux [ɔktɔgɔnal, o] *adj* octogonal.

octogone [ɔktɔgɔn] *nm* octágono.

octroi [ɔktʀwa] *nm* concesión *f*.

octroyer [ɔktʀwaje] *vt*: **~ qch à qn** (*droit, faveur*) otorgar algo a algn; (*répit*) conceder algo a algn; **s'octroyer** *vpr* (*vacances*) concederse.

oculaire [ɔkylɛʀ] *adj* ocular ♦ *nm* ocular *m*.

oculiste [ɔkylist] *nm/f* oculista *m/f*.

ode [ɔd] *nf* oda.

odeur [ɔdœʀ] *nf* olor *m*; **mauvaise ~** mal olor.

odieusement [ɔdjøzmɑ̃] *adv* abominablemente.

odieux, -euse [ɔdjø, jøz] *adj* abominable; (*enfant*) odioso(-a).

odontologie [ɔdɔ̃tɔlɔʒi] *nf* odontología.

odorant, e [ɔdɔʀɑ̃, ɑ̃t] *adj* oloroso(-a).

odorat [ɔdɔʀa] *nm* olfato; **avoir l'~ fin** tener un olfato muy fino.

odoriférant, e [ɔdɔʀifeʀɑ̃, ɑ̃t] *adj* aromático(-a).

odyssée [ɔdise] *nf* odisea.

OEA [ɔəa] *sigle f* (= *Organisation des États américains*) OEA *f* (= *Organización de Estados Americanos*).

OECE [ɔəseə] *sigle f* (= *Organisation européenne de coopération économique*) OECE *f* (= *Organización Europea de Cooperación Económica*).

œcuménique [ekymenik] *adj* ecuménico (-a).

œcuménisme [ekymenism] *nm* ecumenismo.

œdème [edɛm] *nm* edema *m*.

œil [œj] (*pl* **yeux**) *nm* ojo; **avoir un ~ au beurre noir** *ou* **poché** tener un ojo a la funerala; **à l'~** (*fam*) por la cara; **à l'~ nu** a simple vista; **avoir l'~** estar ojo avizor; **avoir l'~ sur qn** no quitar ojo a algn; **faire de l'~ à qn** guiñar el ojo a algn; **voir qch d'un bon/mauvais ~** ver algo con buenos/malos ojos; **à l'~ vif** de mirada expresiva; **tenir qn à ~** no quitar los ojos de encima a algn; **à mes/ses yeux** para mí/él; **de ses propres yeux** con sus propios ojos; **fermer les yeux (sur)** (*fig*) hacer la vista gorda (a); **ne pas pouvoir fermer l'~** no pegar ojo; **~ pour ~, dent pour dent** ojo por ojo, diente por diente; **les yeux fermés** a ciegas; **pour ses beaux yeux** (*fig*) por su cara bonita; ► **œil de verre** ojo de cristal.

œil-de-bœuf [œjdəbœf] (*pl* **~s-~-~**) *nm* claraboya.

œillade [œjad] *nf*: **lancer une ~ à qn** mirar seductoramente a algn.

œillères [œjɛR] *nfpl* anteojeras *fpl*; **avoir des ~** (*fig: péj*) ser de miras muy estrechas.

œillet [œjɛ] *nm* (*BOT*) clavel *m*; (*trou, bordure rigide*) ojete *m*.

œnologue [enɔlɔg] *nm/f* enólogo(-a).

œsophage [ezɔfaʒ] *nm* esófago.

œstrogène [ɛstʀɔʒɛn] *adj* estrógeno(-a).

œuf [œf] *nm* huevo, blanquillo (*MEX*); **étouffer qch dans l'~** cortar algo de raíz; ► **œuf à la coque/au plat/dur** huevo cocido/al plato/duro; ► **œuf à repriser** huevo de zurzir; ► **œuf de Pâques** huevo de Pascua; ► **œuf mollet** huevo pasado por agua; ► **œuf poché** huevo escalfado; ► **œufs brouillés** huevos *mpl* revueltos.

œuvre [œvʀ] *nf* trabajo, (*art*) obra; (*organisation charitable*) obra benéfica ♦ *nm* (*d'un artiste*) obra; (*CONSTR*): **le gros ~** el armazón; **~s** *nfpl* (*REL*) obras *fpl*; **être/se mettre à l'~** estar/ponerse manos a la obra; **mettre en ~** poner en práctica; **bonnes ~s, ~s de bienfaisance** obras de caridad; ► **œuvre d'art** obra de arte.

œuvrer [œvʀe] *vi*: **~ pour** trabajar para.

offensant, e [ɔfɑ̃sɑ̃, ɑ̃t] *adj* hiriente.

offense [ɔfɑ̃s] *nf* ofensa, agravio; (*REL*) ofensa.

offenser [ɔfɑ̃se] *vt* ofender; (*bon sens, bon goût, principes*) ir contra; **s'~ de qch** ofenderse por algo.

offensif, -ive [ɔfɑ̃sif, iv] *adj* ofensivo(-a).

offensive [ɔfɑ̃siv] *nf* (*MIL*) ofensiva; (*du froid, de l'hiver*) vuelta; **passer à l'~** pasar a la ofensiva.

offert, e [ɔfɛʀ, ɛʀt] *pp de* **offrir**.

offertoire [ɔfɛʀtwaʀ] *nm* ofertorio.

office [ɔfis] *nm* (*charge*) cargo; (*bureau, agence*) oficina; (*messe*) oficio ♦ *nm ou f* (*pièce*) antecocina; **faire ~ de** hacer las veces de; **d'~** automáticamente; **bons ~s** (*POL*) buenos oficios *mpl*; ► **office du tourisme** oficina de turismo.

officialisation [ɔfisjalizasjɔ̃] *nf* oficialización *f*.

officialiser [ɔfisjalize] *vt* oficializar.

officiel, le [ɔfisjɛl] *adj* oficial ♦ *nm/f* personalidad *f*; (*SPORT*) juez *m*.

officiellement [ɔfisjɛlmɑ̃] *adv* oficialmente.

officier [ɔfisje] *nm* oficial *m/f* ♦ *vi* (*REL*) oficiar; ► **officier de l'état-civil** teniente *m* (alcalde); ► **officier de police** oficial de policía; ► **officier ministériel** funcionario(-a) ministerial.

officieusement [ɔfisjøzmɑ̃] *adv* oficiosamente.

officieux, -euse [ɔfisjø, jøz] *adj* oficioso (-a).

officinal, e, -aux [ɔfisinal, o] *adj* oficinal.

officine [ɔfisin] *nf* (*de pharmacie*) laboratorio; (*ADMIN: pharmacie*) farmacia; (*gén péj: bureau*) oficina.

offrais [ɔfʀɛ] *vb voir* **offrir**.

offrande [ɔfʀɑ̃d] *nf* regalo; (*REL*) ofrenda.

offrant [ɔfʀɑ̃] *nm*: **vendre/adjuger au plus ~** vender/adjudicar al mejor postor.

offre [ɔfʀ] *vb voir* **offrir** ♦ *nf* oferta; (*ADMIN: soumission*) licitación *f*; ► **offre d'emploi** oferta de empleo; ► **offre publique d'achat** oferta pública de compra; ► **offres de service** ofertas de servicio.

offrir [ɔfʀiʀ] *vt* regalar, ofrecer; (*proposer*) ofrecer; (*COMM*) ofertar; (*présenter*) presentar; **s'offrir** *vpr* (*se présenter*) presentarse; (*vacances*) tomarse; (*voiture*) regalarse; **~ (à qn) de faire qch** proponer (a algn) hacer algo; **~ à boire à qn** ofrecer de beber a algn; **~ ses services à qn** ofrecer sus servicios a algn; **~ le bras à qn** ofrecer el brazo a algn; **s'~ à faire qch** ofrecerse para hacer algo; **s'~ comme guide/en otage** ofrecerse como guía/como rehén; **s'~ aux regards** exponerse a las miradas.

offset [ɔfsɛt] *nm* offset *m*.

offusquer [ɔfyske] *vt* disgustar; **s'~ de qch** disgustarse por algo.

ogive [ɔʒiv] *nf* ojiva; **voûte/arc en ~** bóveda/arco ojival; ► **ogive nucléaire** cabeza nuclear.

ogre [ɔgʀ] *nm* ogro.

oh [o] *excl* (*admiration*) ¡oh!; **~ la la!** (*se*

plaindre) ¡vaya!; **pousser des** ~**!** **et des ah!** lanzar exclamaciones.

oie [wa] *nf* ganso, oca; ► **oie blanche** *(fig, péj)* pava.

oignon [ɔɲɔ̃] *nm* cebolla; *(de tulipe etc)* bulbo; *(MÉD)* juanete *m*; **ce ne sont pas tes** ~**s** *(fam)* no es asunto tuyo; **petits** ~**s** cebolletas *fpl*.

oindre [wɛ̃dʀ] *vt* ungir.

oiseau, x [wazo] *nm* ave *f*, pájaro; ► **oiseau de nuit** ave nocturna; ► **oiseau de proie** ave de rapiña.

oiseau-lyre [wazɔliʀ] *(pl* ~**x-**~**s)** *nm* ave *f* lira.

oiseau-mouche [wazomuʃ] *(pl* ~**x-**~**s)** *nm* pájaro mosca.

oiseleur [waz(ə)lœʀ] *nm* pajarero.

oiselier, -ière [wazəlje, jɛʀ] *nm/f* pajarero(-a).

oisellerie [wazɛlʀi] *nf* pajarería.

oiseux, -euse [wazø, øz] *adj* vano(-a).

oisif, -ive [wazif, iv] *adj* ocioso(-a) ♦ *nm/f* *(péj)* holgazán(-ana).

oisillon [wazijɔ̃] *nm* pajarillo.

oisiveté [wazivte] *nf* ociosidad *f*.

OIT [ɔite] *sigle f* (= *Organisation internationale du travail)* OIT *f* (= *Organización Internacional del Trabajo).*

OK [okɛ] *excl* vale.

OL *sigle fpl* (= *ondes longues)* OL (= *Onda Larga).*

oléagineux, -euse [ɔleaʒinø, øz] *adj* oleaginoso(-a); *(liquide)* aceitoso(-a).

oléiculteur [ɔleikyltœʀ] *nm* oleicultor(a).

oléiculture [ɔleikyltyʀ] *nf* oleicultura.

oléoduc [ɔleɔdyk] *nm* oleoducto.

olfactif, -ive [ɔlfaktif, iv] *adj* olfativo(-a).

olibrius [ɔlibʀijys] *nm* excéntrico.

oligarchie [ɔligaʀʃi] *nf* oligarquía.

oligo-élément [ɔligoelemã] *(pl* ~**-**~**s)** *nm* oligoelemento.

oligopole [ɔligɔpɔl] *nm* oligopolio.

olivâtre [ɔlivatʀ] *adj* aceitunado(-a).

olive [ɔliv] *nf* aceituna, oliva; *(type d'interrupteur)* oliveta ♦ *adj inv* verde oliva *inv*.

oliveraie [ɔlivʀɛ] *nf* olivar *m*.

olivier [ɔlivje] *nm* olivo.

olographe [ɔlɔgʀaf] *adj:* **testament** ~ testamento ológrafo.

OLP [ɔɛlpe] *sigle f* (= *Organisation de libération de la Palestine)* OLP *f* (= *Organización para la Liberación de Palestina).*

olympiade [ɔlɛ̃pjad] *nf* olimpiada; **les** ~**s** las olimpiadas.

olympien, ne [ɔlɛ̃pjɛ̃, jɛn] *adj* olímpico (-a).

olympique [ɔlɛ̃pik] *adj* olímpico(-a); **piscine** ~ piscina olímpica.

OM *sigle fpl* (= *ondes moyennes)* OM *f* (=

Onda Media).

Oman [ɔman] *n:* **le sultanat d'**~ el sultanato de Omán.

ombilical, e, -aux [ɔ̃bilikal, o] *adj* umbilical.

ombrage [ɔ̃bʀaʒ] *nm* *(feuillage)* follaje *m*; *(ombre)* sombra; *(fig):* **prendre** ~ **de qch** molestarse por algo; **faire** *ou* **porter** ~ **à qn** *(fig)* herir los sentimientos de algn.

ombragé, e [ɔ̃bʀaʒe] *adj* *(coin)* con sombra; *(colline)* umbrío(-a); *(avenue):* **être** ~ tener sombra.

ombrageux, -euse [ɔ̃bʀaʒø, øz] *adj* *(cheval)* espantadizo(-a); *(caractère, personne)* susceptible.

ombre [ɔ̃bʀ] *nf* sombra; **il n'y a pas l'**~ **d'un doute** no hay la menor sombra de duda; **à l'**~ *(aussi fam)* a la sombra; **à l'**~ **de** a la sombra de; *(fig)* al amparo de; **donner/faire de l'**~ dar/hacer sombra; **dans l'**~ en la sombra; **vivre dans l'**~ *(fig)* vivir en la sombra; **laisser qch dans l'**~ *(fig)* dejar algo en la sombra; ► **ombre à paupières** sombra de ojos; ► **ombre portée** sombra proyectada; ► **ombres chinoises** sombras *fpl* chinescas.

ombrelle [ɔ̃bʀɛl] *nf* sombrilla.

ombrer [ɔ̃bʀe] *vt* sombrear.

omelette [ɔmlɛt] *nf* tortilla; ► **omelette au fromage/aux herbes** tortilla de queso/a las hierbas; ► **omelette baveuse/flambée** tortilla poco hecha/flambeada; ► **omelette norvégienne** soufié *m* helado.

omettre [ɔmɛtʀ] *vt* omitir; ~ **de faire qch** omitir hacer algo.

omis [ɔmi] *pp de* **omettre.**

omission [ɔmisjɔ̃] *nf* omisión *f*.

omni... [ɔmni] *préf* omni... .

omnibus [ɔmnibys] *nm* ómnibus *m inv*.

omnidirectionnel [ɔmnidiʀɛksjɔnɛl] *adj* omnidireccional.

omnidisciplinaire [ɔmnidisiplinɛʀ] *adj* omnidisciplinar.

omnipotent, e [ɔmnipɔtã, ãt] *adj* omnipotente.

omnipraticien, ne [ɔmnipʀatisjɛ̃, jɛn] *nm/f* *(MÉD)* médico de cabecera.

omniprésent, e [ɔmnipʀezã, ãt] *adj* omnipresente.

omniscient, e [ɔmnisjã, jãt] *adj* omnisciente.

omnisports [ɔmnispɔʀ] *adj inv* polideportivo(-a).

omnium [ɔmnjɔm] *nm* omnium *m*.

omnivore [ɔmnivɔʀ] *adj* omnívoro(-a).

omoplate [ɔmɔplat] *nf* omóplato, omoplato.

OMS [ɔɛmɛs] *sigle f* (= *Organisation mondiale de la santé)* OMS *f* (= *Organización*

Mundial de la Salud).

═══════════════════════ MOT-CLÉ

on [ɔ̃] *pron* **1** (*indéterminé*): **on peut le faire ainsi** se puede hacer así; **on frappe à la porte** llaman a la puerta
2 (*quelqu'un*): **on les a attaqués** les atacaron; **on vous demande au téléphone** le llaman por teléfono
3 (*nous*) nosotros(-as); **on va y aller demain** vamos a ir (allí) mañana
4 (*les gens*): **autrefois, on croyait ... antes,** se creía ...; **on dit que ... dicen que ...,** se dice que ...
5: **on ne peut plus** *adv*: **il est on ne peut plus stupide** no puede ser más estúpido.

───────────────────────────────

once [ɔ̃s] *nf*: **une ~ de** una pizca de.
oncle [ɔ̃kl] *nm* tío.
onction [ɔ̃ksjɔ̃] *nf voir* **extrême-onction**.
onctueux, -euse [ɔ̃ktɥø, øz] *adj* cremoso(-a).
onde [ɔ̃d] *nf* onda; **sur l'~** (*eau*) en el agua; **sur les ~s** en antena; **mettre en ~s** difundir por radio; **grandes/petites ~s** onda *fsg* larga/media; ► **onde de choc** onda expansiva; ► **onde porteuse** onda hertziana; ► **ondes courtes** onda *fsg* corta; ► **ondes moyennes** onda *fsg* media; ► **ondes sonores** ondas *fpl* acústicas.
ondée [ɔ̃de] *nf* chaparrón *m*.
on-dit [ɔ̃di] *nm inv* rumor *m*.
ondoyer [ɔ̃dwaje] *vi* ondular.
ondulant, e [ɔ̃dylɑ̃, ɑ̃t] *adj* (*ligne*) ondulante; (*démarche*) cimbreante.
ondulation [ɔ̃dylasjɔ̃] *nf* ondulación *f*; ► **ondulation du sol** ondulación del terreno.
ondulé, e [ɔ̃dyle] *adj* ondulado(-a).
onduler [ɔ̃dyle] *vi* ondular; (*route*) serpentear.
onéreux, -euse [ɔnerø, øz] *adj* oneroso (-a); **à titre ~** (*JUR*) a título oneroso.
ONG [ɔɛnʒe] *sigle f* (= *organisation non-gouvernementale*) ONG *f* (= *organización no gubernamental*).
ongle [ɔ̃gl] *nm* uña; **manger ses ~s** comerse las uñas; **se ronger les ~s** morderse las uñas; **se faire les ~s** arreglarse las uñas.
onglet [ɔ̃glɛ] *nm* (*rainure*) muesca; (*dans livre etc*) uñero; (*viande*) solomillo.
onguent [ɔ̃gɑ̃] *nm* ungüento.
onirique [ɔnirik] *adj* onírico(-a).
onirisme [ɔnirism] *nm* onirismo.
onomatopée [ɔnɔmatɔpe] *nf* onomatopeya.
ont [ɔ̃] *vb voir* **avoir**.
ontarien, ne [ɔ̃tarjɛ̃, jɛn] *adj* de Ontario.
ONU [ɔny] *sigle f* (= *Organisation des Nations unies*) ONU *f* (= *Organización de las Naciones Unidas*).
onusien, ne [ɔnyzjɛ̃, jɛn] *adj* de la ONU.
onyx [ɔniks] *nm* ónice *m*, ónix *m*.
onze ['ɔ̃z] *adj inv, nm inv* once *m inv* ♦ *nm* (*FOOTBALL*): **le ~ tricolore** la selección francesa de fútbol; *voir aussi* **cinq**.
onzième ['ɔ̃zjɛm] *adj, nm/f* undécimo(-a) ♦ *nm* (*partitif*) onceavo; *voir aussi* **cinquième**.
op [ɔp] *abr* = **opération**.
OPA [ɔpea] *sigle f* (= *offre publique d'achat*) OPA *f* (= *Oferta Pública de Adquisición*).
opacifier [ɔpasifje] *vt* volver opaco (-a).
opacité [ɔpasite] *nf* opacidad *f*.
opale [ɔpal] *nf* ópalo.
opalescent, e [ɔpalesɑ̃, ɑ̃t] *adj* opalescente.
opalin, e [ɔpalɛ̃, in] *adj* opalino(-a).
opaline [ɔpalin] *nf* opalina.
opaque [ɔpak] *adj* opaco(-a); (*brouillard*) denso(-a); (*nuit*) oscuro(-a); **~ à** opaco(-a) a.
OPE [ɔpeə] *sigle f* = *offre publique d'échange*.
OPEP [ɔpɛp] *sigle f* (= *Organisation des pays exportateurs de pétrole*) OPEP *f* (= *Organización de Países Exportadores de Petróleo*).
opéra [ɔpera] *nm* ópera.
opérable [ɔperabl] *adj* operable.
opéra-comique [ɔperakɔmik] (*pl ~s-~s*) *nm* ópera cómica.
opérant, e [ɔperɑ̃, ɑ̃t] *adj* operativo(-a).
opérateur, -trice [ɔperatœr, tris] *nm/f* operador(a); ► **opérateur (de prise de vues)** operador(a) (de cámara).
opération [ɔperasjɔ̃] *nf* operación *f*; **salle d'~** quirófano; **table d'~** mesa de operaciones; ► **opération à cœur ouvert** (*MÉD*) operación a corazón abierto; ► **opération de sauvetage** maniobra de salvamento; ► **opération publicitaire** campaña publicitaria.
opérationnel, le [ɔperasjɔnɛl] *adj* en funcionamiento; (*MIL*) operacional; **recherche ~le** (*ÉCON*) investigación *f* operativa.
opératoire [ɔperatwar] *adj* operatorio(-a); (*choc etc*) postoperatorio(-a); **bloc ~** zona quirúrgica.
opéré, e [ɔpere] *adj, nm/f* operado(-a); **grand ~** operado de gravedad.
opérer [ɔpere] *vt* operar; (*faire, exécuter*) realizar ♦ *vi* (*agir*) hacer efecto; (*MÉD*) operar; **s'opérer** *vpr* realizarse; **~ qn des amygdales/du cœur** operar a algn de las anginas/del corazón; **se faire ~** operarse.
opérette [ɔperɛt] *nf* opereta.
ophtalmique [ɔftalmik] *adj* oftálmico(-a).
ophtalmologie [ɔftalmɔlɔʒi] *nf* oftalmología.
ophtalmologique [ɔftalmɔlɔʒik] *adj* oftal-

mológico(-a).
ophtalmologue [ɔftalmɔlɔg] *nm/f* oftalmólogo(-a).
opiacé, e [ɔpjase] *adj* opiáceo(-a).
opiner [ɔpine] *vi*: ~ **de la tête** asentir con la cabeza; ~ **à** asentir a.
opiniâtre [ɔpinjɑtʀ] *adj* empecinado(-a); (*résistance*) tenaz.
opiniâtreté [ɔpinjɑtʀəte] *nf* tenacidad *f*; (*caractère*) empecinamiento.
opinion [ɔpinjɔ̃] *nf* opinión *f*; (*point de vue*) posición *f*; ~**s** *nfpl* convicciones *fpl*, ideas *fpl*; **avoir (une) bonne/mauvaise** ~ **de** tener buena/mala opinión de; ▶ **l'opinion américaine/ouvrière** la posición americana/obrera; ▶ **opinion (publique)**: **l'~ (publique)** la opinión pública.
opiomane [ɔpjɔman] *nm/f* opiómano(-a).
opium [ɔpjɔm] *nm* opio.
opportun, e [ɔpɔʀtœ̃, yn] *adj* oportuno(-a); **en temps** ~ en el momento oportuno.
opportunément [ɔpɔʀtynemɑ̃] *adv* oportunamente.
opportunisme [ɔpɔʀtynism] *nm* oportunismo.
opportuniste [ɔpɔʀtynist] *adj, nm/f* oportunista *m/f*.
opportunité [ɔpɔʀtynite] *nf* oportunidad *f*.
opposant, e [ɔpozɑ̃, ɑ̃t] *adj* opositor(a); ~**s** *nmpl* opositores *mpl*; (*membres de l'opposition*) oposición *f*.
opposé, e [ɔpoze] *adj* opuesto(-a) ♦ *nm*: **l'~** (*contraire*) lo opuesto; **il est tout l'~ de son frère** es todo lo contrario de su hermano; **être** ~ **à** ser opuesto a; **à l'~** (*direction*) en dirección contraria; (*fig*) al contrario; **à l'~ de** al otro lado de; (*fig*) totalmente opuesto(-a) a; (*contrairement à*) al contrario de.
opposer [ɔpoze] *vt* (*meubles, objets*) colocar enfrente; (*personnes etc*) enfrentar; (*couleurs*) contrastar; (*rapprocher, comparer*) contrastar; (*suj: conflit*) dividir; (*résistance*) oponer; **s'opposer** *vpr* oponerse; ~ **qch à** (*comme obstacle, défense*) interponer algo en; (*comme objection*) objetar algo contra; (*en contraste*) poner algo frente a; **s'~ à** oponerse a; (*tenir tête*) enfrentarse a; **sa religion s'y oppose** su religión se lo impide; **s'~ à ce que qn fasse** oponerse a que algn haga.
opposition [ɔpozisjɔ̃] *nf* oposición *f*; (*entre deux personnes etc*) enfrentamiento; (*contraste*) contraste *m*; **par** ~ por oposición; **par** ~ **à** a diferencia de; **entrer en** ~ **avec qn** entrar en conflicto con algn; **être en** ~ **avec** estar en contra de; **faire** ~ **à un chèque** bloquear un cheque.
oppressant, e [ɔpʀesɑ̃, ɑ̃t] *adj* agobiante.
oppresser [ɔpʀese] *vt* oprimir; (*chaleur*)

agobiar; **se sentir oppressé** sentirse oprimido.
oppresseur [ɔpʀesœʀ] *nm* opresor(a).
oppressif, -ive [ɔpʀesif, iv] *adj* opresivo(-a).
oppression [ɔpʀesjɔ̃] *nf* opresión *f*; (*chaleur*) agobio.
opprimé, e [ɔpʀime] *adj* oprimido(-a).
opprimer [ɔpʀime] *vt* oprimir; (*la liberté etc*) reprimir.
opprobre [ɔpʀɔbʀ] *nm* oprobio.
opter [ɔpte] *vi*: ~ **pour/entre** optar por/entre.
opticien, ne [ɔptisjɛ̃, jɛn] *nm/f* óptico(-a).
optimal, e, -aux [ɔptimal, o] *adj* óptimo(-a).
optimisation [ɔptimizasjɔ̃] *nf* optimización *f*.
optimiser [ɔptimize] *vt* optimizar.
optimisme [ɔptimism] *nm* optimismo.
optimiste [ɔptimist] *adj, nm/f* optimista *m/f*.
optimum [ɔptimɔm] *nm* óptimo ♦ *adj* óptimo(-a).
option [ɔpsjɔ̃] *nf* (*aussi COMM, AUTO, JUR*) opción *f*; (*SCOL*) optativa; **matière/texte à** ~ (*SCOL*) asignatura optativa/texto optativo; **prendre une** ~ **sur** (*JUR*) tomar opción por; ▶ **option par défaut** (*INFORM*) opción por defecto.
optionnel, le [ɔpsjɔnɛl] *adj* (*matière, branche*) optativo(-a); (*AUTO etc*) opcional.
optique [ɔptik] *adj* óptico(-a) ♦ *nf* óptica; (*fig*) enfoque *m*.
opulence [ɔpylɑ̃s] *nf* opulencia.
opulent, e [ɔpylɑ̃, ɑ̃t] *adj* opulento(-a); (*formes, poitrine*) exuberante.
opuscule [ɔpyskyl] *nm* opúsculo.
or [ɔʀ] *nm* oro ♦ *conj* ahora bien; **d'~** (*fig*) de oro; **en** ~ (*aussi fig*) de oro; **un mari/enfant en** ~ un marido/hijo de oro; **affaire en** ~ negocio magnífico; (*objet*) ganga; **plaqué** ~ chapado en oro; ▶ **or blanc/jaune** oro blanco/amarillo; ▶ **or noir** oro negro.
oracle [ɔʀɑkl] *nm* oráculo; (*personne*) profeta.
orage [ɔʀaʒ] *nm* (*aussi fig*) tormenta.
orageux, -euse [ɔʀaʒø, øz] *adj* (*aussi fig*) tormentoso(-a); (*chaleur*) bochornoso(-a).
oraison [ɔʀɛzɔ̃] *nf* oración *f*; ▶ **oraison funèbre** oración fúnebre.
oral, e, -aux [ɔʀal, o] *adj* oral ♦ *nm* (*SCOL*) oral *m*; **par voie** ~**e** (*MÉD*) por vía oral.
oralement [ɔʀalmɑ̃] *adv* oralmente.
orange [ɔʀɑ̃ʒ] *nf* naranja ♦ *adj inv* naranja *inv* ♦ *nm* (*couleur*) naranja *m*; ▶ **orange amère** naranja amarga; ▶ **orange pressée** zumo de naranja natural; ▶ **orange sanguine** naranja sanguina *ou* agria.
orangé, e [ɔʀɑ̃ʒe] *adj* anaranjado(-a), na-

ranja *inv.*

orangeade [ɔʀɑ̃ʒad] *nf* naranjada.

oranger [ɔʀɑ̃ʒe] *nm* naranjo.

orangeraie [ɔʀɑ̃ʒʀɛ] *nf* naranjal *m.*

orangerie [ɔʀɑ̃ʒʀi] *nf* invernadero de naranjos.

orang-outan [ɔʀɑ̃utɑ̃] (*pl* ~s-~s) *nm* orangután *m.*

orateur [ɔʀatœʀ] *nm* orador(a).

oratoire [ɔʀatwaʀ] *nm* oratorio ♦ *adj* oratorio(-a).

oratorio [ɔʀatɔʀjo] *nm* oratorio.

orbital, e, -aux [ɔʀbital, o] *adj* orbital; **station** ~ estación *f* orbital.

orbite [ɔʀbit] *nf* (*ANAT, PHYS*) órbita; **placer/mettre un satellite sur** *ou* **en** ~ poner/situar un satélite en órbita; **dans l'~ de** (*fig*) en la órbita de; **mettre sur** ~ (*fig*) poner en órbita.

orchestral, e, -aux [ɔʀkɛstʀal, o] *adj* orquestal.

orchestrateur, -trice [ɔʀkɛstʀatœʀ, tʀis] *nm/f* orquestador(a).

orchestration [ɔʀkɛstʀasjɔ̃] *nf* orquestación *f;* (*adaptation*) orquestación, adaptación *f.*

orchestre [ɔʀkɛstʀ] *nm* orquesta; (*de jazz, danse*) orquesta, grupo; (*THÉÂTRE, CINÉ: places*) patio de butacas; (: *spectateurs*) platea.

orchestrer [ɔʀkɛstʀe] *vt* orquestar; (*fig*) orquestar, organizar.

orchidée [ɔʀkide] *nf* orquídea.

ordinaire [ɔʀdinɛʀ] *adj* ordinario(-a); (*coutumier, de tous les jours*) corriente ♦ *nm* (*menus*) l'~ lo corriente; ♦ *nf* (*essence*) normal *f;* **intelligence au-dessus de l'~** inteligencia por debajo de lo normal *ou* la media; **d'~** por lo general, corrientemente; **à l'~** de costumbre.

ordinairement [ɔʀdinɛʀmɑ̃] *adv* corrientemente.

ordinal, e, -aux [ɔʀdinal, o] *adj:* **adjectif/nombre** ~ adjetivo/número ordinal.

ordinateur [ɔʀdinatœʀ] *nm* ordenador *m;* **mettre sur** ~ meter en ordenador; ► **ordinateur domestique** ordenador de uso doméstico; ► **ordinateur individuel** *ou* **personnel** ordenador personal.

ordination [ɔʀdinasjɔ̃] *nf* ordenación *f.*

ordonnance [ɔʀdɔnɑ̃s] *nf* disposición *f,* ordenación *f;* (*groupement*) disposición; (*MÉD*) receta, prescripción *f;* (*décret*) mandamiento judicial, mandato; (*MIL*) ordenanza, reglamento; ~ **de non-lieu** (*JUR*) auto de sobreseimiento; **d'~:** **officier d'~** ayudante *m* de campo.

ordonnancer [ɔʀdɔnɑ̃se] *vt* disponer, preparar.

ordonnateur, -trice [ɔʀdɔnatœʀ, tʀis] *nm/f*

(*d'une cérémonie, fête*) ordenador(a), maestro de ceremonias; ► **ordonnateur des pompes funèbres** director *m* de pompas fúnebres.

ordonné, e [ɔʀdɔne] *adj* ordenado(-a).

ordonnée [ɔʀdɔne] *nf* (*MATH*) ordenada.

ordonner [ɔʀdɔne] *vt* ordenar, arreglar; (*REL, MATH*) ordenar; (*MÉD*) recetar, prescribir; **s'ordonner** *vpr* ordenarse; ~ **à qn de faire** ordenar *ou* mandar a algn que haga; ~ **le huis clos** (*JUR*) ordenar que la audiencia sea a puerta cerrada.

ordre [ɔʀdʀ] *nm* orden *m;* (*directive, REL*) orden *f;* (*association professionnelle*) colegio; ~**s** *nmpl* (*REL*): **être/entrer dans les** ~**s** pertenecer/entrar en las órdenes; **mettre en** ~ poner en orden; **avoir de l'**~ tener orden, ser ordenado(-a); **procéder par** ~ proceder ordenadamente *ou* por orden; **par** ~ **d'entrée en scène** por orden de aparición; **mettre bon** ~ **à** poner orden en; **rentrer dans l'**~ volver a la normalidad; **je n'ai pas d'**~ **à recevoir de vous** usted no tiene que darme ninguna orden; **être aux** ~**s de qn/sous les** ~**s de qn** estar a las órdenes de algn; **jusqu'à nouvel** ~ hasta nuevo aviso; **rappeler qn à l'**~ llamar a algn al orden; **donner (à qn) l'**~ **de** dar (a algn) la orden de; **payer à l'**~ **de** (*COMM*) pagar a la orden de; **dans le même** ~/**un autre** ~ **d'idées** en el mismo orden/en otro orden de cosas; **d'**~ **pratique** de orden *ou* tipo práctico; **de premier/second** ~ de primer/segundo orden; ► **ordre de grandeur** orden de tamaño; ► **ordre de grève** orden convocatoria de huelga; ► **ordre de mission** (*MIL*) orden de misión; ► **ordre de route** orden de destino; ► **ordre du jour** orden del día; **à l'**~ **du jour** (*fig*) al orden del día; ► **ordre public** orden público.

ordure [ɔʀdyʀ] *nf* basura; (*propos*) grosería, indecencia; ~**s** *nfpl* (*balayures*) basura *fsg,* desechos *mpl,* restos *mpl;* ► **ordures ménagères** basura.

ordurier, -ière [ɔʀdyʀje, jɛʀ] *adj* grosero (-a), indecente.

orée [ɔʀe] *nf:* **à l'**~ **de** (*bois*) en la linde de.

oreille [ɔʀɛj] *nf* oreja; (*ouïe*) oído; (*de marmite, tasse*) asa; **avoir de l'**~ tener oído; **avoir l'**~ **fine** tener buen oído; **l'**~ **basse** con las orejas gachas; **se faire tirer l'**~ hacerse de rogar; **parler/dire qch à l'**~ **de qn** hablar/decir algo al oído de algn.

oreiller [ɔʀeje] *nm* almohada.

oreillette [ɔʀɛjɛt] *nf* (*ANAT*) aurícula; (*vêtement*) orejera.

oreillons [ɔʀɛjɔ̃] *nmpl* paperas *fpl.*

ores [ɔʀ] *nm:* **d'**~ **et déjà** *adv* desde ahora, de aquí en adelante.

orfèvre [ɔʀfɛvʀ] nm orfebre m; **être ~ en la matière** (*fig*) ser ducho(-a) en la materia.

orfèvrerie [ɔʀfɛvʀɔʀi] nf orfebrería.

orfraie [ɔʀfʀɛ] nm quebrantahuesos m inv; **pousser des cris d'~** gritar como un(a) descosido(-a).

organe [ɔʀgan] nm órgano; (*véhicule, instrument*) vehículo; (*voix*) voz f; (*représentant*) órgano, portavoz m; ▸ **organes de transmission** (*TECH*) órganos de transmisión.

organigramme [ɔʀganigʀam] nm organigrama m.

organique [ɔʀganik] adj orgánico(-a).

organisateur, -trice [ɔʀganizatœʀ, tʀis] nm/f organizador(a).

organisateur-conseil [ɔʀganizatœʀkɔ̃sɛj] (*pl ~s-~s*) nm (*COMM*) organizador m asesor.

organisation [ɔʀganizasjɔ̃] nf organización f; ▸ **Organisation des Nations unies** Organización de Naciones Unidas; ▸ **Organisation du traité de l'Atlantique Nord** Organización del tratado del Atlántico Norte; ▸ **Organisation mondiale de la santé** Organización mundial de la salud; ▸ **Organisation scientifique du travail** Organización científica del trabajo.

organisationnel, le [ɔʀganizasjɔnɛl] adj organizativo(-a).

organisé, e [ɔʀganize] adj organizado(-a).

organiser [ɔʀganize] vt organizar; (*mettre sur pied*) organizar, preparar; **s'organiser** vpr (*personne*) organizarse; (*choses*) arreglarse, ordenarse.

organisme [ɔʀganism] nm organismo; (*association*) organismo, organización f.

organiste [ɔʀganist] nm/f organista m/f.

orgasme [ɔʀgasm] nm orgasmo.

orge [ɔʀʒ] nf cebada.

orgeat [ɔʀʒa] nm: **sirop d'~** horchata.

orgelet [ɔʀʒəlɛ] nm orzuelo.

orgie [ɔʀʒi] nf orgía; **une ~ de** (*surabondance*) una orgía de.

orgue [ɔʀg] nm (*MUS*) órgano; **~s** nfpl (*GÉO*) basaltos mpl prismáticos; ▸ **orgue de Barbarie** organillo; ▸ **orgue électrique** ou **électronique** órgano electrónico.

orgueil [ɔʀgœj] nm orgullo, soberbia; **~ de** (*fierté, gloire, vanité*) orgullo de.

orgueilleux, -euse [ɔʀgøjø, øz] adj orgulloso(-a), vanidoso(-a).

orient [ɔʀjɑ̃] nm Oriente m.

orientable [ɔʀjɑ̃tabl] adj orientable.

oriental, e, -aux [ɔʀjɑ̃tal, o] adj oriental ♦ nm/f: **O~** oriental m/f.

orientation [ɔʀjɑ̃tasjɔ̃] nf orientación f; **avoir le sens de l'~** tener sentido de la

orientación; ▸ **orientation professionnelle** orientación profesional.

orienté, e [ɔʀjɑ̃te] adj (*article, journal*) orientado(-a); **bien/mal ~** (*appartement*) bien/mal orientado(-a); **~ au sud** orientado(-a) al sur.

orienter [ɔʀjɑ̃te] vt (*situer*) orientar, situar; (*placer: pièce mobile*) colocar, poner; (*tourner*) dirigir; (*voyageur*) orientar, dirigir; **s'orienter** vpr orientarse; **(s')~ vers** (*recherches*) orientar(se) ou dirigir(se) hacia.

orienteur, -euse [ɔʀjɑ̃tœʀ, øz] nm/f (*SCOl*) orientador(a).

orifice [ɔʀifis] nm orificio.

oriflamme [ɔʀiflam] nf oriflama.

origan [ɔʀigɑ̃] nm orégano.

originaire [ɔʀiʒinɛʀ] adj originario(-a); (*défaut*) de origen; **être ~ de** ser originario(-a) ou natural de.

original, e, -aux [ɔʀiʒinal, o] adj original; (*bizarre, curieux*) original, extravagante ♦ nm/f (*fam: excentrique*) excéntrico(-a), extravagante m/f; (: *fantaisiste*) extravagante ♦ nm (*document*) original m.

originalité [ɔʀiʒinalite] nf originalidad f; (*d'un nouveau modèle*) originalidad, singularidad f; (*excentricité*) extravagancia.

origine [ɔʀiʒin] nf origen m; (*d'une idée*) origen, procedencia; **~s** nfpl (*d'une personne*) orígenes mpl; (*commencements*): **les ~s de la vie** los orígenes de la vida; **d'~** (*nationalité*) de origen, natural de; (*pneus etc*) de origen; (*bureau postal*) de procedencia; **dès l'~** desde el principio; **à l'~ (de)** al principio (de); **avoir son ~ dans qch** tener su origen en algo.

originel, le [ɔʀiʒinɛl] adj original.

originellement [ɔʀiʒinɛlmɑ̃] adv (*à l'origine*) originariamente; (*dès l'origine*) desde el principio.

oripeaux [ɔʀipo] nmpl oropeles mpl.

ORL [ɔɛʀɛl] sigle f (= *oto-rhino-laryngologie*) otorrinolaringología ♦ sigle m/f (= *oto-rhino-laryngologiste*) otorrinolaringólogo(-a).

orme [ɔʀm] nm olmo.

orné, e [ɔʀne] adj adornado(-a); **~ de** adornado(-a) con.

ornement [ɔʀnəmɑ̃] nm adorno; (*garniture*) ornamento; (*fig*) ornato, ornamento; **~s** nmpl: **~s sacerdotaux** ornamentos mpl sacerdotales.

ornemental, e, -aux [ɔʀnəmatal, o] adj ornamental.

ornementer [ɔʀnəmate] vt ornamentar, adornar.

orner [ɔʀne] vt adornar; **~ qch de** adornar algo con.

ornière [ɔʀnjɛʀ] nf carril m; (*impasse*) atolladero; **sortir de l'~** (*fig*) salir del camino trillado.

ornithologie [ɔʀnitɔlɔʒi] *nf* ornitología.

ornithologique [ɔʀnitɔlɔʒik] *nf* ornitológico(-a).

ornithologue [ɔʀnitɔlɔg] *nm/f* ornitólogo (-a).

orphelin, e [ɔʀfəlɛ̃, in] *adj, nm/f* huérfano (-a); ► **orphelin de mère/de père** huérfano de madre/de padre.

orphelinat [ɔʀfəlina] *nm* orfanato.

ORSEC [ɔʀsɛk] *sigle f* = *Organisation des secours*; **le plan ~** *plan de emergencia nacional*.

ORSECRAD [ɔʀsɛkʀad] *sigle m* (= *ORSEC en cas d'accident nucléaire*) *plan de emergencia nacional en caso de accidente nuclear*.

orteil [ɔʀtɛj] *nm* dedo del pie; **gros ~** dedo gordo del pie.

ORTF [ɔɛʀteɛf] *sigle m* = *Office de radiodiffusion télévision française*.

orthodontiste [ɔʀtodɔ̃tist] *nm/f* ortodoncista *m/f*.

orthodoxe [ɔʀtɔdɔks] *adj* ortodoxo(-a).

orthodoxie [ɔʀtɔdɔksi] *nf* ortodoxia.

orthogonal, e, -aux [ɔʀtɔgɔnal, o] *adj* ortogonal.

orthographe [ɔʀtɔgʀaf] *nf* ortografía.

orthographier [ɔʀtɔgʀafje] *vt* ortografiar; **mal orthographié** mal ortografiado.

orthopédie [ɔʀtɔpedi] *nf* ortopedia.

orthopédique [ɔʀtɔpedik] *adj* ortopédico (-a).

orthopédiste [ɔʀtɔpedist] *nm/f* ortopedista *m/f*, ortopeda *m/f*.

orthophonie [ɔʀtɔfɔni] *nf* ortofonía.

orthophoniste [ɔʀtɔfɔnist] *nm/f* ortofonista *m/f*.

ortie [ɔʀti] *nf* ortiga; ► **ortie blanche** ortiga blanca.

OS [oɛs] *sigle m* (= *ouvrier spécialisé*) *voir* **ouvrier**.

os [ɔs] *nm* hueso; **sans ~** (*BOUCHERIE*) deshuesado(-a); ► **os à moelle** hueso de cañada; ► **os de seiche** jibión *m*.

oscar [ɔskaʀ] *nm* óscar *m*; ► **oscar de la chanson/de la publicité** óscar de la canción/de la publicidad.

oscillation [ɔsilasjɔ̃] *nf* oscilación *f*; **~s** *nfpl* (*fluctuation*) oscilaciones *fpl*.

osciller [ɔsile] *vi* oscilar; (*au vent etc*) oscilar, balancearse; **~ entre** (*hésiter*) vacilar *ou* dudar entre.

osé, e [oze] *adj* (*tentative*) osado(-a); (*plaisanterie*) atrevido(-a).

oseille [ozɛj] *nf* (*BOT*) acedera; (*fam: argent*) pasta, parné *m*.

oser [oze] *vt, vi* osar, atreverse; **~ faire qch** atreverse a hacer algo; **je n'ose pas** no me atrevo.

osier [ozje] *nm* mimbre *m*; **d'~, en ~ de** mimbre.

Oslo [ɔslo] *n* Oslo.

osmose [ɔsmoz] *nf* ósmosis *fsg*.

ossature [ɔsatyʀ] *nf* (*squelette*) esqueleto, osamenta; (*du visage*) esqueleto; (*ARCHIT*) armazón *f*; (*d'une société*) esqueleto, estructura; (*d'un discours*) estructura.

osselet [ɔslɛ] *nm* (*ANAT*) huesecillo; **jouer aux ~s** jugar a las tabas.

ossements [ɔsmɑ̃] *nmpl* osamenta *fsg*, huesos *mpl*.

osseux, -euse [ɔsø, øz] *adj* óseo(-a); (*charpente, carapace*) de hueso, huesoso(-a); (*main, visage*) huesudo(-a).

ossifier [ɔsifje]: **s'~** *vpr* osificarse.

ossuaire [ɔsɥɛʀ] *nm* osario.

Ostende [ɔstɑ̃d] *n* Ostende.

ostensible [ɔstɑ̃sibl] *adj* ostensible.

ostensiblement [ɔstɑ̃sibləmɑ̃] *adv* ostensiblemente.

ostensoir [ɔstɑ̃swaʀ] *nm* custodia.

ostentation [ɔstɑ̃tasjɔ̃] *nf* ostentación *f*; **faire ~ de qch** hacer ostentación de algo.

ostentatoire [ɔstɑ̃tatwaʀ] *adj* ostentoso (-a).

ostraciser [ɔstʀasize] *vt* condenar al ostracismo.

ostracisme [ɔstʀasism] *nm* ostracismo; **frapper qch/qn d'~** castigar algo/a algn al ostracismo.

ostréicole [ɔstʀeikɔl] *adj* ostrícola.

ostréiculteur, -trice [ɔstʀeikyltœʀ, tʀis] *nm/f* ostricultor(a).

ostréiculture [ɔstʀeikyltyʀ] *nf* ostricultura.

otage [ɔtaʒ] *nm* rehén *m*; **prendre qn comme** *ou* **en ~** tomar *ou* coger a algn de *ou* como rehén.

OTAN [ɔtɑ̃] *sigle f* (= *Organisation du traité de l'Atlantique Nord*) OTAN *f* (= *Organización del Tratado del Atlántico Norte*).

otarie [ɔtaʀi] *nf* león *m* marino, otaria.

OTASE [ɔtaz] *sigle f* (= *Organisation du traité de l'Asie du Sud-Est*) OTASE *f* (= *Organización del Tratado del Sudeste Asiático*).

ôter [ote] *vt* quitar; (*soustraire*) quitar, restar; **~ qch de** quitar algo de; **~ qch à qn** quitar algo a algn; **6 ôté de 10 égale 4** 10 menos 6 igual a 4.

otite [ɔtit] *nf* otitis *f inv*.

oto-rhino-laryngologie [ɔtɔʀinolaʀɛ̃gɔlɔʒi] *nf* otorrinolaringología.

oto-rhino(-laryngologiste) [ɔtɔʀino(laʀɛ̃gɔlɔʒist(ə))] *nm/f* otorrinolaringólogo(-a).

ottomane [ɔtɔman] *nf* otomana.

ou [u] *conj* o, u; **l'un ~ l'autre** una u otra; ~

... ~ o ... o; ~ **bien** o bien.

━━━━━━━━━━━━━━━━ *MOT-CLÉ*

où [u] *pron relatif* **1** (*lieu*) donde, en que; **la chambre où il était** la habitación en que ou donde estaba; **le village d'où je viens** el pueblo de donde vengo; **les villes par où il est passé** las ciudades por donde pasó **2** (*direction*) adonde; **la ville où je me rends** la ciudad adonde me dirijo **3** (*temps, état*) (en) que; **le jour où il est parti** el día (en) que se marchó; **au prix où c'est** al precio que está
♦ *adv* **1** (*interrogatif*) ¿dónde?; **où est-il?** ¿dónde está?; **par où?** ¿por dónde?; **d'où vient que ...?** ¿cómo es que ...? **2** (*direction*) (a)dónde; **où va-t-il?** ¿(a)dónde va? **3** (*relatif*) donde; **je sais où il est** sé donde está; **où que l'on aille** vayamos donde vayamos, dondequiera que vayamos.

OUA [ɔya] *sigle f* (= *Organisation de l'unité africaine*) OUA *f* (= *Organización para la Unidad Africana*).
ouais ['wɛ] *excl* sí, ya.
ouate ['wat] *nf* (*bourre*) algodón *m*, guata; (*coton*): **tampon d'~** tapón *m* de algodón; ▶ **ouate hydrophile/de cellulose** algodón hidrófilo/de celulosa.
ouaté, e ['wate] *adj* (*doublé*) enguatado (-a); (*atmosphère*) acogedor(a); (*bruit*) amortiguado(-a).
ouater ['wate] *vt* enguatar.
ouatine [watin] *nf* forro algodonado.
oubli [ubli] *nm* olvido; **l'~** (*absence de souvenirs*) el olvido; **tomber dans l'~** caer en el olvido.
oublier [ublije] *vt* olvidar; (*ne pas mettre*) olvidar, omitir; (*famille*) descuidar; (*responsabilités*) descuidar, olvidar; **s'oublier** *vpr* olvidarse; (*euph*) orinarse, mearse; **~ que/de faire qch** olvidar que/ olvidar hacer algo; **~ l'heure** olvidar la hora.
oubliettes [ublijɛt] *nfpl* mazmorra *fsg*; (*jeter*) **aux ~** (*fig*) (dejar) en el olvido.
oublieux, -euse [ublijø, ijøz] *adj* olvidadizo(-a); **être ~ de** olvidarse fácilmente de.
oued [wɛd] *nm corriente de agua en el desierto.*
ouest [wɛst] *nm* oeste *m* ♦ *adj inv* oeste; **l'O~** (*région, POL*) el Oeste; **à l'~ (de)** al oeste (de); **vent d'~** viento del oeste.
ouest-allemand, e [wɛstalmã, ãd] (*pl* ~-~**s, es**) *adj* alemán(-ana) del oeste ♦ *nm/f*: **O~-~, e** alemán(-ana) del oeste.
ouf ['uf] *excl* uf.
Ouganda [ugãda] *n* Uganda.

ougandais, e [ugãdɛ, ɛz] *adj* ugandés (-esa) ♦ *nm/f*: **O~,** e ugandés(-esa).
oui ['wi] *adv* sí; **répondre ~** responder que sí; **mais ~, bien sûr** pues claro que sí, naturalmente; **je suis sûr que ~** estoy seguro que sí; **je pense que ~** creo que sí; **pour un ~ ou pour un non** por un quítame allá esas pajas.
ouï-dire ['widiʀ] *nm inv*: **par ~-~** de oídas.
ouïe [wi] *nf* oído; **~s** *nfpl* (*de poisson*) agallas *fpl*; (*d'un violon*) eses *fpl*.
ouïr [wiʀ] *vt*: **avoir ouï dire que** haber oído el rumor de que.
ouistiti ['wistiti] *nm* tití *m*.
ouragan [uʀagã] *nm* huracán *m*.
Oural [uʀal] *n*: **l'~** (*fleuve*) el Ural; (*aussi*: **les monts ~**) los (montes) Urales.
ourdir [uʀdiʀ] *vt* urdir, tramar.
ourdou [uʀdu] *nm* urdu *m*.
ourlé, e [uʀle] *adj* (*couture*) con dobladillo; (*oreille*) replegado(-a).
ourler [uʀle] *vt* dobladillar.
ourlet [uʀlɛ] *nm* (*COUTURE*) dobladillo; (*de l'oreille*) repliegue *m*; **faire un ~ à** hacer un dobladillo a; **faux ~** (*COUTURE*) falso dobladillo.
ours [uʀs] *nm inv* oso; (*homme insociable*) oso, cardo; ▶ **ours blanc/brun** oso blanco/pardo; ▶ **ours (en peluche)** oso de peluche; ▶ **ours mal léché** oso, hurón *m*; ▶ **ours marin** oso marino.
ourse [uʀs] *nf* osa; **la Grande/Petite O~** (*ASTRON*) la Osa Mayor/Menor.
oursin [uʀsɛ̃] *nm* erizo de mar.
ourson [uʀsɔ̃] *nm* osezno(-a).
ouste [ust] *excl* ¡fuera!, ¡largo de aquí!
outil [uti] *nm* herramienta, instrumento; ▶ **outil de travail** herramienta.
outillage [utijaʒ] *nm* herramienta, maquinaria; (*d'atelier*) herramienta.
outiller [utije] *vt* equipar de herramienta ou de maquinaria.
outrage [utʀaʒ] *nm* ultraje *m*; **faire subir les derniers ~s à** (*femme*) someter a los peores ultrajes a; ▶ **outrage à la pudeur** (*JUR*) ultraje al pudor; ▶ **outrage à magistrat** (*JUR*) ultraje ou injurias *fpl* a un magistrado; ▶ **outrage aux bonnes mœurs** (*JUR*) ultraje a las buenas costumbres.
outragé, e [utʀaʒe] *adj* ultrajado(-a).
outrageant, e [utʀaʒã, ãt] *adj* ultrajante.
outrager [utʀaʒe] *vt* ultrajar; **~ les bonnes mœurs/le bon sens** (*fig*) atentar contra las buenas costumbres/el buen sentido.
outrageusement [utʀaʒøzmã] *adv* ultrajosamente.
outrance [utʀãs] *nf* exageración *f*, exceso; **à ~** a ultranza.
outrancier, -ière [utʀãsje, jɛʀ] *adj* exage-

rado(-a).

outre [utʀ] *nf* odre *m* ♦ *prép* además de ♦ *adv*: **passer** ~ hacer caso omiso; **passer** ~ **à** hacer caso omiso a; **en** ~ además, por añadidura; ~ **que** además de que; ~ **mesure** sin medida, desmesuradamente.

outré, e [utʀe] *adj* (*flatterie*) exagerado(-a); (*indigné*): ~ **de** indignado(-a) de.

outre-Atlantique [utʀatlɑ̃tik] *adv* al otro lado del Atlántico.

outrecuidance [utʀəkɥidɑ̃s] *nf* (*fatuité*) presunción *f*, vanidad *f*; (*audace*) desfachatez *f*.

outrecuidant, e [utʀəkɥidɑ̃, ɑ̃t] *adj* presuntuoso(-a), petulante.

outremer [utʀəmɛʀ] *adj*: **bleu/ciel** ~ azul/ cielo de ultramar.

outre-mer [utʀəmɛʀ] *adv* ultramar; **d'~·~** de ultramar, ultramarino(-a).

outrepasser [utʀəpɑse] *vt* sobrepasar, extralimitarse en.

outrer [utʀe] *vt* exagerar; (*indigner*) indignar.

outsider [autsajdœʀ] *nm*: **c'est un** ~ (*cheval, personne*) no es el favorito.

ouvert, e [uvɛʀ, ɛʀt] *pp de* **ouvrir** ♦ *adj* (*aussi fig*) abierto(-a); (*accueillant: milieu*) abierto(-a), acogedor(-a), hospitalario (-a); **à bras ~s** con los brazos abiertos; **à livre** ~ como un libro abierto; (*traduire*) de corrido; **à cœur** ~ (*fig*) con el corazón en la mano.

ouvertement [uvɛʀtəmɑ̃] *adv* (*agir*) abiertamente; (*dire*) abiertamente, francamente.

ouverture [uvɛʀtyʀ] *nf* apertura; (*orifice, MUS*) obertura; **~s** *nfpl* (*offres*) propuestas *fpl*; **l'~** (*POL*) la apertura; ~ (**du diaphragme**) (*PHOTO*) abertura (del diafragma); **heures/jours d'~** (*COMM*) horas *fpl*/ días *mpl* de apertura; ▶ **ouverture d'esprit** apertura de ideas, amplitud *f* de ideas.

ouvrable [uvʀabl] *adj*: **jour** ~ día *m* laborable; **heures ~s** horas *fpl* laborables.

ouvrage [uvʀaʒ] *nm* obra; (*MIL*) elemento autónomo de una línea fortificada; **panier** *ou* **corbeille à** ~ cesta de costura; ▶ **ouvrage à l'aiguille** labor *f* de aguja; ▶ **ouvrage d'art** (*GÉNIE CIVIL*) obra de ingeniería.

ouvragé, e [uvʀaʒe] *adj* labrado(-a), bordado(-a).

ouvrant, e [uvʀɑ̃, ɑ̃t] *vb voir* **ouvrir** ♦ *adj*: **toit** ~ (*AUTO*) techo descapotable.

ouvré, e [uvʀe] *adj* (*TECH*) labrado(-a); (*ADMIN*): **jour** ~ día *m* laborable.

ouvre-boîte(s) [uvʀəbwat] *nm inv* abrelatas *m inv*.

ouvre-bouteille(s) [uvʀəbutɛj] *nm inv* abre-

botellas *m inv*.

ouvreuse [uvʀøz] *nf* acomodadora.

ouvrier, -ière [uvʀije, ijɛʀ] *nm/f* obrero(-a) ♦ *nf* (*ZOOL*) obrera ♦ *adj* obrero(-a); (*conflits*) laboral; (*revendications*) obrero(-a); **classe ouvrière** clase *f* obrera; ▶ **ouvrier agricole** trabajador *m* agrario; ▶ **ouvrier qualifié** obrero calificado; ▶ **ouvrier spécialisé** obrero especialista.

ouvrir [uvʀiʀ] *vt* abrir; (*fonder*) abrir, fundar; (*commencer, mettre en train*) abrir, empezar ♦ *vi* abrir; (*commencer*) abrir, empezar; **s'ouvrir** *vpr* abrirse; ~ *ou* **s'~ sur** comenzar con; **s'~ à** abrirse a; **s'~ à qn** confiarse a algn; **s'~ les veines** abrirse las venas; ~ **l'œil** (*fig*) abrir los ojos, enterarse; ~ **l'appétit à qn** abrir el apetito a algn; ~ **des horizons/perspectives** abrir horizontes/perspectivas; ~ **l'esprit** ampliar *ou* abrir las ideas; ~ **une session** (*INFORM*) abrir una sesión; ~ **à cœur/ trèfle** (*CARTES*) abrir *ou* salir con corazones/trébol.

ovaire [ɔvɛʀ] *nm* ovario.

ovale [ɔval] *adj* oval, ovalado(-a).

ovation [ɔvasjɔ̃] *nf* ovación *f*.

ovationner [ɔvasjɔne] *vt* ovacionar.

ovin, e [ɔvɛ̃, in] *adj* ovino(-a); **~s** *nmpl* (*ZOOL*) ovinos *mpl*.

OVNI [ɔvni] *sigle m* (= *objet volant non identifié*) OVNI *m* (= *objeto volante no identificado*).

ovoïde [ɔvɔid] *adj* ovoide.

ovulation [ɔvylasjɔ̃] *nf* ovulación *f*.

ovule [ɔvyl] *nm* óvulo.

oxydable [ɔksidabl] *adj* oxidable.

oxyde [ɔksid] *nm* óxido; ▶ **oxyde de carbone** óxido de carbono.

oxyder [ɔkside]: **s'~** *vpr* oxidarse.

oxygène [ɔksiʒɛn] *nm* oxígeno; **cure d'~** (*fig*) cura de oxígeno.

oxygéné, e [ɔksiʒene] *adj*: **cheveux ~s** cabellos *mpl* oxigenados; **eau ~e** agua oxigenada.

oxyure [ɔksjyʀ] *nm* oxiuro, lombriz *f*.

ozone [ozon] *nm* ozono.

P, p

P, p [pe] *nm inv* (*lettre*) P, p *f*; ~ **comme Pierre** ≈ P de París.
p *abr* (= *page*) p. (= *página*).
PAC [pak] *sigle f* (= *politique agricole commune*) PAC *f* (= *Política Agraria Común*).
pacage [pakaʒ] *nm* pasto.
pacemaker [pɛsmɛkœʀ] *nm* marcapasos *m inv*.
pachyderme [paʃidɛʀm] *nm* paquidermo.
pacificateur, -trice [pasifikatœʀ, tʀis] *adj* pacificador(a).
pacification [pasifikasjɔ̃] *nf* pacificación *f*.
pacifier [pasifje] *vt* pacificar.
pacifique [pasifik] *adj* pacífico(-a) ♦ *nm*: **le P~, l'océan P~** el (Océano) Pacífico.
pacifiquement [pasifikmã] *adv* pacíficamente.
pacifisme [pasifism] *nm* pacifismo.
pacifiste [pasifist] *nm/f* pacifista *m/f*.
pack [pak] *nm* pack *m*.
pacotille [pakɔtij] (*péj*) *nf* pacotilla; **de ~ de pacotilla.**
pacte [pakt] *nm* pacto; ▶**pacte d'alliance/de non-agression** pacto de alianza/de no agresión.
pactiser [paktize] *vi*: ~ **avec** pactar con; ~ **avec le crime** transigir con el crimen; ~ **avec sa conscience** acallar la conciencia.
pactole [paktɔl] *nm* mina (*fig*).
paddock [padɔk] *nm* paddock *m*.
PAF [paf] *sigle f* = *Police de l'air et des frontières*.
pagaie [pagɛ] *nf* zagual *m*.
pagaille [pagaj] *nf* (*désordre*) follón *m*, desbarajuste *m*; **en ~** (*en grande quantité*) a porrillo; (*en désordre*) a barullo.
paganisme [paganism] *nm* paganismo.
pagayer [pageje] *vi* remar con zagual.
page [paʒ] *nf* página; (*passage: d'un roman*) pasaje *m* ♦ *nm* paje *m*; **mettre en ~s** compaginar; **mise en ~** compaginación *f*; **être à la ~** (*fig*) estar al día; ▶**page blanche** página en blanco; ▶**page de garde** guarda.
page-écran [paʒekʀã] (*pl* ~**s**-~**s**) *nf* (*INFORM*) pantalla.
pagination [paʒinasjɔ̃] *nf* paginación *f*.
paginer [paʒine] *vt* paginar.

pagne [paɲ] *nm* taparrabo.
pagode [pagɔd] *nf* pagoda.
paie [pɛ] *nf* = **paye.**
paiement [pɛmã] *nm* = **payement.**
païen, ne [pajɛ̃, pajɛn] *adj*, *nm/f* pagano(-a).
paillard, e [pajaʀ, aʀd] *adj* picante, subido(-a) de tono.
paillasse [pajas] *nf* (*matelas*) jergón *m*; (*d'un évier*) escurridero.
paillasson [pajasɔ̃] *nm* felpudo.
paille [paj] *nf* paja; (*défaut*) defecto; **être sur la ~** (*être ruiné*) estar a dos velas; ▶**paillo de fer** estropajo metálico.
paillé, e [paje] *adj* de enea.
pailleté, e [paj(ə)te] *adj* bordado(-a) con lentejuelas.
paillette [pajɛt] *nf* lámina; ~**s** *nfpl* (*décoratives*) lentejuelas *fpl*; **lessive en ~s** detergente *m* en escamas.
pain [pɛ̃] *nm* pan *m*; (*CULIN: de poisson, légumes*) pastel *m*; **petit ~** panecillo; ▶**pain complet** pan integral; ▶**pain d'épice(s)** alfajor *m*; ▶**pain de campagne/de seigle** pan de pueblo/de centeno; ▶**pain de cire** librillo de cera; ▶**pain de mie** pan de molde; ▶**pain de sucre** pan de azúcar; ▶**pain fantaisie/viennois** pan de lujo/de Viena; ▶**pain grillé** pan tostado; ▶**pain perdu** torrija.
pair, e [pɛʀ] *adj* par ♦ *nm* par *m*; **aller ou marcher de ~** (*avec*) correr *ou* ir parejo(-a) (con); **au ~** (*FIN*) a la par; **valeur au ~** valor *m* a la par; **jeune fille au ~** chica au pair.
paire [pɛʀ] *nf* par *m*; **une ~ de lunettes/tenailles** un par de gafas/tenazas; **les deux font la ~** son tal para cual.
pais [pɛ] *vb voir* **paître.**
paisible [pezibl] *adj* apacible; (*ville, lac*) tranquilo(-a).
paisiblement [peziblmã] *adv* apaciblemente.
paître [pɛtʀ] *vi* pacer.
paix [pɛ] *nf* paz *f*; (*fig: tranquillité*) paz, sosiego; **faire la ~** avec hacer las paces con; **vivre en ~** avec vivir en paz con; **avoir la ~** tener paz.
Pakistan [pakistã] *nm* Paquistán *m*.
pakistanais, e [pakistanɛ, ɛz] *adj* paquistaní ♦ *nm/f*: **P~, e** paquistaní *m/f*.
palabrer [palabʀe] *vi* charlotear.
palabres [palabʀ] *nfpl ou nmpl* palabrería *fsg*.
palace [palas] *nm* hotel *m* de gran lujo.
palais [palɛ] *nm* palacio; (*ANAT*) paladar *m*; ▶**le Palais Bourbon** El Palacio Borbón (*sede de la asamblea nacional*); ▶**le Palais de Justice** Palacio de Justicia, la audiencia nacional; ▶**le Palais de l'Elysée** El Palacio del Elíseo (*residencia ofi-*

cial del Presidente de la República francesa); ▶ **palais des expositions** palacio de exposiciones.

palan [palɑ̃] *nm* aparejo.

pale [pal] *nf* (*d'hélice, de rame*) pala; (*de roue*) álabe *m*, paleta.

pâle [pɑl] *adj* pálido(-a); **une ~ imitation** (*fig*) una pálida imitación; **~ de colère/ d'indignation** pálido(-a) de rabia/de indignación; **bleu/vert ~** azul/verde pálido.

palefrenier [palfʀənje] *nm* palafrenero.

paléontologie [paleɔ̃tɔlɔʒi] *nf* paleontología.

paléontologiste [paleɔ̃tɔlɔʒist] *nm/f* paleontólogo(-a).

Palerme [palɛʀm] *n* Palermo.

Palestine [palɛstin] *nf* Palestina.

palestinien, ne [palɛstinjɛ̃, jɛn] *adj* palestino(-a) ♦ *nm/f*: **P~, ne** palestino(-a).

palet [palɛ] *nm* tejo; (*hockey*) pastilla.

paletot [palto] *nm* gabán *m*.

palette [palɛt] *nf* paleta; (*plateau de chargement*) plataforma; **~ riche/pauvre/ brillante** (*ensemble de couleurs*) paleta rica/pobre/brillante.

palétuvier [paletyvje] *nm* mangle *m*.

pâleur [pɑlœʀ] *nf* palidez *f*.

palier [palje] *nm* (*d'escalier*) rellano; (*d'une machine*) cojinete *m*; (*d'un graphique*) nivel *m*; (*phase stable*) nivel estable; **en ~** a altura constante; **par ~s** (*progresser*) gradualmente.

pâlir [pɑliʀ] *vi* (*personne*) palidecer; (*couleur*) decolorar; **faire ~ qn** hacer palidecer a algn.

palissade [palisad] *nf* empalizada.

palissandre [palisɑ̃dʀ] *nm* palisandro.

palliatif, -ive [paljatif, iv] *adj* paliativo(-a) ♦ *nm* paliativo.

pallier [palje] *vt*: **~ à** paliar.

palmarès [palmaʀɛs] *nm* palmarés *m inv*.

palme [palm] *nf* palma; (*de plongeur*) aleta; ▶ **palmes (académiques)** galardón al mérito académico.

palmé, e [palme] *adj* palmeado(-a).

palmeraie [palməʀɛ] *nf* palmeral *m*.

palmier [palmje] *nm* palmera.

palmipède [palmipɛd] *nm* palmípedo.

palois, e [palwa, waz] *adj* de Pau ♦ *nm/f*: **P~, e** nativo(-a) *ou* habitante *m/f* de Pau.

palombe [palɔ̃b] *nf* paloma torcaz.

pâlot, e [pɑlo, ɔt] *adj* paliducho(-a).

palourde [paluʀd] *nf* almeja.

palpable [palpabl] *adj* palpable.

palper [palpe] *vt* palpar.

palpitant, e [palpitɑ̃, ɑ̃t] *adj* palpitante.

palpitation [palpitasjɔ̃] *nf*: **avoir des ~s** tener palpitaciones.

palpiter [palpite] *vi* palpitar; (*plus fort*) latir.

paludisme [palydism] *nm* paludismo.

palustre [palystʀ] *adj* (*coquillage*) palustre; (*fièvre*) palúdico(-a).

pâmer [pɑme]: **se ~** *vpr* desfallecer; **se ~ d'amour/d'admiration** desfallecer de amor/de admiración; **se ~ devant** (*fig*) desmayarse ante.

pâmoison [pɑmwazɔ̃] *nf*: **elle est tombée en ~** le dio un pasmo *ou* un soponcio.

pampa [pɑ̃pa] *nf* pampa.

pamphlet [pɑ̃flɛ] *nm* panfleto.

pamphlétaire [pɑ̃fletɛʀ] *nm/f* panfletista *m/f*.

pamplemousse [pɑ̃pləmus] *nm* pomelo.

pan [pɑ̃] *nm* (*d'un manteau, rideau*) faldón *m*; (*côté*) cara; (*d'affiche etc*) lado ♦ *excl* ¡pum!; ▶ **pan de chemise** pañal *m*; ▶ **pan de mur** lienzo de pared.

panacée [panase] *nf* panacea.

panachage [panaʃaʒ] *nm* (*de couleurs*) mezcla; (*POL*) combinación *f*.

panache [panaʃ] *nm* (*de plumes*) penacho; **avoir du/aimer le ~** (*fig*) tener caballerosidad/gustarle a algn la caballerosidad.

panaché, e [panaʃe] *adj*: **œillet ~** clavel *m* matizado ♦ *nm* (*bière*) clara, cerveza con gaseosa; **glace ~e** helado de varios gustos; **salade ~e** ensalada mixta; **bière ~e** cerveza con gaseosa.

panais [panɛ] *nm* pastinaca.

Panama [panama] *nm* Panamá *m*.

panaméen, ne [panameɛ̃, ɛn] *adj* panameño(-a) ♦ *nm/f*: **P~, ne** panameño(-a).

panaris [panaʀi] *nm* panadizo.

pancarte [pɑ̃kaʀt] *nf* (*affiche, écriteau*) cartel *m*; (*dans un défilé*) pancarta.

pancréas [pɑ̃kʀeas] *nm* páncreas *m inv*.

panda [pɑ̃da] *nm* panda *m*.

pané, e [pane] *adj* empanado(-a).

panégyrique [paneʒiʀik] *nm*: **faire le ~ de qn** hacer un panegírico de algn.

panier [panje] *nm* cesta; (*à diapositives*) carro; **mettre au ~** tirar a la basura; ▶ **panier à provisions** cesta de la compra; ▶ **panier à salade** (*CULIN*) escurridor *m*; (*POLICE*) coche *m* celular; ▶ **panier de crabes** (*fig*) nido de víboras; ▶ **panier percé** (*fig*) manirroto(-a).

panier-repas [panje(ə)pa] (*pl* **~s-~**) *nm* almuerzo.

panification [panifikasjɔ̃] *nf* panificación *f*.

panifier [panifje] *vt* panificar.

panique [panik] *nf* pánico ♦ *adj*: **peur ~** miedo cerval; **terreur ~** terror *f* pánico.

paniquer [panike] *vt* aterrorizar ♦ *vi* aterrorizarse, espantarse.

panne [pan] *nf* (*d'un mécanisme, moteur*) avería; (*THÉÂTRE*) papel *m* de poca importancia; **mettre en ~** (*NAUT*) ponerse al pairo, pairar; **être/tomber en** ~ tener una avería, descomponerse/estar descompuesto (*esp MEX*); **tomber en** ~ **d'essence** *ou* **sèche** quedarse sin gasolina; ▶ **panne d'électricité** *ou* **de courant** corte *m* eléctrico.

panneau, x [pano] *nm* (*écriteau*) letrero; (*de boiserie, de tapisserie*) panel *m*; (*ARCHIT*) tablero; (*COUTURE*) paño; **donner/tomber dans le** ~ caer en la trampa; ▶ **panneau d'affichage** tablón *m* de anuncios; ▶ **panneau de signalisation** señal *f* de tráfico; ▶ **panneau électoral** panel electoral; ▶ **panneau indicateur** panel indicador; ▶ **panneau publicitaire** valla publicitaria.

panonceau [panɔso] *nm* (*de médecin etc*) placa; (*de magasin*) rótulo.

panoplie [panɔpli] *nf* (*d'armes*) panoplia; (*fig*) arsenal *m*; ▶ **panoplie de pompier/d'infirmière** disfraz *m* de bombero/de enfermera.

panorama [panɔʀama] *nm* panorama *m*.

panoramique [panɔʀamik] *adj* panorámico(-a) ♦ *nm* (*CINÉ, TV*) panorámica.

panse [pɑ̃s] *nf* panza.

pansement [pɑ̃smɑ̃] *nm* venda, apósito; ▶ **pansement adhésif** tirita, curita (*AM*).

panser [pɑ̃se] *vt* (*appliquer un pansement*) vendar; (*guérir*) curar; (*cheval*) almohazar.

pantalon [pɑ̃talɔ̃] *nm* (*aussi:* ~**s, paire de** ~**s**) pantalón *m*; ▶ **pantalon de golf/de pyjama** pantalón de golf/de pijama; ▶ **pantalon de ski** pantalón de esquí.

pantalonnade [pɑ̃talɔnad] *nf* bufonada.

pantelant, e [pɑ̃t(ə)lɑ̃, ɑ̃t] *adj* jadeante.

panthère [pɑ̃tɛʀ] *nf* pantera; (*fourrure*) piel *f* de pantera.

pantin [pɑ̃tɛ̃] *nm* (*marionnette*) pelele *m*, monigote *m*; (*péj: personne*) pelele.

pantois [pɑ̃twa] *adj m*: **rester** ~ quedarse atónito(-a) *ou* patidifuso(-a).

pantomime [pɑ̃tɔmim] *nf* (*aussi fig*) pantomima.

pantouflard, e [pɑ̃tuflaʀ, aʀd] (*péj*) *adj* casero(-a).

pantoufle [pɑ̃tufl] *nf* zapatilla.

panure [panyʀ] *nf* pan *m* rallado.

PAO [peao] *sigle f* (= *publication assistée par ordinateur*) edición *f* asistida por ordenador, autoedición *f*.

paon [pɑ̃] *nm* pavo real.

papa [papa] *nm* papá *m*.

papauté [papote] *nf* (*dignité, fonction*) papado; (*gouvernement ecclésiastique*) pontificado.

papaye [papaj] *nf* papaya.

pape [pap] *nm* papa *m*.

paperasse [papʀas] (*péj*) *nf*: **des** ~**s** *ou* **de la** ~ papelotes *mpl*; (*administrative*) papeles *mpl*.

paperasserie [papʀasʀi] (*péj*) *nf* papelorio; (*administrative*) papeleo.

papeterie [papɛtʀi] *nf* (*fabrication du papier*) fabricación *f* de papel; (*usine*) papelera; (*magasin*) papelería; (*articles*) artículos *mpl* de papelería.

papetier, -ière [pap(ə)tje, jɛʀ] *nm/f* papelero(-a).

papetier-libraire [paptjelibʀɛʀ] *nm* papelero librero.

papier [papje] *nm* papel *m*; (*article*) artículo; (*écrit officiel*) documento; ~**s** *nmpl* (*aussi:* ~**s d'identité**) documentación *f*, papeles *mpl*; **sur le** ~ (*théoriquement*) en teoría; **jeter une phrase sur le** ~ poner una frase sobre el papel; **noircir du** ~ emborronar papel; ▶ **papier à dessin** papel de dibujo; ▶ **papier à lettres** papel de cartas; ▶ **papier à pliage accordéon** papel plisado de acordeón; ▶ **papier bible/pelure** papel biblia/cebolla; ▶ **papier bulle/calque** papel de estraza/de calcar; ▶ **papier buvard/carbone** papel secante/carbón; ▶ **papier collant** papel de goma; ▶ **papier couché/glacé** papel cuché/glaseado; ▶ **papier (d')aluminium** papel de aluminio; ▶ **papier d'Arménie** papel de Armenia; ▶ **papier d'emballage** papel de envolver; ▶ **papier de brouillon** papel de borrador; ▶ **papier de soie/de tournesol** papel de seda/de tornasol; ▶ **papier de verre** papel de lija; ▶ **papier en continu** papel continuo; ▶ **papier gommé/thermique** papel engomado/térmico; ▶ **papier hygiénique** papel higiénico; (*pour emballer*) papel de envolver; ▶ **papier kraft/maché** papel kraft/maché; ▶ **papier machine** papel de máquina de escribir; ▶ **papier peint** papel pintado.

papier-filtre [papjefiltʀ] (*pl* ~**s**-~**s**) *nm* papel *m* de filtro.

papier-monnaie [papjemɔnɛ] (*pl* ~**s**-~**s**) *nm* papel *m* moneda.

papille [papij] *nf*: ~**s gustatives** papilas *fpl* gustativas.

papillon [papijɔ̃] *nm* mariposa; (*fam: contravention*) multa; (*écrou*) tuerca de mariposa; ▶ **papillon de nuit** mariposa nocturna.

papillonner [papijɔne] *vi* (*virevolter*) mariposear, revolotear; (*fig*) mariposear.

papillote [papijɔt] *nf* papillote *m*.

papilloter [papijɔte] *vi* parpadear.

papotage [papɔtaʒ] *nm* parloteo.

papoter [papɔte] *vi* parlotear.

papou, e [papu] *adj* papú ♦ *nm/f*: **P~**, **e** papú *m/f*.
Papouasie-Nouvelle-Guinée [papwazinuvɛlgine] *nf* Papúa-Nueva Guinea.
paprika [papʀika] *nm* paprika *m*.
papyrus [papiʀys] *nm* papiro *m*.
Pâque [pɑk] *nf*: **la ~** la Pascua; *voir aussi* **Pâques**.
paquebot [pak(ə)bo] *nm* paquebote *m*.
pâquerette [pɑkʀɛt] *nf* margarita.
Pâques [pɑk] *nfpl* (*fête*) Pascua *fsg* ♦ *nm* (*période*) Semana Santa; **faire ses ~** comulgar por Pascua Florida; **l'île de ~** la isla de Pascua.
paquet [pakɛ] *nm* paquete *m*; (*de linge, vêtements*) bulto; (*tas*): **un ~ de** un manojo de; **~s** *nmpl* (*bagages*) bultos *mpl*; **mettre le ~** (*fam*) poner toda la carne en el asador; ▸ **paquet de mer** golpe *m* de mar.
paquetage [pak(ə)taʒ] *nm* (*MIL*) impedimenta.
paquet-cadeau [pakɛkado] (*pl* **~s-~x**) *nm* paquete *m* regalo *inv*.

============ *MOT-CLÉ*

par [paʀ] *prép* **1** (*agent, cause*) por; **par amour** por amor; **peint par un grand artiste** pintado por un gran artista
2 (*lieu, direction*) por; **passer par Lyon/la côte** pasar por Lyon/la costa; **par la fenêtre** (*jeter, regarder*) por la ventana; **par le haut/bas** por arriba/abajo; **par ici** por aquí; **par où?** ¿por dónde?; **par là** por allí; **par-ci, par-là** aquí y allá; **être/jeter par terre** estar en el/tirar al suelo
3 (*fréquence, distribution*) por; **3 fois par semaine** 3 veces por *ou* a la semana; **3 par jour/par personne** 3 al día/por persona; **par centaines** a cientos, a centenares; **2 par 2** (*marcher, entrer, prendre etc*) de 2 en 2
4 (*moyen*) por; **par la poste** por correo
5 (*manière*): **prendre par la main** coger *ou* agarrar de la mano; **prendre par la poignée** coger *ou* agarrar por el asa; **finir** *etc* **par** terminar *etc* por; **le film se termine par une scène d'amour** la película termina con una escena de amor; **Pau commence par la lettre 'p'** Pau empieza por 'p'.

para [paʀa] *nm* (*parachutiste*) paraca *m*.
parabole [paʀabɔl] *nf* parábola.
parabolique [paʀabɔlik] *adj* parabólico(-a).
parachever [paʀaʃ(ə)ve] *vt* rematar, ultimar.
parachutage [paʀaʃytaʒ] *nm* lanzamiento en paracaídas.
parachute [paʀaʃyt] *nm* paracaídas *m inv*;

▸ **parachute ventral** paracaídas de delantal.
parachuter [paʀaʃyte] *vt* lanzar en paracaídas; (*fig: fam*) nombrar de improviso.
parachutisme [paʀaʃytism] *nm* paracaidismo.
parachutiste [paʀaʃytist] *nm/f* paracaidista *m/f*; (*soldat*) paracaidista *m*.
parade [paʀad] *nf* (*MIL*) desfile *m*; (*de cirque, bateleurs*) cabalgata; (*ESCRIME, BOXE*) parada; **trouver la ~ à une attaque/mesure** hallar la contrapartida a un ataque/medida; **faire ~ de qch** lucir algo; **de ~** (*habit, épée*) de gala; (*superficiel*) superficial.
parader [paʀade] *vi* darse postín, pavonearse.
paradis [paʀadi] *nm* paraíso; ▸ **Paradis terrestre** paraíso terrenal.
paradisiaque [paʀadizjak] *adj* paradisiaco(-a).
paradoxal, e, -aux [paʀadɔksal, o] *adj* paradójico(-a).
paradoxalement [paʀadɔksalmã] *adv* paradójicamente.
paradoxe [paʀadɔks] *nm* paradoja.
parafe [paʀaf] *nm voir* **paraphe**.
parafer [paʀafe] *vt voir* **parapher**.
paraffine [paʀafin] *nf* parafina.
paraffiné, e [paʀafine] *adj*: **papier ~** papel *m* parafinado.
parafoudre [paʀafudʀ] *nm* pararrayos *m inv*.
parages [paʀaʒ] *nmpl* (*NAUT*) aguas *fpl*; **dans les ~ (de)** en los alrededores (de).
paragraphe [paʀagʀaf] *nm* párrafo.
paragrêle [paʀagʀɛl] *adj*: **canon ~** paragranizo.
Paraguay [paʀagwɛ] *nm* Paraguay *m*.
paraguayen, ne [paʀagwajɛ̃, ɛn] *adj* paraguayo(-a) ♦ *nm/f*: **P~, ne** paraguayo(-a).
paraître [paʀɛtʀ] *vb* +*attribut* parecer, verse (*AM*) ♦ *vi* (*apparaître*) aparecer; (*PRESSE, ÉDITION*) publicarse; (*se montrer, venir*) mostrarse; (*sembler*) parecer; (*un certain âge*) aparentar, representar; **aimer/vouloir ~** (*personne*) gustarle a algn/querer aparentar; **il paraît que** parece que; **il me paraît que** me parece que; **il paraît absurde de/préférable que** parece absurdo/preferible que; **laisser ~ qch** dejar ver algo; **~ en justice** comparecer ante la justicia; **~ en scène/en public/à l'écran** aparecer en escena/en público/en la pantalla; **il ne paraît pas son âge** no representa su edad.
parallèle [paʀalɛl] *adj* paralelo(-a) ♦ *nm* paralelo ♦ *nf* (*droite, ligne*) paralela; **faire un ~ entre** establecer un paralelo entre; **en ~** en paralelo; **mettre en ~** (*choses oppo-*

sées) confrontar; _(choses semblables)_ cotejar.

parallèlement [paʀalɛlmɑ̃] _adv_ paralelamente.

parallélépipède [paʀalelepipɛd] _nm_ paralelepípedo.

parallélisme [paʀalelism] _nm_ paralelismo; _(des roues)_ alineación _f_.

parallélogramme [paʀalelɔgʀam] _nm_ paralelogramo.

paralyser [paʀalize] _vt_ paralizar.

paralysie [paʀalizi] _nf_ parálisis _f inv._

paralytique [paʀalitik] _adj, nm/f_ paralítico(-a).

paramédical, e, -aux [paʀamedikal, o] _adj_: personnel ~ personal _m_ paramédico.

paramètre [paʀamɛtʀ] _nm_ parámetro.

paramilitaire [paʀamilitɛʀ] _adj_ paramilitar.

paranoïa [paʀanɔja] _nf_ paranoia.

paranoïaque [paʀanɔjak] _nm/f_ paranoico(-a).

paranormal, e, -aux [paʀanɔʀmal, o] _adj_ paranormal.

parapet [paʀapɛ] _nm_ parapeto.

paraphe [paʀaf] _nm_ rúbrica.

parapher [paʀafe] _vt_ rubricar.

paraphrase [paʀafʀɑz] _nf_ paráfrasis _f inv._

paraphraser [paʀafʀɑze] _vt_ parafrasear.

paraplégie [paʀapleʒi] _nf_ paraplejía.

paraplégique [paʀapleʒik] _adj, nm/f_ parapléjico(-a).

parapluie [paʀaplɥi] _nm_ paraguas _m inv_; ▶ **parapluie à manche télescopique** paraguas con mango telescópico; ▶ **parapluie atomique/nucléaire** paraguas atómico/nuclear; ▶ **parapluie pliant** paraguas plegable.

parapsychique [paʀapsiʃik] _adj_ parapsicológico(-a).

parapsychologie [paʀapsikɔlɔʒi] _nf_ parapsicología.

parapublic, -ique [paʀapyblik] _adj_ parapúblico(-a).

parascolaire [paʀaskɔlɛʀ] _adj_ extraescolar.

parasitaire [paʀazitɛʀ] _adj_ parasitario(-a).

parasite [paʀazit] _nm_ parásito ♦ _adj_ parásito(-a); ~**s** _nmpl (TÉL)_ parásitos _mpl_.

parasitisme [paʀazitism] _nm_ parasitismo.

parasol [paʀasɔl] _nm_ quitasol _m_.

paratonnerre [paʀatɔnɛʀ] _nm_ pararrayos _m inv_.

paravent [paʀavɑ̃] _nm (meuble)_ biombo; _(fig)_ tapadera.

parc [paʀk] _nm_ parque _m_; _(pour le bétail)_ aprisco; _(de voitures)_ aparcamiento; ▶ **parc à huîtres** criadero de ostras; ▶ **parc automobile** _(d'un pays)_ parque automovilístico; _(d'une société)_ parque móvil; ▶ **parc d'attractions** parque de atracciones; ▶ **parc national/naturel** parque nacional/natural; ▶ **parc de stationnement** aparcamiento; ▶ **parc zoologique** parque zoológico.

parcelle [paʀsɛl] _nf (d'or, de vérité)_ partícula; _(de terrain)_ parcela.

parce que [paʀs(ə)kə] _conj_ porque.

parchemin [paʀʃəmɛ̃] _nm_ pergamino.

parcheminé, e [paʀʃəmine] _adj_ apergaminado(-a).

parcimonie [paʀsimɔni] _nf_ parsimonia; avec ~ con parsimonia.

parcimonieux, -euse [paʀsimɔnjø, jøz] _adj_ parsimonioso(-a).

parc(o)mètre [paʀk(ɔ)mɛtʀ] _nm_ parquímetro.

parcotrain [paʀkɔtʀɛ̃] _nm_ aparcamiento _(en estación de trenes)_.

parcourir [paʀkuʀiʀ] _vt_ recorrer; _(journal, article)_ echar un vistazo a; ~ **qch des yeux** _ou_ **du regard** recorrer algo con la vista.

parcours [paʀkuʀ] _vb voir_ **parcourir** ♦ _nm_ _(trajet, itinéraire)_ trayecto; _(SPORT)_ recorrido; **sur le** ~ en el trayecto; ▶ **parcours du combattant** _(MIL)_ pista americana.

parcouru [paʀkuʀy] _pp de_ **parcourir**.

par-delà [paʀdəla] _prép_ más allá de.

par-dessous [paʀd(ə)su] _prép_ por debajo de ♦ _adv_ por debajo.

pardessus [paʀdəsy] _nm_ abrigo.

par-dessus [paʀd(ə)sy] _prép_ por encima de ♦ _adv_ por encima; ~-~ **le marché** para colmo.

par-devant [paʀd(ə)vɑ̃] _prép_ ante ♦ _adv_ por delante.

pardon [paʀdɔ̃] _nm_ perdón _m_ ♦ _excl_ ¡perdón!; _(se reprendre)_ ¡disculpe!; **demander** ~ **à** _(de ...)_ pedir perdón a algn _(por ...)_; **je vous demande** ~ le pido perdón; _(contradiction)_ discúlpeme.

pardonnable [paʀdɔnabl] _adj_ perdonable.

pardonner [paʀdɔne] _vt_ perdonar; ~ **qch à qn** perdonar algo a algn; ~ **à qn** perdonar a algn; **qui ne pardonne pas** _(maladie, erreur)_ que no perdona.

paré, e [paʀe] _adj_ adornado(-a); _(protégé)_ protegido(-a).

pare-balles [paʀbal] _adj inv_ antibalas _inv_.

pare-boue [paʀbu] _nm inv_ guardabarro _inv_.

pare-brise [paʀbʀiz] _nm inv_ parabrisas _m inv_.

pare-chocs [paʀʃɔk] _nm inv_ parachoques _m inv_.

pare-étincelles [paʀetɛ̃sɛl] _nm inv_ parachispas _m inv_.

pare-feu [paʀfø] _nm inv_ cortafuego ♦ _adj inv_: portes ~-~ puertas _fpl_ cortafuego _inv_.

pareil, le [paʀɛj] _adj_ igual; _(similaire)_ pare-

cido(-a) ♦ *adv*: habillés ~ vestidos de la
misma manera; faire ~ hacer lo mismo;
un courage ~ tal valor; de ~s livres tales
libros; j'en veux un ~ quiero uno igual;
rien de ~ nada parecido; ses ~s sus semejantes; ne pas avoir son (sa) pareil(le)
no tener igual; ~ à parecido(-a) a; sans
~ sin igual; c'est du ~ au même es lo
mismo; en ~ cas en un caso parecido;
rendre la ~le à qn pagar a algn con la
misma moneda.

pareillement [paRɛjmɑ̃] *adv* (*semblable-
ment, également*) de la misma manera;
(*aussi*) igualmente.

parement [paRmɑ̃] *nm* paramento; (*d'un
col, d'une manche*) ribete *m*; ~ d'autel
(*REL*) mantel *m*.

parent, e [paRɑ̃, ɑ̃t] *nm/f* pariente(-a) ♦
adj: être ~(s) de qn ser pariente(s) de
algn; ~s *nmpl* (*père et mère*) padres *mpl*;
(*famille, proches*) parientes *mpl*; ▶ parents adoptifs padres adoptivos; ▶ parents en ligne directe parientes por línea directa; ▶ parents par alliance parientes políticos.

parental, e, -aux [paRɑ̃tal, o] *adj*: autorité
~e autoridad *f* de los padres.

parenté [paRɑ̃te] *nf* (*rapport, lien*) parentesco; (*personnes*) parentela; (*ressemblance, affinité*) afinidad *f*; (*entre caractères*) similitud *f*.

parenthèse [paRɑ̃tɛz] *nf* paréntesis *m inv*;
ouvrir/fermer la ~ abrir/cerrar el paréntesis; entre ~s (*aussi fig*) entre paréntesis; mettre entre ~s dejar de lado.

parer [paRe] *vt* (*décorer, orner*) adornar;
(*suj: bijou, ruban*) embellecer; (*CULIN*)
aderezar; (*éviter*) parar; ~ à (*danger*)
precaverse de *ou* contra; (*inconvénient*)
protegerse de; se ~ de (*qualité, titre*) hacer alarde de; ~ à toute éventualité estar
prevenido(-a) contra cualquier eventualidad; ~ au plus pressé atender lo más
urgente; ~ le coup (*fig*) parar el golpe.

pare-soleil [paRsɔlɛj] *nm inv* quitasol *m*.

paresse [paRɛs] *nf* pereza, holgazanería.

paresser [paRese] *vi* holgazanear.

paresseusement [paResøzmɑ̃] *adv* perezo-
samente.

paresseux, -euse [paResø, øz] *adj* perezo-
so(-a), flojo(-a) (*AM*); (*démarche, attitude*)
indolente; (*estomac*) atónico(-a) ♦ *nm*
(*ZOOL*) perezoso.

parfaire [paRfɛR] *vt* perfeccionar.

parfait, e [paRfɛ, ɛt] *pp de* **parfaire** ♦ *adj*
perfecto(-a) ♦ *nm* (*LING*) pretérito perfecto; (*CULIN*) helado ♦ *excl* ¡perfecto!,
¡muy bien!

parfaitement [paRfɛtmɑ̃] *adv* perfectamente ♦ *excl* ¡seguro!, ¡desde luego!;

cela lui est ~ égal le da completamente
igual.

parfaites [paRfɛt] *vb voir* **parfaire**.

parfasse [paRfas] *vb voir* **parfaire**.

parferai [paRfRe] *vb voir* **parfaire**.

parfois [paRfwa] *adv* a veces.

parfum [paRfœ̃] *nm* perfume *m*; (*de tabac,
vin*) aroma *m*; (*de glace etc*) sabor *m*.

parfumé, e [paRfyme] *adj* perfumado(-a);
~ au café aromatizado(-a) con café, con
sabor a café.

parfumer [paRfyme] *vt* perfumar; (*crème,
gâteau*) aromatizar; se parfumer *vpr* perfumarse.

parfumerie [paRfymRi] *nf* perfumería;
rayon ~ sección *f* de perfumería.

parfumeur, -euse [paRfymœR, øz] *nm/f* (*fabricant*) perfumista *m/f*; (*qui tient une parfumerie*) perfumero(-a).

pari [paRi] *nm* apuesta; ▶ Pari Mutuel Urbain apuestas mutuas en las carreras de
caballos.

paria [paRja] *nm* paria *m*.

parier [paRje] *vt* apostar; j'aurais parié que
si/non hubiera apostado que sí/no.

parieur [paRjœR] *nm* apostante *m/f*.

Paris [paRi] *n* París.

parisien, ne [paRizjɛ̃, jɛn] *adj* (*personne,
vie*) parisino(-a); (*GÉO, ADMIN*) parisiense
♦ *nm/f*: P~, ne parisiense *m/f*.

paritaire [paRitɛR] *adj*: commission ~ comité *m* paritario.

parité [paRite] *nf* paridad *f*; ▶ parité de
change paridad monetaria.

parjure [paR3yR] *nm* (*faux serment*) perjurio ♦ *nm/f* (*personne*) perjuro(-a).

parjurer [paR3yRe]: se ~ *vpr* perjurar.

parka [paRka] *nm* parka.

parking [paRkiŋ] *nm* aparcamiento.

parlant, e [paRlɑ̃, ɑ̃t] *adj* (*portrait, image*)
vivo(-a), elocuente; (*comparaison, preuve*)
concluyente; (*CINÉ*) sonoro(-a) ♦ *adv*:
généralement/humainement ~ en términos generales/a nivel humano; techniquement ~ técnicamente hablando.

parlé, e [paRle] *adj*: langue ~e lengua ha-
blada.

parlement [paRləmɑ̃] *nm* parlamento.

parlementaire [paRləmɑ̃tɛR] *adj* parlamen-
tario(-a) ♦ *nm/f* (*député*) parlamenta-
rio(-a); (*négociateur*) delegado(-a).

parlementarisme [paRləmɑ̃taRism] *nm* par-
lamentarismo.

parlementer [paRləmɑ̃te] *vi* (*aussi fam*)
parlamentar.

parler [paRle] *nm* habla ♦ *vi* hablar; (*malfaiteur, complice*) hablar, cantar; ~ de
qch/qn hablar de algo/algn; ~ (à qn) de
hablar (a algn) de; ~ de faire qch hablar
de hacer algo; ~ pour qn (*intercéder, plai-*

der) hablar en favor de algn; ~ **le/en français** hablar el/en francés; ~ **affaires/ politique** hablar de negocios/de política; ~ **en dormant** hablar en sueños; ~ **du nez** hablar gangoso; ~ **par gestes** hablar por señas; ~ **en l'air** hablar a la ligera; **sans** ~ **de** (*fig*) sin hablar de; **tu parles!** ¡ya ves!; **les faits parlent d'eux-mêmes** los hechos hablan por sí mismos; **n'en parlons plus** no se hable más.

parleur [paʀlœʀ] *nm*: **beau** ~ pico de oro.

parloir [paʀlwaʀ] *nm* locutorio; (*d'un hôpital*) sala de visitas.

parlote [paʀlɔt] *nf* parleta, cháchara.

parme [paʀm(ə)] *adj* parma.

parmesan [paʀməzɑ̃] *nm* parmesano.

parmi [paʀmi] *prép* entre, en medio de.

parodie [paʀɔdi] *nf* parodia.

parodier [paʀɔdje] *vt* (*œuvre, auteur*) parodiar; (*imiter*) remedar.

paroi [paʀwa] *nf* pared *f*; ~ **(rocheuse)** pared (rocosa).

paroisse [paʀwas] *nf* parroquia.

paroissial, e, -aux [paʀwasjal, jo] *adj* parroquial.

paroissien, ne [paʀwasjɛ̃, jɛn] *nm/f* feligrés(-esa).

parole [paʀɔl] *nf* palabra; ~**s** *nfpl* (*d'une chanson*) letra *fsg*; **la bonne** ~ la palabra de Dios; **tenir** ~ cumplir con su palabra; **n'avoir qu'une** ~ no tener más que una palabra; **avoir/prendre la** ~ tener/tomar la palabra; **demander/obtenir la** ~ pedir/ conseguir la palabra; **donner la** ~ **à qn** conceder la palabra a algn; **perdre la** ~ (*fig*) perder la palabra; **sur** ~: **croire qn sur** ~ confiar en la palabra de algn; **prisonnier sur** ~ preso bajo palabra; **temps de** ~ tiempo asignado para hablar; **histoire sans** ~**s** historieta muda; **ma** ~! (*surprise*) ¡pero bueno!, ¡por Dios!; ▶ **parole d'honneur** palabra de honor.

parolier, -ière [paʀɔlje, jɛʀ] *nm/f* (*MUS*) autor(a) de la letra; (*OPÉRA*) libretista *m/f*.

paroxysme [paʀɔksism] *nm* paroxismo.

parpaing [paʀpɛ̃] *nm* perpiaño.

parquer [paʀke] *vt* (*bestiaux, prisonniers*) encerrar; (*soldats, vivres*) meter; (*voiture*) aparcar.

parquet [paʀkɛ] *nm* (*plancher*) parqué *m*; **le** ~ (*JUR*) el tribunal de justicia.

parqueter [paʀkəte] *vt* entarimar.

parrain [paʀɛ̃] *nm* padrino.

parrainage [paʀɛnaʒ] *nm* padrinazgo; (*patronage*) patrocinio.

parrainer [paʀene] *vt* apadrinar; (*suj: entreprise*) patrocinar.

parricide [paʀisid] *nm* (*meurtre*) parricidio ♦ *nm/f* (*personne*) parricida *m/f*.

pars [paʀ] *vb voir* **partir**.

parsemer [paʀsəme] *vt* cubrir; ~ **qch de** sembrar algo de.

part [paʀ] *vb voir* **partir** ♦ *nf* parte *f*; (*de gâteau, fromage*) trozo, pedazo; (*titre*) acción *f*; **prendre** ~ **à** (*débat etc*) tomar parte en; (*soucis, douleur*) compartir; **faire** ~ **de qch à qn** comunicar algo a algn; **pour ma** ~ por mi parte; **à** ~ **entière** de pleno derecho; **de la** ~ **de** de parte de; **c'est de la** ~ **de qui?** (*au téléphone*) ¿de parte de quién?; **de toute(s) part(s)** de todas partes; **de** ~ **et d'autre** a *ou* en ambos lados; **de** ~ **en** ~ de parte a parte; **d'une** ~ **... d'autre** ~ por una parte ... por otra; **nulle/autre/quelque** ~ en ninguna/en otra/en alguna parte; **à** ~ *adv* aparte ♦ *adj* (*personne, place*) aparte ♦ *prép*: **à** ~ **cela** a parte de eso, excepto eso; **pour une large/bonne** ~ en una larga/buena medida; **prendre qch en bonne/mauvaise** ~ tomar algo en buen/mal sentido; **faire la** ~ **des choses** tener en cuenta las circunstancias, sopesar los pros y los contras; **faire la** ~ **du feu** (*fig*) cortar por lo sano; **faire la** ~ **trop belle à qn** darle todo en bandeja a algn.

part. *abr* = **particulier**.

partage [paʀtaʒ] *nm* reparto; **en** ~: **donner/recevoir qch en** ~ dar/recibir algo en herencia; **sans** ~ (*régner*) sin compartir el poder.

partagé, e [paʀtaʒe] *adj* (*opinions, torts*) compartido(-a); (*amour*) correspondido(-a); **être** ~ **entre** estar dividido(-a) entre; **être** ~ **sur** estar dividido(-a) en *ou* sobre.

partager [paʀtaʒe] *vt* repartir; **se partager** *vpr* repartirse; ~ **un gâteau en quatre/une ville en deux** dividir un pastel en cuatro/una ciudad en dos; ~ **qch avec qn** compartir algo con algn; ~ **la joie de qn/la responsabilité d'un acte** compartir la alegría de algn/la responsabilidad de un acto.

partance [paʀtɑ̃s] *nf*: **en** ~ **(pour)** a punto de salir (para).

partant, e [paʀtɑ̃, ɑ̃t] *vb voir* **partir** ♦ *adj*: **être** ~ **pour qch** (*d'accord pour*) estar dispuesto(-a) a algo ♦ *nm* (*SPORT*) competidor(a), participante *m/f*; (*HIPPISME*) participante.

partenaire [paʀtənɛʀ] *nm/f* compañero(-a); ▶ **partenaires sociaux** agentes *mpl* sociales.

parterre [paʀtɛʀ] *nm* (*de fleurs*) parterre *m*, arriate *m*; (*THÉÂTRE*) patio de butacas.

parti [paʀti] *nm* (*POL, décision*) partido; (*groupe*) bando; (*personne à marier*): **un beau/riche** ~ un buen partido; **tirer** ~ **de**

sacar partido de; **prendre le ~ de faire qch** tomar la decisión de hacer algo; **prendre le ~ de qn** ponerse a favor de algn; **prendre ~ (pour/contre qn)** tomar partido (por/contra algn); **prendre son ~ de qch** resignarse a algo; ▶ **parti pris** prejuicio.

partial, e, -aux [paʀsjal, jo] *adj* parcial.

partialement [paʀsjalmᾱ] *adv* parcialmente.

partialité [paʀsjalite] *nf* parcialidad *f*.

participant, e [paʀtisipᾱ, ᾱt] *nm/f* participante *m/f*; (*à un concours*) concursante *m/f*; (*d'une société*) miembro, accionista *m/f*.

participation [paʀtisipasjɔ̃] *nf* participación *f*; **la ~ aux frais** la contribución a los gastos; **la ~ aux bénéfices** la participación en los beneficios; **la ~ ouvrière** la participación obrera; "**avec la ~ de**" "con la participación de".

participe [paʀtisip] *nm* participio; ▶ **participe passé/présent** participio de perfecto/de presente.

participer [paʀtisipe]: **~ à** *vt* participar en; (*chagrin*) compartir; **~ de** (*tenir de la nature de*) participar de.

particulariser [paʀtikylaʀize] *vt*: **se ~** singularizarse.

particularisme [paʀtikylaʀism] *nm* particularismo.

particularité [paʀtikylaʀite] *nf* particularidad *f*.

particule [paʀtikyl] *nf* partícula; ▶ **particule (nobiliaire)** partícula (*que indica la nobleza en un apellido*).

particulier, -ière [paʀtikylje, jɛʀ] *adj* particular; (*intérêt, style*) propio(-a); (*entretien, conversation*) privado(-a); (*spécifique*) propio(-a), individual ♦ *nm* (*individu*) particular *m*; "**~ vend ...**" (*COMM*) "particular vende ..."; **avec un soin ~** con un cuidado especial; **avec une attention particulière** con una atención especial; **~ à** propio(-a) de; **en ~** (*précisément*) en concreto; (*en privé*) en privado; (*surtout*) especialmente.

particulièrement [paʀtikyljɛʀmᾱ] *adv* (*notamment*) principalmente; (*spécialement*) especialmente.

partie [paʀti] *nf* parte *f*; (*profession, spécialité*) rama; (*JUR, fig*: *adversaire*) parte contraria; (*de cartes, tennis, fig*) partida; **~ de campagne/de pêche** salida al campo/de pesca; **en ~** en parte; **faire ~ de qch** formar parte de algo; **prendre qn à ~** habérselas con algn; (*malmener*) atacar a algn, meterse con algn; **en grande/majeure ~** en gran/la mayor parte; **ce n'est que ~ remise** es sólo cosa di-

ferida, otra vez será; **avoir ~ liée avec qn** estar aliado(-a) con algn; ▶ **partie civile** (*JUR*) parte civil; ▶ **partie publique** (*JUR*) ministerio público.

partiel, le [paʀsjɛl] *adj, nm* parcial *m*.

partiellement [paʀsjɛlmᾱ] *adv* parcialmente.

partir [paʀtiʀ] *vi* (*gén*) partir; (*train, bus etc*) salir; (*s'éloigner*) marcharse; (*pétard, fusil*) dispararse; (*bouchon*) saltar; (*cris*) surgir; (*se détacher*) desprenderse; (*tache*) desaparecer; (*affaire, moteur*) arrancar; **~ de** (*lieu*) salir de; (*suj: personne, route*) partir de; (*date*) comenzar a partir de; (*suj: abonnement*) comenzar a partir de; (: *proposition*) nacer de, manar de; **~ pour/à** (*lieu, pays*) salir para/hacia; **~ de rien** comenzar de la nada; **à ~ de** a partir de.

partisan, e [paʀtizᾱ, an] *nm/f* seguidor(a), partidario(-a) ♦ *adj* partidario(-a); **être ~ de qch/de faire qch** ser partidario(-a) de algo/de hacer algo.

partition [paʀtisjɔ̃] *nf* (*MUS*) partitura.

partout [paʀtu] *adv* por todas partes; **~ où il allait** por dondequiera que iba; **de ~** de todas partes; **trente/quarante ~** (*TENNIS*) iguales a treinta/a cuarenta, empate *m* a treinta/a cuarenta.

paru, e [paʀy] *pp de* **paraître**.

parure [paʀyʀ] *nf* adorno; (*de table, sous-vêtements*) juego; **~ de diamants** juego de diamantes.

parus [paʀy] *vb voir* **paraître**.

parution [paʀysjɔ̃] *nf* aparición *f*, publicación *f*.

parvenir [paʀvəniʀ]: **~ à** *vt* llegar a, arribar a (*AM*); **~ à ses fins/à la fortune/à un âge avancé** alcanzar sus fines/la fortuna/una edad avanzada; **~ à faire qch** (*réussir*) conseguir hacer algo; **faire ~ qch à qn** hacer llegar algo a algn.

parvenu, e [paʀvəny] *pp de* **parvenir** ♦ *nm/f* (*péj*) advenedizo(-a).

parviendrai *etc* [paʀvjɛ̃dʀe] *vb voir* **parvenir**.

parviens *etc* [paʀvjɛ̃] *vb voir* **parvenir**.

parvis [paʀvi] *nm* atrio.

pas¹ [pɑ] *nm* paso; **~ à ~** paso a paso; **de ce ~** al momento; **marcher à grands ~** andar dando zancadas; **mettre qn au ~** meter a algn en vereda; **rouler au ~** (*AUTO*) ir a paso lento; **au ~ de gymnastique/de course** a paso ligero/a la carrera; **à ~ de loup** con paso sigiloso; **faire les cent ~** ir y venir, ir de un lado para otro; **faire les premiers ~** (*aussi fig*) dar los primeros pasos; **retourner** *ou* **revenir sur ses ~** volver sobre sus pasos; **se tirer d'un mauvais ~** salir del atolladero; **sur le ~ de la**

porte en el umbral (de la puerta); **le ~
de Calais** (*détroit*) el paso *ou* estrecho de
Calais; **~ de porte** (*COMM*) entrada.

============================ *MOT-CLÉ*

pas² [pɑ] *adv* **1** (*avec ne, non etc*): **ne ... pas**
no; **je ne vais pas à l'école** no voy a la escuela; **je ne mange pas de pain** no como
pan; **il ne ment pas** no miente; **ils n'ont
pas de voiture/d'enfants** no tienen coche/
niños; **il m'a dit de ne pas le faire** me ha
dicho que no lo haga; **non pas que ...** no
es que ...; **je n'en sais pas plus** no sé más,
il n'y avait pas plus de 200 personnes no
había más de 200 personas; **je ne reviendrai pas de sitôt** tardaré en volver
2 (*sans ne etc*): **pas moi** yo no; (*renforçant
l'opposition*): **elle travaille, (mais) lui pas** *ou*
pas lui ella trabaja, (pero) él no; (*dans
des réponses négatives*): **pas de sucre, merci!** ¡sin azúcar, gracias!; **une pomme pas
mûre** una manzana que no está madura;
je suis très content – moi pas *ou* **pas moi**
yo estoy muy contento – yo no; **pas plus
tard qu'hier** ayer mismo; **pas du tout** (*réponse*) en absoluto; **ça ne me plaît pas du
tout** no me gusta nada; **ils sont 4 et non
(pas) 3** son 4 y no 3; **pas encore** todavía
no; **ceci est à vous ou pas?** ¿eso es suyo o
no?
3: **pas mal** *adv* no está mal; **ça va? – pas
mal** ¿qué tal? – bien; **pas mal de** (*beaucoup de*): **ils ont pas mal d'argent** no andan mal de dinero.

pascal, e, -aux [paskal, o] *adj* pascual.
Pas-de-Calais [padkalɛ] *nm* Pas-de-Calais
m.
passable [pasabl] *adj* pasable.
passablement [pasabləmɑ̃] *adv* (*pas trop
mal*) pasablemente; (*beaucoup*) un tanto.
passade [pasad] *nf* aventura.
passage [pasaʒ] *nm* paso; (*traversée*) travesía; (*extrait*) pasaje *m*; **sur le ~ du cortège** en el recorrido del cortejo;
"laissez/n'obstruez pas le ~" "dejen/no
impidan el paso"; **de ~** (*touristes*) de
paso; (*amants etc*) de paso, de un día; **au
~** (*en passant*) al paso, de paso; ▸ **passage à niveau** paso a nivel; ▸ **passage à
tabac** paliza; ▸ **passage à vide** (*fig*) mal
momento; ▸ **passage clouté** paso de
peatones; ▸ **passage interdit** prohibido
el paso; ▸ **passage protégé/souterrain**
paso protegido/subterráneo.
passager, -ère [pasaʒe, ɛʀ] *adj* pasaje-
ro(-a); (*rue etc*) concurrido(-a) ♦ *nm/f* pa-
sajero(-a); **~ clandestin** polizón *m*.
passagèrement [pasaʒɛʀmɑ̃] *adv* pasaje-
ramente.

passant, e [pasɑ̃, ɑ̃t] *adj* transitado(-a) ♦
nm/f transeúnte *m/f* ♦ *nm* (*d'une ceinture,
courroie*) trabilla; *voir aussi* **passer**.
passation [pasasjɔ̃] *nf* (*d'un acte*) otorga-
miento, escritura; ▸ **passation des pouvoirs** traspaso de poderes.
passe [pas] *nf* pase *m*; (*chenal*) pase, pasaje *m* ♦ *nm* (*passe-partout*) llave *f* maestra;
(*de cambrioleur*) ganzúa; **être en ~ de faire** estar a punto de hacer; **être dans une
bonne/mauvaise ~** (*fig*) tener buena/mala
racha; ▸ **passe d'armes** (*fig*) intercambio de réplicas.
passé, e [pase] *adj* pasado(-a); (*couleur, tapisserie*) pasado(-a), descolorido(-a) ♦
prép: **~ 10 heures/7 ans/ce poids** después
de las 10/de 7 años/a partir de ese peso
♦ *nm* pasado; (*LING*) pretérito; **dimanche
~** el domingo pasado; **les vacances ~es**
las vacaciones pasadas; **il est ~ midi** *ou*
midi ~ ya es pasado mediodía *ou* mediodía pasado; **par le ~** hace tiempo, en
otro tiempo; **~ de mode** pasado(-a) de
moda; **~ simple/composé** perfecto
simple/pretérito perfecto.
passe-droit [pasdʀwa] (*pl* **~-~s**) *nm* enchufe *m*.
passéiste [paseist] *adj* chapado(-a) a la
antigua.
passementerie [pasmɑ̃tʀi] *nf* pasamane-
ría.
passe-montagne [pasmɔ̃taɲ] (*pl* **~-~s**)
nm pasamontañas *m inv*.
passe-partout [paspaʀtu] *nm inv* llave *f*
maestra ♦ *adj inv*: **tenue/phrase ~-~**
vestimenta/frase *f* válida para todo momento.
passe-passe [paspas] *nm inv*: **tour de ~-~**
(*de prestidigitateur*) juego de manos; (*fig*)
trampa.
passe-plat [paspla] (*pl* **~-~s**) *nm* ventanilla (para servir).
passeport [paspɔʀ] *nm* pasaporte *m*.
passer [pase] *vi* pasar; (*air*) correr; (*liquide, café*) filtrarse, colarse; (*couleur, papier*) decolorarse ♦ *vt* pasar; (*obstacle*)
pasar, superar; (*doubler*) adelantar, pasar; (*frontière, rivière etc*) cruzar; (*examen: se présenter*) hacer; (: *réussir*) aprobar; (*réplique, plaisanterie*) dejar pasar;
(*film, émission, disque*) poner; (*vêtement*)
ponerse; (*café*) filtrar; **se passer** *vpr*
(*scène, action*) transcurrir; (*s'écouler*) pasar; (*arriver*): **que s'est-il passé?** ¿qué ha
pasado?; **~ par** pasar por; **~ chez qn** (*ami
etc*) pasar por la casa de algn; **~ sur**
(*fig*) pasar por alto; **~ qch (à qn)** (*faute,
bêtise*) pasar por alto algo (a algn),
aguantar algo (a algn); **~ qch à qn** (*grippe*) pasar algo a algn; **~ dans les**

mœurs/la langue pasar a las costumbres/a la lengua; ~ devant/ derrière qn/qch pasar delante/detrás de algn/algo; ~ avant qch/qn (*être plus important que*) estar antes de algo/de algn; ~ devant (*accusé*) comparecer ante; (*projet de loi*) ser presentado(-a) a; laisser ~ dejar pasar; ~ dans la classe supérieure pasar al curso superior; ~ directeur/ président ascender a director/a presidente; ~ en seconde/troisième (*AUTO*) meter segunda/tercera; ~ à la radio/télévision salir en la radio/televisión; ~ à l'action pasar a la acción; ~ aux aveux decidirse a confesar; ~ inaperçu pasar desapercibido; ~ outre (à qch) hacer caso omiso (de algo); ~ pour riche/un imbécile/avoir fait qch pasar por rico/un imbécil/haber hecho algo; ~ à table sentarse a la mesa; ~ au salon/à côté pasar al salón/a la habitación del lado; ~ à l'étranger/à l'opposition/à l'ennemi pasarse al extranjero/a la oposición/al enemigo; ne faire que ~ pasar solamente; passe encore de todavía pase que; en passant: dire/ remarquer qch en passant decir/señalar algo de pasada; venir voir qn/faire en passant venir a ver a algn/hacer de paso; faire ~ à qn le goût/l'envie de qch quitarle a algn el gusto/las ganas de algo; faire ~ qch/qn pour hacer pasar algo/a algn por; (faire) ~ qch dans/par meter algo en/por; passons pasemos de eso; se film passe au cinéma/à la télé ponen esa película en el cine/en la tele; ~ une radio/la visite médicale hacerse una radiografía/un reconocimiento; ~ son chemin pasar de largo; je passe mon tour paso; ~ qch en fraude pasar algo de contrabando; ~ la tête/la main par la portière sacar la cabeza/la mano por la ventanilla; ~ l'aspirateur pasar la aspiradora; je vous passe M. X (*au téléphone*) le pongo *ou* comunico (*AM*) con el Sr. X; (*je lui passe l'appareil*) le paso a *ou* con el Sr. X; ~ la parole à qn cederle la palabra a algn; ~ qn par les armes pasar a algn por las armas; ~ commande hacer un pedido; ~ un marché/accord concertar un negocio/ acuerdo; se ~ les mains sous l'eau lavarse las manos; se ~ de l'eau sur le visage echarse agua por la cara; cela se passe de commentaires habla por sí solo; se ~ de qch (*s'en priver*) pasarse sin algo.
passereau, x [pɑsʀo] *nm* pájaro.
passerelle [pɑsʀɛl] *nf* pasarela; ~ (de commandement) puente *m* (de mando).
passe-temps [pɑstɑ̃] *nm inv* pasatiempo.
passette [pɑsɛt] *nf* colador *m*.
passeur, -euse [pɑsœʀ, øz] *nm/f* (*fig*) pasa-

dor(a).
passible [pasibl] *adj*: ~ de merecedor(a) de.
passif, -ive [pasif, iv] *adj* pasivo(-a) ♦ *nm* (*LING*) pasiva; (*COMM*) pasivo.
passion [pasjɔ̃] *nf* pasión *f*; (*fanatisme*) fanatismo; avoir la ~ de tener pasión por; la ~ du jeu/de l'argent la pasión por el juego/por el dinero; fruit de la ~ (*BOT*) fruta de la pasión.
passionnant, e [pasjɔnɑ̃, ɑ̃t] *adj* apasionante.
passionné, e [pasjɔne] *adj* apasionado(-a) ♦ *nm/f*: ~ de entusiasta *m/f ou* apasionado(-a) de; être ~ de ser un(a) apasionado(-a) de.
passionnel, le [pasjɔnɛl] *adj* pasional.
passionnément [pasjɔnemɑ̃] *adv* apasionadamente.
passionner [pasjɔne] *vt* apasionar; se ~ pour qch apasionarse por algo.
passivement [pasivmɑ̃] *adv* pasivamente.
passivité [pasivite] *nf* pasividad *f*.
passoire [pɑswaʀ] *nf* colador *m*; (*à légumes*) pasapurés *m inv*.
pastel [pastɛl] *nm* pintura al pastel ♦ *adj inv* pastel.
pastèque [pastɛk] *nf* sandía.
pasteur [pastœʀ] *nm* pastor *m*.
pasteurisation [pastœʀizasjɔ̃] *nf* pasteurización *f*.
pasteuriser [pastœʀize] *vt* pasteurizar.
pastiche [pastiʃ] *nm* pastiche *m*, imitación *f*.
pasticher [pastiʃe] *vt* imitar.
pastille [pastij] *nf* pastilla; ~s pour la toux pastillas de la tos.
pastis [pastis] *nm* anís *msg*.
pastoral, e, -aux [pastɔral, o] *adj* pastoril.
patagon, ne [patagɔ̃, ɔn] *adj* patagón(-ona) ♦ *nm/f*: P~, e patagón(-ona).
Patagonie [patagɔni] *nf* Patagonia.
patate [patat] *nf* patata, papa (*AM*); ▶ patate douce batata, camote *m* (*AM*).
pataud, e [pato, od] *adj* palurdo(-a).
patauger [patoʒe] *vi* (*pour s'amuser*) chapotear; (*avec effort*) atascarse; ~ dans (*en marchant*) tropezar en; (*exposé etc*) encasquillarse en, atascarse en.
patchouli [patʃuli] *nm* pachulí *m*.
patchwork [patʃwœʀk] *nm* labor *f* de remiendos.
pâte [pɑt] *nf* pasta; (*à frire*) albardilla; ~s *nfpl* (*macaroni etc*) pastas *fpl*; fromage à ~ dure/molle queso seco/cremoso; ▶ pâte à choux crema de petisús; ▶ pâte à modeler plastilina; ▶ pâte à papier pasta de papel; ▶ pâte brisée pasta quebrada; ▶ pâte d'amandes pasta de almendra; ▶ pâte de fruits fruta escarchada;

▶ **pâte feuilletée** masa de hojaldre.
pâté [pate] *nm* (*CULIN*) paté *m*; (*tache d'encre*) borrón *m*; ▶ **pâté de foie/de lapin** paté de hígado/de liebre; ▶ **pâté de maisons** manzana de casas; ▶ **pâté (de sable)** flan *m* (de arena); ▶ **pâté en croûte** paté empanado.
pâtée [pate] *nf* cebo.
patelin [patlɛ̃] (*fam*) *nm* pueblecito.
patente [patɑ̃t] *nf* patente *f*.
patenté, e [patɑ̃te] *adj* (*COMM*) patentado(a); (*attitré*) profesional.
patère [patɛʀ] *nf* percha.
paternalisme [patɛʀnalism] *nm* paternalismo.
paternaliste [patɛʀnalist] *adj* paternalista.
paternel, le [patɛʀnɛl] *adj* paterno(-a).
paternité [patɛʀnite] *nf* paternidad *f*.
pâteux, -euse [patø, øz] *adj* pastoso(-a); **avoir la bouche/langue pâteuse** tener la boca/lengua pastosa.
pathétique [patetik] *adj* patético(-a).
pathologie [patɔlɔʒi] *nf* patología.
pathologique [patɔlɔʒik] *adj* patológico(-a).
patibulaire [patibylɛʀ] *adj* patibulario(-a).
patiemment [pasjamɑ̃] *adv* pacientemente.
patience [pasjɑ̃s] *nf* paciencia; (*CARTES*) solitario; **être à bout de** ~ estar a punto de perder la paciencia; **perdre** ~ perder la paciencia; **prendre** ~ tomárselo con calma.
patient, e [pasjɑ̃, jɑ̃t] *adj, nm/f* paciente *m/f*.
patienter [pasjɑ̃te] *vi* esperar.
patin [patɛ̃] *nm* patín *m*; ▶ **patin (de frein)** (*TECH*) zapata; ▶ **patins (à glace)** patines *mpl* (de cuchilla); ▶ **patins à roulettes** patines de ruedas.
patinage [patinaʒ] *nm* patinaje *m*; ▶ **patinage artistique/de vitesse** patinaje artístico/de velocidad.
patine [patin] *nf* pátina.
patiner [patine] *vi* patinar; **se patiner** *vpr* cubrirse de pátina.
patineur, -euse [patinœʀ, øz] *nm/f* patinador(a).
patinoire [patinwaʀ] *nf* pista de patinaje.
patio [pasjo] *nm* patio.
pâtir [patiʀ]: ~ **de** *vt* padecer de.
pâtisserie [patisʀi] *nf* pastelería; (*à la maison*) repostería; ~**s** *nfpl* (*gâteaux*) pasteles *mpl*.
pâtissier, -ière [patisje, jɛʀ] *nm/f* pastelero(-a).
pâtisson [patisɔ̃] *nm* calabaza.
patois [patwa] *nm* dialecto.
patriarche [patʀijaʀʃ] *nm* patriarca *m*.
patrie [patʀi] *nf* patria.
patrimoine [patʀimwan] *nm* patrimonio; ▶ **patrimoine génétique** herencia gené-

tica.
patriote [patʀijɔt] *adj, nm/f* patriota *m/f*.
patriotique [patʀijɔtik] *adj* patriótico(-a).
patriotisme [patʀijɔtism] *nm* patriotismo.
patron, ne [patʀɔ̃, ɔn] *nm/f* (*chef*) jefe(-a), patrón(-ona); (*propriétaire*) dueño(-a); (*MÉD*) médico(-a) jefe; (*REL*) patrono(-a) ♦ *nm* (*COUTURE*) patrón *m*; ~**s et employés** patronos *mpl* y empleados; ▶ **patron de thèse** director *m* de tesis.
patronage [patʀonaʒ] *nm* patrocinio, tutela; (*organisation, club*) patronato; **sous le** ~ **de** bajo el patrocinio de.
patronal, e, -aux [patʀonal, o] *adj* patronal.
patronat [patʀona] *nm* empresariado.
patronner [patʀone] *vt* (*personne, entreprise*) patrocinar; (*candidature*) apoyar.
patronnesse [patʀonɛs] *adj f*: **dame** ~ patrocinadora.
patronyme [patʀonim] *nm* patronímico.
patronymique [patʀonimik] *adj*: **nom** ~ nombre *m* patronímico.
patrouille [patʀuj] *nf* patrulla; ▶ **patrouille de chasse** (*AVIAT*) escuadrilla de caza; ▶ **patrouille de reconnaissance** patrulla de reconocimiento.
patrouiller [patʀuje] *vi* patrullar.
patrouilleur [patʀujœʀ] *nm* patrullero.
patte [pat] *nf* (*jambe*) pierna; (*d'animal*) pata; (*languette de cuir, d'étoffe*) lengüeta; (*de poche*) solapa; ~**s (de lapin)** (*favoris*) patillas *fpl*; **à** ~**s d'éléphant** (*pantalon*) de pata de elefante; ~**s d'oie** (*rides*) patas *fpl* de gallo; ▶ **pattes de mouche** (*fig*) letra *fsg*.
pattemouille [patmuj] *nf* sabanilla de planchar.
pâturage [patyʀaʒ] *nm* pasto.
pâture [patyʀ] *nf* (*aliment*) pasto; (*fig*) alimento, comidilla.
paume [pom] *nf* palma (de la mano).
paumé, e [pome] (*fam*) *adj* marginado(-a).
paumer [pome] *vt* (*fam*) perder; **se paumer** *vpr* perderse.
paupérisation [popeʀizasjɔ̃] *nf* pauperización *f*.
paupérisme [popeʀism] *nm* pauperismo.
paupière [popjɛʀ] *nf* párpado.
paupiette [popjɛt] *nf*: ~**s de veau** pulpetas *fpl* de ternera.
pause [poz] *nf* (*arrêt, halte*) parada; (*en parlant*) pausa; (*MUS*) silencio.
pause-café [pozkafe] (*pl* ~**s-**~) *nf* descanso para el café.
pause-repas [pozʀəpa] (*pl* ~**s-**~) *nf* descanso para comer.
pauvre [povʀ] *adj, nm/f* pobre *m/f*; ~**s** *nmpl*: **les** ~**s** los pobres; ~ **en calcium** pobre en calcio.

pauvrement [povRəmɑ̃] *adv* pobremente.
pauvreté [povRəte] *nf* pobreza.
pavage [pavaʒ] *nm* pavimentado; (*revêtement*) pavimento.
pavaner [pavane]: **se ~** *vpr* pavonearse.
pavé, e [pave] *adj* pavimentado(-a) ♦ *nm* (*bloc de pierre*) adoquín *m*; (*pavage, pavement*) pavimento; (*de viande*) trozo grueso; (*fam*: *article, livre*) tocho; **être sur le ~** estar en la calle; ▸ **pavé numérique** (*INFORM*) teclado numérico; ▸ **pavé publicitaire** panel *m* publicitario.
paver [pave] *vt* pavimentar.
pavillon [pavijɔ̃] *nm* pabellón *m*; (*maisonnette, villa*) chalet *m*; ▸ **pavillon de complaisance** pabellón de conveniencia.
pavoiser [pavwaze] *vt* (*édifice*) engalanar; (*navire*) empavesar ♦ *vi* poner colgaduras; (*fig*) echar las campanas al vuelo.
pavot [pavo] *nm* adormidera.
payable [pɛjabl] *adj* pagadero(-a).
payant, e [pɛjɑ̃, ɑ̃t] *adj* (*hôte, spectateur*) que paga; (*entreprise, coup*) rentable; **c'est ~** hay que pagar; **c'est un spectacle ~** es un espectáculo en el que hay que pagar.
paye [pɛj] *nf* paga.
payement [pɛjmɑ̃] *nm* pago.
payer [peje] *vt* pagar ♦ *vi* (*métier*) dar dinero; (*effort, tactique*) dar fruto; **il me l'a fait ~ 10F** me ha cobrado 10 francos; **~ qn de** (*ses efforts, peines*) recompensar a algn por; **~ qch à qn** pagar algo a algn; **ils nous ont payé le voyage** nos han pagado el viaje; **~ par chèque/en espèces** pagar con cheque/en metálico; **~ cher qch** pagar caro algo; (*fig*) costar caro algo; **~ de sa personne** darse por entero; **~ d'audace** dar prueba de audacia; **cela ne paie pas de mine** eso tiene mal aspecto, eso no tiene buena cara; **se ~ qch** comprarse algo; **se ~ de mots** contentarse con palabras; **se ~ la tête de qn** burlarse de algn, tomar el pelo a algn; (*duper*) tomar el pelo a algn.
payeur, -euse [pɛjœR, øz] *adj, nm/f* pagador(a).
pays [pei] *nm* país *msg*; (*région*) región *f*; (*village*) pueblo; **du ~** del país; **le ~ de Galles** el país de Gales.
paysage [peizaʒ] *nm* paisaje *m*.
paysager, -ère [peizaʒe, ɛR] *adj voir* **jardin; bureau.**
paysagiste [peizaʒist] *nm/f* (*ART*) paisajista *m/f*; (*de jardin*) diseñador(a) de jardines.
paysan, ne [peizɑ̃, an] *nm/f* campesino(-a); (*aussi péj*) pueblerino(-a), paleto(-a) ♦ *adj* rústico(-a).
paysannat [peizana] *nm* gente *f* del campo.

po.
Pays-Bas [peiba] *nmpl*: **les ~-~** los Países Bajos.
PC [pese] *sigle m* (= *Parti communiste*) partido comunista; (= *personal computer*) OP (= *ordenador personal*).
pcc *abr* (= *pour copie conforme*) para compulsar.
PCV [peseve] *abr* (= *percevoir*) *voir* **communication.**
PDG [pedeʒe] *sigle m* (= *président directeur général*) *voir* **président.**
p.-ê. *abr* = **peut-être.**
péage [peaʒ] *nm* peaje *m*; (*endroit*) paso de peaje; **autoroute/pont à ~** carretera/puente *m* de peaje.
peau, x [po] *nf* piel *f*; (*de la peinture*) película; (*du lait*) nata; **une ~** (*morceau de peau*) un pellejo; **gants de ~** guantes *mpl* de piel; **être bien/mal dans sa ~** encontrarse/no encontrarse bien consigo mismo; **se mettre dans la ~ de qn** ponerse en el pellejo de algn; **faire ~ neuve** cambiar; ▸ **peau d'orange** piel de naranja; ▸ **peau de chamois** gamuza.
peaufiner [pofine] *vt* pulir.
Peau-Rouge [poRuʒ] (*pl ~x-~s*) *nm/f* piel *m/f* roja.
peccadille [pekadij] *nf* pecadillo.
pêche [pɛʃ] *nf* pesca; (*endroit*) coto de pesca; (*fruit*) melocotón *m*, durazno (*AM*); **aller à la ~** ir de pesca; **avoir la ~** (*fam*) estar en buena forma; **à la ligne** pesca con caña; **~ sous-marine** pesca submarina.
péché [peʃe] *nm* pecado; ▸ **péché mignon** punto flaco, debilidad *f*.
pêche-abricot [pɛʃabRiko] (*pl ~s-~s*) *nf* melocotón *m* romano.
pécher [peʃe] *vi* pecar; (*être insuffisant*) ser incompleto(-a); **~ contre la bienséance/les bonnes mœurs** pecar contra la decencia/las buenas costumbres.
pêcher [peʃe] *nm* melocotonero ♦ *vi* ir de pesca ♦ *vt* pescar; (*chercher*) sacar; **~ au chalut** pescar con red.
pêcheur [pɛʃœR] *nm* pescador *m*; ▸ **pêcheur de perles** pescador de perlas.
pécheur, -eresse [peʃœR, peʃRes] *nm/f* pecador(a).
pectine [pektin] *nf* (*CULIN*) pectina *f*.
pectoral, e, -aux [pɛktɔral, o] *adj* pectoral; **pectoraux** *nmpl* (*ANAT*) pectorales *mpl*.
pécule [pekyl] *nm* (*économies*) peculio; (*d'un détenu, militaire*) sueldo.
pécuniaire [pekynjɛR] *adj* pecuniario(-a).
pécuniairement [pekynjɛRmɑ̃] *adv* pecuniariamente.

pédagogie [pedagɔʒi] *nf* pedagogía.
pédagogique [pedagɔʒik] *adj* pedagógico(-a); **formation** ~ formación *f* pedagógica.
pédagogue [pedagɔg] *nm/f* pedagogo(-a).
pédale [pedal] *nf* pedal *m*; **mettre la** ~ **douce** atenuar la expresión, bajar el tono.
pédaler [pedale] *vi* pedalear.
pédalier [pedalje] *nm* plato.
pédalo [pedalo] *nm* barca a pedal.
pédant, e [pedɑ̃, ɑ̃t] (*péj*) *adj, nm/f* pedante *m/f*.
pédantisme [pedɑ̃tism] *nm* pedantería.
pédéraste [pederast] *nm* pederasta *m*.
pédérastie [pederasti] *nf* pederastia.
pédestre [pedɛstʀ] *adj*: **tourisme** ~ turismo pedestre; **randonnée** ~ excursión *f* a pie.
pédiatre [pedjatʀ] *nm/f* pediatra *m/f*.
pédiatrie [pedjatʀi] *nf* pediatría.
pédicure [pedikyʀ] *nm/f* pedicuro(-a).
pedigree [pedigʀe] *nm* pedigrí *m*.
peeling [piliŋ] *nm* exfoliación *f*.
pègre [pɛgʀ] *nf* hampa.
peignais *etc* [pɛɲɛ] *vb voir* **peindre**.
peigne [pɛɲ] *vb voir* **peindre; peigner ♦** *nm* peine *m*.
peigné, e [peɲe] *adj*: **laine** ~e lana cardada.
peigner [peɲe] *vt* peinar; **se peigner** *vpr* peinarse.
peignez *etc* [peɲe] *vb voir* **peindre**.
peignis *etc* [peɲi] *vb voir* **peindre**.
peignoir [peɲwaʀ] *nm* (*chez le coiffeur*) peinador *m*; (*de sportif*) albornoz *m*; (*déshabillé*) salto de cama; ▶ **peignoir de bain** *ou* **de plage** albornoz.
peignons [peɲɔ̃] *vb voir* **peindre**.
peinard, e [penaʀ, aʀd] (*fam*) *adj* (*personne*) pancho(-a), tranquilo(-a); (*emploi, vie*) regalado(-a); **on est** ~ **ici** se está estupendamente aquí.
peindre [pɛ̃dʀ] *vt* pintar.
peine [pɛn] *nf* pena; (*effort, difficulté*) trabajo; (*JUR*) condena; **faire de la** ~ **à qn** hacer sufrir a algn; **prendre la** ~ **de faire** tomarse la molestia de hacer; **se donner de la** ~ esforzarse; **ce n'est pas la** ~ **de faire/que vous fassiez** no vale la pena hacer/que haga; **avoir de la** ~ **à faire** costarle trabajo a algn hacer; **donnez-vous/veuillez vous donner la** ~ **d'entrer** sírvase usted entrar; **pour la** ~ **en compensación**; **c'est** ~ **perdue** es perder el tiempo; **à** ~ apenas, recién (*AM*); **à** ~ **était-elle sortie qu'il se mit à pleuvoir** apenas salió se puso a llover; **c'est à** ~ **si …** apenas si …; **sous** ~: **sous** ~ **d'être puni** so pena de ser castigado; **défense d'afficher sous** ~ **d'amende** prohibido fijar carteles bajo multa; ▶ **peine capitale** *ou* **de mort**

pena capital *ou* de muerte.
peiner [pene] *vi* cansarse ♦ *vt* apenar.
peint, e [pɛ̃, pɛ̃t] *pp de* **peindre**.
peintre [pɛ̃tʀ] *nm* pintor(a); ~ **en bâtiment** pintor (de brocha gorda).
peinture [pɛ̃tyʀ] *nf* pintura; **ne pas pouvoir voir qn en** ~ no poder ver a algn ni en pintura; "~ **fraîche**" "recién pintado"; ▶ **peinture brillante/mate** pintura brillante/mate; ▶ **peinture laquée** laca.
péjoratif, -ive [peʒɔʀatif, iv] *adj* peyorativo(-a), despectivo(-a).
Pókin [pekɛ̃] *n* Pekín.
pékinois, e [pekinwa, waz] *adj* pekinés(-esa) ♦ *nm* (*chien, LING*) pekinés *msg* ♦ *nm/f*: **P~, e** pekinés(-esa).
PEL [peɛl] *sigle m* (= *Plan d'épargne logement*) Plan de ahorro vivienda.
pelade [pəlad] *nf* (*MÉD*) alopecia.
pelage [pəlaʒ] *nm* pelaje *m*.
pelé, e [pəle] *adj* (*chien*) esquilado(-a); (*terrain*) segado(-a) ♦ *nm/f*: **trois ~s et un tondu** cuatro gatos.
pêle-mêle [pɛlmɛl] *adv* en desorden.
peler [pəle] *vt* pelar ♦ *vi* pelarse.
pèlerin [pɛlʀɛ̃] *nm* peregrino.
pèlerinage [pɛlʀinaʒ] *nm* peregrinación *f*; (*lieu*) centro de peregrinación.
pèlerine [pɛlʀin] *nf* capa.
pélican [pelikɑ̃] *nm* pelícano.
pelisse [pəlis] *nf* pelliza.
pelle [pɛl] *nf* pala; ▶ **pelle à gâteau** *ou* **à tarte** paleta; ▶ **pelle mécanique** excavadora.
pelletée [pɛlte] *nf* pala.
pelleter [pɛlte] *vt* palear.
pelleteuse [pɛltøz] *nf* excavadora.
pelletier [pɛltje] *nm* peletero(-a).
pellicule [pelikyl] *nf* (*couche fine*) película; (*PHOTO*) rollo, carrete *m*; (*CINÉ*) cinta; ~**s** *nfpl* (*MÉD*) caspa *fsg*.
Péloponnèse [pelopɔnɛz] *nm* Peloponeso.
pelote [p(ə)lɔt] *nf* (*de fil, laine*) ovillo; (*d'épingles, d'aiguilles*) acerico; (*balle, jeu*): ~ (**basque**) pelota (vasca).
peloter [p(ə)lɔte] (*fam*) *vt* achuchar; **se peloter** *vpr* darse *ou* pegarse el lote, achucharse.
peloton [p(ə)lɔtɔ̃] *nm* pelotón *m*; ~ **d'exécution** pelotón de ejecución.
pelotonner [p(ə)lɔtɔne]: **se** ~ *vpr* acurrucarse.
pelouse [p(ə)luz] *nf* césped *m*; (*COURSES*) pista.
peluche [p(ə)lyʃ] *nf* (*flocon de poussière, poil*) pelusa; **animal en** ~ muñeco de peluche.
pelucher [p(ə)lyʃe] *vi*: **ce pull peluche a este jersey le están saliendo pelotas**.
pelucheux, -euse [p(ə)lyʃø, øz] *adj*: **une**

étoffe pelucheuse una tela a la que le salen pelotas.

pelure [p(ə)lyʀ] *nf* piel *f*; ▶ **pelure d'oignon** capa; (*couleur*) violáceo.

pénal, e, -aux [penal, o] *adj* penal.

pénalement [penalmɑ̃] *adv* penalmente.

pénalisation [penalizasjɔ̃] *nf* (*SPORT*) sanción *f*.

pénaliser [penalize] *vt* penalizar.

pénalité [penalite] *nf* penalidad *f*; (*SPORT*) sanción *f*.

penalty [penalti] (*pl* **penalties**) *nm* (*SPORT*) penalty *m*.

pénard, e [penaʀ, aʀd] *adj voir* **peinard**.

pénates [penat] *nmpl* (*demeure*): **regagner ses ~** volver a casa.

penaud, e [pəno, od] *adj* corrido(-a).

penchant [pɑ̃ʃɑ̃] *nm* inclinación *f*; **avoir un ~ pour qch** tener una inclinación hacia algo.

penché, e [pɑ̃ʃe] *adj* (*écriture*) inclinado(-a).

pencher [pɑ̃ʃe] *vi* inclinarse ♦ *vt* inclinar; **se pencher** *vpr* inclinarse; (*se baisser*) agacharse; **se ~ sur** inclinarse sobre; (*fig*) examinar; **se ~ au dehors** asomarse; **~ pour** (*fig*) inclinarse por.

pendable [pɑ̃dabl] *adj*: **c'est un cas ~!** ¡merece que se le castigue!; **tour ~** mala pasada.

pendaison [pɑ̃dɛzɔ̃] *nf* ahorcamiento.

pendant, e [pɑ̃dɑ̃, ɑ̃t] *adj* (*jambes, langue etc*) colgante; (*ADMIN, JUR*) pendiente ♦ *nm*: **être le ~ de** ser el compañero de; (*fig*) ser equiparable con ♦ *prép* durante; **faire ~ à** hacer pareja con; **~ que** mientras; ▶ **pendants d'oreilles** pendientes *mpl*.

pendeloque [pɑ̃d(ə)lɔk] *nf* colgante *m*; (*ornement de lustre*) cristal *m*.

pendentif [pɑ̃dɑ̃tif] *nm* colgante *m*.

penderie [pɑ̃dʀi] *nf* ropero.

pendiller [pɑ̃dije] *vi* colgar.

pendre [pɑ̃dʀ] *vt* colgar; (*personne*) ahorcar ♦ *vi* colgar; **se ~ (à)** (*se suicider*) ahorcarse (de); **se ~ à** colgarse de; **~ à** colgar de; **~ qch à** colgar algo de.

pendu, e [pɑ̃dy] *pp de* **pendre** ♦ *nm/f* ahorcado(-a).

pendulaire [pɑ̃dylɛʀ] *adj* pendular.

pendule [pɑ̃dyl] *nf* (*horloge*) reloj *m* péndulo ♦ *nm* péndulo.

pendulette [pɑ̃dylɛt] *nf* relojito.

pêne [pɛn] *nm* pestillo.

pénétrant, e [penetʀɑ̃, ɑ̃t] *adj* penetrante; (*esprit, personne*) agudo(-a).

pénétrante [penetʀɑ̃t] *nf* autopista que llega hasta el centro de una ciudad.

pénétration [penetʀasjɔ̃] *nf* (*d'idées etc*) penetración *f*; (*perspicacité*) agudeza;

(*MIL*): **force de ~** fuerza de penetración.

pénétré, e [penetʀe] *adj* (*air, ton*) importante; **être ~ de** (*sentiment, conviction*) estar lleno(-a) de; **être ~ de soi-même/son importance** estar convencido(-a) de sí mismo/su importancia.

pénétrer [penetʀe] *vi* penetrar ♦ *vt* entrar; (*suj: projectile, mystère, secret*) penetrar; **~ dans/à l'intérieur de** penetrar en/en el interior de; (*suj: air, eau*) entrar en; **se ~ de qch** llenarse de algo.

pénible [penibl] *adj* penoso(-a); **il m'est ~ de ...** me resulta penoso ... .

péniblement [peniblǝmɑ̃] *adv* penosamente; (*tout juste*) a duras penas.

péniche [peniʃ] *nf* chalana; (*MIL*): **~ de débarquement** lanchón *m* de desembarco.

pénicilline [penisilin] *nf* penicilina.

péninsulaire [penɛ̃sylɛʀ] *adj* peninsular.

péninsule [penɛ̃syl] *nf* península.

pénis [penis] *nm* pene *m*.

pénitence [penitɑ̃s] *nf* penitencia; **être/mettre en ~** (*enfant*) estar castigado(-a)/castigar; **faire ~** hacer penitencia.

pénitencier [penitɑ̃sje] *nm* (*prison*) penitenciaría.

pénitent, e [penitɑ̃, ɑ̃t] *adj* (*REL*) penitente.

pénitentiaire [penitɑ̃sjɛʀ] *adj* penitenciario(-a).

pénombre [penɔ̃bʀ] *nf* penumbra.

pensable [pɑ̃sabl] *adj*: **ce n'est pas ~** esto es impensable *ou* inimaginable.

pensant, e [pɑ̃sɑ̃, ɑ̃t] *adj*: **bien ~** de bien.

pense-bête [pɑ̃sbɛt] (*pl* **~-~s**) *nm* agenda.

pensée [pɑ̃se] *nf* (*aussi BOT*) pensamiento; (*maxime, sentence*) aforismo; (*démarche*): **~ claire/obscure/organisée** ideas *fpl* claras/oscuras/organizadas; **en ~** con el pensamiento; **representer qch par la** *ou* **en ~** imaginarse algo con el pensamiento.

penser [pɑ̃se] *vi* pensar; (*avoir une opinion*): **je ne pense pas comme vous** no pienso como usted ♦ *vt* pensar; (*concevoir: problème, machine*) pensar, idear; **~ à** pensar en; **~ que** pensar que, creer que; **~ (à) faire qch** pensar (en) hacer algo; **~ du bien/du mal de qn/qch** pensar bien/mal de algn/algo; **faire ~ à** hacer pensar en, recordar; **n'y pensons plus** (*pour excuser, pardonner*) olvidémoslo; **qu'en pensez-vous?** ¿qué opina usted?; **je le pense aussi** yo también lo creo; **je ne le pense pas** no lo creo; **j'aurais pensé que si/non** habría creído que sí/no; **je pense que oui/non** creo que sí/no; **vous n'y pensez pas!** ¡ni lo sueñe!; **sans ~ à mal** sin mala intención.

penseur [pɑ̃sœʀ] *nm* pensador(a); **libre ~** librepensador(a).

pensif, -ive [pɑ̃sif, iv] *adj* pensativo(-a).

pension [pɑ̃sjɔ̃] *nf* pensión *f* de jubilación; (*prix du logement, hôtel*) pensión; (*école*) internado; **prendre ~ chez qn/dans un hôtel** alojarse en casa de algn/en un hotel; **prendre qn en ~** coger a algn en pensión; **mettre en ~** (*enfant*) meter interno; ▶ **pension alimentaire** (*d'étudiant*) pensión alimenticia; (*de divorcée*) pensión; ▶ **pension complète** pensión completa; ▶ **pension d'invalidité** subsidio de invalidez; ▶ **pension de famille** casa de huéspedes; ▶ **pension de guerre** pensión de mutilado.

pensionnaire [pɑ̃sjɔnɛʀ] *nm/f* (*d'un hôtel*) huésped *m*; (*d'école*) interno(-a).

pensionnat [pɑ̃sjɔna] *nm* pensionado; (*élèves*) internado.

pensionné, e [pɑ̃sjɔne] *adj* pensionado(-a) ♦ *nm/f* pensionista *m/f*.

pensivement [pɑ̃sivmɑ̃] *adv* pensativamente.

pensum [pɛ̃sɔm] *nm* (*SCOL*) tarea; (*fig*) castigo *m*.

pentagone [pɛ̃tagɔn] *nm* pentágono; **le P~** (*POL*) el Pentágono.

pentathlon [pɛ̃tatlɔ̃] *nm* pentatlón *m*.

pente [pɑ̃t] *nf* pendiente *f*; (*descente*) cuesta; **en ~** en pendiente, en cuesta.

Pentecôte [pɑ̃tkot] *nf*: **la ~** Pentecostés *msg*; **lundi de ~** lunes *m inv* de Pentecostés.

pénurie [penyʀi] *nf* penuria, escasez *f*; ▶ **pénurie de main d'œuvre** escasez de mano de obra.

pépé [pepe] (*fam*) *nm* abuelo.

pépère [pepɛʀ] (*fam*) *adj* tranquilo(-a), bonachón(-ona) ♦ *nm* abuelo.

pépier [pepje] *vi* piar.

pépin [pepɛ̃] *nm* (*BOT*) pepita; (*fam: ennui*) lío; (: *parapluie*) paraguas *m inv*.

pépinière [pepinjɛʀ] *nf* vivero; (*fig*) cantera.

pépiniériste [pepinjeʀist] *nm/f* encargado(-a) de vivero.

pépite [pepit] *nf* pepita.

PER [peɔɛʀ] *sigle m* (= *plan d'épargne retraite*) *plan de pensiones.*

perçant, e [pɛʀsɑ̃, ɑ̃t] *adj* (*vue, regard, yeux*) perspicaz; (*cri, voix*) agudo(-a).

percée [pɛʀse] *nf* paso; (*COMM, fig*) avance *m*; (*SPORT*) entrada; **tenter une ~** (*MIL*) intentar abrir una brecha.

perce-neige [pɛʀsənɛʒ] *nm ou f inv* (*BOT*) narciso de las nieves.

perce-oreille [pɛʀsɔʀɛj] (*pl* ~-~**s**) *nm* forfícula.

percepteur [pɛʀsɛptœʀ] *nm* (*ADMIN*) recaudador(a) de impuestos.

perceptible [pɛʀsɛptibl] *adj* perceptible.

perception [pɛʀsɛpsjɔ̃] *nf* percepción *f*; (*d'impôts etc*) recaudación *f*; (*bureau*) oficina de recaudación.

percer [pɛʀse] *vt* (*métal etc*) perforar; (*coffre-fort*) abrir; (*pneu*) pinchar; (*abcès*) reventar; (*trou etc*) abrir; (*suj: lumière: obscurité*) atravesar; (*mystère, énigme*) penetrar; (*suj: bruit: oreilles, tympan*) traspasar ♦ *vi* (*aube, dent etc*) salir; (*artiste*) abrirse camino.

perceuse [pɛʀsøz] *nf* taladradora, perforadora; ▶ **perceuse à percussion** perforadora neumática.

percevable [pɛʀsɔvabl] *adj* recaudable.

percevoir [pɛʀsɔvwaʀ] *vt* percibir; (*taxe, impôt*) recaudar.

perche [pɛʀʃ] *nf* (*ZOOL*) perca; (*pièce de bois, métal*) vara; (*SPORT*) pértiga; (*TV, RADIO, CINÉ*): **~ à son** jirafa del micrófono.

percher [pɛʀʃe] *vt*: **~ qch sur** colocar algo sobre; **se ~** *vpr* (*oiseau*) encaramarse.

perchiste [pɛʀʃist] *nm/f* (*SPORT*) saltador(a) de pértiga; (*TV, RADIO, CINÉ*) ayudante(-a) del micrófono.

perchoir [pɛʀʃwaʀ] *nm* percha; (*POL*) sede *f*.

perclus, e [pɛʀkly, yz] *adj*: **~ de** (*rhumatismes*) lleno(-a) de.

perçois *etc* [pɛʀswa] *vb voir* **percevoir**.

percolateur [pɛʀkɔlatœʀ] *nm* percolador *m*, máquina de café.

perçu, e [pɛʀsy] *pp de* **percevoir**.

percussion [pɛʀkysjɔ̃] *nf* percusión *f*.

percussionniste [pɛʀkysjɔnist] *nm/f* percusionista *m/f*.

percutant, e [pɛʀkytɑ̃, ɑ̃t] *adj* (*article, discours*) contundente; **obus ~** obús *msg* de percusión.

percuter [pɛʀkyte] *vt* percutir; (*suj: véhicule*) chocar ♦ *vi*: **~ contre** chocar contra.

percuteur [pɛʀkytœʀ] *nm* percutor *m*.

perdant, e [pɛʀdɑ̃, ɑ̃t] *nm/f* perdedor(a) ♦ *adj* (*numéro*) no agraciado(-a).

perdition [pɛʀdisjɔ̃] *nf* (*morale*) perdición *f*; **en ~** (*NAUT*) en peligro de naufragio; **lieu de ~** lugar *m* de perdición.

perdre [pɛʀdʀ] *vt* perder; (*argent*) gastar ♦ *vi* perder; **se perdre** *vpr* perderse; **il ne perd rien pour attendre** a ése le espero yo.

perdreau, x [pɛʀdʀo] *nm* perdigón *m*.

perdrix [pɛʀdʀi] *nf* perdiz *f*.

perdu, e [pɛʀdy] *pp de* **perdre** ♦ *adj* perdido(-a); (*malade, blessé*): **il est ~** está desahuciado; **à vos moments ~s** en sus ratos libres.

père [pɛʀ] *nm* padre *m*; **~s** *nmpl* padres *mpl*; **de ~ en fils** de padre a hijo; **~ de famille** padre de familia; **mon ~** (*REL*) pa-

dre; le ~ **Noël** el papa Noel.
pérégrinations [peʀegʀinasjɔ̃] *nfpl* peregrinaciones *fpl*.
péremption [peʀɑ̃psjɔ̃] *nf*: **date de** ~ fecha de caducidad.
péremptoire [peʀɑ̃ptwaʀ] *adj* perentorio(-a); (*ton*) tajante.
pérennité [peʀenite] *nf* perennidad *f*.
péréquation [peʀekwasjɔ̃] *nf* (*des salaires*) distribución *f* equitativa; (*des prix, impôts*) reparto equitativo.
perfectible [pɛʀfɛktibl] *adj* perfectible.
perfection [pɛʀfɛksjɔ̃] *nf* perfección *f*; **à la** ~ a la perfección.
perfectionné, e [pɛʀfɛksjɔne] *adj* perfeccionado(-a).
perfectionnement [pɛʀfɛksjɔnmɑ̃] *nm* perfeccionamiento.
perfectionner [pɛʀfɛksjɔne] *vt* perfeccionar.
perfectionniste [pɛʀfɛksjɔnist] *nm/f* perfeccionista *m/f*.
perfide [pɛʀfid] *adj* pérfido(-a).
perfidie [pɛʀfidi] *nf* perfidia.
perforant [pɛʀfɔʀɑ̃] *adj* perforante.
perforateur [pɛʀfɔʀatœʀ] *nm* taladro.
perforation [pɛʀfɔʀasjɔ̃] *nf* perforación *f*; ~ **intestinale** perforación intestinal.
perforatrice [pɛʀfɔʀatʀis] *nf* perforadora, taladradora.
perforé, e [pɛʀfɔʀe] *adj* perforado(-a).
perforer [pɛʀfɔʀe] *vt* perforar.
perforeuse [pɛʀfɔʀøz] *nf* perforadora.
performance [pɛʀfɔʀmɑ̃s] *nf* (*d'un cheval, athlète*) marca; (*exploit, succès*) récord *m*; ~**s** *nfpl* (*d'une machine, d'un véhicule*) prestaciones *fpl*.
performant, e [pɛʀfɔʀmɑ̃, ɑ̃t] *adj* (*ÉCON*) competitivo(-a); (*TECH*) en buen rendimiento.
perfusion [pɛʀfyzjɔ̃] *nf* perfusión *f*; **être sous** ~ tener puesto el gotero.
péricliter [peʀiklite] *vi* decaer.
péridurale [peʀidyʀal] *nf* raquianestesia.
périgourdin, e [peʀiguʀdɛ̃, in] *adj* del Perigord ♦ *nm/f*: **P**~**, e** nativo(-a) *ou* habitante *m/f* de Perigord.
péri-informatique [peʀiɛ̃fɔʀmatik] (*pl* ~-~**s**) *nf* (*composants*) periféricos *mpl*.
péril [peʀil] *nm* peligro; **au** ~ **de sa vie** con riesgo de su vida; **à ses risques et** ~**s** por su cuenta y riesgo.
périlleux, -euse [peʀijø, øz] *adj* peligroso(-a).
périmé, e [peʀime] *adj* (*conception, idéologie*) pasado(-a) de moda; (*passeport, billet*) caducado(-a).
périmètre [peʀimɛtʀ] *nm* perímetro; (*zone*) superficie *f*.
périnatal, e, -aux [peʀinatal, o] *adj* perinatal.

période [peʀjɔd] *nf* periodo; ~ **de l'ovulation/d'incubation** periodo de ovulación/de incubación.
périodique [peʀjɔdik] *adj* periódico(-a) ♦ *nm* periódico; **garniture** *ou* **serviette** ~ compresa.
périodiquement [peʀjɔdikmɑ̃] *adv* periódicamente.
péripéties [peʀipesi] *nfpl* peripecias *fpl*.
périphérie [peʀifeʀi] *nf* periferia.
périphérique [peʀifeʀik] *adj* periférico(-a) ♦ *nm* (*INFORM*) periférico; (*AUTO*): **(boulevard)** ~ carretera de circunvalación.
périphrase [peʀifʀaz] *nf* perífrasis *f inv*.
périple [peʀipl] *nm* viaje *m*.
périr [peʀiʀ] *vi* (*personne*) perecer; (*navire*) naufragar.
périscolaire [peʀiskɔlɛʀ] *adj* extraescolar.
périscope [peʀiskɔp] *nm* periscopio.
périssable [peʀisabl] *adj* perecedero(-a).
péristyle [peʀistil] *nm* peristilo.
péritélévision [peʀitelevizjɔ̃] *nf* aparatos que pueden conectarse a un televisor.
péritonite [peʀitɔnit] *nf* peritonitis *f inv*.
périurbain, e [peʀiyʀbɛ̃, ɛn] *adj* periférico(-a).
perle [pɛʀl] *nf* (*aussi personne, chose*) perla; (*de verre etc*) cuenta; (*de rosée, sang, sueur*) gota; (*erreur*) gazapo.
perlé, e [pɛʀle] *adj* (*dents, travail*) de perlas; (*rire*) delicado(-a); (*orge*) perlado(-a); **grève** ~**e** semihuelga.
perler [pɛʀle] *vi*: **la sueur perlait sur son front** tenía la frente cubierta de gotas de sudor.
perlier, -ière [pɛʀlje, jɛʀ] *adj* perlero(-a).
permanence [pɛʀmanɑ̃s] *nf* permanencia; (*local*) guardia; (*SCOL*) permanencia; **assurer une** ~ (*service public, bureaux*) estar abierto(-a); **être de** ~ estar de guardia; **en** ~ permanentemente.
permanent, e [pɛʀmanɑ̃, ɑ̃t] *adj* permanente; (*spectacle*) continuo(-a) ♦ *nm* (*d'un syndicat*) representante *m*; (*d'un parti*) miembro permanente.
permanente [pɛʀmanɑ̃t] *nf* permanente *f*.
perméable [pɛʀmeabl] *adj* permeable; ~ **à** (*fig*) influenciable por.
permettre [pɛʀmɛtʀ] *vt* permitir; **rien ne permet de penser que** ... nada permite pensar que ...; ~ **à qn de faire qch** permitir a algn hacer algo; **se** ~ (**de faire**) **qch** permitirse (hacer) algo; **permettez!** ¡perdone!
permis, e [pɛʀmi, iz] *pp de* **permettre** ♦ *nm* permiso; ▶ **permis d'inhumer** permiso de inhumación; ▶ **permis de chasse/pêche/construction** licencia de caza/pesca/construcción; ▶ **permis de**

conduire carnet *m* de conducir; ►**permis de séjour/de travail** permiso de residencia/de trabajo; ►**permis poids lourds** carnet de primera.

permissif, -ive [pɛrmisif, iv] *adj* permisivo(-a).

permission [pɛrmisjɔ̃] *nf* permiso; **en ~** (*MIL*) de permiso; **avoir la ~ de faire qch** tener permiso para hacer algo.

permissionnaire [pɛrmisjɔnɛr] *nm* militar *m* de permiso.

permutable [pɛrmytabl] *adj* permutable.

permutation [pɛrmytasjɔ̃] *nf* permuta.

permuter [pɛrmyte] *vt, vi* permutar.

pernicieux, -euse [pɛrnisjø, jøz] *adj* pernicioso(-a).

péroné [pɛrɔne] *nm* peroné *m*.

pérorer [pɛrɔre] *vi* perorar.

Pérou [peru] *nm* Perú *m*.

perpendiculaire [pɛrpɑ̃dikylɛr] *adj* perpendicular ♦ *nf* perpendicular *f*; **~ à** perpendicular a.

perpendiculairement [pɛrpɑ̃dikylɛrmɑ̃] *adv* perpendicularmente.

perpète [pɛrpɛt] (*fam*) *nf* (*loin*): **à ~** en el quinto pino; (*longtemps*) indefinidamente.

perpétrer [pɛrpetre] *vt* perpetrar.

perpétuel, le [pɛrpetɥɛl] *adj* perpetuo(-a); (*ADMIN etc*) vitalicio(-a); (*jérémiades*) continuo(-a).

perpétuellement [pɛrpetɥɛlmɑ̃] *adv* perpetuamente; (*fréquemment*) continuamente.

perpétuer [pɛrpetɥe] *vt* perpetuar; **se perpétuer** *vpr* perpetuarse.

perpétuité [pɛrpetɥite] *nf*: **à ~** a perpetuidad ♦ *adv* perpetuamente; **être condamné à ~** estar condenado a cadena perpetua.

perplexe [pɛrplɛks] *adj* perplejo(-a).

perplexité [pɛrplɛksite] *nf* perplejidad *f*.

perquisition [pɛrkizisjɔ̃] *nf* registro.

perquisitionner [pɛrkizisjɔne] *vi* registrar.

perron [pɛrɔ̃] *nm* escalinata.

perroquet [pɛrɔkɛ] *nm* loro.

perruche [pɛryʃ] *nf* cotorra.

perruque [pɛryk] *nf* peluca.

persan, e [pɛrsɑ̃, an] *adj* persa ♦ *nm* (*LING*) persa *m*.

perse [pɛrs] *adj* persa ♦ *nm* (*LING*) persa *m* ♦ *nm/f*: **P~** persa *m/f* ♦ *nf* Persia.

persécuter [pɛrsekyte] *vt* perseguir.

persécution [pɛrsekysjɔ̃] *nf* persecución *f*.

persévérance [pɛrseverɑ̃s] *nf* perseverancia.

persévérant, e [pɛrseverɑ̃, ɑ̃t] *adj* perseverante.

persévérer [pɛrsevere] *vi* perseverar; **~ à croire que** obstinarse en creer que; **~**

dans qch perseverar en algo.

persiennes [pɛrsjɛn] *nfpl* persianas *fpl*.

persiflage [pɛrsiflaʒ] *nm* chanzas *fpl*.

persifleur, -euse [pɛrsiflœr, øz] *adj* socarrón(-ona).

persil [pɛrsi] *nm* perejil *m*.

persillé, e [pɛrsije] *adj* aderezado(-a) con perejil; (*fromage*) azul; (*viande*) mechado(-a).

Persique [pɛrsik] *adj*: **le golfe ~** el Golfo pérsico.

persistance [pɛrsistɑ̃s] *nf* persistencia.

persistant, e [pɛrsistɑ̃, ɑ̃t] *adj* persistente; (*feuilles, feuillage*) perenne; **arbre à feuillage ~** árbol de hoja perenne.

persister [pɛrsiste] *vi* persistir; **~ dans qch** persistir en algo; **~ à faire qch** empeñarse en hacer algo.

personnage [pɛrsɔnaʒ] *nm* personaje *m*.

personnaliser [pɛrsɔnalize] *vt* (*voiture*) dar un tinte personal a; (*impôt etc*) individualizar; (*peine*) personalizar.

personnalité [pɛrsɔnalite] *nf* personalidad *f*.

personne [pɛrsɔn] *nf* persona; (*LING*): **première/troisième ~** primera/tercera persona ♦ *pron* nadie; **~s** *nfpl* personas *fpl*; **il n'y a ~** no hay nadie; **10F par ~** 10 francos por persona; **en ~** en persona; ►**personne à charge** (*JUR*) persona a su cargo; ►**personne âgée** persona mayor; ►**personne civile/morale** (*JUR*) persona civil/moral.

personnel, le [pɛrsɔnɛl] *adj* personal; (*égoïste*) suyo(-a); (*taxe, contribution*) individual ♦ *nm* (*domestiques*) servidumbre *f*; (*employés*) plantilla; **il a des idées très ~les sur le sujet** tiene sus propias ideas sobre el tema; **service du ~** servicio de personal.

personnellement [pɛrsɔnɛlmɑ̃] *adv* personalmente.

personnification [pɛrsɔnifikasjɔ̃] *nf* personificación *f*.

personnifier [pɛrsɔnifje] *vt* personificar; **c'est l'honnêteté personnifiée** es la honradez personificada.

perspective [pɛrspɛktiv] *nf* perspectiva; **~s** *nfpl* (*d'avenir*) perspectivas *fpl*; **en ~** en perspectiva.

perspicace [pɛrspikas] *adj* perspicaz.

perspicacité [pɛrspikasite] *nf* perspicacia.

persuader [pɛrsɥade] *vt*: **~ qn (de qch/de faire qch)** persuadir a algn (de algo/de hacer algo); **j'en suis persuadé** estoy convencido.

persuasif, -ive [pɛrsɥazif, iv] *adj* persuasivo(-a).

persuasion [pɛrsɥazjɔ̃] *nf* persuasión *f*.

perte [pɛrt] *nf* pérdida; (*morale*) perdición

f; ~s *nfpl* (*personnes tuées*) bajas *fpl*; (*COMM*) déficit *m*; **vendre à** ~ hacer dumping; **à** ~ **de vue** hasta perderse de vista; (*discourir, raisonner*) hasta nunca acabar; **en pure** ~ sin ganancia alguna; **courir à sa** ~ arriesgar mucho; **être en** ~ **de vitesse** (*fig*) estar de capa caída; **avec** ~ **et fracas** sin contemplaciones; ~ **de chaleur/d'énergie** pérdida de calor/de energía; ~ **sèche** pérdida total; ▶ **pertes blanches** flujo *msg*.

pertinemment [pɛʀtinamɑ̃] *adv* oportunamente; (*savoir*) a ciencia cierta.

pertinence [pɛʀtinɑ̃s] *nf* pertinencia.

pertinent, e [pɛʀtinɑ̃, ɑ̃t] *adj* pertinente.

perturbateur, -trice [pɛʀtyʀbatœʀ, tʀis] *adj, nm/f* perturbador(a).

perturbation [pɛʀtyʀbasjɔ̃] *nf* perturbación *f*; ▶ **perturbation (atmosphérique)** perturbación (atmosférica).

perturber [pɛʀtyʀbe] *vt* perturbar.

péruvien, ne [peʀyvjɛ̃, jɛn] *adj* peruano(-a) ♦ *nm/f*: **P~, ne** peruano(-a).

pervenche [pɛʀvɑ̃ʃ] *nf* (*BOT*) rincapervinca ♦ *adj*: **bleu** ~ azul intenso.

pervers, e [pɛʀvɛʀ, ɛʀs] *adj, nm/f* perverso(-a); **effet** ~ efecto perverso.

perversion [pɛʀvɛʀsjɔ̃] *nf* perversión *f*.

perversité [pɛʀvɛʀsite] *nf* perversidad *f*.

perverti, e [pɛʀvɛʀti] *nm/f* pervertido(-a).

pervertir [pɛʀvɛʀtiʀ] *vt* pervertir; (*altérer, dénaturer*) desnaturalizar.

pesage [pəzaʒ] *nm* peso.

pesamment [pəzamɑ̃] *adv* pesadamente.

pesant, e [pəzɑ̃, ɑ̃t] *adj* pesado(-a) ♦ *nm*: **valoir son** ~ **de** valer su peso en.

pesanteur [pəzɑ̃tœʀ] *nf* gravedad *f*.

pèse-bébé [pɛzbebe] (*pl* **pèse-bébé(s)**) *nm* pesabebés *m inv*.

pesée [pəze] *nf* pesada; (*BOXE*) peso; (*pression*) presión *f*.

pèse-lettre [pɛzlɛtʀ] (*pl* **pèse-lettre(s)**) *nm* pesacartas *m inv*.

pèse-personne [pɛzpɛʀsɔn] (*pl* **pèse-personne(s)**) *nm* báscula.

peser [pəze] *vt* pesar; (*considérer, comparer*) ponderar ♦ *vi* pesar; (*fig*) tener peso; ~ **sur** (*levier, bouton*) apretar sobre; (*fig*) abrumar; (*suj: aliment, fardeau, impôt*) pesar; (*influencer: décision*) influir en; ~ **à qn** molestar a algn; ~ **cent kilos/** peu pesar cien kilos/poco.

pessimisme [pesimism] *nm* pesimismo.

pessimiste [pesimist] *adj, nm/f* pesimista *m/f*.

peste [pɛst] *nf* (*MÉD*) peste *f*; (*femme, fillette*): **quelle** ~**!** ¡es más mala que la peste!

pester [pɛste] *vi*: ~ **contre qn/qch** echar pestes contra algn/algo.

pesticide [pɛstisid] *nm* pesticida *m*.

pestiféré [pɛstifeʀe] *nm/f* apestado(-a).

pestilentiel, le [pɛstilɑ̃sjɛl] *adj* pestilente.

pet [pɛ] (*fam!*) *nm* pedo.

pétale [petal] *nm* pétalo.

pétanque [petɑ̃k] *nf* petanca.

pétarade [petaʀad] *nf* traca.

pétarader [petaʀade] *vi* petardear.

pétard [petaʀ] *nm* (*feu d'artifice*) petardo, cohete *m*; (*de cotillon*) petardo.

pet-de-nonne [pɛdnɔn] (*pl* ~**s-~-~**) *nm* suspiro de monja.

péter [pete] (*fam*) *vi* (*sauter*) estallar; (*casser*) romperse; (*fam!*) tirarse pedos.

pète-sec [pɛtsɛk] *adj inv* mandón(-ona).

pétillant, e [petijɑ̃, ɑ̃t] *adj* (*eau*) con gas; (*vin*) espumoso(-a); (*regard*) chispeante.

pétiller [petije] *vi* (*flamme, bois*) chisporrotear; (*mousse, champagne*) burbujear; (*joie, yeux*) chispear; (*fig*): ~ **d'intelligence** chispear de ingenio.

petit, e [p(ə)ti, it] *adj* pequeño(-a), chico(-a) (*esp AM*); (*personne, cri*) bajo(-a); (*mince*) fino(-a); (*court*) corto(-a) ♦ *nm/f* (*petit enfant*) pequeño(-a) ♦ *nm* (*d'un animal*) cachorro(-a); ~**s** *nmpl*: **la classe des** ~**s** la clase de párvulos; **faire des** ~**s** (*animal*) tener cachorros; **en** ~ en pequeño; **mon** ~ mi niño; **ma** ~**e** mi niña; **pauvre** ~ pobre crío; **pour** ~**s et grands** para pequeños y mayores; **les tout-~s** los pequeñitos; ~ **à** ~ poco a poco; ▶ **petit(e) ami(e)** novio(-a); ▶ **petit déjeuner** desayuno; ▶ **petit doigt** dedo meñique; ▶ **petit écran** televisión *f*; ▶ **petit four** pastelillo; ▶ **petit pain** panecillo; ▶ **petite monnaie** calderilla; ▶ **petite vérole** viruela; ▶ **petits pois** guisantes *mpl*, arvejas *fpl* (*AM*), chícharos *mpl* (*MEX*); ▶ **les petites annonces** anuncios *mpl* por palabras; ▶ **petites gens** gente *f* humilde.

petit-beurre [pətibœʀ] (*pl* ~**s-~**) *nm* galleta de mantequilla.

petit-bourgeois [pətibuʀʒwa] (*pl* **petit(e)s-bourgeois(es)**) *adj, nm/f* (*péj*) pequeño(-a) burgués(-esa).

petite-fille [pətitfij] (*pl* ~**s-~s**) *nf* nieta.

petitement [pətitmɑ̃] *adv* (*fig*) con estrechez; **être logé** ~ vivir en una casa pequeña.

petitesse [p(ə)titɛs] *nf* pequeñez *f*; (*d'une existence*) mediocridad *f*; (*mesquinerie*) bajeza.

petit-fils [pətifis] (*pl* ~**s-~**) *nm* nieto.

pétition [petisjɔ̃] *nf* petición *f*; **faire signer une** ~ recoger firmas.

pétitionnaire [petisjɔnɛʀ] *nm/f* peticionario(-a).

pétitionner [petisjɔne] *vi* solicitar, hacer una petición.

petit-lait [pətilɛ] (*pl* ~**s-~s**) *nm* suero.

petit-nègre [pətinɛgʀ] (*péj*) *nm*: **parler** ~-~ ≈ hablar como los indios.
petits-enfants [pətizɑ̃fɑ̃] *nmpl* nietos *mpl*.
petit-suisse [pətisɥis] (*pl* ~**s**-~**s**) *nm* petit-suisse *m*.
pétoche [petɔʃ] (*fam*) *nf*: **avoir la** ~ tener canguclo.
pétri, e [petʀi] *adj*: ~ **d'orgueil** lleno(-a) de orgullo.
pétrifier [petʀifje] *vt* petrificar; (*fig*) dejar de piedra.
pétrin [petʀɛ̃] *nm* artesa; (*fig*): **être dans le** ~ estar en un apuro.
pétrir [petʀiʀ] *vt* (*argile, cire*) moldear; (*pâte*) amasar; (*palper fortement*) manosear.
pétrochimie [petʀoʃimi] *nf* petroquímica.
pétrochimique [petʀoʃimik] *adj* petroquímico(-a).
pétrochimiste [petʀoʃimist] *nmlf* petroquímico(-a).
pétrodollar [petʀodɔlaʀ] *nm* petrodólar *m*.
pétrole [petʀɔl] *nm* petróleo; **lampe à** ~ lámpara de petróleo; ▸ **pétrole lampant** petróleo lampante.
pétrolier, -ière [petʀɔlje, jɛʀ] *adj* petrolero(-a) ♦ *nm* petrolero; (*technicien*) técnico de petróleo.
pétrolifère [petʀɔlifɛʀ] *adj* petrolífero(-a).
P et T [peete] *sigle fpl* = *postes et télécommunications*.
pétulant, e [petylɑ̃, ɑ̃t] *adj* impetuoso(-a).
pétunia [petynja] *nm* petunia.

====================== *MOT-CLÉ*

peu [pø] *adv* **1** poco; **il boit peu** bebe poco; **il est peu bavard** es poco hablador; **elle est un peu grande** es un poco grande; **peu avant/après** poco antes/después; **depuis peu** desde hace poco
2 (*modifiant nom*): **peu de** poco(-a), pocos(-as); (*quantité*): **il a peu d'espoir** tiene pocas esperanzas; **il y a peu d'arbres** hay pocos árboles; **avoir peu de pain** tener poco pan; **pour peu de temps** por poco tiempo; **c'est (si) peu de chose** eso es (muy) poca cosa
3: **peu à peu** poco a poco; **à peu près** *adv* más o menos; **à peu près 10 kg/10F** unos 10 kg/10 francos, como 10 kg/10 francos (*AM*); **à peu de frais** con poco gasto
♦ *nm* **1**: **le peu de gens qui** los pocos que; **le peu de sable qui la** poca arena que; **le peu de courage qui nous restait** el poco valor que nos quedaba
2: **un peu** un poco; **un petit peu** un poquito; **un peu d'espoir** cierta esperanza; **essayez un peu!** ¡mire a ver!; **un peu plus/moins de** un poco más/menos de; **un peu plus et il ratait son train** un

poco más y pierde el tren; **pour peu qu'il travaille, il réussira** a poco que trabaje, aprobará
♦ *pron*: **peu le savent** pocos lo saben; **avant ou sous peu** dentro de poco; **de peu**: **il a gagné de peu** ganó por poco; **il s'en est fallu de peu (qu'il ne le blesse)** faltó muy poco (para que lo hiriese); **éviter qch de peu** evitar algo por poco; **il est de peu mon cadet** es un poco más pequeño que yo.
_____

peuplade [pœplad] *nf* comunidad *f*.
peuple [pœpl] *nm* pueblo; (*péf*): **le** ~ el pueblo; (*masse indifférenciée*): **un** ~ **de vacanciers** una masa de veraneantes; **il y a du** ~ hay un gentío.
peuplé, e [pœple] *adj* poblado(-a); **très/peu** ~ muy/poco poblado(-a).
peupler [pœple] *vt* poblar; **se peupler** *vpr* (*aussi fig*) poblarse.
peuplier [pœplije] *nm* álamo.
peur [pœʀ] *nf* miedo; **avoir** ~ **(de qn/qch/de faire qch)** tener miedo (de *ou* a algn/ algo/de hacer algo); **avoir** ~ **que** temer que; **prendre** ~ asustarse; **la** ~ **de qn/ qch/faire qch** el temor de algn/algo/hacer algo; **faire** ~ **à qn** asustar a algn; **de** ~ **de/que** por miedo a/a que.
peureux, -euse [pœʀø, øz] *adj* (*personne*) miedoso(-a); (*regard*) atemorizado(-a).
peut [pø] *vb voir* **pouvoir**.
peut-être [pøtɛtʀ] *adv* quizá(s), a lo mejor; ~-~ **bien (qu'il fera/est)** puede (que haga/sea); ~-~ **que** quizá(s), a lo mejor; ~-~ **fera-t-il beau dimanche** quizás haga bueno el domingo, a lo mejor hace bueno el domingo.
peuvent [pœv] *vb voir* **pouvoir**.
peux *etc* [pø] *vb voir* **pouvoir**.
p. ex. *abr* (= *par exemple*) p. ej (= *por ejemplo*).
phalange [falɑ̃ʒ] *nf* falange *f*.
phallique [falik] *adj* fálico(-a).
phallocrate [falɔkʀat] *nm* falócrata *m*.
phallocratie [falɔkʀasi] *nf* falocracia.
phallus [falys] *nm* falo.
pharaon [faʀaɔ̃] *nm* faraón *m*.
phare [faʀ] *nm* faro ♦ *adj*: **produit** ~ producto estrella; **se mettre en** ~**s**, **mettre ses** ~**s** poner la luz larga; ▸ **phares de recul** faros de marcha atrás.
pharmaceutique [faʀmasøtik] *adj* farmacéutico(-a).
pharmacie [faʀmasi] *nf* farmacia; (*produits, armoire*) botiquín *m*.
pharmacien, ne [faʀmasjɛ̃, jɛn] *nmlf* farmacéutico(-a).
pharmacologie [faʀmakɔlɔʒi] *nf* farmacología.

pharyngite [faʀɛʒit] *nf* faringitis *f inv.*
pharynx [faʀɛ̃ks] *nm* faringe *f.*
phase [faz] *nf* fase *f.*
phénoménal, e, -aux [fenɔmenal, o] *adj* fenomenal.
phénomène [fenɔmɛn] *nm* fenómeno; (*personne*) bicho raro; (*monstre*) monstruo.
philanthrope [filɑ̃tʀɔp] *nm/f* filántropo.
philanthropie [filɑ̃tʀɔpi] *nf* filantropía.
philanthropique [filɑ̃tʀɔpik] *adj* filantrópico(-a).
philatélie [filateli] *nf* filatelia.
philatélique [filatelik] *adj* filatélico(-a).
philatéliste [filatelist] *nm/f* filatelista *m/f.*
philharmonique [filaʀmɔnik] *adj* filarmónico(-a).
philippin, e [filipɛ̃, in] *adj* filipino(-a) ♦ *nm/f*: **P~**, **e** filipino(-a).
Philippines [filipin] *nfpl*: **les ~** las Filipinas.
philistin [filistɛ̃] *nm* filisteo(-a).
philo [filo] (*fam*) *nf* (*abr de philosophie*) filosofía.
philosophe [filɔzɔf] *adj*, *nm/f* filósofo(-a).
philosopher [filɔzɔfe] *vi* filosofar.
philosophie [filɔzɔfi] *nf* filosofía.
philosophique [filɔzɔfik] *adj* filosófico(-a).
philosophiquement [filɔzɔfikmɑ̃] *adv* con filosofía.
philtre [filtʀ] *nm* filtro.
phlébite [flebit] *nf* flebitis *f inv.*
phlébologue [flebɔlɔg] *nm/f* especialista *m/f* en flebología.
phobie [fɔbi] *nf* fobia.
phonétique [fɔnetik] *adj* fonético(-a) ♦ *nf* fonética.
phonétiquement [fɔnetikmɑ̃] *adv* fonéticamente.
phonographe [fɔnɔgʀaf] *nm* fonógrafo.
phoque [fɔk] *nm* foca; (*fourrure*) piel *f* de foca.
phosphate [fɔsfat] *nm* fosfato.
phosphaté, e [fɔsfate] *adj* fosfatado(-a).
phosphore [fɔsfɔʀ] *nm* fósforo.
phosphoré, e [fɔsfɔʀe] *adj* fosforado(-a).
phosphorescent, e [fɔsfɔʀesɑ̃, ɑ̃t] *adj* fosforescente.
phosphorique [fɔsfɔʀik] *adj*: **acide ~** ácido fosfórico.
photo [fɔto] *nf* (*abr de photographie*) foto *f* ♦ *adj* (*abr de photographique*): **appareil/pellicule ~** máquina/carrete *m* de fotos; **en ~**: **être mieux en ~** qu'au naturel salir mejor en foto que al natural; **prendre (qn) en ~** hacer una foto (a algn); **il aime la ~** le gusta la fotografía; **faire de la ~** hacer fotografía; ► **photo d'identité** foto de carnet; ► **photo en couleurs** foto en color.
photo... [fɔto] *préfixe* foto... .

photocopie [fɔtɔkɔpi] *nf* fotocopia.
photocopier [fɔtɔkɔpje] *vt* fotocopiar.
photocopieur [fɔtɔkɔpjœʀ] *nm*, **photocopieuse** [fɔtɔkɔpjøz] *nf* fotocopiadora.
photo-électrique [fɔtɔelɛktʀik] *adj* foto-eléctrico(-a).
photo-finish [fɔtofiniʃ] (*pl* **~s-~**) *nf* (*appareil*) cámara de foto-finish; (*photo*) foto-finish *f.*
photogénique [fɔtɔʒenik] *adj* fotogénico(-a).
photographe [fɔtɔgʀaf] *nm/f* fotógrafo(-a).
photographie [fɔtɔgʀafi] *nf* fotografía.
photographier [fɔtɔgʀafje] *vt* fotografiar.
photographique [fɔtɔgʀafik] *adj* fotográfico(-a).
photogravure [fɔtɔgʀavyʀ] *nf* fotograbado.
photomaton ® [fɔtɔmatɔ̃] *nm* fotomatón *m.*
photomontage [fɔtɔmɔ̃taʒ] *nm* fotomontaje *m.*
photo-robot [fɔtɔʀɔbo] (*pl* **~s-~s**) *nf* foto-robot *f.*
photosensible [fɔtosɑ̃sibl] *adj* fotosensible.
photostat [fɔtɔsta] *nm* fotostato.
phrase [fʀaz] *nf* (*LING, propos*) frase *f*; **~s** *nfpl* (*péj*) palabras *fpl.*
phraséologie [fʀazeɔlɔʒi] *nf* fraseología.
phraseur, -euse [fʀazœʀ, øz] *nm/f* palabrero(-a).
phrygien, ne [fʀiʒjɛ̃, jɛn] *adj*: **bonnet ~** gorro frigio.
phtisie [ftizi] *nf* tisis *f inv.*
phylloxéra [filɔkseʀa] *nm* filoxera.
physicien, ne [fizisjɛ̃, jɛn] *nm/f* físico(-a).
physiologie [fizjɔlɔʒi] *nf* fisiología.
physiologique [fizjɔlɔʒik] *adj* fisiológico(-a).
physiologiquement [fizjɔlɔʒikmɑ̃] *adv* fisiológicamente.
physionomie [fizjɔnɔmi] *nf* fisonomía.
physionomiste [fizjɔnɔmist] *adj* fisonomista.
physiothérapie [fizjoteʀapi] *nf* fisioterapia.
physique [fizik] *adj* físico(-a) ♦ *nm* físico ♦ *nf* física; **au ~** físicamente.
physiquement [fizikmɑ̃] *adv* físicamente.
phytothérapie [fitoteʀapi] *nf* fitoterapia.
p.i. *abr* (= *par intérim*) *voir* **intérim**.
piaffer [pjafe] *vi* (*cheval*) piafar; (*personne*) patear.
piaillement [pjajmɑ̃] *nm* piada.
piailler [pjaje] *vi* (*oiseau*) piar; (*personne*) chillar.
pianiste [pjanist] *nm/f* pianista *m/f.*
piano [pjano] *nm* piano; ► **piano à queue** piano de cola; ► **piano mécanique** organillo.
pianoter [pjanɔte] *vi* tocar el piano, te-

clear; (*tapoter*) tamborilear.

piaule [pjol] (*fam*) *nf* cuarto.

piauler [pjole] *vi* (*oiseau*) piar; (*enfant*) chillar.

PIB [peibe] *sigle m* (= *produit intérieur brut*) PIB *m*.

pic [pik] *nm* pico; (*ZOOL*) pájaro carpintero; **à ~** escarpado(-a); (*fig*): **arriver/ tomber à ~** venir/caer de perilla; **couler à ~** (*bateau*) irse a pique; **~ à glace** pico.

picard, e [pikaʀ, aʀd] *adj* picardo(-a) ♦ *nm/f*: **P~, e** picardo(-a).

Picardie [pikaʀdi] *nf* Picardía.

picaresque [pikaʀɛsk] *adj* picaresco(-a).

piccolo [pikɔlo] *nm* flautín *m*.

pichenette [piʃnɛt] *nf* papirotazo.

pichet [piʃɛ] *nm* jarro.

pickpocket [pikpɔkɛt] *nm* ratero.

pick-up [pikœp] *nm inv* (*tourne-disque*) pick-up *m*, fonocaptor *m*.

picorer [pikɔʀe] *vt* picotear.

picot [piko] *nm* rueda de espiga; **entraînement par roue à ~s** avance *m* por rueda de espigas.

picotement [pikɔtmɑ̃] *nm* picor *m*.

picoter [pikɔte] *vt* picotear ♦ *vi* picar.

pictural, e, -aux [piktyʀal, o] *adj* pictórico(-a).

pie [pi] *nf* (*ZOOL*) urraca; (*fig: femme*) cotorra ♦ *adj inv*: **cheval ~** caballo pío.

pièce [pjɛs] *nf* pieza; (*d'un logement*) habitación *f*; (*THÉÂTRE*) obra; (*de monnaie*) moneda; (*COUTURE*) parche *m*; (*document*) documento; (*de bétail*) cabeza de ganado; **mettre en ~s** hacer pedazos; **en ~s** roto(-a) en pedazos, **dix francs ~** diez francos la unidad; **vendre à la ~** vender por unidades; **travailler/payer à la ~** trabajar/cobrar a destajo; **créer/inventer de toutes ~s** crear/inventar completamente; **maillot une ~** bañador *m*; **un deux-~s** cuisine apartamento con dos habitaciones y cocina; **un trois-~s** (*costume*) un tres piezas *m inv*; (*appartement*) apartamento con tres habitaciones; **tout d'une ~** de una pieza; (*personne: franc*) cabal franco(-a); (: *sans souplesse*) rígido(-a); **~ d'identité: avez-vous une ~ d'identité?** ¿tiene usted algún documento de identidad?; ► **pièce à conviction** prueba de convicción; ► **pièce d'eau** estanque *m*; ► **pièce de rechange** pieza de recambio; ► **pièce de résistance** (*plat*) plato fuerte; ► **pièce montée** tarta nupcial; ► **pièces détachées** piezas *fpl* de repuesto; **en ~s détachées** (*à monter*) en piezas montables; ► **pièces justificatives** comprobante *msg*.

pied [pje] *nm* pie *m*; (*ZOOL, d'un meuble, d'une échelle*) pata; (*d'une falaise*) base *f*;

~s nus *ou* **nu-~s** descalzo(-a); **à ~** a pie; **à ~ sec** a pie enjuto; **à ~ d'œuvre** al pie del cañón; **au ~ de la lettre** al pie de la letra; **au ~ levé** de repente; **de ~ en cap** de los pies a la cabeza; **en ~** (*portrait, photo*) de cuerpo entero; **avoir ~** hacer pie; **avoir le ~ marin** no marearse; **perdre ~** (*fig*) perder pie; **sur ~** (*AGR*) antes de recoger; (*rétabli*) restablecido(-a); **être sur ~ dès cinq heures** estar en pie desde las cinco; **mettre sur ~** (*entreprise*) poner en pie; **mettre à ~** echar a la calle; **sur le ~ de guerre** en pie de guerra; **sur un ~ d'égalité** sobre una base de igualdad; **sur ~ d'intervention** en alerta; **faire du ~ à qn** dar con el pie a algn; **mettre les ~s quelque part** poner los pies en algún sitio; **faire des ~s et des mains** revolver Roma con Santiago; **mettre qn au ~ du mur** poner a algn entre la espada y la pared; **quel ~!** ¡fantástico!; **c'est le ~!** (*fam*) ¡es fenomenal!; **se lever du bon ~** levantarse con buen pie; **il s'est levé du ~ gauche** se ha levantado con el pie izquierdo; **~ de nez** palmo de narices; ► **pied de lit** pata de la cama; ► **pied de salade** planta de ensalada; ► **pied de vigne** cepa.

pied-à-terre [pjetatɛʀ] *nm inv* apeadero.

pied-bot [pjebo] (*pl* **~s-~s**) *nm persona con el pie deforme.*

pied-de-biche [pjedbiʃ] (*pl* **~s-~-~**) *nm* palanca; (*COUTURE*) prensatelas *m inv*.

pied-de-poule [pjedpul] *adj inv* pata de gallo.

piédestal, -aux [pjedɛstal, o] *nm* pedestal *m*.

pied-noir [pjenwaʀ] (*pl* **~s-~s**) *nm/f francés nacido en Argelia.*

piège [pjɛʒ] *nm* trampa; **prendre au ~** coger en la trampa; **tomber dans un ~** caer en la trampa.

piéger [pjeʒe] *vt* (*animal*) coger en la trampa; (*avec une bombe, mine*) colocar un explosivo en; (*fig*) hacer caer en una trampa; **lettre/voiture piégée** carta/coche *m* bomba *inv*.

pierraille [pjeʀaj] *nf* grava.

pierre [pjɛʀ] *nf* piedra; **poser la première ~** poner la primera piedra; **mur de ~s sèches** muro de piedras secas; **faire d'une ~ deux coups** matar dos pájaros de un tiro; ► **pierre à briquet** piedra de mechero; ► **pierre de taille/de touche** piedra tallada/de toque; ► **pierre fine/ ponce** piedra fina/pómez; ► **pierre tombale** lápida sepulcral.

pierreries [pjeʀʀi] *nfpl* pedrería.

pierreux, -euse [pjeʀø, øz] *adj* pedregoso(-a).

piété [pjete] *nf* piedad *f*.

piétinement – pingre

piétinement [pjetinmɑ̃] *nm* pataleo.
piétiner [pjetine] *vi* patalear; *(marquer le pas)* marcar el paso; *(fig)* estancarse, atascarse ♦ *vt (aussi fig)* pisotear.
piéton, ne [pjetɔ̃, ɔn] *nm/f* peatón *m/f* ♦ *adj* peatonal.
piétonnier, -ière [pjetɔnje, jɛʀ] *adj* peatonal.
piètre [pjɛtʀ] *adj* pobre.
pieu, x [pjø] *nm* estaca; *(fam: lit)* catre *m*.
pieusement [pjøzmɑ̃] *adv (avec piété)* con piedad; *(avec respect)* con esmero.
pieuvre [pjœvʀ] *nf* pulpo.
pieux, -euse [pjø, pjøz] *adj* piadoso(-a).
pif [pif] *(fam)* *nm* napias *fpl*; **au ~ = au pifomètre**; *voir* **pifomètre**.
piffer [pife] *(fam)* *vt*: **je ne peux pas le ~** no puedo tragarlo.
pifomètre [pifɔmɛtʀ] *(fam)* *nm* olfato; **choisir** *etc* **au ~** elegir *etc* a tontas y a locas.
pige [piʒ] *nf* sueldo pagado por líneas.
pigeon [piʒɔ̃] *nm* palomo; ▶ **pigeon voyageur** paloma mensajera.
pigeonnant, e [piʒɔnɑ̃, ɑ̃t] *adj*: **poitrine ~e** seno esbelto.
pigeonneau, x [piʒɔno] *nm* pichón *m*.
pigeonnier [piʒɔnje] *nm* palomar *m*.
piger [piʒe] *(fam)* *vt, vi* pillar.
pigiste [piʒist] *nm/f (typographe)* tipógrafo(-a) que trabaja a destajo; *(journaliste)* periodista *m/f* que trabaja por líneas.
pigment [pigmɑ̃] *nm* pigmento.
pignon [piɲɔ̃] *nm* piñón *m*; *(d'un mur)* aguilón *m*; **avoir ~ sur rue** *(fig)* estar bien establecido.
pile [pil] *nf* pila; *(pilier)* pilar *m* ♦ *adj*: **le côté ~** cruz *f* ♦ *adv (net, brusquement)* en seco; *(à temps, à point nommé)* justo a tiempo; **à deux heures ~** a las dos en punto; **jouer à ~ ou face** jugar a cara o cruz; **~ ou face?** ¿cara o cruz?
piler [pile] *vt* machacar.
pileux, -euse [pilø, øz] *adj*: **système ~** pelo.
pilier [pilje] *nm (colonne, support, RUGBY)* pilar *m*; *(personne)* apoyo; ▶ **pilier de bar** asiduo de un bar.
pillage [pijaʒ] *nm* pillaje *m*, saqueo.
pillard, e [pijaʀ, aʀd] *nm/f* saqueador(a).
piller [pije] *vt* saquear.
pilleur, -euse [pijœʀ, øz] *nm/f* saqueador(a).
pilon [pilɔ̃] *nm (instrument)* maza; *(de volaille)* muslo; **mettre un livre au ~** destruir la edición de un libro.
pilonner [pilɔne] *vt* machacar a cañonazos.
pilori [pilɔʀi] *nm*: **mettre** *ou* **clouer qn au ~** poner a algn en la picota.
pilotage [pilɔtaʒ] *nm* pilotaje *m*; ▶ **pilota-**

ge automatique pilotaje automático; ▶ **pilotage sans visibilité** vuelo sin visibilidad.
pilote [pilɔt] *nm* piloto ♦ *adj*: **appartement-~** piso-piloto; ▶ **pilote d'essai/de chasse/de course/de ligne** piloto de pruebas/de caza/de carreras/civil.
piloter [pilɔte] *vt* pilotar; *(automobile)* conducir; *(fig)*: **~ qn** guiar a algn; **piloté par menu** *(INFORM)* guiado por menú.
pilotis [pilɔti] *nm* pilote *m*; **maison sur ~** casa sobre pilotes.
pilule [pilyl] *nf* píldora; **prendre la ~** tomar la píldora.
pimbêche [pɛ̃bɛʃ] *(péj)* *nf* marisabidilla.
piment [pimɑ̃] *nm* pimiento, ají *m (AM)*; *(fig)* sal y pimienta; ▶ **piment rouge** guindilla.
pimenté, e [pimɑ̃te] *adj* salpimentado(-a).
pimenter [pimɑ̃te] *vt (plat)* sazonar con guindilla; *(fig)* dar sal y pimienta a; **plat/cuisine pimenté(e)** plato/cocina salpimentado(-a).
pimpant, e [pɛ̃pɑ̃, ɑ̃t] *adj* flamante.
pin [pɛ̃] *nm* pino; ▶ **pin maritime/parasol** pino marítimo/piñonero.
pinacle [pinakl] *nm*: **porter qn au ~** *(fig)* poner a algn por las nubes.
pinard [pinaʀ] *(fam)* *nm* vino.
pince [pɛ̃s] *nf* pinza; *(outil)* pinzas *fpl*; ▶ **pince à épiler** pinza de depilar; ▶ **pince à linge** pinza de la ropa; ▶ **pince à sucre** tenacillas *fpl* para el azúcar; ▶ **pince universelle** alicates *mpl*; ▶ **pinces de cycliste** pinzas para bicicleta.
pincé, e [pɛ̃se] *adj (air)* forzado(-a); *(nez, bouche)* fino(-a).
pinceau, x [pɛ̃so] *nm* pincel *m*.
pincée [pɛ̃se] *nf*: **une ~ de sel/poivre** una pizca de sal/pimienta.
pincement [pɛ̃smɑ̃] *nm*: **avoir un ~ au cœur** tener el corazón encogido.
pince-monseigneur [pɛ̃smɔ̃sɛɲœʀ] *(pl ~s-~)* *nf* ganzúa.
pince-nez [pɛ̃sne] *nm inv* quevedos *mpl*.
pincer [pɛ̃se] *vt (personne)* pellizcar; *(MUS: cordes)* puntear; *(suj: vêtement: aussi COUTURE)* entallar; *(fam: malfaiteur)* pescar; **se ~ le doigt** pillarse el dedo; **se ~ le nez** taparse la nariz.
pince-sans-rire [pɛ̃ssɑ̃ʀiʀ] *nm/f inv* persona chistosa que conserva el semblante serio.
pincettes [pɛ̃sɛt] *nfpl (pour le feu)* tenazas *fpl*; *(instrument)* pinzas *fpl*.
pinçon [pɛ̃sɔ̃] *nm* pellizco.
pinède [pined] *nf* pinar *m*.
pingouin [pɛ̃gwɛ̃] *nm* pingüino.
ping-pong [piŋpɔ̃g] *(pl ~-~s)* *nm* ping-pong *m*.
pingre [pɛ̃gʀ] *adj* roñica.

pinson [pɛ̃sɔ̃] *nm* pinzón *m*.
pintade [pɛ̃tad] *nf* pintada.
pin up [pinœp] *nf inv* chica de calendario; *(fig)* tía buena.
pioche [pjɔʃ] *nf* pico.
piocher [pjɔʃe] *vt (terre)* cavar; *(fam)* empollar; ~ **dans** *(une réserve)* hurgar en.
piolet [pjɔlɛ] *nm* piolet *m*.
pion, ne [pjɔ̃, ɔn] *nm/f (SCOL, péj)* vigilante *m/f* ♦ *nm (ÉCHECS)* peón *m*; *(DAMES)* ficha.
pionnier [pjɔnje] *nm* pionero(-a); *(fig)* precursor *m*.
pipe [pip] *nf* pipa; **fumer la** ~ fumar en pipa; ► **pipe de bruyère** pipa (de raíz) de brezo.
pipeau, x [pipo] *nm* caramillo.
pipe-line [piplin] *(pl* ~**s**~**s)** *nm* oleoducto.
piper [pipe] *vt (dé)* hacer trampas con; *(carte)* hacer fullerías con; **sans** ~ **mot** *(fam)* sin decir ni pío; **les dés sont pipés** *(fig)* los dados están trucados.
pipette [pipɛt] *nf* pipeta.
pipi [pipi] *(fam) nm:* **faire** ~ hacer pis.
piquant, e [pikɑ̃, ɑ̃t] *adj* punzante; *(saveur)* picante; *(description, style)* penetrante; *(caustique)* mordaz ♦ *nm (épine)* espina; *(de hérisson)* púa; *(fig):* **le** ~ **lo** picante.
pique [pik] *nf* pica; *(parole blessante):* **envoyer** *ou* **lancer des** ~**s à qn** tirar *ou* lanzar indirectas a algn ♦ *nm (CARTES)* picas *fpl*, ≈ espadas *fpl*.
piqué, e [pike] *adj (COUTURE)* pespunteado(-a); *(livre, glace)* manchado(-a); *(MUS, vin)* picado(-a); *(fam: personne)* tocado(-a) ♦ *nm (TEXTILE)* piqué *m*; *(AVIAT)* picado.
pique-assiette [pikasjɛt] *(péj) nm/f inv* gorrón(-ona).
pique-fleurs [pikflœʀ] *nm inv* zócalo para sujetar flores.
pique-nique [piknik] *(pl* ~-~**s)** *nm* picnic *m*.
pique-niquer [piknike] *vi* ir de picnic.
pique-niqueur, -euse [piknikœʀ, øz] *(pl* ~-~**s, euses)** *nm/f* excursionista *m/f*.
pique-olives [pikɔliv] *nm inv* palillo.
piquer [pike] *vt* picar; *(percer)* pinchar; *(MÉD)* poner una inyección a; *(: animal blessé)* poner una inyección para matar; *(suj: vers)* apolillar; *(COUTURE)* pespuntear; *(fam: prendre)* coger; *(: voler)* birlar; *(: arrêter)* pillar; *(planter):* ~ **qch dans** clavar algo en; *(fixer):* ~ **qch à/sur** colocar algo en ♦ *vi (oiseau, avion)* bajar en picado; *(saveur)* picar; **se piquer** *vpr (avec une aiguille)* pincharse; *(se faire une piqûre)* ponerse una inyección; *(se vexer)* picarse; **se** ~ **de faire** alardear de hacer; ~ **sur** bajar en picado sobre; ~ **du nez**

caerse de narices; *(dormir)* dar una cabezada; ~ **une tête** meterse en el agua; ~ **un galop/un cent mètres** ir al galope/correr cien metros; ~ **une crise coger** una rabieta; ~ **au vif** *(fig)* herir en carne viva.
piquet [pikɛ] *nm* estaca; **mettre un élève au** ~ castigar a un alumno contra la pared; ~ **de grève** piquete *m* de huelga; ~ **d'incendie** cuerpo permanente de bomberos.
piqueté, e [pikte] *adj:* ~ **de** picado(-a) de.
piquette [pikɛt] *(fam) nf* vino peleón.
piqûre [pikyʀ] *nf (gén)* picadura; *(MÉD)* inyección *f*; *(COUTURE)* pespunte *m*; *(tache)* mancha; **faire une** ~ **à qn** poner una inyección a algn.
piranha [piʀana] *nm* piraña.
piratage [piʀataʒ] *nm* piratería.
pirate [piʀat] *nm (aussi fig)* pirata *m/f* ♦ *adj:* **émetteur** ~ emisora pirata; ► **pirate de l'air** pirata del aire.
pirater [piʀate] *vt* piratear.
piraterie [piʀatʀi] *nf* piratería.
pire [piʀ] *adj (comparatif)* peor; *(superlatif):* **le (la)** ~ el/lo (la) peor ♦ *nm:* **le** ~ **(de)** lo peor (de); **au** ~ en el peor de los casos.
pirogue [piʀɔg] *nf* piragua.
pirouette [piʀwɛt] *nf (demi-tour)* pirueta; *(DANSE)* vuelta; *(fig):* **répondre par une** ~ salirse por peteneras.
pis [pi] *nm (de vache)* ubre *f*; *(pire):* **le** ~ **lo** peor ♦ *adj, adv* peor; **on aurait pu faire** ~ podría haber sido peor; **de mal en** ~ **de** mal en peor; **qui** ~ **est** y lo que es peor; **au** ~ **aller** en el peor de los casos.
pis-aller [pizale] *nm inv* remedio para salir del paso.
piscicole [pisikɔl] *adj* piscícola.
pisciculteur [pisikyltœʀ] *nm* piscicultor(a).
pisciculture [pisikyltyʀ] *nf* piscicultura.
piscine [pisin] *nf* piscina; ► **piscine couverte/en plein air/olympique** piscina cubierta/al aire libre/olímpica.
pissenlit [pisɑ̃li] *nm* cardillo.
pisser [pise] *(fam!) vi* mear *(fam!)*.
pissotière [pisɔtjɛʀ] *(fam) nf* meadero.
pistache [pistaʃ] *nf* pistacho.
pistard [pistaʀ] *nm (CYCLISME)* corredor(a) de pista.
piste [pist] *nf* pista, rastro; *(sentier)* camino; *(d'un magnétophone)* banda; **être sur la** ~ **de qn** estar tras la pista de algn; ► **piste cavalière** camino de herradura; ► **piste cyclable** pista para ciclistas; ► **piste sonore** banda sonora.
pister [piste] *vt* seguir el rastro de.
pisteur [pistœʀ] *nm* encargado de mantener y vigilar las pistas de esquí.
pistil [pistil] *nm* pistilo.
pistolet [pistɔlɛ] *nm* pistola; ► **pistolet à**

pistolet-mitrailleur – plaider

air comprimé/à bouchon/à eau pistola de aire comprimido/con tapón/de agua.
pistolet-mitrailleur [pistɔlɛmitʀajœʀ] (*pl* ~**s**-~**s**) *nm* pistola ametralladora.
piston [pistɔ̃] *nm* (*TECH*) pistón *m*; (*fig*) enchufe *m*; (*MUS*): **cornet/trombone à** ~**s** corneta/trombón *m* de pistones.
pistonner [pistɔne] *vt* enchufar.
pitance [pitɑ̃s] (*péj*) *nf* pitanza.
piteusement [pitøzmɑ̃] *adv* cabizbajo.
piteux, -euse [pitø, øz] *adj* (*résultat*) deplorable; (*air*) lastimoso(-a); **en** ~ **état** en estado lamentable.
pitié [pitje] *nf* piedad *f*; **sans** ~ sin piedad; **faire** ~ **dar pena** *ou* **lástima; par** ~, ... por piedad, ...; **il me fait** ~ me da lástima; **avoir** ~ **de qn** (*épargner*) compadecerse de algn.
piton [pitɔ̃] *nm* (*clou*) armella; ▸ **piton rocheux** pico rocoso.
pitoyable [pitwajabl] *adj* lamentable; (*réponse, acteur*) penoso(-a).
pitoyablement [pitwajabləmɑ̃] *adv* lamentablemente.
pitre [pitʀ] *nm* (*fig*) payaso.
pitrerie [pitʀəʀi] *nf* payasada.
pittoresque [pitɔʀɛsk] *adj* pintoresco(-a).
pivert [pivɛʀ] *nm* pájaro carpintero, picamaderos *m inv*.
pivoine [pivwan] *nf* (*BOT*) peonía.
pivot [pivo] *nm* (*axe*) pivote *m*; (*fig*) eje *m*; **dent sur** ~ soporte *m* dental.
pivotant, e [pivotɑ̃, ɑ̃t] *adj* giratorio(-a).
pivoter [pivote] *vi* girar; ~ **sur ses talons** dar media vuelta.
pixel [piksɛl] *nm* píxel *m*.
pizza [pidza] *nf* pizza.
PJ [peʒi] *sigle f* (= *police judiciaire*) *voir* **police** ♦ *sigle fpl* (= *pièces jointes*) documentos adjuntos.
PL [peɛl] *sigle m* (= *poids lourd*) *voir* **poids**.
pl. *abr* = **place**.
placage [plakaʒ] *nm* chapeado.
placard [plakaʀ] *nm* (*armoire*) armario (empotrado); (*affiche*) anuncio; (*TYPO*) prueba; ▸ **placard publicitaire** anuncio publicitario.
placarder [plakaʀde] *vt* fijar; (*mur*) fijar carteles en.
place [plas] *nf* plaza; (*emplacement*) lugar *m*; (*espace libre*) sitio; (*siège*) asiento; (*prix: au cinéma etc*) entrada; (: *dans un bus*) billete *m*; (*situation: d'une personne*) situación *f*; (*UNIV, emploi*) puesto; **en** ~ en su sitio; **de** ~ **en** ~ de un sitio a otro; **sur** ~ en el sitio; (*sur les lieux*): **faire une enquête/se rendre sur** ~ hacer una encuesta/presentarse in situ; **faire de la** ~ hacer sitio; **faire** ~ **à qch** dar paso a algo; **prendre** ~ tomar asiento; **ça prend**

de la ~ ocupa sitio; **à votre** ~ ... en su lugar ...; **remettre qn à sa** ~ poner a algn en su sitio; **ne pas rester** *ou* **tenir en** ~ no estarse quieto(-a); **à la** ~ (*en échange*) en su lugar; **à la** ~ **de** en lugar de; **une quatre** ~**s** (*AUTO*) un cuatro plazas *m inv*; **il y a 20** ~**s assises/debout** hay 20 plazas de asiento/de pie; ▸ **place d'honneur** lugar de honor; ▸ **place forte** plaza fuerte; ▸ **places arrière/avant** asientos *mpl* traseros/delanteros.
placé, e [plase] *adj* (*HIPPISME*) clasificado(-a); **haut** ~ (*fig*) bien situado(-a); **être bien/mal** ~ (*objet*) estar bien/mal colocado(-a); (*spectateur*) estar bien/mal situado(-a); (*concurrent*) tener buena/mala posición; **être bien/mal** ~ **pour** estar en una buena/mala posición para.
placebo [plasebo] *nm* placebo.
placement [plasmɑ̃] *nm* (*emploi*) colocación *f*; (*FIN*) inversión *f*; **agence/bureau de** ~ oficina de empleo.
placenta [plasɛ̃ta] *nm* placenta.
placer [plase] *vt* (*convive, spectateur*) acomodar; (*chose*) colocar; (*élève, employé*) dar empleo a; (*marchandises, valeurs*) vender; (*capital*) invertir; (*événement, pays*) situar; **se placer** *vpr* (*COURSES*) clasificarse; **se** ~ **au premier rang/devant qch** (*chose, pays*) encontrarse en primera fila/delante de algo; ~ **qn chez qn/sous les ordres de qn** colocar a algn en casa de algn/bajo las órdenes de algn; ~ **qn dans un emploi de** colocar a algn de.
placide [plasid] *adj* plácido(-a).
placidement [plasidmɑ̃] *adv* plácidamente.
placidité [plasidite] *nf* placidez *f*.
placier, -ière [plasje, jɛʀ] *nm/f* corredor(a), agente *m/f*.
plafond [plafɔ̃] *nm* techo; (*AVIAT*) altura máxima; (*fig*) tope *m*.
plafonner [plafɔne] *vi* (*salaire*) llegar a un máximo; (*AVIAT*) volar a la altura máxima ♦ *vt* (*pièce*) techar.
plafonnier [plafɔnje] *nm* plafón *m*; (*AUTO*) luz *f* interna.
plage [plaʒ] *nf* playa; (*station*) balneario; (*de disque*) banda sonora; (*fig*): ~ **horaire/musicale/de prix** banda horaria/musical/de precios; ▸ **plage arrière** (*AUTO*) maletero.
plagiaire [plaʒjɛʀ] *nm/f* plagiario(-a).
plagiat [plaʒja] *nm* plagio.
plagier [plaʒje] *vt* plagiar.
plagiste [plaʒist] *nm* veraneante *m/f*.
plaid [plɛd] *nm* manta de viaje.
plaidant, e [plɛdɑ̃, ɑ̃t] *adj* litigante.
plaider [plede] *vi* (*avocat*) pleitear; (*plaignant*) litigar ♦ *vt* (*cause*) defender; ~

l'irresponsabilité/la légitime défense alegar irresponsabilidad/legítima defensa; ~ coupable/non coupable declararse culpable/inocente; ~ pour ou en faveur de qn (fig) declarar a favor de algn.

plaideur, -euse [plɛdœʀ, øz] nm/f litigante m/f.

plaidoirie [plɛdwaʀi] nf pleito.

plaidoyer [plɛdwaje] nm (JUR, fig) alegato.

plaie [plɛ] nf herida.

plaignant, e [plɛɲɑ̃, ɑ̃t] vb voir **plaindre ♦** adj, nm/f demandante m/f.

plaindre [plɛ̃dʀ] vt compadecer; **se plaindre** vpr quejarse; **se ~ que** quejarse de que.

plaine [plɛn] nf llanura.

plain-pied [plɛ̃pje]: **de ~-~** adv al mismo nivel; (fig) sin dificultad; **de ~-~ avec** al mismo nivel que.

plaint, e [plɛ̃, ɛ̃t] pp de **plaindre**.

plainte [plɛ̃t] nf queja; (gémissement) lamento; (JUR): **porter ~** poner una denuncia.

plaintif, -ive [plɛ̃tif, iv] adj quejumbroso(-a).

plaire [plɛʀ] vi gustar; **se plaire** vpr (quelque part) estar a gusto; **~ à**: **cela me plaît** eso me gusta; **essayer de ~ à qn** tratar de agradar a algn; **se ~ à** complacerse en; **elle plaît aux hommes** gusta a los hombres; **ce qu'il vous plaira** lo que usted quiera; **s'il vous plaît** por favor.

plaisamment [plɛzamɑ̃] adv agradablemente.

plaisance [plɛzɑ̃s] nf (aussi: **navigation de ~**) navegación f de recreo.

plaisancier, -ière [plɛzɑ̃sje, jɛʀ] nm/f aficionado(-a) (a la navegación).

plaisant, e [plɛzɑ̃, ɑ̃t] adj agradable; (personne) grato(-a); (histoire, anecdote) divertido(-a).

plaisanter [plɛzɑ̃te] vi bromear **♦** vt (personne) gastar una broma a; **pour ~ en** broma; **on ne plaisante pas avec cela** con eso no se bromea; **tu plaisantes!** ¡no hablas en serio!

plaisanterie [plɛzɑ̃tʀi] nf broma.

plaisantin [plɛzɑ̃tɛ̃] nm bromista m/f; (fumiste) guasón m.

plaise etc [plɛz] vb voir **plaire**.

plaisir [pleziʀ] nm: **le ~** el placer; **~s** nmpl: **chaque âge a ses ~s** cada edad tiene su encanto; **boire/manger avec ~** beber/comer con ganas; **faire ~ à qn** complacer a algn; (suj: cadeau, nouvelle) agradar a algn; **prendre ~ à qch/à faire qch** complacerse en algo/en hacer algo; **j'ai le ~ de ...** tengo el gusto de ...; **M et Mme X ont le ~ de vous faire part de ...** el señor y la señora X se complacen en

hacerles partícipes de ...; **se faire un ~ de faire qch** tener mucho gusto en hacer algo; **faites-moi le ~ de ...** hágame usted el favor de ...; **à ~** a placer; (sans raison) sin motivo; **au ~ (de vous revoir)** hasta que nos veamos; **pour le** ou **par** ou **pour son ~** por gusto.

plaît [plɛ] vb voir **plaire**.

plan, e [plɑ̃, an] adj plano(-a) **♦** nm plano; (projet, ÉCON) plan m; **au premier/second ~** en primer/segundo plano; **sur tous les ~s** (aspect) en todos los aspectos; **à l'arrière ~** en segundo plano; **laisser/rester en ~** dejar/quedar en suspenso; **sur le même ~** al mismo nivel; **de premier/ second ~** (personnage) de primera/ segunda plana; **sur le ~ sexuel** en el terreno de la sexualidad; **▶ plan d'action** plan de acción; **▶ plan d'eau** estanque m; **▶ plan de cuisson** rejilla de cocina; **▶ plan de sustentation** plano de sustentación; **▶ plan de travail** (dans une cuisine) encimera; **▶ plan de vol** plan de vuelo; **▶ plan directeur** (MIL) plano de campaña; (ÉCON) plan rector.

planche [plɑ̃ʃ] nf tabla; (de dessins) lámina; (de salades etc) hilera; (d'un plongeoir) tablón m; **~s** nfpl: **les ~s** (THÉÂTRE) las tablas; **en ~s** de tablas; **faire la ~** (dans l'eau) hacer el muerto; **avoir du pain sur la ~** tener tela que cortar; **▶ planche à découper** tabla de cortar; **▶ planche à dessin** tablero de dibujo; **▶ planche à pain** tabla; **▶ planche à repasser** tabla de planchar; **▶ planche (à roulettes)** monopatín m; **▶ planche à voile** (objet) tabla de windsurfing; (SPORT) windsurfing m; **▶ planche de salut** (fig) tabla de salvación.

plancher [plɑ̃ʃe] nm suelo; (d'une maison) piso; (fig): **~ des salaires/cotisations** nivel m mínimo salarial/de las cotizaciones **♦** vi trabajar duro.

planchiste [plɑ̃ʃist] nm/f windsurfista m/f.

plancton [plɑ̃ktɔ̃] nm plancton m.

planer [plane] vi (oiseau) cernerse; (avion) planear; (odeur etc) flotar; (fam: être euphorique) estar ciego(-a); **~ sur** cernerse sobre.

planétaire [planetɛʀ] adj planetario(-a).

planétarium [planetaʀjɔm] nm planetarium m.

planète [planɛt] nf planeta m.

planeur [planœʀ] nm planeador m.

planification [planifikasjɔ̃] nf planificación f.

planifier [planifje] vt planificar.

planisphère [planisfɛʀ] nm planisferio.

planning [planiŋ] nm programación f; **▶ planning familial** planificación f familiar.

planque [plɑ̃k] (*fam*) *nf* (*emploi peu fatigant*) momio; (*cachette*) escondrijo.

planquer [plɑ̃ke] (*fam*) *vt* esconder; **se planquer** *vpr* esconderse.

plant [plɑ̃] *nm* planta joven.

plantaire [plɑ̃tɛR] *adj voir* **voûte**.

plantation [plɑ̃tasjɔ̃] *nf* plantación *f*.

plante [plɑ̃t] *nf* planta; (*ANAT*): ~ **du pied** planta del pie; ▶ **plante d'appartement** planta de interior; ▶ **plante verte** planta verde.

planter [plɑ̃te] *vt* plantar; (*pieu*) clavar; (*drapeau*) plantar, poner; (*tente*) montar; (*décors*) instalar; (*fam: mettre*) plantar; (: *abandonner*): ~ **là** dejar plantado(-a); **se planter** *vpr* (*fam: se tromper*) meter la pata; ~ **de/en vignes** plantar de/con viñas; **se** ~ **devant qn/qch** plantarse delante de algn/algo.

planteur [plɑ̃tœR] *nm* plantador(a).

planton [plɑ̃tɔ̃] *nm* plantón *m*.

plantureux, -euse [plɑ̃tyRø, øz] *adj* (*repas*) copioso(-a); (*femme, poitrine*) exuberante.

plaquage [plakaʒ] *nm* (*RUGBY*) placaje *m*.

plaque [plak] *nf* placa; (*d'ardoise, de verre*) hoja; ▶ **plaque chauffante** placa calientaplatos; ▶ **plaque d'identité** placa (de identidad); ▶ **plaque minéralogique/ d'immatriculation** placa mineralógica/ de matrícula; ▶ **plaque de beurre** cucharada de mantequilla; ▶ **plaque de chocolat** tableta de chocolate; ▶ **plaque de cuisson** quemador *m*; ▶ **plaque de four** placa de horno; ▶ **plaque de police** placa (de identidad); ▶ **plaque de propreté** placa protectora; ▶ **plaque sensible** (*PHOTO*) placa sensible; ▶ **plaque tournante** (*fig*) centro.

plaqué, e [plake] *nm* (*métal*): ~ **or/argent** chapado en oro/plata; (*bois*): ~ **acajou** enchapado en caoba ♦ *adj*: ~ **or/argent** chapado(-a) en oro/plata.

plaquer [plake] *vt* (*bijou*) chapar; (*bois*) enchapar; (*RUGBY*) hacer un placaje a; (*fam: laisser tomber*) dejar plantado(-a); (*aplatir*): ~ **qch sur/contre** aplastar algo sobre/contra; **se** ~ **contre** pegarse a; ~ **qn contre** sujetar a algn con fuerza contra.

plaquette [plakɛt] *nf* (*de chocolat*) tableta; (*beurre*) cucharada; (*livre*) folleto; (*de pilules*) tableta; (*INFORM*) tarjeta de circuitos impresos; ▶ **plaquette de frein** (*AUTO*) almohadilla de freno.

plasma [plasma] *nm* plasma *m*.

plastic [plastik] *nm* goma dos *f*.

plastifié, e [plastifje] *adj* plastificado(-a).

plastifier [plastifje] *vt* plastificar.

plastiquage [plastikaʒ] *nm* explosión *f* con goma dos.

plastique [plastik] *adj* plástico(-a) ♦ *nm* plástico ♦ *nf* plástica; **bouteille en** ~ botella de plástico; **chirurgie** ~ cirugía plástica.

plastiquer [plastike] *vt* volar con goma dos.

plastiqueur [plastikœR] *nm* autor *m* de una explosión con goma dos.

plastron [plastRɔ̃] *nm* pechera.

plastronner [plastRɔne] (*péj*) *vi* gallear.

plat, e [pla, at] *adj* llano(-a); (*chapeau, bateau*) chato(-a); (*ventre, poitrine*) plano(-a); (*cheveux*) lacio(-a); (*vin*) insípido(-a); (*banal*) anodino(-a) ♦ *nm* (*CULIN: mets*) plato; (: *récipient*) fuente *f*; (*partie plate*): **le** ~ **de la main** la palma de la mano; (*d'une route*): **rouler sur du** ~ conducir en lo llano; **à** ~ *adv* a lo largo ♦ *adj* (*neumático*) desinflado(-a); (*personne*) rendido(-a); **à** ~ **ventre** boca abajo; **batterie à** ~ batería descargada; **talons** ~s zapatos *mpl* planos; ▶ **plat cuisiné** plato precocinado; ▶ **plat de résistance** plato fuerte; ▶ **plat du jour** plato del día; ▶ **plats préparés** platos preparados.

platane [platan] *nm* plátano.

plateau, x [plato] *nm* bandeja; (*d'une table*) superficie *f*; (*d'une balance, de tourne-disque*) plato; (*GÉO*) meseta; (*d'un graphique*) nivel *m*; (*CINÉ, TV*) plató; ▶ **plateau à fromage** tabla de quesos.

plateau-repas [platoRəpɑ] (*pl* ~x-~) *nm* bandeja de comida (*servida en trenes y aviones*).

plate-bande [platbɑ̃d] (*pl* ~s-~s) *nf* arriate *m*.

platée [plate] *nf* fuente *f*.

plate-forme [platfɔRm] (*pl* ~s-~s) *nf* plataforma; ▶ **plate-forme de forage/ petrolière** plataforma de perforación/ petrolera.

platine [platin] *nm* platino ♦ *nf* platina ♦ *adj inv*: **cheveux/blond** ~ cabello/rubio platino *inv*; ▶ **platine cassette/laser/disque** platina de casete/de compact-disc/de tocadiscos; ▶ **platine laser** platina láser.

platitude [platityd] *nf* simpleza.

platonique [platɔnik] *adj* platónico(-a).

plâtras [platRɑ] *nm* cascote *m*.

plâtre [platR] *nm* yeso; (*MÉD, statue*) escayola; ~s *nmpl* (*revêtements*) revestimientos *mpl* de escayola; **avoir un bras dans le** ~ tener un brazo escayolado.

plâtrer [platRe] *vt* (*mur*) enyesar; (*MÉD*) escayolar.

plâtrier [platRije] *nm* yesero.

plausible [plozibl] *adj* plausible.

play-back [plɛbak] *nm inv* play-back *m*.

play-boy [plɛbɔj] (pl ~-~s) nm play-boy m.
plébiscite [plebisit] nm plebiscito.
plébisciter [plebisite] vt (approuver) dar el visto bueno a; (élire) elegir.

plein, e [plɛ̃, plɛn] adj lleno(-a); (journée) ocupado(-a); (porte, roue) macizo(-a); (joues, formes) relleno(-a); (mer) alto(-a); (chienne, jument) preñada ♦ prép: **avoir de l'argent** ~ **les poches** tener los bolsillos llenos de dinero ♦ nm: **faire le** ~ **(d'essence)** llenar el depósito (de gasolina); **faire le** ~ **de spectateurs/voix** llenar la sala/ conseguir la mayoría de los votos; **les** ~**s** (écriture) el trazo grueso; **avoir les mains** ~**es** tener las manos llenas; **à** ~**es mains** a manos llenas; **à** ~, **en** ~ **de** lleno; **à** ~ **régime** al máximo; **à** ~ **temps, à temps** ~ a tiempo completo; **en** ~ **air** al aire libre; **jeux de** ~ **air** juegos de aire libre; **en** ~ **vent/soleil** a pleno viento/sol; **en** ~**e mer** en altamar; **en** ~**e rue** en medio de la calle; **en** ~ **milieu** en medio; **en** ~ **jour/pleine nuit** en pleno día/plena noche; **en** ~**e croissance** en pleno crecimiento; **en** ~ **sur** de lleno sobre; **en avoir** ~ **le dos** (fam) estar hasta la coronilla; ▶ **pleins pouvoirs** plenos poderes mpl.
pleinement [plɛnmɑ̃] adv enteramente.
plein-emploi [plɛnɑ̃plwa] nm pleno empleo.
plénière [plenjɛR] adj f: **assemblée/réunion** ~ asamblea/reunión f plenaria.
plénipotentiaire [plenipɔtɑ̃sjɛR] nm plenipotenciario.
plénitude [plenityd] nf plenitud f.
pléthore [pletɔR] nf plétora f.
pléthorique [pletɔRik] adj (classes) repleto(-a); (documentation) abundante.
pleurer [plœRe] vt, vi llorar; ~ **sur** llorar por; ~ **de rire** llorar de risa.
pleurésie [plœRezi] nf pleuresía f.
pleureuse [plœRøz] nf plañidera f.
pleurnicher [plœRniʃe] vi lloriquear.
pleurs [plœR] nmpl: **en** ~ deshecho(-a) en lágrimas.
pleut [plø] vb voir **pleuvoir**.
pleutre [pløtR] adj cobarde.
pleuvait etc [pløvɛ] vb voir **pleuvoir**.
pleuviner [pløvine] vb impers lloviznar.
pleuvoir [pløvwaR] vb impers: **il pleut** llueve ♦ vi (fig) llover; **il pleut des cordes** ou **à verse/à torrents** llueve a cántaros/ torrencialmente.
pleuvra etc [pløvRa] vb voir **pleuvoir**.
plèvre [plɛvR] nf pleura f.
plexiglas ® [plɛksiglas] nm plexiglás msg ®.
pli [pli] nm pliegue m; (d'un drapé, rideau) doblez f; (d'une jupe) tabla; (d'un pantalon) raya; (aussi: **faux** ~) arruga; (ride)

arruga; (enveloppe) sobre m; (ADMIN) carta; (CARTES) baza; **prendre le** ~ **de faire qch** adquirir el hábito de hacer algo; **ça ne va pas faire un** ~ no cabe duda; ▶ **pli d'aisance** tabla.
pliable [plijabl] adj flexible.
pliage [plijaʒ] nm plegado; (ART) papiroflexia.
pliant, e [plijɑ̃, plijɑ̃t] adj plegable ♦ nm silla de tijera.
plier [plije] vt doblar; (tente etc) plegar; (pour ranger) recoger; (genou, bras) flexionar ♦ vi curvarse; (céder) ceder; **se plier à** vpr doblegarse a; ~ **bagage** (fig) tomar las de Villadiego.
plinthe [plɛ̃t] nf zócalo.
plissé, e [plise] adj (jupe) plisado(-a); (peau) arrugado(-a); (GÉO) plegado(-a) ♦ nm (COUTURE) plisado.
plissement [plismɑ̃] nm (GÉO) plegamiento.
plisser [plise] vt arrugar; (jupe) hacerle tablas a, plisar; **se plisser** vpr arrugarse.
pliure [plijyR] nf (du bras, genou) flexión f; (d'un ourlet) doblez f.
plomb [plɔ̃] nm plomo; (d'une cartouche) perdigón m; (sceau) precinto; (ÉLEC) fusible m; **sommeil de** ~ sueño pesado; **soleil de** ~ sol abrasador.
plombage [plɔ̃baʒ] nm empaste m.
plomber [plɔ̃be] vt (canne, ligne) poner el plomo en; (INFORM, colis etc) precintar; (TECH: mur) aplomar; (dent) empastar.
plomberie [plɔ̃bRi] nf fontanería, plomería (AM); (installation) cañería.
plombier [plɔ̃bje] nm fontanero, plomero (AM), gasfíter m (CHI), gasfitero (CHI).
plonge [plɔ̃ʒ] nf: **faire la** ~ fregar los platos.
plongeant, e [plɔ̃ʒɑ̃, ɑ̃t] adj (vue) desde arriba; (tir) oblicuo(-a); (décolleté) pronunciado(-a).
plongée [plɔ̃ʒe] nf inmersión f; (SPORT: sans bouteilles) buceo; (CINÉ, TV) plano tomado desde arriba, plano picado; ~ **(sous-marine)** submarinismo; **sous-marin en** ~ submarino sumergido.
plongeoir [plɔ̃ʒwaR] nm trampolín m.
plongeon [plɔ̃ʒɔ̃] nm zambullida; (FOOTBALL) estirada.
plonger [plɔ̃ʒe] vi (personne) zambullirse; (sous-marin) sumergirse; (oiseau, avion) lanzarse en picado; (FOOTBALL) hacer una estirada; (regard) dirigir; (personne): ~ **dans un sommeil profond** sumirse en un sueño profundo ♦ vt sumergir; (arme, racine) clavar; ~ **dans l'obscurité** sumir en la oscuridad; ~ **qn dans l'embarras/le découragement** sumir a algn en la confusión/el desánimo.

plongeur, -euse [plɔ̃ʒœʀ, øz] *nm/f* buceador(a); (*avec bouteilles*) submarinista *m/f*; (*de restaurant*): **travailler comme ~ fregar los platos.**

plot [plo] *nm* (*ÉLEC*) transmisor *m* eléctrico.

ploutocratie [plutɔkʀasi] *nf* plutocracia.

ploutocratique [plutɔkʀatik] *adj* plutocrático(-a).

ployer [plwaje] *vt*: ~ **les genoux** doblar las rodillas ♦ *vi* curvarse; ~ **sous le joug** (*fig*) ceder bajo el yugo.

plu [ply] *pp de* **plaire, pleuvoir.**

pluie [plɥi] *nf* lluvia; (*averse*) chaparrón *m*; **une ~ de** (*fig*) una lluvia de; **retomber en ~** caer en forma de lluvia de; **sous la ~** bajo la lluvia.

plumage [plymaʒ] *nm* plumaje *m*.

plume [plym] *nf* pluma; **dessin à la ~** dibujo en plumilla.

plumeau, x [plymo] *nm* plumero.

plumer [plyme] *vt* desplumar.

plumet [plymɛ] *nm* penacho.

plumier [plymje] *nm* plumero.

plupart [plypaʀ]: **la ~** *pron* la mayor parte; **la ~ du temps** la mayoría de las veces; **dans la ~ des cas** en la mayoría de los casos; **pour la ~** en su mayoría.

pluralisme [plyʀalism] *nm*: **le ~ syndical** el pluralismo sindical.

pluralité [plyʀalite] *nf* pluralidad *f*.

pluridisciplinaire [plyʀidisiplinɛʀ] *adj* pluridisciplinar.

pluriel [plyʀjɛl] *nm* plural *m*; **au ~** en plural.

═══════ *MOT-CLÉ* ═══════

plus *adv* [ply] **1** (*forme négative*): **ne ... plus** ya no; **je n'ai plus d'argent** ya no tengo dinero; **il ne travaille plus** ya no trabaja
2 [plys] (*comparatif*) más; **plus intelligent (que)** más inteligente (que); **plus d'intelligence/de possibilités (que)** más inteligencia/posibilidades (que); (*superlatif*): **le plus el más; c'est lui qui travaille le plus** es él quien más trabaja; **le plus grand** el más grande; **(tout) au plus** a lo sumo, a lo más
3 (*davantage*) más; **il travaille plus (que)** trabaja más (que); **plus il travaille, plus il est heureux** cuanto más trabaja, más feliz es; **il était plus de minuit** era más de medianoche; **plus de 3 heures/4 kilos** más de 3 horas/4 kilos; **3 heures/kilos de plus que** 3 horas/kilos más que; **il a 3 ans de plus que moi** tiene 3 años más que yo; **de plus** (*en supplément*) de más; (*en outre*) además; **de plus en plus** cada vez más; **plus de pain** más pan; **sans plus** sin más; **3 kilos en plus** 3 kilos de más; **en**

plus de cela ... además de eso ...; **d'autant plus que** tanto más cuando, más aún cuando; **qui plus est** y lo que es más; **plus ou moins** más o menos; **ni plus ni moins** ni más ni menos
♦ *prép*: **4 plus 2** 4 más 2.

plusieurs [plyzjœʀ] *dét, pron* varios(-as); **ils sont ~** son varios.

plus-que-parfait [plyskəpaʀfɛ] *nm* (*LING*) pluscuamperfecto.

plus-value [plyvaly] (*pl ~-~s*) *nf* (*ÉCON*) plusvalía; (*bénéfice*) beneficio; (*budgétaire*) excedente *m*.

plut [ply] *vb voir* **plaire; pleuvoir.**

plutonium [plytɔnjɔm] *nm* plutonio.

plutôt [plyto] *adv* más bien; **je ferais ~ ceci** haría más bien esto; **fais ~ comme ça** haz mejor así; ~ **que (de) faire qch** en lugar de hacer algo; ~ **grand/rouge** más bien grande/rojo.

pluvial, e, -aux [plyvjal, jo] *adj* pluvial.

pluvieux, -euse [plyvjø, jøz] *adj* lluvioso(-a).

pluviosité [plyvjozite] *nf* pluviosidad *f*.

PM [peɛm] *sigle f* (= *Police militaire*) ≈ PM *f* (= *Policía Militar*)

PME [peɛmə] *sigle fpl* (= *petites et moyennes entreprises*) ≈ PYME *fsg* (= *pequeña y mediana empresa*).

PMI [peɛmi] *sigle fpl* = *petites et moyennes industries* ♦ *sigle f* (= *protection maternelle et infantile*) *voir* **protection**.

PMU [peɛmy] *sigle m* (= *pari mutuel urbain*) *voir* **pari.**

PNB [peɛnbe] *sigle m* (= *produit national brut*) PNB *m* (= *producto nacional bruto*).

pneu, x [pnø] *nm* neumático, llanta (*AM*); (*message*) misiva tubular.

pneumatique [pnømatik] *nm* neumático ♦ *adj* de aire comprimido; (*canot*) hinchable.

pneumonie [pnømɔni] *nf* neumonía.

PO *sigle fpl* (= *petites ondes*) OM *f*.

po *abr voir* **science.**

poche [pɔʃ] *nf* bolsillo; (*ZOOL*) buche *m* ♦ *nm* libro de bolsillo; **de ~** de bolsillo; **en être de sa ~** pagarlo de su bolsillo; **c'est dans la ~** es cosa hecha.

poché, e [pɔʃe] *adj*: **œuf ~** huevo escalfado; **œil ~** ojo a la funerala.

pocher [pɔʃe] *vt* escalfar; (*PEINTURE*) bosquejar ♦ *vi* (*vêtement*) hacer forma.

poche-revolver [pɔʃʀəvɔlvɛʀ] (*pl ~s-~*) *nf* bolsillo de atrás.

pochette [pɔʃɛt] *nf* (*de timbres*) sobre *m*; (*d'aiguilles etc*) estuche *m*; (*sac: de femme*) bolso de mano; (: *d'homme*) bolso; (*sur veste*) pañuelo; ►**pochette d'allumettes** canterilla de cerillas; ►**pochet-**

te de disque funda de discos; ▶ **pochette surprise** sobre sorpresa.
pochoir [pɔʃwaʀ] *nm* plantilla.
podium [pɔdjɔm] *nm* podio.
poêle [pwal] *nm* estufa ♦ *nf:* ~ (à frire) sartén *f (m en AM).*
poêlon [pwalɔ̃] *nm* cazo.
poème [pɔɛm] *nm* poema *m.*
poésie [pɔezi] *nf* poesía.
poète [pɔɛt] *nm* poeta *m* ♦ *adj* poeta.
poétique [pɔetik] *adj* poético(-a).
poétiquement [pɔetikmã] *adv* poéticamente.
poétiser [pɔetize] *vt* poetizar.
pognon [pɔɲɔ̃] *(fam) nm* pasta.
poids [pwa] *nm* peso; *(pour peser)* pesa; *(SPORT)* pesas *fpl*; **vendre qch au** ~ vender algo al peso; **prendre/perdre du** ~ coger/perder peso; **faire le** ~ *(fig)* dar la talla; **argument de** ~ argumento de peso; ▶ **poids et haltères** *nmpl* pesas y halterofilia; ▶ **poids lourd** peso pesado; *(camion: aussi:* PL) camión *m* de carga pesada; ▶ **poids mort** *(TECH)* peso muerto; *(fig: péj)* lastre *m*; ▶ **poids mouche/plume/coq/moyen** *(BOXE)* peso mosca/pluma/gallo/medio; ▶ **poids utile** carga.
poignant, e [pwaɲã, ãt] *adj* conmovedor(a).
poignard [pwaɲaʀ] *nm* puñal *m.*
poignarder [pwaɲaʀde] *vt* apuñalar.
poigne [pwaɲ] *nf* fuerza; *(main, poing)* mano *f*; *(fig)* firmeza; **à** ~ con firmeza.
poignée [pwaɲe] *nf* puñado; *(de couvercle, valise)* asa; *(tiroir)* tirador *m*; *(porte)* picaporte *m*; *(de cuisine)* manopla *f*; ▶ **poignée de main** apretón *m* de manos.
poignet [pwaɲɛ] *nm* muñeca; *(d'une chemise)* puño.
poil [pwal] *nm* pelo; *(de pinceau, brosse)* cerda; **à** ~ *(fam: tout nu)* en pelota; **au** ~ *(parfait)* estupendo; **de tout** ~ de toda calaña; **être de bon/mauvais** ~ *(fam)* estar de buenas/malas; ▶ **poil à gratter** picapica.
poilu, e [pwaly] *adj* peludo(-a).
poinçon [pwɛ̃sɔ̃] *nm* punzón *m*; *(marque)* contraste *m.*
poinçonner [pwɛ̃sɔne] *vt* *(billet, ticket)* picar; *(marchandise, bijou)* contrastar.
poinçonneuse [pwɛ̃sɔnøz] *nf* perforadora.
poindre [pwɛ̃dʀ] *vi* *(fleur)* brotar; *(aube, jour)* despuntar.
poing [pwɛ̃] *nm* puño; **dormir à** ~**s fermés** dormir a pierna suelta.
point [pwɛ̃] *vb voir* **poindre** ♦ *nm* punto; *(COUTURE, TAPISSERIE)* puntada ♦ *adv voir* **pas**; **il n'est** ~ **bête** no es ningún tonto; **faire le** ~ *(NAUT)* determinar la posición; *(fig)* recapitular; **faire le** ~ **sur** analizar la

situación de; **en tout** ~ de todo punto; **sur le** ~ **de faire qch** a punto de hacer algo; **au** ~ **que** hasta el punto que; **mettre au** ~ poner a punto; *(appareil de photo)* enfocar; *(affaire)* precisar; **à** ~ *(CULIN)* en su punto; **à** ~ **nommé** en el momento oportuno; **au** ~ **de vue scientifique** desde el punto de vista científico; ▶ **point chaud** *(MIL, POL)* punto álgido; ▶ **point culminant** punto culminante; ▶ **point d'eau** punto de agua; ▶ **point d'exclamation/d'interrogation** signo de exclamación/de interrogación; ▶ **point de chaînette/de croix/de tige** punto de cadeneta/de cruz/de tallo; ▶ **point de chute** *(fig)* lugar *m* de parada; ▶ **point de côté** punzada en el costado; ▶ **point de départ/d'arrivée/d'arrêt/de chute** punto de partida/de llegada/de parada/de caída; ▶ **point de jersey** *(TRICOT)* punto liso *ou* de jersey; ▶ **point de non-retour** punto sin retorno; ▶ **point de repère** punto de referencia; ▶ **point de vente** punto de venta; ▶ **point de vue** *(paysage)* vista; *(fig)* punto de vista; ▶ **point faible** punto débil; ▶ **point final** punto final; ▶ **point mort** punto muerto; ▶ **point mousse** *(TRICOT)* punto de malla; ▶ **point noir** punto negro; ▶ **points cardinaux** puntos cardinales; ▶ **points de suspension** puntos suspensivos.
pointage [pwɛ̃taʒ] *nm* punteo; *(des ouvriers etc)* fichado.
pointe [pwɛ̃t] *nf* punta; *(d'un clocher)* remate *m*; *(fig):* **une** ~ **d'ail/d'accent** una pizca de ajo/de acento; ~**s** *nfpl (DANSE)* zapatillas *fpl* de puntas; **être à la** ~ **de qch** estar en la vanguardia de algo; **faire** *ou* **pousser une** ~ **jusqu'à** ... llegar hasta ...; **sur la** ~ **des pieds** de puntillas; **en** ~ *adv, adj* en punta; **de** ~ *(industries etc)* de vanguardia; *(vitesse)* tope; **heures/jours de** ~ horas *fpl*/días *mpl* punta; **faire du 180 en** ~ *(AUTO)* llevar une velocidad tope de 180; **faire des** ~**s** *(DANSE)* bailar de puntillas; ▶ **pointe d'asperge** punta de espárrago; ▶ **pointe de courant** sobretensión *f*; ▶ **pointe de tension** *(INFORM)* punto de tensión; ▶ **pointe de vitesse** escapada.
pointer [pwɛ̃te] *vt* puntear; *(employés, ouvriers)* fichar; *(canon, doigt)* apuntar ♦ *vi (ouvrier, employé)* fichar; *(pousses)* brotar; *(jour)* despuntar; ~ **les oreilles** aguzar las orejas.
pointeur, -euse [pwɛ̃tœʀ, øz] *nm/f (personne)* listero; *(: PÉTANQUE)* apuntador(a).
pointeuse [pwɛ̃tøz] *nf* perforadora.
pointillé [pwɛ̃tije] *nm* línea de puntos; *(ART)* punteado.

pointilleux, -euse [pwɛ̃tijø, øz] *adj* puntilloso(-a).

pointu, e [pwɛ̃ty] *adj* puntiagudo(-a); *(son, voix, fig)* agudo(-a).

pointure [pwɛ̃tyʀ] *nf* número.

point-virgule [pwɛ̃viʀgyl] *(pl* ~s-~s) *nm* punto y coma *m*.

poire [pwaʀ] *nf* pera; *(fam: péj)* memo(-a); ▸ **poire à injections** jeringa de inyecciones; ▸ **poire électrique/à lavement** pera eléctrica/de lavativa.

poireau, x [pwaʀo] *nm* puerro.

poireauter [pwaʀote] *(fam) vi* esperar.

poirier [pwaʀje] *nm* peral *m*; **faire le** ~ hacer el pino.

pois [pwa] *nm* guisante *m*; *(sur une étoffe)* lunar *m*; **à** ~ **de** lunares; ▸ **pois cassés** guisantes *mpl* secos; ▸ **pois chiche** garbanzo; ▸ **pois de senteur** guisante de olor.

poison [pwazɔ̃] *nm* veneno.

poisse [pwas] *nf* gafe *m*.

poisser [pwase] *vt* embadurnar.

poisseux, -euse [pwasø, øz] *adj* pegajoso(-a).

poisson [pwasɔ̃] *nm* pez *m*; *(CULIN)* pescado; *(ASTROL)*: **P~s** Piscis *msg*; **être (des) P~s** ser Piscis; **prendre du** ~ pescar; "~ **d'avril!**" "¡inocente!"; ▸ **poisson d'avril** inocentada; ▸ **poisson volant/rouge** pez volador/de colores.

poisson-chat [pwasɔ̃ʃa] *(pl* ~s-~s) *nm* siluro.

poissonnerie [pwasɔnʀi] *nf* pescadería.

poissonneux, -euse [pwasɔnø, øz] *adj* rico(-a) en peces.

poissonnier, -ière [pwasɔnje, jɛʀ] *nm/f* pescadero(-a) ♦ *nf* besuguera.

poisson-scie [pwasɔ̃si] *(pl* ~s-~s) *nm* pez *m* sierra.

poitevin, e [pwat(ə)vɛ̃, in] *adj (région)* del Poitou; *(ville)* de Poitiers ♦ *nm/f*: **P~, e** nativo(-a) *ou* habitante *m/f* del Poitou *ou* de Poitiers.

poitrail [pwatʀaj] *nm* pecho.

poitrine [pwatʀin] *nf* pecho.

poivre [pwavʀ] *nm* pimienta; ▸ **poivre blanc/gris** pimienta blanca/negra; ▸ **poivre de cayenne** cayena; ▸ **poivre moulu/en grains** pimienta molida/en grano; ▸ **poivre et sel** *adj inv (cheveux)* entrecano(-a); ▸ **poivre vert** pimienta verde.

poivré, e [pwavʀe] *adj* picante.

poivrer [pwavʀe] *vt* sazonar con pimienta.

poivrier [pwavʀije] *nm (BOT, ustensile)* pimentero.

poivrière [pwavʀijɛʀ] *nf (ustensile)* pimentero.

poivron [pwavʀɔ̃] *nm* pimiento morrón;

▸ **poivron rouge/vert** pimiento rojo/verde.

poix [pwa] *nf* pez *f*.

poker [pɔkɛʀ] *nm*: **le** ~ el póker; **partie de** ~ *(fig)* partida de póker; ▸ **poker d'as** póker de dados.

polaire [pɔlɛʀ] *adj* polar.

polarisation [pɔlaʀizasjɔ̃] *nf* polarización *f*.

polariser [pɔlaʀize] *vt* polarizar; **être polarisé sur** *(personne)* estar volcado en, estar absorbido por.

pôle [pol] *nm (GÉO, ÉLEC)* polo; *(chose en opposition)* polo opuesto; ▸ **pôle d'attraction** polo de atracción; ▸ **pôle de développement** *(ÉCON)* polo de desarrollo; ▸ **le pôle Nord/Sud** el polo Norte/Sur.

polémique [pɔlemik] *adj* polémico(-a) ♦ *nf* polémica.

polémiquer [pɔlemike] *vi* polemizar.

polémiste [pɔlemist] *nm/f* polemista *m/f*.

poli, e [pɔli] *adj (personne)* educado(-a), elegante; *(surface)* liso(-a).

police [pɔlis] *nf*: **la** ~ la policía; *(discipline)*: **assurer la** ~ **de** *ou* **dans** mantener el orden en; *(ASSURANCE)*: ~ **d'assurance** póliza de seguros; **être dans la** ~ estar en la policía; **peine de simple** ~ pena leve; ▸ **police de caractère** *(TYPO, INFORM)* tipo de letra; ▸ **police des mœurs** policía encargada del control de la prostitución; ▸ **police judiciaire** policía judicial; ▸ **police secours** servicio urgente de policía; ▸ **police secrète** policía secreta.

polichinelle [pɔliʃinɛl] *nm* polichinela *m*; **secret de** ~ secreto a voces.

policier, -ière [pɔlisje, jɛʀ] *adj* policial, policiaco(-a) ♦ *nm* policía *m/f*, agente *m* *(AM)*; *(aussi:* **roman** ~) novela policiaca.

policlinique [pɔliklinik] *nf* policlínica.

poliment [pɔlimã] *adv* cortésmente.

polio(myélite) [pɔljo(mjelit)] *nf* poliomielitis *f inv*.

poliomyélitique [pɔljomjelitik] *nm/f* poliomielítico(-a).

polir [pɔliʀ] *vt* pulir.

polisson, ne [pɔlisɔ̃, ɔn] *adj (enfant)* pillo(-a); *(allusion, chanson)* pícaro(-a), atrevido(-a).

politesse [pɔlitɛs] *nf* cortesía; *(civilité)*: **la** ~ la urbanidad; ~**s** *nfpl (actes)* cumplidos *mpl*; **devoir/rendre une** ~ **à qn** deber/devolver un cumplido a algn.

politicard [pɔlitikaʀ] *(péj) nm* politicastro.

politicien, ne [pɔlitisjɛ̃, jɛn] *nm/f* político(-a); *(péj)* politicastro(-a) ♦ *adj* político(-a).

politique [pɔlitik] *adj, nm/f* político(-a) ♦ *nf* política; ▸ **politique étrangère/inté-**

rieure política exterior/interior.
politique-fiction [pɔlitikfiksjɔ̃] (*pl* ~s-~s) *nf* ficción *f* política.
politiquement [pɔlitikmã] *adv* políticamente; (*avec habilité*) diplomáticamente.
politisation [pɔlitizasjɔ̃] *nf* politización *f*.
politiser [pɔlitize] *vt* politizar; ~ **qn** politizar a algn.
pollen [pɔlεn] *nm* polen *m*.
polluant, e [pɔlɥã, ãt] *adj* contaminante; **produit** ~ producto contaminante.
polluer [pɔlɥe] *vt* contaminar; **air pollué/ eaux polluées** aire *m* contaminado/aguas *fpl* contaminadas.
pollueur, -euse [pɔlɥœR, øz] *nm/f* contaminador(a).
pollution [pɔlɥsjɔ̃] *nf* polución *f*.
polo [pɔlo] *nm* polo.
Pologne [pɔlɔɲ] *nf* Polonia.
polonais, e [pɔlɔnε, εz] *adj* polaco(-a) ♦ *nm* (*LING*) polaco ♦ *nm/f*: **P~, e** polaco(-a).
poltron, ne [pɔltRɔ̃, ɔn] *adj* cobarde.
poly- [pɔli] *préf* poli-.
polyamide [pɔliamid] *nf* poliamida.
polyarthrite [pɔliaRtRit] *nf* poliartritis *f inv*.
polychrome [pɔlikRom] *adj* polícromo(-a).
polyclinique [pɔliklinik] *nf* = **policlinique**.
polycopie [pɔlikɔpi] *nf* multicopista.
polycopié, e [pɔlikɔpje] *adj* multicopiado(-a) ♦ *nm* copia (sacada por multicopia).
polycopier [pɔlikɔpje] *vt* multicopiar.
polyculture [pɔlikyltyR] *nf* policultivo.
polyester [pɔliεstεR] *nm* poliéster *m*.
polyéthylène [pɔlietilεn] *nm* polietileno.
polygame [pɔligam] *adj* polígamo(-a).
polygamie [pɔligami] *nf* poligamia.
polyglotte [pɔliglɔt] *adj* polígloto(-a).
polygone [pɔligɔn] *nm* polígono.
Polynésie [pɔlinezi] *nf* Polinesia; ► **la Polynésie française** la Polinesia francesa.
polynésien, ne [pɔlinezjɛ̃, jεn] *adj* polinesio(-a) ♦ *nm/f*: **P~, ne** polinesio(-a).
polynôme [pɔlinom] *nm* polinomio.
polype [pɔlip] *nm* pólipo.
polystyrène [pɔlistiRεn] *nm* poliestireno.
polytechnicien, ne [pɔliteknisjɛ̃, jεn] *nm/f* alumno o antiguo alumno de la Escuela Politécnica.
polyvalent, e [pɔlivalã, ãt] *adj* polivalente ♦ *nm* tasador *m* de impuestos.
poméIo [pɔmelo] *nm* pomelo.
pommade [pɔmad] *nf* pomada.
pomme [pɔm] *nf* manzana; (*boule décorative*) pomo; (*pomme de terre*): **un steak (~s) frites** un filete con patatas (fritas); **tomber dans les ~s** (*fam*) darle a algn un patatús; ► **pomme d'Adam** nuez *f* de Adán; ► **pomme d'arrosoir** alcachofa; ► **pomme de pin** piña; ► **pomme de**

terre patata, papa (*AM*); ► **pommes allumettes/vapeur** patatas paja/al vapor.
pommé, e [pɔme] *adj* repolludo(-a).
pommeau, x [pɔmo] *nm* (*boule*) pomo; (*d'une selle*) perilla.
pommelé, e [pɔm(ə)le] *adj*: **cheval** ~ caballo tordo.
pommer [pɔme] *vi* repollarse.
pommette [pɔmεt] *nf* pómulo.
pommier [pɔmje] *nm* manzano.
pompage [pɔ̃paʒ] *nm* bombeo.
pompe [pɔ̃p] *nf* (*appareil*) bomba; (*faste*) pompa; **en grande** ~ con gran pompa; ► **pompe à eau** bomba de agua; ► **pompe (à essence)** surtidor *m* (de gasolina); ► **pompe à huile** bomba de aceite; ► **pompe à incendie** bomba de incendios; ► **pompe de bicyclette** bomba de bicicleta; ► **pompes funèbres** pompas *fpl* fúnebres.
pompéien, ne [pɔ̃pejɛ̃, jεn] *adj* pompeyano(-a).
pomper [pɔ̃pe] *vt* bombear; (*aspirer*) aspirar; (*absorber*) empapar ♦ *vi* bombear.
pompeusement [pɔ̃pøzmã] *adv* pomposamente.
pompeux, -euse [pɔ̃pø, øz] (*péj*) *adj* pomposo(-a).
pompier [pɔ̃pje] *nm* bombero ♦ *adj m* (*style*) vulgar.
pompiste [pɔ̃pist] *nm/f* encargado(-a) de una gasolinera.
pompon [pɔ̃pɔ̃] *nm* borla.
pomponner [pɔ̃pɔne] *vt* engalanar; **se pomponner** *vpr* (*fam*) emperifollarse.
ponce [pɔ̃s] *nf*: **pierre** ~ piedra pómez.
poncer [pɔ̃se] *vt* alisar con piedra pómez.
ponceuse [pɔ̃søz] *nf* pulidora.
poncif [pɔ̃sif] *nm* (*banalité*) trivialidad *f*.
ponction [pɔ̃ksjɔ̃] *nf* (*d'argent*) deducción *f*; ► **ponction lombaire** (*MÉD*) punción *f* lumbar.
ponctionner [pɔ̃ksjɔne] *vt* (*MÉD*) puncionar.
ponctualité [pɔ̃ktɥalite] *nf* puntualidad *f*.
ponctuation [pɔ̃ktɥasjɔ̃] *nf* puntuación *f*.
ponctuel, le [pɔ̃ktɥεl] *adj* puntual.
ponctuellement [pɔ̃ktɥεlmã] *adv* puntualmente.
ponctuer [pɔ̃ktɥe] *vt* puntuar; (*MUS*) marcar las pausas en; ~ **une phrase de commentaires** intercalar comentarios en una frase.
pondération [pɔ̃deRasjɔ̃] *nf* ponderación *f*.
pondéré, e [pɔ̃deRe] *adj* ponderado(-a).
pondérer [pɔ̃deRe] *vt* ponderar.
pondeuse [pɔ̃døz] *nf* ponedora.
pondre [pɔ̃dR] *vt* (*œufs*) poner; (*fig: fam*) parir ♦ *vi* poner.

poney [pɔnɛ] *nm* poney *m*, poni *m*.

pongiste [pɔ̃ʒist] *nm/f* jugador(a) de ping-pong.

pont [pɔ̃] *nm* (*aussi AUTO*) puente *m*; (*NAUT*) cubierta; **faire le ~** hacer puente; **faire un ~ d'or à qn** tender un puente de plata a algn; ▶ **pont à péage** puente de peaje; ▶ **pont aérien** puente aéreo; ▶ **pont basculant** puente basculante; ▶ **pont d'envol** (*sur un porte-avions*) cubierta de despegue; ▶ **pont élévateur** puente elevador; ▶ **pont roulant** puente grúa; ▶ **pont suspendu/tournant** puente colgante/giratorio; ▶ **Ponts et Chaussées** (*UNIV*) Caminos, Canales y Puertos.

ponte [pɔ̃t] *nf* puesta ♦ *nm* (*fam*) mandamás *m/f inv*.

pontife [pɔ̃tif] *nm* pontífice *m*.

pontifiant, e [pɔ̃tifjɑ̃, jɑ̃t] *adj* sentencioso(-a).

pontifier [pɔ̃tifje] *vi* pontificar.

pont-levis [pɔ̃lvi] (*pl ~s-~*) *nm* puente *m* levadizo.

ponton [pɔ̃tɔ̃] *nm* pontón *m*.

pop [pɔp] *adj inv* pop *inv* ♦ *nf*: **la ~** la música pop.

pop-corn [pɔpkɔrn] *nm inv* palomitas *fpl* de maíz.

popeline [pɔplin] *nf* papelina.

populace [pɔpylas] (*péj*) *nf* populacho.

populaire [pɔpylɛr] *adj* popular.

populariser [pɔpylarize] *vt* popularizar.

popularité [pɔpylarite] *nf* popularidad *f*.

population [pɔpylasjɔ̃] *nf* población *f*; ▶ **population active/agricole** población activa/agrícola; ▶ **population civile** población civil; ▶ **population ouvrière** población obrera.

populeux, -euse [pɔpylø, øz] *adj* populoso(-a).

porc [pɔr] *nm* (*ZOOL*) cerdo, chancho (*AM*); (*CULIN*) carne *f* de cerdo; (*peau*) cuero de cerdo.

porcelaine [pɔrsəlɛn] *nf* porcelana.

porcelet [pɔrsəlɛ] *nm* lechón *m*, tostón *m*.

porc-épic [pɔrkepik] (*pl ~s-~s*) *nm* puerco espín.

porche [pɔrʃ] *nm* porche *m*.

porcher, -ère [pɔrʃe, ɛr] *nm/f* porquero(-a).

porcherie [pɔrʃəri] *nf* porqueriza; (*fig*) pocilga.

porcin, e [pɔrsɛ̃, in] *adj* porcino(-a).

pore [pɔr] *nm* poro.

poreux, -euse [pɔrø, øz] *adj* poroso(-a).

porno [pɔrno] *adj* (*abr de pornographique*) porno *inv* ♦ *nm* película porno.

pornographie [pɔrnɔgrafi] *nf* pornografía.

pornographique [pɔrnɔgrafik] *adj* porno-

gráfico(-a).

port [pɔr] *nm* porte *m*; (*NAUT*) puerto; **arriver à bon ~** llegar a buen puerto; **le ~ de l'uniforme est interdit dans ... está prohibido llevar el uniforme en ...; ▶ **port d'arme** (*JUR*) tenencia de armas; ▶ **port d'attache** (*NAUT*) puerto de amarre; (*fig*) refugio; ▶ **port de commerce/de pêche** puerto comercial/pesquero; ▶ **port d'escale** puerto de escala; ▶ **port de tête** porte de cabeza; ▶ **port dû/payé** (*COMM*) porte debido/pagado; ▶ **port franc** puerto franco; ▶ **port pétrolier** puerto petrolero.

portable [pɔrtabl] *adj* (*vêtement*) ponedero(-a); (*ordinateur etc*) portátil.

portail [pɔrtaj] *nm* portal *m*; (*d'une cathédrale*) pórtico.

portant, e [pɔrtɑ̃, ɑ̃t] *adj* sustentador(a); (*roues*) de apoyo; **être bien/mal ~** (*personne*) tener buena/mala salud.

portatif, -ive [pɔrtatif, iv] *adj* portátil.

porte [pɔrt] *nf* puerta; **mettre qn à la ~** poner a algn en la calle; **prendre la ~** coger la puerta; **à ma/sa ~** a la puerta de mi/su casa; **faire du ~ à ~** (*COMM*) vender de puerta en puerta, vender a domicilio; **journée ~s ouvertes** jornada de puertas abiertas; ▶ **porte (d'embarquement)** (*AVIAT*) puerta de embarque; ▶ **porte d'entrée** puerta de entrada; ▶ **porte de secours** salida de emergencia; ▶ **porte de service** puerta de servicio.

porté, e [pɔrte] *adj*: **être ~ à faire qch** estar dispuesto(-a) a hacer algo; **être ~ sur qch** darle a algo.

porte-à-faux [pɔrtafo] *nm inv*: **en ~-~-~** en falso; (*fig*) en vilo.

porte-aiguilles [pɔrtegɥij] *nm inv* alfiletero.

porte-avions [pɔrtavjɔ̃] *nm inv* portaaviones *m inv*.

porte-bagages [pɔrtbagaʒ] *nm inv* portaequipajes *m inv*.

porte-bébé [pɔrtbebe] (*pl ~-~s*) *nm* portabebés *m inv*.

porte-bonheur [pɔrtbɔnœr] *nm inv* amuleto.

porte-bouteilles [pɔrtbutɛj] *nm inv* portabotellas *m inv*; (*à casiers*) botellero.

porte-cartes [pɔrtəkart] *nm inv* (*de cartes d'identité*) cartera de bolsillo; (*de cartes géographiques*) portaplanos *m inv*.

porte-cigarettes [pɔrtsigarɛt] *nm inv* pitillera.

porte-clefs [pɔrtəkle] *nm inv* llavero.

porte-conteneurs [pɔrtəkɔ̃tnœr] *nm inv* porta-contenedores *m inv*.

porte-couteau [pɔrtkuto] (*pl ~-~x*) *nm*

salvamantel *m* para cuchillos.
porte-crayon [pɔʀtkʀɛjɔ̃] (*pl* ~-~s) *nm*
portalápiz *m*.
porte-documents [pɔʀtdɔkymɑ̃] *nm inv*
cartera de mano, portafolio(s) *m* (*AM*).
porte-drapeau [pɔʀtdʀapo] (*pl* ~-~x) *nm*
abanderado.
portée [pɔʀte] *nf* alcance *m*; (*capacités*) capacidad *f*; (*d'une chienne etc*) camada;
(*MUS*) pentagrama *m*; (*fig*) aptitud *f* intelectual; **à (la) ~ (de)** al alcance de; **hors
de ~ (de)** fuera del alcance (de); **à ~ de
la main** al alcance de la mano; **à ~ de
voix** a poca distancia; **à la ~ de toutes les
bourses** al alcance de todos los bolsillos;
ce n'est pas à sa ~ (*fig*) eso no está a su
alcance.
portefaix [pɔʀtəfɛ] *nm inv* porteador *m*.
porte-fenêtre [pɔʀtfənɛtʀ] (*pl* ~s-~s) *nf*
puerta vidriera.
portefeuille [pɔʀtəfœj] *nm* cartera; (*POL*)
cartera (ministerial); **faire un lit en ~** hacer la petaca.
porte-jarretelles [pɔʀtʒaʀtɛl] *nm inv* liguero.
porte-jupe [pɔʀtəʒyp] (*pl* ~-~s) *nm* percha
para faldas.
portemanteau, x [pɔʀt(ə)mɑ̃to] *nm* perchero.
porte-mine [pɔʀtəmin] (*pl* ~-~s) *nm* porta-
minas *m inv*.
porte-monnaie [pɔʀtmɔnɛ] *nm inv* monedero.
porte-parapluies [pɔʀtpaʀaplɥi] *nm inv* pa-
ragüero.
porte-parole [pɔʀtpaʀɔl] *nm inv* portavoz
m, vocero(-a) (*AM*).
porte-plume [pɔʀtəplym] *nm inv* portaplu-
mas *m inv*.
porter [pɔʀte] *vt* llevar; (*fig: poids d'une affaire*) soportar; (: *responsabilité*) cargar
con; (*suj: jambes*) sostener; (: *arbre*) dar,
producir ♦ *vi* llegar; (*fig*) surtir efecto; **se
porter** *vpr*: **se ~ bien/mal** encontrarse
bien/mal; (*aller*): **se ~ vers** dirigirse hacia; **se ~ garant** avalar; **~ sur** (*suj: édifice*) apoyarse sobre; (: *accent*) caer en; (:
bras, tête) dar contra; (: *conférence*) tratar de; **elle portait le nom de Rosalie** lle-
vaba el nombre de Rosalie; **~ qn au pouvoir** conducir a algn al poder; **~
secours/assistance à qn** prestar socorro/
asistencia a algn; **~ bonheur à qn** traer
buena suerte a algn; **~ son âge** representar su edad; **~ un toast** brindar; **~ de
l'argent au crédit d'un compte** ingresar dinero en una cuenta; **~ une somme sur un
registre** asentar una cantidad en un registro; **~ atteinte à (l'honneur/la réputation de qn)** atentar contra (el honor/la

reputación de algn); **se faire ~ malade**
declararse enfermo(-a); **se ~ partie civile**
constituirse parte civil; **se ~ candidat à
la députation** presentarse como candidato a la diputación; **~ un jugement sur
qn/qch** emitir un juicio sobre algn/algo;
~ un livre/récit à l'écran llevar un libro/
relato a la pantalla; **~ la main à son
chapeau/une cuillère à sa bouche** llevarse
la mano al sombrero/una cuchara a la
boca; **~ son attention/regard/effort sur**
fijar su atención/mirada/esfuerzo sobre;
~ un fait à la connaissance de qn llevar
un hecho al conocimiento de algn; **~ à
croire** llevar a pensar.
porte-savon [pɔʀtsavɔ̃] (*pl* **porte-
savon(s)**) *nm* jabonera.
porte-serviettes [pɔʀtsɛʀvjet] *nm inv* toallero.
porteur, -euse [pɔʀtœʀ, øz] *nm/f* (*de mes-
sages*) mensajero(-a); (*MÉD*) portador(a)
♦ *nm* (*de bagages*) mozo de equipaje;
(*COMM: d'un chèque*) portador *m*; (: *d'une
action*) tenedor *m* ♦ *adj*: **être ~ de** ser
portador de; **gros ~** (*avion*) avión *m* de
gran capacidad; **au ~** (*billet, chèque*) al
portador.
porte-voix [pɔʀtəvwa] *nm inv* megáfono.
portier [pɔʀtje] *nm* portero.
portière [pɔʀtjɛʀ] *nf* puerta.
portillon [pɔʀtijɔ̃] *nm* portillo.
portion [pɔʀsjɔ̃] *nf* (*part*) ración *f*; (*partie*)
parte *f*.
portique [pɔʀtik] *nm* (*GYMNASTIQUE*) barra sueca; (*ARCHIT*) pórtico; (*RAIL*) grúa
pórtico; ▶ **portique de sécurité** (*dans un
aéroport*) pórtico de seguridad; ▶ **portique électronique** pórtico electrónico.
porto [pɔʀto] *nm* oporto.
portoricain, e [pɔʀtɔʀikɛ̃, ɛn] *adj* portorri-
queño(-a) ♦ *nm/f*: **P~, e** portorriqueño(-a).
Porto Rico [pɔʀtɔʀiko] *nf* Puerto Rico.
portrait [pɔʀtʀɛ] *nm* retrato; **elle est le ~
de sa mère** (*fig*) es el vivo retrato de su
madre.
portraitiste [pɔʀtʀetist] *nm/f* retratista *m/f*.
portrait-robot [pɔʀtʀɛʀɔbo] (*pl* ~s-~s) *nm*
retrato robot.
portuaire [pɔʀtɥɛʀ] *adj* portuario(-a).
portugais, e [pɔʀtygɛ, ɛz] *adj* portu-
gués(-esa) ♦ *nm* (*LING*) portugués *m* ♦
nm/f: **P~, e** portugués(-esa).
Portugal [pɔʀtygal] *nm* Portugal *m*.
POS [peɔɛs] *sigle m* (= *plan d'occupation
des sols*) *plan de ocupación del suelo.*
pose [poz] *nf* (*de moquette*) instalación *f*;
(*de rideau, papier peint*) colocación *f*; (*position*) postura; (**temps de**) **~** (*PHOTO*)
(tiempo de) exposición *f*.
posé, e [poze] *adj* comedido(-a).

posément [pozemã] *adv* pausadamente.
posemètre [pozmɛtʀ] *nm* (*PHOTO*) fotómetro.
poser [poze] *vt* poner; (*moquette, carrelage*) instalar; (*rideaux, papier peint*) colocar; (*question*) hacer; (*principe*) establecer; (*problème*) plantear; (*personne*: *mettre en valeur*) dar notoriedad a; (*déposer*): ~ qch (sur) dejar algo (sobre) ♦ *vi* (*modèle*) posar; **se poser** *vpr* (*oiseau, avion*) posarse; (*question*) plantearse; **se** ~ **en** erigirse en; ~ **son** *ou* **un regard sur qn/qch** poner sus ojos sobre *ou* en algn/algo; ~ **sa candidature** (*à un emploi*) presentarse; (*POL*) presentar su candidatura.
poseur, -euse [pozœʀ, øz] *nm/f* (*péj*) engreído(-a); ▶ **poseur de carrelages/de parquets** instalador(a) de pavimento/de parqué.
positif, -ive [pozitif, iv] *adj* positivo(-a); (*PHILOS*) positivista.
position [pozisjɔ̃] *nf* posición *f*; (*posture*) postura; (*métier*) cargo; (*d'un compte en banque*) situación *f*; **être dans une** ~ **difficile/délicate** estar en una situación difícil/delicada; **prendre** ~ tomar posiciones.
positionner [pozisjɔne] *vt* (*compte en banque*) calcular la situación de; (*PUBLICITÉ*: *produit*) clasificar; (*TECH*: *pièce*) colocar.
positivement [pozitivmã] *adv* positivamente.
posologie [pozɔlɔʒi] *nf* posología.
possédant, e [posedã, ãt] *adj* pudiente ♦ *nm/f*: **les** ~s los pudientes.
possédé, e [posede] *nm/f* poseído(-a).
posséder [posede] *vt* poseer; (*qualité*) estar dotado(-a) de; (*métier, langue*) dominar, conocer a fondo; (*suj: jalousie, colère*) dominar; (*fam: duper*) engañar.
possesseur [posesœʀ] *nm* poseedor(a).
possessif, -ive [posesif, iv] *adj* posesivo(-a) ♦ *nm* (*LING*) posesivo.
possession [posesjɔ̃] *nf* posesión *f*; **être/entrer en** ~ **de qch** estar/entrar en posesión de algo; **en sa/ma** ~ en su/mi posesión; **prendre** ~ **de qch** tomar posesión de algo; **être en** ~ **de toutes ses facultés** tener pleno dominio de sus facultades.
possibilité [posibilite] *nf* posibilidad *f*; ~s *nfpl* (*moyens*) medios *mpl*; (*potentiel*) posibilidades *fpl*; **avoir la** ~ **de faire qch** tener la posibilidad de hacer algo.
possible [posibl] *adj* posible; (*projet*) realizable ♦ *nm*: **faire (tout) son** ~ hacer (todo) lo (que sea) posible; **il est** ~ **que** es posible que; **autant que** ~ en la medida de lo posible; **si (c'est)** ~ si es posible; **(ce n'est) pas** ~! ¡no puede ser!; **comme c'est pas** ~ a más no poder; **le**

plus/moins de livres ~ el mayor/menor número de libros posible; **le plus/moins d'eau** ~ la mayor/menor cantidad de agua posible; **aussitôt** *ou* **dès que** ~ en cuanto sea posible; **gentil au** ~ amable al máximo.
postal, e, -aux [postal, o] *adj* postal; **sac** ~ correspondencia.
postdater [postdate] *vt* fechar con adelanto.
poste [post] *nf* (*service*) correo; (*administration*) correos *mpl*; (*bureau*) oficina de correos ♦ *nm* (*MIL*) puesto; (*charge*) cargo; (*de radio, télévision*) aparato; (*TÉL*) extensión *f*; (*de budget*) partida, asiento; (*IND*): ~ **de nuit** turno de noche; ~s *nfpl*: **agent/employé des** ~s agente *m*/empleado de correos; **mettre à la** ~ echar al correo; ▶ **poste de commandement** *nm* (*MIL etc*) puesto de mando; ▶ **poste de contrôle** *nm* puesto de control; ▶ **poste de douane** *nm* puesto aduanero; ▶ **poste d'essence** *nm* punto de repuesto; ▶ **poste d'incendie** *nm* boca de incendio; ▶ **poste de péage** *nm* puesto de peaje; ▶ **poste de pilotage** *nm* puesto de pilotaje; ▶ **poste (de police)** *nm* puesto (de policía); ▶ **poste de secours** *nm* puesto de sorroco; ▶ **poste de travail** *nm* puesto de trabajo; ▶ **poste émetteur** *nm* (*RADIO*) emisora; ▶ **poste restante** *nf* lista de correos; ▶ **Postes et Télécommunications** *nm* Correos y Telecomunicaciones.
poster [*vb* poste, *n* postɛʀ] *vt* (*lettre*) echar al correo; (*personne*) apostar ♦ *nm* póster *m*; **se poster** *vpr* apostarse.
postérieur, e [posteʀjœʀ] *adj* posterior ♦ *nm* (*fam*) trasero.
postérieurement [posteʀjœʀmã] *adv* posteriormente; ~ **à** con posterioridad a.
posteriori [posteʀjɔʀi]: **a** ~ *adv* a posteriori.
postérité [posteʀite] *nf* posteridad *f*.
postface [postfas] *nf* advertencia final de un libro.
posthume [postym] *adj* póstumo(-a).
postiche [postiʃ] *adj* postizo(-a) ♦ *nm* postizo.
postier, -ière [postje, jɛʀ] *nm/f* empleado(-a) de correos.
postillon [postijɔ̃] *nm* partícula de saliva.
postillonner [postijɔne] *vi* echar saliva al hablar.
post-natal, e [postnatal] *adj* postnatal.
postopératoire [postɔpeʀatwaʀ] *adj* postoperatorio(-a).
postscolaire [postskɔlɛʀ] *adj* postescolar.
post-scriptum [postskʀiptɔm] *nm inv* post-data.

postsynchronisation [pɔstsɛ̃kʀɔnizasjɔ̃] *nf* postsincronización *f*.
postsynchroniser [pɔstsɛ̃kʀɔnize] *vt* postsincronizar.
postulant, e [pɔstylɑ̃, ɑ̃t] *nm/f (candidat)* solicitante *m/f*; *(REL)* postulante(-a).
postulat [pɔstyla] *nm* postulado.
postuler [pɔstyle] *vt* solicitar.
posture [pɔstyʀ] *nf* postura; **être en bonne/mauvaise** ~ *(fig)* estar en buena/mala situación.
pot [po] *nm (récipient)* cacharro; *(en métal)* bote *m*; *(fam: chance)*: **avoir du** ~ tener potra; **boire** *ou* **prendre un** ~ *(fam)* tomar una copa; **découvrir le** ~ **aux roses** descubrir el pastel; ▶ **pot à tabac** tabaquera; ▶ **pot d'échappement** *(AUTO)* silenciador *m*; ▶ **pot (de chambre)** orinal *m*; ▶ **pot de fleurs** tiesto, maceta.
potable [pɔtabl] *adj* potable; *(travail)* aceptable; *(fig)* pasable.
potache [pɔtaʃ] *nm* colegial *m*.
potage [pɔtaʒ] *nm* sopa.
potager, -ère [pɔtaʒe, ɛʀ] *adj* hortícola; **(jardin)** ~ huerto.
potasse [pɔtas] *nf* potasa.
potasser [pɔtase] *(fam) vt* empollar.
potassium [pɔtasjɔm] *nm* potasio.
pot-au-feu [pɔtofø] *nm inv* cocido; *(viande)* carne *f* para el cocido ♦ *adj inv (fam)* casero(-a).
pot-de-vin [podvɛ̃] *(pl* ~s-~-~) *nm* gratificación *f*.
pote [pɔt] *(fam) nm* amigo, compadre *m (AM)*, manito *(MEX)*.
poteau, x [pɔto] *nm* poste *m*; ▶ **poteau de départ/d'arrivée** línea de salida/meta; ▶ **poteau (d'exécution)** paredón *m*; ▶ **poteau indicateur** poste indicador; ▶ **poteau télégraphique** poste telegráfico; ▶ **poteaux (de but)** postes (de portería).
potée [pɔte] *nf* pote *m*.
potelé, e [pɔt(ə)le] *adj* rollizo(-a).
potence [pɔtɑ̃s] *nf* horca; **en** ~ en escuadra.
potentat [pɔtɑ̃ta] *nm* potentado.
potentiel, le [pɔtɑ̃sjɛl] *adj, nm* potencial *m*.
potentiellement [pɔtɑ̃sjɛlmɑ̃] *adv* potencialmente.
potentiomètre [pɔtɑ̃sjɔmɛtʀ] *nm (ÉLEC)* potenciómetro.
poterie [pɔtʀi] *nf (fabrication)* alfarería; *(objet)* objeto de barro, cerámica.
potiche [pɔtiʃ] *nf* jarrón *m* de porcelana.
potier [pɔtje] *nm* alfarero.
potins [pɔtɛ̃] *nmpl* chismes *mpl*.
potion [posjɔ̃] *nf* poción *f*.
potiron [pɔtiʀɔ̃] *nm* calabaza.
pot-pourri [popuʀi] *(pl* ~s-~s) *nm (MUS)* popurrí *m*.

pou, x [pu] *nm* piojo.
pouah [pwɑ] *excl* puf.
poubelle [pubɛl] *nf* cubo *ou* bote *m (AM)* de la basura.
pouce [pus] *nm* pulgar *m*; **se tourner** *ou* **se rouler les** ~s *(fig)* estar mano sobre mano; **manger sur le** ~ comer de pie y deprisa.
poudre [pudʀ] *nf* polvo; *(fard)* polvos *mpl*; *(explosif)* pólvora; **en** ~: **café/savon/lait en** ~ café *m* molido/detergente *m*/leche *f* en polvo; ▶ **poudre à canon** pólvora de cañón; ▶ **poudre à éternuer** polvos estornudatorios; ▶ **poudre à priser** polvo de rapé; ▶ **poudre à récurer** polvos de blanqueo; ▶ **poudre de riz** polvos de arroz.
poudrer [pudʀe] *vt* empolvar; **se poudrer** *vpr* empolvarse.
poudreuse [pudʀøz] *nf* nieve *f* en polvo.
poudreux, -euse [pudʀø, øz] *adj (route)* polvoriento(-a); *(neige)* en polvo.
poudrier [pudʀije] *nm* polvera.
poudrière [pudʀijɛʀ] *nf* polvorín *m*.
pouf [puf] *nm* puf *m*.
pouffer [pufe] *vi*: ~ **(de rire)** partirse de risa.
pouffiasse [pufjas] *nf (fam)* golfa.
pouilleux, -euse [pujø, øz] *adj* piojoso(-a); *(fig)* sórdido(-a).
poulailler [pulaje] *nm (aussi THÉÂTRE)* gallinero.
poulain [pulɛ̃] *nm* potro; *(fig)* pupilo.
poularde [pulaʀd] *nf* polla.
poule [pul] *nf* gallina; *(SPORT)* campeonato; *(RUGBY)* liga; *(fam: fille de mœurs légères)* golfa; *(: maîtresse)* amante *f*; ▶ **poule d'eau** polla de agua; ▶ **poule mouillée** cobarde *m/f*, gallina *m/f*; ▶ **poule pondeuse** gallina ponedora.
poulet [pulɛ] *nm* pollo; *(fam)* poli *m*.
poulette [pulɛt] *nf* polla.
pouliche [puliʃ] *nf* potranca.
poulie [puli] *nf* polea.
poulpe [pulp] *nm* pulpo.
pouls [pu] *nm* pulso; **prendre le** ~ **de qn** tomar el pulso a algn.
poumon [pumɔ̃] *nm* pulmón *m*; ▶ **poumon artificiel/d'acier** pulmón artificial/de acero.
poupe [pup] *nf (NAUT)* popa; **avoir le vent en** ~ *(fig)* ir viento en popa.
poupée [pupe] *nf* muñeca; **jouer à la** ~ jugar a las muñecas; **de** ~ *(très petit)*: **jardin/maison de** ~ jardín *m*/casa *f* de muñecas.
poupin, e [pupɛ̃, in] *adj* regordete y sonrosado(-a).
poupon [pupɔ̃] *nm* nene *m*.

pouponner [pupɔne] *vi* cuidar un bébé.
pouponnière [pupɔnjɛʀ] *nf* guardería.

═══════════════════════ MOT-CLÉ

pour [puʀ] *prép* **1** (*destination, temps*): **elle est partie pour Paris** se ha ido a París; **le train pour Séville** el tren para *ou* a Sevilla; **j'en ai pour une heure** tengo para una hora; **il faut le faire pour après les vacances** hay que hacerlo para después de vacaciones; **pour toujours** para siempre
2 (*au prix de, en échange de*) por; **il l'a acheté pour 5 F** lo compró por 5 francos; **donnez-moi pour 200 F d'essence** deme 200 francos de gasolina; **je te l'échange pour ta montre** te lo cambio por tu reloj
3 (*en vue de, intention, en faveur de*): **pour le plaisir** por gusto; **pour ton anniversaire** para tu cumpleaños; **je le fais pour toi** lo hago por ti; **pastilles pour la toux** pastillas *fpl* para la tos; **pour que** para que; **pour faire** para hacer; **pour quoi faire?** ¿para qué?; **je suis pour la démocratie** estoy por la democracia
4 (*à cause de*): **fermé pour (cause de) travaux** cerrado por obras; **c'est pour cela que je le fais** por eso lo hago; **être pour beaucoup dans qch** influir mucho en algo; **ce n'est pas pour dire, mais ...** (*fam*) no es por nada pero ...; **pour avoir fait** por haber hecho
5 (*à la place de*): **il a parlé pour moi** habló por mí
6 (*rapport, comparaison*): **mot pour mot** palabra por palabra; **ça fait un an jour pour jour** hoy hace justamente un año; **10 pour cent** diez por ciento; **pour un Français, il parle bien suédois** para ser francés, habla bien el sueco; **pour riche qu'il soit** por rico que sea
7 (*comme*): **la femme qu'il a eue pour mère** la mujer que tuvo por madre
8 (*point de vue*): **pour moi, il a tort** para mí que se equivoca; **pour ce qui est de ...** por lo que se refiere a ...; **pour autant que je sache** que yo sepa
♦ *nm*: **le pour et le contre** los pros y los contras.

pourboire [puʀbwaʀ] *nm* propina.
pourcentage [puʀsɑ̃taʒ] *nm* porcentaje *m*; **travailler au ~** trabajar al tanto por ciento.
pourchasser [puʀʃase] *vt* perseguir.
pourfendeur [puʀfɑ̃dœʀ] *nm* opositor(a).
pourfendre [puʀfɑ̃dʀ] *vt* combatir, confrontar.
pourlécher [puʀleʃe]: **se ~** *vpr* relamerse.
pourparlers [puʀpaʀle] *nmpl* negociaciones *fpl*; **être en ~ avec** estar en tratos con.

pourpre [puʀpʀ] *adj* púrpura.
pourquoi [puʀkwa] *adv, conj* por qué ♦ *nm*: **le ~ (de)** el porqué (de); **~ dis-tu cela?** ¿por qué dices eso?; **~ se taire/faire cela?** ¿por qué *ou* para qué callarse/hacer eso?; **~ ne pas faire ...?** ¿por qué no hacer ...?; **~ pas?** ¿por qué no?; **je voudrais savoir/ne comprends pas ~ ...** quisiera saber/no entiendo por qué ...; **dire/expliquer ~** decir/explicar por qué; **c'est ~ ... por eso ...** .
pourrai *etc* [puʀe] *vb voir* **pouvoir**.
pourri, e [puʀi] *adj* podrido(-a); (*roche, câble*) fragmentado(-a); (*temps, climat*) horrible; (*fig*) corrompido(-a) ♦ *nm*: **sentir le ~** oler a podrido.
pourrir [puʀiʀ] *vi* podrirse; (*cadavre*) descomponerse; (*fig: situation*) degradarse ♦ *vt* pudrir; (*fig: corrompre: personne*) corromper; (: *gâter: enfant*) echar a perder.
pourrissement [puʀismɑ̃] *nm* pudrición *f*, putrefacción *f*.
pourriture [puʀityʀ] *nf* podredumbre *f*.
pourrons *etc* [puʀɔ̃] *vb voir* **pouvoir**.
poursuis [puʀsɥi] *vb voir* **poursuivre**.
poursuite [puʀsɥit] *nf* persecución *f*; (*fig: de la fortune*) búsqueda; **~s** *nfpl* (*JUR*) diligencias *fpl*; (**course**) **~** (*CYCLISME*) persecución.
poursuivant, e [puʀsɥivɑ̃, ɑ̃t] *vb voir* **poursuivre** ♦ *nm/f* perseguidor(a); (*JUR*) demandante *m/f*.
poursuivre [puʀsɥivʀ] *vt* perseguir; (*mauvais payeur*) acosar, perseguir; (*femme*) pretender a; (*obséder*) obsesionar, perseguir; (*fortune, gloire*) perseguir, buscar; (*continuer: voyage, études*) proseguir ♦ *vi* proseguir; **se poursuivre** *vpr* seguirse; **~ qn en justice** demandar a *ou* querellarse contra algn; **~ qn au pénal/au civil** querellarse contra algn por vía penal/por vía civil.
pourtant [puʀtɑ̃] *adv* sin embargo; **et/mais ~** y/pero sin embargo; **c'est ~ facile** sin embargo es fácil.
pourtour [puʀtuʀ] *nm* (*d'un quadrilatère*) perímetro; (*d'un lieu*) contorno.
pourvoi [puʀvwa] *nm*: **~ en cassation/en révision** (*JUR*) recurso de casación/de revisión; **~ en grâce** petición *f* de indulto.
pourvoir [puʀvwaʀ] *vt* (*COMM*): **~ qn en** proveer a algn de, suministrar a algn ♦ *vi*: **~ à** ocuparse de; (*emploi*) atender a; **se pourvoir** *vpr* (*JUR*): **se ~ en cassation** *etc* interponer un recurso de casación *etc*; **~ qn de qch** (*recommandation, emploi*) proporcionar algo a algn; (*qualités*) dotar a algn de algo; **~ qch de** equipar algo con.

pourvoyeur, -euse [puʀvwajœʀ, øz] *nm/f* proveedor(a), abastecedor(a); ▸ **pourvoyeur de fonds** proveedor(a) de fondos.

pourvu, e [puʀvy] *pp de* **pourvoir** ♦ *adj*: ~ **de** provisto(-a) de; ~ **que** (*à condition que*) con tal que; **pourvu qu'il soit là!** (*espérons que*) ¡ojalá que esté!

pousse [pus] *nf* brote *m*; (*bourgeon*) botón *m*, yema; ▸ **pousses de bambou** brotes *mpl* de bambú.

poussé, e [puse] *adj* empujado(-a); (*moteur*) forzado(-a).

pousse-café [puskafe] *nm inv* licor *m*.

poussée [puse] *nf* (*pression, attaque*) empuje *m*; (*coup*) empujón *m*; (*MÉD*) acceso; (*fig: des prix*) aumento; (: *révolutionnaire*) ola; (: *d'un parti politique*) crecimiento.

pousse-pousse [puspus] *nm inv* carro de culí.

pousser [puse] *vt* empujar; (*acculer*): ~ **qn à qch/à faire qch** arrastrar *ou* empujar a algn a algo/a algn a hacer algo; (*cri*) lanzar, exhalar; (*élève*) hacer trabajar, estimular; (*études*) seguir, continuar; (*moteur, voiture*) forzar ♦ *vi* crecer; (*aller*): ~ **jusqu'à un endroit/plus loin** seguir hasta un lugar/hasta más lejos; **se pousser** *vpr* echarse a un lado; **faire** ~ (*plante*) sembrar, plantar; ~ **qn à bout** sacar a algn de sus casillas; **il a poussé la gentillesse jusqu'à ...** ha extremado su amabilidad hasta ... .

poussette [pusɛt] *nf* cochecito de niño.

poussette-canne [pusɛtkan] (*pl* ~**s**-~**s**) *nf* cochecito plegable.

poussier [pusje] *nm* carbonilla.

poussière [pusjɛʀ] *nf* (*la poussière*) polvo; (*une poussière*) mota; **et des** ~**s** (*fig*) y pico; ▸ **poussière de charbon** carbonilla.

poussiéreux, -euse [pusjeʀø, øz] *adj* sucio(-a) de polvo; (*route*) polvoriento(-a).

poussif, -ive [pusif, iv] *adj* asmático(-a); (*moteur*) que se ahoga.

poussin [pusɛ̃] *nm* pollito.

poussoir [puswaʀ] *nm* botón *m*.

poutre [putʀ] *nf* viga; ▸ **poutres apparentes** vigas *fpl* aparentes.

poutrelle [putʀɛl] *nf* vigueta.

pouvoir [puvwaʀ] *nm* (*aussi JUR*) poder *m*; (*POL: dirigeants*): **le** ~ **el poder** ♦ *vt* poder; **semi-aux, vb impers** poder ♦ *vi*: **il se peut que** puede ser que; **les** ~**s public** los poderes públicos; **je me porte on ne peut mieux** me encuentro perfectamente; **je ne peux pas le réparer** no puedo arreglarlo; **déçu de ne pas** ~ **le faire** decepcionado por no poder hacerlo; **tu ne peux pas savoir!** ¡no

puedes imaginarte!; **je n'en peux plus** no puedo más; **je ne peux pas dire le contraire** no puedo decir lo contrario; **j'ai fait tout ce que j'ai pu** hice todo lo que pude; **qu'est-ce que je pouvais bien faire?** ¿qué iba a *ou* podía hacer yo?; **tu peux le dire!** ¡ya lo creo!; **il aurait pu le dire!** ¡podría haberlo dicho!; **vous pouvez aller au cinéma** podéis ir al cine; **il a pu avoir un accident** pudo haber un accidente; **il peut arriver que ...** puede suceder que ...; **il pourrait pleuvoir** puede que llueva; ▸ **pouvoir absorbant** poder de absorción; ▸ **pouvoir calorifique** poder calorífico; ▸ **pouvoir d'achat** poder adquisitivo.

pp *abr* (= *pages*) págs, pp. (= *páginas*).

p.p. *abr* (= *par procuration*) p.p.

p.p.c.m. [pepeseɛm] *sigle m* (= *plus petit commun multiple*) m.c.m. (= *mínimo común múltiplo*).

PR *sigle m* (= *Parti républicain*) partido político ♦ *sigle f* (= *poste restante*) *voir* **poste**.

pragmatique [pʀagmatik] *adj* pragmático(-a).

pragmatisme [pʀagmatism] *nm* pragmatismo.

Prague [pʀag] *n* Praga.

prairie [pʀeʀi] *nf* pradera.

praline [pʀalin] *nf* (*bonbon*) garapiñado; (*au chocolat*) bombón *m*.

praliné, e [pʀaline] *adj* (*amande, feuilleté*) garrapiñado(-a); (*chocolat, crème*) crocanti *inv*.

praticable [pʀatikabl] *adj* (*chemin*) transitable; (*projet*) practicable, factible.

praticien, ne [pʀatisjɛ̃, jɛn] *nm/f* practicante *m/f*.

pratiquant, e [pʀatikɑ̃, ɑ̃t] *adj* practicante.

pratique [pʀatik] *nf* práctica; (*coutume*) usos *mpl*; (*conduite*) actuación *f*, prácticas *fpl* ♦ *adj* (*intelligence*) práctico(-a), positivo(-a); (*personne*) práctico(-a); (*instrument*) práctico(-a), útil; (*horaire*) adaptado(-a), adecuado(-a); **dans la** ~ en la práctica; **mettre en** ~ poner en práctica, llevar a la práctica.

pratiquement [pʀatikmɑ̃] *adv* (*dans la pratique*) de una manera práctica; (*à peu près*) prácticamente.

pratiquer [pʀatike] *vt* practicar; (*méthode, théorie*) poner en práctica; (*métier*) ejercer; (*intervention*) efectuar, realizar; (*abri*) instalar ♦ *vi* (*REL*) practicar.

pré [pʀe] *nm* prado.

préalable [pʀealabl] *adj* previo(-a) ♦ *nm* (*condition*) condición *f* previa; **condition** ~ (de) condición previa (a); **sans avis** ~ sin previo aviso; **au** ~ de antemano.

préalablement [pʀealabləmɑ̃] *adv* previamente.

Préalpes [pʀealp] *nfpl*: **les** ~ los Prealpes.
préalpin, e [pʀealpɛ̃, in] *adj* prealpino(-a).
préambule [pʀeɑ̃byl] *nm* preámbulo; *(fig)* preludio; **sans** ~ sin preámbulos.
préau, x [pʀeo] *nm (d'une cour d'école)* cobertizo; *(d'un hôpital, d'une prison)* patio; *(d'un monastère)* claustro.
préavis [pʀeavi] *nm*: ~ **(de licenciement)** notificación *f* (de despido); **communication avec** ~ *(TÉL)* llamada con aviso; ▶ **préavis de congé** aviso de desahucio.
prébende [pʀebɑ̃d] *nf* prebenda.
précaire [pʀekɛʀ] *adj* precario(-a); *(bonheur)* incierto(-a).
précaution [pʀekosjɔ̃] *nf* precaución *f*; *(prudence)* atención *f*; **avec/sans** ~ con/ sin precaución; **prendre des** ~**s/ses** ~**s** tomar precauciones/sus precauciones; **par** ~ por precaución; **pour plus de** ~ para mayor garantía; ▶ **précautions oratoires** retórica *fsg* cuidadosa.
précautionneusement [pʀekosjɔnøzmɑ̃] *adv* precavidamente, con precaución.
précautionneux, -euse [pʀekosjɔnø, øz] *adj* precavido(-a), cauto(-a).
précédemment [pʀesedamɑ̃] *adv* anteriormente.
précédent, e [pʀesedɑ̃, ɑ̃t] *adj* precedente, anterior ♦ *nm* precedente *m*; **sans** ~ sin precedentes; **le jour** ~ el día antes.
précéder [pʀesede] *vt* preceder; **elle m'a précédé de quelques minutes** llegó unos minutos antes que yo.
précepte [pʀesɛpt] *nm* precepto; *(REL)* mandamiento.
précepteur, -trice [pʀesɛptœʀ, tʀis] *nm/f* preceptor(a), maestro(-a).
préchauffer [pʀeʃofe] *vt* precalentar.
prêcher [pʀeʃe] *vt (REL)*: ~ **l'Evangile** predicar el Evangelio; *(conseiller)* aconsejar ♦ *vi* predicar; *(fig)* sermonear.
prêcheur, -euse [pʀeʃœʀ, øz] *adj* predicador(a) ♦ *nm/f (REL)* predicador(a); *(fig)* sermoneador(a).
précieusement [pʀesjøzmɑ̃] *adv (avec soin)* cuidadosamente; *(avec préciosité)* amaneradamente.
précieux, -euse [pʀesjø, jøz] *adj* precioso(-a); *(temps, qualités)* valioso(-a), importante; *(ami, conseils)* valioso(-a); *(littérature, style)* preciosista.
préciosité [pʀesjozite] *nf* preciosismo.
précipice [pʀesipis] *nm* precipicio; *(fig)* abismo, perdición *f*; **au bord du** ~ *(fig)* al borde del abismo *ou* de la perdición.
précipitamment [pʀesipitamɑ̃] *adv* precipitadamente.
précipitation [pʀesipitasjɔ̃] *nf (hâte)* precipitación *f*; *(CHIM)* precipitado; ~**s** *nfpl (MÉTÉO)*: ~**s (atmosphériques)** precipita-

ciones *fpl*.
précipité, e [pʀesipite] *adj (respiration)* jadeante; *(pas)* apresurado(-a); *(démarche, entreprise)* precipitado(-a).
précipiter [pʀesipite] *vt (faire tomber)* arrojar, tirar; *(pas)* apresurar; *(événements)* precipitar; **se précipiter** *vpr (respiration)* acelerarse; *(événements)* precipitarse; **se** ~ **sur/vers** lanzarse sobre/hacia; **se** ~ **au devant de qn** abalanzarse hacia algn.
précis, e [pʀesi, iz] *adj* conciso(-a); *(vocabulaire)* conciso(-a), preciso(-a); *(bruit, point)* preciso(-a), determinado(-a); *(dessin, esprit)* seguro(-a), preciso(-a); *(heure)* preciso(-a), exacto(-a); *(tir, mesures)* exacto(-a) ♦ *nm* compendio.
précisément [pʀesizemɑ̃] *adv (avec précision)* de manera precisa; *(dans une réponse)* exactamente; *(dans négation)* precisamente; *(justement)* justamente.
préciser [pʀesize] *vt* precisar; **se préciser** *vpr* precisarse, concretarse.
précision [pʀesizjɔ̃] *nf* precisión *f*; *(détail)* exactitud *f*; ~**s** *nfpl (plus amples détails)* precisiones *fpl*.
précoce [pʀekɔs] *adj* precoz.
précocité [pʀekɔsite] *nf* precocidad *f*.
préconçu, e [pʀekɔ̃sy] *(péj) adj* preconcebido(-a).
préconiser [pʀekɔnize] *vt* preconizar.
précuit, e [pʀekɥi, it] *adj* precocido(-a).
précurseur [pʀekyʀsœʀ] *adj m, nm* precursor(-a).
prédateur [pʀedatœʀ] *nm* depredador *m*.
prédécesseur [pʀedesesœʀ] *nm* predecesor *m*; ~**s** *nmpl (ancêtres, précurseurs)* predecesores *mpl*.
prédécoupé, e [pʀedekupe] *adj* cortado(-a) de antemano.
prédestiner [pʀedɛstine] *vt* predestinar.
prédicateur [pʀedikatœʀ] *nm* predicador *m*.
prédiction [pʀediksjɔ̃] *nf* predicción *f*.
prédilection [pʀedilɛksjɔ̃] *nf*: **avoir une** ~ **pour qn/qch** tener predilección por algn/algo; **de** ~ favorito(-a), preferido(-a).
prédire [pʀediʀ] *vt (événement improbable)* predecir, vaticinar; *(événement probable)* augurar.
prédisposer [pʀedispoze] *vt*: ~ **qn à qch/à faire qch** predisponer a algn a algo/a hacer algo.
prédisposition [pʀedispozisjɔ̃] *nf* predisposición *f*.
prédit [pʀedi] *pp de* **prédire**.
prédominance [pʀedɔminɑ̃s] *nf* predominio.
prédominant, e [pʀedɔminɑ̃, ɑ̃t] *adj* predominante.

prédominer [pʀedɔmine] vi predominar.

pré-électoral, e, -aux [pʀeelɛktɔʀal, o] adj preelectoral.

pré-emballé, e [pʀeãbale] adj preembalado(-a).

prééminence [pʀeeminãs] nf preeminencia, supremacía.

prééminent, e [pʀeeminã, ãt] adj preeminente.

préemption [pʀeãpsjɔ̃] nf: **droit de ~** (JUR) derecho preferencial de compra.

pré-encollé, e [pʀeãkɔle] adj preengomado(-a).

préétabli, e [pʀeetabli] adj preestablecido(-a).

préexistant, e [pʀeɛgzistã, ãt] adj preexistente.

préfabrication [pʀefabʀikasjɔ̃] nf prefabricación f.

préfabriqué, e [pʀefabʀike] adj prefabricado(-a); (péj: sourire) estudiado(-a), premeditado(-a) ♦ nm prefabricado.

préface [pʀefas] nf prólogo; (fig) preliminar m.

préfacer [pʀefase] vt prologar.

préfectoral, e, -aux [pʀefɛktɔʀal, o] adj gubernativo(-a); **par mesure ~e** por orden gubernativa.

préfecture [pʀefɛktyʀ] nf prefectura, ≈ gobierno civil; (ville) capital f de departamento; ▶ **préfecture de police** dirección f general de policía de París.

préférable [pʀefeʀabl] adj preferible; **il est ~ de faire qch** es preferible hacer algo; **être ~ à** ser preferible a.

préféré, e [pʀefeʀe] adj preferido(-a) ♦ nm/f favorito(-a).

préférence [pʀefeʀãs] nf preferencia; **de ~** preferentemente; **de ~ à/par ~ à** antes que/en lugar de; **avoir une ~ pour qn/qch** tener predilección por algn/algo; **n'avoir pas de ~** no tener predilección; **donner la ~ à qn** dar preferencia a algn; **par ordre de ~** por orden de preferencia; **obtenir la ~ (sur qn)** pasar delante (de algn).

préférentiel, le [pʀefeʀãsjɛl] adj preferente.

préférer [pʀefeʀe] vt: **~ qch/qn (à)** preferir algo/a algn (a); **~ faire qch** preferir hacer algo; **je préférerais du thé** preferiría té.

préfet [pʀefɛ] nm prefecto, ≈ gobernador m civil; ▶ **préfet de police** director m general de policía de París.

préfigurer [pʀefigyʀe] vt predecir, prefigurar.

préfixe [pʀefiks] nm prefijo.

préhistoire [pʀeistwaʀ] nf prehistoria.

préhistorique [pʀeistɔʀik] adj prehistórico(-a).

préjudice [pʀeʒydis] nm perjuicio; **porter ~ à qch/à qn** perjudicar algo/a algn; **au ~ de qn/de qch** en perjuicio de algn/de algo.

préjudiciable [pʀeʒydisjabl] adj: **~ à** perjudicial para.

préjugé [pʀeʒyʒe] nm prejuicio; **avoir un ~ contre qn/qch** tener prejuicios contra algn/algo; **bénéficier d'un ~ favorable** beneficiarse de un prejuicio favorable.

préjuger [pʀeʒyʒe]: **~ de** vt prejuzgar.

prélasser [pʀelɑse]: **se ~** vpr relajarse.

prélat [pʀela] nm prelado.

prélavage [pʀelavaʒ] nm prelavado.

prélèvement [pʀelɛvmã] nm extracción f, toma; **faire un ~ de sang** hacer una extracción de sangre.

prélever [pʀel(ə)ve] vt (échantillon) tomar, sacar; (organe) extraer; **~ (sur)** (retirer) sacar (de); (déduire) descontar (de), deducir (de).

préliminaire [pʀeliminɛʀ] adj preliminar; **~s** nmpl preliminares mpl.

prélude [pʀelyd] nm preludio.

préluder [pʀelyde]: **~ à** vt preludiar.

prématuré, e [pʀematyʀe] adj prematuro(-a); (retraite, nouvelle) anticipado(-a) ♦ nm/f prematuro(-a).

prématurément [pʀematyʀemã] adv prematuramente.

préméditation [pʀemeditasjɔ̃] nf: **avec ~** adj premeditado(-a) ♦ adv premeditadamente.

préméditer [pʀemedite] vt premeditar.

prémices [pʀemis] nfpl (commencement, début) primicias fpl.

premier, -ière [pʀəmje, jɛʀ] adj primero(-a); (avant un nom masculin) primer; (après le nom: cause, principe) primordial; (: objectif) principal ♦ adj m (MATH) primo ♦ nm/f primero(-a) ♦ nm (premier étage) primero ♦ nf (vitesse, classe) primera; (SCOL) sexto año de educación secundaria en el sistema francés; (THÉÂTRE, CINÉ) estreno; **au ~ abord** en un primer momento; **au ou du ~ coup** al instante; **de ~ ordre** de primer orden; **à la première occasion** en la primera ocasión; **de première qualité** de primera calidad; **de ~ choix** de primera; **de première importance** de capital importancia; **de première nécessité** de primera necesidad; **le ~ venu** el primero que venga; **jeune ~** joven m promesa; (CINÉ) galán m; **première classe** primera clase f; **le ~ de l'an** el primero de año, el día de año nuevo; **première communion** primera comunión f; **enfant du ~ lit** hijo de primer matrimonio; **en ~ lieu** en primer lugar; ▶ **premier âge** infancia, primera edad f;

▶**Premier Ministre** primer(-a) minis-
tro(-a).

premièrement [pʀəmjɛʀmɑ̃] *adv* primera-
mente; *(en premier lieu)* en primer lugar;
(introduisant une objection) primero.

premier-né, première-née [pʀəmjene,
pʀəmjɛʀne] *(pl* ~**s**-~**s)** *nm/f* primogé-
nito(-a).

prémisse [pʀemis] *nf* premisa.

prémolaire [pʀemɔlɛʀ] *nf* premolar *m*.

prémonition [pʀemɔnisjɔ̃] *nf* premonición *f*.

prémonitoire [pʀemɔnitwaʀ] *adj* premoni-
torio(-a).

prémunir [pʀemyniʀ]: **se ~** *vpr*: **se ~ contre**
qch prevenirse contra algo.

prenant, e [pʀənɑ̃, ɑ̃t] *vb voir* **prendre** ♦
adj (film, livre) cautivador(a); *(activité)*
acaparador(a).

prénatal, e [pʀenatal] *adj* prenatal.

prendre [pʀɑ̃dʀ] *vt* coger, agarrar *(AM)*;
(aller chercher) recoger; *(emporter avec*
soi) llevar; *(poisson)* pescar; *(place)* ocupar; *(CARTES)* levantar; *(ÉCHECS, aliment)*
comer; *(boisson)* beber; *(médicament, no-*
tes, mesures) tomar; *(bain, douche)* darse;
(moyen de transport, route) tomar, coger;
(essence) echar; *(commande)* tomar nota
de; *(passager, personnel, élève)* coger, tomar *(AM)*; *(exemple)* poner; *(photogra-*
phie) sacar; *(renseignements, ordres)* recibir; *(avis)* pedir; *(engagement, critique)*
aceptar; *(attitude)* adoptar; *(du poids)* ganar; *(de la valeur)* adquirir, ganar; *(va-*
cances, repos) tomar(se); *(coûter: temps)*
requerir, llevar; (: *efforts, argent)* requerir; *(prélever: pourcentage, argent, cotisa-*
tion) quedarse con; *(traiter: enfant)* tratar; (: *problème)* tratar, llevar ♦ *vi (pâte,*
peinture) espesar; *(ciment)* fraguar; *(se-*
mis, vaccin) agarrar; *(plaisanterie)* encajar; *(mensonge)* ser creído(-a); *(feu, in-*
cendie) comenzar; *(bois, allumette)* prender; **~ qn par la main** coger a algn de la
mano; **~ qn dans ses bras** abrazar a algn;
~ au piège coger *ou* pillar en la trampa;
~ la relève relevar, tomar el relevo; **~ la**
défense de qn salir en defensa de algn,
defender a algn; **~ l'air** tomar el aire; **~ son temps**
tomarse el tiempo necesario, no preci-
pitarse; **~ le deuil** ponerse de luto; **~ feu**
prender fuego; **~ l'eau** entrarle agua a;
~ de l'âge envejecer; **~ sa retraite** jubilarse; **~ la parole** tomar la palabra; **~ la**
fuite emprender la huida; **~ la porte** coger *ou* agarrar la puerta; **~ son origine**
(mot) tomar su origen; **~ sa source** *(ri-*
vière) nacer; **~ congé de qn** despedirse
de algn; **~ un virage** tomar una curva; **~**
le lit guardar cama; **~ le voile** *(REL)* to-

mar los hábitos, profesar; **~ qn comme**
ou **pour** coger *ou* tomar a algn como *ou*
de; **~ sur soi** responsabilizarse de; **~ sur**
soi de faire qch responsabilizarse de hacer algo; **~ du plaisir à qch** cogerle *ou* to-
marle gusto a algo; **~ de l'intérêt à qch**
tomar interés por algo; **~ qch au sérieux**
tomar(se) algo en serio; **~ qn en faute**
coger *ou* pillar a algn in fraganti; **~ qn**
en sympathie/horreur coger *ou* agarrar
simpatía/odio a algn; **~ qn pour qn/qch**
tomar a algn por algn/algo; **~ qch pour**
prétexte tomar algo como pretexto; **~ qn**
à témoin poner a algn por testigo; **à tout**
~ bien mirado; ~ (un) rendez-vous avec
qn concertar una entrevista con algn; **~**
à gauche coger *ou* tomar a la izquierda;
s'en ~ à emprenderla con; **se ~ pour**
creerse; **se ~ d'amitié pour qn** hacer
amistad con algn; **se ~ d'affection pour**
qn cobrar afecto a algn; **s'y ~ bien/mal**
(procéder) hacerlo bien/mal; **il faudra s'y**
~ à l'avance habrá que hacerlo con antelación; **s'y ~ à deux fois** intentarlo dos
veces; **se ~ par le cou/la taille** agarrarse
del cuello/de la cintura; **se ~ par la main**
(gén) agarrarse de la mano; *(fig)* armarse de valor; **se ~ les doigts** pillarse los
dedos.

preneur [pʀənœʀ] *nm*: **je suis ~** estoy dispuesto a comprar; **trouver ~** encontrar
comprador.

preniez *etc* [pʀənje] *vb voir* **prendre**.

prenne *etc* [pʀɛn] *vb voir* **prendre**.

prénom [pʀenɔ̃] *nm* nombre *m* (de pila).

prénommer [pʀenɔme]: **se ~** *vpr* llamarse.

prénuptial, e, -aux [pʀenypsjal, o] *adj*
prenupcial.

préoccupant, e [pʀeɔkypɑ̃, ɑ̃t] *adj* preocupante.

préoccupation [pʀeɔkypasjɔ̃] *nf* preocupación *f*.

préoccupé, e [pʀeɔkype] *adj* preocupa-
do(-a); **~ de qch** preocupado(-a) por
algo.

préoccuper [pʀeɔkype] *vt (personne)* preocupar, inquietar; **se ~ de qch/de faire**
qch preocuparse por algo/de hacer
algo.

préparateur, -trice [pʀepaʀatœʀ, tʀis] *nm/f*
auxiliar *m/f*, ayudante(-a).

préparatifs [pʀepaʀatif] *nmpl* preparativos
mpl.

préparation [pʀepaʀasjɔ̃] *nf* preparación *f*;
(CHIM) preparado.

préparatoire [pʀepaʀatwaʀ] *adj* preparato-
rio(-a).

préparer [pʀepaʀe] *vt* preparar; **se prépa-**
rer *vpr* prepararse; **~ qn à** *(nouvelle etc)*
preparar a algn para; **se ~ (à qch/à faire**

qch) prepararse (para algo/para hacer algo).

prépondérance [pʀepɔ̃deʀɑ̃s] *nf* preponderancia.

prépondérant, e [pʀepɔ̃deʀɑ̃, ɑ̃t] *adj* preponderante.

préposé, e [pʀepoze] *adj:* ~ (à qch) encargado(-a) (de algo) ♦ *nm/f* encargado(-a); *(ADMIN: facteur)* cartero *m/f*; ▶ **préposé des douanes** agente *m/f* de aduanas.

préposer [pʀepoze] *vt:* ~ qn à qch encargar a algn de algo.

préposition [pʀepozisjɔ̃] *nf* preposición *f*.

prérentrée [pʀeʀɑ̃tʀe] *nf* día en el que el profesor prepara el inicio del curso.

préretraite [pʀeʀ(ə)tʀɛt] *nf* prejubilación *f*.

prérogative [pʀeʀɔgativ] *nf* prerrogativa.

près [pʀɛ] *adv* cerca; ~ de (*lieu*) cerca de; *(la retraite)* próximo a; *(mourir)* a punto de; *(temps, quantité)* alrededor de; **de** ~ de cerca; **à 5 m/5 kg** ~ 5 m/5 kg más o menos; **à cela** ~ **que** salvo que, excepto que; **je ne suis pas** ~ **de lui pardonner/ d'oublier** estoy lejos de perdonarle/de olvidar; **on n'est pas à un jour** ~ un día más o menos da igual.

présage [pʀezaʒ] *nm* presagio; *(d'un événement)* presentimiento.

présager [pʀezaʒe] *vt* presagiar; *(annoncer)* vaticinar.

pré-salé [pʀesale] *(pl* ~**s**-~**s**) *nm* presalado.

presbyte [pʀɛsbit] *adj* présbita, hipermétrope.

presbytère [pʀɛsbitɛʀ] *nm* casa parroquial.

presbytérien, ne [pʀɛsbiteʀjɛ̃, jɛn] *adj* presbiteriano(-a).

presbytie [pʀɛsbisi] *nf* presbicia, hipermetropía.

prescience [pʀesjɑ̃s] *nf* presciencia, adivinación *f*.

préscolaire [pʀeskɔlɛʀ] *adj* preescolar.

prescriptible [pʀɛskʀiptibl] *adj (JUR)* prescriptible.

prescription [pʀɛskʀipsjɔ̃] *nf (JUR)* mandato, orden *f*; *(instruction)* disposición *f*; *(MÉD)* prescripción *f* facultativa, receta.

prescrire [pʀɛskʀiʀ] *vt (JUR)* dictar; *(ordonner)* prescribir; *(remède)* recetar; *(suj: circonstances)* recomendar; **se prescrire** *vpr (JUR)* prescribir, anularse.

prescrit, e [pʀɛskʀi, it] *pp de* **prescrire** ♦ *adj* prescrito(-a).

préséance [pʀeseɑ̃s] *nf* preeminencia, precedencia.

présélection [pʀeselɛksjɔ̃] *nf* preselección *f*.

présélectionner [pʀeselɛksjɔne] *vt* preseleccionar.

présence [pʀezɑ̃s] *nf* presencia; *(au bureau*

etc) presencia, asistencia; **en** ~ **de** *(personne)* en presencia de; *(incidents etc)* en medio de; **en** ~ presentes; **sentir une** ~ sentir una presencia; **faire acte de** ~ hacer acto de presencia; ▶ **présence d'esprit** presencia de ánimo.

présent, e [pʀezɑ̃, ɑ̃t] *adj, nm* presente *m*; ~**s** *nmpl:* **les** ~**s** *(personnes)* los presentes; "~!" *(à un contrôle)* "¡presente!"; **la** ~**e lettre/loi** *(ADMIN, COMM)* la presente carta/ley; **à** ~ en la actualidad, ahora; **dès à/jusqu'à** ~ desde/hasta ahora; **à** ~ **que** ahora que.

présentable [pʀezɑ̃tabl] *adj* presentable.

présentateur, trice [pʀezɑ̃tatœʀ, tʀis] *nm/f* *(TV)* presentador(a); *(RADIO)* locutor(a).

présentation [pʀezɑ̃tasjɔ̃] *nf* presentación *f*; **faire les** ~**s** hacer las presentaciones.

présente [pʀezɑ̃t] *nf (COMM):* **la** ~ la presente.

présenter [pʀezɑ̃te] *vt* presentar; *(billet, pièce d'identité)* enseñar; *(fig: spectacle)* ofrecer; *(thèse)* defender; *(remettre: note)* entregar; *(matière: à un examen)* hacer, exponer; *(condoléances, félicitations, remerciements)* dar ♦ *vi:* ~ **mal/bien** tener buena/mala presencia; **se présenter** *vpr* presentarse; *(solution, doute)* surgir; ~ qch à qn *(fauteuil etc)* enseñar *ou* mostrar algo a algn; *(plat)* presentar algo a algn; **se** ~ **bien/mal** *(affaire)* presentarse bien/mal; **se** ~ **à l'esprit** venir a la cabeza.

présentoir [pʀezɑ̃twaʀ] *nm (étagère)* expositor *m*; *(vitrine)* vitrina; *(étal)* mesa (de puesto).

préservatif [pʀezɛʀvatif] *nm* preservativo.

préservation [pʀezɛʀvasjɔ̃] *nf* preservación *f*.

préserver [pʀezɛʀve] *vt:* ~ qch/qn de *(protéger)* preservar *ou* proteger algo/a algn de.

présidence [pʀezidɑ̃s] *nf* presidencia; ▶ **présidence de la République** presidencia de la República.

président [pʀezidɑ̃] *nm* presidente *m*; ▶ **président du jury** *(JUR)* presidente del jurado; ▶ **président d'un jury d'examen/de concours** presidente del tribunal; ▶ **président de la République** presidente de la República; ▶ **président directeur général** director *m* gerente.

présidente [pʀezidɑ̃t] *nf* presidente *f*, presidenta; *(femme du président)* esposa del presidente.

présidentiable [pʀezidɑ̃sjabl] *adj, nm/f* presidenciable *m/f*.

présidentiel, le [pʀezidɑ̃sjɛl] *adj (système)* presidencialista; *(élection)* presidencial; ~**les** *nfpl (élections)* elecciones *fpl* presidenciales.

présider [pʀezide] *vt* presidir; ~ à qch presidir algo.

présomption [pʀezɔ̃psjɔ̃] *nf* presunción *f*.

présomptueux, -euse [pʀezɔ̃ptɥø, øz] *adj* presuntuoso(-a).

presque [pʀɛsk] *adv* casi; ~ **toujours/autant** casi siempre/tanto; ~ **tous/rien** casi todos/nada; **il n'a ~ pas d'argent** casi no tiene dinero, apenas tiene dinero; **il n'y avait ~ personne** no había casi nadie; **la voiture s'est ~ arrêtée** el coche casi se para, por poco se para el coche; **il n'y avait personne, ou ~** no había nadie, o casi nadie; **on pourrait ~ dire que** casi podría decirse que; ~ **à chaque pas** casi a cada paso; **la ~ totalité (de)** la casi totalidad (de).

presqu'île [pʀɛskil] *nf* península.

pressant, e [pʀesɑ̃, ɑ̃t] *adj* apremiante; (*personne*) atosigante; (*besoin*) acuciante; **se faire ~** volverse atosigante.

presse [pʀɛs] *nf* prensa; **mettre un ouvrage sous ~** meter una obra en prensa; **avoir bonne/mauvaise ~** (*fig*) tener buena/mala prensa; ▶ **presse d'information/ d'opinion** prensa de información/de opinión; ▶ **presse du cœur** prensa del corazón; ▶ **presse féminine** prensa femenina.

pressé, e [pʀese] *adj* (*personne*) apresurado(-a), apurado(-a) (*AM*); (*lettre, besogne*) urgente ♦ *nm*: **aller/courir au plus ~** acudir/atender a lo más urgente; **être ~ de faire qch** tener prisa por hacer algo; **orange ~e** zumo de naranja.

presse-citron [pʀɛssitʀɔ̃] *nm inv* exprimelimones *m inv*.

presse-fruits [pʀɛsfʀɥi] *nm inv* exprimidor *m*.

pressentiment [pʀesɑ̃timɑ̃] *nm* presentimiento.

pressentir [pʀesɑ̃tiʀ] *vt* presentir; (*prendre contact avec, sonder*) sondear.

presse-papiers [pʀɛspapje] *nm inv* pisapapeles *m inv*.

presse-purée [pʀɛspyʀe] *nm inv* pasapurés *m inv*.

presser [pʀese] *vt* (*fruit*) exprimir; (*éponge*) escurrir; (*interrupteur, bouton*) pulsar; (*brusquer*) acosar ♦ *vi* (*être urgent*) urgir, correr prisa; **se presser** *vpr* (*se hâter*) darse prisa, apurarse (*AM*); (*se grouper*) apiñarse; **le temps presse** el tiempo apremia; **rien ne presse** no hay prisa; ~ **le pas** *ou* **l'allure** aligerar (el paso); ~ **qn de faire qch** (*inciter*) inducir *ou* presionar a algn a hacer algo; ~ **qn de questions** acosar a algn a preguntas; ~ **ses débiteurs** apremiar a sus deudo-

res; ~ **qn entre** *ou* **dans ses bras** estrechar a algn entre *ou* en sus brazos; **se ~ contre qn** apretujarse contra algn.

pressing [pʀesiŋ] *nm* (*repassage*) planchado; (*magasin*) tintorería.

pression [pʀesjɔ̃] *nf* presión *f*; (*bouton*) automático; **faire ~ sur qn/qch** ejercer presión sobre algn/algo; **sous ~** a presión; (*fig*) presionado(-a); ▶ **pression artérielle** tensión *f* arterial; ▶ **pression atmosphérique** presión atmosférica.

pressoir [pʀeswaʀ] *nm* prensa.

pressurer [pʀesyʀe] *vt* (*fig: exploiter*) estrujar, explotar; (: *extorquer l'argent de*) sacar dinero a.

pressurisation [pʀesyʀizasjɔ̃] *nf* presurización *f*.

pressurisé, e [pʀesyʀize] *adj* presurizado(-a).

prestance [pʀɛstɑ̃s] *nf* prestancia.

prestataire [pʀɛstatɛʀ] *nm/f* beneficiario(-a); ~ **de services** (*COMM*) prestador *m* de servicios.

prestation [pʀɛstasjɔ̃] *nf* (*allocation*) prestación *f*, ayuda; (*d'une assurance*) prestación, indemnización *f*; (*d'une entreprise*) contribución *f*; (*d'un joueur, artiste, homme politique*) actuación *f*; ▶ **prestation de serment** jura; ▶ **prestation de service** prestación de servicios; ▶ **prestations familiales** prestaciones *fpl* familiares (de la Seguridad Social).

preste [pʀɛst] *adj* presto(-a).

prestement [pʀɛstəmɑ̃] *adv* con presteza.

prestidigitateur, -trice [pʀɛstidiʒitatœʀ, tʀis] *nm/f* prestidigitador(a).

prestidigitation [pʀɛstidiʒitasjɔ̃] *nf* prestidigitación *f*.

prestige [pʀɛstiʒ] *nm* prestigio.

prestigieux, -euse [pʀɛstiʒjø, jøz] *adj* prestigioso(-a).

présumer [pʀezyme] *vt*: ~ **que** presumir que; ~ **de qn/qch** sobreestimar algn/a algo; **présumé coupable/innocent** presunto culpable/inocente.

présupposé [pʀesypoze] *nm* presunción *f*.

présupposer [pʀesypoze] *vt* asumir; ~ **que** presumir que, asumir que.

présupposition [pʀesypozisjɔ̃] *nf* presunción *f*.

présure [pʀezyʀ] *nf* cuajo.

prêt, e [pʀɛ, pʀɛt] *adj* listo(-a), presto(-a); (*cérémonie, repas*) listo(-a), preparado(-a) ♦ *nm* préstamo; ~ **à faire qch** (*préparé à*) listo(-a) para hacer algo; (*disposé à*) dispuesto(-a) a hacer algo; ~ **à toute éventualité** preparado(-a) para lo que venga; ~ **à tout** dispuesto(-a) a todo; **à vos marques, ~s? partez!** ¡preparados, listos, ya!; ~ **sur gages** préstamo bajo fianza.

prêt-à-porter [pʀɛtapɔʀte] (pl ~s-~-~) nm prêt-à-porter f.

prétendant [pʀetɑ̃dɑ̃] nm (à un trône) aspirante m; (d'une femme) pretendiente m.

prétendre [pʀetɑ̃dʀ] vt (avoir la ferme intention de) pretender; (affirmer): ~ **que** mantener que; ~ **à** aspirar a.

prétendu, e [pʀetɑ̃dy] adj supuesto(-a).

prétendument [pʀetɑ̃dymɑ̃] adv al parecer.

prête-nom [pʀɛtnɔ̃] (pl ~-~s) nm (péj) cabeza de turco; (COMM etc) testaferro.

prétentieux, -euse [pʀetɑ̃sjø, jøz] adj presuntuoso(-a); (maison, villa) pretencioso(-a).

prétention [pʀetɑ̃sjɔ̃] nf pretensión f; **sans** ~ sin pretensiones.

prêter [pʀete] vt (livres, argent): ~ **qch (à)** prestar algo (a); (propos etc): ~ **à qn** achacar a algn ♦ vi (aussi: **se** ~: tissu, cuir) dar de sí; ~ **à**: ~ **aux commentaires/ à équivoque/à rire** prestarse a comentarios/a equívoco/a risa; **se** ~ **à qch** prestarse a algo; **se** ~ **assistance à** prestar socorro a; ~ **attention/serment** prestar atención/juramento; ~ **l'oreille** aguzar el oído; ~ **sur gages** prestar bajo fianza; ~ **de l'importance à** prestar importancia a.

prêteur, -euse [pʀetœʀ, øz] adj prestador(a) ♦ nm prestamista m; ▶ **prêteur sur gages** prestamista.

prétexte [pʀetɛkst] nm pretexto; **sous aucun** ~ bajo ningún pretexto; **sous** ~ **de** con el pretexto de.

prétexter [pʀetɛkste] vt poner el pretexto de; ~ **que** poner el pretexto de que.

prêtre [pʀetʀ] nm sacerdote m.

prêtre-ouvrier [pʀetʀuvʀije] (pl ~s-~s) nm cura m obrero.

prêtrise [pʀetʀiz] nf sacerdocio.

preuve [pʀœv] nf prueba; **jusqu'à** ~ **du contraire** hasta que se demuestre lo contrario; **faire** ~ **de** dar pruebas de; **faire ses** ~**s** dar prueba de sus aptitudes; ▶ **preuve matérielle** (JUR) prueba material; ▶ **preuve par neuf** prueba del nueve.

prévaloir [pʀevalwaʀ] vi prevalecer; **se prévaloir de qch** vpr contar con la ventaja de algo; (tirer vanité de) enorgullecerse de algo.

prévarication [pʀevaʀikasjɔ̃] nf prevaricación f.

prévaut [pʀevo] vb voir **prévaloir**.

prévenances [pʀevnɑ̃s] nfpl atenciones fpl.

prévenant, e [pʀev(ə)nɑ̃, ɑ̃t] adj atento(-a).

prévenir [pʀev(ə)niʀ] vt prevenir; (besoins, etc) anticiparse a; ~ **qn (de qch)** (avertir)

prevenir a algn (de algo); ~ **qn contre** (influencer) predisponer a algn contra.

préventif, -ive [pʀevɑ̃tif, iv] adj preventivo(-a); **détention/prison/arrestation préventive** detención f preventiva/prisión f preventiva/arresto preventivo.

prévention [pʀevɑ̃sjɔ̃] nf prevención f; **faire six mois de** ~ pasar seis meses en prisión preventiva; ▶ **prévention routière** seguridad f vial.

prévenu, e [pʀev(ə)ny] pp de **prévenir** ♦ nm/f preso(-a) ♦ adj: **être** ~ **contre qn** estar prevenido(-a) contra algn; **j'ai été** ~ **en votre faveur** me han dado buenas referencias sobre usted.

prévisible [pʀevizibl] adj previsible.

prévision [pʀevizjɔ̃] nf: ~**s** previsión f; **en** ~ **de l'orage** en caso de que haya tormenta; ▶ **prévisions météorologiques** previsión meteorológica.

prévisionnel, le [pʀevizjɔnɛl] adj provisional.

prévoir [pʀevwaʀ] vt prever; **prévu pour 4 personnes** con cabida para 4 personas; **prévu pour 10 h** previsto para las 10.

prévoyance [pʀevwajɑ̃s] nf previsión f; **société/caisse de** ~ sociedad f/caja de previsión.

prévoyant, e [pʀevwajɑ̃, ɑ̃t] vb voir **prévoir** ♦ adj prevenido(-a), precavido(-a).

prévu [pʀevy] pp de **prévoir**.

prier [pʀije] vi rezar ♦ vt rogar; (REL) rezar; (demander avec fermeté) mandar; ~ **qn à dîner** invitar a algn a cenar; **se faire** ~ hacerse rogar; **je vous en prie** (allez-y) pase por favor; (de rien) de nada.

prière [pʀijɛʀ] nf oración f; (demande) ruego; **dire une/des/sa** ~**(s)** rezar una/ algunas/su(s) oración(oraciones); "~ **de faire/ne pas faire ...**" "se ruega hacer/no hacer ...".

primaire [pʀimɛʀ] adj primario(-a); (péj) primitivo(-a); (: explication) superficial ♦ nm (SCOL: aussi: **enseignement** ~): **le** ~ ≈ primera etapa de la educación primaria.

primauté [pʀimote] nf primacía.

prime [pʀim] nf (bonification, ASSURANCE, BOURSE) prima; (subside) ayuda; (COMM: cadeau) bonificación f ♦ adj: **de** ~ **abord** de entrada; ▶ **prime de risque/de transport** prima de riesgo/gastos mpl de transporte.

primer [pʀime] vt (l'emporter sur): ~ **sur qch** primar sobre algo; (récompenser) premiar ♦ vi primar.

primerose [pʀimʀoz] nf malvarrosa.

primesautier, -ière [pʀimsotje, jɛʀ] adj vivaracho(-a).

primeur [pʀimœʀ] nf: **avoir la** ~ **de** tener

las primicias de; ~s *nfpl* (*fruits, légumes*) frutos *mpl* tempranos; **marchand de** ~s verdulero.

primevère [pʀimvɛʀ] *nf* primavera.

primitif, -ive [pʀimitif, iv] *adj* primitivo(-a); (*texte etc*) antiguo(-a) ♦ *nm/f* primitivo(-a).

primo [pʀimo] *adv* primero.

primordial, e, -aux [pʀimɔʀdjal, jo] *adj* primordial.

prince [pʀɛ̃s] *nm* príncipe *m*; ▶**prince charmant** príncipe azul; ▶**prince de Galles** (*TEXTILE*) príncipe de gales; ▶**prince héritier** príncipe heredero.

princesse [pʀɛ̃sɛs] *nf* princesa.

princier, -ière [pʀɛ̃sje, jɛʀ] *adj* principesco(-a).

princièrement [pʀɛ̃sjɛʀmɑ̃] *adv*: **il nous a reçus** ~ nos recibió como reyes.

principal, e, -aux [pʀɛ̃sipal, o] *adj* principal ♦ *nm* (*SCOL*) director *m*; (*FIN*) principal *m*; (*essentiel*): **le** ~ lo importante.

principale [pʀɛ̃sipal] *nf* (*LING*): **(proposition)** ~ oración *f* principal.

principalement [pʀɛ̃sipalmɑ̃] *adv* principalmente.

principauté [pʀɛ̃sipote] *nf*: **la** ~ **de Monaco/du Liechtenstein** el principado de Mónaco/de Liechtenstein.

principe [pʀɛ̃sip] *nm* principio; ~s *nmpl* (*moraux etc*) principios *mpl*; **partir du** ~ **que** partir del principio de que; **pour le** ~ por principios; **de/en/par** ~ de/en/por principio.

printanier, -ière [pʀɛ̃tanje, jɛʀ] *adj* primaveral.

printemps [pʀɛ̃tɑ̃] *nm* primavera.

priori [pʀijɔʀi]: **a** ~ *adv* a priori.

prioritaire [pʀijɔʀitɛʀ] *adj* prioritario(-a).

priorité [pʀijɔʀite] *nf* prioridad *f*; **en** ~ con prioridad; ▶**priorité à droite** prioridad a la derecha.

pris, e [pʀi, pʀiz] *pp de* **prendre** ♦ *adj* (*place, journée*) ocupado(-a); (*billets*) sacado(-a); (*crème, glace*) en su punto; (*ciment*) fraguado(-a); **avoir le nez** ~/**la gorge** ~**e** (*MÉD*) tener la nariz/la garganta irritada; **être** ~ **de peur/de fatigue** entrarle a algn miedo/cansancio.

prise [pʀiz] *nf* (*d'une ville*) toma; (*de judo, catch*) llave *f*; (*PÊCHE, CHASSE*) presa; (*ÉLEC*) conexión *f*; (*fiche*) enchufe *m*; **ne pas avoir de/avoir** ~ no tener/tener donde agarrarse; **en** ~ (*AUTO*) en directa; **être aux** ~s **avec qn** enfrentarse con algn; **lâcher** ~ soltarse; **donner** ~ **à** (*fig*) dar pie a; **avoir** ~ **sur qn** tener influencia sobre algn; ▶**prise d'eau** toma de agua; ▶**prise d'otages** captura de rehenes; ▶**prise de contact** toma de contacto;

▶**prise de courant** conexión; ▶**prise de sang** toma de sangre; ▶**prise de son** toma de sonido; ▶**prise de tabac** toma de rapé; ▶**prise de terre** toma de tierra; ▶**prise de vue** (*PHOTO*) toma de vista; ▶**prise de vue(s)** toma de planos; ▶**prise en charge** (*par un taxi*) bajada de bandera; (*par la sécurité sociale*) cobertura; ▶**prise multiple** ladrón *m*.

priser [pʀize] *vt* (*tabac*) inhalar; (*estimer*) apreciar.

prisme [pʀism] *nm* prisma *m*.

prison [pʀizɔ̃] *nf* cárcel *f*, prisión *f*; (*MIL*) prisión militar; (*fig*) cárcel; **faire de/ risquer la** ~ estar en/correr el riesgo de ir a la cárcel; **être condamné à cinq ans de** ~ ser condenado a cinco años de cárcel.

prisonnier, -ière [pʀizɔnje, jɛʀ] *nm/f* preso(-a); (*soldat, otage*) prisionero(-a) ♦ *adj* preso(-a); **faire qn** ~ hacer prisionero(-a) a algn.

prit [pʀi] *vb voir* **prendre**.

privatif, -ive [pʀivatif, iv] *adj* privativo(-a).

privations [pʀivasjɔ̃] *nfpl* privaciones *fpl*.

privatisation [pʀivatizasjɔ̃] *nf* privatización *f*.

privatiser [pʀivatize] *vt* privatizar.

privautés [pʀivote] *nfpl* familiaridades *fpl*.

privé, e [pʀive] *adj* privado(-a); ~ **de** privado(-a) de; **en** ~ en privado; **dans le** ~ (*ÉCON*) en el sector privado.

priver [pʀive] *vt* privar; **se priver** *vpr*: **(ne pas) se** ~ **(de)** (no) privarse (de).

privilège [pʀivilɛʒ] *nm* privilegio.

privilégié, e [pʀivileʒje] *adj* privilegiado(-a).

privilégier [pʀivileʒje] *vt* dar preferencia a, privilegiar.

prix [pʀi] *nm* precio; (*récompense*) premio; **grand** ~ **automobile** gran premio automovilístico; **mettre à** ~ sacar a la venta; **au** ~ **fort** al precio más alto; **acheter qch à** ~ **d'or** comprar algo a precio de oro; **hors de** ~ carísimo(-a); **à aucun** ~ por nada del mundo; **à tout** ~ cueste lo que cueste; ▶**prix conseillé** precio de venta al público, PVP *m*; ▶**prix d'achat/de revient/de vente** precio de compra/de coste/de venta.

pro [pʀo] *abr* = **professionnel**.

probabilité [pʀɔbabilite] *nf* probabilidad *f*; ~s *nfpl* (*MATH, ÉCON*) probabilidades *fpl*; **selon toute** ~ según todas las probabilidades.

probable [pʀɔbabl] *adj* probable.

probablement [pʀɔbabləmɑ̃] *adv* probablemente.

probant, e [pʀɔbɑ̃, ɑ̃t] *adj* convincente.

probatoire [pʀɔbatwaʀ] *adj* (*examen, test*)

de prueba.

probité [prɔbite] *nf* honestidad *f*.

problématique [prɔblematik] *adj* problemático(-a) ♦ *nf* problemática.

problème [prɔblɛm] *nm* problema *m*.

procédé [prɔsede] *nm* proceso; (*comportement*) proceder *m*.

procéder [prɔsede] *vi* proceder; ~ **à** (*JUR*) proceder a, pasar a.

procédure [prɔsedyʀ] *nf* procedimiento; (*branche du droit*): ~ **civile/pénale** enjuiciamiento civil/penal.

procès [prɔsɛ] *nm* (*JUR*) juicio; (: *poursuitos*) proceso; **être en** ~ **avec qn** estar en pleito con algn; **faire le** ~ **de qch/qn** (*fig*) criticar algo/a algn; **sans autre forme de** ~ sin más ni más.

processeur [prɔsesœʀ] *nm* procesador *m*.

procession [prɔsesjɔ̃] *nf* procesión *f*.

processus [prɔsesys] *nm* proceso.

procès-verbal [prɔsɛvɛʀbal] (*pl* **procès-verbaux**) *nm* (*constat*) atestado; (*aussi*: **P.V.**) multa; (*d'une réunion*) acta.

prochain, e [prɔʃɛ̃, ɛn] *adj* próximo(-a) ♦ *nm* prójimo; **la ~e fois** la próxima vez; **la semaine** ~**e** la semana que viene; **à la** ~**e!** (*fam*) ¡hasta otra!; **un jour** ~ cualquier día.

prochainement [prɔʃɛnmɑ̃] *adv* pronto; (*au cinéma*) próximamente.

proche [prɔʃ] *adj* (*ami*) cercano(-a), próximo(-a); ~**s** *nmpl* (*parents*) familiares *mpl*; (*amis*): **l'un de ses** ~**s** una de sus amistades; **être** ~ (**de**) estar cerca (de); (*fig: parent*) estar unido(-a) a; **de** ~ **en** ~ progresivamente.

Proche-Orient [prɔʃɔʀjɑ̃] *nm* Oriente *m* Próximo, Cercano Oriente.

proclamation [prɔklamasjɔ̃] *nf* proclamación *f*.

proclamer [prɔklame] *vt* declarar; (*la république, son innocence*) proclamar; (*résultat d'un examen*) publicar.

procréer [prɔkʀee] *vt* procrear.

procuration [prɔkyʀasjɔ̃] *nf* poder *m*; **donner** ~ **à qn** hacer un poder a algn; **voter/acheter par** ~ votar/comprar por poder.

procurer [prɔkyʀe] *vt* (*fournir*) proporcionar; (*causer*) dar; **se procurer** *vpr* conseguir.

procureur [prɔkyʀœʀ] *nm*: ~ (**de la République**) ≈ fiscal *m*; ► **procureur général** ≈ fiscal del tribunal supremo.

prodigalité [prɔdigalite] *nf* prodigalidad *f*; ~**s** *nfpl* (*dépenses*) gastos *mpl*.

prodige [prɔdiʒ] *nm* prodigio; **un** ~ **d'ingéniosité** un prodigio de ingenio.

prodigieusement [prɔdiʒjøzmɑ̃] *adv* tremendamente.

prodigieux, -euse [prɔdiʒjø, jøz] *adj* prodigioso(-a).

prodigue [prɔdig] *adj* pródigo(-a); **fils** ~ hijo pródigo.

prodiguer [prɔdige] *vt* prodigar.

producteur, -trice [prɔdyktœʀ, tʀis] *adj*, *nm/f* productor(a); **société productrice** productora.

productif, -ive [prɔdyktif, iv] *adj* productivo(-a); (*personnel*) eficiente.

production [prɔdyksjɔ̃] *nf* producción *f*.

productivité [prɔdyktivite] *nf* productividad *f*.

produire [prɔdɥiʀ] *vt* producir; (*ADMIN, JUR: documents, témoins*) presentar ♦ *vi* producir; **se produire** *vpr* producirse; (*acteur*) actuar.

produit, e [prɔdɥi, it] *pp de* **produire** ♦ *nm* producto; (*profit*) rendimiento; ► **produit d'entretien** producto de limpieza; ► **produit des ventes** producto de la venta; ► **produit national brut** producto nacional bruto; ► **produit net** beneficio neto; ► **produit pour la vaisselle** lavavajillas *m inv*; ► **produits agricoles** productos *mpl* agrícolas; ► **produits alimentaires** productos alimenticios; ► **produits de beauté** productos de belleza.

proéminence [prɔeminɑ̃s] *nf* prominencia.

proéminent, e [prɔeminɑ̃, ɑ̃t] *adj* prominente.

prof [prɔf] *abr* (= *professeur*) prof. (= *profesor*).

profane [prɔfan] *adj*, *nm/f* profano(-a).

profaner [prɔfane] *vt* profanar.

proférer [prɔfeʀe] *vt* proferir.

professer [prɔfese] *vt* profesar; (*enseigner*) enseñar.

professeur [prɔfesœʀ] *nm* profesor(a); (*titulaire d'une chaire*) catedrático(-a); ► **professeur (de faculté)** profesor(a) (de universidad).

profession [prɔfesjɔ̃] *nf* profesión *f*; **faire** ~ **de** hacer profesión de; **de** ~: **ballerine de** ~ bailarina de profesión; "**sans** ~" "sin profesión"; (*femme mariée*) "sus labores".

professionnel, le [prɔfesjɔnɛl] *adj* profesional ♦ *nm/f* profesional *m/f*; (*ouvrier qualifié*) obrero(-a) cualificado(-a).

professoral, e, -aux [prɔfesɔʀal, o] *adj* (*péj*) pedante; **le corps** ~ el profesorado.

professorat [prɔfesɔʀa] *nm*: **le** ~ el profesorado.

profil [prɔfil] *nm* perfil *m*; (*d'une voiture*) línea; (*section*) sección *f*; **de** ~ de perfil; ► **profil des ventes** perfil de ventas; ► **profil psychologique** perfil psicológico.

profilé, e [prɔfile] *adj* perfilado(-a); (*aile etc*) estilizado(-a).

profiler [pʀɔfile] *vt* (*TECH*) estilizar; **se profiler** *vpr* perfilarse.

profit [pʀɔfi] *nm* (*avantage*) provecho; (*COMM, FIN*) beneficio; **au** ~ **de qn/qch** en beneficio de algn/algo; **tirer** *ou* **retirer** ~ **de qch** sacar provecho de algo; **mettre à** ~ **qch** sacar partido de algo; ► **profits et pertes** (*COMM*) pérdidas *fpl* y beneficios.

profitable [pʀɔfitabl] *adj* provechoso(-a).

profiter [pʀɔfite]: ~ **de** *vt* aprovecharse de; (*lecture*) sacar provecho de; (*occasion*) aprovechar; ~ **de ce que ...** aprovecharse de que ...; ~ **à qch/à qn** beneficiar algo/a algn.

profiteur, -euse [pʀɔfitœʀ, øz] (*péj*) *nm/f* aprovechado(-a).

profond, e [pʀɔfɔ̃, ɔ̃d] *adj* profundo(-a); (*trou, eaux*) hondo(-a); **au plus** ~ **de** desde lo más hondo *ou* profundo de; **la France** ~**e** la Francia profunda.

profondément [pʀɔfɔ̃demã] *adv* profundamente; ~ **endormi** profundamente dormido.

profondeur [pʀɔfɔ̃dœʀ] *nf* profundidad *f*; **en** ~ en profundidad; ► **profondeur de champ** (*PHOTO*) profundidad de campo.

profusément [pʀɔfyzemã] *adv* profusamente; **la salle était** ~ **éclairée** la sala tenía luz abundante.

profusion [pʀɔfyzjɔ̃] *nf* profusión *f*; **une** ~ **de cadeaux** regalos en abundancia; **à** ~ en abundancia.

progéniture [pʀɔʒenityʀ] *nf* prole *f*.

progiciel [pʀɔʒisjɛl] *nm* (*INFORM*) paquete *m* de programas; ► **progiciel d'application** paquete de programas de aplicaciones.

progouvernemental, e, -aux [pʀɔguvɛʀnəmãtal, o] *adj* progubernamental.

programmable [pʀɔgʀamabl] *adj* programable.

programmateur, -trice [pʀɔgʀamatœʀ, tʀis] *nm/f* (*CINÉ, RADIO, TV*) programador(a) ♦ *nm* (*de machine à laver*) programador *m*.

programmation [pʀɔgʀamasjɔ̃] *nf* programación *f*.

programme [pʀɔgʀam] *nm* programa *m*; **au** ~ **de ce soir** (*TV*) en la programación de esta noche.

programmé, e [pʀɔgʀame] *adj* programado(-a).

programmer [pʀɔgʀame] *vt* programar.

programmeur, -euse [pʀɔgʀamœʀ, øz] *nm/f* (*INFORM*) programador(a).

progrès [pʀɔgʀɛ] *nm* progreso, avance *m*; (*gén pl*: *d'un incendie, d'une épidémie etc*) avance *m*; **faire des/être en** ~ hacer progresos.

progresser [pʀɔgʀese] *vi* (*mal etc*) avan-

zar; (*élève, recherche*) progresar.

progressif, -ive [pʀɔgʀesif, iv] *adj* progresivo(-a).

progression [pʀɔgʀesjɔ̃] *nf* (*d'un mal etc*) avance *m*; (*MATH*) progresión *f*.

progressiste [pʀɔgʀesist] *adj* progresista.

progressivement [pʀɔgʀesivmã] *adv* progresivamente.

prohibé, e [pʀɔibe] *adj* prohibido(-a).

prohiber [pʀɔibe] *vt* prohibir.

prohibitif, -ive [pʀɔibitif, iv] *adj* prohibitivo(-a).

prohibition [pʀɔibisjɔ̃] *nf* prohibición *f*.

proie [pʀwa] *nf* presa; (*fig*) víctima; **être la** ~ **de** ser presa de; **être en** ~ **à** ser presa de.

projecteur [pʀɔʒɛktœʀ] *nm* (*de théâtre, cirque*) foco; (*de films, photos*) proyector *m*.

projectile [pʀɔʒɛktil] *nm* proyectil *m*.

projection [pʀɔʒɛksjɔ̃] *nf* proyección *f*; **les** ~**s du camion** lo que el camión lanzó al pasar.

projectionniste [pʀɔʒɛksjɔnist] *nm/f* operador(a).

projet [pʀɔʒɛ] *nm* proyecto; **faire des** ~**s** hacer planes; ► **projet de loi** proyecto de ley.

projeter [pʀɔʒ(ə)te] *vt* proyectar; (*jeter*) lanzar; (*envisager*) planear.

prolétaire [pʀɔletɛʀ] *nm* proletario(-a).

prolétariat [pʀɔletaʀja] *nm* proletariado.

prolétarien, ne [pʀɔletaʀjɛ̃, jɛn] *adj* proletario(-a).

prolifération [pʀɔlifeʀasjɔ̃] *nf* proliferación *f*.

proliférer [pʀɔlifeʀe] *vi* proliferar.

prolifique [pʀɔlifik] *adj* prolífico(-a).

prolixe [pʀɔliks] *adj* prolijo(-a).

prolo [pʀɔlo] (*fam*) *nm/f* (*abr de prolétaire*) proleta *m/f*.

prologue [pʀɔlɔg] *nm* prólogo.

prolongateur [pʀɔlɔ̃gatœʀ] *nm* (*ÉLEC*) alargador *m*.

prolongation [pʀɔlɔ̃gasjɔ̃] *nf* prolongación *f*; (*FOOTBALL, délai*) prórroga; **jouer les** ~**s** (*FOOTBALL*) jugar la prórroga.

prolongé, e [pʀɔlɔ̃ʒe] *adj* prolongado(-a).

prolongement [pʀɔlɔ̃ʒmã] *nm* prolongación *f*; ~**s** *nmpl* (*fig*) repercusiones *fpl*; **être dans le** ~ **de** ser una prolongación de.

prolonger [pʀɔlɔ̃ʒe] *vt* prolongar; (*délai*) prorrogar; **se prolonger** *vpr* prolongarse.

promenade [pʀɔm(ə)nad] *nf* paseo; **faire une** ~ dar un paseo; **partir en** ~ salir de paseo; ► **promenade à pied/à vélo/en voiture** paseo andando/en bici/en coche.

promener [pʀɔm(ə)ne] *vt* dar un paseo a; (*fig: qch*) llevar consigo; (*doigts, main*) recorrer; **se promener** *vpr* pasearse; **se ~ sur** (*fig*) recorrer; **son regard se promena sur** ... recorrió con la mirada ... .

promeneur, -euse [pʀɔm(ə)nœʀ, øz] *nm/f* paseante *m/f*.

promenoir [pʀɔm(ə)nwaʀ] *nm* patio.

promesse [pʀɔmɛs] *nf* promesa; ► **promesse d'achat/de vente** compromiso de compra/de venta.

prometteur, -euse [pʀɔmetœʀ, øz] *adj* prometedor(a).

promettre [pʀɔmɛtʀ] *vt, vi* prometer; **se ~ de faire qch** comprometerse a hacer algo; **~ à qn de faire qch** prometer a algn hacer algo.

promeus [pʀɔmø] *vb voir* **promouvoir**.

promis, e [pʀɔmi, iz] *pp de* **promettre** ♦ *adj:* **être ~ à qch** estar destinado(-a) a algo.

promiscuité [pʀɔmiskɥite] *nf* promiscuidad *f*.

promit [pʀɔmi] *vb voir* **promettre**.

promontoire [pʀɔmɔ̃twaʀ] *nm* promontorio.

promoteur, -trice [pʀɔmɔtœʀ, tʀis] *nm/f* propulsor(a); ► **promoteur (immobilier)** promotor (inmobiliario).

promotion [pʀɔmosjɔ̃] *nf* promoción *f*; (*avancement*) ascenso; **article en ~** artículo en oferta; ► **promotion des ventes** promoción de ventas.

promotionnel, le [pʀɔmosjɔnɛl] *adj* (*article*) en oferta; (*vente*) de promoción.

promouvoir [pʀɔmuvwaʀ] *vt* (*à un grade, poste*) ascender a; (*recherche etc*) promover; (*COMM: produit*) promocionar.

prompt, e [pʀɔ̃(pt), pʀɔ̃(p)t] *adj* rápido(-a); **~ à qch/à faire qch** dado(-a) a algo/a hacer algo.

promptement [pʀɔ̃ptəmɑ̃] *adv* rápidamente.

prompteur [pʀɔ̃ptœʀ] *nm* (*TV*) autocue *m*.

promptitude [pʀɔ̃(p)tityd] *nf* rapidez *f*.

promu, e [pʀɔmy] *pp de* **promouvoir** ♦ *adj* ascendido(-a).

promulguer [pʀɔmylge] *vt* promulgar.

prôner [pʀone] *vt* (*louer*) ensalzar; (*préconiser*) preconizar.

pronom [pʀɔnɔ̃] *nm* pronombre *m*.

pronominal, e, -aux [pʀɔnɔminal, o] *adj:* (**verbe**) **~** (verbo) pronominal.

prononcé, e [pʀɔnɔ̃se] *adj* pronunciado(-a).

prononcer [pʀɔnɔ̃se] *vt* pronunciar; (*souhait, vœu*) formular; **se prononcer** *vpr* pronunciarse; **se ~ sur qch** pronunciarse sobre algo; **ça se prononce comment?** ¿cómo se pronuncia eso?

prononciation [pʀɔnɔ̃sjasjɔ̃] *nf* pronunciación *f*.

pronostic [pʀɔnɔstik] *nm* pronóstico.

pronostiquer [pʀɔnɔstike] *vt* pronosticar.

pronostiqueur, -euse [pʀɔnɔstikœʀ, øz] *nm/f* pronosticador(a).

propagande [pʀɔpagɑ̃d] *nf* propaganda; **faire de la ~ pour qch** hacer propaganda de algo.

propagandiste [pʀɔpagɑ̃dist] *nm/f* propagandista *m/f*.

propagation [pʀɔpagasjɔ̃] *nf* propagación *f*.

propager [pʀɔpaʒe] *vt* propagar; **se propager** *vpr* propagarse; (*espèce*) multiplicarse.

propane [pʀɔpan] *nm* propano.

propension [pʀɔpɑ̃sjɔ̃] *nf* propensión *f*.

prophète, prophétesse [pʀɔfɛt, pʀɔfetɛs] *nm/f* profeta(profetisa).

prophétie [pʀɔfesi] *nf* (*d'un prophète*) profecía; (*d'une cartomancienne*) predicción *f*.

prophétique [pʀɔfetik] *adj* profético(-a).

prophétiser [pʀɔfetize] *vt* profetizar; (*fig*) predecir.

prophylactique [pʀɔfilaktik] *adj* profiláctico(-a).

prophylaxie [pʀɔfilaksi] *nf* profilaxis *f inv*.

propice [pʀɔpis] *adj* propicio(-a).

proportion [pʀɔpɔʀsjɔ̃] *nf* proporción *f*; (*relation, pourcentage*) relación *f*; **à ~ de** en proporción directa a; **en ~ de** (*selon*) en proporción a; (*en comparaison de*) en comparación a; **hors de ~** desproporcionado(-a); **toute(s) ~(s) gardée(s)** manteniendo las proporciones.

proportionné, e [pʀɔpɔʀsjɔne] *adj:* **bien ~** bien proporcionado(-a); **~ à** proporcionado(-a) con.

proportionnel, le [pʀɔpɔʀsjɔnɛl] *adj* proporcional.

proportionnellement [pʀɔpɔʀsjɔnɛlmɑ̃] *adv* proporcionalmente.

proportionner [pʀɔpɔʀsjɔne] *vt* proporcionar.

propos [pʀɔpo] *nm* (*paroles*) palabras *fpl*; (*intention*) propósito; **à ~ de** a propósito de; **à tout ~** a cada momento; **à ce ~** a ese respecto; **à ~** a propósito; **hors de ~**, **mal à ~** fuera de lugar.

proposer [pʀɔpoze] *vt* proponer; (*loi, motion*) presentar; **se ~ (pour faire qch)** ofrecerse (para hacer algo); **se ~ de faire qch** proponerse hacer algo.

proposition [pʀɔpozisjɔ̃] *nf* propuesta; (*offre*) oferta; (*LING*) proposición *f*; **sur la ~ de** a propuesta de; ► **proposition de loi** propuesta de ley.

propre [pʀɔpʀ] *adj* limpio(-a); (*net*) pulcro(-a); (*fig: honnête*) intachable; (*intensif possessif, sens*) propio(-a) ♦ *nm:* **le ~ de**

lo propio de; ~ à (*particulier*) propio(-a) de; (*convenable*) apropiado(-a) para; au ~ (*LING*) en sentido propio; **mettre** *ou* **recopier au** ~ pasar a limpio; **avoir qch/ appartenir à qn en** ~ tener algo/ pertenecer a algn en propiedad; ▶ **propre à rien** *nm/f* (*péj*) inútil *m/f*.

proprement [pʀɔpʀəmɑ̃] *adv* (*manger etc*) correctamente; (*rangé, habillé*) con esmero; (*avec décence*) honradamente; (*exclusivement*) propiamente; (*littéralement*) verdaderamente; **à** ~ **parler** a decir verdad; **le village** ~ **dit** el pueblo propiamente dicho.

propret, te [pʀɔpʀɛ, ɛt] *adj* aseado(-a).

propreté [pʀɔpʀəte] *nf* limpieza; (*d'une personne*: *pour s'habiller etc*) pulcritud *f*.

propriétaire [pʀɔpʀijetɛʀ] *nm/f* propietario(-a); (*d'un chien etc*) dueño(-a); (*pour le locataire*) casero(-a); ▶ **propriétaire (immobilier)** propietario; ▶ **propriétaire récoltant** labrador; ▶ **propriétaire terrien** terrateniente *m/f*.

propriété [pʀɔpʀijete] *nf* propiedad *f*; (*villa, terres*) casa de campo; (*exploitations agricoles*) granja; ▶ **propriété artistique et littéraire/industrielle** propiedad intelectual/industrial.

propulser [pʀɔpylse] *vt* (*missile, engin*) propulsar; (*projeter*) lanzar.

propulsion [pʀɔpylsjɔ̃] *nf* propulsión *f*.

prorata [pʀɔʀata] *nm*: **au** ~ **de** a prorrata de.

prorogation [pʀɔʀɔgasjɔ̃] *nf* prórroga; (*d'une assemblée*) aplazamiento.

proroger [pʀɔʀɔʒe] *vt* prorrogar; (*assemblée*) aplazar.

prosaïque [pʀɔzaik] *adj* prosaico(-a).

proscription [pʀɔskʀipsjɔ̃] *nf* proscripción *f*.

proscrire [pʀɔskʀiʀ] *vt* proscribir.

prose [pʀoz] *nf* prosa.

prosélyte [pʀɔzelit] *nm/f* prosélito.

prosélytisme [pʀɔzelitism] *nm* proselitismo.

prospecter [pʀɔspɛkte] *vt* prospectar; (*COMM*) estudiar el mercado de.

prospecteur, -trice [pʀɔspɛktœʀ, tʀis] *nm/f* prospector(a).

prospecteur-placier [pʀɔspɛktœʀplasje] (*pl* ~**s**-~**s**) *nm* agente *m* de empleo.

prospectif, -ive [pʀɔspɛktif, iv] *adj* prospectivo(-a).

prospection [pʀɔspɛksjɔ̃] *nf* prospección *f*; (*COMM*) estudio de mercado.

prospectus [pʀɔspɛktys] *nm* prospecto.

prospère [pʀɔspɛʀ] *adj* próspero(-a); **il a la santé** ~ está rebosante de salud.

prospérer [pʀɔspeʀe] *vi* prosperar.

prospérité [pʀɔspeʀite] *nf* prosperidad *f*.

prostate [pʀɔstat] *nf* próstata.

prosterner [pʀɔstɛʀne]: **se** ~ *vpr* prosternarse.

prostituée [pʀɔstitɥe] *nf* prostituta.

prostitution [pʀɔstitysjɔ̃] *nf* prostitución *f*.

prostré, e [pʀɔstʀe] *adj* postrado(-a).

protagoniste [pʀɔtagɔnist] *nm* protagonista *m/f*.

protecteur, -trice [pʀɔtɛktœʀ, tʀis] *adj* protector(a); (*ÉCON*) proteccionista; (*péj: air, ton*) paternalista ♦ *nm/f* protector(a); ▶ **protecteur des arts** mecenas *m*.

protection [pʀɔtɛksjɔ̃] *nf* protección *f*; **écran/enveloppe de** ~ pantalla protectora/sobre *m* protector; ▶ **protection civile/judiciaire** protección civil/judicial; ▶ **protection maternelle et infantile** protección materna y de la infancia.

protectionnisme [pʀɔtɛksjɔnism] *nm* proteccionismo.

protectionniste [pʀɔtɛksjɔnist] *adj* proteccionista.

protégé, e [pʀɔteʒe] *nm/f* protegido(-a).

protège-cahier [pʀɔtɛʒkaje] (*pl* ~-~**s**) *nm* forro de cuaderno.

protège-dents [pʀɔtɛʒdɑ̃] *nm inv* (*BOXE*) protector *m* dental.

protéger [pʀɔteʒe] *vt* proteger; (*moralement*) amparar; (*carrière*) apoyar; (*ÉCON*) patrocinar; **se** ~ **de/contre qch** protegerse de/contra algo.

protéine [pʀɔtein] *nf* proteína.

protestant, e [pʀɔtɛstɑ̃, ɑ̃t] *adj, nm/f* protestante *m/f*.

protestantisme [pʀɔtɛstɑ̃tism] *nm* protestantismo.

protestataire [pʀɔtɛstatɛʀ] *nm/f* protestante *m/f*.

protestation [pʀɔtɛstasjɔ̃] *nf* protesta.

protester [pʀɔtɛste] *vi* protestar.

prothèse [pʀɔtɛz] *nf* prótesis *f inv*; (*pour remplacer un organe*) implante *m*; ▶ **prothèse dentaire** prótesis dental; (*science*) fabricación *f* de prótesis dentales.

protocolaire [pʀɔtɔkɔlɛʀ] *adj* protocolario(-a); (*questions, règles*) de protocolo.

protocole [pʀɔtɔkɔl] *nm* protocolo; (*procès-verbal*) acta de protocolo; **chef du** ~ jefe *m* de protocolo; ▶ **protocole d'accord** proposición *f* de acuerdo; ▶ **protocole opératoire** (*MÉD*) parte *m* médico.

prototype [pʀɔtɔtip] *nm* prototipo.

protubérance [pʀɔtybeʀɑ̃s] *nf* protuberancia.

protubérant, e [pʀɔtybeʀɑ̃, ɑ̃t] *adj* protuberante.

proue [pʀu] *nf* proa.

prouesse [pʀuɛs] *nf* proeza.

prouvable [pʀuvabl] *adj* probable.

prouver [pʀuve] vt probar; (montrer) demostrar.

provenance [pʀɔv(ə)nɑ̃s] nf procedencia; (d'un mot, d'une coutume) origen m; **en ~ de** procedente de.

provençal, e, -aux [pʀɔvɑ̃sal, o] adj provenzal ♦ nm (LING) provenzal m ♦ nm/f: **P~, e, -aux** provenzal m/f.

Provence [pʀɔvɑ̃s] nf Provenza.

provenir [pʀɔv(ə)niʀ]: **~ de** vt proceder de; (tirer son origine de) provenir de; (résulter de) derivarse de.

proverbe [pʀɔvɛʀb] nm proverbio.

proverbial, e, -aux [pʀɔvɛʀbjal, jo] adj proverbial.

providence [pʀɔvidɑ̃s] nf Providencia.

providentiel, le [pʀɔvidɑ̃sjɛl] adj providencial.

province [pʀɔvɛ̃s] nf provincia.

provincial, e, -aux [pʀɔvɛ̃sjal, jo] adj provincial; (péj) del campo ♦ nm/f provincial m/f; (péj) persona de campo.

proviseur [pʀɔvizœʀ] nm director(a) de instituto.

provision [pʀɔvizjɔ̃] nf provisión f; (acompte, avance) anticipo; (COMM) provisión de fondos; **~s** nfpl (vivres) provisiones fpl; **faire ~ de qch** abastecerse de algo; **placard** ou **armoire à ~s** despensa.

provisoire [pʀɔvizwaʀ] adj provisional, provisorio(-a) (AM); (personne) interino(-a); **mise en liberté ~** puesta en libertad provisional.

provisoirement [pʀɔvizwaʀmɑ̃] adv provisionalmente.

provocant, e [pʀɔvɔkɑ̃, ɑ̃t] adj (agressif) provocante; (excitant) provocativo(-a).

provocateur [pʀɔvɔkatœʀ] nm provocador(a).

provocation [pʀɔvɔkasjɔ̃] nf provocación f.

provoquer [pʀɔvɔke] vt provocar; (curiosité) despertar.

proxénète [pʀɔksenɛt] nm proxeneta m.

proxénétisme [pʀɔksenetism] nm proxenetismo.

proximité [pʀɔksimite] nf (dans l'espace) cercanía; (dans le temps) proximidad f; **à ~ (de)** cerca (de).

prude [pʀyd] adj mojigato(-a).

prudemment [pʀydamɑ̃] adv con prudencia.

prudence [pʀydɑ̃s] nf prudencia; **avec ~** con prudencia; **par (mesure de) ~** como medida de precaución.

prudent, e [pʀydɑ̃, ɑ̃t] adj prudente; (sage, conseillé) sensato(-a); **ce n'est pas ~** no es sensato; **soyez ~!** ¡tened cuidado!

prune [pʀyn] nf ciruela.

pruneau, x [pʀyno] nm ciruela pasa.

prunelle [pʀynɛl] nf (ANAT) pupila; (BOT)

endrina; (eau de vie) licor m de endrina.

prunier [pʀynje] nm ciruelo.

Prusse [pʀys] nf Prusia.

PS [peɛs] sigle m = Parti socialiste; (= postscriptum) PD (= postdata).

psalmodier [psalmɔdje] vt salmodiar.

psaume [psom] nm salmo.

pseudonyme [psødɔnim] nm seudónimo; (de comédien) nombre m artístico.

PSU [peɛsy] sigle m = Parti socialiste unifié.

psy [psi] nm/f (fam: psychiatre) (p)siquiatra m/f.

psychanalyse [psikanaliz] nf (p)sicoanálisis m inv.

psychanalyser [psikanalize] vt (p)sicoanalizar; **se faire ~** hacerse un (p)sicoanálisis.

psychanalyste [psikanalist] nm/f (p)sicoanalista m/f.

psychanalytique [psikanalitik] adj (p)sicoanalítico(-a).

psychédélique [psikedelik] adj (p)sicodélico(-a).

psychiatre [psikjatʀ] nm/f (p)siquiatra m/f.

psychiatrie [psikjatʀi] nf (p)siquiatría f.

psychiatrique [psikjatʀik] adj (p)siquiátrico(-a).

psychique [psiʃik] adj (p)síquico(-a).

psychisme [psiʃism] nm (p)siquismo.

psychologie [psikɔlɔʒi] nf (p)sicología.

psychologique [psikɔlɔʒik] adj (p)sicológico(-a).

psychologiquement [psikɔlɔʒikmɑ̃] adv (p)sicológicamente.

psychologue [psikɔlɔg] nm/f (p)sicólogo(-a); **être ~** (fig) ser (p)sicólogo(-a).

psychomoteur, -trice [psikomɔtœʀ, tʀis] adj (p)sicomotor(a).

psychopathe [psikɔpat] nm/f (p)sicópata m/f.

psychopédagogie [psikopedagɔʒi] nf (p)sicopedagogía.

psychose [psikoz] nf (p)sicosis f inv.

psychosomatique [psikosɔmatik] adj (p)sicosomático(-a).

psychothérapie [psikoteʀapi] nf (p)sicoterapia.

psychotique [psikɔtik] adj (p)sicótico(-a).

Pte abr = **Porte.**

PTT [petete] sigle fpl = Postes, télécommunications et télédiffusion.

pu [py] pp de **pouvoir.**

puanteur [pɥɑ̃tœʀ] nf pestilencia.

pub [pyb] nf (fam: publicité) publicidad f.

pubère [pybɛʀ] adj púber.

puberté [pybɛʀte] nf pubertad f.

pubis [pybis] nm pubis m inv.

public, -ique [pyblik] adj público(-a) ♦ nm público; **en ~** en público; **interdit au ~**

prohibido al público; **le grand ~** el público en general.

publication [pyblikasjɔ̃] *nf* publicación *f*; **directeur de ~** director *m* de publicaciones.

publicitaire [pyblisitɛʀ] *adj* publicitario(-a) ♦ *nm/f* publicista *m/f*; **rédacteur/dessinateur ~** redactor *m*/dibujante *m* publicitario.

publicité [pyblisite] *nf* publicidad *f*; **une ~** un anuncio; **faire trop de ~ autour de qch/qn** dar demasiada publicidad a algo/algn.

publier [pyblije] *vt* publicar; (*décret, loi*) promulgar.

publipostage [pyblipɔstaʒ] *nm* propaganda comercial.

publique [pyblik] *adj f voir* **public**.

publiquement [pyblikmɑ̃] *adv* en público.

puce [pys] *nf* pulga; (*INFORM*) pulgada; **marché aux ~s** mercadillo; **mettre la ~ à l'oreille de qn** poner la mosca detrás de la oreja a algn.

puceau, x [pyso] *adj, nm* virgen *m*.

pucelle [pysɛl] *adj, nf* virgen *f*.

puceron [pys(ə)ʀɔ̃] *nm* pulgón *m*.

pudeur [pydœʀ] *nf* pudor *m*.

pudibond, e [pydibɔ̃, ɔ̃d] *adj* pudoroso(-a).

pudique [pydik] *adj* (*chaste*) pudoroso(-a); (*discret*) recatado(-a).

pudiquement [pydikmɑ̃] *adv* pudorosamente.

puer [pɥe] (*péj*) *vi, vt* apestar (a).

puéricultrice [pɥeʀikyltʀis] *nf* puericultora.

puériculture [pɥeʀikyltyʀ] *nf* puericultura.

puéril, e [pɥeʀil] *adj* pueril.

puérilement [pɥeʀilmɑ̃] *adv* puerilmente.

puérilité [pɥeʀilite] *nf* puerilidad *f*.

pugilat [pyʒila] *nm* pugilato.

puis [pɥi] *vb voir* **pouvoir** ♦ *adv* (*ensuite*) después, luego; (*dans une énumération*) luego; (*en outre*): **et ~ y** además, y encima; **et ~ après!** ¡y qué!; **et ~ quoi encore?** ¡y qué más!

puisard [pɥizaʀ] *nm* sumidero.

puiser [pɥize] *vt*: **~ (dans)** sacar (de).

puisque [pɥisk] *conj* ya que, como; **~ je te le dis!** (*valeur intensive*) ¡que te lo digo yo!

puissamment [pɥisamɑ̃] *adv* poderosamente.

puissance [pɥisɑ̃s] *nf* potencia; (*pouvoir*) poder *m*; **deux (à la) ~ cinq** (*MATH*) dos (elevado) a la quinta; **les ~s occultes** los poderes ocultos.

puissant, e [pɥisɑ̃, ɑ̃t] *adj* poderoso(-a); (*homme, voix*) fuerte; (*raisonnement*) consistente; (*moteur*) potente; (*éclairage, drogue, vent*) fuerte.

puisse *etc* [pɥis] *vb voir* **pouvoir**.

puits [pɥi] *nm* pozo; **▶ puits artésien/de mine** pozo artesano/minero; **▶ puits de science** pozo de sabiduría.

pull [pyl], **pull-over** [pylɔvɛʀ] (*pl ~-overs*) *nm* jersey *m*.

pulluler [pylyle] *vi* pulular; (*fig*) abundar.

pulmonaire [pylmɔnɛʀ] *adj* pulmonar.

pulpe [pylp] *nf* pulpa.

pulsation [pylsasjɔ̃] *nf* (*MÉD*) pulsación *f*; **▶ pulsations (du cœur)** (*rythme cardiaque*) ritmo cardíaco; (*battements*) latidos *mpl*.

pulsé [pylse] *adj m*: **chauffage à air ~** calefacción *f* por ventilación.

pulsion [pylsjɔ̃] *nf*: **~ sexuelle** impulso sexual.

pulvérisateur [pylveʀizatœʀ] *nm* pulverizador *m*.

pulvérisation [pylveʀizasjɔ̃] *nf* pulverización *f*.

pulvériser [pylveʀize] *vt* pulverizar; (*fig: adversaire*) machacar.

puma [pyma] *nm* puma *m*.

punaise [pynɛz] *nf* (*ZOOL*) chinche *f*; (*clou*) chincheta.

punch [pœ̃ʃ] *nm* (*boisson*) ponche *m*; (*BOXE*) puñetazo; (*fig*) vitalidad *f*.

punching-ball [pœ̃ʃiŋbol] (*pl ~-~s*) *nm* punching-ball *m*.

punir [pyniʀ] *vt* castigar; (*faute, infraction*) sancionar; (*crime*) condenar; **~ qn de qch** castigar a algn por algo.

punitif, -ive [pynitif, iv] *adj*: **expédition punitive** expedición *f* de castigo.

punition [pynisjɔ̃] *nf* castigo.

pupille [pypij] *nf* (*ANAT*) pupila ♦ *nm/f* (*enfant*) pupilo(-a); **▶ pupille de l'État** hospiciano(-a); **▶ pupille de la Nation** huérfano(-a) de guerra.

pupitre [pypitʀ] *nm* (*SCOL*) pupitre *m*; (*REL, MUS*) atril *m*; (*INFORM*) consola; **▶ pupitre de commande** consola de mandos.

pupitreur, -euse [pypitʀœʀ, øz] *nm/f* (*INFORM*) técnico *m/f* informático.

pur, e [pyʀ] *adj* puro(-a); (*intentions*) bueno(-a) ♦ *nm* duro; **~ et simple** mero(-a); **en ~e perte** en balde; **~e laine** pura lana.

purée [pyʀe] *nf* puré *m*; **▶ purée de pois** (*fig*) niebla muy espesa; **▶ purée de tomates** tomate *m* triturado.

purement [pyʀmɑ̃] *adv* puramente.

pureté [pyʀte] *nf* pureza.

purgatif [pyʀgatif] *nm* purgante *m*.

purgatoire [pyʀgatwaʀ] *nm* purgatorio.

purge [pyʀʒ] *nf* (*POL, MÉD*) purga.

purger [pyʀʒe] *vt* purgar; (*vidanger*) limpiar.

purification [pyʀifikasjɔ̃] *nf*: **~ de l'eau** depuración *f* del agua; **~ ethnique** limpieza étnica.

purifier [pyʀifje] *vt* purificar.
purin [pyʀɛ̃] *nm* aguas *fpl* de estiércol.
puriste [pyʀist] *nm/f* purista *m/f*.
puritain, e [pyʀitɛ̃, ɛn] *adj, nm/f* puritano(-a).
puritanisme [pyʀitanism] *nm* puritanismo.
pur-sang [pyʀsɑ̃] *nm inv* pura sangre *m*.
purulent, e [pyʀylɑ̃, ɑ̃t] *adj* purulento(-a).
pus [py] *vb voir* **pouvoir** ♦ *nm* pus *m*.
pusillanime [pyzi(l)lanim] *adj* pusilánime.
pustule [pystyl] *nf* pústula.
putain [pytɛ̃] *(fam!)* *nf* puta; **~!** ¡joder!; **ce/cette ~ de ...** este(-a) puto(-a) ... .
putois [pytwa] *nm* turón *m*; **crier comme un ~** gritar como un loco.
putréfaction [pytʀefaksjɔ̃] *nf* putrefacción *f*.
putréfier [pytʀefje] *vt* pudrir; **se putréfier** *vpr* pudrirse.
putrescible [pytʀesibl] *adj* putrescible.
putride [pytʀid] *adj* putrefacto(-a).
putsch [putʃ] *nm* golpe *m* de estado.
puzzle [pœzl] *nm* rompecabezas *m inv*.
PV [peve] *sigle m* (= *procès-verbal*) multa.
PVC [pevese] *sigle m* (= *polychlorure de vinyle*) policloruro de vinilo.
pygmée [pigme] *nm* pigmeo(-a).
pyjama [piʒama] *nm* pijama *m*, piyama *m ou f* (*AM*).
pylône [pilon] *nm* (*d'un pont*) pilar *m*; (*mât, poteau*) poste *m*.
pyramide [piʀamid] *nf* pirámide *f*; ► **pyramide humaine** pirámide humana.
pyrénéen, ne [piʀeneɛ̃, ɛn] *adj* pirenaico(-a) ♦ *nm/f*: **P~, ne** pirenaico(-a).
Pyrénées [piʀene] *nfpl*: **les ~** los Pirineos.
pyrex ® [piʀɛks] *nm* pírex *m* ®.
pyrogravure [piʀogʀavyʀ] *nf* pirograbado.
pyrolyse [piʀɔliz] *nf* pirolisis *f inv*.
pyromane [piʀɔman] *nm/f* pirómano(-a).
python [pitɔ̃] *nm* pitón *m*.

Q, q

Q, q [ky] *nm inv* (*lettre*) Q, q *f*; **~ comme Quintal** ≈ Q de Querido.
q [ky] *abr* = **quintal**.
Qatar [kataʀ] *nm* Quatar *m*.
QCM *sigle fpl* (= *questions à choix multiples*) preguntas de elección múltiple.
QG [kyʒe] *sigle m* (= *quartier général*) cuar-

tel *m* general.
QHS [kyaʃes] *sigle m* (= *quartier de haute sécurité*) zona de máxima seguridad.
QI [kyi] *sigle m* (= *quotient intellectuel*) C.I. *m* (= *coeficiente intelectual*).
qqch. *abr* = **quelque chose**.
qqn *abr* = **quelqu'un**.
quadragénaire [k(w)adʀaʒenɛʀ] *nm/f* (*de quarante ans*) cuadragenario(-a); (*de quarante à cinquante ans*) cuarentón(-ona); **les ~s** los mayores de cuarenta años.
quadrangulaire [k(w)adʀɑ̃gylɛʀ] *adj* cuadrangular.
quadrature [k(w)adʀatyʀ] *nf*: **c'est la ~ du cercle** es la cuadratura del círculo.
quadrichromie [k(w)adʀikʀɔmi] *nf* tetracromía.
quadrilatère [k(w)adʀilatɛʀ] *nm* (*GÉOM, MIL*) cuadrilátero; (*terrain*) cuadrado.
quadrillage [kadʀijaʒ] *nm* división *f*; (*ensemble des lignes etc*) cuadrícula.
quadrille [kadʀij] *nm* cuadrilla.
quadrillé, e [kadʀije] *adj* cuadriculado(-a).
quadriller [kadʀije] *vt* (*papier, page etc*) cuadricular; (*ville, région etc*) controlar totalmente.
quadrimoteur [kadʀimɔtœʀ] *adj, nm* cuatrimotor *m*.
quadripartite [kwadʀipaʀtit] *adj* cuadripartita.
quadriphonie [k(w)adʀifɔni] *nf* tetrafonía.
quadriréacteur [k(w)adʀiʀeaktœʀ] *nm* cuatrirreactor *m*.
quadrupède [k(w)adʀypɛd] *adj, nm* cuadrúpedo(-a).
quadruple [k(w)adʀypl] *adj* cuádruple ♦ *nm*: **le ~ de** el cuádruplo de.
quadrupler [k(w)adʀyple] *vt* cuadruplicar ♦ *vi* cuadruplicarse.
quadruplés, -ées [k(w)adʀyple] *nm/fpl* cuatrillizos(-as).
quai [ke] *nm* (*d'un port*) muelle *m*; (*d'une gare*) andén *m*; (*d'un cours d'eau, canal*) orilla; **être à ~** (*navire*) estar atracado; (*train*) estar en el andén; ► **le Quai d'Orsay** Ministerio de Asuntos Exteriores; ► **le Quai des Orfèvres** la sede de la Policía Judicial.
qualificatif, -ive [kalifikatif, iv] *adj* (*LING*) calificativo(-a) ♦ *nm* calificativo.
qualification [kalifikasjɔ̃] *nf* calificación *f*; (*désignation*) designación *f*, nombramiento; (*aptitude*) capacitación *f*; ► **qualification professionnelle** cualificación *f* profesional.
qualifier [kalifje] *vt* calificar; **se qualifier** *vpr* (*SPORT*) calificarse; **~ qch de crime** calificar algo de crimen; **~ qn d'artiste** calificar a algn de artista; **être qualifié pour** estar cualificado *ou* capacitado

para.

qualitatif, -ive [kalitatif, iv] *adj* cualitativo(-a).

qualitativement [kalitativmã] *adv* cualitativamente.

qualité [kalite] *nf* calidad *f*; (*valeur, aptitude*) cualidad *f*; **en ~ de** en calidad de; **ès ~s** como tal; **avoir ~ pour** tener autoridad para; **de ~** *adj* de calidad; **rapport ~-prix** relación *f* calidad-precio.

quand [kã] *conj* cuando; (*chaque fois que*) cada vez que; (*alors que*) cuando, mientras ♦ *adv*: **~ arrivera-t-il?** ¿cuándo llegará?; **~ je serai riche, j'aurai une belle maison** cuando yo sea rico, tendré una casa bonita; **~ même** (*cependant, pourtant*) sin embargo; (*tout de même*): **tu exagères ~ même** desde luego te pasas; **~ bien même** aun cuando, así +*subjun* (*AM*).

quant [kã]: **~ à** *prép* en cuanto a; (*au sujet de*): **il n'a rien dit ~ à ses projets** no dijo nada sobre sus planes; **~ à moi, ... en** cuanto a mí ..., por lo que se refiere a mí ... .

quant-à-soi [kãtaswa] *nm inv*: **rester sur son ~-~-~** quedarse a la espera.

quantième [kãtjɛm] *nm* fecha.

quantifiable [kãtifjabl] *adj* cuantificable.

quantifier [kãtifje] *vt* cuantificar.

quantitatif, -ive [kãtitatif, iv] *adj* cuantitativo(-a).

quantitativement [kãtitativmã] *adv* cuantitativamente.

quantité [kãtite] *nf* cantidad *f*; (*grand nombre*): **une** *ou* **des ~(s)** de una cantidad *ou* cantidades de; **~ négligeable** (*SCIENCE*) cantidad insignificante; **en grande ~** en gran cantidad; **en ~s industrielles** en cantidades industriales; **du travail en ~** cantidad de trabajo.

quarantaine [karãtɛn] *nf* (*isolement*) cuarentena; (*nombre*): **une ~ (de)** unos cuarenta; (*âge*): **avoir la ~** estar en la cuarentena; **mettre en ~** poner en cuarentena; (*fig*) hacer el vacío.

quarante [karãt] *adj inv, nm inv* cuarenta *m inv*; *voir aussi* **cinq**.

quarantième [karãtjɛm] *adj, nm/f* cuadragésimo(-a) ♦ *nm* (*partitif*) cuarentavo; *voir aussi* **cinquantième**.

quart [kar] *nm* cuarto ♦ *nm* (*NAUT, surveillance*) guardia; **le ~ de** la cuarta parte de; **un ~ de l'héritage** un cuarto de la herencia; **un ~ de fromage** un cuarto (de kilo) de queso; **un kilo un ~** un kilo y cuarto; **2h et** *ou* **un ~** las dos y cuarto; **1h moins le ~** la una menos cuarto; **il est moins le ~** son menos cuarto; **être de/ prendre le ~** estar de/entrar de guardia; **au ~ de tour** (*fig*) a la primera; ► **quarts**

de finale (*SPORT*) cuartos *mpl* de final; ► **quart d'heure** cuarto de hora; ► **quart de tour** cuarto de vuelta.

quarté [k(w)arte] *nm* (*COURSES*) apuesta en la que hay que acertar los cuatro caballos ganadores.

quarteron [kartərɔ̃] (*péj*) *nm* puñado.

quartette [k(w)artɛt] *nm* cuarteto.

quartier [kartje] *nm* cuarto; (*d'une ville*) barrio; (*d'orange*) gajo; **~s** *nmpl* (*MIL*) cuarteles *mpl*; (*BLASON*) cuartel *m*; **cinéma de ~** cine *m* de barrio; **avoir ~ libre** estar libre; (*MIL*) tener permiso; **ne pas faire de ~** no dar cuartel; ► **quartier commerçant** zona *ou* barrio comercial; ► **quartier général** cuartel general; ► **quartier résidentiel** barrio residencial.

quartier-maître [kartjemɛtʀ] (*pl* **quartiers-maîtres**) *nm* (*NAUT*) contramaestre *m*.

quartz [kwarts] *nm* cuarzo.

quasi [kazi] *adv* casi ♦ *préf*: **~-certitude/totalité** cuasicerteza/cuasitotalidad *f*.

quasiment [kazimã] *adv* casi.

quaternaire [kwatɛrnɛr] *adj*: **ère ~** era cuaternaria.

quatorze [katɔrz] *adj inv, nm inv* catorce *m inv*; *voir aussi* **cinq**.

quatorzième [katɔrzjɛm] *adj, nm/f* decimocuarto(-a) ♦ *nm* (*partitif*) catorceavo; *voir aussi* **cinquantième**.

quatrain [katrɛ̃] *nm* cuarteto.

quatre [katr] *adj inv, nm inv* cuatro *m inv*; **à ~ pattes** a cuatro patas; **être tiré à ~ épingles** estar hecho un maniquí; **faire les ~ cents coups** armar las mil y una; **se mettre en ~ pour qn** desvivirse por algn; **monter/descendre (l'escalier) ~ à ~** subir/bajar (los escalones) de cuatro en cuatro; **à ~ mains** *adj* (*morceau*) a cuatro manos; *voir aussi* **cinq**.

quatre-(cent)-vingt-et-un [kat(rə)(sã)vɛ̃tœ̃] *nm* juego de dados.

quatre-vingt-dix [katrəvɛ̃dis] *adj inv, nm inv* noventa *m inv*; *voir aussi* **cinq**.

quatre-vingt-dixième [katr(ə)vɛ̃dizjɛm] *adj, nm/f* nonagésimo(-a) ♦ *nm* (*partitif*) noventavo; *voir aussi* **cinquantième**.

quatre-vingtième [katrəvɛ̃tjɛm] *adj, nm/f* octogésimo(-a) ♦ *nm* (*partitif*) ochentavo; *voir aussi* **cinquantième**.

quatre-vingts [katrəvɛ̃] *adj inv, nm inv* ochenta *m inv*; *voir aussi* **cinq**.

quatrième [katrijɛm] *adj, nm/f* cuarto(-a) ♦ *nf* (*AUTO*) cuarta; (*SCOL*) tercer año de educación secundaria en el sistema francés; *voir aussi* **cinquième**.

quatuor [kwatɥɔr] *nm* cuarteto.

=============================== *MOT-CLÉ*

que [kə] *conj* **1** (*introduisant complétive*) que; **il sait que tu es là** sabe que estás allí; **je veux que tu acceptes** quiero que aceptes; **il a dit que oui** dijo que sí **2** (*reprise d'autres conjonctions*): **quand il rentrera et qu'il aura mangé** cuando vuelva y haya comido; **si vous y allez ou que vous lui téléphonez** si usted va (allí) o le llama por teléfono **3** (*en tête de phrase: hypothèse, souhait etc*): **qu'il le veuille ou non** quiera o no quiera; **qu'il fasse ce qu'il voudra!** ¡que haga lo que quiera! **4** (*après comparatif*): **aussi grand que** tan grande como; **plus grand que** más grande que; *voir aussi* **plus 5** (*temps*): **elle venait à peine de sortir qu'il se mit à pleuvoir** acababa justo de salir cuando se puso a llover; **il y a 4 ans qu'il est parti** hace 4 años que se marchó **6** (*attribut*): **c'est une erreur que de croire ...** es un error creer ... **7** (*but*): **tenez-le qu'il ne tombe pas** sujételo (para) que no se caiga **8** (*seulement*): **ne ... que** sólo, no más que; **il ne boit que de l'eau** sólo bebe agua, no bebe más que agua

♦ *adv* (*exclamation*): **qu'est-ce qu'il est bête!** ¡qué tonto es!; **qu'est-ce qu'il court vite!** ¡cómo corre!; **que de livres!** ¡cuántos libros!

♦ *pron* **1** (*relatif*): **l'homme que je vois** el hombre que veo; (*temps*): **un jour que j'étais ...** un día en que yo estaba ...; **le livre que tu lis** el libro que lees **2** (*interrogatif*): **que fais-tu?, qu'est-ce que tu fais?** ¿qué haces?; **que préfères-tu, celui-ci ou celui-là?** ¿cuál prefieres, éste o ése?; **que fait-il dans la vie?** ¿a qué se dedica?; **qu'est-ce que c'est?** ¿qué es?; **que faire?** ¿qué se puede hacer?; *voir aussi* **aussi; autant** *etc.*

Québec [kebɛk] *nm* Quebec *m.*
québécois, e [kebekwa, waz] *adj* quebequés(-esa) ♦ *nm/f*: **Q~, e** quebequés(-esa).

=============================== *MOT-CLÉ*

quel, quelle [kɛl] *adj* **1** (*interrogatif: avant un nom*) qué; (*avant un verbe: personne*) quién; (: *chose*) cuál; **sur quel auteur va-t-il parler?** ¿sobre qué autor va a hablar?; **quels acteurs préférez-vous?** ¿(a) qué actores prefiere?; **quel est cet homme?** ¿quién es este hombre?; **quel livre veux-tu?** ¿qué libro quieres?; **quel est son nom?** ¿cuál es su nombre? **2** (*exclamatif*): **quelle surprise/coïncidence!** ¡qué sorpresa/coincidencia!; **quel dommage qu'il soit parti!** ¡qué pena que se haya marchado! **3**: **quel que soit** (*personne*) sea quien sea, quienquiera que sea; (*chose*) sea cual sea, cualquiera que sea; **quel que soit le coupable** sea quien sea el culpable; **quel que soit votre avis** sea cual sea su opinión

♦ *pron interrogatif*: **de tous ces enfants, quel est le plus intelligent?** de todos esos niños, ¿cuál es el más inteligente?

quelconque [kɛlkɔ̃k] *adj* cualquier(a); (*sans valeur*) mediocre; **pour une raison ~** por cualquier razón.

=============================== *MOT-CLÉ*

quelque [kɛlk] *adj* **1** (*suivi du singulier*) algún(-una); (*suivi du pluriel*) algunos(-as); **cela fait quelque temps que je ne l'ai (pas) vu** hace algún tiempo que no lo he visto; **il a dit quelques mots de remerciement** dijo algunas palabras de agradecimiento; **les quelques enfants qui ...** los pocos niños que ...; **il habite à quelque distance d'ici** vive a cierta distancia de aquí; **a-t-il quelques amis?** ¿tiene amigos?; **20 kg et quelque(s)** 20 kg y pico **2**: **quelque ... que**: **quelque livre qu'il choisisse** cualquier libro que elija; **par quelque temps qu'il fasse** haga el tiempo que haga **3**: **quelque chose** *pron* algo; **quelque chose d'autre** otra cosa; **y être pour quelque chose** tener algo que ver; **ça m'a fait quelque chose!** (*fig*) ¡sentí una cosa!; **puis-je faire quelque chose pour vous?** ¿puedo hacer algo por usted?; **c'est déjà quelque chose** algo es algo **quelque part** (*position*) en alguna parte; (*direction*) a alguna parte **quelque sorte: en quelque sorte** (*pour ainsi dire*) en cierto modo; (*bref*) o sea

♦ *adv* **1** (*environ, à peu près*): **une route de quelque 100 km** una carretera de unos 100 km **2**: **quelque peu** algo; **il est quelque peu vulgaire** es algo vulgar.

quelquefois [kɛlkəfwa] *adv* a veces.
quelques-uns, -unes [kɛlkəzœ̃, yn] *pron* algunos(-as); **~-~ des lecteurs** unos cuantos lectores.
quelqu'un [kɛlkœ̃] *pron* alguien; (*entre plusieurs*) alguno(-a); **~ d'autre** otro(-a); **être ~** (*de valeur*) ser algn.
quémander [kemɑ̃de] *vt* mendigar.
qu'en dira-t-on [kɑ̃diʀatɔ̃] *nm inv*: **le ~** **~-~-~** el qué dirán.

quenelle [kənɛl] *nf* croqueta.
quenouille [kənuj] *nf* rueca.
querelle [kərɛl] *nf* pelea; **chercher ~ à qn** buscar pelea con algn.
quereller [kərele]: **se ~** *vpr* pelearse.
querelleur, -euse [kərelœʀ, øz] *adj* pendenciero(-a).
qu'est-ce que [kɛskə] *voir* **que; qui.**
qu'est-ce qui [kɛski] *voir* **que; qui.**
question [kɛstjɔ̃] *nf* (*gén*) pregunta; (*problème*) cuestión *f*, problema *m*; **il a été ~ de** se trató de; **il est ~ de les emprisonner** se trata de encarcelarlos; **c'est une ~ de temps/d'habitude** es cuestión de tiempo/de costumbre; **de quoi est-il ~?** ¿de qué se trata?; **il n'en est pas ~** ni hablar, ni mucho menos; **en ~** en cuestión; **hors de ~** fuera de lugar; **je ne me suis jamais posé la ~** nunca me he planteado el problema; **(re)mettre en ~** poner en tela de juicio; **poser la ~ de confiance** (*POL*) pedir un voto de confianza; ▶ **question d'actualité** (*PRESSE*) tema *m* de actualidad; ▶ **question piège** pregunta capciosa; ▶ **questions économiques/sociales** cuestiones económicas/sociales; ▶ **question subsidiaire** cuestión subsidiaria.
questionnaire [kɛstjɔnɛʀ] *nm* cuestionario.
questionner [kɛstjɔne] *vt* preguntar; **~ qn sur qch** preguntar a algn acerca de algo.
quête [kɛt] *nf* (*collecte*) colecta; (*recherche*) búsqueda; **faire la ~** (*à l'église*) pasar la bandeja; (*artiste*) pasar la gorra; **se mettre en ~ de qch** ir en busca de algo.
quêter [kete] *vi* pedir ♦ *vt* buscar.
quetsche [kwetʃ] *nf* ciruela damascena.
queue [kø] *nf* cola; (*de lettre, note*) rabo; (*d'une casserole*) asa; (*poêle*) mango; (*d'un fruit, d'une feuille*) rabillo; (*cheveux*) coleta; (*BILLARD*) taco; **en ~ (de train)** en cola; **faire la ~** hacer cola; **se mettre à la ~** ponerse a la cola; **histoire sans ~ ni tête** historia sin pies ni cabeza; **à la ~ leu leu** uno tras otro; (*fig*) en fila india; **faire une ~ de poisson à qn** (*AUTO*) ponerse bruscamente delante de algn al adelantar; **finir en ~ de poisson** (*projets*) terminar en agua de borrajas; ▶ **queue de cheval** cola de caballo.
queue-de-pie [kødpi] (*pl* **~s-~-~**) *nf* chaqué *m*.
queux [kø] *adj m voir* **maître.**

══════════ *MOT-CLÉ* ══════════

qui [ki] *pron* **1** (*interrogatif*) quién; (: *plural*) quiénes; (*objet*): **qui (est-ce que) j'emmène?** ¿a quién llevo?; **je ne sais pas qui c'est** no sé quién es; **à qui est ce sac?** ¿de quién es este bolso?; **à qui parlais-tu?** ¿con quién hablabas?

2 (*relatif*) que; (: *après prép*) quien, el(la) que; (: *plural*) quienes, los(las) que; **l'ami de qui je vous ai parlé** el amigo de quien *ou* del que le hablé; **la personne avec qui je l'ai vu** la persona con quien lo vi
3 (*sans antécédent*): **amenez qui vous voulez** traiga a quien quiera; **qui que ce soit** quienquiera que sea.

─────────────────────

quiche [kiʃ] *nf*: **~ lorraine** quiche *m* lorena.
quiconque [kikɔ̃k] *pron* quienquiera que; (*n'importe qui*) cualquiera.
quidam [k(ɥ)idam] *nm* (*hum*) tipo.
quiétude [kjetyd] *nf* (*d'un lieu*) quietud *f*; (*d'une personne*) tranquilidad *f*, sosiego; **en toute ~** con toda tranquilidad.
quignon [kiɲɔ̃] *nm* cantero, cuscurro.
quille [kij] *nf* bolo; (*d'un bateau*) quilla; (*MIL: fam*) licencia; **(jeu de) ~s** juego de bolos.
quincaillerie [kɛ̃kajʀi] *nf* (*ustensiles, métier*) quincallería; (*magasin*) ferretería.
quincaillier, -ère [kɛ̃kaje, jɛʀ] *nm/f* ferretero(-a).
quinconce [kɛ̃kɔ̃s] *nm*: **en ~** al tresbolillo.
quinine [kinin] *nf* quinina.
quinquagénaire [kɛ̃kaʒenɛʀ] *nm/f* (*de cinquante ans*) quincuagenario(-a); (*de cinquante à soixante ans*) cincuentón(-ona); **les ~s** los mayores de cincuenta años.
quinquennal, e, -aux [kɛ̃kenal, o] *adj* quinquenal.
quinquina [kɛ̃kina] *nm* (*BOT*) quina.
quintal, -aux [kɛ̃tal, o] *nm* quintal *m*.
quinte [kɛ̃t] *nf*: **~ (de toux)** golpe *m* de tos.
quintessence [kɛ̃tesɑ̃s] *nf* quintaesencia.
quintette [k(ɥ)ɛ̃tet] *nm* quinteto.
quintuple [kɛ̃typl] *adj* quíntuplo ♦ *nm*: **le ~ de** el quíntuplo de.
quintupler [kɛ̃typle] *vt* quintuplicar ♦ *vi* quintuplicarse.
quintuplés, -ées [kɛ̃typle] *nm/fpl* quintillizos.
quinzaine [kɛ̃zɛn] *nf* quincena; **une ~ (de jours)** una quincena (de días).
quinze [kɛ̃z] *adj inv, nm inv* quince *m inv*; **demain en ~** desde mañana en quince días; **lundi en ~** desde lunes en quince días; **dans ~ jours** dentro de quince días; **le ~ de France** (*RUGBY*) el equipo internacional francés de rugby; *voir aussi* **cinq.**
quinzième [kɛ̃zjɛm] *adj, nm/f* decimoquinto(-a) ♦ *nm* (*partitif*) quinceavo; *voir aussi* **cinquantième.**
quiproquo [kipʀɔko] *nm* malentendido; (*THÉÂTRE*) quid pro quo *m*.
Quito [kito] *n* Quito.
quittance [kitɑ̃s] *nf* (*reçu*) recibo; (*facture*) recibo, factura.
quitte [kit] *adj*: **être ~ envers qn** estar en

paz con algn; **être ~ de** haberse librado
de; **en être ~ à bon compte** escaparse
por los pelos; **~ à être renvoyé** aunque
me echen; **je resterai ~ à attendre pendant 3 heures** me quedaré aunque tenga
que esperar 3 horas; **~ ou double** doble
o nada; (*fig*): **c'est du ~ ou double** es el
todo por el todo.

quitter [kite] *vt* dejar; (*fig: espoir, illusion*)
perder; (*vêtement*) quitarse; **se quitter**
vpr (*couples, interlocuteurs*) separarse; **~
la route** (*véhicule*) salir de la carretera;
ne quittez pas (*au téléphone*) no se retire;
ne pas ~ qn d'une semelle pisarle los talones a algn.

quitus [kitys] *nm* finiquito.

qui-vive [kiviv] *nm inv:* **être sur le ~-~** estar alerta.

quoi [kwa] *pron interrog* **1** (*interrogation directe*) qué; **~ de plus beau que ...?** ¿hay
algo más hermoso que ...?; **~ de neuf?**
¿qué hay de nuevo?; **~ encore?** ¿y ahora,
qué?; **et puis ~ encore!** ¡y qué más!; **~?**
(*qu'est-ce que tu dis?*) ¿qué?
2 (*interrogation directe avec prép*) qué; **à ~
penses-tu?** ¿en qué piensas?; **de ~
parlez-vous?** ¿de qué habláis?; **en ~ puis-
je vous aider?** ¿en qué puedo ayudarle?;
à ~ bon? ¿para qué?
3 (*interrogation indirecte*) qué; **dis-moi à ~
ça sert** dime para qué sirve; **je ne sais
pas à ~ il pense** no sé en qué piensa; ♦
pron rel **1** que; **ce à ~ tu penses** lo que
piensas; **de ~ écrire** algo para escribir; **il
n'a pas de ~ se l'acheter** no tiene con qué
comprarlo; **il y a de ~ être fier** es para
estar orgulloso; **merci – il n'y a pas de ~**
gracias – no hay de qué
2 (*locutions*): **après ~** después de lo cual;
sur ~ sobre qué; **sans ~, faute de ~** si
no; **comme ~** (*déduction*) así que; **un
message comme ~ il est arrivé** un mensaje en el que dice que ha llegado
3: **~ qu'il arrive** pase lo que pase; **~ qu'il
en soit** sea lo que sea; **~ qu'elle fasse**
haga lo que haga; **si vous avez besoin de
~ que ce soit** si necesita cualquier cosa;
♦ *excl* qué.

quoique [kwak(ə)] *conj* aunque.

quolibet [kɔlibɛ] *nm* pulla, chanza.

quorum [k(w)ɔʀɔm] *nm* quórum *m*.

quota [k(w)ota] *nm* cuota.

quote-part [kɔtpaʀ] (*pl* **~s–~s**) *nf* cuota.

quotidien, ne [kɔtidjɛ̃, jɛn] *adj* cotidia-
no(-a) ♦ *nm* (*journal*) diario; (*vie quotidienne*) vida diaria; **les grands ~s** los
grandes diarios.

quotidiennement [kɔtidjɛnmɑ̃] *adv* diariamente.

quotient [kɔsjɑ̃] *nm* (*MATH*) cociente *m*;

▶ **quotient intellectuel** coeficiente *m* intelectual.

quotité [kɔtite] *nf* (*FIN*) cuota.

R, r

R, r [ɛʀ] *nm inv* (*lettre*) R, r *f*; **~ comme
Raoul** R de Raúl.

R [ɛʀ] *abr* (= *route*) ctra. (= *carretera*); (=
rue) C (= *calle*).

rab [ʀab] (*fam*) *nm:* **est-ce-qu'il y a du ~?**
¿queda algo?

rabâcher [ʀabɑʃe] *vt* repetir.

rabais [ʀabɛ] *nm* rebaja; **au ~** rebajado.

rabaisser [ʀabese] *vt* (*prétentions, autorité*)
bajar, reducir; (*influence*) disminuir;
(*personne, mérites*) rebajar.

rabane [ʀaban] *nf* tejido de rafia.

Rabat [ʀaba] *n* Rabat.

rabat [ʀaba] *vb voir* **rabattre** ♦ *nm* solapa.

rabat-joie [ʀabaʒwa] *nm/f inv* aguafiestas
m/f inv.

rabatteur, -euse [ʀabatœʀ, øz] *nm/f* (*de gibier*) ojeador *m*; (*péj*) gancho.

rabattre [ʀabatʀ] *vt* (*couvercle, siège*) bajar; (*fam*) volver; (*couture*) dobladillar;
(*balle*) rechazar; (*gibier*) ojear; (*somme
d'un prix*) rebajar; (*orgueil, prétentions*)
bajar; (*TRICOT*) cerrar; **se rabattre** *vpr*
bajarse; **se ~ devant qn** (*véhicule, coureur*) colocarse delante de algn; **se ~ sur**
(*accepter*) conformarse con.

rabattu, e [ʀabaty] *pp de* **rabattre** ♦ *adj*
vuelto(-a).

rabbin [ʀabɛ̃] *nm* rabino.

rabiot [ʀabjo] (*fam*) *nm voir* **rab**.

rabique [ʀabik] *adj* rábico(-a).

râble [ʀɑbl] *nm* lomo.

râblé, e [ʀɑble] *adj* (*animal*) recio(-a); (*personne*) fornido(-a).

rabot [ʀabo] *nm* cepillo.

raboter [ʀabɔte] *vt* cepillar.

raboteux, -euse [ʀabɔtø, øz] *adj* áspe-
ro(-a).

rabougri, e [ʀabugʀi] *adj* (*végétal*) mus-
tio(-a); (*personne*) canijo(-a).

rabrouer [ʀabʀue] *vt* acoger ásperamente.

racaille [ʀakɑj] (*péj*) *nf* chusma.

raccommodage [ʀakɔmɔdaʒ] *nm* remiendo.

raccommoder [ʀakɔmɔde] *vt* (*vêtement,*

linge) remendar; (*chaussette*) zurcir; (*fam*) reconciliar; **se raccommoder avec** *vpr* (*fam*) reconciliarse con.

raccompagner [ʀakɔ̃paɲe] *vt* acompañar.

raccord [ʀakɔʀ] *nm* (*TECH*) racor *m*, empalme *m*; (*CINÉ*) ajuste *m*; ▸ **raccord de maçonnerie/de peinture** retoque *m* de albañilería/de pintura.

raccordement [ʀakɔʀdəmɑ̃] *nm* (*v vt*) empalme *m*.

raccorder [ʀakɔʀde] *vt* (*tuyaux, fils électriques*) empalmar; (*bâtiments, routes*) reparar; (*suj: pont, passerelle*) enlazar; **se raccorder à** *vpr* empalmarse con; (*fig*) relacionarse con; ~ **qn au réseau du téléphone** conectar a algn a la red telefónica.

raccourci [ʀakuʀsi] *nm* atajo; (*fig*) resumen *m*; **en** ~ en resumen.

raccourcir [ʀakuʀsiʀ] *vt* acortar ♦ *vi* (*vêtement*) encoger; (*jours*) acortarse.

raccroc [ʀakʀo]: **par** ~ *adv* de chiripa.

raccrocher [ʀakʀoʃe] *vt* (*tableau, vêtement*) volver a colgar; (*récepteur*) colgar; (*fig*) recuperar ♦ *vi* (*TÉL*) colgar; **se raccrocher à** *vpr* (*branche*) agarrarse a; (*fig*) aferrarse a; **ne raccrochez pas** (*TÉL*) no cuelgue.

race [ʀas] *nf* raza; (*ascendance, origine*) casta; (*espèce*) calaña; **de** ~ de raza.

racé, e [ʀase] *adj* (*animal*) de raza; (*personne*) distinguido(-a).

rachat [ʀaʃa] *nm* (*v vt*) compra; repesca; rescate *m*; redención *f*.

racheter [ʀaʃ(ə)te] *vt* volver a comprar; (*part, firme: aussi d'occasion*) comprar; (*pension, rente*) liquidar; (*REL*) redimir; (*mauvaise conduite, oubli, défaut*) compensar; (*candidat*) repescar; (*prisonnier*) rescatar; **se racheter** *vpr* (*REL*) redimirse; (*gén*) rehabilitarse; ~ **du lait/des œufs** comprar más leche/huevos.

rachidien, ne [ʀaʃidjɛ̃, jɛn] *adj* raquídeo(-a).

rachitique [ʀaʃitik] *adj* raquítico(-a).

rachitisme [ʀaʃitism] *nm* raquitismo.

racial, e, -aux [ʀasjal, jo] *adj* racial.

racine [ʀasin] *nf* (*aussi fig*) raíz *f*; ~ **carrée/cubique** raíz cuadrada/cúbica; **prendre** ~ (*fig: s'attacher*) arraigar; (: *s'établir*) echar raíces.

racisme [ʀasism] *nm* racismo.

raciste [ʀasist] *adj, nm/f* racista *m/f*.

racket [ʀakɛt] *nm* chantaje *m*.

racketteur [ʀakɛtœʀ] *nm* chantajista *m/f*.

raclée [ʀakle] (*fam*) *nf* paliza, golpiza (*AM*).

raclement [ʀakləmɑ̃] *nm* carraspeo.

racler [ʀakle] *vt* (*os, casserole*) raspar; (*tache, boue*) frotar; (*suj: chose: frotter contre*) rascar; **se** ~ **la gorge** carraspear.

raclette [ʀaklɛt] *nf* (*CULIN*) plato suizo a base de queso fundido y patatas.

racloir [ʀaklwaʀ] *nm* raspador *m*.

racolage [ʀakɔlaʒ] *nm* enganche *m*.

racoler [ʀakɔle] (*péj*) *vt* (*attirer, attraper*) enganchar; **elle racole dans cette rue** (*prostituée*) caza clientes en esta calle.

racoleur, -euse [ʀakɔlœʀ, øz] (*péj*) *adj* de reclamo ♦ *nm* (*de clients etc*) gancho.

racoleuse [ʀakɔløz] *nf* fulana.

racontars [ʀakɔ̃taʀ] *nmpl* habladurías *fpl*.

raconter [ʀakɔ̃te] *vt*: ~ (**à qn**) contar (a algn).

racorni, e [ʀakɔʀni] *adj* endurecido(-a).

racornir [ʀakɔʀniʀ] *vt* endurecer.

radar [ʀadaʀ] *nm* radar *m*.

rade [ʀad] *nf* rada; **en** ~ **de Toulon** en la rada de Toulon; **laisser/rester en** ~ (*fig*) dejar/quedarse plantado(-a).

radeau, x [ʀado] *nm* balsa; ▸ **radeau de sauvetage** balsa salvavidas.

radial, e, -aux [ʀadjal, jo] *adj* radial; **pneu à carcasse** ~**e** neumático de cubierta radial.

radiant, e [ʀadjɑ̃, jɑ̃t] *adj* radiante.

radiateur [ʀadjatœʀ] *nm* radiador *m*; ▸ **radiateur à gaz** radiador de gas; ▸ **radiateur électrique** radiador eléctrico.

radiation [ʀadjasjɔ̃] *nf* radiación *f*.

radical, e, -aux [ʀadikal, o] *adj* radical; (*moyen, remède*) infalible ♦ *nm* radical *m*.

radicalement [ʀadikalmɑ̃] *adv* radicalmente.

radicaliser [ʀadikalize] *vt* radicalizar; **se radicaliser** *vpr* radicalizarse.

radicalisme [ʀadikalism] *nm* radicalismo.

radier [ʀadje] *vt* borrar.

radiesthésie [ʀadjɛstezi] *nf* radiestesia.

radiesthésiste [ʀadjɛstezist] *nm/f* radiestesista *m/f*.

radieux, -euse [ʀadjø, jøz] *adj* (*aussi fig*) radiante.

radin, e [ʀadɛ̃, in] (*fam*) *adj* tacaño(-a).

radio [ʀadjo] *nf* radio *f* (*m en AM*); (*radioscopie*) radioscopia; (*radiographie*) radiografía ♦ *nm* (*personne*) radiotelegrafista *m/f ou* radiotelefonista *m/f*; **à la** ~ en la radio; **avoir la** ~ tener radio; **passer à la** ~ (*personne*) salir por la radio; (*programme*) poner por la radio; **passer une** ~ hacerse una radiografía; ▸ **radio libre** radio libre.

radio... [ʀadjo] *préf* radio... .

radioactif, -ive [ʀadjoaktif, iv] *adj* radioactivo(-a).

radioactivité [ʀadjoaktivite] *nf* radioactividad *f*.

radioamateur [ʀadjoamatœʀ] *nm* radioaficionado(-a).

radiobalise [ʀadjobaliz] *nf* radiobaliza.

radiocassette [ʀadjokasɛt] *nf* radiocasete *m*.

radiodiffuser [ʀadjodifyze] *vt* radiodifundir.

radiodiffusion [ʀadjodifyzjɔ̃] *nf* radiodifusión *f*; **programmes/chaînes de** ~ programas *fpl*/cadenas *fpl* de radiodifusión.

radioélectrique [ʀadjoelɛktʀik] *adj* radioeléctrico(-a).

radiographie [ʀadjɔgʀafi] *nf* radiografía.

radiographier [ʀadjɔgʀafje] *vt* radiografiar; **se faire** ~ hacerse una radiografía.

radioguidage [ʀadjogidaʒ] *nm* (*NAUT, AVIAT*) radioguía *f*; (*AUTO*) información *f* del tráfico.

radioguider [ʀadjɔgide] *vt* dirigir por radio.

radiologie [ʀadjɔlɔʒi] *nf* radiología.

radiologique [ʀadjɔlɔʒik] *adj* radiológico(-a).

radiologue [ʀadjɔlɔg] *nm/f* radiólogo(-a).

radiophare [ʀadjofaʀ] *nm* radiofaro.

radiophonique [ʀadjofɔnik] *adj*: **programme/jeu** ~ programa *m*/juego radiofónico; **émission** ~ emisión *f* radiofónica.

radioreportage [ʀadjɔʀ(ə)pɔʀtaʒ] *nm* reportaje *m* radiofónico.

radio-réveil [ʀadjoʀevɛj] (*pl* ~**s**-~**s**) *nm* radio-despertador *m*.

radioscopie [ʀadjɔskɔpi] *nf* radioscopia.

radio-taxi [ʀadjotaksi] (*pl* ~-~**s**) *nm* radio-taxi *m*.

radiotéléphone [ʀadjotelefɔn] *nm* radioteléfono.

radiotélescope [ʀadjotelɛskɔp] *nm* radiotelescopio.

radiotélévisé, e [ʀadjotelevize] *adj* radiotelevisado(-a).

radiothérapie [ʀadjoteʀapi] *nf* radioterapia.

radis [ʀadi] *nm* rábano; ▸ **radis noir** rábano picante.

radium [ʀadjɔm] *nm* radio.

radoter [ʀadɔte] *vi* chochear.

radoub [ʀadu] *nm*: **bassin** *ou* **cale de** ~ carenero *ou* dique *m* de carena.

radouber [ʀadube] *vt* carenar.

radoucir [ʀadusiʀ] *vt* mejorar; **se radoucir** *vpr* (*température, temps*) suavizarse; (*se calmer*) calmarse.

radoucissement [ʀadusismɑ̃] *nm* mejoría.

rafale [ʀafal] *nf* ráfaga; **souffler en** ~**s** soplar viento racheado; **tir en** ~ disparo a ráfaga; ▸ **rafale de mitrailleuse** ráfaga de ametralladora.

raffermir [ʀafɛʀmiʀ] *vt* (*tissus, muscle*) fortalecer; (*fig*) afianzar; **se raffermir** *vpr* (*v vt*) fortalecerse; afianzarse.

raffermissement [ʀafɛʀmismɑ̃] *nm* (*fig*) fortalecimiento.

raffinage [ʀafinaʒ] *nm* refinación *f*.

raffiné, e [ʀafine] *adj* refinado(-a).

raffinement [ʀafinmɑ̃] *nm* refinamiento.

raffiner [ʀafine] *vt* refinar.

raffinerie [ʀafinʀi] *nf* refinería.

raffoler [ʀafɔle]: ~ **de** *vt* volverse loco(-a) por.

raffut [ʀafy] (*fam*) *nm* follón *m*.

rafiot [ʀafjo] *nm* barquillo, (*péj*) barcucho *m*.

rafistoler [ʀafistɔle] (*fam*) *vt* remendar.

rafle [ʀɑfl] *nf* redada, allanamiento (*esp AM*).

rafler [ʀɑfle] (*fam*) *vt* arrasar.

rafraîchir [ʀafʀeʃiʀ] *vt* refrescar; (*atmosphère, température*) enfriar; (*fig*) renovar ♦ *vi*: **mettre une boisson à** ~ poner una bebida a enfriar; **se rafraîchir** *vpr* refrescarse; ~ **la mémoire** *ou* **les idées à qn** refrescarle a algn la memoria *ou* las ideas.

rafraîchissant, e [ʀafʀeʃisɑ̃, ɑ̃t] *adj* refrescante.

rafraîchissement [ʀafʀeʃismɑ̃] *nm* (*de la température*) enfriamiento; (*boisson*) refresco; ~**s** *nmpl* refrescos *mpl*.

ragaillardir [ʀagajaʀdiʀ] (*fam*) *vt* revigorizar.

rage [ʀaʒ] *nf* rabia; **faire** ~ (*tempête*) bramar; **l'incendie faisait** ~ el incendio se propagaba con todo vigor; ▸ **rage de dents** tremendo dolor *m* de muelas.

rager [ʀaʒe] *vi* rabiar; **faire** ~ **qn** hacer rabiar a algn.

rageur, -euse [ʀaʒœʀ, øz] *adj* rabioso(-a).

raglan [ʀaglɑ̃] *adj inv* raglán *inv* ♦ *nm* raglán *m*.

ragot [ʀago] (*fam*) *nm* chisme *m*.

ragoût [ʀagu] *nm* guiso.

ragoûtant, e [ʀagutɑ̃, ɑ̃t] *adj*: **peu** ~ poco apetitoso(-a).

raid [ʀɛd] *nm* raid *m*; (*attaque aérienne*) raid aéreo; (*SPORT*) carrera de resistencia, raid; ▸ **raid à skis** raid con esquís; ▸ **raid automobile** raid automovilístico.

raide [ʀɛd] *adj* (*cheveux*) liso(-a); (*ankylosé*) entumecido(-a); (*peu souple: câble, personne*) tenso(-a); (*escarpé*) empinado(-a); (*étoffe etc*) tieso(-a); (*fam: surprenant*) inaudito(-a); (: *sans argent*) pelado(-a); (: *alcool, spectacle, paroles*) fuerte ♦ *adv*: **le sentier monte** ~ el camino sube muy empinado; **tomber** ~ **mort** quedarse en el sitio.

raideur [ʀɛdœʀ] *nf* rigidez *f*; (*d'un câble*) tirantez *f*; (*des cheveux*) lisura; (*d'une côte*) pendiente *f*; (*des meubles*) entumecimiento; **avec** ~ (*marcher, danser*) con envaramiento.

raidir [ʀɛdiʀ] *vt* (*muscles, membres*) contraer; (*câble, fil de fer*) tensar; **se raidir** *vpr* (*personne, muscles*) contraerse; (*câble*) ponerse tenso(-a); (*se crisper*) ponerse tieso(-a); (*intransigeant*) mantenerse firme; **la discipline s'est raidie** la disciplina se ha vuelto severa.

raidissement [ʀɛdismɑ̃] *nm* (*fig*) endurecimiento.

raie [ʀɛ] *nf* raya.

raifort [ʀɛfɔʀ] *nm* rábano picante.

rail [ʀɑj] *nm* (*barre d'acier*) riel *m*; **le ~** el ferrocarril; **les ~s** (*la voie ferrée*) las vías *fpl*; **par ~** por ferrocarril.

railler [ʀɑje] *vt* burlarse de.

raillerie [ʀɑjʀi] *nf* burla.

railleur, -euse [ʀɑjœʀ, øz] *adj* burlón(-ona).

rail-route [ʀɑjʀut] *nm* técnica de transporte de mercancías por vía férrea y por carretera.

rainurage [ʀɛnyʀaʒ] *nm* dibujo del neumático.

rainure [ʀɛnyʀ] *nf* ranura.

raisin [ʀɛzɛ̃] *nm* uva; **~ blanc/noir** (*variété*) uva blanca/negra; ▸ **raisin muscat** uva moscatel; ▸ **raisins secs** (uvas) pasas.

raison [ʀɛzɔ̃] *nf* razón *f*; **avoir ~** tener razón; **donner ~ à qn** dar la razón a algn; **avoir ~ de qn/qch** vencer a algn/algo; **se faire une ~** conformarse; **perdre/recouvrer la ~** perder/recobrar el juicio; **ramener qn à la ~** hacer entrar en razón a algn; **demander ~ à qn de** (*affront etc*) pedir satisfacción a algn por; **entendre ~** atenerse a razones; **plus que de ~** más de lo debido; **~ de plus** razón de más; **à plus forte ~** con mayor motivo; **en ~ de** (*à cause de*) a causa de; **à ~ de** a razón de; **sans ~** sin razón; **pour la simple ~ que** por la sencilla razón de que; **pour quelle ~ dit-il ceci?** ¿por qué razón dice esto?; **il y a plusieurs ~s à cela** existen varias razones para esto; ▸ **raison d'État** razón de estado; ▸ **raison d'être** razón de ser; ▸ **raison sociale** razón social.

raisonnable [ʀɛzɔnabl] *adj* razonable; (*doué de raison*) racional.

raisonnablement [ʀɛzɔnabləmɑ̃] *adv* razonablemente.

raisonné, e [ʀɛzɔne] *adj* razonado(-a).

raisonnement [ʀɛzɔnmɑ̃] *nm* raciocinio; (*argumentation*) razonamiento; **~s** *nmpl* objeciones *fpl*.

raisonner [ʀɛzɔne] *vi* razonar; (*péj*) argumentar ♦ *vt* (*personne*) hacer entrar en razón a; **se raisonner** *vpr* reflexionar.

raisonneur, -euse [ʀɛzɔnœʀ, øz] (*péj*) *adj* porfiador(a).

rajeunir [ʀaʒœniʀ] *vt* rejuvenecer; (*attri-*

buer un âge moins avancé à) hacer más joven a; (*fig*) remozar ♦ *vi* (*personne*) rejuvenecer; (*entreprise, quartier*) renovarse.

rajout [ʀaʒu] *nm* añadidura.

rajouter [ʀaʒute] *vt* (*commentaire*) añadir; **~ que ...** añadir que ...; **en ~** cargar las tintas; **~ du sel/un œuf** añadir sal/un huevo.

rajustement [ʀaʒystəmɑ̃] *nm* reajuste *m*.

rajuster [ʀaʒyste] *vt* (*cravate, coiffure*) arreglar; (*salaires, prix*) reajustar; (*machine, tir etc*) ajustar; **se rajuster** *vpr* (*arranger ses vêtements*) arreglarse.

râle [ʀɑl] *nm* estertor *m*; ▸ **râle d'agonie** estertor de agonía.

ralenti [ʀalɑ̃ti] *nm*: **au ~** (*aussi fig*) a ralentí; (*CINÉ*) a cámara lenta; **tourner au ~** (*AUTO*) rodar a ralentí.

ralentir [ʀalɑ̃tiʀ] *vt* (*marche, allure*) aminorar; (*production, expansion*) disminuir ♦ *vi* (*véhicule, coureur*) disminuir la velocidad; **se ralentir** *vpr* (*processus, effort etc*) verse reducido.

ralentissement [ʀalɑ̃tismɑ̃] *nm* disminución *f*.

râler [ʀale] *vi* producir estertores; (*fam: protester*) gruñir.

ralliement [ʀalimɑ̃] *nm* (*rassemblement*) reunión *f*; (*à une cause/opinion*) adhesión *f*; **point/signe de ~** punto/señal de reunión.

rallier [ʀalje] *vt* (*rassembler*) reunir; (*rejoindre*) incorporarse a; (*gagner à sa cause*) captar; **se rallier à** *vpr* (*avis, opinion*) adherirse a.

rallonge [ʀalɔ̃ʒ] *nf* (*de table*) larguero; (*argent*) gratificación *f*; (*ÉLEC*) alargador *m*; (*fig: ÉCON*) ampliación *f*.

rallonger [ʀalɔ̃ʒe] *vt* alargar ♦ *vi* alargarse.

rallumer [ʀalyme] *vt* volver a encender; (*fig*) reavivar; **se rallumer** *vpr* (*feu*) avivarse.

rallye [ʀali] *nm* rally *m*.

RAM [ʀam] *sigle f* (= *mémoire vive*) RAM *f* (= *random access memory*).

ramages [ʀamaʒ] *nmpl* (*dessin d'une draperie, tapisserie*) estampado (de rama); (*chants d'oiseaux*) gorjeo *msg*.

ramassage [ʀamasaʒ] *nm* recogida; ▸ **ramassage scolaire** transporte *m* escolar.

ramassé, e [ʀamase] *adj* (*trapu*) rechoncho(-a); (*concis*) conciso(-a).

ramasse-miettes [ʀamasmjɛt] *nm inv* recogemigas *m inv*.

ramasse-monnaie [ʀamasmɔnɛ] *nm inv* recogemonedas *m inv*.

ramasser [ʀamase] *vt* recoger; (*fam: arrêter*) pescar; **se ramasser** *vpr* (*se pelo-*

tonner) encogerse.
ramasseur, -euse [ʀamɑsœʀ, øz] *nm/f:* ~
de balles recogepelotas *m/f inv.*
ramassis [ʀamɑsi] *(péj)* nm revoltijo.
rambarde [ʀɑ̃baʀd] *nf* barandilla.
rame [ʀam] *nf (aviron)* remo; *(de métro)*
tren *m; (de papier)* resma; **faire force de**
~**s** remar con fuerza; ▶ **rame de haricots** ramo que sirve para que se enros-
quen las judías.
rameau, x [ʀamo] *nm (aussi fig)* rama; **les
R~x** Domingo de Ramos.
ramener [ʀam(ə)ne] *vt* volver a traer; *(reconduire)* llevar; *(rapporter, revenir avec)*
traer consigo; *(rendre)* devolver; *(faire
revenir)* hacer volver; *(rétablir)* restablecer; **se ramener** *vpr (fam)* llegar; ~ **qch**
sur *(couverture, visière)* echar algo hacia;
~ **qch à** *(faire revenir)* devolver algo a;
(MATH, réduire) reducir algo a; ~ **qn à la
vie** volver a algn a la vida; **se ~ à** reducirse a.
ramequin [ʀamkɛ̃] *nm* recipiente pequeño
para usar en el horno.
ramer [ʀame] *vi* remar.
rameur, -euse [ʀamœʀ, øz] *nm/f* reme-
ro(-a).
rameuter [ʀamøte] *vt* amotinar.
ramier [ʀamje] *nm:* **(pigeon)** ~ paloma torcaz.
ramification [ʀamifikasjɔ̃] *nf* ramificación
f.
ramifier [ʀamifje]: **se ~** *vpr* ramificar.
ramolli, e [ʀamɔli] *adj* reblandecido(-a).
ramollir [ʀamɔliʀ] *vt (amollir)* ablandar; **se
ramollir** *vpr* reblandecerse.
ramonage [ʀamɔnaʒ] *nm* deshollinamien-
to.
ramoner [ʀamɔne] *vt* deshollinar.
ramoneur [ʀamɔnœʀ] *nm* deshollinador *m.*
rampe [ʀɑ̃p] *nf (d'escalier)* barandilla;
(dans un garage) rampa; *(d'un terrain,
d'une route)* declive *m;* *(THÉÂTRE):* **la ~**
candilejas *fpl;* **passer la ~** llegar al público; ▶ **rampe de lancement** plataforma
de lanzamiento.
ramper [ʀɑ̃pe] *vi (reptile, animal)* reptar;
(plante, personne, aussi péj) arrastrarse.
rancard [ʀɑ̃kaʀ] *(fam)* nm *(rendez-vous)*
cita; *(renseignement)* soplo.
rancart [ʀɑ̃kaʀ] *(fam)* nm: **mettre au ~** *(objet, projet)* arrinconar; *(personne)* arrumbar.
rance [ʀɑ̃s] *adj* rancio(-a).
rancir [ʀɑ̃siʀ] *vi* ponerse rancio(-a).
rancœur [ʀɑ̃kœʀ] *nf* rencor *m.*
rançon [ʀɑ̃sɔ̃] *nf* rescate *m;* **la ~ du succès**
etc (fig) el precio del éxito *etc.*
rançonner [ʀɑ̃sɔne] *vt* despojar.
rancune [ʀɑ̃kyn] *nf* rencor *m;* **garder ~ à**

qn (de qch) guardar rencor a algn (por
algo); **sans ~!** ¡olvidémoslo!
rancunier, -ière [ʀɑ̃kynje, jɛʀ] *adj* renco-
roso(-a).
randonnée [ʀɑ̃dɔne] *nf (excursion)* excursión *f;* *(à pied)* caminata; *(activité)* caminata, excursión.
randonneur, -euse [ʀɑ̃dɔnœʀ, øz] *nm/f* excursionista *m/f.*
rang [ʀɑ̃] *nm (rangée)* fila; *(d'un cortège,
groupe de soldats)* hilera; *(de perles, de
tricot)* vuelta; *(grade)* grado; *(condition
sociale)* rango; *(position dans un classement)* posición *f;* ~**s** *nmpl (MIL)* filas *fpl;*
se mettre en ~s/sur un ~ ponerse en
filas/en una fila; **sur 3** ~**s** en 3 filas; **se
mettre en** ~**s par 4** ponerse en fila de 4;
se mettre sur les ~**s** *(fig)* ponerse entre
los candidatos; **au premier/dernier** ~ en
el primer/último puesto; *(rangée de
sièges)* en primera/última fila; **rentrer
dans le** ~ volverse más comedido; **au** ~
de en la categoría de; **avoir** ~ **de** tener
rango de.
rangé, e [ʀɑ̃ʒe] *adj* ordenado(-a); *(vie)*
asentado(-a), reposado(-a).
rangée [ʀɑ̃ʒe] *nf* fila.
rangement [ʀɑ̃ʒmɑ̃] *nm* colocación *f,* ordenación *f;* **faire des** ~**s** hacer orden.
ranger [ʀɑ̃ʒe] *vt* ordenar; *(voiture dans la
rue)* aparcar; *(en cercle etc)* disponer; **se
ranger** *vpr (se placer/disposer)* colocarse;
(véhicule, conducteur) hacerse a un lado;
(: s'arrêter) parar; *(piéton)* apartarse;
(s'assagir) sosegarse; **se ~ à** ponerse del
lado de; ~ **qch/qn parmi** *(fig)* situar
algo/algn entre.
ranimer [ʀanime] *vt (personne, courage)*
reanimar; *(réconforter, attiser)* avivar;
(colère, douleur) despertar.
rapace [ʀapas] *nm* rapaz *f* ♦ *adj (péj)* rapaz; ▶ **rapace diurne/nocturne** rapaz
diurna/nocturna.
rapatrié, e [ʀapatʀije] *nm/f* repatriado(-a).
rapatriement [ʀapatʀimɑ̃] *nm* repatriación
f.
rapatrier [ʀapatʀije] *vt* repatriar; *(capitaux)* recuperar.
râpe [ʀɑp] *nf (CULIN)* rallador *m;* *(à bois)*
escofina.
râpé, e [ʀɑpe] *adj (élimé)* raído(-a); *(CULIN)*
rallado(-a) ♦ *nm* queso rallado.
râper [ʀɑpe] *vt (CULIN)* rallar; *(gratter,
râcler)* raspar.
rapetisser [ʀap(ə)tise] *vt (suj: distance)*
empequeñecer; ~ **qch** *(planche, vêtement)*
acortar algo; **se rapetisser** *vpr (rétrécir)*
encogerse.
râpeux, -euse [ʀɑpø, øz] *adj* áspero(-a).
raphia [ʀafja] *nm* rafia.

rapide [ʀapid] *adj* rápido(-a) ♦ *nm* rápido.
rapidement [ʀapidmã] *adv* rápidamente.
rapidité [ʀapidite] *nf* rapidez *f*.
rapiécer [ʀapjese] *vt* remendar.
rappel [ʀapɛl] *nm* (*MIL, d'un exilé, d'un ambassadeur*) llamamiento; (*MÉD*) vacuna de refuerzo; (*THÉÂTRE etc*) llamada a escena; (*de salaire*) atrasos *mpl*; (*d'une aventure, d'un nom, d'un titre*) recuerdo; (*de limitation de vitesse*) señal recordatoria de limitación de velocidad; (*TECH*) retroceso; (*NAUT*) hecho de colgarse la tripulación al exterior de un velero para equilibrarlo; (*ALPINISME: aussi:* ~ **de corde**) descenso con cuerda, rappel *m*; ▶ **rappel à l'ordre** llamada al orden.
rappeler [ʀap(ə)le] *vt* (*retéléphoner à*) volver a llamar; (*pour faire revenir*) llamar nuevamente; (*ambassadeur*) retirar; (*acteur*) llamar a escena; (*MIL*) llamar a filas; (*suj: événement, affaires*) recordar; **se rappeler** *vpr* acordarse de; **se ~ que ... acordarse de que ...**; ~ **qn à la vie** volver a algn a la vida; ~ **qn à la décence** llamar a algn a la decencia; ~ **qch à qn** (*faire se souvenir*) recordar algo a algn; (*évoquer, faire penser à*) traer algo a la memoria de algn; **ça rappelle la Provence** eso me recuerda a Provenza; ~ **à qn de faire qch** recordarle a algn hacer algo.
rappelle [ʀapɛl] *vb voir* **rappeler**.
rappliquer [ʀaplike] (*fam*) *vi* dejarse caer.
rapport [ʀapɔʀ] *nm* (*compte rendu*) informe *m*; (*d'expert*) dictamen *m*; (*profit*) rendimiento; (*lien, analogie*) relación *f*; (*proportion*) razón *f*; ~**s** *nmpl* (*entre personnes, groupes, pays*) relaciones *fpl*; **avoir** ~ **à** tener relación con; **être en** ~ **avec** estar relacionado(-a) con; **être/se mettre en** ~ **avec qn** estar/ponerse en contacto con algn; **par** ~ **à** (*comparé à*) en comparación con; (*à propos de*) respecto a; **sous le** ~ **de** desde el punto de vista de; **sous tous (les)** ~**s** desde cualquier punto de vista; ▶ **rapport qualité-prix** relación calidad-precio; ▶ **rapports (sexuels)** contactos *mpl* (sexuales).
rapporté, e [ʀapɔʀte] *adj:* **pièce** ~**e** (*COUTURE*) pegadura, remiendo.
rapporter [ʀapɔʀte] *vt* (*remettre à sa place, rendre*) devolver; (*apporter de nouveau*) volver a traer; (*revenir avec, ramener*) traer; (*COUTURE*) añadir; (*suj: investissement, entreprise*) rendir; (: *activité*) producir; (*relater*) referir; (*JUR*) revocar ♦ *vi* (*investissement, propriété*) rentar; (*activité*) dar beneficio; (*péj: moucharder*) chivarse; **se rapporter** *vpr:* **se** ~ **à** relacionarse con; **s'en** ~ **à qn/au jugement de qn** fiarse de algn/de la opinión de algn; ~

qch à (*rendre*) devolver algo a; (*relater*) relatar algo a; (*fig*) atribuir algo a.
rapporteur, -euse [ʀapɔʀtœʀ, øz] *nm/f* (*d'un procès, d'une commission*) ponente *m/f*; (*péj*) chivato(-a) ♦ *nm* (*GÉOM*) transportador *m*.
rapproché, e [ʀapʀɔʃe] *adj* (*proche*) cercano(-a); ~**s** (*détonations, événements*) seguidos(-as).
rapprochement [ʀapʀɔʃmã] *nm* (*réconciliation*) acercamiento; (*analogie, rapport*) cotejo.
rapprocher [ʀapʀɔʃe] *vt* (*faire paraître plus proche*) acercar; (*deux objets*) juntar, arrimar; (*réunions, visites*) aumentar el número de; (*réunir*) unir; (*associer, comparer*) cotejar; **se rapprocher** *vpr* acercarse; ~ **qch (de)** (*chaise d'une table*) arrimar algo (a); **se** ~ **de** (*lieu, personne*) acercarse a, aproximarse a; (*présenter une analogie avec*) asemejarse a.
rapt [ʀapt] *nm* rapto.
raquette [ʀakɛt] *nf* raqueta; (*de ping-pong*) pala.
rare [ʀɑʀ] *adj* raro(-a); (*sentiment*) extraño(-a); (*main-d'œuvre, denrées*) escaso(-a); (*beaux jours*) raro(-a), poco(-a); (*cheveux, herbe*) ralo(-a); **il est** ~ **que** es extraño que; **se faire** ~ escasear; (*personne*) dejarse ver poco.
raréfaction [ʀaʀefaksjɔ̃] *nf* rarefacción *f*; (*de l'air*) enrarecimiento.
raréfier: se ~ *vpr* rarificarse; (*air*) enrarecerse.
rarement [ʀaʀmã] *adv* raramente.
rareté [ʀaʀte] *nf* (*v adj*) rareza; escasez *f*.
rarissime [ʀaʀisim] *adj* rarísimo(-a).
RAS [ɛʀɑɛs] *abr* (= *rien à signaler*) sin novedad.
ras, e [ʀɑ, ʀɑz] *adj* (*tête, cheveux*) rapado(-a); (*poil*) corto(-a); (*herbe, mesure, cuillère*) raso(-a) ♦ *adv* (*couper*) al rape; **faire table** ~**e** hacer tabla rasa; **en** ~**e campagne** en pleno campo; **à** ~ **bords** colmado(-a); **au** ~ **de a(l) ras de; en avoir** ~ **le bol** (*fam*) estar hasta el moño; ~ **du cou** (*pull, robe*) (de) cuello redondo.
rasade [ʀazad] *nf* vaso lleno.
rasant, e [ʀazɑ̃, ɑ̃t] *adj* rasante.
rascasse [ʀaskas] *nf* rescaza.
rasé, e [ʀaze] *adj:* ~ **de frais** recién afeitado(-a); ~ **de près** bien afeitado(-a).
rase-mottes [ʀazmɔt] *nm inv:* **vol en** ~-~ vuelo rasante; **faire du** ~-~ volar a ras de suelo.
raser [ʀaze] *vt* (*barbe, cheveux*) rasurar; (*menton, personne*) afeitar; (*fam: ennuyer*) dar la lata a; (*quartier*) derribar; (*frôler*) rozar; **se raser** *vpr* afeitarse; (*fam*) aburrirse.

rasoir [ʀɑzwaʀ] *nm* navaja de afeitar; ► **rasoir électrique** maquinilla eléctrica; ► **rasoir mécanique** *ou* **de sûreté** maquinilla de afeitar.

rassasier [ʀasazje] *vt* saciar; **être rassasié** estar saciado.

rassemblement [ʀasɑ̃bləmɑ̃] *nm* reunión *f*; (*POL*) concentración *f*; (*MIL*) formación *f*.

rassembler [ʀasɑ̃ble] *vt* (*réunir*) reunir; (*regrouper*) agrupar; (*accumuler, amasser*) acumular; **se rassembler** *vpr* reunirse; ~ **ses idées** poner en orden sus ideas; ~ **son courage** armarse de valor.

rasseoir [ʀaswaʀ]: **se** ~ *vpr* volver a sentarse.

rasséréner [ʀaseʀene]: **se** ~ *vpr* sosegarse.

rassir [ʀasiʀ] *vi* endurecerse.

rassis, e [ʀasi, iz] *adj* duro(-a).

rassurant, e [ʀasyʀɑ̃, ɑ̃t] *adj* tranquilizador(a).

rassuré, e [ʀasyʀe] *adj*: **ne pas être très** ~ no estar muy tranquilo(-a).

rassurer [ʀasyʀe] *vt* tranquilizar; **se rassurer** *vpr* tranquilizarse; **rassure-toi** tranquilízate.

rat [ʀa] *nm* rata; (*danseuse*) joven bailarina; ► **rat musqué** ratón *m* almizclero.

ratatiné, e [ʀatatine] *adj* (*vieillard*) apergaminado(-a); (*pomme*) arrugado(-a).

ratatiner [ʀatatine] *vt* marchitar; **se ratatiner** *vpr* arrugarse; (*vieillard*) apergaminarse.

ratatouille [ʀatatuj] *nf* (*CULIN*) pisto.

rate [ʀat] *nf* (*ANAT*) bazo.

raté, e [ʀate] *adj* (*tentative, opération*) frustrado(-a); (*vacances, spectacle*) malogrado(-a) ♦ *nm/f* fracasado(-a) ♦ *nm* (*AUTO*) detonación *f*; (*d'arme à feu*) fallo.

râteau, x [ʀɑto] *nm* rastrillo.

râtelier [ʀɑtəlje] *nm* (*pour bétail*) comedero; (*fam: dentier*) dentadura.

rater [ʀate] *vi* (*coup de feu*) fallar; (*échouer*) fracasar ♦ *vt* (*cible, balle, train*) perder; (*occasion etc*) dejar escapar; (*démonstration, plat*) estropear; (*examen*) suspender; ~ **son coup** fallar.

raticide [ʀatisid] *nm* raticida *m*.

ratification [ʀatifikasjɔ̃] *nf* ratificación *f*.

ratifier [ʀatifje] *vt* ratificar.

ratio [ʀasjo] *nm* ratio.

ration [ʀasjɔ̃] *nf* (*aussi fig*) ración *f*; ► **ration alimentaire** ración alimenticia.

rationalisation [ʀasjɔnalizasjɔ̃] *nf* racionalización *f*.

rationaliser [ʀasjɔnalize] *vt* racionalizar.

rationnel, le [ʀasjɔnɛl] *adj* racional.

rationnellement [ʀasjɔnɛlmɑ̃] *adv* racionalmente.

rationnement [ʀasjɔnmɑ̃] *nm* racionamiento; **carte/ticket de** ~ cartilla/billete *m* de racionamiento.

rationner [ʀasjɔne] *vt* racionar; (*personne*) someter a racionamiento; **se rationner** *vpr* racionarse.

ratisser [ʀatise] *vt* rastrillar; (*suj: armée, police*) peinar.

raton [ʀatɔ̃] *nm*: ~ **laveur** mapache *m*.

RATP [ɛʀatepe] *sigle f* (= *Régie autonome des transports parisiens*) administración de transportes parisinos.

rattacher [ʀataʃe] *vt* atar de nuevo; **se rattacher** *vpr*: **se** ~ **à** (*avoir un lien avec*) asemejarse a; ~ **qch à** (*incorporer*) incorporar algo a; ~ **qch à** (*relier*) relacionar algo con; ~ **qn à** (*lier*) vincular a algn con.

rattrapage [ʀatʀapaʒ] *nm* recuperación *f*.

rattraper [ʀatʀape] *vt* (*fugitif, animal échappé*) volver a coger; (*retenir, empêcher de tomber*) coger; (*atteindre, rejoindre*) alcanzar; (*imprudence, erreur*) reparar, subsanar; **se rattraper** *vpr* (*compenser une perte de temps*) ponerse al día; (*regagner ce qu'on a perdu*) recuperarse; (*se dédommager d'une privation*) explayarse; (*réparer une gaffe etc*) justificarse; (*éviter une erreur, bévue*) enmendarse; **se** ~ **(à)** (*se raccrocher*) agarrarse (a); ~ **son retard/le temps perdu** recuperar el retraso/el tiempo perdido.

rature [ʀatyʀ] *nf* tachadura.

raturer [ʀatyʀe] *vt* tachar.

RAU [ɛʀay] *sigle f* (= *République arabe unie*) RAU *f* (= *República Árabe Unida*).

rauque [ʀok] *adj* ronco(-a).

ravagé, e [ʀavaʒe] *adj* (*visage*) descompuesto(-a).

ravager [ʀavaʒe] *vt* (*suj: ennemi, grêle, bombes*) devastar; (: *maladie, chagrin etc*) causar estragos en.

ravages [ʀavaʒ] *nmpl* (*de la guerre, de l'alcoolisme*) estragos *mpl*; (*d'un incendie, orage*) devastación *f*; **faire des** ~ (*aussi fig*) hacer estragos.

ravalement [ʀavalmɑ̃] *nm* enlucido.

ravaler [ʀavale] *vt* (*mur, façade*) enlucir; (*abaisser, déprécier*) rebajar; (*avaler de nouveau*) volver a tragar; ~ **sa colère/son dégoût** contener su cólera/su asco.

ravaudage [ʀavodaʒ] *nm* zurcido.

ravauder [ʀavode] *vt* zurcir.

rave [ʀav] *nf* naba.

ravi, e [ʀavi] *adj* encantado(-a); **être** ~ **de/que ...** estar encantado(-a) de/de que ... .

ravier [ʀavje] *nm* bandejita *f*.

ravigote [ʀavigɔt] *adj*: **sauce** ~ salsa vinagreta con huevos picados y chalote.

ravigoter [ʀavigɔte] (*fam*) *vt* reanimar.

ravin [ʀavɛ̃] *nm* hondonada.

raviner [ʀavine] *vt* formar surcos en.

ravioli [ravjɔli] *nmpl* ravioles *mpl*.

ravir [raviʀ] *vt* (*enchanter*) encantar; ~ **qch à qn** arrebatar algo a algn; **à ~ de** maravilla; **être beau à ~** ser guapo a más no poder; **chanter à ~** cantar que es un primor.

raviser [ravize]: **se ~** *vpr* cambiar de opinión.

ravissant, e [ravisɑ̃, ɑ̃t] *adj* encantador(a).

ravissement [ravismɑ̃] *nm* encanto.

ravisseur, -euse [ravisœʀ, øz] *nm/f* secuestrador(a).

ravitaillement [ravitajmɑ̃] *nm* abastecimiento; (*provisions*) aprovisionamiento; **aller au ~** ir a hacer la compra; ▶ **ravitaillement en vol** abastecimiento en vuelo.

ravitailler [ravitaje] *vt* abastecer; (*véhicule*) echar gasolina a; **se ravitailler** *vpr* abastecerse.

raviver [ravive] *vt* avivar; (*flamme, douleur*) reavivar.

ravoir [ravwaʀ] *vt* recobrar.

rayé, e [ʀeje] *adj* (*à rayures*) a *ou* de rayas; (*éraflé*) rayado(-a).

rayer [ʀeje] *vt* rayar; (*d'une liste*) tachar.

rayon [ʀejɔ̃] *nm* rayo; (*GÉOM, d'une roue*) radio; (*étagère*) estante *m*; (*de grand magasin*) departamento, sección *f*; (*fig: domaine*) asunto; (*d'une ruche*) panal *m*; ~**s** *nmpl* (*radiothérapie*) rayos *mpl*; **dans un ~ de ...** (*périmètre*) en un radio de ...; ▶ **rayon d'action** radio de acción; ▶ **rayon de braquage** (*AUTO*) radio de giro; ▶ **rayon de soleil** rayo de sol; ▶ **rayons laser/vert** rayo láser/verde; ▶ **rayons cosmiques/infrarouges/ ultraviolets** rayos cósmicos/infrarrojos/ ultravioletas; ▶ **rayons X** rayos X.

rayonnage [ʀejɔnaʒ] *nm* estantería.

rayonnant, e [ʀejɔnɑ̃, ɑ̃t] *adj* radiante; ~ **de** (*joie, santé*) rebosante de.

rayonne [ʀejɔn] *nf* rayón *m*.

rayonnement [ʀejɔnmɑ̃] *nm* (*solaire*) radiación *f*; (*fig*) influencia; (*d'une doctrine*) difusión *f*.

rayonner [ʀejɔne] *vi* irradiar; (*fig*) ejercer su influencia; (*avenues, axes*) divergir; (*touristes: excursionner*) recorrer.

rayure [ʀejyʀ] *nf* (*motif*) raya; (*éraflure*) rayado; (*rainure, d'un fusil*) estría; **à ~s** a *ou* de rayas.

raz-de-marée [ʀɑdmaʀe] *nm inv* maremoto; (*fig*) conmoción *f*.

razzia [ʀa(d)zja] *nf* razzia.

R-D [ɛʀde] *sigle f* (= *recherche- développement*) I-D *f* (= *Investigación y Desarrollo*).

RDA [ɛʀdea] *sigle f* (= *République démocratique allemande*) RDA *f*.

RDB [ɛʀdebe] *sigle m* (= *revenu disponible brut*) ingreso total.

RdC *abr* = **rez-de-chaussée**.

ré [ʀe] *nm inv* (*MUS*) re *m*.

réabonnement [ʀeabɔnmɑ̃] *nm* renovación *f* de abono.

réabonner [ʀeabɔne] *vt*: ~ **qn à** suscribir de nuevo a algn a; **se ~ (à)** volver a abonarse *ou* suscribirse (a).

réac [ʀeak] *nm/f* (*fam*) = **réactionnaire**.

réacteur [ʀeaktœʀ] *nm* reactor *m*; ▶ **réacteur nucléaire** reactor nuclear.

réactif [ʀeaktif] *nm* reactivo.

réaction [ʀeaksjɔ̃] *nf* reacción *f*; **par ~** por reacción; **avion/moteur à ~** avión *m*/ motor *m* de reacción; ▶ **réaction en chaîne** reacción en cadena.

réactionnaire [ʀeaksjɔnɛʀ] *adj* reaccionario(-a).

réactualiser [ʀeaktɥalize] *vt* reactualizar.

réadaptation [ʀeadaptasjɔ̃] *nf* readaptación *f*.

réadapter [ʀeadapte] *vt* readaptar; **se ~ (à)** readaptarse (a).

réaffirmer [ʀeafiʀme] *vt* reafirmar.

réagir [ʀeaʒiʀ] *vi* reaccionar; ~ **à** reaccionar ante; ~ **contre** reaccionar contra; ~ **sur** repercutir sobre.

réajuster [ʀeaʒyste] *vt* = **rajuster**.

réalisable [ʀealizabl] *adj* realizable.

réalisateur, -trice [ʀealizatœʀ, tʀis] *nm/f* realizador(a).

réalisation [ʀealizasjɔ̃] *nf* realización *f*.

réaliser [ʀealize] *vt* realizar; (*rêve, souhait*) cumplir; (*exploit*) llevar a cabo; (*comprendre, se rendre compte de*) darse cuenta de; **se réaliser** *vpr* (*projet, prévision*) realizarse; ~ **que** darse cuenta de que.

réalisme [ʀealism] *nm* realismo.

réaliste [ʀealist] *adj, nm/f* realista *m/f*.

réalité [ʀealite] *nf* realidad *f*; **en ~** en realidad; **dans la ~** en la realidad.

réanimation [ʀeanimasjɔ̃] *nf* reanimación *f*; **service de ~** servicio de reanimación.

réanimer [ʀeanime] *vt* reanimar.

réapparaître [ʀeapaʀɛtʀ] *vi* reaparecer.

réapparition [ʀeapaʀisjɔ̃] *nf* reaparición *f*.

réapprovisionner [ʀeapʀɔvizjɔne] *vt* reabastecer; **se réapprovisionner** *vpr* reabastecerse.

réarmement [ʀeaʀməmɑ̃] *nm* rearme *m*.

réarmer [ʀeaʀme] *vt* (*arme*) recargar; (*bateau*) rearmar ♦ *vi* (*état*) rearmar.

réassortiment [ʀeasɔʀtimɑ̃] *nm* nuevo surtido.

réassortir [ʀeasɔʀtiʀ] *vt* volver a surtir.

réassurance [ʀeasyʀɑ̃s] *nf* reaseguro.

réassurer [ʀeasyʀe] *vt* reasegurar.

réassureur [ʀeasyʀœʀ] *nm* reasegurador *m*.

rebaptiser [R(ə)batize] vt rebautizar.
rébarbatif, -ive [Rebaʀbatif, iv] adj (mine) repelente; (travail) fastidioso(-a); (style) árido(-a).
rebattre [R(ə)batʀ] vt: ~ **les oreilles à qn de qch** calentarle a algn los cascos con algo.
rebattu, e [R(ə)baty] pp de **rebattre** ♦ adj trillado(-a).
rebelle [Rəbɛl] adj, nm/f rebelde m/f; ~ **à** (la patrie) rebelado(-a) contra; (fermé à qch, contre qch) negado(-a) para.
rebeller [R(ə)bele]: **se ~** vpr rebelarse; **se ~ contre** rebelarse contra.
rébellion [Rebeljɔ̃] nf rebelión f; (ensemble des rebelles) rebeldes mpl.
rebiffer [R(ə)bife]: **se ~ contre** vpr plantarle cara a.
reboisement [R(ə)bwazmɑ̃] nm repoblación f forestal.
reboiser [R(ə)bwaze] vt repoblar con árboles.
rebond [R(ə)bɔ̃] nm rebote m.
rebondi, e [R(ə)bɔ̃di] adj (ventre) panzudo(-a); (joues) relleno(-a).
rebondir [R(ə)bɔ̃diʀ] vi rebotar; (fig) reanudarse.
rebondissements [Rəbɔ̃dismɑ̃] nmpl reanudación f.
rebord [R(ə)bɔʀ] nm (d'une table etc) reborde m; (d'un fossé) borde m.
reboucher [R(ə)buʃe] vt volver a tapar.
rebours [R(ə)buʀ]: **à ~** adv (brosser) a contrapelo; (comprendre) al revés; (tourner: pages) a la inversa; **compter à ~** contar hacia atrás.
rebouteux, -euse [Rəbutø, øz] (fam) nm/f ensalmador(a).
reboutonner [R(ə)butɔne] vt volver a abotonar.
rebrousse-poil [Rəbʀuspwal]: **à ~-~** adv a contrapelo; **prendre qn à ~-~** (fig) sacar a algn de quicio.
rebrousser [R(ə)bʀuse] vt (cheveux, poils) levantar hacia atrás; ~ **chemin** dar marcha atrás.
rebuffade [R(ə)byfad] nf desaire m.
rébus [Rebys] nm (aussi fig) jeroglífico.
rebut [Rəby] nm: **mettre/jeter qch au ~** desechar algo.
rebutant, e [R(ə)bytɑ̃, ɑ̃t] adj (démarche) repelente; (travail) engorroso(-a).
rebuter [R(ə)byte] vt (suj: travail, matière) repeler; (: attitude, manières) disgustar.
recalcifier [R(ə)kalsifje] vt recalcificar.
récalcitrant, e [Rekalsitʀɑ̃, ɑ̃t] adj (cheval) indómito(-a); (caractère, personne) recalcitrante.
recaler [R(ə)kale] vt suspender.
récapitulatif, -ive [Rekapitylatif, iv] adj re-

capitulativo(-a).
récapituler [Rekapityle] vt recapitular.
recel [Rəsɛl] nm encubrimiento.
receler [R(ə)səle] vt (produit d'un vol) ocultar; (malfaiteur, déserteur) encubrir; (fig) encerrar.
receleur, -euse [R(ə)səlœʀ, øz] nm/f encubridor(a).
récemment [Resamɑ̃] adv recientemente, recién (AM).
recensement [R(ə)sɑ̃smɑ̃] nm (de la population) censo; (des ressources, possibilités) inventario, recuento.
recenser [R(ə)sɑ̃se] vt (population) censar; (inventorier) hacer el recuento ou el inventario de; (dénombrer) computar.
récent, e [Resɑ̃, ɑ̃t] adj reciente.
recentrer [R(ə)sɑ̃tʀe] vt mover hacia el centro.
récépissé [Resepise] nm recibo.
réceptacle [Resɛptakl] nm receptáculo.
récepteur, -trice [Resɛptœʀ, tʀis] adj receptor(a) ♦ nm (de téléphone) auricular m; ► **récepteur (de papier)** (INFORM) introductor m de hoja; ► **récepteur (de radio)** receptor m.
réceptif, -ive [Resɛptif, iv] adj: ~ **(à)** receptivo(-a) (a).
réception [Resɛpsjɔ̃] nf recepción f; (accueil) acogida f; (pièces) salas fpl de recepción; (SPORT) caída f; **jour/heures de ~** día m/horas fpl de recepción.
réceptionnaire [Resɛpsjɔnɛʀ] nm/f receptor(a).
réceptionner [Resɛpsjɔne] vt recibir.
réceptionniste [Resɛpsjɔnist] nm/f recepcionista m/f.
réceptivité [Resɛptivite] nf receptividad f.
récessif, -ive [Resesif, iv] adj recesivo(-a).
récession [Resesjɔ̃] nf recesión f.
recette [R(ə)sɛt] nf (CULIN, fig) receta; (COMM) ingreso; (ADMIN: bureau des impôts) oficina de recaudación; ~**s** nfpl (COMM: rentrées d'argent) entradas fpl; **faire ~** (spectacle, exposition) ser taquillero(-a); ► **recette postale** ingresos mpl postales.
receveur, -euse [R(ə)səvœʀ, øz] nm/f (des finances) recaudador(a); (des postes) administrador(a); (d'autobus) cobrador(a); (MÉD) receptor(a); ► **receveur universel** (de sang) receptor m universal.
recevoir [R(ə)səvwaʀ] vt recibir; (prime, salaire) cobrar; (visiteurs, ambassadeur) acoger; (candidat, plainte) admitir ♦ vi (donner des réceptions, audiences etc) recibir visitas; **se recevoir** vpr (athlète) caer; **il reçoit de 8 à 10** sus horas de visita son de 8 a 10; (docteur, dentiste) pasa consulta de 8 a 10; **il m'a reçu à 2h** me recibió

a las 2; ~ **qn à dîner** recibir a algn a cenar; **être reçu** (*à un examen*) aprobar; **être bien/mal reçu** ser bien/mal recibido.

rechange [ʀ(ə)ʃɑʒ]: **de ~** *adj* (*pièces, roue*) de repuesto; (*fig*) de recambio; **des vêtements de ~** vestidos *mpl* para cambiarse.

rechaper [ʀ(ə)ʃape] *vt* recauchutar.

réchapper [ʀeʃape]: **~ de** *ou* **à** *vt* (*maladie*) librarse de; (*accident*) salvarse de; **va-t-il en ~?** ¿saldrá de ésta?

recharge [ʀ(ə)ʃaʀʒ] *nf* recambio.

rechargeable [ʀ(ə)ʃaʀʒabl] *adj* recargable.

recharger [ʀ(ə)ʃaʀʒe] *vt* (*camion*) volver a cargar; (*fusil, batterie*) recargar; (*appareil de photo, briquet, stylo*) cargar.

réchaud [ʀeʃo] *nm* (*portable*) hornillo; (*chauffe-plat*) calientaplatos *m inv*.

réchauffé [ʀeʃofe] *nm* (*nourriture*) recalentado(-a); (*fig*) muy visto(-a).

réchauffer [ʀeʃofe] *vt* (*plat*) recalentar; (*mains, doigts, personne*) calentar; **se réchauffer** *vpr* calentarse; (*température*) subir.

rêche [ʀɛʃ] *adj* áspero(-a).

recherche [ʀ(ə)ʃɛʀʃ] *nf* (*action*) búsqueda; (*raffinement*) afectación *f*; (*scientifique etc*) investigación *f*; **~s** *nfpl* (*de la police*) indagaciones *fpl*; (*scientifiques*) investigaciones *fpl*; **être/se mettre à la ~ de** estar investigando/ponerse a la búsqueda de.

recherché, e [ʀ(ə)ʃɛʀʃe] *adj* (*rare*) codiciado(-a); (*entouré*) solicitado(-a); (*style, allure*) rebuscado(-a).

rechercher [ʀ(ə)ʃɛʀʃe] *vt* buscar; (*objet égaré, lettre*) rebuscar; (*cause d'un phénomène, nouveau procédé*) investigar; (*la perfection, le bonheur etc*) perseguir; **"~ et remplacer"** (*INFORM*) "buscar y sustituir".

rechigner [ʀ(ə)ʃiɲe] *vi* refunfuñar; **~ à qch/à faire qch** poner mala cara a algo/por hacer algo.

rechute [ʀ(ə)ʃyt] *nf* recaída; **faire** *ou* **avoir une ~** (*MÉD*) recaer *ou* tener una recaída.

rechuter [ʀ(ə)ʃyte] *vi* recaer.

récidive [ʀesidiv] *nf* (*JUR*) reincidencia; (*fig*) reiteración *f*; (*MÉD*) recidiva.

récidiver [ʀesidive] *vi* reincidir; (*fig*) reiterar; (*MÉD: malade*) recaer; (*: maladie*) reproducirse.

récidiviste [ʀesidivist] *nm/f* reincidente *m/f*.

récif [ʀesif] *nm* arrecife *m*.

récipiendaire [ʀesipjɑ̃dɛʀ] *nm* (*de diplôme, titre*) recién titulado(-a).

récipient [ʀesipjɑ̃] *nm* recipiente *m*.

réciproque [ʀesipʀɔk] *adj* (*mutuel*) recíproco(-a); (*partagé: confiance, amitié*) mutuo(-a) ♦ *nf*: **la ~** (*l'inverse*) la inversa.

réciproquement [ʀesipʀɔkmɑ̃] *adv* recíprocamente; **et ~** y vice versa.

récit [ʀesi] *nm* relato.

récital [ʀesital] *nm* recital *m*.

récitant, e [ʀesitɑ̃, ɑ̃t] *nm/f* narrador(a).

récitation [ʀesitasjɔ̃] *nf* recitación *f*.

réciter [ʀesite] *vt* recitar.

réclamation [ʀeklamasjɔ̃] *nf* reclamación *f*; **service des ~s** servicio de reclamaciones.

réclame [ʀeklɑm] *nf*: **la ~** la publicidad; **une ~** (*annonce, prospectus*) un anuncio; **faire de la ~** (*pour qch/qn*) hacer publicidad (de algo/algn); **article en ~** artículo de oferta.

réclamer [ʀeklame] *vt* (*aide, nourriture*) pedir; (*exiger*) reclamar; (*nécessiter*) requerir ♦ *vi* (*protester*) reclamar; **se ~ de qn** (*se recommander de*) apelar a algn.

reclassement [ʀ(ə)klasmɑ̃] *nm* nueva clasificación *f*; rehabilitación *f*; readaptación *f*.

reclasser [ʀ(ə)klase] *vt* (*fiches, dossiers*) volver a clasificar; (*fonctionnaire*) rehabilitar; (*ouvrier licencié*) readaptar.

reclus, e [ʀəkly, yz] *nm/f* recluso(-a).

réclusion [ʀeklyzjɔ̃] *nf* reclusión *f*; ▸ **réclusion à perpétuité** cadena perpetua.

recoiffer [ʀ(ə)kwafe] *vt* volver a peinar; **se recoiffer** *vpr* volverse a peinar.

recoin [ʀəkwɛ̃] *nm* (*aussi fig*) rincón *m*.

reçois *etc* [ʀəswa] *vb voir* **recevoir**.

reçoive *etc* [ʀəswav] *vb voir* **recevoir**.

recoller [ʀ(ə)kɔle] *vt* volver a pegar.

récolte [ʀekɔlt] *nf* cosecha; (*fig*) acopio.

récolter [ʀekɔlte] *vt* cosechar; (*fam: ennuis, coups*) ganarse, cobrar.

recommandable [ʀ(ə)kɔmɑ̃dabl] *adj* recomendable; **peu ~** poco recomendable.

recommandation [ʀ(ə)kɔmɑ̃dasjɔ̃] *nf* recomendación *f*; **lettre de ~** carta de recomendación.

recommandé, e [ʀ(ə)kɔmɑ̃de] *adj* recomendado(-a) ♦ *nm* (*POSTES*): **en ~** certificado(-a).

recommander [ʀ(ə)kɔmɑ̃de] *vt* recomendar; (*POSTES*) certificar; **~ qch à qn** recomendar algo a algn; **~ à qn de faire ...** recomendar a algn hacer ...; **~ qn auprès de qn/à qn** recomendar algn a algn; **il est recommandé de faire** se recomienda hacer; **se ~ d'un** encomendarse a algn; **se ~ de qn** apoyarse en algn.

recommencer [ʀ(ə)kɔmɑ̃se] *vt* (*reprendre*) seguir con; (*refaire*) repetir; (*erreur*) reincidir ♦ *vi* volver a empezar; (*récidiver*) volver a las andadas; **~ à faire** volver a hacer; **ne recommence pas!** ¡no empieces!

récompense [ʀekɔ̃pɑ̃s] *nf* recompensa; recevoir qch en ~ recibir algo como recompensa.

récompenser [ʀekɔ̃pɑ̃se] vt recompensar; ~ qn de ou pour qch recompensar a algn por algo.

recompter [ʀ(ə)kɔ̃te] vt, vi recontar.

réconciliation [ʀekɔ̃siljasjɔ̃] nf reconciliación f.

réconcilier [ʀekɔ̃silje] vt reconciliar; **se réconcilier** vpr reconciliarse; ~ qn avec qn reconciliar a algn con algn; ~ qn avec qch reconciliar a algn con algo; se ~ avec reconciliarse con.

reconductible [ʀ(ə)kɔdyktibl] adj reconducible.

reconduction [ʀ(ə)kɔdyksjɔ̃] nf (JUR, POL) reconducción f.

reconduire [ʀ(ə)kɔdɥiʀ] vt (à la porte) acompañar hasta la salida; (à son domicile) acompañar; (JUR, POL) reconducir.

réconfort [ʀekɔ̃fɔʀ] nm consuelo.

réconfortant, e [ʀekɔ̃fɔʀtɑ̃, ɑ̃t] adj reconfortante.

réconforter [ʀekɔ̃fɔʀte] vt (aussi fig) reconfortar.

reconnais etc [ʀ(ə)kɔne] vb voir **reconnaître**.

reconnaissable [ʀ(ə)kɔnɛsabl] adj reconocible.

reconnaissais etc [ʀ(ə)kɔnɛse] vb voir **reconnaître**.

reconnaissance [ʀ(ə)kɔnɛsɑ̃s] nf reconocimiento; (gratitude) agradecimiento; en ~ (MIL) de reconocimiento; ▸ **reconnaissance de dette** reconocimiento de deuda.

reconnaissant, e [ʀ(ə)kɔnɛsɑ̃, ɑ̃t] vb voir **reconnaître** ♦ adj agradecido(-a); **je vous serais ~ de bien vouloir ... le estaría muy agradecido(-a) si quisiera ... .

reconnaître [ʀ(ə)kɔnɛtʀ] vt reconocer; (distinguer) distinguir; ~ que reconocer que; ~ qch/qn à reconocer algo/a algn por; ~ à qn: **je lui reconnais certaines qualités/une grande franchise** le reconozco ciertas cualidades/una gran franqueza; **se ~ quelque part** (s'y retrouver) orientarse en un lugar.

reconnu, e [ʀ(ə)kɔny] pp de **reconnaître** ♦ adj indiscutible.

reconquérir [ʀ(ə)kɔ̃keʀiʀ] vt (sa dignité etc) recobrar; (fig) reconquistar.

reconquête [ʀ(ə)kɔ̃kɛt] nf reconquista.

reconsidérer [ʀ(ə)kɔ̃sideʀe] vt reconsiderar.

reconstituant, e [ʀ(ə)kɔ̃stitɥɑ̃, ɑ̃t] adj, nm reconstituyente m.

reconstituer [ʀ(ə)kɔ̃stitɥe] vt reconstituir; (fresque, vase brisé) recomponer; (fortune, patrimoine) rehacer.

reconstitution [ʀ(ə)kɔ̃stitysjɔ̃] nf reconstitución f; (de crime etc) reconstrucción f.

reconstruction [ʀ(ə)kɔ̃stʀyksjɔ̃] nf reconstrucción f.

reconstruire [ʀ(ə)kɔ̃stʀɥiʀ] vt (aussi fig) reconstruir.

reconversion [ʀ(ə)kɔ̃vɛʀsjɔ̃] nf (économique, technique) reconversión f; (du personnel) reciclaje m.

reconvertir [ʀ(ə)kɔ̃vɛʀtiʀ] vt reconvertir; se ~ dans reconvertirse en.

recopier [ʀ(ə)kɔpje] vt (transcrire) volver a copiar; (mettre au propre) poner en limpio.

record [ʀ(ə)kɔʀ] adj, nm récord m; **battre tous les ~s** (fig) batir todos los récords; **en un temps/à une vitesse** ~ en un tiempo/a una velocidad récord; ▸ **record du monde** récord del mundo.

recoucher [ʀ(ə)kuʃe] vt (enfant) volver a acostar; **se recoucher** vpr volverse a acostar.

recoudre [ʀ(ə)kudʀ] vt volver a coser.

recoupement [ʀ(ə)kupmɑ̃] nm: **par** ~ atando cabos; **faire un ~/des ~s** verificar un hecho/hechos.

recouper [ʀ(ə)kupe] vt (tranche) volver a cortar; (vêtement) retocar ♦ vi (CARTES) volver a cortar; **se recouper** vpr (témoignages) coincidir.

recourais etc [ʀəkuʀe] vb voir **recourir**.

recourbé, e [ʀ(ə)kuʀbe] adj (nez, tige de métal) encorvado(-a); (bec) corvo(-a).

recourber [ʀ(ə)kuʀbe] vt (branche, tige de métal) doblar.

recourir [ʀ(ə)kuʀiʀ] vi (courir de nouveau) correr de nuevo; (refaire une course) volver a correr; ~ à recurrir a.

recours [ʀ(ə)kuʀ] vb voir **recourir** ♦ nm: **le** ~ **à la ruse/violence** el recurso de la astucia/violencia; **avoir** ~ **à** recurrir a; **en dernier** ~ como último recurso; **c'est sans** ~ no tiene remedio; ▸ **recours en grâce** petición f de indulto.

recouru, e [ʀəkuʀy] pp de **recourir**.

recousu, e [ʀəkuzy] pp de **recoudre**.

recouvert, e [ʀəkuvɛʀ, ɛʀt] pp de **recouvrir**.

recouvrable [ʀ(ə)kuvʀabl] adj (somme) recuperable.

recouvrais etc [ʀəkuvʀe] vb voir **recouvrer**, **recouvrir**.

recouvrement [ʀ(ə)kuvʀəmɑ̃] nm (des impôts) recaudación f.

recouvrer [ʀ(ə)kuvʀe] vt (la vue, santé, raison) recobrar; (impôts, créance) recaudar.

recouvrir [ʀ(ə)kuvʀiʀ] vt (récipient) volver a cubrir; (livre) volver a forrar; (couvrir entièrement) recubrir; (fig) encubrir;

(*embrasser*) abarcar; **se recouvrir** *vpr* (*idées, concepts*) superponerse.

recracher [ʀ(ə)kʀaʃe] *vt* escupir ♦ *vi* volver a escupir.

récréatif, -ive [ʀekʀeatif, iv] *adj* recreativo(-a).

récréation [ʀekʀeasjɔ̃] *nf* recreo.

recréer [ʀ(ə)kʀee] *vt* (*ville*) volver a crear; (*scène etc*) recrear.

récrier [ʀekʀije]: **se ~** *vpr* exclamar.

récriminations [ʀekʀiminasjɔ̃] *nfpl* recriminaciones *fpl*.

récriminer [ʀekʀimine] *vi*: **~ contre** qn/qch recriminar a algn/algo.

recroqueviller [ʀ(ə)kʀɔk(ə)vije]: **se ~** *vpr* (*plantes, feuilles*) marchitarse; (*personne*) acurrucarse.

recru, e [ʀəkʀy] *adj*: **~ de fatigue** reventado(-a) de cansancio.

recrudescence [ʀ(ə)kʀydesɑ̃s] *nf* recrudecimiento.

recrue [ʀəkʀy] *nf* (*MIL*) recluta *mf*; (*gén*) neófito(-a).

recrutement [ʀ(ə)kʀytmɑ̃] *nm* reclutamiento; contratación *f*.

recruter [ʀ(ə)kʀyte] *vt* (*MIL, clients, adeptes*) reclutar; (*personnel*) contratar.

rectal, e, -aux [ʀɛktal, o] *adj*: **par voie ~e** por vía rectal.

rectangle [ʀɛktɑ̃gl] *nm* rectángulo; ▸ **rectangle blanc** (*TV*) ≈ rombo.

rectangulaire [ʀɛktɑ̃gylɛʀ] *adj* rectangular.

recteur [ʀɛktœʀ] *nm* rector *m*.

rectificatif, -ive [ʀɛktifikatif, iv] *adj* rectificativo(-a) ♦ *nm* rectificativo.

rectification [ʀɛktifikasjɔ̃] *nf* rectificación *f*.

rectifier [ʀɛktifje] *vt* (*tracé*) enderezar; (*calcul*) rectificar; (*erreur*) corregir.

rectiligne [ʀɛktiliɲ] *adj* rectilíneo(-a).

rectitude [ʀɛktityd] *nf* rectitud *f*.

recto [ʀɛkto] *nm* anverso.

rectorat [ʀɛktɔʀa] *nm* rectorado.

rectum [ʀɛktɔm] *nm* recto.

reçu, e [ʀ(ə)sy] *pp de* **recevoir** ♦ *adj* (*admis, consacré*) admitido(-a) ♦ *nm* (*récépissé*) recibo.

recueil [ʀəkœj] *nm* selección *f*.

recueillement [ʀ(ə)kœjmɑ̃] *nm* recogimiento.

recueilli, e [ʀ(ə)kœji] *adj* recogido(-a).

recueillir [ʀ(ə)kœjiʀ] *vt* recoger; (*matériaux, voix, suffrages*) conseguir; (*fonds*) conseguir, recolectar; (*renseignements, dépositions*) reunir; (*réfugiés*) acoger; **se recueillir** *vpr* recogerse.

recuire [ʀ(ə)kɥiʀ] *vi*: **faire ~** volver a cocer.

recul [ʀ(ə)kyl] *nm* retroceso; **avoir un mou-**

vement de **~** hacer un movimiento de retroceso; **prendre du ~** retroceder; (*fig*) considerar con detenimiento; **avec le ~** con perspectiva.

reculade [ʀ(ə)kylad] (*péj*) *nf* retirada.

reculé, e [ʀ(ə)kyle] *adj* (*isolé*) apartado(-a); (*lointain*) lejano(-a).

reculer [ʀ(ə)kyle] *vi* (*aussi fig*) retroceder; (*véhicule, conducteur*) dar marcha atrás; (*se dérober, hésiter*) echarse atrás ♦ *vt* (*meuble, véhicule*) retirar; (*mur, frontières*) alejar; (*fig: possibilités, limites*) ampliar; (: *date, livraison, décision*) aplazar, postergar (*AM*); **~ devant** (*danger, difficulté*) echarse atrás ante; **~ pour mieux sauter** retrasar el asunto.

reculons [ʀ(ə)kylɔ̃]: **à ~** *adv* hacia atrás.

récupérable [ʀekypeʀabl] *adj* recuperable.

récupération [ʀekypeʀasjɔ̃] *nf* recuperación *f*.

récupérer [ʀekypeʀe] *vt* recuperar; (*forces*) recobrar ♦ *vi* (*après un effort etc*) recuperarse.

récurer [ʀekyʀe] *vt* fregar; **poudre à ~** detergente *m* de fregar.

reçus [ʀəsy] *vb voir* **recevoir**.

récusable [ʀekyzabl] *adj* recusable.

récuser [ʀekyze] *vt* (*JUR*) recusar; (*argument, témoignage*) rechazar; **se récuser** *vpr* declararse incompetente.

reçut [ʀəsy] *vb voir* **recevoir**.

recyclage [ʀ(ə)siklaʒ] *nm* reciclaje *m*; **cours de ~** curso de adaptación.

recycler [ʀ(ə)sikle] *vt* reciclar; (*SCOL*) adaptar; (*employés*) reciclar, reconvertir; **se recycler** *vpr* reciclarse.

rédacteur, -trice [ʀedaktœʀ, tʀis] *nm/f* redactor(a); ▸ **rédacteur en chef** redactor(a) jefe; ▸ **rédacteur publicitaire** redactor(a) publicitario(a).

rédaction [ʀedaksjɔ̃] *nf* redacción *f*.

reddition [ʀedisjɔ̃] *nf* rendición *f*.

redéfinir [ʀ(ə)definiʀ] *vt* volver a definir.

redemander [ʀədmɑ̃de] *vt* (*renseignement*) volver a preguntar; **~ de** (*nourriture*) volver a pedir; **~ qch** (*objet prêté*) pedir la devolución de algo.

redémarrer [ʀ(ə)demaʀe] *vi* (*véhicule*) volver a arrancar; (*fig: industrie etc*) volver a funcionar.

rédemption [ʀedɑ̃psjɔ̃] *nf* redención *f*.

redéploiement [ʀ(ə)deplwamɑ̃] *nm* reorganización *f*.

redescendre [ʀ(ə)desɑ̃dʀ] *vi* volver a bajar ♦ *vt* bajar.

redevable [ʀ(ə)dəvabl] *adj*: **être ~ de** qch à qn (*aussi fig*) deber algo a algn.

redevance [ʀ(ə)dəvɑ̃s] *nf* canon *m*.

redevenir [ʀ(ə)dəv(ə)niʀ] *vi* volver a ser.

rédhibitoire [ʀedibitwaʀ] *adj*: **vice ~** vicio

redhibitorio.
rediffuser [R(ə)difyze] *vt* difundir de nuevo.
rediffusion [R(ə)difyzjɔ̃] *nf* nueva difusión *f*.
rédiger [Rediʒe] *vt* redactar.
redire [R(ə)diR] *vt* repetir; **avoir/trouver qch à ~** (*critiquer*) tener/encontrar algo que criticar.
redistribuer [R(ə)distRibɥe] *vt* redistribuir.
redite [R(ə)dit] *nf* repetición *f*.
redondance [R(ə)dɔ̃dɑ̃s] *nf* redundancia.
redonner [R(ə)dɔne] *vt* (*restituer*) restituir; (*repasser*) volver a dar; (*du courage, des forces*) devolver.
redoublé, e [Rəduble] *adj*: **frapper à coups ~s** golpear con violencia.
redoubler [R(ə)duble] *vt* (*classe*) repetir; (*lettre*) duplicar ◆ *vi* (*tempête, violence*) arreciar; (*SCOL*) repetir; **~ de** (*amabilité, efforts*) redoblar; **le vent redouble de violence** el viento arrecia con violencia.
redoutable [R(ə)dutabl] *adj* temible.
redouter [R(ə)dute] *vt* temer; **~ que** temer que; **je redoute de faire sa connaissance** temo conocerlo.
redoux [Rədu] *nm* mejoría.
redressement [R(ə)dREsmɑ̃] *nm* (*de l'économie etc*) restablecimiento; **maison de ~** reformatorio; ▶ **redressement fiscal** recuperación *f* fiscal.
redresser [R(ə)dRese] *vt* enderezar; (*situation, économie*) restablecer; **se redresser** *vpr* (*objet penché*) enderezarse; (*personne*) erguirse; (*se tenir très droit*) ponerse derecho; (*fig: pays, situation*) restablecerse; **~ (les roues)** enderezarse.
redresseur [R(ə)dREsœR] *nm*: **~ de torts** desfacedor *m* de entuertos.
réducteur, -trice [RedyktœR, tRis] *adj* reductor(a).
réduction [Redyksjɔ̃] *nf* reducción *f*; (*rabais, remise*) rebaja; **en ~** (*en plus petit*) reducido(-a).
réduire [RedɥiR] *vt* reducir; (*jus, sauce*) consumir; **se réduire à** *vpr* reducirse a; **se ~ en** (*se transformer en*) convertirse en; **~ qn au silence/à l'inaction/à la misère** reducir a algn al silencio/a la inactividad/a la miseria; **~ qch à** (*fig*) reducir algo a; **~ qch en** transformar algo en; **en être réduit à** no tener otro remedio que.
réduit, e [Redɥi, it] *pp de* **réduire** ◆ *adj* reducido(-a) ◆ *nm* cuchitril *m*.
rééditer [Reedite] *vt* reeditar.
réédition [Reedisjɔ̃] *nf* reedición *f*.
rééducation [Reedykasjɔ̃] *nf* rehabilitación *f*; **centre de ~** centro de rehabilitación; ▶ **rééducation de la parole** logopedia.

rééduquer [Reedyke] *vt* rehabilitar.
réel, le [ReEl] *adj* real; (*intensif: avant le nom*) verdadero(-a) ◆ *nm*: **le ~** lo real.
réélection [ReelEksjɔ̃] *nf* reelección *f*.
rééligible [Reeliʒibl] *adj* reelegible.
réélire [ReeliR] *vt* reelegir.
réellement [Reelmɑ̃] *adv* realmente.
réembaucher [Reɑ̃boʃe] *vt* (*reprendre, réintégrer*) readmitir ◆ *vi* volver a contratar.
réémetteur [ReemetœR] *nm* (*TÉL*) repetidor *m*.
réemployer [Reɑ̃plwaje] *vt* (*méthode, produit*) volver a emplear; (*argent*) reinvertir; (*personnel*) volver a contratar.
rééquilibrer [ReekilibRe] *vt* reequilibrar.
réescompte [ReEskɔ̃t] *nm* redescuento.
réessayer [Reeseje] *vt* volver a probar.
réévaluation [Reevalɥasjɔ̃] *nf* reevaluación *f*.
réévaluer [Reevalɥe] *vt* reevaluar.
réexaminer [ReEgzamine] *vt* volver a examinar.
réexpédier [ReEkspedje] *vt* (*à l'envoyeur*) devolver; (*au destinataire*) remitir.
réexportation [ReEkspɔRtasjɔ̃] *nf* reexportación *f*.
réexporter [ReEkspɔRte] *vt* reexportar.
réf. *abr* (= *référence(s)*) ref.
refaire [R(ə)fɛR] *vt* hacer de nuevo; (*recommencer, faire tout autrement*) rehacer; (*réparer, restaurer*) restaurar; **se refaire** *vpr* (*en santé, argent etc*) reponerse; **se ~ une santé** mejorarse, recuperarse; **se ~ à qch** acostumbrarse de nuevo a algo; **être refait** (*fam*) ser engañado *ou* timado; **il faut ~ les peintures** tenemos que repintar.
refasse [Rəfas] *vb voir* **refaire**.
réfection [Refɛksjɔ̃] *nf* reparación *f*; **en ~** en obras.
réfectoire [RefɛktwaR] *nm* refectorio, comedor *m*.
referai *etc* [R(ə)fRe] *vb voir* **refaire**.
référé [RefeRe] *nm* (*procédure*) procedimiento de urgencia; (*décision*) sentencia.
référence [RefeRɑ̃s] *nf* referencia; **~s** *nfpl* (*garanties, recommandations*) referencias *fpl*; **faire ~ à** hacer referencia a; **ouvrage de ~** manual *m* de consulta; **ce n'est pas une ~** (*fig*) menuda referencia; **~s exigées** con informes.
référendum [RefeRɛ̃dɔm] *nm* referéndum *m*.
référer [RefeRe]: **se ~ à** *vpr* remitirse a; (*se rapporter à*) referirse a; **en ~ à qn** remitir a algn.
refermer [R(ə)fɛRme] *vt* volver a cerrar; **se refermer** *vpr* cerrarse.
refiler [R(ə)file] (*fam*) *vt*: **~ qch à qn** encajar algo a algn.

refit [Rəfi] *vb voir* **refaire**.

réfléchi, e [Refleʃi] *adj* reflexivo(-a); (*action, décision*) pensado(-a).

réfléchir [RefleʃiR] *vt* reflejar ♦ *vi* reflexionar; ~ **à** *ou* **sur** reflexionar acerca de; **c'est tout réfléchi** está todo pensado.

réflecteur [ReflɛktœR] *nm* reflector *m*.

reflet [R(ə)flɛ] *nm* reflejo; ~**s** *nmpl* (*du soleil, des cheveux*) reflejos *mpl*; (*d'une étoffe, d'un métal*) destellos *mpl*.

refléter [R(ə)flete] *vt* reflejar; **se refléter** *vpr* reflejarse.

reflex [Reflɛks] *adj inv* (*PHOTO*) reflex *inv*.

réflexe [Reflɛks] *nm* reflejo ♦ *adj*: **acte/mouvement** ~ acto/movimiento reflejo; **avoir de bons** ~**s** tener buenos reflejos; ▶ **réflexe conditionné** reflejo condicionado.

réflexion [Reflɛksjɔ̃] *nf* reflexión *f*; (*remarque désobligeante*) reproche *m*; ~**s** *nfpl* (*méditations*) reflexiones *fpl*; **sans** ~ sin pensar; **après** ~, ~ **faite, à la** ~ pensándolo bien; **cela demande** ~ eso exige reflexión; **délai de** ~ tiempo para reflexionar; **groupe de** ~ gabinete *m* de estrategia.

refluer [R(ə)flye] *vi* (*eaux*) refluir; (*foule, manifestants*) retroceder.

reflux [Rəfly] *nm* (*de la mer*) reflujo; (*fig*) retroceso.

refondre [R(ə)fɔ̃dR] *vt* refundir.

refont [R(ə)fɔ̃] *vb voir* **refaire**.

reformater [R(ə)fɔRmate] *vt* recomponer.

réformateur, -trice [RefɔRmatœR, tRis] *adj, nm/f* reformador(a).

Réformation [Refɔrmasjɔ̃] *nf*: **la** ~ la Reforma.

réforme [RefɔRm] *nf* reforma; (*MIL*) baja; **la R**~ (*REL*) la Reforma; **conseil de** ~ (*MIL*) tribunal *m* médico.

réformé, e [Refɔrme] *adj* (*REL*) reformado(-a) ♦ *nm/f* (*REL*) protestante *m/f* ♦ *nm* (*MIL*) persona declarada inútil para el servicio.

reformer [R(ə)fɔRme] *vt*: ~ **les rangs** (*MIL*) volver a formar las filas; **se** ~ **reformer** *vpr* volver a formar.

réformer [Refɔrme] *vt* reformar; (*recrue*) declarar inútil; (*soldat*) dar de baja.

réformisme [Refɔrmism] *nm* reformismo.

réformiste [Refɔrmist] *adj, nm/f* reformista *m/f*.

refoulé, e [R(ə)fule] *adj* reprimido(-a).

refoulement [R(ə)fulmɑ̃] *nm* represión *f*.

refouler [R(ə)fule] *vt* (*envahisseurs*) rechazar; (*liquide*) impeler; (*fig: larmes*) contener; (*PSYCH, colère*) reprimir.

réfractaire [RefRaktɛR] *adj* refractario(-a); (*rebelle*) rebelde; (*prêtre*) refractario; **être** ~ **à** ser refractario(-a) a.

réfracter [RefRakte] *vt* refractar.

réfraction [RefRaksjɔ̃] *nf* refracción *f*.

refrain [R(ə)fRɛ̃] *nm* estribillo; (*air*) canción *f*; (*leitmotiv*) cantinela.

refréner [RəfRene] *vt* refrenar.

réfréner [refrene] *vt* = **refréner**.

réfrigérant, e [RefRiʒeRɑ̃, ɑ̃t] *adj* refrigerante.

réfrigérateur [RefRiʒeRatœR] *nm* frigorífico, nevera, heladera (*AM*), refrigeradora (*AM*).

réfrigération [RefRiʒeRasjɔ̃] *nf* refrigeración *f*.

réfrigéré, e [RefRiʒere] *adj* refrigerado(-a).

réfrigérer [RefRiʒere] *vt* refrigerar; **je suis réfrigéré** (*fam*) estoy congelado; **cette nouvelle l'a réfrigéré** (*fig*) esta noticia lo dejó helado.

refroidir [R(ə)fRwadiR] *vt* enfriar ♦ *vi* (*plat, moteur*) enfriar; **se refroidir** *vpr* (*personne*) enfriarse, coger frío; (*temps*) refrescar; (*fig*) enfriarse.

refroidissement [R(ə)fRwadismɑ̃] *nm* enfriamiento.

refuge [R(ə)fyʒ] *nm* refugio; (*pour piétons*) abrigo; **chercher/trouver** ~ **auprès de qn** buscar/encontrar refugio en algn; **demander** ~ **à qn** pedir asilo a algn.

réfugié, e [Refyʒje] *adj, nm/f* refugiado(-a).

réfugier [Refyʒje]: **se** ~ *vpr* refugiarse.

refus [R(ə)fy] *nm* rechazo; **ce n'est pas de** ~ (*fam*) se agradece.

refuser [R(ə)fyze] *vt* (*ne pas accorder*) denegar; (*ne pas accepter*) rechazar; (*candidat*) suspender ♦ *vi* (*cheval*) rehusar; ~ **que/de faire** negarse a que/a hacer; ~ **qch à qn** negar algo a algn; ~ **du monde** cerrar las puertas a la gente; **se** ~ **à qch/faire qch** negarse a algo/hacer algo; **se** ~ **à qn** no entregarse a algn; **il ne se refuse rien** no se priva de nada.

réfutable [Refytabl] *adj* refutable.

réfuter [Refyte] *vt* refutar.

regagner [R(ə)gaɲe] *vt* (*argent*) volver a ganar; (*affection, amitié*) recuperar; (*lieu, place*) regresar a; **le temps perdu** recuperar el tiempo perdido; ~ **du terrain** recuperar terreno.

regain [Rəgɛ̃] *nm* (*herbe*) renadío; **un** ~ **de** un rebrote de.

régal [Regal] *nm* (*mets, fig*) placer *m*; **c'est un (vrai)** ~ es un (verdadero) placer, es una (verdadera) delicia; **un** ~ **pour les yeux** una delicia para la vista.

régalade [Regalad] *adv*: **à la** ~ a chorro.

régaler [Regale] *vt*: ~ **qn** obsequiar a algn; **se régaler** *vpr* (*faire un bon repas*) regalarse; (*fig*) disfrutar; ~ **qn de** obsequiar a algn con.

regard [R(ə)gaR] *nm* mirada; **parcourir/**

menacer du ~ recorrer/amenazar con la mirada; au ~ de (*loi, morale*) a la luz de; en ~ (*en face, vis à vis*) en frente; en ~ de en comparación con.

regardant, e [ʀ(ə)gaʀdɑ̃, ɑ̃t] *adj* (*économe*) ahorrativo(-a); (*péj*) tacaño(-a); **très/peu** ~ **sur** (*qualité, propreté*) muy/poco mirado(-a) con.

regarder [ʀ(ə)gaʀde] *vt* mirar; (*situation, avenir*) ver; (*son intérêt etc*) mirar, preocuparse por; (*concerner*) concernir ♦ *vi* ver, mirar; ~ **la télévision** ver *ou* mirar la televisión; ~ **qn/qch comme** (*juger*) considerar a algn/algo como; ~ (**qch**) **dans le dictionnaire/l'annuaire** mirar (algo) en el diccionario/en la guía telefónica; ~ **par la fenêtre** mirar por la ventana; ~ **à** (*dépense*) reparar en; (*qualité, détails*) mirar; ~ (**vers**) (*être orienté vers*) mirar (hacia); **ne pas** ~ **à la dépense** no mirar por el dinero; **cela me regarde** eso me atañe, eso es cosa mía; **cela te regarde?** ¿a ti qué te importa?

régates [ʀegat] *nfpl* regatas *fpl*.

régénérer [ʀeʒeneʀe] *vt* regenerar.

régent [ʀeʒɑ̃] *nm* regente *m*.

régenter [ʀeʒɑ̃te] *vt* (*gén*) regentar; (*personne*) dar órdenes a.

régie [ʀeʒi] *nf* (*ADMIN*) administración *f* (*del estado o de una institución pública*); (*COMM, INDUSTRIE*) corporación *f* pública; (*CINÉ, THÉÂTRE*) departamento de producción; (*RADIO, TV*) sala de control; ▶ **la régie de l'État** la administración del Estado.

regimber [ʀ(ə)ʒɛ̃be] *vi* respingar.

régime [ʀeʒim] *nm* régimen *m*; (*fig: allure*) paso; (*de bananes, dattes*) racimo; **se mettre au/suivre un** ~ ponerse a/estar a régimen; ~ **sans sel** régimen sin sal; **à bas/haut** ~ (*AUTO*) a pocas/muchas revoluciones; **à plein** ~ a toda velocidad; ▶ **régime matrimonial** régimen matrimonial.

régiment [ʀeʒimɑ̃] *nm* regimiento; **un** ~ **de** (*fig: fam*) un regimiento de; **un copain de** ~ un compañero de la mili.

région [ʀeʒjɔ̃] *nf* región *f*; **la** ~ **parisienne** la región de Paris.

régional, e, -aux [ʀeʒjɔnal, o] *adj* regional.

régionalisation [ʀeʒjɔnalizasjɔ̃] *nf* regionalización *f*.

régionalisme [ʀeʒjɔnalism] *nm* regionalismo.

régir [ʀeʒiʀ] *vt* regir.

régisseur [ʀeʒisœʀ] *nm* (*d'un domaine, d'une propriété*) administrador(a); (*THÉÂTRE, CINÉ*) regidor(a).

registre [ʀəʒistʀ] *nm* registro; ▶ **registre**

de comptabilité libro de cuentas; ▶ **registre de l'état civil** registro civil.

réglable [ʀeglabl] *adj* (*siège, flamme etc*) regulable; (*achat*) pagadero(-a).

réglage [ʀeglaʒ] *nm* ajuste *m*, regulación *f*; (*d'un moteur*) reglaje *m*.

règle [ʀɛgl] *nf* regla; ~**s** *nfpl* (*PHYSIOL*) reglas *fpl*; **avoir pour** ~ **de** ... tener por norma ...; **en** ~ (*papiers d'identité*) en regla; **être/se mettre en** ~ estar/ponerse en regla; **dans** *ou* **selon les** ~**s** en *ou* según las normas; **être la** ~ ser la norma; **être de** ~ ser (la) norma; **en** ~ **générale** por regla general; ▶ **règle à calcul** regla de cálculo; ▶ **règle de trois** regla de tres.

réglé, e [ʀegle] *adj* (*affaire*) zanjado(-a); (*vie, personne*) ordenado(-a); (*papier*) rayado(-a); (*arrangé*) arreglado(-a); (*femme*): **bien** ~**e** de período regular.

règlement [ʀɛgləmɑ̃] *nm* (*règles*) reglamento; (*paiement*) pago; (*d'un conflit, d'une affaire*) arreglo, solución *f*; ▶ **règlement à la commande** pago al hacer el pedido; ~ **en espèces/par chèque** pago en metálico/por cheque; ▶ **règlement de compte(s)** ajuste *m* de cuentas; ▶ **règlement intérieur** reglamento de régimen interno; ▶ **règlement judiciaire** pago de costas.

réglementaire [ʀɛgləmɑ̃tɛʀ] *adj* reglamentario(-a).

réglementation [ʀɛgləmɑ̃tasjɔ̃] *nf* reglamentación *f*.

réglementer [ʀɛgləmɑ̃te] *vt* reglamentar.

régler [ʀegle] *vt* (*mécanisme, machine*) ajustar; (*moteur, thermostat*) regular; (*modalités*) determinar; (*emploi du temps etc*) organizar; (*question, problème*) arreglar; (*facture, fournisseur*) pagar; (*papier*) rayar; ~ **qch sur** acoplar algo a, adaptar algo a; ~ **son compte à qn** ajustarle la cuenta a algn; ~ **un compte avec qn** ajustar las cuentas con algn.

réglisse [ʀeglis] *nf ou m* regaliz *m*; **pâte/bâton de** ~ pasta/barra de regaliz.

règne [ʀɛɲ] *nm* reinado; (*fig*) reino; **le** ~ **végétal/animal** el reino vegetal/animal.

régner [ʀeɲe] *vi* (*aussi fig*) reinar.

regonfler [ʀ(ə)gɔ̃fle] *vt* inflar de nuevo.

regorger [ʀ(ə)gɔʀʒe] *vi*: ~ **de** rebosar de.

régresser [ʀegʀese] *vi* (*phénomène*) disminuir; (*enfant, malade*) ir a peor.

régressif, -ive [ʀegʀesif, iv] *adj* regresivo(-a).

régression [ʀegʀesjɔ̃] *nf* disminución *f*, regresión *f*; **être en** ~ estar en regresión.

regret [ʀ(ə)gʀɛ] *nm* (*nostalgie*) nostalgia; (*d'un acte commis*) arrepentimiento; (*d'un projet non réalisé*) pesar *m*; **à** ~ *ou* **avec** ~ con pesar; **à mon grand** ~ con mi mayor pesar; **être au ~ de devoir/ne pas pouvoir faire** ... lamentar mucho tener que/no poder hacer ...; **j'ai le ~ de vous informer que** ... siento comunicarle que ... .

regrettable [R(ə)gRetabl] adj lamentable; **il est ~ que** es lamentable que.

regretter [R(ə)gRete] vt lamentar; (jeunesse, personne, passé) echar de menos; **~ d'avoir fait** lamentar haber hecho; **~ de sentir; ~ que** lamentar que; **je regrette lo** siento; **non, je regrette** no, lo siento.

regroupement [R(ə)gRupmɑ̃] nm reagrupación f.

regrouper [R(ə)gRupe] vt reagrupar; (contenir) reunir; **se regrouper** vpr reagruparse.

régularisation [Regylarizasjɔ̃] nf regularización f; **en voie de ~** en vía de arreglo.

régulariser [Regylarize] vt (fonctionnement, trafic) regular; (passeport, papiers) regularizar; **~ sa situation** regularizar su situación.

régularité [Regylarite] nf regularidad f.

régulateur, -trice [Regylatœr, tris] adj regulador(a) ♦ nm: **~ de vitesse/de température** regulador m de velocidad/de temperatura.

régulation [Regylasjɔ̃] nf regulación f; ▶ **régulation des naissances** control m de la natalidad.

régulier, -ière [Regylje, jer] adj regular; (employé) puntual; (fam: correct, loyal) formal; **clergé ~** (REL) clero regular; **armées/troupes régulières** (MIL) ejércitos mpl/tropas fpl regulares.

régulièrement [Regyljermɑ̃] adv con regularidad; (légalement, normalement) regularmente; (normalement) normalmente.

régurgiter [Regyrʒite] vt regurgitar.

réhabiliter [Reabilite] vt rehabilitar; **se réhabiliter** vpr rehabilitarse.

réhabituer [Reabitɥe] vt: **se ~ à qch/faire qch** volver a acostumbrarse a algo/a hacer algo.

rehausser [Rəose] vt (mur, plafond) levantar; (fig) realzar.

réimporter [Reɛ̃pɔrte] vt reimportar.

réimpression [Reɛ̃presjɔ̃] nf reimpresión f.

réimprimer [Reɛ̃prime] vt reimprimir.

Reims [Rɛ̃s] n Reims.

rein [Rɛ̃] nm riñón m; **~s** nmpl (ANAT: dos, muscles du dos) riñones mpl; **avoir mal aux ~s** tener dolor de riñones; ▶ **rein artificiel** riñón artificial.

réincarnation [Reɛ̃karnasjɔ̃] nf reencarnación f.

réincarner [Reɛ̃karne]: **se ~** vpr reencarnarse.

reine [Rɛn] nf reina; ▶ **reine mère** reina

madre.

reine-claude [Rɛnklod] (pl **~s-~s**) nf ciruela claudia.

reinette [Rɛnɛt] nf manzana reineta.

réinitialisation [Reinisjalizasjɔ̃] nf (INFORM) reinicialización f.

réinscrire [Reɛ̃skrir] vt inscribir de nuevo.

réinsérer [Reɛ̃sere] vt reinsertar.

réinsertion [Reɛ̃sersjɔ̃] nf reinserción f.

réinstaller [Reɛ̃stale] vt reinstalar; **se réinstaller** vpr (dans un fauteuil) volverse a acomodar; (dans une maison) reinstalarse; **~ qn dans** (un lieu, poste) reponer a algn en.

réintégrer [Reɛ̃tegre] vt (lieu) volver a; (fonctionnaire) reintegrar.

réitérer [Reitere] vt reiterar.

rejaillir [R(ə)ʒajir] vi (liquide) salpicar; **~ sur** salpicar en; (fig) repercutir sobre.

rejet [Rəʒɛ] nm rechazo; (POÉSIE) encabalgamiento m; (BOT) retoño; **phénomène de ~** (MÉD) fenómeno de rechazo.

rejeter [Rəʒ(ə)te] vt rechazar; (renvoyer) lanzar de nuevo; (aliments) rechazar, vomitar; (déverser) vertir; **~ un mot à la fin d'une phrase** dejar una palabra al final de la frase; **~ la tête/les épaules en arrière** echar la cabeza/los hombros hacia atrás; **~ la responsabilité de qch sur qn** echar la responsabilidad de algo sobre algn.

rejeton [Rəʒ(ə)tɔ̃] (fam) nm (enfant) retoño.

rejoindre [R(ə)ʒwɛ̃dr] vt (famille, régiment) reunirse con; (lieu) retornar a (concurrent) alcanzar; (suj: route etc) llegar a; **se rejoindre** vpr (personnes) reunirse; (routes) juntarse; (fig: observations, arguments) asemejarse; **je te rejoins au café** te veo en el café.

réjoui, e [Reʒwi] adj regocijado(-a).

réjouir [Reʒwir] vt alegrar; **se réjouir** vpr regocijarse, alegrarse; **se ~ de qch/de faire qch** alegrarse de algo/de hacer algo; **se ~ que** alegrarse de que.

réjouissances [Reʒwisɑ̃s] nfpl (joie collective) regocijos mpl; (fête) festejos mpl.

réjouissant, e [Reʒwisɑ̃, ɑ̃t] adj alentador(a).

relâche [Rəlɑʃ] nf: **faire ~** (navire) hacer escala; (CINÉ) no haber función; **jour de ~** día m de descanso; **sans ~** sin descanso.

relâché, e [R(ə)lɑʃe] adj relajado(-a).

relâchement [R(ə)lɑʃmɑ̃] nm relajación f.

relâcher [R(ə)lɑʃe] vt (ressort, étreinte, cordes) aflojar; (animal, prisonnier) soltar; (discipline) relajar ♦ vi (NAUT) hacer escala; **se relâcher** vpr (cordes) aflojarse; (discipline) relajarse; (élève) aflojar.

relais [R(ə)lɛ] nm: **(course de) ~** (carrera

de) relevos *mpl*; (*RADIO, TV*) repetidor *m*; **satellite de** ~ satélite *m* repetidor; **servir de** ~ (*intermédiaire*) servir de relevo; **équipe de** ~ equipo de relevo; **travail par** ~ trabajo por turnos; **prendre le** ~ (**de qn**) tomar el relevo (de algn); ▶ **relais de poste** (*pour diligences*) posta *f*; ▶ **relais routier** restaurante *m* de carretera.

relance [Rəlɑ̃s] *nf* reactivación *m*.

relancer [R(ə)lɑ̃se] *vt* (*balle*) lanzar de nuevo; (*moteur*) poner en marcha de nuevo; (*fig: économie, agriculture*) reactivar; ~ **qn** (*harceler*) hostigar a algn.

relater [R(ə)late] *vt* relatar.

relatif, -ive [R(ə)latif, iv] *adj* relativo(-a); ~ **à** relativo(-a) a.

relation [R(ə)lasjɔ̃] *nf* (*récit*) relato; (*rapport*) relación *f*; ~**s** *nfpl* relaciones *fpl*; **avoir des** ~**s** tener relaciones; **être/entrer en** ~(**s**) **avec** estar/entrar en relación(relaciones) con; **mettre qn en** ~(**s**) **avec** poner a algn en relación con; **avoir** *ou* **entretenir des** ~**s avec** tener *ou* mantener relaciones con; ▶ **relations internationales** relaciones internacionales; ▶ **relations publiques** relaciones públicas; ▶ **relations (sexuelles)** relaciones (sexuales).

relativement [R(ə)lativmɑ̃] *adv* relativamente; ~ **à** en relación con.

relativiser [Rəlativize] *vt* relativizar.

relativité [R(ə)lativite] *nf* relatividad *f*.

relax [Rəlaks] *adj inv* (*soirée, personne*) relajado(-a); (**fauteuil**)-~ *nm* sillón *m* de relax.

relaxant, e [R(ə)laksɑ̃, ɑ̃t] *adj* relajante.

relaxation [R(ə)laksasjɔ̃] *nf* relajación *f*.

relaxe [Rəlaks] *adj* = **relax** ♦ *nf* (*JUR*) puesta en libertad.

relaxer [Rəlakse] *vt* (*détendre*) relajar; (*JUR*) poner en libertad; **se relaxer** *vpr* relajarse.

relayer [R(ə)leje] *vt* (*collaborateur, coureur*) relevar; (*RADIO, TV*) retransmitir; **se relayer** *vpr* (*dans une activité, course*) relevarse.

relecture [R(ə)lɛktyR] *nf* segunda lectura.

relégation [R(ə)legasjɔ̃] *nf* (*SPORT*) relegación *f*.

reléguer [R(ə)lege] *vt* relegar; ~ **au second plan** relegar a un segundo plano; **se sentir relégué** sentirse relegado.

relent [Rəlɑ̃] *nm* (*gén pl*) hedor *m*; **ça a des** ~**s de racisme** eso huele a racismo.

relève [Rəlɛv] *nf* relevo; **prendre la** ~ (*aussi fig*) tomar el relevo.

relevé, e [Rəl(ə)ve] *adj* (*bord de chapeau*) alzado(-a); (*manches*) arremangado(-a); (*virage*) peraltado(-a); (*conversation, style*) elevado(-a); (*sauce, plat*) sazonado(-a) ♦ *nm* (*liste*) relación *f*; (*de cotes*) alzado; (*facture*) extracto; (*d'un compteur*) lectu-

ra; ▶ **relevé de compte** saldo; ▶ **relevé d'identité bancaire** número de cuenta.

relèvement [R(ə)lɛvmɑ̃] *nm* (*d'un taux, niveau*) subida.

relever [Rəl(ə)ve] *vt* levantar; (*niveau de vie, salaire*) aumentar; (*col*) subir; (*style, conversation*) animar; (*plat, sauce*) sazonar; (*sentinelle, équipe*) relevar; (*fautes, points*) señalar; (*traces, anomalies*) constatar; (*remarque*) contestar a; (*défi*) hacer frente a; (*noter*) tomar nota de, anotar; (*compteur*) leer; (*copies*) recoger; (*TRICOT*) coger ♦ *vi* (*jupe, bord*) levantar, arremangar; **se relever** *vpr* levantarse; **se** ~ (**de**) (*fig*) recuperarse (de); ~ **de** (*maladie*) salir de; (*être du ressort de, du domaine de*) ser de la competencia de; (*ADMIN*) depender de; ~ **qn de** (*fonctions*) eximir a algn de; (*REL: vœux*) liberar a algn de; ~ **la tête** levantar la cabeza; (*fig*) levantar cabeza.

relief [Rəljɛf] *nm* relieve *m*; (*de pneu*) dibujo; ~**s** *nmpl* (*restes*) restos *mpl*; **en** ~ en relieve; **mettre en** ~ (*fig*) poner de relieve; **donner du** ~ **à** (*fig*) dar relieve a.

relier [Rəlje] *vt* (*routes, bâtiments*) unir; (*fig: idées etc*) relacionar; (*livre*) encuadernar; ~ **qch à** unir algo con; **livre relié cuir** libro encuadernado en piel.

relieur, -euse [RəljœR, jøz] *nm/f* encuadernador(a).

religieusement [R(ə)liʒjøzmɑ̃] *adv* religiosamente; (*enterré, mariés*) por la iglesia.

religieux, -euse [R(ə)liʒjø, jøz] *adj* religioso(-a) ♦ *nm* religioso ♦ *nf* religiosa; (*gâteau*) pastelillo de crema.

religion [R(ə)liʒjɔ̃] *nf* religión *f*; (*piété, dévotion*) fe *f*; **entrer en** ~ hacer los votos.

reliquaire [RəlikɛR] *nm* relicario.

reliquat [Rəlika] *nm* (*d'une somme*) resto; (*JUR: de succession*) saldo.

relique [Rəlik] *nf* reliquia.

relire [RəliR] *vt* releer; **se relire** *vpr* releerse.

reliure [RəljyR] *nf* encuadernación *f*.

reloger [R(ə)lɔʒe] *vt* realojar.

relu, e [Rəly] *pp de* **relire**.

reluire [RəluiR] *vi* relucir.

reluisant, e [R(ə)luizɑ̃, ɑ̃t] *vb voir* **reluire** ♦ *adj* (*fig*): **peu** ~ poco(-a) satisfactorio(-a).

reluquer [Rəlyke] (*fam*) *vt* echarle el ojo a.

remâcher [R(ə)mɑʃe] *vt* rumiar.

remailler [R(ə)maje] *vt* remallar.

remaniement [R(ə)manimɑ̃] *nm*: ~ **ministériel** reorganización *f* ministerial.

remanier [R(ə)manje] *vt* (*roman, pièce*) modificar; (*ministère*) reorganizar.

remarier [R(ə)maRje]: **se** ~ *vpr* volver a casarse.

remarquable [ʀ(ə)maʀkabl] *adj* notable.
remarquablement [ʀ(ə)maʀkabləmã] *adv* extraordinariamente.
remarque [ʀ(ə)maʀk] *nf* comentario.
remarquer [ʀ(ə)maʀke] *vt* notar; **se remarquer** *vpr* notarse; **se faire ~** (*péj*) hacerse notar; **faire ~ (à qn) que** que hacer notar (a algn); **faire ~ qch (à qn)** hacer notar algo (a algn); **~ que** (*dire*) observar que; **remarquez que ...** observe que ... .
remballer [ʀãbale] *vt* volver a embalar.
rembarrer [ʀãbaʀe] *vt*: **~ qn** (*repousser*) echar una bronca a algn; (*remettre à sa place*) poner a algn en su sitio.
remblai [ʀãblɛ] *nm* terraplén *m*; **travaux de ~** terraplenado.
remblayer [ʀãbleje] *vt* rellenar.
rembobiner [ʀãbɔbine] *vt* (*pellicule*) devanar; (*cassette*) rebobinar.
rembourrage [ʀãbuʀaʒ] *nm* relleno.
rembourré, e [ʀãbuʀe] *adj* relleno(-a).
rembourrer [ʀãbuʀe] *vt* rellenar.
remboursable [ʀãbuʀsabl] *adj* reembolsable.
remboursement [ʀãbuʀsəmã] *nm* reembolso; **envoi contre ~** envío contra reembolso.
rembourser [ʀãbuʀse] *vt* reembolsar.
rembrunir [ʀãbʀyniʀ]: **se ~** *vpr* entristecerse.
remède [ʀ(ə)mɛd] *nm* (*médicament*) medicamento; (*traitement, fig*) remedio; **trouver un ~ à** encontrar una solución a.
remédier [ʀ(ə)medje]: **~ à** *vt* remediar.
remembrement [ʀ(ə)mãbʀəmã] *nm* (*AGR*) concentración *f* parcelaria.
remémorer [ʀ(ə)memɔʀe]: **se ~** *vpr* acordarse de.
remerciement [ʀ(ə)mɛʀsimã]: **~s** *nmpl* gracias *fpl*; **(avec) tous mes ~s** (con) todo mi agradecimiento.
remercier [ʀ(ə)mɛʀsje] *vt* (*donateur, bienfaiteur*) dar las gracias a; (*congédier: employé*) despedir; **~ qn de qch** agradecerle algo a algn; **je vous remercie d'être venu** le agradezco que haya venido; **non, je vous remercie** no, muchas gracias.
remettre [ʀ(ə)mɛtʀ] *vt* (*vêtement*) volver a ponerse; (*rétablir*): **~ qn** restablecer a algn; (*reconnaître*) recordar a algn; (*restituer*): **~ qch à qn** devolver algo a algn; (*paquet, argent, récompense*) entregar algo a algn; (*ajourner, reporter*): **~ qch (à)** aplazar algo (hasta *ou* para); **se remettre** *vpr* (*malade*) reponerse; (*temps*) mejorar; **~ qch quelque part** colocar de nuevo algo en algún sitio; **~ du sel/un sucre** añadir sal/un azucarillo; **se ~ de** (*maladie, chagrin*) recuperarse de; **s'en ~ à**

remitirse a; **se ~ à faire/qch** ponerse de nuevo a hacer/algo; **~ qch en place** colocar algo en su sitio; **~ une pendule à l'heure** poner un reloj en hora; **~ un moteur/une machine en marche** poner un motor/una máquina en marcha; **~ en état** reparar; **~ en ordre/en usage** volver a poner en orden/al uso; **~ en cause** *ou* **question** poner en tela de juicio; **~ sa démission** presentar su dimisión; **~ qch à plus tard** dejar algo para más tarde; **~ qch à neuf** dejar algo como nuevo; **~ qn à sa place** (*fig*) poner a algn en su sitio.
réminiscence [ʀeminisãs] *nf* reminiscencia.
remis, e [ʀəmi, iz] *pp de* **remettre**.
remise [ʀ(ə)miz] *nf* (*d'un colis, d'une récompense*) entrega; (*rabais, réduction*) descuento; (*lieu, local*) trastero, galpón *m* (*CSUR*); ▶**remise à neuf** renovación *f*; ▶**remise de fonds** remesa de fondos; ▶**remise de peine** remisión *f* de pena; ▶**remise en cause** replanteamiento; ▶**remise en jeu** (*FOOTBALL*) saque *m*; ▶**remise en marche/en ordre** puesta en marcha/en orden; ▶**remise en question** replanteamiento.
remiser [ʀ(ə)mize] *vt* guardar.
rémission [ʀemisjɔ̃] *nf* (*dans une maladie*) remisión *f*, mejoría; **sans ~** *adj* irremediable ♦ *adv* sin parar.
remodeler [ʀ(ə)mɔd(ə)le] *vt* (*CHIRURGIE*) remodelar; (*fig: remanier*) reestructurar.
rémois, e [ʀemwa, waz] *adj* de Reims ♦ *nm/f*: **R~, e** nativo(-a) *ou* habitante *m/f* de Reims.
remontant [ʀ(ə)mɔ̃tã] *nm* estimulante.
remontée [ʀ(ə)mɔ̃te] *nf* (*des eaux, de la fièvre*) subida; ▶**remontées mécaniques** remontes *mpl* mecánicos.
remonte-pente [ʀ(ə)mɔ̃tpãt] (*pl* ~-~**s**) *nm* remonte *m*.
remonter [ʀ(ə)mɔ̃te] *vi* volver a subir; (*sur un cheval*) volver a montar; (*dans une voiture*) volver a montarse; (*jupe*) subir ♦ *vt* volver a subir; (*fleuve*) remontar; (*hausser*) subir; (*fig: personne, moral*) animar; (*moteur, meuble, mécanisme*) montar de nuevo; (*garde-robe, collection*) reponer; (*montre*) dar cuerda; **~ à** (*dater de*) remontarse a; **~ en voiture** volver a montarse en coche; **~ le moral à qn** levantar la moral a algn.
remontoir [ʀ(ə)mɔ̃twaʀ] *nm* cuerda.
remontrance [ʀ(ə)mɔ̃tʀãs] *nf* (*gén pl*) amonestación *f*.
remontrer [ʀ(ə)mɔ̃tʀe] *vt*: **~ qch (à qn)** (*montrer de nouveau*) volver a enseñar algo (a algn); **en ~ à qn** (*fig*) dar lecciones a algn.

remords [ʀ(ə)mɔʀ] *nm* remordimiento; **avoir des** ~ tener remordimiento.

remorque [ʀ(ə)mɔʀk] *nf* remolque *m*; **prendre en** ~ llevar en remolque; **être en** ~ ir remolcado(-a); **être à la** ~ (*fig*) estar a remolque.

remorquer [ʀ(ə)mɔʀke] *vt* remolcar.

remorqueur [ʀ(ə)mɔʀkœʀ] *nm* remolcador *m*.

rémoulade [ʀemulad] *nf* salsa remoulade.

rémouleur [ʀemulœʀ] *nm* afilador *m*.

remous [ʀəmu] *nm* remolino ♦ *nmpl* (*fig*) alboroto *msg*.

rempailler [ʀɑ̃paje] *vt* poner un asiento de rejilla a.

rempailleur, -euse [ʀɑ̃pajœʀ, øz] *nm/f* sillero(-a).

rempart [ʀɑ̃paʀ] *nm* (*de ville fortifiée*) muralla; (*de château fort*) bastión *m*; (*fig*) baluarte *m*; ~**s** *nmpl* murallas *fpl*.

rempiler [ʀɑ̃pile] *vt* amontonar ♦ *vi* (*MIL*: *fam*) reengancharse.

remplaçant, e [ʀɑ̃plasɑ̃, ɑ̃t] *nm/f* sustituto(-a); (*THÉÂTRE*) suplente *m/f*.

remplacement [ʀɑ̃plasmɑ̃] *nm* sustitución *f*; **assurer le** ~ **de qn** sustituir a algn; **faire des** ~**s** hacer sustituciones.

remplacer [ʀɑ̃plase] *vt* (*mettre qn/qch à la place de*) sustituir; (*ami, époux etc*) cambiar de; (*temporairement*) reemplazar; (*pneu, ampoule*) cambiar; (*tenir lieu de*) sustituir (a); ~ **qch par qch d'autre/qn par qn d'autre** cambiar una cosa por otra/a algn por otro(-a).

rempli, e [ʀɑ̃pli] *adj* (*journée*) cargado(-a); (*forme, visage*) relleno(-a); ~ **de** lleno(-a) de.

remplir [ʀɑ̃pliʀ] *vt* llenar; (*questionnaire*) rellenar; (*obligations, conditions, rôle*) cumplir (con); **se remplir** *vpr* llenarse; ~ **qch de** llenar algo de; ~ **qn de** (*joie, admiration*) llenar a algn de.

remplissage [ʀɑ̃plisaʒ] (*péj*) *nm* (*fig*) paja.

rempocher [ʀɑ̃pɔʃe] *vt* embolsarse.

remporter [ʀɑ̃pɔʀte] *vt* (*livre, marchandise*) devolver; (*fig: victoire, succès*) lograr.

rempoter [ʀɑ̃pɔte] *vt* cambiar de tiesto.

remuant, e [ʀəmɥɑ̃, ɑ̃t] *adj* (*enfant etc*) revoltoso(-a).

remue-ménage [ʀ(ə)mymenaʒ] *nm inv* zafarrancho.

remuer [ʀəmɥe] *vt* (*meuble, objet*) mudar; (*partie du corps*) mover; (*café, salade, sauce*) remover; (*émouvoir*) conmover ♦ *vi* moverse; (*fig: opposants*) agitarse; **se remuer** *vpr* (*aussi fam*) moverse; (*fig*) desvivirse.

rémunérateur, -trice [ʀemyneʀatœʀ, tʀis] *adj* remunerador(a).

rémunération [ʀemyneʀasjɔ̃] *nf* remunera-

ción *f*.

rémunérer [ʀemyneʀe] *vt* remunerar, pagar.

renâcler [ʀ(ə)nɑkle] *vi* (*animal*) resoplar; (*fig*) refunfuñar.

renaissance [ʀ(ə)nɛsɑ̃s] *nf* renacimiento; **la R**~ el Renacimiento.

renaître [ʀ(ə)nɛtʀ] *vi* renacer; ~ **à la vie/à l'espoir** renacer a la vida/a la esperanza.

rénal, e, -aux [ʀenal, o] *adj* renal.

renard [ʀ(ə)naʀ] *nm* zorro.

renardeau [ʀ(ə)naʀdo] *nm* zorrillo.

rencard [ʀɑ̃kaʀ], **rencart** [ʀɑ̃kaʀ] *nm* = **rancard**.

renchérir [ʀɑ̃ʃeʀiʀ] *vi* encarecerse; ~ (**sur**) ir más allá (de).

renchérissement [ʀɑ̃ʃeʀismɑ̃] *nm* encarecimiento.

rencontre [ʀɑ̃kɔ̃tʀ] *nf* (*SPORT, congrès, gén*) encuentro; (*de cours d'eau*) confluencia; (*véhicules*) choque *m*; (*idées*) coincidencia; (*entrevue*) entrevista; **faire la** ~ **de qn** conocer a algn; **aller à la** ~ **de qn** ir al encuentro de algn; **amis/amours de** ~ amigos/amores de paso.

rencontrer [ʀɑ̃kɔ̃tʀe] *vt* encontrar (a); (*avoir une entrevue avec*) entrevistarse con; (*SPORT: équipe*) enfrentarse con; (*mot, opposition*) encontrar; (*regard, yeux*) encontrarse con; **se rencontrer** *vpr* (*fleuves*) confluir; (*personnes, regards*) encontrarse; (*véhicules*) chocar.

rendement [ʀɑ̃dmɑ̃] *nm* rendimiento; (*d'une culture*) producto; **à plein** ~ a pleno rendimiento.

rendez-vous [ʀɑ̃devu] *nm inv* cita; **recevoir sur** ~-~ recibir previa cita; **donner** ~-~ **à qn** dar una cita a algn; **fixer un** ~-~ **à qn** fijar una cita con algn; **avoir** ~-~ (**avec qn**) tener una cita (con algn); **prendre** ~- ~ (**avec qn**) pedir cita (con algn); **prendre** ~-~ **chez le médecin** pedir hora con el médico; ▶ **rendez-vous orbital** acoplamiento de satélites; ▶ **rendez-vous spatial** cita en el espacio.

rendormir [ʀɑ̃dɔʀmiʀ]: **se** ~ *vpr* dormirse de nuevo.

rendre [ʀɑ̃dʀ] *vt* devolver; (*honneurs*) rendir; (*sons*) producir; (*pensée, tournure*) traducir, expresar; (*JUR: verdict*) fallar; (: *jugement, arrêt*) dictar; ~ **qn célèbre/qch possible** hacer a algn célebre/algo posible ♦ *vi* (suj: terre, pêche etc) ser productivo(-a); **se rendre** *vpr* rendirse; **se** ~ **quelque part** irse a algún sitio; **se** ~ **compte de qch** darse cuenta de algo; ~ **la vue/l'espoir/la santé à qn** devolver la vista/la esperanza/la salud a algn; ~ **la liberté** devolver la libertad; ~ **la monnaie** dar las vueltas; **se** ~ **à** (*arguments etc*) rendirse a; (*ordres*) someterse; **se ~ insupportable/malade** volverse insoportable/enfermo(-a).

rendu, e [Rɑ̃dy] *pp de* **rendre**.

renégat, e [Rǝnega, at] *nm/f* renegado(-a).

renégocier [Rǝnegɔsje] *vt, vi* renegociar.

rênes [Rɛn] *nfpl* riendas.

renfermé, e [Rɑ̃fɛRme] *adj* (*fig*) reservado(-a) ♦ *nm:* **sentir le ~** oler a cerrado.

renfermer [Rɑ̃fɛRme] *vt* contener; **se ~ (sur soi-même)** encerrarse (en sí mismo).

renfiler [Rɑ̃file] *vt* (*collier etc*) ensartar de nuevo; (*pull*) volver a ponerse.

renflé, e [Rɑ̃fle] *adj* hinchado(-a).

renflement [Rɑ̃flǝmɑ̃] *nm* abultamiento.

renflouer [Rɑ̃flue] *vt* (*bateau*) reflotar; (*fig*) sacar a flote.

renfoncement [Rɑ̃fɔ̃smɑ̃] *nm* fortalecimiento.

renforcer [Rɑ̃fɔRse] *vt* reforzar; (*soupçons*) aumentar; **~ qn dans ses opinions** confirmar a algn en sus opiniones.

renfort [Rɑ̃fɔR]: **~s** *nmpl* (*MIL, gén*) refuerzo *msg*; **en ~** de refuerzo; **à grand ~ de** con gran acompañamiento de.

renfrogné, e [Rɑ̃fRɔɲe] *adj* sombrío(-a).

renfrogner [Rɑ̃fRɔɲe]: **se ~** *vpr* ensombrecerse.

rengager [Rɑ̃gaʒe] *vt* contratar de nuevo; **se rengager** *vpr* (*MIL*) reengancharse.

rengaine [Rɑ̃gɛn] (*péj*) *nf* cantinela.

rengainer [Rɑ̃gene] *vt* (*revolver*) volver a guardar; (*épée*) volver a envainar; **~ son compliment** (*fam*) callarse el piropo; **~ son discours** (*fam*) callarse.

rengorger [Rɑ̃gɔRʒe]: **se ~** *vpr* pavonearse.

renier [Rǝnje] *vt* renegar de.

renifler [R(ǝ)nifle] *vi* resoplar ♦ *vt* aspirar.

rennais, e [Rɛnɛ, ɛz] *adj* de Rennes ♦ *nm/f:* **R~, e** nativo(-a) *ou* habitante *m/f* de Rennes.

renne [Rɛn] *nm* reno.

renom [Rǝnɔ̃] *nm* renombre *m*; **vin de grand ~** vino de gran fama.

renommé, e [R(ǝ)nɔme] *adj* renombrado(-a), famoso(-a).

renommée [R(ǝ)nɔme] *nf* fama; **la ~** el renombre.

renoncement [R(ǝ)nɔ̃smɑ̃] *nm* renuncia.

renoncer [R(ǝ)nɔ̃se]: **~ à** *vt* renunciar a; (*opinion, croyance*) renegar de; **~ à faire qch** renunciar a hacer algo; **j'y renonce** renuncio.

renouer [Rǝnwe] *vt* (*cravate, lacets*) atar de nuevo; (*fig*) reanudar; **~ avec** volver a; **~ avec qn** reconciliarse con algn.

renouveau, x [R(ǝ)nuvo] *nm:* **~ de succès** rebrote *m* de éxito; **le ~ printanier** el renacer de la primavera.

renouvelable [R(ǝ)nuv(ǝ)labl] *adj* (*contrat,*

bail) renovable; (*expérience*) repetible.

renouveler [R(ǝ)nuv(ǝ)le] *vt* renovar; (*eau d'une piscine, pansement*) cambiar; (*demande, remerciements*) reiterar; (*exploit, méfait*) repetir; **se renouveler** *vpr* (*incident*) repetirse; (*cellules etc*) reproducirse; (*artiste, écrivain*) renovarse.

renouvellement [R(ǝ)nuvɛlmɑ̃] *nm* renovación *f*; (*pansement*) cambio; (*demande*) reiteración *f*; (*exploit, incident*) repetición *f*; (*cellules etc*) reproducción *f*.

rénovation [Renɔvasjɔ̃] *nf* renovación *f*.

rénover [Renɔve] *vt* (*immeuble, enseignement*) renovar; (*meuble*) restaurar; (*quartier*) remozar.

renseignement [Rɑ̃sɛɲmɑ̃] *nm* información *f*; **prendre des ~s sur** pedir referencia sobre; **(guichet des) ~s** (ventanilla de) información; **(service des) ~s** (*TÉL*) (servicio de) información; **service/agent de ~s** (*MIL*) servicio/agente *m* de información; ▶ **les renseignements généraux** dirección *f* general de seguridad.

renseigner [Rɑ̃seɲe] *vt* (*suj: expérience*) mostrar; (: *document*) informar; **se renseigner** *vpr* informarse; **~ qn (sur)** informar a algn (sobre).

rentabiliser [Rɑ̃tabilize] *vt* rentabilizar.

rentabilité [Rɑ̃tabilite] *nf* rentabilidad *f*; **seuil de ~** mínimo de rentabilidad.

rentable [Rɑ̃tabl] *adj* rentable.

rente [Rɑ̃t] *nf* renta; ▶ **rente viagère** renta vitalicia.

rentier, -ière [Rɑ̃tje, jɛR] *nm/f* rentista *m/f*.

rentrée [Rɑ̃tRe] *nf:* **~ (d'argent)** ingreso; **la ~ (des classes)** el comienzo (del curso); **la ~ (parlementaire)** ≈ la reapertura (de las Cortes); **réussir/faire sa ~** (*artiste, acteur*) tener éxito en/hacer su reaparición.

rentrer [Rɑ̃tRe] *vi* entrar; (*entrer de nouveau*) volver a entrar; (*revenir chez soi*) irse a casa; (*revenu, argent*) ingresar ♦ *vt* meter; (*foins*) recoger; (*griffes*) guardar; (*fig: larmes, colère etc*) tragarse; **~ le ventre** (*effacer*) meter la tripa; **~ dans** (*famille, patrie*) volver a; (*arbre, mur*) chocar contra; (*catégorie etc*) entrar en; **~ dans l'ordre** volver al orden; **~ dans ses frais** cubrir sus gastos.

renverrai *etc* [Rɑ̃vɛRe] *vb voir* **renvoyer**.

renversant, e [Rɑ̃vɛRsɑ̃, ɑ̃t] *adj* asombroso(-a).

renverse [Rɑ̃vɛRs]: **à la ~** *adv* (*tomber*) de espaldas.

renversé, e [Rɑ̃vɛRse] *adj* (*écriture*) inclinado(-a); (*image*) invertido(-a); (*stupéfait*) atónito(-a).

renversement [Rɑ̃vɛRsǝmɑ̃] *nm* (*d'un régime, des traditions*) caída; **~ de la situation**

cambio de la situación.

renverser [ʀɑ̃vɛʀse] vt (chaise, verre) dejar caer; (piéton) atropellar; (: tuer) matar; (liquide) derramar; (: volontairement) verter; (retourner) poner boca abajo; (ordre des mots etc) invertir; (tradition etc) echar abajo; (gouvernement etc) derrochar; (stupéfier) asombrar; **se renverser** vpr (pile d'objets, récipient) caerse; (véhicule) volcarse; (liquide) derramarse; ~ **la tête/le corps (en arrière)** echar la cabeza/ el cuerpo hacia atrás; **se ~ (en arrière)** echarse hacia atrás; ~ **la vapeur** dar marcha atrás.

renvoi [ʀɑ̃vwa] nm reenvío, devolución f; (d'un élève) expulsión f; (d'un employé) despido; (de la lumière) reflejo; (référence) llamada, nota; (éructation) eructo.

renvoyer [ʀɑ̃vwaje] vt devolver; (élève) expulsar; (domestique, employé) despedir; (lumière) reflejar; ~ **qn quelque part** volver a enviar a algn a algún sitio; ~ **qch (à)** (ajourner, différer) aplazar algo (para); ~ **qch à qn** devolver algo a algn; ~ **qn à** (référer) remitir a algn a.

réorganisation [ʀeɔʀganizasjɔ̃] nf reorganización f.

réorganiser [ʀeɔʀganize] vt reorganizar.

réorienter [ʀeɔʀjɑ̃te] vt cambiar la orientación de.

réouverture [ʀeuvɛʀtyʀ] nf reapertura.

repaire [ʀ(ə)pɛʀ] nm (aussi fig) guarida.

repaître [ʀəpɛtʀ] vt (yeux, esprit) alimentar; **se repaître de** vpr alimentarse de.

répandre [ʀepɑ̃dʀ] vt derramar, (gravillons, sable etc) echar; (lumière, chaleur, odeur) despedir; (nouvelle, usage) propagar; (terreur, joie) sembrar; **se répandre** vpr (liquide) derramarse; (odeur, fumée) propagarse; (foule) desparramarse; (épidémie, mode) difundirse; **se ~ en** (injures, compliments) deshacerse en.

répandu, e [ʀepɑ̃dy] pp de **répandre** ♦ adj (courant) extendido(-a); **papiers ~s par terre/sur un bureau** papeles esparcidos por el suelo/sobre la mesa.

réparable [ʀepaʀabl] adj reparable; (perte etc) remediable.

reparaître [ʀ(ə)paʀɛtʀ] vi reaparecer.

réparateur, -trice [ʀepaʀatœʀ, tʀis] nm/f reparador(a).

réparation [ʀepaʀasjɔ̃] nf arreglo; **~s** nfpl reparaciones fpl; **en ~** en reparación; **demander à qn ~** (de) (offense etc) demandar a algn la reparación de.

réparer [ʀepaʀe] vt arreglar; (déchirure, avarie, aussi fig) reparar.

reparler [ʀ(ə)paʀle] vi: ~ **de qn/qch** volver a hablar de algn/algo; ~ **à qn** volver a hablar con algn.

repars [ʀəpaʀ] vb voir **repartir**.

repartie [ʀəpaʀti] nf réplica; **avoir de la ~** tener una respuesta fácil; **esprit de ~** espíritu m de réplica.

repartir [ʀəpaʀtiʀ] vi (retourner) regresar; (partir de nouveau) volver a marcharse; (affaire) comenzar de nuevo; ~ **à zéro** recomenzar de cero.

répartir [ʀepaʀtiʀ] vt repartir; **se répartir** vpr (travail, rôles) repartirse; ~ **sur** repartir en; ~ **en** dividir en.

répartition [ʀepaʀtisjɔ̃] nf reparto.

repas [ʀ(ə)pa] nm comida; **à l'heure des ~** a la hora de comer.

repassage [ʀ(ə)pasaʒ] nm planchado.

repasser [ʀ(ə)pase] vi (passer de nouveau) volver a pasar ♦ vt (vêtement, tissu) planchar; (examen, film) repetir; (leçon, rôle) repasar; ~ **qch à qn** (plat, pain) volver a pasar algo a algn.

repasseuse [ʀ(ə)pasøz] nf plancha mecánica.

repayer [ʀ(ə)peje] vt volver a pagar.

repêchage [ʀ(ə)pɛʃaʒ] nm (SCOL): **question de ~** pregunta de repesca.

repêcher [ʀ(ə)peʃe] vt (noyé) sacar del agua; (fam: candidat) repescar.

repeindre [ʀ(ə)pɛ̃dʀ] vt (à nouveau) volver a pintar; (à neuf) pintar.

repenser [ʀ(ə)pɑ̃se] vi (par hasard) acordarse ♦ vt (considérer à nouveau) replantearse.

repentir [ʀəpɑ̃tiʀ] nm arrepentimiento; **se repentir** vpr arrepentirse; **se ~ de qch/ d'avoir fait qch** arrepentirse de algo/de haber hecho algo.

répercussions [ʀepɛʀkysjɔ̃] nfpl (fig) repercusiones fpl.

répercuter [ʀepɛʀkyte] vt repercutir; (consignes, charges etc) transmitir; **se répercuter** vpr repercutir; **se ~ sur** (fig) repercutir en.

repère [ʀ(ə)pɛʀ] nm referencia; (TECH) marca; (monument etc) lugar m de referencia; **point de ~** punto de referencia.

repérer [ʀ(ə)peʀe] vt (erreur, connaissance) ver; (abri, ennemi) localizar; **se repérer** vpr orientarse; **se faire ~** hacerse notar.

répertoire [ʀepɛʀtwaʀ] nm repertorio; (carnet) agenda; (INFORM, de carnet) directorio; (indicateur) índice m.

répertorier [ʀepɛʀtɔʀje] vt catalogar.

répéter [ʀepete] vt repetir; (nouvelle, secret) volver a contar; (leçon, rôle) repasar; (THÉÂTRE) ensayar ♦ vi (THÉÂTRE etc) ensayar; **se répéter** vpr repetirse; **je te répète que** ... te repito que ...

répéteur [ʀepetœʀ] nm (TÉL) repetidor m.

répétitif, -ive [ʀepetitif, iv] adj repetitivo(-a).

répétition [ʀepetisjɔ̃] *nf* repetición *f*; (*THÉÂTRE*) ensayo; ~s *nfpl* clases *fpl* particulares; **armes à** ~ armas de repetición; ▶ **répétition générale** (*THÉÂTRE*) ensayo general.

repeupler [ʀ(ə)pœple] *vt* repoblar.

repiquage [ʀ(ə)pikaʒ] *nm* (*plants*) trasplante *m*; (*enregistrement*) grabación *f*.

repiquer [ʀ(ə)pike] *vt* (*plants*) trasplantar; (*enregistrement*) grabar.

répit [ʀepi] *nm* descanso; (*fig*) respiro; **sans** ~ sin tregua.

replacer [ʀ(ə)plase] *vt* reponer.

replanter [ʀ(ə)plɑ̃te] *vt* (*plantes*) replantar; (*forêt*) repoblar.

replat [ʀəpla] *nm* rellano.

replâtrer [ʀ(ə)plɑtʀe] *vt* (*mur*) revocar; (*fig*) chapucear.

replet, -ète [ʀəplɛ, ɛt] *adj* rollizo(-a).

repli [ʀəpli] *nm* repliegue *m*; ~s *nmpl* pliegues *mpl*; ▶ **repli de terrain** ondulación *f* del terreno.

replier [ʀ(ə)plije] *vt* doblar; **se replier** *vpr* replegarse; **se** ~ **sur soi-même** ensimismarse.

réplique [ʀeplik] *nf* réplica; **donner la** ~ **à** contestar a; **sans** ~ tajante.

répliquer [ʀeplike] *vi* contestar; (*avec impertinence*) replicar; ~ **à** (*critique, personne*) rebatir (a); ~ **que** ... contestar que ... .

replonger [ʀ(ə)plɔ̃ʒe] *vt*: ~ **qch dans** sumergir de nuevo algo en; **se replonger** *vpr*: **se** ~ **dans** sumergirse de nuevo en.

répondant, e [ʀepɔ̃dɑ̃, ɑ̃t] *nm/f* fiador(a).

répondeur [ʀepɔ̃dœʀ] *nm*: ~ **automatique** (*TÉL*) contestador *m* automático.

répondre [ʀepɔ̃dʀ] *vi* contestar, responder; (*freins, mécanisme*) responder; ~ **à** responder a *ou* contestar a; (*affection*) corresponder a; (*salut, provocation, description*) responder a; ~ **que** responder que; ~ **de** responder de.

réponse [ʀepɔ̃s] *nf* respuesta; **avec** ~ **payée** (*POSTES*) a cobro revertido; **avoir** ~ **à tout** tener respuesta para todo; **en** ~ **à** en respuesta a; **carte-**~ carta de respuesta; **bulletin-**~ cupón *m* de concurso.

report [ʀəpɔʀ] *nm* aplazamiento.

reportage [ʀ(ə)pɔʀtaʒ] *nm* reportaje *m*.

reporter¹ [ʀ(ə)pɔʀtɛʀ] *nm* reportero.

reporter² [ʀəpɔʀte] *vt* (*total, notes*): ~ **qch sur** pasar algo a; (*ajourner, renvoyer*): ~ **qch (à)** aplazar algo (hasta); **se** ~ **à** (*époque*) remontarse a; (*document, texte*) remitirse a.

repos [ʀəpo] *nm* descanso; (*après maladie*) reposo; (*fig*) sosiego; (*MIL*): ~**!** ¡descansen!; **en** ~ en reposo; **au** ~ en reposo; (*soldat*) en descanso; **de tout** ~ segu-

ro(-a).

reposant, e [ʀ(ə)pozɑ̃, ɑ̃t] *adj* descansado(-a).

repose [ʀ(ə)poz] *nf* (*de moteur, appareil*) cambio.

reposé, e [ʀ(ə)poze] *adj* (*teint, visage*) fresco(-a); **à tête** ~**e** con calma.

repose-pied [ʀəpozpje] *nm inv* reposapiés *msg*.

reposer [ʀ(ə)poze] *vt* (*verre, livre*) volver a poner; (*rideaux, carreaux*) volver a colocar; (*question, problème*) replantear; (*délasser*) descansar ♦ *vi* (*liquide, pâte*) reposar; (*personne*): **ici repose** ... aquí descansa ...; **se reposer** *vpr* descansar; ~ **sur** (*suj: bâtiment*) descansar sobre; (*fig: affirmation*) basarse en; **se** ~ **sur qn** apoyarse en algn.

repoussant, e [ʀ(ə)pusɑ̃, ɑ̃t] *adj* repulsivo(-a).

repoussé, e [ʀ(ə)puse] *adj* (*cuir*) repujado(a).

repousser [ʀ(ə)puse] *vi* volver a crecer ♦ *vt* rechazar; (*rendez-vous, entrevue*) aplazar; (*répugner*) repeler; (*tiroir, table*) empujar.

répréhensible [ʀepʀeɑ̃sibl] *adj* reprensible.

reprendre [ʀ(ə)pʀɑ̃dʀ] *vt* (*prisonnier*) volver a coger; (*MIL: ville*) volver a tomar; (*objet posé etc*) recoger; (*objet prêté, donné*) recuperar; (*se resservir de*) volver a tomar; (*racheter*) comprar; (*travail, promenade, études*) reanudar; (*explication, histoire*) volver a; (*emprunter: argument, idée*) tomar; (*article etc*) rehacer; (*jupe, pantalon*) arreglar; (*émission, pièce*) repetir; (*personne*) corregir ♦ *vi* (*cours, classes*) reanudarse; (*froid, pluie etc*) volver, llegar de nuevo; (*affaires, industrie*) reactivarse; **se reprendre** *vpr* (*se corriger*) corregirse; (*se ressaisir*) reponerse; **je reprends** (*poursuivre*) prosigo; **je viendrai te** ~ **à 4h** (*chercher*) pasaré a recogerte a las cuatro; **reprit-il** (*dire*) contestó; **s'y** ~ recomenzar; ~ **courage/des forces** recobrar valor/fuerzas; ~ **ses habitudes/sa liberté** recuperar sus costumbres/su libertad; ~ **la route** volver a ponerse en marcha; ~ **connaissance** recobrar el conocimiento; ~ **haleine** *ou* **son souffle** recobrar el aliento; ~ **la parole** retomar la palabra.

repreneur [ʀ(ə)pʀənœʀ] *nm* rescatador(-a).

reprenne *etc* [ʀəpʀɛn] *vb voir* **reprendre**.

représailles [ʀ(ə)pʀezaj] *nfpl* represalias *fpl*.

représentant, e [ʀ(ə)pʀezɑ̃tɑ̃, ɑ̃t] *nm/f* representante *m/f*.

représentatif, -ive [ʀ(ə)pʀezɑ̃tatif, iv] *adj*

representativo(-a).

représentation [ʀ(ə)pʀezɑ̃tasjɔ̃] *nf* representación *f*; **faire de la ~** (*COMM*) trabajar como representante; **frais de ~** (*d'un diplomate*) gastos *mpl* de representación.

représenter [ʀ(ə)pʀezɑ̃te] *vt* representar; **se représenter** *vpr* (*occasion*) volver a presentarse; (*s'imaginer, se figurer*) figurarse; **se ~ à** (*examen, élections*) volver a presentarse a.

répressif, -ive [ʀepʀesif, iv] *adj* represivo(-a).

répression [ʀepʀesjɔ̃] *nf* represión *f*; **mesures de ~** medidas *fpl* represivas.

réprimande [ʀepʀimɑ̃d] *nf* reprimenda.

réprimander [ʀepʀimɑ̃de] *vt* reprender.

réprimer [ʀepʀime] *vt* reprimir.

repris, e [ʀ(ə)pʀi] *pp de* **reprendre** ♦ *nm*: **~ de justice** individuo con antecedentes penales.

reprise [ʀ(ə)pʀiz] *nf* (*d'une ville*) toma; (*entreprise*) compra; (*article*) reestructuración *f*; (*jupe, pantalon*) arreglo; (*recommencement*) reanudación *f*; (*de la parole*) proseguimiento; (*THÉÂTRE, TV, CINÉ*) reposición *f*; (*BOXE etc*) repetición *f*; (*AUTO: en accélérant*) reprise *m*; (*COMM*) compra; (*de location*) traspaso; (*raccommodage*) zurcido; **la ~ des hostilités** la reanudación de las hostilidades; **à plusieurs ~s** repetidas veces.

repriser [ʀ(ə)pʀize] *vt* zurcir; **aiguille/coton à ~** aguja/hilo de zurcir.

réprobateur, -trice [ʀepʀɔbatœʀ, tʀis] *adj* reprobatorio(-a).

réprobation [ʀepʀɔbasjɔ̃] *nf* reprobación *f*.

reproche [ʀ(ə)pʀɔʃ] *nm* reproche *m*; **ton/air de ~** tono/aire *m* de reproche; **faire des ~s à qn** hacer reproches a algn; **faire ~ à qn de qch** reprochar algo a algn; **sans ~(s)** sin reproche.

reprocher [ʀ(ə)pʀɔʃe] *vt* **~ qch à (qn)** reprochar algo a (algn); **se ~ qch/d'avoir fait qch** reprocharse algo/haber hecho algo.

reproducteur, -trice [ʀ(ə)pʀɔdyktœʀ, tʀis] *adj* reproductor(a).

reproduction [ʀ(ə)pʀɔdyksjɔ̃] *nf* (*aussi BIOL*) reproducción *f*; **droits de ~** derechos *mpl* de reproducción; **"~ interdite"** "prohibida su reproducción".

reproduire [ʀ(ə)pʀɔdɥiʀ] *vt* reproducir; **se reproduire** *vpr* (*BIOL, fig*) reproducirse.

reprographie [ʀ(ə)pʀɔgʀafi] *nf* reprografía.

réprouvé, e [ʀepʀuve] *nm/f* réprobo(-a).

réprouver [ʀepʀuve] *vt* reprobar.

reptation [ʀɛptasjɔ̃] *nf* reptar *m*.

reptile [ʀɛptil] *nm* reptil *m*.

repu, e [ʀəpy] *pp de* **repaître** ♦ *adj* harto(-a).

républicain, e [ʀepyblikɛ̃, ɛn] *adj, nm/f* republicano(-a).

république [ʀepyblik] *nf* república; **► République arabe du Yémen** República árabe del Yemen; **► République Centrafricaine** República Centroafricana; **► République de Corée** República de Corea; **► République démocratique allemande** República democrática alemana; **► République d'Irlande** República de Irlanda; **► République dominicaine** República Dominicana; **► République fédérale d'Allemagne** República federal de Alemania; **► République populaire de Chine** República popular de China; **► République populaire démocratique de Corée** República popular democrática de Corea; **► République populaire du Yémen** República popular del Yemen.

répudier [ʀepydje] *vt* repudiar; (*opinion, doctrine*) rechazar.

répugnance [ʀepyɲɑ̃s] *nf* repugnancia; **j'ai** *ou* **j'éprouve de la ~ à le faire** me da repugnancia hacerlo.

répugnant, e [ʀepyɲɑ̃, ɑ̃t] *adj* repugnante.

répugner [ʀepyɲe] *vi* repugnar; **je répugne à le faire** me repugna hacerlo.

répulsion [ʀepylsjɔ̃] *nf* repulsión *f*.

réputation [ʀepytasjɔ̃] *nf* reputación *f*; (*d'une maison*) fama; **avoir la ~ d'être ...** tener fama de ser ...; **connaître qn/qch de ~** conocer a algn/algo por la fama; **de ~ mondiale** de fama mundial.

réputé, e [ʀepyte] *adj* famoso(-a); **être ~ pour** ser famoso(-a) por.

requérir [ʀəkeʀiʀ] *vt* requerir; (*demander au nom de la loi*) demandar, requerir; (*JUR: peine*) pedir.

requête [ʀəkɛt] *nf* (*prière*) petición *f*; (*JUR*) demanda, requerimiento.

requiem [ʀekɥijɛm] *nm* réquiem *m*.

requiers *etc* [ʀəkjɛʀ] *vb voir* **requérir**.

requin [ʀəkɛ̃] *nm* tiburón *m*; (*fam: fig*) buitre *m*.

requinquer [ʀ(ə)kɛ̃ke] *vt* entonar.

requis, e [ʀəki, iz] *pp de* **requérir** ♦ *adj* (*conditions, âge*) requerido(-a).

réquisition [ʀekizisjɔ̃] *nf* requisa.

réquisitionner [ʀekizisjɔne] *vt* requisar.

réquisitoire [ʀekizitwaʀ] *nm* (*JUR*) requisitoria; (*fig*): **~ contre** acusación *f* contra.

RER [ɛʀøɛʀ] *sigle m* (= *Réseau express régional*) red de trenes rápidos de París y de la periferia; (*train*) uno de esos trenes.

rescapé, e [ʀɛskape] *nm/f* superviviente *m/f*.

rescousse [ʀɛskus] *nf*: **aller/venir à la ~ de** ir/venir en socorro de; **appeler qn à la ~**

pedir la ayuda de algn.
réseau, x [rezo] *nm* red *f*.
réséda [rezeda] *nm* reseda.
réservation [rezɛrvasjɔ̃] *nf* reserva.
réserve [rezɛrv] *nf* reserva; (*d'un magasin*) depósito; (*de pêche, chasse*) coto; ~**s** *nfpl* reservas *fpl*; **la** ~ (*MIL*) la reserva; **officier de** ~ oficial en la reserva; **sous toutes** ~**s** con muchas reservas; **sous** ~ **de** a reserva de; **sans** ~ sin reservas; **avoir/ mettre/tenir qch en** ~ tener/poner/ guardar algo en reserva; **de** ~ de reserva; ▶ **réserve naturelle** reserva natural.
réservé, e [rezɛrve] *adj* reservado(-a); (*chasse, pêche*) vedado(-a); ~ **à/pour** reservado(-a) a/para.
réserver [rezɛrve] *vt* reservar; (*réponse, assentiment etc*) reservarse; ~ **qch pour/à** (*mettre de côté, garder*) reservar algo para/a; ~ **qch à qn** reservar algo a algn; **se** ~ **qch** reservarse algo; **se** ~ **de faire qch** reservarse el hacer algo; **se** ~ **le droit de faire qch** reservarse el derecho de hacer algo.
réserviste [rezɛrvist] *nm* reservista *m*.
réservoir [rezɛrvwar] *nm* depósito.
résidence [rezidɑ̃s] *nf* (*ADMIN*) sede *f*; (*habitation luxueuse*) residencia; (*groupe d'immeubles*) conjunto residencial; (**en**) ~ **surveillée** (*JUR*) (en) arresto domiciliario; ▶ **résidence principale/secondaire** residencia principal/secundaria; ▶ **résidence universitaire** residencia universitaria.
résident, e [rezidɑ̃, ɑ̃t] *nm/f* residente *m/f* ♦ *adj* (*INFORM*) residente.
résidentiel, le [rezidɑ̃sjɛl] *adj* residencial.
résider [rezide] *vi*: ~ **à/dans/en** residir en; ~ **dans/en** (*fig*) radicar en.
résidu [rezidy] *nm* (*péj*) deshecho; (*CHIM, PHYS*) residuo.
résiduel, le [rezidɥɛl] *adj* residual.
résignation [reziɲasjɔ̃] *nf* resignación *f*.
résigné, e [reziɲe] *adj* resignado(-a).
résigner [reziɲe] *vt* resignar; **se résigner** *vpr* resignarse; **se** ~ **à qch/faire qch** resignarse a algo/hacer algo.
résiliable [rezijabl] *adj* rescindible.
résilier [rezilje] *vt* rescindir.
résille [rezij] *nf* redecilla.
résine [rezin] *nf* resina.
résiné, e [rezine] *adj*: **vin** ~ vino resinoso.
résineux, -euse [rezinø, øz] *adj* resinoso(-a) ♦ *nm* (*BOT*) conífera.
résistance [rezistɑ̃s] *nf* resistencia; **la R**~ (*POL*) la Resistencia.
résistant, e [rezistɑ̃, ɑ̃t] *adj* resistente ♦ *nm/f* militante *m/f* de la Resistencia.
résister [reziste] *vi* resistir; ~ **à** resistir a; (*personne*) oponerse a.

résolu, e [rezɔly] *pp de* **résoudre** ♦ *adj* decidido(-a); **être** ~ **à qch/faire qch** estar decidido(-a) a algo/hacer algo.
résolument [rezɔlymɑ̃] *adv* decididamente.
résolution [rezɔlysjɔ̃] *nf* resolución *f*; (*fermeté*) decisión *f*; (*INFORM*) definición *f*; **prendre la** ~ **de** tomar la resolución de; **bonnes** ~**s** determinaciones *fpl*.
résolvais *etc* [rezɔlvɛ] *vb voir* **résoudre**.
résolve *etc* [rezɔlv] *vb voir* **résoudre**.
résonance [rezɔnɑ̃s] *nf* resonancia.
résonner [rezɔne] *vi* resonar; ~ **de** resonar con.
résorber [rezɔrbe]: **se** ~ *vpr* (*MÉD*) reabsorberse; (*déficit, chômage*) reducirse.
résoudre [rezudr] *vt* resolver; ~ **qn à faire qch** inducir a que algn haga algo; ~ **de faire qch** decidir hacer algo; **se** ~ **à qch/ faire qch** decidirse por algo/a *ou* por hacer algo.
respect [rɛspɛ] *nm* respeto; ~**s** *nmpl*: **présenter ses** ~**s à qn** presentar sus respetos a algn; **tenir qn en** ~ mantener a algn a distancia; (*fig*) tener a algn a raya.
respectabilité [rɛspɛktabilite] *nf* respetabilidad *f*.
respectable [rɛspɛktabl] *adj* respetable; (*quantité*) considerable.
respecter [rɛspɛkte] *vt* respetar; **faire** ~ hacer respetar; **le lexicographe qui se respecte** (*fig*) el lexicógrafo que se precie.
respectif, -ive [rɛspɛktif, iv] *adj* respectivo(-a).
respectivement [rɛspɛktivmɑ̃] *adv* respectivamente.
respectueusement [rɛspɛktɥøzmɑ̃] *adv* respetuosamente.
respectueux, -euse [rɛspɛktɥø, øz] *adj* respetuoso(-a); **à une distance respectueuse** a una distancia respetuosa; ~ **de** respetuoso(-a) con.
respirable [rɛspirabl] *adj*: **pas** ~ irrespirable.
respiration [rɛspirasjɔ̃] *nf* respiración *f*; **retenir sa** ~ contener su respiración; ▶ **respiration artificielle** respiración artificial.
respiratoire [rɛspiratwar] *adj* respiratorio(-a).
respirer [rɛspire] *vi* respirar ♦ *vt* (*odeur, parfum, grand air*) aspirar; (*santé, calme, paix*) respirar.
resplendir [rɛsplɑ̃dir] *vi* resplandecer; ~ (**de**) resplandecer (de).
resplendissant, e [rɛsplɑ̃disɑ̃, ɑ̃t] *adj* resplandeciente.
responsabilité [rɛspɔ̃sabilite] *nf* responsabilidad *f*; **accepter/refuser la** ~ **de**

aceptar/declinar la responsabilidad de; **prendre ses ~s** asumir su responsabilidad; **décliner toute ~** declinar cualquier responsabilidad; ▸ **responsabilité civile/collective/morale/pénale** responsabilidad civil/colectiva/moral/penal.

responsable [RɛspɔsablE] *adj, nm/f* responsable *m/f*.

resquiller [Rɛskije] *vi* (*au cinéma, au stade*) colarse; (*dans le train*) viajar de gorra.

resquilleur, -euse [RɛskijœR, øz] *nm/f* gorrón(-ona).

ressac [Rəsak] *nm* resaca.

ressaisir [R(ə)seziR]. **se ~** *vpr* (*se maîtriser*) serenarse; (*équipe sportive, concurrent*) recuperarse.

ressasser [R(ə)sase] *vt* rumiar; (*histoires, critiques*) repetir.

ressemblance [R(ə)sãblãs] *nf* semejanza; (*ART*) parecido; (*analogie, trait commun*) similitud *f*.

ressemblant, e [R(ə)sãblã, ãt] *adj* parecido(-a).

ressembler [R(ə)sãble]: **~ à** *vt* parecerse a; **se ressembler** *vpr* parecerse.

ressemeler [R(ə)səm(ə)le] *vt* echar nuevas suelas.

ressens *etc* [R(ə)sã] *vb voir* **ressentir**.

ressentiment [R(ə)sãtimã] *nm* resentimiento.

ressentir [R(ə)sãtiR] *vt* sentir; **se ~ de** resentirse de.

resserre [RəsɛR] *nf* trastero.

resserrement [R(ə)sɛRmã] *nm* estrechamiento.

resserrer [R(ə)seRe] *vt* apretar; (*liens d'amitié*) estrechar; **se resserrer** *vpr* (*route, vallée*) estrecharse; (*liens, nœuds*) apretarse; **se ~ (autour de)** (*fig*) acercarse (a).

ressers *etc* [R(ə)sɛR] *vb voir* **resservir**.

resservir [R(ə)sɛRviR] *vt*: **~ de qch (à qn)** volver a servir algo (a algn) ♦ *vi* (*être réutilisé*) servir de nuevo; **~ qn (d'un plat)** volver a servir a algn (un plato); **se ~ de** (*plat*) volver a servirse.

ressort [RəsɔR] *vb voir* **ressortir** ♦ *nm* muelle *m*; **avoir du/manquer de ~** tener/carecer de coraje; **en dernier ~** en última instancia; **être du ~ de** ser de la competencia de.

ressortir [RəsɔRtiR] *vi* (*sortir à nouveau*) salir de nuevo; (*projectile etc*) salir; (*couleur, broderie, détail*) resaltar ♦ *vt* sacar de nuevo; **~ de: il ressort de ceci que ...** resulta de eso que ...; **~ à** (*ADMIN, JUR*) ser de la jurisdicción de; **faire ~ qch** (*fig*) hacer resaltar algo.

ressortissant, e [R(ə)sɔRtisã, ãt] *nm/f* súbdito(-a).

ressouder [R(ə)sude] *vt* volver a soldar.

ressource [R(ə)suRs] *nf* (*expédient, recours*): **avoir la ~ de** tener el recurso de; **~s** *nfpl* recursos *mpl*; **leur seule ~ était de ...** su único recurso era ...; ▸ **ressources d'énergie** recursos energéticos.

ressusciter [Resysite] *vt* (*personne*) resucitar; (*art, mode*) resurgir ♦ *vi* (*Christ, aussi fig*) resucitar.

restant, e [Rɛstã, ãt] *adj* restante ♦ *nm* (*d'une somme, quantité*): **le ~ (de)** el resto (de); **un ~ de** unas sobras de; (*vestige*) un resto de.

restaurant [RɛstɔRã] *nm* restaurante *m*; **manger au ~** comer en un restaurante; ▸ **restaurant d'entreprise/universitaire** comedor *m* de una empresa/universitario.

restaurateur, -trice [RɛstɔRatœR, tRis] *nm/f* restaurador(a).

restauration [RɛstɔRasjɔ̃] *nf* restauración *f*; ▸ **restauration rapide** comida rápida.

restaurer [RɛstɔRe] *vt* restaurar; **se restaurer** *vpr* comer.

restoroute [RɛstɔRut] *nm* = **restoroute**.

reste [Rɛst] *nm* resto; (*MATH*) residuo; **~s** *nmpl* (*CULIN*) sobras *fpl*; (*d'une cité, dépouille mortelle*) restos *mpl*; **utiliser un ~ de poulet/soupe/tissu** utilizar un resto de pollo/sopa/tejido; **faites ceci, je me charge du ~** haced esto, del resto me encargo yo; **pour le ~, quant au ~** por lo demás, en cuanto a lo demás; **le ~ du temps/des gens** el resto del tiempo/de la gente; **avoir du temps/de l'argent de ~** tener tiempo/dinero de sobra; **et tout le ~** y todo lo demás; **ne voulant pas être** *ou* **demeurer en ~** no queriendo ser menos; **partir sans attendre** *ou* **demander son ~** (*fig*) marcharse sin esperar respuesta; **du ~, au ~** (*au surplus, d'ailleurs*) además.

rester [Rɛste] *vi* (*dans un lieu*) quedarse; (*dans un état, une position*) quedar; (*être encore là, subsister*) permanecer; (*durer*) persistir ♦ *vb impers*: **il me reste du pain** me queda pan; **il (me) reste 2 œufs** (me) quedan 2 huevos; **il (me) reste 10 minutes** (me) quedan 10 minutos; **voilà tout ce qui (me) reste** esto es todo lo que (me) queda; **ce qui (me) reste à faire** lo que (me) falta por hacer; **(il) reste à savoir/établir si ...** queda por saber/establecer si ...; **il reste que ...**, **il n'en reste pas moins que ...** sin embargo ..., con todo y con eso ...; **en ~ à** (*stade, menaces*) quedarse en; **restons-en là** dejémoslo aquí; **~ immobile/assis/habillé** quedarse inmóvil/sentado/vestido; **~ sur sa faim/une impression** quedarse con las ganas/una impresión; **y ~** (*fam*): **il a failli y ~** por poco

estira la pata.
restituer [ʀɛstitɥe] vt: ~ **qch (à qn)** (objet, somme) restituir algo (a algn); (texte, inscription) reconstruir; (TECH: énergie, son) reproducir.
restitution [ʀɛstitysjɔ̃] nf restitución f.
restoroute [ʀɛstoʀut] nm restaurante m de carretera.
restreindre [ʀɛstʀɛ̃dʀ] vt restringir; **se restreindre** vpr restringirse.
restreint, e [ʀɛstʀɛ̃, ɛt] pp de **restreindre** ♦ adj limitado(-a).
restrictif, -ive [ʀɛstʀiktif, iv] adj restrictivo(-a).
restriction [ʀɛstʀiksjɔ̃] nf restricción f; ~**s** nfpl (rationnement) restricciones fpl; **faire des ~s** (critiquer) tener reservas; (mentales) hacer restricción mental; **sans ~** sin reservas.
restructuration [ʀəstʀyktyʀasjɔ̃] nf reestructuración f.
restructurer [ʀəstʀyktyʀe] vt reestructurar.
résultante [ʀezyltɑ̃t] nf consecuencia.
résultat [ʀezylta] nm resultado; ~**s** nmpl resultados mpl; **exiger/obtenir des ~s** exigir/obtener resultados; ▸ **résultats sportifs** resultados deportivos.
résulter [ʀezylte]: ~ **de** vt resultar de; **il résulte de ceci que ...** de ello resulta que ... .
résumé [ʀezyme] nm resumen m; (ouvrage succinct) compendio m; **faire le ~ de** hacer el resumen de; **en ~** en resumen.
résumer [ʀezyme] vt resumir; **se résumer** vpr (personne) sintetizar; **se ~ à** (se réduire à) resumirse a.
resurgir [ʀ(ə)syʀʒiʀ] vi resurgir.
résurrection [ʀezyʀɛksjɔ̃] nf (REL) resurrección f; (fig) reaparición f.
rétablir [ʀetabliʀ] vt restablecer; **se rétablir** vpr restablecerse; (GYMNASTIQUE etc): **se ~ (sur)** elevarse (sobre); ~ **qn** restablecer a algn; ~ **qn dans son emploi/ses droits** (ADMIN) restablecer a algn en su empleo/en sus derechos.
rétablissement [ʀetablismɑ̃] nm restablecimiento; (GYMNASTIQUE etc) elevación f; **faire un ~** (GYMNASTIQUE etc) hacer una elevación.
rétamer [ʀetame] vt estañar de nuevo.
rétameur [ʀetamœʀ] nm estañador m.
retaper [ʀ(ə)tape] vt arreglar; (fig: fam) restablecer; (redactylographier) pasar de nuevo a máquina, mecanografiar de nuevo.
retard [ʀ(ə)taʀ] nm retraso; **arriver en ~** llegar con retraso; **être en ~** (personne) llegar tarde; (train) traer retraso; (dans paiement, travail) retrasarse; (pays) estar

retrasado(-a); **être en ~ (de 2 heures)** retrasarse (2 horas); **avoir un ~ de 2 heures/2 km** (SPORT) llevar un retraso de 2 horas/2 km; **rattraper son ~** recuperarse de un retraso; **avoir du ~** estar retrasado(-a); (sur un programme) estar atrasado(-a); **prendre du ~** (train, avion) retrasarse; (montre) atrasarse; **sans ~** sin retraso; ~ **à l'allumage** (AUTO) retardo en la chispa; ▸ **retard scolaire** retraso escolar.
retardataire [ʀ(ə)taʀdatɛʀ] adj (enfant) retrasado(-a); (idées) atrasado(-a) ♦ nm/f rezagado(-a).
retardé, e [ʀ(ə)taʀde] adj, nm/f retrasado(-a).
retardement [ʀ(ə)taʀdəmɑ̃]: **à ~** adj de efecto retardado; (aussi PHOTO, mécanisme) de mecanismo retardado; **bombe à ~** (aussi fig) bomba de relojería.
retarder [ʀ(ə)taʀde] vt: ~ **qn (d'une heure)** retrasar a algn (una hora); (montre) atrasar; (travail, études) retrasar ♦ vi (horloge, montre) atrasar; (: d'habitude) estar atrasado(-a); (fig: personne) no estar al tanto; **je retarde (d'une heure)** mi reloj va una hora atrasada.
retendre [ʀ(ə)tɑ̃dʀ] vt tensar de nuevo.
retenir [ʀət(ə)niʀ] vt retener; (objet qui glisse) agarrar; (objet suspendu) sujetar; (odeur, chaleur, lumière etc) conservar; (colère, larmes) contener; (chanson, date) recordar; (suggestion, proposition) aceptar; (place, chambre) reservar; (MATH) llevarse; **se retenir** vpr (euphémisme) aguantarse; (se raccrocher): **se ~ (à)** agarrarse (a); ~ **qn (de faire)** impedir a algn (hacer); **se ~ (de faire qch)** contenerse (de hacer algo); **je pose 3 et je retiens 2** pongo 3 y me llevo 2; ~ **un rire/sourire** contener la risa/sonrisa; ~ **son souffle** ou **haleine** contener su respiración ou aliento; **il m'a retenu à dîner** me ha hecho quedarme a cenar.
rétention [ʀetɑ̃sjɔ̃] nf: ~ **d'urine** retención f de orina.
retentir [ʀ(ə)tɑ̃tiʀ] vi resonar; (fig) repercutir; ~ **de** retumbar con; ~ **sur** (fig) repercutir sobre.
retentissant, e [ʀ(ə)tɑ̃tisɑ̃, ɑ̃t] adj (voix, choc) ruidoso(-a); (succès etc) clamoroso(-a).
retentissement [ʀ(ə)tɑ̃tismɑ̃] nm (gén pl) repercusión f; (éclat) resonancia.
retenu, e [ʀət(ə)ny] pp de **retenir** ♦ adj (place, propos) reservado(-a); (personne: empêché) retenido(-a).
retenue [ʀət(ə)ny] nf (somme prélevée) deducción f; (MATH) lo que se lleva; (SCOL) castigo; (modération) moderación f; (ré-

serve) reserva; (*AUTO*) cola.
réticence [ʀetisãs] *nf* reticencia; **sans ~** sin reticencia.
réticent, e [ʀetisã, ãt] *adj* reticente.
retiendrai [ʀətjɛ̃dʀe] *vb voir* **retenir**.
retiens [ʀətjɛ̃] *vb voir* **retenir**.
rétif, -ive [ʀetif, iv] *adj* inquieto(-a); (*fig*) reacio(-a).
rétine [ʀetin] *nf* retina.
retint [ʀətɛ̃] *vb voir* **retenir**.
retiré, e [ʀ(ə)tiʀe] *adj* (*personne, vie*) solitario(-a); (*quartier*) alejado(-a).
retirer [ʀ(ə)tiʀe] *vt* retirar; (*vêtement, lunettes*) quitarse; ~ **qch à qn** quitarle algo a algn; ~ **qch/qn de** sacar algo/a algn de; **se retirer** *vpr* retirarse; ~ **un bénéfice/des avantages de** sacar beneficio de/ventajas de.
retombées [ʀətɔ̃be] *nfpl* (*radioactives*) lluvias *fpl*; (*d'un événement*) repercusiones *fpl*; (*d'une invention*) efectos *mpl*.
retomber [ʀ(ə)tɔ̃be] *vi* caer; (*tomber de nouveau*) caer de nuevo; ~ **malade/dans l'erreur** volver a caer enfermo/en el error; ~ **sur qn** recaer sobre algn.
retordre [ʀ(ə)tɔʀdʀ] *vt*: **donner du fil à ~ à qn** dar que hacer a algn.
rétorquer [ʀetɔʀke] *vt*: ~ **(à qn) que** replicar (a algn) que.
retors, e [ʀətɔʀ, ɔʀs] *adj* astuto(-a).
rétorsion [ʀetɔʀsjɔ̃] *nf*: **mesures de ~** represalias *fpl*.
retouche [ʀ(ə)tuʃ] *nf* retoque *m*; **faire une** *ou* **des ~(s) à** dar un *ou* unos retoque(s) a.
retoucher [ʀ(ə)tuʃe] *vt* retocar.
retour [ʀ(ə)tuʀ] *nm* vuelta; (*d'un lieu, vers un lieu*) regreso; **au ~** a la vuelta; **pendant le ~** durante el regreso; **à mon/ton ~** a mi/tu regreso; **au ~ de** a la vuelta de; **être de ~ (de)** estar de vuelta (de); **de ~ à Lyons** de vuelta en Lyons; **de ~ chez moi** de vuelta en casa; **"de ~ dans 10 minutes"** "vuelvo en 10 minutos"; **en ~** en cambio; **par ~ du courrier** a vuelta de correo; **un juste ~ des choses** un castigo merecido; **un de ces jours, il y aura un ~ de manivelle** un día se le virará la tortilla; **match ~** partido de vuelta; ▶ **retour à l'envoyeur** (*POSTES*) devuelto a su procedencia; ▶ **retour (automatique) à la ligne** (*INFORM*) salto de línea automático; ▶ **retour aux sources** (*fig*) vuelta a las raíces; ▶ **retour de bâton** contragolpe *m*; ▶ **retour de chariot** vuelta de carretilla; ▶ **retour de flamme** retorno de llama; (*fig*) contragolpe *m*; ▶ **retour en arrière** (*CINÉ, LITT, fig*) vuelta atrás; (*mesure*) paso atrás; ▶ **retour offensif** vuelta ofensiva.

retournement [ʀ(ə)tuʀnəmã] *nm* cambio; ~ **de la situation** cambio de la situación.
retourner [ʀ(ə)tuʀne] *vt* (*dans l'autre sens*) dar la vuelta a, voltear (*AM*); (*caisse*) poner boca abajo; (*arme*) volver; (*renvoyer, restituer, argument*) devolver; (*sac, vêtement*) volver del revés; (*terre, sol, foin, émouvoir*) revolver ♦ *vi* volver; (*aller de nouveau*): ~ **quelque part/vers/chez** volver de nuevo a algún sitio/hacia/a casa de; **se retourner** *vpr* volverse, voltearse (*AM*); (*voiture*) dar vuelta de campana; (*tourner la tête*) volverse; ~ **à** volver a; **s'en ~** regresar; **se ~ contre qn/qch** (*fig*) volverse contra algn/algo; **savoir de quoi il retourne** saber de qué se trata; ~ **sa veste** *ou* **se ~** (*fig: fam*) cambiar de bando; ~ **en arrière** *ou* **sur ses pas** volver atrás *ou* sobre sus pasos; ~ **aux sources** volver a las raíces.
retracer [ʀ(ə)tʀase] *vt* recordar.
rétracter [ʀetʀakte] *vt* (*affirmation, promesse*) retraer; **se rétracter** *vpr* retractarse; (*revenir sur ses promesses*) desdecirse; (*antenne etc*) retraerse.
retraduire [ʀ(ə)tʀadɥiʀ] *vt* traducir de nuevo.
retrait [ʀ(ə)tʀɛ] *nm* retiro; (*d'un tissu au lavage*) encogimiento; **en ~** apartado(-a); **écrire en ~** escribir dejando un margen; ▶ **retrait du permis (de conduire)** retirada de carnet (de conducir).
retraite [ʀ(ə)tʀɛt] *nf* retiro; (*d'une armée*) retirada; (*d'un employé, fonctionnaire*) jubilación *f*; **être à la ~** estar jubilado(-a); **mettre à la ~** jubilar (a); **prendre sa ~** jubilarse; ▶ **retraite anticipée** jubilación anticipada; ▶ **retraite aux flambeaux** desfile *m* con antorchas.
retraité, e [ʀ(ə)tʀete] *adj* retirado(-a), jubilado(-a) ♦ *nm/f* jubilado(-a).
retraitement [ʀ(ə)tʀɛtmã] *nm* (*de déchets radioactifs*) reciclaje *m*.
retraiter [ʀ(ə)tʀete] *vt* reciclar.
retranchements [ʀ(ə)tʀãʃmã] *nmpl*: **attaquer** *ou* **forcer qn dans ses ~** acorralar a algn; **derniers ~** últimos recursos *mpl*.
retrancher [ʀ(ə)tʀãʃe] *vt* suprimir; (*couper, aussi fig*) mutilar; ~ **qch de** (*nombre, somme*) sustraer algo de; **se ~ derrière/dans** (*MIL*) parapetarse detrás de/en; (*fig*) refugiarse en.
retranscrire [ʀ(ə)tʀãskʀiʀ] *vt* transcribir de nuevo.
retransmettre [ʀ(ə)tʀãsmɛtʀ] *vt* retransmitir.
retransmission [ʀ(ə)tʀãsmisjɔ̃] *nf* retransmisión *f*.
retravailler [ʀ(ə)tʀavaje] *vi, vt* trabajar de

nuevo.

retraverser [ʀ(ə)tʀavɛʀsə] *vt* volver a atravesar.

rétréci, e [ʀetʀesi] *adj* estrechado(-a).

rétrécir [ʀetʀesiʀ] *vt, vi* (*vêtement*) encoger; **se rétrécir** *vpr* estrecharse.

rétrécissement [ʀetʀesismɑ̃] *nm* estrechamiento.

retremper [ʀ(ə)tʀɑ̃pe] *vt:* **se ~ dans** (*fig*) meterse de nuevo en.

rétribuer [ʀetʀibɥe] *vt* retribuir.

rétribution [ʀetʀibysjɔ̃] *nf* retribución *f*.

rétro [ʀetʀo] *adj inv:* **mode/style ~** moda/estilo retro *inv* ♦ *nm* (*fam*) = **rétroviseur**.

rétroactif, -ive [ʀetʀoaktif, iv] *adj* retroactivo(-a).

rétrocéder [ʀetʀosede] *vt* hacer retrocesión de.

rétrocession [ʀetʀosesjɔ̃] *nf* retrocesión *f*.

rétrofusée [ʀetʀofyze] *nf* retrocohete *m*.

rétrograde [ʀetʀɔgʀad] (*péj*) *adj* retrógrado(-a).

rétrograder [ʀetʀɔgʀade] *vi* (*AUTO*) reducir velocidad; (*cheval, coureur*) atrasarse ♦ *vt* (*MIL, ADMIN*) degradar.

rétroprojecteur [ʀetʀopʀɔʒɛktœʀ] *nm* retroproyector *m*.

rétrospectif, -ive [ʀetʀɔspɛktif, iv] *adj* retrospectivo(-a) ♦ *nf* (*exposition, présentation de films*) retrospectiva.

rétrospectivement [ʀetʀɔspɛktivmɑ̃] *adv* retrospectivamente.

retroussé, e [ʀ(ə)tʀuse] *adj:* **nez ~** nariz respingona.

retrousser [ʀ(ə)tʀuse] *vt* (*pantalon etc*) arremangar; (*fig: nez*) arrugar; (*lèvres*) fruncir.

retrouvailles [ʀ(ə)tʀuvaj] *nfpl* reencuentro.

retrouver [ʀ(ə)tʀuve] *vt* encontrar; (*sommeil, calme, santé*) recobrar; (*expression, style*) reconocer; (*rejoindre*) encontrarse con; **se retrouver** *vpr* encontrarse; (*s'orienter*) orientarse; **se ~ dans** (*calculs, dossiers, désordre*) desenvolverse en; **s'y ~** (*rentrer dans ses frais*) salir ganando.

rétroviseur [ʀetʀɔvizœʀ] *nm* retrovisor *m*.

réunifier [ʀeynifje] *vt* reunificar.

Réunion [ʀeynjɔ̃] *nf:* **la ~, l'île de la ~** la (isla de la) Reunión.

réunion [ʀeynjɔ̃] *nf* reunión *f*; (*séance, congrès*) encuentro; ▸ **réunion électorale** mitin *m* electoral; ▸ **réunion sportive** tertulia deportiva.

réunionnais, e [ʀeynjɔnɛ, ɛz] *adj* de la Reunión ♦ *nm/f:* **R~, e** nativo(-a) *ou* habitante *m/f* de la Reunión.

réunir [ʀeyniʀ] *vt* reunir; (*rapprocher*) juntar; (*rattacher*) unir; **se réunir** *vpr* reunirse; (*s'allier*) unirse; (*chemins, cours d'eau*

etc) juntarse; **~ qch à** sumar algo a.

réussi, e [ʀeysi] *adj* (*robe, photographie*) logrado(-a); (*réception*) exitoso(-a).

réussir [ʀeysiʀ] *vi* (*tentative, projet*) ser un éxito; (*plante, culture*) darse bien; (*personne*) tener éxito; (: **à un examen**) salir bien de ♦ *vt* (*examen, plat*) salir bien; **~ à faire qch** lograr hacer algo; **~ à qn** (*aliment*) sentar bien a algn; **le travail/le mariage lui réussit** el trabajo/el matrimonio le sienta bien.

réussite [ʀeysit] *nf* éxito; (*de qn: aussi pl*) éxitos *mpl*, triunfos *mpl*; (*CARTES*) solitario.

réutiliser [ʀeytilize] *vt* reutilizar.

revaloir [ʀ(ə)valwaʀ] *vt:* **je vous revaudrai cela** se lo pagaré con la misma moneda.

revalorisation [ʀ(ə)valɔʀizasjɔ̃] *nf* revalorización *f*.

revaloriser [ʀ(ə)valɔʀize] *vt* revalorizar; (*salaires, pensions*) elevar.

revanche [ʀ(ə)vɑ̃ʃ] *nf* revancha; **prendre sa ~ (sur)** tomar la revancha (contra); **en ~** en cambio; (*en compensation*) en compensación.

rêvasser [ʀɛvase] *vi* soñar despierto.

rêve [ʀɛv] *nm* sueño; **paysage/silence de ~** paisaje/silencio de ensueño; **la voiture/maison de ses ~s** el coche/la casa de sus sueños; ▸ **rêve éveillé** ensueño.

rêvé, e [ʀɛve] *adj* soñado(-a).

revêche [ʀəvɛʃ] *adj* hosco(-a).

réveil [ʀevɛj] *nm* despertar *m*; (*pendule*) despertador *m*; **au ~, je ...** al despertar, yo ...; **sonner le ~** (*MIL*) tocar a diana.

réveille-matin [ʀevɛjmatɛ̃] *nm inv* despertador *m*.

réveiller [ʀeveje] *vt* despertar; **se réveiller** *vpr* despertarse; (*fig: se secouer*) espabilarse.

réveillon [ʀevɛjɔ̃] *nm* cena de Nochebuena; (*de la Saint-Sylvestre*) cena de Nochevieja; (*dîner, soirée*) cotillón *m*.

réveillonner [ʀevɛjɔne] *vi* celebrar la cena de Nochebuena *ou* la cena de Nochevieja.

révélateur, -trice [ʀevelatœʀ, tʀis] *adj* revelador(a) ♦ *nm* (*PHOTO*) revelador *m*.

révélation [ʀevelasjɔ̃] *nf* revelación *f*.

révéler [ʀevele] *vt* revelar; **se révéler** *vpr* revelarse; **~ qn/qch** dar algn/algo a conocer; **se ~ facile/faux** resultar fácil/falso; **se ~ cruel** mostrarse cruel; **se ~ un allié sûr** resultar ser un aliado seguro.

revenant, e [ʀ(ə)vənɑ̃, ɑ̃t] *nm/f* fantasma *m*.

revendeur, -euse [ʀ(ə)vɑ̃dœʀ, øz] *nm/f* revendedor(a).

revendicatif, -ive [ʀ(ə)vɑ̃dikatif, iv] *adj* reivindicativo(-a).

revendication [ʀ(ə)vɑ̃dikasjɔ̃] *nf* reivindicación *f*; (*gén pl*: POL *etc*) reivindicaciones *fpl*; **journée de** ~ (POL) día de reivindicación.

revendiquer [ʀ(ə)vɑ̃dike] *vt* reivindicar; (*responsabilité*) asumir ♦ *vi* (POL) reivindicar.

revendre [ʀ(ə)vɑ̃dʀ] *vt* revender; ~ **du sucre** (*vendre davantage de*) volver a vender azucar; **à** ~ **de sobra**; **avoir du talent/de l'énergie à** ~ tener talento/energía para dar y tomar.

revenir [ʀəv(ə)niʀ] *vi* (*venir de nouveau*) venir de nuevo; (*rentrer*) regresar, volver; (*saison, mode, calme*) volver; ~ (**à qn**) volverle (a algn); **faire** ~ **de la viande/des légumes** rehogar la carne/las verduras; ~ **cher/à 100F** (**à qn**) resultar caro/a 100F (a algn); ~ **à** (*études, conversation, projet*) volver a; (*équivaloir à*) venir a ser; ~ **à qn** (*rumeur, nouvelle*) llegar a los oídos de algn; (*part, honneur, responsabilité*) corresponder a algn; (*souvenir, nom*) venirle a algn *ou* a la mente; ~ **de** (*fig*) salir de; ~ **sur** (*question*) volver sobre; (*promesse*) retractarse de; ~ **à la charge** volver a la carga; ~ **à soi** volver en sí; **n'en pas** ~: **je n'en reviens pas** no vuelvo de mi asombro; ~ **sur ses pas** dar marcha atrás; **cela revient au même/à dire que** eso equivale a lo mismo/a decir que; **je reviens de loin** (*fig*) me escapé de una buena.

revente [ʀ(ə)vɑ̃t] *nf* reventa.

revenu, e [ʀəv(ə)ny] *pp de* **revenir** ♦ *nm* renta; (*d'une terre*) rendimiento; ~**s** *nmpl* ingresos *mpl*.

rêver [ʀeve] *vi* soñar ♦ *vt* soñar con; ~ **de** *ou* **à** soñar con; ~ **que** soñar que.

réverbération [ʀeveʀbeʀasjɔ̃] *nf* reverberación *f*.

réverbère [ʀeveʀbɛʀ] *nm* farola.

réverbérer [ʀeveʀbeʀe] *vt* reverberar.

reverdir [ʀ(ə)vɛʀdiʀ] *vi* reverdecer.

révérence [ʀeveʀɑ̃s] *nf* reverencia.

révérencieux, -euse [ʀeveʀɑ̃sjø, jøz] *adj* reverente.

révérend, e [ʀeveʀɑ̃, ɑ̃d] *adj* (REL): **le** ~ **père Pascal** el reverendo padre Pascal.

révérer [ʀeveʀe] *vt* reverenciar.

rêverie [ʀɛvʀi] *nf* ensoñación *f*, ensueño.

reverrai *etc* [ʀəvɛʀe] *vb voir* **revoir**.

revers [ʀ(ə)vɛʀ] *nm* revés *msg*; (*d'une feuille*) envés *msg*; (*de la main*) dorso; (*d'une pièce, médaille*) reverso; **d'un** ~ **de main** de un revés; **le** ~ **de la médaille** (*fig*) el lado malo; **prendre à** ~ (MIL) coger por la espalda; ▶ **revers de fortune** revés de fortuna.

reverser [ʀ(ə)vɛʀse] *vt*: ~ **sur** volver a ingresar en; ~ (**dans**) volver a verter (en).

réversible [ʀevɛʀsibl] *adj* reversible *inv*.

revêtement [ʀ(ə)vɛtmɑ̃] *nm* revestimiento; (*d'une chaussée*) firme *m*; (*d'un tuyau etc*) capa.

revêtir [ʀ(ə)vetiʀ] *vt* revestir; (*vêtement*) ponerse; ~ **qn de** vestir a algn con; ~ **qch de** revestir algo de; (*signature, visa*) estampar algo con.

rêveur, -euse [ʀɛvœʀ, øz] *adj* soñador(a) ♦ *nm/f* soñador(a); (*péj: utopiste*) quijote *m*.

reviendrai *etc* [ʀəvjɛ̃dʀe] *vb voir* **revenir**.

revienne *etc* [ʀəvjɛn] *vb voir* **revenir**.

revient [ʀəvjɛ̃] *vb voir* **revenir** ♦ *nm*: **prix de** ~ (COMM) precio de coste.

revigorer [ʀ(ə)vigɔʀe] *vt* vigorizar.

revint [ʀəvɛ̃] *vb voir* **revenir**.

revirement [ʀ(ə)viʀmɑ̃] *nm* (*d'une personne*) cambio de opinión; (*d'une situation, de l'opinion*) cambio brusco.

revis [ʀəvi] *vb voir* **revoir**.

révisable [ʀevizabl] *adj* revisable.

réviser [ʀevize] *vt* revisar; (SCOL, *comptes*) repasar.

révision [ʀevizjɔ̃] *nf* revisión *f*; **conseil de** ~ (MIL) junta de clasificación y revisión; **faire ses** ~**s** (SCOL) repasar; **la** ~ **des 10000 km** (AUTO) la revisión de los 10.000 km.

révisionnisme [ʀevizjɔnism] *nm* revisionismo.

révisionniste [ʀevizjɔnist] *nm/f* revisionista *m/f*.

revisser [ʀ(ə)vise] *vt* atornillar de nuevo.

revit [ʀəvi] *vb voir* **revoir**.

revitaliser [ʀ(ə)vitalize] *vt* revitalizar.

revivifier [ʀ(ə)vivifje] *vt* revivificar.

revivre [ʀ(ə)vivʀ] *vi* recuperar fuerzas; (*traditions, coutumes*) recuperarse ♦ *vt* revivir; **faire** ~ (*mode, institution, usage*) resucitar; (*personnage, époque*) hacer revivir.

révocable [ʀevɔkabl] *adj* revocable *inv*.

révocation [ʀevɔkasjɔ̃] *nf* revocación *f*.

revoir [ʀ(ə)vwaʀ] *vt* volver a ver; (*par la mémoire*) recordar; (*texte, édition*) revisar; (*matière, programme*) repasar ♦ *nm*: **au** ~ adiós *msg*; **se revoir** *vpr* (*amis*) volverse a ver; ~ **Monsieur/Madame** adiós señor/señora; **dire au** ~ **à qn** decir adiós a algn.

révoltant, e [ʀevɔltɑ̃, ɑ̃t] *adj* indignante.

révolte [ʀevɔlt] *nf* rebelión *f*; (*indignation*) indignación *f*.

révolter [ʀevɔlte] *vt* indignar; **se révolter** *vpr*: ~ ~ (**contre**) rebelarse (contra); (*s'indigner*) indignarse (con).

révolu, e [ʀevɔly] *adj* (*de jadis*) pasado(-a); (*fini: période, époque*) terminado(-a); (AD-

MIN: *complété*: *année etc*): **âgé de 18 ans ~s** con 18 años cumplidos; **après 3 ans ~s** después de pasados 3 años.

révolution [ʀevɔlysjɔ̃] *nf* revolución *f*; **être en ~** (*pays etc*) estar en revolución; ▶ **la révolution industrielle** la revolución industrial; ▶ **la Révolution française** la Revolución Francesa.

révolutionnaire [ʀevɔlysjɔnɛʀ] *adj, nm/f* revolucionario(-a).

révolutionner [ʀevɔlysjɔne] *vt* revolucionar; (*fig*) alborotar.

revolver [ʀevɔlvɛʀ] *nm* pistola; (*à barillet*) revólver *m*.

révoquer [ʀevɔke] *vt* revocar; (*fonctionnaire*) destituir.

revoyais *etc* [ʀəvwaje] *vb voir* **revoir**.

revu, e [ʀəvy] *pp de* **revoir**.

revue [ʀ(ə)vy] *nf* revista; **passer en ~** (*MIL*) pasar revista (a); (*fig*: *problèmes, possibilités*) estudiar; ▶ **revue de (la) presse** revista de prensa.

révulsé, e [ʀevylse] *adj* (*yeux*) en blanco; (*visage*) demudado(-a).

rez-de-chaussée [ʀed(ə)ʃose] *nm inv* planta baja.

rez-de-jardin [ʀed(ə)ʒaʀdɛ̃] *nm inv* planta de jardín.

RF [ɛʀɛf] *sigle f* = *République française*.

RFA [ɛʀɛfa] *sigle f* (= *République fédérale d'Allemagne*) RFA *f*.

RG [ɛʀʒe] *sigle mpl* (= *renseignements généraux*) *servicio de información secreta del Estado*.

rhabiller [ʀabije] *vt* volver a vestir; **se rhabiller** *vpr* volver a vestirse.

rhapsodie [ʀapsɔdi] *nf* rapsodia.

rhéostat [ʀeɔsta] *nm* reostato.

rhésus [ʀezys] *adj* rhesus *inv* ♦ *nm* rhesus *msg*; ▶ **rhésus négatif/positif** RH negativo/positivo.

rhétorique [ʀetɔʀik] *nf* retórica; (*péj*) palabrería ♦ *adj* retórico(-a).

Rhin [ʀɛ̃] *nm*: **le ~** el Rin.

rhinite [ʀinit] *nf* rinitis *fsg*.

rhinocéros [ʀinɔseʀɔs] *nm* (*ZOOL*) rinoceronte *m*.

rhinopharyngite [ʀinofaʀɛ̃ʒit] *nf* rinofaringitis *fsg*.

rhodanien, ne [ʀɔdanjɛ̃, jɛn] *adj* rodaniano(-a).

rhododendron [ʀɔdɔdɛ̃dʀɔ̃] *nm* rododendro.

Rhône [ʀon] *nm*: **le ~** el Ródano.

rhubarbe [ʀybaʀb] *nf* ruibarbo.

rhum [ʀɔm] *nm* ron *m*.

rhumatisant, e [ʀymatizɑ̃, ɑ̃t] *nm/f* reumático(-a).

rhumatismal, e, -aux [ʀymatismal, o] *adj* reumático(-a).

rhumatisme [ʀymatism] *nm* reumatismo, reúma; **avoir des ~s** tener reúma.

rhumatologie [ʀymatɔlɔʒi] *nf* reumatología.

rhumatologue [ʀymatɔlɔg] *nm/f* reumatólogo(-a).

rhume [ʀym] *nm* catarro; ▶ **rhume de cerveau** catarro de nariz; ▶ **le rhume des foins** la fiebre del heno.

rhumerie [ʀɔmʀi] *nf* destilería de ron.

ri [ʀi] *pp de* **rire**.

riant, e [ʀ(i)jɑ̃, ʀ(i)jɑ̃t] *vb voir* **rire** ♦ *adj* (*visage, yeux*) risueño(-a); (*campagne, paysage*) alegre.

RIB [ʀib] *sigle m* = *relevé d'identité bancaire*.

ribambelle [ʀibɑ̃bɛl] *nf*: **une ~ d'enfants/de chats** una manada de niños/de gatos.

ricain, e [ʀikɛ̃, ɛn] (*fam*) *adj* yanqui.

ricanement [ʀikanmɑ̃] *nm* (*méchant*) risa burlona; (*bête*) risa tonta; (*de gêne*) risa de vergüenza.

ricaner [ʀikane] *vi* (*avec méchanceté*) reírse burlonamente; (*bêtement*) reírse con risa tonta; (*avec gêne*) reírse con sofocación.

riche [ʀiʃ] *adj* (*aussi fig*) rico(-a); **~s** *nmpl*: **les ~s** los ricos; **~ en/de** rico(-a) en/de.

richement [ʀiʃmɑ̃] *adv* con riqueza.

richesse [ʀiʃɛs] *nf* riqueza; **~s** *nfpl* riquezas *fpl*; **la ~ en vitamines d'un aliment** la riqueza vitamínica de un alimento.

richissime [ʀiʃisim] *adj* riquísimo(-a).

ricin [ʀisɛ̃] *nm*: **huile de ~** aceite *m* de ricino.

ricocher [ʀikɔʃe] *vi* rebotar; **faire ~** (*pierre*) hacer rebotar.

ricochet [ʀikɔʃɛ] *nm* rebote *m*; **faire ~** rebotar; (*fig*) tener repercusión; **faire des ~s** hacer cabrillas; **par ~** de rebote.

rictus [ʀiktys] *nm* rictus *msg*.

ride [ʀid] *nf* arruga; (*sur l'eau, le sable*) onda.

ridé, e [ʀide] *adj* arrugado(-a).

rideau, x [ʀido] *nm* (*de fenêtre*) visillo; (*THÉÂTRE*) telón *m*; (*d'arbres etc*) hilera; **tirer/ouvrir les ~x** correr/descorrer las cortinas; **le ~ de fer** (*POL*) el Telón de Acero; ▶ **rideau de fer** cierre *m* metálico.

ridelle [ʀidɛl] *nf* adral *m*.

rider [ʀide] *vt* arrugar; (*eau, sable etc*) ondear; **se rider** *vpr* arrugarse.

ridicule [ʀidikyl] *adj* ridículo(-a); (*dérisoire*) risible ♦ *nm* ridículo; (*travers: gén pl*) defectos *mpl*; **tourner qn en ~** poner a algn en ridículo.

ridiculement [ʀidikylmɑ̃] *adv* ridículamente.

ridiculiser [ʀidikylize] *vt* ridiculizar; **se ridiculiser** *vpr* ridiculizarse.

ridule [ʀidyl] *nf* (*euph*) arruguita.
rie [ʀi] *vb voir* **rire**.
rien [ʀjɛ̃] *pron:* (**ne**) ... ~ (**no**) ... nada ♦ *nm:* **un petit** ~ (*cadeau*) un detalle (de nada); **des** ~**s** naderías *fpl;* **qu'est-ce que vous avez? – ~** ¿qué le pasa? – nada; **il n'a ~ dit/fait** no dijo/hizo nada; **il n'a ~** (*n'est pas blessé*) no tiene nada; **de ~!** ¡de nada!; **n'avoir peur de** ~ no tener miedo de nada; **a-t-il jamais ~ fait pour nous?** ¿ha hecho alguna vez algo por nosotros?; ~ **d'intéressant** nada interesante; ~ **d'autre** nada más; ~ **du tout** nada en absoluto; ~ **que** nada más que; ~ **que pour lui faire plaisir** nada más que por agradarle; ~ **que la vérité** nada más que la verdad; ~ **que cela** nada más que eso; **un** ~ **de** una pizca de; **en un** ~ **de temps** en nada de tiempo.
rieur, -euse [ʀ(i)jœʀ, ʀ(i)jøz] *adj* reidor(a); (*yeux, expression*) risueño(-a).
rigide [ʀiʒid] *adj* rígido(-a).
rigidité [ʀiʒidite] *nf* rigidez *f;* ► **rigidité cadavérique** (*MÉD*) rigor m mortis.
rigolade [ʀigɔlad] *nf* broma; **c'est de la** ~ (*ce n'est pas sérieux*) es una broma; (*c'est facile*) es una tontería.
rigole [ʀigɔl] *nf* desagüe m; (*filet d'eau*) reguero.
rigoler [ʀigɔle] *vi* reírse; (*s'amuser*) pasarlo bien; (*ne pas parler sérieusement, plaisanter*) estar de broma.
rigolo, -ote [ʀigɔlo, ɔt] (*fam*) *adj* gracioso(-a); (*curieux, étrange*) raro(-a) ♦ *nm/f* gracioso(-a); (*péj: fumiste*) cantamañanas *m inv.*
rigorisme [ʀigɔʀism] *nm* rigorismo.
rigoriste [ʀigɔʀist] *adj* rigorista.
rigoureusement [ʀiguʀøzmɑ̃] *adv* rigurosamente; ~ **vrai/interdit** totalmente cierto/prohibido.
rigoureux, -euse [ʀiguʀø, øz] *adj* riguroso(-a); (*morale*) rígido(-a); (*interdiction*) total.
rigueur [ʀigœʀ] *nf* rigor m; (*de la morale*) rigidez *f;* (*d'une interdiction*) rigurosidad *f;* **de** ~ de rigor; **être de** ~ ser de rigor; **à la** ~ en último extremo; **tenir** ~ **à qn de qch** guardar rencor a algn por algo.
riions [ʀijɔ̃] *vb voir* **rire**.
rillettes [ʀijɛt] *nfpl especie de paté de cerdo u oca.*
rime [ʀim] *nf* rima; **n'avoir ni** ~ **ni raison** no tener pies ni cabeza.
rimer [ʀime] *vi* rimar; ~ **avec** rimar con; **ne** ~ **à rien** no tener sentido.
rimmel [ʀimɛl] *nm* rimel m.
rinçage [ʀɛ̃saʒ] *nm* aclarado.
rince-doigts [ʀɛ̃sdwa] *nm inv* lavafrutas *m inv.*

rincer [ʀɛ̃se] *vt* enjuagar; (*linge*) aclarar; **se** ~ **la bouche** (*chez le dentiste etc*) enjuagarse la boca.
ring [ʀiŋ] *nm* ring m; **monter sur le** ~ dedicarse al boxeo.
ringard, e [ʀɛ̃gaʀ, aʀd] (*péj*) *adj* anticuado(-a).
Rio de Janeiro [ʀiodʒanɛʀ(o)] *n* Río de Janeiro.
rions [ʀijɔ̃] *vb voir* **rire**.
ripaille [ʀipɑj] (*fam*) *nf:* **faire** ~ darse una francachela, darse una comilona.
riper [ʀipe] *vi* (*glisser*) resbalar; (*déraper*) patinar.
ripoliné, e [ʀipɔline] *adj* pintado(-a) con pintura lacada.
riposte [ʀipɔst] *nf* réplica.
riposter [ʀipɔste] *vi* replicar ♦ *vt:* ~ **que** responder que; ~ **à** responder a.
rire [ʀiʀ] *vi* reír; (*se divertir*) reírse; (*plaisanter*) bromear ♦ *nm* risa; **se** ~ **de** reírse de; **tu veux** ~**!** (*désapprobation*) ¡estás de broma!; ~ **aux éclats/aux larmes** reírse a carcajadas/hasta llorar; ~ **jaune** reírse sin ganas; ~ **sous cape** reírse para sus adentros; ~ **au nez de qn** reírse en las narices de algn; **pour** ~ en broma.
ris [ʀi] *vb voir* **rire** ♦ *nm:* ~ **de veau** molleja.
risée [ʀize] *nf:* **être la** ~ **de** ser el hazmerreír de.
risette [ʀizɛt] *nf:* **faire** ~ (**à**) (*suj: bébé*) hacer una sonrisita (a).
risible [ʀizibl] *adj* risible.
risque [ʀisk] *nm* riesgo; **aimer le** ~ amar el riesgo; **l'attrait du** ~ la emoción del riesgo; **prendre un** ~**/des** ~**s** correr un riesgo/riesgos; **à ses** ~**s et périls** por su cuenta y riesgo; **au** ~ **de** a riesgo de; ► **risque d'incendie** riesgo de incendio.
risqué, e [ʀiske] *adj* arriesgado(-a); (*plaisanterie, histoire*) escabroso(-a).
risquer [ʀiske] *vt* arriesgar; (*allusion, comparaison, question*) aventurar; (*MIL, gén*) arriesgarse a; **tu risques qu'on te renvoie** te arriesgas a que te despidan; **ça ne risque rien** no hay riesgo alguno; **il risque de se tuer** puede matarse; **il a risqué de se tuer** por poco si se mata; **ce qui risque de se produire** lo que puede producirse; **il ne risque pas de recommencer** no hay peligro de que vuelva a empezar; **se** ~ **dans** aventurarse en; **se** ~ **à qch/faire qch** arriesgarse a algo/hacer algo; ~ **le tout pour le tout** arriesgar el todo por el todo.
risque-tout [ʀiskətu] *nm/f inv* temerario(-a).
rissoler [ʀisɔle] *vi, vt:* (**faire**) ~ **de la viande/des légumes** dorar la carne/las

verduras.
ristourne [ʀisturn] *nf* rebaja, descuento.
rit [ʀi] *vb voir* **rire.**
rite [ʀit] *nm* rito; *(fig)* ritual *m*; ▶ **rites d'initiation** ritos iniciáticos.
ritournelle [ʀiturnɛl] *nf (fig)* cantinela; **c'est toujours la même** ~ *(fam)* siempre la misma cantinela.
rituel, le [ʀitɥɛl] *adj* ritual ♦ *nm* ritual *m*.
rituellement [ʀitɥɛlmã] *adv* ritualmente.
rivage [ʀivaʒ] *nm (côte, littoral)* costa; *(grève, plage)* orilla.
rival, e, -aux [ʀival, o] *adj* rival ♦ *nm/f (adversaire)* rival *m/f*; **sans** ~ sin rival.
rivaliser [ʀivalize] *vi:* ~ **avec** rivalizar con; ~ **d'élégance/de générosité avec qn** rivalizar en elegancia/en generosidad con algn.
rivalité [ʀivalite] *nf* rivalidad *f*.
rive [ʀiv] *nf* orilla.
river [ʀive] *vt (clou, pointe)* remachar; *(plaques de métal)* clavar; **être rivé sur** *(fig)* estar clavado en; **être rivé à son travail/sur place** estar atado a su trabajo/a su puesto.
riverain, e [ʀiv(ə)ʀɛ̃, ɛn] *adj, nm/f (d'une rivière)* ribereño(-a); *(d'une route)* vecino(-a).
rivet [ʀivɛ] *nm* remache *m*.
riveter [ʀiv(ə)te] *vt* remachar.
rivière [ʀivjɛʀ] *nf* río; ▶ **rivière de diamants** collar *m* de diamantes.
rixe [ʀiks] *nf* pelea.
Riyadh [ʀijad] *n* Riyadh.
riz [ʀi] *nm* arroz *m*; ▶ **riz au lait** arroz con leche.
rizière [ʀizjɛʀ] *nf* arrozal *m*.
RMI [ɛʀɛmi] *sigle m* (= *revenu minimum d'insertion*) ayuda compensatoria.
RN [ɛʀɛn] *sigle f* (= *route nationale*) N. (= *carretera nacional*).
robe [ʀɔb] *nf* vestido; *(de juge, d'avocat)* toga; *(d'ecclésiastique)* hábito; *(d'un animal)* pelo; ▶ **robe de baptême** traje *m* de bautismo; ▶ **robe de chambre** bata; ▶ **robe de grossesse** vestido premamá; ▶ **robe de mariée** vestido de novia; ▶ **robe de soirée** traje de noche.
robinet [ʀɔbinɛ] *nm* grifo, canilla *(AM)*; ▶ **robinet du gaz** llave *f* del gas; ▶ **robinet mélangeur** grifo mezclador.
robinetterie [ʀɔbinɛtʀi] *nf* grifería.
roboratif, -ive [ʀɔbɔʀatif, iv] *adj* fortificante.
robot [ʀɔbo] *nm* robot *m*; ▶ **robot de cuisine** robot de cocina.
robotique [ʀɔbɔtik] *nf* robótica.
robotiser [ʀɔbɔtize] *vt (personne, travailleur)* convertir en autómata, robotizar; *(monde, vie)* automatizar.

robuste [ʀɔbyst] *adj* robusto(-a); *(moteur, voiture)* resistente.
robustesse [ʀɔbystɛs] *nf* robustez *f*.
roc [ʀɔk] *nm* roca.
rocade [ʀɔkad] *nf (AUTO)* circunvalación *f*.
rocaille [ʀɔkaj] *nf* rocalla ♦ *adj:* **style** ~ estilo rococó.
rocailleux, -euse [ʀɔkajø, øz] *adj* pedregoso(-a); *(style, voix)* áspero(-a).
rocambolesque [ʀɔkɑ̃bɔlɛsk] *adj* rocambolesco(-a).
roche [ʀɔʃ] *nf* roca; **une** ~ un peñasco; **~s éruptives/calcaires** rocas volcánicas/calizas.
rocher [ʀɔʃe] *nm:* **un** ~ un peñasco; **le** ~ *(matière)* la roca; *(ANAT)* temporal *m*.
rochet [ʀɔʃɛ] *nm:* **roue à** ~ rueda de trinquete.
rocheux, -euse [ʀɔʃø, øz] *adj* rocoso(-a); **les (montagnes) Rocheuses** *(GÉO)* las (montañas) Rocosas.
rock (and roll) [ʀɔk(ɛnʀɔl)] *nm* rock (and roll) *m*.
rocker [ʀɔkœʀ] *nm (chanteur)* cantante *m* de rock; *(adepte)* rockero(-a).
rocking-chair [ʀɔkiŋ(t)ʃɛʀ] *(pl* ~**-**~**s)** *nm* mecedora.
rococo [ʀɔkɔko] *adj, nm* rococó.
rodage [ʀɔdaʒ] *nm (voiture)* rodaje *m*; *(spectacle)* perfeccionamiento; **en** ~ *(AUTO)* en rodaje.
rodé, e [ʀɔde] *adj (spectacle)* perfeccionado(-a); ~ **à qch** *(personne)* experimentado(-a) en algo.
rodéo [ʀɔdeo] *nm* rodeo.
roder [ʀɔde] *vt (moteur, voiture)* rodar; *(spectacle, service)* perfeccionar.
rôder [ʀɔde] *vi* rondar; *(péj)* vagabundear.
rôdeur, -euse [ʀɔdœʀ, øz] *nm/f* vagabundo(-a).
rodomontades [ʀɔdɔmɔ̃tad] *nfpl* fanfarronadas *fpl*.
rogatoire [ʀɔgatwaʀ] *adj:* **commission** ~ comisión *f* rogatoria.
rogne [ʀɔɲ] *nf:* **être en** ~ estar rabiando; **mettre en** ~ hacer rabiar; **se mettre en** ~ cogerse un berrinche.
rogner [ʀɔɲe] *vt* recortar; *(prix etc)* rebajar ♦ *vi:* ~ **sur** *(dépenses etc)* recortar.
rognons [ʀɔɲɔ̃] *nmpl* riñones *mpl*.
rognures [ʀɔɲyʀ] *nfpl* recortes *mpl*.
rogue [ʀɔg] *adj* altanero(-a).
roi [ʀwa] *nm* rey *m*; **le jour** *ou* **la fête des R~s, les R~s** el día de Reyes, los Reyes; ▶ **les Rois mages** los Reyes magos.
roitelet [ʀwat(ə)lɛ] *nm (ZOOL, péj)* reyezuelo.
rôle [ʀol] *nm (CINÉ, THÉÂTRE, aussi fig)* papel *m*; *(fonction)* función *f*; **jouer un** ~ **important dans** ... desempeñar un papel im-

portante en ... .

rollmops [rɔlmɔps] *nm* arenque adobado enrollado en un pepinillo.

ROM [rɔm] *sigle f* (= *mémoire morte*) ROM *f* (= *memoria de sólo lectura*).

romain, e [rɔmɛ̃, ɛn] *adj* romano(-a) ♦ *nm/f*: R~, e romano(-a).

romaine [rɔmɛn] *nf* lechuga romana.

roman, e [rɔmɑ̃, an] *adj* románico(-a) ♦ *nm* novela; ▶ **roman d'espionnage** novela de espionaje; ▶ **roman noir/policier** novela negra/policíaca.

romance [rɔmɑ̃s] *nf* romanza.

romancer [rɔmɑ̃se] *vt* novelar.

romanche [rɔmɑ̃ʃ] *adj* retorromano(-a) ♦ *nm* retorromano.

romancier, -ière [rɔmɑ̃sje, jɛR] *nm/f* novelista *m/f*.

romand, e [rɔmɑ̃, ɑ̃d] *adj* de lengua francesa ♦ *nm/f*: R~, e suizo(-a) de lengua francesa.

romanesque [rɔmanɛsk] *adj* (*incroyable, fantastique*) fabuloso(-a); (*sentimental, rêveur*) romántico(-a); (*LITT*) novelesco(-a).

roman-feuilleton [rɔmɑ̃fœjtɔ̃] (*pl* ~s-~s) *nm* folletín *m*.

roman-fleuve [rɔmɑ̃flœv] (*pl* ~s-~s) *nm* novelón *m*.

romanichel, le [rɔmaniʃɛl] *nm/f* gitano(-a).

roman-photo [rɔmɑ̃fɔto] (*pl* ~s-~s) *nm* fotonovela.

romantique [rɔmɑ̃tik] *adj* romántico(-a).

romantisme [rɔmɑ̃tism] *nm* romanticismo.

romarin [rɔmaRɛ̃] *nm* romero.

rombière [rɔ̃bjɛR] (*péj*) *nf* vejestorio.

Rome [rɔm] *n* Roma.

rompre [rɔ̃pR] *vt* romper ♦ *vi* (*fiancés*) romper; **se rompre** *vpr* romperse; ~ **avec** romper con; **applaudir à tout** ~ aplaudir a rabiar; ~ **la glace** (*fig*) romper el hielo; **rompez!** (*MIL*) ¡rompan filas!; **se** ~ **les os** *ou* **le cou** romperse los huesos *ou* la crisma.

rompu, e [rɔ̃py] *pp de* **rompre** ♦ *adj* (*fourbu*) deshecho(-a); ~ **à** avezado(-a) en.

romsteck [rɔmstɛk] *nm* chuleta de lomo.

ronce [rɔ̃s] *nf* zarza; (*MENUISERIE*): ~ **de** **noyer** veta de nogal; ~**s** *nfpl* zarzas *fpl*.

ronchonner [rɔ̃ʃɔne] (*fam*) *vi* refunfuñar.

rond, e [rɔ̃, rɔ̃d] *adj* redondo(-a); (*fam: ivre*) alegre; (*sincère, décidé*): **être** ~ **en affaires** ser serio(-a) en los negocios ♦ *nm* redondo ♦ *adv*: **tourner** ~ (*moteur*) marchar bien; **je n'ai plus un** ~ (*fam: sou*) no me queda ni una perra; **ça ne tourne pas** ~ (*fig*) eso no marcha bien; **pour faire un compte** ~ para redondear la cuenta; **avoir le dos** ~ ser cargado(-a) de hombros; **en** ~ (*s'asseoir, danser*) en co-

rro; **faire des** ~**s de jambe** hacer zalamerías; ▶ **rond de serviette** servilletero.

rond-de-cuir [rɔ̃dkɥiR] (*pl* ~**s-**~**-**~ *péj*) *nm* chupatintas *m inv*.

ronde [rɔ̃d] *nf* ronda; (*danse*) corro; (*MUS: note*) redonda; **à 10 km à la** ~ a 10 km a la redonda; **passer qch à la** ~ pasar algo en corro.

rondelet, te [rɔ̃dlɛ, ɛt] *adj* regordete(-a); (*fig: somme*) suculento(-a); (: *bourse*) lleno(-a).

rondelle [rɔ̃dɛl] *nf* (*TECH*) arandela; (*tranche*) loncha.

rondement [rɔ̃dmɑ̃] *adv* (*promptement*) rápidamente; (*franchement*) sin rodeos.

rondeur [rɔ̃dœR] *nf* redondez *f*; (*bonhomie*) sencillez *f*; ~**s** *nfpl* (*d'un corps, d'une femme*) redondeces *fpl*.

rondin [rɔ̃dɛ̃] *nm* tronco.

rond-point [rɔ̃pwɛ̃] (*pl* ~**s-**~**s**) *nm* rotonda.

ronéoter [rɔneɔte], **ronéotyper** [rɔneɔtipe] *vt* mimeografiar.

ronflant, e [rɔ̃flɑ̃, ɑ̃t] (*péj*) *adj* rimbombante.

ronflement [rɔ̃flǝmɑ̃] *nm* (*d'une personne*) ronquido; (*d'un moteur*) zumbido.

ronfler [rɔ̃fle] *vi* (*personne*) roncar; (*moteur, poêle*) zumbar.

ronger [rɔ̃ʒe] *vt* (*suj: souris, chien etc*) roer; (: *vers*) carcomer; (: *insectes*) ficar; (: *rouille*) corroer; (*fig: suj: mal, pensée*) carcomer, atormentar; ~ **son frein** morder el freno; **se** ~ **d'inquiétude/de souci** reconcomerse de inquietud/de preocupación; **se** ~ **les ongles** comerse las uñas; **se** ~ **les sangs** quemarse la sangre.

rongeur [rɔ̃ʒœR] *nm* roedor *m*.

ronronnement [rɔ̃Rɔnmɑ̃] *nm* ronroneo.

ronronner [rɔ̃Rɔne] *vi* ronronear.

roque [rɔk] *nm* (*ÉCHECS*) enroque *m*.

roquefort [rɔkfɔR] *nm* roquefort *m*.

roquer [rɔke] *vi* (*ÉCHECS*) enrocar.

roquet [rɔkɛ] *nm* gozque *m*.

roquette [rɔkɛt] *nf* (*MIL*) misil *m*; ▶ **roquette antichar** misil antitanque *inv*.

rosace [rozas] *nf* rosetón *m*.

rosaire [rozɛR] *nm* rosario.

rosbif [rɔsbif] *nm* rosbif *m*.

rose [roz] *nf* rosa; (*vitrail*) rosetón *m* ♦ *adj* rosa *inv* ♦ *nm* (*couleur*) rosa *m*; ~ **bonbon** (*couleur*) rosa caramelo; ▶ **rose des** **sables/des vents** *nf* rosa de las arenas/ de los vientos.

rosé, e [roze] *adj* rosa *inv*; (*vin*) ~ (*vino*) rosado.

roseau, x [rozo] *nm* caña.

rosée [roze] *adj f voir* **rosé** ♦ *nf* rocío; **une goutte de** ~ una gota de rocío.

roseraie [rozRɛ] *nf* rosaleda.

rosette [ʀɔzɛt] *nf*: ~ **de la Légion d'honneur** insignia de la Legión de honor.
rosier [ʀozje] *nm* rosal *m*.
rosir [ʀoziʀ] *vi* ponerse sonrosado(-a).
rosse [ʀɔs] *nf* (*péj*) rocín *m* ♦ *adj* (*méchant*) mordaz; (*exigeant*) duro(-a).
rosser [ʀɔse] (*fam*) *vt* dar una paliza.
rossignol [ʀɔsiɲɔl] *nm* (*ZOOL*) ruiseñor *m*; (*crochet*) ganzúa.
rot [ʀo] *nm* eructo.
rotatif, -ive [ʀɔtatif, iv] *adj* rotativo(-a).
rotation [ʀɔtasjɔ̃] *nf* rotación *f*; (*fig*) movimiento; (*renouvellement*) renovación *f*; **par ~** por rotación; ▶ **rotation des cultures** alternancia de cultivos; ▶ **rotations des stocks** (*COMM*) renovación de existencia.
rotative [ʀɔtativ] *nf* (*IMPRIMERIE*) rotativa.
rotatoire [ʀɔtatwaʀ] *adj*: **mouvement ~** movimiento rotatorio.
roter [ʀɔte] (*fam*) *vi* eructar.
rôti [ʀoti] *nm* carne *f* de asar; (*cuit*) asado de carne.
rotin [ʀɔtɛ̃] *nm* mimbre *m ou f*; **fauteuil en ~** sillón *m* de mimbre.
rôtir [ʀotiʀ] *vt* asar ♦ *vi* asarse; **se ~ au soleil** tostarse al sol.
rôtisserie [ʀɔtisʀi] *nf* (*restaurant*) restaurante-parrilla *m*; (*comptoir, magasin*) establecimiento de precocinados.
rôtissoire [ʀɔtiswaʀ] *nf* asador *m*.
rotonde [ʀɔtɔ̃d] *nf* rotonda.
rotondité [ʀɔtɔ̃dite] *nf* redondez *f*.
rotor [ʀɔtɔʀ] *nm* rotor *m*.
rotule [ʀɔtyl] *nf* rótula.
roturier, -ière [ʀɔtyʀje, jɛʀ] *nm/f* plebeyo(-a).
rouage [ʀwaʒ] *nm* (*d'un mécanisme*) engranaje *m*; (*de montre*) maquinaria; (*fig*) mecanismo; **~s** *nmpl* (*fig*) máquina *fsg*.
roublard, e [ʀublaʀ, aʀd] (*péj*) *adj* tunante.
rouble [ʀubl] *nm* rublo.
roucoulement [ʀukulmɑ̃] *nm* arrullo.
roucouler [ʀukule] *vi* arrullarse; (*péj: chanteur*) gorgoritear.
roue [ʀu] *nf* rueda; **faire la ~** (*paon*) pavonearse; (*GYMNASTIQUE*) dar la vuelta pineta; **descendre en ~ libre** (*AUTO*) bajar en punto muerto; **pousser à la ~** alentar; **grande ~** (*à la foire*) noria; ▶ **roue à aubes** rueda de álabes; ▶ **roue de secours** rueda de repuesto; ▶ **roue dentée** rueda dentada; ▶ **roues avant/arrière** ruedas delanteras/traseras.
roué, e [ʀwe] *adj* taimado(-a).
Rouen [ʀwɑ̃] *n* Ruán.
rouennais, e [ʀwanɛ, ɛz] *adj* ruanés(-esa) ♦ *nm/f*: R~, e ruanés(-esa).
rouer [ʀwe] *vt*: ~ **qn de coups** moler a algn a palos.

rouet [ʀwɛ] *nm* rueda de afilar.
rouge [ʀuʒ] *adj* rojo(-a) ♦ *nm/f* (*POL*) rojo(-a) ♦ *nm* (*couleur*) rojo; (*fard*) carmín *m*; (*vin*) ~ (*vino*) tinto; **passer au ~** (*signal*) ponerse el disco rojo; (*automobiliste*) pasar en rojo; **porter au ~** (*métal*) poner al rojo; **être sur la liste** ~ (*TÉL*) no constar en la guía; ~ **de honte/colère** rojo(-a) de vergüenza/de cólera; **se fâcher tout ~**, **voir ~** ponerse hecho una furia; ▶ **rouge (à lèvres)** barra de labios.
rougeâtre [ʀuʒɑtʀ] *adj* rojizo(-a).
rougeaud, e [ʀuʒo, od] *adj* (*teint*) colorado(-a); (*personne*) coloradote(-a).
rouge-gorge [ʀuʒgɔʀʒ] (*pl* ~**s**-~**s**) *nm* petirrojo.
rougeoiement [ʀuʒwamɑ̃] *nm* fulgor *m* rojo.
rougeole [ʀuʒɔl] *nf* sarampión *m*.
rougeoyant, e [ʀuʒwajɑ̃, ɑ̃t] *adj* enrojecido(-a).
rougeoyer [ʀuʒwaje] *vi* ponerse rojo.
rouget [ʀuʒɛ] *nm* salmonete *m*.
rougeur [ʀuʒœʀ] *nf* rojez *f*; (*honte*) rubor *m*; (*échauffement*) colores *mpl*; ~**s** *nfpl* (*MÉD*) enrojecimiento.
rougir [ʀuʒiʀ] *vi* enrojecer; (*fraise, tomate*) ponerse rojo; (*ciel*) arrebolarse.
rouille [ʀuj] *nf* moho; (*CULIN*) alioli con pimiento rojo que acompaña la sopa de pescado ♦ *adj inv* (*couleur*) óxido *inv*.
rouillé, e [ʀuje] *adj* oxidado(-a); (*personne, mémoire*) embotado(-a).
rouiller [ʀuje] *vt* oxidar; (*corps, esprit*) embotar ♦ *vi* oxidarse; **se rouiller** *vpr* oxidarse; (*mentalement*) embotarse; (*physiquement*) debilitarse.
roulade [ʀulad] *nf* (*GYMNASTIQUE*) voltereta; (*CULIN*) carne mechada; (*MUS*) gorgorito.
roulage [ʀulaʒ] *nm* acarreo.
roulant, e [ʀulɑ̃, ɑ̃t] *adj* rodante; (*surface, trottoir*) transportador(a); **matériel/personnel ~** (*RAIL*) material/personal móvil.
roulé, e [ʀule] *adj*: **bien ~e** (*fam*) bien formada, de bandera ♦ *nm* (*CULIN*) brazo de gitano.
rouleau, x [ʀulo] *nm* rollo; (*de pièces de monnaie*) cartucho; (*de machine à écrire, à peinture*) rodillo; (*à mise en plis*) rulo; (*SPORT*) balanceo; (*vague*) rompiente *m*; **être au bout du ~** (*fig*) estar en las últimas; ▶ **rouleau à pâtisserie** rodillo; ▶ **rouleau compresseur** apisonadora; ▶ **rouleau de pellicule** rollo de película, carrete *m* de fotos.
roulé-boulé [ʀulebule] (*pl* ~**s**-~**s**) *nm* voltereta.

roulement [ʀulmɑ̃] *nm* rodamiento; (*voiture etc*) circulación *f*; (*bruit: de véhicule*) ruido; (: *du tonnerre*) fragor *m*; (*d'ouvriers*) turno; (*de capitaux*) circulación; **par ~** por turno; ▶ **roulement (à billes)** rodamiento (de bolas); ▶ **roulement d'yeux** movimiento de ojos; ▶ **roulement de tambour** redoble *m* de tambor.

rouler [ʀule] *vt* hacer rodar; (*CULIN, tissu, papier*) enrollar; (*cigarette, aussi fam*) liar ♦ *vi* rodar; (*voiture, train*) circular, estar en marcha; (*automobiliste*) circular; (*bateau*) balancearse; (*tonnerre*) retumbar; **~ en bas de** (*dégringoler*) caer rodando por; **~ sur** (*suj: conversation*) tratar sobre; **se ~ dans** (*boue*) revolcarse en; (*couverture*) envolverse en; **~ dans la farine** (*fam*) timar; **~ les épaules/hanches** contonearse; **~ les "r"** marcar las "r"; **~ sur l'or** ser riquísimo(-a); **~ (sa bosse)** rodar, viajar.

roulette [ʀulɛt] *nf* rueda; (*pâtissier*) carretilla; **la ~** la ruleta; **table/fauteuil à ~s** mesa/silla de ruedas; ▶ **la roulette russe** la ruleta rusa.

roulier [ʀulje] *nm* (*NAUT*) carretero.

roulis [ʀuli] *nm* balanceo.

roulotte [ʀulɔt] *nf* carro, carromato.

roumain, e [ʀumɛ̃, ɛn] *adj* rumano(-a) ♦ *nm* (*LING*) rumano ♦ *nm/f*: **R~, e** rumano(-a).

Roumanie [ʀumani] *nf* Rumania.

roupiller [ʀupije] (*fam*) *vi* echar una cabezada.

rouquin, e [ʀukɛ̃, in] (*péj*) *nm/f* pelirrojo(-a).

rouspéter [ʀuspete] (*fam*) *vi* refunfuñar.

rousse [ʀus] *adj voir* **roux**.

rousseur [ʀusœʀ] *nf*: **tache de ~** peca.

roussi [ʀusi] *nm*: **ça sent le ~** (*plat etc*) eso huele a quemado; (*fig*) eso huele a chamusquina.

Roussillon [ʀusijɔ̃] *nm* Rosellón *m*.

roussir [ʀusiʀ] *vt* (*herbe, linge*) quemar ♦ *vi* (*feuilles*) amarillear; (*CULIN*): **faire ~ la viande/les oignons** dorar la carne/las cebollas.

routage [ʀutaʒ] *nm* clasificación *f* y expedición *f*.

routard, e [ʀutaʀ, aʀd] *nm/f* viajero(-a).

route [ʀut] *nf* carretera; (*itinéraire, parcours*) ruta; (*fig*) camino; **par (la) ~** por (la) carretera; **il y a 3 heures de ~** hay 3 horas de camino; **en ~** por el camino; **en ~!** ¡en marcha!; **en cours de ~** en *ou* por el camino; **mettre en ~** poner en marcha; **se mettre en ~** ponerse en camino; **faire ~ vers** dirigirse hacia; **faire fausse ~** (*fig*) ir por mal camino; ▶ **route**

nationale ≈ carretera nacional.

router [ʀute] *vt* (*POSTES*) clasificar y expedir.

routier, -ière [ʀutje, jɛʀ] *adj* (*réseau, carte*) de carreteras; (*circulation*) de carretera ♦ *nm* (*camionneur*) camionero; (*restaurant*) restaurante *m* de carretera; (*scout*) guía *m*; (*cycliste*) corredor *m*; **vieux ~** perro viejo.

routière [ʀutjɛʀ] *nf* coche bueno para la carretera.

routine [ʀutin] *nf* rutina; **visite/contrôle de ~** visita/control *m* rutinario(-a) *ou* de rutina.

routinier, -ière [ʀutinje, jɛʀ] *adj* (*aussi péj*) rutinario(-a).

rouvert, e [ʀuvɛʀ, ɛʀt] *pp de* **rouvrir**.

rouvrir [ʀuvʀiʀ] *vt* (*porte, valise*) volver a abrir ♦ *vi* (*suj: école, piscine*) volver a abrirse; **se rouvrir** *vpr* (*porte, blessure*) volver a abrirse.

roux, rousse [ʀu, ʀus] *adj, nm/f* pelirrojo(-a) ♦ *nm* (*CULIN*) salsa rubia.

royal, e, -aux [ʀwajal, o] *adj* real; (*festin, cadeau*) regio(-a); (*indifférence*) soberano(-a); (*paix*) completo(-a).

royalement [ʀwajalmɑ̃] *adv* regiamente.

royaliste [ʀwajalist] *adj, nm/f* monárquico(-a).

royaume [ʀwajom] *nm* reino; (*fig*) dominios *mpl*; ▶ **le royaume des cieux** el reino de los cielos.

Royaume-Uni [ʀwajomyni] *nm* Reino Unido.

royauté [ʀwajote] *nf* (*dignité*) realeza; (*régime*) monarquía.

RP [ɛʀpe] *sigle f* (= *recette principale*) oficina principal de Correos; = *région parisienne* ♦ *sigle fpl* = *relations publiques*.

RPR [ɛʀpeɛʀ] *sigle m* (= *Rassemblement pour la République*) partido político de derechas.

R.S.V.P. [ɛʀɛsvepe] *abr* (= *répondez s'il vous plaît*) S.R.C.

rte *abr* (= *route*) Ctra. (= *carretera*).

RTL [ɛʀteɛl] *sigle f* = *Radio-Télévision Luxembourg*.

RU [ʀy] *sigle m* (= *restaurant universitaire*) comedor *m* universitario.

ruade [ʀɥad] *nf* coz *f*.

ruban [ʀybɑ̃] *nm* cinta; (*de velours, de soie*) lazo; (*pour ourlet, couture*) galón *m*; (*décoration*) condecoración *f*; ▶ **ruban adhésif** cinta adhesiva; ▶ **ruban encreur** cinta mecanográfica.

rubéole [ʀybeɔl] *nf* rubeola.

rubicond, e [ʀybikɔ̃, ɔ̃d] *adj* rubicundo(-a).

rubis [ʀybi] *nm* rubí *m*; **payer ~ sur l'ongle** pagar a toca teja.

rubrique [ʀybʀik] *nf* (*titre, catégorie*) rúbri-

ca; (*PRESSE: article*) sección *f*.
ruche [ʀyʃ] *nf* colmena.
rucher [ʀyʃe] *nm* colmenar *m*.
rude [ʀyd] *adj* (*barbe, toile, voix*) áspe-
ro(-a); (*métier, épreuve, climat*) duro(-a);
(*bourru*) rudo(-a); **un ~ paysan/
montagnard** (*fruste*) un rudo campesino/
montañés; **un(e) ~ appétit/peur** (*fam*) un
gran apetito/miedo; **être mis à ~ épreuve**
ser sometido a severa prueba.
rudement [ʀydmɑ̃] *adv* (*tomber, frapper*)
bruscamente; (*traiter, reprocher*) duramente; **elle est ~ belle/riche** (*fam*: *très*) es
super bonita/rica; **j'ai ~ faim** (*fam*) tengo
un montón de hambre; **tu as ~ de la
chance/du courage** (*fam*: *beaucoup*) tienes
un montón de suerte/de ánimo.
rudesse [ʀydɛs] *nf* aspereza; dureza; rudeza.
rudimentaire [ʀydimɑ̃tɛʀ] *adj* rudimen-
tario(-a).
rudiments [ʀydimɑ̃] *nmpl* rudimentos *mpl*.
rudoyer [ʀydwaje] *vt* tratar con aspereza.
rue [ʀy] *nf* calle *f*; **être à la ~** estar en la
calle; **jeter qn à la ~** echar a algn a la
calle.
ruée [ʀɥe] *nf* riada; ► **la ruée vers l'or** la
fiebre del oro.
ruelle [ʀɥɛl] *nf* callejuela.
ruer [ʀɥe] *vi* cocear; **se ruer** *vpr*: **se ~ sur**
(*provisions, adversaire*) arrojarse sobre;
se ~ vers/dans/hors de precipitarse
hacia/en/fuera de; **~ dans les brancards**
plantar cara.
rugby [ʀygbi] *nm* rugby *m*; ► **rugby à
quinze** rugby; ► **rugby à treize** rugby
de trece.
rugir [ʀyʒiʀ] *vi* rugir; (*personne*) bramar ◊
vt (*menaces, injures*) lanzar a voz en grito.
rugissement [ʀyʒismɑ̃] *nm* rugido; bramido.
rugosité [ʀygozite] *nf* rugosidad *f*; (*aspérité*) aspereza.
rugueux, -euse [ʀygø, øz] *adj* rugoso(-a).
ruine [ʀɥin] *nf* ruina; **tomber en ~** caerse,
venirse abajo; **être au bord de la ~** (*fig*)
estar al borde de la ruina.
ruiner [ʀɥine] *vt* arruinar; **se ruiner** *vpr*
arruinarse.
ruineux, -euse [ʀɥinø, øz] *adj* ruinoso(-a).
ruisseau, x [ʀɥiso] *nm* (*cours d'eau*) arroyo; (*caniveau*) cuneta; **~x de larmes/sang**
(*fig*) ríos *mpl* de lágrimas/sangre.
ruisselant, e [ʀɥis(ə)lɑ̃, ɑ̃t] *adj* chorreante,
que chorrea; **un imperméable ~ de pluie**
un impermeable que chorrea agua.
ruisseler [ʀɥis(ə)le] *vi* (*eau, pluie, larmes*)
correr; (*mur, visage*) chorrear; **~ d'eau,
~ de pluie** chorrear agua; **~ de sueur**

chorrear de sudor; **~ de lumière** centellear luz; **son visage ruisselait de larmes**
las lágrimas le corrían por las mejillas.
ruissellement [ʀɥisɛlmɑ̃] *nm* chorreo;
► **ruissellement de lumière** centelleo
de luz.
rumeur [ʀymœʀ] *nf* rumor *m*.
ruminer [ʀymine] *vi, vt* (*aussi fig*) rumiar.
rumsteck [ʀɔmstɛk] *nm* = **romsteck**.
rupestre [ʀypɛstʀ] *adj* rupestre.
rupture [ʀyptyʀ] *nf* rotura; (*des négociations, d'un couple*) ruptura; (*d'un contrat*)
incumplimiento; **en ~ de ban** (*fig*) libre
de obligaciones; **être en ~ de stock** estar
agotado.
rural, e, -aux [ʀyʀal, o] *adj* rural; **ruraux**
nmpl: **les ruraux** los campesinos.
ruse [ʀyz] *nf* astucia; **une ~** un ardid; **par
~** con astucia.
rusé, e [ʀyze] *adj* astuto(-a).
russe [ʀys] *adj* ruso(-a) ◊ *nm* (*LING*) ruso ◊
nm/f: **R~** ruso(-a).
Russie [ʀysi] *nf* Rusia; ► **la Russie
blanche/Soviétique** la Rusia blanca/
Soviética.
rustine [ʀystin] *nf* parche *m*.
rustique [ʀystik] *adj* (*aussi péj*) rústico(-a);
(*plante*) resistente.
rustre [ʀystʀ] *nm* paleto.
rut [ʀyt] *nm* celo; **être en ~** estar en celo.
rutabaga [ʀytabaga] *nm* nabo sueco.
rutilant, e [ʀytilɑ̃, ɑ̃t] *adj* reluciente, rutilante.
RV *sigle m* (= *rendez-vous*) cita.
Rwanda [ʀwɑ̃da] *nm* Ruanda.
rythme [ʀitm] *nm* ritmo; (*des saisons*)
paso; **au ~ de 10 par jour** a razón de 10
al día.
rythmé, e [ʀitme] *adj* rítmico(-a).
rythmer [ʀitme] *vt* dar ritmo a; (*souligner*)
medir.
rythmique [ʀitmik] *adj* rítmico(-a) ◊ *nf* rít-
mica.

S, s

S, s [ɛs] *nm inv* (*lettre*) S, s *f*; **~ comme Suzanne** S de Susana.
S [ɛs] *abr* (= *sud*) S (= *sur*).
s' [s] *pron voir* **se**.
s/ *abr* (= *sur*) sobre.

SA [ɛsa] *sigle f* (= *société anonyme*) S.A. (= *Sociedad Anónima*); (= *Son Altesse*) S.A. (= *Su Alteza*).

sa [se] *dét voir* **son**.

sabbatique [sabatik] *adj*: **année** ~ año sabático.

sable [sabl] *nm* arena; ► **sables mouvants** arenas *fpl* movedizas.

sablé, e [sable] *adj* enarenado(-a) ♦ *nm* galleta; **pâte** ~**e** masa de galleta.

sabler [sable] *vt* enarenar; ~ **le champagne** (*fig*) celebrar algo con champán.

sableux, -euse [sablø, øz] *adj* arenoso(-a).

sablier [sablije] *nm* reloj *m* de arena.

sablière [sablijɛʀ] *nf* arenal *m*.

sablonneux, -euse [sablɔnø, øz] *adj* arenoso(-a).

saborder [sabɔʀde] *vt* (*aussi fig*) hundir (voluntariamente); **se saborder** *vpr* (*aussi fig*) hundirse (voluntariamente).

sabot [sabo] *nm* (*chaussure*) zueco; (*de cheval, bœuf*) casco; (*TECH*) zapata; ► **sabot (de Denver)** cepo; ► **sabot de frein** zapata de freno.

sabotage [sabotaʒ] *nm* sabotaje *m*.

saboter [sabote] *vt* sabotear.

saboteur, -euse [sabotœʀ, øz] *nm/f* saboteador(a).

sabre [sabʀ] *nm* sable *m*; **le** ~ (*fig*) el ejército.

sabrer [sabʀe] *vt* (*ennemis*) dar sablazos; (*article etc*) suprimir, tachar.

sac [sak] *nm* saco; (*pillage*) saqueo; **mettre à** ~ saquear; ► **sac à dos** mochila; ► **sac à main** bolso de mano, cartera (*AM*); ► **sac à provisions** bolsa de la compra; ► **sac de couchage** saco de dormir; ► **sac de voyage** bolsa de viaje; ► **sac de plage** bolsa playera.

saccade [sakad] *nf* tirón *m*; **par** ~**s** a tirones.

saccadé, e [sakade] *adj* (*gestes, voix*) brusco(-a); (*voix*) entrecortado(-a).

saccage [sakaʒ] *nm* saqueo.

saccager [sakaʒe] *vt* (*piller*) saquear; (*dévaster*) devastar.

saccharine [sakaʀin] *nf* sacarina.

saccharose [sakaʀoz] *nm* sacarosa.

SACEM [sasɛm] *sigle f* = *Société des auteurs, compositeurs et éditeurs de musique*.

sacerdoce [sasɛʀdɔs] *nm* sacerdocio.

sacerdotal, e, -aux [sasɛʀdɔtal, o] *adj* sacerdotal.

sachant [saʃɑ̃] *vb voir* **savoir**.

sache *etc* [saʃ] *vb voir* **savoir**.

sachet [saʃɛ] *nm* bolsita; (*de poudre, lavande*) saquito; **thé en** ~**s** té *m* en bolsitas.

sacoche [sakɔʃ] *nf* bolso, talego; (*de bicyclette, motocyclette*) talego; (*du facteur*) cartera; (*d'outils*) bolsa.

sacquer [sake] (*fam*) *vt* (*employé*) poner de patitas en la calle; (*SCOL*) catear.

sacraliser [sakʀalize] *vt* sacralizar.

sacre [sakʀ] *nm* consagración *f*; (*d'un souverain*) coronación *f*.

sacré, e [sakʀe] *adj* sagrado(-a); (*fam*: *satané*) maldito(-a); (*ANAT*) sacro(-a); **il a une** ~**e chance/un** ~ **culot** (*fam*) tiene una suerte/cara increíble.

sacrement [sakʀəmɑ̃] *nm* sacramento; **administrer les derniers** ~**s à qn** administrar los últimos sacramentos a algn.

sacrer [sakʀe] *vt* (*souverain*) coronar; (*évêque*) consagrar ♦ *vi* (*juror*) blasfemar.

sacrifice [sakʀifis] *nm* sacrificio; **faire le** ~ **de** sacrificar.

sacrificiel, le [sakʀifisjɛl] *adj* de sacrificio.

sacrifier [sakʀifje] *vt* sacrificar; **se sacrifier** *vpr* sacrificarse; ~ **à** (*mode, tradition*) seguir; **articles sacrifiés** artículos *mpl* a precio de saldo, gangas *fpl*.

sacrilège [sakʀilɛʒ] *nm* sacrilegio ♦ *nm/f, adj* sacrílego(-a).

sacristain [sakʀistɛ̃] *nm* sacristán *m*.

sacristie [sakʀisti] *nf* sacristía.

sacristine [sakʀistin] *nf* sacristana.

sacro-saint, e [sakʀosɛ̃, sɛt] (*pl* ~**-**~**s, es**) *adj* sacrosanto(-a).

sadique [sadik] *adj, nm/f* sádico(-a).

sadisme [sadism] *nm* sadismo.

sadomasochisme [sadomazɔʃism] *nm* sadomasoquismo.

sadomasochiste [sadomazɔʃist] *nm/f* sadomasoquista *m/f*.

safari [safaʀi] *nm* safari *m*; **faire un** ~ hacer un safari.

safari-photo [safaʀifoto] (*pl* ~**s-**~**s**) *nm* safari-fotográfico *m*.

safran [safʀɑ̃] *nm* azafrán *m*.

saga [saga] *nf* saga.

sagace [sagas] *adj* sagaz.

sagacité [sagasite] *nf* sagacidad *f*.

sagaie [sagɛ] *nf* azagaya.

sage [saʒ] *adj* (*avisé, prudent*) sensato(-a); (*enfant*) bueno(-a); (*jeune fille, vie*) casto(-a) ♦ *nm* sabio; (*POL*) consejero.

sage-femme [saʒfam] (*pl* ~**s-**~**s**) *nf* comadrona.

sagement [saʒmɑ̃] *adv* (*raisonnablement*) razonablemente; (*tranquillement*) tranquilamente.

sagesse [saʒɛs] *nf* (*bon sens, prudence*) sensatez *f*; (*philosophie du sage*) sabiduría; (*d'un enfant*) buena conducta.

Sagittaire [saʒitɛʀ] *nm* (*ASTROL*) Sagitario; **être (du)** ~ ser Sagitario.

Sahara [saaʀa] *nm* Sáhara *m*.

saharienne [saaʀjɛn] *nf* (*veste*) sahariana.

saignant, e [sɛɲɑ̃, ɑ̃t] *adj* (*viande*) poco

hecho(-a); (*blessure*) sangrante.
saignée [seɲe] *nf* sangría; (*fig*) pérdida drástica.
saignement [sɛɲmã] *nm* hemorragia; ▶ **saignement de nez** hemorragia nasal.
saigner [seɲe] *vi* sangrar ♦ *vt* (*MÉD, fig*) sangrar a; (*animal*) desangrar; ~ **qn à blanc** (*fig*) esquilmar a algn; ~ **du nez** sangrar por la nariz.
Saigon [saigɔ̃] *n* Saigón.
saillant, e [sajã, ãt] *adj* (*pommettes, menton*) prominente; (*corniche etc*) saliente; (*fig*) destacado(-a).
saillie [saji] *nf* (*d'une construction*) voladizo; (*trait d'esprit*) ocurrencia; (*accouplement*) apareamiento; **faire** ~ sobresalir; **en** ~, **formant** ~ saliente.
saillir [sajiʀ] *vi* sobresalir ♦ *vt* (*ÉLEVAGE*) cubrir; **faire** ~ (*muscles etc*) hacer sobresalir.
sain, e [sɛ̃, sɛn] *adj* sano(-a); (*habitation*) salubre; (*affaire, entreprise*) saneado(-a); ~ **et sauf** sano y salvo; ~ **d'esprit** sano(-a) de espíritu.
saindoux [sɛ̃du] *nm* manteca de cerdo.
sainement [sɛnmã] *adv* sanamente; (*raisonner*) juiciosamente.
saint, e [sɛ̃, sɛ̃t] *adj, nm/f* santo(-a) ♦ *nm* (*statue*) santo; ▶ **la Sainte Vierge** la Virgen Santísima.
saint-bernard [sɛ̃bɛʀnaʀ] *nm inv* (perro) San Bernardo.
Sainte-Hélène [sɛ̃telɛn] *nf* Santa Elena.
Saint-Esprit [sɛ̃tɛspʀi] *nm*: **le** ~-~ el Espíritu Santo.
sainteté [sɛ̃te] *nf* santidad *f*; **sa S**~ **le pape** su Santidad el Papa.
Saint-Laurent [sɛ̃loʀã] *nm*: **le** ~-~ el San Lorenzo.
Saint-Marin [sɛ̃maʀɛ̃] *n* San Marino.
Saint-Père [sɛ̃pɛʀ] (*pl* ~**s**-~**s**) *nm*: **le** ~-~ el Santo Padre.
Saint-Pierre [sɛ̃pjɛʀ] *nm inv* (*église*) San Pedro.
Saint-Pierre-et-Miquelon [sɛ̃pjɛʀemiklɔ̃] *n* Saint-Pierre-et-Miquelon.
Saint-Siège [sɛ̃sjɛʒ] *nm inv*: **le** ~-~ la Santa Sede.
Saint-Sylvestre [sɛ̃silvɛstʀ] *nf*: **la** ~-~ el día de Nochevieja.
sais *etc* [sɛ] *vb voir* **savoir**.
saisie [sezi] *nf* (*JUR*) embargo; ▶ **saisie (de données)** (*INFORM*) recogida de datos.
saisir [seziʀ] *vt* (*personne, chose: prendre*) agarrar; (*fig: occasion, prétexte*) aprovechar; (*comprendre*) comprender; (*entendre*) captar; (*suj: sensations, émotions*) sobrecoger; (*INFORM*) procesar; (*CULIN*) soasar; (*JUR: biens, personne*) embargar;

(: *publication interdite*) secuestrar; **se saisir de** *vpr* (*personne*) apoderarse de; ~ **un tribunal d'une affaire** someter un caso a un tribunal; **elle fut saisie de douleur/crainte** le embargó el dolor/fue presa del pánico.
saisissant, e [sezisã, ãt] *adj* (*spectacle, contraste*) sobrecogedor(a); (*froid*) penetrante.
saisissement [sezismã] *nm*: **muet/figé de** ~ mudo/tieso de sobrecogimiento.
saison [sɛzɔ̃] *nf* temporada, época; (*du calendrier*) estación *f*; **la** ~ (*touristique*) la temporada; **la belle/mauvaise** ~ la buena/mala temporada; **être de** ~ ser de la temporada; **en/hors** ~ en/fuera de temporada; **la haute/basse/morte** ~ temporada alta/media/baja; **la** ~ **des pluies/des amours** la época de las lluvias/de los amores.
saisonnier, -ière [sɛzɔnje, jɛʀ] *adj* (*produits, culture*) estacional; (*travail*) temporal ♦ *nm* (*travailleur*) temporero; (*vacancier*) turista *m* estacional.
sait [sɛ] *vb voir* **savoir**.
salace [salas] *adj* salaz.
salade [salad] *nf* ensalada; (*fam: confusion*) embrollo; ~**s** *nfpl* (*fam*): **raconter des** ~**s** contar cuentos; **haricots en** ~ judías *fpl* en ensalada; ▶ **salade composée** ensalada mixta; ▶ **salade de concombres/d'endives** ensalada de pepinos/de endibias; ▶ **salade de fruits** macedonia de frutas; ▶ **salade de laitues/de tomates** ensalada de lechuga/de tomate; ▶ **salade niçoise** ensalada con aceitunas, anchoas, tomates; ▶ **salade russe** ensaladilla rusa.
saladier [saladje] *nm* ensaladera.
salaire [salɛʀ] *nm* salario; (*journalier*) jornal *m*; (*fig*) recompensa; **un** ~ **de misère** un salario de miseria; ▶ **salaire brut/net** salario bruto/neto; ▶ **salaire de base** sueldo base; ▶ **salaire minimum interprofessionnel de croissance** ≈ salario mínimo interprofesional.
salaison [salɛzɔ̃] *nf* salazón *f*; ~**s** *nfpl* (*produits*) salazones *fpl*.
salamandre [salamãdʀ] *nf* salamandra.
salami [salami] *nm* salami *m*.
salant [salã] *adj m*: **marais** ~ salina.
salarial, e, -aux [salaʀjal, jo] *adj* salarial.
salariat [salaʀja] *nm* asalariados *mpl*.
salarié, e [salaʀje] *adj, nm/f* asalariado(-a).
salaud [salo] (*fam!*) *nm* cabrón *m* (*!*), hijo de la chingada (*!: MEX*).
sale [sal] *adj* sucio(-a); (*avant le nom: fam*) malo(-a).
salé, e [sale] *adj* salado(-a); (*fig: histoire, plaisanterie*) picante; (*fam: note, facture*)

desorbitado(-a) ♦ *nm* (*porc salé*) carne *f* de cerdo salada; **bien** ~ muy salado(-a); **petit** ~ saladillo.

salement [salmã] *adv* (*manger etc*) groseramente.

saler [sale] *vt* (*plat*) echar sal; (*pour conserver*) salar.

saleté [salte] *nf* suciedad *f*; (*action vile*) cochinada; (*chose sans valeur*) porquería; (*obscénité*) guarrada; **j'ai attrapé une** ~ (*microbe etc*) se me ha pegado una enfermedad; **vivre dans la** ~ vivir en la inmundicia.

salière [saljɛʀ] *nf* salero.

saligaud [saligo] (*fam!*) *nm* marrano.

salin, e [salɛ̃, in] *adj* salino(-a).

saline [salin] *nf* salina.

salinité [salinite] *nf* salinidad *f*.

salir [saliʀ] *vt* manchar; (*fig*) mancillar; **se salir** *vpr* (*aussi fig*) ensuciarse.

salissant, e [salisã, ãt] *adj* sucio(-a).

salissure [salisyʀ] *nf* suciedad *f*; (*tache*) mancha.

salive [saliv] *nf* saliva.

saliver [salive] *vi* salivar.

salle [sal] *nf* sala; (*pièce*) sala, habitación *f*; (*de restaurant*) salón *m*; **faire** ~ **comble** tener un llenazo; ▶ **salle à manger** comedor *m*; ▶ **salle commune** sala común; ▶ **salle d'armes** (*pour l'escrime*) sala de esgrima; ▶ **salle d'attente** sala de espera; ▶ **salle d'eau** aseo; ▶ **salle de bain(s)** cuarto de baño; ▶ **salle de bal** salón de baile; ▶ **salle de cinéma** sala de cine; ▶ **salle de classe** aula; ▶ **salle de concert** sala de conciertos; ▶ **salle de consultation** sala de consulta; ▶ **salle de douches** cuarto de duchas; ▶ **salle de jeux** sala de juegos; ▶ **salle d'embarquement** sala de embarque; ▶ **salle de projection** sala de proyección; ▶ **salle de séjour** cuarto de estar; ▶ **salle des machines** sala de máquinas; ▶ **salle de spectacle** sala de espectáculos; ▶ **salle des ventes** salón de ventas; ▶ **salle d'exposition** sala de exposiciones; ▶ **salle d'opération** sala de operaciones; ▶ **salle obscure** sala oscura.

salmonellose [salmɔneloz] *nf* salmonelosis *f inv*.

salon [salɔ̃] *nm* salón *m*, living *m* (*AM*); (*mondain, littéraire*) salón, tertulia; ▶ **salon de coiffure** salón de peluquería; ▶ **salon de thé** salón de té.

salopard [salɔpaʀ] (*fam!*) *nm* cabrón *m*, hijo de la chingada (*AM*).

salope [salɔp] (*fam!*) *nf* marrana.

saloper [salɔpe] (*fam!*) *vt* (*bâcler*) chapucear; (*salir*) enguarrar.

saloperie [salɔpʀi] (*fam!*) *nf* (*obscénité, pu-*

blication obscène) guarradas *fpl*; (*action vile*) marranada; (*chose sans valeur, de mauvaise qualité*) porquería.

salopette [salɔpɛt] *nf* pantalón *m* de peto; (*de travail*) mono, overol *m* (*AM*).

salpêtre [salpɛtʀ] *nm* salitre *m*.

salsifis [salsifi] *nm* salsifí *m*.

SALT [salt] *sigle* = *Strategic Arms Limitation Talks*.

saltimbanque [saltɛ̃bãk] *nm/f* saltimbanqui *m/f*.

salubre [salybʀ] *adj* salubre.

salubrité [salybʀite] *nf* salubridad *f*; **mesures de publique** medidas *fpl* de salubridad pública.

saluer [salɥe] *vt* saludar; (*fig: acclamer*) aclamar, saludar.

salut [saly] *nm* (*REL, sauvegarde*) salvación *f*; (*MIL, parole d'accueil*) saludo ♦ *excl* (*fam: bonjour*) ¡hola!; (: *au revoir*) ¡hasta luego!, ¡chao! *ou* ¡chau! (*esp AM*); (*style relevé*) ¡salve!; ▶ **salut public** salud *f* pública.

salutaire [salytɛʀ] *adj* saludable.

salutations [salytasjɔ̃] *nfpl* saludos *mpl*; **recevez mes distinguées** *ou* **respectueuses** (*dans une lettre*) reciba mis cordiales *ou* respetuosos saludos.

salutiste [salytist] *nm/f* miembro del ejército de Salvación.

Salvador [salvadɔʀ] *nm* El Salvador.

salve [salv] *nf* salva; ▶ **salve d'applaudissements** salva de aplausos.

Samarie [samaʀi] *nf* Samaria.

samaritain [samaʀitɛ̃] *nm*: **le bon S**~ el buen samaritano.

samedi [samdi] *nm* sábado; *voir aussi* **lundi**.

SAMU [samy] *sigle m* (= *service d'assistance médicale d'urgence*) ≈ servicio médico de urgencia.

sanatorium [sanatɔʀjɔm] *nm* sanatorio (antituberculoso).

sanctifier [sãktifje] *vt* santificar.

sanction [sãksjɔ̃] *nf* sanción *f*; **prendre des** ~**s contre** tomar medidas sancionadoras contra.

sanctionner [sãksjɔne] *vt* sancionar.

sanctuaire [sãktɥɛʀ] *nm* santuario.

sandale [sãdal] *nf* sandalia.

sandalette [sãdalɛt] *nf* sandalia.

sandow ® [sãdo] *nm* extensor *m*.

sandwich [sãdwi(t)ʃ] *nm* sandwich *m*, bocadillo, emparedado (*esp AM*); **être pris en** ~ (*entre*) estar aprisionado (entre).

sang [sã] *nm* sangre *f*; **être en** ~ estar cubierto de sangre; **jusqu'au** ~ hasta hacer(le) sangrar; **se faire du mauvais** ~ preocuparse; ▶ **sang bleu** sangre azul.

sang-froid [sãfʀwa] *nm inv* sangre *f* fría; **garder/perdre/reprendre son** ~-~ conservar/perder/recobrar la sangre fría; **faire qch de ~-~** hacer algo a sangre fría.

sanglant, e [sɑ̃glɑ̃, ɑ̃t] *adj* (*visage, arme*) ensangrentado(-a); (*combat, fig*) sangriento(-a).

sangle [sɑ̃gl] *nf* correa; **~s** *nfpl* (*pour lit etc*) cinchas *fpl*; **fauteuil/lit de sangle(s)** sillón *m*/catre *m* de tijera.

sangler [sɑ̃gle] *vt* (*colis, parachutiste*) ceñir; (*animal*) cinchar; **sanglé dans son uniforme** embutido en su uniforme.

sanglier [sɑ̃glije] *nm* jabalí *m*.

sanglot [sɑ̃glo] *nm* sollozo.

sangloter [sɑ̃glɔte] *vi* sollozar.

sangsue [sɑ̃sy] *nf* sanguijuela.

sanguin, e [sɑ̃gɛ̃, in] *adj* sanguíneo(-a).

sanguinaire [sɑ̃ginɛʀ] *adj* sanguinario(-a).

sanguine [sɑ̃gin] *nf* sanguina.

sanguinolent, e [sɑ̃ginɔlɑ̃, ɑ̃t] *adj* sanguinolento(-a).

sanisette [sanizɛt] *nf* aseo público.

sanitaire [sanitɛʀ] *adj* sanitario(-a); **~s** *nmpl* sanitarios *mpl*; **installation/appareil ~** instalación *f*/aparato sanitario(-a).

sans [sɑ̃] *prép* sin; **~ qu'il s'en aperçoive** sin que se dé cuenta; **~ scrupules** sin escrúpulos; **~ manches** sin mangas.

sans-abri [sɑ̃zabʀi] *nm/f inv* persona sin hogar.

sans-emploi [sɑ̃zɑ̃plwa] *nm/f inv* desempleado(-a).

sans-façon [sɑ̃fasɔ̃] *adj inv* sencillo(-a).

sans-gêne [sɑ̃ʒɛn] *adj inv* desenfadado(-a) ♦ *nm inv* desenfado.

sans-logis [sɑ̃lɔʒi] *nm/f inv* persona sin hogar.

sans-souci [sɑ̃susi] *adj inv* despreocupado(-a).

sans-travail [sɑ̃tʀavaj] *nm/f inv* desocupado(-a).

santal [sɑ̃tal] *nm* sándalo.

santé [sɑ̃te] *nf* salud *f*; **avoir une ~ de fer** tener una salud de hierro; **avoir une ~ délicate** tener una salud delicada; **être en bonne ~** estar bien de salud; **boire à la ~ de qn** beber a la salud de algn; **"à la ~ de ..."** "a la salud de ..."; **"à votre/ta ~!"** "¡a su/tu salud!"; **service de ~** servicio sanitario; ▶ **la santé publique** la salud pública.

Santiago (du Chili) [sɑ̃tjago(dyʃili)] *n* Santiago (de Chile).

santon [sɑ̃tɔ̃] *nm* figurita del Belén.

saoudien, ne [saudjɛ̃, jɛn] *adj* saudí, saudita ♦ *nm/f*: **S~, ne** saudí *m/f*, saudita *m/f*.

saoul, e [su, sul] *adj* = **soûl**.

sape [sap] *nf*: **travail de ~** trabajo de zapa; **~s** *nfpl* (*fam*) trapos *mpl*.

saper [sape] *vt* socavar; **se saper** *vpr* (*fam*)

vestirse.

sapeur [sapœʀ] *nm* zapador *m*.

sapeur-pompier [sapœʀpɔ̃pje] (*pl* **~s-~s**) *nm* bombero.

saphir [safiʀ] *nm* zafiro; (*d'électrophone*) aguja.

sapin [sapɛ̃] *nm* (*BOT*) abeto; (*bois*) pino; ▶ **sapin de Noël** pino de Navidad.

sapinière [sapinjɛʀ] *nf* abetal *m*.

SAR [ɛsaɛʀ] *sigle f* (= *Son Altesse Royale*) S.A.R. (= *Su Alteza Real*).

sarabande [saʀabɑ̃d] *nf* zarabanda; (*fig*) algarabía.

sarbacane [saʀbakan] *nf* cerbatana.

sarcasme [saʀkasm] *nm* sarcasmo.

sarcastique [saʀkastik] *adj* sarcástico(-a).

sarcastiquement [saʀkastikmɑ̃] *adv* con sarcasmo.

sarcelle [saʀsɛl] *nf* cerceta.

sarclage [saʀklaʒ] *nm* escarda.

sarcler [saʀkle] *vt* escardar.

sarcloir [saʀklwaʀ] *nm* escardillo.

sarcophage [saʀkɔfaʒ] *nm* sarcófago.

Sardaigne [saʀdɛɲ] *nf* Cerdeña.

sarde [saʀd] *adj* sardo(-a) ♦ *nm/f*: **S~** sardo(-a).

sardine [saʀdin] *nf* sardina; ▶ **sardines à l'huile** sardinas en aceite.

sardinerie [saʀdinʀi] *nf* conservería de sardinas.

sardinier, -ière [saʀdinje, jɛʀ] *adj* sardinero(-a) ♦ *nm* (*bateau*) barco sardinero.

sardonique [saʀdɔnik] *adj*: **rire ~** risa sardónica.

sari [saʀi] *nm* sari *m*.

SARL [ɛsaɛʀɛl] *sigle f* (= *société à responsabilité limitée*) ≈ SL (= *sociedad limitada*).

sarment [saʀmɑ̃] *nm*: **~ (de vigne)** sarmiento (de vid).

sarrasin [saʀazɛ̃] *nm* (*BOT*) alforfón *m*, trigo sarraceno; (*farine*) harina de alforfón, harina de trigo sarraceno.

sarrau [saʀo] *nm* blusón *m*.

sarriette [saʀjɛt] *nf* ajedrea.

sas [sɑs] *nm* esclusa de aire; (*d'une écluse*) cámara.

satané, e [satane] *adj* (*maudit*) maldito(-a).

satanique [satanik] *adj* satánico(-a).

satelliser [satelize] *vt* (*fusée*) poner en órbita; (*fig: pays*) convertir en un estado satélite.

satellite [satelit] *nm* satélite *m*; **pays ~** país *msg* satélite *inv*; **retransmis par ~** retransmitido vía satélite; **~ (artificiel)** satélite (artificial).

satellite-espion [satelitɛspjɔ̃] (*pl* **~s-~s**) *nm* satélite *m* espía *inv*.

satellite-observatoire [satelitɔpsɛʀvatwaʀ] (*pl* **~s-~s**) *nm* satélite *m* observatorio *inv*.

satellite-relais [satelitʀəlɛ] (*pl* **~s-~**)

satélite *m* repetidor.

satiété [sasjete]: à ~ *adv* hasta la saciedad.

satin [satɛ̃] *nm* satén *m*.

satiné, e [satine] *adj* satinado(-a).

satinette [satinɛt] *nf* rasete *m*.

satire [satiʀ] *nf* sátira; faire la ~ de satirizar.

satirique [satiʀik] *adj* satírico(-a).

satiriste [satiʀist] *nm/f* escritor(a) satírico(-a).

satisfaction [satisfaksjɔ̃] *nf* satisfacción *f*; à ma grande ~ para gran satisfacción mía; donner ~ (à) satisfacer; ils ont obtenu satisfaction se ha accedido a sus demandas.

satisfaire [satisfɛʀ] *vt* satisfacer; ▶ se satisfaire de *vpr* contentarse con; ~ à cumplir con; (*conditions*) responder a.

satisfaisant, e [satisfəzɑ̃, ɑ̃t] *adj* satisfactorio(-a).

satisfait, e [satisfɛ, ɛt] *pp de* satisfaire ♦ *adj* (*personne, air*) satisfecho(-a); (*curiosité, désir*) complacido(-a); ~ de satisfecho(-a) de.

satisfasse *etc* [satisfas] *vb voir* satisfaire.

satisferai *etc* [satisfʀe] *vb voir* satisfaire.

saturation [satyʀasjɔ̃] *nf* saturación *f*; arriver à ~ llegar a la saturación.

saturer [satyʀe] *vt* saturar; ~ qn/qch de saturar a algn/algo de; être saturé de qch (*publicité*) estar harto de algo; je suis saturé de travail estoy saturado de trabajo.

saturnisme [satyʀnism] *nm* saturnismo.

satyre [satiʀ] *nm* sátiro.

sauce [sos] *nf* salsa; en ~ en salsa; ▶ sauce à salade salsa de ensalada; ▶ sauce aux câpres salsa de alcaparras; ▶ sauce blanche salsa blanca; ▶ sauce chasseur salsa chasseur (*con chalotes, vino blanco, champiñones y hierbas*); ▶ sauce mayonnaise/piquante salsa mayonesa/picante; ▶ sauce suprême/vinaigrette salsa suprema/vinagreta; ▶ sauce tomate salsa de tomate.

saucer [sose] *vt* rebañar.

saucière [sosjɛʀ] *nf* salsera.

saucisse [sosis] *nf* salchicha.

saucisson [sosisɔ̃] *nm* salchichón *m*; ▶ saucisson à l'ail salchichón al ajo; ▶ saucisson sec salchichón curado.

saucissonner [sosisɔne] *vi* picar.

sauf¹ [sof] *prép* salvo; ~ que ... salvo que ...; ~ si ... salvo que ...; ~ avis contraire salvo aviso contrario; ~ empêchement salvo impedimento; ~ erreur/imprévu salvo error/imprevisto.

sauf², sauve [sof, sov] *adj* (*personne*) ileso(-a); (*fig: honneur*) a salvo; laisser la vie sauve à qn perdonar la vida a algn.

sauf-conduit [sofkɔ̃dɥi] (*pl* ~-~s) *nm* salvoconducto.

sauge [soʒ] *nf* salvia.

saugrenu, e [sogʀəny] *adj* (*accoutrement*) estrafalario(-a); (*idée, question*) ridículo(-a).

saule [sol] *nm* sauce *m*; ▶ saule pleureur sauce llorón.

saumâtre [somɑtʀ] *adj* (*eau, goût*) salobre; la trouver ~ (*désagréable*) no hacer ni pizca de gracia.

saumon [somɔ̃] *nm* salmón *m* ♦ *adj inv* (*couleur*) color salmón *inv*.

saumoné, e [somɔne] *adj*: truite ~e trucha asalmonada.

saumure [somyʀ] *nf* salmuera.

sauna [sona] *nm* sauna (*m en AM*).

saupoudrer [sopudʀe] *vt*: ~ qch de (*de sel, sucre*) espolvorear algo de; (*fig*) salpicar algo de.

saupoudreuse [sopudʀøz] *nf* frasco que sirve para espolvorear.

saur [sɔʀ] *adj m*: hareng ~ arenque *m* ahumado.

saurai *etc* [sɔʀe] *vb voir* savoir.

saut [so] *nm* salto; faire un ~ dar un salto; faire un ~ chez qn dar un salto a casa de algn; au ~ du lit al levantarse; ~ en hauteur/longueur/à la perche salto de altura/longitud/con pértiga; ▶ saut à la corde salto a la comba; ▶ saut de page (*INFORM*) avance *m* de página; ▶ saut en parachute salto en paracaídas; ▶ saut périlleux salto mortal.

saute [sot] *nf*: ~ de vent/température cambio de viento/temperatura; avoir des ~s d'humeur tener cambios bruscos de humor.

sauté, e [sote] *adj* (*CULIN*) salteado(-a) ♦ *nm*: ~ de veau salteado de ternera.

saute-mouton [sotmutɔ̃] *nm inv*: jouer à ~-~ jugar a la pídola.

sauter [sote] *vi* saltar; (*exploser*) estallar; (*se rompre*) romperse; (*se détacher*) soltarse ♦ *vt* (*obstacle*) franquear; (*fig: omettre*) saltarse; faire ~ (*avec explosifs*) volar; (*CULIN*) saltear; ~ à pieds joints/à cloche-pied saltar con los pies juntos/a pata coja; ~ dans/sur/vers (*se précipiter*) echarse en/sobre/hacia; ~ en parachute saltar en paracaídas; ~ à la corde saltar a la cuerda; ~ à bas du lit saltar de la cama; ~ de joie/de colère saltar de alegría/de rabia; ~ au cou de qn echarse al cuello de algn; ~ d'un sujet à l'autre pasar de un tema a otro; ~ aux yeux saltar a la vista; ~ au plafond (*fig*) subirse por las paredes.

sauterelle [sotʀɛl] *nf* (*ZOOL*) saltamontes *m inv*.

sauterie [sotʀi] *nf* guateque *m*.

sauteur, -euse [sotœʀ, øz] *nm/f* saltador(a); ▶ **sauteur à la perche** saltador de pértiga; ▶ **sauteur à skis** saltador con esquíes.

sauteuse [sotøz] *nf* cazuela para saltear.

sautillement [sotijmã] *nm* saltito.

sautiller [sotije] *vi* dar saltitos.

sautoir [sotwaʀ] *nm* (*collier*) collar *m*; (*SPORT*) saltadero; **porter en** ~ llevar sobre el pecho; ▶ **sautoir (de perles)** collar (de perlas).

sauvage [sovaʒ] *adj* (*animal, peuplade*) salvaje; (*plante*) silvestre; (*lieu*) agreste; (*insociable*) huraño(-a); (*non officiel*) no autorizado(-a) ♦ *nm/f* (*primitif*) salvaje *m/f*; (*brute*) bárbaro(-a).

sauvagement [sovaʒmã] *adv* brutalmente.

sauvageon, ne [sovaʒõ, ɔn] *nm/f* (*fig*) niño(-a) difícil.

sauvagerie [sovaʒʀi] *nf* salvajismo.

sauve [sov] *adj f voir* **sauf**[2].

sauvegarde [sovgaʀd] *nf* salvaguardia; **sous la** ~ de bajo el amparo de; **disquette/fichier de** ~ disquete *m*/fichero de seguridad.

sauvegarder [sovgaʀde] *vt* salvaguardar; (*INFORM*) grabar; (: *copier*) hacer una copia de seguridad de.

sauve-qui-peut [sovkipø] *nm inv* desbandada ♦ *excl* ¡sálvese quien pueda!

sauver [sove] *vt* salvar; **se sauver** *vpr* (*s'enfuir*) largarse; (*fam: partir*) irse; ~ **qn de** salvar a algn de; ~ **la vie à qn** salvar la vida a algn; ~ **les apparences** guardar las apariencias.

sauvetage [sov(ə)taʒ] *nm* salvamento; **ceinture** *ou* **brassière** *ou* **gilet de** ~ cinturón *m ou* camisa *ou* chaleco salvavidas *inv*; ▶ **sauvetage en montagne** rescate *m* de montaña.

sauveteur [sov(ə)tœʀ] *nm* salvador *m*.

sauvette [sovɛt]: **à la** ~ *adj, adv* (*vendre, aussi: se marier etc*) precipitadamente; **vente à la** ~ venta ambulante no autorizada.

sauveur [sovœʀ] *nm* salvador *m*; **le S~** (*REL*) el Salvador.

SAV [ɛsave] *sigle m* (= *service après vente*) servicio post venta.

savais *etc* [save] *vb voir* **savoir**.

savamment [savamã] *adv* sabiamente.

savane [savan] *nf* sabana.

savant, e [savã, ãt] *adj* (*érudit, instruit, habile*) sabio(-a); (*souvent ironique: compétent, calé*) erudito(-a); (*compliqué, difficile*) complejo(-a) ♦ *nm/f* sabio(-a); **animal** ~ animal amaestrado.

savate [savat] *nf* chancla; (*SPORT*) boxeo francés.

saveur [savœʀ] *nf* sabor *m*.

Savoie [savwa] *nf* Saboya.

savoir [savwaʀ] *vt* saber; (*connaître: date, fait etc*) conocer ♦ *nm* saber *m*; **se savoir** *vpr* (*chose: être connu*) saberse; **se** ~ **malade/incurable** saberse enfermo/incurable; ~ **nager/se montrer ferme** saber nadar/mostrarse firme; ~ **que** saber que; ~ **si/comment/combien ...** saber si/cómo/cuánto ...; **il faut** ~ **que ...** es preciso saber que ...; **il est petit: tu ne peux pas** ~ ... no creerías lo pequeño que es ...; **vous n'êtes pas sans** ~ **que ...** usted no ignora que ...; **je crois** ~ **que ...** creo saber que ...; **je n'en sais rien** yo no sé nada de eso; **à** ~ a saber; **à** ~ **que ...** a saber que ...; **faire** ~ **qch à qn** hacer saber algo a algn; **ne rien vouloir** ~ no querer saber nada; **pas que je sache** que yo sepa, no; **sans le** ~ sin saberlo; **en** ~ **long** saber un rato largo.

savoir-faire [savwaʀfɛʀ] *nm inv* tacto.

savoir-vivre [savwaʀvivʀ] *nm inv*: **manquer de/avoir du** ~-~ carecer de/tener modales.

savon [savõ] *nm* jabón *m*; **un** ~ (*morceau*) una pastilla de jabón; **passer un** ~ **à qn** (*fam*) echarle un rapapolvo a algn.

savonner [savone] *vt* enjabonar; **se savonner** *vpr* enjabonarse; **se** ~ **les mains/pieds** enjabonarse las manos/los pies.

savonnerie [savonʀi] *nf* jabonería.

savonnette [savonɛt] *nf* jaboncillo.

savonneux, -euse [savonø, øz] *adj* jabonoso(-a).

savons [savõ] *vb voir* **savoir**.

savourer [savuʀe] *vt* saborear.

savoureux, -euse [savuʀø, øz] *adj* sabroso(-a).

savoyard, e [savwajaʀ, aʀd] *adj* saboyano(-a) ♦ *nm/f*: **S~, e** saboyano(-a).

sax [saks] *nm* saxo.

saxo(phone) [saksɔ(fɔn)] *nm* saxo(fón) *m*.

saxophoniste [saksɔfɔnist] *nm/f* saxofonista *m/f*.

saynète [sɛnɛt] *nf* sainete *m*.

sbire [sbiʀ] (*péj*) *nm* esbirro.

scabreux, -euse [skabʀø, øz] *adj* escabroso(-a).

scalpel [skalpɛl] *nm* escalpelo.

scalper [skalpe] *vt* (*Indiens*) cortar el cuero cabelludo; (*accidentellement*) escalpar.

scampi [skãpi] *nmpl* gambas preparadas a la italiana.

scandale [skãdal] *nm* escándalo; **au grand** ~ **de ...** (*indignation*) con gran indignación de ...; **faire du** ~ (*tapage*) armar un escándalo; **faire** ~ causar escándalo.

scandaleusement [skãdaløzmã] *adv* escandalosamente.

scandaleux, -euse [skãdalø, øz] *adj* escandaloso(-a).

scandaliser [skɑ̃dalize] *vt* escandalizar; **se scandaliser (de)** *vpr* escandalizarse (de).

scander [skɑ̃de] *vt* (*vers*) escandir; (*mots, syllabes*) silabear; (*slogans*) cantar.

scandinave [skɑ̃dinav] *adj* escandinavo(-a) ♦ *nm/f*: **S~** escandinavo(-a).

Scandinavie [skɑ̃dinavi] *nf* Escandinavia.

scanner [skanɛʀ] *nm* escáner *m*.

scanographie [skanɔgʀafi] *nf* escanograma.

scaphandre [skafɑ̃dʀ] *nm* escafandra; ▶ **scaphandre autonome** escafandra autónoma.

scaphandrier [skafɑ̃dʀije] *nm* buzo.

scarabée [skaʀabe] *nm* escarabajo.

scarlatine [skaʀlatin] *nf* escarlatina.

scarole [skaʀɔl] *nf* escarola.

scatologique [skatɔlɔʒik] *adj* escatológico(-a).

sceau, x [so] *nm* sello; **sous le ~ du secret** bajo secreto.

scélérat, e [seleʀa, at] *nm/f* canalla *m/f* ♦ *adj* canallesco(-a).

sceller [sele] *vt* sellar; (*barreau, chaîne etc*) fijar.

scellés [sele] *nmpl* (*JUR*): **mettre les ~ sur** precintar.

scénario [senaʀjo] *nm* (*CINÉ*) guión *m*; (*fig, idée*) plan *m*.

scénariste [senaʀist] *nm/f* (*CINÉ*) guionista *m/f*.

scène [sɛn] *nf* escena; (*lieu, décors*) escena, escenario; (*dispute bruyante*) altercado; **la ~ politique/internationale** la escena política/internacional; **sur le devant de la ~** (*fig*) de plena actualidad; **entrer en ~** entrar en escena; **par ordre d'entrée en ~** por orden de aparición; **mettre en ~** (*THÉÂTRE, fig*) poner en escena; (*CINÉ*) dirigir; **porter à/adapter pour la ~** llevar al/adaptar para el teatro; **faire une ~ (à qn)** hacerle una escena (a algn); ▶ **scène de ménage** riña conyugal.

scénique [senik] *adj* escénico(-a).

scepticisme [sɛptisism] *nm* escepticismo.

sceptique [sɛptik] *adj, nm/f* escéptico(-a).

sceptre [sɛptʀ] *nm* cetro.

schéma [ʃema] *nm* esquema *m*.

schématique [ʃematik] *adj* esquemático(-a).

schématiquement [ʃematikmɑ̃] *adv* esquemáticamente.

schématisation [ʃematizasjɔ̃] *nf* esquematización *f*.

schématiser [ʃematize] *vt* (*objet, mouvement*) esquematizar; (*simplifier*) simplificar.

schismatique [ʃismatik] *adj* cismático(-a).

schisme [ʃism] *nm* cisma *m*.

schiste [ʃist] *nm* esquisto.

schisteux, -euse [ʃistø, øz] *adj* (*roche*) esquistoso(-a); (*falaise*) pizarroso(-a).

schizophrène [skizofʀɛn] *nm/f* esquizofrénico(-a).

schizophrénie [skizofʀeni] *nf* esquizofrenia.

sciatique [sjatik] *adj*: **nerf ~** nervio ciático ♦ *nf* ciática.

scie [si] *nf* sierra; (*fam: péj: rengaine*) cantinela; (: *personne*) pesadez *f*; ▶ **scie à bois** sierra para madera; ▶ **scie à découper** segueta; ▶ **scie à métaux** sierra para metales; ▶ **scie circulaire/sauteuse** sierra circular/de vaivén.

sciemment [sjamɑ̃] *adv* conscientemente.

science [sjɑ̃s] *nf* ciencia; (*savoir*) saber *m*; (*savoir-faire*) saber hacer *m*; **les ~s** (*SCOL*) las ciencias; ▶ **sciences appliquées/ expérimentales** ciencias aplicadas/ experimentales; ▶ **sciences humaines/ naturelles** ciencias humanas/naturales; ▶ **sciences occultes** ciencias ocultas; ▶ **sciences politiques/sociales** ciencias políticas/sociales.

science-fiction [sjɑ̃sfiksjɔ̃] (*pl* **~s-~s**) *nf* ciencia ficción.

scientifique [sjɑ̃tifik] *adj, nm/f* científico(-a).

scientifiquement [sjɑ̃tifikmɑ̃] *adv* científicamente.

scier [sje] *vt* serrar; (*partie en trop*) aserrar.

scierie [siʀi] *nf* aserradero.

scieur [sjœʀ] *nm*: ~ **de long** carpintero que sierra la madera a lo largo.

scinder [sɛ̃de] *vt* escindir; **se scinder** *vpr* escindirse.

scintillant, e [sɛ̃tijɑ̃, ɑ̃t] *adj* centelleante.

scintillement [sɛ̃tijmɑ̃] *nm* centelleo.

scintiller [sɛ̃tije] *vi* centellear.

scission [sisjɔ̃] *nf* escisión *f*.

sciure [sjyʀ] *nf*: ~ **(de bois)** serrín *m* (de madera).

sclérose [skleʀoz] *nf* esclerosis *f inv*; ▶ **sclérose artérielle** esclerosis arterial, arteriosclerosis *f inv*; ▶ **sclérose en plaques** esclerosis en placas.

sclérosé, e [skleʀoze] *adj* (*MÉD*) escleroso(-a); (*fig*) estancado(-a).

scléroser [skleʀoze]: **se ~** *vpr* (*MÉD*) esclerosarse; (*fig*) estancarse.

scolaire [skɔlɛʀ] *adj* escolar; **l'année ~** el curso escolar; (*à l'université*) el curso académico; **en âge ~** en edad escolar.

scolarisation [skɔlaʀizasjɔ̃] *nf* escolarización *f*.

scolariser [skɔlaʀize] *vt* escolarizar.

scolarité [skɔlaʀite] *nf* escolaridad *f*; **frais de ~** gastos *mpl* de escolaridad; ▶ **la scolarité obligatoire** la escolaridad obligatoria.

scolastique [skɔlastik] (*péj*) *adj* escolástico(-a).

scoliose [skɔljoz] *nf* escoliosis *f inv*.

scoop [skup] *nm* (*PRESSE*) exclusiva.

scooter [skutœʀ] *nm* escúter *m*.

scorbut [skɔʀbyt] *nm* escorbuto.

scorbutique [skɔʀbytik] *adj* escorbútico(-a).

score [skɔʀ] *nm* (*SPORT*) tanteo; (*dans un test*) puntuación *f*; (*électoral etc*) resultado.

scories [skɔʀi] *nfpl* escorias *fpl*.

scorpion [skɔʀpjɔ̃] *nm* escorpión *m*; **le S~** (*ASTROL*) escorpio; **être (du) S~** ser escorpio.

scotch [skɔtʃ] *nm* (*whisky*) whisky *m* escocés; ® (*adhésif*) celo, cinta adhesiva.

scotcher [skɔtʃe] *vt* pegar con celo *ou* cinta adhesiva.

scout, e [skut] *adj* de scout ♦ *nm/f* scout *m/f*, explorador(a).

scoutisme [skutism] *nm* escutismo.

scratcher [skʀatʃe] *vt* (*SPORT*) descalificar.

scribe [skʀib] *nm* escribiente *m*; (*péj*) chupatintas *m inv*.

scribouillard [skʀibujaʀ] (*péj*) *nm* plumífero.

script [skʀipt] *nm* (*écriture*) letra cursiva; (*CINÉ*) guión *m*.

scripte [skʀipt] *nf* anotadora, secretaria de rodaje.

script-girl [skʀiptgœʀl] (*pl* ~-~**s**) *nf* anotadora, secretaria de rodaje.

scriptural, e, -aux [skʀiptyʀal, o] *adj*: **monnaie ~e** dinero en banco *ou* en cuenta.

scrofuleux, -euse [skʀɔfylø, øz] *adj* escrofuloso(-a).

scrupule [skʀypyl] *nm* escrúpulo; **être sans ~s** no tener escrúpulos; **il se fait un ~ de lui mentir** le da reparo mentirle.

scrupuleusement [skʀypyløzmɑ̃] *adv* escrupulosamente.

scrupuleux, -euse [skʀypylø, øz] *adj* escrupuloso(-a).

scrutateur, -trice [skʀytatœʀ, tʀis] *adj, nm/f* escrutador(a).

scruter [skʀyte] *vt* (*objet, visage*) escrutar; (*horizon, alentours*) otear.

scrutin [skʀytɛ̃] *nm* (*vote*) escrutinio; (*ensemble des opérations*) votación *f*; **ouverture/clôture d'un ~** apertura/cierre *m* de la votación; ▸ **scrutin à deux tours** votación a doble vuelta; ▸ **scrutin de liste** sistema m de lista cerrada; ▸ **scrutin majoritaire/proportionnel** sistema mayoritario/proporcional; ▸ **scrutin uninominal** elección *f* uninominal.

sculpter [skylte] *vt* esculpir.

sculpteur [skyltœʀ] *nm* escultor *m*.

sculptural, e, -aux [skyltyʀal, o] *adj* (*aussi fig*) escultural.

sculpture [skyltyʀ] *nf* escultura; ▸ **sculpture sur bois** escultura en madera.

sdb. *abr* (= *salle de bain*) B (= *baño*).

SDN [ɛsdeɛn] *sigle f* (= *Société des Nations*) Sociedad *f* de Naciones.

SE *abr* (= *Son Excellence*) S. Exc. (= *Su Excelencia*).

se (s') [sə] *pron* se; **se voir comme on est** verse como uno es; **ils s'aiment** se quieren; **cela se répare facilement** eso se arregla fácilmente; **se casser la jambe/laver les mains** romperse una pierna/lavarse las manos.

séance [seɑ̃s] *nf* sesión *f*; **ouvrir/lever la ~** abrir/levantar la sesión; **~ tenante:** **obéir/régler une affaire ~ tenante** obedecer/arreglar un asunto en el acto.

séant, e [seɑ̃, ɑ̃t] *adj* sentado(-a) ♦ *nm* (*postérieur*) trasero.

seau, x [so] *nm* cubo, balde *m* (*esp AM*); ▸ **seau à glace** cubitera.

sébum [sebɔm] *nm* sebo.

sec, sèche [sɛk, sɛʃ] *adj* seco(-a); (*maigre, décharné*) enjuto(-a); (*style, graphisme*) árido(-a); (*départ, démarrage*) brusco(-a) ♦ *nm*: **tenir au ~** mantener en sitio seco ♦ *adv* (*démarrer*) bruscamente; **je le prends** *ou* **bois ~** lo tomo *ou* bebo puro; **à pied ~** a pie enjuto; **à ~** (*cours d'eau*) agotado(-a); (*à court d'idées*) vacío(-a); (*à court d'argent*) pelado(-a); **une toux sèche** una tos seca; **avoir la gorge sèche** tener la garganta seca; **boire ~** (*beaucoup*) ser un gran bebedor; **raisins ~s** pasas *fpl*.

SECAM [sekam] *sigle m* (= *procédé séquentiel à mémoire*) secam.

sécante [sekɑ̃t] *nf* secante *f*.

sécateur [sekatœʀ] *nm* podadera.

sécession [sesesjɔ̃] *nf*: **faire ~** separarse; **la guerre de S~** la guerra de secesión.

sécessionniste [sesesjɔnist] *adj* secesionista.

séchage [seʃaʒ] *nm* secado.

sèche [sɛʃ] *adj f voir* **sec** ♦ *nf* (*fam*) pitillo.

sèche-cheveux [sɛʃʃəvø] *nm inv* secador *m* de pelo.

sèche-linge [sɛʃlɛ̃ʒ] *nm inv* secadora.

sèche-mains [sɛʃmɛ̃] *nm inv* secador *m* de manos.

sèchement [sɛʃmɑ̃] *adv* (*frapper etc*) bruscamente; (*répliquer etc*) secamente.

sécher [seʃe] *vt* secar; (*fam: SCOL: classe*) pirarse ♦ *vi* secarse; (*fam: candidat*) estar pez; **se sécher** *vpr* secarse.

sécheresse [seʃʀɛs] *nf* (*du climat, sol*) sequedad *f*; (*fig: du style*) aridez *f*; (*absence de pluie*) sequía.

séchoir [seʃwaʀ] nm (à linge) ·tendedero; (tabac, fruits) secadero.

second, e [s(ə)gɔ̃, ɔ̃d] adj segundo(-a) ♦ nm (adjoint) ayudante m; (étage) segundo; (NAUT) segundo de a bordo; **doué de ~e vue** dotado de un sexto sentido; **en ~** en segunda; **trouver son ~ souffle** (SPORT, fig) recobrar fuerzas; **être dans un état ~** estar enajenado(-a); **de ~e main** de segunda mano.

secondaire [s(ə)gɔ̃dɛʀ] adj secundario(-a); (SCOL) medio(-a), secundario(-a).

seconde [s(ə)gɔ̃d] nf segundo; (SCOL) quinto año de educación secundaria en el sistema francés; (AUTO) segunda; **voyager en ~** (TRANSPORT) viajar en segunda.

seconder [s(ə)gɔ̃de] vt (assister) ayudar; (favoriser) secundar.

secouer [s(ə)kwe] vt sacudir; (passagers) zarandear; (fam: faire se démener) pinchar; **se secouer** vpr (chiens) sacudirse; (fam: se démener) menearse, moverse; ~ **la poussière d'un tapis/manteau** sacudir el polvo de una alfombra/de un abrigo; ~ **la tête** (pour dire oui) asentir con la cabeza; (pour dire non) negar con la cabeza.

secourable [s(ə)kuʀabl] adj caritativo(-a).

secourir [s(ə)kuʀiʀ] vt socorrer; (prodiguer des soins à) auxiliar.

secourisme [s(ə)kuʀism] nm socorrismo.

secouriste [s(ə)kuʀist] nm/f socorrista m/f.

secourons [səkuʀɔ̃] vb voir **secourir**.

secours [s(ə)kuʀ] vb voir **secourir** ♦ nm socorro ♦ nmpl (aide financière, matérielle) ayuda fsg; (soins à un malade, blessé) auxilio msg; (équipes de secours) servicios mpl de socorro; **au ~!** ¡socorro!; **appeler au ~** pedir socorro; **appeler qn à son ~** pedir socorro a algn; **aller au ~ de qn** acudir en ayuda de algn; **porter ~ à qn** prestar socorro a algn; **les premiers ~** los primeros auxilios; **sa mémoire/cet outil lui a été d'un grand ~** su memoria/esta herramienta le ha sido de gran ayuda; ▶ **le secours en montagne** el servicio de rescate de montaña.

secouru, e [səkuʀy] pp de **secourir**.

secousse [s(ə)kus] nf sacudida; (électrique) descarga; (fig: psychologique) conmoción f; ▶ **secousse sismique/tellurique** sacudida sísmica/telúrica.

secret, -ète [səkʀɛ, ɛt] adj secreto(-a); (renfermé: personne) reservado(-a) ♦ nm secreto; **le ~ de qch** (raison cachée, recette) el secreto de algo; **en ~** (sans témoins) en secreto; **au ~** (prisonnier) incomunicado(-a); ▶ **secret d'État/de fabrication** secreto de Estado/de fabricación; ▶ **secret professionnel** secreto profesional.

secrétaire [s(ə)kʀetɛʀ] nm/f secretario(-a) ♦ nm (meuble) secreter m; ▶ **secrétaire d'ambassade** secretario de embajada; ▶ **secrétaire d'État** secretario de Estado; ▶ **secrétaire de direction** secretario de dirección; ▶ **secrétaire de mairie** secretario municipal; ▶ **secrétaire de rédaction** secretario de redacción; ▶ **secrétaire général** secretario general; ▶ **secrétaire médicale** auxiliar médico.

secrétariat [s(ə)kʀetaʀja] nm (profession) secretariado; (bureau, fonction) secretaría; ▶ **secrétariat d'État** secretaría de Estado; ▶ **secrétariat général** secretaría general.

secrète [səkʀɛt] nf: **la (police)** ~ la (policía) secreta.

secrètement [səkʀɛtmã] adv en secreto.

sécréter [sekʀete] vt segregar.

sécrétion [sekʀesjɔ̃] nf secreción f.

sectaire [sɛktɛʀ] adj sectario(-a).

sectarisme [sɛktaʀism] nm sectarismo.

secte [sɛkt] nf secta.

secteur [sɛktœʀ] nm sector m; **branché sur le ~** conectado a la red; **fonctionne sur pile et ~** funciona con pilas y con electricidad; ▶ **le secteur privé/public** el sector privado/público; ▶ **le secteur primaire/secondaire/tertiaire** el sector primario/secundario/terciario.

section [sɛksjɔ̃] nf sección f; (d'une route, d'un parcours) tramo; (d'un chapitre, d'une œuvre) parte f; **la ~ rythmique/des cuivres** la sección rítmica/los cobres; **tube de ~ 6,5 mm** tubo de 6,5 mm de sección.

sectionner [sɛksjɔne] vt (membre, tige) seccionar; **se sectionner** vpr (câble) romperse.

sectionneur [sɛksjɔnœʀ] nm seccionador m.

sectoriel, le [sɛktɔʀjɛl] adj sectorial.

sectorisation [sɛktɔʀizasjɔ̃] nf organización f por sectores.

sectoriser [sɛktɔʀize] vt dividir en sectores.

sécu [seky] (fam) nf (= Sécurité sociale) voir **sécurité**.

séculaire [sekylɛʀ] adj secular.

séculariser [sekylaʀize] vt secularizar.

séculier, -ière [sekylje, jɛʀ] adj (autorité, tribunal) secular; (clergé, prêtre) seglar.

sécurisant, e [sekyʀizã, ãt] adj tranquilizador(a).

sécuriser [sekyʀize] vt tranquilizar.

sécurité [sekyʀite] nf seguridad f; **impression de ~** impresión f de seguridad; **être en ~** estar seguro(-a); **dispositif/système de ~** dispositivo/sistema m de seguridad; **mesures de ~** medidas fpl de seguridad; ▶ **la sécurité de l'emploi** la garantía de trabajo; ►**la sécurité internationale/nationale** la seguridad internacional/nacional; ►**la sécurité routière** la seguridad vial; ►**la Sécurité sociale** la Seguridad Social.

sédatif, -ive [sedatif, iv] *adj* sedativo(-a) ♦ *nm* sedante *m*.

sédentaire [sedɑ̃tɛʀ] *adj* sedentario(-a).

sédiment [sedimɑ̃] *nm* sedimento; ~**s** *nmpl* (*alluvions*) sedimentos *mpl*.

sédimentaire [sedimɑ̃tɛʀ] *adj* sedimentario(-a).

sédimentation [sedimɑ̃tasjɔ̃] *nf* sedimentación *f*.

séditieux, -euse [sedisjø, jøz] *adj* sedicioso(-a).

sédition [sedisjɔ̃] *nf* sedición *f*.

séducteur, -trice [sedyktœʀ, tʀis] *adj, nm/f* seductor(a).

séduction [sedyksjɔ̃] *nf* seducción *f*.

séduire [sedɥiʀ] *vt* seducir.

séduisant, e [sedɥizɑ̃, ɑ̃t] *vb voir* **séduire** ♦ *adj* seductor(a).

séduit, e [sedɥi, it] *pp de* **séduire**.

segment [sɛgmɑ̃] *nm* segmento; ~ **(de piston)** segmento (de pistón); ►**segment de frein** segmento de freno.

segmenter [sɛgmɑ̃te] *vt* segmentar; **se segmenter** *vpr* segmentarse.

ségrégation [segʀegasjɔ̃] *nf* segregación *f*; ►**ségrégation raciale** segregación racial.

ségrégationnisme [segʀegasjɔnism] *nm* segregacionismo.

ségrégationniste [segʀegasjɔnist] *adj* segregacionista.

seiche [sɛʃ] *nf* sepia.

séide [seid] (*péj*) *nm* secuaz *m*.

seigle [sɛgl] *nm* (*BOT*) centeno; (*farine*) harina de centeno.

seigneur [sɛɲœʀ] *nm* señor *m*; **le S~** (*REL*) el Señor.

seigneurial, e, -aux [sɛɲœʀjal, jo] *adj* señorial.

sein [sɛ̃] *nm* (*ANAT*) seno; (*fig: poitrine*) pecho; **au ~ de** en el seno de; **donner le ~ à** dar el pecho a; **nourrir au ~** amamantar.

Seine [sɛn] *nf*: **la ~** el Sena.

séisme [seism] *nm* seísmo.

séismique *etc* [seismik] *adj voir* **sismique** *etc*.

SEITA [seta] *sigle f* = *Société d'exploitation industrielle des tabacs et allumettes*.

seize [sɛz] *adj inv, nm inv* dieciséis *m inv*; *voir aussi* **cinq**.

seizième [sɛzjɛm] *adj, nm/f* decimosexto(-a) ♦ *nm* (*partitif*) dieciseisavo; *voir aussi* **cinquantième**.

séjour [seʒuʀ] *nm* (*villégiature*) estancia; (*pièce*) cuarto de estar.

séjourner [seʒuʀne] *vi* permanecer.

sel [sɛl] *nm* sal *f*; ►**sel de cuisine/de table** sal de cocina/de mesa; ►**sel fin/ gemme** sal fina/gema; ►**sels de bain** sales de baño.

sélect, e [selɛkt] *adj* selecto(-a).

sélectif, -ive [selɛktif, iv] *adj* selectivo(-a).

sélection [selɛksjɔ̃] *nf* selección *f*; **faire/ opérer une ~ parmi** hacer/realizar una selección entre; **épreuve de ~** (*SPORT*) prueba de selección; ►**sélection naturelle/professionnelle** selección natural/profesional.

sélectionné, e [selɛksjɔne] *adj* seleccionado(-a).

sélectionner [selɛksjɔne] *vt* seleccionar.

sélectionneur, -euse [selɛksjɔnœʀ, øz] *nm/f* seleccionador(a).

sélectivement [selɛktivmɑ̃] *adv* selectivamente.

sélectivité [selɛktivite] *nf* selectividad *f*.

sélénologie [selenɔlɔʒi] *nf* selenología.

self [sɛlf] (*fam*) *nm* self-service *m*, restaurante *m* autoservicio.

self-service [sɛlfsɛʀvis] (*pl* ~**-**~**s**) *adj* autoservicio ♦ *nm* self-service *m*, restaurante *m* autoservicio.

selle [sɛl] *nf* (*de cheval*) silla de montar; (*de bicyclette*) sillín *m*; (*CULIN*) paletilla; ~**s** *nfpl* (*MÉD*) deposiciones *fpl*; **aller à la ~** (*MÉD*) hacer sus necesidades; **se mettre en ~** montar.

seller [sele] *vt* ensillar.

sellette [sɛlɛt] *nf*: **mettre qn/être sur la ~** agobiar a algn/estar agobiado con preguntas.

sellier [selje] *nm* guarnicionero.

selon [s(ə)lɔ̃] *prép* según; ~ **que** según que; ~ **moi** a mi modo de ver.

semailles [s(ə)maj] *nfpl* siembra *fsg*.

semaine [s(ə)mɛn] *nf* semana; **en** ~ durante la semana; **la ~ de quarante heures** la semana de cuarenta horas; **la ~ du blanc/du livre** la semana de la ropa blanca/del libro; **à la petite ~** (*vivre etc*) al día; **une organisation à la petite ~** una organización de miras cortas; ►**la semaine sainte** la Semana Santa.

semainier [s(ə)menje] *nm* (*bracelet*) semanario; (*calendrier*) agenda semanal; (*meuble*) archivo de siete cajones.

sémantique [semɑ̃tik] *adj* semántico(-a) ♦ *nf* semántica.

sémaphore [semafɔʀ] *nm* semáforo.

semblable [sɑ̃blabl] *adj* semejante ♦ *nm* (*prochain*) semejante *m*; ~ **à** parecido(-a) a; **de** ~**s mésaventures/calomnies** (*de ce genre*) semejantes desgracias/ calumnias.

semblant [sɑ̃blɑ̃] *nm*: **un ~ d'intérêt/de vé-**

rité una apariencia de interés/de verdad; **faire ~ (de faire qch)** fingir (hacer algo).

sembler [sɑ̃ble] *vi* parecer ♦ *vb impers:* **il semble inutile/bon de ...** parece inútil/bien ...; **il semble (bien) que/ne semble pas que** parece (bien) que/no parece que; **il me semble (bien) que** me parece (bien) que; **il me semble le connaître** me parece que lo conozco; **cela leur semblait cher/pratique** eso les parecía caro/práctico; **~ être** parecer ser; **comme/quand bon lui semble** como/cuando le parece bien; **me semble-t-il, à ce qu'il me semble** me parece, en mi opinión.

semelle [s(ə)mɛl] *nf* (*de chaussure*) suela; (: *intérieure*) plantilla; (*de bas, chaussette*) planta; (*d'un ski*) plancha; **battre la ~** golpear el suelo con los pies para calentarlos; (*fig*) recorrer; ▶ **semelles compensées** suelas *fpl* de plataforma.

semence [s(ə)mɑ̃s] *nf* (*graine*) semilla; (*clou*) tachuela.

semer [s(ə)me] *vt* (*AGR*) sembrar; (*fig:* *éparpiller*) esparcir; (: *poursuivants*) despistar; **~ la confusion** sembrar la confusión; **~ la discorde/terreur parmi ...** sembrar la discordia/el terror entre ...; **semé de difficultés/d'erreurs** sembrado de dificultades/de errores.

semestre [s(ə)mɛstʀ] *nm* semestre *m.*

semestriel, le [s(ə)mɛstʀijɛl] *adj* semestral.

semeur, -euse [s(ə)mœʀ, øz] *nm/f* sembrador(a).

semi- [səmi] *préf* semi-.

semi-automatique [səmiɔtɔmatik] (*pl* ~-~s) *adj* semiautomático(-a).

semi-conducteur [səmikɔ̃dyktœʀ] (*pl* ~-~s) *nm* (*INFORM*) semiconductor *m.*

semi-conserve [səmikɔ̃sɛʀv(ə)] (*pl* ~-~s) *nf* semiconserva.

semi-fini, e [səmifini] (*pl* ~-~s, es) *adj* semielaborado.

semi-liberté [səmilibɛʀte] (*pl* ~-~s) *nf* (*JUR*) régimen *m* abierto.

sémillant, e [semijɑ̃, ɑ̃t] *adj* vivaracho(-a).

séminaire [seminɛʀ] *nm* seminario.

séminariste [seminaʀist] *nm* seminarista *m.*

sémiologie [semjɔlɔʒi] *nf* semiología.

semi-public, -ique [səmipyblik] (*pl* ~-~s, iques) *adj* (*JUR*) semipúblico(-a).

semi-remorque [səmiʀəmɔʀk] (*pl* ~-~s) *nf* (*remorque*) semirremolque *m* ♦ *nm* (*camion*) semirremolque.

semis [s(ə)mi] *nm* (*terrain*) sembrado; (*plants*) semillero.

sémite [semit] *adj* semita.

sémitique [semitik] *adj* semítico(-a).

semoir [səmwaʀ] *nm* sembradora.

semonce [səmɔ̃s] *nf* (*NAUT*) aviso; (*fig*) reprimenda; **coup de ~** disparo de advertencia.

semoule [s(ə)mul] *nf* sémola; ▶ **semoule de maïs/de riz** harina de maíz/de arroz.

sempiternel, le [sɑ̃pitɛʀnɛl] *adj* sempiterno(-a).

sénat [sena] *nm:* **le S~** el Senado.

sénateur [senatœʀ] *nm* senador(a).

sénatorial, e, -aux [senatɔʀjal, jo] *adj* senatorial.

Sénégal [senegal] *nm* Senegal *m.*

sénégalais, e [senegalɛ, ɛz] *adj* senegalés(-esa) ♦ *nm/f:* **S~, e** senegalés(-esa).

sénescence [senesɑ̃s] *nf* senescencia.

sénevé [sɛnve] *nm* (*BOT*) mostaza (negra); (*graine*) grano de mostaza.

sénile [senil] *adj* (*voix, tremblement*) senil; (*péj*) chocho(-a).

sénilité [senilite] *nf* senilidad *f.*

senior [senjɔʀ] *nm/f* senior *m/f.*

sens [sɑ̃s] *vb voir* **sentir** ♦ *nm* sentido ♦ *nmpl* (*sensualité*) sentidos *mpl;* **avoir le ~ des affaires/de la mesure** tener el don de los negocios/de la medida; **en dépit du bon ~** sin sentido común; **tomber sous le ~** caer por su propio peso; **ça n'a pas de ~** eso no tiene sentido; **en ce ~ que** (*dans la mesure où*) en la medida en que; (*c'est-à-dire que*) en el sentido de que; **en un ~, dans un ~** en cierto sentido; **à mon ~** en mi opinión; **dans le ~ des aiguilles d'une montre** en el sentido de las agujas del reloj; **dans le ~ de la longueur/largeur** a lo largo/ancho; **dans le mauvais ~** en mal sentido; **bon ~** sensatez *f;* **reprendre ses ~** volver en sí; ▶ **sens commun** sentido común; ▶ **sens dessus dessous** desordenado, patas arriba; ▶ **sens figuré** sentido figurado; ▶ **sens interdit** dirección *f* prohibida; ▶ **sens propre** sentido propio; ▶ **sens unique** dirección *f* única.

sensass [sɑ̃sɑs] (*fam*) *adj* genial.

sensation [sɑ̃sasjɔ̃] *nf* sensación *f;* **faire ~** causar sensación; **à ~** (*péj*) sensacionalista.

sensationnel, le [sɑ̃sasjɔnɛl] *adj* sensacional.

sensé, e [sɑ̃se] *adj* sensato(-a).

sensibilisation [sɑ̃sibilizasjɔ̃] *nf* sensibilización *f.*

sensibiliser [sɑ̃sibilize] *vt* (*PHOTO*) sensibilizar; **~ qn (à)** sensibilizar a algn (para).

sensibilité [sɑ̃sibilite] *nf* sensibilidad *f.*

sensible [sɑ̃sibl] *adj* sensible; (*différence, progrès*) apreciable; **~ à** sensible a.

sensiblement [sɑ̃sibləmɑ̃] *adv* sensiblemente; **ils ont ~ le même poids** (*à peu* *près*) tienen casi el mismo peso.

sensiblerie [sãsiblǝʀi] *nf* sensiblería.

sensitif, -ive [sãsitif, iv] *adj* sensitivo(-a).

sensoriel, le [sãsɔʀjɛl] *adj* sensorial.

sensorimoteur, -trice [sãsɔʀimɔtœʀ, tʀis] (*pl* ~**s**, **trices**) *adj* sensori(o)motor (-motriz).

sensualité [sãsɥalite] *nf* sensualidad *f*.

sensuel, le [sãsɥɛl] *adj* sensual.

sent [sã] *vb voir* **sentir**.

sente [sãt] *nf* senda.

sentence [sãtãs] *nf* sentencia.

sentencieusement [sãtãsjøzmã] *adv* sentenciosamente.

sentencieux, -euse [sãtãsjø, jøz] *adj* sentencioso(-a).

senteur [sãtœʀ] *nf* olor *m*.

senti, e [sãti] *adj:* **bien** ~ elocuente.

sentier [sãtje] *nm* sendero.

sentiment [sãtimã] *nm* sentimiento; (*avis, opinion*) opinión *f*; ~**s** *nmpl:* **les** ~**s** los sentimientos; **avoir le** ~ **de/que** tener la impresión de/que; **recevez mes** ~**s respectueux/dévoués** (*dans une lettre*) reciba usted mis más sinceros respetos; **veuillez agréer l'expression de mes** ~**s distingués** (*dans une lettre*) reciba usted mis más atentos saludos; **faire du** ~ (*péj*) apelar a la sensiblería; **si vous me prenez par les** ~**s** si usted apela a mis sentimientos.

sentimental, e, -aux [sãtimãtal, o] *adj* sentimental.

sentimentalisme [sãtimãtalism] *nm* sentimentalismo.

sentimentalité [sãtimãtalite] *nf* sentimentalismo.

sentinelle [sãtinɛl] *nf* centinela; **en** ~ **de** guardia.

sentir [sãtiʀ] *vt* sentir; (*goût*) notar; (*apprécier*) apreciar; (*par l'odorat*) oler; (*avoir le goût de*) saber a; (*au toucher*) sentir; (*avoir une odeur de, aussi fig*) oler a ♦ *vi* oler mal; ~ **bon/mauvais** oler bien/mal; **se** ~ **à l'aise/mal à l'aise** sentirse a gusto *ou* cómodo/incómodo; **se** ~ **mal** encontrarse mal; **se** ~ **le courage/la force de faire qch** sentirse con ánimo/ fuerza para hacer algo; **se** ~ **coupable de faire qch** sentirse culpable por haber hecho algo; **ne plus se** ~ **de joie** rebosar de alegría; **ne pas pouvoir** ~ **qn** (*fam*) no poder tragar a algn.

seoir [swaʀ] : ~ **à** *vt* sentar bien; **comme il (leur) sied** como (les) conviene.

Seoul [seul] *n* Seúl.

séparation [sepaʀasjɔ̃] *nf* separación *f*; (*mur, cloison*) división *f*; ▶ **séparation de biens/de corps** separación de bienes/de cuerpos; ▶ **séparation des pouvoirs** se-

paración de (los) poderes.

séparatisme [sepaʀatism] *nm* separatismo.

séparatiste [sepaʀatist] *nm/f, adj* separatista *m/f*.

séparé, e [sepaʀe] *adj* separado(-a); ~ **de** separado(-a) de.

séparément [sepaʀemã] *adv* separadamente.

séparer [sepaʀe] *vt* separar; **se séparer** *vpr* separarse; (*amis etc*) despedirse; (*route, tige*) bifurcarse; (*éléments, parties*) desmontarse; (*écorce*) desprenderse; **se** ~ **de** (*époux*) separarse de; (*employé, objet personnel*) deshacerse de; ~ **qn de** (*ami, allié*) separar a algn de; ~ **une pièce/un jardin en deux** dividir una habitación/un jardín en dos.

sépia [sepja] *nf* (*colorant*) sepia; (*dessin*) dibujo hecho con sepia.

sept [sɛt] *adj inv, nm inv* siete *m inv; voir aussi* **cinq**.

septante [sɛptãt] *adj inv, nm inv* (*BELGIQUE, SUISSE*) setenta *m inv*.

septembre [sɛptãbʀ] *nm* se(p)tiembre *m; voir aussi* **juillet**.

septennal, e, -aux [sɛptenal, o] *adj* septenal.

septennat [sɛptena] *nm* septenio.

septentrional, e, -aux [sɛptãtʀijɔnal, o] *adj* septentrional.

septicémie [sɛptisemi] *nf* septicemia.

septième [sɛtjɛm] *adj, nm/f* sé(p)timo(-a) ♦ *nm* (*partitif*) sé(p)timo; **être au** ~ **ciel** estar en el sé(p)timo cielo; *voir aussi* **cinquième**.

septique [sɛptik] *adj:* **fosse** ~ foso séptico.

septuagénaire [sɛptɥaʒenɛʀ] *adj, nm/f* septuagenario(-a).

sépulcral, e, -aux [sepylkʀal, o] *adj* sepulcral.

sépulcre [sepylkʀ] *nm* sepulcro.

sépulture [sepyltyʀ] *nf* sepultura.

séquelles [sekɛl] *nfpl* secuelas *fpl*.

séquence [sekãs] *nf* secuencia.

séquentiel, le [sekãsjɛl] *adj* secuencial; **traitement** ~ (*INFORM*) tratamiento secuencial.

séquestration [sekɛstʀasjɔ̃] *nf* secuestro.

séquestre [sekɛstʀ] *nm* (*JUR*) embargo; **mettre sous** ~ embargar.

séquestrer [sekɛstʀe] *vt* (*personne*) secuestrar; (*biens*) embargar.

serai *etc* [sǝʀe] *vb voir* **être**.

sérail [seʀaj] *nm* serrallo; **rentrer au** ~ volver al redil.

serbe [sɛʀb] *adj* serbio(-a) ♦ *nm* (*LING*) serbio ♦ *nm/f:* **S**~ serbio(-a).

Serbie [sɛʀbi] *nf* Serbia.

serbo-croate [sɛʀbokʀɔat] *nm* serbo-croata *m*.

serein, e [sǝʀɛ̃, ɛn] *adj* sereno(-a); (*visage, regard, personne*) apacible.

sereinement [sǝʀɛnmã] *adv* serenamente.

sérénade [seʀenad] *nf* serenata; (*fam*) jolgorio.

sérénité [seʀenite] *nf* serenidad *f.*

serez [sǝʀe] *vb voir* **être**.

serf, serve [sɛʀ(f), sɛʀv] *nm/f* siervo(-a).

serfouette [sɛʀfwɛt] *nf* escardillo.

serge [sɛʀʒ] *nf* sarga.

sergent [sɛʀʒã] *nm* sargento.

sergent-chef [sɛʀʒãʃɛf] (*pl* ~s-~s) *nm* sargento primero.

sergent-major [sɛʀʒãmaʒɔʀ] (*pl* ~s-~s) *nm* sargento mayor.

sériciculture [seʀisikyltyʀ] *nf* sericultura.

série [seʀi] *nf* serie *f*; (*de clefs, outils*) juego; (*SPORT*) fase *f*; **en/de/hors** ~ en/de/fuera de serie; **imprimante** ~ impresora en serie; **soldes de fin de** ~s saldos *mpl* de fin de serie; ▶ **série noire** (*roman policier*) policiaca; (*suite de malheurs*) serie de desgracias; ▶ **série (télévisée)** serie (televisiva).

sérier [seʀje] *vt* clasificar.

sérieusement [seʀjøzmã] *adv* con seriedad; **il parle** ~ habla en serio; **~?** ¿en serio?

sérieux, -euse [seʀjø, jøz] *adj* serio(-a); (*client*) serio(-a), formal; (*moral, rangé*) formal ♦ *nm* seriedad *f*; **garder son** ~ mantener su seriedad; **manquer de** ~ no tener fundamento; **prendre qch/qn au** ~ tomarse algo/a algn en serio; **se prendre au** ~ tomarse en serio; **tu es** ~? ¿lo dices en serio?; **c'est** ~? ¿en serio?; **ce n'est pas** ~ (*critique*) eso no es serio; **une sérieuse différence/augmentation** una considerable diferencia/aumento.

sérigraphie [seʀigʀafi] *nf* serigrafía.

serin [s(ǝ)ʀɛ̃] *nm* canario.

seriner [s(ǝ)ʀine] *vt:* ~ **qch à qn** machacar algo a algn.

seringue [s(ǝ)ʀɛ̃g] *nf* jeringa.

serions [sǝʀjɔ̃] *vb voir* **être**.

serment [sɛʀmã] *nm* (*juré*) juramento; (*promesse*) promesa solemne; **prêter** ~ prestar juramento; **faire le** ~ **de** prestar juramento de; **témoigner sous** ~ atestiguar bajo juramento.

sermon [sɛʀmɔ̃] *nm* sermón *m.*

sermonner [sɛʀmɔne] *vt* sermonear.

SERNAM [sɛʀnam] *sigle m* (= *Service national de messageries*) *servicio de paquetes por tren.*

sérologie [seʀɔlɔʒi] *nf* serología.

serpe [sɛʀp] *nf* podadera.

serpent [sɛʀpã] *nm* serpiente *f*; ▶ **serpent à lunettes/à sonnettes** serpiente de anteojos/de cascabel; ▶ **serpent moné-**

taire (européen) sistema *m* monetario (europeo).

serpenter [sɛʀpãte] *vi* serpentear.

serpentin [sɛʀpãtɛ̃] *nm* (*tube*) serpentín *m*; (*ruban*) serpentina.

serpillière [sɛʀpijɛʀ] *nf* bayeta.

serpolet [sɛʀpɔlɛ] *nm* serpol *m.*

serrage [seʀaʒ] *nm* ajuste *m*; **collier de** ~ abrazadera.

serre [sɛʀ] *nf* (*construction*) invernadero; **~s** *nfpl* (*griffes*) garras *fpl*; ▶ **serre chaude/froide** invernadero templado/frío.

serré, e [seʀe] *adj* apretado(-a); (*habits*) ajustado(-a); (*lutte, match*) reñido(-a); (*café*) fuerte ♦ *adv:* **jouer** ~ jugar sobre seguro; **écrire** ~ escribir con letra apretada; **avoir le cœur serré** tener el corazón en un puño; **avoir la gorge** ~e tener un nudo en la garganta.

serre-livres [sɛʀlivʀ] *nm inv* sujetalibros *m inv.*

serrement [sɛʀmã] *nm:* ~ **de main** apretón *m* de manos; **j'ai eu un** ~ **de cœur** se me encogió el corazón.

serrer [seʀe] *vt* apretar; (*tenir: chose*) asir; (: *personne*) abrazar; (*rapprocher*) apretujar; (*frein, robinet*) apretar; (*automobiliste, cycliste*) arrimarse a ♦ *vi:* ~ **à droite/gauche** pegarse a la derecha/a la izquierda; **se serrer** *vpr* (*se rapprocher*) apretujarse; ~ **la main à qn** estrechar la mano a algn; ~ **qn dans ses bras/contre son cœur** estrechar a algn entre sus brazos/contra su pecho; ~ **la gorge/le cœur à qn** oprimir la garganta/ol pooho a algn; ~ **les dents** apretar los dientes; ~ **qn de près** seguir de cerca a algn; ~ **le trottoir** pegarse a la acera; ~ **sa droite/gauche** pegarse a su derecha/izquierda; **se** ~ **contre qn** estrecharse contra algn; **se** ~ **les coudes** prestarse ayuda; **se** ~ **la ceinture** (*fig*) apretarse el cinturón; ~ **la vis à qn** (*fig*) apretar las clavijas a algn; ~ **les rangs** cerrar filas.

serre-tête [sɛʀtɛt] *nm inv* cinta (para la cabeza), diadema.

serrure [seʀyʀ] *nf* cerradura, chapa (*AM*).

serrurerie [seʀyʀʀi] *nf* (*métier*) cerrajería; (*ferronnerie*) forja de hierro; ▶ **serrurerie d'art** artesanía de hierro forjado.

serrurier [seʀyʀje] *nm* cerrajero.

sers *etc* [sɛʀ] *vb voir* **servir**.

sert *etc* [sɛʀ] *vb voir* **servir**.

sertir [sɛʀtiʀ] *vt* (*pierre précieuse*) engastar; (*deux pièces métalliques*) encastrar.

sérum [seʀɔm] *nm* suero; ▶ **sérum antitétanique** suero antitetánico; ▶ **sérum antivenimeux** suero antiofídico; ▶ **sérum artificiel** suero artificial; ▶ **sérum**

de vérité suero de la verdad; ▶ **sérum physiologique** suero fisiológico; ▶ **sérum sanguin** suero sanguíneo.

servage [sɛrvaʒ] *nm* servidumbre *f*.

servant [sɛrvɑ̃] *nm* (*REL*) hermano lego; (*MIL*) artillero (*encargado de un arma*).

servante [sɛrvɑ̃t] *nf* sirvienta, mucama (*CSUR*), recamarera (*MEX*).

serve [sɛrv] *vb voir* **servir ♦** *nf voir* **serf**.

serveur, -euse [sɛrvœr, øz] *nm/f* (*de restaurant*) camarero(-a); (*TENNIS*) jugador *que tiene el servicio*; (*CARTES*) mano *m/f* ♦ *nm:* ~ **de données** (*INFORM*) base *f* de datos ♦ *adj:* **centre** ~ (*INFORM*) banco de datos.

servi, e [sɛrvi] *adj:* **bien** ~ (*au restaurant*) bien servido(-a); **vous êtes** ~? ¿está usted servido?

serviable [sɛrvjabl] *adj* servicial.

service [sɛrvis] *nm* servicio; (*aide, faveur*) favor *m*; (*REL*) oficio; (*SPORT*) servicio, saque *m*; ~s *nmpl* (*travail, prestations*) servicios *mpl*; (*ÉCON*) sector *m* servicios; ~ **compris/non compris** servicio incluido/no incluido; **faire le** ~ servir; **être en** ~ **chez qn** (*domestique*) estar de servicio en casa de algn; **être au** ~ **de (qn)** estar al servicio de (algn); **pendant le** ~ de servicio; **porte de** ~ puerta de servicio; **premier/second** ~ primer/segundo turno; **rendre** ~ (**à qn**) ayudar (a algn), echar una mano (a algn); (*suj: objet*) ser de utilidad (a algn); **il aime rendre** ~ le gusta hacer favores; **rendre un** ~ **à qn** hacer un favor a algn; **reprendre du** ~ volver al servicio activo; **heures de** ~ horas de servicio; **être de** ~ estar de servicio; **avoir 25 ans de** ~ tener 25 años de servicio; **être/mettre en** ~ estar/poner en servicio; **hors** ~ fuera de servicio; **en** ~ **commandé** en comisión de servicio; ▶ **service à café/à glaces** servicio de café/de helado; ▶ **service après vente** servicio pos(t)-venta; ▶ **service à thé** servicio de té; ▶ **service d'ordre** servicio de orden; ▶ **service funèbre** servicio funerario; ▶ **service militaire/public** servicio militar/público; ▶ **services secrets/sociaux** servicios secretos/ sociales.

serviette [sɛrvjɛt] *nf* (*de table*) servilleta; (*de toilette*) toalla; (*porte-documents*) cartera, portafolio(s) *m* (*AM*); ▶ **serviette éponge** toalla de felpa; ▶ **serviette hygiénique** compresa.

servile [sɛrvil] *adj* servil.

servilement [sɛrvilmɑ̃] *adv* servilmente.

servilité [sɛrvilite] *nf* servilismo.

servir [sɛrvir] *vt* servir; (*client: au magasin*) atender; (*rente, pension*) pagar ♦ *vi*

servir; **se servir** *vpr* servirse; **se** ~ **chez qn** servirse en casa de algn; **se** ~ **de** (*plat*) servirse de; (*voiture, outil*) utilizar; (*relations, amis*) valerse de; ~ **à qn** (*suj: diplôme, livre*) servir a algn; **ça m'a servi pour faire ...** eso me ha servido para hacer ...; ~ **à qch/faire qch** (*outil*) servir para algo/hacer algo; ~ **qn** (*aider*) ayudar a algn; **qu'est-ce que je vous sers?** ¿qué le sirvo?; **est-ce que je peux vous** ~ **quelque chose?** ¿le sirvo a usted algo?; **vous êtes servi?** ¿le atienden a usted?; **ça peut** ~ eso puede servir; **ça peut encore** ~ todavía puede servir eso; **à quoi cela sert-il (de faire)?** ¿de qué sirve (hacer)?; **cela ne sert à rien** eso no sirve para nada; ~ (**à qn**) **de** hacer (a algn) de; ~ **dans l'infanterie** (*être militaire*) servir en infantería; ~ **la messe** ayudar a misa; ~ **une cause** servir a una causa; ~ **les intérêts de qn** servir a los intereses de algn; ~ **à dîner/déjeuner à qn** servir de cenar/ almorzar a algn; ~ **le dîner à 18 h** servir la cena a las 6 de la tarde.

serviteur [sɛrvitœr] *nm* servidor *m*.

servitude [sɛrvityd] *nf* (*aussi JUR*) servidumbre *f*.

servocommande [sɛrvokɔmɑ̃d] *nf* servomando.

servofrein [sɛrvofrɛ̃] *nm* servofreno.

servomécanisme [sɛrvomekanism] *nm* servomecanismo.

ses [se] *dét voir* **son**.

sésame [sezam] *nm* sésamo; (*graine*) semilla de sésamo.

session [sesjɔ̃] *nf* sesión *f*; (*d'examen*) convocatoria.

set [sɛt] *nm* (*TENNIS*) set *m*; ▶ **set de table** juego de mantelería.

seuil [sœj] *nm* umbral *m*; **recevoir qn sur le** ~ (**de sa maison**) recibir a algn en la puerta (de su casa); **au** ~ **de** (*fig*) en el umbral de; ▶ **seuil de rentabilité** (*COMM*) punto de equilibrio.

seul, e [sœl] *adj* (*sans compagnie*) solo(-a); (*avec nuance affective: isolé*) solitario(-a); (*objet, mot etc*) aislado(-a) ♦ *adv:* **vivre** ~ vivir solo(-a) ♦ *nm/f:* **j'en veux un(e) seul(e)** quiero sólo uno(-a); **le** ~ **livre/ homme** el único libro/hombre; **lui** ~ **peut ... sólo él puede ...; à lui (tout)** ~ sólo a él; **d'un** ~ **coup** *adv* (*subitement*) de pronto; (*à la fois*) de una vez; ~ **ce livre** sólo ese libro; **parler tout** ~ hablar solo; **faire qch (tout)** ~ hacer algo (completamente) solo; ~ **à** ~ a solas; **il en reste un(e) ~(e)** queda sólo uno(-a); **pas un(e) ~(e)** ni siquiera uno(-a).

seulement [sœlmɑ̃] *adv:* ~ **5, 5** ~ solamente 5; ~ **eux** (*exclusivement*) únicamente ellos; ~ **hier/à 10 h** (*pas avant*) sólo ayer/ a las 10; **il consent,** ~ **il demande des ga-ranties** (*toutefois*) consiente, pero pide garantías; **non** ~ **... mais aussi** *ou* **encore** no solamente ... pero también *ou* ade-más.

sève [sɛv] *nf* savia.

sévère [sevɛʀ] *adj* severo(-a); (*style, tenue*) austero(-a); (*pertes*) serio(-a), grave.

sévèrement [sevɛʀmɑ̃] *adv* severamente.

sévérité [seveʀite] *nf* severidad *f.*

sévices [sevis] *nmpl* malos tratos *mpl.*

Séville [sevil] *n* Sevilla.

sévir [seviʀ] *vi* (*punir*) castigar severamen-te; (*suj: fléau*) hacer estragos; ~ **contre** (*abus, pratiques*) obrar con severidad contra.

sevrage [səvʀaʒ] *nm* destete *m*; (*d'un toxi-comane*) privación *f.*

sevrer [səvʀe] *vt* destetar; ~ **qn de qch** (*fig*) privar a algn de algo.

sexagénaire [sɛksaʒenɛʀ] *adj, nm/f* sexage-nario(-a).

sexe [sɛks] *nm* sexo; **le** ~ **fort/faible** el sexo fuerte/débil.

sexisme [sɛksism] *nm* sexismo.

sexiste [sɛksist] *nm/f, adj* sexista *m/f.*

sexologie [sɛksɔlɔʒi] *nf* sexología.

sexologue [sɛksɔlɔg] *nm/f* sexólogo(-a).

sextant [sɛkstɑ̃] *nm* sextante *m.*

sexualité [sɛksɥalite] *nf* sexualidad *f.*

sexué, e [sɛksɥe] *adj* sexuado(-a).

sexuel, le [sɛksɥɛl] *adj* sexual; **acte** ~ acto sexual.

sexuellement [sɛksɥɛlmɑ̃] *adv* sexualmen-te.

seyait [sejɛ] *vb voir* **seoir.**

seyant, e [sɛjɑ̃, ɑ̃t] *vb voir* **seoir** ♦ *adj* favo-recedor(a).

Seychelles [seʃɛl] *nfpl:* **les (îles)** ~ las (is-las) Seychelles.

SG [ɛsʒe] *sigle m* (= *secrétaire général*) SG (= *secretario general*).

shaker [ʃɛkœʀ] *nm* coctelera.

shampooiner [ʃɑ̃pwine] *vt* lavar con champú.

shampooineur, -euse [ʃɑ̃pwinœʀ, øz] *nm/f* (*personne*) aprendiz(a) de peluquería.

shampooineuse [ʃɑ̃pwinøz] *nf* máquina *para limpiar moquetas con espuma.*

shampooing [ʃɑ̃pwɛ̃] *nm* (*lavage*) lavado; (*produit*) champú *m*; **se faire un** ~ hacer-se un lavado con champú; ▶**sham-pooing colorant/traitant** champú colorante/tratante.

shimmy [ʃimi] *nm* (*AUTO*) vibración de las *ruedas de un automóvil.*

shoot [ʃut] *nm* (*FOOTBALL*) chut *m.*

shooter [ʃute] *vi* (*FOOTBALL*) chutar; **se shooter** *vpr* (*drogué*) pincharse.

shopping [ʃɔpiŋ] *nm:* **faire du** ~ ir de com-pras.

short [ʃɔʀt] *nm* pantalón *m* corto, short *m.*

SI [ɛsi] *abr* (= *syndicat d'initiative*) oficina de turismo.

═══════════════ *MOT-CLÉ*

si [si] *adv* **1** (*oui*) sí; **Paul n'est pas venu?** – **si!** ¿no ha venido Pablo? – ¡sí!; **mais si!** ¡que sí!; **je suis sûr que si** estoy seguro (de) que sí; **je vous assure que si** le ase-guro que sí; **il m'a répondu que si** me contestó que sí; **j'admets que si** reconoz-co que sí

2 (*tellement*): **si gentil/rapidement** tan amable/rápidamente; **si rapide qu'il soit** por muy rápido que sea

♦ *conj* si; **si tu veux** si quieres; **je me de-mande si ...** me pregunto si ...; **si seule-ment** si sólo; **si ce n'est ...** (*sinon*) sino ...; **si ce n'est que ...** excepto que ...; **si tant est que ...** siempre y cuando ...; **(tant et) si bien que** tanto que; **s'il pouvait (seule-ment) venir!** ¡si (al menos) pudiera ve-nir!; **s'il le fait, c'est que ...** si lo hace, es que ...; **s'il est aimable, eux par contre ...** él es amable, pero en cambio ellos ...; **si j'étais toi ...** yo que tú ...

♦ *nm inv* (*MUS*) si *m.*

─────────────────

siamois, e [sjamwa, waz] *adj* siamés(-esa); **frères** ~ hermanos *mpl* siameses.

Sibérie [sibeʀi] *nf* Siberia.

sibérien, ne [sibeʀjɛ̃, jɛn] *adj* siberiano(-a) ♦ *nm/f:* **S~, ne** siberiano(-a).

sibyllin, e [sibilɛ̃, in] *adj* sibelino(-a).

SICAV [sikav] *sigle f* (= *société d'investissement à capital variable*) ≈ Fon-do de Inversión mobiliaria; (*action*) tipo de acción de esa sociedad.

siccatif, -ive [sikatif, iv] *adj* (*PEINTURE*) se-cante; (*MÉD*) desecativo(-a).

Sicile [sisil] *nf* Sicilia.

sicilien, ne [sisiljɛ̃, jɛn] *adj* siciliano(-a) ♦ *nm/f:* **S~, ne** siciliano(-a).

SIDA [sida] *sigle m* (= *syndrome immuno-déficitaire acquis*) SIDA *m* (= *Síndrome de Inmunodeficiencia Adquirida*).

sidéral, e, aux [sideʀal, o] *adj* sideral.

sidérant, e [sideʀɑ̃, ɑ̃t] *adj* apabullante.

sidéré, e [sideʀe] *adj* atónito(-a).

sidérurgie [sideʀyʀʒi] *nf* siderurgia.

sidérurgique [sideʀyʀʒik] *adj* siderúrgi-co(-a).

sidérurgiste [sideʀyʀʒist] *nm/f* especialista *m/f* en siderurgia.

siècle [sjɛkl] *nm* siglo *m*; **le** ~ **des lumières/de l'atome** el siglo de las luces/del áto-mo.

sied [sje] *vb voir* **seoir.**

siège [sjɛʒ] *nm* asiento; (*dans une assemblée*) puesto; (*député*) escaño; (*tribunal, assemblée, organisation*) sede *f*; (*d'une entreprise*) oficina central; (*d'une douleur, maladie*) foco; (*MIL*) sitio; **lever le ~** levantar el sitio; **mettre le ~ devant une ville** sitiar una ciudad; **se présenter par le ~** (*nouveau-né*) nacer de nalgas; ▶ **siège arrière/avant** asiento trasero/delantero; ▶ **siège baquet** *asiento ajustable de los coches de carreras*; ▶ **siège social** sede social.

siéger [sjeʒe] *vi* (*député*) ocupar un escaño; (*assemblée, tribunal*) celebrar sesión; (*résider, se trouver*) residir.

sien, ne [sjɛ̃, sjɛn] *pron*: **le ~, la ~ne** el suyo, la suya; **les ~s, les ~nes** los suyos, las suyas; **y mettre du ~** poner de su parte; **faire des ~nes** (*fam*) hacer de las suyas; **les ~s** (*sa famille*) los suyos.

siérait *etc* [sjɛʀɛ] *vb voir* **seoir**.

Sierra Leone [sjeʀa leɔn(e)] *nf* Sierra Leona.

sieste [sjɛst] *nf* siesta; **faire la ~** dormir la siesta.

sieur [sjœʀ] *nm*: **le ~ Duval** el señor Duval; (*en plaisantant*) el tal Duval.

sifflant, e [siflɑ̃, ɑ̃t] *adj* silbante, sibilante; (**consonne**) ~**e** (*consonante f*) sibilante *f*.

sifflement [sifləmɑ̃] *nm* silbido.

siffler [sifle] *vi* silbar; (*train, avec un sifflet*) pitar ♦ *vt* silbar; (*orateur, faute, départ*) pitar; (*fam: verre, bouteille*) soplarse.

sifflet [siflɛ] *nm* (*instrument*) silbato; (*sifflement*) silbido; ~**s** *nmpl* (*de mécontentement*) pitidos *mpl*; **coup de ~** pitido.

siffloter [siflɔte] *vi, vt* silbar ligeramente.

sigle [sigl] *nm* sigla.

signal, -aux [siɲal, o] *nm* señal *f*; **donner le ~ de** dar la señal de; ▶ **signal d'alarme/d'alerte** señal de alarma/de alerta; ▶ **signal de détresse** señal de socorro; ▶ **signal horaire/optique/sonore** señal horaria/óptica/sonora; ▶ **signaux (lumineux)** (*AUTO*) semáforo *msg*; ▶ **signaux routiers** señales de circulación.

signalement [siɲalmɑ̃] *nm* descripción *f*.

signaler [siɲale] *vt* señalar; ~ **qch à qn/(à qn) que** señalar algo a algn/(a algn) que; ~ **qn à la police** advertir a la policía sobre algn; **se signaler (par)** *vpr* distinguirse (por); **se ~ à l'attention de qn** llamar la atención de algn.

signalétique [siɲaletik] *adj*: **fiche ~** ficha de identificación.

signalisation [siɲalizasjɔ̃] *nf* señalización *f*; **panneau de ~** señal de tráfico.

signaliser [siɲalize] *vt* señalizar.

signataire [siɲatɛʀ] *nm/f* signatario(-a).

signature [siɲatyʀ] *nf* firma.

signe [siɲ] *nm* signo; (*mouvement, geste*) seña; **ne pas donner ~ de vie** no dar señales de vida; **c'est bon/mauvais ~** es buena/mala señal; **c'est ~ que** es señal de que; **faire un ~ de la tête/main** hacer una seña con la cabeza/la mano; **faire ~ à qn** (*fig*) hacer saber algo a algn; **faire ~ à qn d'entrer** hacer señas a algn para que entre; **en ~ de** en señal de; ~**s extérieurs de richesse** signos externos de riqueza; ▶ **signe de la croix** señal *f* de la cruz; ▶ **signe de ponctuation** signo de puntuación; ▶ **signe du zodiaque** signo del Zodíaco; ▶ **signes particuliers** señas individuales.

signer [siɲe] *vt* firmar; **se signer** *vpr* santiguarse.

signet [siɲɛ] *nm* registro.

significatif, -ive [siɲifikatif, iv] *adj* significativo(-a).

signification [siɲifikasjɔ̃] *nf* significado.

signifier [siɲifje] *vt* significar; ~ **qch (à qn)** (*faire connaître*) comunicar algo (a algn); ~ **qch à qn** (*JUR*) notificar algo a algn.

silence [silɑ̃s] *nm* silencio; (*MUS*) pausa; **garder le ~ sur qch** guardar silencio sobre algo; **passer sous ~** silenciar; **réduire au ~** hacer callar; **"~!"** "¡silencio!".

silencieusement [silɑ̃sjøzmɑ̃] *adv* silenciosamente.

silencieux, -euse [silɑ̃sjø, jøz] *adj* silencioso(-a) ♦ *nm* silenciador *m*.

silex [silɛks] *nm* sílex *m*.

silhouette [silwɛt] *nf* silueta.

silicate [silikat] *nm* silicato.

silice [silis] *nf* sílice *f*.

siliceux, -euse [silisø, øz] *adj* silíceo(-a).

silicium [silisjɔm] *nm*: **plaquette de ~** placa de silicio.

silicone [silikon] *nf* silicona.

silicose [silikoz] *nf* silicosis *f inv*.

sillage [sijaʒ] *nm* estela; **dans le ~ de** (*fig*) tras los pasos de.

sillon [sijɔ̃] *nm* surco.

sillonner [sijɔne] *vt* (*suj: rides, crevasses*) formar surcos en; (*parcourir en tous sens*) surcar; (*suj: routes, voyageurs*) atravesar.

silo [silo] *nm* silo; ▶ **silo lance-missile** silo lanzamisiles.

simagrées [simagʀe] *nfpl* melindres *mpl*.

simiesque [simjɛsk] *adj* simiesco(-a).

similaire [similɛʀ] *adj* similar.

similarité [similaʀite] *nf* similitud *f*.

simili [simili] *nm* imitación *f* ♦ *nf* (*similigravure*) similigrabado.

similicuir [similikɥiʀ] *nm* cuero artificial.

similigravure [similigʀavʀ] *nf* similigrabado.

similitude [similityd] *nf* semejanza.

simple [sɛ̃pl] *adj* (*aussi péj*) simple; (*peu complexe*) sencillo(-a), simple; (*repas, vie*) sencillo(-a) ♦ *nm* (*TENNIS*): ~ **messieurs/dames** individual *m* masculino/feminino; ~**s** *nfpl* (*plantes médicinales*) simples *mpl*; **une** ~ **objection/formalité** una mera objeción/formalidad; **un** ~ **employé/particulier** un(a) simple empleado/persona; **cela varie du** ~ **au double** se duplica; **dans le plus** ~ **appareil** como Dios lo trajo al mundo; **réduit à sa plus** ~ **expression** reducido a su mínima expresión; ~ **course** *adj* (*TRANSPORT*) trayecto de ida; ▶ **simple d'esprit** *nm/f* simplón(-ona); ▶ **simple soldat** soldado raso.

simplement [sɛ̃pləmɑ̃] *adv* (*seulement*) solamente; (*sans affectation*) de una forma sencilla.

simplet, te [sɛ̃plɛ, ɛt] *adj* simplón(-ona).

simplicité [sɛ̃plisite] *nf* sencillez *f*; (*candeur*) candidez *f*; **en toute** ~ con toda sencillez.

simplification [sɛ̃plifikasjɔ̃] *nf* simplificación *f*.

simplifier [sɛ̃plifje] *vt* simplificar.

simpliste [sɛ̃plist] *adj* simplista.

simulacre [simylakʀ] *nm* (*aussi péj*) simulacro.

simulateur, -trice [simylatœʀ, tʀis] *nm/f* simulador(a) ♦ *nm*: ~ **de vol** simulador *m* de vuelo.

simulation [simylasjɔ̃] *nf* simulación *f*.

simulé, e [simyle] *adj* fingido(-a).

simuler [simyle] *vt* fingir; (*suj: substance, revêtement*) simular, imitar; (*vente, contrat*) simular.

simultané, e [simyltane] *adj* simultáneo(-a).

simultanéité [simyltaneite] *nf* simultaneidad *f*.

simultanément [simyltanemɑ̃] *adv* simultáneamente.

sinapisme [sinapism] *nm* sinapismo.

sincère [sɛ̃sɛʀ] *adj* sincero(-a); **mes** ~**s condoléances** mi más sentido pésame.

sincèrement [sɛ̃sɛʀmɑ̃] *adv* sinceramente; (*franchement*) francamente.

sincérité [sɛ̃seʀite] *nf* sinceridad *f*; **en toute** ~ con toda franqueza.

sinécure [sinekyʀ] *nf* sinecura.

sine die [sinedje] *adv* sine die.

sine qua non [sinekwanɔn] *adj*: **condition** ~ ~ ~ condición *f* sine qua non.

Singapour [sɛ̃gapuʀ] *nm* Singapur *m*.

singe [sɛ̃ʒ] *nm* mono.

singer [sɛ̃ʒe] *vt* imitar.

singeries [sɛ̃ʒʀi] *nfpl* (*simagrées*) remilgos *mpl*; (*grimaces*) monerías *fpl*.

singulariser [sɛ̃gylaʀize] *vt* singularizar; **se singulariser** *vpr* caracterizarse.

singularité [sɛ̃gylaʀite] *nf* singularidad *f*.

singulier, -ière [sɛ̃gylje, jɛʀ] *adj* singular ♦ *nm* (*LING*) singular *m*.

singulièrement [sɛ̃gyljɛʀmɑ̃] *adv* (*bizarrement*) extrañamente; (*beaucoup, très*) extraordinariamente; (*notamment*) notablemente.

sinistre [sinistʀ] *adj* siniestro(-a) ♦ *nm* siniestro; **un** ~ **imbécile/crétin** (*intensif*) un imbécil/cretino redomado.

sinistré, e [sinistʀe] *adj* siniestrado(-a) ♦ *nm/f* damnificado(-a).

sinistrose [sinistʀoz] *nf* pesimismo.

sino... [sino] *préf*: **sino-indien** chino-indio.

sinon [sinɔ̃] *conj* (*autrement, sans quoi*) de lo contrario; (*sauf*) salvo; (*si ce n'est*) si no.

sinueux, -euse [sinɥø, øz] *adj* (*ruelles*) sinuoso(-a); (*fig: raisonnement*) retorcido(-a).

sinuosités [sinɥozite] *nfpl* (*d'une route, rivière*) serpenteo *msg*; (*fig*) embrollos *mpl*.

sinus [sinys] *nm* seno.

sinusite [sinyzit] *nf* sinusitis *f inv*.

sinusoïdal, e, -aux [sinyzɔidal, o] *adj* sinusoidal.

sinusoïde [sinyzɔid] *nf* sinusoide *f*.

sionisme [sjɔnism] *nm* sionismo.

sioniste [sjɔnist] *adj*, *nm/f* sionista *m/f*.

siphon [sifɔ̃] *nm* sifón *m*.

siphonner [sifɔne] *vt* trasvasar con sifón.

sire [siʀ] *nm* (*titre*): **S**~ señor *m*; **un triste** ~ un hombre vil.

sirène [siʀɛn] *nf* sirena; ▶ **sirène d'alarme** sirena de alarma.

sirop [siʀo] *nm* (*de fruit etc*) concentrado; (*boisson*) sirope *m*, zumo; (*pharmaceutique*) jarabe *m*; ▶ **sirop contre la toux** jarabe contra la tos; ▶ **sirop de framboise/de menthe** concentrado de frambuesa/de menta; (*boisson*) sirope *ou* zumo de frambuesa/de menta.

siroter [siʀɔte] *vt* beber a sorbos.

sirupeux, -euse [siʀypø, øz] *adj* (*liquide*) almibarado(-a); (*péj: musique*) empalagoso(-a).

sis, e [si, siz] *adj*: ~ **rue de la Paix** sito(-a) en la calle de la Paz.

sisal [sizal] *nm* sisal *m*.

sismique [sismik] *adj* sísmico(-a).

sismographe [sismɔgʀaf] *nm* sismógrafo.

sismologie [sismɔlɔʒi] *nf* sismología.

site [sit] *nm* (*paysage, environnement*) paraje *m*; (*d'une ville etc*) emplazamiento *m*; ▶ **site (pittoresque)** paisaje *m* (pintoresco); ▶ **sites historiques/naturels/touristiques** parajes históricos/naturales/turísticos.

sitôt [sito] *adv*: ~ **parti** nada más marcharse (*etc*); ~ **après** inmediatamente después; **pas de** ~ no tan pronto; ~ **(après)** que tan pronto como.

situation [sitɥasjɔ̃] *nf* situación *f*; (*emploi, place*) puesto; **être en** ~ **de faire qch** estar en situación de hacer algo; ► **situation de famille** estado civil.

situé, e [sitɥe] *adj* situado(-a).

situer [sitɥe] *vt* situar; (*en pensée*) localizar; **se situer** *vpr*: **se** ~ **à** *ou* **dans/près de** situarse en/cerca de.

six [sis] *adj inv, nm inv* seis *m inv*; *voir aussi* **cinq**.

sixième [sizjɛm] *adj, nm/f* sexto(-a) ♦ *nm* (*partitif*) sexto ♦ *nf* (*SCOL*) primer año de educación secundaria en el sistema francés; *voir aussi* **cinquième**.

skaï [skaj] *nm* skay *m*.

skate(board) [skɛt(bɔʀd)] *nm* (*sport*) skate (-board) *m*; (*planche*) monopatín *m*.

sketch [skɛtʃ] *nm* sketch *m*.

ski [ski] *nm* esquí *m*; **une paire de** ~**s, des** ~**s** un par de esquís, esquís *mpl*; **faire du** ~ esquiar; **aller faire du** ~ ir a esquiar; ► **ski alpin** esquí alpino; ► **ski de fond/ de piste/de randonnée** esquí de fondo/de pista/de paseo; ► **ski évolutif** método intensivo de esquí; ► **ski nautique** esquí náutico.

ski-bob [skibɔb] (*pl* ~-~**s**) *nm* deslizador *m* sobre nieve.

skier [skje] *vi* esquiar.

skieur, -euse [skjœʀ, skjøz] *nm/f* esquiador(a).

skif(f) [skif] *nm* esquife *m*.

slalom [slalɔm] *nm* eslálom *m*; **faire du** ~ **entre** (*fig*) hacer eslálom entre; ► **slalom géant/spécial** eslálom gigante/especial.

slalomer [slalɔme] *vi* practicar el eslálom.

slalomeur, -euse [slalɔmœʀ, øz] *nm/f* esquiador que practica el eslálom.

slave [slav] *adj* eslavo(-a) ♦ *nm* (*LING*) eslavo ♦ *nm/f*: **S**~ eslavo(-a).

slavisant, e [slavizɑ̃, ɑ̃t] *nm/f* especialista *m/f* en estudios eslavos.

slaviste [slavist] *nm/f* = **slavisant**.

slip [slip] *nm* (*d'homme*) calzoncillo, slip *m*, calzones *mpl* (*AM*); (*de femme*) braga, calzones *mpl* (*AM*); (*de bain: d'homme*) bañador *m*; (: *de femme*) braga (del bikini).

slogan [slɔgɑ̃] *nm* eslogan *m*.

slovaque [slɔvak] *adj* eslovaco(-a) ♦ *nm* (*LING*) eslovaco ♦ *nm/f*: **S**~ eslovaco(-a).

Slovaquie [slɔvaki] *nf* Eslovaquia.

slovène [slɔvɛn] *adj* esloveno(-a) ♦ *nm* (*LING*) esloveno ♦ *nm/f*: **S**~ esloveno(-a).

Slovénie [slɔveni] *nf* Eslovenia.

slow [slo] *nm* baile *m* lento.

smasher [sma(t)ʃe] *vi* dar un mate.

SME [ɛsɛmə] *sigle m* (= *Système monétaire européen*) SME *m* (= *Sistema Monetario Europeo*).

SMIC [smik] *sigle m* (= *salaire minimum interprofessionnel de croissance*) salario mínimo interprofesional.

smicard, e [smikaʀ, aʀd] *nm/f* trabajador que cobra el sueldo base.

smocks [smɔk] *nmpl* pliegues *mpl* fruncidos y bordados.

smoking [smɔkiŋ] *nm* esmoquin *m*.

SMUR [smyʀ] *sigle m* = *service médical d'urgence et de réanimation*.

snack [snak] *nm* bar *m*.

SNC *abr* (= *service non compris*) servicio no incluido.

SNCB [ɛsɛnsebe] *sigle f* (= *Société nationale des chemins de fer belges*) red nacional de ferrocarriles belgas.

SNCF [ɛsɛnsɛf] *sigle f* (= *Société nationale des chemins de fer français*) red nacional de ferrocarriles franceses.

snob [snɔb] *adj, nm/f* esnob *m/f*.

snober [snɔbe] *vt*: ~ **qn** mirar a algn por encima del hombro.

snobinard, e [snɔbinaʀ, aʀd] (*péj*) *nm/f* esnob *m/f*.

snobisme [snɔbism] *nm* esnobismo.

sobre [sɔbʀ] *adj* sobrio(-a); ~ **de (gestes/ compliments)** parco(-a) de (gestos/ cumplidos).

sobrement [sɔbʀəmɑ̃] *adv* (*boire*) moderadamente; (*s'habiller*) sobriamente.

sobriété [sɔbʀijete] *nf* sobriedad *f*.

sobriquet [sɔbʀikɛ] *nm* mote *m*.

soc [sɔk] *nm* reja.

sociabilité [sɔsjabilite] *nf* sociabilidad *f*.

sociable [sɔsjabl] *adj* sociable.

social, e, -aux [sɔsjal, jo] *adj* social.

socialement [sɔsjalmɑ̃] *adv* socialmente.

socialisant, e [sɔsjalizɑ̃, ɑ̃t] *adj* socializante.

socialisation [sɔsjalizasjɔ̃] *nf* socialización *f*.

socialiser [sɔsjalize] *vt* socializar.

socialisme [sɔsjalism] *nm* socialismo.

socialiste [sɔsjalist] *adj, nm/f* socialista *m/f*.

sociétaire [sɔsjetɛʀ] *nm/f* socio(-a).

société [sɔsjete] *nf* sociedad *f*; (*d'abeilles, de fourmis*) comunidad *f*; **rechercher/se plaire dans la** ~ **de** (*compagnie*) buscar/ estar a gusto en la compañía de; ► **société anonyme/à responsabilité limitée** sociedad anónima/de responsabilidad limitada; ► **la société d'abondance** la sociedad de la abundancia; ► **société de capitaux** sociedad de capitales; ► **la société de consommation** la sociedad de consumo; ► **société de services** sociedad de servicios; ► **société d'investissement à capital variable** sociedad inversora de capital variable; ► **société par actions** sociedad por acciones; ► **société savante** sociedad cultural.

socio... [sɔsjɔ] *préf* socio... .

socioculturel, le [sɔsjokyltyʀɛl] *adj* sociocultural.

socio-économique [sɔsjoekɔnɔmik] (*pl* ~-~s) *adj* socioeconómico(-a).

socio-éducatif, -ive [sɔsjoedykatif, iv] (*pl* **socio-educatifs, ives**) *adj* (socio)-educativo(-a).

sociolinguistique [sɔsjolɛ̃ɡ̄ɥistik] *adj* sociolingüístico(-a).

sociologie [sɔsjɔlɔʒi] *nf* sociología.

sociologique [sɔsjɔlɔʒik] *adj* sociológico(-a).

sociologue [sɔsjɔlɔg] *nm/f* sociólogo(-a).

socio-professionnel, le [sɔsjopʀɔfesjɔnɛl] (*pl* ~-~s, **les**) *adj* socioprofesional.

socle [sɔkl] *nm* (*de colonne, statue*) pedestal *m*; (*de lampe*) pie *m*.

socquette [sɔkɛt] *nf* calcetín *m* corto.

soda [sɔda] *nm* soda.

sodium [sɔdjɔm] *nm* sodio.

sodomie [sɔdɔmi] *nf* sodomía.

sodomiser [sɔdɔmize] *vt* sodomizar.

sœur [sœʀ] *nf* hermana; (*religieuse*) hermana, sor *f*; ~ **Elisabeth** (*REL*) sor Elisabeth; ► **sœur aînée/cadette/de lait** hermana mayor/menor/de leche.

sofa [sɔfa] *nm* sofá *m*.

Sofia [sɔfja] *n* Sofía.

SOFRES [sɔfʀɛs] *sigle f* (= *Société française d'enquête par sondage*) empresa de sondeos de opinión.

soi [swa] *pron* sí mismo(-a); **cela va de** ~ **ni que decir tiene**.

soi-disant [swadizã] *adj inv* supuesto(-a) ♦ *adv* presuntamente.

soie [swa] *nf* seda; (*de porc, sanglier*) cerda; ► **soie sauvage** seda salvaje.

soient [swa] *vb voir* **être**.

soierie [swaʀi] *nf* sedería.

soif [swaf] *nf* sed *f*; ~ **du pouvoir** sed de poder; **avoir** ~ tener sed; **donner** ~ (**à qn**) dar sed (a algn).

soigné, e [swaɲe] *adj* (*personne*) cuidado(-a); (*travail*) esmerado(-a); (*fam: rhume, facture etc*) señor(a).

soigner [swaɲe] *vt* cuidar (a); (*maladie*) curar; (*clientèle, invités*) atender (a).

soigneur [swaɲœʀ] *nm* (*SPORT*) entrenador(a).

soigneusement [swaɲøzmã] *adv* cuidadosamente.

soigneux, -euse [swaɲø, øz] *adj* cuidadoso(-a); ~ **de** cuidadoso(-a) con.

soi-même [swamɛm] *pron* sí-mismo(-a).

soin [swɛ̃] *nm* cuidado; ~**s** *nmpl* (*à un malade, aussi hygiène*) cuidados *mpl*; (*attentions, prévenance*) detalles *mpl*; **avoir** *ou* **prendre** ~ **de qch/qn** ocuparse de algo/algn; **laisser à qn le** ~ **de faire qch** dejar a algn al cargo de hacer algo; **sans** ~ *adj* descuidado(-a) ♦ *adv* descuidadamente; ~**s de la chevelure/de beauté/du corps** cuidados del cabello/de belleza/corporales; **les** ~**s du ménage** los quehaceres domésticos; **les premiers** ~**s** primeros auxilios *mpl*; **aux bons** ~**s de** a la atención *ou* al cuidado de; **être aux petits** ~**s pour qn** tener mil detalles con algn; **confier qn aux** ~**s de qn** confiar a algn a los cuidados de algn.

soir [swaʀ] *nm* tarde *f*, noche *f* ♦ *adv*: **dimanche** ~ el domingo por la tarde; **il fait frais/il travaille le** ~ hace fresco/trabaja por la tarde; **ce** ~ esta tarde; **"à ce** ~!" "¡hasta la tarde!"; **la veille au** ~ la víspera por la noche; **sept heures du** ~ las siete de la tarde; **dix heures du** ~ las diez de la noche; **le repas du** ~ la cena; **le journal du** ~ el diario de la tarde; **hier** ~ ayer por la noche; **demain** ~ mañana por la noche.

soirée [swaʀe] *nf* (*moment de la journée*) tarde *f*, (*tard*) noche *f*; (*réception*) velada; **donner un film/une pièce en** ~ dar una película/una obra de teatro en función de noche.

soit [swa] *vb voir* **être** ♦ *conj* es decir ♦ *adv* (*assentiment*) sea, de acuerdo; ~ ..., ~ ... sea ... sea ...; ~ **un triangle ABC** tenemos un triángulo ABC; ~ **que** ..., ~ **que** ... *ou* **ou que** ... ya sea ... ya sea ... .

soixantaine [swasɑ̃tɛn] *nf* (*nombre*): **la** ~ los sesenta; **avoir la** ~ rondar los sesenta; **une** ~ **de** ... unos sesenta ... .

soixante [swasɑ̃t] *adj inv, nm inv* sesenta *m inv*; *voir aussi* **cinq**.

soixante-dix [swasɑ̃tdis] *adj inv, nm inv* setenta *m inv*; *voir aussi* **cinq**.

soixante-dixième [swasɑ̃tdizjɛm] *adj, nm/f* septuagésimo(-a) ♦ *nm* (*partitif*) setentavo; *voir aussi* **cinquantième**.

soixante-huitard, e [swasɑ̃tɥitaʀ, aʀd] (*pl* ~-~s, **es**) *adj* del 68 (*relativo a los acontecimientos del 68 en Francia*) ♦ *nm/f* uno(una) del 68.

soixantième [swasɑ̃tjɛm] *adj, nm/f* sexagésimo(-a) ♦ *nm* (*partitif*) sesentavo; *voir aussi* **cinquantième**.

soja [sɔʒa] *nm* soja; **germes de** ~ brotes *mpl* de soja.

sol [sɔl] *nm* suelo; (*revêtement*) suelo, piso ♦ *nm inv* (*MUS*) sol *m*.

solaire [sɔlɛʀ] *adj* solar; (*huile, filtre*) bronceador(a); **cadran** ~ reloj *m* de sol.

solarium [sɔlaRjɔm] *nm* solario.
soldat [sɔlda] *nm* soldado; ▶ **soldat de plomb** soldadito de plomo; ▶ **Soldat inconnu** soldado desconocido.
solde [sɔld] *nf* (*MIL*) sueldo ♦ *nm* (*COMM*) saldo; ~**s** *nm ou fpl* (*COMM*) saldos *mpl*; **à la** ~ **de qn** (*péj*) a sueldo de algn; **en** ~ rebajado; **aux** ~**s** en las rebajas; ▶ **solde créditeur/débiteur** *ou* **à payer** saldo acreedor/deudor.
solder [sɔlde] *vt* (*compte: en acquittant le solde*) saldar; (: *en l'arrêtant*) liquidar; (*marchandise*) rebajar; **se solder par** *vpr* resultar en; **article soldé (à) 10F** artículo rebajado a 10 francos.
soldeur, -euse [sɔldœR, øz] *nm/f* (*COMM*) saldista *m/f*.
sole [sɔl] *nf* lenguado.
soleil [sɔlɛj] *nm* sol *m*; (*feu d'artifice*) rueda; (*acrobatie*) vuelta de campana; (*BOT*) girasol *m*; **il y a** *ou* **il fait du** ~ hace sol; **au** ~ al sol; **en plein** ~ a pleno sol; ▶ **le soleil couchant** la puesta del sol; ▶ **le soleil de minuit** el sol de medianoche; ▶ **le soleil levant** la salida del sol.
solennel, le [sɔlanɛl] *adj* solemne.
solennellement [sɔlanɛlmã] *adv* solemnemente.
solennité [sɔlanite] *nf* solemnidad *f*; ~**s** *nfpl* (*formalités*) solemnidades *fpl*.
solénoïde [sɔlenɔid] *nm* solenoide *m*.
solfège [sɔlfɛʒ] *nm* solfeo.
solfier [sɔlfje] *vt*: ~ **un morceau** solfear un fragmento.
soli [sɔli] *nmpl de* **solo**.
solidaire [sɔlidɛR] *adj* solidario(-a); (*choses, pièces mécaniques*) interdependiente; **être** ~ **de** (*compatriotes, collègues*) ser solidario(-a) con; (*mécanisme*) ser interdependiente de.
solidairement [sɔlidɛRmã] *adv* de forma solidaria.
solidariser [sɔlidaRize]: **se** ~ **avec** *vpr* solidarizarse con.
solidarité [sɔlidaRite] *nf* solidaridad *f*; (*de mécanismes, phénomènes*) interdependencia; **par** ~ **(avec)** (*cesser le travail*) por solidaridad (con); **contrat de** ~ acuerdo de cooperación.
solide [sɔlid] *adj* sólido(-a); (*personne, estomac*) fuerte ♦ *nm* (*PHYS, GÉOM*) sólido; **un** ~ **coup de poing** (*fam*) un buen puñetazo; **une** ~ **engueulade** una buena bronca; **avoir les reins** ~**s** (*fig*) tener los nervios de acero; ~ **au poste** (*fig*) inquebrantable en el trabajo.
solidement [sɔlidmã] *adv* (*d'une manière solide*) sólidamente; (*fermement*) firmemente; (*de façon massive*) masivamente.
solidifier [sɔlidifje] *vt* solidificar; **se solidi-**

fier *vpr* solidificarse.
solidité [sɔlidite] *nf* solidez *f*.
soliloque [sɔlilɔk] *nm* soliloquio.
soliste [sɔlist] *nm/f* solista *m/f*.
solitaire [sɔlitɛR] *adj* solitario(-a); (*endroit, maison*) desierto(-a) ♦ *nm/f* solitario(-a) ♦ *nm* (*diamant, jeu*) solitario.
solitude [sɔlityd] *nf* soledad *f*.
solive [sɔliv] *nf* viga.
sollicitations [sɔlisitasjɔ̃] *nfpl* (*requêtes*) peticiones *fpl*, demandas *fpl*; (*attrait*) incitaciones *fpl*; (*TECH*) activación *f*.
solliciter [sɔlisite] *vt* solicitar; (*moteur*) activar; (*suj: attractions etc*) tentar; (: *occupations*) absorber; ~ **qn** tentar a algn; ~ **qch de qn** solicitar algo de algn.
sollicitude [sɔlisityd] *nf* solicitud *f*.
solo [sɔlo] (*pl* **soli**) *nm* solo.
solstice [sɔlstis] *nm* solsticio; ▶ **solstice d'été/d'hiver** solsticio de verano/de invierno.
solubilisé, e [sɔlybilize] *adj* soluble.
solubilité [sɔlybilite] *nf* solubilidad *f*.
soluble [sɔlybl] *adj* soluble.
soluté [sɔlyte] *nm*: ~ **physiologique** solución *f* fisiológica.
solution [sɔlysjɔ̃] *nf* solución *f*; (*d'une situation, crise*) desenlace *m*; ▶ **solution de continuité** solución de continuidad; ▶ **solution de facilité** solución fácil.
solutionner [sɔlysjɔne] *vt* solucionar.
solvabilité [sɔlvabilite] *nf* solvencia.
solvable [sɔlvabl] *adj* solvente.
solvant [sɔlvã] *nm* disolvente *m*.
Somalie [sɔmali] *nf* Somalia.
somalien, ne [sɔmaljɛ̃, jɛn] *adj* somalí ♦ *nm/f*: **S~**, somalí *m/f*.
somatique [sɔmatik] *adj* somático(-a).
somatiser [sɔmatize] *vt* somatizar.
sombre [sɔ̃bR] *adj* oscuro(-a); (*fig*) taciturno(-a); (: *avenir*) sombrío(-a); **une** ~ **brute** un bestia.
sombrer [sɔ̃bRe] *vi* (*bateau*) zozobrar; ~ **corps et biens** desaparecer personas y bienes; ~ **dans la misère** caer en la miseria.
sommaire [sɔmɛR] *adj* somero(-a) ♦ *nm* sumario; (*en fin ou début de chapitre*) resumen *m*; **faire le** ~ **de** hacer el resumen de; **exécution** ~ ejecución *f* sumaria.
sommairement [sɔmɛRmã] *adv* someramente; (*jugé etc*) sumariamente.
sommation [sɔmasjɔ̃] *nf* (*JUR*) intimación *f*; (*avant de faire feu*) advertencia.
somme [sɔm] *nf* (*MATH, d'argent*) suma; (*fig*) cantidad *f* ♦ *nm*: **faire un** ~ echar un sueño; **faire la** ~ **de** hacer la suma de; **en** ~ en resumidas cuentas; ~ **toute** en resumen.
sommeil [sɔmɛj] *nm* sueño; **avoir** ~ tener

sueño; **avoir le ~ léger** tener el sueño ligero; **en ~** (*fig*) en suspenso.

sommeiller [sɔmeje] *vi* dormitar; (*fig*) estar en suspenso.

sommelier, -ière [sɔmǝlje] *nm/f* camarero(-a) de vino.

sommer [sɔme] *vt*: **~ qn de faire** intimar a algn a que haga.

sommes [sɔm] *vb voir* **être**; *voir aussi* **sommer**.

sommet [sɔmɛ] *nm* cima; (*fig*) cúspide *f*; (*de la perfection, gloire, conférence*) cumbre *f*; (*GÉOM*) vértice *m*; **l'air pur des ~s el aire puro de las montañas.**

sommier [sɔmje] *nm* somier *m*; ▶ **sommier à lattes/à ressorts** somier de láminas/de muelles; ▶ **sommier métallique** somier de malla metálica.

sommité [sɔ(m)mite] *nf* eminencia.

somnambule [sɔmnãbyl] *nm/f* sonámbulo(-a).

somnambulisme [sɔmnãbylism] *nm* sonambulismo.

somnifère [sɔmnifɛʀ] *nm* somnífero.

somnolence [sɔmnɔlãs] *nf* somnolencia.

somnolent, e [sɔmnɔlã, ãt] *adj* somnoliento(-a).

somnoler [sɔmnɔle] *vi* dormitar.

somptuaire [sɔ̃ptɥɛʀ] *adj*: **lois/dépenses ~s** leyes sanitarias/gastos suntuarios.

somptueusement [sɔ̃ptɥøzmã] *adv* suntuosamente.

somptueux, -euse [sɔ̃ptɥø, øz] *adj* suntuoso(-a).

somptuosité [sɔ̃ptɥozite] *nf* suntuosidad *f*.

son¹, sa [sõ] (*pl* **ses**) *dét* su.

son² [sõ] *nm* sonido; (*résidu de mouture*) salvado; (*sciure*) serrín *m*; **régler le ~** (*RADIO, TV*) regular el volumen; ▶ **son et lumière** luz y sonido.

sonar [sɔnaʀ] *nm* sonar *m*.

sonate [sɔnat] *nf* sonata.

sondage [sõdaʒ] *nm* sondeo; ▶ **sondage (d'opinion)** sondeo (de opinión).

sonde [sõd] *nf* sonda; (*TECH*) barrena; ▶ **sonde à avalanche** sonda para las avalanchas; ▶ **sonde spatiale** sonda espacial.

sonder [sõde] *vt* sondear; (*plaie, malade*) sondar; (*fig: conscience etc*) indagar (en); (: *personne*) tantear; **~ le terrain** (*fig*) tantear el terreno.

songe [sõʒ] *nm* sueño.

songer [sõʒe]: **~ à** *vt* (*rêver à*) soñar con; (*penser à*) pensar en; (*envisager*) considerar; **~ que** considerar que.

songerie [sõʒʀi] *nf* ensueño.

songeur, -euse [sõʒœʀ, øz] *adj* pensativo; **ça me laisse ~** eso me deja pensativo(-a).

sonnaille [sɔnaj] *nf* cencerro; **~s** *nfpl* (*son*)

campanilleo *msg*.

sonnant, e [sɔnã, ãt] *adj*: **espèces ~es et trébuchantes** dinero contante y sonante; **à huit heures ~es** a las ocho en punto.

sonné, e [sɔne] *adj* (*fam: fou*) sonado(-a); **il est midi ~** son las doce dadas; **il a quarante ans bien ~s** tiene cuarenta años bien cumplidos.

sonner [sɔne] *vi* (*cloche*) tañer; (*réveil, téléphone*) sonar; (*à la porte*) llamar; ♦ *vt* (*cloche*) tañer; (*domestique, portier, infirmière*) llamar a; (*messe, réveil, tocsin*) tocar a; (*fam: suj: choc, coup*) dejar sonado(a); **~ du clairon** tocar la corneta; **~ bien/mal** sonar bien/mal; **~ creux** sonar a hueco; (*résonner*) retumbar; **~ faux** (*instrument*) desafinar; (*rire*) sonar a falso; **~ les heures** dar las horas; **minuit vient de ~** acaban de dar la medianoche; **~ chez qn** llamar a casa de algn.

sonnerie [sɔnʀi] *nf* timbre *m*; (*d'horloge*) campanadas *fpl*; (*mécanisme de sonnerie*) mecanismo del reloj; ▶ **sonnerie d'alarme** alarma; ▶ **sonnerie de clairon** toque *m* de corneta.

sonnet [sɔnɛ] *nm* soneto.

sonnette [sɔnɛt] *nf* (*clochette*) campanilla; (*de porte, électrique*) timbre *m*; (*son produit*) tilín *m*; ▶ **sonnette d'alarme** timbre de alarma; ▶ **sonnette de nuit** timbre nocturno.

sono [sɔno] *nf voir* **sonorisation**.

sonore [sɔnɔʀ] *adj* sonoro(-a); **effets ~s** efectos *mpl* sonoros.

sonorisation [sɔnɔʀizasjõ] *nf* sonorización *f*.

sonoriser [sɔnɔʀize] *vt* sonorizar.

sonorité [sɔnɔʀite] *nf* sonoridad *f*; **~s** *nfpl* timbre *msg*.

sonothèque [sɔnɔtɛk] *nf* sonoteca.

sont [sõ] *vb voir* **être**.

sophisme [sɔfism] *nm* sofisma *m*.

sophiste [sɔfist] *nm/f* sofista *m/f*.

sophistication [sɔfistikasjõ] *nf* sofisticación *f*.

sophistique [sɔfistik] *adj* sofístico(-a).

sophistiqué, e [sɔfistike] *adj* sofisticado(-a).

soporifique [sɔpɔʀifik] *adj* soporífico(-a).

soprano [sɔpʀano] *nm* (*voix*) soprano ♦ *nm/f* soprano *m/f*.

sorbet [sɔʀbɛ] *nm* sorbete *m*.

sorbetière [sɔʀbǝtjɛʀ] *nf* sorbetera.

sorbier [sɔʀbje] *nm* serbal *m*.

sorcellerie [sɔʀsɛlʀi] *nf* brujería.

sorcier, -ière [sɔʀsje, jɛʀ] *nm/f* brujo(-a) ♦ *adj*: **ce n'est pas ~** (*fam*) no es nada del otro mundo.

sordide [sɔʀdid] *adj* sórdido(-a); (*avarice, gains, affaire*) mísero(-a).

sornettes [sɔʀnɛt] (*péj*) *nfpl* sandeces *fpl*.

sort [sɔʀ] *vb voir* **sortir** ♦ *nm* (*fortune, destin*) suerte *f*; (*destinée*) destino; (*condition, situation*) fortuna *f*; **jeter un ~** hechizar; **un coup du ~** un golpe de suerte; **c'est une ironie du ~** es una ironía del destino; **le ~ en est jeté** la suerte está echada; **tirer au ~** sortear; **tirer qch au ~** sortear algo.

sortable [sɔʀtabl] *adj*: **il n'est pas ~** es impresentable.

sortant, e [sɔʀtɑ̃, ɑ̃t] *vb voir* **sortir** ♦ *adj* (*numéro*) ganador(a); (*député, président*) saliente.

sorte [sɔʀt] *vb voir* **sortir** ♦ *nf* clase *f*, especie *f*; **une ~ de** una especie de; **de la ~** de este modo; **en quelque ~** en cierto modo; **de ~ à** de modo que; **de (telle) ~ que, en ~ que** de (tal) modo que; (*si bien que*) de tal modo que; **faire en ~ que** procurar que.

sortie [sɔʀti] *nf* salida; (*parole incongrue*) disparate *m*; (*d'un gaz, de l'eau*) escape *m*; **~s** gastos *mpl*; (*INFORM*) salida, output *m*; **faire une ~** (*fig*) hacer una crítica; **la sa ~ ... a** su salida ...; **à la ~ de l'école/l'usine** a la salida del colegio/de la fábrica; **à la ~ de ce nouveau modèle** a la salida al mercado de ese nuevo modelo; "**~ de camions**" "salida de camiones"; ► **sortie de bain** albornoz *m*; ► **sortie de secours** salida de emergencia; ► **sortie papier** copia impresa.

sortilège [sɔʀtilɛʒ] *nm* sortilegio.

sortir [sɔʀtiʀ] *nm*: **au ~ de l'hiver/de l'enfance** al final del invierno/de la infancia ♦ *vi* salir; (*bourgeon, plante*) brotar; (*eau, fumée*) desprenderse ♦ *vt* llevar; (*mener dehors, promener: personne, chien*) sacar; (*produit etc*) salir al mercado; (*fam: expulser: personne*) echar; (: *débiter: boniments, incongruités*) echar; (*INFORM: sur papier*) sacar; **~ de** salir de (*rails etc, aussi fig*) salirse de; (*famille, université*) proceder de; **se ~ de** (*affaire, situation*) salir de; **~ qch (de)** sacar algo (de); **~ de ses gonds** (*fig*) salirse de sus casillas; **~ qn d'affaire/d'embarras** sacar a algn de un asunto/de un apuro; **~ du système** (*INFORM*) finalizar la sesión; **~ de table** levantarse de la mesa; **s'en ~** (*malade*) reponerse; (*d'une difficulté etc*) salir de apuros.

SOS [ɛsoɛs] *sigle m* SOS *m*.

sosie [sozi] *nm* doble *m/f*.

sot, sotte [so, sɔt] *adj, nm/f* necio(-a).

sottement [sɔtmɑ̃] *adv* a lo tonto.

sottise [sotiz] *nf*: **la ~** la necedad; **une ~** una tontería.

sou [su] *nm*: **être près de ses ~s** ser un(a) agarrado(-a); **être sans le ~** estar sin blanca; **économiser ~ à ~** ahorrar peseta a peseta; **n'avoir pas un ~ de bon sens** no tener ni una pizca de sentido común; **de quatre ~s** de tres al cuarto.

soubassement [subasmɑ̃] *nm* (*d'une construction*) cimientos *mpl*; (*colonne*) basamento; (*GÉO*) plataforma.

soubresaut [subʀəso] *nm* (*de peur etc*) sobresalto; (*d'un cheval*) corcovo; (*d'un véhicule*) barquinazo.

soubrette [subʀɛt] *nf* (*THÉÂTRE*) sirvienta.

souche [suʃ] *nf* (*d'un arbre*) cepa; (*d'un registre, carnet*) matriz *f*; **dormir comme une ~** dormir como un tronco; **de vieille ~** de rancio abolengo; **carnet** *ou* **chéquier à ~(s)** talonario de cheques con resguardo.

souci [susi] *nm* preocupación *f*, inquietud *f*; (*BOT*) caléndula; **se faire du ~** inquietarse; **avoir (le) ~ de** preocuparse por; ► **soucis financiers** problemas *mpl* financieros.

soucier [susje]: **se ~ de** *vpr* preocuparse por.

soucieux, -euse [susjø, jøz] *adj* preocupado(-a); **~ de son apparence/que le travail soit bien fait** preocupado por su apariencia/por que el trabajo esté bien hecho; **peu ~ de/que ...** poco cuidadoso de/de que ... .

soucoupe [sukup] *nf* platillo; ► **soucoupe volante** platillo volante.

soudain, e [sudɛ̃, ɛn] *adj* repentino(-a) ♦ *adv* de repente.

soudainement [sudɛnmɑ̃] *adv* repentinamente.

soudaineté [sudɛnte] *nf*: **la ~ de qch** lo repentino de algo.

Soudan [sudɑ̃] *nm* Sudán *m*.

soudanais, e [sudanɛ, ɛz] *adj* sudanés(-esa) ♦ *nm/f*: **S~, e** sudanés(-esa).

soude [sud] *nf* sosa; ► **soude caustique** sosa cáustica.

soudé, e [sude] *adj* (*fig: pétales, organes*) unido(-a).

souder [sude] *vt* soldar; (*fig: amis, organismes*) unir (a); **se souder** *vpr* (*os*) soldarse.

soudeur, -euse [sudœʀ, øz] *nm/f* soldador(a).

soudoyer [sudwaje] (*péj*) *vt* sobornar.

soudure [sudyʀ] *nf* soldadura; (*alliage*) aleación *f*; **faire la ~** (*COMM*) hacer durar; (*fig*) empalmar.

souffert, e [sufɛʀ, ɛʀt] *pp de* **souffrir**.

soufflage [suflaʒ] *nm* (*du verre*) soplado.

souffle [sufl] *nm* soplo; (*respiration*) respiración *f*; (*d'une explosion*) onda expansiva; (*d'un ventilateur*) aire *m*; **retenir son**

contener la respiración; **avoir du/ manquer de** ~ tener/faltarle el resuello; **être à bout de** ~ estar sin aliento; **avoir le** ~ **court** faltarle la respiración enseguida; **second** ~ (*fig*) fuerzas recobradas; ▶ **souffle au cœur** (*MÉD*) soplo en el corazón.

soufflé, e [sufle] *adj* (*CULIN*) inflado(-a); (*fam: ahuri*) alucinado(-a) ♦ *nm* (*CULIN*) suflé *m*.

souffler [sufle] *vi* soplar; (*haleter*) resoplar; (*pour éteindre etc*): ~ **sur** soplar ♦ *vt* soplar; (*suj: explosion*) volar; ~ **qch à qn** (*dire*) apuntar algo a algn; (*fam: voler*) birlar algo a algn; ~ **son rôle à qn** apuntar su papel a algn; **laisser** ~ (*fig*) dejar respirar; **ne pas** ~ **mot** no decir ni pío.

soufflerie [sufləʀi] *nf* fuelles *mpl*.

soufflet [suflɛ] *nm* fuelle *m*; (*gifle*) guantazo.

souffleur, -euse [suflœʀ, øz] *nm/f* (*THÉÂTRE*) apuntador(a); (*TECH: de verre*) soplador(a).

souffrance [sufʀɑ̃s] *nf* sufrimiento; **en** ~ (*marchandise*) detenido(-a); (*affaire*) en suspenso.

souffrant, e [sufʀɑ̃, ɑ̃t] *adj* (*personne*) indispuesto(-a); (*air*) doliente.

souffre-douleur [sufʀədulœʀ] *nm inv* chivo expiatorio.

souffreteux, -euse [sufʀətø, øz] *adj* delicado(-a).

souffrir [sufʀiʀ] *vi* sufrir ♦ *vt* (*faim, soif, torture*) padecer; (*supporter: gén négatif*) sufrir; (*exception, retard*) admitir; ~ **de** padecer de; ~ **des dents** padecer de los dientes; **ne pas pouvoir** ~ **qch/que** ... no poder soportar algo/que ...; **faire** ~ **qn** (*suj: personne*) hacer sufrir a algn; (: *dents, blessure etc*) hacer padecer a algn.

soufre [sufʀ] *nm* azufre *m*.

soufrer [sufʀe] *vt* (*vignes*) azufrar.

souhait [swɛ] *nm* deseo; **tous nos ~s pour la nouvelle année** nuestros mejores deseos para el año nuevo; **tous nos ~s de prompt rétablissement** nuestros mejores deseos de un pronto restablecimiento; **riche** *etc* **à** ~ rico *etc* a pedir a boca; **"à vos ~s!"** "¡Jesús!".

souhaitable [swɛtabl] *adj* aconsejable.

souhaiter [swɛte] *vt* desear; ~ **le bonjour à qn** dar los buenos días a algn; ~ **la bonne année à qn** desearle un feliz año nuevo a algn; ~ **bon voyage** *ou* **bonne route à qn** desear buen viaje a algn; **il est à** ~ **que** es de desear que.

souiller [suje] *vt* manchar; (*fig*) mancillar.

souillure [sujyʀ] *nf* mancha.

soûl, e [su, sul] *adj* (*aussi fig*) borracho(-a) ♦ *nm*: **boire/manger tout son** ~ beber/

comer hasta hartarse.

soulagement [sulaʒmɑ̃] *nm* alivio.

soulager [sulaʒe] *vt* aliviar; (*de remords*) aplacar; ~ **qn de** (*fardeau*) aligerar a algn de; ~ **qn de son portefeuille** (*hum*) afanar la cartera a algn.

soûler [sule] *vt* emborrachar; (*boisson, fig*) embriagar; **se soûler** *vpr* emborracharse; (*fig*) **se** ~ **de** (*vitesse, musique*) emborracharse de.

soûlerie [sulʀi] (*péj*) *nf* borrachera.

soulèvement [sulɛvmɑ̃] *nm* (*insurrection*) sublevación *f*; (*GÉO*) levantamiento.

soulever [sul(ə)ve] *vt* levantar; (*peuple, province*) sublevar; (*l'opinion*) indignar; (*difficultés*) provocar; (*question, problème, débat*) plantear; **se soulever** *vpr* levantarse; (*peuple, province*) sublevarse; **cela (me) soulève le cœur** eso me revuelve el estómago.

soulier [sulje] *nm* zapato; **une paire de ~s, des ~s** un par de zapatos, unos zapatos; ▶ **soulier bas** zapato plano; ▶ **souliers plats/à talons** zapatos *mpl* sin tacón/de tacón.

souligner [suliɲe] *vt* subrayar; (*fig*) destacar; (*détail, l'importance de qch*) remarcar.

soumettre [sumɛtʀ] *vt* someter; **se soumettre** *vpr*: **se** ~ (**à**) someterse (a).

soumis, e [sumi, iz] *pp de* **soumettre** ♦ *adj* (*personne, air*) sumiso(-a); (*peuples*) sometido(-a); **revenus** ~ **à l'impôt** ganancias sujetas a impuesto.

soumission [sumisjɔ̃] *nf* sumisión *f*; (*COMM*) licitación *f*.

soumissionner [sumisjɔne] *vt* (*COMM*) licitar.

soupape [supap] *nf* válvula; ▶ **soupape de sûreté** (*aussi fig*) válvula de seguridad.

soupçon [supsɔ̃] *nm* sospecha; **un** ~ **de** una pizca de; **avoir** ~ **de** tener sospecha de; **au dessus de tout** ~ por encima de toda sospecha.

soupçonner [supsɔne] *vt* sospechar; ~ **que** sospechar que; **je le soupçonne d'être l'assassin** sospecho que es el asesino.

soupçonneux, -euse [supsɔnø, øz] *adj* desconfiado(-a).

soupe [sup] *nf* sopa; **être** ~ **au lait** tener genio *ou* prontos; ▶ **soupe à l'oignon/de poisson** sopa de cebolla/de pescado; ▶ **soupe populaire** sopa de pobres.

soupente [supɑ̃t] *nf* guardilla; (*placard*) armario empotrado.

souper [supe] *vi* cenar ♦ *nm* cena; **avoir soupé de qch** (*fam*) estar hasta la coronilla de algo.

soupeser [supəze] *vt* sopesar.

soupière [supjɛʀ] *nf* sopera.

soupir [supiʀ] *nm* suspiro; *(MUS)* silencio de negra; ~ **d'aise/de soulagement** suspiro de gozo/de alivio; **rendre le dernier** ~ exhalar el último suspiro.

soupirail, -aux [supiʀaj, o] *nm* tragaluz *m*.

soupirant [supiʀɑ̃] *nm* pretendiente *m*.

soupirer [supiʀe] *vi* suspirar; ~ **après qch** suspirar por algo.

souple [supl] *adj* flexible; *(fig: caractère)* dócil; (: *démarche, taille)* desenvuelto(-a); **disque(tte)** ~ *(INFORM)* disco flexible.

souplement [supl(ə)mɑ̃] *adv* con flexibilidad.

souplesse [suplɛs] *nf* flexibilidad *f*; *(du caractère)* docilidad *f*; *(de la démarche)* desenvoltura; **en** ~, **avec** ~ con suavidad.

source [suʀs] *nf* fuente *f*; *(point d'eau)* manantial *m*; *(fig: cause, point de départ)* origen *m*; (: *d'une information)* fuente *f*; ~s *nfpl (fig)* fuentes *fpl*; **prendre sa** ~ **à/dans** *(cours d'eau)* tener su origen/nacer en; **tenir qch de bonne** ~/de ~ **sûre** saber algo de buena fuente/de buena tinta; ▶ **source d'eau minérale** manantial *ou* fuente de agua mineral; ▶ **source de chaleur/lumineuse** fuente de calor/de luz; ▶ **source thermale** manantial *ou* fuente termal.

sourcier, -ière [suʀsje, jɛʀ] *nm/f* zahorí *m/f*.

sourcil [suʀsi] *nm* ceja.

sourcilière [suʀsiljɛʀ] *adj f voir* **arcade**.

sourciller [suʀsije] *vi*: **sans** ~ sin pestañear.

sourcilleux, -euse [suʀsijø, øz] *adj (hautain)* arrogante; *(pointilleux)* quisquilloso(-a).

sourd, e [suʀ, suʀd] *adj* sordo(-a); *(couleur)* mate ♦ *nm/f* sordo(-a); **être** ~ **à** hacerse el sordo(-a) ante.

sourdait *etc* [suʀdɛ] *vb voir* **sourdre**.

sourdement [suʀdəmɑ̃] *adv* sordamente; *(secrètement)* secretamente.

sourdine [suʀdin] *nf (MUS)* sordina; **en** ~ por lo bajo; **mettre une** ~ **à** *(fig)* contener.

sourd-muet, sourde-muette [suʀmɥɛ, suʀdmɥɛt] *(pl* ~**s-**~**s, sourdes-muettes)** *adj, nm/f* sordomudo(-a).

sourdre [suʀdʀ] *vi (eau)* manar; *(fig)* surgir.

souriant, e [suʀjɑ̃, jɑ̃t] *vb voir* **sourire** ♦ *adj* sonriente.

souricière [suʀisjɛʀ] *nf (aussi fig)* ratonera.

sourie [suʀi] *vb voir* **sourire**.

sourire [suʀiʀ] *nm* sonrisa ♦ *vi* sonreír; ~ **à qn** *(aussi fig)* sonreír a algn; **faire un** ~ **à qn** hacer una sonrisa a algn; **garder le** ~ mantener la sonrisa.

souris [suʀi] *vb voir* **sourire** ♦ *nf (ZOOL, INFORM)* ratón *m*.

sournois, e [suʀnwa, waz] *adj* disimulado(-a), solapado(-a).

sournoisement [suʀnwazmɑ̃] *adv* de manera disimulada, de manera solapada.

sournoiserie [suʀnwazʀi] *nf* disimulo, maneras *fpl* solapadas.

sous [su] *prép* debajo de, bajo; ~ **la pluie/le soleil** bajo la lluvia/el sol; ~ **mes yeux** ante mis ojos; ~ **terre** *adj* bajo tierra ♦ *adv* debajo de la tierra; ~ **vide** *adj* al vacío ♦ *adv* en vacío; ~ **les coups de** por los golpes de; ~ **les critiques** ante las críticas; ~ **le choc** bajo los efectos del choque; ~ **l'influence/l'action de** bajo la influencia/la acción de; ~ **les ordres/la protection de** bajo las órdenes/la protección de; ~ **telle rubrique/lettre** en tal sección/letra; **être** ~ **antibiotiques** estar tomando antibióticos; ~ **Louis XIV** bajo el reinado de Luis XIV; ~ **cet angle** desde este ángulo; ~ **ce rapport** bajo esta perspectiva; ~ **peu** dentro de poco.

sous... [su] *préf* sub... .

sous-alimentation [suzalimɑ̃tɑsjɔ̃] *nf* desnutrición *f*.

sous-alimenté, e [suzalimɑ̃te] *(pl* ~-~**s, es)** *adj* desnutrido(-a).

sous-bois [subwa] *nm inv* maleza.

sous-catégorie [sukategɔʀi] *(pl* ~-~**s)** *nf* subcategoría.

sous-chef [suʃɛf] *(pl* ~-~**s)** *nm* subdirector(a) *m*; ▶ **sous-chef de bureau** subdirector(a) de oficina.

sous-comité [sukɔmite] *(pl* ~-~**s)** *nm* subcomité *m*.

sous-commission [sukɔmisjɔ̃] *(pl* ~-~**s)** *nf* subcomisión *f*.

sous-continent [sukɔ̃tinɑ̃] *(pl* ~-~**s)** *nm* subcontinente *m*.

sous-couche [sukuʃ] *(pl* ~-~**s)** *nf (de peinture)* primera mano *f*.

souscripteur, -trice [suskʀiptœʀ, tʀis] *nm/f* suscriptor(a); *(d'une lettre de change)* firmante *m/f*.

souscription [suskʀipsjɔ̃] *nf* suscripción *f*; **ouvrage offert en** ~ obra puesta a la venta por suscripción.

souscrire [suskʀiʀ]: ~ **à** *vt (une publication)* suscribir a; *(fig: approuver)* suscribir a.

sous-cutané, e [sukytane] *(pl* ~-~**s, es)** *adj* subcutáneo(-a).

sous-développé, e [sudevlɔpe] *(pl* ~-~**s, es)** *nm/f* subdesarrollado(-a).

sous-développement [sudevlɔpmɑ̃] *nm* subdesarrollo.

sous-directeur, -trice [sudiʀɛktœʀ, tʀis] *(pl* ~-~**s, trices)** *nm/f* subdirector(a).

sous-emploi [suzɑ̃plwa] *nm* subempleo.

sous-employé, e [suzɑ̃plwaje] *(pl* ~-~**s,**

es) *adj* subempleado(-a).
sous-ensemble [suzãsãbl] (*pl* ~-~s) *nm* subconjunto.
sous-entendre [suzãtãdʀ] *vt* sobrentender; ~-~ que sobrentender que.
sous-entendu, e [suzãtãdy] (*pl* ~-~s, **es**) *adj* (*idée, message*) implícito(-a); (*LING*) elíptico(-a) ♦ *nm* insinuación *f*.
sous-équipé, e [suzekipe] (*pl* ~-~s, **es**) *adj* (*région*) deficitario(-a) en equipamiento.
sous-estimer [suzɛstime] *vt* subestimar.
sous-exploiter [suzɛksplwate] *vt* desaprovechar.
sous-exposer [suzɛkspoze] *vt* (*film, pellicule*): **cette pellicule est sous-exposée** a este carrete le falta exposición.
sous-fifre [sufifʀ] (*pl* ~-~s **péj**) *nm* empleadillo.
sous-groupe [sugʀup] (*pl* ~-~s) *nm* subgrupo.
sous-homme [suzɔm] (*pl* ~-~s **péj**) *nm* hombre *m* inferior.
sous-jacent, e [suʒasã, ãt] (*pl* ~-~s, **es**) *adj* (*couche, matériau*) subyacente; (*fig*: *idée*) latente; (: *difficulté*) de fondo.
sous-lieutenant [suljøtnã] (*pl* ~-~s) *nm* subteniente *m*.
sous-locataire [sulɔkatɛʀ] (*pl* ~-~s) *nm/f* subarrendatario(-a).
sous-location [sulɔkasjɔ̃] (*pl* ~-~s) *nf* subarriendo; **en** ~-~ en régimen de subarriendo.
sous-louer [sulwe] *vt* subarrendar.
sous-main [sumɛ̃] *nm inv* carpeta; **en** ~-~: **racheter des actions en** ~-~ volver a comprar acciones bajo mano.
sous-marin, e [sumaʀɛ̃, in] (*pl* ~-~s, **es**) *adj* submarino(-a) ♦ *nm* submarino.
sous-médicalisé, e [sumedikalize] (*pl* ~-~s, **es**) *adj* (*pays, région*) que carece de los cuidados médicos adecuados.
sous-nappe [sunap] (*pl* ~-~s) *nf* hule *m*.
sous-œuvre [suzœvʀ(ə)]: **en** ~-~ *adv* (*CONSTR*) de recalzo.
sous-officier [suzɔfisje] (*pl* ~-~s) *nm* suboficial *m*.
sous-ordre [suzɔʀdʀ] (*pl* ~-~s) *nm* subordinado; **créancier en** ~-~ acreedor de otro.
sous-payé, e [supeje] (*pl* ~-~s, **es**) *adj* mal pagado(-a).
sous-préfecture [supʀefɛktyʀ] (*pl* ~-~s) *nf* subprefectura.
sous-préfet [supʀefɛ] (*pl* ~-~s) *nm* subprefecto.
sous-production [supʀɔdyksjɔ̃] (*pl* ~-~s) *nf* subproducción *f*.
sous-produit [supʀɔdɥi] (*pl* ~-~s) *nm* (*aussi fig*) subproducto.

sous-programme [supʀɔgʀam] (*pl* ~-~s) *nm* (*INFORM*) subprograma *m*.
sous-pull [supul] (*pl* ~-~s) *nm* camiseta de cuello alto.
sous-secrétaire [susəkʀetɛʀ] (*pl* ~-~s) *nm*: ~-~ **d'État** subsecretario de Estado.
soussigné, e [susiɲe] *adj*: **je** ~ ... yo, el que suscribe ... ♦ *nm/f*: **le/les soussigné(s)** el(los) abajo firmante(s).
sous-sol [susɔl] (*pl* ~-~s) *nm* sótano; (*GÉO*) subsuelo; **en** ~-~ en el sótano.
sous-tasse [sutas] (*pl* ~-~s) *nf* platillo.
sous-tendre [sutãdʀ] *vt* subtender; (*fig*) servir de base a.
sous-titre [sutitʀ] (*pl* ~-~s) *nm* subtítulo.
sous-titré, e [sutitʀe] (*pl* ~-~s, **es**) *adj* subtitulado(-a).
soustraction [sustʀaksjɔ̃] *nf* sustracción *f*.
soustraire [sustʀɛʀ] *vt* sustraer; ~ **qch (à qn)** (*dérober*) sustraer algo (a algn); ~ **qn à** alejar a algn de; **se** ~ **à** sustraerse a.
sous-traitance [sutʀɛtãs] (*pl* ~-~s) *nf* subcontrato.
sous-traitant [sutʀɛtã] (*pl* ~-~s) *nm* subcontratista *m*.
sous-traiter [sutʀete] *vt* (*COMM*: *affaire*) ceder en subcontrato ♦ *vi* (*devenir sous-traitant*) trabajar como subcontratista; (*faire appel à un sous-traitant*) subcontratar.
soustrayais [sustʀɛje] *vb voir* **soustraire**.
sous-verre [suvɛʀ] *nm inv* posavasos *m inv*.
sous-vêtement [suvɛtmã] (*pl* ~-~s) *nm* prenda interior; **sous-vêtements** *nmpl* ropa interior.
sous-virer [suviʀe] *vi* (*AUTO*) derrapar (con las ruedas delanteras).
soutane [sutan] *nf* sotana.
soute [sut] *nf* (*aussi*: ~ **à bagages**) bodega.
soutenable [sut(ə)nabl] *adj* (*opinion, cause*) sustentable.
soutenance [sut(ə)nãs] *nf*: ~ **de thèse** (*UNIV*) defensa de tesis.
soutènement [sutɛnmã] *nm*: **mur de** ~ muro de contención.
souteneur [sut(ə)nœʀ] *nm* rufián *m*.
soutenir [sut(ə)niʀ] *vt* sostener; (*consolider*) reforzar; (*fortifier, remonter*) dar fuerza a; (*réconforter, aider*) apoyar; (*assaut, choc*) resistir; (*intérêt, effort*) mantener; (*thèse*) defender; **se soutenir** *vpr* (*s'aider mutuellement*) apoyarse; (*point de vue*) defenderse; (*dans l'eau, sur ses jambes*) mantenerse, sostenerse; ~ **que** (*assurer*) mantener que; ~ **la comparaison avec** ser comparable con; ~ **le regard de qn** sostener la mirada de algn.
soutenu, e [sut(ə)ny] *pp de* **soutenir** ♦ *adj* (*attention, efforts*) constante; (*style*) eleva-

do(-a); (*couleur*) vivo(-a).

souterrain, e [sutɛʀɛ̃, ɛn] *adj* subterráneo(-a); (*fig*) oculto(-a) ♦ *nm* subterráneo.

soutien [sutjɛ̃] *nm* apoyo; **apporter son ~ à** prestar su apoyo a; ▸ **soutien de famille** hijo varón exento del servicio militar *por mantener a su familia*.

soutiendrai *etc* [sutjɛ̃dʀe] *vb voir* **soutenir**.

soutien-gorge [sutjɛ̃gɔʀʒ] (*pl* **~s-~**) *nm* sujetador *m*, corpiño (*AM*).

soutiens *etc* [sutjɛ̃] *vb voir* **soutenir**.

soutint *etc* [sutɛ̃] *vb voir* **soutenir**.

soutirer [sutiʀe] *vt*: **~ qch à qn** sonsacar algo a algn.

souvenance [suv(ə)nɑ̃s] *nf*: **avoir ~ de** recordar.

souvenir [suv(ə)niʀ] *nm* recuerdo; (*réminiscence*) memoria ♦ *vpr*: **se ~ de** recordar, acordarse de; **se ~ que** recordar que, acordarse de que; **garder le ~ de** conservar el recuerdo de; **en ~ de** como recuerdo de; **avec mes affectueux ~s**, ... con mis más afectuosos saludos, ...; **avec mes meilleurs ~s,** ... con mis mejores recuerdos, ...

souvent [suvɑ̃] *adv* a menudo, con frecuencia, seguido (*AM*); **peu ~** pocas veces, con poca frecuencia; **le plus ~** la mayoría de las veces.

souvenu, e [suvəny] *pp de* **souvenir**.

souverain, e [suv(ə)ʀɛ̃, ɛn] *adj* (*aussi fig*) soberano(-a) ♦ *nm/f* soberano(-a); ▸ **le souverain pontife** el sumo pontífice.

souverainement [suv(ə)ʀɛnmɑ̃] *adv* (*aussi fig*) soberanamente.

souveraineté [suv(ə)ʀɛnte] *nf* soberanía.

souviendrai *etc* [suvjɛ̃dʀe] *vb voir* **souvenir**.

souviens *etc* [suvjɛ̃] *vb voir* **souvenir**.

souvint *etc* [suvɛ̃] *vb voir* **souvenir**.

soviétique [sɔvjetik] *adj* soviético(-a) ♦ *nm/f*: **S~** soviético(-a).

soviétologue [sɔvjetɔlɔg] *nm/f* sovietólogo(-a).

soyeux, -euse [swajø, øz] *adj* sedoso(-a).

soyez [swaje] *vb voir* **être**.

soyons [swajɔ̃] *vb voir* **être**.

SPA [ɛspea] *sigle f* (= *Société protectrice des animaux*) ≈ SPA (= *sociedad protectora de animales*).

spacieux, -euse [spasjø, jøz] *adj* espacioso(-a).

spaciosité [spasjozite] *nf* espaciosidad *f*.

spaghettis [spageti] *nmpl* espaguetis *mpl*.

sparadrap [spaʀadʀa] *nm* esparadrapo, curita (*AM*).

spartiate [spaʀsjat] *adj* espartano(-a); **~s** *nfpl* sandalias *fpl*.

spasme [spasm] *nm* espasmo.

spasmodique [spasmɔdik] *adj* espasmódi-

co(-a).

spasmophilie [spasmɔfili] *nf* (*MÉD*) espasmofilia.

spatial, e, -aux [spasjal, jo] *adj* espacial.

spatule [spatyl] *nf* espátula; (*bout*) extremo.

speaker, ine [spikœʀ, kʀin] *nm/f* locutor(a).

spécial, e, -aux [spesjal, jo] *adj* especial.

spécialement [spesjalmɑ̃] *adv* especialmente; **pas ~** no demasiado.

spécialisation [spesjalizasjɔ̃] *nf* especialización *f*.

spécialisé, e [spesjalize] *adj* especializado(-a); **ordinateur ~** ordenador *m* especializado.

spécialiser [spesjalize] *vt*: **se ~** especializarse.

spécialiste [spesjalist] *nm/f* especialista *m/f*.

spécialité [spesjalite] *nf* especialidad *f*; ▸ **spécialité médicale/pharmaceutique** especialidad médica/farmacéutica.

spécieux, -euse [spesjø, jøz] *adj* (*prétexte*) aparente; (*raisonnement*) vacío(-a).

spécification [spesifikasjɔ̃] *nf* especificación *f*.

spécificité [spesifisite] *nf* especificidad *f*.

spécifier [spesifje] *vt* especificar; **~ que** especificar que.

spécifique [spesifik] *adj* específico(-a).

spécifiquement [spesifikmɑ̃] *adv* (*typiquement*) típicamente; (*tout exprès*) expresamente.

spécimen [spesimɛn] *nm* (*exemple représentatif*) espécimen *m*; (*revue etc*) ejemplar *m* gratuito ♦ *adj* modelo(-a).

spectacle [spɛktakl] *nm* espectáculo; **se donner en ~** (*péj*) dar un espectáculo; **pièce/revue à grand ~** obra/revista espectacular; **au ~ de ...** a la vista de ... .

spectaculaire [spɛktakylɛʀ] *adj* espectacular.

spectateur, -trice [spɛktatœʀ, tʀis] *nm/f* espectador(a).

spectre [spɛktʀ] *nm* espectro; ▸ **spectre solaire** espectro solar.

spéculateur, -trice [spekylatœʀ, tʀis] *nm/f* especulador(a).

spéculatif, -ive [spekylatif, iv] *adj* especulativo(-a).

spéculation [spekylasjɔ̃] *nf* especulación *f*.

spéculer [spekyle] *vi* especular; **~ sur** (*FIN, COMM*) especular con; (*réfléchir*) especular sobre; (*fig: compter sur*) contar con.

spéléologie [speleɔlʒi] *nf* espeleología.

spéléologique [speleɔlʒik] *adj* espeleológico(-a).

spéléologue [speleɔlɔg] *nm/f* espeleólogo(-a).

spéléonaute [speleonot] *nm/f* espeleólogo(-a) náutico(-a).

spermatozoïde [spɛʀmatɔzɔid] *nm* espermatozoide *m*.

sperme [spɛʀm] *nm* esperma *m*.

spermicide [spɛʀmisid] *adj*, *nm* espermicida *m*.

sphère [sfɛʀ] *nf* esfera; ► **sphère d'activité/d'influence** esfera de acción/ de influencia.

sphérique [sfeʀik] *adj* esférico(-a).

sphincter [sfɛ̃ktɛʀ] *nm* esfínter *m*.

sphinx [sfɛ̃ks] *nm* esfinge *f*.

spiral, -aux [spiʀal, o] *nm* espiral *f*.

spirale [spiʀal] *nf* espiral *f*; **en** ~ en espiral.

spire [spiʀ] *nf* espira.

spiritisme [spiʀitism] *nm* espiritismo.

spirituel, le [spiʀitɥɛl] *adj* espiritual; (*fin, amusant*) ingenioso(-a); **musique** ~**le** música sacra; **concert** ~ concierto de música sacra.

spirituellement [spiʀitɥɛlmɑ̃] *adv* espiritualmente; (*avec esprit*) ingeniosamente.

spiritueux [spiʀitɥø] *nm* licor *m*.

splendeur [splɑ̃dœʀ] *nf* maravilla.

splendide [splɑ̃did] *adj* espléndido(-a); (*effort, réalisation*) extraordinario(-a).

spolier [spɔlje] *vt*: ~ **qn (de)** expoliar a algn (de).

spongieux, -euse [spɔ̃ʒjø, jøz] *adj* esponjoso(-a).

sponsor [spɔ̃sɔʀ] *nm* patrocinador *m*, esponsor *m*.

sponsoriser [spɔ̃sɔʀize] *vt* patrocinar.

spontané, e [spɔ̃tane] *adj* espontáneo(-a).

spontanéité [spɔ̃taneite] *nf* espontaneidad *f*.

spontanément [spɔ̃tanemɑ̃] *adv* espontáneamente.

sporadique [spɔʀadik] *adj* esporádico(-a).

sporadiquement [spɔʀadikmɑ̃] *adv* esporádicamente.

sport [spɔʀ] *nm* deporte *m* ♦ *adj inv* (*vêtement, ensemble*) de sport; (*fair-play*) deportivo(-a); **faire du** ~ hacer deporte; ► **sport de combat** deporte de combate; ► **sport d'équipe** deporte de equipo; ► **sport d'hiver** deporte de invierno; ► **sport individuel** deporte individual.

sportif, -ive [spɔʀtif, iv] *adj* deportivo(-a) ♦ *nm/f* deportista *m/f*; **les résultats** ~**s** los resultados deportivos.

sportivement [spɔʀtivmɑ̃] *adv* deportivamente.

sportivité [spɔʀtivite] *nf* deportividad *f*.

spot [spɔt] *nm* (*lampe*) foco; ~ (**publicitaire**) anuncio *ou* spot *m* (publicitario).

spray [spʀɛ] *nm* spray *m*.

sprint [spʀint] *nm* sprint *m*; **gagner au** ~ ganar al sprint; **piquer un** ~ dar un tirón.

sprinter [spʀintœʀ] *nm* velocista *m*; [spʀinte] ♦ *vi* lanzarse al sprint, esprintar.

squale [skwal] *nm* escualo.

square [skwaʀ] *nm* plazoleta.

squash [skwaʃ] *nm* squash *m*.

squat [skwat] *nm* lugar ocupado ilegalmente.

squatter [skwatœʀ] *nm* okupa *m/f* (*fam*); ♦ [skwate] *vt* ocupar, okupar (*fam*).

squelette [skəlɛt] *nm* esqueleto.

squelettique [skəletik] *adj* (*maigreur*) esquelético(-a); (*arbre*) seco(-a); (*fig: exposé*) pobre; (*effectifs*) mermado(-a).

Sri Lanka [sʀilɑ̃ka] *nm* Sri Lanka.

sri-lankais, e [sʀilɑ̃kɛ, ɛz] (*pl* ~-~, **es**) *adj* cingalés(-esa) ♦ *nm/f*: **S~-L~**, **e** cingalés(-esa).

ss *abr* = **sous**.

St *abr* (= *saint*) S. (= *San*), Sto. (= *Santo*).

stabilisateur, -trice [stabilizatœʀ, tʀis] *adj* estabilizador(a) ♦ *nm* estabilizador *m*.

stabiliser [stabilize] *vt* estabilizar.

stabilité [stabilite] *nf* estabilidad *f*.

stable [stabl] *adj* estable.

stade [stad] *nm* estadio.

stage [staʒ] *nm* (*d'études pratiques*) práctica; (*de perfectionnement*) cursillo; (*d'avocat stagiaire*) pasantía.

stagiaire [staʒjɛʀ] *nm/f* persona en periodo de práctica; (*de perfectionnement*) cursillista *m/f* ♦ *adj*: **avocat** ~ pasante *m*.

stagnant, e [stagnɑ̃, ɑ̃t] *adj* estancado(-a).

stagnation [stagnasjɔ̃] *nf* (*fig*) estancamiento.

stagner [stagne] *vi* estancarse.

stalactite [stalaktit] *nf* estalactita.

stalagmite [stalagmit] *nf* estalagmita.

stalle [stal] *nf* caballeriza.

stand [stɑ̃d] *nm* (*d'exposition*) stand *m*; (*de foire*) puesto; ► **stand de ravitaillement** (*AUTO, CYCLISME*) puesto de avituallamiento; ► **stand de tir** (*MIL, SPORT*) galería de tiro; (*à la foire*) puesto de tiro al blanco.

standard [stɑ̃daʀ] *adj inv* estándar ♦ *nm* estándar *m*; (*téléphonique*) central *f* telefónica, conmutador *m* (AM).

standardisation [stɑ̃daʀdizasjɔ̃] *nf* estandar(d)ización *f*.

standardiser [stɑ̃daʀdize] *vt* estandar(d)izar.

standardiste [stɑ̃daʀdist] *nm/f* telefonista *m/f*.

standing [stɑ̃diŋ] *nm* nivel *m* de vida; **immeuble de grand** ~ inmueble de lujo.

star [staʀ] *nf*: ~ (**de cinéma**) estrella (de cine).

starlette [staʀlɛt] *nf* actriz *f* principiante.

starter [staRtɛR] *nm* (*AUTO*) estárter *m*; (*SPORT*) juez *m* de salida; **mettre le ~** poner el estárter.

station [stasjɔ̃] *nf* gasolinera, estación *f*; (*de bus, métro*) parada; (*RADIO, TV*) emisora; (*posture*): **la ~ debout** la posición de pie; ▶ **station balnéaire** *centro turístico en la costa*; ▶ **station de graissage/de lavage** estación de engrase/de lavado; ▶ **station de ski** estación de esquí; ▶ **station de sports d'hiver** estación de esquí; ▶ **station de taxis** parada de taxis; ▶ **station thermale** balneario.

stationnaire [stasjɔnɛR] *adj* estacionario(-a).

stationnement [stasjɔnmɑ̃] *nm* (*AUTO*) aparcamiento; **zone de ~ interdit** zona de aparcamiento prohibido; ▶ **stationnement alterné** aparcamiento alterno.

stationner [stasjɔne] *vi* aparcar.

station-service [stasjɔ̃sɛRvis] (*pl* ~**s-~**) *nf* gasolinera, estación *f* de servicio.

statique [statik] *adj* estático(-a).

statisticien, ne [statistisjɛ̃, jɛn] *nm/f* estadista *m/f*.

statistique [statistik] *nf* estadística ♦ *adj* estadístico(-a); ~**s** *nfpl* estadísticas *fpl*.

statistiquement [statistikmɑ̃] *adv* estadísticamente.

statue [staty] *nf* estatua.

statuer [statɥe] *vi*: ~ **sur** resolver.

statuette [statɥɛt] *nf* estatuilla.

statu quo [statykwo] *nm*: **maintenir le ~ ~** mantener el statu quo.

stature [statyR] *nf* estatura; (*fig*) notoriedad *f*; **de haute ~** de gran altura.

statut [staty] *nm* estatuto; ~**s** *nmpl* (*JUR, ADMIN*) estatutos *mpl*.

statutaire [statytɛR] *adj* estatutario(-a).

statutairement [statytɛRmɑ̃] *adv* estatutariamente.

Ste *abr* (= *sainte*) S. (= *Santa*), Sta. (= *Santa*).

Sté *abr* = **société**.

steak [stɛk] *nm* bistec *m*, bife *m* (*ARG*).

stèle [stɛl] *nf* estela.

stellaire [stelɛR] *adj* estelar.

stencil [stɛnsil] *nm* cliché *m*.

sténo... [steno] *préf* esteno... .

sténodactylo [stenɔdaktilo] *nm/f* taquimecanógrafo(-a).

sténodactylographie [stenɔdaktilɔgrafi] *nf* taquimecanografía.

sténo(graphe) [steno(gRaf)] *nm/f* taquígrafo(-a).

sténo(graphie) [steno(gRafi)] *nf* taquigrafía *f*; **prendre en sténo** taquigrafiar.

sténographier [stenɔgRafje] *vt* estenografiar.

sténographique [stenɔgRafik] *adj* esteno-

gráfico(-a).

sténotype [stenɔtip] *nf* estenotipo.

sténotypie [stenɔtipi] *nf* estenotipia.

sténotypiste [stenɔtipist] *nm/f* estenotipista *m/f*.

stentor [stɑ̃tɔR] *nm*: **voix de ~** voz *f* estentórea.

stéphanois, e [stefanwa, waz] *adj* de Saint-Etienne ♦ *nm/f*: **S~, e** nativo(-a) *ou* habitante *m/f* de Saint-Etienne.

steppe [stɛp] *nf* estepa.

stère [stɛR] *nm* estéreo.

stéréo(phonie) [steReɔ(fɔni)] *nf* estereo(fonía); **émission en ~** emisión *f* en estéreo(fonía).

stéréo(phonique) [steReɔ(fɔnik)] *adj* estéreo(fónico(-a)).

stéréoscope [steReɔskɔp] *nm* estereoscopia.

stéréoscopique [steReɔskɔpik] *adj* estereoscópico(-a).

stéréotype [steReɔtip] *nm* estereotipo.

stéréotypé, e [steReɔtipe] *adj* estereotipado(-a); (*sourire*) forzado(-a).

stérile [steRil] *adj* estéril; (*théorie, discussion*) irrelevante; (*effort*) frustrado(-a).

stérilement [steRilmɑ̃] *adv* en vano.

stérilet [steRilɛ] *nm* espiral *f*.

stérilisateur [steRilizatœR] *nm* esterilizador *m*.

stérilisation [steRilizasjɔ̃] *nf* esterilización *f*.

stérilisé, e [steRilize] *adj*: **lait ~** leche *f* esterilizada.

stériliser [steRilize] *vt* esterilizar.

stérilité [steRilite] *nf* esterilidad *f*; (*d'un romancier*) infecundidad *f*.

sternum [stɛRnɔm] *nm* esternón *m*.

stéthoscope [stetɔskɔp] *nm* estetoscopio.

stick [stik] *nm*: ~ **de rouge à lèvres** barra de labios; ~ **de fard à paupières** sombra de ojo; ~ **déodorant** desodorante en barra.

stigmates [stigmat] *nmpl* (*REL, gén*) estigmas *mpl*.

stigmatiser [stigmatize] *vt* estigmatizar.

stimulant, e [stimylɑ̃, ɑ̃t] *adj* estimulante ♦ *nm* (*MÉD*) estimulante *m*; (*fig*) aliciente *m*, incentivo.

stimulateur [stimylatœR] *nm*: ~ **cardiaque** estimulador *m* cardíaco.

stimulation [stimylasjɔ̃] *nf* estimulación *f*.

stimuler [stimyle] *vt* (*aussi fig*) estimular.

stimulus [stimylys] (*pl* **stimuli** *ou* ~) *nm* estímulo.

stipulation [stipylasjɔ̃] *nf* estipulación *f*.

stipuler [stipyle] *vt* estipular; ~ **que** estipular que.

stock [stɔk] *nm* (*COMM*) existencias *fpl*, stock *m*; (*d'or*) reservas *fpl*; (*fig*) reserva; **en** ~ en almacén.

stockage [stɔkaʒ] *nm* almacenamiento.

stocker [stɔke] *vt* almacenar.

Stockholm [stɔkɔlm] *n* Estocolmo.

stockiste [stɔkist] *nm* almacenista *m*.

stoïcisme [stɔisism] *nm* estoicismo.

stoïque [stɔik] *adj* estoico(-a).

stoïquement [stɔikmɑ̃] *adv* estoicamente.

stomacal, e, -aux [stɔmakal, o] *adj* estomacal.

stomatologie [stɔmatɔlɔʒi] *nf* estomatología.

stomatologue [stɔmatɔlɔg] *nm/f* estomatólogo(-a).

stop [stɔp] *nm* (*AUTO: panneau*) stop *m*; (*: feux arrière*) luz *f* de freno; (*dans un télégramme*) stop; (*auto-stop*) auto-stop *m* ♦ *excl* ¡alto!

stoppage [stɔpaʒ] *nm* zurcido.

stopper [stɔpe] *vt* (*navire, machine*) detener; (*mouvement, attaque*) parar; (*COUTURE*) zurcir ♦ *vi* pararse.

store [stɔʀ] *nm* (*en tissu*) cortinilla; (*en bois*) persiana; (*de magasin*) toldo.

strabisme [stʀabism] *nm* estrabismo.

strangulation [stʀɑ̃gylasjɔ̃] *nf* estrangulación *f*.

strapontin [stʀapɔ̃tɛ̃] *nm* asiento plegable.

Strasbourg [stʀazbuʀ] *n* Estrasburgo.

strass [stʀas] *nm* estrás *msg*.

stratagème [stʀataʒɛm] *nm* estratagema.

strate [stʀat] *nf* estrato.

stratège [stʀatɛʒ] *nm* estratega *m*.

stratégie [stʀateʒi] *nf* estrategia.

stratégique [stʀateʒik] *adj* estratégico(-a).

stratégiquement [stʀateʒikmɑ̃] *adv* estratégicamente.

stratifié, e [stʀatifje] *adj* estratificado(-a).

stratosphère [stʀatɔsfɛʀ] *nf* estratosfera.

stratosphérique [stʀatɔsfeʀik] *adj* estratosférico(-a).

stress [stʀɛs] *nm* estrés *msg*.

stressant, e [stʀesɑ̃, ɑ̃t] *adj* estresante.

stresser [stʀese] *vt* estresar.

strict, e [stʀikt] *adj* estricto(-a); (*parents*) severo(-a); (*tenue*) de etiqueta; (*langage, ameublement, décor*) riguroso(-a); **c'est son droit le plus** ~ es su justo derecho; **dans la plus** ~**e intimité** en la más estricta intimidad; **au sens** ~ **du mot** en sentido estricto del término; **le** ~ **nécessaire** *ou* **minimum** lo esencial.

strictement [stʀiktəmɑ̃] *adv* estrictamente; (*uniquement*) únicamente; (*vêtu etc*) modosamente.

strident, e [stʀidɑ̃, ɑ̃t] *adj* estridente.

stridulations [stʀidylasjɔ̃] *nfpl* chirridos *mpl*.

strie [stʀi] *nf* estría.

strier [stʀije] *vt* estriar.

strip-tease [stʀiptiz] (*pl* ~-~**s**) *nm* strip-tease *m*.

strip-teaseuse [stʀiptizøz] (*pl* ~-~**s**) *nf* mujer *f* que hace strip-tease.

striures [stʀijyʀ] *nfpl* estrías *fpl*.

strophe [stʀɔf] *nf* estrofa.

structure [stʀyktyʀ] *nf* estructura; ▸ **structures d'accueil** medios *mpl* de acogida; ▸ **structures touristiques** infraestructura turística.

structurer [stʀyktyʀe] *vt* estructurar.

strychnine [stʀiknin] *nf* estricnina.

stuc [styk] *nm* estuco.

studieusement [stydjøzmɑ̃] *adv* estudiosamente.

studieux, -euse [stydjø, jøz] *adj* estudioso(-a); (*vacances, retraite*) de estudio.

studio [stydjo] *nm* estudio; (*logement*) apartamento-estudio; (*de danse*) sala (de danza).

stupéfaction [stypefaksjɔ̃] *nf* estupefacción *f*.

stupéfait, e [stypefɛ, ɛt] *adj* estupefacto(-a).

stupéfiant, e [stypefjɑ̃, jɑ̃t] *adj, nm* estupefaciente *m*.

stupéfier [stypefje] *vt* dejar estupefacto(-a); (*étonner*) asombrar.

stupeur [stypœʀ] *nf* estupor *m*.

stupide [stypid] *adj* estúpido(-a); (*hébété*) atónito(-a).

stupidement [stypidmɑ̃] *adv* estúpidamente.

stupidité [stypidite] *nf* estupidez *f*.

style [stil] *nm* estilo; **meuble/robe de** ~ mueble *m*/vestido de estilo; **en** ~ **télégraphique** en forma telegráfica; ▸ **style administratif** estilo administrativo; ▸ **style de vie** estilo de vida; ▸ **style journalistique** estilo periodístico.

stylé, e [stile] *adj* con clase.

stylet [stile] *nm* estilete *m*.

stylisé, e [stilize] *adj* estilizado(-a).

styliste [stilist] *nm/f* (*dessinateur industriel*) diseñador(a); (*écrivain*) estilista *m/f*.

stylistique [stilistik] *nf* estilística ♦ *adj* estilístico(-a).

stylo [stilo] *nm*: ~ **à encre** *ou* **(à) plume** estilográfica; ▸ **stylo (à) bille** bolígrafo, birome *f* (*CSUR*).

stylo-feutre [stilɔføtʀ] (*pl* ~**s**-~**s**) *nm* rotulador *m*.

su, e [sy] *pp de* **savoir** ♦ *nm*: **au** ~ **de** a sabiendas de.

suaire [sɥɛʀ] *nm* sudario.

suant, e [sɥɑ̃, sɥɑ̃t] *adj* sudoroso(-a).

suave [sɥav] *adj* suave.

subalterne [sybaltɛʀn] *adj, nm/f* subalterno(-a).

subconscient [sypkɔ̃sjɑ̃] *nm* subconsciente

m.

subdiviser [sybdivize] *vt* subdividir.

subdivision [sybdivizjɔ̃] *nf* subdivisión *f*.

subir [sybiʀ] *vt* padecer; (*mauvais traitements, revers, modification*) sufrir; (*influence, charme*) experimentar; (*traitement, opération, examen*) pasar; (*personne*) soportar; (*dégâts*) padecer.

subit, e [sybi, it] *adj* repentino(-a).

subitement [sybitmã] *adv* repentinamente.

subjectif, -ive [sybʒɛktif, iv] *adj* subjetivo(-a).

subjectivement [sybʒɛktivmã] *adv* subjetivamente.

subjectivité [sybʒɛktivite] *nf* subjetividad *f*.

subjonctif [sybʒɔ̃ktif] *nm* subjuntivo.

subjuguer [sybʒyge] *vt* encantar.

sublime [syblim] *adj* sublime.

sublimer [syblime] *vt* sublimar.

submergé, e [sybmɛʀʒe] *adj* sumergido(-a); ~ **de** (*fig*) atiborrado(-a) de.

submerger [sybmɛʀʒe] *vt* sumergir; (*fig: de travail*) desbordar; (: *par la douleur*) ahogar.

submersible [sybmɛʀsibl] *nm* sumergible *m*.

subordination [sybɔʀdinasjɔ̃] *nf* subordinación *f*.

subordonné, e [sybɔʀdɔne] *adj* (*LING*) subordinado(-a) ♦ *nm/f* (*ADMIN, MIL*) subordinado(-a); ~ **à** (*personne*) subordinado a; (*résultats*) supeditado(-a) a.

subordonner [sybɔʀdɔne] *vt*: ~ **qn à** subordinar algn a; ~ **qch à** supeditar algo a.

subornation [sybɔʀnasjɔ̃] *nf* soborno.

suborner [sybɔʀne] *vt* sobornar.

subrepticement [sybʀɛptismã] *adv* con disimulo.

subroger [sybʀɔʒe] *vt* (*JUR*) subrogar.

subside [sybzid] *nm* subsidio.

subsidiaire [sybzidjɛʀ] *adj*: **question** ~ pregunta adicional.

subsistance [sybzistãs] *nf* subsistencia; **contribuer/pourvoir à la** ~ **de** **qn** contribuir/atender al sostenimiento de algn; **moyens de** ~ medios de subsistencia.

subsister [sybziste] *vi* (*monument, erreur*) perdurar; (*personne, famille*) subsistir; (*survivre*) sobrevivir.

subsonique [sybsɔnik] *adj* subsónico(-a).

substance [sypstãs] *nf* su(b)stancia; (*fig*) esencia; **en** ~ en esencia.

substantiel, le [sypstãsjɛl] *adj* (*aliment, repas*) sustancioso(-a); (*fig*) sustancial.

substantiellement [sypstãsjɛlmã] *adv* sustancialmente.

substantif [sypstãtif] *nm* sustantivo.

substantiver [sypstãtive] *vt* sustantivar.

substituer [sypstitɥe] *vt*: ~ **qch/qn à** sustituir algo/a algn por; **se** ~ **à qn** reemplazar a algn.

substitut [sypstity] *nm* (*JUR*) sustituto; (*succédané*) su(b)stitutivo.

substitution [sypstitysjɔ̃] *nf* sustitución *f*.

subterfuge [syptɛʀfyʒ] *nm* subterfugio.

subtil, e [syptil] *adj* sutil.

subtilement [syptilmã] *adv* con sutileza.

subtiliser [syptilize] *vt*: ~ **qch (à qn)** birlar algo (a algn) (*fam*).

subtilité [syptilite] *nf* (*aussi péj*) sutileza.

subtropical, e, -aux [sybtʀɔpikal, o] *adj* subtropical.

suburbain, e [sybyʀbɛ̃, ɛn] *adj* suburbano(-a).

subvenir [sybvəniʀ] *vt*: ~ **à** atender a.

subvention [sybvãsjɔ̃] *nf* subvención *f*.

subventionner [sybvãsjɔne] *vt* subvencionar.

subversif, -ive [sybvɛʀsif, iv] *adj* subversivo(-a).

subversion [sybvɛʀsjɔ̃] *nf* subversión *f*.

suc [syk] *nm* (*BOT, d'une viande*) jugo; (*d'un fruit*) zumo; ► **sucs gastriques** jugos *mpl* gástricos.

succédané [syksedane] (*péj*) *nm* (*aussi fig*) sucedáneo.

succéder [syksede]: ~ **à** *vt* suceder a; **se** **succéder** *vpr* sucederse.

succès [syksɛ] *nm* éxito; (*d'un produit, une mode*) auge *m*; ~ *nmpl* (*féminins etc*) conquistas *fpl*; **avec** ~ con éxito; **sans** ~ sin éxito; **avoir du** ~ tener éxito; **à** ~ de éxito; ► **succès de librairie** éxito de librería.

successeur [syksesœʀ] *nm* sucesor *m*.

successif, -ive [syksesif, iv] *adj* sucesivo(-a).

succession [syksesjɔ̃] *nf* (*d'événements, d'incidents*) sucesión *f*, serie *f*; (*de formalités etc*) serie; (*patrimoine*) sucesión; **prendre la** ~ **de** suceder a.

successivement [syksesivmã] *adv* sucesivamente.

succinct, e [syksɛ̃, ɛ̃t] *adj* breve.

succinctement [syksɛ̃tmã] *adv* brevemente.

succion [sy(k)sjɔ̃] *nf*: **bruit de** ~ ruido de succión.

succomber [sykɔ̃be] *vi* sucumbir; ~ **à** sucumbir a.

succulent, e [sykylã, ãt] *adj* suculento(-a).

succursale [sykyʀsal] *nf* sucursal *f*; **magasin à** ~**s multiples** almacén *m* con múltiples sucursales.

sucer [syse] *vt* chupar; ~ **son pouce** chuparse el dedo.

sucette [sysɛt] *nf* (*bonbon*) piruleta; (*de*

bébé) chupete *m*.
suçoter [sysɔte] *vt* chupetear.
sucre [sykʀ] *nm* azúcar *m ou f*; *(morceau de sucre)* terrón *m* de azúcar; ► **sucre cristallisé** azúcar en polvo; ► **sucre d'orge** pirulí *m*; ► **sucre de betterave/de canne** azúcar de remolacha/de caña; ► **sucre en morceaux/en poudre** azúcar de cortadillo/en polvo; ► **sucre glace** azúcar glasé.
sucré, e [sykʀe] *adj* con azúcar; *(au goût)* azucarado(-a); *(péj: ton, voix)* meloso(-a).
sucrer [sykʀe] *vt* poner azúcar en *ou* a; *(fam)* quitar, **se sucrer** *(fam) vpr (le thé etc)* echarse azúcar; *(fig)* forrarse.
sucrerie [sykʀəʀi] *nf (usine)* azucarera; ~**s** *nfpl* golosinas *fpl*.
sucrier, -ière [sykʀije, ijɛʀ] *adj* azucarero(-a) ♦ *nm* azucarero.
sud [syd] *nm* sur *m* ♦ *adj inv* sur *inv*; **au** ~ **al** sur; **au** ~ **de** al sur de.
sud-africain, e [sydafʀikɛ̃, ɛn] *(pl* ~**-**~**s, es)** *adj* sudafricano(-a) ♦ *nm/f*: **S**~**-A**~, **e** sudafricano(-a).
sud-américain, e [sydameʀikɛ̃, ɛn] *(pl* ~**-**~**s, es)** *adj* sudamericano(-a) ♦ *nm/f*: **S**~**-A**~, **e** sudamericano(-a).
sudation [sydasjɔ̃] *nf* sudación *f*.
sud-coréen, ne [sydkɔʀeɛ̃, ɛn] *(pl* ~**-**~**s, nes)** *adj* surcoreano(-a) ♦ *nm/f*: **S**~**-C**~, **ne** surcoreano(-a).
sud-est [sydɛst] *nm inv* sudeste *m inv* ♦ *adj inv* sudeste *inv*.
sud-ouest [sydwɛst] *nm inv* sudoeste *m inv* ♦ *adj inv* sudoeste *inv*.
sud-vietnamien, ne [sydvjɛtnamjɛ̃, ɛn] *(pl* ~**-**~**s, nes)** *adj* survietnamita ♦ *nm/f*: **S**~**-V**~, **ne** survietnamita *m/f*.
Suède [sɥɛd] *nf* Suecia.
suédois, e [sɥedwa, waz] *adj* sueco(-a) ♦ *nm (LING)* sueco ♦ *nm/f*: **S**~, **e** sueco(-a).
suer [sɥe] *vi* sudar ♦ *vt (fig)* exhalar; ~ **à grosses gouttes** sudar la gota gorda.
sueur [sɥœʀ] *nf* sudor *m*; **en** ~ bañado(-a) en sudor; **donner des** ~**s froides à qn/avoir des** ~**s froides** dar a algn/tener sudores fríos.
suffire [syfiʀ] *vi* bastar; *(intensif)*: **il suffit d'une négligence pour que ...** un descuido basta para que ...; **se suffire** *vpr* ser autosuficiente; **il suffit qu'on oublie pour que ...** basta olvidarse para que ...; **cela lui suffit** eso le basta; **cela suffit pour les irriter/qu'ils se fâchent** eso basta para irritarles/para que se enfaden; **"ça suffit!"** "¡basta ya!".
suffisamment [syfizamɑ̃] *adv* suficientemente; ~ **de** suficiente.
suffisance [syfizɑ̃s] *nf (vanité)* suficiencia; **en** ~ *(quantité)* suficiente.

suffisant, e [syfizɑ̃, ɑ̃t] *adj* suficiente; *(air, ton)* de suficiencia.
suffisons [syfizɔ̃] *vb voir* **suffire**.
suffixe [syfiks] *nm* sufijo.
suffocant, e [syfɔkɑ̃, ɑ̃t] *adj (étouffant)* sofocante; *(stupéfiant)* pasmoso(-a).
suffocation [syfɔkasjɔ̃] *nf* sofoco.
suffoquer [syfɔke] *vt* sofocar; *(par l'émotion, la colère, les larmes)* ahogar; *(nouvelle etc)* dejar sin respiración ♦ *vi* sofocarse; ~ **de colère/d'indignation** ponerse rojo(-a) de cólera/de indignación.
suffrage [syfʀaʒ] *nm* voto; ~**s** *nmpl (du public etc)* votos *mpl*; ~ **universel/direct/indirect** sufragio universal/directo/indirecto; ► **suffrages exprimés** votos efectivos.
suggérer [syɡʒeʀe] *vt* sugerir; ~ **(à qn) que** insinuar (a algn) que; ~ **que/de faire** sugerir que/hacer.
suggestif, -ive [syɡʒɛstif, iv] *adj* sugerente.
suggestion [syɡʒɛstjɔ̃] *nf* sugerencia; *(PSYCH)* sugestión *f*.
suggestivité [syɡʒɛstivite] *nf* sugestión *f*.
suicidaire [sɥisidɛʀ] *adj* suicida.
suicide [sɥisid] *nm* suicidio ♦ *adj*: **opération** ~ operación *f* suicida.
suicidé, e [sɥiside] *nm/f* suicida *m/f*.
suicider [sɥiside]: **se** ~ *vpr* suicidarse.
suie [sɥi] *nf* hollín *m*.
suif [sɥif] *nm* sebo.
suinter [sɥɛ̃te] *vi (liquide)* rezumar; *(mur)* exudar.
suis [sɥi] *vb voir* **être**; *voir aussi* **suivre**.
suisse [sɥis] *adj* suizo(-a) ♦ *nm (bedeau)* pertiguero(-a) ♦ *nm/f*: **S**~ suizo(-a).
suisse-allemand, e [sɥisalmɑ̃, ɑ̃d] *adj, nm/f* suizo-alemán(-ana); **la S**~ **allemanique** *ou* **allemande** Suiza alemana.
suisse romand, e [sɥisʀɔmɑ̃, ɑ̃d] *adj, nm/f* suizo-francés(-esa); **la S**~ ~**e** Suiza francesa.
Suissesse [sɥisɛs] *nf* suiza.
suit [sɥi] *vb voir* **suivre**.
suite [sɥit] *nf (continuation)* continuación *f*; *(de maisons, rues, succès)* sucesión *f*; *(MATH, liaison logique)* serie *f*; *(conséquence, résultat)* resultado; *(MUS, appartement)* suite *f*; *(escorte)* séquito; ~**s** *nfpl (d'une maladie, chute)* secuelas *fpl*; **prendre la** ~ **de** *(directeur etc)* tomar el relevo de; **donner** ~ **à** dar curso a; **faire** ~ **à** ser continuación de; *(faisant)* ~ **à votre lettre du ...** en respuesta a su carta del ...; **sans** ~ sin pies ni cabeza; **de** ~ *(d'affilée)* seguido(-a); *(immédiatement)* enseguida; **par la** ~ luego; **à la** ~ *adj* seguido(-a) ♦ *adv* a continuación; **à la** ~ **de** *(derrière)* tras; *(en conséquence de)* como

consecuencia de; par ~ de como consecuencia de; avoir de la ~ dans les idées tener perseverancia en las ideas; attendre la ~ des événements esperar el curso de los acontecimientos.

suivant, e [sᶣivã, ãt] *vb voir* **suivre** ◆ *adj* siguiente ◆ *prép* según; ~ **que** según que; **"au ~!"** "¡el siguiente!".

suive [sᶣiv] *vb voir* **suivre**.

suiveur [sᶣivœʀ] *nm* seguidor *m*; (*péj*) admirador *m*.

suivi, e [sᶣivi] *pp de* **suivre** ◆ *adj* seguido(-a); (*article*) de venta permanente; (*discours etc*) coherente ◆ *nm* seguimiento; **très/peu** ~ con mucho/poco éxito.

suivre [sᶣivʀ] *vt* seguir; (*mari, ami etc*) acompañar; (*suj: remords, pensées*) perseguir; (*imagination, fantaisie, goût*) dejarse guiar por; (*cours*) asistir a; (*comprendre: programme, leçon*) comprender; (*élève, malade, affaire*) llevar el seguimiento de; (*raisonnement*) seguir el hilo de; (*article*) proveerse de ◆ *vi* (*écouter attentivement*) atender; (*assimiler le programme*) comprender; (*venir après*) seguirse; **se suivre** *vpr* sucederse; (*raisonnement*) ser coherente; ~ **des yeux** seguir con la mirada; **faire** ~ (*lettre*) reexpedir; ~ **son cours** seguir su curso; "à ~" "continuará".

sujet, te [syʒɛ, ɛt] *adj*: **être** ~ **à** (*accidents, vertige etc*) ser propenso(-a) a ◆ *nm/f* (*d'un souverain etc*) súbdito(-a) ◆ *nm* tema *m*; (*d'une dispute etc*) motivo, causa; (*élève*) alumno; (*LING*) sujeto; **un** ~ **de dispute/discorde/mécontentement** una causa de riña/discordia/descontento; **c'est à quel** ~? ¿qué se le ofrece?; **avoir** ~ **de se plaindre** tener motivo para quejarse; **un mauvais** ~ (*péj*) una mala persona; **au** ~ **de** a propósito de; ~ **à caution** cuestionable; ▶ **sujet de conversation** tema de conversación; ▶ **sujet d'examen** (*SCOL*) tema de examen; ▶ **sujet d'expérience** conejillo de Indias.

sujétion [syʒesjɔ̃] *nf* sujeción *f*; (*fig*) obligación *f*.

sulfater [sylfate] *vt* sulfatar.

sulfureux, -euse [sylfyʀø, øz] *adj* sulfuroso(-a); (*fig: caractère*) perverso(-a); (: *roman etc*) atrevido(-a).

sulfurique [sylfyʀik] *adj*: **acide** ~ ácido sulfúrico.

sulfurisé, e [sylfyʀize] *adj*: **papier** ~ papel *m* vegetal.

summum [sɔ(m)mɔm] *nm*: **le** ~ **de** el súmmum de.

super [sypeʀ] *adj inv* (*fam*) súper *inv* ◆ *nm* súper *f*.

super... [sypeʀ] *préf* super... .

superbe [sypɛʀb] *adj* espléndido(-a); (*situation, performance*) magnífico(-a) ◆ *nf* soberbia.

superbement [sypɛʀbəmã] *adv* espléndidamente.

supercarburant [sypeʀkaʀbyʀã] *nm* supercarburante *m*.

supercherie [sypɛʀʃəʀi] *nf* superchería; (*fraude*) estafa.

supérette [sypeʀɛt] *nf* autoservicio.

superfétatoire [sypɛʀfetatwaʀ] *adj* superfluo(-a).

superficie [sypeʀfisi] *nf* superficie *f*; (*fig*) apariencia.

superficiel, le [sypeʀfisjɛl] *adj* superficial.

superficiellement [sypeʀfisjɛlmã] *adv* superficialmente.

superflu, e [sypɛʀfly] *adj* superfluo(-a) ◆ *nm*: **le** ~ lo superfluo.

superforme [sypɛʀfɔʀm] (*fam*) *nf* plena forma.

super-grand [sypɛʀgʀã] (*pl* ~-~**s**) *nm* superpotencia.

super-huit [sypɛʀᶣit] *adj inv*: **caméra/film** ~-~ cámara/película de super-ocho.

supérieur, e [sypeʀjœʀ] *adj* superior; (*air, sourire*) de superioridad ◆ *nm* superior *m* ◆ *nm/f* Superior(a); **Mère** ~**e** madre *f* superiora; **à l'étage** ~ en el piso de arriba; ~ **en nombre** superior en número.

supérieurement [sypeʀjœʀmã] *adv*: ~ **intelligent** de una inteligencia superior.

supériorité [sypeʀjɔʀite] *nf* superioridad *f*; ▶ **supériorité numérique** superioridad numérica.

superlatif [sypeʀlatif] *nm* (*LING*) superlativo; (*gén pl: terme d'éloge etc*) superlativos *mpl*; ▶ **superlatif absolu/relatif** superlativo absoluto/relativo.

supermarché [sypɛʀmaʀʃe] *nm* supermercado.

superposable [sypeʀpozabl] *adj* (*figures, lits*) superponible.

superposer [sypeʀpoze] *vt* superponer; **se superposer** *vpr* (*images, souvenirs*) confundirse; **lits superposés** literas *fpl*.

superposition [sypeʀpozisjɔ̃] *nf* superposición *f*; (*de souvenirs*) confusión *f*.

superpréfet [sypeʀpʀefɛ] *nm* gobernador de una región francesa.

superproduction [sypɛʀpʀɔdyksjɔ̃] *nf* superproducción *f*.

superpuissance [sypeʀpᶣisãs] *nf* superpotencia.

supersonique [sypɛʀsɔnik] *adj* supersónico(-a).

superstitieux, -euse [sypɛʀstisjø, jøz] *adj* supersticioso(-a).

superstition [sypɛʀstisjɔ̃] *nf* superstición *f*.

superstructure [sypɛʀstʀyktyʀ] *nf* superes-

tructura.
supertanker [sypɛʀtɑ̃kœʀ] *nm* superpetrolero.
superviser [sypɛʀvize] *vt* supervisar.
superviseur [sypɛʀvizœʀ] *nm* (*INFORM*) programa *m* supervisor.
supervision [sypɛʀvizjɔ̃] *nf* supervisión *f*.
supplanter [syplɑ̃te] *vt* (*personne*) suplantar; (*méthode, machine*) sustituir.
suppléance [sypleɑ̃s] *nf* sustitución *f*.
suppléant, e [sypleɑ̃, ɑ̃t] *adj* (*juge, fonctionnaire*) suplente; (*professeur*) sustituto(-a) ♦ *nm/f* sustituto(-a); **médecin** ~ médico suplente.
suppléer [syplee] *vt* suplir; (*remplacer, aussi ADMIN*) sustituir a; ~ **à** suplir.
supplément [syplemɑ̃] *nm* suplemento; **un** ~ **de frites** una porción extra de patatas fritas; **en** ~ (*au menu etc*) no incluido; ▶ **supplément d'information** suplemento de información.
supplémentaire [syplemɑ̃tɛʀ] *adj* suplementario(a); (*train etc*) adicional; **contrôles** ~s refuerzo de controles.
supplétif, -ive [sypletif, iv] *adj* (*MIL*) de refuerzo.
suppliant, e [syplijɑ̃, ijɑ̃t] *adj* suplicante.
supplication [syplikasjɔ̃] *nf* (*REL*) súplica; ~s *nfpl* súplicas *fpl*.
supplice [syplis] *nm* suplicio; **être au** ~ (*appréhension*) estar atormentado(-a); (*gêne, douleur*) no aguantar más.
supplier [syplije] *vt* suplicar.
supplique [syplik] *nf* súplica.
support [sypɔʀ] *nm* soporte *m*; ▶ **support audio-visuel/publicitaire** soporte audiovisual/publicitario.
supportable [sypɔʀtabl] *adj* soportable.
supporter [sypɔʀtœʀ] *nm* seguidor(a); [sypɔʀte] ♦ *vt* soportar; (*choc*) resistir a; (*équipe*) apoyar.
supposé, e [sypoze] *adj* supuesto(-a).
supposer [sypoze] *vt* suponer; ~ **que** suponer que; **en supposant** *ou* **à** ~ **que** suponiendo que.
supposition [sypozisjɔ̃] *nf* suposición *f*.
suppositoire [sypozitwaʀ] *nm* supositorio.
suppôt [sypo] (*péj*) *nm* servidor *m*.
suppression [sypʀesjɔ̃] *nf* supresión *f*.
supprimer [sypʀime] *vt* suprimir; (*personne, témoin gênant*) quitar de en medio, suprimir; ~ **qch à qn** quitarle algo a algn.
suppuration [sypyʀasjɔ̃] *nf* supuración *f*.
suppurer [sypyʀe] *vi* supurar.
supputations [sypytasjɔ̃] *nfpl* pronósticos *mpl*.
supputer [sypyte] *vt* (*dépense, revenu*) calcular; (*chances, probabilité*) pronosticar.
supranational, e, -aux [sypʀanasjɔnal, o]

adj supranacional.
suprématie [sypʀemasi] *nf* supremacía.
suprême [sypʀɛm] *adj* (*pouvoir etc*) supremo(-a); (*bonheur, habileté*) sumo(-a); **un** ~ **espoir** (*ultime*) una última esperanza; **les honneurs** ~s los honores póstumos.
suprêmement [sypʀɛmmɑ̃] *adv* en grado supremo.

══════════════════ *MOT-CLÉ*

sur¹ [syʀ] *prép* **1** en; (*par dessus, au-dessus*) encima de, sobre; **pose-le sur la table** ponlo en la mesa; **je n'ai pas d'argent sur moi** no llevo dinero encima; **avoir de l'influence/un effet sur ...** tener influencia/un efecto sobre ...; **avoir accident sur accident** tener accidente tras accidente; **sur ce** tras esto
2 (*direction*) hacia; **en allant sur Paris** yendo hacia París; **sur votre droite** a su derecha
3 (*à propos de*) acerca de, sobre; **un livre/une conférence sur Balzac** un libro/una conferencia sobre Balzac
4 (*proportion, mesures*) de entre, de cada; **un sur 10** uno de cada 10; (*SCOL: note*) uno sobre 10; **sur 20, 2 sont venus** de 20, han venido 2; **4m sur 2** 4m por 2.

sur², e [syʀ] *adj* agrio(-a).
sûr, e [syʀ] *adj* seguro(-a); (*renseignement, ami, voiture*) de confianza; (*goût, réflexe etc*) agudo(-a); **peu** ~ (*ami etc*) no de mucha confianza; (*méthode*) no muy seguro(-a); (*réflexe etc*) no muy agudo(-a); **être** ~ **de qn** confiar en algn; **c'est** ~ **et certain** sin lugar a dudas; ~ **de soi** seguro de sí mismo(-a); **le plus** ~ **est de ...** lo más seguro es ... .
surabondance [syʀabɔ̃dɑ̃s] *nf* (*de produits, richesse*) sobreabundancia; (*de couleurs, détails*) exceso; **en** ~ en abundancia.
surabondant, e [syʀabɔ̃dɑ̃, ɑ̃t] *adj* sobreabundante.
surabonder [syʀabɔ̃de] *vi* sobreabundar; ~ **de** rebosar de.
suractivité [syʀaktivite] *nf* sobreactividad *f*.
suraigu, -uë [syʀegy] *adj* sobreagudo(-a).
surajouter [syʀaʒute] *vt*: ~ **qch à** sobreañadir algo a; **se surajouter à** *vpr* sobreañadirse a.
suralimentation [syʀalimɑ̃tasjɔ̃] *nf* sobrealimentación *f*.
suralimenté, e [syʀalimɑ̃te] *adj* sobrealimentado(-a).
suranné, e [syʀane] *adj* anticuado(-a).
surarmement [syʀaʀməmɑ̃] *nm* armamentismo.
surbaissé, e [syʀbese] *adj* rebajado(-a).

surcapacité [syʀkapasite] _nf_ supercapacidad _f._

surcharge [syʀʃaʀʒ] _nf_ sobrecarga; (_correction, ajout_) tachón _m_; **prendre des passagers en** ~ coger pasajeros en exceso; ► **surcharge de bagages** exceso de equipaje; ► **surcharge de travail** exceso de trabajo.

surchargé, e [syʀʃaʀʒe] _adj_ (_décoration, style_) recargado(-a); (_voiture_) supercargado(-a); (_emploi du temps_) sobrecargado(-a); ~ **de travail/soucis** sobrecargado de trabajo/de preocupaciones.

surcharger [syʀʃaʀʒe] _vt_ (_véhicule_) cargar en exceso; (_personne_) cargar; (_texte_) tachar; (_timbre-poste, fig_) sobrecargar; (_décoration_) recargar.

surchauffe [syʀʃof] _nf_ recalentamiento.

surchauffé, e [syʀʃofe] _adj_ (_local, wagon_) recalentado(-a); (_fig_) enardecido(-a).

surchoix [syʀʃwa] _adj inv_ seleccionado(-a).

surclasser [syʀklɑse] _vt_ (_concurrent_) aventajar a; (_surpasser_) superar.

surconsommation [syʀkɔ̃sɔmasjɔ̃] _nf_ superconsumo.

surcoté, e [syʀkɔte] _adj_ supercotizado(-a).

surcouper [syʀkupe] _vt_ contrafallar.

surcroît [syʀkʀwa] _nm_: **un** ~ **de** un aumento de; **par** _ou_ **de** ~ por añadidura; **en** ~ en añadidura.

surdi-mutité [syʀdimytite] _nf_ sordomudez _f._

surdité [syʀdite] _nf_ sordera; **atteint de** ~ **totale** que padece de sordera total.

surdoué, e [syʀdwe] _adj_ superdotado(-a).

sureau, x [syʀo] _nm_ saúco.

sureffectif [syʀefɛktif] _nm_ exceso.

surélever [syʀel(ə)ve] _vt_ realzar.

sûrement [syʀmɑ̃] _adv_ (_fonctionner etc_) con seguridad; (_certainement_) seguramente; ~ **pas** seguro que no.

suremploi [syʀɑ̃plwa] _nm_ sobreempleo.

surenchère [syʀɑ̃ʃeʀ] _nf_ (_aux enchères_) sobrepuja; (_sur prix fixe_) encarecimiento; ~ **de violence** subida de violencia.

surenchérir [syʀɑ̃ʃeʀiʀ] _vi_ (_COMM_) sobrepujar; (_fig_): ~ **sur qn** aventajar a algn.

surendettement [syʀɑ̃dɛtmɑ̃] _nm_ enorme endeudamiento.

surent [syʀ] _vb voir_ **savoir**.

surentraîné, e [syʀɑ̃tʀene] _adj_: **l'athlète est** ~ el atleta se ha entrenado demasiado.

suréquipé, e [syʀekipe] _adj_ sobreequipado(-a).

surestimer [syʀɛstime] _vt_ sobreestimar.

sûreté [syʀte] _nf_ fiabilidad _f_; (_du goût etc_) agudeza; (_JUR_) garantía _f_; **être/mettre en** ~ (_personne_) estar/poner a salvo; (_objet_) estar/poner en lugar seguro; **pour plus de** ~ para mayor seguridad; **attentat/**

crime contre la ~ **de l'État** atentado/crimen contra la seguridad del Estado; ► **la Sûreté (nationale)** brigada de investigación criminal francesa.

surexcité, e [syʀɛksite] _adj_ superexcitado(-a).

surexciter [syʀɛksite] _vt_ (_personne_) excitar muchísimo; (_curiosité_) estimular enormemente.

surexploiter [syʀɛksplwate] _vt_ superexplotar.

surexposer [syʀɛkspoze] _vt_ sobreexponer.

surf [sœʀf] _nm_ surf _m_; **faire du** ~ hacer surf.

surface [syʀfas] _nf_ superficie _f_; **faire** ~ salir a la superficie; **en** ~ (_nager, naviguer_) en la superficie; (_fig_) aparentemente; **la pièce fait 100m² de** ~ la habitación mide 100m² de superficie; ► **surface de réparation** (_SPORT_) área de castigo; ► **surface porteuse** _ou_ **de sustentation** (_AVIAT_) plano de sustentación.

surfait, e [syʀfɛ, ɛt] _adj_ sobreestimado(-a).

surfeur, -euse [sœʀfœʀ, øz] _nm/f_ surfista _m/f._

surfiler [syʀfile] _vt_ sobrehilar.

surfin, e [syʀfɛ̃, in] _adj_ superfino(-a).

surgélateur [syʀʒelatœʀ] _nm_ congelador _m._

surgélation [syʀʒelasjɔ̃] _nf_ congelación _f._

surgelé, e [syʀʒəle] _adj_ congelado(-a).

surgeler [syʀʒəle] _vt_ congelar.

surgir [syʀʒiʀ] _vi_ aparecer; (_de terre_) salir; (_fig_) surgir.

surhomme [syʀɔm] _nm_ superhombre _m._

surhumain, e [syʀymɛ̃, ɛn] _adj_ sobrehumano(-a).

surimposer [syʀɛ̃poze] _vt_ sobretasar.

surimpression [syʀɛ̃pʀesjɔ̃] _nf_ (_PHOTO_) sobreimpresión _f_; **en** ~ en sobreimpresión; (_fig_) al mismo tiempo.

surimprimer [syʀɛ̃pʀime] _vt_ superponer.

Surinam [syʀinam] _nm_ Surinam _m._

surinfection [syʀɛ̃fɛksjɔ̃] _nf_ reinfección _f._

surjet [syʀʒe] _nm_ punto por cima.

sur-le-champ [syʀləʃɑ̃] _adv_ en el acto.

surlendemain [syʀlɑ̃d(ə)mɛ̃] _nm_: **le** ~ **a los dos días**; **le** ~ **de** dos días después de; **le** ~ **soir** a los dos días por la noche.

surligneur [syʀliɲœʀ] _nm_ rotulador _m_ fluorescente.

surmenage [syʀmənaʒ] _nm_ (_MÉD_) agotamiento; ► **le surmenage intellectuel** el agotamiento intelectual.

surmené, e [syʀməne] _adj_ agotado(-a).

surmener [syʀməne] _vt_ agotar; **se surmener** _vpr_ agotarse.

surmonter [syʀmɔ̃te] _vt_ vencer; (_suj: coupole etc_) coronar.

surmultiplié, e [syʀmyltiplije] _adj_: **vitesse** ~ superdirecta ♦ _nf_: **en** ~**e** en superdi-

recta.
surnager [syʀnaʒe] *vi (aussi fig)* mantenerse a flote.
surnaturel, le [syʀnatyʀɛl] *adj* sobrenatural ♦ *nm*: **le ~** lo sobrenatural.
surnom [syʀnɔ̃] *nm (gén)* sobrenombre *m*; *(péj)* apodo.
surnombre [syʀnɔ̃bʀ] *nm*: **être en ~** estar de más.
surnommer [syʀnɔme] *vt* apodar.
surnuméraire [syʀnymeʀɛʀ] *adj* supernumerario(-a).
suroît [syʀwa] *nm (vent)* suroeste *m*.
surpasser [syʀpɑse] *vt* superar; **se surpasser** *vpr* superarse.
surpayer [syʀpeje] *vt (personne)* pagar en exceso; *(article etc)* pagar demasiado caro.
surpeuplé, e [syʀpœple] *adj* superpoblado(-a).
surpeuplement [syʀpœpləmɑ̃] *nm* superpoblación *f*.
surpiquer [syʀpike] *vt* sobrecoser.
surpiqûre [syʀpikyʀ] *nf* sobrecostura.
surplace [syʀplas] *nm*: **faire du ~** *(rester en équilibre)* mantener el equilibrio; *(dans un embouteillage etc)* ir a paso de caracol.
surplis [syʀpli] *nm* sobrepelliz *f*.
surplomb [syʀplɔ̃] *nm* saliente *m*; **en ~ que** sobresale.
surplomber [syʀplɔ̃be] *vi* sobresalir ♦ *vt* destacar sobre.
surplus [syʀply] *nm (COMM)* excedente *m*; **~ de bois/tissu** sobrante *m* de leña/de tela; **au ~** por lo demás; ▶ **surplus américain** *(magasin)* tienda de excedentes americanos.
surpopulation [syʀpɔpylasjɔ̃] *nf* superpoblación *f*.
surprenant, e [syʀpʀənɑ̃, ɑ̃t] *vb voir* **surprendre** ♦ *adj* sorprendente.
surprendre [syʀpʀɑ̃dʀ] *vt* sorprender; *(secret, conversation)* descubrir; *(voisins, amis etc)* sorprender con una visita; *(fig)* captar; **~ la vigilance/bonne foi de qn** burlar la vigilancia/buena fe de algn; **se ~ à faire qch** sorprenderse haciendo algo.
surprime [syʀpʀim] *nf* prima extra.
surpris, e [syʀpʀi, iz] *pp de* **surprendre** ♦ *adj* de sorpresa; **~ de/que** sorprendido(-a) por/de que.
surprise [syʀpʀiz] *nf* sorpresa; **faire une ~ à qn** dar una sorpresa a algn; **voyage sans ~s** viaje sin sobresaltos; **avoir la ~ de** tener la sorpresa de; **par ~** por sorpresa.
surprise-partie [syʀpʀizpaʀti] *(pl ~s-~s) nf* guateque *m*.
surprit [syʀpʀi] *vb voir* **surprendre**.

surproduction [syʀpʀɔdyksjɔ̃] *nf* superproducción *f*.
surréaliste [syʀʀealist] *adj* surrealista.
sursaut [syʀso] *nm* sobresalto; **en ~ de un sobresalto**; ▶ **sursaut d'énergie** resuello de energía; ▶ **sursaut d'indignation** pronto de indignación.
sursauter [syʀsote] *vi* sobresaltarse.
surseoir [syʀswaʀ]: **~ à** *vt (JUR)* aplazar.
sursis [syʀsi] *nm (JUR: d'une peine)* indulto; *(: à la condamnation à mort)* aplazamiento; *(MIL)*: **~ (d'appel** *ou* **d'incorporation)** prórroga (de llamada *ou* de incorporación a filas); *(fig)* periodo de espera; **condamné à 5 mois (de prison) avec ~** condenado a 5 meses (de prisión) con indulto; **on lui a accordé le ~** *(MIL)* se le concedió la prórroga; *(JUR)* se le indultó.
sursitaire [syʀsitɛʀ] *nm (MIL) persona a quien se le concede una prórroga.*
sursois *etc* [syʀswa] *vb voir* **surseoir**.
sursoyais *etc* [syʀswaje] *vb voir* **surseoir**.
surtaxe [syʀtaks] *nf* sobretasa.
surtension [syʀtɑ̃sjɔ̃] *nf* sobretensión *f*.
surtout [syʀtu] *adv* sobre todo; **il songe ~ à ses propres intérêts** piensa sobre todo en sus propios intereses; **il aime le sport, ~ le football** le gusta el deporte, sobre todo el fútbol; **~ pas d'histoires/ne dites rien!** ¡sobre todo nada de líos/no diga nada!; **~ pas!** ¡de ninguna manera!; **~ pas lui!** ¡él, de ninguna manera!; **~ que** ... sobre todo porque ... .
survécu, e [syʀveky] *pp de* **survivre**.
surveillance [syʀvɛjɑ̃s] *nf* vigilancia; **être sous la ~ de qn** estar bajo la vigilancia de algn; **sous ~ médicale** bajo control médico; ▶ **la surveillance du territoire** ≈ servicio de inteligencia *ou* contraespionaje.
surveillant, e [syʀvɛjɑ̃, ɑ̃t] *nm/f (SCOL, de prison)* vigilante *m/f*; *(de travaux)* capataz *m/f*.
surveiller [syʀveje] *vt (enfant etc)* cuidar de; *(MIL, gén)* vigilar; *(travaux, cuisson)* atender; **se surveiller** *vpr* controlarse; **~ son langage/sa ligne** cuidar su vocabulario/la línea.
survenir [syʀvəniʀ] *vi* sobrevenir; *(personne)* llegar de improviso.
survenu, e [syʀv(ə)ny] *pp de* **survenir**.
survêtement [syʀvɛtmɑ̃] *nm* chandal *m ou* chándal *m*.
survie [syʀvi] *nf* supervivencia; **équipement de ~** equipo de supervivencia; **une ~ de quelques mois** una supervivencia de algunos meses.
surviens [syʀvjɛ̃] *vb voir* **survenir**.
survint [syʀvɛ̃] *vb voir* **survenir**.

survirer [syʀviʀe] *vi* derrapar (*por la parte trasera*).

survit [syʀvi] *vb voir* **survivre**.

survitrage [syʀvitʀaʒ] *nm* doble acristalamiento.

survivance [syʀvivãs] *nf* supervivencia.

survivant, e [syʀvivã, ãt] *vb voir* **survivre** ♦ *nm/f* superviviente *m/f*; (*JUR*) heredero(-a).

survivre [syʀvivʀ] *vi* sobrevivir; ~ **à** sobrevivir a; **la victime a peu de chances de** ~ la víctima tiene pocas posibilidades de sobrevivir.

survol [syʀvɔl] *nm*: **le** ~ (*d'un lieu*) el vuelo sobre; (*d'un livre*) el leer por encima; (*d'une question*) el tratar por encima.

survoler [syʀvɔle] *vt* (*lieu*) sobrevolar; (*livre, écrit*) leer por encima; (*question, problèmes*) tratar por encima.

survolté, e [syʀvɔlte] *adj* (*fig: personne*) superexcitado(-a); (: *ambiance*) acalorado(-a); **un appareil** ~ un aparato con exceso de voltaje.

sus [sy(s)] *vb voir* **savoir** ♦ *prép*: **en** ~ **de** (*JUR, ADMIN*) además de; **en** ~ además; ~ **à ...!** *excl*: ~ **au tyran!** ¡a por el tirano!

susceptibilité [syseptibilite] *nf* susceptibilidad *f*.

susceptible [syseptibl] *adj* susceptible; ~ **de** susceptible de; ~ **d'amélioration** *ou* **d'être amélioré** susceptible de mejora *ou* de ser mejorado; **être** ~ **de faire** (*capacité*) estar capacitado(-a) para hacer; (*probabilité*): **il est** ~ **de devenir ...** es probable que llegue a ser ... .

susciter [sysite] *vt* (*ennuis etc*): ~ (**à qn**) originar (a algn); (*admiration etc*) suscitar.

susdit, e [sysdi, dit] *adj* susodicho(-a).

susmentionné, e [sysmãsjɔne] *adj* susodicho(-a).

susnommé, e [sysnɔme] *adj* susodicho(-a).

suspect, e [syspe(kt), ɛkt] *adj* sospechoso(-a); (*vin etc*) de poca confianza ♦ *nm/f* sospechoso(-a); **être** (**peu**) ~ **de** ser (poco) sospechoso(-a) de.

suspecter [syspekte] *vt* sospechar; ~ **qn d'être/d'avoir fait qch** sospechar que algn es/que algn ha hecho algo.

suspendre [syspãdʀ] *vt* suspender; **se suspendre** *vpr*: **se** ~ **à** aferrarse a, colgarse de; ~ **qch (à)** colgar algo (de).

suspendu [syspãdy] *pp de* **suspendre** ♦ *adj* (*accroché*): ~ **à** colgado(-a) de; (*perché*): ~ **au-dessus de** suspendido(-a) sobre; **voiture bien/mal** ~ coche con buena/mala suspensión; **être** ~ **aux lèvres de qn** estar pendiente de los labios de algn.

suspens [syspã] **en** ~ *adv* suspendido(-a);

tenir en ~ (*lecteurs, spectateurs*) mantener en suspense.

suspense [syspɛns] *nm* suspense *m*.

suspension [syspãsjɔ̃] *nf* suspensión *f*; (*lustre*) lámpara de techo; **en** ~ en suspensión; ► **suspension d'audience** suspensión de la vista.

suspicieux, -euse [syspisjø, jøz] *adj* receloso(-a).

suspicion [syspisjɔ̃] *nf* sospecha.

sustentation [systãtasjɔ̃] *nf* (*AVIAT*) sustentación *f*; **base** *ou* **polygone de** ~ base *f* *ou* polígono de sustentación.

sustenter [systãte]: **se** ~ *vpr* sustentarse.

susurrer [sysyʀe] *vt* susurrar.

sut [sy] *vb voir* **savoir**.

suture [sytyʀ] *nf*: **point de** ~ punto de sutura.

suturer [sytyʀe] *vt* suturar.

suzeraineté [syz(ə)ʀɛnte] *nf* soberanía feudal.

svelte [svɛlt] *nf* esbelto(-a).

SVP [ɛsvepe] *abr* (= *s'il vous plaît*) por favor.

Swaziland [swazilãd] *nm* Swazilandia.

syllabaire [si(l)labɛʀ] *nm* cartilla.

syllabe [si(l)lab] *nf* sílaba.

sylphide [silfid] *nf* (*fig*) sílfide *f*.

sylvestre [silvɛstʀ] *adj*: **pin** ~ pino silvestre.

sylvicole [silvikɔl] *adj* silvícola.

sylviculteur, -trice [silvikyltœʀ, tʀis] *nm* silvicultor(a).

sylviculture [silvikyltyʀ] *nf* silvicultura.

symbole [sɛ̃bɔl] *nm* símbolo; ► **symbole graphique** (*INFORM*) icono.

symbolique [sɛ̃bɔlik] *adj* simbólico(-a) ♦ *nf* simbolismo.

symboliquement [sɛ̃bɔlikmã] *adv* simbólicamente.

symboliser [sɛ̃bɔlize] *vt* simbolizar.

symétrie [simetʀi] *nf* simetría; **axe/centre de** ~ eje *m*/centro de simetría.

symétrique [simetʀik] *adj* simétrico(-a).

symétriquement [simetʀikmã] *adv* simétricamente.

sympa [sɛ̃pa] *adj inv voir* **sympathique**.

sympathie [sɛ̃pati] *nf* simpatía; (*condoléances*) pésame *m*; **accueillir avec** ~ acoger con gusto; **avoir de la** ~ **pour qn** tener simpatía a algn; **témoignages de** ~ muestras *fpl* de condolencia; **croyez à toute ma** ~ mi más sentido pésame.

sympathique [sɛ̃patik] *adj* (*personne*) simpático(-a); (*déjeuner etc*) agradable.

sympathisant, e [sɛ̃patizã, ãt] *nm/f* simpatizante *m/f*.

sympathiser [sɛ̃patize] *vi* simpatizar; ~ **avec qn** simpatizar con algn.

symphonie [sɛ̃fɔni] *nf* sinfonía.

symphonique [sɛ̃fɔnik] *adj* sinfónico(-a).
symposium [sɛ̃pozjɔm] *nm* simposio.
symptomatique [sɛ̃ptɔmatik] *adj* sintomá-
tico(-a); ~ **de** sintomático(-a) de.
symptôme [sɛ̃ptom] *nm* síntoma *m*.
synagogue [sinagɔg] *nf* sinagoga.
synchrone [sɛ̃kʀɔn] *adj* sincrónico(-a).
synchronique [sɛ̃kʀɔnik] *adj*: **tableau** ~ esquema *m* sincrónico.
synchronisation [sɛ̃kʀɔnizasjɔ̃] *nf* sincro-
nización *f*.
synchronisé, e [sɛ̃kʀɔnize] *adj* sincroniza-
do(-a).
synchroniser [sɛ̃kʀɔnize] *vt* sincronizar.
syncope [sɛ̃kɔp] *nf* (*MÉD*) síncope *m*;
(*MUS*) síncopa; **elle est tombée en** ~ le
dio un síncope.
syncopé, e [sɛ̃kɔpe] *adj* sincopado(-a).
syndic [sɛ̃dik] *nm* administrador *m*.
syndical, e, -aux [sɛ̃dikal, o] *adj* sindical;
centrale ~**e** central *f* sindical.
syndicalisme [sɛ̃dikalism] *nm* sindicalis-
mo.
syndicaliste [sɛ̃dikalist] *nm/f* sindicalista
m/f.
syndicat [sɛ̃dika] *nm* (*POL*) sindicato; (*autre association d'intérêts*) asociación *f*;
▶ **syndicat d'initiative** oficina de turismo; ▶ **syndicat de producteurs** unión *f*
de productores; ▶ **syndicat de propriétaires** comunidad *f* de propietarios;
▶ **syndicat patronal** organización *f* patronal.
syndiqué, e [sɛ̃dike] *adj* sindicado(-a); **non
syndiqué(e)** no sindicado(-a).
syndiquer [sɛ̃dike]: **se** ~ *vpr* sindicarse.
syndrome [sɛ̃dʀom] *nm* síndrome *m*.
synergie [sinɛʀʒi] *nf* sinergia.
synode [sinɔd] *nm* sínodo.
synonyme [sinɔnim] *adj* sinónimo(-a) ♦ *nm*
sinónimo.
synopsis [sinɔpsis] *nm ou f* sinopsis *f inv*.
synoptique [sinɔptik] *adj*: **tableau** ~ esquema *m* sinóptico.
synovie [sinɔvi] *nf*: **épanchement de** ~ derrame *m* sinovial.
syntaxe [sɛ̃taks] *nf* sintaxis *fsg*.
synthèse [sɛ̃tɛz] *nf* síntesis *f inv*; **faire la** ~
de hacer la síntesis de.
synthétique [sɛ̃tetik] *adj* sintético(-a);
(*méthode, esprit*) de síntesis.
synthétiser [sɛ̃tetize] *vt* sintetizar.
synthétiseur [sɛ̃tetizœʀ] *nm* (*MUS*) sintetizador *m*.
syphilis [sifilis] *nf* sífilis *fsg*.
syphilitique [sifilitik] *adj, nm/f* sifilítico(-a).
Syrie [siʀi] *nf* Siria.
syrien, ne [siʀjɛ̃, jɛn] *adj* sirio(-a) ♦ *nm/f*:
S~, ne sirio(-a).
systématique [sistematik] *adj* (*classement,*

étude) sistemático(-a); (*exploitation, opposition*) automático(-a); (*péj*) dogmáti-
co(-a).
systématiquement [sistematikmɑ̃] *adv* de
forma sistemática.
systématiser [sistematize] *vt* sistematizar.
système [sistɛm] *nm* sistema *m*; **utiliser le**
~ **D** (*fam*) utilizar el ingenio; ▶ **système
décimal** sistema decimal; ▶ **système
d'exploitation à disques** (*INFORM*) sistema de operación con discos; ▶ **système
expert** sistema experto; ▶ **système métrique** sistema métrico; ▶ **système
nerveux/solaire** sistema nervioso/solar.

T, t

T, t [te] *nm inv* (*lettre*) T, t *f*; ~ **comme Thérèse** ≈ T de Teresa.
t' [t] *pron voir* **te**.
t *abr* (= *tonne(s)*) Tm. (= *tonelada métrica*);
(= *tomme(s)*) t. (= *tomo(s)*).
ta [ta] *dét voir* **ton**[1].
tabac [taba] *nm* tabaco ♦ *adj inv*: (**couleur**)
~ (color) tabaco *inv*; **passer qn à** ~ (*fam*:
battre) dar una tunda a algn, zurrar a
algn; **faire un** ~ (*fam*) tener mucho éxito;
(**débit** *ou* **bureau de**) ~ estanco; ▶ **tabac à
priser** tabaco en polvo, rapé *m*; ▶ **tabac
blond/brun/gris** tabaco rubio/moreno/
picado.
tabagie [tabaʒi] *nf* fumadero.
tabagisme [tabaʒism] *nm* tabaquismo.
tabasser [tabase] *vt* dar una paliza a.
tabatière [tabatjɛʀ] *nf* tabaquera.
tabernacle [tabɛʀnakl] *nm* tabernáculo.
table [tabl] *nf* mesa; (*invités*) comensales
mpl; (*liste*) lista; (*numérique*) tabla; **à** ~!
¡a comer!; **se mettre à** ~ sentarse a la
mesa; (*fam*) cantar de plano; **mettre** *ou*
dresser/desservir la ~ poner/quitar la
mesa; **faire** ~ **rase de** hacer tabla rasa
con; ▶ **table à repasser** tabla de planchar; ▶ **table basse** mesa baja; ▶ **table
d'écoute** tablero de interceptaciones telefónicas; ▶ **table d'harmonie** tabla de
armonía; ▶ **table d'hôte** menú *m ou* plato del día; ▶ **table de cuisson** cocina
(de electricidad *ou* de gas); ▶ **table de
lecture** (*MUS*) tabla de lectura; ▶ **table
de multiplication** tabla de multiplicar;

▶ **table de nuit** *ou* **de chevet** mesita de noche; ▶ **table de toilette** mueble *m* de lavabo; ▶ **table des matières** índice *m*; ▶ **table ronde** (*débat*) mesa redonda; ▶ **table roulante** carro, carrito; ▶ **table traçante** (*INFORM*) mesa de trazado.

tableau, x [tablo] *nm* cuadro; (*panneau*) tablero; (*schéma*) cuadro, gráfico; ▶ **tableau chronologique** cuadro cronológico; ▶ **tableau d'affichage** tablón *m ou* tablero de anuncios; ▶ **tableau de bord** (*AUTO*) cuadro de instrumentos; (*AVIAT*) cuadro de mandos; ▶ **tableau de chasse** caza; ▶ **tableau de contrôle** (*d'une machine*) cuadro de control; (*d'une installation*) cuadro *ou* panel *m* de control; ▶ **tableau de maître** obra de maestro; ▶ **tableau noir** encerado.

tablée [table] *nf* (*personnes*) mesa.

tabler [table] *vi*: ~ **sur** contar con.

tablette [tablɛt] *nf* (*planche*) anaquel *m*, tabla; ▶ **tablette de chocolat** tableta de chocolate.

tableur [tablœʀ] *nm* (*INFORM*) hoja electrónica.

tablier [tablije] *nm* delantal *m*; (*du cuisinier*) mandil *m*; (*de pont*) calzada; (: *en bois*) tableado; (*de cheminée*) tapadera.

tabou, e [tabu] *adj, nm* tabú *m*.

tabouret [tabuʀɛ] *nm* taburete *m*.

tabulateur [tabylatœʀ] *nm* tabulador *m*.

tac [tak] *nm*: **répondre qch du ~ au ~** saltar con algo.

tache [taʃ] *nf* mancha; (*petite*) manchita; **faire ~ d'huile** extenderse como cosa buena; ▶ **tache de rousseur** *ou* **de son** peca; ▶ **tache de vin** (*sur la peau*) mancha.

tâche [tɑʃ] *nf* tarea, labor *f*; (*rôle*) papel *m*; **travailler à la ~** trabajar a destajo.

tacher [taʃe] *vt* manchar; (*réputation*) manchar, mancillar; **se tacher** *vpr* (*fruits*) picarse.

tâcher [taʃe] *vi*: ~ **de faire** tratar de hacer, procurar hacer.

tâcheron [taʃ(ə)ʀɔ̃] *nm* currante *m*.

tacheté, e [taʃte] *adj*: ~ (**de**) salpicado(-a) *ou* moteado(-a) (de).

tachisme [taʃism] *nm* (*PEINTURE*) tachismo.

tachiste [taʃist] *nm* (*PEINTURE*) tachista *m*.

tachygraphe [takigʀaf] *nm* tacógrafo.

tachymètre [takimɛtʀ] *nm* tacómetro.

tacite [tasit] *adj* tácito(-a).

tacitement [tasitmɑ̃] *adv* tácitamente.

taciturne [tasityʀn] *adj* taciturno(-a).

tacot [tako] (*péj*) *nm* cacharro.

tact [takt] *nm* tacto; **avoir du ~** tener tacto.

tacticien, ne [taktisjɛ̃, jɛn] *nm/f* táctico(-a).

tactile [taktil] *adj* táctil.

tactique [taktik] *adj* táctico(-a) ♦ *nf* táctica.

taffetas [tafta] *nm* tafetán *m*.

Tage [tɑʒ] *nm*: **le ~** el Tajo.

Tahiti [taiti] *nf* Tahití *m*.

tahitien, ne [taisjɛ̃, jɛn] *adj* tahitiano(-a) ♦ *nm/f*: **T~, ne** tahitiano(-a).

taie [tɛ] *nf*: ~ (**d'oreiller**) funda (de la almohada).

taillader [tɑjade] *vt* acuchillar; **se ~ le menton en se rasant** cortarse la barbilla al afeitarse.

taille [tɑj] *nf* tallado; poda; (*du corps, d'un vêtement*) talle *m*, cintura; (*hauteur*) estatura; (*grandeur*) tamaño; (*COMM*) talla; (*envergure*) dimensión *f*, envergadura; **de ~ à faire** capaz de hacer; **de ~ importante**; **quelle ~ faites-vous?** ¿cuál es su talla?

taillé, e [taje] *adj* (*moustache*) recortado(-a); (*ongles*) cortado(-a); (*arbre*) podado(-a); ~ **pour hecho(-a) para**, propio(-a) para; ~ **en pointe** cortado(-a) en punta.

taille-crayon(s) [tajkʀɛjɔ̃] *nm inv* sacapuntas *m inv*.

tailler [taje] *vt* (*pierre, diamant*) tallar; (*arbre, plante*) podar; (*vêtement*) cortar; (*crayon*) afilar; **se tailler** *vpr* (*ongles, barbe*) cortarse; (*victoire, réputation*) conseguir; (*fam: s'enfuir*) largarse, pirarse; ~ **dans la chair/le bois** hacer un corte en la carne/madera; ~ **grand/petit** (*suj: vêtement*) estar cortado grande/pequeño.

tailleur [tajœʀ] *nm* sastre *m*; (*vêtement pour femmes*) traje *m* de chaqueta; **en ~** a la turca; ▶ **tailleur de diamants** lapidario de diamantes.

tailleur-pantalon [tajœʀpɑ̃talɔ̃] (*pl* ~**s-**~**s**) *nm* traje pantalón *m*.

taillis [taji] *nm* bosque *m* bajo.

tain [tɛ̃] *nm* azogue *m*; **glace sans ~** espejo sin azogue.

taire [tɛʀ] *vt* ocultar ♦ *vi*: **faire ~ qn** (*aussi fig*) hacer callar a algn; **se taire** *vpr* (*s'arrêter de parler*) callarse; (*ne pas parler*) callar(se); (*fig: bruit, voix*) cesar; **tais-toi!** ¡cállate!; **taisez-vous!** ¡callaos!; (*vouvoiement*) ¡cállese!

Taiwan [tajwan] *nf* Taiwán *m*.

talc [talk] *nm* talco.

talé, e [tale] *adj* machacado(-a).

talent [talɑ̃] *nm* talento; ~**s** *nmpl* (*personnes*) talentos *mpl*; **avoir du ~** tener talento.

talentueux, -euse [talɑ̃tɥø, øz] *adj* talentoso(-a).

talion [taljɔ̃] *nm*: **la loi du ~** la ley del talión.

talisman [talismɑ̃] *nm* talismán *m*.

talkie-walkie [tokiwoki] (*pl* ~**s-**~**s**) *nm* walkie-talkie *m*.

taloche [talɔʃ] *nf* (*fam*: *claque*) sopapo; (*TECH*) llana.

talon [talɔ̃] *nm* (*ANAT, de chaussette*) talón *m*; (*de chaussure*) tacón *m*; (*de jambon, pain*) extremo; (*de chèque, billet*) matriz *f*; **être sur les ~s de qn** pisarle los talones a algn; **tourner/montrer les ~s** volver la espalda; ▶ **talons plats/aiguilles** tacones bajos/muy finos.

talonner [talɔne] *vt* seguir de cerca; (*concurrent*) pisar los talones a, seguir de cerca; (*cheval*) espolear; (*harceler*) acosar; (*RUGBY*) talonar.

talonnette [talɔnɛt] *nf* (*de chaussure*) plantilla; (*de pantalon*) talonera.

talquer [talke] *vt* espolvorear con talco.

talus [taly] *nm* (*GÉO*) talud *m*; ▶ **talus de déblai** montón *m* de tierra (*procedente de una excavación*); ▶ **talus de remblai** terraplén *m*.

tamarin [tamaʀɛ̃] *nm* tamarindo.

tambour [tɑ̃buʀ] *nm* tambor *m*; (*porte*) cancel *m*; **sans ~ ni trompette** a la chita callando.

tambourin [tɑ̃buʀɛ̃] *nm* tamboril *m*.

tambouriner [tɑ̃buʀine] *vi*: **~ contre** repiquetear en *ou* contra.

tambour-major [tɑ̃buʀmaʒɔʀ] (*pl* **~s-~s**) *nm* tambor mayor *m*.

tamis [tami] *nm* tamiz *m*, cedazo.

Tamise [tamiz] *nf*: **la ~** el Támesis.

tamisé, e [tamize] *adj* tamizado(-a).

tamiser [tamize] *vt* tamizar.

tampon [tɑ̃pɔ̃] *nm* (*de coton, d'ouate, bouchon*) tapón *m*; (*pour nettoyer, essuyer*) muñequilla, bayeta; (*pour étendre*) muñequilla; (*amortisseur*: *RAIL, fig*) tope *m*; (*INFORM*: *aussi mémoire tampon*) tampón *m*; (*cachet, timbre*) matasellos *m inv*; (*CHIM*) disolución *f* reguladora, disolución tampón; **~ (hygiénique)** tampón (higiénico); ▶ **tampon à récurer** estropajo metálico; ▶ **tampon buvard** secante *m*; ▶ **tampon encreur** tampón.

tamponné, e [tɑ̃pɔne] *adj*: **solution ~e** disolución *f* tampón.

tamponner [tɑ̃pɔne] *vt* (*essuyer*) taponar; (*heurter*) chocar; (*document, lettre*) sellar; **se tamponner** *vpr* (*voitures*) chocar.

tamponneuse [tɑ̃pɔnøz] *adj*: **autos ~s** coches *mpl* de choque.

tam-tam [tamtam] (*pl* **~-~s**) *nm* tam-tam *m*.

tancer [tɑ̃se] *vt* reprender.

tanche [tɑ̃ʃ] *nf* tenca.

tandem [tɑ̃dɛm] *nm* tándem *m*.

tandis [tɑ̃di]: **~ que** *conj* mientras que.

tangage [tɑ̃gaʒ] *nm* cabeceo.

tangent, e [tɑ̃ʒɑ̃, ɑ̃t] *adj* (*fam*: *de justesse*) por los pelos; **~ à** (*MATH*) tangente a.

tangente [tɑ̃ʒɑ̃t] *nf* tangente *f*.

Tanger [tɑ̃ʒe] *n* Tánger.

tangible [tɑ̃ʒibl] *adj* tangible.

tango [tɑ̃go] *nm* tango ♦ *adj inv* anaranjado(-a).

tanguer [tɑ̃ge] *vi* (*NAUT*) cabecear, arfar.

tanière [tanjɛʀ] *nf* guarida.

tanin [tanɛ̃] *nm* tanino.

tank [tɑ̃k] *nm* (*char*) tanque *m*; (*citerne*) tanque, cisterna.

tanker [tɑ̃kœʀ] *nm* buque *m* petrolero.

tannage [tanaʒ] *nm* curtido, curtimiento.

tanné, e [tane] *adj* curtido(-a).

tanner [tane] *vt* curtir.

tannerie [tanʀi] *nf* curtiduría, tenería.

tanneur [tanœʀ] *nm* curtidor(a).

tant [tɑ̃] *adv* tanto; **~ de** (*sg*) tanto(-a); (*pl*) tantos(-as); **~ que** (*tellement*) tanto que; (*comparatif*) hasta que, mientras que; **~ mieux** mejor; **~ mieux pour lui** mejor para él; **~ pis** (*peu importe*) ¡qué más da!; (*qu'à cela ne tienne*) no tiene importancia; **~ pis pour lui** peor para él; **un ~ soit peu** (*un peu*) un poco; (*même un peu*) algo, por poco que; **s'il est un ~ soit peu subtil, il comprendra** si es algo sutil *ou* por poco sutil que sea, lo entenderá; **~ bien que mal** mal que bien; **~ s'en faut ni** mucho menos.

tante [tɑ̃t] *nf* tía.

tantinet [tɑ̃tinɛ]: **un ~** *adv* un poquito.

tantôt [tɑ̃to] *adv* (*cet après-midi*) esta tarde, por la tarde; **~ ... ~ ...** (*parfois*) unas veces ... otras veces.

Tanzanie [tɑ̃zani] *nf* Tanzania.

tanzanien, ne [tɑ̃zanjɛ̃, jɛn] *adj* tanzano(-a) ♦ *nm/f*: **T~, ne** tanzano(-a).

TAO [teao] *sigle f* (= *traduction assistée par ordinateur*) TAO *f* (= *traducción asistida por ordenador*).

taon [tɑ̃] *nm* tábano.

tapage [tapaʒ] *nm* alboroto; (*fig*) escándalo; ▶ **tapage nocturne** (*JUR*) escándalo nocturno.

tapageur, -euse [tapaʒœʀ, øz] *adj* alborotador(a); (*toilette*) llamativo(-a); (*publicité*) sensacionalista.

tape [tap] *nf* cachete *m*; (*dans le dos*) palmada.

tape-à-l'œil [tapalœj] *adj inv* vistoso(-a), llamativo(-a).

taper [tape] *vt* (*personne*) pegar; (*porte*) cerrar de golpe; (*dactylographier*) escribir a máquina; (*INFORM*) teclear ♦ *vi* (*soleil*) apretar; **se taper** *vpr* (*fam*: *travail*) chuparse, cargarse; (: *boire, manger*) soplarse, zamparse; **~ qn de 10 francs** (*fam*) dar un sablazo de 10 francos a algn; **~ sur qn** pegar a algn; (*fig*) poner como un trapo a algn; **~ sur qch** golpear en algo; ~ **à** (*porte etc*) llamar a; ~ **dans** (*se servir*) echar mano de; ~ **des mains/ pieds** palmear/patalear; ~ **(à la machine)** escribir a máquina.

tapi, e [tapi] *adj*: ~ **dans/derrière** (*blotti*) acurrucado(-a) en/detrás de; (*caché*) agazapado(-a) en/detrás de.

tapinois [tapinwa]: **en** ~ *adv* a escondidas.

tapioca [tapjɔka] *nm* tapioca.

tapir [tapiʀ]: **se** ~ *vpr* agazaparse.

tapis [tapi] *nm* alfombra; (*de table*) tapete *m*; **être/mettre sur le** ~ (*fig*) estar/poner sobre el tapete; **aller/envoyer au** ~ (*BOXE*) estar/enviar a la lona; ▸ **tapis de sol** tela impermeable (de tienda de campaña); ▸ **tapis roulant** cinta transportadora, pasillo rodante.

tapis-brosse [tapibʀɔs] (*pl* ~-~**s**) *nm* felpudo.

tapisser [tapise] *vt* (*avec du papier peint*) empapelar; ~ **qch (de)** (*recouvrir*) revestir algo (con).

tapisserie [tapisʀi] *nf* tapiz *m*; (*travail*) tapizado; (*papier peint*) empapelado; **faire** ~ (*fig*) quedarse cruzado(-a) de brazos.

tapissier, -ière [tapisje, jɛʀ] *nm/f*: ~-(**-décorateur**) tapicero.

tapoter [tapɔte] *vt* dar golpecitos en, golpetear.

taquet [takɛ] *nm* (*cale*) cuña; (*cheville*) tope *m*.

taquin, e [takɛ̃, in] *adj* guasón(-ona).

taquiner [takine] *vt* pinchar.

taquinerie [takinʀi] *nf* broma, guasa.

tarabiscoté, e [taʀabiskɔte] *adj* recargado(-a), barroco(-a).

tarabuster [taʀabyste] *vt* hostigar.

tarama [taʀama] *nm* (*CULIN*) *entremés a base de huevas de bacalao ahumado.*

tarauder [taʀode] *vt* (*TECH*) aterrajar; (*suj: remords*) mortificar, atormentar.

tard [taʀ] *adv* tarde ♦ *nm*: **sur le** ~ (*à une heure avancée*) tarde; (*vers la fin de la vie*) en la madurez; **au plus** ~ a más tardar; **plus** ~ más tarde.

tarder [taʀde] *vi* tardar; ~ **à faire** tardar en hacer; **il me tarde d'être** estoy impaciente por estar; **sans (plus)** ~ sin (más) demora, sin (más) tardar.

tardif, -ive [taʀdif, iv] *adj* tardío(-a).

tardivement [taʀdivmɑ̃] *adv* tardíamente.

tare [taʀ] *nf* tara.

targette [taʀʒɛt] *nf* pestillo, pasador *m*.

targuer [taʀge]: **se** ~ **de** *vpr* jactarse de, hacer alarde de.

tarif [taʀif] *nm* tarifa; (*liste*) tarifa, lista de precios; (*prix*) tarifa, precio; **voyager à plein** ~/**à** ~ **réduit** viajar con tarifa completa/con tarifa reducida; ▸ **tarif douanier** arancel *m* aduanero.

tarifaire [taʀifɛʀ] *adj* tarifario(-a); (*DOUANES*) arancelario(-a).

tarifé, e [taʀife] *adj*: ~ **10F** con una tarifa de 10F.

tarifer [taʀife] *vt* tarifar.

tarification [taʀifikasjɔ̃] *nf* fijación *f* de tarifa, tarificación *f*.

tarir [taʀiʀ] *vi, vt* secarse, agotarse.

tarot(s) [taʀo] *nm(pl)* tarot *m*.

tartare [taʀtaʀ] *adj* (*CULIN*) tártaro(-a).

tarte [taʀt] *nf* tarta; ▸ **tarte à la crème/ aux pommes** tarta de crema/de manzana.

tartelette [taʀtəlɛt] *nf* tartaleta.

tartine [taʀtin] *nf* rebanada; ▸ **tartine beurrée/de miel** rebanada con mantequilla/con miel.

tartiner [taʀtine] *vt* untar; **fromage** *etc* **à** ~ queso *etc* para untar.

tartre [taʀtʀ] *nm* sarro.

tas [tɑ] *nm* montón *m*; (*de bois, livres*) pila, montón; **un** ~ **de** (*beaucoup de*) un montón de; **en** ~ amontonado(-a); **dans le** ~ (*fig*) a ciegas, a bulto; **formé sur le** ~ formado en la práctica.

Tasmanie [tasmani] *nf* Tasmania.

tasmanien, ne [tasmanjɛ̃, jɛn] *adj* tasmanio(-a) ♦ *nm/f*: **T~**, **ne** tasmanio(-a).

tasse [tɑs] *nf* taza; **boire la** ~ (*en se baignant*) tragar agua; ▸ **tasse à café/à thé** taza de café/de té.

tassé, e [tɑse] *adj*: **bien** ~ (*café etc*) bien cargado(-a).

tasseau [tɑso] (*pl* ~**x**) *nm* cuña, calzo.

tassement [tɑsmɑ̃] *nm* (*ÉCON, POL*) baja; (*de vertèbres*) hundimiento.

tasser [tɑse] *vt* apisonar, pisar; **se tasser** *vpr* (*sol, terrain*) hundirse; (*avec l'âge*) encorvarse; (*problème*) arreglarse; ~ **qch dans** amontonar algo en.

tâter [tɑte] *vt* tantear; **se tâter** *vpr* (*hésiter*) reflexionar; ~ **de** (*prison etc*) probar; ~ **le terrain** tantear el terreno.

tatillon, ne [tatijɔ̃, ɔn] *adj* puntilloso(-a).

tâtonnement [tɑtɔnmɑ̃] *nm*: **par** ~**s** a tientas.

tâtonner [tɑtɔne] *vi* andar a tientas; (*fig*) tantear.

tâtons [tɑtɔ̃]: **à** ~ *adv*: **chercher/avancer à** ~ buscar/avanzar a tientas.

tatouage [tatwaʒ] *nm* tatuaje *m*.

tatouer [tatwe] *vt* tatuar.

taudis [todi] *nm* cuchitril *m*.

taule [tol] (*fam*) *nf* chirona.

taupe [top] *nf* topo.

taupinière [topinjɛʀ] *nf* topinera.

taureau, x [tɔʀo] *nm* (*ZOOL*) toro; **le T~** (*ASTROL*) Tauro; **être (du) T~** ser Tauro.

taurillon [tɔʀijɔ̃] *nm* becerro.

tauromachie [tɔʀɔmaʃi] *nf* tauromaquia.

taux [to] *nm* tasa; (*proportion:* *d'alcool*) porcentaje *m*; (: *de participation*) índice *m*; ▶ **taux d'escompte** porcentaje de descuento; ▶ **taux d'intérêt** tipo de interés; ▶ **taux de mortalité** índice *ou* tasa de mortalidad.

tavelé, e [tav(ə)le] *adj* picado(-a).

taverne [tavɛʀn] *nf* taberna.

taxable [taksabl] *adj* imponible.

taxation [taksasjɔ̃] *nf* tasación *f*.

taxe [taks] *nf* tasa, impuesto; (*douanière*) arancel *m*; **toutes ~s comprises** impuestos incluidos; ▶ **taxe à** *ou* **sur la valeur ajoutée** impuesto sobre el valor añadido; ▶ **taxe de base** (*TÉL*) tarifa base; ▶ **taxe de séjour** *suplemento en las estaciones termales o centros turísticos.*

taxer [takse] *vt* (*personne*) gravar con impuestos; (*produit*) tasar; ~ **qn de** tachar *ou* calificar a algn de; (*accuser de*) acusar a algn de.

taxi [taksi] *nm* taxi *m*.

taxidermie [taksidɛʀmi] *nf* taxidermia.

taxidermiste [taksidɛʀmist] *nmf* taxidermista *m/f*.

taximètre [taksimɛtʀ] *nm* taxímetro.

taxiphone [taksifɔn] *nm* teléfono público de fichas.

TB [tebe] *abr* (= *très bien*) m.b. (= *muy bien*).

Tchad [tʃad] *nm* Chad *m*.

tchadien, ne [tʃadjɛ̃, jɛn] *adj* chadiano(-a) ♦ *nm/f*: **T~, ne** nativo(-a) *ou* habitante *m/f* del Chad.

tchao [tʃao] (*fam*) *excl* ¡chao!

tchécoslovaque [tʃekɔslɔvak] *adj* checoslovaco(-a) ♦ *nm/f*: **T~** checoslovaco(-a).

Tchécoslovaquie [tʃekɔslɔvaki] *nf* Checoslovaquia.

tchèque [tʃɛk] *adj* checo(-a) ♦ *nm* (*LING*) checo ♦ *nm/f*: **T~** checo(-a).

TD [tede] *sigle mpl* (= *travaux dirigés*) prácticas *fpl*.

TDF [tedeɛf] *sigle f* = *Télévision de France*.

te [tə] *pron* te.

té [te] *nm* regla en forma de T.

technicien, ne [tɛknisjɛ̃, jɛn] *nm/f* técnico *m/f*.

technicité [tɛknisite] *nf* tecnicismo.

technico-commercial, e, -aux [tɛknikokɔmɛʀsjal, jo] *adj* técnico-comercial.

technique [tɛknik] *adj* técnico(-a) ♦ *nf* técnica.

techniquement [tɛknikmã] *adv* técnicamente.

technocrate [tɛknɔkʀat] *nm/f* tecnócrata *m/f*.

technocratie [tɛknɔkʀasi] *nf* tecnocracia.

technocratique [tɛknɔkʀatik] *adj* tecnocrático(-a).

technologie [tɛknɔlɔʒi] *nf* tecnología.

technologique [tɛknɔlɔʒik] *adj* tecnológico(-a).

technologue [tɛknɔlɔg] *nm/f* tecnólogo(-a).

teck [tɛk] *nm* teca.

teckel [tekɛl] *nm* perro pachón.

TEE [teəə] *sigle m* = *Trans-Europ-Express*.

tee-shirt [tiʃœʀt] (*pl* ~-~**s**) *nm* camiseta.

Téhéran [teeʀã] *n* Teherán.

teignais *etc* [tɛɲɛ] *vb voir* **teindre**.

teigne [tɛɲ] *vb voir* **teindre** ♦ *nf* (*ZOOL*) polilla; (*MÉD*) tiña.

teigneux, -euse [tɛɲø, øz] (*péj*) *adj* (*méchant*) malvado(-a).

teindre [tɛ̃dʀ] *vt* teñir; **se teindre** *vpr*: **se ~ (les cheveux)** teñirse (el pelo).

teint, e [tɛ̃, tɛ̃t] *pp de* **teindre** ♦ *adj* teñido(-a) ♦ *nm* (*permanent*) tez *f*; (*momentané*) color *m* ♦ *nf*: **une ~e** de (*fig: d'humour etc*) un matiz de; **grand ~** *adj inv* (*tissu*) de color sólido; **bon ~** *adj inv* (*couleur*) sólido; (*catholique, communiste etc*) convencido(-a).

teinté, e [tɛ̃te] *adj* (*verres, lunettes*) ahumado(-a); (*bois*) teñido(-a); ~ **acajou** teñido(-a) en caoba; ~ **de** teñido(-a) de.

teinter [tɛ̃te] *vt* teñir.

teinture [tɛ̃tyʀ] *nf* (*opération*) tintura, tinte *m*; (*substance*) tinte; ▶ **teinture d'iode/d'arnica** tintura de yodo/de árnica.

teinturerie [tɛ̃tyʀʀi] *nf* tintorería.

teinturier, -ière [tɛ̃tyʀje, jɛʀ] *nm/f* tintorero(-a).

tel, telle [tɛl] *adj* (*pareil*) tal, semejante; (*indéfini*) tal; ~ **un/des** ... tal como.../ como ...; **un ~/de ~s** ... un tal/tales ...; **rien de ~** nada como; ~ **quel** tal cual; ~ **que** tal como.

tél. *abr* (= *téléphone*) tel., tfno. (= *teléfono*).

Tel Aviv [tɛlaviv] *n* Tel Aviv.

télé [tele] *nf* tele *f*; **à la ~** en la tele.

télé... [tele] *préf* tele... .

télébenne [telebɛn] *nf* teleférico (monocable).

télécabine [telekabin] *nf* teleférico (monocable).

télécarte [telekaʀt] *nf* tarjeta de teléfono.

télécharger [teleʃaʀʒe] *vt* (*INFORM*) cargar.

télécommande [telekɔmãd] *nf* telemando.

télécommander [telekɔmãde] *vt* teledirigir.

télécommunications [telekɔmynikasjɔ̃] *nfpl* telecomunicaciones *fpl*.

télécopie [telekɔpi] *nf* telecopia.

télécopieur [telekɔpjœʀ] *nm* máquina de fax.

télédétection [teledetɛksjɔ̃] *nf* teledetección *f*.

télédiffuser [teledifyze] *vt* teledifundir.

télédiffusion [teledifyzjɔ̃] *nf* teledifusión *f*.

télédistribution [teledistribysjɔ̃] *nf* teledistribución *f*.

télé-enseignement [teleɑ̃sɛɲmɑ̃] (*pl* ~-~s) *nm* enseñanza por televisión.

téléférique [teleferik] *nm* = **téléphérique**.

téléfilm [telefilm] *nm* telefilm *m*.

télégramme [telegram] *nm* telegrama *m*; ▶ **télégramme téléphoné** telegrama por teléfono.

télégraphe [telegraf] *nm* telégrafo.

télégraphie [telegrafi] *nf* telegrafía.

télégraphier [telegrafje] *vt, vi* telegrafiar.

télégraphique [telegrafik] *adj* (*aussi* fig) telegráfico(-a).

télégraphiste [telegrafist] *nm/f* telegrafista *m/f*.

téléguider [telegide] *vt* teledirigir.

téléinformatique [teleɛ̃fɔrmatik] *nf* teleinformática.

téléjournal, -aux [teleʒurnal, o] *nm* telediario.

télématique [telematik] *nf* telemática ♦ *adj* telemático(-a).

téléobjectif [teleɔbʒɛktif] *nm* teleobjetivo.

télépathie [telepati] *nf* telepatía.

téléphérique [teleferik] *nm* teleférico.

téléphone [telefɔn] *nm* (*appareil*) teléfono; **avoir le** ~ tener teléfono; **au** ~ al teléfono; ▶ **téléphone arabe** transmisión de noticias de persona a persona; ▶ **téléphone manuel** teléfono automático; ▶ **téléphone rouge** teléfono rojo.

téléphoner [telefɔne] *vt, vi* llamar por teléfono; ~ **à** llamar por teléfono a.

téléphonique [telefɔnik] *adj* telefónico(-a); **cabine/appareil** ~ cabina telefónica/aparato telefónico; **conversation/appel/liaison** ~ conversación *f*/llamada/comunicación *f* telefónica.

téléphoniste [telefɔnist] *nm/f* telefonista *m/f*.

téléprospection [teleprɔspɛksjɔ̃] *nf* teleprospección *f*.

télescopage [telɛskɔpaʒ] *nm* choque *m* frontal.

télescope [telɛskɔp] *nm* telescopio.

télescoper [telɛskɔpe] *vt* chocar de frente; **se télescoper** *vpr* chocarse de frente.

télescopique [telɛskɔpik] *adj* telescópico(-a).

téléscripteur [teleskriptœr] *nm* teleimpresor *m*.

télésiège [telesjɛʒ] *nm* telesilla *f*.

téléski [teleski] *nm* telesquí *m*; ▶ **téléski à archets/à perche** telesquí de arcos/de trole.

téléspectateur, -trice [telespɛktatœr, tris] *nm/f* telespectador(a).

télétexte [teletɛkst] *nm* teletexto.

télétraitement [teletrɛtmɑ̃] *nm* teletratamiento.

télétransmission [teletrɑ̃smisjɔ̃] *nf* teletransmisión *f*.

télétype [teletip] *nm* teletipo.

téléviser [televize] *vt* televisar.

téléviseur [televizœr] *nm* televisor *m*.

télévision [televizjɔ̃] *nf* televisión *f*; (**poste de**) ~ televisión; **avoir la** ~ tener televisión; **à la** ~ en la televisión; ▶ **télévision par câble** televisión por cable.

télex [telɛks] *nm* télex *m*.

télexer [telɛkse] *vt* enviar un télex a.

télexiste [telɛksist] *nm/f* encargado(-a) del télex.

telle [tɛl] *adj voir* **tel**.

tellement [tɛlmɑ̃] *adv* tan; ~ **grand/cher (que)** tan grande/caro (que); ~ **de** (*sg*) tanto(-a); (*pl*) tantos(-as); **il était** ~ **fatigué qu'il s'est endormi** estaba tan cansado que se durmió; **il s'est endormi** ~ **il était fatigué** se durmió de lo cansado que estaba; **je n'ai pas** ~ **envie d'y aller** no tengo muchas *ou* tantas ganas de ir; **pas** ~ **fort/lentement** no tan fuerte/lento; **il ne mange pas** ~ no come tanto.

tellurique [telyrik] *adj*: **secousse** ~ temblor *m* telúrico.

téméraire [temerɛr] *adj* temerario(-a).

témérairement [temerɛrmɑ̃] *adv* de manera temeraria.

témérité [temerite] *nf* temeridad *f*.

témoignage [temwaɲaʒ] *nm* testimonio; (*d'affection etc*) muestra.

témoigner [temwaɲe] *vt* (*intérêt, gratitude*) manifestar ♦ *vi* (*JUR*) testimoniar, atestiguar; ~ **que** declarar que; (*démontrer*) demostrar que; ~ **de** dar pruebas de.

témoin [temwɛ̃] *nm* testigo; (*preuve*) prueba ♦ *adj* testigo *inv*; (*appartement*) piloto *inv* ♦ *adv*: ~ **le fait que** ... prueba de ello ...; **être** ~ **de** ser testigo de; **prendre à** ~ tomar como *ou* por testigo; **appartement** ~ piso piloto; ▶ **témoin à charge** testigo de cargo; ▶ **Témoin de Jéhovah** testigo de Jehová; ▶ **témoin de moralité** testigo de moralidad; ▶ **témoin oculaire** testigo ocular.

tempe [tɑ̃p] *nf* sien *f*.

tempérament [tɑ̃peramɑ̃] *nm* temperamento; (*santé*) constitución *f*; **à** ~ (*vente*) a plazos; **avoir du** ~ tener mucho temperamento.

tempérance [tɑ̃perɑ̃s] *nf* templanza; **société de** ~ sociedad *f* antialcohólica.

tempérant, e [tɑ̃perɑ̃, ɑ̃t] *adj* temperante, moderado(-a).

température [tɑ̃peʀatyʀ] *nf* temperatura; **prendre la** ~ **de** tomar la temperatura de; (*fig*) tantear; **avoir** *ou* **faire de la** ~ tener fiebre; **feuille/courbe de** ~ gráfica/ curva de temperatura.

tempéré, e [tɑ̃peʀe] *adj* templado(-a).

tempérer [tɑ̃peʀe] *vt* moderar.

tempête [tɑ̃pɛt] *nf* (*en mer*) temporal *m*; (*à terre*) tormenta; **vent de** ~ viento de tormenta; (*fig*) gran tensión *f*; ▶ **tempête d'injures/de mots** torrente *m* de injurias/de palabras; ▶ **tempête de neige/de sable** tormenta de nieve/de arena.

tempêter [tɑ̃pete] *vi* vociferar.

temple [tɑ̃pl] *nm* templo.

tempo [tɛmpo] *nm* tempo.

temporaire [tɑ̃pɔʀɛʀ] *adj* temporal.

temporairement [tɑ̃pɔʀɛʀmɑ̃] *adv* temporalmente.

temporel, le [tɑ̃pɔʀɛl] *adj* temporal.

temporisateur, -trice [tɑ̃pɔʀizatœʀ, tʀis] *adj* contemporizador(a).

temporisation [tɑ̃pɔʀizasjɔ̃] *nf* contemporización *f*.

temporiser [tɑ̃pɔʀize] *vi* contemporizar.

temps [tɑ̃] *nm* tiempo; (*époque*) tiempo, época; **les** ~ **changent/sont durs** los tiempos cambian/son duros; **il fait beau/ mauvais** ~ hace buen/mal tiempo; **passer/employer son** ~ **à faire qch** pasar/ emplear el tiempo en hacer algo; **avoir le** ~/**tout le** ~/**juste le** ~ tener tiempo/ mucho tiempo/el tiempo justo; **avoir du** ~ **de libre** tener tiempo libre; **avoir fait son** ~ (*fig*) haber pasado a la historia; **en** ~ **de paix/de guerre** en tiempo de paz/de guerra; **en** ~ **utile** *ou* **voulu** a su debido tiempo; **de** ~ **en** ~, **de** ~ **à autre** de vez en cuando; **en même** ~ al mismo tiempo; **à** ~ a tiempo; **pendant ce** ~ mientras tanto; **à plein/mi-**~ (*travailler*) jornada completa/media jornada; **à** ~ **partiel** *adv*, **à** ~ a tiempo parcial; **dans le** ~ hace tiempo, antaño; **de tout** ~ de toda la vida; **du** ~ **que, au/du** ~ **où** en los tiempos en que, cuando; ▶ **temps chaud/froid** tiempo caluroso/frío; ▶ **temps d'accès** (*INFORM*) tiempo de acceso; ▶ **temps d'arrêt** parada; ▶ **temps de pose** tiempo de exposición; ▶ **temps mort** (*SPORT*) tiempo muerto; (*COMM*) tiempo de inactividad; ▶ **temps partagé/réel** (*INFORM*) tiempo compartido/verdadero *ou* real.

tenable [t(ə)nabl] *adj* soportable.

tenace [tənas] *adj* tenaz; (*infection*) persistente.

tenacement [tənasmɑ̃] *adv* con tenacidad.

ténacité [tenasite] *nf* tenacidad *f*.

tenailler [tənaje] *vt* atormentar.

tenailles [tənaj] *nfpl* tenazas *fpl*.

tenais *etc* [t(ə)nɛ] *vb voir* **tenir**.

tenancier, -ière [tənɑ̃sje] *nm/f* encargado(-a).

tenant, e [tənɑ̃, ɑ̃t] *adj voir* **séance** ♦ *nm/f* (*SPORT*): ~ **du titre** poseedor(a) del título ♦ *nm*: **d'un seul** ~ de una sola pieza; **les** ~**s et les aboutissants** los detalles nimios.

tendance [tɑ̃dɑ̃s] *nf* tendencia; ~ **à la hausse/baisse** tendencia a la alza/baja; **avoir** ~ **à** tener tendencia a.

tendanciel, le [tɑ̃dɑ̃sjɛl] *adj*: **baisse** ~**le** baja tendencial.

tendancieux, -euse [tɑ̃dɑ̃sjø, jøz] *adj* tendencioso(-a).

tendeur [tɑ̃dœʀ] *nm* tensor *m*.

tendineux, -euse [tɑ̃dinø, øz] *adj* fibroso(-a).

tendinite [tɑ̃dinit] *nf* tendinitis *f*.

tendon [tɑ̃dɔ̃] *nm* tendón *m*; ▶ **tendon d'Achille** tendón de Aquiles.

tendre [tɑ̃dʀ] *adj* (*à manger*) tierno(-a), blando(-a); (*matière*) blando(-a); (*affectueux*) cariñoso(-a); (*lettre, regard, émotion*) tierno(-a); (*couleur, bleu*) suave ♦ *vt* (*élastique, peau*) extender, estirar; (*muscle, arc*) tensar; (*offrir*) ofrecer; (*piège*) tender; **se tendre** *vpr* tensarse; ~ **à qch/ à faire qch** tender a algo/a hacer algo; ~ **qch à qn** alcanzar algo a algn; ~ **l'oreille** aguzar el oído; ~ **le bras/la main** alargar el brazo/extender la mano; ~ **la perche à qn** (*fig*) echar un capote a algn; **tendu de soie** tapizado en seda.

tendrement [tɑ̃dʀəmɑ̃] *adv* tiernamente.

tendresse [tɑ̃dʀɛs] *nf* ternura; ~**s** *nfpl* (*caresses*) caricias *fpl*.

tendu, e [tɑ̃dy] *pp de* **tendre** ♦ *adj* (*allongé*) estirado(-a); (*raidi*) tensado(-a).

ténèbres [tenɛbʀ] *nfpl* tinieblas *fpl*.

ténébreux, -euse [tenebʀø, øz] *adj* tenebroso(-a).

Tenerife [teneʀif] *nf* Tenerife *m*.

teneur [tənœʀ] *nf* proporción *f*; (*d'une lettre*) texto; ▶ **teneur en cuivre** proporción de cobre.

ténia [tenja] *nm* tenia.

tenir [t(ə)niʀ] *vt* (*avec la main, un objet*) tener; (*qn: par la main, le cou etc*) agarrar, coger; (*garder, maintenir: position*) mantener; (*maintenir fixé*) sujetar; (*prononcer: propos, discours*) proferir; (*magasin, hôtel*) regentar; (*promesse*) cumplir; (*un rôle*) desempeñar; (*MIL: ville, région*) ocupar; (*fam: un rhume*) estar con; (*AUTO: la route*) agarrarse a ♦ *vi* (*être fixé*) aguantar; (*neige, gel*) cuajar; (*survivre*) aguantar; (*peinture, colle*) agarrar; (*capacité*) caber; **se tenir** *vpr* (*par la main*) cogerse, agarrarse; (*à qch*) agarrarse; (*conféren-ce*) celebrarse; (*personne, monument*) estar; (*récit*) ser coherente; (*se comporter*) comportarse; ~ **à** (*personne, chose*) tener cariño a; (*avoir pour cause*) deberse a; ~ **à faire** tener interés en hacer; ~ **de** (*parent*) salir; ~ **qch pour** considerar algo como; ~ **qn pour** tener a algn por; ~ **qch de qn** (*histoire*) saber algo por algn; ~ **lieu de** servir de; ~ **compte de** tener en cuenta; ~ **le lit** guardar cama; ~ **la solution/le coupable** tener la solución/el culpable; ~ **une réunion/un débat** celebrar una reunión/un debate; ~ **la caisse/les comptes** llevar la contabilidad/las cuentas; ~ **de la place** ocupar espacio; ~ **l'alcool** aguantar el alcohol; ~ **le coup,** ~ **bon** aguantar; ~ **3 jours/2 mois** resistir *ou* aguantar 3 días/2 meses; ~ **au chaud/à l'abri** mantener caliente/protegido(-a); ~ **chaud** (*suj: vêtement*) mantener abrigado; (: *café*) mantener caliente; ~ **prêt** tener listo; ~ **parole** mantener su *etc* palabra; ~ **en respect** mantener a distancia; ~ **sa langue** mantener la boca cerrada; **se** ~ **debout/droit** tenerse en pie/derecho; **bien/mal se** ~ comportarse bien/mal; **s'en** ~ **à qch** atenerse a algo; **se** ~ **prêt/sur ses gardes** estar listo/en guardia; **se** ~ **tranquille** estarse quieto; **ça ne tient qu'à lui** es cosa suya; **il tient cela de son père** en eso ha salido a su padre; **nous ne tenons pas tous à cette table** no cabemos todos en esta mesa; **ça ne tient pas debout** no tiene ni pies ni cabeza; **qu'à cela ne tienne** por eso que no quede; **je n'y tiens pas** no me apetece; **tiens/tenez, voilà le stylo!** ¡toma/tome, aquí está la pluma!; **tiens, Pierre!** ¡anda, Pierre!; **tiens?** ¡anda!; **tiens-toi bien!** ¡agárrate!

tennis [tenis] *nm* tenis *msg*; (*aussi:* **court de** ~) cancha (de tenis) ♦ *nm ou f pl* (*aussi:* **chaussures de** ~) playeras *fpl*; ▶ **tennis de table** tenis de mesa.

tennisman [tenisman] *nm* tenista *m*.

ténor [tenɔʀ] *nm* tenor *m*; (*de la politique etc*) figura.

tension [tɑ̃sjɔ̃] *nf* tensión *f*; (*concentration, effort*) esfuerzo; **faire** *ou* **avoir de la** ~ tener tensión; ▶ **tension nerveuse/raciale** tensión nerviosa/racial.

tentaculaire [tɑ̃takylɛʀ] *adj*: **ville** ~ ciudad *f* que se expande.

tentacule [tɑ̃takyl] *nm* tentáculo.

tentant, e [tɑ̃tɑ̃, ɑ̃t] *adj* tentador(a).

tentateur, -trice [tɑ̃tatœʀ, tʀis] *adj* tentador(a) ♦ *nm* (*REL*) demonio.

tentation [tɑ̃tasjɔ̃] *nf* tentación *f*.

tentative [tɑ̃tativ] *nf* intento; ▶ **tentative**

d'évasion/de suicide intento de fuga/de suicidio.

tente [tɑ̃t] *nf* tienda; ▶ **tente à oxygène** tienda de oxígeno.

tenter [tɑ̃te] *vt* tentar; (*attirer: suj: musique, objet*) encantar; ~ **qch/de faire qch** intentar algo/hacer algo; **être tenté de penser/croire** estar tentado a pensar/creer; ~ **sa chance** tentar la suerte.

tenture [tɑ̃tyʀ] *nf* colgadura.

tenu, e [t(ə)ny] *pp de* **tenir** ♦ *adj*: **maison bien** ~**e** casa bien cuidada; **les comptes de cette entreprise sont mal** ~**s** llevan mal las cuentas de esta empresa; **être** ~ **de faire/de ne pas faire/à qch** estar obligado(-a) a hacer/a no hacer/a algo.

ténu, e [teny] *adj* tenue; (*fil, objet*) fino(-a).

tenue [təny] *nf* (*d'un magasin*) dirección *f*; (*d'une promesse*) cumplimiento; (*vêtements*) ropa; (: *pour une occasion*) traje *m*; (*allure*) apariencia; (*comportement*) modales *mpl*; **être en** ~ ir vestido(-a) de uniforme; **se mettre en** ~ poner(se) el uniforme; **en grande** ~ con traje de gala; **en petite** ~ en paños menores; **avoir de la** ~ (*personne*) tener buenos modales; (*journal*) ser moralista; (*tissu*) no arrugarse fácilmente; ▶ **tenue de combat** uniforme *m* de combate; ▶ **tenue de jardinier/pompier** traje de jardinero/bombero; ▶ **tenue de route** (*AUTO*) estabilidad *f*; ▶ **tenue de soirée** traje de etiqueta; ▶ **tenue de sport/de ville/de voyage** ropa de deporte/de calle/de viaje.

ter [tɛʀ] *adj*: **16** ~ **16 C**.

tératogène [teratɔʒɛn] *adj* teratógeno(-a).

térébenthine [teʀebɑ̃tin] *nf*: **(essence de)** ~ (esencia de) trementina.

tergal ® [tɛʀgal] *nm* tergal *m*.

tergiversations [tɛʀʒivɛʀsasjɔ̃] *nfpl* dilaciones *fpl*.

tergiverser [tɛʀʒivɛʀse] *vi* andarse con dilaciones.

terme [tɛʀm] *nm* término; (*FIN*) vencimiento; **être en bons/mauvais** ~**s avec qn** estar en buenos/malos términos con algn; **en d'autres** ~**s** en otras palabras; **vente/achat à** ~ (*COMM*) venta/compra a plazos; **au** ~ **de** al término de; **à court/moyen/long** ~ *adj, adv* a corto/medio/largo plazo; **moyen** ~ término medio; **à** ~ (*MÉD*) a los nueve meses; **avant** ~ (*MÉD*) antes de tiempo; **mettre un** ~ **à** poner término a; **toucher à son** ~ estar acabándose.

terminaison [tɛʀminɛzɔ̃] *nf* (*LING*) terminación *f*.

terminal, e, -aux [tɛʀminal, o] *adj* terminal ♦ *nm* (*INFORM*) terminal *m*; (*pétrolier,* *gare)* terminal *f.*

terminale [tɛrminal] *nf (SCOL)* sé(p)timo año de educación secundaria en el sistema francés.

terminer [tɛrmine] *vt* terminar, acabar; **se terminer** *vpr* terminar(se), acabar(se); **se ~ par/en** *(repas, chansons)* acabar *ou* terminar con; *(pointe, boule)* acabar *ou* terminar en.

terminologie [tɛrminɔlɔʒi] *nf* terminología.

terminus [tɛrminys] *nm* final *m* de línea; "~!" "¡última parada!".

termite [tɛrmit] *nm* termita.

termitière [tɛrmitjɛr] *nf* termitero.

ternaire [tɛrnɛr] *adj* ternario(-a).

terne [tɛrn] *adj* apagado(-a); *(personne, style)* insípido(-a).

ternir [tɛrnir] *vt (couleur, peinture)* desteñir; *(fig: honneur, réputation)* empañar; **se ternir** *vpr* desteñirse.

terrain [tɛrɛ̃] *nm* terreno; *(à bâtir)* solar *m*, terreno; *(SPORT, fig: domaine)* campo; **sur le ~** sobre el terreno; **gagner/perdre du ~** ganar/perder terreno; ▶ **terrain d'atterrissage** pista de aterrizaje; ▶ **terrain d'aviation** campo de aviación; ▶ **terrain d'entente** vía de entendimiento; ▶ **terrain de camping** camping *m*; ▶ **terrain de football/de golf** *etc* campo de fútbol/de golf *etc*; ▶ **terrain de jeu** patio de juego; ▶ **terrain vague** solar *m*.

terrasse [tɛras] *nf* terraza; *(sur le toit)* azotea; **culture en ~s** cultivo en bancales.

terrassement [tɛrasmɑ̃] *nm (d'un terrain: activité)* movimiento de tierras; *(: terres creusées)* desmonte *m*.

terrasser [tɛrase] *vt (adversaire)* derribar; *(suj: maladie etc)* fulminar.

terrassier [tɛrasje] *nm* excavador *m*.

terre [tɛr] *nf* tierra; *(population)* mundo; **~s** *nfpl (propriété)* tierras *fpl*; **travail de la ~** trabajo del campo; **en ~** de barro; **mettre en ~** enterrar; **à ~**, **par ~** *(mettre, être)* en el suelo *ou* piso *(AM)*; *(jeter, tomber)* al suelo; **~ à ~** *adj inv* prosaico(-a); **la T~** la Tierra; **la T~ promise/Sainte** la Tierra prometida/Santa; ▶ **Terre Adélie/de Feu** Tierra de Adelaida/de Fuego; ▶ **terre cuite** terracota, arcilla cocida; ▶ **terre de bruyère** tierra de brezo; ▶ **terre ferme** tierra firme; ▶ **terre glaise** arcilla.

terreau [tɛro] *nm* mantillo.

Terre-Neuve [tɛrnœv] *nf: (île de)* ~-~ (isla de) Tierra Nueva.

terre-plein [tɛrplɛ̃] *(pl* ~-~**s)** *nm (CONSTR)* terraplén *m*.

terrer [tɛre]: **se** ~ *vpr (personne peu sociable)* encerrarse; *(criminel recherché)* es-

conderse.

terrestre [tɛrɛstr] *adj* terrestre; *(REL)* terrenal; *(globe)* terráqueo(-a).

terreur [tɛrœr] *nf* terror *m*; *(POL)*: **régime/politique de la** ~ régimen *m*/política del terror.

terreux, -euse [tɛrø, øz] *adj* terroso(-a); *(bottes)* embarrado(-a); *(teint)* lívido(-a); *(couleur)* apagado(-a).

terrible [tɛribl] *adj* terrible; *(fam)* estupendo(-a), regio(-a).

terriblement [tɛribləmɑ̃] *adv* terriblemente.

terrien, ne [tɛrjɛ̃, jɛn] *adj* campesino(-a) ◆ *nm/f (non martien etc)* terrícola *m/f*; *(qui ne vit pas sur la côte)* hombre *m*/mujer *f* de tierra adentro; **propriétaire ~** terrateniente *m/f*.

terrier [tɛrje] *nm* madriguera; *(chien)* terrier *m*.

terrifiant, e [tɛrifjɑ̃, jɑ̃t] *adj* aterrador(a); *(extraordinaire)* increíble.

terrifier [tɛrifje] *vt* aterrorizar.

terril [tɛri(l)] *nm* escombrera.

terrine [tɛrin] *nf* tarro; *(CULIN)* conserva de carnes en tarro.

territoire [tɛritwar] *nm* territorio; ▶ **Territoire des Afars et des Issas** Territorio de los Afars y de las Isas.

territorial, e, -aux [tɛritɔrjal, jo] *adj* territorial; **eaux ~es/armée ~e** aguas *fpl* territoriales/ejército territorial.

terroir [tɛrwar] *nm (AGR)* tierra; *(région)* región *f*; **accent/traditions du** ~ acento regional/tradiciones *fpl* regionales.

terroriser [tɛrɔrize] *vt* aterrorizar.

terrorisme [tɛrɔrism] *nm* terrorismo.

terroriste [tɛrɔrist] *adj, nm/f* terrorista *m/f*.

tertiaire [tɛrsjɛr] *adj (ÉCON, GÉO)* terciario(-a) ◆ *nm (ÉCON)* sector *m* servicios.

tertiarisation [tɛrsjarizasjɔ̃] *nf (ÉCON)* terciarización *f*.

tertre [tɛrtr] *nm* cerro.

tes [te] *dét voir* **ton.**

tesson [tesɔ̃] *nm:* ~ **de bouteille** casco de botella.

test [tɛst] *nm* prueba, examen *m*; ▶ **test de niveau** prueba de nivel.

testament [tɛstamɑ̃] *nm* testamento; **faire son** ~ hacer testamento.

testamentaire [tɛstamɑ̃tɛr] *adj* testamentario(-a).

tester [tɛste] *vt* testar; *(personne, produit etc)* someter a prueba.

testicule [tɛstikyl] *nm* testículo.

tétanie [tetani] *nf* tetania.

tétanos [tetanos] *nm* tétano, tétanos *msg*.

têtard [tɛtar] *nm* renacuajo.

tête [tɛt] *nf* cabeza; *(visage)* cara; *(FOOT-BALL)* cabezazo; **de** ~ *adj (wagon, voiture)* delantero(-a); (*concurrent*) en cabeza ♦ *adv* (*calculer*) mentalmente; **par ~** por persona, por cabeza; **être à la ~ de qch** estar al frente de algo; **il fait une ~ de plus que moi** me lleva un palmo; **gagner d'une (courte) ~** ganar por (casi) una cabeza; **prendre la ~ de qch** tomar la dirección de algo; **perdre la ~** perder la cabeza; **ça ne va pas la ~?** (*fam*) ¿no estás bien de la cabeza?; **il s'est mis en ~ de le faire** se le ha metido en la cabeza hacerlo; **tenir ~ à qn** hacer frente a algn; **la ~ la première** de cabeza; **la ~ basse** cabizbajo(-a); **la ~ en bas** cabeza abajo; **avoir la ~ dure** (*fig*) ser duro(-a) de mollera; **faire une ~** (*FOOTBALL*) dar un cabezazo; **faire la ~** estar de morros, poner mala cara; **en ~** (*SPORT*) a la cabeza; (*arriver, partir*) primero(-a); **de la ~ aux pieds** de la cabeza a los pies; ▶ **tête brûlée** (*fig*) cabeza loca; ▶ **tête chercheuse/d'enregistrement/d'impression** cabeza buscadora/grabadora/impresora; ▶ **tête d'affiche** (*THÉÂTRE etc*) cabecera del reparto; ▶ **tête de bétail** res *f*; ▶ **tête de lecture** cabeza de lectura; ▶ **tête de ligne** (*TRANSPORT*) central *f*; ▶ **tête de liste** (*POL*) cabeza de lista; ▶ **tête de mort** calavera; ▶ **tête de pont** (*MIL, fig*) cabeza de puente; ▶ **tête de série** (*TENNIS*) cabeza de serie; ▶ **tête de Turc** cabeza de turco; ▶ **tête de veau** (*CULIN*) cabeza de ternero.

tête-à-queue [tɛtakø] *nm inv*: **faire un ~-~** ~ derrapar y quedar en sentido contrario.

tête-à-tête [tɛtatɛt] *nm inv* (*POL*) cara a cara; (*amoureux*) conversación *f* a solas; (*service à petit-déjeuner*) tú y yo *m*; **en ~-~-~** a solas.

tête-bêche [tɛtbɛʃ] *adv* pies contra cabeza.

tête-de-loup [tɛtd(ə)lu] (*pl* ~s-~-~) *nf* escobón *m*.

tête-de-nègre [tɛtd(ə)nɛgʀ(ə)] *adj inv* castaño oscuro *inv*.

tétée [tete] *nf* amamantamiento.

téter [tete] *vt* mamar.

tétine [tetin] *nf* (*de vache*) ubre *f*; (*de biberon*) tetina; (*sucette*) chupete *m*.

téton [tetɔ̃] (*fam*) *nm* teta.

têtu, e [tety] *adj* terco(-a), testarudo(-a).

texte [tɛkst] *nm* texto; (*passage*): **~s choisis** textos *mpl* escogidos; **apprendre son ~** (*THÉÂTRE, CINÉ*) aprender el papel; **un ~ de loi** un texto de ley.

textile [tɛkstil] *adj* textil ♦ *nm* tejido; (*industrie*): **le ~** la industria textil.

textuel, le [tɛkstɥɛl] *adj* textual.

textuellement [tɛkstɥɛlmɑ̃] *adv* textual-

mente.

texture [tɛkstyʀ] *nf* textura.

TGV [teʒeve] *sigle m* (= *train à grande vitesse*) ≈ AVE (= *Alta Velocidad Española*).

thaï, e [taj] *adj* del sureste asiático ♦ *nm* (*LING*) grupo de idiomas del sureste asiático.

thaïlandais, e [tajlɑ̃dɛ, ɛz] *adj* tailandés(-esa) ♦ *nm/f*: **T~, e** tailandés(-esa).

Thaïlande [tajlɑ̃d] *nf* Tailandia.

thalassothérapie [talasoteʀapi] *nf* talasoterapia.

thé [te] *nm* té *m*; **prendre le ~** tomar el té; **faire le ~** hacer un té; ▶ **thé au citron/au lait** té con limón/con leche.

théâtral, e, -aux [teɑtʀal, o] *adj* (*aussi péj*) teatral.

théâtre [teɑtʀ] *nm* teatro; (*fig: lieu*): **le ~ de** el escenario de; **faire du ~** hacer teatro; ▶ **théâtre filmé** teatro grabado.

Thèbes [tɛb] *n* Tebas.

théière [tejɛʀ] *nf* tetera.

théine [tein] *nf* teína.

théisme [teism] *nm* teísmo.

thématique [tematik] *adj* temático(-a).

thème [tɛm] *nm* tema; (*traduction*) traducción *f* inversa; ▶ **thème astral** carta astral.

théocratie [teokʀasi] *nf* teocracia.

théocratique [teokʀatik] *adj* teocrático(-a).

théologie [teoloʒi] *nf* teología.

théologien [teoloʒjɛ̃] *nm* teólogo.

théologique [teoloʒik] *adj* teológico(-a).

théorème [teoʀɛm] *nm* teorema *m*.

théoricien, ne [teoʀisjɛ̃, jɛn] *nm/f* teórico(-a).

théorie [teoʀi] *nf* teoría; **en ~** en teoría; ▶ **théorie musicale** teoría de la música.

théorique [teoʀik] *adj* teórico(-a).

théoriquement [teoʀikmɑ̃] *adv* teóricamente; (*gén: en principe*) en teoría.

théoriser [teoʀize] *vi* teorizar.

thérapeutique [teʀapøtik] *adj* terapéutico(-a) ♦ *nf* terapéutica.

thérapie [teʀapi] *nf* terapia.

thermal, e, -aux [tɛʀmal, o] *adj* termal; **station/cure ~e** estación *f*/cura termal.

thermes [tɛʀm] *nmpl* termas *fpl*.

thermique [tɛʀmik] *adj* térmico(-a); **ascendance ~** ascendencia térmica.

thermodynamique [tɛʀmodinamik] *adj* termodinámico(-a).

thermoélectrique [tɛʀmoelɛktʀik] *adj* termoeléctrico(-a).

thermomètre [tɛʀmomɛtʀ] *nm* termómetro.

thermonucléaire [tɛʀmonykleɛʀ] *adj* termonuclear.

thermos ® [tɛʀmos] *nm ou f*: **(bouteille)** ~

termo.
thermostat [tɛʀmɔsta] *nm* termostato.
thésaurisation [tezɔʀizasjɔ̃] *nf* atesoramiento.
thésauriser [tezɔʀize] *vi* atesorar.
thèse [tɛz] *nf* tesis *f inv*; (*opinion*) teoría; **pièce/roman à** ~ obra/novela de tesis.
thibaude [tibod] *nf* muletón *m*.
thon [tɔ̃] *nm* atún *m*.
thonier [tɔnje] *nm* barco atunero.
thoracique [tɔʀasik] *adj voir* **cage**; *voir aussi* **capacité**.
thorax [tɔʀaks] *nm* tórax *m inv*.
thrombose [tʀɔ̃boz] *nf* trombosis *f inv*.
thym [tɛ̃] *nm* tomillo.
thyroïde [tiʀɔid] *nf* tiroides *m inv*.
tiare [tjaʀ] *nf* tiara.
Tibet [tibɛ] *nm* Tíbet *m*.
tibétain, e [tibetɛ̃, ɛn] *adj* tibetano(-a) ♦ *nm/f*: **T~, e** tibetano(-a).
tibia [tibja] *nm* tibia.
tic [tik] *nm* (*nerveux*) tic *m*; (*de langage etc*) muletilla.
ticket [tikɛ] *nm* billete *m*, boleto (*AM*); (*de cinéma, théâtre*) entrada; ▶ **ticket de caisse** ticket *m ou* tique(t) *m* de compra; ▶ **ticket de quai** ticket *ou* tique(t) de andén; ▶ **ticket de rationnement** cupón *m* de racionamiento; ▶ **ticket modérateur** porcentaje correspondiente al asegurado en los gastos de la Seguridad social; ▶ **ticket repas** vale *m* (para la comida).
tic-tac [tiktak] *nm inv* tictac *m*.
tiède [tjed] *adj* tibio(-a), templado(-a); (*bière*) caliente; (*thé, café*) tibio(-a); (*air*) templado(-a) ♦ *adv*: **boire** ~ beber cosas templadas; **recevoir un accueil** ~ tener una acogida tibia.
tièdement [tjedmɑ̃] *adv* con tibieza.
tiédeur [tjedœʀ] *nf*: **la** ~ **de l'eau** el agua templada; **la** ~ **de l'accueil** la tibieza de la acogida.
tiédir [tjediʀ] *vi* templarse.
tiédissement [tjedismɑ̃] *nm* (*de la température*) suavizamiento.
tien, ne [tjɛ̃, tjɛn] *adj* tuyo(-a) ♦ *pron*: **le(la) tien(ne)** el/la tuyo(-a); **les** ~**s/les tiennes** los tuyos/las tuyas; **les** ~**s** (*ta famille*) los tuyos.
tienne [tjɛn] *vb voir* **tenir** ♦ *pron voir* **tien.**
tiens [tjɛ̃] *vb, excl voir* **tenir.**
tierce [tjɛʀs] *adj f voir* **tiers** ♦ *nf* (*MUS*) tercera; (*CARTES*) escalera.
tiercé [tjɛʀse] *nm* apuesta triple.
tiers, tierce [tjɛʀ, tjɛʀs] *adj* tercero(-a) ♦ *nm* (*JUR*) tercero; (*fraction*) tercio; **assurance au** ~ seguro contra terceros; **une tierce personne** una tercera persona; **le** ~ **monde** el tercer mundo; ▶ **tiers payant** (*MÉD, PHARMACIE*) sistema en que la com-

pañía de seguros paga directamente por la asistencia médica del paciente; ▶ **tiers provisionnel** (*FIN*) pago fraccionado del impuesto sobre la renta.
tiers-mondisme [tjɛʀmɔ̃dism] *nm* tercermundismo.
TIG [teiʒe] *sigle m* (= *travail d'intérêt général*) trabajo sustitutorio de pena de cárcel.
tige [tiʒ] *nf* (*de fleur, plante*) tallo; (*branche d'arbre*) rama; (*baguette*) varilla.
tignasse [tiɲas] (*péj*) *nf* greñas *fpl*.
Tigre [tigʀ] *nm* Tigris *m*.
tigré, e [tigʀe] *adj* (*tacheté*) picado(-a); (*rayé*) atigrado(-a).
tigresse [tigʀɛs] *nf* tigresa.
tilleul [tijœl] *nm* (*arbre*) tilo; (*boisson*) tila.
tilt [tilt] *nm*: **faire** ~ (*fig*: *échouer*) irse al garete; **sa réponse a fait** ~ (*inspirer*) su respuesta me iluminó la mente.
timbale [tɛ̃bal] *nf* cubilete *m*; ~**s** *nfpl* (*MUS*) timbales *mpl*.
timbalier [tɛ̃balje] *nm* (*MUS*) timbalero.
timbrage [tɛ̃bʀaʒ] *nm*: **dispensé de** ~ exento de franqueo.
timbre [tɛ̃bʀ] *nm* timbre *m*; (*aussi*: ~-**poste**) sello, estampilla (*AM*); (*cachet de la poste*) sello; ▶ **timbre dateur** fechador *m*; ▶ **timbre fiscal** timbre fiscal; ▶ **timbre tuberculinique** (*MÉD*) pegatina vendida en la lucha contra la tuberculosis.
timbré, e [tɛ̃bʀe] *adj* (*enveloppe*) timbrado(-a), sellado(-a); (*voix*) timbrado(-a); (*fam*) tocado(-a) de la cabeza; **papier** ~ papel *m* timbrado.
timbrer [tɛ̃bʀe] *vt* (*lettre, paquet*) sellar; (*document, acte*) timbrar.
timide [timid] *adj* tímido(-a); **le soleil est** ~ el sol no se atreve a salir.
timidement [timidmɑ̃] *adv* tímidamente.
timidité [timidite] *nf* timidez *f*.
timonerie [timɔnʀi] *nf* timonera.
timonier [timɔnje] *nm* timonel *m*.
timoré, e [timɔʀe] *adj* timorato(-a).
tint *etc* [tɛ̃] *vb voir* **tenir.**
tintamarre [tɛ̃tamaʀ] *nm* escandalera.
tintement [tɛ̃tmɑ̃] *nm* (*de cloche*) tintín *m*; ▶ **tintement d'oreilles** zumbido de oídos.
tinter [tɛ̃te] *vi* tintinar.
Tipp-Ex ® [tipɛks] *nm* Tipp-Ex *m* ®.
tique [tik] *nf* garrapata.
tiquer [tike] *vi* inmutarse.
TIR [tiʀ] *sigle mpl* (= *transports internationaux routiers*) TIR *m*, transporte internacional por carretera.
tir [tiʀ] *nm* tiro; (*stand*) tiro al blanco; ▶ **tir à l'arc** tiro con arco; ▶ **tir au fusil** tiro con fusil; ▶ **tir au pigeon** tiro de pichón; ▶ **tir de barrage/de mitraillette/d'obus** fuego de barrera/disparo de

ametralladora/tiro de obús.

tirade [tiʀad] *nf* (*THÉÂTRE*) parlamento; (*péj*) retahíla.

tirage [tiʀaʒ] *nm* (*PHOTO*) revelado; (*TYPO, INFORM*) impresión *f*; (*d'un journal, de livre*) tirada; (: *édition*) edición *f*; (*d'un poêle etc*) tiro; (*de loterie*) sorteo; (*désaccord*) fricción *f*; ▸ **tirage au sort** sorteo.

tiraillement [tiʀɑjmɑ̃] *nm* (*d'estomac*) retortijón *m*; (*dans les jambes*) tirón *m*; ~**s** *nmpl* (*doutes*) vacilaciones *fpl*; (*conflits*) tirantez *fsg*.

tirailler [tiʀɑje] *vt* dar tirones a; (*corde, moustache, manche*) tirar; (*suj: honte etc*) agobiar.

tirailleur [tiʀɑjœʀ] *nm* (*MIL*) tirador *m*.

tirant [tiʀɑ̃] *nm*: ~ **d'eau** calado.

tire [tiʀ] *nf*: **voleur à la** ~ ratero; **vol à la** ~ tirón *m*.

tiré, e [tiʀe] *adj* (*visage*) cansado(-a) ♦ *nm* (*COMM*) librado; ~ **par les cheveux** difícil de creer; ▸ **tiré à part** separata.

tire-au-flanc [tiʀoflɑ̃] (*péj*) *nm inv* vago(-a).

tire-botte [tiʀbɔt] (*pl* ~**-**~**s**) *nm* sacabotas *m inv*.

tire-bouchon [tiʀbuʃɔ̃] (*pl* ~**-**~**s**) *nm* sacacorchos *m inv*.

tire-bouchonner [tiʀbuʃɔne] *vt*: **pantalons tire-bouchonnés** pantalones *mpl* con pliegues *ou* arrugas en la canilla.

tire-d'aile [tiʀdɛl]: **à** ~**-**~ *adv* a aletazos.

tire-fesses [tiʀfɛs] *nm inv* telesquí *m*.

tire-lait [tiʀlɛ] *nm inv* sacaleches *msg*.

tire-larigot [tiʀlaʀigo] (*fam*): **à** ~**-**~ *adv* hasta reventar.

tirelire [tiʀliʀ] *nf* hucha.

tirer [tiʀe] *vt* (*sonnette etc*) tirar de, jalar (*AM*); (*remorque*) arrastrar, jalar (*AM*); (*trait*) trazar; (*porte*) cerrar; (*rideau, panneau*) correr; (*extraire: carte, numéro, conclusion*) sacar; (*COMM: chèque*) extender; (*loterie*) sortear; (*en faisant feu*) tirar, disparar; (: *animal*) disparar (a); (*journal, livre*) imprimir; (*PHOTO*) revelar; (*FOOTBALL*) sacar, tirar ♦ *vi* (*faire feu*) disparar; (*cheminée, SPORT*) tirar; **se tirer** *vpr* (*fam*) largarse; ~ **qch de** sacar algo de; (*le jus d'un citron*) extraer algo de; (*un son d'un instrument*) obtener algo de; ~ **une substance d'une matière première** obtener una sustancia de una materia prima; ~ **6 mètres** (*NAUT*) tener 6 metros de calado; **s'en** ~ salir bien; ~ **sur** tirar de; (*faire feu sur*) disparar a; (*pipe*) fumar en; (*avoisiner*) acercarse a; ~ **la langue** sacar la lengua; ~ **avantage/parti de** sacar provecho/partido de; ~ **son nom/origine de** recibir su nombre/origen de; ~ **qn de** (*embarras etc*) sacar a algn de; ~ **à l'arc/à la carabine** tirar con arco/con

carabina; ~ **en longueur** no tener fin; ~ **à sa fin** tocar a su fin; ~ **les cartes** echar las cartas.

tiret [tiʀɛ] *nm* guión *m*.

tireur, -euse [tiʀœʀ, øz] *nm/f* (*MIL*) tirador(a); (*COMM*) librador(a); **bon** ~ buen tirador; ▸ **tireur d'élite** tirador de primera; ▸ **tireuse de cartes** echadora de cartas.

tiroir [tiʀwaʀ] *nm* cajón *m*.

tiroir-caisse [tiʀwaʀkɛs] (*pl* ~**s-**~**s**) *nm* caja.

tisane [tizan] *nf* tisana, infusión *f*.

tison [tizɔ̃] *nm* tizón *m*.

tisonner [tizɔne] *vt* atizar.

tisonnier [tizɔnje] *nm* atizador *m*.

tissage [tisaʒ] *nm* tejido.

tisser [tise] *vt* tejer; (*réseau*) establecer.

tisserand [tisʀɑ̃] *nm* tejedor *m*.

tissu¹ [tisy] *nm* tejido; (*fig*) sarta; ▸ **tissu de mensonges** sarta de mentiras.

tissu², e [tisy] *adj*: ~ **de** tejido(-a) de.

tissu-éponge [tisyepɔ̃ʒ] (*pl* ~**s-**~**s**) *nm* felpa.

titane [titan] *nm* titanio.

titanesque [titanɛsk] *adj* titánico(-a).

titiller [titije] *vt* cosquillear.

titrage [titʀaʒ] *nm* (*d'un film*) titulación *f*; (*d'un alcool*) graduación *f*.

titre [titʀ] *nm* título; (*de journal, aussi télévisé*) titular *m*; (*CHIM: d'alliage*) ley *f*; (: *de solution*) título; (: *d'alcool*) graduación *f*; **en** ~ titular; **à juste** ~ con toda razón; **à quel** ~? ¿a título de qué?; **à aucun** ~ bajo ninguna razón; **au même** ~ **(que)** al igual (que); **au** ~ **de la coopération** *etc* en nombre de la cooperación *etc*; **à** ~ **d'exemple** como ejemplo; **à** ~ **d'exercice** como ejercicio; **à** ~ **exceptionnel** excepcionalmente; **à** ~ **amical** amistosamente; **à** ~ **d'information** a modo de información; **à** ~ **gracieux** gratis; **à** ~ **provisoire/d'essai** de forma provisional/a modo de ensayo; **à** ~ **privé/consultatif** a título privado/consultativo; ▸ **titre courant** titulillo; ▸ **titre de propriété** título de propiedad; ▸ **titre de transport** billete *m*.

titré, e [titʀe] *adj* titulado(-a); (*personne*) con título.

titrer [titʀe] *vt* (*CHIM: alcool*) graduar; (: *solution*) titular; (*PRESSE*) titular; (*suj: vin*): ~ **10°** tener una graduación de 10°.

titubant, e [titybɑ̃, ɑ̃t] *adj* tambaleante.

tituber [titybe] *vi* titubear.

titulaire [titylɛʀ] *adj* titular ♦ *nm* titular *m*; **être** ~ **de** ser titular de.

titularisation [titylaʀizasjɔ̃] *nf* nombramiento (como titular).

titulariser [titylaʀize] *vt* hacer titular a.
TNP [teɛnpe] *sigle m* = *Théâtre national populaire*.
TNT [teɛnte] *sigle m* (= *trinitrotoluène*) TNT *m* (= *trinitrotolueno*).
toast [tost] *nm* tostada; (*de bienvenue*) brindis *m inv*; **porter un** ~ **à qn** brindar por algn.
toasteur [tostœʀ] *nm* tostador *m*.
toboggan [tɔbɔgɑ̃] *nm* tobogán *m*; (*AUTO*) paso a desnivel.
toc [tɔk] *nm*: **en** ~ de imitación.
tocsin [tɔksɛ̃] *nm* rebato, toque *m* de alarma.
toge [tɔʒ] *nf* toga.
Togo [tɔgo] *nm* Togo.
togolais, e [tɔgɔlɛ, ɛz] *adj* togolés(-esa) ♦ *nm/f*: **T~, e** togolés(-esa).
tohu-bohu [tɔybɔy] *nm inv* (*désordre*) revoltijo; (*tumulte*) barullo.
toi [twa] *pron* tú; ~, **tu n'y vas pas** tú no vas; **c'est** ~? ¿eres tú?; **je veux aller avec** ~ quiero ir contigo; **pour/sans** ~ para/ sin ti; **des livres à** ~ libros tuyos.
toile [twal] *nf* tela; (*bâche*) lona; (*tableau*) tela, lienzo; **grosse** ~ tela basta; **tisser sa** ~ tejer su tela; ▶ **toile cirée** hule *m*; ▶ **toile d'araignée** telaraña; ▶ **toile de fond** telón *m* de fondo; ▶ **toile de jute** tela de saco; ▶ **toile de lin** lienzo; ▶ **toile de tente** lona; ▶ **toile émeri** tela de esmeril.
toilettage [twaletaʒ] *nm* (*d'un animal*) aseo; (*d'un texte*) preparación *f* para la edición.
toilette [twalɛt] *nf* aseo; (*s'habiller et se préparer*) arreglo; (*habillement*) vestimenta; ~**s** *nfpl* servicios *mpl*; **les** ~**s des dames/messieurs** los servicios de señoras/caballeros; **faire sa** ~ asearse; **faire la** ~ **de** (*animal*) lavar y arreglar a; (*texte*) preparar; **articles de** ~ artículos *mpl* de aseo; ▶ **toilette intime** aseo íntimo.
toi-même [twamɛm] *pron* tú mismo.
toise [twaz] *nf*: **passer à la** ~ tallar.
toiser [twaze] *vt* tallar.
toison [twazɔ̃] *nf* (*de mouton*) vellón *m*; (*cheveux*) melena.
toit [twa] *nm* techo; (*de bâtiment*) tejado; ▶ **toit ouvrant** techo solar.
toiture [twatyʀ] *nf* tejado, techumbre *f*.
Tokyo [tɔkjo] *n* Tokio.
tôle [tol] *nf* chapa; ▶ **tôle d'acier** chapa de acero; ▶ **tôle ondulée** chapa ondulada.
Tolède [tɔlɛd] *n* Toledo.
tolérable [tɔleʀabl] *adj* tolerable.
tolérance [tɔleʀɑ̃s] *nf* tolerancia; (*hors taxe*) cantidad *f* autorizada.
tolérant, e [tɔleʀɑ̃, ɑ̃t] *adj* tolerante.

tolérer [tɔleʀe] *vt* tolerar; (*ADMIN*: *hors taxe*) autorizar.
tôlerie [tolʀi] *nf* fabricación *f* de chapas; (*atelier*) chapistería; (*d'une voiture*) chapa.
tollé [tɔ(l)le] *nm*: **un** ~ (*d'injures/de protestations*) una sarta (de insultos/de protestas).
TOM [tɔm] *sigle m ou mpl* (= *territoire(s) d'outre-mer*) territorio(s) (*mpl*) de ultramar.
tomate [tɔmat] *nf* tomate *m*.
tombal, e [tɔbal, o] *adj*: **pierre** ~**e** lápida sepulcral.
tombant, e [tɔbɑ̃, ɑ̃t] *adj*: **manches** ~**es** mangas *fpl* caídas; **épaules** ~**es** hombros *mpl* caídos.
tombe [tɔb] *nf* tumba.
tombeau, x [tɔbo] *nm* tumba; **à** ~ **ouvert** a toda velocidad.
tombée [tɔbe] *nf*: **à la** ~ **du jour** *ou* **de la nuit** al atardecer, al anochecer.
tomber [tɔbe] *vi* caer; (*accidentellement*) caerse; (*prix, température*) bajar ♦ *vt*: ~ **la veste** (*fam*) quitarse la chaqueta; **laisser** ~ abandonar; ~ **sur** encontrarse con; (*attaquer*) echarse sobre; (*critiquer*) echarse encima de; ~ **de fatigue/de sommeil** caerse de cansancio/de sueño; ~ **à l'eau** (*fig*) irse al garete; ~ **juste** salir bien; ~ **en panne** tener una avería; ~ **en ruine** caerse en ruinas; **le 15 tombe un mardi** el 15 cae en martes; ~ **bien/mal** (*vêtement*) quedar bien/mal; **ça tombe bien/mal** (*fig*) viene bien/mal; **il est bien/ mal tombé** (*fig*) le ha ido bien/mal.
tombereau, x [tɔbʀo] *nm* volquete *m*.
tombeur [tɔbœʀ] (*péj*) *nm* seductor *m*.
tombola [tɔbɔla] *nf* tómbola.
Tombouctou [tɔbuktu] *n* Tombuctú.
tome [tɔm] *nm* tomo.
tomette [tɔmɛt] *nf* = **tommette**.
tommette [tɔmɛt] *nf* baldosín *m*.
ton¹, ta [tɔ̃, ta, te] (*pl* **tes**) *dét* tu.
ton² [tɔ̃] *nm* tono; **élever** *ou* **hausser le** ~ levantar la voz; **donner le** ~ llevar la voz cantante; **si vous le prenez sur ce** ~ si lo toma usted así; **de bon** ~ de buen tono; ~ **sur** ~ en la misma gama de color.
tonal, e [tɔnal] *adj* (*MUS*) tonal.
tonalité [tɔnalite] *nf* tonalidad *f*; (*au téléphone*) señal *f*.
tondeuse [tɔdøz] *nf* (*à gazon*) cortadora de césped; (*de coiffeur*) maquinilla (de cortar el pelo); (*pour la tonte*) esquiladora.
tondre [tɔdʀ] *vt* (*pelouse*) cortar; (*haie*) podar; (*mouton*) esquilar; (*cheveux*) rapar.
tondu, e [tɔdy] *pp de* **tondre** ♦ *adj* (*che-*

veux) rapado(-a); (*mouton*) esquilado(-a).

tonicité [tɔnisite] *nf* tonicidad *f*.

tonifiant, e [tɔnifjɑ̃, jɑ̃t] *adj* (*lotion*) tonificante; (*air*) vivificador(a).

tonifier [tɔnifje] *vi* (*air*) vivificar; (*eau*) tonificar ♦ *vt* (*organisme*) entonar; (*peau*) tonificar.

tonique [tɔnik] *adj* (*lotion*) tónico(-a); (*médicament, personne*) estimulante; (*froid*) tonificante; (*air*) vivificador(a) ♦ *nm* (*médicament*) estimulante *m*; (*lotion*) tónico; (*boisson*) tónica ♦ *nf* (*MUS*) tónica.

tonitruant, e [tɔnitryɑ̃, ɑ̃t] *adj* estrepitoso(-a).

Tonkin [tɔ̃kɛ̃] *nm* Tonquín *m*, Tonkín *m*.

tonkinois, e [tɔ̃kinwa, waz] *adj* tonquinés(-esa) ♦ *nm/f*: T~, e tonquinés(-esa).

tonnage [tɔnaʒ] *nm* tonelaje *m*.

tonnant, e [tɔnɑ̃, ɑ̃t] *adj* estruendoso(-a).

tonne [tɔn] *nf* tonelada.

tonneau, x [tɔno] *nm* tonel *m*; (*NAUT*): jauger 2.000 ~x tener una capacidad de 2.000 toneladas; **faire des ~x** (*voiture*) dar vueltas de campana; (*avion*) hacer rizos.

tonnelet [tɔnlɛ] *nm* tonelete *m*.

tonnelier [tɔnəlje] *nm* tonelero *m*.

tonnelle [tɔnɛl] *nf* glorieta.

tonner [tɔne] *vi* tronar; (*parler avec véhémence*): ~ **contre qn/qch** despotricar contra algn/algo; **il tonne** truena.

tonnerre [tɔnɛʀ] *nm* trueno; **du ~** (*fam*) bárbaro(-a); **coup de ~** infortunio; ▶ **tonnerre d'applaudissements** salva de aplausos.

tonsure [tɔ̃syʀ] *nf* tonsura.

tonte [tɔ̃t] *nf* esquila.

tonus [tɔnys] *nm*: **avoir du ~** estar entonado(-a); **donner du ~** entonar.

top [tɔp] *nm*: **au 3ème ~** a la tercera señal ♦ *adj*: ~ **secret** top secret ♦ *excl* ¡ya!; **le ~ 50** ≈ los 40 principales.

topaze [tɔpaz] *nf* topacio.

toper [tɔpe] *vi*: **tope-/topez-là!** ¡chócala/chóquela!

topinambour [tɔpinɑ̃buʀ] *nm* batata.

topo [tɔpo] (*fam*) *nm* (*croquis*) plano; (*exposé*) resumen *m*.

topographie [tɔpɔɡʀafi] *nf* topografía.

topographique [tɔpɔɡʀafik] *adj* topográfico(-a).

toponymie [tɔpɔnimi] *nf* toponimia.

toquade [tɔkad] (*fam*) *nf* capricho.

toque [tɔk] *nf* gorro; ▶ **toque de cuisinier** gorro de cocinero; ▶ **toque de jockey** gorra de jockey; ▶ **toque de juge** birrete *m* de juez.

toqué, e [tɔke] (*fam*) *adj* tocado(-a).

torche [tɔʀʃ] *nf* antorcha.

torcher [tɔʀʃe] (*fam*) *vt* limpiar.

torchère [tɔʀʃɛʀ] *nf* hachón *m*.

torchon [tɔʀʃɔ̃] *nm* trapo; (*à vaisselle*) paño de cocina.

tordre [tɔʀdʀ] *vt* (*chiffon*) estrujar; (*barre*) torcer; (*visage*) retorcer; **se tordre** *vpr* torcerse; (*ver, serpent*) retorcerse; **se ~ le pied/bras** torcerse el pie/brazo; **se ~ de douleur/de rire** retorcerse de dolor/ desternillarse de risa.

tordu, e [tɔʀdy] *pp de* **tordre** ♦ *adj* idiota.

torero [tɔʀeʀo] *nm* torero.

tornade [tɔʀnad] *nf* tornado.

toron [tɔʀɔ̃] *nm* cable *m* trenzado.

Toronto [tɔʀɔ̃to] *n* Toronto.

torontois, e [tɔʀɔ̃twa, waz] *adj* de Toronto ♦ *nm/f*: T~, e nativo(-a) *ou* habitante *m/f* de Toronto.

torpeur [tɔʀpœʀ] *nf* entorpecimiento.

torpille [tɔʀpij] *nf* torpedo.

torpiller [tɔʀpije] *vt* torpedear.

torpilleur [tɔʀpijœʀ] *nm* torpedero.

torréfaction [tɔʀefaksjɔ̃] *nf* torrefacción *f*.

torréfier [tɔʀefje] *vt* torrefactar.

torrent [tɔʀɑ̃] *nm* torrente *m*; (*fig*): **un ~ de** un torrente de; **il pleut à ~s** llueve a mares.

torrentiel, le [tɔʀɑ̃sjɛl] *adj* torrencial.

torride [tɔʀid] *adj* tórrido(-a).

tors, e [tɔʀ, tɔʀs] *adj* torcido(-a).

torsade [tɔʀsad] *nf* retorcido, (*ARCHIT*) espiral *f*.

torsader [tɔʀsade] *vt* retorcer.

torse [tɔʀs] *nm* torso; (*poitrine*) pecho ♦ *adj f voir* **tors**.

torsion [tɔʀsjɔ̃] *nf* torsión *f*.

tort [tɔʀ] *nm* (*défaut*) defecto; (*préjudice*) perjuicio; ~**s** *nmpl* (*JUR*) daños y perjuicios *mpl*; **avoir** ~ estar equivocado(-a); **être dans son** ~ tener la culpa; **donner** ~ **à qn** echar la culpa a algn; (*fig: suj: chose*) perjudicar a algn; **causer du** ~ **à** perjudicar a; **être en** ~ tener la culpa; **à** ~ sin razón; **à** ~ **ou à raison** con razón o sin ella; **à** ~ **et à travers** a tontas y a locas.

torte [tɔʀt] *adj f voir* **tors**.

torticolis [tɔʀtikɔli] *nm* tortícolis *f inv*.

tortiller [tɔʀtije] *vt* retorcer; **se tortiller** *vpr* retorcerse.

tortionnaire [tɔʀsjɔnɛʀ] *nm* verdugo.

tortue [tɔʀty] *nf* tortuga.

tortueux, -euse [tɔʀtɥø, øz] *adj* tortuoso(-a).

torture [tɔʀtyʀ] *nf* tortura.

torturé, e [tɔʀtyʀe] *adj* atormentado(-a).

torturer [tɔʀtyʀe] *vt* torturar.

torve [tɔʀv] *adj*: **regard** ~ mirada torva.

tôt [to] *adv* (*au début d'une portion de temps*) temprano; (*au bout de peu de temps*) pronto; ~ **ou tard** tarde o temprano; **si** ~ tan pronto; **au plus** ~ cuanto antes; **plus** ~ antes; **il eut** ~ **fait de faire ...** muy pronto hizo ... .

total, e, -aux [tɔtal, o] *adj* total ♦ *nm* total *m*; **au** ~ en total; (*fig*) en resumidas cuentas; **faire le** ~ hacer el total.

totalement [tɔtalmɑ̃] *adv* totalmente.

totalisateur, -trice [tɔtalizatœʀ, tʀis] *adj* totalizador(a) ♦ *nm* (*COMM*) totalizador *m*.

totaliser [tɔtalize] *vt* totalizar.

totalitaire [tɔtalitɛʀ] *adj* totalitario(-a).

totalitarisme [tɔtalitaʀism] *nm* totalitarismo.

totalité [tɔtalite] *nf* totalidad *f*; **revoir qch en** ~ revisar algo en totalidad.

totem [tɔtɛm] *nm* tótem *m*.

toubib [tubib] (*fam*) *nm* médico.

touchant, e [tuʃɑ̃, ɑ̃t] *adj* conmovedor(a).

touche [tuʃ] *nf* (*de piano, de machine à écrire*) tecla; (*de violon*) diapasón *m*; (*de télécommande*) botón *m*; (*PEINTURE, fig*) toque *m*; (*RUGBY*) línea lateral; (*FOOT-BALL: aussi*: **remise en** ~) saque *m* de banda; (: *ligne de touche*) línea de banda; (*ESCRIME*) tocado; **en** ~ fuera de banda; **avoir une drôle de** ~ (*fam*) tener una pinta extraña; ▶ **touche sensitive** *ou* **à effleurement** control *m* sensible al tacto; ▶ **touche de commande/de fonction/ de retour** (*INFORM*) tecla de mando/de función/de retorno.

touche-à-tout [tuʃatu, tut] (*péj*) *nm inv* (*gén: enfant*): **quel** ~-~-~ ¡tiene que tocarlo todo!; (*fig: chercheur*) hace de todo un poco.

toucher, e [tuʃe] *nm* tacto; (*MUS*) modo de tocar ♦ *vt* tocar; (*mur, pays*) lindar con; (*atteindre*) alcanzar; (*émouvoir: suj: amour, fleurs*) conmover; (: *catastrophe, malheur, crise*) afectar; (*concerner*) atañer; (*contacter*) contactar con; (*prix, récompense*) recibir; (*salaire, chèque*) cobrar; (*problème, sujet*) abordar; **se toucher** *vpr* tocarse; **au** ~ al tacto; ~ **à qch** tocar algo; (*concerner*) atañer a algo; ~ **au but** llegar a la meta; **je vais lui en** ~ **un mot** le diré dos palabras sobre ello; ~ **à sa fin** *ou* **son terme** tocar a su fin.

touffe [tuf] *nf* (*d'herbe*) mata; (*de poils*) mechón *m*.

touffu, e [tufy] *adj* (*haie, forêt*) frondoso(-a); (*cheveux*) tupido(-a); (*style, texte*) denso(-a).

toujours [tuʒuʀ] *adv* siempre; (*encore*) todavía; ~ **plus** cada vez más; **pour** ~ para siempre; **depuis** ~ desde siempre; ~ **est-il que** lo cierto es que; **essaie** ~ prueba a intentarlo; **il vit** ~ **ici** sigue viviendo aquí.

Toulon [tulɔ̃] *n* Tolón.

toulonnais, e [tulɔnɛ, ɛz] *adj* tolonés(-esa) ♦ *nm/f*: **T~, e** tolonés(-esa).

toulousain, e [tuluzɛ̃, ɛn] *adj* de Toulouse ♦ *nm/f*: **T~, e** nativo(-a) *ou* habitante *m/f* de Toulouse.

Toulouse [tuluz] *n* Toulouse.

toupet [tupɛ] *nm* tupé *m*; (*fam*) caradura.

toupie [tupi] *nf* peonza.

tour [tuʀ] *nf* torre *f*; (*appartements*) bloque *m* (de pisos) ♦ *nm* (*promenade*) paseo, vuelta; (*excursion*) excursión *f*; (*SPORT, POL, de vis, de roue*) vuelta; (*d'être servi ou de jouer etc*) turno; (*de la conversation etc*) giro, (*ruse*) ardid *m*; (*de prestidigitation etc*) número; (*de cartes*) truco; (*de potier, à bois*) torno; **de 3 m de** ~ (*circonférence*) de 3 m de perímetro; **faire le** ~ **de** dar la vuelta a; (*questions, possibilités*) dar vueltas a; **faire un** ~ dar una vuelta; **faire le** ~ **de l'Europe** dar la vuelta a Europa; **faire 2/3** ~**s** dar 2 o 3 vueltas; **fermer à double** ~ cerrar bajo siete llaves; **c'est mon/son** ~ es mi/su turno; **c'est au** ~ **de Philippe** le toca a Philippe; **à** ~ **de rôle,** ~ **à** ~ por turnos, en orden; **à** ~ **de bras** con todas las fuerzas; **en un** ~ **de main** en un santiamén, en un abrir y cerrar de ojos; ▶ **tour d'horizon** *nm* (*fig*) panorama; ▶ **tour de chant** *nm* recital *m* de canto; ▶ **tour de contrôle** *nf* torre de control; ▶ **tour de force** *nm* hazaña; ▶ **tour de garde** *nm* recorrido de guardia; ▶ **tour de lancement** *nf* plataforma de lanzamiento; ▶ **tour de lit** *nm* cubrecama *m*; ▶ **tour de main** *nm* habilidad *f*; ▶ **tour de passe-passe** *nm* juego de manos; ▶ **tour de poitrine/de tête** *nm* contorno de pecho/de cabeza; ▶ **tour de reins** *nm* lumbago; ▶ **tour de taille** *nm* contorno de cintura.

tourangeau, -elle [tuʀɑ̃ʒo, ɛl] *adj* turonense ♦ *nm/f*: **T~, -elle** turonense *m/f*.

tourbe [tuʀb] *nf* turba.

tourbeux, -euse [tuʀbø, øz] *adj* turboso(-a).

tourbière [tuʀbjɛʀ] *nf* turbera.

tourbillon [tuʀbijɔ̃] *nm* (*d'eau, de poussière*) remolino; (*de vent, fig*) torbellino.

tourbillonner [tuʀbijɔne] *vi* arremolinarse; (*objet, personne*) dar vueltas.

tourelle [tuʀɛl] *nf* torrecilla; (*de véhicule*) torreta.

tourisme [tuʀism] *nm* turismo; **office du** ~ oficina de turismo; **avion de** ~ avión *m* de turismo; **voiture de** ~ turismo; **faire du** ~ hacer turismo.

touriste [tuʀist] *nm/f* turista *m/f*.

touristique [tuʀistik] *adj* turístico(-a).

tourment [tuʀmɑ̃] *nm* tormento.

tourmente [tuʀmɑ̃t] *nf* tormenta.

tourmenté, e [tuʀmãte] *adj* atormentado(-a); (*mer, période*) tormentoso(-a); (*paysage*) escabroso(-a); (*tableau*) tempestuoso(-a).

tourmenter [tuʀmãte] *vt*: **se ~ ♦** *vpr* atormentarse.

tournage [tuʀnaʒ] *nm* rodaje *m*.

tournant, e [tuʀnã, ãt] *adj* (*feu, scène*) giratorio(-a); (*chemin*) sinuoso(-a); (*escalier*) de caracol; (*mouvement*) envolvente **♦** *nm* (*de route*) curva; (*fig*) giro; *voir aussi* **grève; plaque.**

tourné, e [tuʀne] *adj* (*lait, vin*) agrio(-a); (*MENUISERIE*: *bois*) torneado(-a); (*compliment*) bien hecho(-a); **bien ~** (*personne*) bien formado(-a); **mal ~** (*lettre*) mal escrito(-a); **avoir l'esprit mal ~** ser un malpensado(-a).

tournebroche [tuʀnəbʀɔʃ] *nm* asador *m*.

tourne-disque [tuʀnədisk] (*pl* ~-~s) *nm* tocadiscos *m inv*.

tournedos [tuʀnədo] *nm* (*CULIN*) turnedó *m*.

tournée [tuʀne] *nf* (*du facteur*) ronda; (*d'artiste, de politicien*) gira; **payer une ~** pagar una ronda; **faire la ~ de** hacer un recorrido por; **▶ tournée électorale/musicale** gira electoral/musical.

tournemain [tuʀnəmɛ̃]: **en un ~** *adv* en un abrir y cerrar de ojos.

tourner [tuʀne] *vt* girar, voltear (*AM*); (*sauce, mélange*) revolver; (*NAUT*: *cap*) rodear; (*difficulté etc*) esquivar; (*scène, film*) rodar; (: *produire*) producir; (*jouer dans*) actuar en **♦** *vi* girar, voltear (*AM*); (*vent*) cambiar de dirección; (*moteur*) estar en marcha; (*compteur*) estar andando; (*lait etc*) agriarse; (*chance, vie*) cambiar; (*fonctionner*: *société etc*) marchar; **se tourner** *vpr* volverse; **se ~ vers** volverse hacia; (*personne*: *pour demander*: *aide, conseil*) dirigirse a; (*profession*) inclinarse por; (*question*) detenerse en; **bien/mal ~** salir bien/mal; **~ autour de** dar vueltas alrededor de; (*soleil*: *suj*: *terre*) girar alrededor de; (*péj*: *personne*: *importuner*) andar rondando a; **~ autour du pot** (*fig*) andarse con rodeos; **~ à/en** volverse, convertirse en; **~ à la pluie/au rouge** volverse lluvioso/ponerse rojo; **~ en ridicule** ridiculizar; **~ le dos à** dar la espalda a; **~ court** desviarse; **se ~ les pouces** (*fig*) estar con los brazos cruzados; **~ la tête** girar la cabeza; **~ la tête à qn** volver loco(-a) a algn; **~ de l'œil** (*fam*) desmayarse; **~ la page** (*fig*) hacer borrón y cuenta nueva.

tournesol [tuʀnəsɔl] *nm* girasol *m*.

tourneur [tuʀnœʀ] *nm* tornero.

tournevis [tuʀnəvis] *nm* destornillador *m*.

tourniquer [tuʀnike] *vi* andar de acá para allá.

tourniquet [tuʀnikɛ] *nm* (*pour arroser*) aspersor *m*; (*portillon, CHIRURGIE*) torniquete *m*; (*présentoir*) soporte *m* giratorio.

tournis [tuʀni] (*fam*) *nm*: **avoir le ~** marearse; **donner le ~** dar mareo(s).

tournoi [tuʀnwa] *nm* (*HIST*) torneo; **▶ tournoi de bridge/tennis** torneo de bridge/tenis; **▶ tournoi des 5 nations** (*RUGBY*) campeonato de las 5 naciones.

tournoyer [tuʀnwaje] *vi* (*oiseau*) revolotear; (*fumée*) arremolinarse.

tournure [tuʀnyʀ] *nf* (*LING*) giro; (*d'une pièce, d'un texte*) carácter *m*, aspecto; **prendre ~** tomar forma; **▶ tournure d'esprit** manera de enfocar las cosas.

tour-opérateur [tuʀɔpeʀatœʀ] (*pl* ~-~s) *nm* touroperador *m*.

tourte [tuʀt] *nf* (*CULIN*): **~ à la viande** pastel *m* de carne.

tourteau, x [tuʀto] *nm* (*AGR*) torta de orujo; (*ZOOL*) buey *m* (de mar).

tourtereaux [tuʀtəʀo] *nmpl* tórtolos *mpl*.

tourterelle [tuʀtəʀɛl] *nf* tórtola.

tourtière [tuʀtjɛʀ] *nf* (*CULIN*) tartera.

tous [tu] *dét, pron voir* **tout**.

Toussaint [tusɛ̃] *nf*: **la ~** el día de Todos los Santos.

tousser [tuse] *vi* toser.

toussoter [tusɔte] *vi* carraspear.

═══════════════════════ *MOT-CLÉ*

tout, e [tu, tut] (*pl* **tous**, *f* **toutes**) *adj* **1** (*avec article*) todo(-a); **tout le lait/l'argent** toda la leche/todo el dinero; **toute la nuit** toda la noche; **tout le livre** todo el libro; **toutes les trois/deux semaines** cada tres/dos semanas; **tout le temps** *adv* todo el tiempo; **tout le monde** *pron* todo el mundo; **c'est tout le contraire** es todo lo contrario; **tout un pain/un livre** un pan/un libro entero; **c'est tout une affaire/une histoire** es todo un caso/una historia; **toutes les nuits** todas las noches; **toutes les fois que** ... todas las veces que ...; **tous les deux** los dos, ambos; **toutes les trois** las tres

2 (*sans article*): **à tout âge/à toute heure** a cualquier edad/hora; **pour toute nourriture, il avait** ... por todo alimento, tenía ...; **à toute vitesse** a toda velocidad; **de tous côtés** *ou* **de toutes parts** de todos (los) lados *ou* de todas partes; **à tout hasard** por si acaso

♦ *pron* todo(-a); **il a tout fait** lo hizo todo; **je les vois toutes** las veo a todas; **nous y sommes tous allés** fuimos todos; **en tout** en total; **tout ce qu'il sait** todo lo que sabe; **en tout et pour tout, ... en total ...**; **tout ou rien** todo o nada; **c'est tout** eso es todo, nada más; **tout ce qu'il y a de plus aimable** el(la) más amable del mundo ♦ *nm* todo; **du tout au tout** del todo; **le tout est de …** lo importante es …; **pas du tout** en absoluto

♦ *adv* **1** (**toute** *avant adj f commençant par consonne ou h aspiré*) (*très, complètement*): **elle était tout émue** estaba muy emocionada; **elle était toute petite** era muy pequeñita; **tout à côté** al lado; **tout près** muy cerca; **le tout premier** el primero de todos; **tout seul** solo; **le livre tout entier** el libro entero; **tout en haut/bas** arriba/abajo del todo; **tout droit** todo recto; **tout ouvert** completamente abierto; **tout rouge** todo rojo; **parler tout bas** hablar muy bajo; **tout simplement** sencillamente; **fais-le tout doucement** hazlo despacito

2: **tout en** mientras; **tout en travaillant il …** mientras trabaja, …

3: **tout d'abord** en primer lugar; **tout à coup** de repente; **tout à fait** (*complètement*: *fini, prêt*) del todo; (*exactement*: *vrai, juste, identique*) perfectamente; **"tout à fait!"** (*oui*) "¡desde luego!"; **tout à l'heure** (*passé*) hace un rato; (*futur*) luego; **à tout à l'heure!** ¡hasta luego!; **tout de même** sin embargo; **tout de suite** enseguida; **tout terrain** *ou* **tous terrains** *adj inv* todo terreno *inv*.

---

tout-à-l'égout [tutalegu] *nm inv* sistema de evacuación directa a la cloaca.

toutefois [tutfwa] *adv* sin embargo, no obstante.

toutes [tut] *dét, pron voir* **tout**.

toutou [tutu] (*fam*) *nm* guauguau *m*, perrito.

tout-petit [tup(ə)ti] (*pl* ~-~**s**) *nm* pequeño(-a), niño(-a).

tout-puissant, toute-puissante [tupɥisɑ̃, tutpɥisɑ̃t] (*pl* **tout(es)-puissant(e)s**) *adj* todopoderoso(-a).

tout-venant [tuv(ə)nɑ̃] *nm inv*: **le** ~-~ mercancía no seleccionada.

toux [tu] *nf* tos *f inv*.

toxémie [tɔksemi] *nf* toxemia.

toxicité [tɔksisite] *nf* toxicidad *f*.

toxicologie [tɔksikɔlɔʒi] *nf* toxicología.

toxicologique [tɔksikɔlɔʒik] *adj* toxicológico(-a).

toxicomane [tɔksikɔman] *adj* toxicómano(-a).

toxicomanie [tɔksikɔmani] *nf* toxicomanía.

toxine [tɔksin] *nf* toxina.

toxique [tɔksik] *adj* tóxico(-a).

TP [tepe] *sigle mpl* (= *travaux pratiques*) prácticas *fpl*; (= *Travaux Publics*) ≈ OP (= *Obras Públicas*) ♦ *abr* = *trésor public*.

trac [tRak] *nm* nerviosismo; **avoir le** ~ estar nervioso(-a), estar como un flan.

traçant, e [tRasɑ̃, ɑ̃t] *adj*: **obus** ~ obús *m* trazador; **table** ~**e** (*INFORM*) trazador *m* de gráficos.

tracas [tRaka] *nm* preocupación *f*.

tracasser [tRakase] *vt* (*suj: problème, idée*) preocupar; (*harceler*) molestar; **se tracasser** *vpr* preocuparse; **il n'a pas été tracassé par la police** no le molestó la policía.

tracasseries [tRakasRi] *nfpl* molestias *fpl*.

tracassier, -ière [tRakasje, jɛR] *adj* molesto(-a).

trace [tRas] *nf* huella; (*de pneu, de brûlure etc*) marca; (*d'encre, indice, quantité minime*) rastro; (*de blessure, de maladie*) secuela; (*d'une civilisation etc*) restos *mpl*; **avoir une** ~ **d'accent étranger** tener un ligero acento extranjero; **suivre qn à la** ~ seguir la pista *ou* el rastro de algn; ► **traces de freinage/de pneus** marcas de frenada/de neumáticos; ► **traces de pas** huellas *fpl* de pasos.

tracé [tRase] *nm* trazado; (*d'une rivière*) recorrido; (*d'une côte*) línea.

tracer [tRase] *vt* trazar.

traceur [tRasœR] *nm* (*INFORM*) plotter *m*.

trachée(-artère) [tRaʃe(aRtɛR)] (*pl* **trachées-(artères)**) *nf* tráquea.

trachéite [tRakeit] *nf* traqueítis *f inv*.

tract [tRakt] *nm* panfleto.

tractations [tRaktasjɔ̃] *nfpl* negociaciones *fpl*.

tracter [tRakte] *vt* arrastrar con tractor.

tracteur [tRaktœR] *nm* tractor *m*.

traction [tRaksjɔ̃] *nf* tracción *f*; ► **traction avant/arrière** tracción delantera/trasera; ► **traction électrique/mécanique** tracción eléctrica/mecánica.

tradition [tRadisjɔ̃] *nf* tradición *f*.

traditionalisme [tRadisjɔnalism] *nm* tradicionalismo.

traditionaliste [tRadisjɔnalist] *adj* tradicionalista.

traditionnel, le [tRadisjɔnɛl] *adj* tradicional.

traditionnellement [tRadisjɔnɛlmɑ̃] *adv* tradicionalmente.

traducteur, -trice [tRadyktœR, tRis] *nm/f* traductor(a) ♦ *nm* (*INFORM*) traductor *m*; ► **traducteur interprète** traductor(a) intérprete.

traduction [tRadyksjɔ̃] *nf* traducción *f*; ► **traduction simultanée** traducción simultánea.

traduire [tRadɥiR] *vt* traducir; **se traduire** *vpr*: **se** ~ **par** traducirse por; ~ **en/du français** traducir al/del francés; ~ **qn en justice** hacer comparecer a algn ante la justicia.

traduis *etc* [tradɥi] *vb voir* **traduire.**

traduisible [tradɥizibl] *adj* traducible.

traduit, e [tradɥi, it] *pp de* **traduire.**

trafic [trafik] *nm* tráfico; ▶ **trafic d'armes** tráfico de armas; ▶ **trafic de drogue** narcotráfico.

trafiquant, e [trafikã, ãt] *nm/f* traficante *m/f*.

trafiquer [trafike] *vt* (*péj*) amañar ♦ *vi* traficar.

tragédie [traʒedi] *nf* tragedia.

tragédien, ne [traʒedjɛ̃, ɛn] *nm/f* actor(actriz) de tragedia.

tragi-comique [traʒikɔmik] (*pl* ~-~s) *adj* tragicómico(-a).

tragique [traʒik] *adj* trágico(-a) ♦ *nm*: **prendre qch au** ~ tomar algo por lo trágico.

tragiquement [traʒikmã] *adv* trágicamente.

trahir [trair] *vt* (*aussi fig*) traicionar; (*suj: objet*): ~ **qn** descubrir a algn; ~ **un manque** revelar una ausencia; **se trahir** *vpr* traicionarse.

trahison [traizɔ̃] *nf* traición *f*.

traie *etc* [trɛ] *vb voir* **traire.**

train [trɛ̃] *nm* tren *m*; (*allure*) paso; (*ensemble*) serie *f*; **être en** ~ **de faire qch** estar haciendo algo; **mettre qch en** ~ empezar a hacer algo; **mettre qn en** ~ animar a algn; **se mettre en** ~ (*commencer*) ponerse manos a la obra; (*faire de la gymnastique*) ponerse en forma; **se sentir en** ~ sentirse en forma; **aller bon** ~ ir a buen paso; ▶ **train à grande vitesse/spécial** tren de alta velocidad/especial; ▶ **train arrière/avant** tren trasero/delantero; ▶ **train autos-couchettes** tren coche-cama; ▶ **train d'atterrissage** tren de aterrizaje; ▶ **train de pneus** juego de neumáticos; ▶ **train de vie** tren de vida; ▶ **train électrique** (*jouet*) tren eléctrico.

traînailler [trɛnaje] *vi* = **traînasser.**

traînant, e [trɛnã, ãt] *adj*: **parler d'une voix** ~**e** arrastrar la voz.

traînard, e [trɛnar, ard] (*péj*) *nm/f* pesado(-a).

traînasser [trɛnase] *vi* (*être inoccupé*) vaguear; (*être lent*) ir lento(-a).

traîne [trɛn] *nf* cola; **être à la** ~ (*en arrière*) ir rezagado(-a); (*en désordre*) estar de cualquier manera.

traîneau, x [trɛno] *nm* trineo.

traînée [trɛne] *nf* reguero; (*dans le ciel etc*) estela; (*péj: femme*) perdida.

traîner [trɛne] *vt* tirar de; (*maladie*): **il traîne un rhume depuis l'hiver** lleva arrastrando un resfriado desde el invierno ♦ *vi* rezagarse; (*être en désordre*) estar tira-

do(-a); (*vagabonder*) callejear; (*durer*) alargarse; **se traîner** *vpr* arrastrarse; (*marcher avec difficulté*) andar con dificultad; (*durer*) alargarse; **se** ~ **par terre** (*enfant*) arrastrarse por el suelo; ~ **qn au cinéma** (*emmener*) arrastrar a algn al cine; ~ **les pieds** arrastrar los pies; ~ **par terre** (*balayer le sol*) arrastrar por el suelo; ~ **qch par terre** arrastrar algo por el suelo; ~ **en longueur** ir para largo.

train-ferry [trɛ̃feri] (*pl* **trains-ferries**) *nm* tren-ferry *m*.

training [trenin] *nm* (*survêtement*) chandal *m*, chándal *m*.

train-train [trɛ̃trɛ̃] *nm inv* rutina.

traire [trɛr] *vt* ordeñar.

trait, e [trɛ, ɛt] *pp de* **traire.** ♦ *nm* trazo; (*caractéristique*) rasgo; (*flèche*) punta; ~**s** *nmpl* (*du visage*) rasgos *mpl*; **d'un** ~ de un tirón; **boire à longs** ~**s** beber a grandes tragos; **de** ~ (*animal*) de tiro; **avoir** ~ **à** referirse a; ~ **pour** ~ punto por punto; ▶ **trait d'esprit** agudeza; ▶ **trait d'union** guión *m*; (*fig*) lazo; ▶ **trait de caractère** rasgo de carácter; ▶ **trait de génie** idea luminosa.

traitable [trɛtabl] *adj* (*personne*) tratable; (*sujet*) factible.

traitant [trɛtã] *adj m*: **votre médecin** ~ su médico de cabecera; **shampooing** ~ champú *m* tratante; **crème** ~**e** crema tratante.

traite [trɛt] *nf* (*COMM*) letra de cambio; (*AGR*) ordeño; (*trajet*) trecho; **d'une (seule)** ~ de un (solo) tirón; ▶ **traite des blanches/noirs** trata de blancas/negros.

traité [trɛte] *nm* tratado.

traitement [trɛtmã] *nm* tratamiento; (*salaire*) sueldo; **suivre un** ~ seguir un tratamiento; **mauvais** ~**s** malos tratos *mpl*; ▶ **traitement de données/de l'information/par lots** (*INFORM*) procesamiento de datos/de la información/por paquetes; ▶ **traitement de texte** (*INFORM*) procesamiento *ou* tratamiento de textos.

traiter [trɛte] *vt, vi* tratar; ~ **qn d'idiot** llamar idiota a algn; ~ **de qch** tratar de algo; **bien/mal** ~ tratar bien/mal.

traiteur [trɛtœr] *nm* negocio de comidas por encargo *ou* de catering.

traître, -esse [trɛtr, trɛtrɛs] *adj* traicionero(-a) ♦ *nm/f* traidor(a); **prendre qn en** ~ actuar a traición contra algn.

traîtrise [trɛtriz] *nf* perfidia; (*acte*) traición *f*.

trajectoire [traʒɛktwar] *nf* trayectoria, recorrido.

trajet [traʒɛ] *nm* trayecto; (*ANAT, fig*) recorrido; (*d'un projectile*) trayectoria.

tralala [tʀalala] (*fam*) *nm* pompa, aparato.
tram [tʀam] *nm* = **tramway**.
trame [tʀam] *nf* trama.
tramer [tʀame] *vt* tramar.
trampoline [tʀɑ̃pɔlin], **trampolino** [tʀɑ̃pɔlino] *nm* trampolín *m*.
tramway [tʀamwɛ] *nm* tranvía *m*.
tranchant, e [tʀɑ̃ʃɑ̃, ɑ̃t] *adj* (*lame*) afilado(-a); (*personne*) resuelto(-a); (*couleurs*) contrastado(-a) ♦ *nm* (*d'un couteau*) filo; (*de la main*) borde *m*; **à double** ~ de doble filo.
tranche [tʀɑ̃ʃ] *nf* (*de pain*) rebanada; (*de jambon, fromage*) loncha; (*de saucisson*) rodaja; (*de gâteau*) porción *f*; (*d'un couteau, livre etc*) canto; (*de travaux*) etapa; (*de temps*) rato; (*COMM*) serie *f*; (*ADMIN*: *de revenues, d'impôts*) zona; ~ **d'âge/de salaires** tramo de edad/de salarios; ~ **(d'émission)** (*LOTERIE*) fase *f* (de emisión); ▶ **tranche de vie** periodo de la vida cotidiana; ▶ **tranche de silicium** capa de silicio.
tranché, e [tʀɑ̃ʃe] *adj* (*couleurs*) contrastado(-a); (*opinions*) tajante.
tranchée [tʀɑ̃ʃe] *nf* trinchera.
trancher [tʀɑ̃ʃe] *vt* cortar; (*question*) zanjar ♦ *vi*: ~ **avec** *ou* **sur** contrastar con.
tranchet [tʀɑ̃ʃɛ] *nm* chaira.
tranchoir [tʀɑ̃ʃwaʀ] *nm* (*couteau*) cortante *m*.
tranquille [tʀɑ̃kil] *adj* tranquilo(-a); (*mer*) sereno(-a); **se tenir** ~ estarse quieto(-a); **avoir la conscience** ~ tener la conciencia tranquila; **laisse-moi/laisse-ça** ~! ¡déjame/deja eso en paz!
tranquillement [tʀɑ̃kilmɑ̃] *adv* tranquilamente; (*sans inquiétude*) con tranquilidad.
tranquillisant, e [tʀɑ̃kilizɑ̃, ɑ̃t] *adj* tranquilizador(a) ♦ *nm* (*MÉD*) tranquilizante *m*.
tranquilliser [tʀɑ̃kilize] *vt* tranquilizar; **se tranquilliser** *vpr* tranquilizarse.
tranquillité [tʀɑ̃kilite] *nf* tranquilidad *f*; **en toute** ~ con toda tranquilidad; ▶ **tranquillité d'esprit** tranquilidad de espíritu.
transaction [tʀɑ̃zaksjɔ̃] *nf* (*COMM*) transacción *f*.
transafricain, e [tʀɑ̃zafʀikɛ̃, ɛn] *adj* transafricano(-a).
transalpin, e [tʀɑ̃zalpɛ̃, in] *adj* transalpino(-a).
transaméricain, e [tʀɑ̃zameʀikɛ̃, ɛn] *adj* transamericano(-a).
transat [tʀɑ̃zat] *nm* tumbona ♦ *nf* regata transatlántica.
transatlantique [tʀɑ̃zatlɑ̃tik] *adj* transatlántico(-a) ♦ *nm* transatlántico.

transbordement [tʀɑ̃sbɔʀdəmɑ̃] *nm* transbordo.
transborder [tʀɑ̃sbɔʀde] *vt* transbordar.
transbordeur [tʀɑ̃sbɔʀdœʀ] *nm* transbordador *m*.
transcendant, e [tʀɑ̃sɑ̃dɑ̃, ɑ̃t] *adj* transcendente; (*MATH*) no algebraico(-a).
transcodeur [tʀɑ̃skɔdœʀ] *nm* transcodificador *m*.
transcontinental, e, -aux [tʀɑ̃skɔ̃tinɑ̃tal, o] *adj* transcontinental.
transcription [tʀɑ̃skʀipsjɔ̃] *nf* transcripción *f*.
transcrire [tʀɑ̃skʀiʀ] *vi* transcribir.
transe [tʀɑ̃s] *nf*: **être/entrer en** ~ estar/entrar en trance; **~s** *nfpl* ansiedad *fsg*.
transférable [tʀɑ̃sfeʀabl] *adj* transferible.
transfèrement [tʀɑ̃sfeʀmɑ̃] *nm* traslado; ▶ **transfèrement cellulaire** traslado en coche celular.
transférer [tʀɑ̃sfeʀe] *vt* transferir; (*prisonnier, bureaux*) trasladar; (*titre*) transmitir.
transfert [tʀɑ̃sfɛʀ] *nm* transferencia; (*d'un prisonnier, de bureaux*) traslado; (*d'un titre*) transmisión *f*; ▶ **transfert de fonds** transferencia de fondos.
transfiguration [tʀɑ̃sfigyʀasjɔ̃] *nf* transfiguración *f*.
transfigurer [tʀɑ̃sfigyʀe] *vt* transfigurar.
transfo [tʀɑ̃sfo] (*fam*) *nm* (= *transformateur*) transformador.
transformable [tʀɑ̃sfɔʀmabl] *adj* transformable.
transformateur [tʀɑ̃sfɔʀmatœʀ] *nm* transformador *m*.
transformation [tʀɑ̃sfɔʀmasjɔ̃] *nf* transformación *f*; **~s** *nfpl* (*travaux*) reformas *fpl*; **industries de** ~ industrias *fpl* de transformación.
transformer [tʀɑ̃sfɔʀme] *vt* transformar; (*maison, magasin, vêtement*) reformar; **se transformer** *vpr* transformarse; ~ **en**: ~ **la houille en énergie** transformar la hulla en energía.
transfuge [tʀɑ̃sfyʒ] *nm* tránsfugo(-a).
transfuser [tʀɑ̃sfyze] *vt* hacer una transfusión a.
transfusion [tʀɑ̃sfyzjɔ̃] *nf*: ~ **sanguine** transfusión *f* sanguínea.
transgresser [tʀɑ̃sgʀese] *vt* transgredir.
transhumance [tʀɑ̃zymɑ̃s] *nf* trashumancia.
transhumer [tʀɑ̃zyme] *vi* trashumar.
transi, e [tʀɑ̃zi] *adj* helado(-a).
transiger [tʀɑ̃ziʒe] *vi* transigir; ~ **sur** *ou* **avec qch** transigir sobre *ou* con algo.
transistor [tʀɑ̃zistɔʀ] *nm* transistor *m*.
transistorisé, e [tʀɑ̃zistɔʀize] *adj* transistorizado(-a).

transit [tʀãzit] *nm* tránsito; **de/en** ~ de/en tránsito.
transitaire [tʀãzitɛʀ] *nm (COMM)* agente *m* de aduanas.
transiter [tʀãzite] *vt* hacer circular.
transitif, -ive [tʀãzitif, iv] *adj* transitivo(-a).
transition [tʀãzisjɔ̃] *nf* transición *f*.
transitoire [tʀãzitwaʀ] *adj* transitorio(-a); *(fugitif)* pasajero(-a).
translucide [tʀãslysid] *adj* translúcido(-a).
transmet [tʀãsmɛ] *vb voir* **transmettre**.
transmettais *etc* [tʀãsmɛtɛ] *vb voir* **transmettre**.
transmetteur [tʀãsmɛtœʀ] *nm* transmisor *m*.
transmettre [tʀãsmɛtʀ] *vt* transmitir; *(secret)* revelar; *(recette)* pasar, dar.
transmis, e [tʀãsmi, iz] *pp de* **transmettre**.
transmissible [tʀãsmisibl] *adj* transmisible.
transmission [tʀãsmisjɔ̃] *nf* transmisión *f*; ~**s** *nfpl (MIL)* (cuerpo de) transmisiones; ▶**transmission de données** *(INFORM)* transmisión de datos; ▶**transmission de pensée** transmisión del pensamiento.
transnational, e, -aux [tʀãsnasjɔnal, o] *adj* transnacional.
transocéanien, ne [tʀãzɔseanjɛ̃, jɛn] *adj* transoceánico(-a).
transocéanique [tʀãzɔseanik] *adj* transoceánico(-a).
transparaître [tʀãspaʀɛtʀ] *vi* transparentarse, traslucirse; *(sentiment)* dejarse traslucir.
transparence [tʀãspaʀãs] *nf* transparencia; **par** ~ al trasluz.
transparent, e [tʀãspaʀã, ãt] *adj* transparente; *(intention)* evidente.
transpercer [tʀãspɛʀse] *vt (suj: arme)* traspasar; *(fig)* penetrar; ~ **un vêtement/mur** traspasar un vestido/muro.
transpiration [tʀãspiʀasjɔ̃] *nf* transpiración *f*.
transpirer [tʀãspiʀe] *vi* transpirar; *(information, nouvelle)* trascender.
transplant [tʀãsplã] *nm* trasplante *m*.
transplantation [tʀãsplãtasjɔ̃] *nf* trasplante *m*.
transplanter [tʀãsplãte] *vt (BOT, MÉD)* trasplantar; *(personne)* desplazar.
transport [tʀãspɔʀ] *nm* transporte *m*; ~ **de colère/joie** arrebato de ira/alegría; **voiture/avion de** ~ coche *m*/avión *m* de transporte; ▶**transport aérien** transporte aéreo; ▶**transport de marchandises/de voyageurs** transporte de mercancías/de viajeros; ▶**transports en commun** transportes públicos;

▶**transports routiers** transportes por carretera.
transportable [tʀãspɔʀtabl] *adj* transportable; *(malade)* en condiciones de ser trasladado(-a).
transporter [tʀãspɔʀte] *vt* llevar; *(voyageurs, marchandises)* transportar; *(TECH: énergie, son)* conducir; **se transporter** *vpr*: **se** ~ **quelque part** trasladarse a algún sitio; ~ **qn à l'hôpital** llevar a algn al hospital; ~ **qn de bonheur/joie** colmar a algn de felicidad/alegría.
transporteur [tʀãspɔʀtœʀ] *nm* transportista *m*.
transposer [tʀãspoze] *vt* transponer; ~ **(un morceau)** *(MUS)* transportar (un fragmento).
transposition [tʀãspozisjɔ̃] *nf* transposición *f*.
transrhénan, e [tʀãsʀenã, an] *adj* transrenano(-a).
transsaharien, ne [tʀã(s)saaʀjɛ̃, jɛn] *adj* transahariano(-a).
transsexuel, le [tʀã(s)sɛksɥɛl] *nm/f* transexual *m/f*.
transsibérien, ne [tʀã(s)sibeʀjɛ̃, jɛn] *adj* transiberiano(-a).
transvaser [tʀãsvaze] *vt* transvasar.
transversal, e, -aux [tʀãsvɛʀsal, o] *adj* transversal; **axe** ~ *(AUTO)* eje *m* transversal.
transversalement [tʀãsvɛʀsalmã] *adv* transversalmente.
trapèze [tʀapɛz] *nm* trapecio.
trapéziste [tʀapezist] *nm/f* trapecista *m/f*.
trappe [tʀap] *nf (de cave, grenier)* trampa, trampilla; *(piège)* trampa.
trappeur [tʀapœʀ] *nm* trampero.
trapu, e [tʀapy] *adj* bajo(-a) y fortachón(-ona).
traquenard [tʀaknaʀ] *nm* cepo.
traquer [tʀake] *vt* acorralar; *(harceler)* acosar.
traumatisant, e [tʀomatizã, ãt] *adj* traumatizante.
traumatiser [tʀomatize] *vt* traumatizar.
traumatisme [tʀomatism] *nm* traumatismo; ▶**traumatisme crânien** traumatismo craneal.
traumatologie [tʀomatɔlɔʒi] *nf* traumatología.
travail, -aux [tʀavaj, o] *nm* trabajo; *(MÉD)* parto; **travaux** *nmpl (de réparation, agricoles)* trabajos *mpl*; *(de construction, sur route)* obras *fpl*; **être/entrer en** ~ *(MÉD)* estar de parto/tener las primeras contracciones; **être sans** ~ estar sin trabajo; ▶**travail (au) noir** trabajo clandestino; ▶**travail d'intérêt général** trabajo de servicio a la comunidad; ▶**travail de**

forçat = **travaux forcés;** ▶ **travail posté** trabajo a turnos; ▶ **travaux des champs** faenas *fpl* del campo; ▶ **travaux dirigés** (*SCOL*) ejercicios *mpl* dirigidos; ▶ **travaux forcés** trabajos forzados; ▶ **travaux manuels** (*SCOL*) trabajos manuales; ▶ **travaux ménagers** tareas *fpl* domésticas; ▶ **travaux pratiques** prácticas *fpl*; ▶ **travaux publics** obras públicas.

travaillé, e [tʀavaje] *adj* trabajado(-a).

travailler [tʀavaje] *vi* trabajar; (*bois*) alabearse; (*argent*) producir ♦ *vt* trabajar; (*discipline*) **estudiar;** (*influencer*) ejercer influencia sobre; **cela le travaille** eso le preocupa; **ton imagination travaille de trop** eso son cosas de tu imaginación; ~ **la terre** trabajar la tierra; ~ **son piano** ejercitarse en el piano; ~ **à** trabajar en; (*contribuer à*) contribuir a; ~ **à faire** esforzarse en hacer.

travailleur, -euse [tʀavajœʀ, øz] *adj, nm/f* trabajador(a); ▶ **travailleur intellectuel** intelectual *m*; ▶ **travailleur manuel** *ou* **de force** obrero; ▶ **travailleur social** trabajador *m* social; ▶ **travailleuse familiale** empleada del servicio doméstico.

travailleuse [tʀavajøz] *nf* (*COUTURE*) mesita de costura; *voir aussi* **travailleur.**

travailliste [tʀavajist] *adj, nm/f* laborista.

travée [tʀave] *nf* fila; (*ARCHIT*) tramo.

travelling [tʀavliŋ] *nm* traveling *m*; ▶ **travelling optique** traveling óptico.

travelo [tʀavlo] (*fam*) *nm* marica *m*.

travers [tʀavɛʀ] *nm* (*défaut*) imperfección *f*; **en** ~ (**de**) atravesado(-a) (en), **au** ~ (**de**) a través (de); **de** ~ *adj* de través ♦ *adv* oblicuamente; (*fig*) al revés; **à** ~ a través; **regarder de** ~ (*fig*) mirar de reojo.

traverse [tʀavɛʀs] *nf* (*RAIL*) traviesa; **chemin de** ~ atajo.

traversée [tʀavɛʀse] *nf* travesía.

traverser [tʀavɛʀse] *vt* atravesar; (*rue*) cruzar; (*percer: suj: pluie, froid*) traspasar.

traversin [tʀavɛʀsɛ̃] *nm* cabezal *m*.

travesti [tʀavɛsti] *nm* (*artiste de cabaret*) travestido; (*homosexuel*) travesti *m*.

travestir [tʀavɛstiʀ] *vt* (*vérité*) disfrazar; **se travestir** *vpr* disfrazarse; (*PSYCH, artiste*) travestirse.

trayais *etc* [tʀɛjɛ] *vb voir* **traire.**

trayeuse [tʀɛjøz] *nf* ordeñadora.

trébucher [tʀebyʃe] *vi:* ~ (**sur**) tropezar (con).

trèfle [tʀɛfl] *nm* trébol *m*; ▶ **trèfle à quatre feuilles** trébol de cuatro hojas.

treillage [tʀejaʒ] *nm* enrejado.

treille [tʀɛj] *nf* (*vigne*) parra; (*tonnelle*) emparrado.

treillis [tʀeji] *nm* (*métallique*) enrejado; (*toile*) arpillera; (*MIL*) traje *m* de faena.

treize [tʀɛz] *adj inv, nm inv* trece *m inv; voir aussi* **cinq.**

treizième [tʀɛzjɛm] *adj, nm/f* decimotercero(-a) ♦ *nm* (*partitif*) treceavo; *voir aussi* **cinquantième.**

tréma [tʀema] *nm* diéresis *f inv.*

tremblant, e [tʀɑ̃blɑ̃, ɑ̃t] *adj* tembloroso(-a); (*apeuré*) temeroso(-a).

tremble [tʀɑ̃bl] *nm* (*BOT*) tiemblo, álamo temblón.

tremblé, e [tʀɑ̃ble] *adj* tembloroso(-a).

tremblement [tʀɑ̃bləmɑ̃] *nm* temblor *m*; ▶ **tremblement de terre** temblor de tierra, terremoto.

trembler [tʀɑ̃ble] *vi* temblar; ~ **de** (*froid, fièvre*) tiritar de, temblar de; (*peur*) temblar de; ~ **pour qn** temer por algn.

tremblotant, e [tʀɑ̃blɔtɑ̃, ɑ̃t] *adj* tembloroso(-a).

trembloter [tʀɑ̃blɔte] *vi* temblequear.

trémolo [tʀemɔlo] *nm* (*d'un instrument*) trémolo; (*de la voix*) temblor *m*.

trémousser [tʀemuse]: **se** ~ *vpr* menearse.

trempage [tʀɑ̃paʒ] *nm* remojo.

trempe [tʀɑ̃p] *nf* (*fig*): **de cette/sa** ~ de este/su temple.

trempé, e [tʀɑ̃pe] *adj* empapado(-a); **acier** ~ acero templado.

tremper [tʀɑ̃pe] *vt* empapar; (*pain, chemise*) mojar ♦ *vi* estar en remojo; **se tremper** *vpr* zambullirse; ~ **dans** (*fig, pej*) estar metido(-a) *ou* implicado(-a) en; **se faire** ~ quedarse empapado(-a); **faire** ~, **mettre à** ~ poner en remojo; ~ **qch dans** remojar algo en, poner algo en remojo en.

trempette [tʀɑ̃pɛt] *nf:* **faire** ~ darse un chapuzón.

tremplin [tʀɑ̃plɛ̃] *nm* trampolín *m*.

trentaine [tʀɑ̃tɛn] *nf* treintena; **avoir la** ~ tener unos treinta años; **une** ~ (**de**) unos(-as) treinta.

trente [tʀɑ̃t] *adj inv, nm inv* treinta *m inv; voir aussi* **cinq; voir** ~-**six chandelles** ver las estrellas; **être/se mettre sur son** ~ **et un** estar/ir vestido de punta en blanco; ▶ **trente-trois tours** *nm* disco de 33 revoluciones.

trentième [tʀɑ̃tjɛm] *adj, nm/f* trigésimo(-a) ♦ *nm* (*partitif*) treintavo; *voir aussi* **cinquantième.**

trépanation [tʀepanasjɔ̃] *nf* trepanación *f*.

trépaner [tʀepane] *vt* trepanar.

trépasser [tʀepase] *vi* fallecer.

trépidant, e [tʀepidɑ̃, ɑ̃t] *adj* trepidante.

trépidation [tʀepidasjɔ̃] *nf* (*d'une machine*) trepidación *f*; (*de la vie*) aceleración *f*.

trépider [tʀepide] *vi* trepidar.

trépied [tʀepje] *nm* trípode *m*.
trépignement [tʀepiɲmã] *nm* pataleo.
trépigner [tʀepiɲe] *vi*: ~ **(d'enthousiasme/ d'impatience)** patalear (de entusiasmo/de impaciencia).
très [tʀɛ] *adv* muy; ~ **beau/bien** muy bonito/bien; ~ **critiqué/industrialisé** muy criticado/industrializado; **j'ai** ~ **envie de** tengo muchas ganas de; **j'ai** ~ **faim** tengo mucha hambre.
trésor [tʀezɔʀ] *nm* tesoro; (*vertu précieuse*) joya; (*gén pl*: *richesses*) riquezas *fpl*; ▸ **Trésor (public)** Tesoro (público).
trésorerie [tʀezɔʀʀi] *nf* tesorería; **difficultés de** ~ problemas *mpl* de financieros; ▸ **trésorerie générale** tesorería general.
trésorier, -ière [tʀezɔʀje, jɛʀ] *nm/f* tesorero(-a).
trésorier-payeur [tʀezɔʀjepɛjœʀ] (*pl* ~**s- ~s**) *nm*: ~-~ **général** habilitado general.
tressaillement [tʀesajmã] *nm* estremecimiento, sobresalto.
tressaillir [tʀesajiʀ] *vi* (*de peur*) estremecerse; (*de joie, d'émotion*) vibrar; (*s'agiter*) temblar.
tressauter [tʀesote] *vi* sobresaltar.
tresse [tʀɛs] *nf* trenza.
tresser [tʀese] *vt* trenzar.
tréteau, x [tʀeto] *nm* caballete *m*; **les** ~**x** (*THÉÂTRE*) las tablas.
treuil [tʀœj] *nm* torno.
trêve [tʀɛv] *nf* tregua; ~ **de ... basta de ...;** **sans** ~ sin tregua; **les États de la T**~ los Estados de la Tregua.
tri [tʀi] *nm* selección *f*; (*INFORM*) clasificación *f*, ordenación *f*; **le** ~ (*POSTES: action*) la clasificación; (: *bureau*) la sala de batalla.
triage [tʀijaʒ] *nm* selección *f*; (*RAIL*) enganche *m*; (*gare*) estación *f* de enganche.
trial [tʀijal] *nm* (*SPORT*) trial *m*.
triangle [tʀijãgl] *nm* triángulo; ▸ **triangle équilatéral/isocèle/rectangle** triángulo equilátero/isósceles/rectángulo.
triangulaire [tʀijãgylɛʀ] *adj* triangular.
tribal, e, -aux [tʀibal, o] *adj* tribal.
tribord [tʀibɔʀ] *nm*: **à** ~ a estribor.
tribu [tʀiby] *nf* tribu *f*.
tribulations [tʀibylasjõ] *nfpl* tribulaciones *fpl*.
tribunal, -aux [tʀibynal, o] *nm* tribunal *m*; (*bâtiment*) juzgado; ▸ **tribunal d'instance/de grande instance** juzgado de paz/ de primera instancia; ▸ **tribunal de commerce** tribunal de comercio; ▸ **tribunal de police/pour enfants** tribunal correccional/de menores.
tribune [tʀibyn] *nf* tribuna; (*d'église, de tribunal*) púlpito; (*de stade*) tribuna, grada; ▸ **tribune libre** (*PRESSE*) tribuna libre.

tribut [tʀiby] *nm* tributo; **payer un lourd** ~ **à** pagar un tributo muy caro a.
tributaire [tʀibytɛʀ] *adj*: **être** ~ **de** ser tributario(-a) de, ser deudor(a) de.
tricentenaire [tʀisãt(ə)nɛʀ] *nm* tricentenario.
tricher [tʀiʃe] *vi* (*à un examen*) copiar; (*aux cartes, courses*) hacer trampas.
tricherie [tʀiʃʀi] *nf* trampa.
tricheur, -euse [tʀiʃœʀ, øz] *nm/f* tramposo(-a).
trichromie [tʀikʀɔmi] *nf* tricromía.
tricolore [tʀikɔlɔʀ] *adj* tricolor; (*français: drapeau, équipe*) francés(-esa).
tricot [tʀiko] *nm* punto; (*ouvrage*) prenda de punto; ▸ **tricot de corps** camiseta.
tricoter [tʀikɔte] *vt* tricotar; **machine/ aiguille à** ~ máquina/aguja de hacer punto ou de tricotar.
trictrac [tʀiktʀak] *nm* chaquete *m*.
tricycle [tʀisikl] *nm* triciclo.
tridimensionnel, le [tʀidimãsjɔnɛl] *adj* tridimensional.
triennal, e, -aux [tʀijenal, o] *adj* trienal.
trier [tʀije] *vt* (*classer*) clasificar; (*choisir*) seleccionar; (*fruits, grains*) seleccionar, escoger.
trieur, -euse [tʀijœʀ, tʀijøz] *nm/f* seleccionador(a) ♦ *nm* máquina cribadora *ou* clasificadora.
trigonométrie [tʀigɔnɔmetʀi] *nf* trigonometría.
trigonométrique [tʀigɔnɔmetʀik] *adj* trigonométrico(-a).
trilingue [tʀilɛ̃g] *adj* trilingüe.
trilogie [tʀilɔʒi] *nf* trilogía.
trimaran [tʀimaʀã] *nm* trimarán *m*.
trimbaler [tʀɛ̃bale] *vt* cargar con.
trimer [tʀime] (*fam*) *vi* currar.
trimestre [tʀimɛstʀ] *nm* trimestre *m*.
trimestriel, le [tʀimɛstʀijɛl] *adj* trimestral.
trimoteur [tʀimɔtœʀ] *nm* trimotor *m*.
tringle [tʀɛ̃gl] *nf* barra.
Trinité [tʀinite] *nf* Trinidad *f*.
Trinité et Tobago [tʀiniteetɔbago] *nf* Trinidad y Tobago *f*.
trinquer [tʀɛ̃ke] *vi* chocar los vasos; (*porter un toast*) brindar; (*fam*) pagar el pato; ~ **à qch/la santé de qn** brindar por algo/a la salud de algn.
trio [tʀijo] *nm* trío, terceto.
triolet [tʀijɔlɛ] *nm* (*MUS*) tresillo.
triomphal, e, -aux [tʀijõfal, o] *adj* triunfal.
triomphalement [tʀijõfalmã] *adv* triunfalmente.
triomphant, e [tʀijõfã, ãt] *adj* triunfante.
triomphateur, -trice [tʀijõfatœʀ, tʀis] *nm/f* triunfador(a).
triomphe [tʀijõf] *nm* triunfo; (*réussite*: ex-

position) éxito; **être reçu/porté en** ~ ser recibido con aclamaciones/ser llevado a hombros.

triompher [tʀijɔ̃fe] *vi* triunfar; (*jubiler*) no caber en sí de gozo; (*exceller*) sobresalir; ~ **de qch/qn** triunfar sobre algo/algn.

triparti, e [tʀipaʀti] *adj* (*aussi:* **tripartite**) tripartito(-a).

triperie [tʀipʀi] *nf* tripería, casquería.

tripes [tʀip] *nfpl* (*CULIN*) callos *mpl*; (*fam*) tripas *fpl*.

triphasé, e [tʀifaze] *adj* trifásico(-a).

triplace [tʀiplas] *adj* triplaza *m*.

triple [tʀipl] *adj* triple ♦ *nm*: **le** ~ **(de)** el triple (de); **en** ~ **exemplaire** por triplicado.

triplé [tʀiple] *nm* (*SPORT*) triple éxito; ~**s** *nm/fpl* (*bébés*) trillizos *mpl*.

triplement [tʀipləmɑ̃] *adv* triplemente; (*à un degré triple*) tres veces más ♦ *nm* triplicación *f*.

tripler [tʀiple] *vi, vt* triplicar.

Tripoli [tʀipɔli] *n* Trípoli.

triporteur [tʀipɔʀtœʀ] *nm* motocarro.

tripot [tʀipo] (*péj*) *nm* timba, garito.

tripotage [tʀipɔtaʒ] (*péj*) *nm* chanchullo.

tripoter [tʀipɔte] *vt* (*objet*) manosear; (*fam*) sobar ♦ *vi* (*fam*) revolver.

trique [tʀik] *nf* garrote *m*, palo.

trisannuel, le [tʀizanɥɛl] *adj* trienal.

triste [tʀist] *adj* triste; **un** ~ **personnage/ une** ~ **affaire** (*péj*) un personaje mediocre/un asunto turbio; **c'est pas** ~! (*fam*) ¡qué cachondeo!

tristement [tʀistəmɑ̃] *adv* tristemente.

tristesse [tʀistɛs] *nf* tristeza.

triton [tʀitɔ̃] *nm* tritón *m*.

triturer [tʀityʀe] *vt* triturar.

trivial, e, -aux [tʀivjal, jo] *adj* (*commun*) trivial; (*langage, plaisanteries*) ordinario(-a).

trivialité [tʀivjalite] *nf* trivialidad *f*; (*grossièreté*) ordinariez *f*.

troc [tʀɔk] *nm* trueque *m*.

troène [tʀɔɛn] *nm* alheña.

troglodyte [tʀɔɡlɔdit] *nm/f* troglodita *m/f*.

trognon [tʀɔɲɔ̃] *nm* (*de fruit*) corazón *m*; (*de légume*) troncho.

trois [tʀwa] *adj inv, nm inv* tres *m inv*; *voir aussi* **cinq**.

trois-huit [tʀwaɥit] *nmpl*: **faire les** ~-~ trabajar por turnos.

troisième [tʀwazjɛm] *adj, nm/f* tercero(-a) ♦ *nf* (*AUTO*) tercera; (*SCOL*) cuarto año de educación secundaria en el sistema francés; ► **troisième âge**: **le** ~ **âge** la tercera edad; *voir aussi* **cinquième**.

troisièmement [tʀwazjɛmmɑ̃] *adv* en tercer lugar, tercero.

trois-quarts [tʀwakaʀ] *nmpl*: **les** ~-~ **de** los

tres cuartos de.

trolleybus [tʀɔlɛbys] *nm* trolebús *m*.

trombe [tʀɔ̃b] *nf* tromba; **en** ~ en tromba; **des** ~**s d'eau** trombas *fpl* de agua.

trombone [tʀɔ̃bɔn] *nm* (*MUS*) trombón *m*; (*de bureau*) clip *m*; ► **trombone à coulisse** trombón de varas.

tromboniste [tʀɔ̃bɔnist] *nm/f* trombón *m/f*.

trompe [tʀɔ̃p] *nf* trompa; ► **trompe d'Eustache** trompa de Eustaquio; ► **trompes utérines** trompas *fpl* de Falopio.

trompe-l'œil [tʀɔ̃plœj] *nm inv*: **en** ~-~ con efecto.

tromper [tʀɔ̃pe] *vt* engañar; (*espoir, attente*) frustrar; (*vigilance, poursuivants*) burlar; (*suj: distance, ressemblance*) confundir; **se tromper** *vpr* equivocarse; **se** ~ **de voiture/jour** equivocarse de coche/día; **se** ~ **de 3 cm/20F** equivocarse en 3 cm/20F.

tromperie [tʀɔ̃pʀi] *nf* engaño.

trompette [tʀɔ̃pɛt] *nf* trompeta; **nez en** ~ nariz *f* respingona.

trompettiste [tʀɔ̃petist] *nm/f* trompetista *m/f*.

trompeur, -euse [tʀɔ̃pœʀ, øz] *adj* engañoso(-a).

trompeusement [tʀɔ̃pøzmɑ̃] *adv* engañosamente.

tronc [tʀɔ̃] *nm* (*BOT, ANAT*) tronco; (*d'église*) cepillo; ► **tronc commun** (*SCOL*) ciclo común; ► **tronc de cône** cono truncado.

tronche [tʀɔ̃ʃ] (*fam*) *nf*: **il a une sale** ~/**une** ~ **sympathique** tiene una pinta desagradable/simpática.

tronçon [tʀɔ̃sɔ̃] *nm* tramo.

tronçonner [tʀɔ̃sɔne] *vt* (*arbre*) cortar en trozos; (*pierre*) partir en trozos.

tronçonneuse [tʀɔ̃sɔnøz] *nf* sierra eléctrica.

trône [tʀon] *nm* trono; **monter sur le** ~ subir al trono.

trôner [tʀone] *vi* dominar.

tronquer [tʀɔ̃ke] *vt* mutilar.

trop [tʀo] *adv* demasiado; (*devant adverbe*) muy, demasiado; ~ **souvent)/(longtemps)** demasiado (a menudo)/(tiempo); ~ **de sucre/personnes** demasiado azúcar/ demasiadas personas; **ils sont** ~ son demasiados; **de** ~, **en** ~: **des livres en** ~ libros *mpl* de sobra; **du lait en** ~ leche *f* de sobra; **3 livres/5F de** ~ 3 libras/5F de más.

trophée [tʀofe] *nm* trofeo.

tropical, e, -aux [tʀɔpikal, o] *adj* tropical.

tropique [tʀɔpik] *nm* trópico; ~**s** *nmpl* (*régions*) trópicos *mpl*; ► **tropique du Cancer/du Capricorne** trópico de Cáncer/Capricornio.

trop-plein [tʀoplɛ̃] (*pl* ~-~**s**) *nm* (*tuyau*)

desagüe *m*; (*liquide*) (lo) sobrante *m*, exceso.

troquer [tʀɔke] *vt*: ~ qch contre qch trocar algo por algo; (*fig*) cambiar algo por algo.

trot [tʀo] *nm* trote *m*; aller au ~ ir al trote; partir au ~ marchar corriendo.

trotter [tʀɔte] *vi* trotar.

trotteuse [tʀɔtøz] *nf* segundero.

trottiner [tʀɔtine] *vi* corretear.

trottinette [tʀɔtinɛt] *nf* patinete *m*.

trottoir [tʀɔtwaʀ] *nm* acera, vereda (*AM*), andén (*AM*); faire le ~ (*péj*) hacer la calle; ▶ **trottoir roulant** cinta móvil.

trou [tʀu] *nm* agujero; (*moment de libre*) hueco; ▶ **trou d'aération** boca de ventilación; ▶ **trou d'air** bache *m*; ▶ **trou de la serrure** ojo de la cerradura; ▶ **trou de mémoire** fallo de la memoria; ▶ **trou noir** (*ASTRON*) agujero negro.

troublant, e [tʀublɑ̃, ɑ̃t] *adj* (*ressemblance*) sorprendente; (*yeux, regard*) turbador(a); (*beauté*) perturbador(a).

trouble [tʀubl] *adj* turbio(-a); (*image, mémoire*) confuso(-a) ♦ *adv*: voir ~ ver borroso ♦ *nm* (*désarroi*) desconcierto; (*émoi sensuel*) trastorno; (*embarras*) confusión *f*; (*zizanie*) desavenencia; ~s *nmpl* (*POL*) disturbios *mpl*; (*MÉD*) trastornos *mpl*; ▶ **troubles de la personnalité/de la vision** trastornos de la personalidad/de la visión.

trouble-fête [tʀublǝfɛt] *nm/f inv* aguafiestas *m/f inv*.

troubler [tʀuble] *vt* turbar; (*impressionner, inquiéter*) perturbar; (*d'émoi amoureux*) trastornar; (*liquide*) enturbiar; (*ordre*) alterar; (*tranquillité*) turbar, alterar; **se troubler** *vpr* turbarse; ~ l'ordre public alterar el orden público.

troué, e [tʀue] *adj* agujereado(-a).

trouée [tʀue] *nf* boquete *m*; (*GÉO*) paso; (*MIL*) brecha.

trouer [tʀue] *vt* agujerear; (*fig*) atravesar.

trouille [tʀuj] (*fam*) *nf*: avoir la ~ tener mieditis.

troupe [tʀup] *nf* (*MIL*) tropa; (*d'écoliers*) grupo; la ~ (*l'armée*) el ejército; (*les simples soldats*) la tropa; ▶ **troupe (de théâtre)** compañía (de teatro); ▶ **troupes de choc** fuerzas *fpl* de choque.

troupeau, x [tʀupo] *nm* (*de moutons*) rebaño; (*de vaches*) manada.

trousse [tʀus] *nf* (*étui*) estuche *m*; (*d'écolier*) cartera; (*de docteur*) maletín *m*; aux ~s de pisándole los talones a; ▶ **trousse à outils** bolsa de herramientas; ▶ **trousse de toilette** neceser *m*; ▶ **trousse de voyage** bolsa de viaje.

trousseau, x [tʀuso] *nm* ajuar *m*; ▶ **trous-**

seau de clefs manojo de llaves.

trouvaille [tʀuvaj] *nf* hallazgo; (*fig*: *idée, expression*) idea.

trouvé, e [tʀuve] *adj*: tout ~ hecho(-a) a medida.

trouver [tʀuve] *vt* encontrar, hallar; **se trouver** *vpr* (*être*) encontrarse, hallarse; aller/venir ~ qn ir/venir a ver a algn; ~ le loyer cher/le prix excessif parecerle a algn el alquiler caro/el precio excesivo; je trouve que me parece que; ~ à boire/critiquer encontrar algo de beber/algo que criticar; ~ asile/refuge hallar asilo/refugio; se ~ loin/à 3 km encontrarse lejos/a 3 km; ils se trouvent être frères resulta que son hermanos; elles se trouvent avoir le même manteau resulta que tienen el mismo abrigo; il se trouve que resulta que; se ~ bien/mal sentirse *ou* encontrarse bien/mal.

truand [tʀyɑ̃] *nm* truhán *m*, timador *m*.

truander [tʀyɑ̃de] (*fam*) *vt* timar.

trublion [tʀyblijɔ̃] *nm* perturbador *m*.

truc [tʀyk] *nm* (*astuce*) maña, artificio; (*de cinéma, magie*) truco; (*fam*: *machin, chose*) cosa, chisme *m*; demande à ~ (*fam*: *personne*) pregunta a ése *ou* ésa; avoir le ~ coger el tranquillo *ou* truco; c'est pas son (*ou* mon *etc*) ~ (*fam*) no es lo suyo (*ou* lo mío *etc*).

truchement [tʀyʃmɑ̃] *nm*: par le ~ de qn por mediación de algn.

trucider [tʀyside] (*fam*) *vt* cargarse.

truculence [tʀykylɑ̃s] *nf* truculencia.

truculent, e [tʀykylɑ̃, ɑ̃t] *adj* truculento(-a).

truelle [tʀyɛl] *nf* llana.

truffe [tʀyf] *nf* (*BOT*) trufa; (*fam*: *nez*) napias *fpl*.

truffer [tʀyfe] *vt* (*CULIN*) trufar; **truffé de** (*fig*: *erreurs*) repleto de; (: *pièges*) lleno de.

truie [tʀɥi] *nf* cerda, marrana.

truite [tʀɥit] *nf* trucha.

truquage [tʀykaʒ] *nm* trucaje *m*; (*CINÉ*) efectos *mpl* especiales.

truquer [tʀyke] *vt* trucar; (*élections*) amañar.

trust [tʀœst] *nm* (*COMM*) trust *m*.

truster [tʀœste] *vt* (*COMM*) monopolizar.

tsar [dzaʀ] *nm* zar *m*.

tsé-tsé [tsetse] *nf inv*: mouche ~-~ mosca tsé-tsé.

TSF [teesɛf] *sigle f* (= *télégraphie sans fil*) TSH *f* (= *Telegrafía Sin Hilos*).

tsigane [tsigan] *adj*, *nm/f* = tzigane.

TSVP [teɛsvepe] *abr* (= *tournez s'il vous plaît*) sigue.

TTC [tetese] *abr* (= *toutes taxes comprises*) todo incluido.

tu¹ [ty] *pron* tú ♦ *nm*: **employer le** ~ tratar de tú.

tu², **e** [ty] *pp de* **taire**.

tuant, **e** [tɥɑ̃, tɥɑ̃t] *adj* (*épuisant*) agotador(a); (*énervant*) inaguantable, insoportable.

tuba [tyba] *nm* tuba; (*SPORT*) tubo de respiración.

tubage [tybaʒ] *nm* (*MÉD*) entubado.

tube [tyb] *nm* tubo; (*chanson, disque*) éxito; ► **tube à essai** tubo de ensayo; ► **tube de peinture** tubo de pintura; ► **tube digestif** tubo digestivo.

tuberculeux, **-euse** [tybɛʀkylø, øz] *adj, nm/f* tuberculoso(-a).

tuberculose [tybɛʀkyloz] *nf* tuberculosis *f*.

tubulaire [tybylɛʀ] *adj* tubular.

tubulure [tybylyʀ] *nf* tubo porta-ocular; ~s *nfpl* (*tubes*) tuberías *fpl*; ► **tubulures d'échappement/d'admission** (*AUTO*) tobera *fsg* de escape/de admisión.

TUC [tyk] *sigle m* (= *travail d'utilité collective*) *trabajo realizado por jóvenes parados*.

tuciste [tysist] *nm/f* joven *m/f* que vive del empleo comunitario.

tué, **e** [tɥe] *nm/f*: **5** ~**s 5** muertos(-as).

tue-mouche [tymuʃ] *adj*: **papier** ~-~(**s**) papel *m ou* tira para matar moscas.

tuer [tɥe] *vt* matar; (*vie, activité*) acabar con, destruir; (*commerce*) arruinar; (*inspiration, amour*) destruir; **se tuer** *vpr* (*se suicider*) suicidarse; (*dans un accident*) matarse; **se** ~ **au travail** (*fig*) matarse trabajando.

tuerie [tyʀi] *nf* matanza.

tue-tête [tytɛt]: **à** ~-~ *adv* a voz en grito, a grito pelado.

tueur [tɥœʀ] *nm* asesino; ► **tueur à gages** asesino a sueldo.

tuile [tɥil] *nf* teja; (*fam*) contratiempo, problema *m*.

tulipe [tylip] *nf* tulipán *m*.

tulle [tyl] *nm* tul *m*.

tuméfié, **e** [tymefje] *adj* tumefacto(-a).

tumeur [tymœʀ] *nf* tumor *m*.

tumulte [tymylt] *nm* tumulto.

tumultueux, **-euse** [tymyltɥø, øz] *adj* tumultuoso(-a); (*passionné*) apasionado(-a).

tuner [tynɛʀ] *nm* radio *f* (*en la cadena hi-fi*).

tungstène [tœ̃kstɛn] *nm* tungsteno, volframio.

tunique [tynik] *nf* túnica.

Tunis [tynis] *n* Túnez.

Tunisie [tynizi] *nf* Túnez *m*.

tunisien, **ne** [tynizjɛ̃, jɛn] *adj* tunecino(-a) ♦ *nm/f*: **T**~, **ne** tunecino(-a).

tunisois, **e** [tynizwa, waz] *adj* tunecino(-a).

tunnel [tynɛl] *nm* túnel *m*.

turban [tyʀbɑ̃] *nm* turbante *m*.

turbin [tyʀbɛ̃] (*fam*) *nm* curre *m*, tajo.

turbine [tyʀbin] *nf* turbina.

turbo [tyʀbo] *nm* turbo; **un moteur** ~ un motor turbo.

turbopropulseur [tyʀbopʀɔpylsœʀ] *nm* turbopropulsor *m*.

turboréacteur [tyʀboʀeaktœʀ] *nm* turborreactor *m*.

turbot [tyʀbo] *nm* rodaballo.

turbotrain [tyʀbotʀɛ̃] *nm* turbotren *m*.

turbulences [tyʀbylɑ̃s] *nfpl* turbulencias *fpl*.

turbulent, **e** [tyʀbylɑ̃, ɑ̃t] *adj* revoltoso(-a).

turc, **turque** [tyʀk] *adj* turco(-a) ♦ *nm* (*LING*) turco ♦ *nm/f*: **T**~, **Turque** turco(-a); **à la turque** *adv* (*assis*) a la turca ♦ *adj* (*w.c.*) sin asiento.

turf [tyʀf] *nm* deporte *m* hípico.

turfiste [tyʀfist] *nm/f* aficionado(-a) a las carreras de caballos.

turpitude [tyʀpityd] *nf* infamia, bajeza.

turque [tyʀk] *adj f voir* **turc**.

Turquie [tyʀki] *nf* Turquía.

turquoise [tyʀkwaz] *adj inv* turquesa *inv* ♦ *nf* turquesa.

tut *etc* [ty] *vb voir* **taire**.

tutelle [tytɛl] *nf* tutela; **être/mettre sous la** ~ **de** estar/poner bajo la tutela de.

tuteur, **-trice** [tytœʀ, tʀis] *nm/f* (*JUR*) tutor(a) ♦ *nm* (*de plante*) tutor *m*, rodrigón *m*.

tutoiement [tytwamɑ̃] *nm* tuteo.

tutoyer [tytwaje] *vt*: ~ **qn** tutear a algn.

tutti quanti [tutikwɑ̃ti] *nmpl*: **et** ~ ~ y todos, y todo el mundo.

tutu [tyty] *nm* tutú *m*.

tuyau, **x** [tɥijo] *nm* tubo; (*fam: conseil*) consejo; ► **tuyau d'arrosage** manguera de riego; ► **tuyau d'échappement** tubo de escape; ► **tuyau d'incendie** manga de incendios.

tuyauté, **e** [tɥijote] *adj* aconsejado(-a).

tuyauterie [tɥijɔtʀi] *nf* cañería, tubería.

tuyère [tyjɛʀ] *nf* tobera.

TV [teve] *sigle f*: **télévision** TV *f* (= *televisión*).

TVA [tevea] *sigle f* (= *taxe à la valeur ajoutée*) ≈ IVA (= *impuesto sobre el valor añadido*).

tweed [twid] *nm* tweed *m*.

tympan [tɛ̃pɑ̃] *nm* tímpano.

type [tip] *nm* tipo; (*fam: homme*) tío ♦ *adj* tipo; **avoir le** ~ **nordique** tener el tipo nórdico; **le** ~ **standard** (*modèle*) el tipo *ou* modelo standard; **le** ~ **travailleur** (*représentant*) el típico trabajador.

typé, **e** [tipe] *adj* típico(-a).

typhique [tifik] *nm/f* tífico(-a).

typhoïde [tifɔid] *nf* tifoidea.

typhon [tifɔ̃] *nm* tifón *m*.

typhus [tifys] *nm* tifus *m*.

typique [tipik] *adj* típico (-a).
typiquement [tipikmɑ̃] *adv* típicamente.
typographe [tipɔgʀaf] *nm/f* tipógrafo(-a).
typographie [tipɔgʀafi] *nf* tipografía.
typographique [tipɔgʀafik] *adj* tipográfico(-a).
typologie [tipɔlɔʒi] *nf* tipología.
typologique [tipɔlɔʒik] *adj* tipológico(-a).
tyran [tiʀɑ̃] *nm* tirano.
tyrannie [tiʀani] *nf* tiranía.
tyrannique [tiʀanik] *adj* tiránico(-a).
tyranniser [tiʀanize] *vt* tiranizar.
tzar [dzaʀ] *nm* = **tsar**.
tzigane [dzigan] *adj* cíngaro(-a), zíngaro (-a) ◆ *nm/f*: **T~** cíngaro(-a), zíngaro(-a).

U, u

U, u [y] *nm inv* (*lettre*) U, u *f*; ~ **comme Ursula** ≈ U de Ulises.
ubiquité [ybikɥite] *nf* ubicuidad *f*.
UDF [ydeɛf] *sigle f* (= *Union pour la démocratie française*) partido político de derechas.
UEFA [yefa] *sigle f* (= *Union of European Football Associations*) UEFA (= *Unión de Asociaciones de Fútbol Europeo*).
UEO [yɔo] *sigle f* (= *Union de l'Europe Occidentale*) UEO *f* (= *Unión Europea Occidental*).
ufologie [yfɔlɔʒi] *nf* ufología.
UFR [yɛfɛʀ] *sigle f* (= *unité de formation et de recherche*) departamento universitario.
UHF [yaʃɛf] *sigle f* (= *ultra-haute fréquence*) UHF *f*.
UHT [yaʃte] *sigle* = *ultra-haute température*; **lait** ~ leche uperizada.
Ukraine [ykʀɛn] *nf* Ucrania.
ukrainien, ne [ykʀɛnjɛ̃, jɛn] *adj* ucraniano(-a), ucranio(-a) ◆ *nm/f*: **U~**, **ne** ucraniano(-a), ucranio(-a).
ulcération [ylseʀasjɔ̃] *nf* ulceración *f*.
ulcère [ylsɛʀ] *nm* úlcera; ~ **à l'estomac** úlcera de estómago.
ulcérer [ylseʀe] *vt* (*MÉD*) ulcerar; (*fig*) herir en lo más hondo.
ulcéreux, -euse [ylseʀø, øz] *adj* ulceroso(-a).
ultérieur, e [ylteʀjœʀ] *adj* ulterior, posterior; **reporté à une date** ~**e** aplazado hasta nuevo aviso.

ultérieurement [ylteʀjœʀmɑ̃] *adv* posteriormente.
ultimatum [yltimatɔm] *nm* ultimátum *m*.
ultime [yltim] *adj* último(-a).
ultra- [yltʀa] *préf* ultra-.
ultra-court, e [yltʀakuʀ, t] (*pl* ~-~**s, es**) *adj* (*ondes etc*) ultracorto(-a); (*cheveux*) supercorto(-a).
ultra-moderne [yltʀamɔdɛʀn(ə)] (*pl* ~-~**s**) *adj* ultramoderno(-a).
ultra-rapide [yltʀaʀapid] (*pl* ~-~**s**) *adj* ultrarrápido(-a).
ultra-sensible [yltʀasɑ̃sibl] (*pl* ~-~**s**) *adj* ultrasensible.
ultra-sons [yltʀasɔ̃] *nmpl* ultrasonidos *mpl*.
ultra-violet, te [yltʀavjɔlɛ, ɛt] (*pl* ~-~**s, tes**) *adj* ultravioleta *inv*.
ululer [ylyle] *vi* ulular.

=================== *MOT-CLÉ*

un, une [œ̃, yn] *art indéf* un(a); **un garçon/ vieillard** un chico/viejo; **une fille** una niña ◆ *pron* uno(-a); **l'un des meilleurs** uno de los mejores; **l'un ..., l'autre ...** uno ..., el otro ...; **les uns ..., les autres ...** (los) unos ..., (los) otros ...; **l'un et l'autre** uno y otro; **l'un ou l'autre** uno u otro; **pas un seul ni uno**; **un par un** uno a uno
◆ *num* uno(-a); **une pomme seulement** una manzana solamente
◆ *nf*: **la une** (*PRESSE*) la primera página; (*chaîne de télévision*) la primera (cadena).

unanime [ynanim] *adj* unánime; **ils sont** ~**s à penser que ...** piensan de forma unánime que ... .
unanimement [ynanimmɑ̃] *adv* unánimemente.
unanimité [ynanimite] *nf* unanimidad *f*; **à l'~** por unanimidad; **faire l'~** obtener la unanimidad.
UNEF [ynɛf] *sigle f* (= *Union nationale des étudiants de France*) sindicato de estudiantes.
UNESCO, Unesco [ynɛsko] *sigle f* (= *Organisation des Nations unies pour l'éducation, la science et la culture*) UNESCO *f*, Unesco *f* (= *Organización de las Naciones Unidas para la Educación, la Ciencia y la Cultura*).
unetelle [yntɛl] *nf voir* **untel**.
uni, e [yni] *adj* (*tissu*) uniforme; (*surface, couleur*) liso(-a); (*groupe, pays*) unido(-a) ◆ *nm* tejido liso.
UNICEF, Unicef [ynisɛf] *sigle m ou f* (= *Fonds des Nations unies pour l'enfance*) UNICEF *m ou f*, Unicef *m ou f* (= *Fondo de las Naciones Unidas para la Infancia*).
unidirectionnel, le [ynidiʀɛksjɔnɛl] *adj*

unidireccional.

unième [ynjɛm] *num*: **vingt/trente et ~** vigésimo/trigésimo primero(-a); **cent ~** ciento uno(-a); **mille et ~ mil y uno(-a).**

unificateur, -trice [ynifikatœʀ, tʀis] *adj* unificador(a).

unification [ynifikasjɔ̃] *nf* unificación *f.*

unifier [ynifje] *vt* unificar; **s'unifier** *vpr* unificarse.

uniforme [ynifɔʀm] *adj (aussi fig)* uniforme ♦ *nm* uniforme *m;* **être sous l'~** *(MIL)* estar haciendo la mili.

uniformément [ynifɔʀmemɑ̃] *adv* de manera uniforme.

uniformisation [ynifɔʀmizasjɔ̃] *nf* uniformización *f.*

uniformiser [ynifɔʀmize] *vt* uniformizar, uniformar.

uniformité [ynifɔʀmite] *nf* uniformidad *f.*

unijambiste [yniʒɑ̃bist] *nm/f* cojo(-a) *(por faltarle una pierna).*

unilatéral, e, -aux [ynilateʀal, o] *adj* unilateral; **stationnement ~** estacionamiento en fila única.

unilatéralement [ynilateʀalmɑ̃] *adv* unilateralmente.

uninominal, e, -aux [yninɔminal, o] *adj* uninominal.

union [ynjɔ̃] *nf* unión *f;* mezcla; **l'U~ des républiques socialistes soviétiques** *(HIST)* la Unión de repúblicas socialistas soviéticas; **l'U~ soviétique** *(HIST)* la Unión soviética; ▸ **union conjugale** unión conyugal; ▸ **union de consommateurs** unión de consumidores; ▸ **union douanière** unión aduanera; ▸ **union libre** unión libre.

unique [ynik] *adj* único(-a); **ménage à salaire ~** matrimonio con un solo sueldo; **route à voie ~** carretera de una sola dirección; **fils/fille ~** hijo único/hija única; **~ en France** único en Francia.

uniquement [ynikmɑ̃] *adv* únicamente.

unir [yniʀ] *vt* unir; *(couleurs)* mezclar; **s'unir** *vpr* unirse; **~ qch à** unir algo a; **s'~ à** *ou* **avec** unirse a *ou* con.

unisexe [yniseks] *adj* unisex *inv.*

unisson [ynisɔ̃]: **à l'~** *adv* al unísono.

unitaire [yniteʀ] *adj* unitario(-a).

unité [ynite] *nf* unidad *f;* ▸ **unité centrale (de traitement)** *(INFORM)* unidad central (de proceso); ▸ **unité d'action** unidad de acción; ▸ **unité de valeur** *(SCOL)* ≈ asignatura; ▸ **unité de vues** acuerdo de puntos de vista.

univers [yniveʀ] *nm (aussi fig)* universo.

universalisation [yniveʀsalizasjɔ̃] *nf* universalización *f.*

universaliser [yniveʀsalize] *vt* universalizar.

universalité [yniveʀsalite] *nf* universalidad *f.*

universel, le [yniveʀsɛl] *adj* universal.

universellement [yniveʀsɛlmɑ̃] *adv* universalmente.

universitaire [yniveʀsitœʀ] *adj, nm/f* universitario(-a).

université [yniveʀsite] *nf* universidad *f.*

univoque [ynivɔk] *adj* unívoco(-a).

untel, unetelle [œ̃tɛl, yntɛl] *nm/f* uno(-a).

upériser [ypeʀize] *vt*: **lait upérisé** leche *f* uperizada.

uppercut [ypeʀkyt] *nm* uppercut *m.*

uranium [yʀanjɔm] *nm* uranio.

urbain, e [yʀbɛ̃, ɛn] *adj* urbano(-a).

urbanisation [yʀbanizasjɔ̃] *nf* urbanización *f.*

urbaniser [yʀbanize] *vt* urbanizar.

urbanisme [yʀbanism] *nm* urbanismo.

urbaniste [yʀbanist] *nm/f* urbanista *m/f.*

urbanité [yʀbanite] *nf* urbanidad *f.*

urée [yʀe] *nf* urea.

urémie [yʀemi] *nf* uremia.

urgence [yʀʒɑ̃s] *nf* urgencia ♦ *adv*: **d'~** urgentemente; **en cas d'~** en caso de urgencia; **service des ~s** servicio de urgencias.

urgent, e [yʀʒɑ̃, ɑ̃t] *adj* urgente.

urinaire [yʀinɛʀ] *adj* urinario(-a).

urinal, -aux [yʀinal, o] *nm* orinal *m.*

urine [yʀin] *nf* orina.

uriner [yʀine] *vi* orinar.

urinoir [yʀinwaʀ] *nm* urinario.

urique [yʀik] *adj*: **acide ~** ácido úrico.

urne [yʀn] *nf* urna; **aller aux ~s** ir a las urnas; ▸ **urne funéraire** urna funeraria.

urologie [yʀɔlɔʒi] *nf* urología.

urologue [yʀɔlɔg] *nm/f* urólogo(-a).

URSS [yʀs] *sigle f (HIST:* = *Union des républiques socialistes soviétiques)* URSS *f.*

urticaire [yʀtikɛʀ] *nf* urticaria.

Uruguay [yʀygwɛ] *nm* Uruguay *m.*

uruguayen, ne [yʀygwajɛ̃, ɛn] *adj* uruguayo(-a) ♦ *nm/f*: **U~, ne** uruguayo(-a).

us [ys] *nmpl*: **~ et coutumes** usos *mpl* y costumbres.

US(A) [yɛs(a)] *sigle mpl (=* United States (of America)*)* EE. UU. *mpl (=* Estados Unidos*).*

usage [yzaʒ] *nm (aussi LING)* uso; *(coutume, bonnes manières)* costumbre *f;* **l'~** *(la coutume)* la costumbre; **c'est l'~** es costumbre; **faire ~ de** *(pouvoir, droit)* hacer uso de; **avoir l'~ de** tener uso de; **à l'~** con el uso; **à l'~ de** para uso de; **en ~** en uso; **hors d'~** fuera de uso, en desuso; **à ~ interne/externe** *(MÉD)* de uso interno/externo; ▸ **usage de faux** *(JUR)* uso de dinero falso *ou* documentos falsos.

usagé, e [yzaʒe] *adj* usado(-a).

usager, -ère [yzaʒe, ɛʀ] *nm/f* usuario(-a).
usé, e [yze] *adj* usado(-a); (*santé, personne*) desgastado(-a); (*banal, rebattu*) manido(-a); **eaux ~es** aguas *fpl* sucias.
user [yze] *vt* usar; (*consommer*) gastar; (*fig*: *santé, personne*) desgastar; **s'user** *vpr* (*outil, vêtement*) gastarse; (*fig*: *facultés, santé*) desgastarse; **il s'use à la tâche** *ou* **au travail** el trabajo le está consumiendo; **~ de** (*moyen, droit, procédé*) servirse de.
usine [yzin] *nf* fábrica; ► **usine à gaz** planta de gas; ► **usine atomique/ marémotrice** central *f* nuclear/ maremotriz.
usiner [yzine] *vt* (*travailler, traiter*) trabajar; (*fabriquer*) fabricar.
usité, e [yzite] *adj* empleado(-a); **peu ~** poco empleado(-a).
ustensile [ystɑ̃sil] *nm* utensilio; ► **ustensile de cuisine** utensilio de cocina.
usuel, le [yzɥɛl] *adj* usual.
usufruit [yzyfʀɥi] *nm*: **avoir l'~ de** tener el usufructo de.
usuraire [yzyʀɛʀ] *adj* usurario(-a).
usure [yzyʀ] *nf* desgaste *m*; (*de l'usurier*) usura; **avoir qn à l'~** acabar convenciendo a algn; ► **usure normale** desgaste normal.
usurier, -ière [yzyʀje, jɛʀ] *nm/f* usurero(-a).
usurpateur, -trice [yzyʀpatœʀ, tʀis] *nm/f* usurpador(a).
usurpation [yzyʀpasjɔ̃] *nf* usurpación *f*.
usurper [yzyʀpe] *vt* usurpar; **réputation usurpée** reputación *f* ilegítima.
ut [yt] *nm inv* (*MUS*) do.
utérin, e [yteʀɛ̃, in] *adj* uterino(-a).
utérus [yteʀys] *nm* útero.
utile [ytil] *adj* útil; **~ à qn/qch** útil a algn/ para algo; **si cela peut vous être ~, ...** si eso puede serle útil, ...
utilement [ytilmɑ̃] *adv* de forma útil.
utilisable [ytilizabl] *adj* utilizable.
utilisateur, -trice [ytilizatœʀ, tʀis] *nm/f* usuario(-a).
utilisation [ytilizasjɔ̃] *nf* utilización *f*.
utiliser [ytilize] *vt* (*aussi péj*) utilizar; (*CULIN*: *restes*) aprovechar; (*consommer*) gastar.
utilitaire [ytilitɛʀ] *adj* (*objet, véhicule*) utilitario(-a); (*préoccupations, but*) interesado(-a) ♦ *nm* (*INFORM*) utilidad *f*.
utilité [ytilite] *nf* utilidad *f*; **jouer les ~s** (*THÉÂTRE*) actuar de figurante; **reconnu d'~ publique** (*ADMIN*) reconocido de utilidad pública; **ce n'est d'aucune/c'est d'une grande ~** no es de ninguna/es de gran utilidad.
utopie [ytɔpi] *nf* utopía.

utopique [ytɔpik] *adj* utópico(-a).
utopiste [ytɔpist] *nm/f* utopista *m/f*.
UV [yve] *sigle m* (= *unité de valeur*) *voir* **unité** ♦ *sigle mpl* (= *ultra-violets*) UV *mpl* (= *rayos ultravioleta*).
uvule [yvyl] *nf* úvula.

V, v

V, v [ve] *nm inv* V, v *f*; **~ comme Victor** ≈ V de Valencia; **en ~** en pico; **encolure/ décolleté en ~** cuello/escote *m* en pico.
V [ve] *abr* (= *voir*) v. (= *ver* = *véase*); (= *vers*) v. (= *verso*); (= *volt*) v. (= *voltio*).
va [va] *vb voir* **aller**.
vacance [vakɑ̃s] *nf* (*ADMIN*) vacante *f*; **~s** *nfpl* vacaciones *fpl*; **les grandes ~s** las vacaciones de verano; **prendre des/ses ~s (en juin)** coger las vacaciones (en junio); **aller en ~s** ir de vacaciones; ► **vacances de Noël/de Pâques** vacaciones de Navidad/de Semana Santa.
vacancier, -ière [vakɑ̃sje, jɛʀ] *nm/f* veraneante *m/f*.
vacant, e [vakɑ̃, ɑ̃t] *adj* vacante; (*appartement*) desocupado(-a).
vacarme [vakaʀm] *nm* alboroto.
vacataire [vakatɛʀ] *nm/f* empleado(-a) temporal; (*enseignant*) profesor(a) sustituto(-a).
vaccin [vaksɛ̃] *nm* vacuna; ► **vaccin antidiphtérique/antivariolique** vacuna contra la difteria/contra la viruela.
vaccination [vaksinasjɔ̃] *nf* vacunación *f*.
vacciner [vaksine] *vt* vacunar; **~ qn contre** vacunar a algn contra; **être vacciné** (*fig*: *fam*) estar vacunado(-a).
vache [vaʃ] *nf* vaca; (*cuir*) piel *f* ♦ *adj* (*fam*) duro(-a); **manger de la ~ enragée** pasar las de Caín; **période des ~s maigres** época de vacas flacas; ► **vache à eau** bolsa de agua; ► **vache à lait** (*fam*: *péj*) persona de la que se abusa; ► **vache laitière** vaca lechera.
vachement [vaʃmɑ̃] (*fam*) *adv* super.
vacher, -ère [vaʃe, ɛʀ] *nm/f* vaquero(-a).
vacherie [vaʃʀi] (*fam*) *nf* faena.
vacherin [vaʃʀɛ̃] *nm* (*fromage*) tipo de queso gruyère; (*gâteau*) pastel de nata y merengue.
vachette [vaʃɛt] *nf* vaqueta.

vacillant, e [vasijɑ̃, ɑ̃t] *adj* vacilante; *(esprit, mémoire)* flaco(-a).

vaciller [vasije] *vi* vacilar; *(mémoire, raison)* fallar; ~ **dans ses réponses/ses résolutions** vacilar en las respuestas/las soluciones.

vacuité [vakɥite] *nf* vacuidad *f*.

vade-mecum [vademekɔm] *nm inv* vademécum *m*.

vadrouille [vadʀuj] *(fam) nf:* **être/partir en** ~ estar/ir de picos pardos.

vadrouiller [vadʀuje] *(fam) vi* andar de picos pardos, callejear.

va-et-vient [vaevjɛ̃] *nm inv* vaivén *m*; *(ÉLEC)* conmutador *m*.

vagabond, e [vagabɔ̃, ɔ̃d] *adj* vagabundo(-a); *(pensées)* errabundo(-a) ♦ *nm* vagabundo; *(voyageur)* trotamundos *m inv*.

vagabondage [vagabɔ̃daʒ] *nm* vagabundeo; *(JUR)* vagancia.

vagabonder [vagabɔ̃de] *vi* vagabundear; *(suj: pensées)* vagar.

vagin [vaʒɛ̃] *nm* vagina.

vaginal, e, -aux [vaʒinal, o] *adj* vaginal.

vagir [vaʒiʀ] *vi* dar vagidos.

vagissement [vaʒismɑ̃] *nm* vagido.

vague [vag] *nf* ola; *(d'une chevelure etc)* onda ♦ *adj (indications)* poco(-a) claro(-a); *(silhouette, souvenir)* vago(-a); *(angoisse)* indefinido(-a); *(manteau, robe)* suelto(-a) ♦ *nm:* **rester dans le** ~ hablar con vaguedad; **être dans le** ~ estar en el aire; **un** ~ **cousin** un primo cualquiera; **regarder dans le** ~ mirar al vacío; ► **vague à l'âme** *nm* nostalgia; ► **vague d'assaut** *nf (MIL)* ola de ataques; ► **vague de chaleur** *nf* ola de calor; ► **vague de fond** *nf* mar de fondo; ► **vague de froid** *nf* ola de frío.

vaguelette [vaglɛt] *nf* ola pequeña.

vaguement [vagmɑ̃] *adv* vagamente, apenas.

vaguer [vage] *vi* errar.

vaillamment [vajamɑ̃] *adv* valerosamente.

vaillant, e [vajɑ̃, ɑ̃t] *adj (courageux)* valeroso(-a), valiente; *(vigoureux)* saludable; **n'avoir plus** *ou* **pas un sou** ~ no tener ni un cuarto.

vaille [vaj] *vb voir* **valoir**.

vain, e [vɛ̃, vɛn] *adj* vano(-a); **en** ~ en vano.

vaincre [vɛ̃kʀ] *vt* vencer, derrotar.

vaincu, e [vɛ̃ky] *pp de* **vaincre** ♦ *nm/f* vencido(-a), derrotado(-a).

vainement [vɛnmɑ̃] *adv* vanamente.

vainquais *etc* [vɛ̃kɛ] *vb voir* **vaincre**.

vainqueur [vɛ̃kœʀ] *adj m, nm* ganador *m*.

vais [vɛ] *vb voir* **aller**.

vaisseau, x [vɛso] *nm (ANAT)* vaso; *(NAUT)* navío; **enseigne/capitaine de** ~ al-

férez *m*/capitán *m* de navío; ► **vaisseau spatial** nave *f* espacial.

vaisselier [vɛsəlje] *nm* aparador *m*.

vaisselle [vɛsɛl] *nf* vajilla; *(lavage)* fregado; **faire la** ~ fregar los platos.

val [val] *(pl* **vaux** *ou* **~s)** *nm* valle *m*.

valable [valabl] *adj* válido(-a); *(motif, solution)* admisible; *(interlocuteur, écrivain)* aceptable.

valablement [valabləmɑ̃] *adv* legítimamente; *(de façon satisfaisante)* satisfactoriamente.

Valence [valɑ̃s] *n (en Espagne)* Valencia; *(en France)* Valence.

valent *etc* [val] *vb voir* **valoir**.

valet [valɛ] *nm* criado; *(péj)* lacayo; *(cintre)* colgador *m* de ropa; *(CARTES)* sota; ► **valet de chambre** ayuda *m* de cámara; ► **valet de ferme** mozo de labranza; ► **valet de pied** lacayo.

valeur [valœʀ] *nf* valor *m*; *(prix)* precio; **~s** *nfpl (morales)* valores *mpl* morales; **mettre en** ~ valorizar; *(fig)* destacar; **avoir/prendre de la** ~ tener/adquirir valor; **sans** ~ sin valor; ► **valeur absolue** valor absoluto; ► **valeur d'échange** valor de cambio; ► **valeurs mobilières/nominales** valores mobiliarios/nominales.

valeureux, -euse [valœʀø, øz] *adj* valeroso(-a).

validation [validasjɔ̃] *nf* validación *f*.

valide [valid] *adj (personne)* sano(-a); *(passeport, billet)* válido(-a).

valider [valide] *vt* validar.

validité [validite] *nf* validez *f*; *(durée de)* ~ *(período de)* validez.

valions [valjɔ̃] *vb voir* **valoir**.

valise [valiz] *nf* maleta, valija *(AM)*; **faire sa** ~ hacer la maleta; **la** ~ **(diplomatique)** la valija (diplomática).

vallée [vale] *nf* valle *m*.

vallon [valɔ̃] *nm* pequeño valle *m*.

vallonné, e [valɔne] *adj* ondulado(-a).

vallonnement [valɔnmɑ̃] *nm* ondulación *f*.

valoir [valwaʀ] *vi* valer ♦ *vt (prix, valeur)* valer; *(un effort, détour)* merecer; *(causer, procurer; suj: chose):* ~ **qch à qn** valer algo a algn; *(négatif)* costar algo a algn; **se valoir** *vpr* ser equivalente; *(péj)* ser tal para cual; **faire** ~ *(ses droits)* hacer valer; *(domaine, capitaux)* valorizar; **faire** ~ **que** insistir en que; **se faire** ~ alardear; **à** ~ **sur** a cuenta de; **vaille que vaille** mal que bien; **cela ne me dit rien qui vaille** eso me da mala espina; **ce climat** *etc* **ne me vaut rien** este clima *etc* no me sienta nada bien; ~ **la peine** merecer la pena; ~ **mieux: il vaut mieux se taire/que je fasse comme ceci** más vale callarse/que lo haga así; **ça ne vaut rien** eso no vale nada; ~ **cher** costar mucho dinero; **il faut faire** ~ **que tu as de l'expérience** tienes que conseguir que valoren tu experiencia; **que vaut ce candidat/cette méthode?** ¿qué valor tiene ese candidato/ese método?

valorisation [valɔʀizasjɔ̃] *nf* valorización *f.*

valoriser [valɔʀize] *vt* valorizar.

valse [vals] *nf* vals *m*; **la ~ des prix** el baile de precios.

valser [valse] *vi* bailar el vals; (*fig: fam*) **aller** ~ ser proyectado(-a).

valu, e [valy] *pp de* **valoir.**

valve [valv] *nf* (*ZOOL*) valva; (*TECH, ÉLEC*) válvula.

vamp [vãp] *nf* vampiresa.

vampire [vãpiʀ] *nm* vampiro.

van [vã] *nm* camión *m* para caballos.

vandale [vãdal] *nm/f* vándalo(-a).

vandalisme [vãdalism] *nm* vandalismo.

vanille [vanij] *nf* vainilla; **glace/crème à la** ~ helado/crema de vainilla.

vanillé, e [vanije] *adj* aromatizado(-a) con vainilla.

vanilline [vanilin] *nf* vanilina.

vanité [vanite] *nf* vanidad *f*; **tirer** ~ **de** vanagloriarse de.

vaniteux, -euse [vanitø, øz] *adj* vanidoso(-a).

vanity-case [vaniti(e)kɛz] (*pl* ~-~s) *nm* neceser *m* de belleza.

vanne [van] *nf* compuerta; (*fam*) pulla; **lancer une** ~ **à qn** tirar pullas a algn.

vanneau, x [vano] *nm* avefría.

vanner [vane] *vt* cribar.

vannerie [vanʀi] *nf* cestería.

vannier [vanje] *nm* cestero.

vantail [vãtaj] (*pl* **vantaux**) *nm* batiente *m.*

vantard, e [vãtaʀ, aʀd] *adj* jactancioso(-a).

vantardise [vãtaʀdiz] *nf* jactancia.

vanter [vãte] *vt* alabar; **se vanter** *vpr* jactarse; **se** ~ **de qch** jactarse *ou* presumir de algo; **se** ~ **d'avoir fait/de pouvoir faire** jactarse *ou* presumir de haber hecho/de poder hacer.

va-nu-pieds [vanypje] (*péj*) *nm/f inv* descamisado(-a).

vapeur [vapœʀ] *nf* vapor *m*; (*brouillard, buée*) vaho; **~s** *nfpl* (*bouffées de chaleur*): **j'ai des ~s** tengo sofocos; **les ~s du vin** (*émanation*) los vapores del vino; **machine/locomotive à** ~ máquina/locomotora de vapor; **à toute** ~ a toda máquina; **renverser la** ~ (*TECH, fig*) cambiar de marcha; **cuit à la** ~ (*CULIN*) cocinado al vapor.

vapocuiseur [vapokyizœʀ] *nm* vaporera.

vaporeux, -euse [vapɔʀø, øz] *adj* vaporoso(-a).

vaporisateur [vapɔʀizatœʀ] *nm* vaporizador *m.*

vaporiser [vapɔʀize] *vt* vaporizar.

vaquer [vake] *vi* (*ADMIN*) estar vacante; ~ **à ses occupations** dedicarse a sus ocupaciones.

varappe [vaʀap] *nf* escalada de rocas.

varappeur, -euse [vaʀapœʀ, øz] *nm/f* escalador(a).

varech [vaʀɛk] *nm* algas *fpl.*

vareuse [vaʀøz] *nf* (*blouson*) marinera; (*d'uniforme*) guerrera.

variable [vaʀjabl] *adj* variable; (*TECH*) adaptable; (*résultats*) diverso(-a) ♦ *nf* (*MATH*) variable *f.*

variante [vaʀjãt] *nf* variante *f.*

variation [vaʀjasjɔ̃] *nf* variación *f*; **~s** *nfpl* (*de température etc*) variaciones *fpl*, cambios *mpl.*

varice [vaʀis] *nf* variz *f.*

varicelle [vaʀisɛl] *nf* varicela.

varié, e [vaʀje] *adj* variado(-a); (*goûts, résultats*) diverso(-a); **hors d'œuvre ~s** entremeses *mpl* variados.

varier [vaʀje] *vi* variar, cambiar; (*différer*) variar ♦ *vt* cambiar; ~ **sur** (*différer d'opinion*) discrepar en.

variété [vaʀjete] *nf* variedad *f*; **~s** *nfpl*: **spectacle/émission de ~s** espectáculo/programa de variedades; **une (grande)** ~ **de** (gran) variedad de.

variole [vaʀjɔl] *nf* viruela.

variqueux, -euse [vaʀikø, øz] *adj* varicoso(-a).

Varsovie [vaʀsɔvi] *n* Varsovia.

vas [va] *vb voir* **aller**; **~-y!** ¡venga!; (*quelque part*) ¡ve!

vasculaire [vaskylɛʀ] *adj* vascular.

vascularisé, e [vaskylaʀize] *adj* vascularizado(-a).

vase [vaz] *nm* vaso ♦ *nf* fango; **en** ~ **clos** aislado(-a); ▶ **vase de nuit** orinal *m*; ▶ **vases communicants** vasos comunicantes.

vasectomie [vazɛktɔmi] *nf* vasectomía.

vaseline [vaz(ə)lin] *nf* vaselina.

vaseux, -euse [vazø, øz] *adj* fangoso(-a); (*fam: confus, étourdi*) confuso(-a); (: *fatigué*) hecho(-a) polvo.

vasistas [vazistas] *nm* tragaluz *m.*

vasque [vask] *nf* pila; (*coupe*) centro de mesa.

vassal, e, -aux [vasal, o] *nm/f* vasallo(-a).

vaste [vast] *adj* amplio(-a).

Vatican [vatikã] *nm*: **le** ~ el Vaticano.

vaticiner [vatisine] (*littér: péj*) *vi* adivinar.

va-tout [vatu] *nm inv*: **jouer son ~-~** jugar (-se) el todo por el todo.

vaudeville [vod(ə)vil] *nm* vodevil *m.*

vaudrai *etc* [vodʀe] *vb voir* **valoir.**

vau-l'eau [volo]: **à ~-~** adv río abajo; **s'en aller à ~-~** (fig) irse a pique.
vaurien, ne [voʀjɛ̃, jɛn] nm/f bribón(-ona); (malfaiteur) tunante m.
vaut [vo] vb voir **valoir**.
vautour [votuʀ] nm buitre m.
vautrer [votʀe]: **se ~** vpr revolcarse; **se ~ dans/sur** revolcarse en; (vice) hundirse en.
vaux [vo] nmpl de **val** ♦ vb voir **valoir**.
va-vite [vavit]: **à la ~-~** adv de prisa y corriendo.
VDQS [vedekyɛs] abr = vin délimité de qualité supérieure.
veau, x [vo] nm ternero; (CULIN) ternera; (peau) becerro; **tuer le ~ gras** echar la casa por la ventana.
vecteur [vɛktœʀ] nm vector m.
vécu, e [veky] pp de **vivre** ♦ adj vivido(-a).
vedettariat [vədetaʀja] nm estrellato; (attitude) divismo.
vedette [vədɛt] nf estrella; (personnalité) figura; (canot) lancha motora; **mettre qn en ~** (CINÉ etc) poner a algn en primer plano; **avoir la ~** estar en primera plana.
végétal, e, -aux [veʒetal, o] adj, nm vegetal m.
végétalien, ne [veʒetaljɛ̃, jɛn] adj, nm/f vegetariano(-a) estricto(-a).
végétalisme [veʒetalism] nm vegetarianismo estricto.
végétarien, ne [veʒetaʀjɛ̃, jɛn] adj, nm/f vegetariano(-a).
végétarisme [veʒetaʀism] nm vegetarianismo.
végétatif, -ive [veʒetatif, iv] adj (vie) vegetativo(-a).
végétation [veʒetasjɔ̃] nf vegetación f; **~s** nfpl (MÉD) vegetaciones fpl; **opérer qn des ~s** operar a algn de vegetaciones; ► **végétation arctique/tropicale** vegetación ártica/tropical.
végéter [veʒete] vi (plante, personne) vegetar; (affaire) ir tirando.
véhémence [veemɑ̃s] nf vehemencia; **avec ~** con vehemencia.
véhément, e [veemɑ̃, ɑ̃t] adj vehemente.
véhicule [veikyl] nm vehículo; ► **véhicule utilitaire** vehículo utilitario.
véhiculer [veikyle] vt transportar en vehículo; (fig) transmitir.
veille [vɛj] nf vigilancia; (PSYCH) vigilia; (jour): **la ~ de** el día anterior a; **la ~ au soir** la noche anterior; **à la ~ de** en vísperas de; **l'état de ~** el estado de vigilia.
veillée [veje] nf velada; ► **veillée d'armes** vela de armas; ► **veillée (mortuaire)** velatorio.
veiller [veje] vi velar; (être vigilant) vigilar ♦ vt velar; **~ à** (s'occuper de) velar por;

(faire attention à) procurar; (prendre soin de) cuidar de; **~ à faire/à ce que** ocuparse de hacer/de que; **~ sur** cuidar de.
veilleur [vɛjœʀ] nm: **~ de nuit** sereno.
veilleuse [vɛjøz] nf (lampe) lamparilla de noche; (AUTO, flamme) piloto; **en ~** a media luz; (affaire) a la espera.
veinard, e [vɛnaʀ, aʀd] (fam) nm/f suertudo(-a).
veine [vɛn] nf vena; (du bois, marbre etc) veta; **avoir de la ~** (fam) tener chiripa.
veiné, e [vene] adj veteado(-a).
veineux, -euse [vɛnø, øz] adj venoso(-a).
vêler [vele] vi parir (la vaca).
vélin [velɛ̃] adj m: (papier) **~** (papel m) vitela.
véliplanchiste [veliplɑ̃ʃist] nm/f windsurfista m/f.
vélivole [velivɔl] nm/f aficionado a los vuelos sin motor.
velléitaire [veleitɛʀ] adj veleidoso(-a).
velléités [veleite] nfpl veleidades fpl.
vélo [velo] nm bici f; **faire du/aimer le ~** hacer ciclismo/gustarle a uno el ciclismo.
véloce [velɔs] adj veloz.
vélocité [velɔsite] nf velocidad f.
vélodrome [velodʀom] nm velódromo.
vélomoteur [velomɔtœʀ] nm velomotor m.
véloski [veloski] nm skibob m, esquibob m.
velours [v(ə)luʀ] nm terciopelo; ► **velours côtelé** pana; ► **velours de coton/de laine** veludillo/fieltro; ► **velours de soie** terciopelo de seda.
velouté, e [vəlute] adj (peau) aterciopelado(-a); (lumière, couleurs) suave; (au goût) cremoso(-a); (: vin) suave ♦ nm (CULIN): **~ d'asperges/de tomates** crema de espárragos/sopa de tomate.
velouteux, -euse [vəlutø, øz] adj aterciopelado(-a).
velu, e [vəly] adj velloso(-a).
vélum [velɔm] nm entoldado.
venais etc [vənɛ] vb voir **venir**.
venaison [vənɛzɔ̃] nf caza.
vénal, e, -aux [venal, o] adj venal.
vénalité [venalite] nf venalidad f.
venant [v(ə)nɑ̃]: **à tout ~** adv al primero que llegue.
vendable [vɑ̃dabl] adj vendible.
vendange [vɑ̃dɑ̃ʒ] nf vendimia; (raisins récoltés) cosecha (de uvas).
vendanger [vɑ̃dɑ̃ʒe] vi, vt vendimiar.
vendangeur, -euse [vɑ̃dɑ̃ʒœʀ, øz] nm/f vendimiador(a).
vendéen, ne [vɑ̃deɛ̃, ɛn] adj de Vendée ♦ nm/f: **V~, ne** nativo(-a) ou habitante m/f de Vendée.
vendeur, -euse [vɑ̃dœʀ, øz] nm/f (de magasin) vendedor(a), dependiente(-a); (COMM) vendedor(a) ♦ nm (JUR) vende-

dor *m*; ► **vendeur de journaux** vendedor *ou* voceador *m* (*AM*) de periódicos, canillita *m* (*CSUR*).

vendre [vɑ̃dʀ] *vt* vender; ~ **qch à qn** vender algo a algn; **cela se vend à la douzaine** se vende por docenas; **cela se vend bien** esto se vende bien; "**à ~**" "en venta".

vendredi [vɑ̃dʀədi] *nm* viernes *m inv*; ► **Vendredi saint** Viernes Santo; *voir aussi* **lundi**.

vendu, e [vɑ̃dy] *pp de* **vendre** ♦ *adj* (*péj*) vendido(-a).

venelle [vənɛl] *nf* callejuela.

vénéneux, -euse [venenø, øz] *adj* venenoso(-a).

vénérable [venerabl] *adj* venerable.

vénération [venerasjɔ̃] *nf* veneración *f*.

vénér(é)ologie [vener(e)ɔlɔʒi] *nf* venereología.

vénérer [venere] *vt* venerar.

vénerie [venʀi] *nf* montería.

vénérien, ne [venerjɛ̃, jɛn] *adj* venéreo(-a).

Venezuela [venezɥela] *nm* Venezuela.

vénézuélien, ne [venezɥeljɛ̃, jɛn] *adj* venezolano(-a) ♦ *nm/f*: **V~, ne** venezolano(-a).

vengeance [vɑ̃ʒɑ̃s] *nf* venganza.

venger [vɑ̃ʒe] *vt* vengar; **se venger** *vpr* vengarse; **se ~ de/sur qch/qn** vengarse de/en algo/algn.

vengeur, -eresse [vɑ̃ʒœʀ, ʒ(ə)ʀɛs] *adj, nm/f* vengador(a).

véniel, le [venjɛl] *adj*: **faute ~le** culpa venial; **péché ~** (*REL*) pecado venial.

venimeux, -euse [vənimø, øz] *adj* venenoso(-a).

venin [vənɛ̃] *nm* veneno.

venir [v(ə)niʀ] *vi* venir, llegar; ~ **de** (*lieu*) venir de; (*cause*) proceder de; ~ **de faire**: **je viens d'y aller/de le voir** acabo de ir/de verle; **s'il vient à pleuvoir** si llegara a llover; **en ~ à faire**: **j'en viens à croire que** llego a pensar que; **il en est venu à mendier** ha llegado a mendigar; **en ~ aux mains** llegar a las manos; **les années/ générations à ~** los años/generaciones venideros(-as); **où veux-tu en ~?** ¿hasta dónde quieres llegar?; **je te vois ~** te veo venir; **il me vient une idée** se me ocurre una idea; **il me vient des soupçons** empiezo a sospechar; **laisser ~** esperar antes de actuar; **faire ~** llamar; **d'où vient que ...?** ¿cómo es posible que ...?; ~ **au monde** venir al mundo.

Venise [vəniz] *n* Venecia.

vent [vɑ̃] *nm* viento; **il y a du ~** hace viento; **c'est du ~** (*fig*) son palabras al aire; **au ~** a barlovento; **sous le ~** a sotavento; **avoir le ~ debout** *ou* **en face/arrière** *ou*

en poupe tener viento en contra *ou* de cara/a favor *ou* en popa; **(être) dans le ~** (*fam*) (estar) a la moda; **prendre le ~** (*fig*) tantear el terreno; **avoir ~ de** enterarse de; **contre ~s et marées** contra viento y marea.

vente [vɑ̃t] *nf* venta; **mettre en ~** poner en venta; ► **vente aux enchères** subasta; ► **vente de charité** venta de beneficencia; ► **vente par correspondance** venta por correspondencia.

venté, e [vɑ̃te] *adj* ventoso(-a).

venter [vɑ̃te] *vb impers* ventear.

venteux, -euse [vɑ̃tø, øz] *adj* ventoso(-a).

ventilateur [vɑ̃tilatœʀ] *nm* ventilador *m*.

ventilation [vɑ̃tilasjɔ̃] *nf* ventilación *f*.

ventiler [vɑ̃tile] *vt* ventilar; (*total, statistiques*) repartir.

ventouse [vɑ̃tuz] *nf* ventosa.

ventral, e, -aux [vɑ̃tʀal, o] *adj* ventral.

ventre [vɑ̃tʀ] *nm* vientre *m*; (*fig*) panza; **avoir/prendre du ~** tener/echar barriga; **j'ai mal au ~** me duele la barriga.

ventricule [vɑ̃tʀikyl] *nm* ventrículo.

ventriloque [vɑ̃tʀilɔk] *adj, nm/f* ventrílocuo(-a).

ventripotent, e [vɑ̃tʀipɔtɑ̃, ɑ̃t] *adj* panzudo(-a).

ventru, e [vɑ̃tʀy] *adj* ventrudo(-a).

venu, e [v(ə)ny] *pp de* **venir** ♦ *adj*: **être mal ~ à** *ou* **de faire** ser poco oportuno hacer; **mal/bien ~** poco/muy oportuno(-a).

venue [vəny] *nf* venida, llegada.

vêpres [vɛpʀ] *nfpl* vísperas *fpl*.

ver [vɛʀ] *nm* gusano; (*intestinal*) lombriz *f*; (*du bois*) polilla; ► **ver à soie** gusano de seda; ► **ver blanc** larva de abejorro; ► **ver de terre** lombriz *f*; ► **ver luisant** luciérnaga; ► **ver solitaire** tenia; *voir aussi* **vers**.

véracité [verasite] *nf* veracidad *f*.

véranda [verɑ̃da] *nf* tenaza.

verbal, e, -aux [vɛʀbal, o] *adj* verbal.

verbalement [vɛʀbalmɑ̃] *adv* (*dire*) oralmente; (*approuver*) verbalmente.

verbaliser [vɛʀbalize] *vi* (*POLICE*) formalizar un atestado ♦ *vt* (*PSYCH*) verbalizar.

verbalisme [vɛʀbalism] (*péj*) *nm* verborrea.

verbe [vɛʀb] *nm* verbo; **avoir le ~ sonore** (*voix*) hablar alto; **la magie du ~** (*expression*) la magia del verbo; **le V~** (*REL*) el Verbo.

verbeux, -euse [vɛʀbø, øz] *adj* verboso(-a).

verbiage [vɛʀbjaʒ] *nm* palabrería, verborrea.

verbosité [vɛʀbozite] *nf* verbosidad *f*.

verdâtre [vɛʀdɑtʀ] *adj* verdusco(-a).

verdeur [vɛʀdœʀ] *nf* verdor *m*; (*âpreté*) ru-

deza; (de fruit, vin) poca madurez f.
verdict [vɛʀdik(t)] nm veredicto.
verdir [vɛʀdiʀ] vi verdear, verdecer ♦ vt
pintar de verde.
verdoyant, e [vɛʀdwajɑ̃, ɑ̃t] adj que ver-
dece.
verdure [vɛʀdyʀ] nf (arbres, feuillages) verde m, verdor m; (légumes verts) verdura.
véreux, -euse [veʀø, øz] adj agusana-
do(-a); (malhonnête) corrompido(-a).
verge [vɛʀʒ] nf (ANAT) verga; (baguette)
vara.
verger [vɛʀʒe] nm huerto.
vergeture [vɛʀʒətyʀ] nf (gén pl) estrías fpl.
verglacé, e [vɛʀglase] adj helado(-a).
verglas [vɛʀglɑ] nm hielo.
vergogne [vɛʀgɔɲ]: **sans ~** adv sin vergüenza.
véridique [veʀidik] adj verídico(-a).
vérifiable [veʀifjabl] adj comprobable.
vérificateur, -trice [veʀifikatœʀ, tʀis] nm/f
controlador(a); ► **vérificateur des
comptes** (FIN) interventor m de cuentas.
vérification [veʀifikasjɔ̃] nf (des comptes
etc) revisión f; (d'une chose par une autre)
verificación f; ► **vérification d'identité**
(POLICE) identificación f.
vérificatrice [veʀifikatʀis] nf controladora.
vérifier [veʀifje] vt (mécanisme, comptes)
revisar; (hypothèse) comprobar; (suj:
chose: prouver) corroborar; (INFORM) verificar; **se vérifier** vpr verificarse.
vérin [veʀɛ̃] nm gato.
véritable [veʀitabl] adj verdadero(-a);
(ami, amour) auténtico(-a); (or, argent) de
ley; **un ~ désastre/miracle** un auténtico
desastre/milagro.
véritablement [veʀitabləmɑ̃] adv verdaderamente.
vérité [veʀite] nf verdad f; (d'un fait, d'un
portrait) autenticidad f; (sincérité) sinceridad f; **à la** ou **en ~** en realidad.
vermeil, le [vɛʀmɛj] adj bermejo(-a) ♦ nm
corladura.
vermicelles [vɛʀmisɛl] nmpl fideos mpl.
vermicide [vɛʀmisid] nm vermicida m.
vermifuge [vɛʀmifyʒ] nm vermicida m ♦
adj: **poudre ~** polvos mpl antiparasitarios.
vermillon [vɛʀmijɔ̃] adj inv bermejo(-a).
vermine [vɛʀmin] nf parásitos mpl; (fig)
chusma.
vermoulu, e [vɛʀmuly] adj carcomido(-a).
vermout(h) [vɛʀmut] nm vermut m, vermú m.
verni, e [vɛʀni] adj barnizado(-a); (fam)
suertudo(-a); **cuir ~** cuero charolado;
souliers ~s zapatos mpl de charol.
vernir [vɛʀniʀ] vt barnizar; (poteries, ongles) esmaltar.
vernis [vɛʀni] nm barniz m; (fig) capa;

► **vernis à ongles** esmalte m de uñas.
vernissage [vɛʀnisaʒ] nm barnizado;
(d'une exposition) inauguración f.
vernisser [vɛʀnise] vt esmaltar.
vérole [veʀɔl] nf (aussi: **petite ~**) viruela;
(fam: syphilis) sífilis fsg.
verrai etc [veʀe] vb voir **voir**.
verre [vɛʀ] nm vidrio, cristal m; (récipient,
contenu) vaso, copa; (de lunettes) cristal
m; **~s** nmpl (lunettes) gafas fpl; **boire** ou
prendre un ~ beber ou tomar una copa;
► **verre à dents** vaso de aseo; ► **verre à
liqueur/à vin** copa de ou para licor/
vino; ► **verre à pied** copa; ► **verre armé**
cristal reforzado; ► **verre de lampe**
cristal de lámpara; ► **verre de montre**
cristal del reloj; ► **verre dépoli/
trempé/feuilleté** cristal esmerilado/
templado/laminado; ► **verres de contact**
lentes mpl de contacto, lentillas fpl;
► **verres fumés** cristales mpl ahumados.
verrerie [vɛʀʀi] nf cristalería, vidriería;
(objets) vidrios mpl.
verrier [vɛʀje] nm (ouvrier) cristalero; (artiste) vidriero.
verrière [vɛʀjɛʀ] nf cristalera.
verrons etc [veʀɔ̃] vb voir **voir**.
verroterie [vɛʀɔtʀi] nf abalorio.
verrou [veʀu] nm cerrojo; (GÉO, MIL) bloqueo; **mettre le ~** poner el cerrojo; **mettre qn/être sous les ~s** (fig) meter a
algn/estar en chirona.
verrouillage [veʀujaʒ] nm cierre m; ► **verrouillage central** (AUTO) cierre automático.
verrouiller [veʀuje] vt (porte) cerrar con
cerrojo; (MIL: brèche) bloquear.
verrue [veʀy] nf verruga.
vers [vɛʀ] nm verso ♦ prép hacia; (dans les
environs de) hacia, cerca de; (temporel)
alrededor de, sobre ♦ nmpl (poésie) ver-
sos mpl.
versant [vɛʀsɑ̃] nm ladera.
versatile [vɛʀsatil] adj versátil.
verse [vɛʀs]: **à ~** adv a cántaros; **il pleut à
~** llueve a cántaros.
versé, e [vɛʀse] adj: **être ~ dans** estar ver-
sado(-a) en.
Verseau [vɛʀso] nm (ASTROL) Acuario;
être (du) ~ ser (de) Acuario.
versement [vɛʀsəmɑ̃] nm pago; (sur un
compte) ingreso; **en 3 ~s** en 3 plazos.
verser [vɛʀse] vt verter, derramar; (dans
une tasse etc) echar; (argent: à qn) pagar;
(: sur un compte) ingresar; (véhicule) volcar; (soldat: affecter): **~ qn dans** destinar
a algn a; **~ dans** (fig) versar sobre; **~ à
un compte** ingresar ou abonar en una
cuenta.
verset [vɛʀsɛ] nm versículo; (formule réci-

tée ou chantée) verso.
verseur [vɛʀsœʀ] *adj m voir* **bec; bouchon.**
versification [vɛʀsifikasjɔ̃] *nf* versificación
f.
versifier [vɛʀsifje] *vt, vi* versificar.
version [vɛʀsjɔ̃] *nf (SCOL: traduction)* versión *f;* **film en** ~ **originale** película en versión original.
verso [vɛʀso] *nm* dorso, reverso; **voir au** ~ ver al dorso.
vert, e [vɛʀ, vɛʀt] *adj* verde; *(vin)* agraz; *(personne: vigoureux)* lozano(-a); *(langage, propos)* fuerte ♦ *nm* verde *m;* **en voir des** ~**es (et des pas mûres)** *(fam)* pasarlas negras; **en dire des** ~**es (et des pas mûres)** *(fam)* hablar a las claras; **se mettre au** ~ irse a descansar al campo; ►**vert bouteille/d'eau/pomme** *adj inv* verde botella/agua/manzana *inv.*
vert-de-gris [vɛʀdəgʀi] *nm inv* verdín *m* ♦ *adj inv* verde *inv* grisáceo.
vertébral, e, -aux [vɛʀtebʀal, o] *adj* vertebral; *voir aussi* **colonne.**
vertèbre [vɛʀtɛbʀ] *nf* vértebra.
vertébré, e [vɛʀtebʀe] *adj* vertebrado(-a); ~**s** *nmpl* vertebrados *mpl.*
vertement [vɛʀtəmɑ̃] *adv* severamente.
vertical, e, -aux [vɛʀtikal, o] *adj* vertical.
verticale [vɛʀtikal] *nf* vertical *f;* **à la** ~ en vertical.
verticalement [vɛʀtikalmɑ̃] *adv* verticalmente.
verticalité [vɛʀtikalite] *nf* verticalidad *f.*
vertige [vɛʀtiʒ] *nm* vértigo; *(étourdissement)* mareo; *(égarement)* escalofríos *mpl;* **ça me donne le** ~ me da vértigo; *(m'impressionne)* me alucina; *(m'égare)* me da escalofríos.
vertigineux, -euse [vɛʀtiʒinø, øz] *adj* vertiginoso(-a).
vertu [vɛʀty] *nf* virtud *f;* **en** ~ **de** en virtud de.
vertueusement [vɛʀtɥøzmɑ̃] *adv* virtuosamente.
vertueux, -euse [vɛʀtɥø, øz] *adj* virtuoso(-a); *(femme)* decente; *(conduite)* meritorio(-a).
verve [vɛʀv] *nf* inspiración *f;* **être en** ~ estar en vena.
verveine [vɛʀvɛn] *nf* verbena.
vésicule [vezikyl] *nf* vesícula; ►**vésicule biliaire** vesícula biliar.
vespasienne [vɛspazjɛn] *nf* urinario público.
vespéral, e, -aux [vɛspeʀal, o] *adj* vespertino(-a).
vessie [vesi] *nf* vejiga.
veste [vɛst] *nf* chaqueta, americana, saco *(AM);* **retourner sa** ~ *(fig: fam)* cambiar de chaqueta; ►**veste croisée/droite**

chaqueta cruzada/recta *ou* sin cruzar.
vestiaire [vɛstjɛʀ] *nm (au théâtre etc)* guardarropa; *(de stade etc)* vestuario; **(armoire)** ~ taquilla.
vestibule [vɛstibyl] *nm* vestíbulo.
vestige [vɛstiʒ] *nm* vestigio; ~**s** *nmpl (de ville, civilisation)* vestigios *mpl.*
vestimentaire [vɛstimɑ̃tɛʀ] *adj (dépenses)* en vestimenta; *(détail)* de la vestimenta; *(élégance)* en el vestir.
veston [vɛstɔ̃] *nm* americana.
vêtais *etc* [vɛtɛ] *vb voir* **vêtir.**
vêtement [vɛtmɑ̃] *nm* vestido; *(COMM):* **le** ~ la confección; ~**s** *nmpl* ropa; ►**vêtements de sport** ropa de sport.
vétéran [veteʀɑ̃] *nm* veterano.
vétérinaire [veteʀinɛʀ] *adj, nm/f* veterinario(-a).
vétille [vetij] *nf* nimiedad *f.*
vétilleux, -euse [vetijø, øz] *adj* puntilloso(-a).
vêtir [vetiʀ] *vt* vestir; **se vêtir** *vpr* vestirse.
vêtit *etc* [veti] *vb voir* **vêtir.**
vétiver [vetivɛʀ] *nm* vetiver *m.*
véto [veto] *nm* veto; **droit de** ~ derecho de veto; **mettre** *ou* **opposer un** ~ **à** poner el veto a.
vêtu, e [vety] *pp de* **vêtir** ♦ *adj:* ~ **de** vestido(-a) de; **chaudement** ~ abrigado(-a).
vétuste [vetyst] *adj* vetusto(-a).
vétusté [vetyste] *nf* vetustez *f.*
veuf, veuve [vœf, vœv] *adj, nm/f* viudo(-a).
veuille *etc* [vœj] *vb voir* **vouloir.**
veuillez *etc* [vœje] *vb voir* **vouloir.**
veule [vøl] *adj* abúlico(-a).
veulent [vœl] *vb voir* **vouloir.**
veulerie [vølʀi] *nf* abulia.
veut [vø] *vb voir* **vouloir.**
veuvage [vœvaʒ] *nm* viudedad *f.*
veuve [vœv] *adj f voir* **veuf.**
veux [vø] *vb voir* **vouloir.**
vexant, e [vɛksɑ̃, ɑ̃t] *adj (contrariant)* molesto(-a); *(blessant)* humillante.
vexations [vɛksasjɔ̃] *nfpl (insultes)* humillaciones *fpl; (brimades)* molestias *fpl.*
vexatoire [vɛksatwaʀ] *adj:* **mesures** ~**s** medidas *fpl* vejatorias.
vexer [vɛkse] *vt* ofender, humillar; **se vexer** *vpr* ofenderse.
VF [veɛf] *sigle f (= version française)* versión *f* francesa.
VHF [veaʃɛf] *sigle f (= Very High Frequency)* VHF *f.*
via [vja] *prép* vía.
viabiliser [vjabilize] *vt* acondicionar.
viabilité [vjabilite] *nf* viabilidad *f; (d'une route)* calidad *f.*
viable [vjabl] *adj* viable.
viaduc [vjadyk] *nm* viaducto.
viager, -ère [vjaʒe, ɛʀ] *adj:* **rente viagère**

renta vitalicia ♦ *nm*: **mettre en ~** hacer un vitalicio.
viande [vjɑ̃d] *nf* carne *f*; ▸ **viande blanche/rouge** carne blanca/roja.
viatique [vjatik] *nm* viático.
vibrant, e [vibʀɑ̃, ɑ̃t] *adj* vibrante; (*émouvant*) estremecedor(a).
vibraphone [vibʀafɔn] *nm* vibráfono.
vibraphoniste [vibʀafɔnist] *nm/f* vibrafonista *m/f*.
vibration [vibʀasjɔ̃] *nf* vibración *f*.
vibratoire [vibʀatwaʀ] *adj* vibratorio(-a).
vibrer [vibʀe] *vi* vibrar ♦ *vt* (*TECH*) someter a vibraciones; **faire ~** hacer vibrar.
vibromasseur [vibʀomasœʀ] *nm* vibrador *m*.
vicaire [vikɛʀ] *nm* vicario.
vice [vis] *nm* vicio; **~ de fabrication/construction** defecto de fabricación/construcción; ▸ **vice caché** (*COMM*) vicio oculto; ▸ **vice de forme** (*JUR*) defecto de forma.
vice... [vis] *préf* vice... .
vice-consul [viskɔ̃syl] (*pl* **~-~s**) *nm* vicecónsul *m*.
vice-présidence [vispʀezidɑ̃s] (*pl* **~-~s**) *nf* vicepresidencia.
vice-président, e [vispʀezidɑ̃, ɑ̃t] (*pl* **~-~s, es**) *nm/f* vicepresidente(-a).
vice-roi [visʀwa] (*pl* **~-~s**) *nm* virrey *m*.
vice-versa [visevɛʀsa] *adv* viceversa.
vichy [viʃi] *nm* vichy *m*.
vichyssois, e [viʃiswa, waz] *adj* de Vichy ♦ *nm/f*: **V~, e** nativo(-a) *ou* habitante *m/f* de Vichy.
vichyssoise [viʃiswaz] *nf* (*CULIN*) vichyssoise *f*.
vicié, e [visje] *adj* viciado(-a); (*goût*) estropeado(-a).
vicier [visje] *vt* (*JUR*) viciar.
vicieux, -euse [visjø, jøz] *adj* vicioso(-a); (*prononciation*) erróneo(-a).
vicinal, e, -aux [visinal, o] *adj* vecinal; **chemin ~** camino vecinal.
vicissitudes [visisityd] *nfpl* vicisitudes *fpl*.
vicomte [vikɔ̃t] *nm* vizconde *m*.
vicomtesse [vikɔ̃tɛs] *nf* vizcondesa *f*.
victime [viktim] *nf* víctima; **être (la) ~ de** ser (la) víctima de; **être ~ d'une attaque/d'un accident** ser víctima de un ataque/de un accidente.
victoire [viktwaʀ] *nf* victoria, triunfo.
victorieusement [viktɔʀjøzmɑ̃] *adv* victoriosamente.
victorieux, -euse [viktɔʀjø, jøz] *adj* victorioso(-a).
victuailles [viktɥaj] *nfpl* vitualla.
vidange [vidɑ̃ʒ] *nf* (*d'un fossé, réservoir*) vaciado; (*AUTO*) cambio de aceite; (*de lavabo*) desagüe *m*; **~s** *nfpl* (*matières*)

aguas *fpl* fecales; **faire la ~** (*AUTO*) cambiar el aceite; **tuyau de ~** tubo de desagüe.
vidanger [vidɑ̃ʒe] *vt* vaciar; **faire ~ la voiture** cambiar el aceite del coche.
vidangeur [vidɑ̃ʒœʀ] *nm* pocero.
vide [vid] *adj* vacío(-a) ♦ *nm* vacío; (*futilité, néant*) nada; **~ de** desprovisto(-a) de; **sous ~** al vacío; **emballé sous ~** envasado al vacío; **regarder dans le ~** mirar al vacío; **avoir peur du ~** tener miedo del vacío; **parler dans le ~** hablar en el aire; **faire le ~** hacer el vacío; **faire le ~ autour de qn** hacer el vacío a algn; **à ~** (*sans occupants*) desocupado(-a); (*sans charge*) vacante; (*TECH*) en falso.
vidé, e [vide] *adj* agotado(-a).
vidéo [video] *nf* vídeo ♦ *adj inv* vídeo; ▸ **vidéo inverse** (*INFORM*) vídeo inverso.
vidéocassette [videokasɛt] *nf* videocas(s)et(t)e *m*.
vidéoclub [videoklœb] *nm* videoclub *m*.
vidéodisque [videodisk] *nm* videodisco.
vide-ordures [vidɔʀdyʀ] *nm inv* vertedero de basuras.
vidéotex ® [videotɛks] *nm* videotex ®.
vide-poches [vidpɔʃ] *nm inv* bandeja para poner lo que se lleva en los bolsillos; (*AUTO*) guantera.
vide-pomme [vidpɔm] *nm inv* utensilio para vaciar las manzanas.
vider [vide] *vt* vaciar; (*lieu*) desalojar; (*bouteille, verre*) beber; (*volaille, poisson*) limpiar; (*querelle*) liquidar; (*fatiguer*) agotar; (*fam*) echar; **se vider** *vpr* vaciarse; **~ les lieux** desalojar el local.
videur [vidœʀ] *nm* matón *m*.
vie [vi] *nf* vida; (*animation*) vitalidad *f*; **être en ~** estar vivo(-a); **sans ~** sin vida; **à ~** para toda la vida, vitalicio(-a); **élu/membre à ~** elegido/miembro vitalicio; **dans la ~ courante** en la vida real; **avoir la ~ dure** tener siete vidas; **mener la ~ dure à qn** hacerle la vida imposible a algn.
vieil [vjɛj] *adj m voir* **vieux**; ▸ **vieil or** *adj inv* oro viejo *inv*.
vieillard [vjejaʀ] *nm* anciano; **les ~s** los ancianos.
vieille [vjɛj] *adj f voir* **vieux**; ▸ **vieille fille** solterona.
vieilleries [vjɛjʀi] *nfpl* antiguallas *fpl*.
vieillesse [vjɛjɛs] *nf* vejez *f*; **la ~** (*vieillards*) los ancianos.
vieilli, e [vjeji] *adj* (*marqué*) envejecido(-a); (*suranné*) anticuado(-a).
vieillir [vjejiʀ] *vi* envejecer; (*se flétrir*) avejentarse; (*institutions, doctrine*) anticuarse; (*vin*) hacerse añejo(-a) ♦ *vt* avejentar; (*attribuer un âge plus avancé*) enveje-

cer; **se vieillir** *vpr* avejentarse; **il a beaucoup vieilli** ha envejecido mucho.
vieillissement [vjejismã] *nm* envejecimiento.
vieillot, te [vjejo, ɔt] *adj* de aspecto viejo.
vielle [vjɛl] *nf* (*MUS*) zanfonía.
viendrai *etc* [vjɛ̃dʀe] *vb voir* **venir**.
Vienne [vjɛn] *n* Viena.
vienne *etc* [vjɛn] *vb voir* **venir**.
viennois, e [vjɛnwa, waz] *adj* vienés(-esa) ♦ *nm/f:* **V~, e** vienés(-esa).
viens *etc* [vjɛ̃] *vb voir* **venir**.
vierge [vjɛʀʒ] *adj* virgen; (*page*) en blanco ♦ *nf* virgen *f;* (*ASTROL*): **la V~** Virgo; **être (de la) V~** ser Virgo; ~ **de** sin.
Viêt-Nam, Vietnam [vjɛtnam] *nm* Vietnam *m;* ▶ **Viêt-Nam du Nord/du Sud** Vietnam del Norte/del Sur.
vietnamien, ne [vjɛtnamjɛ̃, jɛn] *adj* vietnamita ♦ *nm* (*LING*) vietnamita *m* ♦ *nm/f:* **V~, ne** vietnamita *m/f*.
vieux (vieil), vieille [vjø, vjɛj] *adj* viejo(-a); (*ancien*) antiguo(-a) ♦ *nm:* **le vieux et le neuf** lo antiguo y lo nuevo ♦ *nm/f* viejo(-a), anciano(-a) ♦ *nmpl:* **les vieux** los viejos; **un petit vieux** un viejecito; **mon vieux/ma vieille** (*fam*) hombre/mujer; **mon pauvre vieux** pobrecito; **prendre un coup de vieux** envejecer de repente; **se faire vieux** hacerse viejo(-a); **un vieux de la vieille** (*fam*) un viejo experimentado; ▶ **vieux garçon** solterón; ▶ **vieux jeu** *adj inv* chapado(-a) a la antigua; ▶ **vieux rose** *adj inv* rosa asalmonado *inv*.
vif, vive [vif, viv] *adj* vivo(-a); (*alerte*) espabilado(-a); (*emporté*) impulsivo(-a); (*air*) tonificante; (*vent, froid*) cortante; (*émotion*) fuerte; (*déception, intérêt*) profundo(-a); **brûlé** ~ quemado vivo; **eau vive** agua viva; **source vive** manantial *m;* **de vive voix** de viva voz; **toucher** *ou* **piquer qn au** ~ dar a algn en el punto débil; **tailler** *ou* **couper dans le** ~ cortar por lo sano; **à** ~ en carne viva; **avoir les nerfs à** ~ tener los nervios de punta; **sur le** ~ (*ART*) del natural; **entrer dans le** ~ **du sujet** entrar en el meollo de la cuestión.
vif-argent [vifaʀʒã] *nm inv* azogue *m*.
vigie [viʒi] *nf* (*NAUT: surveillance*) vigilancia; (*personne*) vigía *m;* (*poste*) vigía.
vigilance [viʒilãs] *nf* vigilancia.
vigilant, e [viʒilã, ãt] *adj* vigilante.
vigile [viʒil] *nm* (*veilleur de nuit*) vigilante *m;* (*police privée*) guarda *m* jurado.
vigne [viɲ] *nf* (*plante*) vid *f;* (*plantation*) viña; ▶ **vigne vierge** viña loca.
vigneron [viɲ(ə)ʀɔ̃] *nm* viñador *m*.
vignette [viɲɛt] *nf* viñeta; (*AUTO*) pegatina; (*sur médicament*) resguardo de pre-

cio.
vignoble [viɲɔbl] *nm* viñedo; (*vignes d'une région*) viñedos *mpl*.
vigoureusement [viguʀøzmã] *adv* enérgicamente; (*exprimer*) con expresividad.
vigoureux, -euse [viguʀø, øz] *adj* vigoroso(-a).
vigueur [vigœʀ] *nf* vigor *m;* (*JUR*): **être/entrer en** ~ estar/entrar en vigor; **en** ~ vigente.
vil, e [vil] *adj* vil; **à** ~ **prix** a bajo precio.
vilain, e [vilɛ̃, ɛn] *adj* (*laid*) feo(-a); (*affaire, blessure*) malo(-a); (*enfant*) malo(-a) ♦ *nm* (*paysan*) villano; **ça va faire du/tourner au** ~ esto va a ponerse feo; ▶ **vilain mot** palabrota.
vilainement [vilɛnmã] *adv* feamente.
vilebrequin [vilbʀəkɛ̃] *nm* berbiquí *m;* (*AUTO*) cigüeñal *m*.
vilenie [vil(ə)ni] *nf* villanía.
vilipender [vilipãde] *vt* vilipendiar.
villa [vila] *nf* villa, chalet *m*.
village [vilaʒ] *nm* pueblo; (*aussi:* **petit** ~) aldea; ▶ **village de toile** campamento; ▶ **village de vacances** lugar *m* de vacaciones.
villageois, e [vilaʒwa, waz] *adj, nm/f* lugareño(-a); (*d'un petit village*) aldeano(-a).
ville [vil] *nf* ciudad *f*, villa, municipio; **habiter en** ~ vivir en la ciudad; **aller en** ~ ir a la ciudad; ▶ **ville nouvelle** ciudad nueva.
ville-champignon [vilʃãpiɲɔ̃] (*pl* ~**s-**~**s**) *nf* ciudad *f* de generación espontánea.
ville-dortoir [vildɔʀtwaʀ] (*pl* ~**s-**~**s**) *nf* ciudad *f* dormitorio.
villégiateur [vi(l)leʒjatœʀ] *nm* veraneante *m*.
villégiature [vi(l)leʒjatyʀ] *nf* veraneo; (*lieu*) lugar *m* de veraneo.
vin [vɛ̃] *nm* vino; (*liqueur*) licor *m;* **il a le** ~ **gai/triste** la bebida le pone alegre/triste; ▶ **vin blanc/rosé/rouge** vino blanco/rosado/tinto; ▶ **vin d'honneur** vino de honor; ▶ **vin de messe** vino de misa; ▶ **vin de pays/de table** vino del país/de mesa; ▶ **vin nouveau/ordinaire** vino nuevo/corriente.
vinaigre [vinɛgʀ] *nm* vinagre *m;* **tourner au** ~ (*fig*) aguarse; ▶ **vinaigre d'alcool/de vin** vinagre de alcohol/de vino.
vinaigrette [vinɛgʀɛt] *nf* vinagreta.
vinaigrier [vinɛgʀije] *nm* (*fabricant*) vinagrero; (*flacon*) vinagrera.
vinasse [vinas] (*péj*) *nf* vino peleón.
vindicatif, -ive [vɛ̃dikatif, iv] *adj* vindicativo(-a).
vindicte [vɛ̃dikt] *nf:* **désigner qn/s'exposer à la** ~ **publique** exponer a algn/exponerse a la venganza pública.

vineux, -euse [vinø, øz] *adj* vinoso(-a).

vingt [vɛ̃] *adj inv*, *nm inv* veinte *m inv*; ~-quatre heures sur ~-quatre las veinticuatro horas del día; *voir aussi* **cinq.**

vingtaine [vɛ̃tɛn] *nf*: une ~ (de) unos veinte.

vingtième [vɛ̃tjɛm] *adj*, *nm/f* vigésimo(-a) ♦ *nm* (*partitif*) veinteavo; le ~ siècle el siglo veinte; *voir aussi* **cinquantième.**

vinicole [vinikɔl] *adj* vinícola.

vinification [vinifikasjɔ̃] *nf* vinificación *f*.

vins *etc* [vɛ̃] *vb voir* **venir.**

vinyle [vinil] *nm* vinilo.

viol [vjɔl] *nm* violación *f*.

violacé, e [vjɔlase] *adj* violáceo(-a).

violation [vjɔlasjɔ̃] *nf* violación *f*; ► **violation de sépulture** (*JUR*) violación de sepultura.

violemment [vjɔlamɑ̃] *adv* violentamente.

violence [vjɔlɑ̃s] *nf* violencia; ~s *nfpl* (*actes*) agresiones *fpl*; la ~ la violencia; faire ~ à qn violentar a algn; se faire ~ contenerse.

violent, e [vjɔlɑ̃, ɑ̃t] *adj* violento(-a); (*besoin, désir*) imperante.

violenter [vjɔlɑ̃te] *vt* violentar.

violer [vjɔle] *vt* violar.

violet, te [vjɔlɛ, ɛt] *adj*, *nm* violeta *m*.

violette [vjɔlɛt] *nf* violeta.

violeur [vjɔlœʀ] *nm* violador *m*.

violine [vjɔlin] *nf* alcalí *m* de violeta.

violon [vjɔlɔ̃] *nm* violín *m*; (*fam: prison*) chirona; premier ~ (*MUS*) primer violín; ► **violon d'Ingres** pasatiempo favorito.

violoncelle [vjɔlɔ̃sɛl] *nm* violoncelo, violonchelo.

violoncelliste [vjɔlɔ̃selist] *nm/f* violonchelista *m/f*, violoncelista *m/f*.

violoniste [vjɔlɔnist] *nm/f* violinista *m/f*.

VIP [veipe] *sigle m* (= *Very Important Person*) VIP *m*.

vipère [vipɛʀ] *nf* víbora.

virage [viʀaʒ] *nm* (*d'un véhicule*) giro; (*d'une route, piste*) curva; (*CHIM, PHOTO*) virado; (*de cuti-réaction*) momento en que la reacción cutánea pasa de negativa a positiva; prendre un ~ tomar una curva; ► **virage sans visibilité** (*AUTO*) curva sin visibilidad; ► **virage sur l'aile** (*AVIAT*) viraje *m* sobre el ala.

virago [viʀago] (*péj*) *nf* marimacho.

viral, e, -aux [viʀal, o] *adj* vírico(-a).

virée [viʀe] *nf* vuelta.

virement [viʀmɑ̃] *nm* (*COMM*) transferencia; ► **virement bancaire/postal** giro bancario/postal.

virent [viʀ] *vb voir* **voir.**

virer [viʀe] *vt*: ~ qch (sur) (*COMM: somme*) hacer una transferencia (a); (*PHOTO*) virar algo (en); (*fam*) echar ♦ *vi* virar;

(*MÉD*: *cuti-réaction*) volverse positivo(-a); ~ au bleu/rouge pasar al azul/rojo; ~ de bord (*NAUT*) virar de bordo; ~ sur l'aile (*AVIAT*) virar sobre el ala.

virevolte [viʀvɔlt] *nf* pirueta; (*changement complet*) giro; (*d'avis, d'opinion*) cambio.

virevolter [viʀvɔlte] *vi* dar vueltas; (*aller en tous sens*) ir de aquí para allá.

virginal, e, -aux [viʀʒinal, o] *adj* virginal.

virginité [viʀʒinite] *nf* virginidad *f*.

virgule [viʀgyl] *nf* coma; 4 ~ 2 (*MATH*) 4 coma 2; ► **virgule flottante** decimal *f* flotante.

viril, e [viʀil] *adj* viril; (*énergique, courageux*) viril, varonil.

viriliser [viʀilize] *vt* virilizar.

virilité [viʀilite] *nf* virilidad *f*.

virologie [viʀɔlɔʒi] *nf* virología.

virologiste [viʀɔlɔʒist] *nm/f* virologista *m/f*.

virtualité [viʀtɥalite] *nf* virtualidad *f*.

virtuel, le [viʀtɥel] *adj* virtual.

virtuellement [viʀtɥelmɑ̃] *adv* virtualmente; (*presque*) prácticamente.

virtuose [viʀtɥoz] *adj*, *nm/f* virtuoso(-a).

virtuosité [viʀtɥozite] *nf* virtuosismo; exercices de ~ (*MUS*) ejercicios *mpl* de virtuosismo.

virulence [viʀylɑ̃s] *nf* virulencia.

virulent, e [viʀylɑ̃, ɑ̃t] *adj* virulento(-a).

virus [viʀys] *nm* virus *m inv*.

vis [vi] *vb voir* **voir; vivre** ♦ [vis] *nf* tornillo; ► **vis à tête plate/ronde** tornillo de cabeza chata/redonda; ► **vis platinées** (*AUTO*) platinos *mpl*; ► **vis sans fin** tornillo sin fin.

visa [viza] *nm* visa, visado; ► **visa de censure** (*CINÉ*) visado de censura.

visage [vizaʒ] *nm* cara, rostro; (*fig: aspect*) cara; à ~ découvert a cara descubierta.

visagiste [vizaʒist] *nm/f* estilista *m/f* facial.

vis-à-vis [vizavi] *adv* enfrente de, frente a ♦ *nm inv* (*personne*) persona de enfrente; (*chose*): nous avons la poste pour ~-~-~ nuestra casa está enfrente de Correos; ~-~-~ de frente a, enfrente de; (*à l'égard de*) con respecto a; (*en comparaison de*) en comparación con; en ~-~-~ frente a frente, cara a cara; sans ~-~-~ (*immeuble*) sin vecinos.

viscéral, e, -aux [viseʀal, o] *adj* visceral.

viscères [viseʀ] *nmpl* vísceras *fpl*.

viscose [viskoz] *nf* viscosa.

viscosité [viskozite] *nf* viscosidad *f*.

visée [vize] *nf* (*avec une arme*) puntería; (*ARPENTAGE*) mira; ~s *nfpl* (*intentions*) objetivos *mpl*; avoir des ~s sur qch/qn hacer proyectos sobre algo/algn.

viser [vize] *vi* apuntar ♦ *vt* apuntar; (*carrière etc*) aspirar a; (*concerner*) atañer a; (*apposer un visa sur*) visar; ~ à qch/faire

qch pretender algo/hacer algo.
viseur [vizœʀ] *nm* (*d'arme*) mira; (*PHOTO*) visor *m*.
visibilité [vizibilite] *nf* visibilidad *f*; **bonne/ mauvaise** ~ buena/mala visibilidad; **sans** ~ sin visibilidad.
visible [vizibl] *adj* visible; (*évident*) evidente; (*disponible*): **est-il** ~? ¿está para recibir?
visiblement [vizibləmã] *adv* visiblemente.
visière [vizjɛʀ] *nf* visera; **mettre sa main en** ~ hacer visera con la mano.
vision [vizjɔ̃] *nf* visión *f*; (*conception*) idea; **en première** ~ (*CINÉ*) en estreno.
visionnaire [vizjɔnɛʀ] *adj, nm/f* visionario(-a).
visionner [vizjɔne] *vt* (*PHOTO*) examinar; (*CINÉ*) visionar.
visionneuse [vizjɔnøz] *nf* visionador *m*.
visite [vizit] *nf* visita; (*expertise, d'inspection*) inspección *f*; **la** ~ (*MÉD*) la consulta; (*MIL*) la revisión; **faire une** ~ **à qn** hacer una visita a algn; **rendre** ~ **à qn** visitar a algn; **être en** ~ (**chez qn**) estar de visita (en casa de algn); **heures de** ~ horas *fpl* de visita; **le droit de** ~ (*JUR*) el derecho de visita; ►**visite de douane** inspección de aduana; ►**visite domiciliaire** visita domiciliaria; ►**visite médicale** revisión médica.
visiter [vizite] *vt* visitar.
visiteur, -euse [vizitœʀ, øz] *nm/f* (*touriste*) visitante *m/f*; (*chez qn*): **avoir un** ~ tener visita; ►**visiteur de prison** (*ADMIN*) inspector *m* de prisiones; ►**visiteur des douanes** inspector de aduanas; ►**visiteur médical** visitador médico.
vison [vizɔ̃] *nm* visón *m*.
visqueux, -euse [viskø, øz] *adj* viscoso(-a); (*manières*) repulsivo(-a).
visser [vise] *vt* atornillar; (*serrer: couvercle*) enroscar.
visu [vizy]: **de** ~ *adv* en persona.
visualisation [vizɥalizasjɔ̃] *nf* visualización *f*; **écran de** ~ pantalla de visualización.
visualiser [vizɥalize] *vt* (*INFORM*) visualizar.
visuel, le [vizɥɛl] *adj* visual ♦ *nm* (*INFORM*) unidad *f* de despliegue visual.
visuellement [vizɥɛlmã] *adv* visualmente.
vit [vi] *vb voir* **voir; vivre**.
vital, e, -aux [vital, o] *adj* vital.
vitalité [vitalite] *nf* vitalidad *f*; (*d'une tradition*) vigencia.
vitamine [vitamin] *nf* vitamina.
vitaminé, e [vitamine] *adj* vitaminado(-a).
vitaminique [vitaminik] *adj* vitamínico(-a).
vite [vit] *adv* rápidamente, de prisa; (*sans délai*) pronto; **faire** ~ darse prisa; **ce sera** ~ **fini** pronto estará terminado; **viens** ~!

¡corre!
vitesse [vitɛs] *nf* rapidez *f*; (*d'un véhicule, corps, fluide*) velocidad *f*; (*AUTO*): **les** ~**s** las marchas; **prendre qn de** ~ ganar a algn por la mano; **faire de la** ~ ir a mucha velocidad; **prendre de la** ~ coger velocidad; **à toute** ~ a toda marcha; **en perte de** ~ (*avion*) perdiendo velocidad; (*fig*) perdiendo fuerza; **changer de** ~ (*AUTO*) cambiar de marcha; **en première/ deuxième** ~ (*AUTO*) en primera/en segunda; ►**vitesse acquise** velocidad adquirida; ►**vitesse de croisière** velocidad de crucero; ►**vitesse de pointe** máximo de velocidad; ►**vitesse du son** velocidad del sonido.
viticole [vitikɔl] *adj* vitícola.
viticulteur [vitikyltœʀ] *nm* viticultor *m*.
viticulture [vitikyltyʀ] *nf* viticultura.
vitrage [vitʀaʒ] *nm* vidriera; (*rideau*) visillo.
vitrail, -aux [vitʀaj, o] *nm* vidriera; (*technique*) fabricación *f* de vidrieras.
vitre [vitʀ] *nf* vidrio, cristal *m*; (*d'une portière, voiture*) cristal.
vitré, e [vitʀe] *adj* con cristales; **porte** ~**e** puerta vidriera.
vitrer [vitʀe] *vt* poner cristales en.
vitreux, -euse [vitʀø, øz] *adj* (*ANAT*) vidrioso(-a); (*GÉO*) vítreo(-a).
vitrier [vitʀije] *nm* vidriero.
vitrifier [vitʀifje] *vt* vitrificar; (*par enduit*) barnizar; (*parquet*) acuchillar.
vitrine [vitʀin] *nf* escaparate *m*, vidriera (*AM*); (*petite armoire*) vitrina; **mettre un produit en** ~ poner un producto en el escaparate; ►**vitrine publicitaire** panel *m* publicitario.
vitriol [vitʀijɔl] *nm* vitriolo; **critique au** ~ crítica virulenta.
vitupérations [vitypeʀasjɔ̃] *nfpl* vituperios *mpl*.
vitupérer [vitypeʀe] *vi* vituperar; ~ **contre qch/qn** despotricar contra algo/algn.
vivable [vivabl] *adj* soportable.
vivace [vivatʃe] *adj* (*arbre, plante*) resistente; (*haine*) tenaz ♦ *adv* (*MUS*) vivace.
vivacité [vivasite] *nf* vivacidad *f*.
vivant, e [vivã, ãt] *vb voir* **vivre** ♦ *adj* viviente; (*animé*) vivo(-a) ♦ *nm*: **du** ~ **de qn** en vida de algn; **les** ~**s et les morts** los vivos y los muertos.
vivarium [vivaʀjɔm] *nm* vivero.
vivats [viva] *nmpl* vivas *mpl*.
vive [viv] *adj f voir* **vif** ♦ *vb voir* **vivre** ♦ *excl*: ~ **le roi/la république!** ¡viva el rey/la república!; ~ **les vacances!** ¡vivan las vacaciones!; ~ **la liberté!** ¡viva la libertad!
vivement [vivmã] *adv* vivamente ♦ *excl*: ~ **qu'il s'en aille!** ¡que se vaya pronto!; ~

les vacances! ¡que lleguen ya las vacaciones!
viveur [vivœʀ] (péj) nm vividor m.
vivier [vivje] nm vivero; (étang) criadero.
vivifiant, e [vivifjɑ̃, jɑ̃t] adj vivificante.
vivifier [vivifje] vt vivificar; (souvenirs, sentiments) avivar.
vivions [vivjɔ̃] vb voir **vivre**.
vivipare [vivipaʀ] adj vivíparo(-a).
vivisection [viviseksjɔ̃] nf vivisección f.
vivoter [vivɔte] vi ir tirando.
vivre [vivʀ] vi vivir; (souvenir: demeurer) subsistir ♦ vt vivir ♦ nm: **le et le logement** comida y alojamiento; **~s** nmpl (provisions) víveres mpl; **la victime vit encore** la víctima sigue viva; **savoir ~** saber vivir; **se laisser ~** dejarse estar; **ne plus ~** no poder vivir; **apprendre à ~ à qn** meter a algn en cintura; **il a vécu** ha vivido mucho; **cette mode/ce régime a vécu** esta moda/este régimen ha muerto; **il est facile/difficile à ~** tiene buen/mal carácter; **faire ~ qn** mantener a algn; **~ bien/mal** vivir bien/mal; **~ de** vivir de.
vivrier, -ère [vivʀije, ijɛʀ] adj: **cultures vivrières** huertas fpl.
vlan [vlɑ̃] excl ¡pum!
VO [veo] sigle f (= version originale) V.O. (= versión original).
vocable [vɔkabl] nm vocablo.
vocabulaire [vɔkabylɛʀ] nm vocabulario.
vocal, e, -aux [vɔkal, o] adj (organes) vocal; (technique) oral.
vocalique [vɔkalik] adj vocálico(-a).
vocalise [vɔkaliz] nf vocalización f; **faire des ~s** hacer ejercicios de vocalización.
vocaliser [vɔkalize] vi vocalizar.
vocation [vɔkasjɔ̃] nf vocación f; **avoir la ~** tener vocación.
vociférations [vɔsifeʀasjɔ̃] nfpl vociferaciones fpl.
vociférer [vɔsifeʀe] vt, vi vociferar.
vodka [vɔdka] nf vodka m.
vœu, x [vø] nm deseo; (à Dieu) voto; **faire ~ de** hacer voto de; **avec tous nos meilleurs ~x** muchas felicidades; ▶ **vœux de bonheur/de bonne année** deseos mpl de felicidad/felicitaciones fpl de año nuevo.
vogue [vɔg] nf moda; **en ~** en boga.
voguer [vɔge] vi remar.
voici [vwasi] prép aquí está; **et ~ que ... y** entonces ...; **il est parti ~ 3 ans** se fue hace tres años; **~ une semaine que je l'ai vue** hace una semana que la vi; **me ~** aquí estoy; voir aussi **voilà**.
voie [vwa] vb voir **voir** ♦ nf vía; (AUTO) carril m; **par ~ buccale** ou **orale/rectale** por vía oral/rectal; **suivre la ~ hiérarchique** (ADMIN) seguir los medios oficiales;

ouvrir/montrer la ~ abrir/mostrar el camino; **être en bonne ~** estar en el buen camino; **mettre qn sur la ~** encaminar a algn; **être en ~ d'achèvement/de rénovation** estar en vías de acabar/de renovar; **route à 2/3 ~s** carretera de dos/tres carriles; **par la ~ aérienne/maritime** por vía aérea/marítima; **par ~ ferrée** por vía férrea, por ferrocarril; ▶ **voie à sens unique** vía de dirección única; ▶ **voie d'eau** vía navegable; (entrée d'eau) vía de agua; ▶ **voie de fait** (JUR) vía de hecho; ▶ **voie de garage** (aussi fig) vía muerta; ▶ **voie express** vía urgente; ▶ **voie ferrée/navigable** vía férrea/navegable; ▶ **voie lactée** vía láctea; ▶ **voie prioritaire** (AUTO) carril prioritario; ▶ **voie privée** camino privado; ▶ **voie publique** vía pública.
voilà [vwala] prép he ahí, ahí está; **les ~** ou **voici** ahí ou aquí están; **en ~** ou **voici un** ahí ou aquí hay ou está uno; **~** ou **voici deux ans** hace dos años; **~** ou **voici deux ans que ...** hace dos años que ...; **et ~!** ¡eso es todo!, ¡ya está!; **~ tout** eso es todo; **"~"** ou **"voici"** (en offrant qch) "aquí tiene".
voilage [vwalaʒ] nm (rideau) visillo; (tissu) adorno transparente en un vestido.
voile [vwal] nm velo; (qui dissimule une ouverture etc) cortina; (PHOTO) veladura ♦ nf velo; **la ~** (SPORT) la vela; **prendre le ~** (REL) tomar el velo; **mettre à la ~** (NAUT) hacerse a la vela; ▶ **voile au poumon** nm (MÉD) mancha en el pulmón; ▶ **voile du palais** nm (ANAT) velo del paladar.
voiler [vwale] vt poner las velas a; (fig) velar, ocultar; (PHOTO) velar; (fausser: roue) alabear; (: bois) combar; **se voiler** vpr (lune) ocultarse; (regard) apagarse; (ciel) cubrirse; (TECH) combarse; **sa voix se voila** se le ahogó la voz; **se ~ la face** cubrirse la cara.
voilette [vwalɛt] nf velo.
voilier [vwalje] nm velero.
voilure [vwalyʀ] nf (d'un voilier) velamen m; (d'un avion) planos mpl sustentadores; (d'un parachute) tela de paracaídas.
voir [vwaʀ] vi ver; (comprendre): **je vois** comprendo ♦ vt ver; (considérer) considerar; (constater): **~ que/comme** ver que/como; **se voir** vpr: **se ~ critiquer** verse criticado(-a); **cela se voit** (cela arrive) eso sucede; (c'est évident) es evidente; **~ à faire qch** (veiller à) asegurarse de hacer algo; **~ loin/venir** ver lejos/venir; **faire qch à qn** enseñar algo a algn; **vois comme il est beau!** ¡mira lo bonito que es!; **en faire ~ à qn** (fam) enseñar a algn lo que es bueno; **ne pas pouvoir ~ qn** no

poder ver a algn; **regardez-~** mire;
montrez-~ déjeme ver; **dites-~** diga, ex-
plíquese; **voyons!** ¡vamos!; **c'est à ~l** ¡habrá que verlo!; **c'est à vous de ~** usted
verá; **c'est ce qu'on va ~** eso habrá que
verlo; **avoir quelque chose à ~ avec** tener
algo que ver con; **cela n'a rien à ~ avec**
lui esto no tiene nada que ver con él.
voire [vwaʀ] *adv* incluso.
voirie [vwaʀi] *nf* (*entretien des voies*) servicio de vías y obras; (*administration*) servicio de vías públicas; (*enlèvement des*
ordures) servicio de recogida de basuras.
vois *etc* [vwa] *vb voir* **voir**.
voisin, e [vwazɛ̃, in] *adj* cercano(-a), pró-
ximo(-a); (*contigu*) vecino(-a), próxi-
mo(-a); (*ressemblant*) parecido(-a), veci-
no(-a) ♦ *nm/f* vecino(-a); (*de table etc*)
compañero(-a); **nos ~s les Anglais** nuestros vecinos ingleses; ▶ **voisin de palier**
vecino(-a) de enfrente.
voisinage [vwazinaʒ] *nm* vecindad *f*, proximidad *f*; (*environs*) vecindad, cercanía;
(*quartier, voisins*) vecindad; **relations de**
bon ~ relaciones *fpl* de buena vecindad.
voisiner [vwazine] *vi*: **~ avec qn/qch** ser
vecino(-a) de algn/algo, estar cerca de
algn/algo.
voit [vwa] *vb voir* **voir**.
voiture [vwatyʀ] *nf* coche *m*, auto (*esp AM*),
carro (*AM*); **en ~l** (*RAIL*) ¡al tren!; ▶ **voi-**
ture à bras carro con varales; ▶ **voiture**
d'enfant cochecito de niño; ▶ **voiture**
d'infirme coche de inválido; ▶ **voiture**
de sport coche deportivo.
voiture-lit [vwatyʀli] (*pl* **~s-~s**) *nf* (*RAIL*)
coche-cama *m*.
voiture-restaurant [vwatyʀʀɛstɔʀã] (*pl*
~s-~s) *nf* (*RAIL*) vagón *m* restaurante.
voix [vwa] *nf* voz *f*; (*POL*) voto; ~ **passive/**
active (*LING*) voz pasiva/activa; **la ~ de la**
conscience/raison la voz de la conciencia/
razón; **à haute ~** en voz alta; **à ~ basse**
en voz baja; **faire la grosse ~** sacar el
vozarrón; **avoir de la ~** tener voz; **rester**
sans ~ quedarse sin voz; **à 2/4 ~** (*MUS*)
a 2/4 voces; **avoir/ne pas avoir ~ au chapi-**
tre tener/no tener voz ni voto; **mettre**
aux ~ poner a votación; ▶ **voix de**
basse/de ténor voz de bajo/de tenor.
vol [vɔl] *nm* vuelo; (*mode d'appropriation*)
robo; (*larcin*) hurto; **un ~ de perdrix** una
bandada de perdices; **à ~ d'oiseau** a vuelo de pájaro; **au ~**: **attraper qch au ~** coger algo al vuelo; **saisir une remarque au**
~ coger una advertencia al vuelo; **pren-**
dre son ~ levantar el vuelo; **de haut ~**
de altos vuelos; **en ~** en vuelo; ▶ **vol à**
l'étalage hurto en las tiendas; ▶ **vol à**

la tire tirón *m* (de bolsa); ▶ **vol à main**
armée robo *ou* atraco a mano armada;
▶ **vol à voile** vuelo a vela; ▶ **vol avec**
effraction robo con infracción; ▶ **vol de**
nuit vuelo nocturno; ▶ **vol en palier**
(*AVIAT*) vuelo horizontal; ▶ **vol libre/sur**
aile delta (*SPORT*) vuelo libre/en ala delta; ▶ **vol plané** (*AVIAT*) vuelo planeado;
▶ **vol qualifié/simple** (*JUR*) hurto
agravado/simple.
vol. *abr* (= *volume*) vol (= *volumen*).
volage [vɔlaʒ] *adj* voluble.
volaille [vɔlaj] *nf* (*oiseaux*) aves *fpl* de corral; (*viande, oiseau*) ave *f*.
volailler [vɔlaje] *nm* vendedor *m* de aves.
volant, e [vɔlɑ̃, ɑ̃t] *adj* volante, volador(a)
♦ *nm* volante *m*; (*feuillet détachable*) talón
m; **le personnel ~, les ~s** (*AVIAT*) la tripulación; ▶ **volant de sécurité** margen *m*
de seguridad.
volatil, e [vɔlatil] *adj* volátil.
volatile [vɔlatil] *nm* volátil *m*.
volatiliser [vɔlatilize]: **se ~** *vpr* (*CHIM*) vola-
tilizarse; (*fig*) esfumarse.
vol-au-vent [vɔlovɑ̃] *nm inv* volován *m*.
volcan [vɔlkɑ̃] *nm* volcán *m*.
volcanique [vɔlkanik] *adj* volcánico(-a).
volcanologie [vɔlkanɔlɔʒi] *nf* vulcanología.
volcanologue [vɔlkanɔlɔg] *nm/f* vulcanólo-
go(-a).
volée [vɔle] *nf* (*d'oiseaux*) bandada; (*TEN-*
NIS) voleo; **rattraper qch à la ~** coger
algo al vuelo; **lancer/semer à la ~** lanzar/
sembrar al voleo; **à toute ~** (*sonner les*
cloches) al vuelo; (*lancer un projectile*) al
voleo; **de haute ~** (*de haut rang*) de alto
rango; (*de grande envergure*) de altos
vuelos; ▶ **volée (de coups)** paliza; ▶ **vo-**
lée de flèches lluvia de flechas; ▶ **volée**
d'obus descarga de obuses.
voler [vɔle] *vi* volar; (*voleur*) robar, hurtar
♦ *vt* (*objet*) robar; (*idée*) apropiarse de;
~ en éclats volar en mil pedazos; **~ de**
ses propres ailes volar con sus propias
alas; (*fig*) valerse por sí mismo(-a); **~ au**
vent flotar al viento; **~ qch à qn** robar
algo a algn.
volet [vɔle] *nm* (*de fenêtre*) postigo;
(*AVIAT*) flap *m*; (*de feuillet*) hoja; (*d'un*
plan) aspecto; **trié sur le ~** muy escogi-
do(-a); ▶ **volet de freinage** (*AVIAT*) tren
m de frenado.
voleter [vɔl(ə)te] *vi* revolotear.
voleur, -euse [vɔlœʀ, øz] *adj, nm/f* la-
drón(-ona).
volière [vɔljɛʀ] *nf* pajarera.
volley-ball [vɔlɛbol], **volley** [vɔlɛ] *nm* balonvolea *m*.
volleyeur, -euse [vɔlɛjœʀ, øz] *nm/f* juga-
dor(a) de balonvolea.

volontaire [vɔlɔ̃tɛʀ] *adj* voluntario(-a); *(délibéré)* deliberado(-a); *(caractère)* decidido(-a) ♦ *nm/f* voluntario(-a); **(engagé)** ~ *(MIL)* voluntario.

volontairement [vɔlɔ̃tɛʀmɑ̃] *adv* voluntariamente.

volontariat [vɔlɔ̃taʀja] *nm* voluntariado.

volontarisme [vɔlɔ̃taʀism] *nm* voluntarismo.

volontariste [vɔlɔ̃taʀist] *adj* voluntarista.

volonté [vɔlɔ̃te] *nf* voluntad *f*; **se servir/boire à** ~ servirse/beber a voluntad; **bonne/mauvaise** ~ buena/mala voluntad; **les dernières** ~**s de qn** la última voluntad de algn.

volontiers [vɔlɔ̃tje] *adv* con gusto; *(habituellement)* habitualmente; **"~"** "con mucho gusto".

volt [vɔlt] *nm* voltio.

voltage [vɔltaʒ] *nm* voltaje *m*.

volte-face [vɔltəfas] *nf inv* media vuelta; *(fig)* cambio; **faire** ~**-**~ dar media vuelta.

voltige [vɔltiʒ] *nf (au cirque)* acrobacia (en el aire); *(ÉQUITATION)* acrobacia ecuestre; *(AVIAT)* acrobacia aérea; **numéro de haute** ~ número de acrobacia; *(fig)* ejercicio mental.

voltiger [vɔltiʒe] *vi* revolotear.

voltigeur, -euse [vɔltiʒœʀ, øz] *nm/f* acróbata *m/f* ♦ *nm (MIL)* tirador *m*.

voltmètre [vɔltmɛtʀ] *nm* voltímetro.

volubile [vɔlybil] *adj* locuaz.

volubilis [vɔlybilis] *nm* enredadera de campanillas.

volume [vɔlym] *nm* volumen *m*.

volumétrique [vɔlymetʀik] *adj* volumétrico(-a).

volumineux, -euse [vɔlyminø, øz] *adj* voluminoso(-a).

volupté [vɔlypte] *nf* voluptuosidad *f*; *(esthétique etc)* gozo.

voluptueusement [vɔlyptɥøzmɑ̃] *adv* voluptuosamente.

voluptueux, -euse [vɔlyptɥø, øz] *adj* voluptuoso(-a).

volute [vɔlyt] *nf (ARCHIT)* voluta; ▸ **volute de fumée** voluta.

vomi [vɔmi] *nm* vómito.

vomir [vɔmiʀ] *vi* vomitar ♦ *vt* vomitar; *(exécrer)* abominar.

vomissement [vɔmismɑ̃] *nm* vómito.

vomissure [vɔmisyʀ] *nf (gén pl)* vómito.

vomitif [vɔmitif] *nm* vomitivo.

vont [vɔ̃] *vb voir* **aller**.

vorace [vɔʀas] *adj* voraz.

voracement [vɔʀasmɑ̃] *adv* vorazmente.

voracité [vɔʀasite] *nf* voracidad *f*.

vos [vo] *dét voir* **votre**.

Vosges [voʒ] *nfpl*: **les** ~ los Vosgos.

vosgien, ne [voʒjɛ̃, jɛn] *adj* de los Vosgos

♦ *nm/f*: **V~, ne** nativo(-a) *ou* habitante *m/f* de los Vosgos.

votant, e [vɔtɑ̃, ɑ̃t] *nm/f* votante *m/f*.

vote [vɔt] *nm* voto; *(suffrage)* voto, votación *f*; *(consultation)* votación; ▸ **vote secret** *ou* **à bulletins secrets** votación secreta; ▸ **vote à main levée** voto a mano alzada; ▸ **vote par correspondance/procuration** voto por correspondencia/poder.

voter [vɔte] *vi, vt* votar.

votre [vɔtʀ] *(pl* **vos***) dét* vuestro(-a), su.

vôtre [votʀ] *dét*: **le/la** ~ el(la) vuestro(-a); **les** ~**s** los(las) vuestros(-as); *(forme de politesse)* los(las) suyos(-as); **à la** ~ ¡salud!

voudrai *etc* [vudʀe] *vb voir* **vouloir**.

voué, e [vwe] *adj*: ~ **à l'échec/la faillite** condenado(-a) al fracaso/a la derrota; **taudis** ~**s à la démolition** cuchitril condenado al derribo.

vouer [vwe] *vt*: ~ **qch à Dieu/un saint** consagrar algo a Dios/un santo; **se vouer** *vpr*: **se** ~ **à** dedicarse a; ~ **sa vie/son temps à** consagrar la vida/el tiempo a; ~ **une haine/amitié éternelle à qn** profesar odio/amistad eterna a algn.

═══════════════════════ MOT-CLÉ

vouloir [vulwaʀ] *vt* **1** querer; **voulez-vous du thé?** ¿quiere té?; **que me veut-il?** ¿qué quiere de mí?; **sans le vouloir** sin querer; **je voudrais qch/faire** quería *ou* quisiera algo/hacer; **le hasard a voulu que ...** el azar quiso que ...; **la tradition veut que ...** la tradición es que ...; **vouloir faire/que qn fasse qch** querer hacer/que algn haga algo; **que veux-tu que je te dise?** ¿qué quieres que te diga?

2 *(consentir)*: **tu veux venir? – oui, je veux bien** *(bonne volonté)* ¿quieres venir? – sí, me parece bien; **allez, tu viens? – oui, je veux bien** *(concession)* venga, ¿vienes? – ¡bueno!; **oui, si on veut** *(en quelque sorte)* sí, en cierto modo; **si vous voulez** si quiere; **veuillez attendre** tenga la amabilidad de esperar; **veuillez agréer ... le salu-**
da atentamente ...; **comme vous voudrez** como quiera

3: **en vouloir à**: **en vouloir à qn** estar resentido con algn; **je lui en veux d'avoir fait ça** me sienta muy mal que haya hecho eso; **s'en vouloir d'avoir fait qch** estar arrepentido de haber hecho algo; **il en veut à mon argent** se interesa por mi dinero; **je ne lui veux pas de mal** no le deseo nada malo

4: **vouloir de qch/qn**: **l'entreprise ne veut plus de lui** la empresa ya no le quiere; **elle ne veut pas de son aide** ella no quiere

su ayuda
5: vouloir dire (que) (*signifier*) querer decir (que)
♦ *nm:* **le bon vouloir de qn** la buena voluntad de algn.

voulu, e [vuly] *pp de* **vouloir** ♦ *adj* (*requis*) requerido(-a); (*délibéré*) deliberado(-a).

vous [vu] *pron* (*sujet: pl: familier*) vosotros(-as), ustedes (*AM*); (*: forme de politesse*) ustedes; (*: singulier*) usted; (*objet direct: pl*) os, les (*AM*); (*: forme de politesse*) les(las) *ou* los; (*: singulier*) le(la) *ou* lo; (*objet indirect: pl*) os, les (*AM*); (*: forme de politesse*) les; (*: singulier*) le; (*réfléchi, réciproque: direct, indirect*) os; (*: forme de politesse*) se ♦ *nm:* **employer le ~** emplear el usted; **je ~ le jure** os lo juro; (*politesse*) se lo juro; **je ~ prie de … os** pido que …; (*politesse*) les pido que …; (*: singulier*) le pido que …; **~ pouvez ~ asseoir** podéis sentaros; (*politesse: pluriel*) pueden sentarse; (*: singulier*) puede usted sentarse; **à ~** vuestro(-a), vuestros(-as); (*formule de politesse*) suyo(-a), suyos(-as); **ce livre est à ~** ese libro es vuestro; (*politesse*) ese libro es suyo; **avec/sans ~** con/sin vosotros; (*politesse: pluriel*) con/sin ustedes; (*: singulier*) con/sin usted; **je vais chez ~** voy a vuestra casa; (*politesse*) voy a su casa; **~même** (*sujet*) usted mismo(-a); (*après prép*) sí mismo(-a); (*emphatique*): **~même, ~ … usted, …**; **~mêmes** (*sujet*) vosotros(-as) *ou* (*AM*) ustedes mismos(-as); (*forme de politesse*) ustedes mismos(-as); (*après prép*) sí mismos(-as); (*emphatique*): **~– mêmes, ~ … vosotros …**, ustedes … (*AM*); (*forme de politesse*) ustedes, … .

voûte [vut] *nf* bóveda; ▸ **voûte céleste** bóveda celeste; ▸ **voûte du palais** velo del paladar; ▸ **voûte plantaire** arco plantar.

voûté, e [vute] *adj* abovedado(-a); (*personne*) encorvado(-a).

voûter [vute] *vt* (*ARCHIT*) abovedar; **se voûter** *vpr* (*personne*) encorvarse.

vouvoiement [vuvwamã] *nm* tratamiento de usted.

vouvoyer [vuvwaje] *vt:* **~ qn** tratar de usted a algn.

voyage [vwajaʒ] *nm* viaje *m*; **être/partir en ~** estar/ir *ou* salir de viaje; **faire un ~** hacer un viaje; **faire bon ~** hacer un buen viaje; **aimer le ~** gustarle a algn los viajes *ou* viajar; **les gens du ~** los saltimbanquis *mpl*; ▸ **voyage d'affaires** viaje de negocios; ▸ **voyage d'agrément** viaje de placer; ▸ **voyage de noces** viaje de novios; ▸ **voyage organisé**

viaje organizado.

voyager [vwajaʒe] *vi* viajar.

voyageur, -euse [vwajaʒœR, øz] *adj, nm/f* viajero(-a); **un grand ~** un gran viajero; ▸ **voyageur (de commerce)** viajante *m/f* (de comercio).

voyagiste [vwajaʒist] *nm/f* touroperador(a).

voyais *etc* [vwajɛ] *vb voir* **voir**.

voyance [vwajɑ̃s] *nf* videncia.

voyant, e [vwajɑ̃, ɑ̃t] *adj* llamativo(-a) ♦ *nm/f* vidente *m/f* ♦ *nm* indicador *m* luminoso.

voyelle [vwajɛl] *nf* vocal *f*.

voyeur, -euse [vwajœR, øz] *nm/f* mirón(-ona).

voyeurisme [vwajœRism] *nm* voyeurismo.

voyons [vwajɔ̃] *vb voir* **voir**.

voyou [vwaju] *adj, nm* (*enfant*) granuja *m*.

VPC [vepese] *sigle f* (= *vente par correspondance*) venta por correo.

vrac [vRak]: **en ~** *adj, adv* en desorden; (*COMM*) a granel.

vrai, e [vRɛ] *adj* verdadero(-a), cierto(-a); (*or, cheveux*) auténtico(-a) ♦ *nm:* **le ~** lo verdadero, lo verídico; **son ~ nom** su auténtico nombre; **un ~ comédien/sportif** un auténtico comediante/deportista; **à dire ~, à ~ dire** a decir verdad; **il est ~ que** cierto que; **être dans le ~** estar en lo cierto.

vraiment [vRɛmã] *adv* verdaderamente; **"~?"** "¿de verdad?", "¿es cierto?"; **il est ~ rapide** es realmente rápido.

vraisemblable [vRɛsɑ̃blabl] *adj* (*plausible*) verosímil; (*probable*) probable.

vraisemblablement [vRɛsɑ̃blabləmã] *adv* probablemente.

vraisemblance [vRɛsɑ̃blɑ̃s] *nf* verosimilitud *f*; (*probabilité*) probabilidad *f*; (*romanesque*) realismo; **selon toute ~** con toda seguridad.

vraquier [vRakje] *nm* (buque *m*) granelero.

vrille [vRij] *nf* (*de plante*) zarcillo; (*outil, hélice*) barrena; **descendre en ~, faire une ~** (*AVIAT*) bajar en barrena, hacer la barrena.

vrillé, e [vRije] *adj* ensortijado(-a).

vriller [vRije] *vt* barrenar.

vrombir [vRɔ̃biR] *vi* zumbar.

vrombissant, e [vRɔ̃bisã, ãt] *adj* que zumba.

vrombissement [vRɔ̃bismã] *nm* zumbido.

VRP [veɛRpe] *sigle m* (= *voyageur, représentant, placier*) representante.

VTT [vetete] *sigle m* (= *vélo tout terrain*) bicicleta todo terreno.

vu[1] [vy] *prép* visto; **~ que** visto que.

vu[2], e [vy] *pp de* **voir** ♦ *adj:* **bien/mal ~** bien/mal visto(-a) ♦ *nm:* **au ~ et au su de tous** a cara descubierta; **ni ~ ni connu ni**

visto ni oído; **c'est tout** ~ está claro.
vue [vy] *nf* vista; (*spectacle*) visión *f*; ~**s**
nfpl (*idées*) opiniones *fpl*; (*dessein*) proyectos *mpl*; **perdre la** ~ perder la vista;
perdre de ~ perder de vista; (*principes,
objectifs*) olvidar; **à la** ~ **de tous** a la vista de todos; **hors de** ~ fuera de la vista;
à première ~ a primera vista; **connaître
qn de** ~ conocer a algn de vista; **à** ~
(*COMM*) a vista; **tirer à** ~ disparar sin
dar la voz de alto; **à** ~ **d'œil** a ojos vistas; **avoir** ~ **sur** tener vistas a; **en** ~ a la
vista; (*COMM*) **en vistas; avoir qch en** ~
tener algo en vistas; **arriver/être en** ~
d'un endroit llegar/estar a la vista de un
lugar; **en** ~ **de faire qch** con intención de
hacer algo; ► **vue d'ensemble** vista de
conjunto; ► **vue de l'esprit** teoría pura.
vulcanisation [vylkanizasjɔ̃] *nf* vulcanización *f*.
vulcaniser [vylkanize] *vt* vulcanizar.
vulcanologie [vylkanɔlɔʒi] *nf* = **volcanologie.**
vulcanologue [vylkanɔlɔg] *nm/f* = **volcanologue.**
vulgaire [vylgɛʀ] *adj* vulgar; **de** ~**s
touristes/chaises de cuisine** simples
turistas/sillas de cocina; **nom** ~ (*BOT,
ZOOL*) nombre *m* común.
vulgairement [vylgɛʀmɑ̃] *adv* vulgarmente; (*communément*) comúnmente, vulgarmente.
vulgarisation [vylgaʀizasjɔ̃] *nf*: **ouvrage de**
~ obra de divulgación.
vulgariser [vylgaʀize] *vt* (*connaissances*) divulgar; (*rendre vulgaire*) vulgarizar.
vulgarité [vylgaʀite] *nf* vulgaridad *f*.
vulnérabilité [vylneʀabilite] *nf* vulnerabilidad *f*.
vulnérable [vylneʀabl] *adj* vulnerable;
(*stratégiquement*) atacable.
vulve [vylv] *nf* vulva.
Vve *abr* (= *veuve*) Vda. (= *viuda*).

W, w

W, w [dublə ve] *nm inv* (*lettre*) W, w *f*; ~
comme William ≈ W de Washington.
W [dublə ve] *abr* (= *watt*) W (= *wat ou vatio*).
wagon [vagɔ̃] *nm* vagón *m*.

wagon-citerne [vagɔ̃sitɛʀn] (*pl* ~**s-**~**s**) *nm*
vagón-cisterna *m*.
wagon-lit [vagɔ̃li] (*pl* ~**s-**~**s**) *nm* coche-
cama *m*.
wagonnet [vagɔnɛ] *nm* vagoneta.
wagon-poste [vagɔ̃pɔst] (*pl* ~**s-**~**s**) *nm*
coche-correo *m*.
wagon-restaurant [vagɔ̃ʀɛstɔʀɑ̃] (*pl* ~**s-**
~**s**) *nm* coche-restaurante *m*.
walkman ® [wɔkman] *nm* walkman *m* ®.
Wallis et Futuna [walisefutuna] *nfpl*: (**les
îles**) ~ ~ ~ (las islas de) Wallis y Futuna.
wallon, ne [walɔ̃, ɔn] *adj* valón(-ona) ♦ *nm*
(*LING*) valón *m* ♦ *nm/f*: **W**~, **ne** valón(-ona).
Wallonie [walɔni] *nf* Valonia.
water-polo [watɛʀpolo] (*pl* ~-~**s**) *nm*
water-polo *m*.
waters [watɛʀ] *nmpl* servicios *mpl*.
watt [wat] *nm* vatio.
w-c [vese] *nmpl* W-C *mpl*.
week-end [wikɛnd] (*pl* ~-~**s**) *nm* fin *m* de
semana.
western [wɛstɛʀn] *nm* película del oeste,
western *m*.
whisky [wiski] (*pl* **whiskies**) *nm* whisky *m*.
white-spirit [wajtspiʀit] (*pl* ~-~**s**) *nm*
aguarrás *msg*.
Winchester [winʃɛstɛʀ] *nm*: **disque** ~ disco
Winchester.

X, x

X, x [iks] *nm inv* (*lettre*) X, x *f*; **plainte
contre** ~ (*JUR*) denuncia contra personas
desconocidas; ~ **comme Xavier** ≈ X de
Xiquena.
xénophobe [gzenɔfɔb] *nm/f* xenófobo(-a).
xénophobie [gzenɔfɔbi] *nf* xenofobia.
xérès [gzeʀɛs] *nm* jerez *m*.
xylographie [gzilɔgʀafi] *nf* xilografía.
xylophone [gzilɔfɔn] *nm* xilófono.

Y, y

Y, y [igrɛk] *nm inv* (*lettre*) Y, y *f*; ~ **comme Yvonne** ≈ Y de Yegua.

y [i] *adv* allí; (*plus près*) ahí; (*ici*) aquí ♦ *pron* (*la préposition espagnole dépend du verbe employé*) a *ou* de *ou* en él, ella, ello; **nous ~ sommes enfin** ya estamos aquí; **à l'hôtel? j'~ reste 3 semaines** ¿en el hotel? me voy a quedar 3 semanas; **j'~ pense** (*je n'ai pas oublié*) lo tengo en mente; (*décision à prendre*) me lo estoy pensando; **j'~ suis!** ¡ya caigo!; **je n'~ suis pour rien** no he tenido nada que ver (en esto); **s'~ entendre (en qch)** entender de (algo); *voir aussi* **aller; avoir.**

yacht [ˈjɔt] *nm* yate *m*.
yaourt [ˈjauʀt] *nm* yogur *m*.
yaourtière [ˈjauʀtjɛʀ] *nf* yogurtera.
Yémen [ˈjemen] *nm* Yemen *m*.
yéménite [ˈjemenit] *adj* yemení, yemenita ♦ *nm/f*: **Y~** yemení *m/f*, yemenita *m/f*.
yeux [ˈjø] *nmpl de* œil.
yoga [ˈjɔga] *nm* yoga *m*.
yoghourt [ˈjɔguʀt] *nm* = **yaourt.**
yole [ˈjɔl] *nf* yola.
yougoslave [ˈjugɔslav] *adj* yugoslavo(-a) ♦ *nm/f*: **Y~** yugoslavo(-a).
Yougoslavie [ˈjugɔslavi] *nf* Yugoslavia.
youyou [ˈjuju] *nm* bote *m*.
yo-yo [jojo] *nm inv* yoyó.
yucca [ˈjuka] *nm* yuca.

Z, z

Z, z [zɛd] *nm inv* (*lettre*) Z, z *f*; ~ **comme Zoé** ≈ Z de Zaragoza.
ZAC [zak] *sigle f* (= *zone d'aménagement concerté*) zona de desarrollo urbano.
Zaïre [zaiʀ] *nm* Zaire *m*.
zaïrois, e [zaiʀwa, waz] *adj* zaireño(-a) ♦ *nm/f*: **Z~, e** zaireño(-a).
Zambèze [zɑ̃bɛz] *nm* Zambeze *m*.
Zambie [zɑ̃bi] *nf* Zambia.
zambien, ne [zɑ̃bjɛ̃, jɛn] *adj* zambiano(-a) ♦ *nm/f*: **Z~, ne** zambiano(-a).
zèbre [zɛbʀ(ə)] *nm* cebra.
zébré, e [zebʀe] *adj* rayado(-a).
zébrure [zebʀyʀ] *nf* (*gén pl*) raya.
zélateur, -trice [zelatœʀ, tʀis] *nm/f* incondicional *m/f*.
zèle [zɛl] *nm* celo; **faire du ~** (*péj*) pasarse en el celo.
zélé, e [zele] *adj* (*fonctionnaire*) diligente; (*défenseur*) celoso(-a).
zénith [zenit] *nm* (*aussi fig*) cenit *m*.
zéro [zeʀo] *adj* cero ♦ *nm* (*SCOL*) cero; **au-dessus/au-dessous de ~** sobre/bajo cero; **réduire à ~** reducir a cero; **partir de ~** partir de cero; **trois (buts) à ~** tres (goles) a cero.
zeste [zɛst] *nm* cáscara; **un ~ de citron** un trocito de limón.
zézaiement [zezɛmɑ̃] *nm* ceceo.
zézayer [zezeje] *vi* cecear.
ZI [ʒedi] *sigle f* (= *zone industrielle*) polígono industrial.
zibeline [ziblin] *nf* (marta) cibelina.
zigouiller [ziguje] (*fam*) *vt* cepillarse a, cargarse a.
zigzag [zigzag] *nm* zigzag *m*.
zigzaguer [zigzage] *vi* zigzaguear.
Zimbabwe [zimbabwe] *nm* Zimbabwe *m*.
zimbabwéen, ne [zimbabweɛ̃, ɛn] *adj* zimbabuo(-a) ♦ *nm/f*: **Z~, ne** zimbabuo(-a).
zinc [zɛ̃g] *nm* (*CHIM*) cinc *m*; (*comptoir*) barra.
zinguer [zɛ̃ge] *vt* (*toit*) cubrir de cinc; (*fer*) galvanizar.
zingueur [zɛ̃gœʀ] *nm*: (**plombier**) ~ (fontanero) cinquero.
zinnia [zinja] *nm* zinnia.
zircon [ziʀkɔ̃] *nm* circón *m*, zircón *m*.
zizanie [zizani] *nf*: **mettre** *ou* **semer la ~** meter *ou* sembrar cizaña.
zizi [zizi] (*fam*) *nm* pito.
zodiacal, e, -aux [zɔdjakal, o] *adj* zodiacal.
zodiaque [zɔdjak] *nm* zodíaco.
zona [zona] *nm* zona.
zonage [zonaʒ] *nm* (*ADMIN*) zonificación *f*, división *f* en zonas.
zonard [zonaʀ] (*fam*) *nm* mangui *m*, matado.
zone [zon] *nf* zona; (*INFORM*) campo; **la ~** (*quartiers*) las barriadas marginales; **de seconde ~** (*fig*) de segunda; ▶ **zone bleue** zona azul; ▶ **zone d'action** (*MIL*) radio de acción; ▶ **zone d'extension** *ou* **d'urbanisation** zona urbanizable; ▶ **zone franche** zona franca; ▶ **zone indus-**

trielle polígono industrial; ► **zone résidentielle** zona residencial; ► **zones monétaires** zonas *fpl* monetarias.
zoner [zone] (*fam*) *vi* vaguear; **il y a des types qui zonent par ici** hay manguis por aquí.
zoo [zo(o)] *nm* zoo.
zoologie [zɔɔlɔʒi] *nf* zoología.
zoologique [zɔɔlɔʒik] *adj* zoológico(-a).

zoologiste [zɔɔlɔʒist] *nm/f* zoólogo(-a).
zoom [zum] *nm* (*PHOTO*) zoom *m*.
zootechnicien, ne [zootɛknisjɛ̃, jɛn] *nm/f* zootécnico(-a).
zootechnique [zootɛknik] *adj* zootécnico(-a).
Zurich [zyʀik] *n* Zurich.
zut [zyt] *excl* ¡mecachis!

Español-Francés

Espagnol-Français

A, a

A, a [a] *nf* (*letra*) A, a *m inv*; ~ **de Antonio** ≈ A comme Anatole.

a [a] (*a* + *el* = **al**) *prep* **1** (*dirección*) à; **fueron a Madrid/Grecia** ils sont allés à Madrid/en Grèce; **caerse al río** tomber dans la rivière; **subirse a la mesa** monter sur la table; **bajarse a la calle** descendre dans la rue; **llegó a la oficina** il est arrivé au bureau; **me voy a casa** je rentre à la maison *o* chez moi; **mira a la izquierda** regarde à gauche
2 (*distancia*): **está a 15 km de aquí** c'est à 15 km d'ici
3 (*posición*): **estar a la mesa** être à table; **escríbelo al margen** écris-le dans la marge; **al lado de** à côté de
4 (*tiempo*): **a las 10/a medianoche** à 10 heures/à minuit; **a la mañana siguiente** le lendemain matin; **a los pocos días** peu de jours après; **estamos a 9 de julio** nous sommes le 9 juillet; **a los 24 años** à (l'âge de) 24 ans; **una vez a la semana** une fois par semaine
5 (*manera*): **a la francesa** à la française; **a caballo** à cheval; **a cuadros** à carreaux; **a oscuras** à tâtons; **a la plancha** (*CULIN*) grillé; **a toda prisa** en toute hâte
6 (*medio, instrumento*): **a lápiz** au crayon; **a mano** à la main; **escrito a máquina** tapé à la machine; **le echaron a patadas** ils l'ont flanqué dehors à coups de pied aux fesses
7 (*razón*): **a 30 ptas el kilo** à 30 ptas le kilo; **a más de 50 km/h** à plus de 50 km/h; **se vende lana a peso** laine vendue au poids
8 (*complemento directo*: *no se traduce*): **ví a Juan/a tu padre** j'ai vu Juan/ton père

9 (*dativo*): **se lo di a Pedro** je l'ai donné à Pierre
10 (*verbo* + *a* + *infin*): **empezó a trabajar** il a commencé à travailler; (*no se traduce*): **voy a verle** je vais le voir; **vengo a decírtelo** je viens te le dire
11 (*percepción, sentimientos*): **huele a rosas** ça sent la rose; **miedo a la verdad** peur *f* de la vérité
12 (*simultaneidad*): **al verle, le reconocí inmediatamente** quand je l'ai vu, je l'ai tout de suite reconnu
13 (*n* + *a* + *infin*): **el camino a recorrer** le chemin à parcourir; **asuntos a tratar** ordre *m* du jour
14 (*imperativo*): **¡a callar!** taisez-vous!; **¡a comer!** on mange!
15 (*frases adverbiales*): **a no ser que** sauf si; **a lo mejor** peut-être
16 (*desafío*): **¡a que no!** je parie que non!

a [a] *abr* (= *área*) a (= *are*).
A. *sigla f* (= *autopista*) A *f* (= *autoroute*) ♦ *abr* (*METEOROLOGÍA*: = *anticiclón*) A, a (= *anticyclone*); (= *amperio(s)*) A (= *ampère(s)*); (= *angström*) Å (= *Angstrom*).
AAE *sigla f* (= *Asociación de Aerolíneas Europeas*) AEA *f* (= *Association des transporteurs aériens européens*).
ábaco ['aßako] *nm* boulier *m*.
abad, esa [a'ßað, 'ðesa] *nm/f* abbé(abbesse).
abadía [aßa'ðia] *nf* abbaye *f*.

abajo [a'ßaxo] *adv* **1** (*posición*) en bas; **allí abajo** là-bas; **el piso de abajo** l'appartement du dessous; **la parte de abajo** le bas; **más abajo** plus bas; (*en texto*) ci-dessous; **desde abajo** d'en bas; **abajo del**

todo tout en bas; **Pedro está abajo** Pedro est en bas; **el abajo firmante** le soussigné; **de mil ptas para abajo** au-dessous de mille pesetas

2 (*dirección*): **ir calle abajo** descendre la rue; **río abajo** en descendant le courant, en aval

♦ *prep*: **abajo de** (*AM*) sous; **abajo de la mesa** sous la table

♦ *excl*: **¡abajo!** descends!; **¡abajo el gobierno!** à bas le gouvernement!

abajofirmante [aβaxofir'mante] (*AM*) *nm/f* soussigné(e).

abalance *etc* [aβa'lanθe] *vb* V **abalanzarse**.

abalanzarse [aβalan'θarse] *vpr*: **~ sobre/contra** se jeter sur/contre.

abalear [aβale'ar] (*AM*) *vt* abattre.

abalorios [aβa'lorjos] *nmpl* babioles *fpl*.

abanderado [aβande'raðo] *nm* (*de movimiento, causa*) porte-drapeau *m*.

abandonado, -a [aβando'naðo, a] *adj* abandonné(e).

abandonar [aβando'nar] *vt* abandonner; (*salir de, tb INFORM*) quitter; **abandonarse** *vpr* (*descuidarse*) se laisser aller; **~se a** (*desesperación, dolor*) s'abandonner à; **~se a la bebida** s'adonner à la boisson.

abandono [aβan'dono] *nm* abandon *m*; **por ~** (*DEPORTE*) par abandon.

abanicar [aβani'kar] *vt* éventer.

abanico [aβa'niko] *nm* éventail *m*.

abanique *etc* [aβa'nike] *vb* V **abanicar**.

abaratamiento [aβarata'mjento] *nm* baisse *f* des prix.

abaratar [aβara'tar] *vt* (*artículo*) baisser le prix de; (*precio*) baisser; **abaratarse** *vpr* (*artículo*) coûter moins cher; (*precio*) baisser.

abarcar [aβar'kar] *vt* (*temas, período*) comprendre; (*rodear con los brazos*) embrasser; (*AM: acaparar*) accaparer; **quien mucho abarca poco aprieta** qui trop embrasse mal étreint.

abarque *etc* [a'βarke] *vb* V **abarcar**.

abarrotado, -a [aβarro'taðo, a] *adj*: **~ (de)** plein(e) à craquer (de).

abarrotar [aβarro'tar] *vt* bourrer.

abarrotería [aβarrote'ria] (*AM*) *nf* (*tienda*) épicerie *f*.

abarrotero, -a [aβarro'tero, a] (*AM*) *nm/f* (*tendero*) épicier(-ière).

abarrotes [aβa'rrotes] (*AM*) *nmpl* (*ultramarinos*) épicerie *fsg*.

abastecedor, -a [aβasteθe'ðor, a] *adj*: **país ~** pays *msg* fournisseur ♦ *nm/f* fournisseur *m*.

abastecer [aβaste'θer] *vt*: **~ (de)** fournir, approvisionner (en); **abastecerse** *vpr*: **~se (de)** s'approvisionner (en).

abastecimiento [aβasteθi'mjento] *nm* approvisionnement *m*.

abastezca *etc* [aβas'teθka] *vb* V **abastecer**.

abasto [a'βasto] *nm*: **no dar ~** être débordé(e); **~s** *nmpl* provisions *fpl*; **no dar ~ a algo** ne pas arriver à qch; **no dar ~ a o para hacer** ne pas arriver à faire.

abatible [aβa'tiβle] *adj*: **asiento ~** siège *m* rabattable.

abatido, -a [aβa'tiðo, a] *adj* (*deprimido*) abattu(e).

abatimiento [aβati'mjento] *nm* (*depresión*) abattement *m*.

abatir [aβa'tir] *vt* abattre; (*asiento*) rabattre; **abatirse** *vpr* se laisser abattre; **~se sobre** (*águila, avión*) s'abattre sur.

abdicación [aβðika'θjon] *nf* abdication *f*.

abdicar [aβði'kar] *vi*: **~ (en algn)** abdiquer (en faveur de qn).

abdique *etc* [aβ'ðike] *vb* V **abdicar**.

abdomen [aβ'ðomen] *nm* abdomen *m*.

abdominal [aβðomi'nal] *adj* abdominal(e); **~es** *nmpl* (*tb: ejercicios ~es*) abdominaux *mpl*.

abecé [aβe'θe] *nm* abc *m*.

abecedario [aβeθe'ðarjo] *nm* abécédaire *m*.

abedul [aβe'ðul] *nm* bouleau *m*.

abeja [a'βexa] *nf* abeille *f*.

abejorro [aβe'xorro] *nm* bourdon *m*.

aberración [aβerra'θjon] *nf* aberration *f*, absurdité *f*.

aberrante [aβe'rrante] *adj* aberrant(e).

abertura [aβer'tura] *nf* ouverture *f*; (*en falda, camisa*) échancrure *f*.

abertzale [aβer'tfale] *adj, nm/f* nationaliste *m/f* basque.

abeto [a'βeto] *nm* sapin *m*.

abiertamente [a'βjertamente] *adv* ouvertement.

abierto, -a [a'βjerto, a] *pp de* **abrir** ♦ *adj* ouvert(e); **a campo ~** en rase campagne.

abigarrado, -a [aβiɣa'rraðo, a] *adj* bigarré(e).

abigeo [aβi'xeo] (*MÉX*) *nm* voleur *m* de bétail.

abismal [aβis'mal] *adj* (*diferencia*) colossal(e).

abismar [aβis'mar] *vt* (*en dolor, desesperación*) plonger; **abismarse** *vpr*: **~se en** plonger dans; (*lectura*) se plonger dans; (*AM: asombrarse*) s'étonner de.

abismo [a'βismo] *nm* abîme *m*; **de sus ideas a las mías hay un ~** entre ses idées et les miennes, il y a un abîme.

abjurar [aβxu'rar] *vt* abjurer ♦ *vi*: **~ de** abjurer.

ablandar [aβlan'dar] *vt* ramollir; (*persona*) adoucir; (*carne*) attendrir; **ablandarse** *vpr* se ramollir; s'adoucir.

abnegación [aβneɣa'θjon] *nf* abnégation *f*.

abnegado, -a [aβne'ɣaðo, a] *adj* (*persona*) qui fait preuve d'abnégation.

abobado, -a [aβo'βaðo, a] *adj* abruti(e).

abobamiento [aβoβa'mjento] *nm* abrutissement *m*.

abocado, -a [aβo'kaðo, a] *adj*: **verse ~ al desastre** courir au désastre.

abochornar [aβotʃor'nar] *vt* faire rougir (de honte); **abochornarse** *vpr* rougir (de honte).

abofetear [aβofete'ar] *vt* gifler.

abogacía [aβoɣa'θia] *nf* barreau *m*; **ejercer la ~** être inscrit(e) au barreau.

abogado, -a [aβo'ɣaðo, a] *nm/f* avocat(e), ▸ **abogado defensor** avocat de la défense; ▸ **abogado del diablo** avocat du diable; ▸ **abogado del Estado** ≈ procureur *m* général; ▸ **abogado de oficio** avocat commis d'office.

abogar [aβo'ɣar] *vi*: **~ por** plaider pour.

abogue *etc* [a'βoɣe] *vb* V **abogar**.

abolengo [aβo'lengo] *nm* lignage *m*; **de ~** (*familia, persona*) de vieille souche.

abolición [aβoli'θjon] *nf* abolition *f*.

abolir [aβo'lir] *vt* abolir.

abolladura [aβoʎa'ðura] *nf* bosse *f*.

abollar [aβo'ʎar] *vt* (*metal*) bosseler; (*coche*) cabosser; **abollarse** *vpr* se bosseler; se cabosser.

abominable [aβomi'naβle] *adj* abominable.

abominación [aβomina'θjon] *nf* abomination *f*.

abonado, -a [aβo'naðo, a] *adj* (*deuda etc*) acquitté(e) ♦ *nm/f* abonné(e).

abonar [aβo'nar] *vt* (*deuda etc*) acquitter; (*terreno*) fumer; **abonarse** *vpr*: **~se a** s'abonner à; **~ a algn** a abonner qn à; **~ dinero en una cuenta** verser de l'argent sur un compte.

abonero, -a [aβo'nero, a] (*MÉX*) *nm/f* marchand(e) ambulant(e).

abono [a'βono] *nm* (*fertilizante*) engrais *msg*; (*suscripción*) abonnement *m*.

abordable [aβor'ðaβle] *adj* abordable.

abordar [aβor'ðar] *vt* aborder.

aborigen [aβo'rixen] *nm/f* aborigène *m/f*.

aborrecer [aβorre'θer] *vt* abhorrer.

aborrecimiento [aβorreθi'mjento] *nm* aversion *f*.

aborrezca *etc* [aβo'rreθka] *vb* V **aborrecer**.

abortar [aβor'tar] *vi* (*espontáneamente*) faire une fausse couche; (*de manera provocada*) avorter ♦ *vt* (*huelga, golpe de estado*) faire avorter; (*INFORM*) abandonner.

aborto [a'βorto] *nm* (*espontáneo*) fausse couche *f*; (*provocado*) avortement *m*.

abotargado, -a [aβortar'gaðo, a] *adj* bouffi(e).

abotonar [aβoto'nar] *vt* boutonner; **abotonarse** *vpr* se boutonner.

abovedado, -a [aβoβe'ðaðo, a] *adj* voûté(e).

abr. *abr* = **abril**.

abrace *etc* [a'βraθe] *vb* V **abrazar**.

abrasador, a [aβrasa'ðor, a] *adj* (*sol*) brûlant(e).

abrasar [aβra'sar] *vt* brûler ♦ *vi* être très chaud; **abrasarse** *vpr*: **~se de calor** étouffer (de chaleur); **~se vivo** griller vif.

abrasivo, -a [aβras'iβo, a] *adj* abrasif(-ive) ♦ *nm* abrasif *m*.

abrazadera [aβraθa'ðera] *nf* collier *m*.

abrazar [aβra'θar] *vt* (*tb fig*) embrasser; **abrazarse** *vpr* s'embrasser.

abrazo [a'βraθo] *nm* accolade *f*; **dar un ~ a algn** serrer qn dans ses bras; "**un ~**" (*en carta*) "amitiés".

abrebotellas [aβreβo'teʎas] *nm inv* ouvre-bouteille *m*.

abrecartas [aβre'kartas] *nm inv* coupe-papier *m inv*.

abrelatas [aβre'latas] *nm inv* ouvre-boîte *m*.

abrevadero [aβreβa'ðero] *nm* abreuvoir *m*.

abreviado, -a [aβre'βjaðo, a] *adj* abrégé(e).

abreviar [aβre'βjar] *vt* abréger ♦ *vi* (*apresurarse*) s'empresser; **bueno, para ~** bon, pour abréger.

abreviatura [aβreβja'tura] *nf* abréviation *f*.

abriboca [aβri'βoka] (*ARG*) *adj inv* bouche bée.

abridor [aβri'ðor] *nm* (*de botellas*) ouvre-bouteille *m*; (*de latas*) ouvre-boîte *m*.

abrigar [aβri'ɣar] *vt* abriter; (*suj: ropa*) couvrir; (*fig: sospechas, dudas*) nourrir ♦ *vi* (*ropa*) tenir chaud; **abrigarse** *vpr* se couvrir.

abrigo [a'βriɣo] *nm* (*prenda*) manteau *m*; (*lugar*) abri *m*; **al ~ de** à l'abri de; ▸ **abrigo de pieles** manteau de fourrure.

abrigue *etc* [a'βriɣe] *vb* V **abrigar**.

abril [a'βril] *nm* avril *m*; V *tb* **julio**.

abrillantar [aβriʎan'tar] *vt* faire reluire.

abrir [a'βrir] *vt, vi* ouvrir; **abrirse** *vpr* s'ouvrir; **en un ~ y cerrar de ojos** en un clin d'oeil; **~ la mano** (*en examen, oposición*) être indulgent(e); **~se a** (*puerta, ventana*) donner sur; **~se paso** se frayer un chemin.

abrochar [aβro'tʃar] *vt* (*con botones*) boutonner; (*con hebilla*) boucler; **abrocharse** *vpr* (*zapatos*) se lacer; (*abrigo*) se boutonner; **~se el cinturón** attacher sa ceinture.

abrumador, a [aβruma'ðor, a] *adj* (*mayoría etc*) écrasant(e).

abrumar [aβru'mar] *vt* (*agobiar*) accabler; (*apabullar*) écraser.

abrupto, -a [a'βrupto, a] *adj* abrupt(e).

absceso [aβs'θeso] *nm* abcès *msg*.

absentismo [aβsen'tismo] *nm* absentéisme

m.

ábside ['aβsiðe] *nm* abside *f.*

absolución [aβsolu'θjon] *nf* (*REL*) absolution *f;* (*JUR*) non-lieu *m.*

absolutamente [aβso'lutamente] *adv* absolument.

absoluto, -a [aβso'luto, a] *adj* absolu(e); **en ~** (*para nada*) en aucun cas; (*en respuesta*) pas du tout.

absolver [aβsol'βer] *vt* (*REL, JUR*) absoudre.

absorbente [aβsor'βente] *adj* absorbant(e); (*película, libro*) prenant(e).

absorber [aβsor'βer] *vt* absorber; **absorberse** *vpr:* ~se en algo s'absorber dans qch.

absorción [aβsor'θjon] *nf* (*tb COM*) absorption *f.*

absorto, -a [aβ'sorto, a] *pp de* **absorber** ♦ *adj:* ~ en absorbé(e) par *o* dans.

abstemio, -a [aβs'temjo, a] *adj* abstinent(e).

abstención [aβsten'θjon] *nf* abstention *f.*

abstencionismo [aβstenθjo'nismo] *nm* abstentionnisme *m.*

abstencionista [aβstenθio'nista] *nm/f* abstentionniste *m/f.*

abstendré [aβsten'dre] *vb V* **abstenerse**.

abstenerse [aβste'nerse] *vpr* s'abstenir; ~ **de algo** se priver de qch; ~ **de hacer** s'abstenir de faire.

abstenga *etc* [aβs'tenga] *vb V* **abstenerse**.

abstinencia [aβsti'nenθja] *nf* abstinence *f.*

abstracción [aβstrak'θjon] *nf* abstraction *f;* ~ **hecha de** abstraction faite de.

abstracto, -a [aβ'strakto, a] *adj* abstrait(e); **en ~** dans l'abstrait.

abstraer [aβstra'er] *vt* (*problemas, cuestión*) isoler; **abstraerse** *vpr:* ~se (de) s'abstraire (de).

abstraído, -a [aβstra'iðo, a] *adj* abstrait(e).

abstraiga *etc* [aβs'traiɣa] *vb V* **abstraer**.

abstraje *etc* [aβs'traxe] *vb V* **abstraer**.

abstrayendo *etc* [aβstra'jendo] *vb V* **abstraer**.

abstuve *etc* [aβs'tuβe] *vb V* **abstenerse**.

absuelto [aβ'swelto] *pp de* **absolver**.

absurdo, -a [aβ'surðo, a] *adj* absurde ♦ *nm* absurdité *f;* **lo ~ es que** ... l'absurde, c'est que ... .

abuchear [aβutʃe'ar] *vt* huer.

abucheo [aβu'tʃeo] *nm* huée *f.*

abuela [a'βwela] *nf* grand-mère *f;* (*pey*) mémère *f;* ¡cuéntaselo a tu ~! (*fam*) avec moi ça ne prend pas!; **no tener** *o* **necesitar** ~ (*fam*) s'envoyer des fleurs.

abuelo [a'βwelo] *nm* grand-père *m;* (*pey*) pépère *m;* ~s *nmpl* grands-parents *mpl;* (*antepasados*) ancêtres *mpl.*

abulense [aβu'lense] *adj* d'Avila ♦ *nm/f*

natif(-ive) *o* habitant(e) d'Avila.

abulia [a'βulja] *nf* aboulie *f.*

abúlico, -a [a'βuliko, a] *adj* aboulique.

abultado, -a [aβul'taðo, a] *adj* (*mejillas*) bouffi(e); (*facciones*) saillant(e); (*paquete*) volumineux(-euse).

abultar [aβul'tar] *vt* (*importancia, consecuencias*) exagérer ♦ *vi* prendre de la place.

abundamiento [aβunda'mjento] *nm:* a mayor ~ à plus forte raison.

abundancia [aβun'danθja] *nf* abondance *f;* **en ~** en abondance.

abundante [aβun'dante] *adj* abondant(e).

abundantemente [aβun'dantemente] *adv* abondamment.

abundar [aβun'dar] *vi* abonder; ~ **en abonder en;** ~ **en una opinión** abonder dans un sens.

aburguesarse [aβurɣe'sarse] (*pey*) *vpr* s'embourgeoiser.

aburrido, -a [aβu'rriðo, a] *adj* (*hastiado*) saturé(e); (*que aburre*) ennuyeux(-euse).

aburrimiento [aβurri'mjento] *nm* ennui *m.*

aburrir [aβu'rrir] *vt* ennuyer; **aburrirse** *vpr* s'ennuyer; ~se como una almeja *u* ostra s'ennuyer comme un rat mort.

abusado, -a [aβu'saðo, a] (*MÉX*) *adj* (*astuto*) malin(-igne).

abusar [aβu'sar] *vi:* ~ **de** abuser de.

abusivo, -a [aβu'siβo, a] *adj* abusif(-ive).

abuso [a'βuso] *nm* abus *msg;* ► **abuso de autoridad** abus d'autorité; ► **abuso de confianza** abus de confiance.

abyecto, -a [aβ'jekto, a] *adj* abject(e).

A.C. *abr* (= *Año de Cristo*) ap. J.-C. (= *après Jésus-Christ*).

a/c *abr* (= *al cuidado de*) abs (= *aux bons soins de*); (= *a cuenta*) a/o (= *un acompte de*).

acá [a'ka] *adv* (*esp AM: lugar*) ici; **pasearse de ~ para allá** faire les cent pas; ¡vente para ~! approche un peu!; **de junio** ~ depuis juin; **más ~** en deçà.

acabado, -a [aka'βaðo, a] *adj* (*mueble, obra*) achevé(e), fini(e); (*persona*) usé(e) ♦ *nm* finition *f.*

acabar [aka'βar] *vt* achever, finir; (*comida, bebida*) terminer, finir; (*retocar*) parachever ♦ *vi* finir; **acabarse** *vpr* finir, se terminer; (*gasolina, pan, agua*) être épuisé(e); ~ **con** en finir avec; (*destruir*) liquider; ~ **en** se terminer en; ~ **mal** finir mal; ¡acabáramos! c'est pas trop tôt!; **esto ~á conmigo** cela va mal finir; ~ **de hacer** venir de faire; ~ **haciendo** *o* **por hacer** finir par faire; **no acaba de gustarme** cela ne me plaît pas vraiment; ¡se acabó! terminé!; (*¡basta!*) ça suffit!; **se me acabó el tabaco** je n'ai plus de cigaret-

tes.
acabóse [aka'ßose] *nm*: **esto es el ~ c'est le bouquet.**
acacia [a'kaθja] *nf* acacia *m*.
academia [aka'ðemja] *nf* académie *f*; (*de enseñanza*) école *f* privée; **la Real A~** l'Académie royale d'Espagne; **▶ academia militar** école militaire.
académico, -a [aka'ðemiko, a] *adj* académique ♦ *nm/f* académicien(ne).
acaecer [akae'θer] *vi* survenir.
acaozca *etc* [aka'eθka] *vb* V **acaecer.**
acallar [aka'ʎar] *vt* faire taire.
acalorado, -a [akalo'raðo, a] *adj* échauffé(e).
acalorarse [akalo'rarse] *vpr* (*fig*) s'échauffer.
acalórico [aka'loriko] *adj* acalorique.
acampada [akam'paða] *nf*: **ir de ~** partir camper.
acampanado, -a [akampa'naðo, a] *adj* (*pantalón*) pattes d'éléphant; (*falda*) évasé(e).
acampar [akam'par] *vi* camper.
acanalado, -a [akana'laðo, a] *adj* cannelé(e).
acantilado [akanti'laðo] *nm* falaise *f*.
acaparador, a [akapara'ðor, a] *nm/f* accapareur(-euse).
acaparar [akapa'rar] *vt* (*alimentos, gasolina*) accumuler; (*atención*) accaparer.
acápite [a'kapite] (*AM*) *nm* (*párrafo*) paragraphe *m*.
acaramelado, -a [akarame'laðo, a] *adj* (*CULIN*) caramélisé(e); (*voz, persona*) mielleux(-euse); **estar ~s** (*novios*) se dévorer des yeux l'un l'autre.
acariciar [akari'θjar] *vt* caresser; (*esperanza*) nourrir.
acarrear [akarre'ar] *vt* transporter; (*fig*) entraîner.
acaso [a'kaso] *adv* peut-être; **por si ~** au cas où; **si ~** à la rigueur; *¿~?* (*AM: fam*) alors ...?; *¿~* **es mi culpa?** alors, c'est ma faute?
acatamiento [akata'mjento] *nm* respect *m*.
acatar [aka'tar] *vt* respecter.
acatarrarse [akata'rrarse] *vpr* s'enrhumer.
acaudalado, -a [akauða'laðo, a] *adj* nanti(e).
acaudillar [akauði'ʎar] *vt* (*motín, revolución*) diriger; (*tropas*) commander.
acceder [akθe'ðer] *vi*: **~ a** accéder à; (*INFORM*) avoir accès à.
accesible [akθe'sißle] *adj* accessible; **~ a algn** (*comprensible*) accessible à qn.
accésit [ak'θesit] (*pl* **~s**) *nm* prix *msg* de consolation.
acceso [ak'θeso] *nm* (*tb MED, INFORM*) accès *msg*; **tener ~ a** avoir accès à; **de ~**

múltiple à accès multiples; **▶ acceso aleatorio/directo/secuencial** (*INFORM*) accès aléatoire/direct/séquentiel.
accesorio, -a [akθe'sorjo, a] *adj* accessoire ♦ *nm* accessoire *m*; **~s** *nmpl* (*prendas de vestir, AUTO*) accessoires *mpl*; (*de cocina*) ustensiles *mpl*.
accidentado, -a [akθiðen'taðo, a] *adj* (*terreno*) accidenté(e); (*viaje, día*) agité(e) ♦ *nm/f* accidenté(e).
accidental [akθiðen'tal] *adj* accidentel(le).
accidentarse [akθiðen'tarse] *vpr* avoir un accident.
accidente [akθi'ðente] *nm* accident *m*; **~s** *nmpl* (*tb:* **~s geográficos**) accidents *mpl* de terrain; **por ~** accidentellement; **tener** *o* **sufrir un ~** avoir un accident; **▶ accidente laboral** *o* **de trabajo/de tráfico** accident du travail/de la circulation.
acción [ak'θjon] *nf* action *f*; **▶ acción liberada** action entièrement libérée; **▶ acción ordinaria/preferente** action ordinaire/de priorité.
accionamiento [akθjona'mjento] *nm* démarrage *m*.
accionar [akθjo'nar] *vt* actionner; (*INFORM*) commander.
accionista [akθjo'nista] *nm/f* actionnaire *m/f*.
acebo [a'θeßo] *nm* houx *msg*.
acechanza [aθe'tʃanθa] *nf* = **asechanza.**
acechar [aθe'tʃar] *vt* guetter.
acecho [a'θetʃo] *nm*: **estar al ~ (de)** être à l'affût (de).
acedía [aθe'ðia] *nf* (*MED*) acidité *f*.
aceitar [aθei'tar] *vt* huiler.
aceite [a'θeite] *nm* huile *f*; **▶ aceite de colza/de girasol/de hígado de bacalao/de oliva/de ricino/de soja** huile de colza/de tournesol/de foie de morue/d'olive/de ricin/de soja.
aceitera [aθei'tera] *nf* huilier *m*.
aceitoso, -a [aθei'toso, a] *adj* (*comida*) gras(se); (*consistencia, líquido*) huileux (-euse).
aceituna [aθei'tuna] *nf* olive *f*; **▶ aceituna rellena** olive fourrée.
aceitunado, -a [aθeitu'naðo, a] *adj* (*color*) olive *inv*; **de tez aceitunada** au teint olivâtre.
acelerador [aθelera'ðor] *nm* accélérateur *m*.
acelerar [aθele'rar] *vt, vi* accélérer; **~ el paso/la marcha** presser le pas/l'allure.
acelga [a'θelɣa] *nf* blette *f*.
acendrado, -a [aθen'draðo, a] *adj*: **de ~ carácter español** typiquement espagnol.
acento [a'θento] *nm* accent *m*; **~ cerrado** fort accent.
acentuar [aθen'twar] *vt* accentuer; **acen-**

tuarse *vpr* s'accentuer.

acepción [aθep'θjon] *nf* acception *f*.

aceptable [aθep'taβle] *adj* acceptable.

aceptación [aθepta'θjon] *nf* acceptation *f*; **tener gran** ~ être très populaire.

aceptar [aθep'tar] *vt* accepter; ~ **hacer algo** accepter de faire qch.

acequia [a'θekja] *nf* canal *m* d'irrigation.

acera [a'θera] *nf* trottoir *m*.

acerado, -a [aθe'raðo, a] *adj* en *o* d'acier; *(fig: duro)* d'acier; *(: mordaz)* acéré(e).

acerbo, -a [a'θerβo, a] *adj (sabor)* acerbe; *(dolor, sufrimiento)* amer(-ère).

acerca [a'θerka]: ~ **de** *prep* de, sur, à propos de.

acercar [aθer'kar] *vt* approcher; **acercarse** *vpr* approcher; ~**se a** s'approcher de.

acerico [aθe'riko] *nm* pelote *f* à épingles.

acero [a'θero] *nm* acier *m*; ▶ **acero inoxidable** acier inoxydable.

acerque *etc* [a'θerke] *vb V* **acercar**.

acérrimo, -a [a'θerrimo, a] *adj* acharné(e).

acertado, -a [aθer'taðo, a] *adj (respuesta, medida)* pertinent(e); *(color, decoración)* heureux(-euse).

acertar [aθer'tar] *vt (blanco)* atteindre; *(solución, adivinanza)* trouver ♦ *vi* réussir; ~ **a hacer algo** réussir à faire qch; ~ **con** *(camino, calle)* trouver.

acertijo [aθer'tixo] *nm* devinette *f*.

acervo [a'θerβo] *nm*: ~ **cultural** patrimoine *m* culturel; ~ **común** héritage *m* commun.

acetona [aθe'tona] *nf* acétone *f*.

achacar [atʃa'kar] *vt*: ~ **algo a** imputer qch à.

achacoso, -a [atʃa'koso, a] *adj* souffreteux(-euse).

achantar [atʃan'tar] *(fam) vt (acobardar)* démonter; **achantarse** *(fam) vpr* se dégonfler.

achaparrado, -a [atʃapa'rraðo, a] *adj* courtaud(e).

achaque [a'tʃake] *vb V* **achacar** ♦ *nm* ennui *m* de santé.

achatar [atʃa'tar] *vt*: ~**le la nariz a algn** casser la figure à qn.

achicar [atʃi'kar] *vt* rétrécir; *(humillar)* abaisser; *(NÁUT)* écoper; **achicarse** *vpr* se rétrécir; *(fig)* s'humilier.

achicharrar [atʃitʃa'rrar] *vt (comida)* brûler; **achicharrarse** *vpr (comida)* attacher; *(planta)* griller; *(persona)* se consumer.

achicoria [atʃi'korja] *nf* chicorée *f*.

achinado, -a [atʃi'naðo, a] *adj (ojos)* bridé(e); *(AM: FISIOL)* métis(se) ♦ *nm/f (AM)* métis(se).

achique *etc* [a'tʃike] *vb V* **achicar**.

acholado, -a [atʃo'laðo, a] *(AM) adj (FI-*

SIOL) métis(se).

achuchar [atʃu'tʃar] *vt* exciter; **la vida está muy achuchada** la vie n'est pas rose tous les jours.

achucha(s) [a'tʃutʃa(s)] *(AM) nf(pl)* abats *mpl*.

achuchón [atʃu'tʃon] *nm* empoignade *f*.

achura(s) [a'tʃura(s)] *nf(pl) (AM)* abats *mpl*.

aciago, -a [a'θjaɣo, a] *adj* funeste.

acicalar [aθika'lar] *vt (casa)* nettoyer; *(armas)* fourbir; *(persona)* parer; **acicalarse** *vpr* se faire beau(belle).

acicate [aθi'kate] *nm* stimulant *m*.

acidez [aθi'ðeθ] *nf* acidité *f*.

ácido, -a ['aθiðo, a] *adj* acide ♦ *nm (tb fam: droga)* acide *m*.

acierto [a'θjerto] *vb V* **acertar** ♦ *nm (al adivinar)* découverte *f*; *(éxito, logro)* réussite *f*, idée *f* judicieuse; *(habilidad)* adresse *f*; **fue un** ~ **suyo** ce fut judicieux de sa part.

aclamación [aklama'θjon] *nf* acclamation *f*; **por** ~ par acclamation.

aclamar [akla'mar] *vt (aplaudir)* acclamer; *(proclamar)* proclamer.

aclaración [aklara'θjon] *nf* éclaircissement *m*.

aclarar [akla'rar] *vt* éclaircir; *(ropa)* rincer ♦ *vi (tiempo)* s'éclaircir; **aclararse** *vpr (persona)* s'expliquer; *(asunto)* s'éclaircir; ~**se la garganta** s'éclaircir la gorge.

aclaratorio, -a [aklara'torjo, a] *adj* explicatif(-ive).

aclimatación [aklimata'θjon] *nf* acclimatation *f*.

aclimatar [aklima'tar] *vt* acclimater; **aclimatarse** *vpr* s'acclimater; ~**se a algo** s'acclimater à qch, se faire à qch.

acné [ak'ne] *nm o f* acné *f*.

acobardar [akoβar'ðar] *vt* intimider; **acobardarse** *vpr* se laisser intimider; ~**se (ante)** reculer (devant).

acodarse [ako'ðarse] *vpr*: ~ **en** s'accouder à.

acogedor, a [akoxe'ðor, a] *adj* accueillant(e).

acoger [ako'xer] *vt* accueillir; **acogerse** *vpr*: ~**se a** *(ley, norma etc)* se référer à.

acogida [ako'xiða] *nf* accueil *m*.

acoja *etc* [a'koxa] *vb V* **acoger**.

acojonante [akoxo'nante] *(ESP: fam) adj* super.

acolchar [akol'tʃar] *vt* ouater.

acólito [a'kolito] *nm (REL)* enfant *m* de chœur; *(fig)* acolyte *m*.

acometer [akome'ter] *vt (empresa, tarea)* entreprendre ♦ *vi*: ~ **(contra)** s'attaquer (à).

acometida [akome'tiða] *nf* attaque *f*; *(de gas, agua)* branchement *m*.

acomodado, -a [akomo'ðaðo, a] *adj* huppé(e).

acomodador, a [akomoða'ðor, a] *nm/f* placeur(ouvreuse).

acomodar [akomo'ðar] *vt* (*paquetes, maletas*) disposer; (*personas*) placer; **acomodarse** *vpr* s'installer; **~se a** s'accommoder à; ¡**acomódese a su gusto!** mettez-vous à l'aise!

acomodaticio, -a [akomoða'tiθjo, a] *adj* (*pey*) débonnaire; (: *manejable*) malléable.

acompañamiento [akompaɲa'mjento] *nm* accompagnement *m*.

acompañante, -a [akompa'ɲante, a] *nm/f* (*en juego, deporte*) partenaire *m/f*; (*guía en un viaje*) accompagnateur(-trice).

acompañar [akompa'ɲar] *vt* accompagner; ¿**quieres que te acompañe?** veux-tu que je t'accompagne?; **~ a algn a la puerta** raccompagner qn à la porte; **le acompaño en el sentimiento** veuillez accepter mes condoléances.

acompasado, -a [akompa'saðo, -a] *adj* régulier(-ère).

acomplejado, -a [akomple'xaðo, a] *adj* complexé(e).

acomplejar [akomple'xar] *vt* complexer; **acomplejarse** *vpr* faire des complexes.

acondicionado, -a [akondiθjo'naðo, a] *adj*: **~ para** *o* **como** aménagé(e) pour *o* en; **bien/mal ~** bien/mal équipé(e).

acondicionador [akondiθjona'ðor] *nm*: **~ de aire** climatiseur *m*.

acondicionar [akondiθjo'nar] *vt*: **~ (para)** aménager (pour).

acongojar [akongo'xar] *vt* angoisser.

aconsejable [akonse'xaßle] *adj* conseillé(e); **es ~ hacer** il est conseillé de faire.

aconsejar [akonse'xar] *vt* conseiller; **aconsejarse** *vpr*: **~se con** *o* **de** prendre conseil auprès de; **~ a algn hacer** *o* **que haga/que no haga algo** conseiller à qn de faire/de ne pas faire algo.

acontecer [akonte'θer] *vi* arriver.

acontecimiento [akonteθi'mjento] *nm* événement *m*.

acontezca *etc* [akon'teθka] *vb V* **acontecer**.

acopiar [ako'pjar] *vt* (*comida, leña*) faire des réserves de; (*datos*) recueillir; (*COM*) faire des stocks de.

acopio [a'kopjo] *nm*: **hacer ~** faire provision de.

acoplador [akopla'ðor] *nm*: **~ acústico** (*INFORM*) coupleur *m* acoustique.

acoplamiento [akopla'mjento] *nm* (*TEC*) accouplement *m*.

acoplar [ako'plar] *vt*: **~ (a)** accoupler (à).

acoquinar [akoki'nar] *vt* intimider; **acoquinarse** *vpr* se démonter.

acorazado, -a [akora'θaðo, a] *adj* blindé(e) ♦ *nm* cuirassé *m*.

acordar [akor'ðar] *vt* décider; (*precio, condiciones*) convenir de; **acordarse** *vpr*: **~se de (hacer)** se souvenir de (faire); **~ hacer algo** (*resolver*) décider de faire qch.

acorde [a'korðe] *adj* (*MÚS*) accordé(e); (*conforme*) du même avis ♦ *nm* (*MÚS*) accord *m*; **~ (con)** conforme (à).

acordeón [akorðe'on] *nm* accordéon *m*.

acordonado, -a [akorðo'naðo, a] *adj* encerclé(e).

acordonar [akorðo'nar] *vt* encercler.

acorralar [akorra'lar] *vt* acculer; (*fig*) intimider.

acortar [akor'tar] *vt* raccourcir; (*cantidad*) réduire; **acortarse** *vpr* raccourcir.

acosar [ako'sar] *vt* traquer; (*fig*) harceler; **~ a algn a preguntas** harceler qn de questions.

acostar [akos'tar] *vt* (*en cama*) coucher; (*en suelo*) allonger; (*barco*) accoster; **acostarse** *vpr* (*para descansar*) s'allonger; (*para dormir*) se coucher; **~se con algn** coucher avec qn.

acostumbrado, -a [akostum'braðo, a] *adj* habituel(le); **~ a habitué(e)** à.

acostumbrar [akostum'brar] *vt*: **~ a algn a hacer algo** habituer qn à faire qch; **acostumbrarse** *vpr*: **~se a** prendre l'habitude de; (*ciudad*) se faire à; **~ (a) hacer algo** prendre l'habitude de faire qch.

acotación [akota'θjon] *nf* (*nota*) annotation *f*; (*GEO*) cote *f*; (*de límite*) délimitation *f*; (*TEATRO*) indication *f* scénique.

acotar [ako'tar] *vt* (*terreno*) délimiter; (*escrito*) annoter.

acotejar [akote'xar] (*AM*) *vt* (*arreglar objetos*) arranger.

ácrata ['akrata] *adj, nm/f* anarchiste *m/f*.

acre ['akre] *adj* âcre; (*crítica, humor, tono*) mordant(e) ♦ *nm* acre *m*.

acrecentar [akreθen'tar] *vt* accroître; **acrecentarse** *vpr* s'accroître.

acreciente *etc* [akre'θjente] *vb V* **acrecentar**.

acreditado, -a [akreði'taðo, a] *adj* (*POL*) accrédité(e); (*médico, abogado*) de renom; **una casa acreditada** (*COM*) une firme accréditée.

acreditar [akreði'tar] *vt* accréditer; (*COM*) créditer; **acreditarse** *vpr*: **~se como** (*propietario*) établir sa qualité de; (*buen médico*) se faire une réputation de; **~ como** reconnaître comme; **~ para** accréditer pour.

acreedor, a [akree'ðor, a] *adj*: **~ a** (*respeto*) digne de ♦ *nm/f* créancier(-ière); ▶ **acreedor común** (*COM*) créancier;

▸ **acreedor diferido** (*COM*) créancier à terme; ▸ **acreedor con garantía** (*COM*) créancier-gagiste.

acribillar [akriβi'ʎar] *vt*: ~ **a balazos** cribler de balles; ~ **a preguntas** harceler de questions.

acrimonia [akri'monja] *nf* = **acritud**.

acriollado, -a [akrio'ʎaðo, a] (*CSUR*) *adj* *adapté aux usages d'un pays d'Amérique latine.*

acritud [akri'tuð] *nf* acrimonie *f*.

acrobacia [akro'βaθja] *nf* acrobatie *f*; ▸ **acrobacia aérea** acrobatie aérienne.

acróbata [a'kroβata] *nm/f* acrobate *m/f*.

acta ['akta] *nf* (*de reunión*) procès-verbal *m*; (*certificado*) certificat *m*; **levantar ~** (*JUR*) dresser procès-verbal; ▸ **acta notarial** acte *m* notarié.

actitud [akti'tuð] *nf* attitude *f*; **adoptar una ~ firme** adopter une attitude ferme.

activar [akti'βar] *vt* (*mecanismo*) actionner; (*acelerar*) activer; (*economía, comercio*) relancer.

actividad [aktiβi'ðað] *nf* activité *f*.

activo, -a [ak'tiβo, a] *adj* actif(-ive) ♦ *nm* (*COM*) actif *m*; **el ~ y el pasivo** l'actif et le passif; **estar en ~** (*MIL*) être en activité; ▸ **activo circulante/fijo/inmaterial/invisible/realizable** actif circulant/immobilisé/incorporel/invisible/réalisable; ▸ **activos bloqueados/congelados** actifs *mpl* gelés.

acto ['akto] *nm* (*tb TEATRO*) acte *m*; (*ceremonia*) cérémonie *f*; **en el ~** sur-le-champ; ~ **seguido** immédiatement; **hacer ~ de presencia** faire acte de présence.

actor [ak'tor] *nm* acteur *m*; (*JUR*) plaignant(e).

actora [ak'tora] *adj*: **parte ~** (*JUR*) partie *f* demanderesse; (*demandante*) plaignant(e).

actriz [ak'triθ] *nf* actrice *f*.

actuación [aktwa'θjon] *nf* (*acción*) action *f*; (*comportamiento*) comportement *m*; (*JUR*) procédure *f*; (*TEATRO*) jeu *m*.

actual [ak'twal] *adj* actuel(le); **el 6 del ~** le 6 courant.

actualice *etc* [aktwa'liθe] *vb V* **actualizar**.

actualidad [aktwali'ðað] *nf* actualité *f*; **la ~** l'actualité; **en la ~** actuellement; **ser de gran ~** être d'actualité.

actualización [aktwaliθa'θjon] *nf* actualisation *f*.

actualizar [aktwali'θar] *vt* actualiser, mettre à jour.

actualmente [ak'twalmente] *adv* à l'heure actuelle, actuellement.

actuar [ak'twar] *vi* (*comportarse*) agir; (*actor*) jouer; (*JUR*) entamer une procédure; ~ **de** tenir le rôle de.

actuario, -a [ak'twarjo, a] *nm/f* (*JUR*) greffier *m*; (*COM*) actuaire *m/f*.

acuanauta [akwa'nauta] *nm/f* plongeur (-euse) sous-marin(e).

acuarela [akwa'rela] *nf* aquarelle *f*.

acuario [a'kwarjo] *nm* aquarium *m*; **A~** (*ASTROL*) Verseau *m*; **ser A~** être (du) Verseau.

acuartelar [akwarte'lar] *vt* (*retener en cuartel*) consigner; (*alojar*) caserner.

acuático, -a [a'kwatiko, a] *adj* aquatique.

acuchillar [akutʃi'ʎar] *vt* poignarder; (*TEC*) raboter.

acuciante [aku'θjante] *adj* pressant(e).

acuciar [aku'θjar] *vt* presser.

acuclillarse [akukli'ʎarse] *vpr* s'accroupir.

acudir [aku'ðir] *vi* aller; ~ **a** (*amistades etc*) avoir recours à; ~ **en ayuda de** venir en aide à; ~ **a una cita** aller à un rendez-vous; ~ **a una llamada** répondre à un appel; **no tener a quién ~** n'avoir personne à qui faire appel.

acuerdo [a'kwerðo] *vb V* **acordar** ♦ *nm* accord *m*; (*decisión*) décision *f*; ¡**de ~!** d'accord!; **de ~ con** en accord avec; (*acción, documento*) conformément à; **de común ~** d'un commun accord; **estar de ~** être d'accord; **llegar a un ~** parvenir à un accord; **tomar un ~** adopter une résolution; ▸ **acuerdo de pago respectivo** (*COM*) convention *entre compagnies d'assurances par laquelle chacune s'engage à dédommager son propre client*; ▸ **acuerdo general sobre aranceles aduaneros y comercio** (*COM*) accord général sur les tarifs douaniers et le commerce.

acueste *etc* [a'kweste] *vb V* **acostar**.

acumular [akumu'lar] *vt* accumuler.

acunar [aku'nar] *vt* bercer.

acuñar [aku'ɲar] *vt* (*moneda*) frapper; (*palabra, frase*) consacrer.

acuoso, -a [a'kwoso, a] *adj* aqueux(-euse); (*fruta*) juteux(-euse).

acupuntura [akupun'tura] *nf* acupuncture *f*.

acurrucarse [akurru'karse] *vpr* se blottir.

acurruque *etc* [aku'rruke] *vb V* **acurrucarse**.

acusación [akusa'θjon] *nf* accusation *f*.

acusado, -a [aku'saðo, a] *adj* (*JUR*) accusé(e); (*acento*) prononcé(e) ♦ *nm/f* (*JUR*) accusé(e).

acusar [aku'sar] *vt* accuser; (*revelar*) manifester; (*suj: aparato*) indiquer; **acusarse** *vpr*: ~**se de algo** s'accuser de qch; (*REL*) confesser qch; ~ **recibo de** accuser réception de.

acuse [a'kuse] *nm*: ~ **de recibo** accusé *m* de réception.

acusica [aku'sika] *nm/f* mouchard(e).

acusón, -ona [aku'son, ona] *nm/f* mouchard(e).

acústico, -a [a'kustiko, a] *adj* acoustique ♦ *nf* acoustique *f*.

ADA ['aða] (*ESP*) *sigla f* (= *Ayuda del Automovilista*) ≈ ACF *m* (= *Automobile Club de France*).

adalid [aða'lið] *nm* chef *m* de file.

adaptación [aðapta'θjon] *nf* adaptation *f*.

adaptador [aðapta'ðor] *nm* adaptateur *m*.

adaptar [aðap'tar] *vt*: ~ **(a)** adapter (à); **adaptarse** *vpr*: ~**se (a)** s'adapter (à).

adecentar [aðeθen'tar] *vt* (*casa, habitación*) mettre un peu d'ordre dans; **adecentarse** *vpr* (*persona*) faire un brin de toilette.

adecuado, -a [aðe'kwaðo, a] *adj* adéquat(e); **el hombre ~ para el puesto** l'homme tout désigné pour le poste.

adecuar [aðe'kwar] *vt* ~ a adapter à.

adefesio [aðe'fesjo] (*fam*) *nm*: **estar hecho un ~** être mal ficelé(e).

a. de J.C. *abr* (= *antes de Jesucristo*) av. J.-C. (= *avant Jésus-Christ*).

adelantado, -a [aðelan'taðo, a] *adj* avancé(e); (*reloj*) en avance; **pagar por ~** payer d'avance.

adelantamiento [aðelanta'mjento] *nm* (*AUTO*) dépassement *m*.

adelantar [aðelan'tar] *vt, vi* avancer; (*AUTO*) doubler, dépasser; **adelantarse** *vpr* (*tomar la delantera*) prendre les devants; (*anticiparse*) être en avance; ~**se a algn** devancer qn; ~ **a algn en algo** devancer qn en qch; **así no adelantas nada** cela ne t'avance à rien.

adelante [aðe'lante] *adv* devant ♦ *excl* (*incitando a seguir*) en avant!; (*autorizando a entrar*) entrez!; **en ~** désormais; **de hoy en ~** à l'avenir; **más ~** (*después*) plus tard; (*más allá*) plus loin.

adelanto [aðe'lanto] *nm* progrès *msg*; (*de dinero, hora*) avance *f*; **los ~s de la ciencia** les progrès de la science.

adelgace *etc* [aðel'xaθe] *vb* V **adelgazar**.

adelgazar [aðelɣa'θar] *vt* (*persona*) faire maigrir ♦ *vi* maigrir.

ademán [aðe'man] *nm* geste *m*; **ademanes** *nmpl* gestes *mpl*; **en ~ de hacer** en faisant mine de faire; **hacer ~ de hacer** faire mine de faire.

además [aðe'mas] *adv* de plus; ~ **de** en plus de.

adentrarse [aðen'trarse] *vpr*: ~ **en** pénétrer dans.

adentro [a'ðentro] *adv* dedans; **mar ~** au large; **tierra ~** à l'intérieur des terres; **para sus ~s** dans son for intérieur; ~ **de** (*AM*: *dentro de*) dans.

adepto, -a [a'ðepto, a] *nm/f* adepte *m/f*.

aderece *etc* [aðe'reθe] *vb* V **aderezar**.

aderezar [aðere'θar] *vt* assaisonner.

aderezo [aðe'reθo] *nm* assaisonnement *m*.

adeudar [aðeu'ðar] *vt* (*dinero*) devoir; **adeudarse** *vpr* (*persona*) s'endetter; ~ **una suma en una cuenta** débiter une somme sur un compte.

adherir [aðe'rir] *vt*: ~ **algo a algo** faire adhérer une chose à une autre; **adherirse** *vpr* (*a propuesta*) adhérer.

adhesión [aðe'sjon] *nf* adhésion *f*.

adhesivo, -a [aðe'sißo, a] *adj* adhésif(-ive) ♦ *nm* adhésif *m*.

adhiera *etc* [a'ðjera] *vb* V **adherir**.

adhiriendo *etc* [aði'rjendo] *vb* V **adherir**.

adicción [aðik'θion] *nf* (*a drogas etc*) dépendance *f*.

adición [aði'θjon] *nf* addition *f*; (*cosa añadida*) ajout *m*.

adicional [aðiθjo'nal] *adj* supplémentaire.

adicionar [aðiθjo'nar] *vt* additionner.

adicto, -a [a'ðikto, a] *adj* (*MED*) drogué(e); (*a ideología*) acquis(e); (*persona*) dépendant(e) ♦ *nm/f* (*MED*) drogué(e); (*partidario*) fanatique *m/f*.

adiestrar [aðjes'trar] *vt* entraîner; **adiestrarse** *vpr*: ~**se (en)** s'entraîner (à).

adinerado, -a [aðine'raðo, a] *adj* fortuné(e).

adiós [a'ðjos] *excl* (*despedida*) au revoir!; (*al pasar*) salut!; (*¡ay!*) aïe!

aditivo [aði'tißo] *nm* additif *m*.

adivinanza [aðißi'nanθa] *nf* devinette *f*.

adivinar [aðißi'nar] *vt* (*pensamientos*) deviner; (*el futuro*) lire.

adivino, -a [aði'ßino, a] *nm/f* devin(eresse) *f*.

adj *abr* = **adjunto**.

adjetivo [aðxe'tißo] *nm* adjectif *m*.

adjudicación [aðxuðika'θjon] *nf* adjudication *f*.

adjudicar [aðxuði'kar] *vt* adjuger; **adjudicarse** *vpr*: ~**se algo** s'adjuger qch.

adjudique *etc* [aðxu'ðike] *vb* V **adjudicar**.

adjuntar [aðxun'tar] *vt* joindre.

adjunto, -a [að'xunto, a] *adj* (*documento*) joint(e); (*médico, director etc*) adjoint(e) ♦ *nm/f* (*profesor*) assistant(e) ♦ *adv* ci-joint.

administración [aðministra'θjon] *nf* administration *f*; **A~ pública** fonction *f* publique; ► **Administración de Correos** Postes et Télécommunications *fpl*; ► **Administración de Justicia** justice *f*.

administrador, a [aðministra'ðor, a] *nm/f* administrateur(-trice), gérant(e).

administrar [aðminis'trar] *vt* administrer, gérer; (*medicamento, sacramento*) administrer.

administrativo, -a [aðministra'tißo, a] *adj* administratif(-ive) ♦ *nm/f* (*de oficina*) préposé(e).

admirable [aðmi'raßle] *adj* admirable.

admiración [aðmira'θjon] *nf* (*estimación*) admiration *f*; (*asombro*) étonnement *m*; (*LING*) exclamation *f*; **no salgo de mi** ~ **je** n'en reviens pas.

admirar [aðmi'rar] *vt* (*estimar*) admirer; (*asombrar*) étonner; **admirarse** *vpr*: ~**se de s'étonner de; se admiró de que ...** il s'est étonné que ...; **no es de** ~ **que ...** rien d'étonnant à ce que ... .

admisible [aðmi'sißle] *adj* acceptable.

admisión [aðmi'sjon] *nf* admission *f*; (*de razones etc*) acceptation *f*.

admitir [aðmi'tir] *vt* (*razonamiento etc*) admettre; (*local*) contenir; (*regalos*) accepter; **esto no admite demora** cela ne peut attendre; **la cuestión no admite dudas** cela ne fait aucun doute.

admón. *abr* = **administración**.

admonición [aðmoni'θjon] *nf* admonition *f*.

adobar [aðo'ßar] *vt* (*CULIN*) préparer.

adobe [a'ðoße] *nm* torchis *msg*.

adocenado, -a [aðoθe'naðo, a] (*fam*) *adj* médiocre.

adoctrinar [aðoktri'nar] *vt* endoctriner.

adolecer [aðole'θer] *vi*: ~ **de souffrir de**.

adolescente [aðoles'θente] *adj, nm/f* adolescent(e).

adolezca *etc* [aðo'leθka] *vb V* **adolecer**.

adonde [a'ðonðe] (*esp AM*) *conj* où.

adónde [a'ðonde] *adv* où.

adondequiera [aðonðe'kjera] *adv* n'importe où.

adopción [aðop'θjon] *nf* adoption *f*.

adoptar [aðop'tar] *vt* adopter.

adoptivo, -a [aðop'tißo, a] *adj* adoptif (-ive); (*lengua, país*) d'adoption.

adoquín [aðo'kin] *nm* pavé *m*.

adorar [aðo'rar] *vt* adorer.

adormecer [aðorme'θer] *vt* endormir; **adormecerse** *vpr* somnoler; (*miembro*) s'endormir.

adormezca *etc* [aðor'meθka] *vb V* **adormecer**.

adormilarse [aðormi'larse] *vpr* s'assoupir.

adornar [aðor'nar] *vt* orner; (*habitación, mesa*) décorer.

adorno [a'ðorno] *nm* ornement *m*; **de** ~ d'ornement.

adosado, -a [aðo'saðo, a] *adj*: **chalet** ~ maison *f* jumelle.

adosar [aðo'sar] *vt*: ~ (**algo**) **a adosser** (qch) à.

adquiera *etc* [að'kjera] *vb V* **adquirir**.

adquirir [aðki'rir] *vt* acquérir.

adquisición [aðkisi'θjon] *nf* acquisition *f*.

adrede [a'ðreðe] *adv* exprès, à dessein.

Adriático [að'rjatiko] *nm*: **el mar** ~ **la mer** Adriatique; **el** ~ l'Adriatique *m*.

adscribir [aðskri'ßir] *vt*: ~ **a** (*trabajo, pues-*

to) assigner à; **le adscribieron al cuerpo diplomático** il a été attaché au corps diplomatique.

adscrito [að'skrito] *pp de* **adscribir**.

aduana [a'ðwana] *nf* douane *f*.

aduanero, -a [aðwa'nero, a] *adj, nm/f* douanier(-ière).

aducir [aðu'θir] *vt* alléguer.

adueñarse [aðwe'ɲarse] *vpr*: ~ **de s'approprier**.

adulación [aðula'θjon] *nf* adulation *f*.

adular [aðu'lar] *vt* aduler.

adulterar [aðulte'rar] *vt* (*alimentos, vino*) frelater.

adulterio [aðul'terjo] *nm* adultère *m*.

adúltero, -a [a'ðultero, a] *adj, nm/f* adultère *m/f*.

adulto, -a [a'ðulto, a] *adj, nm/f* adulte *m/f*.

adusto, -a [a'ðusto, a] *adj* (*expresión, carácter*) sévère; (*paisaje, región*) austère.

aduzca *etc* [a'ðuθka] *vb V* **aducir**.

advenedizo, -a [aðße ne'ðiθo, a] *nm/f* intrus(e).

advenimiento [aðßeni'mjento] *nm* avènement *m*; ~ **al trono avènement au** trône.

adverbio [að'ßerßjo] *nm* adverbe *m*.

adversario, -a [aðßer'sarjo, a] *nm/f* adversaire *m/f*.

adversidad [aðßersi'ðað] *nf* adversité *f*.

adverso, -a [að'ßerso, a] *adj* adverse.

advertencia [aðßer'tenθja] *nf* avertissement *m*.

advertir [aðßer'tir] *vt* (*observar*) observer; ~ **a algn de algo avertir qn de qch;** ~ **a algn que ... avertir qn que ... .**

Adviento [að'ßjento] *nm* Avent *m*.

advierta *etc* [að'ßjerta] *vb V* **advertir**.

advirtiendo *etc* [aðßir'tjendo] *vb V* **advertir**.

adyacente [aðja'θente] *adj* adjacent(e).

AEE *sigla f* (= *Agencia Espacial Europea*) ASE *f* (= *Agence spatiale européenne*).

aéreo, -a [a'ereo, a] *adj* aérien(ne); **por vía aérea par avion**.

aerobic [ae'roßik] *nm inv* aérobic *f*.

aerodeslizador [aeroðesliða'ðor], **aerodeslizante** [aeroðesli'θante] *nm* aéroglisseur *m*.

aerodinámica [aerodi'namika] *nf* aérodynamique *f*.

aerodinámico, -a [aerodi'namiko, a] *adj* aérodynamique.

aeródromo [ae'roðromo] *nm* aérodrome *m*.

aerograma [aero'ɣrama] *nm* aérogramme *m*.

aeroligero [aeroli'xero] *nm* (*avion*) ultraléger *m*.

aeromodelismo [aeromoðel'ismo] *nm* aéromodélisme *m*.

aeromodelo [aeromo'ðelo] *nm* modèle *m*

réduit.
aeromozo, -a [aero'moθo, a] (*AM*) *nm/f* (*AVIAT*) steward(hôtesse de l'air).
aeronáutica [aero'nautika] *nf* aéronautique *f*.
aeronáutico, -a [aero'nautiko, a] *adj* aéronautique.
aeronave [aero'naße] *nf* aéronef *m*.
aeroplano [aero'plano] *nm* aéroplane *m*.
aeropuerto [aero'pwerto] *nm* aéroport *m*.
aerosol [aero'sol] *nm* aérosol *m*.
a/f *abr* (= *a favor*) à l'attention de.
afabilidad [afaßili'ðað] *nf* affabilité *f*.
afable [a'faßle] *adj* affable.
afamado, -a [afa'maðo, a] *adj* renommé(e).
afán [a'fan] *nm* (*ahínco*) ardeur *f*; (*deseo*) soif *f*; **con** ~ avec ardeur.
afanar [afa'nar] (*fam*) *vt* (*robar*) rafler; **afanarse** *vpr* (*atarearse*) s'affairer; ~**se por hacer** s'évertuer à faire.
afanoso, -a [afa'noso, a] *adj* (*búsqueda*) acharné(e); (*persona*) laborieux(-euse).
AFE ['afe] *sigla f* = Asociación de Futbolistas Españoles.
afear [afe'ar] *vt* enlaidir.
afección [afek'θjon] *nf* infection *f*.
afectación [afekta'θjon] *nf* affectation *f*.
afectado, -a [afek'taðo, a] *adj* affecté(e); ~**s** *nmpl* (*epidemias*) victimes *fpl*; (*catástrofes*) sinistrés *mpl*.
afectar [afek'tar] *vt* affecter; **por lo que afecta a esto** quant à cela.
afectísimo, -a [afek'tisimo, a] *adj*; **suyo** ~ respectueusement vôtre.
afectivo, -a [afek'tißo, a] *adj* (*problema*) affectif(-ive); (*persona*) affectueux (-euse).
afecto, -a [a'fekto, a] *adj*: ~ **a** (*ideología*) acquis(e) à; (*JUR*) soumis(e) à ♦ *nm* (*cariño*) affection *f*; **tenerle** ~ **a algn** avoir de l'affection pour qn.
afectuoso, -a [afek'twoso, a] *adj* affectueux(-euse); "**un saludo** ~" (*en carta*) "affectueusement".
afeitar [afei'tar] *vt* raser; **afeitarse** *vpr* se raser; ~**se la barba/el bigote** se raser la barbe/la moustache.
afeminado, -a [afemi'naðo, a] *adj* efféminé(e).
aferrar [afe'rrar] *vt* se cramponner à; **aferrarse** *vpr*: ~**se a** se cramponner à; ~**se a una esperanza** se cramponner à un espoir.
Afganistán [afvanis'tan] *nm* Afghanistan *m*.
afgano, -a [af'vano, a] *adj* afghan(e) ♦ *nm/f* Afghan(e).
afiance *etc* [a'fjanθe] *vb V* **afianzar**.
afianzamiento [afjanθa'mjento] *nm* conso-

lidation *f*; (*salud*) amélioration *f*.
afianzar [afjan'θar] *vt* (*objeto, conocimientos*) consolider; (*salud*) assurer; **afianzarse** *vpr* se cramponner; (*establecerse*) s'établir; ~**se en** (*idea, opinión*) se cramponner à.
afiche [a'fitʃe] (*AM*) *nm* (*cartel*) affiche *f*.
afición [afi'θjon] *nf* goût *m*, penchant *m*; **la** ~ les supporters *mpl*; ~ **a** goût pour *o* de; **por** ~ par goût; **músico de** ~ musicien(ne) amateur.
aficionado, -a [afiθjo'naðo, a] *adj*, *nm/f* amateur *m*; **ser** ~ **a algo** être amateur de qch.
aficionar [afiθjo'nar] *vt*: ~ **a algn a algo** donner à qn le goût pour *o* de qch; **aficionarse** *vpr*: ~**se a algo** prendre goût à qch.
afilado, -a [afi'laðo, a] *adj* (*cuchillo*) aiguisé(e); (*lápiz*) bien taillé(e).
afilador [afila'ðor] *nm* (*persona*) aiguiseur *m*.
afilar [afi'lar] *vt* (*cuchillo*) aiguiser; (*lápiz*) tailler; **afilarse** *vpr* (*cara*) s'affiner.
afiliación [afilja'θjon] *nf* affiliation *f*.
afiliado, -a [afi'ljaðo, a] *adj*, *nm/f* affilié(e).
afiliarse [afi'ljarse] *vpr*: ~ **(a)** s'affilier (à).
afín [a'fin] *adj* (*carácter*) semblable; (*ideas, opiniones*) voisin(e).
afinar [afi'nar] *vt* (*MÚS*) accorder; (*puntería, TEC*) ajuster; (*motor*) régler ♦ *vi* (*MÚS*) être accordé(e).
afincarse [afin'karse] *vpr*: ~ **en** s'établir à.
afinidad [afini'ðað] *nf* affinité *f*; **por** ~ par affinité.
afirmación [afirma'θjon] *nf* affirmation *f*.
afirmar [afir'mar] *vt* affirmer; (*objeto*) consolider ♦ *vi* acquiescer; **afirmarse** *vpr* (*recuperar el equilibrio*) se rétablir; ~ **haber hecho/que** affirmer avoir fait/que; ~**se en lo dicho** confirmer ce qui a été dit.
afirmativo, -a [afirma'tißo, a] *adj* affirmatif(-ive).
aflicción [aflik'θjon] *nf* affliction *f*.
afligir [afli'xir] *vt* affliger; **afligirse** *vpr* s'affliger; ~**se (por** *o* **con** *o* **de)** s'affliger (de); **no te aflijas tanto** ne te laisse pas abattre.
aflija *etc* [a'flixa] *vb V* **afligir**.
aflojar [aflo'xar] *vt* desserrer; (*cuerda*) détendre ♦ *vi* (*tormenta, viento*) se calmer; **aflojarse** *vpr* (*pieza*) prendre du jeu.
aflorar [aflo'rar] *vi* affleurer.
afluencia [aflu'enθja] *nf* affluence *f*; (*de sangre*) afflux *msg*.
afluente [aflu'ente] *adj*, *nm* affluent *m*.
afluir [aflu'ir] *vi*: ~ **a** (*gente, sangre*) affluer à; (*río*) se jeter dans.
afluya *etc* [a'fluja] *vb V* **afluir**.

afluyendo etc [aflu'jendo] vb V **afluir**.

afmo., -a. abr = **afectísimo, a.**

afónico, -a [a'foniko, a] adj: **estar ~ être** aphone.

aforar [afo'rar] vt (TEC) jauger; (fig) estimer, évaluer.

aforo [a'foro] nm (TEC) jaugeage m; (de teatro) capacité f; **el teatro tiene un ~ de 2.000** ce théâtre a 2 000 places.

afortunado, -a [afortu'naðo, a] adj (persona) chanceux(-euse); (coincidencia, hallazgo) heureux(-euse).

afrancesado, -a [afranθe'saðo, a] (pey) adj partisan des Français (lors de la guerre d'Indépendance, et aux XVIIIe et XIXe siècles).

afrenta [a'frenta] nf affront m.

África ['afrika] nf Afrique f; **▶ África del Sur** Afrique du Sud.

africano, -a [afri'kano, a] adj africain(e) ♦ nm/f Africain(e).

afrontar [afron'tar] vt affronter; (dos personas) confronter.

aftershave [after'ʃeif] (pl ~**s**) nm aftershave m.

afuera [a'fwera] adv (esp AM) dehors; ~**s** nfpl banlieue fsg.

afuerano, -a [afwe'rano, a], **afuereño, -a** [afwe'reɲo, a], **afuerino, -a** [afwe'rino, a] (CHI) adj (forastero) étranger(-ère).

afuerita [afwe'rita] (MÉX: fam) adv dehors.

afusilar [afusi'lar] (MÉX) vt (fusilar) fusiller.

ag. abr = **agosto**.

agachar [aɣa'tʃar] vt incliner; **agacharse** vpr s'incliner.

agalla [a'ɣaʎa] nf (ZOOL) ouïe f; **tener ~s** (fam) ne pas avoir froid aux yeux.

agarradera [aɣarra'ðera] (AM) nf (asa) anse f; ~**s** nfpl (fam): **tener (buenas) ~s** être pistonné(e).

agarradero [aɣarra'ðero] nm = **agarradera**.

agarrado, -a [aɣa'rraðo, a] adj radin(e).

agarrar [aɣa'rrar] vt saisir; (esp AM: recoger) prendre; (fam: enfermedad) attraper ♦ vi (planta) prendre; **agarrarse** vpr (comida) coller; (dos personas) s'accrocher; **agarró y se fue** (AM) sans faire ni une ni deux il a fichu le camp; ~**se (a)** s'accrocher (à); **agarrársela con algn** (AM: tenerla tomada con algn) avoir qn dans le nez.

agarrotar [aɣarro'tar] vt (reo) faire subir le supplice du garrot à; (fardo) ficeler; (persona) garrotter; **agarrotarse** vpr (MED) avoir des crampes; (motor) se gripper.

agasajar [aɣasa'xar] vt accueillir chaleureusement.

agauchado, -a [agau'tʃaðo, a] (CSUR) adj qui ressemble à un gaucho.

agave [a'ɣaβe] (AM) nf (a veces nm) agave m.

agazapar [aɣaθa'par] vt saisir; **agazaparse** vpr (persona, animal) se tapir.

agencia [a'xenθja] nf agence f; **▶ agencia de créditos/inmobiliaria** établissement m de crédit/agence immobilière; **▶ agencia matrimonial/de publicidad/de viajes** agence matrimoniale/de publicité/de voyages.

agenciar [axen'θjar] vt procurer; **agenciarse** vpr se procurer; **agenciárselas para hacer algo** se débrouiller pour faire qch.

agenda [a'xenda] nf agenda m; (orden del día) ordre m du jour.

agente [a'xente] nm agent m; **▶ agente acreditado/de bolsa/de negocios/de seguros** agent accrédité/de change/d'affaires/d'assurances; **▶ agente femenino** auxiliaire f de police; **▶ agente (de policía)** agent (de police).

ágil ['axil] adj agile.

agilidad [axili'ðað] nf agilité f.

agilizar [axili'θar] vt activer.

agitación [axita'θjon] nf agitation f.

agitado, -a [axi'taðo, a] adj (día, viaje, vida) agité(e).

agitador, a [axi'taðor, a] nm/f (POL) agitateur(-trice).

agitar [axi'tar] vt agiter; (fig) troubler, inquiéter; **agitarse** vpr s'agiter; (inquietarse) se troubler, s'inquiéter.

aglomeración [aɣlomera'θjon] nf: ~ **de gente** rassemblement m; ~ **de tráfico** embouteillage m.

aglomerar [aɣlome'rar] vt (datos, noticias) accumuler; **aglomerarse** vpr (multitud) s'attrouper; (coches) créer un embouteillage.

agnóstico, -a [aɣ'nostiko, a] adj, nm/f agnostique m/f.

agobiante [aɣo'βjante] adj étouffant(e).

agobiar [aɣo'βjar] vt (suj: trabajo) accabler; (: calor) accabler, étouffer; **agobiarse** vpr: ~**se por** o **con** crouler sous; **sentirse agobiado por** être accablé(e) de o par.

agobio [a'ɣoβjo] nm accablement m.

agolpamiento [aɣolpa'mjento] nm (gente) attroupement m; (tropas) rassemblement m.

agolparse [aɣol'parse] vpr (acontecimientos) se précipiter; (problemas) affluer; (personas) se presser, se bousculer.

agonía [aɣo'nia] nf agonie f.

agonice etc [aɣo'niθe] vb V **agonizar**.

agonizante [aɣoni'θante] adj agonisant(e).

agonizar [aɣoni'θar] vi agoniser, être à l'agonie.

agorero, -a [aɣo'rero, a] adj de mauvais augure ♦ nm/f devin(eresse); **ave agorera**

oiseau *m* de mauvais augure.

agostar [aɣo'star] *vt* dessécher; **agostarse** *vpr* se dessécher.

agosto [a'ɣosto] *nm* août *m*; **hacer el o su** ~ faire son beurre; *V tb* **julio**.

agotado, -a [aɣo'taðo, a] *adj* épuisé(e); (*pila*) à plat.

agotador, a [aɣota'ðor, a] *adj* épuisant(e).

agotamiento [aɣota'mjento] *nm* épuisement *m*.

agotar [aɣo'tar] *vt* épuiser; **agotarse** *vpr* s'épuiser; (*libro*) être épuisé(e).

agraciado, -a [aɣra'θjaðo, a] *adj* qui a du charme ♦ *nm/f* (*en sorteo, lotería*) gagnant(e); **el número** ~ (*en sorteo*) le numéro gagnant.

agraciar [aɣra'θjar] *vt* (*premio*) remettre; (*hacer más atractivo*) avantager, flatter.

agradable [aɣra'ðaßle] *adj* agréable.

agradar [aɣra'ðar] *vi* plaire; **esto no me agrada** cela ne me plaît pas; **le agrada estar en su compañía** votre compagnie lui est agréable.

agradecer [aɣraðe'θer] *vt* remercier; **¡se agradece!** mille fois merci!; **le ~ía me enviara ...** je vous serais reconnaissant de m'envoyer ...; **te agradezco que hayas venido** je te remercie d'être venu.

agradecido, -a [aɣraðe'θiðo, a] *adj*: ~ (**por/a**) reconnaissant(e) (de/envers); **¡muy ~!** merci beaucoup!, merci bien!

agradecimiento [aɣraðeθi'mjento] *nm* remerciement *m*.

agradezca *etc* [aɣra'ðeθka] *vb V* **agradecer**.

agrado [a'ɣraðo] *nm* agrément *m*, plaisir *m*; (*amabilidad*) amabilité *f*; **ser de tu** *etc* ~ être à ton *etc* goût.

agrandar [aɣran'dar] *vt* agrandir; (*exagerar*) amplifier, grossir; **agrandarse** *vpr* s'agrandir.

agrario, -a [a'ɣrarjo, a] *adj* agraire.

agravante [aɣra'ßante] *adj* (*circunstancia*) aggravant(e) ♦ *nm o f*: **con el o la** ~ **de que ...** le problème étant que ... .

agravar [aɣra'ßar] *vt* aggraver; **agravarse** *vpr* s'aggraver.

agraviar [aɣra'ßjar] *vt* offenser; (*perjudicar*) faire du tort à; **agraviarse** *vpr* s'offenser.

agravio [a'ɣraßjo] *nm* offense *f*; (*JUR*) appel *m*.

agredir [aɣre'ðir] *vt* agresser; (*verbalmente*) injurier.

agregado [aɣre'ɣaðo] *nm* agrégat *m*; (*profesor*) maître *m* de conférences (*à l'université*), professeur certifié(e) (*dans l'enseignement secondaire*); ▶**agregado comercial / cultural / diplomático / militar** attaché commercial/culturel/diplomatique/militaire.

agregar [aɣre'ɣar] *vt*: ~ (**a**) ajouter (à); (*unir*) associer (à); **agregarse** *vpr*: ~**se a** se joindre à.

agregue *etc* [a'ɣreɣe] *vb V* **agregar**.

agresión [aɣre'sjon] *nf* agression *f*.

agresivo, -a [aɣre'sißo, a] *adj* agressif (-ive).

agreste [a'ɣreste] *adj* champêtre.

agriar [a'ɣrjar] *vt* aigrir; (*leche*) faire tourner; **agriarse** *vpr* s'aigrir; (*leche*) tourner.

agrícola [a'ɣrikola] *adj* agricole.

agricultor, a [aɣrikul'tor, a] *nm/f* agriculteur(-trice).

agricultura [aɣrikul'tura] *nf* agriculture *f*.

agridulce [aɣri'ðulθe] *adj* aigre-doux(douce).

agrietarse [aɣrje'tarse] *vpr* se crevasser; (*piel*) se gercer.

agrimensor, a [aɣrimen'sor, a] *nm/f* arpenteur *m*.

agringado, -a [aɣrin'gaðo, a] *adj* (*AM*) américanisé(e).

agrio, -a ['aɣrjo, a] *adj* aigre; (*carácter*) aigri(e), revêche ♦ *nmpl*: ~**s** agrumes *mpl*.

agronomía [aɣrono'mia] *nf* agronomie *f*.

agrónomo, -a [a'ɣronomo, a] *adj* agronomique ♦ *nm/f* agronome *m/f*.

agropecuario, -a [aɣrope'kwarjo, a] *adj* agricole et de pêche.

agrupación [aɣrupa'θjon] *nf* groupement *m*, regroupement *m*.

agrupamiento [aɣrupa'mjento] *nm* (*de personas, libros, datos*) regroupement *m*.

agrupar [aɣru'par] *vt* (*personas*) grouper; (*libros, datos*) regrouper; (*INFORM*) grouper, regrouper; **agruparse** *vpr* se regrouper.

agua ['aɣwa] *nf* eau *f*; (*lluvia*) pluie *f*, eau de pluie; ~**s** *nfpl* (*de joya*) eau *fsg*; (*mar*) eau *fsg*, eaux *fpl*; **a dos** ~**s** (*tejado*) à deux pentes; **hacer** ~ (*embarcación*) faire eau; **se me hace la boca agua** ça me met l'eau à la bouche; ~**s abajo** en aval; ~**s arriba** en amont; **nunca digas, "de esta** ~ **no beberé"** il ne faut pas dire, "Fontaine, je ne boirai pas de ton eau"; **estar con el** ~ **al cuello** avoir la corde au cou; **estar como pez en el** ~ être comme un poisson dans l'eau; **quedar algo en** ~ **de borrajas** s'en aller en eau de boudin; **romper** ~**s** (*MED*) perdre les eaux; **tomar las** ~**s** prendre les eaux; **venir como** ~ **de mayo** tomber à pic, arriver comme mars en carême; ▶**agua bendita / caliente / corriente / destilada / dulce / oxigenada / potable / salada** eau bénite / chaude / courante / distillée / douce / oxygénée / potable / salée; ▶**agua de colonia** eau de Cologne; ▶ **agua mineral (con/sin gas)** eau minérale (gazeuse/non gazeuse); ▶ **aguas jurisdiccionales/residuales/termales** eaux territoriales/résiduaires/thermales; ▶ **aguas mayores/menores** (*MED*) selles *fpl*/urine *fsg*.

aguacate [aɣwa'kate] *nm* avocat *m*; (*árbol*) avocatier *m*.

aguacero [aɣwa'θero] *nm* averse *f*.

aguado, -a [a'ɣwaðo, a] *adj* (*leche, vino*) baptisé(e).

aguafiestas [aɣwa'fjestas] *nm/f inv* trouble-fête *m/f inv*, rabat-joie *m/f inv*.

aguafuerte [aɣwa'fwerte] *nf* eau-forte *f*.

aguaitar [aɣwai'tar] (*esp AM: fam*) *vt* (*mirar*) regarder.

aguamiel [aɣwa'mjel] (*CAM, MÉX*) *nm* (*bebida*) eau *f* sucrée.

aguanieve [aɣwa'njeβe] *nf* neige *f* fondue.

aguantable [aɣwan'taβle] *adj* supportable.

aguantar [aɣwan'tar] *vt* supporter, endurer; (*risa, ganas*) réprimer ♦ *vi* (*ropa*) résister; **aguantarse** *vpr* (*persona*) se dominer; **no sé cómo aguanta** je ne sais pas comment il tient le coup.

aguante [a'ɣwante] *nm* (*paciencia*) patience *f*; (*resistencia*) résistance *f*.

aguar [a'ɣwar] *vt* (*leche, vino*) baptiser, couper; ~ **la fiesta a algn** gâcher son plaisir à qn.

aguardar [aɣwar'ðar] *vt* attendre ♦ *vi*: ~ **(a que)** attendre (que).

aguardentoso, -a [aɣwarðen'toso, a] (*pey*) *adj* (*voz*) rauque.

aguardiente [aɣwar'ðjente] *nm* eau-de-vie *f*.

aguarrás [aɣwa'rras] *nm* essence *f* de térébenthine.

aguce *etc* [a'ɣuθe] *vb V* **aguzar**.

agudeza [aɣu'ðeθa] *nf* (*oído, olfato*) finesse *f*; (*vista*) acuité *f*; (*de sonido*) aigu *m*; (*fig: ingenio*) vivacité *f*, finesse *f*; (*ocurrencia*) mot *m* d'esprit.

agudice *etc* [aɣu'ðiθe] *vb V* **agudizar**.

agudizar [aɣuði'θar] *vt* aiguiser; (*crisis*) intensifier; **agudizarse** *vpr* s'aiguiser; (*crisis*) s'intensifier.

agudo, -a [a'ɣuðo, a] *adj* (*afilado*) tranchant(e), coupant(e); (*vista*) perçant(e); (*oído, olfato*) fin(e); (*sonido, dolor*) aigu(ë); (*ingenioso*) subtil(e).

agüe *etc* ['aɣwe] *vb V* **aguar**.

agüero [a'ɣwero] *nm*: **ser de buen/mal** ~ être de bon/mauvais augure; **pájaro de mal** ~ oiseau *m* de mauvais augure.

aguerrido, -a [aɣe'rriðo, a] *adj* aguerri(e).

aguijar [aɣi'xar] *vt* aiguillonner.

aguijón [aɣi'xon] *nm* (*de insecto*) dard *m*; (*fig: estímulo*) aiguillon *m*.

aguijonear [aɣixone'ar] *vt* aiguillonner; (*persona*) aiguillonner, piquer.

águila ['aɣila] *nf* aigle *m*; **ser un** ~ (*fig*) être un as.

aguileño, -a [aɣi'leɲo, a] *adj* (*nariz*) aquilin(e); (*rostro*) allongé(e), long(longue).

aguinaldo [aɣi'naldo] *nm* étrennes *fpl*.

agüita [a'ɣwita] (*CHI*) *nf* (*CULIN*) infusion *f*.

aguja [a'ɣuxa] *nf* aiguille *f*; (*para hacer punto*) aiguille à tricoter; (*para hacer ganchillo*) crochet *m*; (*ARQ*) aiguille, flèche *f*; (*TEC*) percuteur *m*; (*INFORM*) tête *f*; ~**s** *nfpl* (*FERRO*) aiguillage *m*; **carne de** ~ côtes *fpl*; **buscar una** ~ **en un pajar** chercher une aiguille dans une botte de foin; ▶ **aguja de tejer** (*AM*) aiguille à tricoter.

agujerear [aɣuxere'ar] *vt* (*perforar: ropa, cristal, madera*) trouer.

agujero [aɣu'xero] *nm* trou *m*.

agujetas [aɣu'xetas] *nfpl* courbatures *fpl*.

aguzado, -a [aɣu'θaðo, a] *adj* pointu(e).

aguzar [aɣu'θar] *vt* (*herramientas*) aiguiser, affiler; (*ingenio, entendimiento*) aiguillonner, stimuler; ~ **el oído/la vista** aiguiser l'ouïe/la vue.

aherrumbrarse [aerrum'brarse] *vpr* se rouiller.

ahí [a'i] *adv* (*lugar*) là; **de** ~ **que** donc, d'où il s'ensuit que; ~ **está el problema** tout le problème est là; ~ **llega** le voilà; **por** ~ par là; (*lugar indeterminado*) là-bas; ¡**hasta** ~ **hemos llegado!** dire qu'on en est arrivé là!; ¡~ **va!** le voilà!; ~ **donde le ve** tel que vous le voyez; ¡~ **es nada!** incroyable!; **200 o por** ~ environ 200.

ahijado, -a [ai'xaðo, a] *nm/f* filleul(e).

ahijar [ai'xar] *vt* adopter.

ahínco [a'inko] *nm*: **con** ~ avec acharnement.

ahíto, -a [a'ito, a] *adj*: **estar** ~ (*indigesto*) être repu(e).

AHN *sigla m* (= *Archivo Histórico Nacional*) *archives nationales*.

ahogado, -a [ao'ɣaðo, a] *adj* (*en agua*) noyé(e); (*de trabajo*) débordé(e); (*grito*) étouffé(e); (*recinto*) renfermé(e) ♦ *nm/f* noyé(e).

ahogar [ao'ɣar] *vt* étouffer; (*en el agua*) noyer; (*grito, sollozo*) contenir, étouffer; (*fig: angustiar*) angoisser; **ahogarse** *vpr* (*en el agua*) se noyer; (*por asfixia*) s'asphyxier.

ahogo [a'oɣo] *nm* oppression *f*, étouffement *m*; (*angustia*) angoisse *f*, oppression; ▶ **ahogos económicos** difficultés *fpl* financières.

ahogue *etc* [a'oɣe] *vb V* **ahogar**.

ahondar [aon'dar] *vt* creuser ♦ *vi*: ~ **en** (*problema*) approfondir, creuser.

ahora [a'ora] *adv* maintenant; (*hace poco*)

tout à l'heure; ~ **bien** o **que** cependant, remarquez (que); ~ **mismo** à l'instant (même); ~ **voy** j'arrive; ¡**hasta** ~! à tout de suite!, à bientôt!; **por** ~ pour le moment; **de** ~ **en adelante** désormais, dorénavant.

ahorcado, -a [aor'kaðo, a] *nm/f* pendu(e).

ahorcar [aor'kar] *vt* pendre; **ahorcarse** *vpr* se pendre.

ahorita [ao'rita] (*esp AM*: *fam*) *adv* tout de suite.

ahorltita [aori'tita] (*AM*: *fam*) *adv* tout de suite.

ahorque *etc* [a'orke] *vb* V **ahorcar**.

ahorrar [ao'rrar] *vt* économiser, épargner; **ahorrarse** *vpr*: ~**se molestias** s'éviter des ennuis; ~ **a algn algo** épargner qch à qn; **no** ~ **esfuerzos/sacrificios** ne pas ménager ses efforts/être avare de sacrifices.

ahorrativo, -a [aorra'tiβo, a] *adj* économe; (*pey*) pingre.

ahorro [a'orro] *nm* économie *f*, épargne *f*; ~**s** *nmpl* économies *fpl*.

ahuecar [awe'kar] *vt* (*madera, tronco*) évider; (*voz*) enfler ♦ *vi*: ¡**ahueca!** (*fam*) fous le camp!; **ahuecarse** *vpr* (*fig*) être bouffi(e) d'orgueil.

ahueque *etc* [a'weke] *vb* V **ahuecar**.

ahumado, -a [au'maðo, a] *adj* fumé(e).

ahumar [au'mar] *vt* fumer; (*llenar de humo*) enfumer; **ahumarse** *vpr* (*habitación*) se remplir de fumée; (*comida*) prendre un goût de fumé.

ahuyentar [aujen'tar] *vt* (*ladrón, fiera*) mettre en fuite; (*fig*) chasser.

AI *sigla f* (= *Amnistía Internacional*) AI *f* (= *Amnesty International*).

aimara [ai'mara], **aimará** [aima'ra] *adj* aymara ♦ *nm/f* Aymara *m/f*.

aindiado, -a [ain'djaðo, a] (*AM*) *adj* (*FISIOL*) de type indien.

airado, -a [ai'raðo, a] *adj* furieux(-euse).

airar [ai'rar] *vt* (*persona*) irriter, fâcher; **airarse** *vpr* (*irritarse*) s'irriter, se fâcher.

aire ['aire] *nm* (*tb MÚS*) air *m*; ~**s** *nmpl*: **darse** ~**s** se donner des airs; **al** ~ **libre** en plein air; **cambiar de** ~**s** changer d'air; **dejar en el** ~ laisser sans réponse; **tener** ~ **de** avoir l'air de; **estar en el** ~ (*RADIO*) être sur les ondes; (*fig*) être en suspens; **tener un** ~ **con** o **darse un** ~ **a** ressembler à; **tomar el** ~ prendre l'air; ► **aire acondicionado** air conditionné; ► **aire popular** (*MÚS*) air populaire.

airear [aire'ar] *vt* aérer; (*asunto, secreto*) éventer; **airearse** *vpr* prendre l'air.

airoso, -a [ai'roso, a] *adj*: **salir** ~ **de algo** bien s'en tirer.

aislado, -a [ais'laðo, a] *adj* isolé(e).

aislante [ais'lante] *nm* (*ELEC*) isolant *m*.

aislar [ais'lar] *vt* isoler; **aislarse** *vpr*: ~**se (de)** s'isoler (de).

AITA *sigla f* (= *Asociación Internacional del Transporte Aéreo*) IATA *f* (= *association internationale de transport aérien*).

ajar [a'xar] *vt* ravager; **ajarse** *vpr* (*persona*) se faner; (*prenda*) se défraîchir.

ajardinado, -a [axarði'naðo, a] *adj* aménagé(e).

ajedrez [axe'ðreθ] *nm* échecs *mpl*.

ajenjo [a'xenxo] *nm* absinthe *f*.

ajeno, -a [a'xeno, a] *adj* d'autrui; **ser** ~ **a** (*impropio de*) contraire à; **estar** ~ **a algo** être étranger à qch; **por razones ajenas a nuestra voluntad** pour des raisons indépendantes de notre volonté.

ajetreado, -a [axetre'aðo, a] *adj* (*día*) mouvementé(e).

ajetrearse [axetre'arse] *vpr* s'affairer.

ajetreo [axe'treo] *nm* agitation *f*.

ají [a'xi] (*AM*) *nm* piment *m* rouge; (*salsa*) sauce *f* au piment.

ajlaco [a'xjako] (*AM*) *nm* (*CULIN*) ragoût *m*.

ajo ['axo] *nm* ail *m*; **estar en el** ~ (*fam*) être dans le coup; ► **ajo blanco** sauce *f* à l'ail.

ajorca [a'xorka] *nf* bracelet *m*.

ajuar [a'xwar] *nm* (*de casa*) mobilier *m*; (*de novia*) trousseau *m*.

Ajuria Enea [axuriae'nea] *nf* siège du gouvernement autonome du Pays Basque espagnol.

ajustado, -a [axus'taðo, a] *adj* (*ropa*) ajusté(e); (*precio*) raisonnable; (*resultado*) serré(e); (*cálculo*) exact(e).

ajustar [axus'tar] *vt* ajuster; (*reloj, cuenta*) régler; (*concertar*) convenir de; (*TEC*) ajuster, régler; (*IMPRENTA*) mettre en pages; (*diferencias*) aplanir ♦ *vi* (*ventana, puerta*) cadrer; **ajustarse** *vpr*: ~**se a** se conformer à; ~ **algo a algo** ajuster qch à qch; (*fig*) adapter qch à qch; ~ **cuentas con algn** régler ses comptes avec qn.

ajuste [a'xuste] *nm* (*de reloj*) réglage *m*; (*FIN*) fixation *f* (des prix); (*acuerdo*) accord *m*; (*INFORM*) correction *f*; ► **ajuste de cuentas** (*fig*) règlement de comptes.

al [al] (= **a** + **el**) V **a**.

ala ['ala] *nf* aile *f*; (*de sombrero*) bord *m* ♦ *nm/f* (*baloncestista*) ailier *m*; **cortar las** ~**s a algn** mettre des bâtons dans les roues à qn; **dar** ~**s a algn** donner à qn l'occasion d'être insolent.

alabanza [ala'βanθa] *nf* éloge *m*, louange *f*.

alabar [ala'βar] *vt* (*persona*) louer, faire l'éloge de; (*obra etc*) louer, vanter.

alabastro [ala'βastro] *nm* albâtre *m*.

alacena [ala'θena] *nf* garde-manger *m inv*.

alacrán [ala'kran] *nm* scorpion *m*.

ALADI [a'laði] *sigla f* (= *Asociación Latinoamericana de Integración*) ALADI *f* (= *Association latino-américaine d'intégration*).

alado, -a [a'laðo, a] *adj* ailé(e).

ALALC *sigla f* (= *Asociación Latinoamericana de Libre Comercio*) ancienne *ALADI*.

alambicado, -a [alambi'kaðo, a] *adj* alambiqué(e).

alambique [alam'bike] *nm* alambic *m*.

alambrada [alam'braða] *nf*, **alambrado** [alam'braðo] *nm* grillage *m*.

alambre [a'lambre] *nm* fil *m* de fer; ~ **de púas** fil de fer barbelé.

alambrista [alam'brista] *nm/f* équilibriste *m/f*, funambule *m/f*.

alameda [ala'meða] *nf* peupleraie *f*; (*lugar de paseo*) promenade *f* (*bordée d'arbres*).

álamo ['alamo] *nm* peuplier *m*; ▶ **álamo temblón** tremble *m*.

alano [a'lano] *nm* dogue *m*.

alarde [a'larðe] *nm*: **hacer** ~ **de** se vanter de, faire étalage de.

alardear [alarðe'ar] *vi*: ~ **de** faire étalage de.

alargadera [alarɣa'ðera] *nf* (*ELEC*) rallonge *f*.

alargador [alarɣa'ðor] *nm* (*ELEC*) rallonge *f*.

alargar [alar'ɣar] *vt* rallonger; (*estancia, vacaciones*) prolonger; (*brazo*) allonger; tendre; (*paso*) presser; **alargarse** *vpr* (*días*) rallonger; (*discurso, reunión*) se prolonger; ~ **algo a algn** tendre qch à qn; ~**se a** *o* **hasta** (*persona*) aller jusqu'à; ~**se en** (*explicación*) se perdre en.

alargue *etc* [a'larɣe] *vb* V **alargar**.

alarido [ala'riðo] *nm* hurlement *m*.

alarma [a'larma] *nf* (*señal de peligro*) alarme *f*, alerte *f*; **voz de** ~ ton *m* alarmé; **dar/sonar la** ~ donner/sonner l'alarme; ▶ **alarma de incendios** avertisseur *m* d'incendie.

alarmante [alar'mante] *adj* alarmant(e).

alarmar [alar'mar] *vt* alarmer; **alarmarse** *vpr* s'alarmer.

alavés, -esa [ala'ßes, esa] *adj* d'Álava ♦ *nm/f* natif(-ive) *o* habitant(e) d'Álava.

alazán [ala'θan] *nm* alezan *m*.

alba ['alßa] *nf* aube *f*.

albacea [alßa'θea] *nm/f* exécuteur *m* testamentaire.

albaceteño, -a [alßaθe'teɲo, a] *adj* d'Albacete ♦ *nm/f* natif(-ive) *o* habitant(e) d'Albacete.

albahaca [al'ßaka] *nf* basilic *m*.

Albania [al'ßanja] *nf* Albanie *f*.

albañal [alßa'ɲal] *nm* égout *m*.

albañil [alßa'ɲil] *nm* maçon *m*.

albarán [alßa'ran] *nm* bordereau *m*.

albarda [al'ßarða] *nf* bât *m*.

albaricoque [alßari'koke] *nm* abricot *m*.

albedrío [alße'ðrio] *nm*: **libre** ~ libre arbitre *m*.

alberca [al'ßerka] *nf* réservoir *m* d'eau; (*AM*) piscine *f*.

albergar [alßer'ɣar] *vt* héberger; (*esperanza*) nourrir; **albergarse** *vpr* s'abriter; (*alojarse*) se faire héberger.

albergue [al'ßerɣe] *vb* V **albergar** ♦ *nm* abri *m*; ▶ **albergue juvenil** *o* **de juventud** auberge *f* de jeunesse.

albis ['alßis] *adv*: **quedarse in** ~ n'y comprendre goutte.

albóndigas [al'ßondiɣas] *nfpl* boulettes *fpl* de viande.

albor [al'ßor] *nm* point *m* du jour; **en los** ~**es de** à l'aube du.

alborada [alßo'raða] *nf* point *m* du jour; (*diana*) diane *f*; (*música*) aubade *f*.

alborear [alßore'ar] *vi*: **alboreaba** le jour se levait.

albornoz [alßor'noθ] *nm* (*para el baño*) sortie *f* de bain; (*de los árabes*) burnous *msg*.

alboroce *etc* [alßo'roθe] *vb* V **alborozar**.

alborotado, -a [alßoro'taðo, a] *adj* agité(e).

alborotar [alßoro'tar] *vt* agiter; (*amotinar*) ameuter ♦ *vi* faire du tapage; **alborotarse** *vpr* s'agiter.

alboroto [alßo'roto] *nm* tapage *m*.

alborozar [alßoro'θar] *vt* réjouir; **alborozarse** *vpr* se réjouir.

alborozo [alßo'roθo] *nm* réjouissance *f*.

albricias [al'ßriθjas] *nfpl*: ¡~! victoire!

álbum ['alßum] (*pl* ~**s** *o* ~**es**) *nm* album *m*; ▶ **álbum de recortes** recueil *m* de coupures de journaux.

albumen [al'ßumen] *nm* albumen *m*.

alcabala [alka'ßala] (*AM*) *nf* (*POLICÍA*: *control*) barrage *m* de police.

alcachofa [alka'tʃofa] *nf* artichaut *m*; ▶ **alcachofa de ducha/de regadera** pomme *f* de douche/d'arrosoir.

alcahueta [alka'weta] *nf* entremetteuse *f*.

alcahuete [alka'wete] *nm* maquereau *m*; (*de teatro*) rideau *m* d'entracte.

alcalde, -esa [al'kalde, alkal'desa] *nm/f* maire *m*.

alcaldía [alkal'dia] *nf* mairie *f*.

álcali ['alkali] *nm* alcali *m*.

alcance [al'kanθe] *vb* V **alcanzar** ♦ *nm* portée *f*; (*COM*) solde *m* débiteur; **al** ~ **de la mano** à portée de main; **estar a mi** *etc*/ **fuera de mi** *etc* ~ être/ne pas être à ma *etc* portée; **de gran** ~ (*MIL*) longue portée; (*fig*) de grande importance.

alcancía [alkan'θia] *nf* tirelire *f*.

alcanfor [alkan'for] *nm* camphre *m*.

alcantarilla [alkanta'riʎa] *nf* (*subterránea*) égout *m*; (*en la calle*) caniveau *m*.

alcanzar [alkan'θar] vt atteindre; (persona) rattraper; (autobús) attraper; (AM: entregar) passer ♦ vi être suffisant(e); (para todos) suffire; ~ a hacer arriver à faire.

alcaparra [alka'parra] nf câpre f.

alcatraz [alka'traθ] nm pélican m (d'Amérique).

alcaucil [alkau'θil] (CSUR) nm (alcachofa) artichaut m.

alcayata [alka'jata] nf (clavo) piton m.

alcázar [al'kaθar] nm citadelle f; (NÁUT) dunette f.

alce etc ['alθe] vb V **alzar**.

alcista [al'θista] adj (COM, ECON): **mercado ~** marché m à la hausse ♦ nm/f haussier m; **la tendencia ~** la tendance à la hausse.

alcoba [al'koβa] nf alcôve f.

alcohol [al'kol] nm alcool m; (tb: ~ **metílico**) alcool à brûler; **no bebe ~** il ne prend pas d'alcool.

alcoholemia [alkoo'lemia] nf: **el test de la ~** le test d'alcoolémie.

alcoholice etc [alko'liθe] vb V **alcoholizarse**.

alcohólico, -a [al'koliko, a] adj, nm/f alcoolique m/f; **~s anónimos** ligue fsg des alcooliques anonymes.

alcoholímetro [alko'limetro] nm alcoomètre m.

alcoholismo [alko'lismo] nm alcoolisme m.

alcoholizarse [alkoli'θarse] vpr s'alcooliser.

alcornoque [alkor'noke] nm chêne-liège m; (fam) andouille f.

alcurnia [al'kurnja] nf noble lignée f.

alcuzas [al'kuθas] (AM) nfpl huilier msg.

aldaba [al'daβa] nf heurtoir m.

aldabón [alda'βon] nm (de puerta) heurtoir m; (asa) poignée f.

aldea [al'dea] nf hameau m.

aldeano, -a [alde'ano, a] adj, nm/f villageois(e).

aleación [alea'θjon] nf alliage m.

aleatorio, -a [alea'torjo, a] adj aléatoire; **acceso ~** (INFORM) accès msg aléatoire.

aleccionador, a [alekθjona'ðor, a] adj instructif(-ive).

aleccionar [alekθjo'nar] vt instruire; (regañar) faire la leçon à.

aledaños [ale'ðaɲos] nmpl alentours mpl.

alegación [aleɣa'θjon] nf allégation f.

alegar [ale'ɣar] vt alléguer ♦ vi (AM) discuter; **~ que ...** alléguer que ... .

alegato [ale'ɣato] nm plaidoyer m; (AM) discussion f.

alegoría [aleɣo'ria] nf allégorie f.

alegrar [ale'ɣrar] vt réjouir; (casa) égayer; (fiesta) animer; (fuego) attiser; **alegrarse** vpr (fam) se griser; **~se de** être

heureux(-euse) de.

alegre [a'leɣre] adj gai(e), joyeux(-euse); (fam: con vino) éméché(e).

alegría [ale'ɣria] nf joie f, gaîté f; ► **alegría vital** joie de vivre.

alegrón [ale'ɣron] nm explosion f de joie; **dar a algn un ~** causer une joie immense à qn.

alegue etc [a'leɣe] vb V **alegar**.

alejamiento [alexa'mjento] nm éloignement m.

alejar [ale'xar] vt éloigner; (ideas) repousser; **alejarse** vpr s'éloigner.

alelado, -a [ale'laðo, a] adj hébété(e).

aleluya [ale'luja] nm alléluia m; ¡~! alléluia!

alemán, -ana [ale'man, ana] adj allemand(e) ♦ nm/f Allemand(e) ♦ nm (LING) allemand m.

Alemania [ale'manja] nf Allemagne f; ► **Alemania Occidental/Oriental** (HIST) Allemagne de l'Ouest/de l'Est.

alentador, a [alenta'ðor, a] adj encourageant(e).

alentar [alen'tar] vt encourager.

alergia [a'lerxja] nf allergie f.

alero [a'lero] nm auvent m; (DEPORTE) ailier m; (AUTO) garde-boue m.

alerta [a'lerta] adj inv vigilant(e) ♦ nf alerte f ♦ adv: **estar o mantenerse ~** être sur ses gardes.

aleta [a'leta] nf (pez) nageoire f; (foca) aileron m; (nariz) aile f; (DEPORTE) palme f; (AUTO) garde-boue m inv.

aletargar [aletar'ɣar] vt endormir; **aletargarse** vpr s'assoupir.

aletargue etc [ale'tarɣe] vb V **aletargar**.

aletear [alete'ar] vi (ave) battre des ailes; (pez) battre des nageoires; (individuo) agiter les bras.

alevín [ale'βin] nm alevin m.

alevosía [aleβo'sia] nf: **con ~** traîtreusement.

alfabetización [alfaβetiθa'θjon] nf: **campaña de ~** campagne f d'alphabétisation.

alfabeto [alfa'βeto] nm alphabet m.

alfajor [alfa'xor] nm (ESP) friandise à base d'amandes, de noix et de miel; (CSUR: dulce) biscuit fourré.

alfalfa [al'falfa] nf luzerne f.

alfaque [al'fake] nm banc m de sable.

alfar [al'far] nm atelier m de potier.

alfarería [alfare'ria] nf poterie f; (tienda) magasin m de poterie.

alfarero, -a [alfa'rero, a] nm/f potier m.

alféizar [al'feiθar] nm embrasure f.

alférez [al'fereθ] nm (MIL) sergent m.

alfil [al'fil] nm (AJEDREZ) fou m.

alfiler [alfi'ler] nm épingle f; (broche) broche f; **prendido con ~es** précaire; ► **alfiler**

de corbata épingle de cravate; ► **alfiler de gancho** (*AM*: *imperdible grande*) (grande) épingle de nourrice.

alfiletero [alfile'tero] *nm* porte-aiguilles *m inv*.

alfombra [al'fombra] *nf* tapis *msg*.

alfombrar [alfom'brar] *vt* recouvrir d'un tapis.

alfombrilla [alfom'briʎa] *nf* carpette *f*.

alforja [al'forxa] *nf* sacoche *f*.

alforza [al'forθa] *nf* pli *m*.

algarabía [alɣara'ßia] (*fam*) *nf* brouhaha *m*.

algarada [alɣa'raða] *nf* tapage *m*, tumulte *m*.

Algarbe [al'ɣarße] *nm*: **el** ~ l'Algarve *m*.

algarroba [alɣa'rroßa] *nf* caroube *f*.

algarrobo [alɣa'rroßo] *nm* caroubier *m*.

algas ['alɣas] *nfpl* algues *fpl*.

algazara [alɣa'θara] *nf* brouhaha *m*.

álgebra ['alxeßra] *nf* algèbre *f*.

álgido, -a [alxiðo, a] *adj* crucial(e).

algo ['alɣo] *pron* quelque chose; (*una cantidad pequeña*) un peu ♦ *adv* un peu, assez; ~ **así (como)** quelque chose comme; ~ **es** ~ c'est toujours quelque chose; ¿~ **más?** c'est tout?; (*en tienda*) et avec ceci?; **por** ~ **será** il y a bien une raison; **es** ~ **difícil** c'est un peu difficile.

algodón [alɣo'ðon] *nm* coton *m*; ► **algodón de azúcar** barbe *f* à papa; ► **algodón hidrófilo** coton hydrophile.

algodonero, -a [alɣoðo'nero, a] *adj* cotonnier(-ière) ♦ *nm* (*BOT*) cotonnier *m*.

algoritmo [alɣo'ritmo] *nm* algorithme *m*.

alguacil [alɣwa'θil] *nm* (*de juzgado*) huissier *m*; (*de ayuntamiento*) employé *m* municipal; (*TAUR*) officiel *m* à cheval.

alguien ['alɣjen] *pron* quelqu'un.

alguno, -a [al'ɣuno, a] *adj* (*delante de nm*: **algún**) quelque, un(une); (*después de n*): **no tiene talento** ~ il n'a aucun talent ♦ *pron* quelqu'un; ~ **de ellos** l'un d'eux; **algún que otro libro** quelques livres; **algún día iré** j'irai un jour; **sin interés** ~ sans aucun intérêt; ~ **que otro** quelque; ~**s piensan** certains pensent.

alhaja [a'laxa] *nf* joyau *m*; (*persona*) perle *f*; (*niño*) bijou *m*.

alhelí [ale'li] *nm* giroflée *f*.

aliado, -a [a'ljaðo, a] *adj*, *nm/f* allié(e) ♦ *nm* (*CHI*: *CULIN*) sandwich *m* mixte; (*bebida*) mélange *m*.

alianza [a'ljanθa] *nf* alliance *f*.

aliarse [alj'arse] *vpr*: ~ (**con/a**) s'allier (à).

alias ['aljas] *adv* alias.

alicaído, -a [alika'iðo, a] *adj* abattu(e).

alicantino, -a [alikan'tino, a] *adj* d'Alicante ♦ *nm/f* natif(-ive) o habitant(e) d'Alicante.

alicatar [alika'tar] *vt* carreler.

alicates [ali'kates] *nmpl* pince *fsg*; ► **alicates de uñas** coupe-ongles *m inv*.

aliciente [ali'θjente] *nm* stimulant *m*; (*atractivo*) attrait *m*, charme *m*.

alienación [aljena'θjon] *nf* aliénation *f*.

aliento [a'ljento] *vb* V **alentar** ♦ *nm* haleine *f*; (*fig*) courage *m*; **sin** ~ hors d'haleine.

aligerar [alixe'rar] *vt* alléger; (*dolor*) soulager; **aligerarse** *vpr*: ~**se de** (*ropa*) enlever; (*prejuicios*) se débarrasser de; ~ **el paso** presser le pas.

alijo [a'lixo] *nm* saisie *f*.

alimaña [ali'maɲa] *nf* animal *m* nuisible.

alimentación [alimenta'θjon] *nf* alimentation *f*; **tienda de** ~ magasin *m* d'alimentation; ► **alimentación continua** alimentation en continu.

alimentador [alimenta'ðor] *nm*: ~ **de papel** alimentation *f* de papier.

alimentar [alimen'tar] *vt* nourrir, alimenter; (*suj*: *alimento*) nourrir; **alimentarse** *vpr*: ~**se de** o **con** s'alimenter de.

alimentario, -a [alimen'tarjo, a] *adj* alimentaire.

alimenticio, -a [alimen'tiθjo, a] *adj* (*sustancia*) alimentaire; (*nutritivo*) nourrissant(e).

alimento [ali'mento] *nm* aliment *m*; ~**s** *nmpl* (*JUR*) aliments *mpl*.

alimón [ali'mon] *adv*: **al** ~ à deux.

alineación [alinea'θjon] *nf* alignement *m*; (*DEPORTE*) formation *f*.

alineado, -a [aline'aðo, a] *adj* (*TIP*): (**no**) ~ (non) aligné(e); ~ **a la izquierda/derecha** aligné à gauche/droite.

alinear [aline'ar] *vt* aligner; (*DEPORTE*) faire jouer; **alinearse** *vpr* s'aligner; (*DEPORTE*) rentrer.

aliñar [ali'ɲar] *vt* assaisonner.

aliño [a'liɲo] *nm* assaisonnement *m*.

alisar [ali'sar] *vt* lisser; (*madera*) polir.

aliso [a'liso] *nm* aulne *m*, aune *m*.

alistamiento [alista'mjento] *nm* (*MIL*) enrôlement *m*, recrutement *m*.

alistar [ali'star] *vt* inscrire (sur une liste); (*MIL*) enrôler, recruter; **alistarse** *vpr* s'inscrire; (*MIL*) s'enrôler; (*AM*: *prepararse*) se préparer.

aliviar [ali'ßjar] *vt* (*carga*) alléger; (*persona*) soulager.

alivio [a'lißjo] *nm* soulagement *m*.

aljibe [al'xiße] *nm* citerne *f*.

allá [a'ʎa] *adv* là-bas; (*por ahí*) par là; ~ **abajo/arriba** tout en bas/en haut; **hacia** ~ par là-bas; **más** ~ plus loin; **más** ~ **de** au-delà de; ~ **por** vers; ¡~ **tú!** tant pis pour toi!; **el más** ~ l'au-delà *m*.

allanamiento [aʎana'mjento] *nm*: ~ **de morada** violation *f* de domicile.

allanar [aʎa'nar] *vt* aplanir; (*muro*) raser;

(*obstáculos*) surmonter; (*entrar a la fuerza en*) forcer; (*JUR*) rentrer par effraction; **allanarse** *vpr*: ~**se a** se soumettre à.

allegado, -a [aʎe'ɣaðo, a] *adj* partisan(e) ♦ *nm/f* proche parent(e).

allende [a'ʎende] *prep*: ~ **los mares** au-delà des mers.

allí [a'ʎi] *adv* (*lugar*) là; ~ **mismo** là précisément; **por** ~ par là.

alma ['alma] *nf* (*tb TEC*) âme *f*; (*de negocio*) nœud *m*; (*de fiesta*) clou *m*; (*de reunión*) objet *m* principal; **se le cayó el** ~ **a los pies** les bras lui en sont tombés; **entregar el** ~ rendre l'âme; **estar con el** ~ **en la boca** être à l'agonie; **tener el** ~ **en un hilo** être mort(e) d'inquiétude; **estar como** ~ **en pena** être comme une âme en peine; **ir como** ~ **que lleva el diablo** courir comme un(e) dérateé(e); **lo agradezco/lo siento en el** ~ je vous remercie/je le regrette infiniment; **no puedo con mi** ~ je n'en peux plus (de fatigue); **con toda el** ~ du fond du cœur.

almacén [alma'θen] *nm* (*tb MIL*) magasin *m*; (*al por mayor*) magasin de gros; (*AM*) épicerie *f*; (**grandes**) **almacenes** grands magasins *mpl*; ► **almacén depositario** (*COM*) dépôt *m*.

almacenaje [almaθe'naxe] *nm* emmagasinage *m*, stockage *m*; ► **almacenaje secundario** (*INFORM*) mémoire *f* auxiliaire.

almacenamiento [almaθena'mjento] *nm* emmagasinage *m*, stockage *m*; (*INFORM*) mise *f* en mémoire; ► **almacenamiento temporal en disco** traitement *m* différé.

almacenar [almaθe'nar] *vt* emmagasiner, stocker; (*INFORM*) mémoriser.

almacenero, -a [almaθe'nero, a] (*AM*) *nm* épicier(-ière).

almacenista [almaθe'nista] *nm/f* grossiste *m/f*.

almanaque [alma'nake] *nm* almanach *m*.

almazara [alma'θara] *nf* moulin *m* à huile.

almeja [al'mexa] *nf* (*ZOOL*) clovisse *f*; (*CULIN*) palourde *f*.

almenas [al'menas] *nfpl* créneaux *mpl*.

almendra [al'mendra] *nf* amande *f*; ► **almendras garrapiñadas** pralines *fpl*.

almendro [al'mendro] *nm* amandier *m*.

almeriense [alme'rjense] *adj* d'Almería ♦ *nm/f* natif(-ive) o habitant(e) d'Almería.

almiar [al'mjar] *nm* meule *f*.

almíbar [al'miβar] *nm* sirop *m*; **en** ~ au sirop.

almibarado, -a [almiβa'raðo, a] *adj* (*persona*) mielleux(-euse).

almidón [almi'ðon] *nm* amidon *m*.

almidonado, -a [almiðo'naðo, a] *adj* amidonné(e), empesé(e).

almidonar [almiðo'nar] *vt* (*tela, prenda*) amidonner, empeser.

almirantazgo [almiran'taθɣo] *nm* tribunal *m* de l'amirauté.

almirante [almi'rante] *nm* amiral *m*.

almirez [almi're θ] *nm* mortier *m*.

almizcle [al'miθkle] *nm* musc *m*.

almizclero [almiθ'klero] *nm* chevrotain *m*.

almohada [almo'aða] *nf* oreiller *m*; (*funda*) taie *f* d'oreiller; **lo consultaré** *etc* **con la** ~ la nuit porte conseil.

almohadilla [almoa'ðiʎa] *nf* (*para sentarse*) coussinet *m*; (*para planchar*) pattemouille *f*; (*para sellar*) tampon *m* encreur; (*en los arreos*) tapis *msg* de selle; (*AM*) pelote *f* à épingles.

almohadillado, -a [almoaði'ʎaðo, a] *adj* rembourré(e).

almohadón [almoa'ðon] *nm* coussin *m*; (*funda de almohada*) taie *f* d'oreiller.

almorcé [almor'θe] *vb* V **almorzar**.

almorcemos *etc* [almor'θemos] *vb* V **almorzar**.

almorranas [almo'rranas] *nfpl* hémorroïdes *fpl*.

almorzar [almor'θar] *vt*: ~ **una tortilla** déjeuner d'une omelette ♦ *vi* déjeuner.

almuerce *etc* [al'mwerθe] *vb* V **almorzar**.

almuerzo [al'mwerθo] *vb* V **almorzar** ♦ *nm* déjeuner *m*.

aló [a'lo] (*AM*) *excl* (*TELEC*) allô!

alocadamente [alo'kaðamente] *adv* étourdiment.

alocado, -a [alo'kaðo, a] *adj* écervelé(e); (*acción*) irréfléchi(e).

alojamiento [aloxa'mjento] *nm* logement *m*; (*de visitante*) hébergement *m*.

alojar [alo'xar] *vt* loger; **alojarse** *vpr*: ~**se en** (*persona*) loger à; (*bala, proyectil*) se loger dans.

alondra [a'londra] *nf* alouette *f*.

alpaca [al'paka] *nf* maillechort *m*; (*ZOOL*) alpaga *m*.

alpargata [alpar'ɣata] *nf* espadrille *f*.

Alpes ['alpes] *nmpl*: **los** ~ les Alpes *fpl*.

alpinismo [alpi'nismo] *nm* alpinisme *m*.

alpinista [alpi'nista] *nm/f* alpiniste *m/f*.

alpino, -a [al'pino, a] *adj* alpin(e).

alpiste [al'piste] *nm* alpiste *m*; (*AM*: *fam*: *dinero*) fric *m*.

alquería [alke'ria] *nf* ferme *f*.

alquilar [alki'lar] *vt* louer; **"se alquila casa"** "maison à louer".

alquiler [alki'ler] *nm* location *f*; (*precio*) loyer *m*; **de** ~ à louer; ► **alquiler de coches/automóviles** location de voitures.

alquimia [al'kimja] *nf* alchimie *f*.

alquitrán [alki'tran] *nm* goudron *m*.

alrededor [alreðe'ðor] *adv* autour; ~**es** *nmpl*

environs *mpl*; ~ de autour de; (*aproximadamente*) environ; a su ~ autour de lui; mirar a su ~ regarder autour de soi.

Alsacia [al'saθja] *nf* Alsace *f*.

alta ['alta] *nf*: dar a algn de ~ (*MED*) déclarer qn guéri; (*en empleo*) autoriser qn à reprendre son travail (*après un congé de maladie*); darse de ~ (*MED*) se déclarer guéri(e); (*en club, asociación*) devenir membre.

altanería [altane'ria] *nf* arrogance *f*; (*de aves*) haut vol *m*.

altanero, -a [altanero, a] *adj* hautain(e).

altar [al'tar] *nm* autel *m*; ► altar mayor maître-autel *m*.

altavoz [alta'ßoθ] *nm* haut-parleur *m*.

alteración [altera'θjon] *nf* altération *f*; (*alboroto*) altercation *f*; (*agitación*) agitation *f*; ► alteración del orden público trouble *m* de l'ordre public.

alterar [alte'rar] *vt* modifier; (*persona*) perturber; (*alimentos, medicinas*) altérer; alterarse *vpr* (*persona*) se troubler; (*enfadarse*) se fâcher; ~ el orden público troubler l'ordre public.

altercado [alter'kaðo] *nm* altercation *f*.

alternador [alterna'ðor] *nm* alternateur *m*.

alternar [alter'nar] *vt*: ~ algo con *o* y algo alterner une chose et une autre ♦ *vi* fréquenter des gens; alternarse *vpr* se relayer; ~ con fréquenter.

alternativa [alterna'tißa] *nf* alternative *f*; no tener otra ~ ne pas avoir le choix; tomar la ~ (*TAUR*) recevoir l'alternative.

alternativo, -a [alterna'tißo, a] *adj* alternatif(-ive); (*hojas, ángulo*) alterne.

alterno, -a [al'terno, a] *adj* (*días*) tous les deux; (*ELEC*) alternatif(-ive); (*BOT, MAT*) alterne.

alteza [al'teθa] *nf* altesse *f*; su A~ Real Son Altesse Royale.

altibajos [alti'ßaxos] *nmpl* (*del terreno*) inégalités *fpl*; (*fig*) des hauts et des bas *mpl*.

altillo [al'tiʎo] *nm* butte *f*; (*AM: buhardilla*) combles *mpl*.

altiplanicie [altipla'niθje] *nf* haut plateau *m*.

altiplano [alti'plano] *nm* = altiplanicie.

altisonante [altiso'nante] *adj* ronflant(e).

altitud [alti'tuð] *nf* altitude *f*; a una ~ de à une altitude de.

altivez [alti'ßeθ] *nf* hauteur *f*, morgue *f*.

altivo, -a [al'tißo, a] *adj* hautain(e), altier(-ière).

alto, -a ['alto, a] *adj* haut(e); (*persona*) grand(e); (*sonido*) aigu(ë); (*precio, ideal, clase*) élevé(e) ♦ *nm* haut *m*; (*AM*) tas *msg*; (*MÚS*) alto *m* ♦ *adv* haut; (*río*) en crue ♦ *excl* halte!; la pared tiene 2 metros

de ~ le mur fait 2 mètres de haut; alta costura haute couture; alta fidelidad/ frecuencia haute fidélité/fréquence; en alta mar en haute mer; alta tensión haute tension; en voz alta à voix haute; a altas horas de la noche à une heure avancée de la nuit; en lo ~ de en haut de, tout en haut de; hacer un ~ faire une halte; pasar por ~ passer outre; por todo lo ~ sur un grand pied; poner la radio más ~ mettre la radio plus fort; ¡más ~, por favor! plus fort, s'il vous plaît!; declarar/ respetar el ~ el fuego déclarer/observer le cessez-le-feu; dar el ~ crier "Halte-là!".

altoparlante [altopar'lante] (*AM*) *nm* haut-parleur *m*.

altozanero [altoθa'nero] (*COL*) *nm* (*mozo de cuerda*) porteur *m*.

altramuces [altra'muθes] *nmpl* lupins *mpl*.

altruismo [al'truismo] *nm* altruisme *m*.

altura [al'tura] *nf* hauteur *f*; (*de persona*) taille *f*; (*altitud*) altitude *f*; ~s *nfpl* hauteurs *fpl*; la pared tiene 1.80 de ~ le mur fait 1 mètre 80 de hauteur *o* de haut; a estas ~s del año à cette époque de l'année; estar a la ~ de las circunstancias être à la hauteur des circonstances; ha sido un partido de gran ~ cela a été un grand match; a estas ~s à l'heure qu'il est.

alubias [a'lußjas] *nfpl* haricots *mpl*.

alucinación [aluθina'θjon] *nf* hallucination *f*.

alucinante [aluθi'nante] (*fam*) *adj* hallucinant(e).

alucinar [aluθi'nar] *vi* avoir des hallucinations ♦ *vt* halluciner.

alucine [a'luθine] *nm*: de ~ extraordinaire.

alud [a'luð] *nm* avalanche *f*.

aludir [alu'ðir] *vi*: ~ a faire allusion à; darse por aludido se sentir visé.

alumbrado [alum'braðo] *nm* éclairage *m*.

alumbramiento [alumbra'mjento] *nm* accouchement *m*.

alumbrar [alum'brar] *vt* éclairer; (*MED*) accoucher de ♦ *vi* éclairer.

aluminio [alu'minjo] *nm* aluminium *m*.

alumnado [alum'naðo] *nm* (*UNIV*) effectif *m* des étudiants; (*ESCOL*) effectif scolaire.

alumno, -a [a'lumno, a] *nm/f* élève *m/f*.

alunice *etc* [alu'niθe] *vb* V **alunizar**.

alunizar [aluni'θar] *vi* alunir.

alusión [alu'sjon] *nf* allusion *f*; hacer ~ a faire allusion à.

alusivo, -a [alu'sißo, a] *adj* allusif(-ive).

aluvión [alu'ßjon] *nm* (*de agua*) inondation *f*; (*de gente, noticias*) déluge *m*; ~ de improperios torrent *m* d'injures.

alvéolo [al'ßeolo] *nm* alvéole *m o f*.

alverja [al'verxa] (*AM*) *nf* pois *msg* de senteur.

alza ['alθa] *nf* hausse *f*; **estar en ~** (*precio*) être en hausse; (*estimación*) être bien coté(e); **jugar al ~** jouer à la hausse; **cotizarse en ~** être coté(e) à la hausse; ► **alza telescópica** hausse télescopique; ► **alzas fijas/graduables** hausses fixes/graduées.

alzacristales [alθakris'tales] *nm* lève-glace *m*.

alzada [al'θaða] *nf* (*de caballos*) hauteur *f* au garrot; **recurso de ~** (*JUR*) recours *msg* hiérarchique.

alzado, -a [al'θaðo, a] *adj* relevé(e); (*COM*: *precio*) forfaitaire; (: *quiebra*) frauduleux(-euse) ♦ *nm* (*ARQ*) élévation *f*; **por un tanto ~** à forfait.

alzamiento [alθa'mjento] *nm* (*rebelión*) soulèvement *m*; (*de precios*) relèvement *m*; (*de muro*) élévation *f*; (*en subasta*) surenchère *f*.

alzar [al'θar] *vt* (*tb castigo*) lever; (*precio, muro, monumento*) élever; (*cuello de abrigo*) relever; (*poner derecho*) redresser; (*AGR*) rentrer; (*TIP*) assembler; **alzarse** *vpr* s'élever; (*rebelarse*) se soulever; (*COM*) faire banqueroute; (*JUR*) interjeter appel; **~ la voz** élever la voix; **~se con el premio** remporter le gros lot; **~se en armas** prendre les armes.

a.m. (*AM*) *abr* (= *ante meridiem*) du matin.

ama ['ama] *nf* maîtresse *f* (de maison), propriétaire *f*; (*criada*) gouvernante *f*; (*madre adoptiva*) mère *f* adoptive; ► **ama de casa** ménagère *f*; ► **ama de cría** o **leche** nourrice *f*; ► **ama de llaves** gouvernante.

amabilidad [amaβili'ðað] *nf* amabilité *f*.

amable [a'maβle] *adj* aimable; **es Vd muy ~** c'est très aimable à vous.

amaestrado, -a [amaes'traðo, a] *adj* dressé(e).

amaestrar [amaes'trar] *vt* dresser.

amagar [ama'ɣar] *vi* (*DEPORTE*) faire une feinte; (*MIL*) feindre une attaque; **~ (con) hacer** menacer de faire; **amaga lluvia** la pluie menace; **amaga pero no da** il aboie mais ne mord pas.

amago [a'maɣo] *nm* menace *f*; (*gesto*) ébauche *f*, commencement *m*; (*MED*) symptôme *m*; **hizo un ~ de levantarse** il commença à se lever.

amague *etc* [a'maɣe] *vb V* **amagar**.

amainar [amai'nar] *vt* (*NÁUT*) amener ♦ *vi* tomber.

amalgama [amal'ɣama] *nf* amalgame *m*.

amalgamar [amalɣa'mar] *vt* amalgamer.

amamantar [amaman'tar] *vt* allaiter, donner le sein à.

amancebarse [amanθe'βarse] *vpr* vivre en concubinage.

amanecer [amane'θer] *vi*: **amanece** le jour se lève ♦ *nm* lever *m* du jour; **el niño amaneció con fiebre** l'enfant s'est réveillé avec de la fièvre; **amanecimos en Lugo** à l'aube nous sommes arrivés à Lugo.

amanerado, -a [amane'raðo, a] *adj* maniéré(e); (*lenguaje*) affecté(e).

amanezca *etc* [ama'neθka] *vb V* **amanecer**.

amansar [aman'sar] *vt* apprivoiser; (*persona*) amadouer; **amansarse** *vpr* (*persona*) s'amadouer; (*aguas, olas*) s'apaiser.

amante [a'mante] *adj*: **~ de** amoureux (-euse) de ♦ *nm/f* amant(maîtresse).

amanuense [ama'nwense] *nm* (*escribiente*) clerc *m*; (*copista*) copiste *m/f*.

amañar [ama'ɲar] *vt* (*pey: resultado*) fausser; **amañarse** *vpr*: **~se (para)** se débrouiller (pour); **amañárselas (para hacer)** se débrouiller (pour faire).

amaño [a'maɲo] *nm* (*habilidad*) habileté *f*; (*truco*) artifice *m*; **~s** *nmpl* (*TEC*) outils *mpl*.

amapola [ama'pola] *nf* coquelicot *m*.

amar [a'mar] *vt* aimer.

amaraje [ama'raxe] *nm* (*AVIAT*) = ** amerizaje**.

amarar [ama'rar] *vi* amerrir.

amargado, -a [amar'ɣaðo, a] *adj* amer (-ère), aigri(e).

amargar [amar'ɣar] *vt* (*comida*) rendre amer(-ère); (*fig: estropear*) gâcher ♦ *vi* (*naranja*) se gâter; **amargarse** *vpr* s'aigrir; **~ la vida a algn** empoisonner la vie de qn.

amargo, -a [a'marɣo, a] *adj* amer(-ère).

amargor [amar'ɣor] *nm* amertume *f*.

amargue *etc* [a'marɣe] *vb V* **amargar**.

amargura [amar'ɣura] *nf* (*tristeza*) chagrin *m*; (*amargor*) amertume *f*.

amarillento, -a [amari'ʎento, a] *adj* jaunâtre; (*tez*) jaune.

amarillo, -a [ama'riʎo, a] *adj* (*color*) jaune ♦ *nm* jaune *m*; **la prensa amarilla** la presse à sensation.

amarra [a'marra] *nf* amarre *f*; **~s** *nfpl* piston *msg*; **tener buenas ~s** être pistonné(e); **soltar ~s** larguer les amarres.

amarrar [ama'rrar] *vt* (*NÁUT*) amarrer; (*atar*) ficeler, ligoter.

amarrete [ama'rrete] (*CSUR: fam*) *adj* (*tacaño*) avare.

amartillar [amarti'ʎar] *vt* (*fusil*) armer.

amasar [ama'sar] *vt* (*masa*) pétrir; (*yeso, mortero*) gâcher; (*fig*) tramer; **~ una fortuna** amasser une fortune.

amasia [a'masja] (*MÉX*) *nf* (*querida*) maîtresse *f*.

amasijo [ama'sixo] *nm* (*fig*) ramassis *msg*;

(*CULIN*) pétrissage *m*.

amateur ['amatur] *nm/f* amateur *m*.

amatista [ama'tista] *nf* améthyste *f*.

amazacotado, -a [amaθako'taðo, a] *adj* lourd(e); (*arroz etc*) collant(e).

amazona [ama'θona] *nf* amazone *f*, cavalière *f*.

Amazonas [ama'θonas] *nm*: **el (Río) ~** l'Amazone *f*.

ambages [am'baxes] *nmpl*: **sin ~** sans ambages.

ámbar ['ambar] *nm* ambre *m* (jaune).

Amberes [am'beres] *n* Anvers.

ambición [ambi'θjon] *nf* ambition *f*.

ambicionar [ambiθjo'nar] *vt* ambitionner; **~ hacer** ambitionner de faire.

ambicioso, -a [ambi'θjoso, a] *adj* ambitieux(-ieuse).

ambidextro, -a [ambi'ðekstro, a] *adj* ambidextre.

ambientación [ambjenta'θjon] *nf* (*CINE, TEATRO, TV*) cadre *m*.

ambientador [ambjenta'ðor] *nm* désodorisant *m*.

ambientar [ambjen'tar] *vt* (*escenario*) créer l'atmosphère requise pour; (*novela, pelicula*) situer (l'action de); (*fiesta*) mettre de l'ambiance dans; **ambientarse** *vpr* s'adapter.

ambiente [am'bjente] *nm* (*atmósfera, tb fig*) atmosphère *f*; (*entorno*) air *m* ambiant, milieu *m*.

ambigüedad [ambiɣwe'ðað] *nf* ambiguïté *f*.

ambiguo, -a [am'biɣwo, a] *adj* ambigu(ë).

ámbito ['ambito] *nm* domaine *m*; (*fig*) cercle *m*.

ambos, -as ['ambos, as] *adj pl* les deux ♦ *pron pl* tous(toutes) les deux.

ambulancia [ambu'lanθja] *nf* ambulance *f*.

ambulante [ambu'lante] *adj* ambulant(e).

ambulatorio [ambula'torio] *nm* dispensaire *m*.

ameba [a'meßa] *nf* amibe *f*.

amedrentar [ameðren'tar] *vt* effrayer; **amedrentarse** *vpr* s'effrayer.

amén [a'men] *excl* amen!; **~ de** outre; **en un decir ~** en un clin d'œil; **decir ~ a todo** dire amen à tout.

amenace *etc* [ame'naθe] *vb V* **amenazar**.

amenaza [ame'naθa] *nf* menace *f*.

amenazar [amena'θar] *vt* menacer; **~ con (hacer)** menacer de (faire); **~ de muerte** menacer de mort.

amenidad [ameni'ðað] *nf* aménité *f*.

ameno, -a [a'meno, a] *adj* amène.

América [a'merika] *nf* Amérique *f*; ▶**América Central/Latina** Amérique centrale/latine; ▶**América del Norte/del Sur** Amérique du Nord/du Sud.

americana [ameri'kana] *nf* veste *f*.

americanismo [amerika'nismo] *nm* (*LING*) américanisme *m* (*d'Amérique latine*).

americano, -a [ameri'kano, a] *adj* américain(e) ♦ *nm/f* Américain(e).

americe *etc* [ame'riθe] *vb V* **amerizar**.

amerindio [ame'rindjo] *adj* amérindien(ne).

ameritar [ameri'tar] (*esp MÉX*) *vt* (*merecer*) mériter.

amerizaje [ameri'θaxe] *nm* amerrissage *m*.

amerizar [ameri'θar] *vi* (*AVIAT*) = **amarar**.

ametralladora [ametraʎa'ðora] *nf* mitrailleuse *f*.

amianto [a'mjanto] *nm* amiante *m*.

amiba [a'mißa] *nf* = **ameba**.

amigable [ami'ɣaßle] *adj* amical(e).

amígdala [a'miɣðala] *nf* amygdale *f*.

amigdalitis [amiɣða'litis] *nf* amygdalite *f*.

amigo, -a [a'miɣo, a] *adj* ami(e) ♦ *nm/f* (*gen*) ami(e); (*amante*) petit(e) ami(e); **hacerse ~s** devenir amis; **ser ~ de algo** être un ami de qch; **ser muy ~s** être très amis; ▶**amigo corresponsal** correspondant *m*; ▶**amigo íntimo** *o* **de confianza** ami intime.

amigote [ami'ɣote] *nm* (*fam*) pote *m*.

amilanar [amila'nar] *vt* effrayer; **amilanarse** *vpr* s'effrayer.

aminorar [amino'rar] *vt* (*velocidad etc*) ralentir ♦ *vi* (*calor, odio*) diminuer.

amistad [amis'tað] *nf* amitié *f*; **~es** *nfpl* (*amigos*) amis *mpl*; **romper las ~es** se brouiller; **trabar ~ con** se lier d'amitié avec.

amistosamente [amis'tosamente] *adv* amicalement.

amistoso, -a [ami'stoso, a] *adj* amical(e).

amnesia [am'nesja] *nf* amnésie *f*.

amnistía [amnis'tia] *nf* amnistie *f*.

amnistiar [amnis'tjar] *vt* amnistier.

amo ['amo] *nm* (*dueño*) maître *m* (de maison), propriétaire *m*; (*jefe*) patron *m*; **hacerse el ~ (de algo)** prendre la direction (de qch).

amodorrarse [amoðo'rrarse] *vpr* s'assoupir.

amolar [amo'lar] *vt* (*fastidiar*) raser.

amoldar [amol'dar] *vt*: **~ a** adapter à; **amoldarse** *vpr*: **~se (a)** (*prenda, zapatos*) prendre la forme (de); **~se a** s'adapter à.

amonestación [amonesta'θjon] *nf* admonestation *f*; **amonestaciones** *nfpl* (*REL*) bans *mpl*.

amonestar [amone'star] *vt* admonester; (*REL*) publier les bans de.

amoniaco [amo'njako], **amoníaco** [amo'niako] *nm* ammoniac *m*.

amontonar [amonto'nar] *vt* entasser,

amonceler; (*riquezas etc*) accumuler, amasser; **amontonarse** *vpr* (*gente*) se masser; (*hojas, nieve etc*) s'entasser; (*trabajo*) s'accumuler.

amor [a'mor] *nm* amour *m*; **de mil ~es** très volontiers; **hacer el ~** faire l'amour; (*cortejar*) faire la cour; **tener ~es con algn** avoir une liaison avec qn; **hacer algo por ~ al arte** faire qch pour l'amour de l'art; ¡**por (el) ~ de Dios!** pour l'amour de Dieu!, **estar al ~ de la lumbre** être au coin du feu; ► **amor interesado/libre/platónico** amour intéressé/libre/platonique; ► **amor a primera vista** coup *m* de foudre; ► **amor propio** amour-propre *m*.

amoratado, -a [amora'taðo, a] *adj* (*por frío*) violacé(e); (*por golpes*) couvert(e) de bleus; **ojo ~** œil *m* au beurre noir.

amordace *etc* [amor'ðaθe] *vb* V **amordazar.**

amordazar [amorða'θar] *vt* bâillonner; (*fig*) faire taire.

amorfo, -a [a'morfo, a] *adj* amorphe.

amoríos [amo'rios] *nmpl* amourette *fsg*.

amoroso, -a [amo'roso, a] *adj* amoureux (-euse); (*carta*) d'amour.

amortajar [amorta'xar] *vt* recouvrir d'un linceul.

amortice *etc* [amor'tiθe] *vb* V **amortizar.**

amortiguador [amortiɣwa'ðor] *nm* (*dispositivo*) amortisseur *m*; (*parachoques*) parechocs *m inv*; (*silenciador*) silencieux *msg*; **~es** *nmpl* (*AUTO*) suspension *fsg*.

amortiguar [amorti'ɣwar] *vt* amortir; (*dolor*) atténuer; (*color*) neutraliser; (*luz*) baisser.

amortigüe *etc* [amor'tiɣwe] *vb* V **amortiguar.**

amortización [amortiθa'θjon] *nf* amortissement *m*.

amortizar [amorti'θar] *vt* amortir.

amoscarse [amos'karse] *vpr* prendre la mouche.

amosque *etc* [a'moske] *vb* V **amoscarse.**

amotinar [amoti'nar] *vt* ameuter; **amotinarse** *vpr* se mutiner.

amparar [ampa'rar] *vt* secourir; (*suj: ley*) protéger; **ampararse** *vpr* se mettre à l'abri; **~se en** (*ley, costumbre*) se prévaloir de.

amparo [am'paro] *nm* protection *f*; **al ~ de** grâce à.

amperímetro [ampe'rimetro] *nm* ampèremètre *m*.

amperio [am'perjo] *nm* ampère *m*.

ampliable [am'pljaβle] *adj* (*INFORM*) extensible.

ampliación [amplja'θjon] *nf* agrandissement *m*; (*de capital*) augmentation *f*; (*de estudios*) approfondissement *m*; (*cosa añadida*) extension *f*.

ampliar [am'pljar] *vt* agrandir; (*estudios*) approfondir; (*sonido*) amplifier.

amplificación [amplifika'θjon] *nf* amplification *f*.

amplificador [amplifika'ðor] *nm* amplificateur *m*.

amplificar [amplifi'kar] *vt* amplifier.

amplifique *etc* [ampli'fike] *vb* V **amplificar.**

amplio, -a ['ampljo, a] *adj* (*habitación*) vaste; (*ropa, consecuencias*) ample; (*calle*) large.

amplitud [ampli'tuð] *nf* étendue *f*; (*FÍS*) amplitude *f*; **de gran ~** de grande envergure; ► **amplitud de miras** largeur *f* d'esprit.

ampolla [am'poʎa] *nf* ampoule *f*.

ampolleta [ampo'ʎeta] (*AM*) *nf* (*bombilla*) ampoule *f*.

ampuloso, -a [ampu'loso, a] *adj* ampoulé(e).

amputar [ampu'tar] *vt* amputer.

amueblar [amwe'βlar] *vt* meubler.

amuleto [amu'leto] *nm* amulette *f*.

amurallar [amura'ʎar] *vt* fortifier.

amurriarse [amu'rrjarse] *vpr* être triste.

anacarado, -a [anaka'raðo, a] *adj* nacré(e).

anacardo [ana'karðo] *nm* noix *f* de cajou.

anaconda [ana'konda] *nf* anaconda *m*.

anacronismo [anakro'nismo] *nm* anachronisme *m*.

ánade ['anaðe] *nm* canard *m*.

anagrama [ana'ɣrama] *nm* anagramme *f*.

anales [a'nales] *nmpl* annales *fpl*.

analfabetismo [analfaβe'tismo] *nm* analphabétisme *m*.

analfabeto, -a [analfa'βeto, a] *adj, nm/f* analphabète *m/f*.

analgésico [anal'xesiko] *nm* analgésique *m*.

analice *etc* [ana'liθe] *vb* V **analizar.**

análisis [a'nalisis] *nm inv* analyse *f*; ► **análisis clínico** analyse médicale; ► **análisis de costos-beneficios** analyse coûts-avantages; ► **análisis de mercados** étude *f* de marché; ► **análisis de sangre** analyse de sang.

analista [ana'lista] *nm/f* analyste *m/f*; ► **analista de sistemas** (*INFORM*) analyste-programmeur *m*.

analizar [anali'θar] *vt* analyser.

analogía [analo'xia] *nf* analogie *f*; **por ~ con** par analogie avec.

analógico, -a [ana'loxiko, a] *adj* analogique.

análogo, -a [a'naloɣo, a] *adj* analogue; **~ a** analogue à.

ananá(s) [ana'na(s)] *nm* ananas *msg*.

anaquel [ana'kel] *nm* rayon *m*.

anaranjado, -a [anaran'xaðo, a] *adj* orangé(e).

anarco, -a [a'narko, a] nm/f (fam) anar m/f.
anarquía [anar'kia] nf anarchie f.
anarquismo [anar'kismo] nm anarchisme m.
anarquista [anar'kista] nm/f anarchiste m/f.
anatema [ana'tema] nm anathème m.
anatematizar [anatemati'θar] vt anathématiser.
anatomía [anato'mia] nf anatomie f.
anca ['anka] nf (de animal) croupe f; ~s nfpl (fam) cuisses fpl; ► ancas de rana (CULIN) cuisses de grenouille.
ancestral [anθes'tral] adj ancestral(e).
ancho, -a ['antʃo, a] adj large ♦ nm largeur f; (FERRO) écartement m; ~ de miras large d'esprit; a lo ~ sur toute la largeur; me está/queda ~ el vestido je nage dans cette robe; estar a sus anchas être à l'aise; ir muy ~s prendre de grands airs; ponerse ~ prendre un air de supériorité; quedarse tan ~ ne pas se décontenancer; le viene muy ~ el cargo il n'est pas à la hauteur pour ce poste.
anchoa [an'tʃoa] nf anchois msg.
anchura [an'tʃura] nf largeur f.
anchuroso, -a [antʃu'roso, a] adj vaste.
anciano, -a [an'θjano, a] adj vieux(vieille) ♦ nm/f personne f âgée.
ancla ['ankla] nf ancre f; echar/levar ~s jeter/lever l'ancre.
ancladero [ankla'ðero] nm mouillage m.
anclaje [an'klaxe] nm ancrage m ♦ nmpl (TEC) fixations fpl.
anclar [an'klar] vi mouiller l'ancre.
andadas [an'daðas] nfpl traces fpl; volver a las ~ refaire les mêmes erreurs.
andaderas [anda'ðeras] nfpl lisières fpl; (tacataca) trotte-bébé msg.
andadura [anda'ðura] nf marche f.
Andalucía [andalu'θia] nf Andalousie f.
andaluz, a [anda'luθ, a] adj andalou(se) ♦ nm/f Andalou(se).
andamiaje [anda'mjaxe] nm échafaudage m.
andamio [an'damjo] nm échafaudage m.
andanada [anda'naða] nf (MIL) bordée f; (TAUR) gradins mpl couverts; soltarle a algn una ~ passer un savon à qn.
andante [an'dante] adj: caballero ~ chevalier m errant.

════════════ PALABRA CLAVE ════════════

andar [an'dar] vt parcourir
♦ vi 1 (persona, animal) marcher; (coche) rouler; andar a caballo/en bicicleta aller à cheval/à vélo
2 (funcionar: máquina, reloj) marcher
3 (estar) être; ¿qué tal andas? comment vas-tu?; andar mal de dinero/de tiempo être à court d'argent/de temps; andar

haciendo algo être en train de faire qch; anda (metido) en asuntos sucios il est impliqué dans des affaires louches; siempre andan a gritos ils sont tout le temps en train de crier; anda por los cuarenta il a environ quarante ans; no sé por dónde anda je ne sais pas où il est; anda tras un empleo il cherche du travail
4 (revolver): no andes ahí/en mi cajón ne touche pas à ça/à mon tiroir
5 (obrar): andar con cuidado o con pies de plomo faire bien attention, regarder où l'on met les pieds
andarse vpr: no te andes en la herida ne retourne pas le couteau dans la plaie; andarse con rodeos o por las ramas tourner autour du pot; andarse con historias raconter des histoires; todo se andará chaque chose en son temps
♦ excl: ¡anda! (sorpresa) eh bien!; (para animar) allez!; ¡anda (ya)! (incredulidad) allons donc!

♦ nm: andares nmpl démarche f.

─────────────────────────

andariego, -a [anda'rjeɣo, a] adj bon(ne) marcheur(-euse); (vida) vagabond(e).
andas ['andas] nfpl brancard msg; llevar a algn en ~ (fig) porter qn aux nues.
andén [an'den] nm quai m; (AM) trottoir m.
Andes ['andes] nmpl: los ~ les Andes fpl.
andinismo [andi'nismo] (AM) nm alpinisme m (dans les Andes).
andino, -a [an'dino, a] adj andin(e).
Andorra [an'dorra] nf Andorre f.
andrajo [an'draxo] nm loque f, haillon m; (prenda) guenilles fpl; (persona) loque f.
andrajoso, -a [andra'xoso, a] adj déguenillé(e), loqueteux(-euse).
andurriales [andu'rrjales] nmpl: en o por esos ~ dans ce coin perdu.
anduve etc [an'duβe] vb V andar.
anduviera etc [andu'βjera] vb V andar.
anécdota [a'nekðota] nf anecdote f.
anegar [ane'ɣar] vt (lugar) inonder; (ahogar) noyer; (fig): ~ de écraser de; anegarse vpr être inondé(e); ~se en llanto fondre en larmes.
anegue etc [a'neɣe] vb V anegar.
anejo, -a [a'nexo, a] adj annexe ♦ nm = anexo; annexe f; llevar ~ comprendre.
anemia [a'nemja] nf anémie f.
anémico, -a [a'nemiko, a] adj anémique.
anémona [a'nemona] nf anémone f.
anestesia [anes'tesja] nf anesthésie f; ► anestesia general/local anesthésie générale/locale.
anestesiar [aneste'sjar] vt anesthésier.
anestésico [anes'tesiko] nm anesthésique m.
anestesista [aneste'sista] nm/f anesthésiste

m/f.

anexar [anek'sar] *vt* annexer; ~ **algo a algo** (*POL*) annexer qch à qch.

anexión [anek'sjon] *nf* annexion *f.*

anexionamiento [aneksjona'mjento] *nm* = **anexión.**

anexionar [aneksjo'nar] *vt* (*POL*) annexer; **anexionarse** *vpr* s'annexer.

anexo, -a [a'nekso, a] *adj* annexe ♦ *nm* annexe *f.*

anfibio, -a [an'fiβjo, a] *adj* amphibie ♦ *nm* amphibien *m.*

anfiteatro [anfite'atro] *nm* amphithéâtre *m.*

anfitrión, -ona [anfi'trjon, ona] *nm/f* amphitryon *m*, hôte(sse); **el equipo ~** (*DEPORTE*) l'équipe qui reçoit.

ángel ['anxel] *nm* ange *m*; **tener ~** avoir du charme; ▶ **ángel de la guarda** ange gardien.

Ángeles ['anxeles] *nmpl*: **los ~** Los Angeles.

angelical [an'xelikal] *adj* angélique.

angélico, -a [an'xeliko, a] *adj* = **angelical.**

angina [an'xina] *nf*: **tener ~s** avoir une angine; ▶ **angina de pecho** angine *f* de poitrine.

anglicano, -a [angli'kano, a] *adj, nm/f* anglican(e).

anglicismo [angli'θismo] *nm* anglicisme *m.*

anglosajón, -ona [anglosa'xon, ona] *adj* anglo-saxon(ne) ♦ *nm/f* Anglo-Saxon(ne).

Angola [an'gola] *nf* Angola *m.*

angoleño, -a [ango'leɲo, a] *adj* angolais(e) ♦ *nm/f* Angolais(e).

angosto, -a [an'gosto, a] *adj* étroit(e), resserré(e).

anguila [an'gila] *nf* anguille *f*; **~s** *nfpl* (*NÁUT*) savates *fpl.*

angulas [an'gulas] *nfpl* civelles *fpl.*

ángulo ['angulo] *nm* (*tb fig*) angle *m*; (*rincón*) coin *m*; ▶ **ángulo agudo/obtuso/recto** angle aigu/obtus/droit.

anguloso, -a [angu'loso, a] *adj* anguleux (-euse).

angustia [an'gustja] *nf* angoisse *f*; (*agobio*) anxiété *f.*

angustiar [angus'tjar] *vt* angoisser; **angustiarse** *vpr* s'angoisser.

anhelante [ane'lante] *adj* avide.

anhelar [ane'lar] *vt* être avide de; ~ **hacer** mourir d'envie de faire.

anhelo [a'nelo] *nm* désir *m* ardent.

anhídrido [an'iðriðo] *nm*: ~ **carbónico** dioxyde *m* de carbone.

anidar [ani'ðar] *vt* (*fig*) loger ♦ *vi* nicher.

anilla [a'niʎa] *nf* anneau *m*; **~s** *nfpl* (*gimnasia*) anneaux *mpl.*

anillo [a'niʎo] *nm* bague *f*; **venir como ~ al dedo** venir à point nommé; ▶ **anillo de boda** alliance *f*; ▶ **anillo de compromi-**

so bague de fiançailles.

ánima ['anima] *nf* âme *f*; **las ~s** l'angélus *msg.*

animación [anima'θjon] *nf* animation *f.*

animadamente [ani'maðamente] *adv* (*hablar*) d'un ton animé; (*sonreír*) avec chaleur.

animado, -a [ani'maðo, a] *adj* (*vivaz*) plein(e) de vie *o* d'entrain; (*fiesta, conversación*) animé(e); (*alegre*) joyeux (-euse); **dibujos ~s** dessins *mpl* animés.

animador, a [anima'ðor, a] *nm/f* (*TV, DEPORTE*) animateur(-trice); (*persona alegre*) boute-en-train *m inv*; ▶ **animador cultural** animateur culturel.

animadversión [animaðßer'sjon] *nf* animadversion *f.*

animal [ani'mal] *adj* animal(e) ♦ *nm* animal *m*; **ser un ~** (*fig*) être un animal.

animalada [anima'laða] (*fam*) *nf* (*disparate*) ânerie *f*; (*grosería*) grossièreté *f.*

animar [ani'mar] *vt* animer; (*dar ánimo a*) encourager; (*habitación, vestido*) égayer; (*fuego*) ranimer; **animarse** *vpr* s'égayer; ~ **a algn a hacer/para que haga** encourager qn à faire; **~se a hacer** se décider à faire.

ánimo ['animo] *nm* courage *m*; (*mente*) esprit *m* ♦ *excl* courage!; **cobrar ~** reprendre courage; **apaciguar los ~s** calmer les esprits; **dar ~(s) a algn** encourager qn; **tener ~(s) (para)** être d'humeur (à); **con/sin ~ de hacer** avec l'intention/sans intention de faire.

animosamente [ani'mosamente] *adv* (*alegremente*) allégrement; (*valerosamente*) courageusement.

animoso, -a [ani'moso, a] *adj* courageux (-euse).

aniñado, -a [ani'ɲaðo, a] *adj* enfantin(e).

aniquilar [aniki'lar] *vt* anéantir; (*salud*) ruiner.

anís [a'nis] *nm* anis *msg.*

aniversario [anißer'sarjo] *nm* anniversaire *m.*

Ankara [an'kara] *n* Ankara.

ano ['ano] *nm* anus *msg.*

anoche [a'notʃe] *adv* hier soir, la nuit dernière; **antes de ~** avant-hier soir.

anochecer [anotʃe'θer] *vi* commencer à faire nuit ♦ *nm* crépuscule *m*; **al ~** à la tombée de la nuit.

anochezca *etc* [ano'tʃeθka] *vb V* **anochecer.**

anodino, -a [ano'ðino, a] *adj* (*película, novela*) insipide; (*persona*) insignifiant(e).

anomalía [anoma'lia] *nf* anomalie *f.*

anona [a'nona] (*CAM, MÉX*) *nf* (*BOT*: *chirimoya*) anone *f.*

anonadado, -a [ano'naðaðo, a] *adj* abattu(e).

anonimato [anoni'mato] *nm* anonymat *m*.

anónimo, -a [a'nonimo, a] *adj* anonyme ♦ *nm* lettre *f* anonyme.

anorak [ano'rak] (*pl* ~**s**) *nm* anorak *m*.

anorexia [ano'reksja] *nf* anorexie *f*.

anormal [anor'mal] *adj* anormal(e) ♦ *nm/f* débile *m/f* mental(e).

anormalmente [anor'malmente] *adv* anormalement.

anotación [anota'θjon] *nf* annotation *f*.

anotar [ano'tar] *vt* annoter.

ANPE *sigla f* (= *Asociación Nacional del Profesorado Estatal de EGB*) fédération des professeurs de l'enseignement primaire et du 1er cycle du secondaire.

anquilosado, -a [ankilo'saðo, a] *adj* ankylosé(e); (*ideas, costumbres*) dépassé(e).

anquilosamiento [ankilosa'mjento] *nm* (*miembro*) ankylose *f*; (*ideas*) vieillissement *m*.

anquilosarse [ankilo'sarse] *vpr* s'ankyloser; (*fig*) vieillir.

ansia ['ansja] *nf* (*deseo*) avidité *f*; (*ansiedad*) angoisse *f*.

ansiar [an'sjar] *vt* être avide de; ~ **hacer** brûler de faire.

ansiedad [ansje'ðað] *nf* angoisse *f*.

ansioso, -a [an'sjoso, a] *adj* (*codicioso*) avide; (*preocupado*) anxieux(-euse); ~ **de** *o* **por** (*hacer*) avide de (faire).

antagónico, -a [anta'ɣoniko, a] *adj* antagonique.

antagonista [antaɣo'nista] *nm/f* adversaire *m/f*.

antaño [an'taɲo] *adv* jadis, autrefois.

Antártico [an'tartiko] *nm*: **el** ~ l'Antarctique *m*.

Antártida [an'tartiða] *nf* Antarctide *f*.

ante ['ante] *prep* devant; (*enemigo, peligro, en comparación con*) face à; (*datos, cifras*) en présence de ♦ *nm* daim *m*; ~ **todo** avant tout.

anteanoche [antea'notʃe] *adv* avant-hier soir.

anteayer [antea'jer] *adv* avant-hier.

antebrazo [ante'ßraθo] *nm* avant-bras *m inv*.

antecámara [ante'kamara] *nf* antichambre *f*.

antecedente [anteθe'ðente] *adj* antérieur(e) ♦ *nm* antécédent *m*; ~**s** *nmpl* antécédents *mpl*; **no tener** ~**s** avoir un casier judiciaire vierge; **estar en** ~**s** être au courant; **poner a algn en** ~**s** mettre *o* tenir qn au courant; ▶**antecedentes penales** casier *msg* judiciaire.

anteceder [anteθe'ðer] *vt*: ~ **a** précéder.

antecesor, a [anteθe'sor] *nm/f* prédécesseur *m*.

antedicho, -a [ante'ðitʃo, a] *adj* susdit(e).

antelación [antela'θjon] *nf*: **con** ~ à l'avance.

antemano [ante'mano]: **de** ~ *adv* d'avance.

antena [an'tena] *nf* antenne *f*; ▶**antena parabólica** antenne parabolique.

anteojeras [anteo'xeras] *nfpl* œillères *fpl*.

anteojo [ante'oxo] *nm* lunette *f*; ~**s** *nmpl* (*esp AM*) lunettes *fpl*.

antepasados [antepa'saðos] *nmpl* ancêtres *mpl*.

antepecho [ante'petʃo] *nm* (*barandilla*) garde-fou *m*, parapet *m*; (*alféizar*) rebord *m*.

antepondré *etc* [antepon'dre] *vb* V **anteponer**.

anteponer [antepo'ner] *vt*: ~ **algo a algo** faire passer une chose avant une autre.

anteponga *etc* [ante'ponɣa] *vb* V **anteponer**.

anteproyecto [antepro'jekto] *nm* avant-projet *m*; (*anteproyecto de ley*) avant-projet de loi.

antepuesto, -a [ante'pwesto, a] *pp de* **anteponer**.

antepuse *etc* [ante'puse] *vb* V **anteponer**.

anterior [ante'rjor] *adj*: ~ **(a)** (*en orden*) qui précède; (*en el tiempo*) antérieur(e) (à).

anterioridad [anterjori'ðað] *nf*: **con** ~ **a** préalablement à, avant.

anteriormente [ante'rjormente] *adv* précédemment.

antes ['antes] *adv* avant; (*primero*) d'abord; (*con prioridad*) avant tout; (*hace tiempo*) autrefois ♦ *prep*: ~ **de** (*antiguamente*) avant ♦ *conj*: ~ **de ir/de que te vayas** avant d'aller/que tu ne partes; ~ **bien** plutôt; ~ **de nada** avant tout; **dos días** ~ deux jours plus tôt; **la tarde de** ~ **la** veille au soir; **no quiso venir** ~ il n'a pas voulu venir plus tôt; **mucho** ~ longtemps auparavant; **poco** ~ peu avant; ~ **muerto que esclavo** plutôt la mort que l'esclavage; **tomo el avión** ~ **que el barco** je préfère l'avion au bateau; ~ **que yo** avant moi; **lo** ~ **posible** au plus tôt; **cuanto** ~ **mejor** le plus tôt sera le mieux.

antesala [ante'sala] *nf* antichambre *f*; **estar en la** ~ **de** (*fig*) être au seuil de.

antiácido [anti'aθiðo] *nm* antiacide *m*.

antiadherente [antiaðe'rente] *adj* antiadhésif(-ive).

antiaéreo, -a [antia'ereo, a] *adj* antiaérien(ne).

antialcohólico, -a [antial'koliko, a] *adj*: **centro** ~ centre *m* antialcoolique.

antibalas [anti'ßalas] *adj inv*: **chaleco** ~ gilet *m* pare-balles.

antibiótico [anti'ßjotiko] *nm* antibiotique *m*.

anticiclón [antiθi'klon] *nm* anticyclone *m*.

anticipación [antiθipa'θjon] *nf*: **con 10 minutos de** ~ avec 10 minutes d'avance; **hacer algo con** ~ faire qch à l'avance.

anticipadamente [antiθi'paðamente] *adv* à l'avance, d'avance.

anticipado, -a [antiθi'paðo, a] *adj* anticipé(e); **por** ~ d'avance, par anticipation.

anticipar [antiθi'par] *vt* anticiper; **anticiparse** *vpr* (*estación*) être en avance; ~**se (a)** (*adelantarse*) devancer; (*prever*) prévenir; ~**se a su época** être en avance sur son temps.

anticipo [anti'θipo] *nm* avance *f*; **ser un** ~ **de** être un avant-goût de.

anticlerical [antikleri'kal] *adj*, *nm/f* anticlérical(e).

anticonceptivo, -a [antikonθep'tiβo, a] *adj* contraceptif(-ive) ♦ *nm* contraceptif *m*; **métodos** ~**s** méthodes *fpl* contraceptives.

anticongelante [antikonxe'lante] *nm* (*AUTO*) antigel *m*.

anticonstitucional [antikonstituθjo'nal] *adj* anticonstitutionnel(le).

anticuado, -a [anti'kwaðo, a] *adj* (*ropa, estilo*) démodé(e); (*modelo, máquina, término*) vieillot(te), vieux(vieille).

anticuario [anti'kwarjo] *nm* antiquaire *m/f*.

anticucho [anti'kutʃo] (*AND, CHI*) *nm* (*CULIN*) kebab *m*.

anticuerpo [anti'kwerpo] *nm* anticorps *msg*.

antidemocrático, -a [antiðemo'kratiko, a] *adj* antidémocratique.

antideportivo, -a [antiðepor'tiβo, a] *adj* antisportif(-ive).

antideslumbrante [antiðeslum'brante] *adj* (*INFORM*) antireflet *inv*.

antidoping [anti'ðopin] *adj* antidopage.

antídoto [an'tiðoto] *nm* antidote *m*; (*fig*): **ser el** ~ **de** o **contra** être l'antidote contre.

antidroga [anti'ðroɣa] *adj inv* antidrogue *inv*; **brigada** ~ brigade *f* des stupéfiants.

antieconómico, -a [antieko'nomiko, a] *adj* antiéconomique.

antiestético, -a [anties'tetiko, a] *adj* inesthétique.

antifaz [anti'faθ] *nm* masque *m*.

antigás [anti'gas] *adj inv*: **careta** o **máscara** ~ masque *m* à gaz.

antigualla [anti'ɣwaʎa] *nf* (*pey*: *objeto*) antiquité *f*; ~**s** *nfpl* vieilleries *fpl*.

antiguamente [an'tiɣwamente] *adv* autrefois, jadis.

antigüedad [antiɣwe'ðað] *nf* antiquité *f*; (*en empleo*) ancienneté *f*; ~**es** *nfpl* antiquités *fpl*.

antiguo, -a [an'tiɣwo, a] *adj* ancien(ne), vieux(vieille) ♦ *nm*: **los** ~**s** les Anciens *mpl*; **a la antigua** à l'ancienne.

antihigiénico, -a [anti'xjeniko, a] *adj* antihygiénique.

antihistamínico, -a [antista'miniko, a] *adj* antihistaminique ♦ *nm* antihistaminique *m*.

antiinflacionista [antinflaθjo'nista] *adj* anti-inflationniste.

antillano, -a [anti'ʎano, a] *adj* antillais(e) ♦ *nm/f* Antillais(e).

Antillas [an'tiʎas] *nfpl*: **las** ~ les Antilles *fpl*; **el mar de las** ~ la mer des Antilles.

antílope [an'tilope] *nm* antilope *f*.

antimonopolios [antimono'poljos] *adj inv*: **ley** ~ loi *f* antitrust.

antinatural [antinatu'ral] *adj* anormal(e); (*perverso*) contre nature; (*afectado*) forcé(e).

antiparras [anti'parras] (*fam*) *nfpl* besicles *fpl*.

antipatía [antipa'tia] *nf* antipathie *f*; (*a cosa*) répugnance *f*.

antipático, -a [anti'patiko, a] *adj* antipathique; (*gesto etc*) déplaisant(e).

antipirético, -a [antipi'retiko, a] *adj* antipyrétique.

Antípodas [an'tipoðas] *nfpl*: **las** ~ les Antipodes *mpl*.

antiquísimo, -a [anti'kisimo, a] *adj* très ancien(ne).

antirrábico, -a [anti'rraβiko, a] *adj*: **vacuna antirrábica** vaccin *m* antirabique.

antirreglamentario, -a [antirreɣlamen'tarjo, a] *adj* non réglementaire; (*POL*) anticonstitutionnel(le).

antirrobo [anti'rroβo] *adj inv* antivol.

antisemita [antise'mita] *adj*, *nm/f* antisémite *m/f*.

antiséptico, -a [anti'septiko, a] *adj* antiseptique ♦ *nm* antiseptique *m*.

antiterrorista [antiterro'rista] *adj* antiterroriste; **la lucha** ~ la lutte antiterroriste; **Ley A~** (*JUR*) loi *f* antiterroriste.

antítesis [an'titesis] *nf inv*: **ser la** ~ **de** être l'antithèse de.

antojadizo, -a [antoxa'ðiθo, a] *adj* capricieux(-ieuse).

antojarse [anto'xarse] *vpr*: **se me antoja comprarlo** j'ai envie de me l'acheter; **se me antoja que** j'imagine que.

antojo [an'toxo] *nm* caprice *m*, lubie *f*; (*ANAT, de embarazada, lunar*) envie *f*; **hacer algo a su** ~ faire qch à sa guise.

antología [antolo'xia] *nf* anthologie *f*.

antonomasia [antono'masja] *nf*: **por** ~ par excellence.

antorcha [an'tortʃa] *nf* torche *f*.

antracita [antra'θita] *nf* anthracite *m*.

antro ['antro] *nm* (*fig*) antre *m*; ~ **de perdición** (*fig*) lieu *m* de perdition.

antropófago, -a [antro'pofaɣo, a] *adj*, *nm/f*

anthropophage *m/f*.

antropología [antropolo'xia] *nf* anthropologie *f*.

antropólogo, -a [antro'poloγo, a] *nm/f* anthropologue *m/f*.

antropomorfo, -a [antropo'morfo, a] *adj* anthropomorphe.

anual [a'nwal] *adj* annuel(le).

anualidad [anwali'ðað] *nf* annuité *f*; ▶ **anualidad vitalicia** rente *f* viagère.

anualmente [a'nwalmente] *adv* annuellement.

anuario [a'nwarjo] *nm* annuaire *m*.

anudar [anu'ðar] *vt* nouer; **anudarse** *vpr* s'emmêler; **se me anudó la voz/la garganta** j'eus la gorge serrée.

anulación [anula'θjon] *nf* annulation *f*; (*ley*) abrogation *f*; (*persona*) annihilation *f*.

anular [anu'lar] *vt* annuler; (*ley*) abroger; (*persona*) annihiler ♦ *nm* (*tb: dedo ~*) annulaire *m*; **anularse** *vpr* (*MAT*) s'annuler.

anunciación [anunθja'θjon] *nf* (*REL*): **la A~** l'Annonciation *f*.

anunciante [anun'θjante] *nm/f* (*COM*) annonceur *m* (publicitaire) ♦ *adj*: **empresa ~** annonceur.

anunciar [anun'θjar] *vt* annoncer; (*COM*) faire de la publicité pour.

anuncio [a'nunθjo] *nm* annonce *f*; (*pronóstico*) signe *m*; (*COM*) publicité *f*; (*cartel*) panneau *m* publicitaire; (*TEATRO, CINE*) affiche *f*; (*señal*) pancarte *f*; ▶ **anuncios por palabras** petites annonces *fpl*.

anverso [am'berso] *nm* (*moneda, medalla*) avers *msg*; (*página*) recto *m*.

anzuelo [an'θwelo] *nm* hameçon *m*; (*fig*) appât *m*; **caer en el ~** tomber dans le piège; **tragarse el ~** mordre à l'hameçon.

añadido [aɲa'ðiðo] *nm* addition *f*.

añadidura [aɲaði'ðura] *nf* ajout *m*; (*vestido*) rallonge *f*; **por ~** par surcroît.

añadir [aɲa'ðir] *vt* ajouter; (*prenda*) rallonger.

añejo, -a [a'ɲexo, a] *adj* (*vino*) vieux(vieille); (*pey: tocino, jamón*) rance.

añicos [a'ɲikos] *nmpl* morceaux *mpl*; **hacer ~** (*cosa*) mettre en morceaux; **hacerse ~** briser en mille morceaux; (*cristal*) voler en éclats.

añil [a'ɲil] *nm* indigo *m*.

año ['aɲo] *nm* an *m*; (*duración*) année *f*; **el ~ que viene** l'année prochaine, l'an prochain; **los ~s 80** les années 80; **¡Feliz A~ Nuevo!** Bonne et heureuse année!; **en el ~ de la nana** il y a des siècles; **entrado en ~s** d'un certain âge; **estar de buen ~** être en pleine forme; **hace ~s** il y a des années; **tener 15 ~s** avoir 15 ans; ▶ **año académico** *o* **escolar/bisiesto/sabático** année scolaire *o* universitaire/

bissextile/sabbatique; ▶ **año económico** *o* **fiscal** exercice *m* financier; ▶ **año entrante** année qui commence; ▶ **año-luz** année-lumière *f*.

añoranza [aɲo'ranθa] *nf* nostalgie *f*.

añorar [aɲo'rar] *vt* avoir la nostalgie de.

añoso, -a [a'ɲoso, a] *adj* séculaire.

aorta ['aorta] *nf* aorte *f*.

apabullar [apaβu'ʎar] *vt* sidérer.

apacentar [apaθen'tar] *vt* faire paître.

apache [a'patʃe] *adj* apache ♦ *nm/f* Apache *m/f*.

apacible [apa'θiβle] *adj* paisible; (*clima*) doux(douce); (*lluvia*) fin(e).

apaciblemente [apa'θiβlemente] *adv* (*andar*) tranquillement; (*fluir*) doucement.

apaciente *etc* [apa'θjente] *vb V* **apacentar**.

apaciguar [apaθi'ɣwar] *vt* apaiser, calmer; **apaciguarse** *vpr* s'apaiser, se calmer.

apacigüe *etc* [apa'θiɣwe] *vb V* **apaciguar**.

apadrinar [apaðri'nar] *vt* (*REL*) être le parrain de; (*fig*) parrainer.

apagado, -a [apa'ɣaðo, a] *adj* éteint(e); (*color*) terne; (*sonido*) étouffé(e); (*tímido*) effacé(e); **estar ~** être éteint.

apagar [apa'ɣar] *vt* éteindre; (*sonido*) étouffer; (*sed*) étancher; (*INFORM*) débrancher; **apagarse** *vpr* s'éteindre; (*sonido*) se perdre; **~ el sistema** (*INFORM*) sortir du système.

apagón [apa'ɣon] *nm* panne *f*.

apague *etc* [a'paɣe] *vb V* **apagar**.

apaisado, -a [apai'saðo, a] *adj* (*cuaderno, fotografía*) en largeur.

apalabrar [apala'βrar] *vt* (*persona*) engager; (*piso*) convenir (verbalement) de.

Apalaches [apa'latʃes] *nmpl*: **(Montes) ~** (Monts) Appalaches *mpl*.

apalear [apale'ar] *vt* rosser; (*fruta*) gauler; (*grano*) éventer.

apañado, -a [apa'ɲaðo, a] *adj* habile; (*útil*) pratique; (*arreglado*) tiré(e) à quatre épingles; **estar ~** être fichu; **¡estaríamos ~s!** il ne manquerait plus que ça!

apañar [apa'ɲar] *vt* (*arreglar*) rafistoler; (*vestido*) raccommoder; (*robar*) piquer; **apañarse** *vpr*: **~se (con)** se débrouiller (avec); **~se** *o* **apañárselas (para hacer)** se débrouiller (pour faire); **apañárselas por su cuenta** se débrouiller tout(e) seul(e).

apaño [a'paɲo] *nm* (*fam*) rafistolage *m*; (*vestido*) raccommodage *m*; (*chanchullo*) magouille *f*; (*lío amoroso*) liaison *f*; **esto no tiene ~** c'est fichu.

apapachar [apapa'tʃar] *vt* (*MÉX*) (*mimar*) dorloter, cajoler.

aparador [apara'ðor] *nm* buffet *m*; (*escaparate*) vitrine *f*.

aparato [apa'rato] *nm* appareil *m*; (*RADIO,*

TV) poste *m*; (*boato*) apparat *m*; ~s *nmpl* (*gimnasia*) agrès *mpl*; ▶ **aparato circulatorio/digestivo/respiratorio** appareil circulatoire/digestif/respiratoire; ▶ **aparato de facsímil** télécopieur *m*; ▶ **aparatos de mando** (*AVIAT etc*) commandes *fpl*.

aparatosamente [apara'tosamente] *adv* (*caer*) d'une manière spectaculaire.

aparatoso, -a [apara'toso, a] *adj* spectaculaire.

aparcacoches [aparka'kotʃes] *nm* gardien *m* de parking.

aparcamiento [aparka'mjento] *nm* (*lugar*) parking *m*; (*maniobra*) stationnement *m*.

aparcar [apar'kar] *vt* garer ♦ *vi* se garer.

aparear [apare'ar] *vt* (*igualar*) appareiller; (*animales*) apparier; **aparearse** *vpr* s'apparier.

aparecer [apare'θer] *vi* apparaître; (*publicarse*) paraître; (*ser encontrado*) être trouvé(e); **aparecerse** *vpr* apparaître; **apareció borracho** il est revenu soûl.

aparejado, -a [apare'xaðo, a] *adj*: **llevar** *o* **traer** ~ entraîner; **ir** ~ **con** aller de pair avec.

aparejador, a [aparexa'ðor, a] *nm/f* (*ARQ*) aide-architecte.

aparejar [apare'xar] *vt* apprêter; (*caballo*) harnacher; (*NÁUT*) gréer.

aparejo [apa'rexo] *nm* (*de pesca*) matériel *m* (de pêche); (*de caballería*) harnachement *m*; (*NÁUT*) gréement *m*; (*de poleas*) moufle *f*; ~s *nmpl* matériel *msg*.

aparentar [aparen'tar] *vt* (*edad*) faire ♦ *vi* se faire remarquer; ~ **hacer** faire semblant de faire; ~ **tristeza** faire semblant d'être triste.

aparente [apa'rente] *adj* apparent(e); (*fam*: *atractivo*) attrayant(e).

aparentemente [apa'rentemente] *adv* apparemment.

aparezca *etc* [apa'reθka] *vb V* **aparecer**.

aparición [apari'θjon] *nf* apparition *f*; (*de libro*) parution *f*.

apariencia [apa'rjenθja] *nf* apparence *f*; ~s *nfpl* (*aspecto*) apparences *fpl*; **en** ~ en apparence; **tener (la)** ~ **de** avoir l'apparence de; **guardar las** ~s sauver les apparences.

aparque *etc* [a'parke] *vb V* **aparcar**.

apartado, -a [apar'taðo, a] *adj* (*lugar*) éloigné(e); (*aislado*: *persona*) à l'écart ♦ *nm* paragraphe *m*, alinéa *m*; ▶ **apartado (de correos)** boîte *f* postale.

apartamento [aparta'mento] *nm* studio *m*.

apartar [apar'tar] *vt* écarter; (*quitar*) retirer; (*comida, dinero*) mettre de côté; **apartarse** *vpr* s'écarter; ~ **a algn de** écarter qn de; (*de estudios, vicio*) détourner

qn de; ~**se de** s'éloigner de, se retirer de; (*de creencia, partido*) prendre ses distances vis-à-vis de; ¡**aparta!** ôte-toi de là!

aparte [a'parte] *adv* (*en otro sitio*) de côté; (*en sitio retirado*) à l'écart; (*además*) en outre ♦ *prep*: ~ **de** à part ♦ *nm* aparté *m*; (*tipográfico*) paragraphe *m* ♦ *adj* à part; ~ **de que** sans compter que, en plus du fait que; "**punto y** ~" "point à la ligne"; **dejar** ~ laisser de côté.

apasionadamente [apasjo'naðamente] *adv* (*discutir*) avec véhémence; (*amar*) passionnément.

apasionado, -a [apasjo'naðo, a] *adj* passionné(e); (*pey*: *persona*) partial(e); ~ **de/por** passionné(e) de/par.

apasionante [apasjo'nante] *adj* passionnant(e).

apasionar [apasjo'nar] *vt*: **le apasiona el fútbol** c'est un passionné de football; **apasionarse** *vpr* se passionner; ~**se por** se passionner pour; (*persona*) être passionnément amoureux(-euse) de; (*deporte, política*) être mordu(e) de.

apatía [apa'tia] *nf* indolence *f*.

apático, -a [a'patiko, a] *adj* apathique.

apátrida [a'patriða] *adj* apatride.

Apdo. *abr* (= *Apartado* (*de Correos*)) B.P. (= *boîte postale*).

apeadero [apea'ðero] *nm* (*FERRO*) halte *f*; (*alojamiento*) pied-à-terre *m inv*.

apear [ape'ar] *vt*: ~ (**de**) faire descendre (de); (*objeto*) descendre; **apearse** *vpr*: ~**se** (**de**) descendre (de); **no** ~**se del burro** ne pas en démordre.

apechugar [apetʃu'ɣar] *vi*: ~ **con algo** se coltiner qch.

apechugue *etc* [ape'tʃuɣe] *vb V* **apechugar**.

apedrear [apeðre'ar] *vt* lapider.

apegarse [ape'ɣarse] *vpr*: ~ **a** (*a persona*) s'attacher à; (*a cargo*) prendre à cœur.

apego [a'peɣo] *nm*: ~ **a/por** (*persona*) attachement *m* à/pour; (*cargo*) intérêt *m* pour; (*objeto*) attachement à.

apegue *etc* [a'peɣe] *vb V* **apegarse**.

apelación [apela'θjon] *nf* appel *m*; **interponer/presentar** ~ faire/interjeter appel.

apelar [ape'lar] *vi*: ~ (**contra**) (*JUR*) faire appel (de); ~ **a** faire appel à; (*justicia*) avoir recours à.

apelativo [apela'tiβo] *nm* (*LING*) nom *m* commun; (*sobrenombre*) appellation *f*; (*AM*) nom de famille.

apellidarse [apeʎi'ðarse] *vpr*: **se apellida Pérez** il s'appelle Pérez.

apellido [ape'ʎiðo] *nm* nom *m* de famille.

apelmazado, -a [apelma'θaðo, a] *adj* (*masa*) compact(e); (*pelo*) emmêlé(e);

(*escritura*) indigeste.

apelmazarse [apelma'θarse] *vpr* (*masa*) se tasser; (*arroz*) se coller; (*prenda*) rétrécir.

apelotonar [apeloto'nar] *vt* entasser; **apelotonarse** *vpr* s'entasser.

apenar [ape'nar] *vt* peiner, faire de la peine à; (*AM*: *avergonzar*) faire honte à; **apenarse** *vpr* avoir de la peine; (*AM*) avoir honte.

apenas [a'penas] *adv* à peine, presque pas ♦ *conj* dès que; ~ **si podía levantarse** c'est à peine s'il pouvait se lever.

apéndice [a'pendiθe] *nm* appendice *m*.

apendicitis [apendi'θitis] *nf* appendicite *f*.

Apeninos [ape'ninos] *nmpl*: **los ~** les Apennins *mpl*.

apercibimiento [aperθiβi'mjento] *nm* (*JUR*) sommation *f*.

apercibir [aperθi'βir] *vt* (*preparar*) disposer; (*avisar*) avertir; (*JUR*) mettre en garde; (*AM*) apercevoir; **apercibirse** *vpr*: ~**se de** s'apercevoir de.

apergaminado, -a [aperɣami'naðo, a] *adj* parcheminé(e).

aperitivo [aperi'tiβo] *nm* apéritif *m*.

aperos [a'peros] *nmpl* (*utensilios*) matériel *msg*; (*AGR*) matériel agricole.

apertura [aper'tura] *nf* ouverture *f*; (*de curso*) rentrée *f* (des classes); (*de parlamento*) rentrée parlementaire; ~ **de un juicio hipotecario** (*COM*) ouverture d'un jugement hypothécaire; ► **apertura centralizada** (*AUTO*) verrouillage *m* centralisé (des portières).

aperturismo [apertu'rismo] *nm* (*POL*) politique *f* d'ouverture.

aperturista [apertu'rista] *adj* (*POL*) favorable à l'ouverture.

apesadumbrar [apesaðum'brar] *vt* attrister; **apesadumbrarse** *vpr*: ~**se (con** *o* **por)** s'affliger (de).

apestar [apes'tar] *vt* empester ♦ *vi*: ~ **(a)** empester; **estar apestado de** être infesté de.

apestoso, -a [apes'toso, a] *adj* puant(e); (*asqueroso*) repoussant(e).

apetecer [apete'θer] *vt*: ¿**te apetece una tortilla?** as-tu envie d'une omelette?

apetecible [apete'θiβle] *adj* appétissant(e); (*olor*) agréable; (*objeto*) séduisant(e).

apetezca *etc* [ape'teθka] *vb V* **apetecer**.

apetito [ape'tito] *nm* (*tb fig*) appétit *m*; **despertar** *o* **abrir el** ~ réveiller *o* ouvrir l'appétit, mettre en appétit.

apetitoso, -a [apeti'toso, a] *adj* alléchant(e).

apiadarse [apja'ðarse] *vpr*: ~ **de** s'apitoyer sur.

ápice ['apiθe] *nm* (*fig*) summum *m*; **ni un** ~

pas le moins du monde; **no ceder un** ~ ne pas céder d'un pouce.

apicultor, a [apikul'tor, a] *nm/f* apiculteur(-trice).

apicultura [apikul'tura] *nf* apiculture *f*.

apilar [api'lar] *vt* empiler; **apilarse** *vpr* s'empiler.

apiñado, -a [api'ɲaðo, a] *adj* entassé(e).

apiñar [api'ɲar] *vt* entasser; **apiñarse** *vpr* se presser.

apio ['apjo] *nm* céleri *m*.

apisonadora [apisona'ðora] *nf* rouleau *m* compresseur.

apisonar [apiso'nar] *vt* damer.

aplacar [apla'kar] *vt* apaiser; (*sed*) étancher; (*entusiasmo*) refroidir; **aplacarse** *vpr* s'apaiser; (*entusiasmo*) se refroidir.

aplace *etc* [a'plaθe] *vb V* **aplazar**.

aplanamiento [aplana'mjento] *nm* (*fig*) effondrement *m*.

aplanar [apla'nar] *vt* aplanir; **aplanarse** *vpr* s'effondrer.

aplaque *etc* [a'plake] *vb V* **aplacar**.

aplastante [aplas'tante] *adj* écrasant(e).

aplastar [aplas'tar] *vt* écraser.

aplatanarse [aplata'narse] (*fam*) *vpr* se ramollir.

aplaudir [aplau'ðir] *vt, vi* applaudir.

aplauso [a'plauso] *nm* applaudissement *m*; (*fig*) éloge *m*.

aplazamiento [aplaθa'mjento] *nm* ajournement *m*.

aplazar [apla'θar] *vt* (*reunión*) ajourner.

aplicable [apli'kaβle] *adj*: ~ **(a)** applicable (à).

aplicación [aplika'θjon] *nf* application *f*; **aplicaciones** *nfpl* applications *fpl*; ► **aplicaciones de gestión** gestion *f*.

aplicado, -a [apli'kaðo, a] *adj* appliqué(e), studieux(-euse).

aplicar [apli'kar] *vt* mettre en pratique; (*ley, norma*) appliquer; **aplicarse** *vpr* s'appliquer; ~ **(a)** appliquer (à); ~ **el oído a una puerta** écouter à une porte.

aplique [a'plike] *vb V* **aplicar** ♦ *nm* applique *f*.

aplomo [a'plomo] *nm* aplomb *m*.

apocado, -a [apo'kaðo, a] *adj* timoré(e).

apocalipsis [apoka'lipsis] *nm* (*fig*) apocalypse *f*.

apocamiento [apoka'mjento] *nm* pusillanimité *f*; (*depresión*) abattement *m*.

apocarse [apo'karse] *vpr* s'abaisser.

apócope [a'pokope] *nm* apocope *f*.

apócrifo, -a [a'pokrifo, a] *adj* apocryphe.

apodar [apo'ðar] *vt* surnommer.

apoderado [apoðe'raðo] *nm* (*JUR, COM*) mandataire *m*, fondé *m* de pouvoir.

apoderar [apoðe'rar] *vt* (*JUR*) déléguer des pouvoirs à, nommer comme fondé de pouvoir; **apoderarse** *vpr*: ~**se de** s'emparer de, s'approprier.

apodo [a'poðo] *nm* surnom *m*.

apogeo [apo'xeo] *nm* apogée *m*.

apolillado, -a [apoli'ʎaðo, a] *adj* (*prenda*) mité(e); (*madera*) vermoulu(e); (*fig*) dépassé(e).

apolillarse [apoli'ʎarse] *vpr* (*ropa*) être mangé(e) par les mites; (*madera*) être vermoulu(e); (*fig*) se rouiller.

apología [apolo'xia] *nf* apologie *f*, ~ **del terrorismo** apologie du terrorisme.

apoltronarse [apoltro'narse] *vpr* se prélasser.

apoplejía [apople'xia] *nf* apoplexie *f*.

apoque *etc* [a'poke] *vb* V **apocarse**.

apoquinar [apoki'nar] (*fam*) *vt* abouler.

aporrear [aporre'ar] *vt* cogner sur.

aportación [aporta'θjon] *nf* apport *m*, contribution *f*.

aportar [apor'tar] *vt* (*datos*) fournir; (*dinero*) apporter ♦ *vi* (*NÁUT*) aborder; **aportarse** *vpr* (*AM*) arriver.

aposentar [aposen'tar] *vt* héberger, loger; **aposentarse** *vpr* s'installer.

aposento [apo'sento] *nm* appartement *m*.

apósito [a'posito] *nm* pansement *m*.

aposta [a'posta] *adv* à dessein, exprès.

apostar [apos'tar] *vt* (*dinero*) parier; (*tropas*) poster ♦ *vi* parier; **apostarse** *vpr* se poster; **¿qué te apuestas a que ...?** on parie combien que ...?

apostatar [aposta'tar] *vi*: ~ (**de**) apostasier.

apostilla [apos'tiʎa] *nf* apostille *f*.

apóstol [a'postol] *nm* apôtre *m*.

apóstrofo [a'postrofo] *nm* apostrophe *f*.

apostura [apos'tura] *nf* prestance *f*.

apoteósico, -a [apote'osiko, a] *adj* sensationnel(le).

apoyar [apo'jar] *vt* (*tb fig*) appuyer; **apoyarse** *vpr*: ~**se en** (*tb fig*) s'appuyer *o* reposer sur; ~ **algo en/contra** appuyer qch sur/contre.

apoyo [a'pojo] *nm* appui *m*; (*fundamento*) fondement *m*.

apreciable [apre'θjaβle] *adj* appréciable.

apreciablemente [apre'θjaβlemente] *adv* de façon très appréciable.

apreciación [apreθja'θjon] *nf* appréciation *f*.

apreciar [apre'θjar] *vt* apprécier.

aprecio [a'preθjo] *nm* estime *f*; (*COM*) estimation *f*; **tener** ~ **a/sentir** ~ **por** avoir/ressentir de l'estime pour.

aprehender [apreen'der] *vt* (*armas, drogas*) saisir; (*persona*) appréhender.

aprehensión [apreen'sjon] *nf* (*armas, drogas*) saisie *f*; (*persona*) appréhension *f*.

apremiante [apre'mjante] *adj* pressant(e).

apremiar [apre'mjar] *vt, vi* presser; **apre-**miaba conseguirlo il était urgent d'y parvenir; ~ **a algn a hacer/para que haga** presser qn de faire/pour qu'il fasse.

apremio [a'premjo] *nm* urgence *f*; ► **apremio de pago** avertissement *m*.

aprender [apren'der] *vt, vi* apprendre; **aprenderse** *vpr*: ~**se algo** apprendre qch; ~ **a conducir** apprendre à conduire; ~ **de memoria/de carretilla** apprendre par cœur; **para que aprendas** ça t'apprendra.

aprendiz, a [apren'diθ, a] *nm/f* apprenti(e); (*recadero*) galopin *m*.

aprendizaje [aprendi'θaxe] *nm* apprentissage *m*.

aprensión [apren'sjon] *nm* appréhension *f*; **aprensiones** *nfpl* appréhensions *fpl*; **dar** ~ **(hacer)** avoir des scrupules (à faire).

aprensivo, -a [apren'siβo, a] *adj* appréhensif(-ive), méfiant(e).

apresar [apre'sar] *vt* (*delincuente*) incarcérer; (*contrabando*) saisir; (*soldado*) mettre aux arrêts.

aprestar [apres'tar] *vt* apprêter; **aprestarse** *vpr*: ~**se a (hacer)** s'apprêter à (faire); ~ **el oído** prêter l'oreille.

apresto [a'presto] *nm* apprêt *m*.

apresuradamente [apresu'raðamente] *adv* en toute hâte.

apresurado, -a [apresu'raðo, a] *adj* (*decisión*) hâtif(-ive); (*persona*) pressé(e).

apresuramiento [apresura'mjento] *nm* hâte *f*.

apresurar [apresu'rar] *vt* hâter, presser; **apresurarse** *vpr* se presser; ~**se (a hacer)** se hâter (de faire); **me apresuré a sugerir que ...** je me suis empressé de suggérer que ... .

apretado, -a [apre'taðo, a] *adj* serré(e); (*estrecho de espacio*) à l'étroit; (*programa*) chargé(e); **íbamos muy** ~**s en el autobús** nous étions à l'étroit dans l'autobus; **vivir** ~ vivre à l'étroit.

apretar [apre'tar] *vt* serrer; (*labios*) pincer; (*gatillo, botón*) appuyer sur ♦ *vi* (*calor etc*) redoubler; (*zapatos, ropa*) serrer, être trop juste; **apretarse** *vpr* se serrer; ~ **la mano a algn** serrer la main à qn; ~ **el paso** presser le pas; **la apretó contra su pecho** il la serra contre lui; ~**se el cinturón** (*fig*) se serrer la ceinture.

apretón [apre'ton] *nm*: ~ **de manos** poignée *f* de main; **apretones** *nmpl* cohue *fsg*.

apretujar [apretu'xar] *vt* presser très fort; **apretujarse** *vpr* se serrer.

aprieto [a'prjeto] *vb* V **apretar** ♦ *nm* gêne *f*, embarras *msg*; **estar en un** ~ être dans l'embarras; **estar en** ~**s** traverser des moments difficiles; **ayudar a algn a salir de un** ~ aider qn à se tirer d'embarras.

aprisa [a'prisa] *adv* vite.

aprisionar [aprisjo'nar] *vt* (*poner en prisión*) emprisonner; (*sujetar*) serrer.

aprobación [aproßa'θjon] *nf* approbation *f*; **dar su** ~ donner son approbation.

aprobado [apro'ßaðo] *nm* (*nota*) passable.

aprobar [apro'ßar] *vt* (*decisión*) approuver; (*examen, materia*) être reçu(e) à ♦ *vi* (*en examen*) réussir; ~ **por mayoría/por una-nimidad** approuver à la majorité/à l'una-nimité; ~ **por los pelos** réussir de justes-se.

apropiación [apropja'θjon] *nf* appropria-tion *f*.

apropiadamente [apro'pjaðamente] *adv* convenablement.

apropiado, -a [apro'pjaðo, a] *adj* appro-prié(e).

apropiarse [apro'pjarse] *vpr*: ~ **de** s'appro-prier, s'emparer de.

aprovechable [aproße'tʃaßle] *adj* utilisa-ble.

aprovechado, -a [aproße'tʃaðo, a] *adj* (*es-tudiante*) appliqué(e); (*económico*) écono-me; (*día, viaje*) bien employé(e) ♦ *nm/f* (*pey: persona*) profiteur(-euse).

aprovechamiento [aproßetʃa'mjento] *nm* exploitation *f*, utilisation *f*; (*académico*) progrès *mpl*.

aprovechar [aproße'tʃar] *vt* profiter de; (*tela, comida, ventaja*) tirer profit de ♦ *vi* progresser; **aprovecharse** *vpr*: ~**se de** (*pey*) profiter de; ¡**que aproveche**! bon ap-pétit!; ~ **la ocasión para hacer** profiter de l'occasion pour faire.

aprovisionar [aproßisjo'nar] *vt* approvi-sionner; **aprovisionarse** *vpr* se ravi-tailler.

aproximación [aproksima'θjon] *nf* rappro-chement *m*; (*de lotería*) lot *m* de consola-tion; **con** ~ par approximation.

aproximadamente [aproksi'maðamente] *adv* approximativement, environ.

aproximado, -a [aproksi'maðo, a] *adj* approximatif(-ive).

aproximar [aproksi'mar] *vt*: ~ **(a)** appro-cher (de); **aproximarse** *vpr* (s')approcher.

apruebe *etc* [a'prweße] *vb V* **aprobar**.

aptitud [apti'tuð] *nf*: ~ **(para)** aptitude *f* (pour), dispositions *fpl* (pour); ~ **para los negocios** dispositions pour les affaires.

apto, -a ['apto, a] *adj*: ~ **(para)** apte (à), capable (de); (*apropiado*) qui convient (à) ♦ *nm* (*ESCOL*) mention *f* "passable"; ~**/no apto para menores** (*CINE*) convient/interdit aux moins de 18 ans.

apuesta [a'pwesta] *nf* pari *m*.

apuesto, -a [a'pwesto, a] *vb V* **apostar** ♦ *adj* élégant(e).

apuntador [apunta'ðor] *nm* (*TEATRO*) souf-

fleur *m*.

apuntalar [apunta'lar] *vt* étayer.

apuntar [apun'tar] *vt* (*con arma*) viser; (*con dedo*) montrer *o* désigner du doigt; (*datos*) noter; (*TEATRO*) souffler; (*posibili-dad*) émettre; (*persona: en examen*) no-ter; **apuntarse** *vpr* (*tanto, victoria*) rem-porter; (*en lista, registro*) s'inscrire; ~ **una cantidad en la cuenta de algn** mettre *o* verser une somme sur le compte de qn; ~**se en un curso** s'inscrire à un cours; ¡**yo me apunto**! je marche!

apunte [a'punte] *nm* croquis *msg*; (*TEATRO: voz*) voix *fsg* du souffleur; (: *texto*) texte *m* du souffleur; ~**s** *nmpl* (*ESCOL*) notes *fpl*; **tomar** ~**s** prendre des notes.

apuñalar [apuɲa'lar] *vt* poignarder.

apurado, -a [apu'raðo, a] *adj* (*necesitado*) dans la gêne; (*situación*) difficile, déli-cat(e); (*AM: con prisa*) pressé(e); **estar en una situación apurada** traverser un mo-ment difficile, être dans une situation critique; **estar** ~ (*avergonzado*) être em-barrassé(e); (*en peligro*) être en mauvai-se posture.

apurar [apu'rar] *vt* (*bebida, cigarillo*) finir; (*recursos*) épuiser; (*persona: agobiar*) mettre à bout; (: *causar vergüenza a*) mettre dans l'embarras; (: *apresurar*) presser; **apurarse** *vpr* s'inquiéter; (*esp AM: darse prisa*) se dépêcher; **no se apure Vd** ne vous inquiétez pas.

apuro [a'puro] *nm* (*aprieto, vergüenza*) gêne *f*, embarras *msg*; (*penalidad*) difficulté *f*; (*AM: prisa*) hâte *f*; **estar en** ~**s** (*dificulta-des*) avoir des ennuis; (*falta de dinero*) être dans la gêne; **poner a algn en un** ~ mettre qn dans l'embarras.

aquejado, -a [ake'xaðo, a] *adj*: ~ **de** (*MED*) atteint(e) de.

aquejar [ake'xar] *vt* (*suj: enfermedad*) frap-per; (: *contrariedad*) affliger; **estar aqueja-do de** souffrir de.

aquel, aquella [a'kel, a'keʎa] (*mpl* **aquellos**, *fpl* **aquellas**) [a'keʎos, as] *adj* ce(cette); (*pl*) ces.

aquél, aquélla [a'kel, a'keʎa] (*mpl* **aquéllos**, *fpl* **aquéllas**) [a'keʎos, as] *pron* celui-là(celle-là); (*pl*) ceux-là(celles-là).

aquello [a'keʎo] *pron* cela, ~ **que hay allí** ce qu'il y a là-bas.

aquí [a'ki] *adv* ici; (*entonces*) alors; ~ **abajo/arriba** en bas/là-haut; ~ **mismo** ici même; ~ **yace** ci-gît; **de** ~ **en adelante** désormais; **de** ~ **a poco** d'ici peu; **de** ~ **a siete días** d'ici sept jours; **de** ~ **a que ...** de là que ...; **hasta** ~ jusqu'ici; **por** ~ par ici.

aquietar [akje'tar] *vt* apaiser.

Aquisgrán [akis'vran] *nm* Aix-la-Chapelle.

A.R. *abr* = *Alteza Real.*

ara ['ara] *nf* autel *m;* ~**s** *nfpl* (*beneficio*): **en** ~**s de au nom de.**

árabe ['araβe] *adj* arabe ♦ *nm/f* Arabe *m/f* ♦ *nm* (*LING*) arabe *m.*

Arabia *nf* Arabie *f;* ~ **Saudí** *o* **Saudita** Arabie saoudite.

arábigo, -a [a'raβiɣo, a] *adj* arabe ♦ *nm* (*lengua*) arabe *m.*

arácnido [a'rakniðo] *nm* arachnide *m.*

arado [a'raðo] *nm* charrue *f.*

Aragón [ara'ɣon] *nm* Aragon *m.*

aragonés, -esa [araɣo'nes, esa] *adj* aragonais(e) ♦ *nm/f* Aragonais(e) ♦ *nm* (*LING*) aragonais *msg.*

arancel [aran'θel] *nm* (*tb:* ~ **de aduanas**) tarif *m* douanier.

arandela [aran'dela] *nf* rondelle *f;* (*de vela*) bobèche *f;* (*adorno de vestido*) ruche *f;* (*AM: volante*) volant *m.*

araña [a'raɲa] *nf* araignée *f;* (*lámpara*) lustre *m.*

arañar [ara'ɲar] *vt* (*herir*) griffer; (*raspar*) érafler; **arañarse** *vpr* s'égratigner.

arañazo [ara'ɲaθo] *nm* égratignure *f.*

arar [a'rar] *vt* labourer.

araucano, -a [arau'kano, a] *adj* araucan(e) ♦ *nm/f* Araucan(e).

arbitraje [arβi'traxe] *nm* arbitrage *m.*

arbitrar [arβi'trar] *vt* arbitrer; (*recursos*) concevoir ♦ *vi* arbitrer.

arbitrariedad [arβitrarje'ðað] *nf* arbitraire *m.*

arbitrario, -a [arβi'trarjo, a] *adj* arbitraire.

arbitrio [ar'βitrjo] *nm* volonté *f;* (*JUR*) arbitrage *m;* **quedar al** ~ **de algn** dépendre de la volonté de qn.

árbitro, -a ['arβitro, a] *nm/f* arbitre *m.*

árbol ['arβol] *nm* (*BOT, TEC*) arbre *m;* (*NÁUT*) mât *m;* ► **árbol de Navidad** arbre de Noël; ► **árbol frutal** arbre fruitier; ► **árbol genealógico** arbre généalogique.

arbolado, -a [arβo'laðo, a] *adj* boisé(e); (*camino*) bordé(e) d'arbres ♦ *nm* bois *msg.*

arboladura [arβola'ðura] *nf* mâture *f.*

arbolar [arβo'lar] *vt* mâter.

arboleda [arβo'leða] *nf* bois *msg,* bosquet *m.*

arboricultura [arβorikul'tura] *nf* arboriculture *f.*

arbusto [ar'βusto] *nm* arbuste *m.*

arca ['arka] *nf* coffre *m;* ~**s** *nfpl* (*públicas*) caisses *fpl* de l'État, trésor *msg* public; **A~ de la Alianza** arche *f* d'alliance; **A~ de Noé** Arche de Noé.

arcada [ar'kaða] *nf* arcade *f;* (*de puente*) arche *f;* ~**s** *nfpl* (*MED*) nausées *fpl;* **me dieron** ~**s, me dio una** ~ j'ai été pris(e) de nausées.

arcaico, -a [ar'kaiko, a] *adj* archaïque.

arcángel [ar'kanxel] *nm* archange *m.*

arce ['arθe] *nm* érable *m.*

arcén [ar'θen] *nm* (*de autopista*) accotement *m;* (*de carretera*) bas-côté *m.*

archiconocido, -a [artʃikono'θiðo, a] *adj* archiconnu(e).

archipiélago [artʃi'pjelaɣo] *nm* archipel *m.*

archisabido, -a [artʃisa'βiðo, a] *adj* archiconnu(e).

archivador [artʃiβa'ðor] *nm* classeur *m.*

archivar [artʃi'βar] *vt* (*tb INFORM*) archiver.

archivo [ar'tʃiβo] *nm* archives *fpl;* (*INFORM*) fichier *m;* **A~ Nacional** Archives nationales; **nombre de** ~ (*INFORM*) nom *m* de fichier; ► **archivo de transacciones** (*INFORM*) fichier mouvements; ► **archivo maestro** (*INFORM*) fichier maître; ► **archivos policíacos** archives de la police.

arcilla [ar'θiʎa] *nf* argile *f.*

arco ['arko] *nm* arc *m;* (*MÚS*) archet *m;* (*AM: DEPORTE*) but *m;* ► **arco iris** arc-en-ciel *m.*

arcón [ar'kon] *nm* grand coffre *m.*

arder [ar'ðer] *vi* brûler; ~ **en deseos de hacer** mourir d'envie de faire; ~ **sin llama** se consumer; **estar que arde** (*fam*) bouillir de rage; **esto está que arde** (*fig*) ça sent le brûlé.

ardid [ar'ðið] *nm* ruse *f.*

ardiente [ar'ðjente] *adj* ardent(e); **ser un** ~ **defensor/partidario de** être un ardent défenseur/partisan de.

ardilla [ar'ðiʎa] *nf* écureuil *m.*

ardor [ar'ðor] *nm* ardeur *f;* **con** ~ (*fig*) avec ardeur; ► **ardor de estómago** brûlures *fpl* d'estomac.

ardoroso, -a [arðo'roso, a] *adj* ardent(e).

arduo, -a ['arðwo, a] *adj* ardu(e).

área ['area] *nf* (*zona*) surface *f;* (*medida*) are *m;* (*DEPORTE*) zone *f;* ► **área de excedentes** (*INFORM*) zone de débordement; ► **área de servicios** (*AUTO*) aire *f* de service.

ARENA [a'rena] (*ELS*) *sigla f* (= *Alianza Republicana Nacionalista*) parti politique.

arena [a'rena] *nf* sable *m;* (*de una lucha*) arène *f;* (*TAUR*) arènes *fpl;* ► **arenas movedizas** sables mouvants.

arenal [are'nal] *nm* étendue *f* de sable; (*arena movediza*) sables *mpl* mouvants.

arenga [a'renga] *nf* harangue *f.*

arengar [aren'gar] *vt* haranguer.

arengue *etc* [a'renge] *vb* V **arengar.**

arenillas [are'niʎas] *nfpl* (*MED*) calculs *mpl.*

arenisca [are'niska] *nf* grès *msg.*

arenoso, -a [are'noso, a] *adj* sablonneux

(-euse).

arenque [a'renke] *nm* hareng *m.*

arepa [a'repa] (*AM*) *nf* (*torta de maíz*) galette *f* de maïs.

arete [a'rete] *nm* boucle *f* d'oreille.

argamasa [arɣa'masa] *nf* mortier *m.*

Argel [ar'xel] *n* Alger *m.*

Argelia [ar'xelja] *nf* Algérie *f.*

argelino, -a [arxe'lino, a] *adj* algérien(ne) ♦ *nm/f* Algérien(ne).

Argentina [arxen'tina] *nf* Argentine *f.*

argentino, -a [arxen'tino, a] *adj* argentin(e) ♦ *nm/f* Argentin(e).

argolla [ar'ɣoʎa] *nf* anneau *m*; (*AM: anillo de matrimonio*) alliance *f.*

argot [ar'ɣo] (*pl* ~**s**) *nm* argot *m.*

argucia [ar'ɣuθja] *nf* argutie *f.*

argüir [ar'ɣwir] *vt* arguer; (*argumentar*) arguer (de); (*indicar*) sous-entendre ♦ *vi* argumenter; ~ **a favor/en contra de** argumenter en faveur de/contre; ~ **que** (*alegar*) arguer que; (*deducir*) déduire que.

argumentación [arɣumenta'θjon] *nf* argumentation *f.*

argumentar [arɣumen'tar] *vt* argumenter; (*deducir*) déduire ♦ *vi* discuter; ~ **que** (*alegar*) avancer que; ~ **a favor/en contra** de avancer des arguments en faveur de/contre.

argumento [arɣu'mento] *nm* argument *m*; (*CINE, TV*) scénario *m.*

arguyendo *etc* [arɣu'jendo] *vb V* **argüir.**

aria ['arja] *nf* aria *f.*

aridez [ari'ðeθ] *nf* aridité *f.*

árido, -a ['ariðo, a] *adj* aride.

áridos ['ariðos] *nmpl* (*AGR*) grains *mpl.*

Aries ['arjes] *nm* (*ASTROL*) Bélier *m*; **ser ~** être (du) Bélier.

ariete [a'rjete] *nm* (*MIL*) bélier *m*; (*DEPOR-TE*) avant-centre *m.*

ario, -a ['arjo, a] *adj* aryen(ne).

arisco, -a [a'risko, a] *adj* (*persona*) bourru(e); (*animal*) farouche.

aristocracia [aristo'kraθja] *nf* aristocratie *f.*

aristócrata [aris'tokrata] *nm/f* aristocrate *m/f.*

aristocrático, -a [aristo'kratiko, a] *adj* aristocratique.

aritmética [arit'metika] *nf* arithmétique *f*; *V tb* **aritmético.**

aritmético, -a [arit'metiko, a] *adj* arithmétique ♦ *nm/f* arithméticien(ne).

arma ['arma] *nf* arme *f*; ~**s** *nfpl* (*MIL*) armes *fpl*; **rendir las** ~**s** rendre les armes; **ser de** ~**s tomar** ne pas être commode; ► **arma blanca** (*cuchillo*) arme blanche; (*espada*) épée *f*; ► **arma de doble filo** (*fig*) arme à double tranchant; ► **arma de fuego** arme à feu; ► **armas cortas** armes légères.

armada [ar'maða] *nf* marine *f* de guerre; (*flota*) flotte *f.*

armadillo [arma'ðiʎo] *nm* tatou *m.*

armado, -a [ar'maðo, a] *adj* armé(e).

armador [arma'ðor] *nm* (*NÁUT: dueño*) armateur *m*; (*TEC*) monteur *m.*

armadura [arma'ðura] *nf* (*MIL*) armure *f*; (*TEC, FÍS*) armature *f*; (*tejado*) charpente *f*; (*de gafas*) monture *f*; (*ZOOL*) ossature *f.*

armamentista [armamen'tista] *adj*: **carrera ~** course *f* aux armements.

armamentístico, -a [armamen'tistiko, a] *adj* de l'armement.

armamento [arma'mento] *nm* armement *m.*

armar [ar'mar] *vt* armer; (*MEC, TEC*) monter; (*ruido, escándalo*) faire, provoquer; ~ **la gorda** (*fam*) faire du barouf; ~**la faire un esclandre**; ~**se un lío** s'arracher les cheveux; ~**se de valor/paciencia** s'armer de courage/patience.

armario [ar'marjo] *nm* armoire *f*; ► **armario de cocina** garde-manger *m inv*; ► **armario de luna** armoire à glace; ► **armario empotrado** placard *m.*

armatoste [arma'toste] *nm* (*fam*) monument *m.*

armazón [arma'θon] *nf, nm* armature *f*; (*ARQ*) échafaudage *m*; (*AUTO*) châssis *msg.*

armería [arme'ria] *nf* musée *m* de l'armée; (*tienda*) armurerie *f.*

armiño [ar'miɲo] *nm* hermine *f*; **de ~** d'hermine.

armisticio [armis'tiθjo] *nm* armistice *m.*

armonía [armo'nia] *nf* harmonie *f.*

armónica [ar'monika] *nf* harmonica *m.*

armonice *etc* [armo'niθe] *vb V* **armonizar.**

armónico, -a [ar'moniko, a] *adj* harmonique.

armonioso, -a [armo'njoso, a] *adj* harmonieux(-euse).

armonizar [armoni'θar] *vt* harmoniser ♦ *vi*: ~ **con** (*fig*) être en harmonie avec.

ARN *sigla m* (= *ácido ribonucleico*) ARN *m* (= *acide ribonucléique*).

arnés [ar'nes] *nm* harnais *msg*; **arneses** *nmpl* (*para caballerías*) harnais *mpl.*

aro ['aro] *nm* cercle *m*, anneau *m*; (*juguete*) cerceau *m*; (*AM: pendiente*) anneau *m*; **entrar o pasar por el** ~ mettre les pouces.

aroma [a'roma] *nm* arôme *m*, parfum *m.*

aromático, -a [aro'matiko, a] *adj* aromatique.

aromatizante [aromati'θante] *nm* aromatisant *m.*

arpa ['arpa] *nf* harpe *f.*

arpegio [ar'pexjo] *nm* (*MÚS*) arpège *m.*

arpía [ar'pia] *nf* (*fig*) harpie *f*, mégère *f.*

arpillera [arpi'ʎera] *nf* serpillière *f*.

arpón [ar'pon] *nm* harpon *m*.

arquear [arke'ar] *vt*; **arquearse** *vpr* fléchir.

arqueo [ar'keo] *nm* (*ARQ etc*) courbure *f*; (*NÁUT*) jauge *f*; (*COM*) caisse *f*.

arqueología [arkeolo'xia] *nf* archéologie *f*.

arqueológico, -a [arkeo'loxiko, a] *adj* archéologique.

arqueólogo, -a [arke'oloɣo, a] *nm/f* archéologue *m/f*.

arquero [ar'kero] *nm* archer *m*; (*AM: DEPORTE*) gardien *m* de but.

arquetipo [arke'tipo] *nm* archétype *m*.

arquitecto, -a [arki'tekto, a] *nm/f* architecte *m/f*; ▶ **arquitecto paisajista** *o* **de jardines** paysagiste *m/f*.

arquitectónico, -a [arkitek'toniko, a] *adj* architectonique.

arquitectura [arkitek'tura] *nf* architecture *f*.

arrabal [arra'ßal] *nm* faubourg *m*; (*barrio bajo*) bas quartiers *mpl*; ~**es** *nmpl* (*afueras*) faubourgs *mpl*.

arrabalero, -a [arraßa'lero, a] *adj* (*fig*) grossier(-ière).

arracimarse [arraθi'marse] *vpr* s'agglutiner.

arraigado, -a [arrai'ɣaðo, a] *adj* (*tb fig*) enraciné(e).

arraigar [arrai'ɣar] *vi* prendre racine; (*ideas, costumbres*) s'enraciner, prendre racine; (*persona*) s'installer, s'établir; **arraigarse** *vpr* (*costumbre*) s'enraciner, prendre racine; (*persona*) s'installer, s'établir.

arraigo [a'rraiɣo] *nm* enracinement *m*; (*persona*) établissement *m*; **hombre de** ~ homme *m* respecté et estimé.

arraigue *etc* [a'rraiɣe] *vb* V **arraigar**.

arrancada [arran'kaða] *nf* démarrage *m* brusque.

arrancar [arran'kar] *vt* arracher; (*árbol*) déraciner; (*carteles, colgaduras*) retirer; (*esparadrapo*) enlever; (*suspiro*) pousser; (*AUTO, máquina*) mettre en marche; (*INFORM*) démarrer ♦ *vi* (*AUTO, máquina*) démarrer; (*persona*) s'en aller; ~ **información a algn** soutirer un renseignement à qn; ~ **de** (*fig*) provenir de; ~ **de raíz** déraciner.

arranque [a'rranke] *vb* V **arrancar** ♦ *nm* (*AUTO*) démarrage *m*; (*de enfermedad*) début *m*; (*de tradición*) origine *f*; (*fig: arrebato*) élan *m*.

arras ['arras] *nfpl* treize pièces de monnaie *offertes symboliquement par l'époux à son épouse lors de la cérémonie du mariage*.

arrasar [arra'sar] *vt* aplanir; (*derribar*) raser ♦ *vi* (*fig*) faire un triomphe *o* tabac (*fam*).

arrastrado, -a [arras'traðo, a] *adj* misérable; (*AM: servil*) servile ♦ *nm/f* (*fam: bribón*) coquin(-ine).

arrastrador [arrastra'ðor] *nm* (*en impresora*) entraînement *m* à picots.

arrastrar [arras'trar] *vt* traîner; (*suj: agua, viento, tb fig*) entraîner ♦ *vi* traîner; **arrastrarse** *vpr* se traîner; (*fig*) s'abaisser; **llevar algo arrastrando** traîner qch depuis longtemps.

arrastre [a'rrastre] *nm* remorquage *m*; (*PESCA*) chalutage *m*; **estar para el** ~ (*fam*) être foutu(e); ~ **de papel por fricción/por tracción** (*en impresora*) entraînement *m* par friction/par ergots.

array [a'rrai] *nm* (*INFORM*) tableau *m*.

arrayán [arra'jan] *nm* myrte *m*.

arre ['arre] *excl* hue!

arrear [arre'ar] *vt* exciter; (*fam*) flanquer ♦ *vi* (*fam*) se grouiller.

arrebañar [arreßa'ɲar] *vt* (*plato*) nettoyer.

arrebatado, -a [arreßa'taðo, a] *adj* emporté(e), impétueux(-euse); (*cara*) congestionné(e); (*color*) vif(vive).

arrebatar [arreßa'tar] *vt* arracher; (*fig*) transporter; **arrebatarse** *vpr* s'emporter.

arrebato [arre'ßato] *nm* emportement *m*; (*éxtasis*) transport *m*; ~ **de cólera/entusiasmo** élan *m o* mouvement *m* de colère/d'enthousiasme.

arrebolar [arreßo'lar] *vt* enflammer; **arrebolarse** *vpr* s'enflammer.

arrebujar [arreßu'xar] *vt* (*ropa*) chiffonner; (*niño*) emmitoufler; **arrebujarse** *vpr* s'emmitoufler.

arrechar [arre'tʃar] (*AM*) *vt* (*excitar*) exciter; **arrecharse** *vpr* s'exciter.

arrechucho [arre'tʃutʃo] *nm* (*fam: MED*) indisposition *f*.

arreciar [arre'θjar] *vi* décupler; (*lluvia*) tomber dru.

arrecife [arre'θife] *nm* récif *m*; (*tb*: ~ **de coral**) récif de corail.

arredrar [arre'ðrar] *vt* effrayer; **arredrarse** *vpr*: ~**se (por o ante algo)** s'effrayer (de qch).

arreglado, -a [arre'ɣlaðo, a] *adj* (*persona*) soigné(e); (*vestido*) impeccable; (*habitación*) ordonné(e), en ordre; (*conducta*) réglé(e); ¡**estamos** ~**s**! nous voilà bien avancés!

arreglar [arre'ɣlar] *vt* ranger, mettre en ordre; (*persona*) préparer; (*algo roto*) réparer, arranger; (*problema*) régler; (*entrevista*) fixer; **arreglarse** *vpr* s'arranger, se régler; (*acicalarse*) se pomponner; ~**se (para hacer)** se préparer (à faire); **arreglárselas** (*fam*) se débrouiller, s'en sortir; ~**se el pelo/las uñas** s'arranger les cheveux/se faire les ongles.

arreglo [a'rreɣlo] *nm* rangement *m*, ordre *m*; (*acuerdo*) arrangement *m*, accord *m*; (*MÚS*) arrangement *m*; (*INFORM*) tableau *m*; (*de algo roto*) réparation *f*; (*de persona*) toilette *f*, soin *m*; **con ~ a** conformément à; **llegar a un ~** parvenir à un accord; **~ de cuentas** (*fig*) règlement *m* de comptes.

arrellanarse [arreʎa'narse] *vpr:* **~ en** (*sillón*) se carrer *o* se prélasser dans.

arremangar [arreman'gar] *vt* relever, retrousser; **arremangarse** *vpr* retrousser ses manches.

arremangue *etc* [arre'mange] *vb* V **arremangar**.

arremeter [arreme'ter] *vi:* **~ contra** se jeter à l'assaut de, fondre sur; (*fig*) s'en prendre à, s'attaquer à.

arremetida [arreme'tiða] *nf* assaut *m*, attaque *f*.

arremolinarse [arremoli'narse] *vpr* (*gente*) s'entasser; (*corriente*) tourbillonner.

arrendado, -a [arren'ðaðo, a] *adj* loué(e).

arrendador, a [arrenda'ðor, a] *nm/f* loueur(-euse).

arrendajo [arren'ðaxo] *nm* geai *m*.

arrendamiento [arrenda'mjento] *nm* location *f*; (*contrato*) bail *m*; (*precio*) loyer *m*.

arrendar [arren'dar] *vt* louer.

arrendatario, -a [arrenda'tarjo, a] *nm/f* locataire *m/f*.

arreos [a'rreos] *nmpl* harnais *msg*; (*fig*) attirail *m*.

arrepentimiento [arrepenti'mjento] *nm* repentir *m*; **sentir/tener ~** éprouver du repentir.

arrepentirse [arrepen'tirse] *vpr:* **~ (de)** se repentir (de); **~ de haber hecho algo** se repentir d'avoir fait qch; **mostrarse arrepentido** regretter, être navré(e).

arrepienta *etc* [arre'pjenta], **arrepintiendo** *etc* [arrepin'tjendo] *vb* V **arrepentirse**.

arrestar [arres'tar] *vt* arrêter; (*MIL*) mettre aux arrêts.

arresto [a'rresto] *nm* arrestation *f*; (*MIL*) arrêts *mpl*; **~s** *nmpl* (*audacia*) audace *fsg*; ▶ **arresto domiciliario** assignation *f* à domicile; ▶ **arresto menor** détention *d'une durée d'un à trente jours*; ▶ **arresto mayor** détention *d'une durée d'un à six mois*.

arriar [a'rrjar] *vt* amener; (*un cable*) mollir.

arriate [a'rrjate] *nm* (*BOT*) plate-bande *f*; (*camino*) passage *m*.

═══════════════ *PALABRA CLAVE*

arriba [a'rriβa] *adv* **1** (*posición*) en haut; **allí arriba** là-haut; **el piso de arriba** l'appartement du dessus; **la parte de arriba** le haut; **la orden vino de arriba** (*fig*) l'ordre est venu d'en haut; **más arriba** plus haut;

desde arriba d'en haut; **arriba del todo** tout en haut; **Juan está arriba** Juan est en haut; **lo arriba mencionado** ce qui est mentionné ci-dessus; **de cien pesetas para arriba** au-dessus de cent pesetas; **peseta arriba, peseta abajo** à quelques pesetas près

2 (*dirección*): **ir calle arriba** remonter la rue; **río arriba** en amont

3: **mirar a algn de arriba abajo** regarder qn de haut en bas

♦ *prep:* **arriba de** (*AM*) sur, au-dessus de; **arriba de 200 pesetas** plus de 200 pesetas

♦ *excl:* **¡arriba!** (*¡levanta!*) debout!; (*ánimo*) courage!; **¡manos arriba!** haut les mains!; **¡arriba España!** vive l'Espagne!

arribar [arri'βar] *vi* arriver.

arribista [arri'βista] *nm/f* arriviste *m/f*.

arribo [a'rriβo] (*esp AM*) *nm* arrivée *f*.

arriendo [a'rrjendo] *vb* V **arrendar** ♦ *nm* = **arrendamiento**.

arriero [a'rrjero] *nm* muletier *m*.

arriesgadamente [arrjesɣaðamente] *adv* dangereusement.

arriesgado, -a [arrjes'ɣaðo, a] *adj* (*peligroso*) risqué(e), hasardeux(-euse); (*audaz: persona*) audacieux(-euse).

arriesgar [arrjes'ɣar] *vt*, **arriesgarse** *vpr* risquer; **~ el pellejo** risquer sa peau; **~se a hacer algo** se risquer à faire qch.

arriesgue *etc* [a'rrjesɣe] *vb* V **arriesgar**.

arrimar [arri'mar] *vt* (*acercar*): **~ a** approcher de; (*dejar de lado*) abandonner, laisser tomber; **arrimarse** *vpr:* **~se a** (*acercarse*) s'approcher de; (*apoyarse*) s'appuyer sur; (*fig*) se rapprocher de, se placer sous la protection de; **~ el hombro** (*ayudar*) donner un coup de main; (*trabajar*) travailler dur; **~se al sol que más calienta** se ranger du côté du plus fort; **arrímate a mí** approche-toi de moi.

arrinconado, -a [arrinko'naðo, a] *adj* (*objeto*) mis(e) dans un coin; (*persona*) délaissé(e), mis(e) à l'écart.

arrinconar [arrinko'nar] *vt* (*algo viejo*) mettre dans un coin, mettre au rebut; (*enemigo*) acculer; (*fig: persona*) laisser tomber, délaisser.

arriscado, -a [arris'kaðo, a] *adj* (*GEO*) escarpé(e); (*fig*) hardi(e).

arroba [a'rroβa] *nf* arrobe *f*, arobe *f* (*mesure espagnole de poids et de capacité*); **tiene talento por ~s** il a de l'esprit à revendre.

arrobamiento [arroβa'mjento] *nm* extase *f*, ravissement *m*.

arrobar [arro'βar] *vt* ravir, mettre en extase; **arrobarse** *vpr* tomber en extase; (*místico*) être en extase.

arrobo [a'rroβo] *nm* = **arrobamiento**.

arrodillarse [arroði'ʎarse] *vpr* s'age-

nouiller.
arrogancia [arro'xanθja] *nf* arrogance *f*.
arrogante [arro'xante] *adj* arrogant(e).
arrogantemente [arro'xantemente] *adv* avec arrogance.
arrojadizo, -a [arroxa'ðiθo, a] *adj*: **arma arrojadiza** arme *f* de jet.
arrojar [arro'xar] *vt* (*piedras*) jeter; (*pelota*) lancer; (*basura*) jeter, déverser; (*humo*) cracher; (*persona*) chasser, mettre dehors; (*COM*) totaliser; **arrojarse** *vpr* se jeter.
arrojo [a'rroxo] *nm* hardiesse *f*.
arrollador, a [arroʌa'ðor, a] *adj* (*éxito*) retentissant(e); (*fuerza*) irrésistible; (*mayoría*) écrasant(e).
arrollar [arro'ʎar] *vt* (*suj: vehículo*) renverser; (:* agua*) emporter, rouler; (*DEPORTE*) écraser ♦ *vi* (*tener éxito electoral*) avoir une majorité écrasante.
arropar [arro'par] *vt* couvrir; **arroparse** *vpr* se couvrir.
arrostrar [arros'trar] *vt* (*peligro*) affronter, braver; (*consecuencias*) subir; **arrostrarse** *vpr*: ~**se con algn** se mesurer à qn.
arroyo [a'rrojo] *nm* ruisseau *m*; (*de la calle*) caniveau *m*; **recoger a algn del** ~ tirer qn du ruisseau.
arroz [a'rroθ] *nm* riz *m*; ► **arroz blanco** (*CULIN*) riz blanc; ► **arroz con leche** riz au lait.
arrozal [arro'θal] *nm* rizière *f*.
arruga [a'rruxa] *nf* ride *f*; (*en ropa*) pli *m*.
arrugar [arru'xar] *vt* (*piel*) rider; (*ropa, papel*) froisser; (*ceño, frente*) froncer; **arrugarse** *vpr* se rider; (*ropa*) se froisser; (*persona*) se froisser.
arrugue *etc* [a'rruxe] *vb* V **arrugar**.
arruinar [arrwi'nar] *vt* ruiner; **arruinarse** *vpr* se ruiner.
arrullar [arru'ʎar] *vt* bercer ♦ *vi* roucouler.
arrumaco [arru'mako] *nm* (*caricia*) cajolerie *f*; (*halago*) flatterie *f*.
arrumbar [arrum'bar] *vt* (*objeto*) mettre au rebut; (*individuo*) mettre en quarantaine.
arrurruz [arru'rruθ] *nm* (*BOT*) arrow-root *m*.
arsenal [arse'nal] *nm* (*MIL*) arsenal *m*; (*NÁUT*) chantier *m* naval.
arsénico [ar'seniko] *nm* arsenic *m*.
arte ['arte] *nm* (*gen m en sg y siempre f en pl*) art *m*; (*maña*) don *m*; ~**s** *nfpl* arts *mpl*; ~**s y oficios** arts et métiers; **por amor al** ~ pour l'amour de l'art; **por** ~ **de magia** comme par enchantement; **Bellas A~s** Beaux-Arts *mpl*; **con malas** ~**s** par des moyens peu orthodoxes; **no tener** ~ **ni parte en algo** n'être pour rien dans qch, n'avoir rien à voir avec qch; ► **arte abstracto** art abstrait; ► **artes plásticas** arts plastiques.
artefacto [arte'fakto] *nm* engin *m*, machine *f*; (*ARQUEOLOGÍA*) objet *m* (fabriqué); (*explosivo*) engin explosif.
arteria [ar'terja] *nf* artère *f*.
arterial [arte'rjal] *adj* artériel(le).
arterio(e)sclerosis [arterjoskle'rosis] *nf* artériosclérose *f*.
artesa [ar'tesa] *nf* pétrin *m*.
artesanía [artesa'nia] *nf* artisanat *m*; **de** ~ artisanal(e).
artesano, -a [arte'sano, a] *nm/f* artisan(e).
ártico, -a ['artiko, a] *adj* arctique ♦ *nm*: **el Ártico** l'Arctique *m*.
articulación [artikula'θjon] *nf* articulation *f*.
articulado, -a [artiku'laðo, a] *adj* articulé(e).
articular [artiku'lar] *vt* articuler.
articulista [artiku'lista] *nm/f* chroniqueur *m*, journaliste *m/f*.
artículo [ar'tikulo] *nm* article *m*; ~**s** *nmpl* (*COM*) articles *mpl*; ► **artículo de fondo** article de fond; ► **artículos de escritorio/tocador** articles de bureau/toilette; ► **artículos de lujo/marca/primera necesidad** articles de luxe/marque/première nécessité.
artífice [ar'tifiθe] *nm/f* artisan(e); (*fig*) auteur *m*.
artificial [artifi'θjal] *adj* artificiel(le); (*fig*) artificiel(le), forcé(e).
artificialmente [artifi'θjalmente] *adv* artificiellement.
artificio [arti'fiθjo] *nm* appareil *m*, engin *m*; (*artesanía*) art *m*; (*truco*) artifice *m*.
artillería [artiʎe'ria] *nf* artillerie *f*.
artillero [arti'ʎero] *nm* artilleur *m*.
artilugio [arti'luxjo] *nm* engin *m*; (*ardid*) subterfuge *m*.
artimaña [arti'maɲa] *nf* (*ardid*) stratagème *m*; (*astucia*) astuce *f*, ruse *f*.
artista [ar'tista] *nm/f* artiste *m/f*; ► **artista de cine** artiste de cinéma; ► **artista de teatro** comédien(ne).
artísticamente [ar'tistikamente] *adv* artistement.
artístico, -a [ar'tistiko, a] *adj* artistique.
artritis [ar'tritis] *nf* arthrite *f*.
arveja [ar'βexa] (*AM: guisante*) *nf* pois *msg*.
Arz. *abr* = **arzobispo**.
arzobispo [arθo'βispo] *nm* archevêque *m*.
as [as] *nm* as *m*; **ser un** ~ (**de**) (*fig*) être un as (de); ~ **del fútbol** as du football.
asa ['asa] *nf* anse *f*.
asado [a'saðo] *nm* (*carne*) rôti *m*; (*CSUR: barbacoa*) barbecue *m*.
asador [asa'ðor] *nm* (*varilla*) broche *f*; (*aparato*) rôtissoire *f*; (*restaurante*) grill *m*.
asaduras [asa'ðuras] *nfpl* (*CULIN*) abats *mpl*.

asaetar [asae'tar] *vt*: ~ **a preguntas** assaillir de questions.

asalariado, -a [asala'rjaðo, a] *adj, nm/f* salarié(e).

asalmonado, -a [asalmo'naðo, a] *adj* saumoné(e), rose saumon *inv*.

asaltador, a [asalta'ðor, a], **asaltante** [asal'tante] *nm/f* assaillant(e).

asaltar [asal'tar] *vt* (*banco etc*) attaquer; (*persona, fig*) assaillir; (*MIL*) prendre d'assaut.

asalto [a'salto] *nm* (*a banco*) hold-up *m inv*; (*a persona*) agression *f*; (*MIL*) assaut *m*; (*BOXEO*) round *m*; **tomar por** ~ prendre d'assaut.

asamblea [asam'blea] *nf* (*corporación*) assemblée *f*, rassemblement *m*; (*reunión*) assemblée.

asar [a'sar] *vt* rôtir (*au four*), griller (*au feu de bois, au grill*); **asarse** *vpr* (*fig*) cuire; ~ **a preguntas** harceler de questions; **me aso de calor** (*fig*) j'étouffe de chaleur; ~ **al horno/a la parrilla** rôtir au four/sur le gril; **aquí se asa uno vivo** on cuit ici!

asbesto [as'ßesto] *nm* asbeste *m*.

ascendencia [asθen'denθja] *nf* ascendance *f*; **de** ~ **francesa** d'origine française; **tener** ~ **sobre algn** avoir de l'ascendant sur qn.

ascender [asθen'der] *vi* monter; (*DEPORTE*) monter, passer; (*en puesto de trabajo*) monter en grade ♦ *vt* faire monter; ~ **a** s'élever à; **ascendió a general** il a accédé au grade de général, il est passé général.

ascendiente [asθen'djente] *nm* ascendant *m*; ~**s** *nmpl* ascendants *mpl*.

ascensión [asθen'sjon] *nf* ascension *f*; **la A~** (*REL*) l'Ascension.

ascenso [as'θenso] *nm* promotion *f*.

ascensor [asθen'sor] *nm* ascenseur *m*.

asceta [as'θeta] *nm/f* ascète *m/f*.

ascético, -a [as'θetiko, a] *adj* ascétique.

ascienda *etc* [as'θjenda] *vb* V **ascender**.

asco ['asko] *nm*: **¡qué** ~**!** (que) c'est dégoûtant!; **el ajo me da** ~ j'ai horreur de l'ail; **hacer** ~**s a algo** faire la fine bouche devant qch; **estar hecho un** ~ être dégoûtant(e); **poner a algn de** ~ (*AM*) abreuver qn d'injures; **ser un** ~ (*clase, libro*) être nul(le); (*película*) être un navet; **morirse de** ~ s'ennuyer à mourir.

ascua ['askwa] *nf* braise *f*; **arrimar el** ~ **a su sardina** tirer la couverture à soi; **estar en** *o* **sobre** ~**s** être sur des charbons ardents.

aseado, -a [ase'aðo, a] *adj* (*persona*) impeccable, bien mis(e); (*casa*) impeccable.

asear [ase'ar] *vt* (*casa*) arranger; (*persona*) arranger, faire la toilette de; **asearse** *vpr* (*persona*) s'arranger, faire sa toilette.

asechanza [ase'tʃanθa] *nf* traquenard *m*.

asediar [ase'ðjar] *vt* assiéger; (*fig*) assaillir.

asedio [a'seðjo] *nm* siège *m*; (*COM*) forte demande *f*.

asegurado, -a [aseɣu'raðo, a] *adj, nm/f* assuré(e).

asegurador, a [aseɣura'ðor, a] *nm/f* assureur *m* ♦ *nf* (*tb*: **compañía** ~**a**) compagnie *f* d'assurances.

asegurar [aseɣu'rar] *vt* assurer; (*cuerda, clavo*) fixer; (*maleta*) bien fermer; (*afirmar*) assurer, certifier; (*garantizar*) garantir; **asegurarse** *vpr*: ~**se (de)** s'assurer (de); ~**se (contra)** (*COM*) s'assurer (contre), prendre une assurance (contre); **se lo aseguro** je vous assure.

asemejarse [aseme'xarse] *vpr*: ~ **a** ressembler à.

asentado, -a [asen'taðo, a] *adj* sensé(e); **estar** ~ **en** être situé(e) dans *o* sur; (*persona*) être établi(e) à.

asentar [asen'tar] *vt* (*sentar*) asseoir; (*poner*) placer; (*alisar*) aplatir; (*golpe*) assener; (*instalar*) installer; (*asegurar*) assurer; (*COM*) inscrire; **asentarse** *vpr* (*persona*) s'établir; (*líquido, polvo*) se déposer.

asentimiento [asenti'mjento] *nm* assentiment *m*.

asentir [asen'tir] *vi* acquiescer; ~ **con la cabeza** acquiescer d'un signe de tête.

aseo [a'seo] *nm* hygiène *f*, toilette *f*; (*orden*) soin *m*; ~**s** *nmpl* (*servicios*) toilettes *fpl*; **cuarto de** ~ cabinet *m* de toilette; ▶ **aseo personal** hygiène personnelle.

aséptico, -a [a'septiko, a] *adj* aseptique.

asequible [ase'kißle] *adj* (*precio*) abordable; (*meta*) accessible; (*persona*) accessible, abordable; ~ **a** (*comprensible*) accessible à, à la portée de.

aserradero [aserra'ðero] *nm* scierie *f*.

aserrar [ase'rrar] *vt* scier.

asesinar [asesi'nar] *vt* assassiner.

asesinato [asesi'nato] *nm* assassinat *m*.

asesino [ase'sino] *nm* assassin *m*.

asesor, a [ase'sor, a] *nm/f* conseiller(-ère), consultant(e); (*COM*) consultant(e); ▶ **asesor administrativo** conseiller en gestion; ▶ **asesor de imagen** conseiller en relations publiques.

asesorar [aseso'rar] *vt* (*JUR, COM*) conseiller; **asesorarse** *vpr*: ~**se con** *o* **de** prendre conseil de.

asesoría [aseso'ria] *nf* (*cargo*) conseil *m*; (*oficina*) cabinet *m* d'expert-conseil.

asestar [ases'tar] *vt* (*golpe*) assener; (*tiro*) envoyer.

aseverar [aseβe'rar] *vt* assurer, affirmer.

asfaltado, -a [asfal'taðo, a] *adj* asphalté(e) ♦ *nm* asphalte *m*.

asfalto [as'falto] *nm* bitume *m*.

asfixia [as'fiksja] *nf* asphyxie *f*.

asfixiante [asfi'ksjante] *adj* (*gas*) asphyxiant(e); (*calor*) étouffant(e).

asfixiar [asfik'sjar] *vt* (*suj: persona*) asphyxier; (: *calor*) étouffer; **asfixiarse** *vpr* être asphyxié(e), être étouffé(e); ~**se de calor** étouffer de chaleur.

asgo *etc* ['asgo] *vb V* **asir**.

así [a'si] *adv* (*de esta manera*) ainsi; (*aunque*) même si; (*tan pronto como*) dès que ♦ *conj* (+ *subj*) même si; ~, ~ comme ci comme ça, couci-couça; ~ **de grande** grand(e) comme ça; ~ **llamado** soi-disant, prétendu; ~ **es la vida** c'est la vie; ¡~ **sea!** ainsi soit-il!; **y** ~ **sucesivamente** et ainsi de suite; ~ **y todo** malgré tout; ¿**no es** ~? n'est-ce pas (vrai)?; **mil pesetas o** ~ à peu près mille pesetas; ~ **como** (*también*) ainsi que, de même que; (*en cuanto*) dès que; ~ **pues** ainsi donc; ~ **que** (*en cuanto*) dès que; (*por consiguiente*) donc.

Asia ['asja] *nf* Asie *f*.

asiático, -a [a'sjatiko, a] *adj* asiatique ♦ *nm/f* Asiatique *m/f*.

asidero [asi'ðero] *nm* anse *f*.

asiduidad [asiðwi'ðað] *nf* assiduité *f*.

asiduo, -a [a'siðwo, a] *adj* assidu(e) ♦ *nm/f* habitué(e).

asiento [a'sjento] *vb V* **asentar; asentir** ♦ *nm* siège *m*; (*de silla etc*) assise *f*; (*de cine, tren*) place *f*; (*COM*) inscription *f*; **tomar** ~ prendre place; ► **asiento delantero/trasero** siège avant/arrière.

asierre *etc* [a'sjerre] *vb V* **aserrar**.

asignación [asiɣna'θjon] *nf* attribution *f*; (*reparto*) assignation *f*; (*paga*) traitement *m*; (*COM*) allocation *f*; ► **asignación de presupuesto** crédit *m* budgétaire; ► **asignación (semanal)** salaire *m* (hebdomadaire); (*a un hijo*) argent *m* de poche.

asignar [asiɣ'nar] *vt* assigner; (*cantidad*) allouer, attribuer.

asignatura [asiɣna'tura] *nf* matière *f*, discipline *f*; ► **asignatura pendiente** épreuve *f* à repasser; (*fig*) partie *f* remise.

asilado, -a [asi'laðo, a] *nm/f* (*POL*) réfugié(e) politique; (*en asilo de ancianos*) pensionnaire *m/f*.

asilo [a'silo] *nm* asile *m*; **derecho de** ~ droit *m* d'asile; **pedir/dar** ~ **a algn** demander/donner asile à qn; ► **asilo de ancianos** asile de vieillards, hospice *m*; ► **asilo de**

pobres hospice des pauvres; ► **asilo político** asile politique.

asimétrico, -a [asi'metriko, a] *adj* asymétrique.

asimilación [asimila'θjon] *nf* assimilation *f*.

asimilar [asimi'lar] *vt* assimiler; **asimilarse** *vpr*: ~**se a** s'assimiler à.

asimismo [asi'mismo] *adv* tout autant, pareillement.

asintiendo *etc* [asin'tjendo] *vb V* **asentir**.

asir [a'sir] *vt* saisir; **asirse** *vpr*: ~**se a** *o* **de** se saisir de, s'accrocher à.

asistencia [asis'tenθja] *nf* assistance *f*; (*tb*: ~ **médica**) soins *mpl* médicaux; ► **asistencia social/técnica** assistance sociale/technique.

asistenta [asis'tenta] *nf* femme *f* de ménage.

asistente [asis'tente] *nm/f* assistant(e) ♦ *nm* (*MIL*) ordonnance *f*; **los** ~**s** les assistants; ► **asistente social** employé(e) des services sociaux; (*mujer*) assistante *f* sociale.

asistido, -a [asis'tiðo, a] *adj* (*AUTO: dirección*) assisté(e); ~ **por ordenador** assisté par ordinateur.

asistir [asis'tir] *vt* (*MED*) assister, soigner; (*ayudar*) assister, secourir; (*acompañar*) assister ♦ *vi*: ~ **(a)** assister (à).

asma ['asma] *nf* asthme *m*.

asno ['asno] *nm* (*tb fig*) âne *m*.

asociación [asoθja'θjon] *nf* association *f*; ► **asociación de ideas** association d'idées.

asociado, -a [aso'θjaðo, a] *adj*, *nm/f* associé(e).

asociar [aso'θjar] *vt* associer; **asociarse** *vpr*: ~**se (a)** s'associer (à).

asolar [aso'lar] *vt* dévaster, ravager.

asolear [asole'ar] *vt* mettre au soleil; **asolearse** *vpr* prendre le soleil.

asomar [aso'mar] *vt* sortir, mettre dehors ♦ *vi* (*sol*) poindre, se montrer; (*barco*) apparaître; **asomarse** *vpr*: ~**se a** *o* **por** se montrer à, se mettre à; ~ **la cabeza por la ventana** se mettre à la fenêtre, mettre la tête à la fenêtre.

asombrar [asom'brar] *vt* (*causar asombro*) étonner; (*causar admiración*) stupéfier; **asombrarse** *vpr*: ~**se (de)** (*sorprenderse*) s'étonner (de); (*asustarse*) s'effrayer (de).

asombro [a'sombro] *nm* (*sorpresa*) étonnement *m*, stupéfaction *f*; (*susto*) frayeur *f*; **no salir de su** ~ ne pas en revenir.

asombroso, -a [asom'broso, a] *adj* étonnant(e), stupéfiant(e).

asomo [a'somo] *nm* signe *m*, ombre *f*; **ni por** ~ pas le moins du monde, en aucune manière.

asonancia [aso'nanθja] *nf* assonance *f*.

asorocharse [asoroˈtʃarse] (*AM*) vpr (*MED*) avoir le mal d'altitude *o* des montagnes.

aspa [ˈaspa] *nf* croix *fsg* de Saint André; (*de molino*) aile *f*; **en ~** en forme de X.

aspaviento [aspaˈβjento] *nm* gestes *mpl* outranciers; **hacer ~s** faire des simagrées.

aspecto [asˈpekto] *nm* aspect *m*, air *m*; (*de salud*) mine *f*; (*fig*) aspect; (*persona*) vu(e) sous cet angle; **tener buen/mal ~** (*persona*) avoir bonne/mauvaise mine; **en todos los ~s** sous tous les rapports.

aspereza [aspeˈreθa] *nf* rugosité *f*; (*de sabor*) âpreté *f*; (*de terreno, carácter*) aspérité *f*.

áspero, -a [ˈaspero, a] *adj* rugueux(-euse); (*sabor*) âpre.

aspersión [asperˈsjon] *nf* arrosage *m*; **riego por ~** arrosage par aspersion.

aspersor [asperˈsor] *nm* arroseur *m*.

aspiración [aspiraˈθjon] *nf* aspiration *f*; **aspiraciones** *nfpl* (*ambiciones*) aspirations *fpl*.

aspiradora [aspiraˈðora] *nf* aspirateur *m*.

aspirante [aspiˈrante] *nm/f* candidat(e).

aspirar [aspiˈrar] *vt* aspirer ♦ *vi*: **~ a** (**hacer**) aspirer à (faire).

aspirina [aspiˈrina] *nf* aspirine *f*.

asquear [askeˈar] *vt* écœurer; **asquearse** vpr: **~se (de)** être dégoûté(e) (de).

asquerosidad [askerosiˈðað] *nf* (*suciedad*) saleté *f* repoussante; (*dicho*) grossièreté *f*; (*truco*) tour *m* de cochon.

asqueroso, -a [askeˈroso, a] *adj, nm/f* dégoûtant(e).

asta [ˈasta] *nf* hampe *f*; **~s** *nfpl* (*ZOOL*) bois *mpl*; **a media ~** en berne.

astado, -a [asˈtaðo, a] *adj* cornu(e) ♦ *nm* (*TAUR*) taureau *m*.

asterisco [asteˈrisko] *nm* astérisque *m*.

asteroide [asteˈroiðe] *nm* astéroïde *m*.

astigmatismo [astiɣmaˈtismo] *nm* astigmatisme *m*.

astilla [asˈtiʎa] *nf* éclat *m*; (*de leña*) écharde *f*; (*de hueso*) esquille *f*; **~s** *nfpl* (*para fuego*) petit bois *m*; **hacer ~s** briser; **de tal palo tal ~** tel père, tel fils.

astillarse [astiˈʎarse] vpr voler en éclats, se briser.

astilleros [astiˈʎeros] *nmpl* chantier *m* naval; (*de la Armada*) arsenal *m*.

astringente [astrinˈxente] *adj* astringent(e) ♦ *nm* astringent *m*.

astro [ˈastro] *nm* astre *m*.

astrología [astroloˈxia] *nf* astrologie *f*.

astrólogo, -a [asˈtroloɣo, a] *nm/f* astrologue *m/f*.

astronauta [astroˈnauta] *nm/f* astronaute *m/f*.

astronave [astroˈnaβe] *nf* astronef *m*.

astronomía [astronoˈmia] *nf* astronomie *f*.

astronómico, -a [astroˈnomiko, a] *adj* astronomique; (*conocimientos*) en astronomie.

astrónomo, -a [asˈtronomo, a] *nm/f* astronome *m/f*.

astroso, -a [asˈtroso, a] *adj* (*desaliñado*) déguenillé(e); (*vil*) vil(e).

astucia [asˈtuθja] *nf* astuce *f*.

asturiano, -a [astuˈrjano, a] *adj* asturien(ne) ♦ *nm/f* Asturien(ne).

Asturias [asˈturjas] *nfpl* Asturies *fpl*; **Príncipe de ~** prince *m* des Asturies.

astutamente [asˈtutamente] *adv* astucieusement.

astuto, -a [asˈtuto, a] *adj* astucieux(-euse); (*taimado*) rusé(e).

asueto [aˈsweto] *nm*: **día/semana/tarde de ~** jour *m*/semaine *f*/après-midi *m o f inv* de congé.

asumir [asuˈmir] *vt* assumer.

asunción [asunˈθjon] *nf* prise *f* de possession; **la A~** l'Assomption *f*.

asunto [aˈsunto] *nm* (*tema*) sujet *m*; (*negocio*) affaire *f*; (*argumento*) thème *m*; **¡eso es ~ mío!** cela me regarde!; **~s a tratar** affaires à régler; **ir al ~** en venir aux choses sérieuses; ▶ **Asuntos Exteriores** Affaires étrangères.

asustadizo, -a [asustaˈðiθo, a] *adj* peureux(-euse).

asustar [asusˈtar] *vt* faire peur à; (*ahuyentar*) mettre en fuite; **asustarse** vpr: **~se (de o por)** avoir peur (de).

A.T. *abr* (= *Antiguo Testamento*) AT (= *Ancien Testament*).

atacante [ataˈkante] *nm/f* attaquant(e).

atacar [ataˈkar] *vt* attaquer; (*teoría*) s'attaquer à.

atadura [ataˈðura] *nf* attache *f*, lien *m*; (*impedimento*) entrave *f*, lien.

atajar [ataˈxar] *vt* (*interrumpir*) couper court à, interrompre; (*cortar el paso a*) barrer la route à; (*enfermedad*) enrayer; (*riada, sublevación*) endiguer; (*incendio*) maîtriser; (*discurso*) interrompre; (*DEPORTE*) plaquer ♦ *vi* prendre un raccourci.

atajo [aˈtaxo] *nm* raccourci *m*; (*DEPORTE*) plaquage *m*; **son un ~ de cobardes/ladrones** c'est une bande de lâches/voleurs; **soltar un ~ de mentiras** débiter un tissu de mensonges.

atalaya [ataˈlaja] *nf* tour *f* de guet; (*fig*) point *m* d'observation.

atañer [ataˈɲer] *vi*: **~ a** (*persona*) concerner; (*gobierno*) incomber à; **en lo que atañe a eso** en ce qui concerne cela.

ataque [aˈtake] *vb V* **atacar** ♦ *nm* (*MIL*) attaque *f*, raid *m*; (*MED*) attaque; (*de ira, nervios, risa*) crise *f*; **¡al ~!** à l'attaque!;

▶ **ataque cardíaco** crise cardiaque.

atar [a'tar] *vt* attacher, ligoter; **atarse** *vpr* (*zapatos*) attacher; (*corbata*) nouer; ~ **la lengua a algn** (*fig*) réduire qn au silence; ~ **cabos** déduire par recoupements; ~ **corto a algn** tenir la bride haute à qn.

atardecer [atarðe'θer] *vi*: **atardece a las 8** la nuit tombe à 8 h ◆ *nm* tombée *f* du jour; **al** ~ à la tombée du jour.

atardezca *etc* [atar'ðeθka] *vb* V **atardecer**.

atareado, -a [atare'aðo, a] *adj* affairé(e).

atascar [atas'kar] *vt* boucher; **atascarse** *vpr* se boucher; (*coche*) s'embourber; (*motor*) se gripper; (*fig*: *al hablar*) bafouiller; (*en problema*) s'enliser.

atasco [a'tasko] *nm* obstruction *f*; (*AUTO*) bouchon *m*.

atasque *etc* [a'taske] *vb* V **atascar**.

ataúd [ata'uð] *nm* cercueil *m*, bière *f*.

ataviar [ata'ßjar] *vt* parer; **ataviarse** *vpr* se parer.

atavío [ata'ßio] *nm* toilette *f*; ~**s** *nmpl* (*adornos*) toilette, atours *mpl*.

atavismo [ata'ßismo] *nm* atavisme *m*.

ate ['ate] (*MÉX*) *nm* (*dulce de membrillo*) gelée *f* de coings.

ateísmo [ate'ismo] *nm* athéisme *m*.

atemorice *etc* [atemo'riθe] *vb* V **atemorizar**.

atemorizar [atemori'θar] *vt* faire peur à; **atemorizarse** *vpr*: ~**se** (**de** *o* **por**) s'effrayer (de).

Atenas [a'tenas] *n* Athènes.

atenazar [atena'θar] *vt* tenailler.

atención [aten'θjon] *nf* attention *f* ◆ *excl* attention!; **atenciones** *nfpl* (*amabilidad*) attentions *fpl*, égards *mpl*; **en** ~ **a esto** eu égard à cela; **llamar la** ~ **a algn** (*despertar curiosidad*) attirer l'attention de qn; (*reprender*) rappeler qn à l'ordre; **prestar** ~ prêter attention; **"a la** ~ **de ..."** (*en carta*) "à l'attention de ...".

atender [aten'der] *vt* (*consejos*) tenir compte de; (*TEC*) entretenir; (*enfermo, niño*) s'occuper de, soigner; (*petición*) accéder à ◆ *vi*: ~ **a** se soucier de; (*detalles*) s'arrêter sur; ~ **al teléfono** répondre au téléphone; ~ **a la puerta** aller ouvrir la porte.

atendré *etc* [aten'dre] *vb* V **atenerse**.

atenerse [ate'nerse] *vpr*: ~ **a** s'en tenir à; ~ **a las consecuencias** penser aux conséquences.

atenga *etc* [a'tenga] *vb* V **atenerse**.

ateniense [ate'njense] *adj* d'Athènes ◆ *nm/f* Athénien(ne).

atentado [aten'taðo] *nm* attentat *m*; (*delito*) atteinte *f*, attentat; ~ **contra la vida de algn** attentat à la vie de qn; ▶ **atentado contra el pudor** attentat à la pudeur;

▶ **atentado contra la salud pública** atteinte à la santé publique; ▶ **atentado golpista** coup *m* d'État.

atentamente [a'tentamente] *adv* attentivement; **le saluda** ~ (*en carta*) recevez mes salutations distinguées.

atentar [aten'tar] *vi*: ~ **a** *o* **contra** (*seguridad*) attenter à; (*moral, derechos*) porter atteinte à; ~ **contra** (*POL*) attenter à la vie de, commettre un attentat contre.

atento, -a [a'tento, a] *adj* attentif(-ive); (*cortés*) attentionné(e); ~ **a** attentif(-ive) à; **su atenta** (**carta**) (*COM*) votre courrier.

atenuante [ate'nwante] *adj*: **circunstancias** ~**s** (*JUR*) circonstances *fpl* atténuantes.

atenuar [ate'nwar] *vt* atténuer; **atenuarse** *vpr* s'atténuer.

ateo, -a [a'teo, a] *adj, nm/f* athée *m/f*.

aterciopelado, -a [aterθjope'laðo, a] *adj* velouté(e).

aterido, -a [ate'riðo, a] *adj*: ~ **de frío** transi(e).

aterrador, a [aterra'ðor, a] *adj* épouvantable, effroyable.

aterrar [ate'rrar] *vt* effrayer; (*aterrorizar*) terrifier; **aterrarse** *vpr*: ~**se de** *o* **por** être terrifié(e) par.

aterrice *etc* [ate'rriθe] *vb* V **aterrizar**.

aterrizaje [aterri'θaxe] *nm* (*AVIAT*) atterrissage *m*; ▶ **aterrizaje forzoso** atterrissage forcé.

aterrizar [aterri'θar] *vi* atterrir.

aterrorice *etc* [aterro'riθe] *vb* V **aterrorizar**.

aterrorizar [aterrori'θar] *vt* terroriser; **aterrorizarse** *vpr*: ~**se** (**de** *o* **por**) être terrorisé(e) (par).

atesorar [ateso'rar] *vt* amasser; (*fig*) accumuler.

atestado, -a [ates'taðo, a] *adj* (*testarudo*) entêté(e) ◆ *nm* (*JUR*) procès-verbal *m*; ~ **de** plein(e) à craquer de.

atestar [ates'tar] *vt* envahir; (*JUR*) attester.

atestiguar [atesti'ɣwar] *vt* (*JUR*) témoigner; (*fig*: *dar prueba de*) témoigner de.

atestigüe *etc* [ates'tiɣwe] *vb* V **atestiguar**.

atiborrar [atißo'rrar] *vt* envahir; **atiborrarse** *vpr*: ~**se** (**de**) se gaver (de).

atice *etc* [a'tiθe] *vb* V **atizar**.

ático ['atiko] *nm* attique *m*; ▶ **ático de lujo** *appartement de grand standing construit sur le toit d'un immeuble.*

atienda *etc* [a'tjenda] *vb* V **atender**.

atildar [atil'dar] *vt* (*TIP*) accentuer; **atildarse** *vpr* se pomponner.

atinado, -a [ati'naðo, a] *adj* approprié(e); (*sensato*) sensé(e).

atinar [ati'nar] *vi* viser juste; (*fig*) deviner juste; ~ **con** *o* **en** (*solución*) trouver; ~ **a hacer** réussir à faire.

atípico – atrasar

atípico, -a [a'tipiko, a] *adj* atypique.
atiplado, -a [ati'plaðo, a] *adj* (*voz*) aigu(ë).
atirantar [atiran'tar] *vt* tendre.
atisbar [atis'ßar] *vt* épier; (*vislumbrar*) percevoir.
atizar [ati'θar] *vt* (*fuego, fig*) attiser; (*horno etc*) alimenter; (*DEPORTE*) battre à plate couture; (*fam: golpe*) flanquer.
atlántico, -a [at'lantiko, a] *adj* atlantique ♦ *nm*: **el (Océano) A~** l'(océan *m*) Atlantique *m*.
atlas ['atlas] *nm* atlas *m*.
atleta [at'leta] *nm/f* athlète *m/f*.
atlético, -a [at'letiko, a] *adj* (*competición*) d'athlétisme; (*persona*) athlétique.
atletismo [atle'tismo] *nm* athlétisme *m*.
atmósfera [at'mosfera] *nf* atmosphère *f*.
atmosférico, -a [atmos'feriko, a] *adj* atmosphérique.
atol [a'tol], **atole** [a'tole] (*CAM, MÉX*) *nm* (*CULIN*) *boisson faite à partir de farine de maïs.*
atolladero [atoʎa'ðero] *nm* (*fig*) impasse *f*; **estar en un ~** être dans une impasse; **sacar a algn de un ~** tirer qn d'embarras.
atollarse [ato'ʎarse] *vpr* s'enliser, s'embourber; (*fig*) s'embourber.
atolondradamente [atolon'draðamente] *adv* étourdiment.
atolondrado, -a [atolon'draðo, a] *adj* étourdi(e).
atolondramiento [atolondra'mjento] *nm* étourderie *f*.
atolondrarse [atolon'drarse] *vpr* perdre la tête; (*por golpe*) être étourdi(e).
atómico, -a [a'tomiko, a] *adj* atomique.
atomizador [atomiθa'ðor] *nm* atomiseur *m*.
átomo ['atomo] *nm* atome *m*.
atónito, -a [a'tonito, a] *adj* pantois(e).
atontado, -a [aton'taðo, a] *adj* étourdi(e); (*bobo*) stupide ♦ *nm/f* abruti(e).
atontamiento [atonta'mjento] *nm* abêtissement *m*.
atontar [aton'tar] *vt* abrutir; **atontarse** *vpr* s'abêtir.
atorar [ato'rar] *vt* obstruer; **atorarse** *vpr* s'étrangler.
atormentar [atormen'tar] *vt* tourmenter, torturer; **atormentarse** *vpr* se tourmenter.
atornillar [atorni'ʎar] *vt* visser.
atorón [ato'ron] (*MÉX*) *nm* (*AUTO: atasco*) embouteillage *m*.
atorrante, -a [ato'rrante, ɑ] (*CSUR: fam*) *adj* (*perezoso*) fainéant(e); (*vagabundo*) vagabond(e) ♦ *nm/f* vagabond(e).
atosigar [atosi'ɣar] *vt* empoisonner; **atosigarse** *vpr* être obsédé(e).
atosigue *etc* [ato'siɣe] *vb V* **atosigar**.
atrabiliario, -a [atraßi'ljarjo, a] *adj* atrabi-

laire.
atracadero [atraka'ðero] *nm* débarcadère *m*.
atracador, a [atraka'ðor, a] *nm/f* malfaiteur *m*.
atracar [atra'kar] *vt* (*NÁUT*) amarrer; (*atacar*) attaquer à main armée ♦ *vi* amarrer; **atracarse** *vpr*: **~se (de)** se bourrer (de).
atracción [atrak'θjon] *nf* attirance *f*; **atracciones** *nfpl* (*diversiones*) attractions *fpl*; **sentir ~ por** éprouver de l'attirance pour; **centro/punto de ~** centre *m*/point *m* d'attraction.
atraco [a'trako] *nm* agression *f*; (*en banco*) hold-up *m inv*; ▸ **atraco a mano armada** attaque *f* à main armée.
atracón [atra'kon] *nm*: **darse o pegarse un ~ (de)** (*fam*) s'empiffrer (de), se bourrer (de).
atractivo, -a [atrak'tißo, a] *adj* attirant(e) ♦ *nm* attrait *m*.
atraer [atra'er] *vt* attirer; **atraerse** *vpr* s'attirer; **dejarse ~ por** se laisser attirer par; **~se a algn** conquérir qn.
atragantarse [atraɣan'tarse] *vpr*: **~ (con)** s'étrangler (avec); **se me ha atragantado el chico ése** je ne peux pas le voir, celui-là; **se me ha atragantado el inglés** l'anglais et moi, ça fait deux.
atraiga *etc* [a'traiɣa] *vb V* **atraer**.
atraje *etc* [a'traxe] *vb V* **atraer**.
atrancar [atran'kar] *vt* (*puerta*) barricader; (*desagüe*) boucher; **atrancarse** *vpr* (*desagüe*) se boucher; (*mecanismo*) se gripper; (*fig: al hablar*) bafouiller.
atranque *etc* [a'tranke] *vb V* **atrancar**.
atrapar [atra'par] *vt* attraper.
atraque *etc* [a'trake] *vb V* **atracar**.
atrás [a'tras] *adv* (*posición*) derrière, en arrière; (*dirección*) derrière; ~ **de** *prep* (*AM: detrás de*) derrière; **años/meses ~** des années/mois auparavant; **días ~** cela fait des jours et des jours; **asiento/parte de ~** siège *m*/partie *f* arrière; **cuenta ~** compte *m* à rebours; **marcha ~** marche *f* arrière; **echarse para ~** se rejeter en arrière; **ir hacia ~** (*movimiento*) aller en arrière; (*dirección*) aller derrière; **estar ~** être *o* se trouver derrière *o* en arrière; **está más ~** c'est plus loin derrière; **volverse ~** revenir en arrière, reculer; (*desdecirse*) se dédire.
atrasado, -a [atra'saðo, a] *adj* (*pago*) arriéré(e); (*país*) sous-développé(e); (*trabajo*) en retard; (*costumbre*) passé(e); (*mode*) dépassé(e); **el reloj está o va ~** la pendule retarde; **ir ~** (*ESCOL*) être en retard; **poner fecha atrasada a** antidater.
atrasar [atra'sar] *vi, vt* retarder; **atrasarse**

vpr (*persona*) s'attarder; (*tren*) avoir du retard; (*reloj*) retarder.

atraso [a'traso] *nm* retard *m*; **~s** *nmpl* (*COM*) arriérés *mpl*.

atravesado, -a [atraße'saðo, a] *adj* (*persona*) pervers(e); **~ (en)** en travers (de).

atravesar [atraße'sar] *vt* traverser; (*poner al través*) barrer; **atravesarse** *vpr* se mettre en travers de; **ese tipo se me ha atravesado** je ne peux pas souffrir ce type.

atraviese *etc* [atra'ßjese] *vb* V **atravesar**.

atrayendo *etc* [atra'jendo] *vb* V **atraer**.

atrayente [atra'jente] *adj* alléchant(e).

atreverse [atre'ßerse] *vpr*: **~ a (hacer)** oser (faire).

atrevido, -a [atre'ßiðo, a] *adj* (*audaz*) audacieux(-euse); (*descarado*) insolent(e); (*moda, escote*) osé(e) ♦ *nm/f* audacieux(-euse), insolent(e).

atrevimiento [atreßi'mjento] *nm* (*audacia*) audace *f*; (*descaro*) insolence *f*.

atribución [atrißu'θjon] *nf* attribution *f*; **atribuciones** *nfpl* (*POL, ADMIN*) attributions *fpl*.

atribuir [atrißu'ir] *vt*: **~ a** attribuer à; **atribuirse** *vpr* s'attribuer.

atribular [atrißu'lar] *vt* affliger; **atribularse** *vpr* être affligé(e).

atributo [atri'ßuto] *nm* attribut *m*, apanage *m*; (*emblema*) attributs *mpl*.

atribuya *etc* [atri'ßuja] *vb* V **atribuir**.

atribuyendo *etc* [atrißu'jendo] *vb* V **atribuir**.

atril [a'tril] *nm* pupitre *m*; (*MÚS*) lutrin *m*.

atrincherar [atrintʃe'rar] *vt* (*MIL*) retran cher; **atrincherarse** *vpr* se retrancher; **~se en** (*fig*) se retrancher dans.

atrio ['atrjo] *nm* (*REL*) parvis *msg*.

atrocidad [atroθi'ðað] *nf* atrocité *f*; **~es** *nfpl* (*disparates*) énormités *fpl*.

atrofiar [atro'fjar] *vt* atrophier; **atrofiarse** *vpr* s'atrophier.

atronador, a [atrona'ðor, a] *adj* (*ruido*) assourdissant(e); (*voz*) tonitruant(e).

atropelladamente [atrope'ʎaðamente] *adv* (*hablar*) avec précipitation; (*decidir*) à la hâte.

atropellado, -a [atrope'ʎaðo, a] *adj* précipité(e).

atropellar [atrope'ʎar] *vt* écraser; (*derribar*) renverser; (*empujar*) bousculer; (*agraviar*) malmener; **atropellarse** *vpr* s'embrouiller.

atropello [atro'peʎo] *nm* (*AUTO*) collision *f*; (*contra propiedad, derechos*) violation *f*; (*empujón*) bousculade *f*; (*agravio*) insulte *f*; (*atrocidad*) atrocité *f*.

atroz [a'troθ] *adj* atroce; (*frío*) terrible; (*hambre*) de loup; (*sueño*) irrésistible; (*película, comida*) épouvantable.

atrozmente [a'troθmente] *adv* atrocement.

A.T.S. *sigla m/f* (= *Ayudante Técnico Sanitario*) infirmier(-ère).

atto., -a. *abr* (= *atento, a*) dévoué(e).

attrezzo [a'treθo] *nm* accessoires *mpl*.

atuendo [a'twendo] *nm* tenue *f*.

atufar [atu'far] *vt* (*suj: olor*) incommoder; (*molestar*) irriter; **atufarse** *vpr* (*fig*) se fâcher.

atún [a'tun] *nm* thon *m*.

aturdir [atur'ðir] *vt* assommer; (*suj: ruido*) assourdir; (: *vino*) étourdir; (: *droga*) abrutir; (: *noticia*) laisser sans voix; **aturdirse** *vpr* être assourdi(e); (*por órdenes contradictorias*) être décontenancé(e).

aturrullar [aturru'ʎar] *vt* décontenancer; **aturrullarse** *vpr* se décontenancer.

atusar [atu'sar] *vt* (*pelo: cortar*) couper; (: *alisar*) arranger; **atusarse** *vpr* se pomponner.

atuve *etc* [a'tuße] *vb* V **atenerse**.

audacia [au'ðaθja] *nf* audace *f*.

audaz [au'ðaθ] *adj* audacieux(-euse).

audazmente [au'ðaθmente] *adv* audacieusement, avec audace.

audible [au'ðißle] *adj* audible.

audición [auði'θjon] *nf* audition *f*; ▸ **audición radiofónica** audition radiophonique.

audiencia [au'ðjenθja] *nf* audience *f*; ▸ **audiencia pública** (*POL*) audience publique.

audífono [au'ðifono] *nm* audiophone *m*.

audiovisual [auðjoßi'swal] *adj* audiovisuel(le).

auditivo, -a [auði'tißo, a] *adj* auditif(-ive).

auditor [auði'tor] *nm* (*JUR*) assesseur *m*; (*COM*) commissaire *m* aux comptes.

auditoría [auðito'ria] *nf* audit *m*.

auditorio [auði'torjo] *nm* auditoire *m*; (*sala*) auditorium *m*.

auge ['auxe] *nm* apogée *m*; (*COM, ECON*) essor *m*; **estar en ~** être en plein essor.

augurar [auxu'rar] *vt* (*suj: hecho*) laisser présager; (: *persona*) prédire.

augurio [au'xurjo] *nm* présage *m*.

aula ['aula] *nf* (*en colegio*) salle *f* de classe, classe *f*; (*en universidad*) salle de cours; ▸ **aula magna** amphithéâtre *m*.

aullar [au'ʎar] *vi* grogner; (*fig: viento*) hurler.

aullido [au'ʎiðo] *nm* hurlement *m*.

aumentar [aumen'tar] *vt* augmenter; (*vigilancia*) redoubler de; (*FOTO*) agrandir; (*con microscopio*) grossir ♦ *vi* augmenter; (*vigilancia*) redoubler.

aumento [au'mento] *nm* augmentation *f*; (*vigilancia*) redoublement *m*; **en ~** (*precios*) en hausse.

aun [a'un] *adv* même; **~ así** même ainsi; **~**

cuando même si.
aún [a'un] *adv* (*todavía*) encore, toujours; ~ no pas encore, toujours pas; ~ más encore plus; ¿no ha venido ~? il n'est pas encore arrivé?, il n'est toujours pas arrivé?
aunque [a'unke] *conj* bien que, même si.
aúpa [a'upa] *adj*: de ~ (*fam: catarro*) carabiné(e); (: *chica*) bien roulé(e); (: *espectáculo*) sensass.
aupar [au'par] *vt* soulever; (*fig*) porter aux nues.
aura ['aura] *nf* (*fig*) aura *f*.
aureola [aure'ola] *nf* auréole *f*.
aurícula [au'rikula] *nf* (*del corazón*) oreillette *f*.
auricular [auriku'lar] *nm* (*TELEC*) écouteur *m*; ~es *nmpl* écouteurs *mpl*.
aurora [au'rora] *nf* aurore *f*; ► **aurora boreal(is)** aurore boréale.
auscultar [auskul'tar] *vt* ausculter.
ausencia [au'senθja] *nf* absence *f*; **brillar por su** ~ briller par son absence.
ausentarse [ausen'tarse] *vpr*: ~ (de) s'absenter (de).
ausente [au'sente] *adj* absent(e) ♦ *nm/f* (*ESCOL*) absent(e); (*JUR*) personne *f* portée disparue.
ausentismo [ausen'tismo] *nm* absentéisme *m*.
auspiciar [auspi'θjar] (*AM*) *vt* (*patrocinar*) patronner.
auspicio [aus'piθjo] *nm*: **buen/mal** ~ bons/ mauvais auspices *mpl*; ~s *nmpl*: **bajo los** ~s de sous les auspices de.
austeramente [aus'teramente] *adv* (*vivir*) austèrement; (*mirar*) sévèrement.
austeridad [austeri'ðað] *nf* (*de vida*) austérité *f*; (*de mirada*) sévérité *f*.
austero, -a [aus'tero, a] *adj* austère; (*lenguaje*) dépouillé(e).
austral [aus'tral] *adj* austral(e) ♦ *nm* (*AM*: *1985-1991*) austral *m*.
Australia [aus'tralja] *nf* Australie *f*.
australiano, -a [austra'ljano, a] *adj* australien(ne) ♦ *nm/f* Australien(ne).
Austria ['austrja] *nf* Autriche *f*.
austriaco, -a [aus'trjako, a], **austríaco, -a** [aus'triako, a] *adj* autrichien(ne) ♦ *nm/f* Autrichien(ne).
auténticamente [au'tentikamente] *adv* authentiquement.
autenticar [autenti'kar] *vt* = **autentificar**.
auténtico, -a [au'tentiko, a] *adj* authentique; (*cuero*) véritable; **es un** ~ **campeón** c'est un vrai champion.
autentificar [autentifi'kar] *vt* authentifier.
autentique *etc* [auten'tike] *vb V* **autenticar**.
auto ['auto] *nm* (*coche*) auto *f*; (*JUR*) arrêté *m*; ~s *nmpl* (*JUR*) pièces *fpl* d'un dossier;

(: *acta*) procédure *f* judiciaire; ► **auto de comparecencia** assignation *f*; ► **auto de ejecución** titre *m* exécutoire; ► **auto sacramental** *drame religieux espagnol des 16ème et 17ème siècles, comparable aux mystères français du Moyen Âge*.
autoadhesivo, -a [autoaðe'sißo, a] *adj* autocollant(e).
autoalimentación [autoalimenta'θjon] *nf* (*INFORM*): ~ **de hojas** avancement *m* automatique du papier.
autobiografía [autoßjoɣra'fia] *nf* autobiographie *f*.
autobús [auto'ßus] *nm* autobus *m*; ► **autobús de línea** car *m*.
autocar [auto'kar] *nm* autocar *m*; ► **autocar de línea** car *m*.
autócrata [au'tokrata] *nm/f* autocrate *m*.
autocráticamente [auto'kratikamente] *adv* de manière autocratique.
autocrático, -a [auto'kratiko, a] *adj* autocratique.
autóctono, -a [au'toktono, a] *adj* autochtone.
autodefensa [autoðe'fensa] *nf* autodéfense *f*.
autodeterminación [autoðetermina'θjon] *nf* autodétermination *f*.
autodidacta [autoði'ðakta] *adj*, *nm/f* autodidacte *m/f*.
autódromo [au'toðromo] *nm* autodrome *m*.
autoescuela [autoes'kwela] *nf* auto-école *f*.
autofinanciado, -a [autofinan'θjaðo, a] *adj* autofinancé(e).
autogestión [autoxes'tjon] *nf* autogestion *f*.
autógrafo [au'toɣrafo] *nm* autographe *m*.
automación [automa'θjon] *nf* = **automatización**.
autómata [au'tomata] *nm* (*persona*) automate *m*.
automáticamente [auto'matikamente] *adv* automatiquement.
automatice *etc* [automa'tiθe] *vb V* **automatizar**.
automático, -a [auto'matiko, a] *adj* automatique; (*reacción*) machinal(e) ♦ *nm* bouton-pression *m*.
automatización [automatiθa'θjon] *nf* automatisation *f*; ► **automatización de fábricas** automation *f* industrielle; ► **automatización de oficinas** bureautique *f*.
automatizar [automati'θar] *vt* automatiser.
automotor, -triz [automo'tor, 'triz] *adj* automoteur(-trice) ♦ *nm* automotrice *f*.
automóvil [auto'moßil] *nm* automobile *f*.
automovilismo [automoßi'lismo] *nm* automobilisme *m*.
automovilista [automoßi'lista] *nm/f* (*conductor*) automobiliste *m/f*.
automovilístico, -a [automoßi'listiko, a]

adj (*industria*) automobile.

autonomía [autono'mia] *nf* autonomie *f*; (*territorio*) région *f* autonome; **Estatuto de A~** (*ESP*) statut *m* d'autonomie.

autonómico, -a [auto'nomiko, a] (*ESP*) *adj* (*elecciones*) des communautés autonomes; (*política*) d'autonomie des régions; **gobierno ~** gouvernement *m* régional autonome.

autónomo, -a [au'tonomo, a] *adj* (*POL, INFORM*) autonome; (*trabajador*) indépendant(e).

autopista [auto'pista] *nf* autoroute *f*; ▶ **autopista de peaje** autoroute à péage.

autopsia [au'topsja] *nf* autopsie *f*.

autor, a [au'tor, a] *nm/f* auteur *m*; **los ~es del atentado** les auteurs de l'attentat.

autoría [auto'ria] *nf* (*de libro etc*) paternité *f*; (*de crimen*) responsabilité *f*.

autorice *etc* [auto'riθe] *vb* V **autorizar**.

autoridad [autori'ðað] *nf* autorité *f*; **~es** *nfpl* (*POL*) autorités *fpl*; **la ~ política/judicial** les autorités politiques/judiciaires; **ser una ~ en física/matemáticas** faire autorité en matière de physique/de mathématiques; **tener ~ sobre algn** avoir autorité sur qn; ▶ **autoridad local** autorité locale.

autoritario, -a [autori'tarjo, a] *adj* autoritaire.

autorización [autoriθa'θjon] *nf* autorisation *f*.

autorizado, -a [autori'θaðo, a] *adj* autorisé(e).

autorizar [autori'θar] *vt* autoriser; **~ a hacer** autoriser à faire.

autorretrato [autorre'trato] *nm* autoportrait *m*.

autoservicio [autoser'βiθjo] *nm* (*tienda*) libre-service *m*; (*restaurante*) self-service *m*.

autostop [auto'stop] *nm* auto-stop *m*; **hacer ~** faire de l'auto-stop.

autostopista [autosto'pista] *nm/f* autostoppeur(-euse).

autosuficiencia [autosufi'θjenθja] *nf* autosuffisance *f*; (*económica*) autarcie *f*.

autosuficiente [autosufi'θjente] *adj* (*economía*) autarcique; (*país*) économiquement indépendant(e); (*pey: persona*) suffisant(e).

autosugestión [autosuxes'tjon] *nf* autosuggestion *f*.

autovía [auto'βia] *nf* route *f* à quatre voies.

auxiliar [auksi'ljar] *vt* secourir, venir en aide à ♦ *adj* auxiliaire; (*profesor*) suppléant(e) ♦ *nm/f* auxiliaire *m/f*.

auxilio [auk'siljo] *nm* aide *f*, secours *msg* ♦

excl au secours!; **primeros ~s** premiers secours *mpl*; **prestar ~ a algn** venir en aide à qn, porter secours à qn; ▶ **auxilio en carretera** secours *mpl* d'urgence.

Av. *abr* (= *Avenida*) av. (= *avenue*).

a/v *abr* (= *a la vista*) V **vista**.

aval [a'βal] *nm* aval *m*; (*garantía*) garantie *f*; ▶ **aval bancario** garantie bancaire.

avalancha [aβa'lantʃa] *nf* avalanche *f*.

avalar [aβa'lar] *vt* (*COM*) avaliser; (*fig*) garantir.

avalista [aβa'lista] *nm* (*COM*) avaliseur *m*, avaliste *m*.

avance [a'βanθe] *nm* (*de tropas*) avance *f*, progression *f*; (*de la ciencia*) progrès *msg*; (*pago*) avance; (*TV: de noticias*) flash *m* (d'information); (*del tiempo*) prévisions *fpl* météorologiques; (*CINE*) bande-annonce *f*.

avanzado, -a [aβan'θaðo, a] *adj* avancé(e), d'avant-garde; **de edad avanzada** d'un âge avancé, âgé(e).

avanzar [aβan'θar] *vt* avancer ♦ *vi* avancer, progresser; (*proyecto*) avancer; (*alumno*) avancer, faire des progrès.

avaricia [aβa'riθja] *nf* avarice *f*.

avariciosamente [aβari'θjosamente] *adv* avec avarice; (*con avidez*) avidement.

avaricioso, -a [aβari'θjoso, a] *adj* avaricieux(-euse).

avaro, -a [a'βaro, a] *adj*, *nm/f* avare *m/f*.

avasallador, a [aβasaʎa'ðor, a] *adj* (*triunfo, fuerza*) écrasant(e); (*persona*) dominateur(-trice).

avasallar [aβasa'ʎar] *vt* asservir, faire ployer.

avatares [aβa'tares] *nmpl* avatars *mpl*.

Avda. *abr* (= *Avenida*) av. (= *avenue*).

AVE ['aβe] *sigla m* (= *Alta Velocidad Española*) ≈ TGV *m* (= *train à grande vitesse*).

ave ['aβe] *nf* oiseau *m*; ▶ **ave de rapiña** oiseau de proie; ▶ **aves de corral** oiseaux *mpl* de basse-cour, volaille *f*.

avecinarse [aβeθi'narse] *vpr* approcher.

avejentarse [aβexen'tar] *vt* vieillir; **avejentarse** *vpr* vieillir.

avellana [aβe'ʎana] *nf* noisette *f*.

avellano [aβe'ʎano] *nm* noisetier *m*, coudrier *m*.

avemaría [aβema'ria] *nm* Ave (Maria) *m*.

avena [a'βena] *nf* avoine *f*.

avendré *etc* [aβen'dre] *vb* V **avenir**.

avenga *etc* [a'βenɣa] *vb* V **avenir**.

avenida [aβe'niða] *nf* avenue *f*; (*de río*) crue *f*.

avenido, -a [aβe'niðo, a] *adj*: **bien/mal ~** uni(e)/désuni(e).

avenir [aβe'nir] *vt* mettre d'accord; **avenirse** *vpr* (*personas*) s'entendre; **~se a hacer** consentir à faire; **~se a razones** se

rendre à la raison.
aventado, -a [aßen'taðo, a] (*AM*) *adj* (*osado*) osé(e).
aventajado, -a [aßenta'xaðo, a] *adj* remarquable.
aventajar [aßenta'xar] *vt*: ~ **a algn (en algo)** surpasser qn (en qch).
aventar [aßen'tar] *vt* (*echar al aire*) disperser; (*exponer al aire*) exposer au vent; (*grano*) vanner; (*AM*: *fam*: *echar*) jeter.
aventón [aßen'ton] (*MÉX*) *nm*: **dar un ~ a algn** déposer qn quelque part; **pedir ~** faire du stop.
aventura [aßen'tura] *nf* aventure *f*.
aventurado, -a [aßentu'raðo, a] *adj* aventureux(-euse).
aventurar [aßentu'rar] *vt* (*opinión*) hasarder; (*capital*) aventurer; **aventurarse** *vpr* s'aventurer; **~se a hacer algo** s'aventurer à faire qch.
aventurero, -a [aßentu'rero, a] *adj*, *nm/f* aventurier(-ère).
avergoncé [aßerɣon'θe] *vb V* **avergonzar**.
avergoncemos *etc* [aßerɣon'θemos] *vb V* **avergonzar**.
avergonzar [aßerɣon'θar] *vt* faire honte à; **avergonzarse** *vpr*: **~se de (hacer)** avoir honte de (faire).
avergüence *etc* [aßer'ɣwenθe] *vb V* **avergonzar**.
avería [aße'ria] *nf* (*TEC*) panne *f*, avarie *f*; (*AUTO*) panne.
averiado, -a [aße'rjaðo, a] *adj* en panne; "**~**" "en panne".
averiar [aße'rjar] *vt* endommager, faire tomber en panne; **averiarse** *vpr* tomber en panne.
averiguación [aßeriɣwa'θjon] *nf* enquête *f*; (*descubrimiento*) découverte *f*.
averiguar [aßeri'ɣwar] *vt* enquêter sur; (*descubrir*) découvrir.
averigüe *etc* [aße'riɣwe] *vb V* **averiguar**.
aversión [aßer'sjon] *nf* aversion *f*; **cobrar ~ a** prendre en aversion.
avestruz [aßes'truθ] *nm* autruche *f*.
aviación [aßja'θjon] *nf* aviation *f*.
aviado, -a [a'ßjaðo, a] *adj*: **¡estamos ~s!** on est servis!
aviador, a [aßja'ðor, a] *nm/f* aviateur (-trice).
aviar [a'ßjar] *vt* (*maleta, comida*) préparer; (*habitación*) ranger.
avícola [a'ßikola] *adj* avicole.
avicultura [aßikul'tura] *nf* aviculture *f*.
avidez [aßi'ðeθ] *nf*: **~ de** *o* **por** empressement *m* à; (*pey*) avidité *f* de; **con ~** avec avidité.
ávido, -a ['aßiðo, a] *adj*: **~ de** *o* **por** avide de.
aviente *etc* [a'ßjente] *vb V* **aventar**.

avieso, -a [a'ßjeso, a] *adj* (*mirada*) torve; (*espíritu, persona*) retors(e); (*intenciones*) louche.
avinagrado, -a [aßina'ɣraðo, a] *adj* aigri(e), revêche; (*voz*) aigre.
avinagrarse [aßina'ɣrarse] *vpr* s'aigrir.
avine *etc* [a'ßine] *vb V* **avenir**.
Aviñón [aßi'ɲon] *n* Avignon.
avío [a'ßio] *nm* préparatifs *mpl*; **~s** *nmpl* (*de pesca*) attirail *m* (de pêche); (*de limpieza*) ustensiles *mpl* (de ménage); (*de costura*) nécessaire *m* (à couture).
avión [a'ßjon] *nm* avion *m*; (*ave*) martinet *m*; **por ~** (*CORREOS*) par avion; ▶ **avión de caza** avion de chasse, chasseur *m*; ▶ **avión de combate/de hélice/de reacción** avion de combat/à hélice/à réaction.
avioneta [aßjo'neta] *nf* avion *m* léger.
avisar [aßi'sar] *vt* (*ambulancia, fontanero*) appeler; (*médico*) prévenir; ~ (**de**) (*advertir*) avertir (de); (*informar*) avertir (de), faire part (de); ~ **a algn con antelación** prévenir qn.
aviso [a'ßiso] *nm* avis *msg*; (*COM*) commande *f*; (*INFORM*) message *m* d'incitation; **estar/poner sobre ~** être sur ses gardes/mettre en garde; **hasta nuevo ~** jusqu'à nouvel ordre; **sin previo ~** sans préavis; ▶ **aviso escrito** notification *f* par écrit.
avispa [a'ßispa] *nf* guêpe *f*.
avispado, -a [aßis'paðo, a] *adj* éveillé(e).
avisparse [aßis'parse] *vpr* s'éveiller.
avispero [aßis'pero] *nm* guêpier *m*; **meterse en un ~** se fourrer dans un guêpier.
avispón [aßis'pon] *nm* frelon *m*.
avistar [aßis'tar] *vt* distinguer.
avitaminosis [aßitami'nosis] *nf inv* avitaminose *f*.
avituallamiento [aßitwaʎa'mjento] *nm* ravitaillement *m*.
avituallar [aßitwa'ʎar] *vt* ravitailler.
avivar [aßi'ßar] *vt* aviver; (*paso*) presser; **avivarse** *vpr* se raviver; (*discusión*) s'animer.
avizor [aßi'θor] *adj*: **estar ojo ~** ouvrir l'œil.
avizorar [aßiθo'rar] *vt* guetter, épier.
axila [ak'sila] *nf* aisselle *f*.
axioma [ak'sjoma] *nm* axiome *m*.
ay [ai] *excl* aïe!; (*aflicción*) hélas!; **¡~ de mí!** pauvre de moi!
aya ['aja] *nf* (*institutriz*) gouvernante *f*; (*niñera*) nurse *f*.
ayer [a'jer] *adv*, *nm* hier (*m*); **antes de ~** avant-hier; **~ por la tarde** hier après-midi.
ayllu ['ajʎu] (*AND*) *nm* (*caserío indio*) hameau *m* indien.
aymara [aj'mara] = **aimara**.

ayo ['ajo] *nm* précepteur *m*.
ayote [a'jote] (*MÉX: calabaza*) *nm* courge *f*.
Ayto. *abr* = **ayuntamiento**.
ayuda [a'juða] *nf* aide *f*; (*MED*) lavement *m*
♦ *nm*: ~ **de cámara** valet *m* de chambre.
ayudante, -a [aju'ðante, a] *nm/f* adjoint(e);
(*ESCOL*) assistant(e); (*MIL*) adjudant *m*.
ayudar [aju'ðar] *vt* aider; ~ **a algn a hacer**
algo aider qn à faire qch.
ayunar [aju'nar] *vi* jeûner.
ayunas [a'junas] *nfpl*: **estar en ~** être à
jeun; (*fig*) **ne rien savoir**.
ayuno [a'juno] *nm* jeûne *m*.
ayuntamiento [ajunta'mjento] *nm* (*concejo*)
municipalité *f*; (*edificio*) mairie *f*, hôtel *m*
de ville; (*cópula*) copulation *f*.
azabache [aθa'ßatʃe] *nm* jais *msg*.
azada [a'θaða] *nf* houe *f*.
azafata [aθa'fata] *nf* hôtesse *f* de l'air; (*de*
congreso) hôtesse d'accueil.
azafate [aθa'fate] (*AM*) *nm* (*bandeja*) plateau *m*.
azafrán [aθa'fran] *nm* safran *m*.
azahar [aθa'ar] *nm* fleur *f* d'oranger.
azalea [aθa'lea] *nf* azalée *f*.
azar [a'θar] *nm* (*casualidad*) hasard *m*; (*des-*
gracia) malheur *m*; **al/por ~** au/par hasard; **juegos de ~** jeux *mpl* de hasard.
azararse [aθa'rarse] *vpr* avoir honte.
azaroso, -a [aθa'roso, a] *adj* mouvemen-
té(e).
azogue [a'θoɣe] *nm* vif-argent *m*.
azor [a'θor] *nm* autour *m*.
azoramiento [aθora'mjento] *nm* trouble *m*.
azorar [aθo'rar] *vt* faire honte; **azorarse**
vpr se troubler.
Azores [a'θores] *nfpl*: **las (Islas) ~** les
Açores *fpl*.
azotaina [aθo'taina] *nf* raclée *f*.
azotar [aθo'tar] *vt* fouetter; (*suj: lluvia*)
fouetter, cingler; (*fig*) sévir.
azote [a'θote] *nm* coup *m* de fouet; (*a niño*)
fessée *f*; (*fig*) fléau *m*; (*látigo*) fouet *m*.
azotea [aθo'tea] *nf* terrasse *f*; **andar o estar**
mal de la ~ travailler du chapeau.
azteca [aθ'teka] *adj* aztèque ♦ *nm/f* Aztèque
m/f.
azúcar [a'θukar] *nm o f* sucre *m*; ► **azúcar**
glaseado sucre glace.
azucarado, -a [aθuka'raðo, a] *adj* sucré(e).
azucarero, -a [aθuka'rero, a] *adj* (*industria*)
sucrier(-ère); (*comercio*) du sucre ♦ *nm*
sucrier *m*.
azuce *etc* [a'θuθe] *vb V* **azuzar**.
azucena [aθu'θena] *nf* lis *m*, lys *m*.
azufre [a'θufre] *nm* soufre *m*.
azul [a'θul] *adj* bleu(e) ♦ *nm* bleu *m*; ► **azul**
celeste/marino bleu ciel/marine.
azulejar [aθule'xar] *vt* carreler.
azulejo [aθu'lexo] *nm* carreau *m* (*au mur*).

azulgrana [aθul'ɣrana] *adj inv* de l'équipe
de football de Barcelone ♦ *nm*: **los A~s**
les joueurs de l'équipe de football de Barcelone.
azuzar [aθu'θar] *vt* exciter.

B, b

B, b [be] *nf* (*letra*) B, b *m inv*; ~ **de Barcelo-**
na ≈ B comme Berthe.
B *abr* (= *baño*) sdb (= *salle de bain*); (=
bien) B, b (= *bien*); (*METEOROLOGÍA* =
baja presión) D, d (= *dépression*).
baba ['baßa] *nf* bave *f*; **caérsele la ~ a algn**
(*fig*) baver d'admiration.
babear [baße'ar] *vi* baver.
babel [ba'ßel] *nm o f* (*desorden*) cirque *m*.
babero [ba'ßero] *nm* bavoir *m*.
babi [babi] *nm* blouse *f*.
Babia ['baßja] *nf*: **estar en ~** être dans la
lune.
bable ['baßle] *nm* (*LING*) asturien *m*.
babor [ba'ßor] *nm*: **a o por ~** à bâbord.
babosa [ba'ßosa] *nf* limace *f*; *V tb* **baboso**.
babosada [baßo'saða] (*AM: fam*) *nf* imbécillité *f*.
baboso, -a [ba'ßoso, a] (*AM: fam*) *adj, nm/f*
idiot(e), imbécile *m/f*.
babucha [ba'ßutʃa] *nf* babouche *f*.
baca ['baka] *nf* (*AUTO*) galerie *f*.
bacalao [baka'lao] *nm* morue *f*; **cortar el ~**
(*fig*) être le grand manitou.
bacanal [baka'nal] *nf* orgie *f*.
bache ['batʃe] *nm* nid *m* de poule; (*fig*) crise *f* passagère; ► **bache de aire** trou *m*
d'air.
bachillerato [batʃiʎe'rato] *nm* baccalauréat
m; **B~ Unificado Polivalente** *classes de troisième, seconde, première*.
bacilo [ba'θilo] *nm* bacille *m*.
bacinilla [baθi'niʎa] *nf* vase *m* de nuit.
bacteria [bak'terja] *nf* bactérie *f*.
bacteriológico, -a [bakterjo'loxiko, a] *adj*
bactériologique.
báculo ['bakulo] *nm* (*bastón*) canne *f*; (*fig*)
soutien *m*.
badajo [ba'ðaxo] *nm* battant *m* (*de cloche*).
badén [ba'ðen] *nm* (*en carretera*) cassis
msg; (*en acera*) bateau *m*
bádminton ['baðminton] *nm* badminton *m*.
baf(f)le ['baf(f)le] *nm* baffle *m*.

bagaje [ba'ɣaxe] *nm* (*de ejército*) barda *m*; (*fig*) bagage *m*; ~ **cultural** bagage *m* culturel.

bagatela [baɣa'tela] *nf* bagatelle *f*.

Bahama [ba'ama] *nfpl*: **las (Islas)** ~**s** les (îles) Bahamas *fpl*.

bahía [ba'ia] *nf* baie *f*.

bailar [bai'lar] *vt* danser; (*peonza, trompo*) faire tourner ♦ *vi* danser; (*peonza, trompo*) tourner; **te bailan los pies en esos zapatos** tu nages dans ces souliers.

bailarín, -ina [baila'rin, ina] *nm/f* danseur(-euse).

baile ['baile] *nm* danse *f*; (*fiesta*) bal *m*; ▶ **baile de disfraces** bal masqué; ▶ **baile de salón** danse de salon; ▶ **baile flamenco** flamenco *m*; ▶ **baile regional** danse folklorique.

baja ['baxa] *nf* baisse *f*; (*MIL*) perte *f*; **dar de ~ a algn** (*soldado*) réformer qn; (*empleado*) congédier qn; (*miembro de club*) exclure qn; **darse de ~** (*de trabajo*) démissionner; (*por enfermedad*) se faire porter malade; (*de club*) se retirer; **estar de ~** (*enfermo*) être en congé de maladie; **jugar a la ~** (*BOLSA*) jouer à la baisse.

bajada [ba'xaða] *nf* baisse *f*; (*declive, camino*) pente *f*; ▶ **bajada de aguas** gouttière *f*; ▶ **bajada de bandera** (*en taxi*) prise *f* en charge.

bajamar [baxa'mar] *nf* marée *f* basse.

bajar [ba'xar] *vi* descendre; (*temperatura, precios, calidad*) baisser ♦ *vt* baisser; (*escalera, maletas*) descendre; (*persiana*) abaisser; **bajarse** *vpr*: ~**se de** descendre de; ~ **de** (*de coche, autobús*) descendre de; **los coches han bajado de precio** le prix des voitures a baissé; ~**le los humos a algn** rabattre son caquet à qn.

bajeza [ba'xeθa] *nf* bassesse *f*.

bajío [ba'xio] (*AM*) *nm* banc *m* de sable.

bajista [ba'xista] *nm/f* (*MÚS*) bassiste *m/f* ♦ *adj* (*BOLSA*) baissier(-ère).

bajo, -a ['baxo, a] *adj* (*piso*) inférieur(e); (*empleo*) médiocre; (*persona, animal*) petit(e); (*ojos*) baissé(e); (*sonido*) faible ♦ *adv* bas ♦ *prep* sous (*m*); (*MÚS*) basse *f*; (*en edificio*) rez-de-chaussée *m inv*; ~**s** *nmpl* (*de falda, de pantalón*) bas *msg*; ~ **en** à faible teneur en; **hablar en voz baja** parler à voix basse; **caer ~** (*fig*) tomber bas; **de clase baja** (*pey*) de bas étage; ~ **la lluvia** sous la pluie; ~ **su punto de vista** de son point de vue.

bajón [ba'xon] *nm* chute *f*; (*de salud*) aggravation *f*; **dar** *o* **pegar un** ~ (*fam*) chuter.

bajura [ba'xura] *nf*: **pesca de** ~ pêche *f* côtière.

bala ['bala] *nf* (*proyectil*) balle *f*; **como una** ~ comme l'éclair.

balacera [bala'θera] (*AM*) *nf* échange *m* de coups de feu.

balada [ba'laða] *nf* ballade *f*.

baladronada [balaðro'naða] *nf* fanfaronnade *f*.

balance [ba'lanθe] *nm* (*COM*) bilan *m*; (: *libro*) livre *m* de comptes; **hacer** ~ **de** faire le point de; ▶ **balance consolidado** bilan consolidé; ▶ **balance de comprobación** balance *f* de vérification.

balancear [balanθe'ar] *vt* (*suj: viento, olas*) balancer; **balancearse** *vpr* se balancer.

balanceo [balan'θeo] *nm* balancement *m*.

balandrismo [balan'drismo] *nm* voile *f*.

balandro [ba'landro] *nm* cotre *m*.

balanza [ba'lanθa] *nf* balance *f*; (*ASTROL*): **B~** Balance; ▶ **balanza comercial** balance commerciale; ▶ **balanza de pagos** balance des paiements; ▶ **balanza de poder(es)** équilibre *m* des pouvoirs.

balar [ba'lar] *vi* bêler.

balaustrada [balaus'traða] *nf* balustrade *f*; (*en escalera*) rampe *f*.

balazo [ba'laθo] *nm* (*disparo*) coup *m* de feu; (*herida*) blessure *f* par balle.

balboa [bal'ßoa] *nf* balboa *m*.

balbucear [balßuθe'ar] *vi, vt* balbutier.

balbuceo [balßu'θeo] *nm* balbutiement *m*.

balbucir [balßu'θir] = **balbucear**.

balbuzca *etc* [bal'ßuθka] *vb V* **balbucir**.

Balcanes [bal'kanes] *nmpl*: **los (Montes)** ~ les Balkans *mpl*; **la Península de los** ~ la péninsule des Balkans.

balcánico, -a [bal'kaniko, a] *adj* balkanique.

balcón [bal'kon] *nm* balcon *m*.

balda ['balda] *nf* rayon *m*.

baldado, -a [bal'daðo, a] *adj*: **estar** ~ (*fig*) être éreinté(e).

baldar [bal'dar] *vt* estropier; (*perjudicar*) ébranler.

balde ['balde] *nm* (*esp AM*) seau *m*; **de** ~ gratis; **en** ~ en vain.

baldío, -a [bal'dio, a] *adj* en friche; (*esfuerzo, ruego*) vain(e).

baldosa [bal'dosa] *nf* (*para suelos*) carreau *m*; (*azulejo*) petit carreau en faïence.

baldosín [baldo'sin] *nm* (*de pared*) petit carreau *m* en faïence.

balear [bale'ar] *adj* des Baléares ♦ *nm/f* natif(-ive) *o* habitant(e) des Baléares ♦ *vt* (*AM*) abattre.

Baleares [bale'ares] *nfpl*: **las (Islas)** ~ les (îles) Baléares *fpl*.

balido [ba'liðo] *nm* bêlement *m*.

balín [ba'lin] *nm* petite balle *f*; **balines** *nmpl* (*perdigones*) plombs *mpl*.

balística [ba'listika] *nf* balistique *f*.

baliza [ba'liθa] *nf* (*AVIAT, NÁUT*) balise *f*.
ballena [ba'ʎena] *nf* baleine *f*.
ballenero, -a [baʎe'nero, a] *adj* baleinier (-ère) ♦ *nm* (*pescador*) baleinier *m*; (*barco*) baleinière *f*.
ballesta [ba'ʎesta] *nf* (*AUTO*) suspension *f*.
ballet [ba'le] (*pl* ~**s**) *nm* ballet *m*.
balneario, -a [balne'arjo, a] *adj*: **estación balnearia** station *f* balnéaire ♦ *nm* station balnéaire.
balompié [balom'pje] *nm* football *m*.
balón [ba'lon] *nm* ballon *m*.
balonazo [balo'naθo] *nm*: **le dio un ~ en la cara** il lui a jeté le ballon à la figure.
baloncesto [balon'θesto] *nm* basket-ball *m*.
balonmano [balon'mano] *nm* hand-ball *m*.
balonvolea [balombo'lea] *nm* volley-ball *m*.
balsa ['balsa] *nf* (*NÁUT*) radeau *m*; (*charca*) mare *f*; **estar como ~ de aceite** (*mar*) être d'huile; **ser una ~ de aceite** (*fig*) être de tout repos.
bálsamo ['balsamo] *nm* baume *m*.
balsón [bal'son] (*AM*) *nm* marécage *m*.
báltico, -a ['baltiko, a] *adj* baltique; **el (Mar) B~** la (mer) Baltique.
baluarte [ba'lwarte] *nm* (*de muralla*) rempart *m*; (*fig*) bastion *m*.
bambolearse [bambole'arse] *vpr* osciller; (*silla*) branler; (*persona*) tituber.
bamboleo [bambo'leo] *nm* (*movimiento*) ballottement *m*.
bambú [bam'bu] *nm* bambou *m*.
banal [ba'nal] *adj* banal(e).
banana [ba'nana] (*AM*) *nf* banane *f*.
bananal [bana'nal] (*AM*) *nm* bananeraie *f*.
bananero, -a [bana'nero, a] *adj* bananier (-ère); **república bananera** (*pey*) république *f* bananière.
banano [ba'nano] (*AM*) *nm* bananier *m*.
banasta [ba'nasta] *nf* panier *m* d'osier.
banca ['banka] *nf* (*AM*: *asiento*) banc *m*; (*COM*) banque *f*; **la gran ~** la grande banque.
bancario, -a [ban'karjo, a] *adj* bancaire; **giro ~** virement *m* bancaire.
bancarrota [banka'rrota] *nf* faillite *f*; (*fraudulenta*) banqueroute *f*; **hacer o declararse en ~** faire faillite.
banco ['banko] *nm* banc *m*; (*de carpintero*) établi *m*; (*COM*) banque *f*; ► **banco comercial** banque *f* commerciale; ► **banco de arena** banc de sable; ► **banco de crédito** établissement *m* de crédit; ► **banco de datos** (*INFORM*) banque de données; ► **banco de hielo** banquise *f*; ► **banco de sangre** banque du sang; ► **banco mercantil** banque d'affaires; ► **Banco Mundial** Banque mondiale; ► **banco por acciones** banque de dépôt.
banda ['banda] *nf* bande *f*; (*honorífica*)

écharpe *f*; (*MÚS*) fanfare *f*; (*para el pelo*) ruban *m*; (*bandada*) volée *f*, bande; **la B~ Oriental** (*esp UR*) l'Uruguay *m*; **cerrarse en ~** ne rien vouloir entendre; **fuera de ~** (*DEPORTE*) en touche; ► **banda de sonido** bande sonore; ► **banda sonora** (*CINE*) bande son; ► **banda transportadora** tapis *m* roulant.
bandada [ban'daða] *nf* (*de pájaros*) volée *f*; (*de peces*) banc *m*.
bandazo [ban'daθo] *nm*: **dar ~s** (*coche*) faire des embardées.
bandeja [ban'dexa] *nf* plateau *m*; **servir algo en ~** (*fig*) servir qch sur un plateau d'argent; ► **bandeja de entrada/salida** corbeille *f* arrivée/départ.
bandera [ban'dera] *nf* (*tb INFORM*) drapeau *m*; **izar (la) ~** hisser les couleurs; **arriar (la) ~** amener les couleurs; **jurar ~** prêter serment au drapeau; ► **bandera blanca** drapeau blanc.
banderilla [bande'riʎa] *nf* (*TAUR*) banderille *f*; (*tapa*) apéritif *m*.
banderín [bande'rin] *nm* (*para la pared*) fanion *m*.
banderola [bande'rola] *nf* banderole *f*; (*MIL*) pennon *m*.
bandido [ban'diðo] *nm* bandit *m*.
bando ['bando] *nm* arrêt *m*; (*facción*) faction *f*; **los ~s** *nmpl* (*REL*) les bans *mpl*; **pasar al otro ~** passer à l'ennemi.
bandolera [bando'lera] *nf* (*bolso*) cartouchière *f*; **llevar en ~** porter en bandoulière.
bandolero [bando'lero] *nm* brigand *m*.
bandoneón [bandone'on] (*AM*) *nm* bandonéon *m*.
bandurria [ban'durrja] *nf* mandore *f*, mandole *f*.
BANESTO [ba'nesto] *sigla m* (= *Banco Español de Crédito*) *banque*.
banquero [ban'kero] *nm* banquier *m*.
banqueta [ban'keta] *nf* banquette *f*; (*AM*) trottoir *m*.
banquete [ban'kete] *nm* banquet *m*; ► **banquete de bodas** repas *msg* de noces.
banquillo [ban'kiʎo] *nm* (*JUR*) banc *m* des accusés; (*DEPORTE*) gradin *m*, banquette *f*.
bañadera [baɲa'ðera] (*AM*) *nf* baignoire *f*.
bañado [baɲa'ðo] (*AM*) *nm* marais *msg*.
bañador [baɲa'ðor] *nm* maillot *m* de bain.
bañar [ba'ɲar] *vt* baigner; (*objeto*) tremper; **bañarse** *vpr* se baigner; (*en la bañera*) prendre un bain; **bañado en** baigné(e) de; **~ en o de** (*de pintura*) enduire de; (*chocolate*) enrober de.
bañera [ba'ɲera] *nf* baignoire *f*.
bañero [ba'ɲero] *nm* maître-nageur *m*.
bañista [ba'ɲista] *nm/f* baigneur(-euse).

baño ['baɲo] *nm* bain *m*; (*en río, mar, pisci-na*) baignade *f*; (*cuarto*) salle *f* de bains; (*bañera*) baignoire *f*; (*capa*) couche *f*; to-mar ~s de sol prendre des bains de so-leil; ► **baño (de) María** bain-marie *m*; ► **baño de vapor** bain de vapeur; ► **ba-ño turco** bain turc.

baptista [bap'tista] *nm/f* baptiste *m/f*.

baqueano, -a [ba'keano, a], **baquiano, -a** [ba'kjano, a], (*AM*) *nm/f* guide *m/f*.

baqueta [ba'keta] *nf* (*MÚS*) baguette *f*.

bar [bar] *nm* bar *m*; **ir de ~es** faire la tour-née des bars.

barahúnda [bara'unda] *nf* tapage *m*.

baraja [ba'raxa] *nf* jeu *m* de cartes.

barajar [bara'xar] *vt* battre; (*fig*) envisa-ger; (*datos*) brasser.

baranda [ba'randa], **barandilla** [baran'ðiʎa] *nf* (*en escalera*) rampe *f*; (*en bal-cón*) balustrade *f*.

barata [ba'rata] (*MÉX*) *nf* (*mercadillo*) mar-ché *m*; (*CHI: cucaracha*) cafard *m*.

baratija [bara'tixa] *nf* babiole *f*; **~s** *nfpl* (*COM*) camelote *f*.

baratillo [bara'tiʎo] *nm* friperie *f*.

barato, -a [ba'rato, a] *adj* bon marché *inv* ♦ *adv* bon marché; **lo ~ sale caro** mieux vaut ne pas lésiner sur le prix.

baratura [bara'tura] *nf* bas prix *msg*.

baraúnda [bara'unda] *nf* = **barahúnda**.

barba ['barβa] *nf* barbe *f*; (*mentón*) menton *m*; **tener ~** avoir de la barbe; **reírse en las ~s de algn** rire au nez de qn; **salir algo a 500 ptas por ~** (*fam*) revenir à 500 pese-tas par tête de pipe; **con ~ de tres días** avec une barbe de trois jours; **subirse a las ~s de algn** prendre des libertés avec qn; **se rió en mis propias ~s** il m'a ri au nez.

barbacoa [barβa'koa] *nf* barbecue *m*.

barbaridad [barβari'ðað] *nf* atrocité *f*; (*im-prudencia, temeridad*) témérité *f*; (*dispara-te*) énormité *f*; **come una ~** (*fam*) il man-ge énormément; **¡qué ~!** (*fam*) quelle horreur!; **cuesta una ~** (*fam*) cela coûte les yeux de la tête; **decir ~es** dire des énormités.

barbarie [bar'βarje] *nf* barbarie *f*.

barbarismo [barβa'rismo] *nm* (*en lenguaje*) barbarisme *m*.

bárbaro, -a ['barβaro, a] *adj* barbare; (*osa-do*) audacieux(euse); (*fam: estupendo*) sensass; (*éxito*) monstre ♦ *nm/f* (*pey: sal-vaje*) barbare *m/f* ♦ *adv*: **lo pasamos ~** (*fam*) ça a été génial; **¡qué ~!** c'est for-midable!; **es un tipo ~** (*fam*) c'est un type sensass.

barbecho [bar'βetʃo] *nm* (*terreno*) jachère *f*.

barbería [barβe'ria] *nf* barbier *m*.

barbero [bar'βero] *nm* barbier *m*, coiffeur *m*.

barbilampiño [barβilam'piɲo] *adj* imberbe.

barbilla [bar'βiʎa] *nf* collier *m* (de barbe).

barbitúrico [barβi'turiko] *nm* barbiturique *m*.

barbo ['barβo] *nm* barbeau *m*; ► **barbo de mar** rouget *m*.

barbotar [barβo'tar], **barbotear** [barβote'ar] *vt*, *vi* bredouiller.

barbudo, -a [bar'βuðo, a] *adj* barbu(e).

barbullar [barβu'ʎar] *vi* bredouiller.

barca ['barka] *nf* barque *f*; ► **barca de pa-saje** bac *m*; ► **barca pesquera** barque de pêche.

barcaza [bar'kaθa] *nf* péniche *f*; ► **barcaza de desembarco** péniche de débarque-ment.

Barcelona [barθe'lona] *n* Barcelone.

barcelonés, -esa [barθelo'nes, esa] *adj* barcelonais(e) ♦ *nm/f* Barcelonais(e), natif(-ive) *o* habitant(e) de Barcelone.

barco ['barko] *nm* bateau *m*; (*buque*) bâtiment *m*; **ir en ~** aller en bateau; ► **barco de carga** cargo *m*; ► **barco de guerra** bateau de guerre; ► **barco de vela** bateau à voiles; ► **barco mercante** navire *m* marchand.

baremo [ba'remo] *nm* barème *m*.

barítono [ba'ritono] *nm* baryton *m*.

barman ['barman] *nm inv* barman *m*.

Barna. *abr* = **Barcelona**.

barnice *etc* [bar'niθe] *vb* V **barnizar**.

barniz [bar'niθ] *nm* (*tb fig*) vernis *msg*; ► **barniz de uñas** vernis à ongles.

barnizar [barni'θar] *vt* vernir.

barómetro [ba'rometro] *nm* baromètre *m*.

barón [ba'ron] *nm* baron *m*.

baronesa [baro'nesa] *nf* baronne *f*.

barquero [bar'kero] *nm* barreur *m*.

barquilla [bar'kiʎa] *nf* petite barque *f*.

barquillo [bar'kiʎo] *nm* (*dulce*) cornet *m*.

barra ['barra] *nf* (*tb JUR*) barre *f*; (*de un bar, café*) comptoir *m*; (*de pan*) pain *m* long; (*palanca*) levier *m*; **no pararse en ~s** ne reculer devant rien; ► **barra ameri-cana** bar *m* américain; ► **barra de espa-ciado** (*INFORM*) barre d'espacement; ► **barra de labios** bâton *m* de rouge à lèvres; ► **barra libre** (*en bar*) boissons *fpl* à volonté; ► **barras paralelas** barres *fpl* parallèles.

barrabasada [barraβa'saða] *nf* méchanceté *f*.

barraca [ba'rraka] *nf* baraque *f*; (*en feria*) stand *m*; (*en Valencia*) sorte de chaumière des rizières de la région de Valence.

barracón [barra'kon] *nm* grande baraque *f*.

barragana [barra'xana] *nf* bonne amie *f*.

barranca [ba'rranka] *nf* ravin *m*.

barranco [ba'rranko] *nm* précipice *m*; (*rambla*) fossé *m*.

barrena [ba'rrena] *nf* mèche *f* (*pour percer*); **entrar en ~** (*AER*) descendre en vrille.

barrenar [barre'nar] *vt* forer.

barrendero, -a [barren'dero, a] *nm/f* balayeur(-euse).

barreno [ba'rreno] *nm* mine *f*.

barreño [ba'rreɲo] *nm* bassine *f*, cuvette *f*.

barrer [ba'rrer] *vt* balayer; (*niebla, nubes*) dissiper; (*fig*) balayer ♦ *vi* balayer; (*fig*) tout rafler; **~ para dentro** tirer la couverture à soi.

barrera [ba'rrera] *nf* barrière *f*; (*MIL*) barrage *m*; (*obstáculo*) obstacle *m*; **poner ~s a faire obstacle à**; ► **barrera arancelaria** (*COM*) barrière douanière; ► **barrera del sonido** mur *m* du son; ► **barrera generacional** conflit *m* des générations.

barriada [ba'rrjaða] *nf* quartier *m*.

barrica [ba'rrika] *nf* barrique *f*.

barricada [barri'kaða] *nf* barricade *f*.

barrida [ba'rriða] *nf*, **barrido** [ba'rriðo] *nm* balayage *m*; **dar un barrido rápido** passer un coup de balai.

barriga [ba'rriɣa] *nf* panse *f*, ventre *m*; **rascarse o tocarse la ~** (*fam*) se tourner les pouces; **echar ~** prendre du ventre.

barrigón, -ona [barri'ɣon, ona], **barrigudo, -a** [barri'ɣuðo, a] *adj* bedonnant(e).

barril [ba'rril] *nm* baril *m*; **cerveza de ~** bière *f* pression.

barrilete [barri'lete] (*ARG*) *nm* (*cometa juguete*) cerf-volant *m*.

barrio ['barrjo] *nm* quartier *m*; (*en las afueras*) faubourg *m*; (*VEN: de chabolas*) bidonville *m*; **irse al otro ~** (*fam*) passer l'arme à gauche; **de ~** (*cine, tienda*) de quartier; ► **barrio chino** quartier des prostituées; ► **barrios bajos** bas quartiers *mpl*.

barriobajero, -a [barrjoba'xero, a] (*pey*) *adj* faubourien(ne).

barrizal [barri'θal] *nm* bourbier *m*.

barro ['barro] *nm* boue *f*; (*arcilla*) terre *f* (glaise).

barroco, -a [ba'rroko, a] *adj* (*tb fig*) baroque ♦ *nm* baroque *m*.

barrote [ba'rrote] *nm* (*de ventana etc*) barreau *m*.

barruntar [barrun'tar] *vt* (*conjeturar*) deviner; (*presentir*) pressentir.

barrunto [ba'rrunto] *nm* indice *m*; (*sospecha*) soupçon *m*.

bartola [bar'tola]: **a la ~** *adv*: **tirarse o tumbarse a la ~** prendre ses aises.

bártulos ['bartulos] *nmpl* attirail *m*.

barullo [ba'ruʎo] *nm* tohu-bohu *m inv*; (*desorden*) pagaille *f*; **¡qué ~!** quelle pagaille!; **a ~** (*fam*) en pagaille.

basa ['basa] *nf* (*ARQ*) base *f*.

basalto [ba'salto] *nm* basalte *m*.

basamento [basa'mento] *nm* soubassement *m*.

basar [ba'sar] *vt*: **~ algo en** (*fig*) fonder qch sur; **basarse** *vpr*: **~se en** se fonder sur.

basca ['baska] *nf* (*tb*: **~s**) haut-le-cœur *m inv*; (*fam*: *pandilla*) bande *f*; **le dio una ~** il lui prit soudain une lubie.

báscula ['baskula] *nf* bascule *f*; ► **báscula biestable** (*INFORM*) bascule.

bascular [basku'lar] *vt* (*INFORM*) basculer.

base ['base] *nf* base *f* ♦ *adj* (*color, salario*) de base; **~s** *nfpl* (*de concurso, juego*) règlement *msg*; **a ~ de** (*mediante*) grâce à; **a ~ de bien** on ne peut mieux; **de ~** (*militante, asamblea*) de base; **carecer de ~** être dénué(e) de fondement; **partir de la ~ de que** ... partir du principe que ...; ► **base aérea/espacial/militar/naval** base aérienne/spatiale/militaire/navale; ► **base de datos** (*INFORM*) base de données; ► **base de operaciones** base d'opérations; ► **base imponible** (*FIN*) assiette *f* de l'impôt.

BASIC [ba'sik] *sigla m* (*INFORM*) BASIC *m*.

básico, -a ['basiko, a] *adj* (*elemento, norma, condición*) de base.

Basilea [basi'lea] *n* Bâle *f*.

basílica [ba'silika] *nf* basilique *f*.

basilisco [basi'lisko] *nm* iguane *m*; **estar hecho un ~** être ivre de rage.

basket, básquet ['basket] *nm* basket-ball *m*.

═══════════ PALABRA CLAVE

bastante [bas'tante] *adj* **1** (*suficiente*) assez de; **bastante dinero** assez d'argent; **bastantes libros** assez de livres

2 (*valor intensivo*): **bastante gente** pas mal de gens; **hace bastante tiempo que ocurrió** cela fait assez longtemps que c'est arrivé

♦ *adv* **1** (*suficiente*) assez; **¿hay bastante?** il y en a assez?; **(lo) bastante inteligente (como) para hacer algo** assez intelligent pour faire qch

2 (*valor intensivo*) assez; **bastante rico** assez riche; **voy a tardar bastante** je serai assez long.

bastar [bas'tar] *vi* suffire; **bastarse** *vpr*: **~se (por sí mismo)** se suffire (à soi-même); **~ para hacer** suffire pour faire; **¡basta!** ça suffit!; **me basta con 5** 5 me suffisent; **me basta con ir** il me suf d'aller; **basta (ya) de** ... arrêtez de ...

bastardilla [bastar'ðiʎa] *nf* (*TIP*) italique *m*.
bastardo, -a [bas'tarðo, a] *adj, nm/f* bâtard(e).
bastidor [basti'ðor] *nm* (*de costura*) métier *m* à broder; (*de coche, ARTE*) châssis *msg*; **entre ~es** en coulisse.
bastión [bas'tjon] *nm* bastion *m*.
basto, -a ['basto, a] *adj* rustre; (*tela*) grossier(-ière); **~s** *nmpl* (*NAIPES*) l'une des quatre couleurs d'un jeu de cartes espagnol.
bastón [bas'ton] *nm* (*cayado*) canne *f*; (*vara*) bâton *m*; (*tb:* **~ de esquí**) bâton de ski; ▶**bastón de mando** bâton de commandement.
bastonazo [basto'naθo] *nm* coup *m* de bâton.
bastoncillo [baston'θiʎo] *nm* (*de algodón*) bâtonnet *m*.
basura [ba'sura] *nf* ordures *fpl*; (*tb:* **cubo de la ~**) boîte *f* à ordures.
basurero [basu'rero] *nm* (*persona*) éboueur *m*; (*lugar*) décharge *f*; (*cubo*) poubelle *f*.
bata ['bata] *nf* robe *f* de chambre; (*MED, TEC, ESCOL*) blouse *f*.
batacazo [bata'kaθo] *nm*: **darse un ~** faire une chute.
batalla [ba'taʎa] *nf* bataille *f*; **de ~** de tous les jours; ▶**batalla campal** bataille rangée.
batallar [bata'ʎar] *vi* batailler; **~ por algo/algn** se battre pour qch/qn.
batallón [bata'ʎon] *nm* bataillon *m*; **un ~ de gente** une multitude de gens.
batata [ba'tata] *nf* (*AM: BOT, CULIN*) patate *f* douce.
bate ['bate] *nm* (*DEPORTE*) batte *f*.
batea [ba'tea] *nf* plateau *m*.
bateador [batea'ðor] *nm* (*DEPORTE*) batteur *m*.
batería [bate'ria] *nf* batterie *f* ◆ *nm/f* (*persona*) batteur *m*; **aparcar/estacionar en ~** se garer/stationner en épi; ▶**batería de cocina** batterie de cuisine.
batiburrillo [batiβu'rriʎo] *nm* fouillis *msg*.
batida [ba'tiða] *nf* battue *f*; (*AM: redada*) rafle *f*.
batido, -a [ba'tiðo, a] *adj* (*camino*) battu(e); (*mar*) agité(e) ◆ *nm* (*de chocolate, frutas*) milk-shake *m*.
batidora [bati'ðora] *nf* mixeur *m*; ▶**batidora eléctrica** batteur *m* électrique.
batiente [ba'tjente] *adj* V **reírse**; V *tb* **puer-**

[ ] *nm* veste *f* d'intérieur.
[ ] *vt* battre ◆ *vi*: **~ (contra)** bat-
[ ]); **batirse** *vpr*: **~se en duelo** se **[ ]uel**; **~se en retirada** battre en **[ ]almas** battre des mains.

[ ]a'turro, a] *adj* aragonais(e) ◆

nm/f paysan(ne) aragonais(e).
batuta [ba'tuta] *nf* (*MÚS*) baguette *f*; **llevar la ~** mener la danse.
baudio ['bauðjo] *nm* (*INFORM*) baud *m*.
baúl [ba'ul] *nm* malle *f*; (*AM: AUTO*) coffre *m*.
bautice *etc* [bau'tiθe] *vb* V **bautizar**.
bautismo [bau'tismo] *nm* (*REL*) baptême *m*; ▶**bautismo de fuego** baptême du feu.
bautizar [bauti'θar] *vt* baptiser.
bautizo [bau'tiθo] *nm* baptême *m*.
bávaro, -a ['baβaro, a] *adj* bavarois(e) ◆ *nm/f* Bavarois(e).
Baviera [ba'βjera] *nf* Bavière *f*.
baya ['baja] *nf* baie *f*; V *tb* **bayo**.
bayeta [ba'jeta] *nf* (*para limpiar*) chiffon *m* à poussière; (*AM: pañal*) lange *m*.
bayo, -a ['bajo, a] *adj* bai(e) ◆ *nm* papillon *m* du ver à soie.
bayoneta [bajo'neta] *nf* baïonnette *f*.
baza ['baθa] *nf* (*NAIPES*) pli *m*; (*fig*) atout *m*; **meter ~** mettre son grain de sel.
bazar [ba'θar] *nm* (*comercio*) bazar *m*.
bazo [ba'θo] *nm* (*ANAT*) rate *f*.
bazofia [ba'θofja] *nf*: **es una ~** c'est infect; **esa novela es una ~** ce roman est nul.
BC *sigla f* (*RADIO = Banda Ciudadana*) CB *f* (= *canaux banalisés*).
beatificar [beatifi'kar] *vt* béatifier.
beatífico, -a [bea'tifiko, a] *adj* (*sonrisa, actitud*) béat(e).
beato, -a [be'ato, a] *adj, nm/f* (*pey*) bigot(e); (*REL*) bienheureux(-euse).
beba ['beβa] (*CSUR*) *nf* (*nena*) bébé *m*.
bebe ['beβe] (*AM*) *nm* bébé *m*.
bebé [be'βe] (*pl* **~s**) *nm* bébé *m*.
bebedero [beβe'ðero, a] *nm* abreuvoir *m*; (*para pájaros*) auget *m*.
bebedizo, -a [beβe'ðiθo, a] *adj* buvable ◆ *nm* potion *f*.
bebedor, a [beβe'ðor, a] *adj, nm/f* buveur (-euse).
bebé-probeta [be'βe-pro'βeta] (*pl* **~s-~**) *nm/f* bébé-éprouvette *m*.
beber [be'βer] *vt, vi* boire; **~ por** (*brindar*) boire à; **~ a sorbos** boire à petites gorgées; **se lo bebió todo** il a tout bu; **~ como un cosaco** boire comme un trou; **no digas de esta agua no ~é** il ne faut jamais dire "Fontaine, je ne boirai pas de ton eau".
bebida [be'βiða] *nf* boisson *f*.
bebido, -a [be'βiðo, a] *adj* ivre.
bebito, -a [be'βito, a] (*CSUR*) *nm/f* petit bébé *m*.
BEBS *abr* (*INFORM*: = *basura entra basura sale*) qualité à l'entrée = qualité à la sortie.
beca ['beka] *nf* bourse *f*.
becado, -a [be'kaðo, a] *adj* boursier

(-ière).

becario, -a [be'karjo, a] *nm/f* boursier (-ière).

becerro, -a [be'θerro, a] *nm/f* (*ZOOL*) veau *m*.

bechamel [betʃa'mel] *nf* = **besamel**.

becuadro [be'kwaðro] *nm* bécarre *m*.

bedel [be'ðel] *nm* (*ESCOL, UNIV*) appariteur *m*.

beduino, -a [beð'wino, a] *adj* bédouin(e) ♦ *nm/f* Bédouin(e).

BEI *sigla m* (= *Banco Europeo de Inversiones*) B.E.I. *f* (= *Banque européenne d'investissement*).

beicon [bei'kon] *nm* bacon *m*.

beige ['beix], **beis** ['beis] *adj, nm* beige *m*.

béisbol ['beisβol] *nm* base-ball *m*.

beldad [bel'dað] *nf* beauté *f*.

Belén [be'len] *n* Bethléem.

belén [be'len] *nm* crèche *f*.

belga ['belɣa] *adj* belge ♦ *nm/f* Belge *m/f*.

Bélgica ['belxika] *nf* Belgique *f*.

Belgrado [bel'ɣraðo] *n* Belgrade.

Belice [be'liθe] *nm* Bélize *m*.

bélico, -a ['beliko, a] *adj* (*armamento, preparativos*) de guerre; (*conflicto*) armé(e); (*actitud*) belliqueux(-euse).

belicoso, -a [beli'koso, a] *adj* belliqueux(-euse).

beligerante [belixe'rante] *adj* belligérant(e).

bellaco, -a [be'ʎako, a] *adj, nm* coquin(e).

belladona [beʎa'ðona] *nf* (*BOT*) belladone *f*.

bellaquería [beʎake'ria] *nf* friponnerie *f*; (*de persona, hecho, dicho*) fourberie *f*.

belleza [be'ʎeθa] *nf* beauté *f*.

bello, -a ['beʎo, a] *adj* beau(belle); **Bellas Artes** beaux-arts *mpl*.

bellota [be'ʎota] *nf* gland *m*.

bemol [be'mol] *nm* bémol *m*; **esto tiene ~es** (*fam*) c'est pas de la tarte.

bencina [ben'θina] (*CHI*) *nf* (*gasolina*) essence *f*.

bendecir [bende'θir] *vt*: ~ **la mesa** bénir la table.

bendición [bendi'θjon] *nf* bénédiction *f*; **ser una ~** être une bénédiction; **dar** *o* **echar la ~** donner sa bénédiction.

bendiga *etc* [ben'diɣa], **bendije** *etc* [ben'dixe] *vb* V **bendecir**.

bendito, -a [ben'dito, a] *pp de* **bendecir** ♦ *adj* bénit(e); (*feliz*) bienheureux(-euse) ♦ *nm/f* brave homme/femme; (*ingenuo*) benêt *m*; **¡~ sea Dios!** Dieu soit loué!; **dormir como un ~** dormir à poings fermés.

benedictino, -a [beneðik'tino, a] *adj* bénédictin(e) ♦ *nm/f* Bénédictin(e).

benefactor, a [benefak'tor, a] *nm/f* bienfaiteur(-trice).

beneficencia [benefi'θenθja] *nf* (*tb*: ~ **pública**) assistance *f* publique.

beneficiar [benefi'θjar] *vt* profiter à; **beneficiarse** *vpr*: ~**se** (**de** *o* **con**) bénéficier (de).

beneficiario, -a [benefi'θjarjo, a] *nm/f* bénéficiaire *m/f*.

beneficio [bene'fiθjo] *nm* (*bien*) bienfait *m*; (*ganancia*) bénéfice *m*; **a/en ~ de** au bénéfice de; **sacar ~ de** tirer profit de; **en ~ propio** dans son propre intérêt; ► **beneficio bruto/neto/por acción** bénéfice brut/net/(net) par action.

beneficioso, -a [benefi'θjoso, a] *adj* salutaire; (*ECON*) rentable.

benéfico, -a [be'nefiko, a] *adj* (*organización, festival*) de bienfaisance; **sociedad benéfica** œuvre *f* de bienfaisance.

benemérito, -a [bene'merito, a] *adj* méritant(e) ♦ *nf*: **la Benemérita** (*ESP*) la Garde civile.

beneplácito [bene'plaθito] *nm* accord *m*; **dar el ~** donner son accord.

benevolencia [beneβo'lenθja] *nf* bienveillance *f*.

benévolo, -a [be'neβolo, a] *adj* bienveillant(e).

Bengala [ben'gala] *nf* Bengale *m*; **el Golfo de ~** le golfe du Bengale.

bengala [ben'gala] *nf* (*MIL*) fusée *f* éclairante; (*luz*) feu *m* de Bengale.

bengalí [benga'li] *adj* bengali ♦ *nm/f* Bengali *m/f*.

benignidad [beniɣni'ðað] *nf* affabilité *f*, douceur *f*.

benigno, -a [be'niɣno, a] *adj* bienveillant(e); (*clima*) clément(e); (*resfriado, MED*) bénin(bénigne).

benjamín [benxa'min] *nm* (*tb DEPORTE*) benjamin *m*; (*botella*) quart *m*.

beodo, -a [be'oðo, a] *adj* ivre ♦ *nm/f* ivrogne *m/f*.

berberecho [berβe'retʃo] *nm* coque *f*.

berenjena [beren'xena] *nf* aubergine *f*.

berenjenal [berenxe'nal] *nm* champ *m* d'aubergines; **meterse en un ~** (*fam*) être dans le pétrin.

bergantín [berɣan'tin] *nm* brigantin *m*.

Berlín [ber'lin] *n* Berlin.

berlinés, -esa [berli'nes, esa] *adj* berlinois(e) ♦ *nm/f* Berlinois(e).

bermejo, -a [ber'mexo, a] *adj* vermeil(le).

bermellón [berme'ʎon] *nm* vermillon *m*.

Bermudas [ber'muðas] *nfpl*: **las (Islas) ~** les (îles) Bermudes *fpl*.

bermudas [ber'muðas] *nfpl o nmpl* bermuda *msg*.

berrear [berre'ar] *vi* mugir; (*niño*) brailler.

berrido [be'rriðo] *nm* mugissement *m*; (*ni-*

_ño_) braillement _m_.

berrinche [be'rrintʃe] (_fam_) _nm_ petite colère _f_; (_disgusto_) rogne _f_; **llevarse un** ~ se mettre en rogne.

berro ['berro] _nm_ cresson _m_.

berza ['berθa] _nf_ chou _m_; ▶ **berza lombarda** chou rouge.

besamel [besa'mel] _nf_ béchamel _f_.

besar [be'sar] _vt_ embrasser; (_fig: tocar_) effleurer; **besarse** _vpr_ s'embrasser.

beso ['beso] _nm_ baiser _m_.

bestia ['bestja] _nf_ bête _f_; (_fig_) brute _f_; ¡no seas ~! ne sois pas si vache!; (_idiota_) ne sois pas si bête!; **a lo** ~ comme une brute; **mala** ~ peau de vache; ▶ **bestia de carga** bête de somme.

bestial [bes'tjal] _adj_ (_inhumano_) bestial(e); (_fam: calor_) accablant(e); (_error_) aberrant(e).

bestialidad [bestjali'ðað] _nf_ bestialité _f_; (_fam_) énormité _f_.

bestseller [bes'seler] (_pl_ ~**s**) _nm_ best-seller _m_.

besugo [be'suɣo] _nm_ daurade _f_; (_fam_) bourrique _f_.

besuguera [besu'ɣera] _nf_ plat _m_ à poisson.

besuquear [besuke'ar] _vt_ bécoter; **besuquearse** _vpr_ se bécoter.

bético, -a ['betiko, a] _adj_ andalou(se).

betún [be'tun] _nm_ cirage _m_; (_QUÍM_) bitume _m_; **quedar a la altura del** ~ (_fam_) passer pour un(e) minable.

Bib. _abr_ = **biblioteca**.

biberón [biβe'ron] _nm_ biberon _m_.

Biblia ['biβlja] _nf_ Bible _f_.

bíblico, -a ['biβliko, a] _adj_ biblique.

bibliografía [biβljoɣra'fia] _nf_ bibliographie _f_.

bibliográfico, -a [biβlio'ɣrafiko, a] _adj_ bibliographique.

biblioteca [biβljo'teka] _nf_ bibliothèque _f_; ▶ **biblioteca de consulta** bibliothèque de consultation.

bibliotecario, -a [biβljote'karjo, a] _nm/f_ bibliothécaire _m/f_.

biblioteconomía [biβljotekono'mia] _nf_ bibliothéconomie _f_.

bicarbonato [bikarβo'nato] _nm_ bicarbonate _m_.

bíceps ['biθeps] _nm inv_ biceps _msg_.

bicho ['bitʃo] _nm_ bestiole _f_; (_fam_) bête _f_; (_TAUR_) taureau _m_; ~ **raro** (_fam_) drôle d'oiseau _m_; **mal** ~ (_fam_) chameau _m_.

bici ['biθi] (_fam_) _nf_ vélo _m_.

bicicleta [biθi'kleta] _nf_ bicyclette _f_.

bicoca [bi'koka] _nf_ (_fam_) bonne affaire _f_.

bicolor [biko'lor] _adj_ bicolore.

BID _sigla f_ (= _Banco Interamericano para el Desarollo_) Banque _f_ interaméricaine de développement.

bidé [bi'ðe] _nm_ bidet _m_.

bidireccional [bidirekθjo'nal] _adj_ (_INFORM_) bidirectionnel(le).

bidón [bi'ðon] _nm_ bidon _m_.

═══════════════════ _PALABRA CLAVE_

bien [bjen] _nm_ bien _m_; **te lo digo por tu bien** je te le dis pour ton bien; **el bien y el mal** (_moral_) le bien et le mal; **hacer el bien** faire le bien; **bienes** (_posesiones_) _nmpl_ biens _mpl_; ▶ **bienes de consumo** biens de consommation; ▶ **bienes de equipo** biens d'équipement; ▶ **bienes gananciales** biens communs; ▶ **bienes inmuebles/muebles** biens immeubles/meubles; ▶ **bienes raíces** biens-fonds _mpl_

◆ _adv_ **1** (_de manera satisfactoria, correcta_) bien; **trabaja/come bien** il travaille/mange bien; **huele bien** cela sent bon; **sabe bien** cela a bon goût; **contestó bien** il a bien répondu; **lo pasamos muy bien** nous nous sommes bien amusés; **hiciste bien en llamarme** tu as bien fait de m'appeler; **el paseo te sentará bien** la promenade te fera du bien; **no me siento bien** je ne me sens pas bien; **viven bien** (_económicamente_) ils vivent bien

2 (_valor intensivo_) bien; **un café bien caliente** un café bien chaud; **¡es bien caro!** c'est bien cher!; **¡tienes bien de regalos!** tu en as des cadeaux!

3: **estar bien**: **estoy muy bien aquí** je suis très bien ici; **¿estás bien?** ça va (bien)?; **ese chico está muy bien** il est très beau, ce garçon; **ese libro está muy bien** ce livre est très bien, c'est un très bon livre; **está bien que vengan** c'est bien qu'ils viennent; **¡eso no está bien!** ce n'est pas bien!; **se está bien aquí** on est bien ici; **el traje me está bien** le costume me va bien; **¡ya está bien!** là, ça va!; **¡pues sí que estamos bien!** qu'est-ce qu'on est bien!; **¡está bien! lo haré** c'est bon! je le ferai

4 (_de buena gana_): **yo bien que iría pero ...** moi, j'irais bien, mais ...

5 (_ya_): **bien se ve que ...** on voit bien que ...; **¡bien podías habérmelo dicho!** tu aurais pu me le dire!

6: **no quiso o bien no pudo venir** il n'a pas voulu venir, ou plutôt il n'a pas pu

◆ _excl_: **¡bien!** (_aprobación_) bien!; **¡muy bien!** très bien!; **¡qué bien!** comme c'est bien!

◆ _adj inv_ (_matiz despectivo_): **niño bien** fils _msg_ de bonne famille; **gente bien** gens _mpl_ bien

◆ _conj_ **1**: **bien ... bien**: **bien en coche bien en tren** soit en voiture soit en train

2: ahora bien mais, cependant
3: no bien (esp AM): no bien llegue te llamaré dès que j'arrive, je t'appelle
4: si bien si; V tb más.

bienal [bje'nal] adj biennal(e).
bienaventurado, -a [bjenaßentu'raðo, a] adj bienheureux(-euse); (cándido, bonachón) bonasse.
bienestar [bjenes'tar] nm bien-être m; (económico) confort m; **el Estado del B~** l'État providence m.
bienhechor, a [bjene'tʃor, a] adj, nm/f bienfaiteur(-trice).
bienintencionado, -a [bjeninten θjo'nado, a] adj bien intentionné(e).
bienio ['bjenjo] nm période f de deux ans.
bienvenida [bjembe'niða] nf bienvenue f; **dar la ~ a** algn souhaiter la bienvenue à qn.
bienvenido, -a [bjembe'niðo, a] adj: ~ (a) bienvenu(e) (à) ♦ excl bienvenue!
bies ['bjes] nm: al ~ (COSTURA) en biais.
bifásico, -a [bi'fasiko, a] adj (ELEC) biphasé(e).
bife ['bife] (AM) nm bifteck m.
bifocal [bifo'kal] adj (gafas, lentes) à double foyer.
bifurcación [bifurka'θjon] nf bifurcation f.
bifurcarse [bifur'karse] vpr bifurquer.
bigamia [bi'ɣamja] nf bigamie f.
bígamo, -a ['biɣamo, a] adj, nm/f bigame m/f.
bígaro ['biɣaro] nm (ZOOL) bigorneau m.
bigote [bi'ɣote] nm (tb: ~s) moustache f.
bigotudo, -a [biɣo'tuðo, a] adj moustachu(e).
bigudí [biɣu'ði] nm bigoudi m.
bikini [bi'kini] nm bikini m; (CULIN) sandwich au jambon et au fromage passé au four.
bilateral [bilate'ral] adj bilatéral(e).
bilbaíno, -a [bilßa'ino, a] adj de Bilbao ♦ nm/f natif(-ive) o habitant(e) de Bilbao.
biliar [bi'ljar] adj (MED) biliaire.
bilingüe [bi'lingwe] adj bilingue.
bilis ['bilis] nf inv bile f.
billar [bi'ʎar] nm billard m; ▶ **billar americano** billard américain.
billete [bi'ʎete] nm billet m; (en autobús, metro) ticket m; **sacar (un)** ~ prendre un billet; **un** ~ **de 5 libras** un billet de 5 livres; **medio** ~ billet demi-tarif; ▶ **billete de ida** aller m simple; ▶ **billete de ida y vuelta** aller-retour m.
billetera [biʎe'tera] nf, **billetero** [biʎe'tero] nm portefeuille m.
billón [bi'ʎon] nm billion m.
bimensual [bimen'swal] adj bimensuel(le).
bimestral [bimes'tral] adj bimestriel(le).

bimestre [bi'mestre] nm bimestre m.
bimotor [bimo'tor] adj, nm bimoteur m.
binario, -a [bi'narjo, a] adj (INFORM) binaire.
bingo ['bingo] nm bingo m.
binoculares [binoku'lares] nmpl jumelles fpl; (quevedos) pince-nez m inv.
binomio [bi'nomjo] nm (MAT) binôme m.
biodegradable [bioðeɣra'ðaßle] adj biodégradable.
biografía [bjoɣra'fia] nf biographie f.
biográfico, -a [bio'ɣrafiko, a] adj biographique.
biógrafo, -a [bi'oɣrafo, a] nm/f biographe m/f.
biología [biolo'xia] nf biologie f.
biológico, -a [bio'loxiko, a] adj biologique; **guerra biológica** guerre f biologique.
biólogo, -a [bi'oloɣo, a] nm/f biologiste m/f.
biombo ['bjombo] nm paravent m.
biopsia [bi'opsja] nf biopsie f.
bioquímico, -a [bio'kimiko, a] adj biochimique ♦ nm/f biochimiste m/f ♦ nf (ciencia) biochimie f.
bióxido [bi'oksiðo] nm bioxyde m.
bipartidismo [biparti'ðismo] nm bipartisme m.
bipartito, -a [bipar'tito, a] adj bipartite.
biquini [bi'kini] nm = **bikini**.
birlar [bir'lar] (fam) vt faucher.
birlibirloque [birlißir'loke] nm: **por arte de** ~ comme par enchantement.
Birmania [bir'manja] nf Birmanie f.
birmano, -a [bir'mano, a] adj birman(e) ♦ nm/f Birman(e).
birome [bi'rome] (ARG) nf (a veces nm) stylo m.
birrete [bi'rrete] nm (JUR, UNIV) toque f.
birria ['birrja] nf: **ser una** ~ être un(e) rien du tout; (película) être un navet; (libro) être un torchon.
bis [bis] adv bis; **viven en el 27** ~ ils habitent au 27 bis; **artículo 47** ~ article 47 bis.
bisabuelo, -a [bisa'ßwelo, a] nm/f arrière-grand-père(arrière-grand-mère); ~s nmpl arrière-grands-parents mpl.
bisagra [bi'saɣra] nf charnière f.
bisbisar [bisßi'sar], **bisbisear** [bisßise'ar] vt marmonner.
bisbiseo [bisßi'seo] nm marmonnement m.
biscúter [bis'kuter] nm petite voiture à moteur de scooter, sorte de "Vespa 400".
bisel [bi'sel] nm biseau m.
biselar [bise'lar] vt biseauter.
bisexual [bisek'swal] adj bisexuel(le).
bisiesto, -a [bi'sjesto, a] adj V año.
bisnieto, -a [bis'njeto, a] nm/f arrière-petit-fils(arrière-petite-fille); ~s nmpl arrière-petits-enfants mpl.

bisonte [bi'sonte] *nm* (*ZOOL*) bison *m*.
bisoñé [biso'ɲe] *nm* faux toupet *m*.
bisoño, -a [bi'soɲo, a] *adj* novice ♦ *nm* (*MIL*) bleu *m*.
bisté [bis'te], **bistec** [bis'tek] (*pl* ~**s**) *nm* bifteck *m*.
bisturí [bistu'ri] (*pl* ~**es**) *nm* bistouri *m*.
bisutería [bisute'ria] *nf* bijoux *mpl* en toc; **pendientes/collar de** ~ boucles *fpl* d'oreille/collier *m* en toc.
bit [bit] *nm* (*INFORM*) bit *m*; ▶ **bit de parada/de paridad** bit d'arrêt/de parité.
bitácora [bi'takora] *nf* (*NÁUT*) habitacle *m*; **cuaderno de** ~ livre *m* de bord.
bitio ['bitjo] *nm* (*INFORM*) bit *m*.
bizantino, -a [biθan'tino, a] *adj* byzantin(e); **discusión bizantina** dialogue *m* de sourds.
bizarría [biθa'rria] *nf* bravoure *f*; (*generosidad*) largesse *f*.
bizarro, -a [bi'θarro, a] *adj* brave; (*generoso*) large.
bizco, -a ['biθko, a] *adj* qui louche ♦ *nm/f* personne *f* qui louche; **dejar a algn** ~ (*fam*) en boucher un coin à qn.
bizcocho [biθ'kotʃo] *nm* biscuit *m*.
biznieto, -a [biθ'njeto, a] *nm/f* = **bisnieto**.
bizquear [biθke'ar] *vi* loucher.
blanca [blan'ka] *nf* (*MÚS*) blanche *f*; **estar sin** ~ être fauché(e).
blanco, -a ['blanko, a] *adj* blanc(blanche) ♦ *nm/f* (*individuo*) Blanc(Blanche) ♦ *nm* blanc *m*; (*MIL*) cible *f*; **cheque en** ~ chèque *m* en blanc; **noche en** ~ nuit *f* blanche; **dejar algo en** ~ laisser qch en blanc; **dar en el** ~ faire mouche; **hacer** ~ **(en)** frapper (sur); **poner los ojos en** ~ rouler les yeux; **quedarse en** ~ (*mentalmente*) avoir un trou; **ser el** ~ **de las burlas** être l'objet des railleries; **votar en** ~ voter blanc; ▶ **blanco del ojo** blanc *m* de l'œil.
blancura [blan'kura] *nf* blancheur *f*.
blandengue [blan'denge] (*fam*) *adj* faible.
blandir [blan'dir] *vt* brandir.
blando, -a ['blando, a] *adj* mou(molle); (*padre, profesor*) indulgent(e); (*carne, fruta*) tendre ♦ *nm/f* poule *f* mouillée; ~ **de corazón** au cœur tendre.
blandura [blan'dura] *nf* mollesse *f*; (*de padre, profesor*) indulgence *f*.
blanquear [blanke'ar] *vt* blanchir ♦ *vi* pâlir.
blanquecino, -a [blanke'θino, a] *adj* blanchâtre; (*luz*) blafard(e).
blanqueo [blan'keo] *nm* blanchiment *m*; (*de dinero*) blanchissement *m*.
blasfemar [blasfe'mar] *vi*: ~ (**contra**) blasphémer (contre).
blasfemia [blas'femja] *nf* blasphème *m*.

blasfemo, -a [blas'femo, a] *adj* blasphématoire ♦ *nm/f* (*persona*) blasphémateur (-trice).
blasón [bla'son] *nm* blason *m*; (*fig*) gloire *f*.
blasonar [blaso'nar] *vi*: ~ **de** se targuer de.
bledo ['bleðo] *nm*: **(no) me importa un** ~ ça ne me fait ni chaud ni froid.
blindado, -a [blin'daðo, a] *adj* blindé(e) ♦ *nm* (*MIL*) blindé *m*; **coche** (*ESP*) *o* **carro** (*AM*) ~ véhicule *m* blindé.
blindaje [blin'daxe] *nm* blindage *m*.
blindar [blin'dar] *vt* blinder.
bloc [blok] (*pl* ~**s**) *nm* bloc-notes *msg*; (*cuaderno*) bloc *m*; ▶ **bloc de dibujo** bloc à dessin.
bloque ['bloke] *nm* (*tb INFORM*) bloc *m*; (*de noticias*) rubrique *f*; (*de expedición*) gros *m*; **en** ~ en bloc; ▶ **bloque de cilindros** bloc-cylindres *msg*.
bloquear [bloke'ar] *vt* bloquer; (*MIL*) faire le blocus de; **fondos bloqueados** fonds *mpl* bloqués.
bloqueo [blo'keo] *nm* blocage *m*; (*MIL*) blocus *msg*; ▶ **bloqueo informativo** black-out *m inv*; ▶ **bloqueo mental** blocage.
blue-jean(s) [blu'jin(s)], **bluyín** [blu'jin] (*AM*) *nm(pl)* (blue-)jean *m*.
blusa ['blusa] *nf* blouse *f*; (*de mujer*) chemisier *m*.
B.º *abr* = **banco**.
boa ['boa] *nf* boa *m*.
boato [bo'ato] *nm* faste *m*.
bob [boß] *nm* (*DEPORTE*) bobsleigh *m*.
bobada [bo'ßaða] *nf* sottise *f*; **decir** ~**s** dire des bêtises.
bobalicón, -ona [boßali'kon, ona] *adj* bébête.
bobería [boße'ria] *nf* = **bobada**.
bobina [bo'ßina] *nf* bobine *f*.
bobo, -a ['boßo, a] *adj* (*tonto*) sot(sotte); (*cándido*) naïf(naïve) ♦ *nm/f* sot(sotte) ♦ *nm* (*TEATRO*) bouffon *m*; **hacer el** ~ faire le pitre.
boca ['boka] *nf* bouche *f*; (*de animal carnívoro, horno*) gueule *f*; (*de crustáceo*) pince *f*; (*de vasija*) bec *m*; (*INFORM*) fente *f*; (*de puerto, túnel, cueva*) entrée *f*; ~ **abajo** sur le ventre; ~ **arriba** sur le dos; **hacerle a algn el** ~ **a** ~ faire du bouche à bouche à qn; **se me hace la** ~ **agua** j'en ai l'eau à la bouche; **todo salió a pedir de** ~ tout s'est parfaitement déroulé; **en** ~ **de todos** sur toutes les lèvres; **andar de** ~ **en** ~ circuler de bouche en bouche; **¡cállate la** ~! (*fam*) la ferme!; **meterse en la** ~ **del lobo** se jeter dans la gueule du loup; **partirle la** ~ **a algn** casser la gueule à qn; **quedarse con la** ~ **abierta** en rester bouche bée; **no abrir la** ~ ne pas piper

mot; ▶ **boca de dragón** (*BOT*) gueule-de-loup *f*; ▶ **boca de incendios** bouche d'incendie; ▶ **boca de metro** bouche de métro; ▶ **boca de riego** prise *f* d'eau; ▶ **boca del estómago** creux *msg* de l'estomac.

bocacalle [boka'kaʎe] *nf*: **una ~ de la avenida** une rue qui donne dans l'avenue; **la primera ~ a la derecha** la première à droite.

bocadillo [boka'ðiʎo] *nm* sandwich *m*.

bocado [bo'kaðo] *nm* bouchée *f*; (*para caballo*) mors *msg*; (*mordisco*) coup *m* de dent; **no probar ~** ne rien manger; ▶ **bocado de Adán** pomme *f* d'Adam.

bocajarro [boka'xarro]: **a ~** *adv* à brûle-pourpoint; **decir algo a ~** dire qch sans mâcher ses mots.

bocanada [boka'naða] *nf* bouffée *f*; (*de líquido*) gorgée *f*; **a ~s** (*salir, llegar, entrar*) par à-coups.

bocata [bo'kata] (*fam*) *nm* casse-croûte *m inv*.

bocazas [bo'kaθas] (*fam*) *nm/f inv*: **ser un ~** être une grande gueule.

boceto [bo'θeto] *nm* esquisse *f*; (*plano*) ébauche *f*.

bocha ['botʃa] *nf* boule *f*; **~s** *nfpl* boules *fpl*.

bochinche [bo'tʃintʃe] (*fam*) *nm* boucan *m*.

bochorno [bo'tʃorno] *nm* (*vergüenza*) honte *f*; (*calor*): **hace ~** il fait lourd.

bochornoso, -a [botʃor'noso, a] *adj* (*día*) lourd(e); (*situación*) orageux(-euse).

bocina [bo'θina] *nf* (*MÚS*) corne *f*; (*AUTO*) klaxon *m*; (*megáfono*) porte-voix *m inv*; **tocar la ~** klaxonner.

bocinazo [boθi'naθo] *nm* coup *m* de klaxon.

bocio ['boθjo] *nm* (*MED*) goitre *m*.

boda ['boða] *nf* (*tb*: **~s**) noce *f*, mariage *m*; (*fiesta*) noce; ▶ **bodas de oro** noces *fpl* d'or; ▶ **bodas de plata** noces d'argent.

bodega [bo'ðeya] *nf* (*de vino*) cave *f*; (*esp AM*) bistrot *m*; (*granero*) grenier *m*; (*establecimiento*) marchand *m* de vin; (*de barco*) cale *f*.

bodegón [boðe'yon] *nm* taverne *f*; (*ARTE*) nature morte *f*.

bodrio [bo'ðrjo] *nm*: **el libro es un ~** ce livre ne vaut rien.

B.O.E. ['boe] *sigla m* (= *Boletín Oficial del Estado*) ≈ JO *m* (= *Journal officiel*).

bofe ['bofe] *nm* (*tb*: **~s: de res**) mou *m*; **echar los ~s** (*fam*) trimer.

bofetada [bofe'taða] *nf* gifle *f*; **dar de ~s a algn** bourrer qn de coups.

bofetón [bofe'ton] *nm* = **bofetada**.

boga ['boya] *nf*: **en ~** en vogue.

bogar [bo'yar] *vi* ramer.

bogavante [boya'ßante] *nm* homard *m*.

Bogotá [boyo'ta] *n* Bogota.

bogotano, -a [boyo'tano, a] *adj* de Bogota ♦ *nm/f* natif(-ive) *o* habitant(e) de Bogota.

bogue *etc* ['boye] *vb* V **bogar**.

bohemio, -a [bo'emjo, a] *adj, nm/f* bohémien(ne).

boicot [boi'ko(t)] (*pl* **~s**) *nm* boycott *m*; **hacer el ~ a** boycotter.

boicotear [boikote'ar] *vt* boycotter.

boicoteo [boiko'teo] *nm* boycottage *m*.

boina ['boina] *nf* béret *m*.

bol [bol] *nm* bol *m*.

bola ['bola] *nf* boule *f*, (*canica*) bille *f*; (*pelota*) balle *f*, ballon *m*; (*NAIPES*) chelem *m*; (*betún*) cirage *m*; (*fam*) bobard *m*; (*AM: rumor*) rumeur *f*; **~s** *nfpl* (*AM: CAZA*) bolas *fpl*; **no dar pie con ~** faire tout de travers; ▶ **bola de billar** boule de billard; ▶ **bola de naftalina** boule de naphtaline; ▶ **bola de nieve** boule de neige; ▶ **bola del mundo** globe *m* terrestre.

bolado [bo'laðo] *nm* (*AM*) *mélange d'œuf et de sucre*.

bolchevique [boltʃe'ßike] *adj* bolchevique ♦ *nm/f* bolchevik *m/f*.

boleadoras [bolea'ðoras] (*AM*) *nfpl* bolas *fpl*.

bolera [bo'lera] *nf* bowling *m*.

bolero [bo'lero] *nm* (*MÚS*) boléro *m*.

boleta [bo'leta] (*AM*) *nf* (*billete*) laissez-passer *m inv*; (*permiso*) bon *m*; (*cédula para votar*) bulletin *m* de vote.

boletería [bolete'ria] (*AM*) *nf* (*taquilla*) guichet *m*.

boletín [bole'tin] *nm* bulletin *m*; ▶ **boletín informativo** *o* **de noticias** informations *fpl*; ▶ **boletín de pedido** bulletin de commande; ▶ **boletín de precios** tarifs *mpl*; ▶ **boletín de prensa** communiqué *m* de presse; ▶ **boletín escolar** (*ESP*) bulletin scolaire.

boleto [bo'leto] *nm* billet *m*; ▶ **boleto de apuestas** coupon *m* de pari.

boli ['boli] (*fam*) *nm* stylo *m*.

boliche [bo'litʃe] *nm* cochonnet *m*; (*juego*) jeu *m* de quilles; (*lugar*) bowling *m*; (*AM: tienda*) échoppe *f*.

bólido [bo'liðo] *nm* bolide *m*.

bolígrafo [bo'liyrafo] *nm* stylo bille *m*, stylo *m* à bille.

bolillo [bo'liʎo] *nm* (*COSTURA*) fuseau *m*.

bolívar [bo'lißar] *nm* bolivar *m*.

Bolivia [bo'lißja] *nf* Bolivie *f*.

boliviano, -a [boli'ßjano, a] *adj* bolivien(ne) ♦ *nm/f* Bolivien(ne).

bollo [bo'ʎo] *nm* petit pain *m*; (*de bizcocho*) brioche *f*; (*abolladura*) bosse *f*; **~s** *nmpl* (*AM: apuros*) ennuis *mpl*; (*fam*) gnon *m*; **no está el horno para ~s** ce n'est vrai-

bolo – boquiabierto

ment pas le moment.
bolo ['bolo] *nm* quille *f* ◊ *adj* (*CAM, CU, MÉX*) ivre, soûl(e); **(juego de)** ~s (jeu *m* de) quilles *fpl*.

Bolonia [bo'lonja] *n* Bologne.

bolsa ['bolsa] *nf* sac *m*, poche *f*; (*tela*) sacoche *f*; (*AM*: *bolsillo*) poche; (*ESCOL*) bourse *f*; (*ANAT, MINERÍA*) poche; **La B~** la Bourse; **hacer ~s** faire de faux plis; **jugar a la B~** jouer à la Bourse; ►**bolsa de agua caliente** bouillotte *f*; ►**bolsa de aire** poche d'air; ►**bolsa de deportes** sac de sport; ►**bolsa de dormir** (*AM*) sac de couchage; ►**bolsa de estudios** bourse d'études; ►**bolsa de la compra** panier *m* de la ménagère; ►**"Bolsa de la propiedad"** "Marché *m* immobilier"; ►**bolsa de papel/plástico** sac en papier/plastique; ►**Bolsa de trabajo** Bourse du travail; ►**bolsa de viaje** sac de voyage.

bolsillo [bol'siʎo] *nm* poche *f*; (*cartera*) porte-monnaie *m inv*; **de ~** de poche; **meterse a algn en el ~** mettre qn dans sa poche; **lo pagó de su ~** il l'a payé de sa poche.

bolsista [bol'sista] *nm/f* (*FIN*) agent *m* de change.

bolso ['bolso] *nm* sac *m*; (*de mujer*) sac à main.

boludo, -a [bo'luðo, a] (*CSUR*: *fam!*) *nm/f* con(ne) (*fam!*).

bomba ['bomba] *nf* (*MIL*) bombe *f*; (*TEC*) pompe *f* ◊ *adj* (*fam*): **noticia ~** nouvelle *f* sensationnelle ◊ *adv* (*fam*): **pasarlo ~** s'amuser comme un fou *o* des petits fous; **a prueba de ~** à l'épreuve des bombes; **caer algo como una ~** faire l'effet d'une bombe; ►**bomba atómica** bombe atomique; ►**bomba de agua/de gasolina/de incendios** pompe à eau/à essence/à incendie; ►**bomba de efecto retardado/de neutrones** bombe à retardement/à neutrons; ►**bomba de humo** fumigène *m*; ►**bomba lacrimógena** bombe lacrymogène.

bombacho, -a [bom'batʃo, a] *adj*: **pantalón ~** pantalon *m* de golf; **~s** *nmpl* knickers *mpl*.

bombardear [bombarðe'ar] *vt* bombarder; **~ a preguntas** bombarder de questions.

bombardeo [bombar'ðeo] *nm* bombardement *m*.

bombardero [bombar'ðero] *nm* bombardier *m*.

bombear [bombe'ar] *vt* (*agua*) pomper; (*MIL*) bombarder; (*DEPORTE*) lober; **bombearse** *vpr* (se) gondoler.

bombero [bom'bero] *nm* pompier *m*; **(cuerpo de)** ~s (corps *msg* des sapeurs-)pom-

piers *mpl*.

bombilla [bom'biʎa] *nf* (*ESP*: *ELEC*) ampoule *f*; (*ARG*) tube en métal qui sert à boire le maté.

bombín [bom'bin] *nm* pompe *f* à vélo.

bombo ['bombo] *nm* (*MÚS*) grosse caisse *f*; (*TEC*) tambour *m*; **hacer algo a ~ y platillo** faire qch en grande pompe; **tengo la cabeza hecha un ~** j'en ai la tête grosse comme ça; **dar ~ a** (*a persona*) ne pas tarir d'éloges sur; (*asunto*) faire du tamtam autour de.

bombón [bom'bon] *nm* (*CULIN*) crotte *f* de chocolat, chocolat *m*; **ser un ~** (*fam*) être un canon.

bombona [bom'bona] *nf* bouteille *f*.

bombonería [bombone'ria] *nf* bonbonnière *f*.

bonachón, -ona [bona'tʃon, ona] *adj* bon enfant *inv* ◊ *nm/f* bonne pâte *f*.

bonaerense [bonae'rense] *adj* de Buenos Aires ◊ *nm/f* natif(-ive) *o* habitant(e) de Buenos Aires.

bonancible [bonan'θiβle] *adj* (*tiempo*) calme.

bonanza [bo'nanθa] *nf* (*NÁUT*) bonace *f*; (*fig*) prospérité *f*; (*MINERÍA*) riche filon *m*.

bondad [bon'dað] *nf* bonté *f*; **tenga la ~ de** veuillez avoir l'amabilité de.

bondadosamente [bonda'ðosamente] *adv* avec bonté.

bondadoso, -a [bonda'ðoso, a] *adj* bon(bonne).

bongó [bon'go] *nm* (*MÚS*) bongo *m*.

boniato [bo'njato] *nm* patate *f*.

bonificación [bonifika'θjon] *nf* bonification *f*.

bonito, -a [bo'nito, a] *adj* joli(e) ◊ *adv* (*AM*: *fam*) gentiment ◊ *nm* (*atún*) thon *m*; **un ~ sueldo/una bonita cantidad** un beau salaire/une coquette somme.

bono ['bono] *nm* bon *m*; ►**bonos del Estado** obligations *fpl* de l'État; ►**bono del Tesoro** bon du Trésor.

bonobús [bono'βus] *nm* (*ESP*) carte de transport (*en autobus urbain*).

bonoloto [bono'loto] *nm* (*ESP*) version espagnole du "*Loto*".

bonometro [bono'metro] *nm* (*ESP*) carte de transport (*en métro*).

boom ['bum] *nm* boom *m*.

boqueada [bo'keaða] *nf*: **dar la(s) última(s) ~(s)** rendre le dernier soupir.

boquear [boke'ar] *vi* agoniser; (*fig*) tirer à sa fin.

boquerón [boke'ron] *nm* anchois *msg*; (*agujero*) large brèche *f*.

boquete [bo'kete] *nm* brèche *f*.

boquiabierto, -a [bokia'βjerto, a] *adj*: **quedarse ~** en rester bouche bée; **nos dejó**

~s nous sommes restés bouche bée.

boquilla [bo'kiʎa] *nf* (*de manguera*) prise *f* d'eau; (*mechero*) bec *m*; (*calentador*) brûleur *m*; (*para cigarro*) fume-cigarette *m*; (*MÚS*) bec; **de** ~ en l'air.

borbollar [borßo'ʎar], **borbollear** [borßoʎe'ar] *vi* bouillonner.

borbollón [borßo'ʎon] *nm* bouillonnement *m*; **hablar a borbollones** bafouiller; **salir a borbollones** (*agua*) jaillir à gros bouillons.

borbotar [borßo'tar], **borbotear** [borßote'ar] *vi* bouillonner.

borbotón [borßo'ton] *nm*: **salir a borbotones** jaillir à gros bouillons.

borda ['borða] *nf* (*NÁUT*) bord *m*; **echar** *o* **tirar algo por la** ~ jeter *o* lancer qch par-dessus bord.

bordado [bor'ðaðo] *nm* broderie *f* ♦ *adj*: **el cuadro le quedó** *o* **salió** ~ il a réussi ce tableau à la perfection.

bordar [bor'ðar] *vt* broder.

borde ['borðe] *nm* bord *m*; **al** ~ **de** (*fig*) au bord de; **ser** ~ (*ESP*: *fam*) ne pas se prendre pour n'importe qui.

bordear [borðe'ar] *vt* longer.

bordillo [bor'ðiʎo] *nm* (*en acera*) bord *m*; (*en carretera*) accotement *m*.

bordo ['borðo] *nm*: **a** ~ (**de**) à bord (de).

Borgoña [bor'ɣoɲa] *nf* Bourgogne *f*.

borgoña [bor'ɣoɲa] *nm* bourgogne *m*.

borinqueño, -a [borin'keɲo, a] *adj* portoricain(e) ♦ *nm/f* Portoricain(e).

borla ['borla] *nf* gland *m*, (*para polvos*) houppette *f*.

borra ['borra] *nf* moutons *mpl* (de poussière); (*sedimento*) dépôt *m*; (*relleno*) bourre *f*.

borrachera [borra'tʃera] *nf* ivresse *f*; (*juerga*) orgie *f*.

borracho, -a [bo'rratʃo, a] *adj* (*persona*) soûl(e), saoul(e); (: *por costumbre*) ivrogne; **bizcocho** ~ baba *m* au rhum ♦ *nm/f* (*temporalmente*) soûlard(e); (*habitualmente*) ivrogne *m/f*.

borrador [borra'ðor] *nm* (*de escrito, carta*) brouillon *m*; (*cuaderno*) cahier *m* de brouillon; (*goma*) gomme *f*; (*COM*) main *f* courante; (*para pizarra*) chiffon *m* à effacer.

borraja [bo'rraxa] *nf*: **quedar(se) en agua de** ~s s'en aller en eau de boudin.

borrar [bo'rrar] *vt* gommer; (*de lista*) barrer; (*tachar*) raturer; (*cinta, INFORM*) effacer; (*POL etc*) éliminer; **borrarse** *vpr* (*de club, asociación*) quitter; (*recuerdo, imagen*) s'effacer.

borrasca [bo'rraska] *nf* tempête *f*.

borrascoso, -a [borras'koso, a] *adj* orageux(-euse).

borrego, -a [bo'rreɣo, a] *nm/f* agneau *m*; (*fig*) lavette *f*.

borricada [borri'kaða] *nf* ânerie *f*.

borrico, -a [bo'rriko, a] *nm/f* âne(ânesse); (*fig*) bourrique *f*.

borrón [bo'rron] *nm* tache *f* d'encre; **hacer** ~ **y cuenta nueva** tourner la page.

borroso, -a [bo'rroso, a] *adj* flou(e); (*escritura*) indécis(e).

Bósforo ['bosforo] *nm*: **el (Estrecho del)** ~ le (détroit du) Bosphore.

Bosnia ['bosnja] *nf* Bosnie *f*.

bosnio, -a ['bosnjo, a] *adj* bosniaque ♦ *nm/f* Bosniaque *m/f*.

bosque ['boske] *nm* bois *msg*, forêt *f*.

bosquejar [boske'xar] *vt* ébaucher.

bosquejo [bos'kexo] *nm* ébauche *f*, esquisse *f*.

bosta ['bosta] *nf* (*de los bovinos*) bouse *f*; (*de los caballos*) crottin *m*.

bostece *etc* [bos'teθe] *vb* V **bostezar**.

bostezar [boste'θar] *vi* bâiller.

bostezo [bos'teθo] *nm* bâillement *m*.

bota ['bota] *nf* botte *f*; (*de vino*) gourde *f*; **ponerse las** ~s (*fam*) s'en mettre plein les poches; (*comer mucho y bien*) s'en mettre plein la panse; ►**botas de esquí** chaussures *fpl* de ski; ►**botas de agua** *o* **goma** bottes *fpl* en caoutchouc; ►**botas de montar** bottes *fpl* d'équitation.

botadura [bota'ðura] *nf* (*NÁUT*) lancement *m*.

botana(s) [bo'tana(s)] (*AM*) *nf(pl)* (*tapa(s)*) amuse-gueule *m*.

botánica [bo'tanika] *nf* botanique *f*.

botánico, -a [bo'taniko, a] *adj* botanique ♦ *nm/f* botaniste *m/f*.

botar [bo'tar] *vt* (*balón*) faire rebondir; (*NÁUT*) lancer, mettre à la mer; (*fam*) mettre à la porte; (*esp AM*: *fam*) jeter, balancer ♦ *vi* (*persona*) bondir; (*balón*) rebondir.

botarate [bota'rate] *nm* imbécile *m/f*.

bote ['bote] *nm* bond *m*; (*tarro*) pot *m*; (*lata*) boîte *f* de conserve; (*en bar*) pourboire *m*; (*embarcación*) canot *m*; (*en juego*) cagnotte *f*; **de** ~ **en** ~ plein à craquer; **dar un** ~ laisser un pourboire; **dar** ~s (*AUTO etc*) cahoter; **tener a algn en el** ~ avoir qn dans sa poche; **un** ~ **de tomate** des tomates en conserve; ►**bote de la basura** (*AM*) poubelle *f*; ►**bote salvavidas** canot de sauvetage.

botella [bo'teʎa] *nf* bouteille *f*; ►**botella de oxígeno** bouteille d'oxygène; ►**botella de vino** bouteille de vin.

botellín [bote'ʎin] *nm* petite bouteille *f*.

botica [bo'tika] *nf* pharmacie *f*.

boticario, -a [boti'karjo, a] *nm/f* pharmacien(ne).

botijo [bo'tixo] *nm* cruche *f*.

botín [bo'tin] *nm* (*calzado*) bottine *f*; (*polaina*) guêtre *f*; (MIL, *de atraco, robo*) butin *m*.

botiquín [boti'kin] *nm* armoire *f* à pharmacie; (*portátil*) trousse *f* à pharmacie; (*enfermería*) infirmerie *f*.

botón [bo'ton] *nm* bouton *m*; **pulsar el ~** appuyer sur le bouton; ► **botón de arranque** (AUTO) démarreur *m*; ► **botón de oro** bouton *m* d'or.

botones [bo'tones] *nm inv* groom *m*.

botulismo [botu'lismo] *nm* botulisme *m*.

bóveda ['boβeða] *nf* (ARQ) voûte *f*; ► **bóveda celeste** voûte céleste.

bovino, -a [bo'βino, a] *adj* V **ganado**.

box [boks] (AM) *nm* boxe *f*.

boxeador, a [boksea'ðor, a] *nm/f* boxeur *m*.

boxear [bokse'ar] *vi* boxer.

boxeo [bok'seo] *nm* boxe *f*.

boya ['boja] *nf* (NÁUT) bouée *f*; (*en red*) flotteur *m*.

boyante [bo'jante] *adj* (NÁUT) lège; (*feliz*) débordant(e) de joie; (*negocio*) prospère.

bozal [bo'θal] *nm* (*de perro*) muselière *f*; (*de caballo*) licou *m*.

bozo ['boθo] *nm* (*pelusa*) duvet *m*.

bracear [braθe'ar] *vi* agiter les bras; (*nadar*) nager la brasse.

bracero, -a [bra'θero, a] *nm/f* journalier (-ière).

braga ['braɣa] *nf* (*tb:* ~s) culotte *f*; (*cuerda*) corde *f*; (*de bebé*) couche *f*.

braguero [bra'ɣero] *nm* (MED) bandage *m* herniaire.

bragueta [bra'ɣeta] *nf* braguette *f*.

braguetazo [braɣe'taθo] *nm* mariage *m* d'intérêt.

braille [breil] *nm* braille *m*.

bramante [bra'mante] *nm* ficelle *f*.

bramar [bra'mar] *vi* (*toro, viento, mar*) mugir; (*venado*) bramer; (*elefante*) barrir.

bramido [bra'miðo] *nm* (*de toro, viento, lluvia*) mugissement *m*; (*del venado*) bramement *m*; (*del elefante*) barrissement *m*; (*de persona*) hurlement *m*.

brandy ['brandi] *nm* brandy *m*.

branquia ['brankja] *nf* branchie *f*.

brasa ['brasa] *nf* braise *f*; **a la ~** (*carne, pescado*) braisé(e).

brasero [bra'sero] *nm* (*para los pies*) brasero *m*; (AM: *chimenea*) cheminée *f*.

brasier, brassier(e) [bra'sjer] (AM) *nm* soutien-gorge *m*.

Brasil [bra'sil] *nm* Brésil *m*.

brasileño, -a [brasi'leɲo, a] *adj* brésilien(ne) ♦ *nm/f* Brésilien(ne).

Brasilia [bra'silja] *n* Brasilia.

bravata [bra'βata] *nf* bravade *f*.

braveza [bra'βeθa] *nf* férocité *f*; (*valor*) bravoure *f*; (*de viento, mar, lluvia*) violence *f*.

bravío, -a [bra'βio, a] *adj* féroce.

bravo, -a ['braβo, a] *adj* (*soldado*) vaillant(e); (*animal*: *feroz*) féroce; (: *salvaje*) sauvage; (*toro*) de combat; (*mar*) déchaîné(e); (*terreno*) accidenté(e); (AM: *fam*) en colère ♦ *excl* bravo!; **patatas bravas** (CULIN) pommes de terre frites accommodées avec une sauce relevée.

bravucón, -ona [braβu'kon, ona] *adj* vantard(e) ♦ *nm/f* fanfaron(ne).

bravura [bra'βura] *nf* (*de persona*) bravoure *f*; (*de animal*) férocité *f*.

braza ['braθa] *nf*: **nadar a (la) ~** nager la brasse.

brazada [bra'θaða] *nf* brasse *f*; (*de hierba, leña*) brassée *f*.

brazalete [braθa'lete] *nm* bracelet *m*; (*banda*) brassard *m*.

brazo ['braθo] *nm* bras *msg*; (ZOOL) patte *f* de devant, antérieur *m*; (BOT, POL) branche *f*; ~**s** *nmpl* journaliers *mpl*; **cogidos del ~** bras dessus, bras dessous; **cruzarse de ~s** rester les bras croisés; **no dar su ~ a torcer** ne pas en démordre; **ir del ~** se donner le bras; **luchar a ~ partido** combattre corps à corps; **ser el ~ derecho de algn** (*fig*) être le bras droit de qn; **tener/llevar en ~s a algn** tenir/prendre qn dans ses bras; **huelga de ~s caídos** grève *f* sur le tas; ► **brazo de gitano** roulé *m*.

brea ['brea] *nf* brai *m*.

brebaje [bre'βaxe] *nm* breuvage *m*.

brecha ['bretʃa] *nf* brèche *f*; (*en la cabeza*) blessure *f*; (MIL) percée *f*; **hacer** o **abrir ~ en faire impression sur**.

brécol ['brekol] *nm* (*tb:* ~es) brocoli *m*.

brega ['breɣa] *nf* (*pelea*) dispute *f*; (*trabajo*) travail *m* de Romain.

bregar [bre'ɣar] *vi* se disputer; (*con obstáculos*) se démener; (*trabajar mucho*) se décarcasser.

bregue *etc* ['breɣe] *vb* V **bregar**.

breña ['breɲa] *nf* broussailles *fpl*.

Bretaña [bre'taɲa] *nf* Bretagne *f*.

brete ['brete] *nm* (*cepo*) entraves *fpl*; **estar en un ~** ne pas savoir comment se tirer d'affaire; **le puso en un ~** il l'a coincé.

breteles [bre'teles] (AM) *nmpl* bretelles *fpl*.

bretón, -ona [bre'ton, ona] *adj* breton(ne) ♦ *nm/f* Breton(ne).

breva ['breβa] *nf* figue *f* fraîche; (*puro*) cigare *m* aplati; **¡no caerá esa ~!** ce serait trop beau!

breve ['breβe] *adj* (*pausa, encuentro, discurso*) bref(brève) ♦ *nf* (MÚS) brève *f*; **en ~** d'ici peu; (*en pocas palabras*) en bref.

brevedad [breβe'ðað] *nf* brièveté *f*; **a la**

mayor ~ posible dans les meilleurs délais; con la mayor ~ au plus tôt.
brevemente ['breßemente] *adv* brièvement.
breviario [bre'ßjarjo] *nm (REL)* bréviaire *m*.
brezal [bre'θal], **brezo** ['breθo] *nm* bruyère *f*.
bribón, -ona [bri'ßon, ona] *nm/f* fripouille *f*; *(pillo)* coquin(e).
bricolaje [briko'laxe] *nm* bricolage *m*.
brida ['briða] *nf (tb TEC)* bride *f*; a toda ~ à bride abattue.
bridge [britʃ] *nm (NAIPES)* bridge *m*.
brigada [bri'ɣaða] *nf* brigade *f* ♦ *nm (MIL)* brigadier *m*; ► **Brigada de Estupefacientes** brigade des stupéfiants; ► **Brigada de Investigación Criminal** police *f* judiciaire.
brigadier [briɣa'ðjer] *nm* brigadier *m*.
brillante [bri'ʎante] *adj* brillant(e) ♦ *nm (joya)* brillant *m*.
brillantemente [bri'ʎantemente] *adv* brillamment.
brillantez [briʎan'teθ] *nf (de color, discurso)* éclat *m*; *(de estudiante)* talent *m*.
brillantina [briʎan'tina] *nf* brillantine *f*.
brillar [bri'ʎar] *vi* briller; ~ por su ausencia briller par son absence.
brillo ['briʎo] *nm* éclat *m*; dar o sacar ~ a faire reluire.
brilloso, -a [bri'ʎoso, a] *(AM) adj* resplendissant(e).
brincar [brin'kar] *vi (persona, animal)* bondir; ~ de *(de alegría etc)* bondir de; está que brinca il(elle) est fou(folle) de rage.
brinco ['brinko] *nm (salto)* bond *m*; de un ~ en moins de deux; dar o pegar un ~ faire un bond; dar o pegar ~s de alegría bondir de joie.
brindar [brin'dar] *vi:* ~ a o por porter un toast à ♦ *vt (oportunidad, amistad)* offrir; **brindarse** *vpr:* ~se a hacer algo s'offrir pour faire qch; lo cual brinda la ocasión de ... ceci me permet de ...
brindis ['brindis] *nm inv (al beber, frase)* toast *m*; *(TAUR)* hommage *m*.
brinque *etc* ['brinke] *vb V* **brincar**.
brío ['brio] *nm (tb:* ~s) énergie *f*, brio *m*; con ~ avec brio.
brioso, -a [bri'oso, a] *adj (airoso)* fougueux(-euse); *(decidido)* énergique.
brisa ['brisa] *nf* brise *f*.
británico, -a [bri'taniko, a] *adj* britannique ♦ *nm/f* Britannique *m/f*.
brizna ['briθna] *nf* brin *m*; *(paja)* fétu *m*; no tener ni ~ de sentido común ne pas avoir un grain de bon sens.
broca ['broka] *nf (COSTURA)* broche *f*; *(TEC)* foret *m*; *(clavo)* broquette *f*.
brocado [bro'kaðo] *nm* brocart *m*.

brocal [bro'kal] *nm* margelle *f*.
brocha ['brotʃa] *nf (de pintar)* brosse *f*; *(de afeitar)* blaireau *m*; **pintor de** ~ **gorda** *(de paredes)* peintre *m* en bâtiment; *(fig)* barbouilleur *m*.
brochazo [bro'tʃaθo] *nm* coup *m* de pinceau.
broche ['brotʃe] *nm (en vestido)* agrafe *f*; *(joya)* broche *f*.
broma ['broma] *nf* plaisanterie *f*; de o en ~ pour rire; gastar una ~ a algn faire une blague à qn; ni en ~ en aucun cas; tomar algo a ~ ne pas prendre qch au sérieux; ► **broma pesada** plaisanterie *f* de mauvais goût.
bromear [brome'ar] *vi* plaisanter.
bromista [bro'mista] *adj, nm/f* farceur (-euse).
bromuro [bro'muro] *nm* bromure *m*.
bronca ['bronka] *nf* dispute *f*; *(regañina)* réprimande *f*; armar una ~ faire une scène; buscar ~ chercher querelle; echar una ~ a algn passer un savon à qn.
bronce ['bronθe] *nm* bronze *m*.
bronceado, -a [bronθe'aðo, a] *adj* bronzé(e) ♦ *nm (de piel)* basané(e); *(TEC)* bronzage *m*.
bronceador, a [bronθea'ðor] *adj* solaire ♦ *nm* produit *m* solaire.
broncearse [bronθe'arse] *vpr* se faire bronzer.
bronco, -a ['bronko, a] *adj (modales)* bourru(e); *(voz)* rauque.
bronquio ['bronkjo] *nm* bronche *f*.
bronquitis [bron'kitis] *nf inv* bronchite *f*.
broqueta [bro'keta] *nf* brochette *f*.
brotar [bro'tar] *vi (BOT)* pousser; *(aguas, lágrimas)* jaillir; *(MED)* se déclarer.
brote ['brote] *nm (BOT)* pousse *f*; *(MED)* accès *msg*; *(de insurrección, huelga)* vague *f*; ► **brotes de soja** germes *mpl* de soja.
broza ['broθa] *nf (BOT)* broussaille *f*; *(en discurso, escrito)* remplissage *m*.
bruces ['bruθes]: de ~ *adv* sur le ventre, à plat ventre; acostarse de ~ se coucher sur le ventre; estar de ~ être sur le ventre, être à plat ventre; caer de ~ s'étaler de tout son long; darse de ~ con algn tomber nez à nez avec qn.
Brujas ['bruxas] *n* Bruges.
brujería [bruxe'ria] *nf* sorcellerie *f*.
brujo, -a ['bruxo, a] *nm/f* sorcier(ière) ♦ *nf (pey)* sorcière *f*.
brújula ['bruxula] *nf* boussole *f*.
brujulear [bruxule'ar] *vi (intrigar)* louvoyer.
bruma ['bruma] *nf* brume *f*.
brumoso, -a [bru'moso, a] *adj* brumeux (-euse).
bruñendo *etc* [bru'ɲendo] *vb V* **bruñir**.
bruñido [bru'ɲiðo] *nm (pulimento)* poli *m*;

(*brillo*) lustre *m*.

bruñir [bru'ɲir] *vt* polir.

bruscamente ['bruskamente] *adv* brusquement; (*hablar, comportarse*) violemment.

brusco, -a ['brusko, a] *adj* brusque.

Bruselas [bru'selas] *n* Bruxelles.

brusquedad [bruske'ðað] *nf* brusquerie *f*.

brutal [bru'tal] *adj* brutal(e); (*fam: tremendo*) énorme.

brutalidad [brutali'ðað] *nf* brutalité *f*.

bruto, -a ['bruto, a] *adj* (*persona*) brutal(e); (*estúpido*) imbécile; (*metal, piedra, peso*) brut(e) ♦ *nm* brute *f*; **a la bruta, a lo ~ à** la va-vite; **en ~** brut(e).

Bs.As. *abr* = **Buenos Aires.**

bucal [bu'kal] *adj* buccal(e); **por vía ~** par voie orale.

bucanero [buka'nero] *n* boucanier *m*.

bucear [buθe'ar] *vi* plonger; **~ en** (*documentos, pasado*) fouiller dans.

buceo [bu'θeo] *nm* plongée *f*, plongeon *m*; ▶ **buceo de altura** plongée en haute mer.

buche ['butʃe] *nm* jabot *m*; (*fam*) ventre *m*.

bucle ['bukle] *nm* boucle *f*; (*de carretera*) tournant *m*; (*INFORM*) boucle *f*, cycle *m*.

budín [bu'ðin] *nm* pudding *m*.

budismo [bu'ðismo] *nm* bouddhisme *m*.

budista [bu'ðista] *adj*, *nm/f* bouddhiste *m/f*.

buen [bwen] *adj* V **bueno.**

buenamente ['bwenamente] *adv* tout bonnement; (*de buena gana*) volontiers.

buenaventura [bwenaßen'tura] *nf* chance *f*; (*adivinación*) bonne aventure *f*; **decir** *o* **echar la ~ a algn** dire la bonne aventure à qn.

============== *PALABRA CLAVE*

bueno, -a ['bweno, a] *adj* (*antes de nmsg:* **buen**) **1** (*excelente etc*) bon(ne); **es un libro bueno** *o* **es un buen libro** c'est un bon livre; **tiene buena voz** il a une belle voix; **hace bueno/buen tiempo** il fait beau/beau temps; **ya está bueno** (*de salud*) il va bien maintenant; **lo bueno fue que** le meilleur c'est que

2 (*bondadoso*): **es buena persona** c'est quelqu'un de bien; **el bueno de Paco** ce bon Paco; **fue muy bueno conmigo** il a été très gentil avec moi

3 (*apropiado*): **ser bueno para** être bien pour; **es un buen momento (para)** c'est le moment (de); **creo que vamos por buen camino** je crois que nous sommes sur la bonne voie

4 (*grande*): **un buen trozo** un bon bout; **un buen número de** bon nombre de; **le di un buen rapapolvo** je lui ai passé un savon

5 (*irónico*): **¡buen conductor estás hecho!** comme tu conduis bien!; **¡estaría bueno que ...!** il ne manquerait plus que...!; **una pelea de las buenas** une sacrée bagarre

6 (*sabroso*): **está bueno este bizcocho** ce gâteau est très bon

7 (*atractivo*: *fam*): **Carmen está muy buena** Carmen est vachement mignonne

8 (*saludos*): **¡buenos días!** bonjour!; **¡buenas tardes!** bonjour!; (*más tarde*) bonsoir!; **¡buenas noches!** bonne nuit!; **¡buenas!** salut!

9 (*otras locuciones*): **un buen día** un beau jour; **estar de buenas** être de bonne humeur; **por las buenas** *o* **por las malas** de gré ou de force; **de buenas a primeras** tout d'un coup; **¡la ha liado buena ...!** il(elle) a mis une belle pagaille!

♦ *excl*: **¡bueno! bon!**; **bueno, ¿y qué?** bon, et alors?

Buenos Aires [bweno'saires] *n* Buenos Aires.

buey [bwei] *nm* bœuf *m*.

búfalo ['bufalo] *nm* buffle *m*.

bufanda [bu'fanda] *nf* cache-nez *m inv*.

bufar [bu'far] *vi* (*caballo*) souffler; (*gato*) cracher; **~ de rabia** pester.

bufet [bu'fet] (*pl* **~s**) *nm* = **buffet.**

bufete [bu'fete] *nm* étude *f*, cabinet *m*.

buffer ['bufer] *nm* (*INFORM*) mémoire *f* tampon.

buffet [bu'fe] (*pl* **~s**) *nm* buffet *m*; ▶ **buffet libre** buffet.

bufón [bu'fon] *nm* bouffon(ne).

bufonada [bufo'naða] *nf* bouffonnerie *f*; (*TEATRO*) farce *f*.

buganvilla [buɣan'biʎa] *nf* bougainvillée *f*.

buhardilla [buar'ðiʎa] *nf* mansarde *f*; (*ventana*) lucarne *f*.

búho ['buo] *nm* hibou *m*; (*fig: persona*) ours *m inv*.

buhonero [buo'nero] *nm* colporteur *m*.

buitre ['bwitre] *nm* vautour *m*.

bujía [bu'xia] *nf* (*vela, ELEC, AUTO*) bougie *f*.

bula ['bula] *nf* bulle *f*.

bulbo ['bulßo] *nm* (*BOT*) bulbe *m*; ▶ **bulbo raquídeo** bulbe rachidien.

buldozer [bul'doðer] *nm* bulldozer *m*.

bulevar [bule'ßar] *nm* boulevard *m*.

Bulgaria [bul'ɣarja] *nf* Bulgarie *f*.

búlgaro, -a [bul'ɣaro, a] *adj* bulgare ♦ *nm/f* Bulgare *m/f*.

bulla ['buʎa] *nf* raffut *m*; (*follón*) pagaille *f*; **armar** *o* **meter ~** faire du raffut.

bulldozer [bul'doðer] *nm* = **buldozer.**

bullendo *etc* [bu'ʎendo] *vb* V **bullir.**

bullicio [bu'ʎiθjo] *nm* brouhaha *m*; (*movimiento*) bousculade *f*.

bullicioso, -a [buʎi'θjoso, a] *adj*

bruyant(e).

bullir [buˈʎir] *vi* (*líquido*) bouillonner; ~ **(de)** (*muchedumbre, público*) bouillir (de); (*insectos*) grouiller (de).

bulo [ˈbulo] *nm* faux bruit *m.*

bulto [ˈbulto] *nm* paquet *m*; (*en superficie, MED*) grosseur *f*; (*silueta*) masse *f*; **hacer** ~ prendre de la place; **escurrir el** ~ se dérober; **a** ~ au jugé; **de** ~ (*error*) de taille; (*argumento*) de poids.

búnker [ˈbunker] (*pl* ~**s**) *nm* blockhaus *m.*

buñuelo [buˈɲwelo] *nm* beignet *m*; (*fig*) travail *m* d'amateur.

BUP [bup] (*ESP*) *sigla m* (*ESCOL* = *Bachillerato Unificado y Polivalente*) troisième, seconde, première.

buque [ˈbuke] *nm* navire *m*; ► **buque cisterna / escuela / insignia / mercante** bateau-citerne *m*/navire-école *m*/vaisseau *m* amiral/bateau *m* de commerce; ► **buque de guerra** navire de guerre.

burbuja [burˈβuxa] *nf* bulle *f*; **hacer** ~**s** pétiller.

burbujear [burβuxeˈar] *vi* pétiller.

burdel [burˈðel] *nm* bordel *m.*

Burdeos [burˈðeos] *n* Bordeaux.

burdo, -a [ˈburðo, a] *adj* grossier(-ière).

burgalés, -esa [burɣaˈles, esa] *adj* de Burgos ♦ *nm/f* natif(-ive) *o* habitant(e) de Burgos.

burgués, -esa [burˈɣes, esa] *adj* (*tb pey*) bourgeois(e) ♦ *nm/f* bourgeois(e); **pequeño** ~ petit(e)-bourgeois(e); (*POL, pey*) bourgeois(e).

burguesía [burɣeˈsia] *nf* bourgeoisie *f.*

buril [buˈril] *nm* burin *m.*

burla [ˈburla] *nf* moquerie *f*; (*broma*) blague *f*; **hacer** ~ **a algn/de algo** se moquer de qn/de qch; **hacer** ~ **a algn** faire la nique à qn.

burladero [burlaˈðero] *nm* (*TAUR*) palissade *f.*

burlador [burlaˈðor] *nm* séducteur *m.*

burlar [burˈlar] *vt* (*persona*) tromper; (*vigilancia*) déjouer; (*seducir*) séduire; **burlarse** *vpr*: ~**se (de)** se moquer (de).

burlesco, -a [burˈlesko, a] *adj* burlesque.

burlete [burˈlete] *nm* bourrelet *m.*

burlón, -ona [burˈlon, ona] *adj* moqueur (-euse).

burlonamente [burˈlonamente] *adv* d'un air moqueur.

buró [buˈro] *nm* bureau *m.*

burocracia [buroˈkraθja] *nf* (*tb pey*) bureaucratie *f.*

burócrata [buˈrokrata] *nm/f* (*tb pey*) bureaucrate *m.*

buromática [buroˈmatika] *nf* bureautique *f.*

burrada [buˈrraða] (*fam*) *nf*: **decir/hacer/ soltar** ~**s** dire/faire/lâcher des âneries;

una ~ (*mucho*) une flopée.

burro, -a [ˈburro, a] *nm/f* âne(ânesse); (*fig: ignorante*) âne *m*; (: *bruto*) abruti *m* ♦ *adj* crétin(e); **caerse del** ~ reconnaître ses erreurs; **hacer el** ~ faire l'âne; **no ver tres en un** ~ être myope comme une taupe; ► **burro de carga** (*fig*) bourreau *m* de travail.

bursátil [burˈsatil] *adj* boursier(-ière).

bus [bus] *nm* bus *msg.*

busca [ˈbuska] *nf*: **en** ~ **de** à la recherche de ♦ *nm* (*TELEC*) bip-(bip) *m.*

buscador, a [buskaˈðor, a] *nm/f*: ~ **(de)** chercheur(-euse) (de).

buscapiés [buskaˈpjes] *nm inv* pétard *m.*

buscapleitos [buskaˈpleitos] *nm/f inv* chicaneur(-euse).

buscar [busˈkar] *vt* (*tb INFORM*) chercher; (*beneficio*) rechercher ♦ *vi* chercher; **ven a** ~**me a la oficina** viens me chercher au bureau; ~ **una aguja en un pajar** chercher une aiguille dans une botte de foin; ~**le 3 pies al gato** chercher midi à quatorze heures; *"*~ **y reemplazar"** (*INFORM*) "recherche-remplacement"; **se busca secretaria** on demande une secrétaire; **se la buscó** c'est bien fait pour lui; ~ **camorra** chercher noise.

buscavidas [buskaˈβiðas] *nm/f inv* (*cotilla*) fouineur(-euse); (*ambicioso*) débrouillard(e).

buscona [busˈkona] *nf* racoleuse *f.*

busque *etc* [ˈbuske] *vb V* **buscar**.

búsqueda [ˈbuskeða] *nf* recherche *f.*

busto [ˈbusto] *nm* (*ANAT, ARTE*) buste *m.*

butaca [buˈtaka] *nf* fauteuil *m*; ► **butaca de patio** fauteuil d'orchestre.

butano [buˈtano] *nm* butane *m*; **bombona de** ~ bouteille *f* de butane; **color** ~ orangé(e).

butifarra [butiˈfarra] *nf* saucisse *f* catalane.

buzo [ˈbuθo] *nm* (*mono*) bleu *m* (de travail); (*AM: chándal*) survêtement *m* ♦ *nm/f* (*persona*) plongeur(-euse), homme *m* grenouille.

buzón [buˈθon] *nm* boîte *f* aux lettres; **echar al** ~ mettre dans la boîte aux lettres.

byte [bait] *nm* (*INFORM*) octet *m.*

C, c

C, c [θe, se] nf (letra) C, c m inv; ~ de Carmen ≈ C comme Célestin.
C. abr (= centígrado) C (= Celsius).
c. abr (= capítulo) chap. (= chapitre).
c.ta abr = cuenta.
C/ abr = calle.
c/ abr (COM) = cuenta.
ca [ka] excl pas question!
c.a. abr = corriente alterna.
cabal [ka'βal] adj (peso, precio) juste; (definición) exact(e); (honrado) bien.
cábala ['kaβala] nf cabale f; ~s nfpl (suposiciones): hacer ~s faire des suppositions.
cabales [ka'βales] nmpl: no estar en sus ~ ne pas avoir toute sa tête.
cabalgadura [kaβalɣa'ðura] nf (bestia de silla) monture f; (bestia de carga) bête f de somme.
cabalgar [kaβal'ɣar] vt monter ♦ vi chevaucher.
cabalgata [kaβal'ɣata] nf défilé m; la ~ de los Reyes Magos le défilé des Rois mages.
cabalgue etc [ka'βalɣe] vb V cabalgar.
cabalístico, -a [kaβa'listiko, a] adj cabalistique.
caballa [ka'βaʎa] nf maquereau m.
caballeresco, -a [kaβaʎe'resko, a] adj chevaleresque.
caballería [kaβaʎe'ria] nf monture f; (MIL) cavalerie f; ► caballería andante chevalerie f errante.
caballeriza [kaβaʎe'riθa] nf écurie f.
caballero [kaβa'ʎero] nm gentleman m; (de la orden de caballería) chevalier m; (en trato directo) monsieur m; de ~ d'homme, pour homme; "C~s" "Messieurs"; ► caballero andante chevalier errant.
caballerosidad [kaβaʎerosi'ðað] nf courtoisie f.
caballete [kaβa'ʎete] nm (de pintor) chevalet m; (de pizarra) support m; (de mesa) tréteau m; (de tejado) faîte m.
caballito [kaβa'ʎito] nm cheval m à bascule; ~s nmpl chevaux mpl de bois; montar a los ~s faire un tour de manège; ► caballito del diablo demoiselle f; ► caballito de mar hippocampe m.

caballo [ka'βaʎo] nm cheval m; (AJEDREZ, NAIPES) cavalier m; a ~ à cheval; a ~ entre à cheval sur; es su ~ de batalla c'est son cheval de bataille; ► caballo blanco bailleur m de fonds; ► caballo de carreras cheval de course; ► caballo de vapor cheval-vapeur m.
cabaña [ka'βaɲa] nf cabane f.
cabaré, cabaret [kaβa're] (pl ~s) nm cabaret m.
cabecear [kaβeθe'ar] vt: ~ el balón faire une tête ♦ vi (caballo) encenser; (dormitar) piquer du nez.
cabecera [kaβe'θera] nf (de mesa, tribunal) bout m; (de cama) tête f; (en libro) frontispice m; (periódico) manchette f, gros titre m; (de río) source f; médico de ~ médecin m traitant.
cabecilla [kaβe'θiʎa] nm chef m de file, meneur(-euse).
cabellera [kaβe'ʎera] nf chevelure f; (de cometa) queue f.
cabello [ka'βeʎo] nm cheveu m; ► cabello de ángel cheveux mpl d'ange.
cabelludo, -a [kaβe'ʎuðo, a] adj: cuero ~ cuir m chevelu.
caber [ka'βer] vi tenir, rentrer; (MAT) faire; caben 3 más on peut encore en mettre 3; no cabe duda cela ne fait pas de doute; dentro de lo que cabe autant que possible; cabe la posibilidad de que il est possible que; me cupo el honor de il m'est revenu l'honneur de; no cabe en sí de alegría il ne se tient plus de joie.
cabestrillo [kaβes'triʎo] nm: en ~ en écharpe.
cabeza [ka'βeθa] nf tête f; (POL) chef m; caer de ~ tomber la tête la première; ~ abajo/arriba tête en bas/en haut; a la ~ de (de pelotón) en tête de; (de empresa) à la tête de; tirarse de ~ plonger; tocamos a 3 por ~ ça fait 3 par tête; romperse la ~ se creuser la tête; sentar la ~ se ranger; se me va la ~ je perds la tête; ► cabeza atómica/nuclear tête atomique/ogive f nucléaire; ► cabeza cuadrada tête de mule; ► cabeza de ajo tête d'ail; ► cabeza de escritura tête d'écriture; ► cabeza de familia chef de famille; ► cabeza de ganado tête de bétail; ► cabeza de impresión/de lectura tête d'impression/de lecture; ► cabeza de partido chef-lieu m d'arrondissement; ► cabeza de turco tête de turc; ► cabeza impresora tête imprimante; ► cabeza loca o de chorlito tête de linotte.
cabezada [kaβe'θaða] nf coup m de tête; dar ~s piquer du nez; echar una ~ faire un somme.
cabezal [kaβe'θal] nm tête f; ~ impresor

tête d'impression.
cabezazo [kaβe'θaθo] *nm* coup *m* de tête; (*FÚTBOL*) tête *f*.
cabezón, -ona [kaβe'θon, ona] *adj* qui a une grosse tête; (*vino*) capiteux(-euse); (*terco*) entêté(e).
cabezota [kaβe'θota] *adj inv* têtu(e).
cabezudo, -a [kaβe'θuðo, a] *adj* qui a une grosse tête; (*obstinado*) cabochard(e) ♦ *nm*: **gigantes y ~s** grosses têtes *fpl*.
cabida [ka'βiða] *nf* capacité *f*; (*depósito*) contenance *f*; **dar ~ a** admettre; **tener ~ para** avoir une capacité de.
cabildo [ka'βildo] *nm* (*de iglesia*) chapitre *m*; (*POL*) conseil *m* municipal.
cabina [ka'βina] *nf* cabine *f*; ► **cabina de mandos** cabine de pilotage; ► **cabina telefónica** cabine téléphonique.
cabizbajo, -a [kaβiθ'βaxo, a] *adj* tête basse *inv*.
cable ['kaβle] *nm* câble *m*; (*de electrodoméstico*) fil *m*; **conectar con ~** connecter par câble.
cabo ['kaβo] *nm* bout *m*; (*MIL*) caporal *m*; (*de policía*) brigadier *m*; (*NÁUT*) cordage *m*; (*GEO*) cap *m*; **al ~ de 3 días** au bout de 3 jours; **al fin y al ~** en fin de compte; **de ~ a rabo** (*contar, saber*) de bout en bout; (*leer*) d'un bout à l'autre; **llevar a ~** mener à bien; **atar ~s** faire des rapprochements; **no dejar ~s sueltos** ne rien laisser en suspens; **las Islas de C~ Verde** les îles *fpl* du Cap-Vert; ► **Cabo de Buena Esperanza** cap de Bonne Espérance; ► **Cabo de Hornos** cap Horn.
cabra ['kaβra] *nf* chèvre *f*; **estar como una ~** être timbré(e); ► **cabra montés** chèvre sauvage.
cabré *etc* [ka'βre] *vb* V **caber**.
cabrear [kaβre'ar] (*fam*) *vt* énerver; **cabrearse** (*fam*) *vpr* s'emporter; **estar cabreado** être en colère.
cabrío, -a [ka'βrio, a] *adj*: **macho ~** bouc *m*; V **ganado**.
cabriola [ka'βrjola] *nf* cabriole *f*; **hacer ~s** faire des cabrioles.
cabritilla [kaβri'tiʎa] *nf*: **de ~** en chevreau.
cabrito [ka'βrito] *nm* chevreau *m*; (*fam!*) vache *f* (*fam!*).
cabrón [ka'βron] (*fam!*) *nm* salaud *m* (*fam!*).
cabronada [kaβro'naða] (*fam!*) *nf* vacherie *f*.
cabuya [ka'βuja] (*AM*) *nf* (*cuerda*) corde *f*.
caca ['kaka] (*fam*) *nf* caca *m* ♦ *excl*: **no toques, ¡~!** ne touche pas à ça, c'est caca!
cacahuete [kaka'wete] (*ESP*) *nm* cacahuète *f*.
cacao [ka'kao] *nm* cacao *m*, chocolat *m*; (*BOT*) cacaoyer *m*; (*tb*: **crema de ~**) beur-

re *m* de cacao; (*follón*) boucan *m*.
cacarear [kakare'ar] *vi* s'enorgueillir de ♦ *vi* caqueter.
cacatúa [kaka'tua] *nf* cacatoès *msg*; (*mujer*) pipelette *f*.
cacereño, -a [kaθe'reɲo, a] *adj* de Cáceres ♦ *nm/f* natif(-ive) *o* habitant(e) de Cáceres.
cacería [kaθe'ria] *nf* partie *f* de chasse.
cacerola [kaθe'rola] *nf* casserole *f*, marmite *f*.
cacha ['katʃa] *nf* (*de arma*) crosse *f*; (*cuchillo*) manche *m*; **~s** *nfpl* (*fam*) fesses *fpl* ♦ *adj inv*: **estar ~s** être baraqué(e).
cachalote [katʃa'lote] *nm* cachalot *m*.
cacharrazo [katʃa'rraθo] *nm* choc *m*.
cacharro [ka'tʃarro] *nm* ustensile *m*; (*trasto*) machin *m*, truc *m*; (*de cerámica*) poterie *f*; (*AM*: *fam*) taule *f*.
cachear [katʃe'ar] *vt* fouiller.
cachemir [katʃe'mir] *nm*, **cachemira** [katʃe'mira] *nf* cachemire *m*; **de ~** en cachemire.
cachete [ka'tʃete] *nm* claque *f*.
cachiporra [katʃi'porra] *nf* massue *f*.
cachivache [katʃi'βatʃe] *nm* truc *m*, machin *m*.
cacho, -a ['katʃo, a] *nm* morceau *m*; (*AM*) corne *f*.
cachondearse [katʃonde'arse] (*fam*) *vpr*: **~ de algn/algo** se ficher de qn/qch.
cachondeo [katʃon'deo] (*fam*) *nm* rigolade *f*; **estar de ~** plaisanter, blaguer; **tomarse algo a ~** prendre qch à la rigolade.
cachondo, -a [ka'tʃondo, a] (*fam*) *adj* marrant(e), rigolo(te); **estar ~** être excité(e).
cachorro, -a [ka'tʃorro, a] *nm/f* chiot *m*; (*de león*) lionceau *m*; (*de lobo*) louveteau *m*.
cachupín, -ina [katʃu'pin, ina] (*CAM*, *MÉX*) *pey*) *nm/f* (*colono español*) Espagnol(e) (*surnom donné aux espagnols qui s'installent en Amérique latine*).
cacique [ka'θike] *nm* (*AM*) cacique *m*; (*POL*) personnage *m* influent; (*fig*) petit chef *m*.
caciquismo [kaθi'kismo] *nm* caciquisme *m*.
caco ['kako] *nm* filou *m*.
cacofonía [kakofo'nia] *nf* cacophonie *f*.
cacto ['kakto], **cactus** ['kaktus] *nm inv* cactus *m inv*.
cada ['kaða] *adj inv* chaque; (*antes de número*) tous les; **~ día** tous les jours; **~ dos días** tous les deux jours; **~ cual/uno** chacun; **~ vez más/menos** de plus en plus/de moins en moins; **~ vez que** chaque fois que; **uno de ~ diez** un sur dix; **¿~ cuánto?** tous les combien?; **¡tienes ~ idea!** tu as de ces idées!
cadalso [ka'ðalso] *nm* échafaud *m*.

cadáver [ka'ðaßer] *nm* cadavre *m*.

cadavérico, -a [kaða'ßeriko, a] *adj* cadavérique, cadavéreux(-euse).

cadena [ka'ðena] *nf* chaîne *f*; ~**s** *nfpl* (*AUTO*) chaînes *fpl*; **reacción en** ~ réaction *f* en chaîne; **trabajo en** ~ travail *m* à la chaîne; **tirar de la** ~ **del wáter** tirer la chasse d'eau; ► **cadena de caracteres** chaîne de caractères; ► **cadena de montaje** chaîne de montage; ► **cadena montañosa** chaîne de montagnes; ► **cadena perpetua** (*JUR*) emprisonnement *m* à perpétuité.

cadera [ka'ðera] *nf* hanche *f*.

cadete [ka'ðete] *nm* cadet *m*.

Cádiz ['kaðiθ] *n* Cadix.

caducar [kaðu'kar] *vi* expirer.

caducidad [kaðuθi'ðað] *nf*: **fecha de** ~ date *f* de péremption.

caduco, -a [ka'ðuko, a] *adj* dépassé(e); **de hoja caduca** à feuilles caduques.

caduque *etc* [ka'ðuke] *vb* V **caducar**.

C.A.E. *abr* (= *cóbrese al entregar*) payable à la livraison.

caer [ka'er] *vi* tomber; (*precios*) baisser; (*sol*) se coucher; **caerse** *vpr* tomber; **dejar** ~ laisser tomber; **dejarse** ~ s'écrouler, se laisser tomber; **dejarse** ~ **por** passer; **estar al** ~ être sur le point d'arriver; **¡no caigo!** je ne vois pas; **¡ya caigo!** j'y suis!; **me cae bien/mal** (*persona*) je le trouve sympathique/antipathique; (*vestido*) ça me va bien/ça ne me va pas; (*alimento*) ça me réussit/ça ne me réussit pas; ~ **en desgracia** tomber en disgrâce; ~ **en la cuenta** saisir, se rendre compte; ~ **en la trampa** tomber dans le panneau; ~ **enfermo** tomber malade; **su cumpleaños cae en viernes** son anniversaire tombe un vendredi; **mi casa cae por aquí/a la derecha** ma maison se trouve par ici/à droite; **se me cayó el libro** j'ai fait tomber le livre.

café [ka'fe] (*pl* ~**s**) *nm* café *m*; ► **café con leche** café crème, café au lait; ► **café solo** *o* **negro** café (noir).

cafeína [kafe'ina] *nf* caféine *f*.

cafetal [kafe'tal] *nm* caféière *f*.

cafetera [kafe'tera] *nf* cafetière *f*.

cafetería [kafete'ria] *nf* cafétéria *f*.

cafetero, -a [kafe'tero, a] *adj* de café; **ser muy** ~ boire beaucoup de café, être grand amateur de café.

cafiche [ka'fitʃe] (*CSUR: fam!*) *nm* maquereau *m* (*fam!*).

cafre ['kafre] *nmf* barbare *m/f*; **como** ~**s** comme des sauvages.

cagalera [kaɣa'lera] (*fam!*) *nf* chiasse *f* (*fam!*).

cagar [ka'ɣar] (*fam!*) *vi* chier (*fam!*); **ca-**

garse *vpr* se dégonfler; **¡la hemos cagado!** on a fait une gaffe!; ~**se de miedo** avoir la trouille; **¡me cago en diez/la mar!** Bon Dieu!

cague *etc* ['kaɣe] *vb* V **cagar**.

caída ['kaiða] *nf* chute *f*; (*declive*) pente *f*; (*de tela*) tombée *f*; (*de precios, moneda*) baisse *f*; **a la** ~ **del sol/de la tarde** à la tombée du jour/de la nuit; **sufrir una** ~ faire une chute; ► **caída libre** chute libre.

caído, -a [ka'iðo, a] *adj* tombant(e) ♦ *nm/f*: **los** ~**s** les morts *mpl*; ~ **del cielo** tombé(e) du ciel.

caiga *etc* ['kaiɣa] *vb* V **caer**.

caimán [kai'man] *nm* caïman *m*.

Cairo ['kairo] *n*: **el** ~ le Caire.

caja ['kaxa] *nf* boîte *f*, caisse *f*; (*para reloj*) boîtier *m*; (*TIP*) casse *f*; **ingresar en** ~ encaisser; ► **caja de ahorros** caisse d'épargne; ► **caja de cambios** boîte de vitesses; ► **caja de caudales** coffre *m* fort; ► **caja de fusibles** boîte à fusibles; ► **caja de música** boîte à musique; ► **caja de resonancia** caisse de résonance; ► **caja fuerte** coffre fort; ► **caja negra** (*AVIAT*) boîte noire.

cajero, -a [ka'xero, a] *nm/f* caissier(-ière); ► **cajero automático** distributeur *m* automatique.

cajetilla [kaxe'tiʎa] *nf* paquet *m*.

cajón [ka'xon] *nm* caisse *f*; (*de mueble*) tiroir *m*; **¡es de** ~! ça va de soi!; ► **cajón de embalaje** caisse d'emballage.

cal [kal] *nf* chaux *fsg*; **cerrar algo a** ~ **y canto** fermer qch à double tour; ► **cal viva** chaux vive.

cal. *abr* (= *caloría(s)*) cal. (= *calorie(s)*).

cala ['kala] *nf* crique *f*; (*de barco*) cale *f*.

calabacín [kalaßa'θin] *nm*, **calabacita** [kalaßa'θita] *nf* (*AM*) courgette *f*.

calabaza [kala'ßaθa] *nf* courge *f*, citrouille *f*; **dar** ~**s a** (*en examen*) recaler; (*novio*) envoyer promener.

calabozo [kala'ßoθo] *nm* taule *f*; (*celda*) cachot *m*.

calada [ka'laða] *nf* bouffée *f*.

calado, -a [ka'laðo, a] *adj* ajouré(e) ♦ *nm* broderie *f* ajourée; (*de barco*) tirant *m* d'eau; (*de las aguas*) profondeur *f*; **estoy** ~ **(hasta los huesos)** je suis trempé(e) (jusqu'aux os).

calamar [kala'mar] *nm* calmar *m*; ~**es a la romana** calmars *mpl* à la Romaine.

calambre [ka'lambre] *nm* crampe *f*; **dar** ~ envoyer une décharge.

calamidad [kalami'ðað] *nf* calamité *f*; **es una** ~ (*persona*) c'est un(e) bon(ne) à rien.

calamina [kala'mina] *nf* calamine *f*.

calamitoso, -a [kalami'toso, a] *adj* calamiteux(-euse).

calaña [ka'laɲa] *nf*: **de mala ~** peu recommandable.

calar [ka'lar] *vt* transpercer; (*AUTO*) caler; (*melón, sandía*) couper pour goûter; (*ideas, palabras*) saisir, comprendre; **calarse** *vpr* (*motor*) caler; (*mojarse*) se tremper; (*gafas*) chausser; (*sombrero*) enfoncer; **¡le tengo calado!** (*fam*) je le connais sur le bout des doigts.

calavera [kala'ßera] *nf* tête *f* de mort ♦ *nm* (*peʏ*) noceur *m*.

calcañal [kalka'ɲal], **calcañar** [kalka'ɲar] *nm* talon *m*.

calcar [kal'kar] *vt* décalquer; (*imitar*) calquer; **es calcado a su abuelo** c'est tout le portrait de son grand-père.

calcáreo, -a [kal'kareo, a] *adj* calcaire.

calce *etc* ['kalθe] *vb* V **calzar.**

cal. cen. *abr* (= *calefacción central*) Chf. cent. (= *chauffage central*).

calceta [kal'θeta] *nf*: **hacer ~** tricoter.

calcetín [kalθe'tin] *nm* chaussette *f*.

calcinar [kalθi'nar] *vt* calciner.

calcio ['kalθjo] *nm* calcium *m*.

calco ['kalko] *nm* calque *m*.

calcomanía [kalkoma'nia] *nf* décalcomanie *f*.

calculador, a [kalkula'ðor, a] *adj* calculateur(-trice).

calculadora [kalkula'ðora] *nf* calculatrice *f*.

calcular [kalku'lar] *vt* calculer; (*gastos, pérdidas*) évaluer, calculer; **calculo que ...** je pense que ... .

cálculo ['kalkulo] *nm* (*tb MED*) calcul *m*; **según mis ~s** d'après mes calculs; **obrar con mucho ~** agir avec beaucoup de prudence; ► **cálculo de costo** calcul du prix; ► **cálculo diferencial** calcul différentiel.

caldear [kalde'ar] *vt* chauffer; (*ánimos*) réchauffer.

caldera [kal'dera] *nf* chaudière *f*.

caldereta [kalde'reta] *nf*: **~ de pescado** soupe *f* de poisson.

calderilla [kalde'riʎa] *nf* ferraille *f*.

caldero [kal'dero] *nm* chaudron *m*.

caldo ['kaldo] *nm* bouillon *m*; (*vino*) cru *m*; **poner a ~ a algn** passer un savon à qn; ► **caldo de cultivo** bouillon de culture.

caldoso, -a [kal'doso, a] *adj* qui a beaucoup de sauce *o* de jus.

calé [ka'le] *adj* gitan(e).

calefacción [kalefak'θjon] *nf* chauffage *m*; ► **calefacción central** chauffage central.

caleidoscopio [kaleiðos'kopjo] *nm* kaléidoscope *m*.

calendario [kalen'darjo] *nm* calendrier *m*.

caléndula [ka'lendula] *nf* souci *m*.

calentador [kalenta'ðor] *nm* calorifère *m*; ► **calentador de agua** chauffe-eau *m inv*.

calentamiento [kalenta'mjento] *nm* échauffement *m*.

calentar [kalen'tar] *vt* faire chauffer; (*habitación*) réchauffer; (*motor*) faire tourner; (*ánimos*) échauffer; (*sexualmente*) exciter; (*pegar*) flanquer une calotte à; (*AM: enfurecer*) échauffer ♦ *vi* chauffer; **calentarse** *vpr* se chauffer, se réchauffer; (*motor*) chauffer; (*discusión, ánimos*) s'échauffer.

calentura [kalen'tura] *nf* fièvre *f*; (*de boca*) bouton *m* de fièvre.

calenturiento, -a [kalentu'rjento, a] *adj*: **imaginación/mente calenturienta** imagination *f*/esprit *m* fébrile.

calibrar [kali'ßrar] *vt* (*TEC*) calibrer; (*consecuencias*) évaluer; (*importancia*) jauger.

calibre [ka'lißre] *nm* calibre *m*; (*fig*) calibre, envergure *f*.

calidad [kali'ðað] *nf* qualité *f*; **de ~** de qualité; **en ~ de** en qualité de; **ser de primera ~** être de premier choix; ► **calidad de carta** *o* **de correspondencia** qualité courrier; ► **calidad texto** (*INFORM*) qualité de texte.

cálido, -a ['kaliðo, a] *adj* chaud(e); (*palabras, aplausos*) chaleureux(-euse).

calidoscopio [kaliðos'kopjo] *nm* = **caleidoscopio.**

caliente [ka'ljente] *vb* V **calentar** ♦ *adj* chaud(e); **estar/ponerse ~** (*fam*) être excité(e)/s'exciter; **en ~** à chaud.

califa [ka'lifa] *nm* calife *m*.

calificación [kalifika'θjon] *nf* qualification *f*; (*en examen*) note *f*; ► **calificación de sobresaliente** mention *f* très bien.

calificar [kalifi'kar] *vt* noter; **~ como/de** traiter de.

calificativo, -a [kalifika'tißo, a] *adj* qualificatif(-ive) ♦ *nm* qualificatif *m*.

califique *etc* [kali'fike] *vb* V **calificar.**

californiano, -a [kalifor'njano, a] *adj* californien(ne) ♦ *nm/f* Californien(ne).

caligrafía [kaliɣra'fia] *nf* calligraphie *f*.

calima [ka'lima], **calina** [ka'lina] *nf* (*neblina*) brume *f* de chaleur; (*calor*) chaleur *f* caniculaire.

calisita(s) [kale'sita(s)] (*CSUR*) *nf(pl)* (*tiovivo*) manège *m*.

cáliz ['kaliθ] *nm* calice *m*.

caliza [ka'liθa] *nf* pierre *f* à chaux.

calizo, -a [ka'liθo, a] *adj* calcaire.

callado, -a [ka'ʎaðo, a] *adj*: **estar ~** être silencieux(-euse); **ser ~** être peu bavard(e).

callar [ka'ʎar] *vt* taire; (*persona, oposición*)

faire taire ♦ *vi* se taire; **callarse** *vpr* se taire; ¡calla! silence!; ¡cállate! tais-toi!; ¡cállate la boca! la ferme!

calle ['kaʎe] *nf* rue *f*; (*DEPORTE*) couloir *m*; **la ~** (*en conjunto*) la rue; **salir** *o* **irse a la ~** sortir; **poner a algn (de patitas) en la ~** mettre qn à la porte, flanquer qn dehors; **ir ~ abajo/arriba** descendre/remonter la rue; ► **calle de sentido único** rue à sens unique; ► **calle mayor** grand-rue *f*; ► **calle peatonal** rue piétonne.

calleja [ka'ʎexa] *nf* = **callejuela**.

callejear [kaʎexe'ar] *vi* flâner.

callejero, -a [kaʎe'xero, a] *adj* ambulant(e); (*verbena*) en plein air; (*riña*) de rue; (*persona*) flâneur(-euse); (*perro*) errant(e) ♦ *nm* plan *m*.

callejón [kaʎe'xon] *nm* passage *m*, couloir *m*; **~ sin salida** impasse *f*, voie *f* sans issue; (*fig*) impasse.

callejuela [kaʎe'xwela] *nf* ruelle *f*, venelle *f*.

callista [ka'ʎista] *nm/f* pédicure *m/f*.

callo ['kaʎo] *nm* (*en pies*) cor *m*; (*en manos*) durillon *m*; **~s** *nmpl* (*CULIN*) tripes *fpl*.

callosidad [kaʎosi'ðað] *nf* callosité *f*.

calloso, -a [ka'ʎoso, a] *adj* calleux(-euse).

calma ['kalma] *nf* calme *m*; **con ~** faire qch calmement; **~ chicha** calme plat; **perder la ~** perdre son calme; ¡**~!**, ¡**con ~!** du calme!

calmante [kal'mante] *adj* calmant(e) ♦ *nm* calmant *m*, tranquillisant *m*.

calmar [kal'mar] *vt* calmer ♦ *vi* (*tempestad, viento*) se calmer; **calmarse** *vpr* se calmer.

calmoso, -a [kal'moso, a] *adj* calme.

caló [ka'lo] *nm* parler *m* des gitans.

calor [ka'lor] *nm* chaleur *f*; **entrar en ~** se réchauffer; (*DEPORTE*) s'échauffer; **hace ~** il fait chaud; **tener ~** avoir chaud.

caloría [kalo'ria] *nf* calorie *f*.

calque *etc* ['kalke] *vb V* **calcar**.

calumnia [ka'lumnja] *nf* calomnie *f*.

calumniar [kalum'njar] *vt* calomnier.

calurosamente [kalu'rosamente] *adv* chaleureusement.

caluroso, -a [kalu'roso, a] *adj* chaud(e); (*acogida, aplausos*) chaleureux(euse).

calva ['kalβa] *nf* (*en cabeza*) plaque *f* dégarnie; (*en bosque*) clairière *f*; *V tb* **calvo**.

calvario [kal'βarjo] *nm* calvaire *m*.

calvicie [kal'βiθje] *nf* calvitie *f*.

calvo, -a ['kalβo, a] *adj, nm/f* chauve *m/f*.

calzada [kal'θaða] *nf* chaussée *f*.

calzado, -a [kal'θaðo, a] *adj* chaussé(e) ♦ *nm* chaussure *f*.

calzador [kalθa'ðor] *nm* chausse-pied *m*.

calzar [kal'θar] *vt* chausser; (*TEC*) caler; **calzarse** *vpr*: **~se los zapatos** se chausser; ¿**qué (número) calza?** quelle est votre pointure?

calzón [kal'θon] *nm* (*tb*: **calzones**) caleçon *m*; (*AM*: *de hombre*) slip *m*; (: *de mujer*) culotte *f*.

calzonazos [kalθo'naθos] *nm inv* chiffe *f* molle.

calzoncillos [kalθon'θiʎos] *nmpl* slip *msg*.

cama ['kama] *nf* lit *m*; **estar en ~** être alité(e); **guardar ~** garder le lit; **hacer la ~** faire le lit; **hacer la ~ a algn** jouer un tour de cochon à qn; ► **cama individual/de matrimonio** lit simple/double; ► **cama nido** lit gigogne; ► **cama en petaca** lit en portefeuille.

camada [ka'maða] *nf* portée *f*, nichée *f*.

camafeo [kama'feo] *nm* camée *m*.

camaleón [kamale'on] *nm* caméléon *m*.

cámara ['kamara] *nf* chambre *f*; (*CINE, TV*) caméra *f*; (*fotográfica*) appareil-photo *m*; (*de vídeo*) caméscope *m* ♦ *nm/f* (*CINE, TV*) caméraman *m*; **a ~ lenta** au ralenti; **música de ~** musique *f* de chambre; ► **cámara alta/baja** Chambre haute/basse; ► **cámara de aire** chambre à air; ► **cámara de comercio** chambre de commerce; ► **cámara de gas** chambre à gaz; ► **cámara frigorífica** chambre froide; ► **cámara nupcial/oscura** chambre nuptiale/noire.

camarada [kama'raða] *nm/f* camarada *m/f*; (*de trabajo*) collègue *m/f*.

camaradería [kamaraðe'ria] *nf* camaraderie *f*.

camarera [kama'rera] *nf* (*en hotel*) femme *f* de chambre; (*AM*) hôtesse *f* de l'air; *V tb* **camarero**.

camarero, -a [kama'rero, a] *nm/f* (*en restaurante*) serveur(-euse); (*en bar*) garçon *m* de cafe(serveuse); ¡**camarera, por favor!** mademoiselle, s'il vous plaît!

camarilla [kama'riʎa] *nf* clique *f*; (*POL*) groupe *m* de pression, lobby *m*.

camarón [kama'ron] *nm* crevette *f* grise.

camarote [kama'rote] *nm* cabine *f*.

cambalache [kamβa'latʃe] (*CSUR*) *nf* magasin *m* d'objets *o* de vêtements d'occasion.

cambiante [kam'bjante] *adj* variable; (*humor*) changeant(e).

cambiar [kam'bjar] *vt, vi* changer; (*fig*) échanger; **cambiarse** *vpr* (*de casa*) changer; (*de ropa*) se changer; **~ algo por algo** changer qch pour *o* contre qch; **~ de coche/de idea/de trabajo** changer de voiture/d'idée/de travail; **~ de marcha** changer de vitesse; **~(se) de sitio** changer de place.

cambiazo [kam'bjaθo] *nm*: dar el ~ a algn donner le change à qn; (*hum*) faire une entourloupette à qn.

cambio ['kambjo] *nm* changement *m*; (*de dinero, impresiones*) échange *m*; (*COM*: *tipo de cambio*) change *m*; (*dinero menudo*) monnaie *f*; a ~ de en échange de; en ~ (*por otro lado*) en revanche, par contre; (*en lugar de eso*) à la place; ► **cambio a término** change à terme; ► **cambio de divisas** change de devises; ► **cambio de domicilio** changement de domicile; ► **cambio de la guardia** relève *f* de la garde; ► **cambio de línea/de página** (*INFORM*) changement de ligne/de page; ► **cambio de marchas** o **de velocidades** changement de vitesses; ► **cambio de vía** aiguillage *m*.

cambista [kam'bista] *nm* courtier *m*, cambiste *m*.

Camboya [kam'boja] *nf* Cambodge *m*.

camboyano, -a [kambo'jano, a] *adj* cambodgien(ne) ♦ *nm/f* Cambodgien(ne).

CAME *sigla m* (= *Consejo de Ayuda Mutua Económica*) COMECON *m* (= *Conseil d'assistance économique mutuelle*).

camelar [kame'lar] (*fam*) *vt* baratiner; **camelarse** *vpr* entortiller, embobeliner.

camelia [ka'melja] *nf* camélia *m*.

camello [ka'meʎo] *nm* chameau *m*; (*fam*) dealer *m*.

camelo [ka'melo] (*fam*) *nm* entourloupette *f*; (*mentira*) baratin *m*.

camerino [kame'rino] *nm* loge *f*.

camilla [ka'miʎa] *nf* civière *f*, brancard *m*; (*mesa*) guéridon *m*.

camillero, -a [kami'ʎero, a] *nm/f* brancardier(-ière).

caminante [kami'nante] *nm/f* marcheur (-euse).

caminar [kami'nar] *vi* marcher, cheminer ♦ *vt* faire à pied.

caminata [kami'nata] *nf* trotte *f* (*fam*).

camino [ka'mino] *nm* (*tb INFORM*) chemin *m*; a medio ~ à mi-chemin; en el ~ en chemin, chemin faisant; ~ de vers; estar/ponerse en ~ être/se mettre en route; C~s, Canales y Puertos (*UNIV*) Ponts *mpl* et Chaussées; ir por buen/mal ~ (*fig*) être sur la bonne/mauvaise voie; ► **camino de cabras** sentier *m* de chèvres; ► **Camino de Santiago** chemin de Saint-Jacques; ► **camino particular** voie *f* privée; ► **camino vecinal** chemin vicinal.

camión [ka'mjon] *nm* camion *m*, poids *msg* lourd; estar como un ~ (*fam*: *mujer*) être bien roulée; ► **camión cisterna** camion citerne; ► **camión de la basura** camion des éboueurs; ► **camión de mudanzas** camion de déménagement.

camionero [kamjo'nero] *nm* camionneur *m*, routier *m*.

camioneta [kamjo'neta] *nf* camionnette *f*.

camisa [ka'misa] *nf* (*tb TEC*) chemise *f*; ► **camisa de fuerza** camisole *f* de force.

camisería [kamise'ria] *nf* chemiserie *f*.

camiseta [kami'seta] *nf* tee-shirt *m*; (*ropa interior*) maillot *m* de corps; (*de deportista*) maillot.

camisón [kami'son] *nm* chemise *f* de nuit.

camomila [kamo'mila] *nf* camomille *f*.

camorra [ka'morra] *nf*: armar ~ faire un scandale; buscar ~ chercher querelle.

camorrista [kamo'rrista] *nm/f* querelleur (-euse).

camote [ka'mote] (*AM*) *nm* patate *f* douce.

campal [kam'pal] *adj*: batalla ~ bataille *f* rangée.

campamento [kampa'mento] *nm* colonie *f* de vacances; (*MIL*) camp *m*.

campana [kam'pana] *nf* cloche *f*; (*CSUR*) campagne *f*; ► **campana de cristal** cloche de verre.

campanada [kampa'naða] *nf* coup *m* de cloche; dar la ~ se faire remarquer.

campanario [kampa'narjo] *nm* clocher *m*.

campanilla [kampa'niʎa] *nf* clochette *f*; (*BOT*) campanule *f*.

campante [kam'pante] *adj*: seguir/ quedarse/estar tan ~ continuer/faire/se conduire comme si de rien n'était.

campaña [kam'paɲa] *nf* campagne *f*; hacer ~ (en pro de/contra) faire campagne (en faveur de o pour/contre); ► **campaña de venta** campagne commerciale; ► **campaña electoral/publicitaria** campagne électorale/publicitaire.

campechano, -a [kampe'tʃano, a] *adj* sans façon; es muy ~ il est très nature.

campeón, -ona [kampe'on, ona] *nm/f* champion(ne).

campeonato [kampeo'nato] *nm* championnat *m*; de ~ (*fam*) du tonnerre, formidable.

campera [kam'pera] (*CSUR*) *nf* blouson *m*.

campesino, -a [kampe'sino, a] *adj* champêtre; (*gente*) de la campagne ♦ *nm/f* paysan(ne).

campestre [kam'pestre] *adj* champêtre.

camping ['kampin] (*pl* ~s) *nm* camping *m*; ir de o hacer ~ aller en camping, faire du camping.

campiña [kam'piɲa] *nf* campagne *f*.

campista [kam'pista] *nm/f* campeur(-euse).

campo ['kampo] *nm* campagne *f*; (*AGR, ELEC, FÍS*) champ *m*; (*INFORM*) champ, zone *f*; (*MIL, de fútbol, rugby*) terrain *m*; (*ámbito*) domaine *m*; a ~ traviesa o través à travers champs; **dormir a ~ raso** dormir à la belle étoile; **trabajo de ~** travaux *mpl* pratiques (sur le terrain); ▶ **campo de batalla** champ de bataille; ▶ **campo de concentración** camp *m* de concentration; ▶ **campo de deportes/de golf** terrain de sports/de golf; ▶ **campo de minas** champ de mines; ▶ **campo de trabajo** champ de travail; ▶ **campo magnético** champ magnétique; ▶ **campo petrolífero** champ pétrolifère, gisement *m* de pétrole; ▶ **campo raso** rase campagne *f*; ▶ **campo visual** champ visuel.

camposanto [kampo'santo] *nm* cimetière *m*.

CAMPSA ['kampsa] *(ESP) sigla f (COM = Compañía Arrendataria del Monopolio de Petróleos)* société pétrolière.

campus ['kampus] *nm inv* campus *m inv*.

camuflaje [kamu'flaxe] *nm* camouflage *m*.

camuflar [kamu'flar] *vt* camoufler.

can [kan] *nm* chien *m*.

cana ['kana] *nf* cheveu *m* blanc; **tener ~s** avoir des cheveux blancs; **echar una ~ al aire** se payer une partie de plaisir; *V tb* **cano.**

Canadá [kana'ða] *nm* Canada *m*.

canadiense [kana'ðjense] *adj* canadien(ne) ♦ *nm/f* Canadien(ne).

canal [ka'nal] *nm* canal *m*; *(de televisión)* chaîne *f*; *(de tejado)* chéneau *m*, gouttière *f*; **abrir algo en ~** ouvrir qch de haut en bas; ▶ **canal de distribución** réseau *m* de distribution; ▶ **Canal de la Mancha** la Manche; ▶ **Canal de Panamá** canal de Panama.

canaleta [kana'leta] *(CSUR) nf (ARQ)* gouttière *f*.

canalice *etc* [kana'liθe] *vb V* **canalizar.**

canalizar [kanali'θar] *vt* canaliser.

canalla [ka'naʎa] *nm* canaille *f*.

canallada [kana'ʎaða] *nf* canaillerie *f*.

canalón [kana'lon] *nm* tuyau *m* de descente; *(del tejado)* chéneau *m*; **canalones** *nmpl (CULIN)* cannelloni *mpl.*

canapé [kana'pe] *(pl ~s) nm (tb CULIN)* canapé *m*.

Canarias [ka'narjas] *nfpl:* **las (Islas) ~** les (îles) Canaries *fpl.*

canario, -a [ka'narjo, a] *adj* des (îles) Canaries ♦ *nm/f* natif(-ive) *o* habitant(e) des (îles) Canaries ♦ *nm (ZOOL)* canari *m*, serin *m*; **amarillo ~** jaune canari *inv*, jaune serin *inv*.

canasta [ka'nasta] *nf* corbeille *f*; *(en baloncesto)* panier *m*; *(NAIPES)* canasta *f*; **hacer ~** réussir un panier.

canastilla [kanas'tiʎa] *nf* trousse *f* à couture; *(de niño)* layette *f*.

canasto [ka'nasto] *nm* corbeille *f*.

cancela [kan'θela] *nf* portillon *m*.

cancelación [kanθela'θjon] *nf (ver vt)* annulation *f*; résiliation *f*; suppression *f*; acquittement *m*.

cancelar [kanθe'lar] *vt (visita, vuelo)* annuler; *(contrato)* résilier; *(permiso)* supprimer; *(deuda)* s'acquitter de; *(cuenta corriente)* fermer.

cáncer ['kanθer] *nm* cancer *m*; **C~** *(ASTROL)* Cancer; **ser C~** être (du) Cancer.

cancerígeno, -a [kanθe'rixeno, a] *adj* cancérigène.

cancha ['kantʃa] *nf* terrain *m*; *(de tenis)* court *m* ♦ *excl (CSUR)* dégagez!, faites place!

canciller [kanθi'ʎer] *nm* chancelier *m*; *(AM)* ministre *m* des Affaires étrangères.

Cancillería [kanθiʎe'ria] *nf* chancellerie *f*; *(AM)* ministère *m* des Affaires étrangères.

canción [kan'θjon] *nf* chanson *f*; ▶ **canción de cuna** berceuse *f*; ▶ **canción infantil** comptine *f*; ▶ **canción popular** chanson populaire.

cancionero [kanθjo'nero] *nm* chansonnier *m*.

candado [kan'daðo] *nm* cadenas *msg.*

candeal [kande'al] *adj:* **pan ~** pain *m* blanc ♦ *nm (CSUR: CULIN)* lait *m* de poule.

candela [kan'dela] *nf* bougie *f*, chandelle *f*.

candelabro [kande'laβro] *nm* candélabre *m*.

candelero [kande'lero] *nm:* **estar en ~** être en vedette.

candente [kan'dente] *adj* chauffé(e) au rouge; *(tema, problema)* brûlant(e).

candidato, -a [kandi'ðato, a] *nm/f* candidat(e); *(para puesto)* candidat(e), postulant(e).

candidatura [kandiða'tura] *nf* candidature *f*.

candidez [kandi'ðeθ] *nf* candeur *f*; *(falta de malicia)* innocence *f*.

cándido, -a ['kandiðo, a] *adj* candide, innocent(e).

candil [kan'dil] *nm* lampe *f* à huile.

candilejas [kandi'lexas] *nfpl (TEATRO)* rampe *fsg.*

candombe [kan'domβe] *(AM) nm (baile africano)* candomblé *m*.

candor [kan'dor] *nm* candeur *f*.

canela [ka'nela] *nf* cannelle *f*; ▶ **canela en rama** cannelle en branche.

canelo [ka'nelo] *nm:* **hacer el ~** faire l'imbécile, faire le pitre.

canelones [kane'lones] *nmpl* cannelloni *mpl.*

canesú [kane'su] *nm* empiècement *m*.

cangrejo [kan'grexo] *nm* crabe *m*; *(de río)*

écrevisse f.
canguro [kan'guro] nm kangourou m; (de niños) baby-sitter m/f; **hacer de** ~ garder des enfants.
caníbal [ka'niβal] adj, nm/f cannibale m/f.
canica [ka'nika] nf bille f.
caniche [ka'nitʃe] nm caniche m.
canícula [ka'nikula] nf canicule f.
canijo, -a [ka'nixo, a] adj chétif(-ive).
canilla [ka'niʎa] nf cannette f; (de pierna) tibia m; (AM) jambe f; (CSUR) robinet m.
canillita [kani'ʎita] (AND, CSUR) nm crieur m de journaux.
canino, -a [ka'nino, a] adj canin(e) ♦ nm canine f; **tener un hambre canina** avoir une faim de loup.
canje [kan'xe] nm (de rehenes, prisioneros) échange m; (COM) change m.
canjear [kanxe'ar] vt: ~ (por) échanger (pour); (COM) changer (pour).
cano, -a ['kano, a] adj (pelo, cabeza) blanc(blanche).
canoa [ka'noa] nf canoë m.
canódromo [ka'noðromo] nm champ m de courses de lévriers.
canon ['kanon] nm canon m; (COM) taxe f, impôt m.
canonice etc [kano'niθe] vb V **canonizar**.
canónico, -a [ka'noniko, a] adj: **derecho** ~ droit m canon.
canónigo [ka'noniɣo] nm chanoine m.
canonizar [kanoni'θar] vt canoniser.
canoso, -a [ka'noso, a] adj grisonnant(e), aux cheveux blancs; (pelo) grisonnant(e).
cansado, -a [kan'saðo, a] adj fatigué(e); (viaje, trabajo) fatigant(e); **estoy** ~ **de hacerlo** j'en ai assez de faire ça.
cansador, a [kansa'ðor, a] (CSUR) nm/f ennuyeux(-euse).
cansancio [kan'sanθjo] nm fatigue f; **hasta el** ~ à satiété.
cansar [kan'sar] vt fatiguer; (aburrir) ennuyer; (hartar) lasser; **cansarse** vpr: ~**se (de hacer)** se lasser (de faire).
cantábrico, -a [kan'taβriko, a] adj cantabrique; **Mar C~** golfe m de Gascogne.
cántabro, -a ['kantaβro, a] adj de la province de Santander ♦ nm/f natif(-ive) o habitant(e) de la province de Santander.
cantaleta [kanta'leta] (AM) nf refrain m.
cantante [kan'tante] nm/f chanteur(-euse).
cantaor, a [kanta'or, a] nm/f chanteur(-euse) de flamenco.
cantar [kan'tar] vt chanter ♦ vi chanter; (fam: criminal) se mettre à table; (: oler mal) puer, cocoter ♦ nm chanson f; **estaba cantado** c'était à prévoir; ~ **de plano** passer aux aveux; **en menos que canta**

un gallo en un rien de temps; ~**le a algn las cuarenta** dire à qn ses quatre vérités; ~ **a dos voces** chanter en duo.
cántara ['kantara] nf bidon m.
cántaro ['kantaro] nm cruche f.
cantautor, a [kantau'tor, a] nm/f auteur-compositeur-interprète m.
cante ['kante] nm: ~ **jondo** chant m flamenco.
cantera [kan'tera] nf (lugar) carrière f; (fig: de profesionales, futbolistas) mine f.
cantero [kan'tero] (CSUR) nm (macizo de flores) massif m de fleurs; (macizo de legumbres) planche f de légumes.
cántico ['kantiko] nm cantique m.
cantidad [kanti'ðað] nf quantité f ♦ adv (fam) plein; **el café me gusta** ~ j'adore le café, je raffole du café; ~ **alzada** forfait m; **gran** ~ **de** une grande quantité de, bon nombre de; **en** ~ en quantité.
cantilena [kanti'lena] nf = **cantinela**.
cantimplora [kantim'plora] nf gourde f.
cantina [kan'tina] nf cantine f; (de estación) buffet m; (esp AM: taberna) café m.
cantinela [kanti'nela] nf cantilène f.
canto ['kanto] nm chant m; (de mesa, moneda) bord m; (de libro) tranche f; (de cuchillo) dos m sg; **faltó el** ~ **de un duro** il s'en est fallu d'un cheveu; **de** ~ de côté, sur le côté; ▶ **canto rodado** galet m.
cantón [kan'ton] nm canton m.
cantor, a [kan'tor, a] adj: **ave** ~**a** oiseau m chanteur ♦ nm/f chantre m.
canturrear [kanturre'ar] vi chantonner.
canutas [ka'nutas] nfpl: **pasarlas** ~ en voir des vertes et des pas mûres, en voir de toutes les couleurs.
canuto [ka'nuto] nm petit tube m; (fam: droga) joint m.
caña ['kaɲa] nf (BOT) tige f; (: especie) roseau m; (de hueso) os m sg long; (vaso) verre m; (de cerveza) demi m; (AM) alcool m de canne à sucre; **dar** o **meter** ~ (fam: a un coche) appuyer sur le champignon; (: a algn) secouer; ▶ **caña de azúcar/de pescar** canne f à sucre/à pêche.
cañada [ka'ɲaða] nf vallon m; (de ganado) chemin m de transhumance.
cañamazo [kaɲa'maθo] nm canevas m sg.
cáñamo ['kaɲamo] nm chanvre m.
cañaveral [kaɲaβe'ral] nm cannaie f; (AGR) plantation f de canne à sucre.
cañería [kaɲe'ria] nf tuyauterie f.
cañizal [kaɲi'θal] nm = **cañaveral**.
caño ['kaɲo] nm (tubo) tuyau m; (de fuente) jet m.
cañón [ka'ɲon] nm canon m; (GEO) canyon m.
cañonazo [kaɲo'naθo] nm coup m de ca-

non.

cañonera [kaɲo'nera] *nf* (*tb*: **lancha** ~) canonnière *f*.

caoba [ka'oßa] *nf* acajou *m*.

caos ['kaos] *nm* chaos *msg*.

caótico, -a [ka'otiko, a] *adj* chaotique.

C.A.P. *sigla m* (= *Certificado de Aptitud Pedagógica*) *certificat d'aptitude à l'enseignement*.

cap. *abr* (= *capítulo*) chap. (= *chapitre*).

capa ['kapa] *nf* (*prenda*) cape *f*; (*CULIN, GEO*) couche *f*; (*de polvo*) pellicule *f*; **defender a ~ y espada** défendre avec acharnement; ▶ **capa de ozono** couche d'ozone; ▶ **capas sociales** couches *fpl* sociales.

capacho [ka'patʃo] *nm* cabas *msg*.

capacidad [kapaθi'ðað] *nf* contenance *f*, capacité *f*; **este teatro tiene una ~ de mil espectadores** ce théâtre peut contenir mille spectateurs; **tener ~ para los idiomas/las matemáticas** être doué(e) pour les langues/les mathématiques; **tener ~ de adaptación/de trabajo** avoir une capacité d'adaptation/de travail; ▶ **capacidad adquisitiva** pouvoir *m* d'achat.

capacitación [kapaθita'θjon] *nf* formation *f*; **curso de ~** cours *msg* de formation.

capacitado, -a [kapaθi'taðo, a] *adj* qualifié(e); **~ para algo** (*JUR*) habilité(e) à faire qch.

capacitar [kapaθi'tar] *vt*: **~ a algn para** préparer qn à.

capar [ka'par] *vt* castrer.

caparazón [kapara'θon] *nm* (*de ave*) carcasse *f*; (*de tortuga*) carapace *f*.

capataz [kapa'taθ] *nm* contremaître *m*.

capaz [ka'paθ] *adj* capable; **ser ~ de (hacer)** être capable de (faire); **es ~ que venga mañana** (*AM*) il viendra probablement demain.

capcioso, -a [kap'θjoso, a] *adj*: **pregunta capciosa** question *f* captieuse.

capea [ka'pea] *nf* (*TAUR*) course *f* de vachettes.

capear [kape'ar] *vt* (*dificultades*) esquiver; **~ el temporal** calmer la tempête.

capellán [kape'ʎan] *nm* aumônier *m*; (*sacerdote*) chapelain *m*.

caperuza [kape'ruθa] *nf* capuche *f*; (*de bolígrafo*) capuchon *m*.

capi ['kapi] (*AM: fam*) *nf* capitale *f*.

capicúa [kapi'kua] *adj inv* palindrome ♦ *nf* nombre *m* palindrome.

capilar [kapi'lar] *adj, nm* capillaire *m*.

capilla [ka'piʎa] *nf* chapelle *f*; ▶ **capilla ardiente** chapelle ardente.

capirote [kapi'rote] *nm*: **tonto de ~** idiot *m* de première classe.

capital [kapi'tal] *adj* (*tb JUR*) capital(e) ♦ *nm* capital *m* ♦ *nf* capitale *f*; **inversión de ~es** investissement *m* de capitaux; ▶ **capital activo** capital circulant *o* d'exploitation; ▶ **capital arriesgado** *o* **riesgo** capital-risques *msg*; ▶ **capital autorizado** *o* **social** capital social; ▶ **capital emitido** capital émis; ▶ **capital en acciones** capital en actions; ▶ **capital improductivo/pagado** capital improductif/versé; ▶ **capital invertido** *o* **utilizado** capital investi, mise *f* de fonds.

capitalice *etc* [kapita'liθe] *vb* V **capitalizar**.

capitalino, -a [kapita'lino, a] (*AM*) *adj* de la capitale ♦ *nm/f* natif(-ive) *o* habitant(e) de la capitale.

capitalismo [kapita'lismo] *nm* capitalisme *m*.

capitalista [kapita'lista] *adj, nm/f* capitaliste *m/f*.

capitalizar [kapitali'θar] *vt* capitaliser; (*situación, triunfo*) tirer parti de.

capitán [kapi'tan] *nm* capitaine *m*; ▶ **capitán general** ≈ général *m* de corps d'armée.

capitana [kapi'tana] *nf* vaisseau *m* amiral.

capitanear [kapitane'ar] *vt* commander; (*equipo*) être le capitaine de; (*pandilla, expedición*) être à la tête de.

capitanía [kapita'nia] *nf*: **~ general** (*edificio*) Haut commandement *m* des armées; (*cargo*) ≈ dignité *f* de général de corps d'armée.

capitel [kapi'tel] *nm* chapiteau *m*.

capitolio [kapi'toljo] *nm* capitole *m*.

capitulación [kapitula'θjon] *nf* capitulation *f*; ▶ **capitulaciones matrimoniales** contrat *msg* de mariage.

capitular [kapitu'lar] *vi* capituler.

capítulo [ka'pitulo] *nm* chapitre *m*.

capó [ka'po] *nm* capot *m*.

capón [ka'pon] *nm* (*pollo*) chapon *m*; (*golpe*) tape *f* sur la tête.

caporal [kapo'ral] *nm* caporal *m*.

capota [ka'pota] *nf* (*de coche*) capote *f*.

capote [ka'pote] *nm* (*de militar*) capote *f*; (*de torero*) cape *f*; **echar un ~ a algn** prêter main forte à qn.

capricho [ka'pritʃo] *nm* caprice *m*; **darse un ~** s'offrir un caprice.

caprichoso, -a [kapri'tʃoso, a] *adj* capricieux(-euse).

Capricornio [kapri'kornjo] *nm* (*ASTROL*) Capricorne *m*; **ser ~** être (du) Capricorne.

cápsula ['kapsula] *nf* capsule *f*; ▶ **cápsula espacial** capsule spatiale.

captar [kap'tar] *vt* (*indirecta, sentido*) saisir; (*RADIO*) capter; (*atención, apoyo*) attirer.

captura [kap'tura] *nf* capture *f*.

capturar [kaptu'rar] vt capturer.

capucha [ka'putʃa] nf, **capuchón** [kapu'tʃon] nm capuche f; (de bolígrafo) capuchon m.

capullo [ka'puʎo] nm (ZOOL) cocon m; (BOT) bouton m; (fam!) corniaud m; ► **capullo de rosa** bouton de rose.

caqui ['kaki] adj inv kaki inv ♦ nm (fruta) kaki m.

cara ['kara] nf visage m, face f; (expresión) mine f; (de disco, papel) face f; (fam: descaro) culot m, toupet m ♦ adv: **(de)** ~ **a** vis à vis de, face à, de ~ do face; **decir algo** ~ **a** ~ dire qch en face; **mirar** ~ **a** ~ regarder bien en face; **dar la** ~ ne pas se dérober; **echar algo en** ~ **a algn** reprocher qch à qn; **¿**~ **o cruz?** pile ou face?; **poner/tener** ~ **de** prendre/avoir un air de; **¡qué** ~ **más dura!** quel culot!, en voilà du toupet!; **tener buena/mala** ~ avoir bonne/mauvaise mine; (herida, asunto, guiso) avoir bon/mauvais aspect; **tener mucha** ~ avoir un culot monstre; **de una** ~ (disquete) d'une seule face.

carabina [kara'ßina] nf carabine f; (persona) chaperon m.

carabinero [karaßi'nero] nm douanier m; (AM) agent m de police.

Caracas [ka'rakas] n Caracas.

caracol [kara'kol] nm escargot m; (concha) coquille f d'escargot; (rizo) boucle f; (esp AM) coquillage m; **escalera de** ~ escalier m en colimaçon.

caracola [kara'kola] nf coquillage m.

caracolear [karakole'ar] vi caracoler.

carácter [ka'rakter] (pl **caracteres**) nm caractère m; **tener buen/mal** ~ avoir bon/mauvais caractère; ► **carácter alfanumérico** caractère alphanumérique; ► **carácter de cambio de página** (INFORM) caractère de changement de page; ► **caracteres de imprenta** caractères mpl d'imprimerie.

caracterice etc [karakte'riθe] vb V **caracterizar**.

característica [karakte'ristika] nf caractéristique f.

característico, -a [karakte'ristiko, a] adj caractéristique.

caracterizar [karakteri'θar] vt caractériser; (TEATRO) bien interpréter; **caracterizarse** vpr (TEATRO) se mettre en costume; ~**se por** se caractériser par.

caradura [kara'ðura] nm/f: **es un** ~ c'est un malotru.

carajillo [kara'xiʎo] nm café m mêlé de cognac.

carajo [ka'raxo] (fam!) nm: **¡**~**!** merde! (fam!); **¡qué** ~**!** et quoi encore!, mon œil!; **me importa un** ~ je m'en fous pas mal!; **¡vete al** ~**!** va te faire voir!

caramba [ka'ramba] excl dis donc!, mince alors!

carámbano [ka'rambano] nm glaçon m.

carambola [karam'bola] nf (en billar) carambolage m; **por** ~ par pur hasard.

caramelo [kara'melo] nm bonbon m; (azúcar fundido) caramel m.

carancho [ka'rantʃo] nm (CSUR) sorte de vautour.

carantoñas [karan'tonas] nfpl: **hacer** ~ faire des mamours.

caraqueño, -a [kara'keno, a] adj de Caracas ♦ nm/f natif(-ive) o habitant(e) de Caracas.

carátula [ka'ratula] nf masque m; (de libro) titre m; **la** ~ le théâtre.

caravana [kara'ßana] nf caravane f; (de vehículos, gente) file f; (AUTO) bouchon m.

¡caray! [ka'rai] excl dis donc!, mince alors!

carbohidrato [karßohi'ðrato] nm hydrate m de carbone.

carbón [kar'ßon] nm charbon m; **papel** ~ carbone m; **al** ~ au charbon; ► **carbón de leña** o **vegetal** charbon de bois.

carbonatado, -a [karßona'taðo, a] adj carbonaté(e).

carbonato [karßo'nato] nm carbonate m; ► **carbonato sódico** carbonate de soude.

carboncillo [karßon'θiʎo] nm fusain m.

carbonería [karßone'ria] nf dépôt m de bois.

carbonice etc [karßo'niθe] vb V **carbonizar**.

carbonífero, -a [karßo'nifero, a] adj carbonifère.

carbonilla [karßo'niʎa] nf poussière f de charbon.

carbonizar [karßoni'θar] vt carboniser; **quedar carbonizado** être réduit en cendres.

carbono [kar'ßono] nm carbone m.

carburador [karßura'ðor] nm carburateur m.

carburante [karßu'rante] nm carburant m.

carburar [karßu'rar] (fam) vi carburer.

carca ['karka] (fam) adj inv vieux jeu inv, rétro inv ♦ nm/f inv vieux schnock(vieille taupe).

carcaj [kar'kax] nm carquois msg.

carcajada [karka'xaða] nf éclat m de rire; **reír(se) a** ~**s** éclater de rire.

carcajearse [karkaxe'arse] vpr rire aux éclats.

cárcel ['karθel] nf prison f, maison f d'arrêt.

carcelero, -a [karθe'lero, a] nm/f gardien(ne) de prison.

carcoma [kar'koma] nf termite m.

carcomer [karko'mer] vt manger, ronger; (*salud, confianza*) miner; **carcomerse** vpr: ~se de être rongé(e) par.
cardar [kar'ðar] vt carder.
cardenal [karðe'nal] nm cardinal m; (MED) bleu m.
cardenalicio, -a [karðena'liθjo, a] adj de cardinal, cardinalice.
cárdeno, -a ['karðeno, a] adj pourpre.
cardiaco, -a [kar'ðjako, a], **cardíaco, -a** [kar'ðiako, a] adj cardiaque; estar ~ (*fam*) être énervé(e).
cardinal [karði'nal] adj (GRAMÁTICA) cardinal(e); **puntos** ~es points mpl cardinaux.
cardiología [karðjolo'xia] nf cardiologie f.
cardiólogo, -a [kar'ðj'oloɣo, a] nm/f cardiologue m/f.
cardiovascular [karðioβasku'lar] adj cardiovasculaire.
cardo ['karðo] nm (*comestible*) cardon m; (*espinoso*) chardon m; **ser un** ~ (*fam*) être laid(e) comme un pou; (*arisco*) être grincheux(-euse).
carear [kare'ar] vt (tb JUR) confronter.
carecer [kare'θer] vi: ~ de manquer de.
carencia [ka'renθja] nf manque m; (*escasez*) carence f.
carente [ka'rente] adj: ~ de dépourvu(e) de.
careo [ka'reo] nm confrontation f.
carero, -a [ka'rero, a] (*fam*) adj chérot.
carestía [kares'tia] nf (COM) cherté f; (*escasez*) pénurie f; **época de** ~ période f de pénurie.
careta [ka'reta] nf masque m; **quitarle a algn la** ~ démasquer qn; ► **careta antigás** masque à gaz.
carey [ka'rei] nm: **de** ~ en écaille.
carezca etc [ka'reθka] vb V **carecer**.
carga ['karɣa] nf charge f; (*de barco, camión*) chargement m, cargaison f; (*de bolígrafo, pluma*) cartouche f, recharge f; (INFORM) chargement m; **de** ~ (*animal*) de charge; **buque de** ~ cargo m; **la** ~ **fiscal** la charge fiscale; **zona de** ~ **y descarga** zone f de livraisons; ► **carga aérea** fret m aérien; ► **carga afectiva** charge affective; ► **carga explosiva** charge explosive; ► **carga útil** charge utile.
cargadero [karɣa'ðero] nm zone f de chargement.
cargado, -a [kar'ɣaðo, a] adj chargé(e); (*café, té*) serré(e), fort(e); (*ambiente*) raréfié(e), vicié(e); ~ **de hombros/espalda** les épaules voûtées/le dos voûté.
cargador, a [karɣa'ðor, a] nm/f chargeur (-euse); (NÁUT) docker m ♦ nm (*de arma*) chargeur m.
cargamento [karɣa'mento] nm chargement m, cargaison f.

cargante [kar'ɣante] (*fam*) adj agaçant(e).
cargar [kar'ɣar] vt charger; (*impuesto*) imposer, taxer; (COM) débiter ♦ vi charger; **cargarse** vpr (*fam: estropear*) bousiller; (: *matar*) liquider; (: *ley, proyecto*) supprimer; (: *suspender*) recaler, coller; (ELEC) se charger; (*cielo, nubes*) se couvrir; **te la vas a** ~ (*fam*) cela va te coûter cher; ~ **las tintas** forcer la note; ~ (**contra**) charger (contre); ~ **con** porter; (*responsabilidad*) assumer; **los indecisos me cargan** les gens indécis me portent sur les nerfs; ~ **a** o **en la espalda** prendre sur son dos; ~**se de** (*de dinero*) se munir de; (*de paquetes*) se charger de; (*de obligaciones*) assumer.
cargo ['karɣo] nm (COM etc) débit m; (*puesto*) charge f; ~**s** nmpl (JUR) accusations fpl; **altos** ~**s** (COM) cadres mpl supérieurs; (POL) autorités fpl; **una cantidad en** ~ **a algn** une somme portée au compte de qn; **estar a(l)** ~ **de** être à (la) charge de; **hacerse** ~ **de** (*de deudas, poder*) assumer; (*darse cuenta de*) se rendre compte de; **me da** ~ **de conciencia** cela me donne de remords.
cargosear [karɣose'ar] (CSUR: *fam*) vt casser les pieds à.
cargoso, -a [kar'ɣoso, a] adj casse-pieds inv; **no sea** ~ ne sois pas casse-pieds.
cargue etc ['karɣe] vb V **cargar**.
carguero [kar'ɣero] nm cargo m; (*avión*) avion-cargo m.
Caribe [ka'riβe] nm: **el** ~ les Caraïbes fpl.
caribeño, -a [kari'βeɲo, a] adj des Caraïbes.
caricatura [karika'tura] nf caricature f.
caricaturizar [karikaturi'θar] vt caricaturer; **caricaturizarse** vpr se caricaturer.
caricia [ka'riθja] nf caresse f.
caridad [kari'ðað] nf charité f; **obras de** ~ œuvres fpl de charité; **vivir de la** ~ vivre de la charité.
caries ['karjes] nf inv carie f.
carilla [ka'riʎa] nf (TIP) face f.
cariño [ka'riɲo] nm affection f; **sí,** ~ oui, chéri; **sentir** ~ **por/tener** ~ **a** ressentir/avoir de l'affection pour; **tomar** ~ **a algn** s'attacher à qn; **hacer algo con** ~ prendre plaisir à faire qch.
cariñosamente [kariɲosamente] adv affectueusement.
cariñoso, -a [kari'ɲoso, a] adj affectueux(-euse); "**saludos** ~**s**" "affectueusement".
carioca [ka'rjoka] (AM) adj de Rio de Janeiro ♦ nm/f natif(-ive) o habitant(e) de Rio de Janeiro.
carisma [ka'risma] nm charisme m.
carismático, -a [karis'matiko, a] adj cha-

rismatique.

caritativo, -a [karita'tiβo, a] adj charitable.

cariz [ka'riθ] nm (de los acontecimientos) tournure f.

carmesí [karme'si] adj cramoisi(e) ♦ nm cramoisi m.

carmín [kar'min] nm carmin m; ▶ **carmín (de labios)** rouge m (à lèvres).

carnada [kar'naða] nf amorce f, appât m.

carnal [kar'nal] adj charnel(le); **primo ~** cousin m germain.

carnaval [karna'βal] nm carnaval m.

carne ['karne] nf chair f, (CULIN) viande f; **~s** nfpl (fam) graisse fsg; **en ~ viva** à vif; **en ~ y hueso** en chair et en os; ▶ **carne de cañon** chair à canon; ▶ **carne de cerdo/de cordero** viande de porc/d'agneau; ▶ **carne de gallina** chair de poule; ▶ **carne de membrillo** gelée f de coing; ▶ **carne de ternera/de vaca** viande de veau/de bœuf; ▶ **carne picada** viande hachée.

carné [kar'ne] nm = **carnet**.

carnero [kar'nero] nm veau m.

carnet [kar'ne] (pl **~s**) nm: **~ de conducir** permis msg de conduire; ▶ **carnet de identidad** carte f d'identité; ▶ **carnet de socio** carte de membre.

carnicería [karniθe'ria] nf boucherie f.

carnicero, -a [karni'θero, a] adj carnassier(-ière); (pájaro, ave) de proie ♦ nm/f boucher(-ère).

cárnico, -a ['karniko, a] adj (productos, industria) de la viande.

carnívoro, -a [kar'niβoro, a] adj carnivore ♦ nm carnivore m/f.

carnoso, -a [kar'noso, a] adj charnu(e).

caro, -a ['karo, a] adj cher(chère) ♦ adv cher; **te costará/lo pagarás ~** (fig) cela te coûtera/tu le paieras cher.

carota [ka'rota] (fam) nm/f culotté(e).

carozo [ka'roθo] (AM) nm noyau m.

carpa ['karpa] nf carpe f; (de circo) chapiteau m; (AM) tente f.

carpeta [kar'peta] nf dossier m, chemise f; **~ (de anillas)** classeur m.

carpetazo [karpe'taθo] nm: **dar ~ a algo** mettre qch de côté.

carpintería [karpinte'ria] nf menuiserie f.

carpintero [karpin'tero] nm menuisier m; **pájaro ~** pic m.

carraca [ka'rraka] nf crécelle f; (juguete) hochet m.

carraspear [karraspe'ar] vi (toser) se racler la gorge, s'éclaircir la gorge.

carraspera [karras'pera] nf enrouement m.

carrera [ka'rrera] nf course f; (UNIV) études fpl; (profesión) carrière f; **tienes una ~ en las medias** tes bas sont filés; **aquí se**

recogen **~s a las medias** ici on reprise les bas; **a la ~** à toute vitesse; **darse o echar o pegar una ~** filer à toute allure o à toutes jambes; **de ~s** de course; **en una ~** d'une traite; ▶ **carrera de armamentos/de obstáculos** course aux armements/d'obstacles.

carrerilla [karre'riʎa] nf: **decir algo de ~** réciter qch comme un perroquet; **tomar ~** prendre son élan.

carreta [ka'rreta] nf charrette f.

carrete [ka'rrete] nm pellicule f; (TEC) bobine f.

carretera [karre'tera] nf route f, ▶ **carretera de circunvalación** boulevard m périphérique; ▶ **carretera nacional/secundaria** route nationale/secondaire.

carretilla [karre'tiʎa] nf brouette f.

carril [ka'rril] nm chemin m; (de autopista) file f, voie f; (FERRO) voie f.

carrillo [ka'rriʎo] nm joue f.

carro [ka'rro] nm chariot m; (con dos ruedas) charrette f; (AM) voiture f; ¡**para el ~!** arrête là!, c'est bon, ça suffit!; ▶ **carro blindado/de combate** char m d'assaut/de combat.

carrocería [karroθe'ria] nf carrosserie f.

carromato [karro'mato] nm charrette f.

carroña [ka'rroɲa] nf charogne f.

carroza [ka'rroθa] nf carrosse m; (en desfile) char m ♦ nm/f croulant(e), vieux schnock(vieille taupe).

carruaje [ka'rrwaxe] nm voiture f.

carrusel [karru'sel] nm manège m.

carta ['karta] nf lettre f; (NAIPES) carte f; (JUR) charte f; **a la ~** à la carte; **dar ~ blanca a algn** donner carte blanche à qn; **echar una ~ (al correo)** mettre une lettre (à la poste); **echar las ~s a algn** tirer les cartes à qn; **tomar ~s en el asunto** intervenir dans l'affaire; ▶ **carta certificada** lettre recommandée; ▶ **carta de ajuste** (TV) mire f; ▶ **carta de crédito documentaria** lettre de crédit; ▶ **carta de crédito irrevocable** (COM) lettre de crédit irrévocable; ▶ **carta de pedido** bon m de commande; ▶ **carta de vinos** carte des vins; ▶ **carta marítima** carte marine; ▶ **carta urgente** lettre urgente; ▶ **carta verde** carte verte.

carta-bomba ['karta-'bomba] (pl **~s-~**) nf lettre f piégée.

cartabón [karta'βon] nm équerre f.

cartearse [karte'arse] vpr correspondre.

cartel [kar'tel] nm affiche f; (COM) cartel m, trust m; **en ~** à l'affiche.

cártel ['kartel] nm (COM) = **cartel**.

cartelera [karte'lera] nf rubrique f; (en la calle) panneau m d'affichage; (en París) colonne f Morris; **lleva mucho/poco tiem-**

po en ~ il est à l'affiche depuis longtemps/peu.

cartera [kar'tera] *nf* (*tb*: ~ **de bolsillo**) portefeuille *m*; (*de cobrador*) serviette *f*; (*de colegial*) cartable *m*; (*AM*) sac à main *m*; **ministro sin** ~ (*POL*) ministre *m* sans portefeuille; **ocupa la** ~ **de Agricultura** il occupe le portefeuille de l'Agriculture; **tener algo en** ~ avoir qch de prévu; **efectos en** ~ (*ECON*) avoirs *mpl* fonciers; ► **cartera de mano** serviette, porte-documents *m inv*; ► **cartera de pedidos** carnet *m* de commandes; *V tb* **cartero**.

carterista [karte'rista] *nm/f* pickpocket *m*, voleur(-euse) à la tire.

cartero, -a [kar'tero] *nm/f* facteur(-trice).

cartílago [kar'tilaɣo] *nm* cartilage *m*.

cartilla [kar'tiʎa] *nf* livret *m* scolaire; ► **cartilla de ahorros** livret de caisse d'épargne; ► **cartilla de racionamiento** carte *f* de rationnement.

cartografía [kartoɣra'fia] *nf* cartographie *f*.

cartón [kar'ton] *nm* carton *m*; (*de tabaco*) cartouche *f*; **de** ~ en carton; ► **cartón piedra** papier *m* mâché.

cartuchera [kartu'tʃera] *nf* cartouchière *f*.

cartucho [kar'tutʃo] *nm* cartouche *f*; (*cucurucho*) cornet *m*; ► **cartucho de datos** (*INFORM*) chargeur *m*.

cartulina [kartu'lina] *nf* bristol *m*.

CASA ['kasa] (*ESP*) *sigla f* (*AVIAT*) = *Construcciones Aeronáuticas S.A.*

casa ['kasa] *nf* maison *f*; **sentirse como en su** ~ se sentir comme chez soi; **ir a** ~ rentrer chez soi; **salir de** ~ sortir de chez soi; **irse de** ~ faire sa malle; **él es como de la** ~ c'est comme s'il était de la famille; **llevar la** ~ tenir sa maison; **echar la** ~ **por la ventana** (*gastar*) jeter l'argent par les fenêtres; (*recibir a lo grande*) mettre les petits plats dans les grands; ► **casa consistorial** hôtel *m* de ville, mairie *f*; ► **casa de campo** maison de campagne; ► **casa de citas/de discos** maison de rendez-vous/de disques; ► **casa de fieras** ménagerie *f*; ► **casa de huéspedes** pension *f* de famille; ► **casa de la moneda** hôtel des monnaies; ► **casa de socorro** dispensaire *m*.

casaca [ka'saka] *nf* casaque *f*.

casadero, -a [kasa'ðero, a] *adj* en âge de se marier.

casado, -a [ka'saðo, a] *adj*, *nm/f* marié(e).

casamiento [kasa'mjento] *nm* mariage *m*.

casar [ka'sar] *vt* marier ♦ *vi*: ~ (**con**) aller bien (avec); **casarse** *vpr*: ~**se** (**con**) se marier (avec); ~**se por lo civil/por la Iglesia** se marier civilement/religieusement.

cascabel [kaska'βel] *nm* grelot *m*; (*ZOOL*) serpent *m* à sonnettes.

cascada [kas'kaða] *nf* cascade *f*; **en** ~ en cascade.

cascado, -a [kas'kaðo, a] *adj* mal en point, patraque; (*voz*) cassé(e), éraillé(e).

cascajo [kas'kaxo] *nm* gravats *mpl*; (*de frutos secos*) coquille *f*.

cascanueces [kaska'nweθes] *nm inv* cassenoisettes *msg*.

cascar [kas'kar] *vt* casser; (*fam: golpear*) tabasser ♦ *vi* (*fam*) papoter; (: *morir*) clamser; **cascarse** *vpr* se casser; (*voz*) s'érailler.

cáscara ['kaskara] *nf* coquille *f*; (*de fruta*) pelure *f*; (*de patata*) épluchure *f*; (*de limón, naranja*) écorce *f*.

cascarón [kaska'ron] *nm* coquille *f* d'œuf.

cascarrabias [kaska'rraβjas] (*fam*) *nm/f inv* grognon(ne).

casco ['kasko] *nm* casque *m*; (*NÁUT*) coque *f*; (*ZOOL*) sabot *m*; (*pedazo roto*) tesson *m*; ~**s** *nmpl* (*fam: cabeza*) cervelle *fsg*; (: *auriculares*) écouteurs *mpl*; **el** ~ **antiguo** la vieille ville; **el** ~ **urbano** le centre ville.

cascote [kas'kote] *nm* gravats *mpl*.

caserío [kase'rio] *nm* hameau *m*; (*casa*) manoir *m*.

casero, -a [ka'sero, a] *adj* (*cocina*) maison; (*remedio*) de bonne femme; (*trabajos*) domestique ♦ *nm/f* propriétaire *m/f*; (*COM*) syndic *m*; **"comida casera"** "cuisine maison"; **pan** ~ pain *m* de ménage; **ser muy** ~ être très casanier(-ière).

caserón [kase'ron] *nm* bâtisse *f*.

caseta [ka'seta] *nf* baraque *f*; (*de perro*) niche *f*; (*para bañista*) cabine *f*; (*de feria*) stand *m*.

casete [ka'sete] *nm* magnétophone *m* ♦ *nf* cassette *f*.

casi ['kasi] *adv* presque; ~ **nunca/nada** presque jamais/rien; ~ **te caes** tu as manqué (de) *o* failli tomber.

casilla [ka'siʎa] *nf* casier *m*; (*AJEDREZ, en crucigrama*) case *f*; **sacar a algn de sus** ~**s** faire sortir qn de ses gonds; ► **Casilla de Correo(s)** (*AM*) boîte *f* postale.

casillero [kasi'ʎero] *nm* casier *m*; (*marcador*) tableau *m*, marqueur *m*.

casino [ka'sino] *nm* casino *m*; (*asociación*) cercle *m*, club *m*.

caso ['kaso] *nm* cas *msg*; **en** ~ **de ...** en cas de ...; **en** ~ (**de**) **que venga** au cas où il viendrait; **el** ~ **es que** le fait est que; **en el mejor/peor de los** ~**s** dans le meilleur/pire des cas; **en ese** ~ dans ce cas; **en todo** ~ en tout cas; **en último** ~ en dernier recours; **¡eres un** ~! tu es un cas!; (**no**) **hacer** ~ **a** *o* **de algo/algn** (ne pas) faire cas de qch/qn; **hacer** ~ **omiso de** faire fi de; **hacer** *o* **venir al** ~ venir à propos; **yo en tu** ~ **...** moi, à ta place ..., moi, si j'étais à ta place ... .

caspa ['kaspa] *nf* (*en pelo*) pellicule *f*.

Caspio ['kaspjo] *adj*: **el Mar ~ la** Mer Caspienne.

casque *etc* ['kaske] *vb* V **cascar**.

casquillo [kas'kiʎo] *nm* (*de botella*) bague *f*; (*TEC*) douille *f*.

cassette [ka'set] *nm/f* = **casete**.

casta ['kasta] *nf* race *f*; (*clase social*) caste *f*; (*de persona*) lignée *f*.

castaña [kas'taɲa] *nf* châtaigne *f*, marron *m*; (*fam: tb*: **~zo**) gnon *m*, marron; (: *AUT*) gnon; (: *puñetazo*) châtaigne, coup *m* de poing; ► **castaña pilonga** châtaigne sèche.

castañetear [kastaɲete'ar] *vi*: **le castañetean los dientes** il claque des dents.

castaño, -a [kas'taɲo, a] *adj* marron; (*pelo*) brun(e) ♦ *nm* châtaignier *m*, marronnier *m*; ► **castaño de Indias** marronnier des Indes.

castañuelas [kasta'ɲwelas] *nfpl* castagnettes *fpl*.

castellano, -a [kaste'ʎano, a] *adj* castillan(e) ♦ *nm/f* (*persona*) Castillan(e) ♦ *nm* (*LING*) castillan *m*.

castidad [kasti'ðað] *nf* chasteté *f*.

castigar [kasti'ɣar] *vt* punir, châtier; (*cuerpo, campos*) affecter; (*DEPORTE*) pénaliser.

castigo [kas'tiɣo] *nm* punition *f*; (*DEPORTE*) pénalisation *f*; (*fig*) enfer *m*.

castigue *etc* [kas'tiɣe] *vb* V **castigar**.

Castilla [kas'tiʎa] *nf* Castille *f*.

castillo [kas'tiʎo] *nm* château *m*; **hacer ~s en el aire** bâtir des châteaux en Espagne; ► **castillo de popa** dunette *f*.

castizo, -a [kas'tiθo, a] *adj* (*LING*) pur(e); (*auténtico*) de pure souche.

casto, -a ['kasto, a] *adj* chaste.

castor [kas'tor] *nm* castor *m*.

castración [kastra'θjon] *nf* castration *f*.

castrar [kas'trar] *vt* châtrer.

castrense [kas'trense] *adj* militaire.

casual [ka'swal] *adj* fortuit(e).

casualidad [kaswali'ðað] *nf* hasard *m*; **dar la ~ (de) que** se trouver que; **se da la ~ que ...** il se trouve que ...; **por ~** par hasard; **¡qué ~!** quel hasard!

casualmente [ka'swalmente] *adv* par hasard.

casulla [ka'suʎa] *nf* chasuble *f*.

cataclismo [kata'klismo] *nm* cataclysme *m*.

catacumbas [kata'kumbas] *nfpl* catacombes *fpl*.

catador [kata'ðor] *nm* dégustateur(-trice).

catadura [kata'ðura] *nf* air *m*; (*fam*) touche *f*; **un tío de mala ~** un type à la mine patibulaire.

catalán, -ana [kata'lan, ana] *adj* catalan(e)

♦ *nm/f* Catalan(e) ♦ *nm* (*LING*) catalan *m*.

catalejo [kata'lexo] *nm* longue-vue *f*.

catalizador [kataliθa'ðor] *nm* catalyseur *m*.

catalogar [katalo'ɣar] *vt* cataloguer; **~ a algn de** cataloguer qn comme.

catálogo [ka'taloɣo] *nm* catalogue *m*.

catalogue *etc* [kata'loɣe] *vb* V **catalogar**.

Cataluña [kata'luɲa] *nf* Catalogne *f*.

cataplasma [kata'plasma] *nf* cataplasme *m*.

cataplum [kata'plum] *excl* patatras!

catapulta [kata'pulta] *nf* catapulte *f*.

catapultar [katapul'tar] *vt* catapulter; **~ a la fama** rendre célèbre.

catar [ka'tar] *vt* goûter.

catarata [kata'rata] *nf* cataracte *f*.

catarro [ka'tarro] *nm* rhume *m*.

catarsis [ka'tarsis] *nf* catharsis *fsg*.

catastro [ka'tastro] *nm* cadastre *m*.

catástrofe [ka'tastrofe] *nf* catastrophe *f*.

catastrófico, -a [katas'trofiko, a] *adj* catastrophique.

catear [kate'ar] (*fam*) *vt* recaler, coller.

catecismo [kate'θismo] *nm* catéchisme *m*.

cátedra ['kateðra] *nf* chaire *f*; **sentar ~ sobre un argumento** argumenter comme un expert; (*pey*) étaler sa science.

catedral [kate'ðral] *nf* cathédrale *f*.

catedrático, -a [kate'ðratiko, a] *nm/f* professeur *m*.

categoría [kateɣo'ria] *nf* catégorie *f*; **de ~** de classe; **de segunda ~** de seconde catégorie; **un empleo de baja ~** un emploi subalterne; **no tiene ~** il n'a aucune classe.

categórico, -a [kate'ɣoriko, a] *adj* catégorique.

catequesis [kate'kesis] *nf* catéchisme *m*.

cateto, -a [ka'teto, a] *nm/f* (*pey*) rustre *m*, péquenaud(e) (*fam*) ♦ *nm* (*GEOM*) côté *m*.

cátodo ['katoðo] *nm* cathode *f*.

catolicismo [katoli'θismo] *nm* catholicisme *m*.

católico, -a [ka'toliko, a] *adj*, *nm/f* catholique *m/f*.

catorce [ka'torθe] *adj inv*, *nm inv* quatorze *m inv*; V *tb* **seis**.

catre ['katre] *nm* grabat *m*.

catsup ['katsu(p)] *nm* ketchup *m*.

Cáucaso ['kaukaso] *nm* Caucase *m*.

cauce ['kauθe] *nm* (*de río*) lit *m*; (*fig*) voie *f*.

caucho ['kautʃo] *nm* caoutchouc *m*; (*AM*) pneu *m*; **de ~** en caoutchouc.

caución [kau'θjon] *nf* caution *f*.

caucionar [kauθjo'nar] *vt* cautionner.

caudal [kau'ðal] *nm* débit *m*; (*fortuna*) fortune *f*, capital *m*; (*abundancia*) abondance *f*.

caudaloso, -a [kauða'loso, a] *adj* à fort débit.

caudillaje [kauði'ʎaxe] *nm* commandement *m*.

caudillo [kau'ðiʎo] *nm* chef *m*; **el C~** le Caudillo, *le général Franco.*

causa ['kausa] *nf* cause *f*; **a/por ~ de** à/pour cause de.

causante [kau'sante] *nm/f*: **ser el o la ~ de** être la cause de.

causar [kau'sar] *vt* causer.

cáustico, -a ['kaustiko, a] *adj* caustique.

cautela [kau'tela] *nf* précaution *f*, prudence *f*.

cautelosamente [kaute'losamente] *adv* prudemment.

cauteloso, -a [kaute'loso, a] *adj* prudent(e).

cautivar [kauti'ßar] *vt* captiver.

cautiverio [kauti'ßerjo] *nm*, **cautividad** [kautißi'ðað] *nf* captivité *f*.

cautivo, -a [kau'tißo, a] *adj, nm/f* captif (-ive).

cauto, -a ['kauto, a] *adj* prudent(e), avisé(e).

cava ['kaßa] *nm* cava *m*, *équivalent du "champagne" français* ♦ *nf* cave *f*.

cavar [ka'ßar] *vt, vi* creuser.

caverna [ka'ßerna] *nf* caverne *f*.

cavernícola [kaßer'nikola] *nm/f* troglodyte *m/f*.

cavernoso, -a [kaßer'noso, a] *adj* caverneux(-euse).

caviar [ka'ßjar] *nm* caviar *m*.

cavidad [kaßi'ðað] *nf* cavité *f*.

cavilación [kaßila'θjon] *nf* méditation *f*.

cavilar [kaßi'lar] *vi*: **~ (sobre)** méditer (sur).

cayado [ka'jaðo] *nm* (*de pastor*) houlette *f*; (*de obispo*) houlette, crosse *f*.

cayendo *etc* [ka'jendo] *vb* V **caer**.

cayo ['kajo] *nm* (*isleta rasa*) banc *m* de sable, banc de coraux, récif *m*.

caza ['kaθa] *nf* chasse *f* ♦ *nm* (*AVIAT*) chasseur *m*; **dar ~ a** faire la chasse à; **ir de ~** aller à la chasse; **andar a la ~ de algo/algn** être à l'affût de qch/qn; ▶ **caza furtiva** braconnage *m*; ▶ **caza mayor/menor** gros/menu gibier *m*.

cazabe [ka'θaße] (*AM*) *nm* (*CULIN*) cassave *f*.

cazabombardero [caθaßombar'ðero] *nm* chasseur *m* bombardier.

cazador, a [kaθa'ðor, a] *adj, nm/f* chasseur(-euse); ▶ **cazador furtivo** braconnier *m*.

cazadora [kaθa'ðora] *nf* blouson *m*.

cazalla [ka'θaʎa] *nf* eau-de-vie *f* de Cazalla.

cazar [ka'θar] *vt* (*buscar*) chasser; (*perseguir*) pourchasser; (*coger*) attraper; (*indirecta, intención*) saisir; (*marido*) dénicher;

~las al vuelo ne rien laisser passer.

cazasubmarinos [kaθasußma'rinos] *nm inv* chasseur *m* de sous-marins.

cazatalentos [kaθata'lentos] *nm inv* chasseur *m* de têtes.

cazo ['kaθo] *nm* (*cacerola*) poêlon *m*; (*cucharón*) louche *f*.

cazuela [ka'θwela] *nf* (*vasija*) marmite *f*; (*guisado*) ragoût *m*.

cazurro, -a [ka'θurro, a] *adj* têtu(e).

c.b. *abr* (= *caja baja*) b.d.c. (= *bas de casse*).

CC *abr* (= *Cuerpo Consular*) CC (= *corps consulaire*).

c/c. *abr* (*COM* = *cuenta corriente*) CC (= *compte courant*).

CCAA (*ESP*) *abr* (= *Comunidades Autónomas*) régions autonomes.

CCI *sigla f* (*COM* = *Cámara de Comercio Internacional*) CCI *f* (= *Chambre de commerce internationale*).

CC.OO. *abr* (= *Comisiones Obreras*) syndicat.

CD *sigla m* (= *compact disc*) CD *m* (= *compact disc*); (*POL* = *Cuerpo Diplomático*) CD *m* (= *corps diplomatique*).

c/d *abr* (= *en casa de*) chez, aux bons soins de; (= *con descuento*) avec remise.

CDN *sigla m* (= *Centro Dramático Nacional*) conservatoire d'art dramatique.

CD-Rom *sigla m* CD-Rom *m*.

CDS *sigla m* (= *Centro Democrático y Social*) parti politique centriste.

CE *sigla m* (= *Consejo de Europa*) CE *m* (= *Conseil de l'Europe*) ♦ *sigla f* (= *Comunidad Europea*) CE *f* (= *Communauté européenne*).

cebada [θe'ßaða] *nf* orge *f*.

cebar [θe'ßar] *vt* (*animal*) gaver, engraisser; (*persona*) gaver; (*anzuelo*) amorcer; (*MIL, TEC*) charger; **cebarse** *vpr* **se** gaver; **~se en/con** s'acharner sur/à; **estar cebado** être gros comme une barrique.

cebiche [θe'ßitʃe] (*AM*) *nm* (*CULIN*) marinade de poisson o de fruits de mer.

cebo ['θeßo] *nm* appât *m*, amorce *f*; (*fig*) appât, leurre *m*.

cebolla [θe'ßoʎa] *nf* oignon *m*.

cebolleta [θeßo'ʎeta] *nf* oignon *m* nouveau; (*en vinagre*) petit oignon blanc.

cebollino [θeßo'ʎino] *nm* petit oignon *m*.

cebra ['θeßra] *nf* zèbre *m*; **paso de ~** passage *m* pour piétons.

CECA ['θeka] *sigla f* (= *Comunidad Europea del Carbón y del Acero*) CECA *f* (= *Communauté européenne du charbon et de l'acier*).

ceca ['θeka] *nf*: **andar o ir de la ~ a la Meca** aller par monts et par vaux.

cecear [θeθe'ar] *vi* zézayer.

ceceo [θe'θeo] *nm* zézaiement *m*.
cecina [θe'θina] *nf* viande *f* séchée.
cedazo [θe'ðaθo] *nm* tamis *msg*.
ceder [θe'ðer] *vt* céder ♦ *vi* céder; (*disminuir*) diminuer; (*fiebre*) tomber; (*dolor*) s'apaiser; **"ceda el paso"** "cédez le passage".
cedro ['θeðro] *nm* cèdre *m*.
cedrón [θe'ðron] (*CSUR*) *nm* verveine *f* citronnelle.
cédula ['θeðula] *nf* cédule *f*; ► **cédula de identidad** (*AM*) carte *f* d'identité; ► **cédula en blanco** billet *m* en blanc; ► **cédula hipotecaria** cédule hypothécaire.
CEE *sigla f* (= *Comunidad Económica Europea*) CEE *f* (= *Communauté économique européenne*).
cefalea [θefa'lea] *nf* céphalée *f*.
cegar [θe'xar] *vt* aveugler; (*tubería, ventana*) boucher; **cegarse** *vpr* (*fig*) s'aveugler; **~se de ira** se fâcher tout rouge.
cegué *etc* [θe've] *vb* V **cegar**.
ceguemos *etc* [θe'vemos] *vb* V **cegar**.
ceguera [θe'vera] *nf* cécité *f*.
CEI *sigla f* (= *Comunidad de Estados Independientes*) CEI *f* (= *Communauté des États indépendants*).
ceiba ['θeiβa] (*AM*) *nf* (*BOT*) kapokier *m*.
Ceilán [θei'lan] *nm* (*HIST*) Ceylan *m*.
ceja ['θexa] *nf* sourcil *m*; **~s pobladas** sourcils *mpl* fournis; **arquear las ~s** écarquiller les yeux; **fruncir las ~s** froncer les sourcils.
cejar [θe'xar] *vi*: **(no) ~ en su empeño/propósito** (ne pas) renoncer à son engagement/dessein.
cejijunto, -a [θexi'xunto, a] *adj* aux sourcils très rapprochés; (*fig*) sourcilleux (-euse).
cejilla [θe'xiʎa] *nf* sillet *m*.
celada [θe'laða] *nf* embuscade *f*; (*trampa*) embûche *f*.
celador, a [θela'ðor, a] *nm/f* (*de hospital*) gardien(ne); (*de cárcel*) gardien(ne) de prison.
celda ['θelda] *nf* cellule *f*; (*de abejas*) cellule, alvéole *m o f*.
celebérrimo, -a [θele'βerrimo, a] *adj superl de* **célebre**.
celebración [θeleβra'θjon] *nf* célébration *f*.
celebrar [θele'βrar] *vt* célébrer ♦ *vi* (*REL*) officier; **celebrarse** *vpr* se célébrer; **celebro que sigas bien** je suis ravi(e) que tu ailles bien.
célebre ['θeleβre] *adj* célèbre.
celebridad [θeleβri'ðað] *nf* célébrité *f*.
celeridad [θeleri'ðað] *nf*: **con ~** en toute hâte.
celeste [θe'leste] *adj* bleu(e); (*cuerpo, bóveda*) céleste ♦ *nm* bleu *m* ciel.

celestial [θeles'tjal] *adj* céleste.
celibato [θeli'βato] *nm* célibat *m*.
célibe ['θeliβe] *adj, nm/f* célibataire *m/f*.
celo ['θelo] *nm* zèle *m*; (®: *tb*: **papel ~**) papier *m* collant, scotch *m* ®; **~s** *nmpl* (*de niño, amante*) jalousie *fsg*; **dar ~s a algn** rendre qn jaloux(-ouse); **tener ~s de** être jaloux(-ouse) de qn; **estar en ~** être en chaleur.
celofán [θelo'fan] *nm* cellophane *f*.
celosamente [θe'losamente] *adv* jalousement; (*cumplir*) avec zèle.
celosía [θelo'sia] *nf* jalousie *f*.
celoso, -a [θe'loso, a] *adj* jaloux(-ouse); **en** (*el trabajo, cumplimiento*) zélé(e) dans.
celta ['θelta] *adj* celte ♦ *nm/f* Celte *m/f*.
célula ['θelula] *nf* cellule *f*; ► **célula fotoeléctrica** cellule photoélectrique.
celular [θelu'lar] *adj*: **tejido ~** tissu *m* cellulaire; **coche ~** fourgon *m* cellulaire.
celulitis [θelu'litis] *nf* cellulite *f*.
celuloide [θelu'loiðe] *nm* celluloïd *m*; **llevar al ~** porter à l'écran.
celulosa [θelu'losa] *nf* cellulose *f*.
cementerio [θemen'terjo] *nm* cimetière *m*; ► **cementerio de coches** cimetière de voitures, casse *f*.
cemento [θe'mento] *nm* (*argamasa*) mortier *m*; (*para construcción*) ciment *m*; (*AM*: *cola*) colle *f*; ► **cemento armado** ciment armé.
CEN (*ESP*) *sigla m* (= *Consejo de Economía Nacional*) organisme *m* régulateur.
cena ['θena] *nf* dîner *m*, souper *m*.
cenagal [θena'val] *nm* bourbier *m*.
cenar [θe'nar] *vt*: **~ algo** manger qch pour le dîner ♦ *vi* souper, dîner.
cencerro [θen'θerro] *nm* sonnaille *f*; **estar como un ~** travailler du chapeau.
cenefa [θe'nefa] *nf* (*en tela*) liseré *m*; (*en pared*) frise *f*.
cenicero [θeni'θero] *nm* cendrier *m*.
ceniciento, -a [θeni'θjento, a] *adj* cendré(e).
cenit [θe'nit] *nm* zénith *m*; (*de carrera*) sommet *m*, faîte *m*.
ceniza [θe'niθa] *nf* cendre *f*; **~s** *nfpl* (*de persona*) cendres *fpl*.
cenizo, -a [θe'niθo, a] *adj* cendré(e) ♦ *nm*: **ser un ~** (*fam*) porter la poisse.
censar [θen'sar] *vt* recenser.
censo ['θenso] *nm* recensement *m*; ► **censo electoral** recensement électoral.
censor [θen'sor] *nm* censeur *m*; ► **censor de cuentas** commissaire *m* aux comptes; ► **censor jurado de cuentas** expert-comptable *m* assermenté.
censura [θen'sura] *nf* censure *f*.
censurable [θensu'raβle] *adj* censurable.
censurar [θensu'rar] *vt* censurer.

centavo, -a [θen'taβo, a] *adj* centième ♦ *nm* (*moneda*) centime *m*; (*parte*) centième *m*.

centella [θen'teʎa] *nf* étincelle *f*; (*rayo*) foudre *f*; **como una ~** comme la foudre.

centellear [θenteʎe'ar] *vi* étinceler; (*estrella*) scintiller.

centelleo [θente'ʎeo] *nm* (*ver vi*) étincellement *m*; scintillement *m*.

centena [θen'tena] *nf* centaine *f*.

centenar [θente'nar] *nm* centaine *f*.

centenario, -a [θente'narjo, a] *adj*, *nm* centenaire *m*.

centeno [θen'teno] *nm* seigle *m*.

centésimo, -a [θen'tesimo, a] *adj*, *nm/f* centième *m*.

centígrado [θen'tiɣraðo] *adj* centigrade.

centigramo [θenti'ɣramo] *nm* centigramme *m*.

centilitro [θenti'litro] *nm* centilitre *m*.

centímetro [θen'timetro] *nm* centimètre *m*; ► **centímetro cuadrado/cúbico** centimètre carré/cube.

céntimo ['θentimo] *nm* centime *m*.

centinela [θenti'nela] *nm* sentinelle *f*; **estar de ~** être de garde; **hacer de ~** monter la garde.

centollo [θen'toʎo] *nm* araignée *f* de mer.

centrado, -a [θen'traðo, a] *adj* centré(e); (*carácter*) équilibré(e); **está muy ~** il s'adapte bien.

central [θen'tral] *adj* central(e) ♦ *nf* centrale *f*; ► **central eléctrica/nuclear** centrale électrique/nucléaire; ► **central sindical** centrale syndicale; ► **central térmica** centrale thermique.

centralice *etc* [θentra'liθe] *vb* V **centralizar**.

centralismo [θentra'lismo] *nm* centralisme *m*.

centralita [θentra'lita] *nf* standard *m*.

centralizar [θentrali'θar] *vt* centraliser.

centrar [θen'trar] *vt* centrer; (*interés, atención*) attirer; (*esfuerzo, trabajo*) concentrer ♦ *vi* (*DEPORTE*) centrer; **centrarse** *vpr* s'adapter.

céntrico, -a ['θentriko, a] *adj* central(e); **zona céntrica** zone *f* centrale, quartier *m* central.

centrifugar [θentrifu'ɣar] *vt* essorer.

centrífugo, -a [θent'rifuɣo, a] *adj* centrifuge.

centrifugue *etc* [θentri'fuɣe] *vb* V **centrifugar**.

centrista [θen'trista] *adj* centriste.

centro ['θentro] *nm* centre *m*; **ser del ~** (*POL*) être au centre; **ser el ~ de las miradas** être le point de mire; ► **centro comercial** centre commercial; ► **centro de beneficios** (*COM*) centre de profit; ► **centro de computación** centre de

calcul; ► **centro (de determinación) de costes** centre (de détermination) des coûts; ► **centro de gravedad** centre de gravité; ► **centro de mesa** surtout *m* de table; ► **centro de salud** centre de santé; ► **centro docente** centre d'enseignement; ► **centro social** foyer *m* socio-éducatif; ► **centro turístico** centre touristique.

centroafricano, -a [θentroafri'kano, a] *adj*: **la República Centroafricana** la République centrafricaine.

centroamericano, -a [θentroameri'kano, a] *adj* d'Amérique Centrale ♦ *nm/f* natif (-ive) *o* habitant(e) d'Amérique Centrale.

centrocampista [θentrokam'pista] *nm/f* milieu *m* de terrain.

centroeuropeo, -a [θentroeuro'peo, a] *adj* d'Europe centrale.

ceñido, -a [θe'ɲiðo, a] *adj* cintré(e).

ceñir [θe'ɲir] *vt* serrer; **ceñirse** *vpr* (*vestido*) coller; **~se a algo/a hacer algo** s'en tenir à qch/à faire qch.

ceño ['θeɲo] *nm* froncement *m*; **fruncir el ~** froncer les sourcils.

CEOE *sigla f* (= *Confederación Española de Organizaciones Empresariales*) ≈ CNPF *m* (= *Conseil national du patronat français*).

cepa ['θepa] *nf* (*de vid*) cep *m*; (*de árbol*) souche *f*; **de pura ~** de pure souche.

CEPAL [θe'pal] *sigla f* = *Comisión Económica de las Naciones Unidades para la América Latina*.

cepillar [θepi'ʎar] *vt* brosser; (*madera*) raboter; **cepillarse** *vpr* (*fam*) liquider; (: *acostarse con algn*) se faire.

cepillo [θe'piʎo] *nm* brosse *f*; (*para madera*) rabot *m*; (*REL*) tronc *m*; ► **cepillo de dientes** brosse à dents.

cepo ['θepo] *nm* piège *m*; (*AUT*) sabot *m* de Denver.

ceporro, -a [θe'porro, a] *nm/f* cruche *f*.

CEPSA ['θepsa] *sigla f* (*COM* = *Compañía Española de Petróleos S.A.*) *société pétrolière*.

cera ['θera] *nf* cire *f*; (*del oído*) cérumen *m*; ► **cera de abejas** cire d'abeilles.

cerámica [θe'ramika] *nf* céramique *f*; **de ~** en céramique.

ceramista [θera'mista] *nm/f* céramiste *m/f*.

cerbatana [θerβa'tana] *nf* sarbacane *f*.

cerca ['θerka] *nf* haie *f* ♦ *adv* (*en el espacio*) près; (*en el tiempo*) bientôt ♦ *prep*: **~ de** (*cantidad*) près de, environ; (*distancia*) près de; **de ~** de près; **por aquí ~** tout près d'ici.

cercado [θer'kaðo] *nm* clôture *f*.

cercanía [θerka'nia] *nf* proximité *f*; **~s** *nfpl* (*de ciudad*) alentours *mpl*; **tren de ~s**

train *m* de banlieue.

cercano, -a [θer'kano, a] *adj* proche; *(pueblo etc)* voisin(e); ~ **a** proche de; **C~ Oriente** Proche-Orient *m*.

cercar [θer'kar] *vt* clôturer; *(manifestantes)* encercler; *(MIL)* assiéger.

cercenar [θerθe'nar] *vt* amputer; *(rama)* tailler.

cerciorar [θerθjo'rar] *vt (asegurar)* assurer; **cerciorarse** *vpr*: ~**se (de)** s'assurer (de).

cerco ['θerko] *nm* cercle *m*; *(de ventana, puerta)* cadre *m*; *(AM)* clôture *f*; *(MIL)* siège *m*.

cerda ['θerða] *nf (pelo)* soie *f*; *V tb* **cerdo**.

cerdada [θer'ðaða] *(fam) nf* vacherie *f*.

Cerdeña [θer'ðeɲa] *nf* Sardaigne *f*.

cerdo, -a ['θerðo, a] *nm/f* cochon(truie); *(fam: persona sucia)* cochon(ne); (: *sin escrúpulos)* salaud *m*, salope *f*; **(carne de)** ~ (viande *f* de) porc *m*.

cereal [θere'al] *nm* céréale *f*; ~**es** *nmpl (CULIN)* céréales *fpl*.

cerebral [θere'βral] *adj* cérébral(e).

cerebro [θe'reβro] *nm* cerveau *m*; **ser un** ~ être un cerveau; **es el** ~ **de la banda** c'est le cerveau de la bande.

ceremonia [θere'monja] *nf* cérémonie *f*; **hablar sin** ~**s** parler sans cérémonies.

ceremonial [θeremo'njal] *adj (traje)* de cérémonie; *(danza)* cérémoniel(le) ♦ *nm* cérémonial *m*.

ceremonioso, -a [θeremo'njoso, a] *adj* cérémonieux(-euse).

cereza [θe'reθa] *nf* cerise *f*.

cerezo [θe'reθo] *nm* cerisier *m*.

cerilla [θe'riʎa] *nf*, **cerillo** [θe'riʎo] *(AM) nm* allumette *f*.

CERN *sigla m (= Consejo Europeo para la Investigación Nuclear)* CERN *m (= Centre européen de recherche nucléaire)*.

cerner [θer'ner] *vt (CULIN)* tamiser; **cernerse** *vpr*: ~**se sobre** *(tempestad)* menacer; *(desgracia)* planer sur.

cero ['θero] *nm* zéro *m*; **8 grados bajo** ~ 8 degrés au dessous de zéro; **15 a** ~ 15 à zéro; **a partir de** ~ à zéro; **ser un** ~ **a la izquierda** être un zéro.

cerque *etc* ['θerke] *vb V* **cercar**.

cerrado, -a [θe'rraðo, a] *adj* fermé(e); *(cielo)* couvert(e); *(curva)* en épingle à cheveux; *(poco sociable)* renfermé(e); *(bruto)* borné(e); *(acento)* marqué(e), prononcé(e); *(noche)* obscur(e); *(barba)* dru(e), fourni(e); **a puerta cerrada** à huis-clos.

cerradura [θerra'ðura] *nf* serrure *f*.

cerrajería [θerraxe'ria] *nf (oficio)* serrurerie *f*; *(tienda)* serrurerie, ferronnerie *f*.

cerrajero, -a [θerra'xero, a] *nm/f* serrurier *m*.

cerrar [θe'rrar] *vt* fermer; *(paso, entrada)* barrer; *(sobre)* cacheter, fermer; *(debate, plazo)* clore, clôturer; *(cuenta)* clore, fermer ♦ *vi* fermer; **cerrarse** *vpr* se fermer; *(herida)* se refermer; ~ **con llave** fermer à clef; ~ **la marcha** fermer la marche; ~ **el sistema** *(INFORM)* fermer *o* boucler le système; ~ **un trato** conclure un marché; ¡**cierra la boca!** la ferme!; ~**se a algo** se refuser à qch, s'opposer à qch.

cerril [θe'rril] *adj* rustre.

cerro ['θerro] *nm* tertre *m*; **irse por los** ~**s de Ubeda** divaguer, s'éloigner du sujet.

cerrojo [θe'rroxo] *nm* verrou *m*; **echar** *o* **correr el** ~ verrouiller.

certamen [θer'tamen] *nm* concours *msg*.

certeramente [θer'teramente] *adv* adroitement.

certero, -a [θer'tero, a] *adj* adroit(e).

certeza [θer'teθa] *nf* = **certidumbre**.

certidumbre [θerti'ðumbre] *nf* certitude *f*; **tener la** ~ **de que** avoir la certitude que.

certificación [θertifika'θjon] *nf* attestation *f*.

certificado, -a [θertifi'kaðo, a] *adj* recommandé(e) ♦ *nm* certificat *m*; ► **certificado médico** certificat médical.

certificar [θertifi'kar] *vt* certifier; *(CORREOS)* envoyer en recommandé.

certifique *etc* [θerti'fike] *vb V* **certificar**.

cervatillo [θerβa'tiʎo] *nm* faon *m*.

cervecería [θerβeθe'ria] *nf* brasserie *f*.

cerveza [θer'βeθa] *nf* bière *f*.

cervical [θerβi'kal] *adj* cervical(e).

cerviz [θer'βiθ] *nf* nuque *f*.

cesación [θesa'θjon] *nf* cessation *f*.

cesante [θe'sante] *adj* en disponibilité; *(AM)* au chômage.

cesantear [θesan'tear] *(CSUR) vt* renvoyer.

cesantía [θesan'tia] *(AM) nf* chômage *m*.

cesar [θe'sar] *vi* cesser; *(empleado)* se démettre de ses fonctions ♦ *vt (funcionario, ministro)* démettre de ses fonctions; ~ **de hacer** arrêter de faire; **sin** ~ sans cesse.

cesárea [θe'sarea] *nf* césarienne *f*.

cese ['θese] *nm* fin *f*; *(despido)* révocation *f*.

C.E.S.I.D. *(ESP) sigla m (= Centro Superior de Investigación de la Defensa Nacional)* organisme d'espionnage militaire.

cesión [θe'sjon] *nf*: ~ **de bienes** cession *f* de biens.

césped ['θespeð] *nm* gazon *m*, pelouse *f*; *(DEPORTE)* gazon.

cesta ['θesta] *nf* panier *m*; ► **cesta de la compra** panier à provisions.

cesto ['θesto] *nm* panier *m*, corbeille *f*.

cetrería [θetre'ria] *nf* fauconnerie *f*.

cetrino, -a [θe'trino, a] *adj* olivâtre.
cetro ['θetro] *nm* sceptre *m*.
Ceuta [θe'uta] *n* Ceuta.
ceutí [θeu'ti] *adj* de Ceuta ♦ *nm/f* natif(-ive) o habitant(e) de Ceuta.
C.F. *abr* (= *Club de Fútbol*) FC *m* (= *Football-Club*).
CFC *sigla m* (= *clorofluorocarbono*) CFC *m* (= *chlorofluorocarbone*).
cfr. *abr* (= *confróntese*) cf. (= *confer*).
cg. *abr* (= *centigramo(s)*) cg (= *centigramme(s)*).
CGS (*GUAT, ELS*) *sigla f* (= *Confederación General de Sindicatos*) groupement de syndicats.
CGT *sigla f* (*COL, MÉX, NIC, ESP*: = *Confederación General de Trabajadores*) syndicat; (*ARG*: = *Confederación General del Trabajo*) syndicat.
Ch, ch [tʃe] *nf* ancienne lettre de l'alphabet espagnol.
chabacano, -a [tʃaßa'kano, a] *adj* vulgaire ♦ *nm* (*MÉX*) abricot *m*.
chabola [tʃa'ßola] *nf* cabane *f*; ~s *nfpl* (*zona*) bidonville *m*.
chabolismo [tʃaßo'lismo] *nm*: **el problema del** ~ le problème des bidonvilles.
chacal [tʃa'kal] *nm* chacal *m*.
chacarero [tʃaka'rero] (*AND, CSUR*) *nm* petit exploitant *m* agricole.
chacha ['tʃatʃa] (*fam*) *nf* bonne *f*.
cháchara ['tʃatʃara] *nf*: **estar de** ~ parler à bâtons rompus.
chacinería [tʃaθine'ria] *nf* charcuterie *f*.
chacra ['tʃakra] (*AND, CSUR*) *nf* ferme *f*.
chafar [tʃa'far] *vt* (*pelo*) aplatir; (*hierba*) coucher; (*ropa*) chiffonner; (*fig: planes*) bouleverser.
chaflán [tʃa'flan] *nm* chanfrein *m*; (*en edificio*) biseau *m*; **hacer** ~ faire le coin.
chal [tʃal] *nm* châle *m*.
chalado, -a [tʃa'laðo, a] (*fam*) *adj* taré(e); **estar** ~ **por algn** en pincer pour qn.
chalé [tʃa'le] (*pl* ~**s**) *nm* villa *f*; (*en la montaña*) chalet *m*.
chaleco [tʃa'leko] *nm* gilet *m*; ▶**chaleco antibala** gilet pare-balles; ▶**chaleco salvavidas** gilet de sauvetage.
chalet [tʃa'le] (*pl* ~**s**) *nm* = **chalé.**
chalupa [tʃa'lupa] *nf* deux-mâts *msg*.
chamaco, -a [tʃa'mako, a] (*CAM, MÉX: fam*) *nm/f* gamin(e).
chamarra [tʃa'marra] *nf* veste *f*; (*CAM, CARIB*) poncho *m*.
chamba ['tʃamba] (*MÉX: fam*) *nf* boulot *m*.
chamizo [tʃa'miθo] *nm* chaumière *f*.
champa ['tʃampa] (*CAM*) *nf* tente *f*.
champán [tʃam'pan], **champaña** [tʃam'paɲa] *nm* champagne *m*.
champiñón [tʃampi'ɲon] *nm* champignon

m.
champú [tʃam'pu] (*pl* ~**es**, ~**s**) *nm* shampooing *m*.
chamuscar [tʃamus'kar] *vt* roussir.
chamusque *etc* [tʃa'muske] *vb* V **chamuscar.**
chamusquina [tʃamus'kina] *nf*: **oler a** ~ paraître louche.
chance ['tʃanθe] (*AM*) *nm o f* occasion *f*.
chanchada [tʃan'tʃaða] (*AM: fam*) *nf* sale tour *m*.
chanchito, -a [tʃan'tʃito, a] (*CHI: fam*) *nm/f*, *excl* chéri(e).
chancho, -a ['tʃantʃo, a] (*AM*) *nm/f* porc *m*.
chanchullo [tʃan'tʃuʎo] (*fam*) *nm* magouille *f*.
chancla ['tʃankla] *nf* sandale *f*.
chancleta [tʃan'kleta] *nf* tong *f*.
chandal [tʃan'dal] *nm* survêtement *m*.
changa ['tʃanga] (*CSUR*) *nf* petits travaux *mpl*.
changador [tʃanga'ðor] (*CSUR*) *nm* homme *m* à tout faire.
chantaje [tʃan'taxe] *nm* chantage *m*; **hacer** ~ **a algn** faire chanter qn.
chantajista [tʃanta'xista] *nm/f* maître chanteur *m*.
chanza ['tʃanθa] *nf* plaisanterie *f*.
chao [tʃao] (*esp AM: fam*) *excl* ciao.
chapa ['tʃapa] *nf* (*de metal, insignia*) plaque *f*; (*de madera*) planche *f*; (*de botella*) capsule *f*; (*AM*) serrure *f*; **de 3** ~**s** (*madera*) en 3 épaisseurs; ▶**chapa (de matrícula)** (*CSUR*) plaque d'immatriculation.
chapado, -a [tʃa'paðo, a] *adj* (*metal*) plaqué(e); (*muebles etc*) recouvert(e); ~ **a la antigua** vieux jeu *inv*.
chaparro, -a [tʃa'parro, a] (*esp AM*) *adj* petit(e).
chaparrón [tʃapa'rron] *nm* averse *f*.
chapopote [tʃapo'pote] (*MÉX*) *nm* brai *m*.
chapotear [tʃapote'ar] *vi* patauger.
chapucero, -a [tʃapu'θero, a] (*pey*) *adj* (*trabajo*) bâclé(e) ♦ *nm/f*: **ser (un)** ~ bâcler son travail.
chapulín [tʃapu'lin] (*MÉX*) *nm* sauterelle *f*.
chapurr(e)ar [tʃapurr(e)'ar] *vt* (*idioma*) baragouiner.
chapuza [tʃa'puθa] *nf* bricole *f*; (*pey*) travail *m* bâclé; (*trabajo extra*) travail supplémentaire.
chapuzón [tʃapu'θon] *nm*: **darse un** ~ faire trempette.
chaqué [tʃa'ke] *nm* queue *f* de pie.
chaqueta [tʃa'keta] *nf* (*de lana*) gilet *m*; (*de traje*) veste *f*; **cambiar de** ~ (*fig*) retourner sa veste.
chaquetón [tʃake'ton] *nm* veste *f*.
charapa [tʃa'rapa] (*PE*) *nf* tortue *f*.
charca ['tʃarka] *nf* mare *f*.

charco ['tʃarko] *nm* flaque *f.*

charcutería [tʃarkute'ria] *nf* charcuterie *f.*

charla ['tʃarla] *nf* bavardage *m*; (*conferencia*) petit discours *msg.*

charlar [tʃar'lar] *vi* bavarder.

charlatán, -ana [tʃarla'tan, ana] *adj* bavard(e) ♦ *nm/f* bavard(e); (*estafador*) charlatan *m.*

charol [tʃa'rol] *nm* cuir *m* verni; (*AM*) plateau *m*; de ~ verni(e).

charola [tʃa'rola] (*AM*) *nf* plateau *m.*

charqui ['tʃarki] (*AM*) *nm* salé *m.*

charro, -a ['tʃarro, a] *adj* voyant(e); (*MÉX*) mexicain(e); (*costumbres*) fruste.

charrúa [tʃa'rrua] (*CSUR*) *adj* uruguayen(ne) ♦ *nm/f* remorqueur *m.*

chárter ['tʃarter] *adj inv*: **vuelo** ~ vol *m* charter.

chasca ['tʃaska] (*AND, CSUR*) *nf* tignasse *f.*

chascarrillo [tʃaska'rriʎo] *nm* histoire *f* drôle.

chasco ['tʃasko] *nm* (*desengaño*) déception *f*; (*broma*) tour *m*; **me llevé un ~** ça m'a fait l'effet d'une douche froide.

chasis ['tʃasis] *nm inv* châssis *msg.*

chasquear [tʃaske'ar] *vt* faire claquer.

chasquido [tʃas'kiðo] *nm* claquement *m*; (*de madera*) craquement *m.*

chasquilla(s) [tʃas'kiʎa(s)] (*AND, CSUR*) *nf(pl)* frange *f.*

chatarra [tʃa'tarra] *nf* ferraille *f*; **estar hecho o ser una** ~ ne plus être qu'un vieux tas de ferraille.

chatarrero, -a [tʃata'rrero, a] *nm/f* ferrailleur(-euse).

chato, -a ['tʃato, a] *adj* (*persona*) au nez épaté; (*nariz*) épaté(e); (*PE, CHI*: *bajito*) petit(e) ♦ *nm* petit verre *m* (de vin); **hola, ~** salut, vieux; **beber unos ~s** boire un pot.

chau [tʃau] (*esp AM*: *fam*) *excl* = **chao**.

chaucha ['tʃautʃa] (*AND, CSUR*) *nf* (*AGR*) pomme *f* de terre nouvelle; **~s** *nfpl* (*CSUR*: *fam*) sous *mpl*; (: *bagatela*) broutilles *fpl.*

chaucito [tʃau'θito] (*AM*: *fam*) *excl* salut!

chaufa ['tʃaufa] (*AM*) *nf* riz *m* frit.

chauvinismo [tʃoßi'nismo] *nm* chauvinisme *m.*

chauvinista [tʃoßi'nista] *adj, nm/f* chauvin(e).

chaval, a [tʃa'ßal, a] *nm/f* gars *msg*, fille *f*; **estás hecho un** ~ tu ne fais pas ton âge.

chavalo, -a [tʃa'ßalo, a] (*NIC*: *fam*) *nm/f* gosse *m/f.*

chaveta [tʃa'ßeta] (*CHI, PE*) *nf* couteau *m.*

chavo ['tʃaßo] (*CAM, MÉX*: *fam*) *nm* type *m.*

che [tʃe] (*fam*) *excl* (*CSUR*) dis donc!

checo, -a ['tʃeko, a] *adj* tchèque ♦ *nm/f* Tchèque *m/f* ♦ *nm* (*LING*) tchèque *m.*

checo(e)slovaco, -a [tʃeko(e)slo'ßako, a] *adj* tchécoslovaque ♦ *nm/f* Tchécoslovaque *m/f.*

Checo(e)slovaquia [tʃeko(e)slo'ßakja] *nf* Tchécoslovaquie *f.*

chele ['tʃele] (*CAM*) *adj* blond(e).

chepa ['tʃepa] *nf* bosse *f.*

cheque ['tʃeke] *nm* chèque *m*; ► **cheque abierto/cruzado/en blanco** chèque non barré/à ordre/en blanc; ► **cheque al portador** chèque au porteur; ► **cheque de viaje** chèque de voyage; ► **cheque sin fondos** chèque sans provision.

chequeo [tʃe'keo] *nm* (*MED*) bilan *m* de santé; (*AUTO*) vérification *f.*

chequera [tʃe'kera] (*AM*) *nf* chéquier *m.*

chévere ['tʃeßere] (*VEN*: *fam*) *adj* super.

chica ['tʃika] *nf* fille *f*; **¿qué tal, ~?** alors, comment tu vas?; *V tb* **chico.**

chicano, -a [tʃi'kano, a] *adj, nm/f* Chicano *m.*

chicha ['tʃitʃa] *nf* (*AM*) boisson de maïs fermenté; (*CULIN*) viande *f*; (*de persona*) chair *f.*

chícharo ['tʃitʃaro] (*MÉX*) *nm* (*guisante*) petit pois *msg.*

chicharra [tʃi'tʃarra] *nf* = **cigarra.**

chicharrones [tʃitʃa'rrones] *nmpl* ≈ saindoux *msg* frit.

chiches ['tʃitʃes] (*CSUR*: *fam*) *nmpl* babioles *fpl.*

chichón [tʃi'tʃon] *nm* bosse *f* (à la tête).

chicle ['tʃikle] *nm* chewing-gum *m.*

chico, -a ['tʃiko, a] *adj* (*esp AM*) petit(e) ♦ *nm* (*niño*) petit garçon *m*; (*muchacho*) garçon.

chicote [tʃi'kote] (*AM*) *nm* fouet *m.*

chifa ['tʃifa] (*PE, CHI*) *nf* (*CULIN*) chinois *msg.*

chiflado, -a [tʃi'flaðo, a] (*fam*) *adj* givré(e) ♦ *nm/f* taré(e); **estar ~ por algn** être fou(folle) de qn.

chiflar [tʃi'flar] *vi* siffler; **le chiflan los helados** il raffole des glaces; **nos chifla montar en moto** on adore faire de la moto.

chigüín [tʃi'ɣwin] (*CAM*: *fam*) *nm* gosse *m.*

chihuahua [tʃi'wawa] *nm* chihuahua *m.*

Chile ['tʃile] *nm* Chili *m.*

chile ['tʃile] *nm* piment *m* fort.

chileno, -a [tʃi'leno, a] *adj* chilien(ne) ♦ *nm/f* Chilien(ne).

chillar [tʃi'ʎar] *vi* (*persona*) pousser des cris aigus; (*animal*) glapir.

chillido [tʃi'ʎiðo] *nm* (*de persona*) cri *m* aigu; (*de animal*) glapissement *m.*

chillón, -ona [tʃi'ʎon, ona] *adj* (*niño*) brailleur(-euse); (*voz, color*) criard(e).

chilpayate, -a [tʃilpa'jate, a] (*MÉX*: *fam*) *nm/f* gosse *m/f.*

chimenea [tʃime'nea] *nf* cheminée *f*; ~ **de**

ventilación bouche *f* d'aération.

chimpancé [tʃimpan'θe] (*pl* ~s) *nm* chimpanzé *m*.

China ['tʃina] *nf*: **la** ~ la Chine.

china ['tʃina] *nf* caillou *m*; (*porcelana*) porcelaine *f*; (*CSUR*: *india*) indienne *f*; (: *criada*) domestique *f*; **te tocó la** ~ tu as gagné le gros lot (*iron*); *V tb* **chino.**

chinchar [tʃin'tʃar] (*fam*) *vt*, **chincharse** *vpr* agacer; ¡**chínchate!** ça t'apprendra!

chinche ['tʃintʃe] *nm/f* punaise *f*; **morirse como ~s** tomber comme des mouches.

chincheta [tʃin'tʃeta] *nf* punaise *f*.

chinchilla [tʃin'tʃiʎa] *nf* chinchilla *m*.

chinchorro [tʃin'tʃorro] *nm* (*AM*) hamac *m*; (*MÉX*) filet *m*.

chinchulines [tʃintʃu'lines] (*CSUR*) *nmpl* tripes *fpl*.

chingada [tʃin'gaða] (*CAM, MÉX*: *fam!*) *nf*: **hijo de la** ~ fils *msg* de pute (*fam!*).

chingado, -a [tʃin'gaðo, a] (*CAM, MÉX*: *fam!*) *adj* foutu(e) (*fam!*).

chingar [tʃin'gar] (*MÉX*) *vt* (*fam!*) enculer (*fam!*); **chingarse** *vpr* (*fracasar*) tomber à l'eau.

chingón, -ona [tʃin'gon, ona] (*MÉX*: *fam*) *nm/f* exploiteur(-euse).

chingue *etc* ['tʃinge] *vb V* **chingar.**

chinita [tʃi'nita] *nf* (*AM*) domestique *f*; (*CHI*) coccinelle *f*.

chino, -a ['tʃino, a] *adj* chinois(e) ♦ *nm/f* Chinois(e) ♦ *nm* (*LING*) chinois *msg*; (*AND, CSUR*: *indio*) indien *m*; (: *criado*) domestique *m*; (*MÉX*) boucle *f*; **trabajar como un** ~ trimer.

chip [tʃip] *nm* (*INFORM*) puce *f*.

chipirón [tʃipi'ron] *nm* petit calmar *m*.

Chipre ['tʃipre] *nf* Chypre *f*.

chipriota [tʃi'prjota] *adj* chypriote ♦ *nm/f* Chypriote *m/f*.

chiqueo [tʃi'keo] (*MÉX*) *nm* caresse *f*.

chiquillada [tʃiki'ʎaða] *nf* bêtise *f*; (*AM*) marmaille *f*.

chiquillería [tʃikiʎe'ria] *nf* groupe *m* d'enfants.

chiquillo, -a [tʃi'kiʎo, a] (*fam*) *nm/f* môme *m/f*.

chiquitín, -ina [tʃiki'tin, ina] *adj* petit(e) ♦ *nm/f* bout *m* de chou.

chiquito, -a [tʃi'kito, a] *adj* petit(e) ♦ *nm/f* (*fam*) petit(e); **no andarse con chiquitas** ne pas y aller de main morte.

chirigota [tʃiri'ɣota] *nf*: **tomarse algo a** ~ prendre qch à la rigolade.

chirimbolo [tʃirim'bolo] *nm* truc *m*; (*remate*) bric-à-brac *m inv*; **chirimbolos** *nmpl* (*bártulos*) attirail *msg*.

chirimoya [tʃiri'moja] *nf* (*BOT*) anone *f*.

chiringuito [tʃirin'gito] *nm* kiosque *m*.

chiripa [tʃi'ripa] *nf*: **por** *o* **de** ~ sur un coup de pot.

chirola [tʃi'rola] (*AM*), **chirona** [tʃi'rona] (*fam*) *nf* tôle *f*; **estar/meter en** ~ être/mettre en tôle.

chirriar [tʃi'rrjar] *vi* (*goznes*) grincer; (*pájaros*) piailler.

chirrido [tʃi'rriðo] *nm* grincement *m*.

chis [tʃis] *excl* chut.

chisme ['tʃisme] *nm* ragot *m*; (*fam*) truc *m*.

chismorrear [tʃismorre'ar] *vi* cancaner.

chismoso, -a [tʃis'moso, a] *adj* cancanier(-ère) ♦ *nm/f* commère *f*.

chispa ['tʃispa] *nf* étincelle *f*; (*de lluvia*) petite goutte *f*; **una** ~ (*fam*) un tout petit peu; **estar que echa ~s** être énervé(e); **no tiene ni** ~ **de gracia** il n'a pas le moindre sens de l'humour.

chispazo [tʃis'paθo] *nm* étincelle *f*.

chispeante [tʃispe'ante] *adj* étincelant(e); (*fig*) ingénieux(-euse).

chispear [tʃispe'ar] *vi* étinceler; (*lloviznar*) pleuvoter.

chisporrotear [tʃisporrote'ar] *vi* crépiter; (*aceite*) grésiller.

chistar [tʃistar] *vi*: **lo hizo sin** ~ il l'a fait sans broncher.

chiste ['tʃiste] *nm* histoire *f* drôle; ► **chiste verde** histoire cochonne.

chistera [tʃis'tera] *nf* haut-de-forme *m*.

chistoso, -a [tʃis'toso, a] *adj* (*situación*) comique; (*persona*) spirituel(le).

chistu ['tʃistu] *nm* = **txistu.**

chiva ['tʃiβa] (*PAN*) *nf* minibus *msg*.

chivarse [tʃi'βarse] (*fam*) *vpr* manger le morceau.

chivatazo [tʃiβa'taθo] (*fam*) *nm* mouchardage *m*; **dar el/un** ~ moucharder.

chivato, -a [tʃi'βato, a] *adj*, *nm/f* rapporteur(-euse).

chivo, -a ['tʃiβo, a] *nm/f* chevreau(-vrette); ► **chivo expiatorio** tête *f* de turc.

chocante [tʃo'kante] *adj* (*sorprendente*) choquant(e); (*gracioso*) drôle; **es** ~ **que sea así** c'est choquant que ce soit comme ça.

chocar [tʃo'kar] *vi* (*coches etc*) cogner; (*MIL, fig*) s'affronter ♦ *vt* (*copas*) s'entrechoquer; (*sorprender*) choquer; ~ **con** rentrer dans; (*fig*) s'accrocher avec; ¡**chócala!** (*fam*) tope là!

chochear [tʃotʃe'ar] *vi* devenir gâteux (-euse).

chocho, -a ['tʃotʃo, a] *adj* gâteux(-euse); **estar** ~ **por algn/algo** raffoler de qn/qch.

choclo [tʃoklo] (*AND, CSUR*) *nm* maïs *msg*.

chocolate [tʃoko'late] *adj* (*AM*) chocolat *inv* ♦ *nm* chocolat *m*; (*fam: hachís*) hasch *m*.

chocolatería [tʃokolate'ria] *nf* chocolaterie *f*.

chocolatina [tʃokola'tina] *nf* chocolat *m*.

chofer [tʃo'fer], **chófer** ['tʃofer] nm chauffeur m.

chollo ['tʃoʎo] (fam) nm bon plan m.

cholo, -a [tʃolo, a] (AND) adj eurasien(ne) ♦ nm/f Eurasien(ne).

chomba ['tʃomba], **chompa** ['tʃompa] (AM) nf pull m.

chompipe [tʃom'pipe] (CAM) nm dindon m.

chongo ['tʃongo] (MÉX) nm chignon m.

chop [tʃop] (CSUR) nm chope f.

chopera [tʃo'pera] nf peupleraie f.

chopo ['tʃopo] nm peuplier m.

chopp [tʃop] (CSUR) nm = **chop**.

choque ['tʃoke] vb V **chocar** ♦ nm choc m; (impacto) impact m; (fig: disputa) heurt m.

chorizo [tʃo'riθo] nm chorizo m; (fam) voyou m.

chorra ['tʃorra] nf veine f; **hacer el ~** faire l'imbécile.

chorrada [tʃo'rraða] nf connerie f; **decir ~s** dire des conneries.

chorrear [tʃorre'ar] vt dégouliner ♦ vi dégouliner; (gotear) goutter; **estar chorreando** être trempé(e).

chorreras [tʃo'rreras] nfpl ruche f.

chorrito [tʃo'rrito] nm: **un ~ de** (de vino) un doigt de; (de agua) une gorgée de.

chorro ['tʃorro] nm (de líquido) jet m; (de luz) filet m; (fig) flot m; **a ~s** à flots; **llover a ~s** pleuvoir des cordes; **salir a ~s** couler à flots; **propulsión a ~** propulsion f par réaction.

chota ['tʃota] nf: **estar como una ~** être dingue.

chotearse [tʃote'arse] vpr: **~ de** se ficher de.

choteo [tʃo'teo] nm blague f.

choto ['tʃoto] nm chevreau m.

chovinismo [tʃoßi'nismo] nm = **chauvinismo**.

chovinista [tʃoßi'nista] adj, nm/f = **chauvinista**.

choza ['tʃoθa] nf hutte f.

chubasco [tʃu'ßasko] nm bourrasque f.

chubasquero [tʃußas'kero] nm ciré m.

chúcaro, -a ['tʃukaro, a] (AND, CSUR) adj indomptable.

chuchería [tʃutʃe'ria] nf babiole f; (para comer) amuse-gueule m inv.

chucho ['tʃutʃo] nm bâtard m.

chufa ['tʃufa] nf orge f; **horchata de ~s** sirop m d'orgeat.

chuleta [tʃu'leta] nf côte f; (ESCOL etc: fam) pompe f.

chulo, -a ['tʃulo, a] adj (fam: bonito) classe; (MÉX) beau(belle); (pey) effronté(e) ♦ nm effronté m; (matón) frimeur m; (madrileño) type des bas-fonds de Madrid; (tb: ~ **de putas**) maquereau m; (AND)

vautour m; **ponerse ~ (con algn)** faire l'insolent(e) (avec qn).

chumbera [tʃum'bera] nf figuier m de Barbarie.

chumbo ['tʃumbo] nm (tb: **higo ~**) figue f de Barbarie.

chunga ['tʃunga] nf: **estar de ~** bien rigoler; **tomarse algo a ~** prendre qch à la rigolade.

chungo, -a ['tʃungo, a] (fam) adj nul(le); (mala persona) mauvais(e).

chupado, -a [tʃu'paðo, a] adj émacié(e); **está ~** (fam) c'est fastoche.

chupar [tʃu'par] vt (líquido) aspirer; (caramelo) sucer; (absorber) absorber; **chuparse** vpr (dedo) sucer; (mano) se lécher; (MED) s'émacier; **para ~se los dedos** à s'en lécher les babines.

chupatintas [tʃupa'tintas] nm inv écrivaillon m.

chupe ['tʃupe] (AM) nm ragoût m.

chupete [tʃu'pete] nm sucette f.

chupetón [tʃupe'ton] nm coup m de langue.

chupinazo [tʃupi'naθo] nm (DEPORTE) shoot m.

chupón [tʃu'pon] (CHI) nm sucette f.

churrasco [tʃu'rrasko] (CSUR) nm viande f grillée.

churrería [tʃurre'ria] nf = marchand m de beignets.

churrete [tʃu'rrete] nm tache f.

churretón [tʃurre'ton] nm grosse tache f.

churrigueresco, -a [tʃurrige'resko, a] adj (ARQ) de Churriguera; (fig) chargé(e).

churro ['tʃurro] nm = beignet m; (fam) bricolage m; (AND, CSUR: fam) beau mec(belle fille).

churruscar [tʃurrus'kar] vt roussir.

churrusque etc [tʃu'rruske] vb V **churruscar**.

churumbel [tʃurum'bel] (fam) nm mioche m.

chusco, -a ['tʃusko, a] adj drôle.

chusma ['tʃusma] (pey) nf foule f.

chutar [tʃu'tar] vi (DEPORTE) shooter; **esto va que chuta** (fam) ça marche comme sur des roulettes; **con 3.000 vas que chutas** (fam) tu auras assez avec 3 000 pesetas.

chuzo ['tʃuθo] nm: **llueve a ~s, llueven ~s de punta** il tombe des hallebardes.

C.I. sigla m (= coeficiente intelectual) QI m (= quotient intellectuel).

Cía abr (= compañía) Cie (= compagnie).

cianuro [θja'nuro] nm (QUÍM) cyanure m.

ciática ['θjatika] nf sciatique f.

cibernética [θißer'netika] nf cybernétique f.

cicatrice etc [θika'triθe] vb V **cicatrizar**.

cicatriz [θika'triθ] *nf* cicatrice *f*.
cicatrizar [θikatri'θar] *vt*, *vi* cicatriser; **cicatrizarse** *vpr* se cicatriser.
cicerone [θiθe'rone] *nm* cicérone *m*.
cíclico, -a ['θikliko, a] *adj* cyclique.
ciclismo [θi'klismo] *nm* cyclisme *m*.
ciclista [θi'klista] *adj*, *nm/f* cycliste *m/f*; **vuelta ~** course *f* cycliste.
ciclo ['θiklo] *nm* cycle *m*.
ciclomotor [θiklomo'tor] *nm* cyclomoteur *m*.
ciclón [θi'klon] *nm* cyclone *m*.
cicuta [θi'kuta] *nf* ciguë *f*.
ciego, -a ['θjeɣo, a] *vb* V **cegar** ♦ *adj* aveugle; (*CONSTR*) bouché(e) ♦ *nm/f* aveugle *m/f*; **a ciegas** à l'aveuglette; **quedarse ~** devenir aveugle; **~ de ira** aveuglé(e) par la colère.
ciegue *etc* ['θjeɣe] *vb* V **cegar.**
cielo ['θjelo] *nm* ciel *m*; (*ARQ*: *tb*: **~ raso**) faux-plafond *m*; **sí, ~** oui, mon ange; **¡~s!** Mon Dieu!, juste ciel!; **vimos el ~ abierto** la solution nous est apparue; ► **cielo de la boca** voûte *f* palatine.
ciempiés [θjem'pjes] *nm inv* mille-pattes *m inv*.
cien [θjen] *adj inv*, *nm inv* cent *m*; **al ~ por ~** à cent pour cent.
ciénaga ['θjenaɣa] *nf* marécage *m*.
ciencia ['θjenθja] *nf* science *f*; **saber algo a ~ cierta** être sûr(e) et certain(e) de qch; ► **ciencias empresariales** études *fpl* de commerce; ► **ciencias exactas** sciences *fpl* exactes, mathématiques *fpl*; ► **ciencias ocultas** sciences occultes.
ciencia-ficción ['θjenθjafik'θjon] *nf* science-fiction *f*.
cieno ['θjeno] *nm* vase *f*.
científico, -a [θjen'tifiko, a] *adj*, *nm/f* scientifique *m/f*.
ciento ['θjento] *adj*, *nm* cent *m*; **~ cuarenta** cent quarante; **el 10 por ~** dix pour cent.
cierne ['θjerne] *vb* V **cerner** ♦ *nm*: **en ~s** en herbe.
cierre ['θjerre] *vb* V **cerrar** ♦ *nm* fermeture *f*; (*pulsera*) fermoir *m*; (*de emisión*) fin *f*; **precio de ~** cours *msg* de clôture; ► **del sistema** (*INFORM*) clôture *f* du système; ► **cierre de cremallera** fermeture éclair; ► **cierre relámpago** (*AND, CSUR*) fermeture éclair.
cierto, -a ['θjerto, a] *adj* certain(e); **~ hombre/día** un certain homme/jour; **ciertas personas** certaines personnes; **sí, es ~** oui, c'est certain; **por ~** à propos; **lo ~ es que ...** ce qui est sûr c'est que ...; **estar en lo ~** avoir raison.
ciervo ['θjerβo] *nm* cerf *m*.
cierzo ['θjerθo] *nm* bise *f*.
CIES *sigla m* = *Consejo Interamericano Económico y Social*.

cifra ['θifra] *nf* chiffre *m*; **en ~** codé(e); ► **cifra de negocios/de venta** chiffre d'affaires/de ventes; ► **cifra de referencia** prix *msg* de base; ► **cifra global** chiffre global.
cifrado, -a [θi'fraðo, a] *adj* (*mensaje*) codé(e); (*código*) chiffré(e).
cifrar [θi'frar] *vt* coder; (*esperanzas, felicidad*) placer; **cifrarse** *vpr*: **~se en** s'élever à.
cigala [θi'ɣala] *nf* langoustine *f*.
cigarra [θi'ɣarra] *nf* cigale *f*.
cigarrera [θiɣa'rrera] *nf* porte-cigares *m inv*.
cigarrillo [θiɣa'rriʎo] *nm* cigarette *f*.
cigarro [θi'ɣarro] *nm* cigarette *f*; (*puro*) cigare *m*.
cigüeña [θi'ɣweɲa] *nf* cigogne *f*.
cigüeñal [θiɣwe'ɲal] *nm* vilebrequin *m*.
cilindrada [θilin'draða] *nf* cylindrée *f*.
cilíndrico, -a [θi'lindriko, a] *adj* cylindrique.
cilindro [θi'lindro] *nm* cylindre *m*.
cima ['θima] *nf* sommet *m*, cime *f*; (*de árbol*) cime; (*apogeo*) sommet.
címbalo ['θimbalo] *nm* (*MÚS*) cymbale *f*.
cimbrearse [θimbre'arse] *vpr* se déhancher; (*ramas, tallos*) ployer.
cimentar [θimen'tar] *vt* (*edificio*) jeter les fondations de; (*consolidar*) cimenter; **cimentarse** *vpr*: **~se en** se fonder sur.
cimiento *etc* [θi'mjento] *vb* V **cimentar.**
cimientos [θi'mjentos] *nmpl* fondations *fpl*; (*fig*) fondements *mpl*.
cinc [θink] *nm* zinc *m*.
cincel [θin'θel] *nm* ciseau *m*.
cincelar [θinθe'lar] *vt* ciseler.
cincha ['θintʃa] *nf* sangle *f*.
cinco ['θinko] *adj inv*, *nm inv* cinq *m inv*; V *tb* **seis.**
cincuenta [θin'kwenta] *adj inv*, *nm inv* cinquante *m inv*; V *tb* **sesenta.**
cincuentenario [θinkwente'narjo] *nm* cinquantenaire *m*.
cincuentón, -ona [θinkwen'ton, ona] *adj*, *nm/f* quinquagénaire *m/f*.
cine ['θine] *nm* cinéma *m*; **hacer ~** faire du cinéma; ► **cine de estreno** cinéma d'exclusivité; ► **el cine mudo** le cinéma muet.
cineasta [θine'asta] *nm/f* cinéaste *m/f*.
cine-club [θine'klub] *nm* ciné-club *m*.
cinéfilo, -a [θi'nefilo, a] *nm/f* cinéphile *m/f*.
cinematográfico, -a [θinemato'ɣrafiko, a] *adj* cinématographique.
cínico, -a ['θiniko, a] *adj*, *nm/f* cynique *m/f*; (*desvergonzado*) effronté(e).
cinismo [θi'nismo] *nm* (*ver adj*) cynisme *m*; effronterie *f*.

cinta ['θinta] *nf* ruban *m*, bande *f*; ▶ **cinta adhesiva/aislante** ruban adhésif/isolant; ▶ **cinta de carbón** ruban carbone; ▶ **cinta de múltiples impactos** bande d'impacts multiple; ▶ **cinta de vídeo** cassette *f* vidéo; ▶ **cinta magnética** (*INFORM*) bande magnétique; ▶ **cinta métrica** mètre *m* à ruban; ▶ **cinta transportadora** convoyeur *m*, stéréoduc *m*; ▶ **cinta virgen** cassette vierge.

cinto ['θinto] *nm* ceinture *f*.

cintura [θin'tura] *nf* taille *f*; **meter a algn en ~ faire entendre raison à qn.

cinturón [θintu'ron] *nm* ceinture *f*; ▶ **cinturón de miseria** (*MÉX*) bidonville *m*; ▶ **cinturón de seguridad** ceinture de sécurité; ▶ **cinturón industrial** zone *f* industrielle; ▶ **cinturón salvavidas** ceinture de sauvetage.

ciña *etc* ['θiɲa] *vb* V **ceñir**.

ciñendo [θi'ɲenðo] *vb* V **ceñir**.

CIP [θip] *sigla m* (*Madrid*) = *Club Internacional de Prensa*.

cipote [θi'pote] (*CAM: fam*) *nm* gamin(e).

ciprés [θi'pres] *nm* cyprès *m*.

circo ['θirko] *nm* cirque *m*.

circuito [θir'kwito] *nm* circuit *m*; **TV por ~ cerrado** télévision *f* en circuit fermé; ▶ **circuito impreso** circuit imprimé; ▶ **circuito lógico** (*INFORM*) porte *f*, circuit logique.

circulación [θirkula'θjon] *nf* circulation *f*; "**cerrado a la ~ rodada**" "fermé au trafic routier"; **poner algo en ~** mettre qch en circulation.

circular [θirku'lar] *adj, nf* circulaire *f* ♦ *vt* (*orden*) faire circuler ♦ *vi* circuler; ¡**circulen!** circulez!

círculo ['θirkulo] *nm* cercle *m*; **en ~** en cercle, en rond; **en ~s políticos** dans les cercles politiques; ▶ **círculo vicioso** cercle vicieux.

circuncidar [θirkunθi'dar] *vt* circoncire.

circuncisión [θirkunθi'sjon] *nf* circoncision *f*.

circunciso, -a [θirkun'θiso, a] *pp de* **circuncidar**.

circundante [θirkun'dante] *adj* environnant(e).

circundar [θirkun'dar] *vt* entourer.

circunferencia [θirkunfe'renθja] *nf* circonférence *f*.

circunloquios [θirkun'lokjos] *nmpl* circonlocutions *fpl*.

circunscribir [θirkunskri'βir] *vt* (*actuación, discurso*) circonscrire; **circunscribirse** *vpr* se circonscrire; **~se a (hacer)** se limiter *o* s'en tenir à (faire).

circunscripción [θirkunskrip'θjon] *nf* circonscription *f*.

circunscrito [θirkuns'krito] *pp de* **circunscribir**.

circunspección [θirkunspek'θjon] *nf* circonspection *f*.

circunspecto, -a [θirkuns'pekto, a] *adj* circonspect(e).

circunstancia [θirkuns'tanθja] *nf* circonstance *f*; **~s agravantes/atenuantes** circonstances *fpl* aggravantes/atténuantes; **estar a la altura de las ~s** être à la hauteur des circonstances; **poner cara de ~s** faire une figure de circonstance.

circunstancial [θirkunstan'θjal] *adj* circonstanciel(le).

circunstantes [θirkuns'tantes] *nm/fpl* assistants(-es).

circunvalación [θirkumbala'θjon] *nf* V **carretera**.

cirio ['θirjo] *nm* cierge *m*.

cirrosis [θi'rrosis] *nf* cirrhose *f*.

ciruela [θi'rwela] *nf* prune *f*; ▶ **ciruela claudia** reine *f* claude; ▶ **ciruela pasa** pruneau *m*.

ciruelo [θi'rwelo] *nm* prunier *m*.

cirugía [θiru'xia] *nf* chirurgie *f*; ▶ **cirugía estética/plástica** chirurgie esthétique/plastique.

cirujano, -a [θiru'xano, a] *nm/f* chirurgien(ne).

cisco ['θisko] (*fam*) *nm*: **armar un ~** faire des histoires; **estar hecho ~** être crevé(e).

cisma ['θisma] *nm* schisme *m*.

cisne ['θisne] *nm* cygne *m*; **canto de ~** chant *m* du cygne.

cisterna [θis'terna] *nf* chasse *f* d'eau; (*depósito*) citerne *f*.

cistitis [θis'titis] *nf* cystite *f*.

cita ['θita] *nf* rendez-vous *m* inv; (*referencia*) citation *f*; **acudir/faltar a una ~** se rendre à/manquer un rendez-vous.

citación [θita'θjon] *nf* citation *f*.

citadino, -a [θita'ðino, a] (*AM*) *adj, nm/f* citadin(e).

citar [θi'tar] *vt* donner rendez-vous à; (*JUR*) citer; **citarse** *vpr*: **~se (con)** prendre rendez-vous (avec).

cítara ['θitara] *nf* cithare *f*.

citología [θitolo'xia] *nf* cytologie *f*.

cítrico, -a ['θitriko, a] *adj* citrique ♦ *nm*: **~s** agrumes *mpl*.

CiU *sigla m* (*POL* = *Convergència i Unió*) parti politique catalan.

ciudad [θju'ðað] *nf* ville *f*; **~ universitaria** cité *f* universitaire; ▶ **la Ciudad Condal** Barcelone; ▶ **Ciudad del Cabo** le Cap; ▶ **ciudad dormitorio** cité-dortoir *f*; ▶ **ciudad perdida** (*MÉX*) bidonville *m*; ▶ **ciudad satélite** ville satellite.

ciudadanía [θjuðaða'nia] *nf* citoyenneté *f*.
ciudadano, -a [θjuða'ðano, a] *adj, nm/f* citadin(e).
cívico, -a ['θiβiko, a] *adj* civique; (*persona*) civil(e).
civil [θi'βil] *adj* civil(e) ♦ *nm* civil *m*; **casarse por lo** ~ se marier civilement.
civilice *etc* [θiβi'liθe] *vb* V **civilizar**.
civilización [θiβiliθa'θjon] *nf* civilisation *f*.
civilizar [θiβili'θar] *vt* civiliser.
civismo [θi'βismo] *nm* civisme *m*.
cizaña [θi'θaɲa] *nf*: **meter/sembrar** ~ mettre/semer la zizanie.
cl. *abr* (= *centilitro(s)*) cl (= *centilitre(s)*).
clamar [kla'mar] *vt* clamer ♦ *vi* crier; ~ **venganza** crier vengeance.
clamor [kla'mor] *nm* clameur *f*.
clamoroso, -a [klamo'roso, a] *adj* retentissant(e).
clan ['klan] *nm* clan *m*.
clandestinidad [klandestini'ðað] *nf* clandestinité *f*.
clandestino, -a [klandes'tino, a] *adj* clandestin(e).
clara ['klara] *nf* (*de huevo*) blanc *m*.
claraboya [klara'βoja] *nf* lucarne *f*.
claramente ['klaramente] *adv* clairement.
clarear [klare'ar] *vi* (*el día*) se lever; (*el cielo*) s'éclaircir.
clarete [kla'rete] *nm* rosé *m*.
claridad [klari'ðað] *nf* clarté *f*.
clarificar [klarifi'kar] *vt* éclaircir.
clarifique *etc* [klari'fike] *vb* V **clarificar**.
clarín [kla'rin] *nm* clairon *m*; (*AM: guisante*) pois *msg* de senteur.
clarinete [klari'nete] *nm* clarinette *f*.
clarividencia [klariβi'ðenθja] *nf* clairvoyance *f*.
claro, -a ['klaro, a] *adj* clair(e) ♦ *nm* éclaircie *f*; (*entre asientos*) place *f* libre ♦ *adv* clairement ♦ *excl* bien sûr!; **estar** ~ être clair(e); **lo tengo muy** ~ pour moi c'est clair; **no lo tengo muy** ~ je ne sais pas vraiment; **hablar** ~ parler haut et clair, parler franchement; **a las claras** clairement; **no sacamos nada en** ~ nous n'avons rien tiré au clair; ~ **que sí/no** bien sûr que oui/non.
clase ['klase] *nf* genre *m*, classe *f*; (*lección*) cours *msg*; **la** ~ **dirigente** la classe dirigeante; **dar** ~(s) (*profesor*) faire cours, donner des cours; (*alumno*) avoir cours; **tener** ~ avoir de la classe; **de toda(s)** ~(s) **de** toute(s) sorte(s); ► **clase alta/media/obrera/social** classe dominante/moyenne/ouvrière/sociale; ► **clases particulares** cours particuliers.
clásico, -a ['klasiko, a] *adj* classique.
clasificable [klasifi'kaβle] *adj* classable.
clasificación [klasifika'θjon] *nf* classement

m; (*de cartas, líneas*) tri *m*.
clasificador [klasifika'ðor] *nm* classeur *m*.
clasificar [klasifi'kar] *vt* classer; (*cartas*) trier; (*INFORM*) classifier, trier; **clasificarse** *vpr* se qualifier.
clasifique *etc* [klasi'fike] *vb* V **clasificar**.
clasista [kla'sista] (*pey*) *adj* élitiste.
claudicar [klauði'kar] *vi* céder.
claudique *etc* [klau'ðike] *vb* V **claudicar**.
claustro ['klaustro] *nm* cloître *m*; (*UNIV, ESCOL*) conseil *m*; (: *junta*) assemblée *f*, réunion *f*.
claustrofobia [klaustro'foβja] *nf* claustrophobie *f*.
cláusula ['klausula] *nf* clause *f*; ~ **de exclusión** clause d'exclusion.
clausura [klau'sura] *nf* clôture *f*; **de** ~ (*REL*) claustral; (: *monja*) cloîtré(e).
clausurar [klausu'rar] *vt* clore; (*local*) fermer.
clavadista [klaβa'ðista] (*CAM, MÉX*) *nm/f* sauteur(-euse).
clavado, -a [kla'βaðo, a] *pp de* **clavar** ♦ *adj*: **ser** ~ **a algn** être tout le portrait de qn, être qn tout craché(e); **llegó a las 5 clavadas** il est arrivé à 5 heures sonnantes.
clavar [kla'βar] *vt* enfoncer; (*clavo*) clouer; (*alfiler*) épingler; (*mirada*) fixer; (*fam: cobrar caro*) arnaquer; **clavarse** *vpr* s'enfoncer.
clave ['klaβe] *nf* clef *f* ♦ *adj inv* clé; **en** ~ (*mensaje*) codé(e); ► **clave de búsqueda/de clarificación** clef de recherche/de classement.
clavel [kla'βel] *nm* œillet *m*.
clavelina [klaβe'lina], **clavellina** [klaβe'ʎina] *nf* œillet *m* de poète.
clavetear [klaβete'ar] *vt* clouter; (*montura*) ferrer.
clavicémbalo [klaβi'θembalo] *nm* (*MÚS*) clavecin *m*.
clavicordio [klaβikor'ðjo] *nm* (*MÚS*) clavicorde *m*.
clavícula [kla'βikula] *nf* clavicule *f*.
clavija [kla'βixa] *nf* cheville *f*; (*ELEC*) fiche *f*.
clavo ['klaβo] *nm* clou *m*; (*BOT, CULIN*) clou de girofle; **dar en el** ~ mettre dans le mille, faire mouche.
claxon ['klakson] (*pl* ~**s**) *nm* klaxon *m*; **tocar el** ~ klaxonner.
clemencia [kle'menθja] *nf* clémence *f*.
clemente [kle'mente] *adj* clément(e).
cleptómano, -a [klep'tomano, a] *nm/f* cleptomane *m/f*.
clerical [kleri'kal] *adj* clérical(e).
clericalismo [klerika'lismo] *nm* cléricalisme *m*.
clérigo ['klerixo] *nm* ecclésiastique *m*.

clero ['klero] *nm* clergé *m*.
cliché [kli'tʃe] *nm* cliché *m*.
cliente, -a ['kljente, a] *nm/f* client(e).
clientela [kljen'tela] *nf* clientèle *f*.
clima ['klima] *nm* climat *m*.
climatizado, -a [klimati'θaðo, a] *adj* climatisé(e).
clímax ['klimaks] *nm inv* apogée *m*, point *m* culminant; (*sexual*) orgasme *m*.
clínica ['klinika] *nf* clinique *f*.
clínico, -a ['kliniko, a] *adj* clinique.
clip [klip] (*pl* ~**s**) *nm* trombone *m*; (*de pelo*) barrette *f*.
clítoris ['klitoris] *nm inv* clitoris *m inv*.
cloaca [klo'aka] *nf* égout *m*.
clorhídrico, -a [klo'ridriko, a] *adj*: **ácido** ~ acide *m* chlorhydrique.
cloro ['kloro] *nm* chlore *m*.
clorofila [kloro'fila] *nf* chlorophylle *f*.
cloroformo [kloro'formo] *nm* chloroforme *m*.
cloruro [klo'ruro] *nm* chlorure *m*; ~ **sódico** chlorure de sodium.
club [klub] (*pl* ~**s** *o* ~**es**) *nm* club *m*.
cm. *abr* (= *centímetro(s)*) cm *m* (= *centimètre(s)*).
C.M.A. *sigla f* (= *carga máxima autorizada*) PTCA *m* (= *poids total en charge autorisé*).
C.N.T. *sigla f* (*ESP*: = *Confederación Nacional de Trabajo*) *syndicat*; (*AM*: = *Confederación Nacional de Trabajadores*) *syndicat*.
coacción [koak'θjon] *nf* contrainte *f*.
coaccionar [koakθjo'nar] *vt* contraindre.
coagular [koaɣu'lar] *vt* coaguler; **coagularse** *vpr* se coaguler.
coágulo [ko'aɣulo] *nm* caillot *m*.
coalición [koali'θjon] *nf* coalition *f*.
coartada [koar'taða] *nf* alibi *m*.
coartar [koar'tar] *vt* limiter.
coatí [koa'ti] (*AM*) *nm* coati *m*.
coautor, a [koau'tor, a] *nm/f* coauteur *m*.
coba ['koβa] *nf*: **dar** ~ **a algn** passer de la pommade à qn.
cobarde [ko'βarðe] *adj* lâche ♦ *nm/f* lâche *m/f*, peureux(-euse).
cobardía [koβar'ðia] *nf* lâcheté *f*.
cobaya [ko'βaja] *nm o f* cobaye *m*.
cobertizo [koβer'tiθo] *nm* hangar *m*, remise *f*; (*de animal*) abri *m*.
cobertor [koβer'tor] *nm* (*manta*) couverture *f*; (*colcha*) dessus *msg* de lit.
cobertura [koβer'tura] *nf* couverture *f*; ~ **de dividendo** rapport *m* dividendes-résultat.
cobija [ko'βixa] (*AM*) *nf* couverture *f*.
cobijar [koβi'xar] *vt* héberger, loger; **cobijarse** *vpr*: ~**se (de)** se protéger (de); ~ (**de**) protéger (de).
cobijo [ko'βixo] *nm* abri *m*; **dar** ~ **a algn** héberger qn.

cobra ['koβra] *nf* cobra *m*.
cobrador, a [koβra'ðor, a] *nm/f* receveur (-euse).
cobrar [ko'βrar] *vt* (*cheque*) toucher, encaisser; (*sueldo*) toucher; (*precio*) faire payer; (*deuda, alquiler, gas*) encaisser; (*caza*) rapporter; (*fama, importancia*) acquérir; (*cariño*) prendre en; (*fuerza, valor*) reprendre ♦ *vi* toucher son salaire; **cóbrese** payez-vous; **cóbrese al entregar** paiement *m* à la livraison; ¡**vas a** ~! qu'est-ce que tu vas prendre!; **a** ~ à encaisser; **cantidades por** ~ sommes *fpl* dues.
cobre ['koβre] *nm* cuivre *m*; ~**s** *nmpl* (*MUS*) cuivres *mpl*; **sin un** ~ (*AM*: *fam*) sans un sou.
cobrizo, -a [ko'βriθo, a] *adj* cuivré(e).
cobro ['koβro] *nm* (*de cheque*) encaissement *m*; (*pago*) paiement *m*; **presentar al** ~ encaisser; *V tb* **llamada**.
coca ['koka] *nf* coca *m*; (*hoja*) feuille *f* de coca; (*fam: cocaína*) coco *f*, coke *f*.
Coca-Cola ® ['koka'kola] *nf* coca-cola *m inv* ®.
cocaína [koka'ina] *nf* cocaïne *f*.
cocainómano, -a [kokai'nomano, a] *nm/f* cocaïnomane *m/f*.
cocción [kok'θjon] *nf* cuisson *f*.
cocear [koθe'ar] *vi* ruer.
cocer [ko'θer] *vt* cuire ♦ *vi* cuire; (*agua*) bouillir; **cocerse** *vpr* cuire; (*tramarse*) mijoter.
cochambre [ko'tʃambre] *nf* crasse *f*.
coche ['kotʃe] *nm* voiture *f*; (*para niños*) poussette *f*, ► **coche blindado** voiture blindée; ► **coche celular** fourgon *m* cellulaire; ► **coche comedor** wagon-restaurant *m*; ► **coche de bomberos** voiture des pompiers; ► **coche de carreras** voiture de course; ► **coches de choque** autos *fpl* tamponneuses; ► **coche de línea** autocar *m*; ► **coche fúnebre** corbillard *m*.
coche-cama ['kotʃe'kama] (*pl* ~**s**-~) *nm* wagon *m* lit.
cochecito [kotʃe'θito] *nm* landau *m*.
cochera [ko'tʃera] *nf* garage *m*; (*de autobuses*) dépôt *m*.
coche-restaurante ['kotʃerestau'rante] (*pl* ~**s**-~) *nm* voiture-restaurant *f*.
cochinada [kotʃi'naða] (*fam*) *nf* cochonnerie *f*; (*jugarreta*) vacherie *f*.
cochinilla [kotʃi'niʎa] *nf* cochenille *f*.
cochinillo [kotʃi'niʎo] *nm* cochon *m* de lait.
cochino, -a [ko'tʃino, a] *adj* dégoûtant(e) ♦ *nm/f* cochon(truie); (*persona*) cochon(ne).
cocido, -a [ko'θiðo, a] *adj* (*patatas*)

bouilli(e); (*huevos*) dur(e) ♦ *nm* pot-au-feu *m inv.*

cociente [ko'θjente] *nm* quotient *m.*

cocina [ko'θina] *nf* cuisine *f*; (*aparato*) cuisinière *f*; ~ **casera** cuisine maison; ~ **eléctrica/de gas** cuisinière électrique/à gaz; ~ **francesa** cuisine française.

cocinar [koθi'nar] *vt, vi* cuisiner.

cocinero, -a [koθi'nero, a] *nm/f* cuisinier (-ière).

coco ['koko] *nm* noix *fsg* de coco; (*fam*) citrouille *f*; **el** ~ le grand méchant loup.

cocodrilo [koko'ðrilo] *nm* crocodile *m.*

cocoliche [koko'litʃe] (*CSUR*) *nm* jargon *m.*

cocotero [koko'tero] *nm* cocotier *m.*

cóctel ['koktel] *nm* cocktail *m*; ▶ **cóctel molotov** cocktail Molotov.

coctelera [kokte'lera] *nf* shaker *m.*

cocuyo [ko'kujo] (*AM*) *nm* ver *m* luisant.

cod. *abr* = **código.**

codazo [ko'ðaθo] *nm*: **dar un** ~ **a algn** donner un coup de coude à qn; **abrirse paso a** ~**s** jouer des coudes.

codearse [koðe'arse] *vpr*: ~ **con** côtoyer.

codeína [koðe'ina] *nf* codéine *f.*

codera [ko'ðera] *nf* coude *m.*

códice ['koðiθe] *nm* manuscrit *m* ancien.

codicia [ko'ðiθja] *nf* convoitise *f.*

codiciar [koði'θjar] *vt* convoiter.

codicioso, -a [koði'θjoso, a] *adj* avide; (*expresión*) de convoitise.

codificador [koðifika'ðor] *nm* codeur *m*; ▶ **codificador digital** convertisseur *m* analogique-numérique.

codificar [koðifi'kar] *vt* (*mensaje*) coder; (*leyes*) codifier.

código ['koðiɣo] *nm* (*tb JUR*) code *m*; ▶ **código binario** code binaire; ▶ **código civil/postal** code civil/postal; ▶ **código de barras** code (à) barres; ▶ **código de caracteres/de control** code à caractères/de contrôle; ▶ **código de (la) circulación** code de la route; ▶ **código máquina/de operación** code machine *inv*/d'opération; ▶ **código militar/penal** code militaire/pénal.

codillo [ko'ðiʎo] *nm* (*ZOOL*) coude *m*, épaule *f*; (*CULIN*) coude; (*TEC*) coude.

codo [ko'ðo] *nm* coude *m*; **hablar por los** ~**s** bavarder comme une pie; ~ **a** ~ coude à coude.

codorniz [koðor'niθ] *nf* caille *f.*

coeficiente [koefi'θjente] *nm* coefficient *m*; ▶ **coeficiente intelectual** *o* **de inteligencia** quotient *m* intellectuel *o* mental.

coerción [koer'θjon] *nf* coercition *f.*

coercitivo, -a [koerθi'tiβo, a] *adj* coercitif(-ive).

coetáneo, -a [koe'taneo, a] *nm/f* contemporain(e).

coexistencia [koeksis'tenθja] *nf* coexistence *f.*

coexistir [koeksis'tir] *vi*: ~ **(con)** coexister (avec).

cofia ['kofja] *nf* coiffe *f.*

cofradía [kofra'ðia] *nf* confrérie *f.*

cofre ['kofre] *nm* coffre *m*; (*de joyas*) coffret *m*; (*MÉX*) voiture *f.*

cogedor [koxe'ðor] *nm* pelle *f.*

coger [ko'xer] *vt* prendre; (*objeto caído*) ramasser; (*pelota*) attraper; (*frutas*) cueillir; (*sentido, indirecta*) comprendre, saisir; (*tomar prestado*) emprunter; (*AM: fam!*) baiser (*fam!*); **cogerse** *vpr* se prendre; ~ **a algn desprevenido** prendre qn au dépourvu; ~ **cariño a algn** prendre qn en affection; ~ **celos de algn** être jaloux (-ouse) de qn; ~ **manía a algn** prendre qn en grippe; ~**se a** s'accrocher à, s'agripper à; **iban cogidos de la mano** ils se tenaient par la main.

cogida [ko'xiða] *nf* coup *m* de corne.

cogollo [ko'ɣoʎo] *nm* cœur *m.*

cogorza [ko'ɣorθa] (*fam*) *nf* cuite *f.*

cogote [ko'ɣote] *nm* nuque *f.*

cohabitar [koaβi'tar] *vi* cohabiter.

cohecho [ko'etʃo] *nm* subornation *f.*

coherencia [koe'renθja] *nf* cohérence *f.*

coherente [koe'rente] *adj* cohérent(e); **ser** ~ **con** être en accord avec.

cohesión [koe'sjon] *nf* cohésion *f.*

cohete [ko'ete] *nm* fusée *f*, pétard *m*; (*tb*: ~ **espacial**) fusée.

cohibido, -a [koi'βiðo, a] *adj*: **estar/sentirse** ~ être/se sentir gêné(e); (*tímido*) être/se sentir intimidé(e).

cohibir [koi'βir] *vt* intimider; (*reprimir*) réprimer; **cohibirse** *vpr* se retenir.

COI *sigla m* (= *Comité Olímpico Internacional*) CIO *m* (= *Comité international olympique*).

coima ['koima] (*CSUR: fam*) *nf* pot *m* de vin.

coimero, -a [koi'mero, a] (*CSUR: fam*) *nm/f* fonctionnaire *m/f* corrompu(e).

coincidencia [koinθi'ðenθja] *nf* coïncidence *f.*

coincidir [koinθi'ðir] *vi* (*en lugar*) se rencontrer; **coincidimos en ideas** nous partageons les mêmes idées; ~ **con** coïncider avec.

coito ['koito] *nm* coït *m.*

cojear [koxe'ar] *vi* boiter; (*mueble*) être bancal(e).

cojera [ko'xera] *nf* claudication *f.*

cojín [ko'xin] *nm* coussin *m.*

cojinete [koxi'nete] *nm* palier *m.*

cojo, -a ['koxo, a] *vb V* **coger** ♦ *adj* boiteux(-euse); (*mueble*) bancal(e) ♦ *nm/f* (*persona*) boiteux(-euse); **ir a la pata coja**

aller à cloche-pied.
cojón [ko'xon] *(fam!) nm* couille *f (fam!);*
¡cojones! putain! *(fam!);* lo hizo por cojones il a fallu qu'il le fasse.
cojonudo, -a [koxo'nuðo, a] *(ESP: fam!)*
adj super.
cojudo, -a [ko'xudo, a] *(AM: fam!) adj, nm/f*
connard(-asse) *(fam!).*
col [kol] *nf* chou *m;* ► coles de Bruselas
choux *mpl* de Bruxelles.
col. *abr* (= *columna*) col (= *colonne*).
cola ['kola] *nf* queue *f;* (*para pegar*) colle *f;*
(*de vestido*) traîne *f;* estar/ponerse a la ~
être/se mettre à la queue; hacer ~ faire
la queue; traer ~ avoir des suites.
col.ª *abr* (= *columna*) col (= *colonne*).
colaboración [kolaßora'θjon] *nf* collaboration *f.*
colaboracionista [kolaßoraθjo'nista] *adj*
collaborationniste.
colaborador, a [kolaßora'ðor, a] *nm/f*
collaborateur(-trice).
colaborar [kolaßo'rar] *vi:* ~ con collaborer
avec.
colación [kola'θjon] *nf:* sacar *o* traer a ~
faire mention de.
colada [ko'laða] *nf:* hacer la ~ faire la lessive.
colado, -a [ko'laðo, a] *(fam) adj:* estar ~
por algn être dingue de qn.
colador [kola'ðor] *nm* (*de té*) passoire *f;*
(*para verduras*) écumoire *f.*
colapsar [kolap'sar] *vt* embouteiller.
colapso [ko'lapso] *nm* collapsus *msg;* (*de
circulación*) embouteillage *m;* (*en producción*) effondrement *m;* ► colapso cardíaco collapsus cardiovasculaire.
colar [ko'lar] *vt* filtrer ♦ *vi* (*mentira*) prendre, passer; **colarse** *vpr* (*en cola*) se glisser, se faufiler; (*viento, lluvia*) s'engouffrer; (*fam: equivocarse*) se gourer; ~se
en (*concierto, cine*) se faufiler dans.
colateral [kolate'ral] *adj* collatéral(e).
colcha ['koltʃa] *nf* couvre-lit *m.*
colchón [kol'tʃon] *nm* matelas *m;* ► colchón inflable/neumático matelas
gonflable/pneumatique.
colchoneta [koltʃo'neta] *nf* tapis *msg.*
cole ['kole] *(fam) nm* = colegio.
colear [kole'ar] *vi* remuer la queue; (*asunto*) n'être pas encore réglé(e) *o* fini(e).
colección [kolek'θjon] *nf* collection *f.*
coleccionar [kolekθjo'nar] *vt* collectionner.
coleccionista [kolekθjo'nista] *nm/f*
collectionneur(-euse).
colecta [ko'lekta] *nf* collecte *f.*
colectividad [kolektißi'ðað] *nf* collectivité
f.
colectivizar [kolektißi'θar] *vt* collectiviser.
colectivo, -a [kolek'tißo, a] *adj* collectif

(-ive) ♦ *nm* collectif *m;* (*AM*) autobus
msg; (: *taxi*) taxi *m.*
colector [kolek'tor] *nm* collecteur *m;* (*sumidero*) collecteur, égout *m.*
colega [ko'leɣa] *nm/f* collègue *m/f;* (*POL*)
homologue *m;* (*amigo*) copain(copine).
colegiado, -a [kole'xjaðo, a] *nm/f* membre
m d'une corporation.
colegial, a [kole'xjal, a] *adj, nm/f* collé-
gien(ne).
colegiarse [kole'xjarse] *vpr* s'inscrire dans
une corporation, s'affilier à un ordre.
colegiatura(s) [kolexja'tura(s)] *(MÉX) nf(pl)*
frais *mpl* d'inscription.
colegio [ko'lexjo] *nm* collège *m;* (*de abogados, médicos*) ordre *m;* ir al ~ aller à
l'école *o* au collège; ► colegio electoral
collège électoral; ► colegio mayor résidence *f* universitaire.
colegir [kole'xir] *vt* déduire.
cólera ['kolera] *nf* colère *f* ♦ *nm* choléra *m;*
montar en ~ se mettre en colère, s'em-
porter.
colérico, -a [ko'leriko, a] *adj* colérique;
(*persona*) coléreux(-euse).
colesterol [koleste'rol] *nm* cholestérol *m.*
coleta [ko'leta] *nf* queue *f,* couette *f;* cortarse la ~ abandonner l'arène.
coletazo [kole'taθo] *nm* coup *m* de queue;
los últimos ~s les derniers sursauts.
coletilla [kole'tiʎa] *nf* addition *f.*
colgado, -a [kol'ɣaðo, a] *pp de* colgar ♦ *adj*
(*cuadro, lámpara*) suspendu(e); (*ahorcado*)
pendu(e); dejar ~ a algn laisser qn en
plan.
colgajo [kol'ɣaxo] *(pey) nm* pendeloque *f.*
colgante [kol'ɣante] *adj* pendant(e), sus-
pendu(e) ♦ *nm* pendentif *m;* V *tb* puente.
colgar [kol'ɣar] *vt* accrocher; (*teléfono*)
raccrocher; (*ropa*) étendre; (*ahorcar*)
pendre ♦ *vi* raccrocher; ~ de pendre à,
être suspendu(e) à; no cuelgue ne raccrochez pas.
colgué *etc* [kol'ɣe] *vb V* colgar.
colguemos *etc* [kol'ɣemos] *vb V* colgar.
colibrí [koli'ßri] *nm* colibri *m.*
cólico ['koliko] *nm* colique *f.*
coliflor [koli'flor] *nf* chou *m* fleur.
coligiendo *etc* [koli'xjenðo] *vb V* colegir.
colija *etc* [ko'lixa] *vb V* colegir.
colilla [ko'liʎa] *nf* mégot *m.*
colimba [ko'limba] *(ARG: fam) nf* (*servicio
militar*) service *m.*
colina [ko'lina] *nf* colline *f.*
colindante [kolin'dante] *adj* limitrophe,
contigu(-güe).
colindar [kolin'dar] *vi* être contigu(-güe).
colirio [ko'lirjo] *nm* collyre *m.*
Coliseo [koli'seo] *nm* Colisée *m.*
colisión [koli'sjon] *nf* collision *f;* (*de intere-*

ses, ideas) conflit *m*.
colitis [ko'litis] *nf* diarrhée *f*.
collado [ko'ʎaðo] *nm* col *m*.
collage [ko'ʎaxe] *nm* collage *m*.
collar [ko'ʎar] *nm* collier *m*.
collera [ko'ʎera] (*AM*) *nf* bouton *m* de manchette.
colmado, -a [kol'maðo, a] *adj*: ~ (**de**) plein(e) à ras bord (de) ♦ *nm* épicerie *f*.
colmar [kol'mar] *vt* remplir à ras bord; (*ansias, exigencias*) satisfaire; ~ **a algn de regalos/de atenciones** combler qn de cadeaux/d'attentions.
colmena [kol'mena] *nf* ruche *f*.
colmillo [kol'miʎo] *nm* canine *f*; (*de elefante*) défense *f*; (*de perro*) croc *m*.
colmo ['kolmo] *nm*: **ser el** ~ **de la locura/ frescura/insolencia** être le comble de la folie/du toupet/de l'insolence; **para** ~ (**de desgracias**) pour comble (de malheurs); **¡eso es ya el** ~**!** ça c'est le comble!
colocación [koloka'θjon] *nf* (*de piedra*) pose *f*; (*de persona*) placement *m*; (*empleo*) emploi *m*, travail *m*; (*disposición*) emplacement *m*.
colocar [kolo'kar] *vt* (*piedra*) poser; (*cuadro*) accrocher; (*poner en empleo*) placer; **colocarse** *vpr* se placer; (*fam: drogarse*) se défoncer; (*conseguir trabajo*): ~**se** (**de**) trouver du travail (comme).
colofón [kolo'fon] *nm*: **como** ~ **de las conversaciones** en guise de conclusion aux conversations.
Colombia [ko'lombja] *nf* Colombie *f*.
colombiano, -a [kolom'bjano, a] *adj* colombien(ne) ♦ *nm/f* Colombien(ne).
colon ['kolon] *nm* côlon *m*.
colón [ko'lon] *nm* (*moneda*) colon *m*.
Colonia [ko'lonja] *nf* Cologne *f*.
colonia [ko'lonja] *nf* colonie *f*; (*tb: agua de* ~) eau *f* de cologne; (*MÉX*) quartier *m*; ► **colonia de verano** colonie de vacances; ► **colonia proletaria** (*MÉX*) bidonville *m*.
colonice *etc* [kolo'niθe] *vb* V **colonizar**.
colonización [koloniθa'θjon] *nf* colonisation *f*.
colonizador, a [koloniθa'ðor, a] *adj, nm/f* colonisateur(-trice).
colonizar [koloni'θar] *vt* coloniser.
colono [ko'lono] *nm* colon *m*.
coloque *etc* [ko'loke] *vb* V **colocar**.
coloquial [kolo'kjal] *adj* familier(-ière), parlé(e).
coloquio [ko'lokjo] *nm* colloque *m*.
color [ko'lor] *nm* couleur *f*; **de** ~ de couleur; **de** ~ **amarillo/azul/naranja** de couleur jaune/bleue/orange; **de** ~**es** (*lápices*) de couleurs; **en** ~ en couleur; **a todo** ~

tout en couleur; **le salieron los** ~**es** il s'est mis à rougir; **dar** ~ **a** donner du relief à.
colorado, -a [kolo'raðo, a] *adj* rouge; (*AM: chiste*) grivois(e); **ponerse** ~ rougir.
colorante [kolo'rante] *nm* colorant *m*.
colorar [kolo'rar], **colorear** [kolore'ar] *vt* colorer.
colorete [kolo'rete] *nm* fard *m*.
colorido [kolo'riðo] *nm* coloris *msg*.
colosal [kolo'sal] *adj* colossal(e).
coloso [ko'loso] *nm* colosse *m*.
columbrar [kolum'brar] *vt* apercevoir.
columna [ko'lumna] *nf* colonne *f*; ► **columna blindada** colonne blindée; ► **columna vertebral** colonne vertébrale.
columpiar [kolum'pjar] *vt* balancer; **columpiarse** *vpr* se balancer.
columpio [ko'lumpjo] *nm* balançoire *f*.
colza ['kolθa] *nf* colza *m*.
coma ['koma] *nf* virgule *f* ♦ *nm* (*MED*) coma *m*.
comadre [ko'maðre] (*esp AM: fam*) *nf* marraine *f*; (*cotilla*) commère *f*; (*vecina*) voisine *f*; ~**s** *nfpl* commères *fpl*.
comadrear [komaðre'ar] (*esp AM: fam*) *vi* faire des commérages.
comadreja [koma'ðrexa] *nf* belette *f*.
comadreo [koma'ðreo] *nm* commérage *m*.
comadrona [koma'ðrona] *nf* sage-femme *f*.
comandancia [koman'danθja] *nf* (*mando*) commandement *m*; (*edificio*) commandement, commanderie *f*.
comandante [koman'dante] *nm* commandant *m*.
comandar [koman'dar] *vt* commander.
comando [ko'mando] *nm* commando *m*; (*INFORM*) commande *f*; ~ **de búsqueda** (*INFORM*) commande recherche.
comarca [ko'marka] *nf* contrée *f*.
comarcal [komar'kal] *adj* départemental(e).
comba ['komba] *nf* courbure *f*, corde *f*; **saltar a la** ~ sauter à la corde; **no pierde** ~ il n'en perd pas une.
combar [kom'bar] *vt* courber; **combarse** *vpr* se courber.
combate [kom'bate] *nm* combat *m*; **fuera de** ~ hors de combat; (*BOXEO*) knock-out; (*fam*) groggy.
combatiente [komba'tjente] *nm* combattant *m*.
combatir [komba'tir] *vt, vi* combattre; ~ **por** combattre pour.
combatividad [kombatiβi'ðað] *nf* combativité *f*.
combativo, -a [komba'tiβo, a] *adj* combatif(-ive).
combinación [kombina'θjon] *nf* combinaison *f*.

combinado, -a [kombi'naðo, a] *adj*: **plato** ~ assiette *f* garnie ♦ *nm* cocktail *m*.
combinar [kombi'nar] *vt* combiner; (*esfuerzos*) unir.
combustible [kombus'tiβle] *adj*, *nm* combustible *m*.
combustión [kombus'tjon] *nf* combustion *f*.
COMECON *sigla m* = **CAME**.
comedia [ko'meðja] *nf* comédie *f*; **hacer** ~ faire la comédie.
comediante [kome'ðjante] *nm/f* comédien(ne).
comedido, -a [kome'ðiðo, a] *adj* modéró(o).
comedirse [kome'ðirse] *vpr* se modérer.
comedor [kome'ðor] *nm* salle *f* à manger; (*de colegio, hotel*) réfectoire *m*.
comején [kome'jen] (*AM*) *nm* termite *m*, fourmi *f* blanche.
comencé *etc* [komen'θe] *vb V* **comenzar**.
comensal [komen'sal] *nm/f* invité(e), convive *m/f*.
comentar [komen'tar] *vt* commenter; **comentó que ...** il a observé *o* remarqué que ... .
comentario [komen'tarjo] *nm* commentaire *m*; **~s** *nmpl* (*chismes*) commentaires *mpl*; **dar lugar a ~s** donner lieu à des commentaires, prêter à commentaires; ▶ **comentario de texto** commentaire de texte.
comentarista [komenta'rista] *nm/f* commentateur(-trice).
comenzar [komen'θar] *vt*, *vi* commencer; ~ **a/por hacer** commencer à/par faire.
comer [ko'mer] *vt* manger; (*DAMAS, AJEDREZ*) souffler; (*metal, madera*) manger, ronger ♦ *vi* manger; (*almorzar*) manger, déjeuner; **comerse** *vpr* manger; **le come la envidia** l'envie le ronge; **dar de ~ a algn** donner à manger à qn; **está para ~sela** elle est belle à croquer; ~ **el coco a algn** (*fam*) bourrer le crâne à qn; **~se el coco** (*fam*) se faire du mouron.
comercial [komer'θjal] *adj* commercial(e).
comercializar [komerθjali'θar] *vt* commercialiser.
comerciante, -a [komer'θjante, a] *nm/f* commerçant(e); ▶ **comerciante exclusivo** concessionnaire *m/f*.
comerciar [komer'θjar] *vi*: ~ **en** faire le commerce de; ~ **con** avoir des relations commerciales avec; (*pey*) faire commerce de.
comercio [ko'merθjo] *nm* commerce *m*; ▶ **comercio autorizado** commerce autorisé; ▶ **comercio exterior/interior** commerce extérieur/intérieur.
comestible [komes'tiβle] *adj* comestible ♦ *nm*: **~s** aliments *mpl*; **tienda de ~s** épice-

rie *f*, alimentation *f*.
cometa [ko'meta] *nm* comète *f* ♦ *nf* cerf-volant *m*.
cometer [kome'ter] *vt* commettre.
cometido [kome'tiðo] *nm* rôle *m*; (*deber*) devoir *m*.
comezón [kome'θon] *nf* démangeaison *f*.
cómic ['komik] *nm* bande *f* dessinée.
comicios [ko'miθjos] *nmpl* comices *mpl*.
cómico, -a ['komiko, a] *adj* comique ♦ *nm/f* (*de TV, cabaret*) comique *m/f*; (*de teatro*) comédien(ne).
comida [ko'miða] *vb V* **comedirse** ♦ *nf* nourriture *f*; (*almuerzo*) repas *msg*; (*oop AM*) dîner *m*.
comidilla [komi'ðiʎa] *nf*: **ser la ~ del barrio** être sur toutes les lèvres.
comience *etc* [ko'mjenθe] *vb V* **comenzar**.
comienzo [ko'mjenθo] *vb V* **comenzar** ♦ *nm* commencement *m*; **dar ~ a un acto** commencer une cérémonie; ~ **del archivo** (*INFORM*) tête *f* du fichier.
comillas [ko'miʎas] *nfpl* guillemets *mpl*; **entre ~** entre guillemets.
comilón, -ona [komi'lon, ona] (*fam*) *adj* glouton(ne) ♦ *nm/f* goinfre *m*.
comilona [komi'lona] (*fam*) *nf* gueuleton *m*.
comino [ko'mino] *nm* cumin *m*; (**no**) **me importa un ~** je m'en balance.
comisaría [komisa'ria] *nf* (*tb*: ~ **de Policía**) commissariat *m*.
comisario [komi'sarjo] *nm* commissaire *m*.
comisión [komi'sjon] *nf* commission *f*; ▶ **comisión mixta/permanente** commission paritaire/permanente; ▶ **comisiones bancarias** commissions bancaires; ▶ **Comisiones Obreras** (*ESP*) syndicat ouvrier.
comisura [komi'sura] *nf*: ~ **de los labios** commissure *f* des lèvres.
comité [komi'te] (*pl* **~s**) *nm* comité *m*; ~ **de empresa** comité d'entreprise.
comitiva [komi'tiβa] *nf* suite *f*, cortège *m*.
como ['komo] *adv* comme; (*en calidad de*) en ♦ *conj* (*condición*) si; (*causa*) comme; **lo hace ~ yo** il le fait comme moi; **tan grande ~** aussi grand que; **¡tanto ~ eso ...!** pas tant que ça!; **eran ~ diez** ils devaient être 10; **llegó ~ a las cuatro** il est arrivé vers les 4 heures; **sabe ~ a cebolla** ça a comme un goût d'oignon; ~ **testigo** en tant que témoin; ~ **ser** (*AM*: *tal como*) comme; **a ~ dé/diera lugar** (*CAM, MÉX*) à tout prix; ~ **quieras** comme tu voudras; ~ **llueva no salimos** s'il pleut on reste à la maison; ~ **ella no llegaba me fui** comme elle n'arrivait pas, je suis parti; **¡~ no quieras cien pesetas ...!** à moins que tu ne véuilles cent pesetas!;

así fue ~ ocurrió c'est ainsi que ça s'est passé; **es** ~ **para echarse a llorar** ça donne envie de pleurer; **¡**~ **que lo voy a permitir!** et vous croyez que je vais permettre cela?; ~ **si estuviese ciego** comme s'il était aveugle; ~ **si lo viera** comme si je le voyais; ~ **si nada** o **tal cosa** comme si de rien n'était.

cómo ['komo] *adv* comment ♦ *excl* comment! ♦ *nm*: **el** ~ **y el porqué** le pourquoi et le comment; **¿**~ **(ha dicho)?** comment?, vous avez dit?; **¿**~ **está Ud?** comment allez-vous?; **¿**~ **son?** comment sont-ils?; **¿a** ~ **están?** combien coûtent-ils?; **¡**~ **no!** bien sûr!; (*esp AM*: **¡claro!**) pardi!; **¡**~ **corre!** comme il cavale!

cómoda ['komoða] *nf* commode *f*.

cómodamente ['komoðamente] *adv* commodément, à l'aise.

comodidad [komoði'ðað] *nf* confort *m*; (*conveniencia*) avantage *m*; ~**es** *nfpl* aises *fpl*.

comodín [komo'ðin] *nm* (*NAIPES*) joker *m*; (*INFORM*) caractère *m* de remplacement.

cómodo, -a ['komoðo, a] *adj* confortable; (*máquina, herramienta*) pratique; **estar/ponerse/sentirse** ~ être/se mettre/se sentir à l'aise.

comodón, -ona [komo'ðon, ona] *adj* pantouflard(e).

comoquiera [como'kjera] *conj*: ~ **que** étant donné que; ~ **que sea** quoi qu'il en soit.

comp. *abr* (= *compárese*) cf. (= *confer*).

compa ['kompa] (*CAM*: *fam*) *nm/f* copain(copine).

compacto, -a [kom'pakto, a] *adj* compact(e).

compadecer [kompaðe'θer] *vt* plaindre; **compadecerse** *vpr*: ~**se de** se plaindre de.

compadezca *etc* [kompa'ðeθka] *vb* V **compadecer**.

compadre [kom'paðre] *nm* parrain *m*; (*en oración directa*) (mon) vieux; (*esp AM*: *fam*) copain *m*.

compadrear [kompaðre'ar] (*esp AM*) *vi* crâner.

compadreo [kompa'ðreo] (*esp AM*) *nm* camaraderie *f*.

compaginar [kompaxi'nar] *vt*: ~ **algo con algo** concilier une chose avec une autre; **compaginarse** *vpr*: ~**se con** être compatible avec.

compañerismo [kompaɲe'rismo] *nm* amitié *f*, esprit *m* d'équipe.

compañero, -a [kompa'ɲero, a] *nm/f* collègue *m/f*; (*en juego*) partenaire *m/f*; (*en estudios*) camarade *m/f*; (*novio*) compagnon(compagne); ▶ **compañero de clase** camarade de classe; ▶ **compañero**

de equipo coéquipier(-ère); ▶ **compañero de trabajo** collègue de travail.

compañía [kompa'ɲia] *nf* compagnie *f*; **en** ~ **de** en compagnie de; **malas** ~**s** mauvaises fréquentations *fpl*; **hacer** ~ **a algn** tenir compagnie à qn; ▶ **compañía afiliada** filiale *f*; ▶ **compañía concesionaria/inversionista** compagnie concessionnaire/actionnaire; ▶ **compañía (no) cotizable** compagnie (non) cotée en Bourse; ▶ **compañía de seguros** compagnie d'assurance.

comparación [kompara'θjon] *nf* comparaison *f*; **en** ~ **con** par comparaison à.

comparar [kompa'rar] *vt*: ~ **a/con** comparer à/avec.

comparativo, -a [kompara'tiβo, a] *adj* comparatif(-ive).

comparecencia [kompare'θenθja] *nf* (*JUR*) comparution *f*.

comparecer [kompare'θer] *vi* (*tb JUR*) comparaître.

comparezca *etc* [kompa'reθka] *vb* V **comparecer**.

comparsa [kom'parsa] *nm/f* (*TEATRO, CINE*) figurant(e) ♦ *nf* (*de carnaval etc*) mascarade *f*.

compartimento [komparti'mento], **compartimiento** [komparti'mjento] *nm* compartiment *m*; ▶ **compartimento estanco** compartiment étanche.

compartir [kompar'tir] *vt* partager.

compás [kom'pas] *nm* (*MÚS*) rythme *m*; (*para dibujo*) compas *msg*; **al** ~ au même rythme; **llevar el** ~ battre la mesure; ▶ **compás de espera** (*fig*) attente *f*.

compasión [kompa'sjon] *nf* compassion *f*; **sin** ~ sans pitié.

compasivamente [kompa'siβamente] *adv* avec compassion.

compasivo, -a [kompa'siβo, a] *adj* compatissant(e).

compatibilidad [kompatiβili'ðað] *nf* compatibilité *f*.

compatible [kompa'tiβle] *adj*: ~ **(con)** compatible (avec).

compatriota [kompa'trjota] *nm/f* compatriote *m/f*.

compeler [kompe'ler] *vt* forcer.

compendiar [kompen'djar] *vt* résumer.

compendio [kom'pendjo] *nm* abrégé *m*.

compenetración [kompenetra'θjon] *nf* entente *f*.

compenetrarse [kompene'trarse] *vpr* (*personas*) s'entendre sur tout; **estamos muy compenetrados** nous nous entendons à merveille.

compensación [kompensa'θjon] *nf* compensation *f*, dédommagement *m*; (*JUR, COM*) compensation; **en** ~ **en**

compensation, à titre de dédommagement.

compensar [kompen'sar] *vt* (*persona*) compenser; (*contrarrestar*: *pérdidas*) compenser, contrebalancer; (: *peso, balanza*) compenser, équilibrer; (*indemnizar*) dédommager ♦ *vi* (*esfuerzos, trabajo*) récompenser.

competencia [kompe'tenθja] *nf* compétition *f*, concurrence *f*; (*JUR, habilidad*) compétence *f*; ~s *nfpl* (*POL*) compétences *fpl*; la ~ (*COM*) la compétition *o* concurrence; hacer la ~ a faire concurrence à; ser de la ~ de algn être de la compétence de qn.

competente [kompe'tente] *adj* compétent(e).

competer [kompe'ter] *vi*: ~ a (algn) être de la compétence de (qn).

competición [kompeti'θjon] *nf* compétition *f*.

competidor, a [kompeti'ðor, a] *nm/f* concurrent(e), rival(e).

competir [kompe'tir] *vi* concourir; ~ en (*fig*) rivaliser en; ~ por rivaliser pour; (*DEPORTE*) être en compétition pour, concourir pour.

competitivo, -a [kompeti'tiβo, a] *adj* compétitif(-ive).

compilación [kompila'θjon] *nf* compilation *f*.

compilador [kompila'ðor] *nm* compilateur(-trice).

compilar [kompi'lar] *vt* compiler.

compinche [kom'pintʃe] (*fam*) *nm* acolyte *m*.

compita *etc* [kom'pita] *vb V* **competir**.

complacencia [kompla'θenθja] *nf* complaisance *f*.

complacer [kompla'θer] *vt* faire plaisir à; **complacerse** *vpr*: ~se en (hacer) se complaire à (faire).

complaciente [kompla'θjente] *adj* complaisant(e); ser ~ con *o* para con montrer de la complaisance envers.

complazca *etc* [kom'plaθka] *vb V* **complacer**.

complejidad [komplexi'ðað] *nf* complexité *f*.

complejo, -a [kom'plexo, a] *adj* complexe ♦ *nm* (*PSICO*) complexe *m*; ▶ **complejo deportivo** cité *f* des sports; ▶ **complejo industrial** complexe industriel.

complementario, -a [komplemen'tarjo, a] *adj* complémentaire.

complementarse [komplemen'tarse] *vpr* se compléter.

complemento [komple'mento] *nm* complément *m*.

completamente [kom'pletamente] *adv* complètement.

completar [komple'tar] *vt* compléter.

completo, -a [kom'pleto, a] *adj* complet (-ète); (*persona*) accompli(e), parfait(e); (*éxito, fracaso*) total(e) ♦ *nm* salle *f* comble; **al** ~ au complet; **por** ~ complètement; (*CHI: CULIN*) hot-dog *m*.

complexión [komple'ksjon] *nf* constitution *f*.

complicación [komplika'θjon] *nf* complication *f*.

complicado, -a [kompli'kaðo, a] *adj* compliqué(e); **estar** ~ **en** être impliqué(e) dans.

complicar [kompli'kar] *vt* compliquer; **complicarse** *vpr* se compliquer; ~ a algn en impliquer qn dans; ~se la vida (con) se compliquer la vie *o* l'existence (avec).

cómplice ['kompliθe] *nm/f* complice *m/f*.

complicidad [kompliθi'ðað] *nf* complicité *f*.

complique *etc* [kom'plike] *vb V* **complicar**.

complot [kom'plo(t)] (*pl* ~**s**) *nm* complot *m*.

compondré *etc* [kompon'dre] *vb V* **componer**.

componenda [kompo'nenda] *nf* solution *f* de compromis; (*pey*) combine *f*.

componente [kompo'nente] *adj* composant(e) ♦ *nm* composant *m*.

componer [kompo'ner] *vt* (*tb MÚS, LIT*) composer; (*algo roto*) réparer; **componerse** *vpr* (*MÉX*) se remettre; ~**se de** se composer de; **componérselas para hacer algo** s'arranger pour faire qch.

componga *etc* [kom'ponga] *vb V* **componer**.

comportamiento [komporta'mjento] *nm* comportement *m*.

comportar [kompor'tar] *vt* comporter; **comportarse** *vpr* se comporter.

composición [komposi'θjon] *nf* composition *f*.

compositor, a [komposi'tor, a] *nm/f* (*MÚS*) compositeur(-trice).

compostelano, -a [komposte'lano, a] *adj* de Saint-Jacques de Compostelle.

compostura [kompos'tura] *nf* tenue *f*, maintien *m*; **perder la** ~ perdre contenance.

compota [kom'pota] *nf* (*CULIN*) compote *f*.

compra ['kompra] *nf* achat *m*; **hacer/ir de la** ~ faire/aller faire les courses; **ir de** ~**s** faire les magasins; ~ **a granel** (*COM*) achat en vrac; ~ **proteccionista** (*COM*) achat de soutien; ▶ **compra a plazos** achat à crédit.

comprador, a [kompra'ðor, a] *nm/f* acheteur(-euse).

comprar [kom'prar] *vt* acheter; **comprar-**

se _vpr_ s'acheter.

compraventa [kompra'ßenta] _nf_ (_negocio_) commerce _m_; (**contrato de**) ~ contrat _m_ d'achat et de vente.

comprender [kompren'der] _vt_ comprendre; **hacerse** ~ se faire comprendre.

comprensible [kompren'sißle] _adj_ compréhensible.

comprensión [kompren'sjon] _nf_ compréhension _f_.

comprensivo, -a [kompren'sißo, a] _adj_ compréhensif(-ive).

compresa [kom'presa] _nf_ (_tb_: ~ **higiénica**) serviette _f_ hygiénique; (_MED_) compresse _f_.

compresión [kompre'sjon] _nf_ compression _f_.

comprimido, -a [kompri'miðo, a] _adj_ comprimé(e) ♦ _nm_ (_MED_) comprimé _m_, cachet _m_.

comprimir [kompri'mir] _vt_ comprimer; (_INFORM_) compresser, comprimer.

comprobación [komproßa'θjon] _nf_ vérification _f_.

comprobante [kompro'ßante] _nm_ (_COM_) reçu _m_, récépissé _m_; (_JUR_) pièce _f_ justificative _o_ à l'appui.

comprobar [kompro'ßar] _vt_ vérifier; (_INFORM_) vérifier, contrôler.

comprometedor, a [komprometе'ðor, a] _adj_ compromettant(e).

comprometer [komprome'ter] _vt_ compromettre; **comprometerse** _vpr_ se compromettre; ~ **a algn a hacer** mettre qn dans l'obligation de faire; **~se a hacer** s'engager à faire.

comprometido, -a [komprome'tiðo, a] _adj_ compromettant(e); (_escritor etc_) engagé(e).

compromiso [kompro'miso] _nm_ (_acuerdo_) compromis _msg_; (_obligación_) engagement _m_; (_situación difícil_) embarras _msg_; **libre de** ~ (_COM_) sans engagement; **poner a algn en un** ~ mettre qn dans l'embarras.

comprueba _etc_ [kom'prweßa] _vb_ V **comprobar**.

compuerta [kom'pwerta] _nf_ (_en canal_) vanne _f_; (_INFORM_) porte _f_.

compuesto, -a [kom'pwesto, a] _pp de_ **componer** ♦ _adj_ composé(e) ♦ _nm_ composé _m_; ~ **de** composé(e) de.

compulsar [kompul'sar] _vt_ faire certifier conforme; **una fotocopia compulsada** une copie certifiée conforme.

compulsivo, -a [kompul'sißo, a] _adj_ compulsif(-ive).

compungido, -a [kompun'xido, a] _adj_ contrit(e).

compuse _etc_ [kom'puse] _vb_ V **componer**.

computador [komputa'ðor] _nm_, **computa-**

dora [komputa'ðora] _nf_ ordinateur _m_; ~ **central** ordinateur central; ~ **especializado** ordinateur spécialisé.

computar [kompu'tar] _vt_ calculer.

cómputo ['komputo] _nm_ calcul _m_.

comulgar [komul'ɣar] _vi_ (_REL_) communier; ~ **con** (_con ideas, valores_) partager.

comulgue _etc_ [ko'mulɣe] _vb_ V **comulgar**.

común [ko'mun] _adj_ commun(e) ♦ _nm_: **el** ~ **de las gentes** le commun des mortels; **por lo** ~ généralement; **en** ~ en commun; **hacer/poner algo en** ~ faire/mettre qch en commun.

comuna [ko'muna] _nf_ commune _f_.

comunal [komu'nal] _adj_ communal(e).

comunicación [komunika'θjon] _nf_ communication _f_; **comunicaciones** _nfpl_ (_transportes, TELEC_) communications _fpl_; **vía de** ~ voie _f_ de communication.

comunicado [komuni'kaðo] _nm_ communiqué _m_; ▶**comunicado de prensa** communiqué de presse.

comunicar [komuni'kar] _vt_ communiquer ♦ _vi_ (_teléfono_) être occupé; **comunicarse** _vpr_ communiquer; ~ **con** communiquer avec; **está comunicando** (_TELEC_) c'est occupé.

comunicativo, -a [komunika'tißo, a] _adj_ communicatif(-ive).

comunidad [komuni'ðað] _nf_ communauté _f_; **en** ~ en communauté; ▶**comunidad autónoma** (_POL_) communauté autonome; ▶**comunidad de vecinos** copropriétaires _mpl_, association _f_ de copropriétaires; ▶**Comunidad (Económica) Europea** Communauté (économique) européenne.

comunión [komu'njon] _nf_ communion _f_; **primera** ~ première communion.

comunique _etc_ [komu'nike] _vb_ V **comunicar**.

comunismo [komu'nismo] _nm_ communisme _m_.

comunista [komu'nista] _adj, nm/f_ communiste _m/f_.

comunitario, -a [komuni'tarjo, a] _adj_ communautaire.

═══════════════ _PALABRA CLAVE_

con [kon] _prep_ **1** (_medio, compañía, modo_) avec; **comer con cuchara** manger avec une cuillère; **café con leche** café au lait; **con habilidad** avec habileté; **pasear con algn** se promener avec qn

2 (_actitud, situación_): **piensa con los ojos cerrados** il pense les yeux fermés; **estoy con un catarro** j'ai un rhume

3 (_contenido_): **una libreta con direcciones** un carnet d'adresses; **una maleta con ropa** une valise contenant des

vêtements
4 (*a pesar de*): **con todo, merece nuestros respetos** malgré tout, il mérite notre respect
5 (*relación, trato*): **es muy bueno (para) con los niños** il sait s'y prendre avec les enfants
6 (+ *infin*): **con llegar tan tarde se quedó sin comer** comme il est arrivé très tard, il n'a pas pu manger; **con estudiar un poco apruebas** en étudiant un peu tu y arriveras
7 (*queja*) ¡**con las ganas que tenía de hacerlo!** moi qui avais tellement envie de le faire!
♦ *conj* **1**: **con que: será suficiente con que le escribas** il suffit que tu lui écrives
2: **con tal (de) que** du moment que.

conato [ko'nato] *nm* tentative *f*; (*de incendio*) début *m*.
concavidad [konkaβi'ðað] *nf* concavité *f*.
cóncavo, -a ['konkaβo, a] *adj* concave.
concebir [konθe'βir] *vt, vi* concevoir; ¡**no lo concibo!** je n'arrive pas à le comprendre!
conceder [konθe'ðer] *vt* accorder; (*premio*) décerner.
concejal, -a [konθe'xal, a] *nm/f* conseiller *m* municipal.
concejo [kon'θexo] *nm* (*ayuntamiento*) conseil *m* municipal.
concentración [konθentra'θjon] *nf* concentration *f*.
concentrado, -a [konθen'traðo, a] *adj* concentré(o); (*gente*) rassemblé(o) ♦ *nm* concentré *m*.
concentrar [konθen'trar] *vt* concentrer; (*personas*) rassembler; **concentrarse** *vpr* se concentrer; **~se (en)** se concentrer (sur).
concéntrico, -a [kon'θentriko, a] *adj* concentrique.
concepción [konθep'θjon] *nf* conception *f*.
concepto [kon'θepto] *nm* (*idea*) concept *m*; **en ~ de** (*COM*) à *o* au titre de; **tener buen/mal ~ de algn** avoir bonne/ mauvaise opinion de qn; **bajo ningún ~** en aucun cas.
conceptuar [konθep'twar] *vt* estimer, juger.
concernir [konθer'nir] *vi* concerner; **en lo que concierne a** en ce qui concerne.
concertar [konθer'tar] *vt* (*precio*) se mettre d'accord sur; (*entrevista*) fixer; (*tratado, paz*) conclure; (*esfuerzos*) associer; (*MÚS*) accorder ♦ *vi* (*MÚS*) être en harmonie; (*concordar*): **~ con** concorder avec.
concertina [konθer'tina] *nf* concertino.

concertista [konθer'tista] *nm/f* concertiste *m/f*.
concesión [konθe'sjon] *nf* (*COM: adjudicación*) concession *f*; **hacer concesiones** faire des concessions; **sin concesiones** sans concessions.
concesionario, -a [konθesjo'narjo, a] *nm/f* (*COM*) concessionnaire *m/f*.
concha ['kontʃa] *nf* (*de molusco*) coquille *f*; (*de tortuga*) carapace *f*; (*AM: fam!: coño*) moule *f* (*fam!*).
conchabarse [kontʃa'βarse] *vpr* conspirer, comploter.
conchudo, -a [kon'tʃuðo, a] (*CSUR: fam!*) *nm/f* connard(-asse) (*fam!*).
conciencia [kon'θjenθja] *nf* conscience *f*; **libertad de ~** liberté *f* de conscience; **hacer algo a ~** faire qch consciencieusement; **tener/tomar ~ de** avoir/prendre conscience de; **tener la ~ limpia** *o* **tranquila** avoir la conscience tranquille; **tener plena ~ de** avoir pleine conscience de.
concienciar [konθjen'θjar] *vt* faire prendre conscience à; **concienciarse** *vpr* prendre conscience.
concienzudo, -a [konθjen'θuðo, a] *adj* consciencieux(-euse).
concierne *etc* [kon'θjerne] *vb V* **concernir**.
concierto [kon'θjerto] *nm* (*MÚS: acto*) concert *m*; (*: obra*) concerto; (*convenio*) accord *m*.
conciliación [konθilja'θjon] *nf* conciliation *f*.
conciliar [konθi'ljar] *vt* concilier ♦ *adj* (*REL*) conciliaire; **~ el sueño** trouver le sommeil.
concilio [kon'θiljo] *nm* concile *m*.
concisión [konθi'sjon] *nf* concision *f*.
conciso, -a [kon'θiso, a] *adj* concis(e).
conciudadano, -a [konθjuða'ðano, a] *nm/f* concitoyen(ne).
concluir [konklu'ir] *vt* conclure ♦ *vi* (se) terminer; **concluirse** *vpr* prendre fin, se terminer; **todo ha concluido** c'est terminé.
conclusión [konklu'sjon] *nf* conclusion *f*; **llegar a la ~ de que ...** en arriver à la conclusion que ... .
concluya *etc* [kon'kluja] *vb V* **concluir**.
concluyente [konklu'jente] *adj* concluant(e).
concordancia [konkor'ðanθja] *nf* concordance *f*; (*LING, MÚS*) accord *m*.
concordar [konkor'ðar] *vi*: **~ (con)** concorder (avec).
concordia [kon'korðja] *nf* concorde *f*.
concretamente [kon'kretamente] *adv* concrètement; (*específicamente*) en particulier.
concretar [konkre'tar] *vt* concrétiser; (*fe-*

cha, día) fixer; **concretarse** *vpr*: ~**se a** (**hacer**) s'en tenir à (faire).

concreto, -a [kon'kreto, a] *adj* concret (-ète); (*determinado*) précis(e) ♦ *nm* (*AM*: *hormigón*) béton *m*; **en** ~ en somme; (*específicamente*) en particulier; **un día** ~ un jour précis; **no hay nada en** ~ il n'y a rien de concret.

concubina [konku'ßina] *nf* concubine *f*.

concuerde *etc* [kon'kwerðe] *vb* V **concordar**.

concupiscencia [konkupis'θenθja] *nf* concupiscence *f*.

concurrencia [konku'rrenθja] *nf* assistance *f*; (*de sucesos, factores*) concours *m*.

concurrido, -a [konku'rriðo, a] *adj* fréquenté(e).

concurrir [konku'rrir] *vi* (*sucesos*) coïncider; (*factores*) concourir; (*ríos*) confluer; (*avenidas*) converger; (*público*) assister.

concursante [konkur'sante] *nm/f* concurrent(e); (*para proyecto, trabajo*) candidat(e).

concursar [konkur'sar] *vi* concourir; (*TV, RADIO*) participer; (*para proyecto*) être candidat.

concurso [kon'kurso] *nm* concours *m*.

condado [kon'daðo] *nm* comté *m*.

condal [kon'dal] *adj* V **ciudad**.

conde ['konde] *nm* comte *m*.

condecoración [kondekora'θjon] *nf* décoration *f*.

condecorar [kondeko'rar] *vt* décorer.

condena [kon'dena] *nf* condamnation *f*; **cumplir una** ~ purger une peine.

condenado, -a [konde'naðo, a] *adj* (*JUR*) condamné(e); (*fam*) maudit(e), satané(e) ♦ *nm/f* (*JUR*) condamné(e).

condenar [konde'nar] *vt* condamner; **condenarse** *vpr* (*JUR*) se reconnaître coupable; (*REL*) se damner; ~ (**a**) condamner (à); ~ **a algn a hacer** condamner qn à faire qch.

condensador [kondensa'ðor] *nm* condensateur *m*.

condensar [konden'sar] *vt* condenser; **condensarse** *vpr* se condenser.

condesa [kon'desa] *nf* comtesse *f*.

condescendencia [kondesθen'denθja] *nf* condescendance *f*; **aceptar algo por** ~ accepter qch par déférence.

condescender [kondesθen'der] *vi*: ~ (**a hacer**) condescendre (à faire).

condescienda *etc* [kondes'θjenda] *vb* V **condescender**.

condición [kondi'θjon] *nf* condition *f*; (*modo de ser*) caractère *m*; (*estado*) état *m*; **condiciones** *nfpl* capacités *fpl*, aptitudes *fpl*; **a** ~ **de que** ... à condition que ...; **no**

estar en condiciones de hacer ne pas être en état de faire; **las condiciones del contrato** les conditions du contrat; ▸ **condiciones de trabajo/venta/vida** conditions de travail/vente/vie.

condicional [kondiθjo'nal] *adj* conditionnel(le); *V* **libertad**.

condicionamiento [kondiθjona'mjento] *nm* conditionnement *m*.

condicionar [kondiθjo'nar] *vt* conditionner; **estar condicionado a** dépendre de.

condimento [kondi'mento] *nm* condiment *m*.

condiscípulo, -a [kondis'θipulo, a] *nm/f* condisciple *m/f*.

condolencia [kondo'lenθja] *nf* condoléances *fpl*.

condolerse [kondo'lerse] *vpr* compatir.

condominio [kondo'minjo] *nm* (*AM*: *apartamento*) appartement *m*; (*COM*) condominium *f*.

condón [kon'don] *nm* préservatif *m*.

condonar [kondo'nar] *vt* remettre.

cóndor ['kondor] *nm* condor *m*.

conducción [konduk'θjon] *nf* conduite *f*.

conducente [kondu'θente] *adj*: ~ **a** conduisant à.

conducir [kondu'θir] *vt* conduire; (*suj: camino, escalera, negocio*) conduire, mener; ♦ *vi* conduire; **conducirse** *vpr* se conduire; **esto no conduce a nada/ninguna parte** cela ne mène à rien/nulle part.

conducta [kon'dukta] *nf* conduite *f*.

conducto [kon'dukto] *nm* conduit *m*; **por** ~ **oficial** par voie officielle.

conductor, a [konduk'tor, a] *adj* (*FÍS, ELEC*) conducteur(-trice) ♦ *nm* conducteur *m* ♦ *nm/f* conducteur(-trice).

conduela *etc* [kon'dwela] *vb* V **condolerse**.

conduje *etc* [kon'duxe] *vb* V **conducir**.

conduzca *etc* [kon'duθka] *vb* V **conducir**.

conectado, -a [konek'taðo, a] *adj* connecté(e).

conectar [konek'tar] *vt* relier; (*tubos*) raccorder; (*TELEC*) brancher; (*enchufar*) connecter, brancher; (*INFORM*) connecter ♦ *vi*: ~ (**con**) (*TV, RADIO*) donner l'antenne (à); (*fam: personas*) être sur la même longueur d'ondes que.

conejillo [kone'xiʎo] *nm*: ~ **de Indias** cochon *m* d'Inde; (*fig*) cobaye *m*.

conejo [ko'nexo] *nm* lapin *m*.

conexión [konek'sjon] *nf* connexion *f*; **conexiones** *nfpl* (*amistades*) contacts *mpl*.

confabular [konfaßu'lar] *vi* comploter; **confabularse** *vpr*: ~**se (para hacer algo)** conspirer (pour faire qch).

confección [konfek'θjon] *nf* confection *f*; **ropa de** ~ prêt-à-porter *m*; ~ **de caballero/señora** prêt-à-porter pour hommes/femmes.

confeccionar [konfe(k)θjo'nar] *vt* confectionner.

confederación [konfeðera'θjon] *nf* confédération *f*.

conferencia [konfe'renθja] *nf* conférence *f*; (*TELEC*) communication *f* interurbaine; ▶ **conferencia a cobro revertido** (*TELEC*) appel *m* en PCV; ▶ **conferencia de prensa** conférence de presse.

conferenciante [konferen'θjante] *nm/f* conférencier(-ière).

conferir [konfe'rir] *vt* conférer; (*fig*) conférer.

confesar [konfe'sar] *vt* confesser, avouer ♦ *vi* (*REL*) confesser; (*JUR*) avouer; **confesarse** *vpr* se confesser; **he de ~ que** je dois avouer que.

confesión [konfe'sjon] *nf* confession *f*, aveu *m*; (*REL*) confession.

confesional [konfesjo'nal] *adj* confessionnel(le).

confesionario [konfesjo'narjo] *nm* (*REL*) confessionnal *m*.

confeso, -a [kon'feso, a] *adj* (*JUR*): **un reo ~** un prisonnier qui est passé aux aveux.

confesor [konfe'sor] *nm* confesseur *m*.

confeti [kon'feti] *nm* confetti *m*.

confiadamente [kon'fiaðamente] *adv* avec confiance.

confiado, -a [kon'fiaðo, a] *adj* confiant(e); **está ~ en que aprobará** il est confiant de son succès.

confianza [kon'fjanθa] *nf* confiance *f*; (*familiaridad*) familiarité *f*; **de ~** (*persona*) de confiance; (*alimento*) de qualité; **en ~** en (toute) confiance; **margen de ~** marge *f* de confiance; **tener ~ con algn** être intime avec qn; **tomarse ~s con algn** (*pey*) se permettre des familiarités avec qn; **hablar con ~** parler en toute confiance.

confiar [kon'fjar] *vt* confier ♦ *vi* avoir confiance; **confiarse** *vpr* être confiant(e); **~ en** avoir confiance en; **~ en hacer/que** compter faire/que.

confidencia [konfi'ðenθja] *nf* confidence *f*.

confidencial [konfiðen'θjal] *adj* confidentiel(le); "**~**" (*en sobre*) "confidentiel".

confidencialmente [konfiðen'θjalmente] *adv* confidentiellement.

confidente [konfi'ðente] *nm/f* (*amigo*) confident(e); (*policía*) informateur(-trice), indicateur(-trice).

confiera *etc* [kon'fjera] *vb V* **conferir**.

confiese *etc* [kon'fjese] *vb V* **confesar**.

configuración [konfiɣura'θjon] *nf* configuration *f*; **la ~ del terreno** la configuration du terrain.

configurar [konfiɣu'rar] *vt* façonner.

confín [kon'fin] *nm*: **el ~ del mundo** le bout du monde; **confines** *nmpl* (*límites*): **en los confines de** aux confins de.

confinar [konfi'nar] *vt* (*desterrar*) confiner.

confiriendo *etc* [konfi'rjendo] *vb V* **conferir**.

confirmación [konfirma'θjon] *nf* confirmation *f*.

confirmar [konfir'mar] *vt* confirmer; **confirmarse** *vpr* se confirmer; (*REL*) faire sa confirmation; **la excepción confirma la regla** l'exception confirme la règle.

confiscar [konfis'kar] *vt* confisquer.

confisque *etc* [kon'fiske] *vb V* **confiscar**.

confitado, -a [konfi'taðo, a] *adj* confit(e).

confite [kon'fite] *nm* confiserie *f*.

confitería [konfite'ria] *nf* (*tienda*) confiserie *f*; (*CSUR: café*) café *m*.

confitura [konfi'tura] *nf* confiture *f*.

conflagración [konflaɣra'θjon] *nf* conflagration *f*.

conflictivo, -a [konflik'tiβo, a] *adj* conflictuel(le); (*situación*) conflictuel(le); (*época*) de conflit.

conflicto [kon'flikto] *nm* conflit *m*; (*fig: problema*) problème *m*; **estar en un ~** être dans l'embarras; **~ laboral** conflit social *o* du travail.

confluencia [kon'flwenθja] *nf* confluence *f*.

confluir [konflu'ir] *vi* (*ríos, personas*) confluer; (*carreteras*) se rejoindre.

confluya *etc* [kon'fluja] *vb V* **confluir**.

conformar [konfor'mar] *vt* (*carácter, paisaje*) façonner; (*persona*) contenter, satisfaire ♦ *vi*: **~ con** être conforme à; **conformarse** *vpr*: **~se con** se contenter de; (*resignarse*) se résigner à; **~ algo a** *o* **con** adapter qch à; **~se con hacer** se contenter de faire.

conforme [kon'forme] *adj* conforme; (*de acuerdo*) d'accord; (*satisfecho*) content(e), satisfait(e) ♦ *conj* (*tal como*) tel que, comme; (*a medida que*) à mesure que ♦ *excl* d'accord ♦ *prep*: **~ a** conformément à; **~ con** content(e) *o* satisfait(e) de.

conformidad [konformi'ðað] *nf* conformité *f*; (*aprobación*) accord *m*, approbation *f*; (*resignación*) résignation *f*; **en ~ con** conformément à; **dar su ~** donner son accord.

conformismo [konfor'mismo] *nm* conformisme *m*.

conformista [konfor'mista] *adj, nm/f* conformiste *m/f*.

confort [kon'for] (*pl* **~s**) *nm* confort *m*.

confortable [konfor'taβle] *adj* confortable.

confortablemente [konfor'taβlemente] *adv* confortablement.

confortar [konfor'tar] *vt* réconforter.

confraternidad [konfraterni'ðað] *nf* confraternité *f*; **espíritu de** ~ esprit *m* confraternel.

confraternizar [konfraterni'θar] *vi* fraterniser.

confrontación [konfronta'θjon] *nf* (*enfrentamiento*) confrontation *f*.

confrontar [konfron'tar] *vt* confronter; (*situación, peligro*) affronter; **confrontarse** *vpr* s'affronter; ~**se con** affronter.

confundir [konfun'dir] *vt* confondre; (*persona: embrollar*) embrouiller; (: *desconcertar*) confondre; **confundirse** *vpr* (*equivocarse*) se tromper; (*hacerse borroso*) se confonde; (*turbarse*) être confondu(e); (*mezclarse*) se confonde; ~ **algo/algn con** confondre qch/qn avec; ~**se de** se tromper de.

confusión [konfu'sjon] *nf* confusion *f*.

confuso, -a [kon'fuso, a] *adj* confus(e).

congelación [konxela'θjon] *nf* congélation *f*; ~ **de créditos** gel *m* des crédits.

congelado, -a [konxe'laðo, a] *adj* (*carne, pescado*) congelé(e) ♦ *nmpl*: ~**s** (*CULIN*) surgelés *mpl*.

congelador [konxela'ðor] *nm* congélateur *m*.

congelar [konxe'lar] *vt* congeler; (*COM, FIN*) geler; **congelarse** *vpr* se congeler; (*fam: persona*) se geler; (*sangre, grasa*) se figer.

congénere [kon'xenere] *nm/f* (*persona*) congénère *m/f*.

congeniar [konxe'njar] *vi*: ~ (**con**) s'entendre (avec).

congénito, -a [kon'xenito, a] *adj* congénital(e).

congestión [konxes'tjon] *nf* (*de tráfico*) encombrement *m*; (*MED*) congestion *f*.

congestionado, -a [konxestjo'naðo, a] *adj* congestionné(e); (*tráfico, carretera*) encombré(e).

congestionar [konxestjo'nar] *vt* congestionner; **congestionarse** *vpr* se congestionner.

conglomerado [konglome'raðo] *nm* (*CONSTR, TEC*) aggloméré *m*; (*de factores, intereses*) conglomérat *m*.

Congo ['kongo] *nm* Congo *m*.

congoja [kon'goxa] *nm* chagrin *m*.

congraciarse [kongra'θjarse] *vpr*: ~ **con** s'attirer les bonnes grâces de.

congratular [kongratu'lar] *vt* féliciter; **congratularse** *vpr*: ~**se de** *o* **por** se féliciter de.

congregación [kongreɣa'θjon] *nf* congrégation *f*.

congregar [kongre'ɣar] *vt* réunir, rassembler; **congregarse** *vpr* se réunir, se rassembler.

congregue *etc* [kon'greɣe] *vb V* **congregar**.

congresista [kongre'sista] *nm/f* congressiste *m/f*.

congreso [kon'greso] *nm* congrès *m*; ▶ **Congreso de los Diputados** (*ESP: POL*) ≈ Assemblée nationale.

congrio ['kongrjo] *nm* congre *m*.

congruente [kon'grwente] *adj*: ~ (**con**) en accord (avec).

cónico, -a ['koniko, a] *adj* conique.

conífera [ko'nifera] *nf* conifère *m*.

conjetura [konxe'tura] *nf* conjecture *f*; **sólo podemos hacer** ~**s** nous en sommes réduits aux conjectures.

conjeturar [konxetu'rar] *vt* conjecturer.

conjugación [konxuɣa'θjon] *nf* conjugaison *f*.

conjugar [konxu'ɣar] *vt* conjuguer.

conjugue *etc* [kon'xuɣe] *vb V* **conjugar**.

conjunción [konxun'θjon] *nf* (*LING*) conjonction *f*; (*de esfuerzos, cualidades*) conjugaison *f*.

conjuntamente [kon'xuntamente] *adv* ensemble, conjointement.

conjuntivitis [konxunti'βitis] *nf* conjonctivite *f*.

conjunto, -a [kon'xunto, a] *adj* commun(e) ♦ *nm* ensemble *m*; (*de circunstancias*) concours *msg*; (*de música pop*) groupe *m*; **de** ~ (*visión, estudio*) d'ensemble; **en** ~ dans l'ensemble.

conjura [kon'xura], **conjuración** [konxura'θjon] *nf* conjuration *f*.

conjurar [konxu'rar] *vt, vi* conjurer; **conjurarse** *vpr* se conjurer.

conjuro [kon'xuro] *nm* conjuration *f*.

conllevar [konʎe'βar] *vt* supporter; (*riesgo, problema*) comporter.

conmemoración [konmemora'θjon] *nf* commémoration *f*.

conmemorar [konmemo'rar] *vt* commémorer.

conmigo [kon'miɣo] *pron* avec moi.

conminar [konmi'nar] *vt* sommer; ~ **a algn a hacer** sommer qn de faire.

conmiseración [konmisera'θjon] *nf* commisération *f*.

conmoción [konmo'θjon] *nf* commotion *f*; (*en sociedad, costumbres*) bouleversement *m*; ~ **cerebral** (*MED*) commotion cérébrale.

conmovedor, a [konmoβe'ðor, a] *adj* émouvant(e).

conmover [konmo'βer] *vt* émouvoir; (*suj: terremoto, estrépito*) ébranler; **conmoverse** *vpr* s'émouvoir.

conmueva *etc* [kon'mweβa] *vb V* **conmover**.

conmutación [konmuta'θjon] *nf* (*INFORM*) commutation *f*; ▶ **conmutación de mensajes/por paquetes** commutation

de messages/par paquets.
conmutador [konmuta'ðor] *nm* (*AM*: *TELEC*) central *m* téléphonique.
conmutar [konmu'tar] *vt* commuer.
connivencia [konni'ßenθja] *nf*: estar en ~ con être de connivence avec.
connotación [konnota'θjon] *nf* connotation *f*.
cono ['kono] *nm* (*GEOM*) cône *m*; ► **Cono Sur** (*GEO*) Chili, Argentine, Uruguay.
conocedor, -a [konoθe'ðor, a] *adj*, *nm/f* connaisseur(-euse).
conocer [kono'θer] *vt* connaître; (*reconocer*) reconnaître; **conocerse** *vpr* se connaître; **dar a ~** faire connaître *o* savoir; **darse a ~** se faire connaître; **se conoce que** ... il semble *o* paraît que ... .
conocido, -a [kono'θiðo, a] *adj* connu(e) ♦ *nm/f* (*persona*) connaissance *f*.
conocimiento [konoθi'mjento] *nm* connaissance *f*; (*de la madurez*) jugeote *f*; (*NÁUT*: *tb*: ~ **de embarque**) connaissement *m*; **~s** *nmpl* (*saber*) connaissances *fpl*; **hablar con ~ de causa** parler en connaissance de cause; **perder/recobrar el ~** perdre/reprendre connaissance; **poner en ~ de algn** faire savoir à qn; **tener ~ de** avoir connaissance de; ► **conocimiento (de embarque) aéreo** (*COM*) lettre *f* de transport aérien.
conozca *etc* [ko'noθka] *vb* V **conocer.**
conque ['konke] *conj* ainsi donc, alors.
conquista [kon'kista] *nf* conquête *f*.
conquistador, a [konkista'ðor, a] *adj*, *nm/f* conquérant(e) ♦ *nm* (*de América*) conquistador *m*; (*seductor*) séducteur *m*.
conquistar [konkis'tar] *vt* conquérir; (*puesto*) obtenir; (*simpatía, fama*) conquérir; (*enamorar*) conquérir, faire la conquête de.
consabido, -a [konsa'ßiðo, a] *adj* bien connu(e); **las consabidas excusas** (*pey*) les excuses habituelles.
consagrado, -a [konsa'ɣraðo, a] *adj* (*REL*, *escritor*) consacré(e).
consagrar [konsa'ɣrar] *vt* consacrer; **consagrarse** *vpr*: **~se a** se consacrer à; **~ como** (*acreditar*) sacrer; **~se como** se confirmer comme.
consanguíneo, -a [konsan'gineo, a] *adj* consanguin(e).
consciente [kons'θjente] *adj* conscient(e); **estar ~** être conscient(e); **ser ~ de** être conscient(e) de.
conscientemente [kons'θjentemente] *adv* consciemment.
conscripto [kons'kripto] *nm* (*ARG*) recrue *f*.
consecución [konseku'θjon] *nf* obtention *f*.
consecuencia [konse'kwenθja] *nf* consé-

quence *f*; **a ~ de** par suite de; **en ~** en conséquence.
consecuente [konse'kwente] *adj*: **~ (con)** conséquent(e) (avec).
consecutivo, -a [konseku'tißo, a] *adj* consécutif(-ive).
conseguido, -a [konse'ɣiðo, a] *adj* réussi(e).
conseguir [konse'ɣir] *vt* obtenir; (*sus fines*) parvenir à; **~ hacer** arriver à faire.
consejería [konsexe'ria] *nf* (*POL*) ministère *dans une communauté autonome*.
consejero, -a [konse'xero, a] *nm/f* (*persona*) conseiller(-ère); (*POL*) *ministre dans une communauté autonome*.
consejo [kon'sexo] *nm* conseil *m*; **dar un ~** donner un conseil; ► **consejo de administración** (*COM*) conseil d'administration; ► **Consejo de Europa** Conseil de l'Europe; ► **consejo de guerra/de ministros** conseil de guerre/des ministres.
consenso [kon'senso] *nm* consensus *m*.
consentido, -a [konsen'tiðo, a] *adj* gâté(e).
consentimiento [konsenti'mjento] *nm* consentement *m*; **dar su ~** donner son consentement.
consentir [konsen'tir] *vt* consentir; (*mimar*) gâter ♦ *vi*: **~ en hacer** consentir à faire; **~ a algn hacer algo/que algn haga algo** permettre à qn de faire qch/que qn fasse qch.
conserje [kon'serxe] *nm* concierge *m*.
conserva [kon'serßa] *nf* conserve *f*; **~s** *nfpl* conserves *fpl*; **en ~** en conserve.
conservación [konserßa'θjon] *nf* (*de paisaje, naturaleza*) conservation *f*; (*de especie*) protection *f*.
conservador, a [konserßa'ðor, a] *adj*, *nm/f* conservateur(-trice).
conservadurismo [konserßaðu'rismo] *nm* (*POL etc*) conservatisme *m*.
conservante [konser'ßante] *nm* conservateur *m*.
conservar [konser'ßar] *vt* (*gen*) conserver; (*costumbre, figura*) garder; **conservarse** *vpr*: **~se bien** (*comida etc*) bien se conserver; **~se joven** être bien conservé.
conservatorio [konserßa'torjo] *nm* (*MÚS*) conservatoire *m*; (*AM*) serre *f*.
conservero, -a [konser'ßero, a] *adj* (*industria*) de la conserve.
considerable [konsiðe'raßle] *adj* (*importante*) important(e); (*grande*) considérable.
consideración [konsiðera'θjon] *nf* considération *f*; **de ~** (*herida, daño*) grave; **tomar en ~** prendre en considération; **¡qué falta de ~!** quel manque de considération!; **de mi/nuestra (mayor) ~** (*AM*: *ADMIN*) Madame, Monsieur,
considerado, -a [konsiðe'raðo, a] *adj*

(*atento*) attentionné(e); (*respetado*) respecté(e); **estar bien/mal** ~ être bien/mal vu(e).

considerar [konsiðe'rar] *vt* considérer.

consienta *etc* [kon'sjenta] *vb V* **consentir**.

consigna [kon'siɣna] *nf* consigne *f*.

consignación [konsiɣna'θjon] *nf* (*COM*) consignation *f*; ~ **de créditos** allocation *f* de crédits.

consignar [konsiɣ'nar] *vt* (*COM*) consigner; (*créditos*) allouer.

consignatario, -a [konsiɣna'tarjo, a] *nm/f* (*COM*) consignataire *m/f*.

consigo [kon'siɣo] *vb V* **conseguir** ♦ *pron* (*m*) avec lui; (*f*) avec elle; (*usted(es)*) avec vous; ~ **mismo** avec soi-même.

consiguiendo *etc* [konsi'ɣjendo] *vb V* **conseguir**.

consiguiente [konsi'ɣjente] *adj*: **el** ~ **susto/nerviosismo** la peur/nervosité qui en résulte; **por** ~ par conséquent.

consintiendo *etc* [konsin'tjendo] *vb V* **consentir**.

consistencia [konsis'tenθja] *nf* consistance *f*; (*de teoría*) solidité *f*.

consistente [konsis'tente] *adj* consistant(e); (*material, pared, teoría*) solide; ~ **en** qui consiste en.

consistir [konsis'tir] *vi*: ~ **en** consister en.

consola [kon'sola] *nf* console *f*; ~ **de mando** (*INFORM*) console; ~ **de visualización** console de visualisation.

consolación [konsola'θjon] *nf V* **premio**.

consolar [konso'lar] *vt* consoler; **consolarse** *vpr*: ~**se (con)** se consoler (avec); ~**se haciendo** se consoler en faisant.

consolidar [konsoli'ðar] *vt* consolider.

consomé [konso'me] (*pl* ~**s**) *nm* (*CULIN*) consommé *m*.

consonancia [konso'nanθja] *nf* harmonie *f*; **en** ~ **con** en accord avec.

consonante [konso'nante] *nf* consonne *f* ♦ *adj* consonantique.

consorcio [kon'sorθjo] *nm* (*COM*) consortium *m*.

consorte [kon'sorte] *nm/f* conjoint(e).

conspiración [konspira'θjon] *nf* conspiration *f*.

conspirador, a [konspira'ðor, a] *nm/f* conspirateur(-trice).

conspirar [konspi'rar] *vi* conspirer.

constancia [kons'tanθja] *nf* constance *f*; (*testimonio*) témoignage *m*; **dejar** ~ **de algo** faire état de qch.

constante [kons'tante] *adj* constant(e) ♦ *nf* (*MAT, fig*) constante *f*.

constantemente [kons'tantemente] *adv* constamment.

constar [kons'tar] *vi*: ~ (**en**) figurer (dans); ~ **de** se composer de; **hacer** ~ manifes-

ter; **me consta que** ... je suis conscient que ...; (**que**) **conste que lo hice por ti** n'oublie pas que c'est pour toi que je l'ai fait.

constatar [konsta'tar] *vt* constater.

constelación [konstela'θjon] *nf* constellation *f*.

consternación [konsterna'θjon] *nf* consternation *f*.

consternar [konster'nar] *vt* consterner.

constipado, -a [konsti'paðo, a] *adj*: **estar** ~ être enrhumé(e) ♦ *nm* rhume *m*.

constiparse [konsti'parse] *vpr* s'enrhumer.

constitución [konstitu'θjon] *nf* constitution *f*; (*de tribunal, equipo etc*) composition *f*.

constitucional [konstituθjo'nal] *adj* constitutionnel(le).

constituir [konstitu'ir] *vt* constituer; **constituirse** *vpr* se constituer.

constitutivo, -a [konstitu'tiβo, a] *adj* constitutif(-ive).

constituya *etc* [konsti'tuja] *vb V* **constituir**.

constituyente [konstitu'jente] *adj* constituant(e); **cortes** ~**s** assemblée *f* constituante.

constreñir [konstre'ɲir] *vt* (*limitar*) restreindre; (*obligar*) contraindre.

constriñendo *etc* [konstri'ɲendo] *vb V* **constreñir**.

constriño *etc* [kons'triɲo] *vb V* **constreñir**.

construcción [konstruk'θjon] *nf* construction *f*.

constructivo, -a [konstruk'tiβo, a] *adj* constructif(-ive).

constructor, a [konstruk'tor, a] *nm/f* constructeur(-trice) ♦ *nf* entrepreneur *m*.

construir [konstru'ir] *vt* construire.

construyendo *etc* [konstru'jendo] *vb V* **construir**.

consuelo [kon'swelo] *vb V* **consolar** ♦ *nm* consolation *f*; **sin** ~ inconsolable.

consuetudinario, -a [konswetuðí'narjo, a] *adj*: **derecho** ~ droit *m* coutumier.

cónsul ['konsul] *nm* consul *m*.

consulado [konsu'laðo] *nm* consulat *m*.

consulta [kon'sulta] *nf* consultation *f*; (*MED: consultorio*) cabinet *m*; **horas de** ~ heures *fpl* de consultation; **obra de** ~ ouvrage *m* de référence.

consultar [konsul'tar] *vt* consulter; ~ **algo con algn** consulter qn au sujet de qch; ~ **un archivo** (*INFORM*) consulter un fichier.

consultor, a [konsul'tor, a] *nm/f*: ~ **en dirección de empresas** consultant *m*, expert-conseil *m*.

consultorio [konsul'torjo] *nm* (*MED*) cabinet *m*; (*en periódico etc*) courrier *m* du cœur.

consumado, -a [konsu'maðo, a] *adj* (*bri-*

bón) fieffé(e); (*actor*) accompli(e); **hecho ~ fait** *m* accompli.

consumar [konsu'mar] *vt* consommer; (*sentencia*) exécuter.

consumición [konsumi'θjon] *nf* consommation *f*; ~ **mínima** prix *m* minimum de la consommation.

consumido, -a [konsu'miðo, a] *adj* décharné(e).

consumidor, a [konsumi'ðor, a] *nm/f* consommateur(-trice).

consumir [konsu'mir] *vt* consommer; **consumirse** *vpr* se consumer; (*caldo*) réduire; (*persona*) dépérir; **~se (de celos/de envidia/de rabia)** se consumer (de jalousie/d'envie/de rage).

consumismo [konsu'mismo] *nm* (*COM*) surconsommation *f*.

consumo [kon'sumo] *nm* consommation *f*; **bienes/sociedad de ~** biens *mpl*/société *f* de consommation.

contabilice *etc* [kontaβi'liθe] *vb* V **contabilizar**.

contabilidad [kontaβili'ðað] *nf* comptabilité *f*; ► **contabilidad de costes o analítica** comptabilité analytique; ► **contabilidad de doble partida/por partida simple** comptabilité en partie double/en partie simple; ► **contabilidad de gestión** comptabilité de gestion.

contabilizar [kontaβi'liðar] *vt* comptabiliser.

contable [kon'taβle] *nm/f* comptable *m/f*; ► **contable de costos** analyste *m/f* des coûts.

contactar [kontak'tar] *vi*: ~ **con algn** contacter qn.

contacto [kon'takto] *nm* contact *m*; **estar/ponerse en ~ con algn** être/se mettre en contact avec qn; **perder ~** (*amigos*) se perdre de vue.

contado, -a [kon'taðo, a] *adj*: **en casos ~s** dans de rares cas ♦ *nm*: **al ~** au comptant; **pagar al ~** payer comptant.

contador, a [konta'ðor, a] *nm/f* (*AM*: *contable*) comptable *m/f* ♦ *nm* (*aparato*) compteur *m*.

contaduría [kontaðu'ria] *nf* comptabilité *f*.

contagiar [konta'xjar] *vt* (*enfermedad*) passer; (*persona*) contaminer; (*fig: entusiasmo*) transmettre; **contagiarse** *vpr* (*sentimiento*) se transmettre; **~se de la gripe** attraper la grippe.

contagio [kon'taxjo] *nm* contagion *f*.

contagioso, -a [konta'xjoso, a] *adj* (*tb fig*) contagieux(-euse).

contaminación [kontamina'θjon] *nf* (*de alimentos*) contamination *f*; (*del agua, ambiente*) pollution *f*.

contaminar [kontami'nar] *vt* (*aire, agua*) polluer; (*fig*) contaminer.

contante [kon'tante] *adj*: **dinero ~** argent *m* comptant; **dinero ~ y sonante** espèces *fpl* sonnantes et trébuchantes.

contar [kon'tar] *vt* (*dinero etc*) compter; (*historia etc*) conter ♦ *vi* compter; **contarse** *vpr* (*calcularse*) se compter; (*incluirse*) compter; ~ **con** (*persona*) compter avec; (*disponer de: plazo etc*) disposer de; (: *habitantes*) compter; **sin ~** sans compter; **le cuento entre mis amigos** il est de mes amis; **¿qué (te) cuentas?** comment tu vas?

contemplación [kontempla'θjon] *nf* contemplation *f*; **contemplaciones** *nfpl* (*miramientos*) égards *mpl*; **no andarse con contemplaciones** ne pas faire de façons.

contemplar [kontem'plar] *vt* contempler; (*considerar*) envisager; (*mimar*) être aux petits soins pour.

contemplativo, -a [kontempla'tiβo, a] *adj*: **vida contemplativa** vie *f* contemplative.

contemporáneo, -a [kontempo'raneo, a] *adj, nm/f* contemporain(e).

contemporizar [kontempori'θar] *vi*: ~ **con** transiger avec.

contención [konten'θjon] *nf* (*moderación*) retenue *f*; (*JUR*) action *f*; **muro de ~** mur *m* de retenue.

contencioso, -a [konten'θjoso, a] *adj* (*JUR etc*) contentieux(-euse) ♦ *nm* (*JUR*) contentieux *msg*.

contender [konten'der] *vi* (*luchar*) être en conflit; (*competir*) rivaliser.

contendiente [konten'djente] *adj, nm/f* (*persona, país*) rival(e); (*DEPORTE*) adversaire *m/f*.

contendrá *etc* [konten'dra] *vb* V **contener**.

contenedor [kontene'ðor] *nm* conteneur *m*.

contener [konte'ner] *vt* contenir; (*risa, caballo etc*) retenir; **contenerse** *vpr* se retenir.

contenga *etc* [kon'tenga] *vb* V **contener**.

contenido, -a [konte'niðo, a] *adj* contenu(e) ♦ *nm* contenu *m*.

contentar [konten'tar] *vt* faire plaisir à; **contentarse** *vpr*: **~se (con)** se contenter (de); **~se con hacer** se contenter de faire.

contento, -a [kon'tento, a] *adj*: ~ **(con/de)** content(e) (de).

contestación [kontesta'θjon] *nf* réponse *f*; ~ **a la demanda** (*JUR*) plaidoyer *m*.

contestador [kontesta'ðor] *nm*: ~ **automático** répondeur *m*.

contestar [kontes'tar] *vt* répondre; (*JUR*) plaider ♦ *vi* répondre; ~ **a una pregunta/a un saludo** répondre à une question/à un salut.

contestatario, -a [kontes'tarjo, a] *adj*

contestataire.

contexto [kon'teksto] *nm* contexte *m*.

contextura [konteks'tura] *nf* (*de material*) texture *f*; (*de persona*) teint *m*.

contienda [kon'tjenda] *nf* dispute *f*.

contiene *etc* [kon'tjene] *vb V* **contener**.

contigo [kon'tiɣo] *pron* avec toi.

contigüidad [kontiɣwi'ðað] *nf* contiguïté *f*.

contiguo, -a [kon'tiɣwo, a] *adj*: ~ **(a)** contigu(ë) (à).

continencia [konti'nenθja] *nf* abstinence *f*.

continental [kontinen'tal] *adj* continental(e).

continente [konti'nente] *nm* continent *m*.

contingencia [kontin'xenθja] *nf* (*posibilidad*) éventualité *f*; (*riesgo*) risque *m*.

contingente [kontin'xente] *adj* contingent(e); (*posible*) possible ♦ *nm* (*MIL, COM*) contingent *m*.

continuación [kontinwa'θjon] *nf* (*de trabajo, estancia, obras*) poursuite *f*; (*de novela, película, calle*) suite *f*; **a** ~ juste après.

continuamente [kon'tinwamente] *adv* sans interruption; (*incesantemente*) continuellement.

continuar [konti'nwar] *vt* continuer, poursuivre; (*reanudar*) reprendre ♦ *vi* (*permanecer*) rester; (*mantenerse, prolongarse*) continuer; (*telenovela etc*) reprendre; ~ **haciendo** continuer de *o* à faire; ~ **siendo** être toujours.

continuidad [kontinwi'ðað] *nf* continuité *f*.

continuismo [konti'nwismo] *nm* (*POL*) immobilisme *m*.

continuo, -a [kon'tinwo, a] *adj* continu(e); (*llamadas, quejas*) continuel(le).

contonearse [kontone'arse] *vpr* (*hombre*) rouler des épaules; (*mujer*) se dandiner.

contorno [kon'torno] *nm* (*silueta*) contours *mpl*; (*en dibujo*) contour *m*; ~**s** *nmpl* (*alrededores*) environs *mpl*.

contorsión [kontor'sjon] *nf* contorsion *f*.

contra ['kontra] *prep* contre ♦ *adj* (*NIC*) contra ♦ *adv*: **en** ~ **(de)** contre ♦ *nm/f* contra *m/f* ♦ *nf*: **la C**~ **(nicaragüense)** les Contras *mpl* ♦ *nm V* **pro.**

contraalmirante [kontraalmi'rante] *nm* contre-amiral *m*.

contraataque [kontraa'take] *nm* contre-attaque *f*.

contrabajo [kontra'βaxo] *nm* contrebasse *f*.

contrabandista [kontraβan'dista] *nm/f* contrebandier(-ière).

contrabando [kontra'βando] *nm* contrebande *f*; **de** ~ **de** contrebande; **llevar/pasar algo de** ~ passer qch en contrebande; ▶ **contrabando de armas** contrebande d'armes.

contracción [kontrak'θjon] *nf* contraction *f*.

contrachapado [kontratʃa'paðo] *nm* contre-plaqué *m*.

contracorriente [kontrako'rrjente]: **a** ~ *adv* à contre-courant.

contradecir [kontraðe'θir] *vt* contredire; **contradecirse** *vpr* se contredire; **esto se contradice con ...** ceci est en contradiction avec ... .

contradicción [kontraðik'θjon] *nf* contradiction *f*; **el espíritu de la** ~ l'esprit de contradiction; **en** ~ **con** en contradiction avec.

contradicho [kontra'ðitʃo] *pp de* **contradecir.**

contradiciendo *etc* [kontraði'θjendo] *vb V* **contradecir.**

contradictorio, -a [kontraðik'torjo, a] *adj* contradictoire.

contradiga *etc* [kontra'ðiɣa] *vb V* **contradecir.**

contradije *etc* [kontra'ðixe] *vb V* **contradecir.**

contradirá *etc* [kontraði'ra] *vb V* **contradecir.**

contraer [kontra'er] *vt* contracter; **contraerse** *vpr* se contracter; ~ **matrimonio con** épouser.

contraespionaje [kontraespjo'naxe] *nm* contre-espionnage *m*.

contrafuerte [kontra'fwerte] *nm* contrefort *m*.

contragolpe [kontra'ɣolpe] *nm* contrecoup *m*.

contrahecho, -a [kontra'etʃo, a] *adj* contrefait(e).

contraiga *etc* [kon'traiɣa] *vb V* **contraer.**

contraindicaciones [kontraindika'θjones] *nfpl* (*MED*) contre-indications *fpl*.

contraje *etc* [kon'traxe] *vb V* **contraer.**

contralor [kontra'lor] *nm* (*AM: ADMIN*) contrôleur *m* des Finances.

contralto [kon'tralto] *nm* contralto *m*.

contraluz [kontra'luθ] *nm* (*FOTO*) contre-jour *m*; **a** ~ à contre-jour.

contramaestre [kontrama'estre] *nm* (*NÁUT*) sous-officier *m*; (*TEC*) contremaître *m*.

contraofensiva [kontraofen'siβa] *nf* = **contraataque.**

contraorden [kontra'orðen] *nf* contrordre *m*.

contrapartida [kontrapar'tiða] *nf* (*COM*) contrepartie *f*; **como** ~ **(de)** en contrepartie (de).

contrapelo [kontra'pelo]: **a** ~ *adv* (*tb fig*) à rebrousse-poil.

contrapesar [kontrape'sar] *vt* contrebalancer.

contrapeso [kontra'peso] *nm* (*tb fig*) contrepoids *msg*; (*COM*) contrepartie *f*.

contrapondré *etc* [kontrapon'dre] *vb V*

contraponer.
contraponer [kontrapo'ner] *vt* opposer; ~ **algo a** opposer qch à.
contraponga *etc* [kontra'ponga] *vb* V **contraponer.**
contraportada [kontrapor'taða] *nf* page *f* de garde.
contraproducente [kontraproðu'θente] *adj* qui n'a pas l'effet escompté.
contrapuesto [kontra'pwesto] *pp* *de* **contraponer.**
contrapunto [kontra'punto] *nm* (*MÚS*) canon *m*.
contrapuse *etc* [kontra'puse] *vb* V **contraponer.**
contrariar [kontra'rjar] *vt* contrarier.
contrariedad [kontrarje'ðað] *nf* contretemps *msg*; (*disgusto*) contrariété *f*.
contrario, -a [kon'trarjo, a] *adj*: ~ **(a)** opposé(e) (à); (*equipo etc*) adverse ♦ *nm/f* adversaire *m/f*; **al** ~ au contraire; **por el** ~ tout au contraire; **ser** ~ **a** être opposé(e) à; (*a intereses, opinión*) être contraire à; **llevar la contraria** contredire; **de lo** ~ sinon; **salvo indicación contraria** sauf indication contraire; **todo lo** ~ tout le contraire.
Contrarreforma [kontrarre'forma] *nf* contre-réforme *f*.
contrarrestar [kontrarres'tar] *vt* compenser.
contrarrevolución [kontrarreßolu'θjon] *nf* contre-révolution *f*.
contrasentido [kontrasen'tiðo] *nm*: **es un** ~ **que él ... cela** n'a pas de sens qu'il ... .
contraseña [kontra'seɲa] *nf* mot *m* de passe.
contrastar [kontras'tar] *vi*: ~ **(con)** trancher (avec) ♦ *vt* (*comprobar*) vérifier.
contraste [kon'traste] *nm* contraste *m*.
contrata [kon'trata] *nf* (*JUR*) contrat *m*; (*empleo*) engagement *m*.
contratar [kontra'tar] *vt* engager, recruter; (*servicios*) faire appel à.
contratiempo [kontra'tjempo] *nm* contretemps *msg*; **a** ~ (*fig*) à contretemps.
contratista [kontra'tista] *nm/f* entrepreneur(-euse).
contrato [kon'trato] *nm* contrat *m*; ► **contrato a precio fijo** forfait *m*; ► **contrato a término/de compraventa/de trabajo** contrat à terme/de vente/de travail.
contravalor [kontraßa'lor] *nm* (*COM*) valeur *f* d'échange.
contravención [kontraßen'θjon] *nf* contravention *f*.
contravendré *etc* [kontraßen'dre] *vb* V **contravenir.**
contravenga *etc* [kontra'ßenga] *vb* V **contravenir.**

contravenir [kontraße'nir] *vt* contrevenir.
contraventana [kontraßen'tana] *nf* volet *m*.
contraviene *etc* [kontra'ßjene] *vb* V **contravenir.**
contraviniendo *etc* [kontraßin'jendo] *vb* V **contravenir.**
contrayendo [kontra'jendo] *vb* V **contraer.**
contrayente [kontra'jente] *nm/f* époux (-ouse).
contribución [kontrißu'θjon] *nf* contribution *f*; **exento de contribuciones** exonéré d'impôts; ► **contribución territorial** impôt *m* foncier; ► **contribución urbana** impôts *mpl* locaux.
contribuir [kontrißu'ir] *vi*: ~ **(a)** contribuer (à); ~ **con** participer à raison de.
contribuyendo *etc* [kontrißu'jendo] *vb* V **contribuir.**
contribuyente [kontrißu'jente] *nm/f* contribuable *m/f*.
contrincante [kontrin'kante] *nm* concurrent(e).
contrito, -a [kon'trito, a] *adj* contrit(e).
control [kon'trol] *nm* contrôle *m*; (*dominio: de nervios, impulsos*) maîtrise *f*; (*tb*: ~ **de policía**) contrôle; **llevar el** ~ (*de situación*) maîtriser; (*en asunto*) diriger; **perder el** ~ perdre le contrôle; ► **control de calidad/de cambios/de costos/de existencia/de precios** (*COM*) contrôle de qualité/des changes/des coûts/du stock/des prix; ► **control de créditos** encadrement *m* du crédit; ► **control de (la) natalidad** contrôle des naissances; ► **control de pasaportes** contrôle des passeports.
controlador, a [kontrola'ðor, a] *nm/f*: ~ **aéreo** contrôleur *m* aérien.
controlar [kontro'lar] *vt* contrôler; (*nervios, impulsos*) maîtriser; **controlarse** *vpr* se maîtriser.
controversia [kontro'ßersja] *nf* controverse *f*.
contubernio [kontu'ßernjo] *nm* conspiration *f*.
contumaz [kontu'maθ] *adj* entêté(e).
contundente [kontun'dente] *adj* (*prueba*) indiscutable; (*fig: argumento etc*) radical(e); (*arma*) contondant(e).
contusión [kontu'sjon] *nf* contusion *f*.
contuve *etc* [kon'tuße] *vb* V **contener.**
conuco [ko'nuko] *nm* (*CARIB: AGR*) parcelle *f*.
convalecencia [kombale'θenθja] *nf* convalescence *f*.
convalecer [kombale'θer] *vi* être en convalescence; ~ **de** se remettre de.
convaleciente [kombale'θjente] *adj, nm/f* convalescent(e).
convalezca *etc* [komba'leθka] *vb* V **convale-**

cer.

convalidación [kombaliða'θjon] *nf* validation *f*.

convalidar [kombali'ðar] *vt* valider.

convencer [komben'θer] *vt* convaincre; **convencerse** *vpr*: ~**se (de)** se persuader (de); ~ **a algn de (que haga) algo** convaincre qn de (faire) qch; ~ **a algn para que haga** convaincre qn de faire; **esto no me convence (nada)** cela ne me convainc pas (du tout).

convencimiento [komben θi'mjento] *nm* certitude *f*; **llegar al/tener el** ~ **de que ...** arriver à/avoir la certitude que ... .

convención [komben'θjon] *nf* convention *f*.

convencional [kombenθjo'nal] *adj* conventionnel(le); (*ceremonia*) formel(le).

convencionalismo [kombenθjona'lismo] *nm* conventionnalisme *m*.

convendré *etc* [komben'dre] *vb* V **convenir**.

convenga *etc* [kom'benga] *vb* V **convenir**.

conveniencia [kombe'njenθja] *nf* (*oportunidad*) opportunité *f*; (*provecho*) intérêt *m*; (*utilidad*) avantage *m*; ~**s** *nfpl* (*tb*: ~**s sociales**) convenances *fpl*; **ser de la** ~ **de algn** être à la convenance de qn.

conveniente [kombe'njente] *adj* opportun(e); (*útil*) pratique; **(no) es** ~ **(hacer)** il (n')est (pas) bon (de faire).

convenio [kom'benjo] *nm* accord *m*; ► **convenio colectivo/salarial** accord collectif/salarial.

convenir [kombe'nir] *vt* convenir de ♦ *vi* convenir; ~ **(en) hacer** convenir de faire; **"sueldo a** ~**"** "salaire négociable"; **conviene recordar que ...** il convient de rappeler que ...; **no te conviene salir** tu ne devrais pas sortir.

convento [kom'bento] *nm* couvent *m*.

convenza *etc* [kom'benθa] *vb* V **convencer**.

convergencia [komber'xenθja] *nf* convergence *f*.

converger [komber'xer], **convergir** [komber'xir] *vi* converger.

converja *etc* [kom'berxa] *vb* V **converger**, **convergir**.

conversación [kombersa'θjon] *nf* conversation *f*; **conversaciones** *nfpl* (*POL*) pourparlers *mpl*.

conversar [komber'sar] *vi* discuter.

conversión [komber'sjon] *nf* transformation *f*; (*REL*) conversion *f*.

converso, -a [kom'berso, a] *nm/f* converti(e).

convertible [komber'tiβle] *adj* convertible.

convertir [komber'tir] *vt* transformer; (*REL*): ~ **a** convertir à; (*COM*): ~ **(en)** changer (en); **convertirse** *vpr* (*REL*): ~**se (a)** se convertir (à).

convexo, -a [kom'bekso, a] *adj* convexe.

convicción [kombik'θjon] *nf* conviction *f*; **convicciones** *nfpl* (*ideas*) convictions *fpl*.

convicto, -a [kom'bikto, a] *adj* condamné(e).

convidado, -a [kombi'ðaðo, a] *nm/f* convive *m/f*.

convidar [kombi'ðar] *vt*: ~ **(a)** convier (à); ~ **a algn a hacer** inviter qn à faire.

conviene *etc* [kom'bjene] *vb* V **convenir**.

convierta *etc* [kom'bjerta] *vb* V **convertir**.

convincente [kombin'θente] *adj* convaincant(e).

conviniendo *etc* [kombi'njendo] *vb* V **convenir**.

convirtiendo *etc* [kombir'tjendo] *vb* V **convertir**.

convite [kom'bite] *nm* (*banquete*) banquet *m*; (*invitación*) invitation *f*.

convivencia [kombi'ßenθja] *nf* cohabitation *f*.

conviviente [kombi'ßjente] *nm/f* (*CHI*) concubin(e).

convivir [kombi'ßir] *vi* cohabiter.

convocar [kombo'kar] *vt* convoquer; ~ **(a)** (*personas*) convoquer (à); (*huelga*) appeler à.

convocatoria [komboka'torja] *nf* convocation *f*; (*huelga*) appel *m*.

convoque *etc* [kom'boke] *vb* V **convocar**.

convoy [kom'boj] *nm* convoi *m*.

convulsión [kombul'sjon] *nf* (*MED*) convulsion *f*; (*política*) bouleversement *m*.

conyugal [konju'ɣal] *adj* conjugal(e); **vida** ~ vie *f* conjugale.

cónyuge ['konyuxe] *nm/f* conjoint(e).

coña ['koɲa] (*fam!*) *nf*: **tomar algo a** ~ prendre qch à la rigolade; **estar de** ~ rigoler.

coñac [ko'ɲak] (*pl* ~**s**) *nm* cognac *m*.

coñazo [ko'ɲaθo] (*fam!*) *nm*: **ser un** ~ être chiant (*fam!*); **dar el** ~ faire chier (*fam!*).

coño ['koɲo] (*fam!*) *nm* con *m* (*fam!*) ♦ *excl* merde! (*fam!*); **¡qué** ~! merde! (*fam!*)

cooperación [koopera'θjon] *nf* coopération *f*.

cooperar [koope'rar] *vi* coopérer.

cooperativa [koopera'tiβa] *nf* coopérative *f*; ► **cooperativa agrícola** coopérative agricole.

cooperativo, -a [koopera'tiβo, a] *adj* de coopération.

coordenada [koorðe'nada] *nf* (*MAT*) coordonnée *f*; ~**s** *nfpl* (*fig*) ligne *f* directrice.

coordinación [koorðina'θjon] *nf* coordination *f*.

coordinador, a [koorðina'ðor, a] *nm/f* coordinateur(-trice) ♦ *nf* bureau *m* de coordination.

coordinar [koorði'nar] *vt* coordonner.

copa ['kopa] *nf* (*recipiente*) verre *m* à pied;

(de champán, DEPORTE) coupe f; (de árbol) cime f; (de sombrero) calotte f; ~s nfpl (NAIPES) l'une des quatre couleurs d'un jeu de cartes espagnol; **tomar una** ~ prendre un verre o un pot; **ir de** ~**s** aller prendre un pot; **sombrero de** ~ haut-de-forme m; **huevo a la** ~ (CHI) œuf m à la coque.

copar [ko'par] vt (puestos) remporter.

coparticipación [kopartiθipa'θjon] nf (COM) coparticipation f.

COPE sigla f (= Cadena de Ondas Populares Españolas) station de radio.

Copenhague [kope'naɣe] n Copenhague.

oopoo [ko'pco] nm: **ir de** ~ aller prendre un pot.

copete [ko'pete] nm: **de alto** ~ d'une grande famille.

copetín [kope'tin] nm (CSUR) apéritif m.

copia ['kopja] nf copie f; (llave) double m; **hacer** ~ **de seguridad** (INFORM) faire une sauvegarde; ▸**copia de respaldo** o **de seguridad** (INFORM) sauvegarde f; ▸**copia de trabajo** (INFORM) fichier m de travail; ▸**copia impresa** (INFORM) tirage m papier; ▸**copia vaciada** (INFORM) vidage m.

copiadora [kopja'ðora] nf photocopieuse f; ▸**copiadora al alcohol** duplicateur m à alcool.

copiar [ko'pjar] vt copier; (INFORM) faire une copie de; ~ **al pie de la letra** copier mot pour mot.

copiloto [kopi'loto] nm copilote m.

copioso, -a [ko'pjoso, a] adj abondant(e); (comida) copieux(-euse).

oopita [ko'pita] nf petit verre m, (GOLF) tee m.

copla ['kopla] nf (canción) couplet m; (LIT) strophe f.

copo ['kopo] nm: ~ **de nieve** flocon m de neige; ~**s de avena** flocons mpl d'avoine.

coprocesador [koproθesa'ðor] nm (INFORM) traitement m auxiliaire.

coproducción [koproðuk'θjon] nf coproduction f.

copropietarios [kopropje'tarjos] nmpl (COM) copropriétaires mpl.

cópula ['kopula] nf (BIO) copulation f; (LING) copule f.

copular [kopu'lar] vi copuler.

COPYME [ko'pime] sigla f (= Confederación de la Pequeña y Mediana Empresa) ≈ CGPME f (= Confédération générale des petites et moyennes entreprises).

copyright ['kopirrait] nm copyright m.

coqueta [ko'keta] nf (mujer) coquette f; (mueble) coiffeuse f; V tb **coqueto**.

coquetear [kokete'ar] vi flirter.

coquetería [kokete'ria] nf coquetterie f.

coqueto, -a [ko'keto, a] adj coquet(te).

coraje [ko'raxe] nm courage m; (esp AM) colère f; **le da** ~ **hacer** ... ça l'énerve de faire ... .

coral [ko'ral] adj (MÚS) de chœur ▸ nf (MÚS) chorale f ▸ nm (ZOOL) corail m; **de** ~ en corail.

Corán [ko'ran] nm: **el** ~ le Coran.

coraza [ko'raθa] nf cuirasse f; (ZOOL) carapace f.

corazón [kora'θon] nm cœur m; (BOT) noyau m; **corazones** nmpl (NAIPES) cœur msg; **ser de buen** ~ avoir bon cœur; **de (todo)** ~ de tout cœur; **estar mal del** ~ être malade du cœur.

corazonada [koraθo'naða] nf pressentiment m.

corbata [kor'ßata] nf cravate f.

corbatín [korßa'tin] nm nœud m papillon.

corbeta [kor'ßeta] nf corvette f.

Córcega ['korθeɣa] nf Corse f.

corcel [kor'θel] nm coursier m.

corchea [kor'tʃea] nf (MÚS) croche f.

corchete [kor'tʃete] nm agrafe f; ~**s** nmpl (TIP) crochets mpl.

corchetera [kortʃe'tera] nf (CHI) agrafeuse f.

corcho ['kortʃo] nm liège m; (PESCA, tapón) bouchon m; **de** ~ en liège.

corcholata [kortʃo'lata] nf (MÉX: tapón) bouchon m.

corcovado, -a [korko'ßaðo, a] adj, nm/f bossu(e).

cordel [kor'ðel] nm corde f.

cordero [kor'ðero] nm agneau m; ▸**cordero lechal** agneau de lait.

cordial [kor'ðjal] adj cordial(e) ▸ nm cordial m.

cordialidad [korðjali'ðað] nf cordialité f.

cordialmente [kor'ðjalmente] adv cordialement.

cordillera [korði'ʎera] nf cordillère f.

Córdoba ['korðoßa] n Cordoue.

córdoba ['korðoßa] nm (NIC) monnaie du Nicaragua.

cordobés, -esa [korðo'ßes, esa] adj de Cordoue ▸ nm/f natif(-ive) o habitant(e) de Cordoue.

cordón [kor'ðon] nm (cuerda) ficelle f; (de zapatos) lacet m; (ELEC, policial) cordon m; (CSUR) bord m du trottoir; ▸**cordón umbilical** cordon ombilical.

cordura [kor'ðura] nf sagesse f; (MED) santé f mentale; **con** ~ avec sagesse.

Corea [ko'rea] nf Corée f; ▸**Corea del Norte/Sur** Corée du Nord/Sud.

coreano, -a [kore'ano, a] adj coréen(ne) ▸ nm/f Coréen(ne).

corear [kore'ar] vt entonner.

coreografía [koreoɣra'fia] nf chorégraphie f.

corista [ko'rista] *nf* choriste *m/f.*
cornada [kor'naða] *nf* coup *m* de corne.
cornamenta [korna'menta] *nf* cornes *fpl.*
córnea ['kornea] *nf* cornée *f.*
corneja [kor'nexa] *nf* corneille *f.*
córner ['korner] (*pl* **corners**) *nm* (*DEPORTE*) corner *m.*
corneta [kor'neta] *nf* (*MÚS*) cornet *m*; (*MIL*) clairon *m.*
cornisa [kor'nisa] *nf* corniche *f.*
Cornualles [kor'nwaʎes] *nm* Cornouailles *fsg.*
cornudo, -a [kor'nuðo, a] *adj* à cornes; (*marido*) cocu(e).
coro ['koro] *nm* chœur *m*; **a ~** (*responder etc*) en chœur.
corolario [koro'larjo] *nm* corollaire *m.*
corona [ko'rona] *nf* couronne *f*; (*de santo*) auréole *f*; **la ~** (*POL*) la Couronne; ▶ **corona de laurel** couronne de laurier.
coronación [korona'θjon] *nf* (*tb fig*) couronnement *m.*
coronar [koro'nar] *vt* couronner.
coronel [koro'nel] *nm* colonel *m.*
coronilla [koro'niʎa] *nf* sommet *m* du crâne; **estar hasta la ~ (de)** en avoir jusque-là (de).
corotos [ko'rotos] (*fam*) *nmpl* (*COL, VEN*) machins *mpl.*
corpachón [korpa'tʃon] *nm*: **tiene un ~ ...** qu'est-ce qu'il est baraqué ... .
corpiño [kor'piɲo] *nm* corsage *m*; (*AM*) soutien-gorge *m.*
corporación [korpora'θjon] *nf* corporation *f.*
corporal [korpo'ral] *adj* (*ejercicio*) physique; (*castigo, higiene*) corporel(le).
corporativo, -a [korpora'tiβo, a] *adj* corporatif(-ive).
corpulento, -a [korpu'lento a] *adj* (*persona*) corpulent(e); (*árbol, tronco*) énorme.
corral [ko'rral] *nm* (*patio*) cour *f*; (*de animales*) basse-cour *f*; (*de niño*) parc *m.*
correa [ko'rrea] *nf* courroie *f*; (*cinturón*) ceinture *f*; (*de perro*) laisse *f*; ▶ **correa del ventilador** (*AUTO*) courroie du ventilateur.
correaje [korre'axe] *nm* harnais *msg.*
corrección [korrek'θjon] *nf* correction *f*; ▶ **corrección (de pruebas)** (*TIP*) correction (d'épreuves); ▶ **corrección en pantalla** correction sur écran.
correccional [korrekθjo'nal] *nm* pénitencier *m*; ▶ **correccional de menores** maison *f* de correction.
correctamente [ko'rrektamente] *adv* (*comportarse, contestar*) correctement.
correcto, -a [ko'rrekto, a] *adj* correct(e).
corrector, a [korrek'tor, a] *nm/f*: **~ de pruebas** (*TIP*) correcteur(-trice) d'épreuves.

corredera [korre'ðera] *nf*: **puerta de ~** porte *f* coulissante ♦ *adj* V **nudo.**
corredor, a [korre'ðor, a] *nm/f* coureur (-euse) ♦ *nm* (*pasillo*) corridor *m*; (*balcón corrido*) galerie *f*; (*COM*) courtier *m*; ▶ **corredor de apuestas** bookmaker *m*; ▶ **corredor de bolsa/de fincas** agent *m* de change/immobilier.
corregir [korre'xir] *vt* corriger; **corregirse** *vpr* se corriger; **se le ha corregido la miopía** on lui a corrigé sa myopie.
correlación [korrela'θjon] *nf* corrélation *f*; **guardar ~ con** être proportionnel(le) à.
correo [ko'rreo] *nm* courrier *m*; (*servicio*) poste *f*; **C~s** *nmpl* (*servicio*) la Poste, les PTT *fpl*; (*edificio*) la Poste; **a vuelta de ~** par retour de courrier; **echar al ~** mettre à la poste; ▶ **correo aéreo** courrier par avion; ▶ **correo electrónico/ urgente/certificado** courrier électronique/"urgent"/recommandé.
correoso, -a [ko'rreoso, a] *adj* rassis(rassie).
correr [ko'rrer] *vt* (*mueble etc*) déplacer; (*riesgo*) courir; (*suerte*) risquer; (*aventura*) vivre; (*cortinas: cerrar*) fermer; (: *abrir*) ouvrir; (*cerrojo*) tourner ♦ *vi* (*persona, rumor*) courir; (*coche, agua, viento*) aller vite; (*tiempo*) passer; (*apresurarse*) se presser; **correrse** *vpr* (*persona, terreno*) se déplacer; (*colores*) couler; (*fam: tener orgasmo*) jouir; **echar a ~** se mettre à courir; **~ con los gastos** payer; **~ mundo** parcourir le monde; **eso corre de mi cuenta** je m'en occupe; **nos corrimos una juerga** (*fam*) on s'est bien éclaté; **a todo ~** à toute vitesse.
correrías [korre'rias] *nfpl* escapades *fpl.*
correspondencia [korrespon'denθja] *nf* correspondance *f*; **~ directa** (*COM*) correspondance directe.
corresponder [korrespon'der] *vi* (*dinero, tarea*) revenir; (*en amor*) aimer en retour; **corresponderse** *vpr* (*amarse*) bien s'entendre; **~ a** (*invitación*) répondre à; (*la favor, cariño*) rendre; (*convenir, ajustarse, pertenecer*) correspondre à; **al gobierno le corresponde ...** le gouvernement a pour tâche de ...; **~se con** correspondre à; **"a quien corresponda"** "à qui de droit".
correspondiente [korrespon'djente] *adj* (*respectivo*) correspondant(e); **~ (a)** (*adecuado*) qui correspond (à).
corresponsal [korrespon'sal] *nm/f* correspondant(e); (*COM*) agent *m.*
corretaje [korre'taxe] *nm* courtage *m.*
corretear [korrete'ar] *vi* courir de droite à gauche.
corrida [ko'rriða] *nf* corrida *f*; (*carrera corta*) sprint *m*; (*CHI*) file *f.*

corrido, -a [ko'rriðo, a] *adj* (*avergonzado*) contrit(e); (*balcón etc*) extérieur(e) ♦ *nm* (*MÉX*) ballade *f*; **de** ~ couramment; **un kilo** ~ un bon kilo.

corriente [ko'rrjente] *adj* courant(e); (*suceso, costumbre*) habituel(le); (*común*) commun(e) ♦ *nf* courant *m*; (*tb*: ~ **de aire**) courant d'air ♦ *nm*: **el 16 del** ~ le 16 courant; **las** ~**s artísticas** les courants artistiques; **estar al** ~ **de** être au courant de; **seguir la** ~ **a algn** ne pas contrarier qn; **poner/tener al** ~ mettre/tenir au courant; ► **corriente alterna/contínua** courant alternatif/continu; ► **corriente sanguínea** flux *msg* sanguin.

corrientemente [ko'rrjentemente] *adv* en général.

corrigiendo *etc* [korri'xjendo] *vb* V **corregir**.

corrija *etc* [ko'rrixa] *vb* V **corregir**.

corrillo [ko'rriʎo] *nm* petit groupe *m*.

corrimiento [korri'mjento] *nm*: ~ **de tierras** glissement *m* de terrain.

corro ['korro] *nm* cercle *m*; **hacer** ~ **aparte** faire bande à part; **jugar al** ~ faire la ronde.

corroborar [korroβo'rar] *vt* corroborer.

corroer [korro'er] *vt* corroder; (*suj: envidia*) ronger; **corroerse** *vpr* se désagréger.

corromper [korrom'per] *vt* pourrir; (*aguas*) polluer; (*fig: costumbres, moral*) corrompre; (: *juez etc*) corrompre, soudoyer; **corromperse** *vpr* pourrir; (*costumbres*) se corrompre; (*persona, justicia*) se laisser soudoyer.

corrosivo, -a [korro'siβo, a] *adj* corrosif (-ive).

corroyendo *etc* [korro'jendo] *vb* V **corroer**.

corrupción [korrup'θjon] *nf* putréfaction *f*; (*fig*) corruption *f*.

corrupto, -a [ko'rrupto, a] *adj* corrompu(e)

corsario [kor'sarjo] *nm* corsaire *m*.

corsé [kor'se] *nm* corset *m*.

corso, -a ['korso, a] *adj* corse ♦ *nm/f* Corse *m/f*.

cortacésped [korta'θespeð] *nm* tondeuse *f* (à gazon).

cortado, -a [kor'taðo, a] *adj* (*leche*) tourné(e); (*con cuchillo*) coupé(e); (*piel, labios*) craquelé(e); (*tímido*) coincé(e) ♦ *nm* café *m* avec un nuage de lait; **estar** ~ être coincé(e); **quedarse** ~ rester sans voix.

cortadora [korta'ðora] *nf* coupure *f*.

cortadura [korta'ðura] *nf* coupure *f*; ~**s** *nfpl* (*restos*) chutes *fpl*.

cortafuego [korta'fwego] *nm* coupe-feu *m* *inv*.

cortante [kor'tante] *adj* (*viento*) glacial(e);

(*frío*) mordant(e); (*fig*) acerbe.

cortapisa [korta'pisa] *nf* obstacle *m*, difficulté *f*; **sin** ~**s** sans ambages.

cortar [kor'tar] *vt* couper; (*discusión*) interrompre; (*piel, labios*) fendre ♦ *vi* couper; (*viento*) être glacial(e); (*AM: TELEC*) raccrocher; **cortarse** *vpr* se couper; (*turbarse*) se troubler; (*TELEC*) s'interrompre; (*leche*) tourner; ~ **el paso (a algn)** barrer le passage (à qn); ~ **por lo sano** trancher dans le vif; ~ **de raíz** tuer dans l'œuf; ~**se el pelo** se (faire) couper les cheveux; ~**se el dedo** se couper le doigt; **se le cortan los labios** ses lèvres se gercent.

cortaúñas [korta'uɲas] *nm* *inv* coupe-ongles *m* *inv*.

corte ['korte] *nm* coupure *f*; (*de pelo, vestido*) coupe *f*; (*de tela*) pièce *f*; (*de helado*) tranche *f* napolitaine ♦ *nf* (*real*) cour *f*; **me da** ~ **pedírselo** cela m'embête de le lui demander; **¡qué** ~ **le di!** je lui ai rabattu son caquet!; **las C**~**s** le parlement espagnol; **hacer la** ~ **a algn** faire la cour à qn; ► **corte de corriente/de luz** coupure de courant/d'électricité; ► **corte de mangas** bras *m* d'honneur; ► **Corte Internacional de Justicia** Cour internationale de justice; ► **corte y confección** confection *f*.

cortedad [korte'ðað] *nf* (*de tiempo*) manque *m*; (*fig*) timidité *f*; **no me gusta la** ~ **de esta falda** cette jupe est bien trop courte.

cortejar [korte'xar] *vt* courtiser.

cortejo [kor'texo] *nm* cortège *m*, ► **cortejo fúnebre** cortège funèbre.

cortés [kor'tes] *adj* courtois(e), poli(e).

cortesía [korte'sia] *nf* courtoisie *f*, politesse *f*; **de** ~ (*visita, carta*) de courtoisie.

corteza [kor'teθa] *nf* (*de árbol*) écorce *f*; (*de pan, queso*) croûte *f*; (*de fruta*) peau *f*; ► **corteza terrestre** écorce *o* croûte terrestre.

cortijo [kor'tixo] *nm* ferme *f*.

cortina [kor'tina] *nf* rideau *m*; ► **cortina de humo** rideau de fumée.

corto, -a ['korto, a] *adj* court(e); (*tímido*) timide, timoré(e); (*tonto*) bouché(e) ♦ *nm* (*CINE*) court-métrage *m*; ~ **de luces** bête; ~ **de oído** dur(e) d'oreille; ~ **de vista** myope; **quedarse** ~ ne pas être à la hauteur.

cortocircuito [kortoθir'kwito] *nm* court-circuit *m*.

cortometraje [kortome'traxe] *nm* court-métrage *m*.

Coruña [ko'ruɲa] *nf*: **La** ~ la Corogne.

coruñés, -esa [koru'ɲes, esa] *adj* de la Corogne ♦ *nm/f* natif(-ive) *o* habitant(e) de la Corogne.

corva ['korβa] *nf* jarret *m*.

corzo, -a ['korθo, a] *nm/f* chevreuil(chevrette).

cosa ['kosa] *nf* chose *f*; (*asunto*) affaire *f*; **es ~ de una hora** c'est l'affaire d'une heure; **como si tal ~** comme si de rien n'était; **eso es ~ mía** c'est mon affaire; **llévate tus ~s** prends tes affaires; **es poca ~** ce n'est pas grand-chose; ¡**qué más rara!** comme c'est drôle!; **eso son ~s de la edad** c'est de son o leur âge; **tal como están las ~s** vu l'état actuel des choses; **lo que son las ~s** c'est drôle, la vie; **las ~s como son** les choses étant ce qu'elles sont.

cosaco, -a [ko'sako, a] *adj* cosaque ♦ *nm/f* Cosaque *m/f*.

coscorrón [kosko'rron] *nm* coup *m* sur la tête; **darse un ~** se cogner la tête.

cosecha [ko'setʃa] *nf* récolte *f*; (*de vino*) cru *m*.

cosechadora [kosetʃa'ðora] *nf* moissonneuse-batteuse *f*.

cosechar [kose'tʃar] *vt* récolter ♦ *vi* faire la récolte.

coser [ko'ser] *vt* coudre; **~ algo a algo** coudre qch à qch.

cosido [ko'siðo] *nm* couture *f*.

cosmética [kos'metika] *nf* cosmétique *f*.

cosmético, -a [kos'metiko, a] *adj, nm* cosmétique *m*.

cosmonauta [kosmo'nauta] *nm/f* cosmonaute *m*.

cosmopolita [kosmopo'lita] *adj* cosmopolite.

cosmos ['kosmos] *nm* cosmos *m*.

coso ['koso] *nm* arènes *fpl*; (*VEN, CSUR: fam: chisme*) machin *m*.

cosquillas [kos'kiʎas] *nfpl*: **hacer ~** chatouiller; **tener ~** être chatouilleux (-euse).

cosquilleo [koski'ʎeo] *nm* chatouillement *m*.

costa ['kosta] *nf* (*GEO*) côte *f*; **~s** *nfpl* (*JUR*) dépens *mpl*; **a ~** (*COM*) au coût; **a ~ de** aux dépens de; (*trabajo*) à force de; (*grandes esfuerzos*) au prix de; (*su vida*) au péril de; **a toda ~** coûte que coûte, à tout prix; ▸ **Costa Brava/del Sol** Costa Brava/del Sol; ▸ **Costa Azul/Cantábrica/de Marfil** Côte d'Azur/cantabrique/d'Ivoire.

costado [kos'taðo] *nm* côté *m*; **de ~** (*dormir etc*) sur le côté; **español por los 4 ~s** espagnol jusqu'au bout des ongles; **rodeado por los 4 ~s** encerclé de tous côtés.

costal [kos'tal] *nm* sac *m*.

costalada [kosta'laða] *nf*: **darse** o **pegarse una ~** faire une mauvaise chute.

costanera [kosta'nera] (*AM*) *nf* chemin *m*

côtier.

costar [kos'tar] *vt, vi* coûter; **me cuesta hablarle** j'ai du mal à lui parler; ¿**cuánto cuesta?** combien ça coûte?; **te ~á caro** (*fig*) cela va ta coûter cher.

Costa Rica [kosta'rika] *nf* Costa Rica *f*.

costarricense [kostarri'θense], **costarriqueño, -a** [kostarri'keɲo, a] *adj* costaricien(ne), de Costa Rica ♦ *nm/f* Costaricien(ne).

coste ['koste] *nm* (*COM*): **~ promedio** prix *msg* moyen; **a precio de ~** à prix coûtant; **el ~ de la vida** le coût de la vie; V *tb* **costo**; ▸ **costes fijos** prix *mpl* fixes.

costear [koste'ar] *vt* payer; (*COM*) financer; (*NÁUT*) longer la côte de; **costearse** *vpr* rentrer dans ses frais, couvrir ses frais.

costeño, -a [kos'teɲo, a] (*AM*) *adj* (*persona*) de la côte ♦ *nm/f* natif(-ive) o habitant(e) de la côte.

costero, -a [kos'tero, a] *adj* côtier(-ière).

costilla [kos'tiʎa] *nf* (*ANAT*) côte *f*; (*CULIN*) côtelette *f*.

costo ['kosto] *nm* coût *m*, prix *msg*; (*esp AM*) V **coste**; ▸ **costo directo/de expedición/de sustitución** coût direct/d'expédition/de remplacement; ▸ **costo unitario** prix unitaire.

costosamente [kos'tosamente] *adv* avec effort, difficilement.

costoso, -a [kos'toso, a] *adj* coûteux (-euse); (*difícil*) difficile.

costra ['kostra] *nf* (*de suciedad*) couche *f*; (*MED, de cal etc*) croûte *f*.

costumbre [kos'tumbre] *nf* coutume *f*, habitude *f*; (*tradición*) coutume; **como de ~** comme d'habitude.

costura [kos'tura] *nf* couture *f*.

costurera [kostu'rera] *nf* couturier *m*.

costurero [kostu'rero] *nm* boîte *f* à couture.

cota ['kota] *nf* (*GEO*) cote *f*; (*fig*) niveau *m*, degré *m*.

cotarro [ko'tarro] *nm*: **dirigir el ~** mener la danse.

cotejar [kote'xar] *vt*: **~ (con)** comparer (à o avec).

cotejo [ko'texo] *nm* comparaison *f*.

cotelé [kote'le] *nm* (*CHI*) velours *msg*.

cotice *etc* [ko'tiθe] *vb* V **cotizar**.

cotidiano, -a [koti'ðjano, a] *adj* quotidien(ne).

cotilla [ko'tiʎa] *nm/f* commère *f*.

cotillear [kotiʎe'ar] *vi* faire des commérages.

cotilleo [koti'ʎeo] *nm* commérages *mpl*.

cotización [kotiθa'θjon] *nf* (*COM*) cours *m*; (*de club, del trabajador*) cotisation *f*.

cotizado, -a [koti'θaðo, a] *adj* bien coté(e).

cotizar [koti'θar] *vt* (*COM*) coter; (*pagar*) cotiser ♦ *vi* (*trabajador*) cotiser; **cotizarse** *vpr* (*fig*) être bien coté; ~**se a** (*COM*) être coté à.

coto ['koto] *nm* (*tb*: ~ **de caza**) réserve *f*; (*CHI*) goitre *m*; **poner** ~ **a** mettre fin à.

cotorra [ko'torra] *nf* (*loro*) perruche *f*; (*fam: persona*) pie *f*.

COU [kou] (*ESP*) *sigla m* (= *Curso de Orientación Universitario*) Terminale.

covacha [ko'ßatʃa] *nf* caveau *m*.

coyote [ko'jote] *nm* coyote *m*; (*MÉX: fam*) guide *m*.

coyuntura [kojun'tura] *nf* articulation *f*, jointure *f*; (*fig*) conjoncture *f*, occasion *f*; **esperar una** ~ **favorable** attendre une conjoncture favorable, attendre l'occasion favorable.

coz [koθ] *nf* ruade *f*.

CP (*AM*) *sigla m* (= *computador personal*) PC *m* (= *personal computer*).

C.P. *abr* = (*Código* (*ESP*) *o* Casilla (*AM*) *Postal*) code postal.

C.P.A. *sigla f* = Caja Postal de Ahorros.

CPN (*ESP*) *sigla m* (= *Cuerpo de la Policía Nacional*) gendarmerie nationale.

cps *abr* (= *caracteres por segundo*) cps (= *caractères par seconde*).

crac [krak] *nm* krach *m*.

cráneo ['kraneo] *nm* crâne *m*; **ir de** ~ **aller droit au désastre.**

craso, -a ['kraso, a] *adj* (*error etc*) crasse.

cráter ['krater] *nm* cratère *m*.

creación [krea'θjon] *nf* création *f*.

creador, a [krea'ðor, a] *adj, nm/f* créateur (-trice).

crear [kre'ar] *vt* créer; **crearse** *vpr* se créer.

creativo, -a [krea'tißo, a] *adj* créatif(-ive).

crecer [kre'θer] *vi* grandir; (*pelo*) pousser; (*ciudad*) s'agrandir; (*río*) grossir; (*riqueza, odio*) augmenter; (*cólera*) monter; **crecerse** *vpr* s'enorgueillir.

creces ['kreθes]: **con** ~ *adv* (*pagar*) au centuple.

crecida [kre'θiða] *nf* crue *f*.

crecido, -a [kre'θiðo, a] *adj*: **estar** ~ avoir grandi; (*planta*) avoir poussé.

creciente [kre'θjente] *adj* croissant(e); **cuarto** ~ premier quartier *m*.

crecimiento [kreθi'mjento] *nm* croissance *f*; (*de planta*) pousse *f*; (*de ciudad*) agrandissement *m*.

credenciales [kreðen'θjales] *nfpl* lettres *fpl* de créance.

credibilidad [kreðißili'ðað] *nf* crédibilité *f*.

crédito ['kreðito] *nm* crédit *m*; **a** ~ à crédit; **dar** ~ **a** accorder crédit à, croire; ~ **al consumido** crédit à la consommation; **ser digno de** ~ être digne de confiance;

~ **rotativo** *o* **renovable** crédit à renouvellement automatique.

credo ['kreðo] *nm* credo *m*.

crédulo, -a ['kreðulo, a] *adj* crédule.

creencia [kre'enθja] *nf* croyance *f*.

creer [kre'er] *vt, vi* croire; **creerse** *vpr* (*considerarse*) se croire; (*aceptar*) croire; ~ **en** croire en; **¡ya lo creo!** je crois *o* pense bien; **creo que no/sí** je crois que non/oui; **no se lo cree** il n'y croit pas; **se cree alguien** il a une bonne opinion de lui.

creíble [kre'ißle] *adj* croyable.

creído, -a [kre'iðo, a] *adj* présomptueux (-euse).

crema ['krema] *adj inv* (*color*) crème *inv* ♦ *nf* crème *f*; (*para zapatos*) cirage *m*; **la** ~ **de la sociedad** la crème de la société; ▶**crema de afeitar** crème à raser; ▶ **crema de cacao** beurre *m* de cacao; ▶ **crema de champiñones/de espárragos** velouté *m* de champignons/d'asperges; ▶ **crema hidratante** crème hydratante; ▶**crema pastelera** crème pâtissière.

cremallera [krema'ʎera] *nf* fermeture *f* éclair ®.

crematorio [krema'torjo] *nm* (*tb*: **horno** ~) four *m* crématoire.

cremoso, -a [kre'moso, a] *adj* crémeux (-euse).

crep, crêpe ['krepe] *nf* crêpe *f*.

crepé [kre'pe] *nm* crêpe *m*.

crepitar [krepi'tar] *vi* crépiter.

crepúsculo [kre'puskulo] *nm* crépuscule *m*.

crespo, -a ['krespo, a] *adj* crépu(e).

crespón [kres'pon] *nm* crépon *m*, crêpe *m*.

cresta ['kresta] *nf* crête *f*.

Creta ['kreta] *nf* Crète *f*.

cretino, -a [kre'tino, a] *adj* crétin(e).

creyendo *etc* [kre'jendo] *vb V* **creer.**

creyente [kre'jente] *nm/f* croyant(e).

creyó *etc* [kre'jo] *vb V* **creer.**

crezca *etc* ['kreθka] *vb V* **crecer.**

cría ['kria] *vb V* **criar** ♦ *nf* (*de animales*) élevage *m*; (*cachorro*) petit *m*; *V tb* **crío.**

criada [kri'aða] *nf* bonne *f*; *V tb* **criado.**

criadero [kria'ðero] *nm* élevage *m*.

criadillas [krja'ðiʎas] *nfpl* (*de res*) testicules *mpl*; (*setas*) truffes *fpl*.

criado, -a [kri'aðo, a] *nm/f* domestique *m/f*.

criador [kria'ðor] *nm* éleveur *m*.

crianza [kri'anθa] *nf* allaitement *m*; (*formación*) éducation *f*; (*de animales*) élevage *m*; **vino de** ~ grand cru *m*.

criar [kri'ar] *vt* allaiter, nourrir; (*educar*) éduquer, élever; (*parásitos*) produire; (*animales*) élever ♦ *vi* avoir des petits; **criarse** *vpr* être élevé *o* (*formarse*) se former.

criatura [kria'tura] *nf* créature *f*; (*niño*) gosse *m*.

criba ['kriβa] *nf* crible *m*; (*fig*) crible, tamis *m*.

cribar [kri'βar] *vt* cribler, tamiser.

crimen ['krimen] *nm* crime *m*; ▶ **crimen pasional** crime passionnel.

criminal [krimi'nal] *adj* criminel(le); (*tiempo, viaje etc*) horrible ♦ *nm/f* criminel(le).

crin [krin] *nf* (*tb*: ~**es**) crinière *f*.

crío, -a ['krio, a] (*fam*) *nm/f* bébé *m*; (*más major*) marmot *m*.

criollo, -a [kri'oʎo, a] *adj* créole; (*AM*) indigène ♦ *nm/f* Créole *m/f*; (*AM*) indigène *m/f*.

cripta ['kripta] *nf* crypte *f*.

críquet ['kriket] *nm* cricket *m*.

crisálida [kri'saliða] *nf* chrysalide *f*.

crisantemo [krisan'temo] *nm* chrysanthème *m*.

crisis ['krisis] *nf inv* crise *f*; ▶ **crisis nerviosa** dépression *f* nerveuse.

crisma ['krisma] *nf*: **romperle la** ~ **a algn** (*fam*) casser la figure à qn.

crisol [kri'sol] *nm* (*TEC*) creuset *m*; (*fig*) fonte *f*.

crispación [krispa'θjon] *nf* crispation *f*.

crispar [kris'par] *vt* crisper; **crisparse** *vpr* se crisper; **ese ruido me crispa los nervios** ce bruit me porte sur les nerfs.

cristal [kris'tal] *nm* verre *m*; (*QUÍM*) cristal *m*; (*de ventana*) vitre *f*; ~**es** *nmpl* (*trozos rotos*) bouts *mpl* de verre; **de** ~ en verre; ▶ **cristal ahumado** verre fumé; ▶ **cristal de roca** cristal de roche.

cristalera [krista'lera] *nf* verrière *f*.

cristalería [kristale'ria] *nf* verrerie *f*; (*tienda*) atelier *m* de vitrier.

cristalice *etc* [krista'liθe] *vb* V **cristalizar**.

cristalino, -a [krista'lino, a] *adj* cristallin(e) ♦ *nm* cristallin *m*.

cristalizar [kristali'θar] *vi* cristalliser; (*fig*) se cristalliser; **cristalizarse** *vpr* se cristalliser.

cristiandad [kristjan'dað] *nf* chrétienté *f*.

cristianismo [kristja'nismo] *nm* christianisme *m*.

cristiano, -a [kris'tjano, a] *adj, nm/f* chrétien(ne); **hablar en** ~ parler espagnol; (*fig*) parler clairement.

Cristo ['kristo] *nm* le Christ; (*crucifijo*) crucifix *m*; **armar un** ~ faire du chahut.

Cristóbal [kris'toβal] *nm*: ~ **Colón** Christophe Colomb.

criterio [kri'terjo] *nm* critère *m*; (*opinión*) avis *m*; (*discernimiento*) discernement *m*, jugement *m*; (*enfoque*) attitude *f*, démarche *f*; **lo dejo a su** ~ la décision vous appartient.

crítica ['kritika] *nf* critique *f*; **la** ~ (*TEATRO etc*) la critique; V *tb* **crítico**.

criticar [kriti'kar] *vt* (*censurar*) critiquer; (*novela, película*) faire la critique de ♦ *vi* critiquer.

crítico, -a ['kritiko, a] *adj, nm/f* critique *m/f*.

critique *etc* [kri'tike] *vb* V **criticar**.

Croacia [kro'aθja] *n* Croatie.

croar [kro'ar] *vi* coasser.

croata [kro'ata] *adj* croate ♦ *nm/f* Croate *m/f*.

croché [kro'tʃe] *nm* crochet *m*; **hacer** ~ faire du crochet.

croissan(t) [krwa'san] *nm* (*CULIN*) croissant *m*.

crol ['krol] *nm* crawl *m*.

cromado [kro'maðo] *nm* chromage *m*.

cromo ['kromo] *nm* chrome *m*; (*para niños*) vignette *f*.

cromosoma [kromo'soma] *nm* chromosome *m*.

crónica ['kronika] *nf* chronique *f*; ▶ **crónica deportiva/de sociedad** rubrique *f* sportive/mondaine.

crónico, -a ['kroniko, a] *adj* (*tb fig*) chronique.

cronología [kronolo'xia] *nf* chronologie *f*.

cronológico, -a [krono'loxiko, a] *adj*: **orden** ~ ordre *m* chronologique.

cronometrar [kronome'trar] *vt* chronométrer.

cronómetro [kro'nometro] *nm* chronomètre *m*.

croqueta [kro'keta] *nf* croquette *f*.

croquis ['krokis] *nm inv* croquis *msg*.

cruasán [krwa'san] *nm* (*CULIN*) croissant *m*.

cruce ['kruθe] *vb* V **cruzar** ♦ *nm* croisement *m*; (*miradas*) rencontre *f*; (*de carreteras*) carrefour *m*; (*TELEC etc*) interférence *f*; **luces de** ~ feux *mpl* de croisement; ▶ **cruce de peatones** passage *m* clouté.

crucero [kru'θero] *nm* (*barco*) croiseur *m*; (*viaje*) croisière *f*.

crucial [kru'θjal] *adj* crucial(e).

crucificar [kruθifi'kar] *vt* (*tb fig*) crucifier.

crucifijo [kruθi'fixo] *nm* crucifix *msg*.

crucifique *etc* [kruθi'fike] *vb* V **crucificar**.

crucigrama [kruθi'ɣrama] *nm* mots *mpl* croisés.

crudeza [kru'ðeθa] *nf* (*de clima*) rigueur *f*; (*de palabras etc*) dureté *f*.

crudo, -a ['kruðo, a] *adj* cru(e); (*invierno etc*) rigoureux(-euse) ♦ *nm* pétrole *m* brut; (*PE*) serpillière *f*.

cruel [krwel] *adj* cruel(le).

crueldad [krwel'dað] *nf* cruauté *f*.

cruelmente ['krwelmente] *adv* cruellement.

cruento, -a ['krwento, a] *adj* sanglant(e).

crujido [kru'xiðo] *nm* craquement *m*.

crujiente [kru'xjente] *adj* (*galleta*) cro-

quant(e); (pan) croustillant(e).
crujir [kru'xir] vi craquer; (dientes) grincer; (nieve, arena) crisser.
crupier [kru'pjer] nm croupier m.
crustáceo [krus'taθeo] nm crustacé m.
cruz [kruθ] nf croix fsg; (de moneda) pile f; con los brazos en ~ les bras en croix; ► **cruz gamada** croix gammée; ► **Cruz Roja** Croix-Rouge f.
cruza ['kruθa] (AM) nf (BIO) croisement m.
cruzada [kru'θaða] nf croisade f; V tb **cruzado**.
cruzado, -a [kru'θaðo, a] adj croisé(e); (en calle, carretera) de travers ♦ nm croisé m.
cruzar [kru'θar] vt croiser; (calle, desierto) traverser; (palabras) échanger; **cruzarse** vpr se croiser; ~**le la cara a algn** donner une gifle à qn; ~**se con algn** croiser qn; ~**se de brazos** (tb fig) se croiser les bras.
c.s.f. abr (= costo, seguro y flete) caf (= coût, assurance, frêt).
CSIC [θe'sik] (ESP) sigla m (= Consejo Superior de Investigaciones Científicas) ≈ CNRS m (= Centre national de la recherche scientifique).
cta abr = **cuenta**.
cta. cto. abr (= carta de crédito) V **carta**.
cte. abr (= corriente, de los corrientes) courant.
CTNE sigla f (= Compañía Telefónica Nacional de España).
ctra abr (= carretera) Rte (= route).
c/u abr (= cada uno) V **cada**.
cuaco ['kwako] nm (AM: pey) canasson m.
cuaderno [kwa'ðerno] nm bloc m notes; (de escuela) cahier m; ► **cuaderno de bitácora** (NÁUT) livre m de bord.
cuadra ['kwaðra] nf écurie f; (AM: ARQ) pâté m de maisons.
cuadrado, -a [kwa'ðraðo, a] adj (tb fam) carré(e) ♦ nm (MAT) carré m; **metro/kilómetro** ~ mètre m/kilomètre m carré.
cuadragésimo, -a [kwaðra'xesimo, a] adj, nm/f quarantième m/f.
cuadrángulo [kwa'ðrangulo, a] nm quadrangle m.
cuadrante [kwa'ðrante] nm quadrant m.
cuadrar [kwa'ðrar] vt (MAT) élever au carré; (PE) garer ♦ vi (TIP) justifier; **cuadrarse** vpr (soldado) se mettre au garde-à-vous; ~ **(con)** (informaciones) correspondre (à); (cuentas) s'accorder (avec); ~ **por la derecha/izquierda** (TIP) justifier à droite/gauche.
cuadrícula [kwa'ðrikula] nf quadrillage m.
cuadriculado, -a [kwaðriku'laðo, a] adj: **papel** ~ papier m quadrillé.
cuadrilátero [kwaðri'latero] nm (DEPORTE) ring m; (GEOM) quadrilatère m.
cuadrilla [kwa'ðriʎa] nf (de obreros etc)

équipe f; (de ladrones, amigos) bande f.
cuadro ['kwaðro] nm tableau m; (cuadrado) carré m; (DEPORTE, MED) équipe f; (POL, MIL, tb de bicicleta) cadre m; **a/de** ~**s** à carreaux; ► **cuadro de mandos** tableau de bord.
cuadrúpedo [kwa'ðrupeðo] adj quadrupède.
cuádruple ['kwaðruple] adj quadruple.
cuadruplicar [kwaðrupli'kar] vt, **cuadruplicarse** vpr quadrupler.
cuádruplo, -a ['kwaðruplo, a] adj = **cuádruple**.
cuajada [kwa'xaða] nf lait m caillé; V tb **cuajado**.
cuajado, -a [kwa'xado, a] adj: ~ **de** (fig) plein(e) de.
cuajar [kwa'xar] vt (leche) cailler; (sangre) coaguler; (huevo) faire durcir ♦ vi (CULIN, nieve) prendre; (fig: planes) aboutir; (: acuerdo) marcher; (: idea) se réaliser; **cuajarse** vpr (leche) se cailler; ~ **algo de** remplir qch de.
cuajo ['kwaxo] nm: **de** ~ (arrancar etc) à la racine.
cual [kwal] adv comme, tel que, tel un ♦ pron: **el/la** ~ lequel(laquelle), qui; **los/las** ~**es** lesquels(lesquelles), qui; **lo** ~ ce qui, ce que; **allá cada** ~ chacun ses goûts; **a** ~ **más gandul** ils sont tous plus fainéants les uns que les autres; **cada** ~ chacun; **con** o **por lo** ~ c'est pourquoi; **del** ~ duquel, dont; **tal** ~ tel quel.
cuál [kwal] pron (interrogativo) lequel, laquelle, lesquels, lesquelles ♦ adj (esp AM: fam): ¿~**es primos?** quels cousins?
cualesquier(a) [kwales'kjer(a)] pl de **cualquier(a)**.
cualidad [kwali'ðað] nf qualité f.
cualificado, -a [kwalifi'kaðo, a] adj qualifié(e).
cualquier(a) [kwal'kjer(a)] (pl **cualesquiera**) adj (indefinido) n'importe quel(le); (tras sustantivo) quelconque ♦ pron: ~**a** quiconque, n'importe qui; (a la hora de escoger) n'importe lequel(laquelle); ~ **día de estos** un de ces jours; **no es un hombre** ~ ce n'est pas n'importe qui; **en** ~ **momento** à n'importe quel moment; **en** ~ **parte** n'importe où; **eso** ~**a lo sabe hacer** ça, n'importe qui peut le faire; **es un** ~**a** c'est un pas-grand-chose; ~**a que sea** (objeto) quel(le) que ce soit; (persona) qui que ce soit.
cuán [kwan] adv combien, comme.
cuando ['kwando] adv quand ♦ conj quand, lorsque; (puesto que) puisque, du moment que; (si) si ♦ prep: **yo,** ~ **niño** ... moi, quand j'étais petit ...; **aun** ~ même si, même quand; **aun** ~ **no sea así** même

si ce n'est pas le cas; ~ **más/menos** tout au plus/au moins; **de ~ en ~** de temps en temps, de temps à autre; **ven ~ quieras** viens quand tu voudras.

cuándo ['kwando] *adv* quand, lorsque; **¿desde ~?, ¿de ~ acá?** depuis quand?

cuantía [kwan'tia] *nf* montant *m*; (*valía*) qualité *f*, importance *f*; **de mayor/menor ~** important/sans importance.

cuantioso, -a [kwan'tjoso, a] *adj* considérable.

========================= PALABRA CLAVE

cuanto, -a ['kwanto, a] *adj* **1** (*todo*): **tiene todo cuanto desea** il a tout ce qu'il veut; **le daremos cuantos ejemplares necesite** nous vous donnerons autant d'exemplaires qu'il vous en faudra; **cuantos hombres la ven la admiran** tous les hommes qui la voient l'admirent
2: **unos cuantos: había unos cuantos periodistas** il y avait quelques journalistes
3 (+ *más*): **cuanto más vino bebas peor te sentirás** plus tu boiras de vin plus tu te sentiras mal; **cuanto más tiempo estemos mejor** plus on reste mieux c'est
♦ *pron* **1**: **tome cuanto/cuantos quiera** prends-en autant que tu voudras
2: **unos cuantos** quelques-uns
♦ *adv*: **en cuanto: en cuanto profesor es excelente** comme professeur, il est excellent; **en cuanto a mí** quant à moi; *V tb* **antes**
♦ *conj* **1**: **cuanto más lo pienso menos me gusta** plus j'y pense moins ça ne me plaît
2: **en cuanto: en cuanto llegue/llegué** dès qu'il arrive/arriva.

cuánto, -a ['kwanto, a] *adj* (*exclamativo*) que de, quel(le); (*interrogativo*) combien de ♦ *pron, adv* combien; **¡cuánta gente!** que de gens!; **¿~ tiempo?** combien de temps?; **¿~ cuesta?** combien ça coûte?; **¿a ~s estamos?** le combien sommes nous?; **¿~ hay de aquí a Bilbao?** combien y-a-t'il d'ici à Bilbao?; **¡~ me alegro!** comme je suis content!; **Señor no sé ~s** Monsieur Untel.

cuarenta [kwa'renta] *adj inv, nm inv* quarante *m inv*; *V tb* **sesenta**.

cuarentena [kwaren'tena] *nf* quarantaine *f*.

cuarentón, -ona [kwaren'ton, ona] *adj, nm/f* quadragénaire *m/f*.

cuaresma [kwa'resma] *nf* carême *m*.

cuarta ['kwarta] *nf* empan *m*; (*MÚS*) quarte *f*; *V tb* **cuarto**.

cuartear [kwarte'ar] *vt* dépecer; **cuartearse** *vpr* se lézarder; (*pared*) se fendre; (*piel*) se crevasser; (*pintura*) s'écailler.

cuartel [kwar'tel] *nm* caserne *f*; **no dar ~** ne pas faire de quartier; ▶ **cuartel general** quartier *m* général.

cuartelazo [kwarte'laθo] *nm* putsch *m*, coup *m* d'État.

cuarteto [kwar'teto] *nm* quatuor *m*.

cuartilla [kwar'tiʎa] *nf* feuillet *m*.

cuartillo [kwar'tiʎo] *nm* chopine *f*.

cuarto, -a ['kwarto, a] *adj* quatrième ♦ *nm* (*MAT*) quart *m*; (*habitación*) chambre *f*, pièce *f*; (*ZOOL*) quartier *m*; **no tener un ~** ne pas avoir un sou; ▶ **cuarto creciente/menguante** premier/dernier quartier; ▶ **cuarto de baño/de estar** salle *f* de bains/de séjour; ▶ **cuartos de final** (*DEPORTE*) quarts *mpl* de finale; ▶ **cuarto de hora** quart d'heure; ▶ **cuarto de huéspedes** chambre d'amis; ▶ **cuarto de kilo** une demi-livre; ▶ **cuarto delantero/trasero** avant-/arrière-train *m*; *V tb* **sexto**.

cuarzo ['kwarθo] *nm* quartz *m*.

cuate, -a ['kwate, a] *nm/f* (*CAM, MÉX*) jumeau(-elle); (*fam*) copain(copine).

cuatrero [kwa'trero] *nm* (*AM*) voleur *m* de bétail.

cuatrienio [kwa'trjenjo] *nm* période *f* de quatre ans.

cuatrillizos, -as [kwatri'ʎiθos, as] *nm/fpl* quadruplés(-ées).

cuatrimestral [kwatrimes'tral] *adj* tous les quatre mois.

cuatrimestre [kwatri'mestre] *nm* période *f* de quatre mois.

cuatro ['kwatro] *adj inv, nm inv* quatre *m inv*; *V tb* **seis**.

cuatrocientos, -as [kwatro'θjentos, as] *adj* quatre cents; *V tb* **seiscientos**.

Cuba ['kuβa] *nf* Cuba *m*.

cuba ['kuβa] *nf* cuve *f*, tonneau *m*; (*tina*) cuve; **estar como una ~** (*fam*) être rond(e).

cubalibre [kuβa'liβre] *nm* rhum *m* coca.

cubano, -a [ku'βano, a] *adj* cubain(e) ♦ *nm/f* Cubain(e).

cubata [ku'βata] *nm* (*fam*) long drink *m*.

cubero [ku'βero] *nm*: **a ojo de buen ~** à vue de nez.

cubertería [kuβerte'ria] *nf* ménagère *f*.

cubeta [ku'βeta] *nf* cuvette *f*, bac *m*.

cúbico, -a ['kuβiko, a] *adj* cubique.

cubículo [ku'βikulo] *nm* alcôve *f*.

cubierta [ku'βjerta] *nf* couverture *f*; (*neumático*) pneu *m*; (*NÁUT*) pont *m*.

cubierto, -a [ku'βjerto, a] *pp de* **cubrir** ♦ *adj* couvert(e); (*vacante*) pourvu(e) ♦ *nm* couvert *m*; ~ **de** couvert(e) de, recouvert(e) de; **a o bajo ~** à l'abri; **precio del** ~ prix *msg* par personne.

cubil [ku'βil] *nm* tanière *f*, gîte *m*.

cubilete [kuβi'lete] *nm* gobelet *m*, cornet *m*.

cubito [ku'βito] *nm*: ~ **de hielo** glaçon *m*.

cubo ['kuβo] *nm* (*MAT, GEOM*) cube *m*; (*recipiente*) seau *m*; (*TEC*) tambour *m*; ▶ **cubo de la basura** poubelle *f*.

cubrecama [kuβre'kama] *nm* couvre-lit *m*, dessus *msg* de lit.

cubrir [ku'βrir] *vt* couvrir; (*esconder*) cacher; (*polvo, nieve*) recouvrir, couvrir; (*vacante*) pourvoir à; **cubrirse** *vpr* se couvrir; **lo cubrieron las aguas** les eaux l'ont englouti; **el agua casi me cubría** je n'avais presque pas pied; ~ **de** couvrir de; ~**se de** se couvrir de, se recouvrir de; ~**se de gloria** se couvrir de gloire.

cucaracha [kuka'ratʃa] *nf* cafard *m*.

cuchara [ku'tʃara] *nf* cuiller *f o* cuillère *f*; (*TEC*) benne *f* preneuse.

cucharada [kutʃa'raða] *nf* cuillerée *f*; ▶ **cucharada colmada/rasa** cuiller *f o* cuillère *f* pleine à ras bord/rase.

cucharadita [kutʃara'ðita] *nf* cuillerée *f* à café.

cucharilla [kutʃa'riʎa] *nf* petite cuiller *f o* cuillère *f*.

cucharón [kutʃa'ron] *nm* louche *f*.

cuchichear [kutʃitʃe'ar] *vi* chuchoter.

cuchicheo [kutʃi'tʃeo] *nm* chuchotement *m*.

cuchilla [ku'tʃiʎa] *nf* lame *f*.

cuchillada [kutʃi'ʎaða] *nf* coup *m* de couteau; (*herida*) estafilade *f*.

cuchillo [ku'tʃiʎo] *nm* couteau *m*.

cuchitril [kutʃi'tril] (*pey*) *nm* taudis *msg*, bouge *m*.

cuclillas [ku'kliʎas] *nfpl*: **en** ~ accroupi(e).

cuco, -a ['kuko, a] *adj* (*mono*) joli(e); (*astuto*) malin(-igne) ♦ *nm* coucou *m*.

cucurucho [kuku'rutʃo] *nm* cornet *m*; **helado de** ~ cornet de glace.

cuece *etc* ['kweθe] *vb V* **cocer**.

cuele *etc* ['kwele] *vb V* **colar**.

cuelgue *etc* ['kwelxe] *vb V* **colgar**.

cuello ['kweʎo] *nm* cou *m*; (*de ropa*) col *m*; (*de botella*) goulot *m*; ▶ **cuello a la caja/alto/de pico** col rond/roulé/en V; ▶ **cuello uterino** col de l'utérus.

cuenca ['kwenka] *nf* (*tb*: ~ **del ojo**) orbite *f*; (*GEO*: *valle*) vallée *f*; (: *fluvial*) bassin *m*.

cuenco ['kwenko] *nm* bol *m*.

cuenta ['kwenta] *vb V* **contar** ♦ *nf* compte *m*; (*en restaurante*) addition *f*; (*de collar*) grain *m*; **a fin de** ~**s** au bout du compte; **en resumidas** ~**s** en bref; **ajustar las** ~**s a** **algn** régler son compte à qn; **caer en la** ~ **y** être; **llevar la** ~ **de algo** faire le compte de qch; **eso corre de mi** ~ c'est moi qui m'en charge *o* occupe; (*yo pago*)

c'est moi qui paie; **dar** ~ **de** rendre compte de; **darse** ~ **de algo** se rendre compte de qch; **echar** ~**s** faire le point; **perder la** ~ **de** ne pas se rappeler; **tener en** ~ tenir compte de; **por la** ~ **que me** *etc* **trae** j'ai *etc* intérêt; **trabajar por su** ~ travailler à son compte; **abonar una cantidad en** ~ **a algn** créditer le compte de qn d'une somme; **liquidar una** ~ régler un compte; **más de la** ~ (*fam*) plus que de raison; ▶ **cuenta a plazo (fijo)** compte de dépôt; ▶ **cuenta atrás** compte à rebours; ▶ **cuenta común** compte joint; ▶ **cuenta corriente** compte courant; ▶ **cuenta de ahorros** compte épargne; ▶ **cuenta de asignación** compte d'affectation; ▶ **cuenta de caja/de capital/de crédito** compte caisse/capital/client; ▶ **cuenta de gastos e ingresos** compte de dépenses et de recettes; ▶ **cuenta por cobrar/por pagar** somme *f* à percevoir/à payer.

cuentagotas [kwenta'xotas] *nm inv* compte-gouttes *m inv*; **a** *o* **con** ~ (*fam, fig*) au compte-gouttes.

cuentakilómetros [kwentaki'lometros] *nm inv* compteur *m* kilométrique; (*velocímetro*) compteur de vitesse.

cuentista [kwen'tista] *nm/f* (*mentiroso*) baratineur(-euse); (*fantasioso*) fantaisiste *m/f*; (*LIT*) conteur(-euse).

cuento ['kwento] *vb V* **contar** ♦ *nm* conte *m*; (*patraña*) histoire *f*; **es el** ~ **de nunca acabar** c'est une histoire à n'en plus finir; **eso no viene a** ~ ceci n'a rien à voir; **tener mucho** ~ être très comédien; **vivir del** ~ vivre de l'air du temps; ▶ **cuento chino** histoire à dormir debout; (*fam*) bobard *m*; ▶ **cuento de hadas** conte de fées.

cuerda ['kwerða] *nf* corde *f*; (*de reloj*) ressort *m*; **dar** ~ **a un reloj** remonter une montre; ▶ **cuerda floja** corde raide; ▶ **cuerdas vocales** cordes vocales; *V tb* **cuerdo.**

cuerdo, -a ['kwerðo, a] *adj* sensé(e); (*prudente*) sage, prudent(e).

cuerear [kwere'ar] (*AM*) *vt* écorcher, dépouiller.

cuerno ['kwerno] *nm* corne *f*; (*MÚS*) cor *m*; **mandar a algn al** ~ envoyer qn paître; **¡y un** ~!** mon œil!; **poner los** ~**s a** (*fam*) faire porter des cornes à; ▶ **cuerno de caza** corne de chasse.

cuero ['kwero] *nm* cuir *m*; (*CARIB*: *fam!*) pute *f* (*fam!*); **en** ~**s** tout(e) nu(e); ▶ **cuero cabelludo** cuir chevelu.

cuerpo ['kwerpo] *nm* corps *msg*; (*GEOM*) solide *m*; (*fig*) partie *f* principale; **a** ~ sans manteau; **luchar** ~ **a** ~ lutter corps à corps; **tomar** ~ (*plan etc*) prendre corps; ▸ **cuerpo de bomberos** régiment *m* de sapeurs-pompiers; ▸ **cuerpo diplomáti-co** corps diplomatique.

cuervo ['kwerβo] *nm* corbeau *m*; (*CSUR*) vautour *m*.

cuesta ['kwesta] *vb* V **costar** ♦ *nf* pente *f*; (*en camino etc*) côte *f*; **ir** ~ **arriba/abajo** monter/descendre; **este trabajo se me hace muy** ~ **arriba** (*fig*) j'ai du mal à faire ce travail; **a** ~**s** sur le dos.

cuestión [kwes'tjon] *nf* question *f*; (*riña*) dispute *f*, querelle *f*; **en** ~ **de** en matière de; **eso es otra** ~ ça c'est une autre histoire; **es** ~ **de** c'est une question de.

cuestionar [kwestjo'nar] *vt* contester.

cuestionario [kwestjo'narjo] *nm* questionnaire *m*.

cueva ['kweβa] *nf* grotte *f*, caverne *f*; ~ **de ladrones** caverne de voleurs.

cueza *etc* ['kweθa] *vb* V **cocer.**

cuidado, -a [kwi'ðaðo] *adj* soigné(e) ♦ *nm* précaution *f*; (*preocupación*) souci *m*; (*de los niños etc*) soin *m* ♦ *excl* attention!; **eso me trae sin** ~ ça je m'en fiche; **estar al** ~ **de** s'occuper de; **tener** ~ faire attention; ~ **con el perro** attention au chien; ▸ **cuidados intensivos** soins *mpl* intensifs.

cuidadosamente [kwiða'ðosamente] *adv* soigneusement; (*con precaución*) prudemment.

cuidadoso, -a [kwiða'ðoso, a] *adj* soigneux(-euse); (*prudente*) prudent(e).

cuidar [kwi'ðar] *vt* soigner; (*niños, casa*) s'occuper de ♦ *vi*: ~ **de** prendre soin de; **cuidarse** *vpr* prendre soin de soi; ~**se de hacer** prendre soin de faire; ¡**cuídate!** prends soin de toi!, fais attention à toi!

cuita ['kwita] *nf* souci *m*; (*pena*) peine *f*.

culantro [ku'lantro] *nm* coriandre *f*.

culata [ku'lata] *nf* crosse *f*; **le salió el tiro por la** ~ ça a été l'arroseur arrosé.

culatazo [kula'taθo] *nm* recul *m*.

culebra [ku'leβra] *nf* couleuvre *f*.

culebrear [kuleβre'ar] *vi* serpenter.

culebrón [kule'βron] *nm* (*fam*) série *f* télévisée.

culera [ku'lera] *nf* fond *m*; (*parche*) pièce *f*.

culinario, -a [kuli'narjo, a] *adj* culinaire.

culminación [kulmina'θjon] *nf* point *m* culminant.

culminante [kulmi'nante] *adj* culminant(e).

culminar [kulmi'nar] *vi* culminer.

culo ['kulo] *nm* (*fam!*) cul *m* (*fam!*); (*en botella*: *final*) fond *m*; ¡**vamos de** ~! (*fam*) nous voilà bien!; ¡**vete a tomar por** ~! (*fam!*) va te faire enculer! (*fam!*).

culpa ['kulpa] *nf* faute *f*; (*JUR*) culpabilité *f*; ~**s** *nfpl* (*REL*) fautes *fpl*; **echar la** ~ **a algn** accuser qn; **por** ~ **de** à cause de;

tengo la ~ c'est de ma faute.

culpabilidad [kulpaβili'ðað] *nf* culpabilité *f*.

culpable [kul'paβle] *adj, nm/f* coupable *m/f*; **ser** ~ **(de)** être coupable (de); **confesarse** ~ plaider coupable; **declarar** ~ **a algn** déclarer qn coupable.

culpar [kul'par] *vt* accuser.

cultivadora [kultiβa'ðora] *nf* cultivateur *m*.

cultivar [kulti'βar] *vt* cultiver; (*amistad*) entretenir.

cultivo [kul'tiβo] *nm* culture *f*; (*cosecha*) récolte *f*.

culto, -a ['kulto, a] *adj* cultivé(e); (*lenguaje*) choisi(e); (*palabra*) savant(e) ♦ *nm* culte *m*; **rendir** ~ **a** (*REL, fig*) rendre un culte à.

cultura [kul'tura] *nf* culture *f*; **la** ~ **la culture.**

cultural [kultu'ral] *adj* culturel(le).

culturismo [kultu'rismo] *nm* culturisme *m*.

cumbre ['kumbre] *nf* (*tb fig*) sommet *m*.

cumpleaños [kumple'aɲos] *nm inv* anniversaire *m*; ¡**feliz** ~! joyeux anniversaire!

cumplidamente [kum'pliðamente] *adv* largement.

cumplido, -a [kum'pliðo, a] *adj* (*cortés*) poli(e); (*plazo*) échu(e); (*información*) complet; (*tamaño*) grand(e) ♦ *nm* compliment *m*; ~**s** *nmpl* (*amabilidades*) politesses *fpl*; **con el servicio militar** ~ dégagé des obligations militaires; **visita de** ~ visite *f* de politesse.

cumplidor, a [kumpli'ðor, a] *adj* sérieux (-euse).

cumplimentar [kumplimen'tar] *vt* complimenter, adresser ses compliments à; (*orden*) exécuter.

cumplimiento [kumpli'mjento] *nm* accomplissement *m*; (*de norma*) respect *m*.

cumplir [kum'plir] *vt* accomplir; (*ley*) respecter; (*promesa*) tenir; (*años*) avoir ♦ *vi* (*pago*) arriver à échéance; (*plazo*) expirer; **cumplirse** *vpr* (*plazo*) expirer; (*plan, pronósticos*) se réaliser, s'accomplir; ~ **con** (*deber*) faire, remplir; (*persona*) ne pas manquer à; **hoy cumple dieciocho años** aujourd'hui il a dix-huit ans; **hacer algo por** ~ faire qch pour la forme, faire qch par politesse; **hoy se cumplen dos años/tres meses de** ça fait aujourd'hui deux ans/trois mois que.

cúmulo ['kumulo] *nm* tas *msg*; (*nube*) cumulus *msg*.

cuna ['kuna] *nf* berceau *m*; **canción de** ~ berceuse *f*.

cundir [kun'dir] *vi* (*rumor, pánico*) se répandre, se propager; (*trabajo*) avancer, progresser; (*aceite, hilo*) durer.

cuneta [ku'neta] *nf* fossé *m*.

cuña ['kuɲa] nf (TEC) coin m; (MED) bassin m; **tener ~s** (AM) avoir du piston; ▶ **cuña publicitaria** message m publicitaire.

cuñado, -a [ku'ɲaðo, a] nm/f beau-frère(belle-sœur).

cuño ['kuɲo] nm (para acuñar) coin m; (sello) empreinte f.

cuota ['kwota] nf quota m; (parte proporcional) quote-part f; (de club etc) cotisation f; **de ~** (AM: carretera) à péage.

cupa etc ['kupa] vb V **caber**.

cupé [ku'pe] nm coupé m.

cupiera etc [ku'pjera] vb V **caber**.

cupo ['kupo] vb V **caber** ♦ nm quote-part f; (MIL) contingent m; ▶ **cupo de importación** (COM) contingent d'importation; ▶ **cupo de ventas** quota m de ventes; V **excedente**.

cupón [ku'pon] nm billet m; (de resguardo) bon m; (COM) coupon m.

cúpula ['kupula] nf coupole f.

cura ['kura] nf guérison f; (tratamiento) soin m ♦ nm curé m; ▶ **cura de desintoxicación** cure f de désintoxication; ▶ **cura de urgencia** soins mpl d'urgence.

curación [kura'θjon] nf guérison f; (tratamiento) traitement m.

curado, -a [ku'raðo, a] adj (CULIN) séché(e); (pieles) tanné(e); **estar ~ de espantos** en avoir vu d'autres.

curandero, -a [kuran'dero, a] nm/f guérisseur(-euse).

curar [ku'rar] vt (enfermo, enfermedad: herida) guérir; (: con apósitos) panser; (CULIN) faire sécher; (cuero) tanner; **curarse** vpr (persona) se rétablir; (herida) se guérir.

curda ['kurða] (fam) nf: **agarrar una ~** prendre une cuite; **estar ~** être bourré(e).

curia ['kurja] nf (tb: ~ **romana**) curie f.

curiosamente [ku'rjosamente] adv curieusement; (sorprendentemente) étrangement.

curiosear [kurjose'ar] vt fouiner dans ♦ vi fouiner.

curiosidad [kurjosi'ðað] nf curiosité f; **sentir o tener ~ por o de (hacer)** être curieux(-euse) de (faire).

curioso, -a [ku'rjoso, a] adj curieux(-euse); (aseado) propre, soigné(e) ♦ nm/f (pey) curieux(-euse); **¡qué ~!** comme c'est étrange!

curita [ku'rita] nf (AM) sparadrap m.

currante [ku'rrante] nm/f (fam) bosseur (-euse).

currar [ku'rrar], **currelar** [kurre'lar] vi (fam) bosser, trimer.

currículo [ku'rrikulo], **currículum** [ku'rrikulum] nm (tb: ~ **vitae**) curriculum

m (vitae).

curro ['kurro] nm (fam) job m.

cursar [kur'sar] vt (ESCOL) suivre; (orden etc) transmettre.

cursi ['kursi] adj de mauvais goût; (afectado) maniéré(e).

cursilada [kursi'laða] nf (cosa) objet m de mauvais goût.

cursilería [kursile'ria] nf (cosa) objet m de mauvais goût; (del cursi) manières fpl.

cursillo [kur'siʎo] nm cours msg; (de reciclaje etc) stage m; (de conferencias) cycle m.

cursiva [kur'siβa] nf italiques mpl.

curso ['kurso] nm cours msg; (ESCOL, UNIV) année f; **en ~** (año, proceso) en cours; **dar ~ a** donner suite à; **moneda de ~ legal** monnaie f à cours légal; **en el ~ de** au cours de; ▶ **curso acelerado/por correspondencia** cours accéléré/par correspondance.

cursor [kur'sor] nm (INFORM) curseur m; (TEC) curseur, coulisseau m.

curtido, -a [kur'tiðo, a] adj (cara, cuero) tanné(e); (fig: persona) expérimenté(e), chevronné(e).

curtir [kur'tir] vt (pieles) tanner, corroyer; (suj: sol, viento) tanner; (fig) endurcir, aguerrir; **curtirse** vpr (fig) s'endurcir, s'aguerrir.

curva ['kurβa] nf virage m, tournant m; (MAT) courbe f; ▶ **curva de rentabilidad** (COM) courbe de rentabilité.

curvilíneo, -a [kurβi'lineo, a] adj curviligne.

curvo, -a ['kurβo, a] adj courbe.

cuscús [kus'kus] nm couscous msg.

cúspide ['kuspiðe] nf sommet m; (fig) faîte m, comble m.

custodia [kus'toðja] nf surveillance f; (de hijos) garde f; (JUR) détention f; **estar bajo la ~ policial** être en garde à vue.

custodiar [kusto'ðjar] vt surveiller.

custodio [kus'toðjo] nm gardien m.

cutáneo, -a [ku'taneo, a] adj cutané(e).

cutícula [ku'tikula] nf cuticule f.

cutis ['kutis] nm inv peau f.

cutre ['kutre] (fam) adj minable.

cuyo, -a ['kujo, a] pron (complemento de sujeto) dont le, dont la; (: plural) dont les; (complemento de objeto) dont; (tras preposición) de qui, duquel, de laquelle; (: plural) desquels, desquelles; **la señora en cuya casa me hospedé** la dame chez qui j'étais logé; **el asunto ~s detalles conoces** l'affaire dont tu connais les détails; **por ~ motivo** c'est pourquoi; **en ~ caso** auquel cas.

C.V. abr (= caballos de vapor) CV (= cheval vapeur); (= curriculum vitae) CV m (= curriculum vitae).

C y F *abr* (= *costo y flete*) port dû.

$$D, d$$

D, d *nf* (*letra*) D, d *m inv*; ~ **de Dolores** ≈ D comme Désiré.

D. *abr* (= *Don*) (*con apellido*) Monsieur *m*; (*sólo con nombre*) Don *m*.

dactilar [dakti'lar] *adj*: **huellas** ~**es** empreintes *fpl* digitales.

dádiva ['daðiβa] *nf* (*donación*) don *m*; (*regalo*) présent *m*.

dadivoso, -a [daði'βoso, a] *adj* généreux (-euse).

dado, -a ['daðo, a] *pp de* **dar** ♦ *adj*: **en un momento** ~ à un moment donné ♦ *nm* (*para juego*) dé *m*; ~**s** *nmpl* (*juego*) dés *mpl*; **ser** ~ **a hacer algo** être enclin(e) à faire qch; ~ **que** étant donné que.

daga ['daɣa] *nf* dague *f*.

daiquiri [dai'kiri], **daiquirí** [daiki'ri] *nm* daiquiri *m*.

dalia ['dalja] *nf* dahlia *m*.

dálmata ['dalmata] *adj*: **perro** ~ dalmatien *m*.

daltónico, -a [dal'toniko, a] *adj*, *nm/f* daltonien(ne).

daltonismo [dalto'nismo] *nm* daltonisme *m*.

dama ['dama] *nf* dame *f*; ~**s** *nfpl* (*juego*) dames *fpl*; **primera** ~ (*TEATRO*) premier rôle *m* féminin; (*POL*) première dame; ▶ **dama de honor** (*de novia*) demoiselle *f* d'honneur; (*de reina*) dame d'honneur; (*en concurso*) dauphine *f*.

damasco [da'masko] *nm* (*tela*) damas *msg*; (*AM*) abricot *m*.

damnificado, -a [damnifi'kaðo, a] *nm/f*: **los** ~**s** les victimes *fpl*.

dance *etc* ['danθe] *vb V* **danzar**.

danés, -esa [da'nes, esa] *adj* danois(e) ♦ *nm/f* Danois(e) ♦ *nm* (*LING*) danois *m*.

danta ['danta] (*AM*) *nf* tapir *m*.

dantesco, -a [dan'tesko, a] *adj* dantesque.

Danubio [da'nuβjo] *nm* Danube *m*.

danza ['danθa] *nf* danse *f*.

danzar [dan'θar] *vt* danser ♦ *vi* danser; (*fig: moverse*) s'agiter.

danzarín, -ina [danθa'rin, ina] *nm/f* danseur(-euse).

dañar [da'ɲar] *vt* (*mueble, cuadro, motor*)

abîmer; (*cosecha*) endommager; (*salud, reputación*) nuire à; **dañarse** *vpr* (*cosecha*) se gâter.

dañino, -a [da'ɲino, a] *adj* (*sustancia*) nocif(-ive); (*animal*) nuisible.

daño ['daɲo] *nm* (*a mueble, máquina*) dommage *m*; (*a cosecha, región*) dégât *m*; (*a persona, animal*) mal *m*; ~**s y perjuicios** (*JUR*) dommages *mpl* et intérêts *mpl*; **hacer** ~ (*alimento*) ne pas réussir; **hacer** ~ **a algn** (*producir dolor*) faire mal à qn; (*fig: ofender*) blesser qn; **eso me hace** ~ ça ne me réussit pas; **hacerse** ~ se faire mal.

DAO *sigla m* (= *Diseño Asistido por Ordenador*) DAO *f* (= *dessin assisté par ordinateur*).

=============== *PALABRA CLAVE*

dar [dar] *vt* **1** donner; **dar algo a algn** donner qch à qn; **dar un golpe/una patada** donner un coup/un coup de pied; **dar clase** faire la classe; **dar la luz** allumer (la lumière); **dar las gracias** remercier; **dar olor** répandre une odeur; **dar de beber a algn** donner à boire à qn; *V tb* **paseo** *y otros sustantivos*

2 (*causar: alegría*) donner; (: *problemas*) causer; (: *susto*) faire

3 (+ *n* = *perífrasis de verbo*): **me da pena/asco** cela me désole/dégoûte; **da gusto escucharle** c'est bien agréable de l'écouter; **me da no sé qué** (*reparo*) cela m'embête un peu

4 (*considerar*): **dar algo por descontado** considérer qch comme chose faite; **lo doy por hecho/terminado** je considère que c'est fait/terminé

5 (*hora*): **el reloj dio las 6** la pendule sonna 6 heures; *V tb* **más**

6 (*dar a* + *infin*): **dar a conocer** faire connaître

♦ *vi* **1**: **dar a** (*ventana, habitación*) donner sur; (*botón etc*) appuyer sur

2: **dar con**: **dimos con él dos horas más tarde** nous l'avons rencontré deux heures plus tard; **al final di con la solución** finalement j'ai trouvé la solution

3: **dar en** (*blanco*) atteindre; **dar en el suelo** tomber par terre; **el sol me da en la cara** j'ai le soleil dans la figure

4: **dar de sí** (*zapatos, ropa*) s'élargir

5: **dar para**: **el sueldo no da para más** ce salaire est très juste

6: **le dio por comprarse ...** il s'est mis en tête de s'acheter ...

7: **dar que** (+ *infin*): **dar que pensar** donner à penser; **el niño da mucho que hacer** cet enfant donne beaucoup de travail

8: **me da igual** *o* **lo mismo** ça m'est égal;

¿qué más te da? qu'est-ce que ça peut te faire?
darse *vpr* **1** se donner; **darse un baño** prendre un bain; **darse un golpe** se cogner
2: (*ocurrir*): **se han dado muchos casos** il y a eu de nombreux cas
3: **darse a**: **darse a la bebida** s'adonner à la boisson
4: **darse por**: **darse por vencido** se déclarer vaincu; **darse por satisfecho** s'estimer satisfait
5: **se me dan bien/mal las ciencias** je suis bon/mauvais en sciences
6: **dárselas de**: **se las da de experto** il joue les experts.

dardo ['darðo] *nm* dard *m*.
dársena ['darsena] *nf* darse *f*.
datar [da'tar] *vi*: ~ **de** dater de.
dátil ['datil] *nm* datte *f*.
dativo [da'tiβo] *nm* datif *m*.
dato ['dato] *nm* (*detalle*) fait *m*; (*MAT*) donnée *f*; ~**s** *nmpl* (*información, INFORM*) données *fpl*; ~**s de entrada/de salida** données en entrée/en sortie; ~**s personales** identité *fsg*.
dcha. *abr* (= *derecha*) dr. (= *droite*).
d. de J. C. *abr* (= *después de Jesucristo*) ap. J.-C. (= *après Jésus-Christ*).
DDT *sigla m* (= *diclorodifeniltricloroetano*) DDT *m* (= *dichloro-diphényl-trichloréthane*).

——————— *PALABRA CLAVE* ———————

de [de] (*de* + *el* = **del**) *prep* **1** (*gen*: *complemento de n*) de, d'; **la casa de Isabel/de mis padres/de los Alvarez** la maison d'Isabelle/de mes parents/des Alvarez; **una copa de vino** un verre de vin; **clases de inglés** cours *mpl* d'anglais
2 (*posesión*: *con ser*) **es de ellos** c'est à eux
3 (*origen, distancia*) de; **soy de Gijón** je suis de Gijón; **salir del cine/de la casa** sortir du cinéma/de la maison; **de lado** de côté; **de atrás/delante** de derrière/devant
4 (*materia*) en; **un abrigo de lana** un manteau en laine; **de madera** en bois
5 (*uso*) à; **una máquina de coser/escribir** une machine à coudre/écrire
6 (*traje, aspecto*): **ir vestido de gris** être habillé en gris, être vêtu de gris; **la niña del vestido azul** la fille en robe bleue; **la del pelo negro** celle qui a les cheveux noirs
7 (*profesión*): **trabaja de profesora** elle travaille comme professeur
8 (*hora, tiempo*): **a las 8 de la mañana** à 8 heures du matin; **de día/de noche** le jour/la nuit; **de hoy en ocho días** aujourd'hui en huit; **de niño era gordo** quand il était petit, il était gros
9 (*medida, distribución*): **5 metros de largo/ancho** 5 mètres de long/large; **de 2 en 2** de 2 en 2; **uno de cada tres** un sur trois
10 (*comparaciones*): **más/menos de cien personas** plus/moins de 100 personnes; **el más caro de la tienda** le plus cher du magasin; **menos/más de lo pensado** moins/plus qu'on ne pensait
11 (*adj* + *de* + *inf*): **es difícil de creer** c'est difficile à croire; **eso es difícil de hacer** il est difficile de faire cela
12 (*causa, modo*): **no puedo dormir del calor que hace** je ne peux pas dormir à cause de la chaleur; **de puro tonto se le olvidó coger dinero** il est si bête qu'il a oublié de prendre de l'argent; **temblar de miedo/de frío** trembler de peur/de froid; **de un trago** d'un coup; **de un solo golpe** d'un seul coup
13 (*condicional* + *infin*): **de no ser así** si ce n'était pas comme ça; **de ser posible** si c'est possible; **de no terminarlo hoy** si ce n'est pas fini aujourd'hui
14: **el pobre de Juan** le pauvre Juan; **el tonto de Carlos** cet idiot de Carlos
15: **de no** (*AM*: *si no*) sinon; **hazlo, de no ...!** fais-le sinon ...!

dé [de] *vb V* **dar**.
deambular [deambu'lar] *vi* (*persona*) déambuler; (*animal*) vagabonder.
debajo [de'βaxo] *adv* dessous; ~ **de** sous; **por** ~ **de** en dessous de.
debate [de'βate] *nm* débat *m*.
debatir [deβa'tir] *vt* débattre (de) ♦ *vi* débattre; **debatirse** *vpr* (*forcejear*) se débattre.
debe ['deβe] *nm* (*en cuenta*) débit *m*; **el** ~ **y el haber** l'actif *m* et le passif.
deber [de'βer] *nm* (*obligación*) devoir *m*; ~**es** *nmpl* (*ESCOL*) devoirs *mpl* ♦ *vt* devoir; **deberse** *vpr*: ~**se a** être dû(due) à; **debo hacerlo** je dois le faire; ~**ía dejar de fumar** il devrait arrêter de fumer; **debe (de) ser canadiense** il doit être canadien; **¿qué/cuánto le debo?** qu'est ce que/combien est-ce que je vous dois?; **queda a** ~ **500 pesetas** il reste à payer 500 pesetas; **como debe ser** comme il se doit.
debidamente [de'βiðamente] *adv* (*comportarse etc*) comme il faut; (*rellenar*: *documento etc*) dûment.
debido, -a [de'βiðo, a] *adj* (*cuidado, respeto*) dû(due); ~ **a** en raison de; **a su** ~ **tiempo** en temps voulu; **como es** ~

comme il convient.
débil ['deβil] *adj* faible.
debilidad [deβili'ðað] *nf* faiblesse *f*; **tener ~ por algn/algo** avoir un faible pour qn/qch.
debilitar [deβili'tar] *vt* (*persona, resistencia*) affaiblir; (*cimientos*) ébranler; **debilitarse** *vpr* s'affaiblir.
débito ['deβito] *nm* (*deuda*) débit *m*.
debut [de'βu] *nm* (*artístico, profesional*) débuts *mpl*.
debutante [deβu'tante] *nm/f* débutant(e).
debutar [deβu'tar] *vi* (*en actuación*) débuter.
década ['dekaða] *nf* décennie *f*.
decadencia [deka'ðenθja] *nf* (*de edificio*) délabrement *m*; (*de persona*) déchéance *f*; (*de sociedad*) décadence *f*.
decadente [deca'ðente] *adj* décadent(e).
decaer [deka'er] *vi* (*espectáculo*) perdre de son attrait; (*negocio*) dépérir; (*civilización, imperio*) devenir décadent(e); (*costumbres*) tomber en désuétude; (*éxito, afición, interés*) retomber; (*salud*) décliner.
decaído, -a [deka'iðo, a] *adj*: **estar ~** (*desanimado*) être abattu(e).
decaiga *etc* [de'kaiχa] *vb* V **decaer**.
decaimiento [dekai'mjento] *nm* abattement *m*.
decanato [deka'nato] *nm* (*cargo*) doyenneté *f*; (*lugar*) doyenné *m*.
decano, -a [de'kano, a] *nm/f* (*tb UNIV*) doyen(ne).
decantar [dekan'tar] *vt* décanter; **decantarse** *vpr*: **~se por** se tourner vers.
decapitar [dekapi'tar] *vt* décapiter.
decayendo *etc* [deca'jendo] *vb* V **decaer**.
decena [de'θena] *nf*: **una ~** une dizaine.
decencia [de'θenθja] *nf* décence *f*.
decenio [de'θenjo] *nm* décennie *f*.
decente [de'θente] *adj* décent(e); (*honesto*) convenable.
decepción [deθep'θjon] *nf* déception *f*.
decepcionante [deθepθjo'nante] *adj* décevant(e).
decepcionar [deθepθjo'nar] *vt* décevoir.
dechado [de'tʃaðo] *nm*: **es un ~ de virtudes** il o elle est la vertu même.
decibelio [deθi'βeljo] *nm* décibel *m*.
decidido, -a [deθi'ðiðo, a] *adj* décidé(e); **estoy ~ a hacerlo** je suis décidé(e) à le faire.
decidir [deθi'ðir] *vt* décider (de) ♦ *vi* décider; **decidirse** *vpr*: **~se (a hacer algo)** se décider (à faire qch); **¡decídete!** décide-toi!; **~se por** se décider pour.
decilitro [deθi'litro] *nm* décilitre *m*.
décima ['deθima] *nf* (*MAT*) dixième *m*; **~s** *nfpl* (*MED*) dixièmes *mpl* (de degré).

decimal [deθi'mal] *adj* décimal(e).
decímetro [de'θimetro] *nm* décimètre *m*.
décimo, -a ['deθimo, a] *adj, nm* dixième *m*; V *tb* **sexto**.
decimoctavo, -a [deθimok'taβo, a] *adj, nm/f* dix-huitième *m/f*; V *tb* **sexto**.
decimocuarto, -a [deθimo'kwarto, a] *adj, nm/f* quatorzième *m/f*; V *tb* **sexto**.
decimonónico, -a [deθimo'noniko, a] *adj* (*fig*) du dix-neuvième siècle.
decimonoveno, -a [deθimono'βeno, a] *adj, nm/f* dix-neuvième *m/f*; V *tb* **sexto**.
decimoquinto, -a [deθimo'kinto, a] *adj, nm/f* quinzième *m/f*; V *tb* **sexto**.
decimoséptimo, -a [deθimo'septimo, a] *adj, nm/f* dix-septième *m/f*; V *tb* **sexto**.
decimosexto, -a [deθimo'seksto, a] *adj, nm/f* seizième *m/f*; V *tb* **sexto**.
decimotercero, -a [deθimoter'θero, a] *adj, nm/f* treizième *m/f*; V *tb* **sexto**.
decir [de'θir] *vt* dire; (*fam: llamar*) appeler ♦ *nm*: **se dice ~** disons; **decirse** *vpr*: **se dice que ... on dit que ...**; **¡no me digas!** (*sorpresa*) non!; **~ para sí** se dire; **~ (de)** (*revelar*) en dire long (sur); **~ por ~** dire comme ça; **querer ~** vouloir dire; **es ~** c'est-à-dire; **ni que ~ tiene que ...** il va sans dire que ...; **como quien dice, como si dijéramos** comme qui dirait; **que digamos, que se diga** vraiment; **¡quién lo diría!** qui l'eût cru!; **por así ~lo** pour ainsi dire; **el qué dirán** le qu'en dira-t-on; **¡diga!, ¡dígame!** (*TELEC*) allô!; **le dije que fuera más tarde** je lui ai dit d'y aller plus tard; **dicho sea de paso** soit dit en passant; **que ya es ~** ce n'est pas peu dire; **por no ~** pour ne pas dire; **¿cómo se dice "cursi" en francés?** comment dit-on "cursi" en français?
decisión [deθi'sjon] *nf* décision *f*; **tomar una ~** prendre une décision.
decisivamente [deθi'siβamente] *adv* de manière décisive.
decisivo, -a [deθi'siβo, a] *adj* décisif(-ive).
decisorio, -a [deθi'sorjo, a] *adj* exécutif(-ive).
declamar [dekla'mar] *vt* déclamer ♦ *vi* (*recitar*) réciter; (*pey*) déclamer.
declaración [deklara'θjon] *nf* déclaration *f*; (*JUR*) déposition *f*; **falsa ~** (*JUR*) faux témoignage *m*; **prestar ~** (*JUR*) faire une déposition; **tomar ~ a algn** (*JUR*) prendre la déposition de qn; ►**declaración de derechos** (*POL*) déclaration des droits; ►**declaración de la renta** déclaration de revenus; ►**declaración fiscal** déclaration d'impôts; ►**declaración jurada** déposition.
declarar [dekla'rar] *vt* déclarer ♦ *vi* (*para la prensa, en público*) faire une déclara-

tion; (*JUR*) faire une déposition; **declararse** *vpr* (*a una chica*) déclarer son amour; (*guerra, incendio*) se déclarer; ~ **culpable/inocente a algn** déclarer qn coupable/innocent; ~**se culpable/inocente** se déclarer coupable/innocent.

declinación [dɛklina'θjon] *nf* déclinaison *f*.

declinar [dɛkli'nar] *vt* décliner ♦ *vi* (*poder*) décliner; (*fiebre*) baisser.

declive [de'kliβe] *nm* pente *f*; (*fig*) déclin *m*; **en ~** en pente; (*fig: imperio, economía*) en déclin.

decodificador [dekoðifika'ðor] *nm* décodeur *m*.

decolaje [deko'laxe] (*AND, CHI*) *nm* décollage *m*.

decolar [deko'lar] (*AND, CHI*) *vi* décoller.

decolorante [dekolo'rante] *nm* décolorant *m*.

decolorar [dekolo'rar] *vt* décolorer.

decomisar [dekomi'sar] *vt* confisquer.

decomiso [deko'miso] *nm* confiscation *f*.

decoración [dekora'θjon] *nf* décoration *f*; (*TEATRO*) décor *m*; ▶**decoración de escaparates/de interiores** décoration de vitrines/d'intérieur.

decorado [deko'raðo] *nm* décor *m*.

decorador, a [dekora'ðor, a] *nm/f* décorateur(-trice).

decorar [deko'rar] *vt* décorer.

decorativo, -a [dekora'tiβo, a] *adj* décoratif(-ive).

decoro [de'koro] *nm* (*en comportamiento etc*) correction *f*.

decoroso, -a [deko'roso, a] *adj* correct(e); (*digno*) respectable.

decrecer [dekre'θer] *vi* diminuer; (*nivel de agua*) baisser; (*días*) raccourcir.

decrépito, -a [de'krepito, a] *adj* décrépit(e); (*sociedad*) en décrépitude.

decretar [dekre'tar] *vt* décréter.

decreto [de'kreto] *nm* décret *m*.

decreto-ley [de'kreto'lei] (*pl* ~**s-~es**) *nm* décret-loi *m*.

decrezca *etc* [de'kreθka] *vb V* **decrecer**.

decúbito [de'kuβito] *nm* (*MED*): **en ~ prono/supino** sur le ventre/dos.

dedal [de'ðal] *nm* (*para costura*) dé *m*; (*fig: medida*) doigt *m*.

dedicación [deðika'θjon] *nf* (*a trabajo etc*) engagement *m*; (*de persona*) dévouement *m*; **con ~ exclusiva o plena** à plein temps.

dedicar [deði'kar] *vt* dédicacer; (*tiempo, dinero, esfuerzo*) consacrer; **dedicarse** *vpr*: ~**se a** se consacrer à; **¿a qué se dedica usted?** qu'est-ce que vous faites dans la vie?

dedicatoria [deðika'torja] *nf* dédicace *f*.

dedillo [de'ðiʎo] *nm*: **saber algo al ~** savoir qch sur le bout des doigts.

dedique *etc* [de'ðike] *vb V* **dedicar**.

dedo ['deðo] *nm* doigt *m*; ~ (**del pie**) orteil *m*; **contar con los ~s** compter sur les doigts; **chuparse los ~s** se régaler; **a ~** (*entrar, nombrar*) avec du piston; **hacer ~** (*fam*) faire du stop; **poner el ~ en la llaga** toucher le point sensible; **no tiene dos ~s de frente** il n'est pas très futé; **estar a dos ~s de** être à deux doigts de; ▶**dedo anular** annulaire *m*; ▶**dedo corazón** majeur *m*; ▶**dedo gordo** pouce *m*; (*en pie*) gros orteil; ▶**dedo índice** index *msg*; ▶**dedo meñique** auriculaire *m*.

deducción [deðuk'θjon] *nf* déduction *f*.

deducir [deðu'θir] *vt* déduire.

deduje *etc* [de'ðuxe], **dedujera** *etc* [deðu'xera], **deduzca** *etc* [de'ðuθka] *vb V* **deducir**.

defección [defek'θjon] *nf* défection *f*.

defectivo, -a [defek'tiβo, a] *adj* défectif (-ive).

defecto [de'fekto] *nm* défaut *m*; **por ~** (*INFORM*) par défaut.

defectuoso, -a [defek'twoso, a] *adj* défectueux(-euse).

defender [defen'der] *vt* défendre; **defenderse** *vpr*: ~**se de algo** se défendre de qch; ~**se contra algo/algn** se défendre contre qch/qn; ~**se bien** (*en profesión etc*) bien se défendre; **me defiendo en inglés** (*fig*) je ne me défends pas mal en anglais.

defendible [defen'diβle] *adj* défendable.

defensa [de'fensa] *nf* (*tb JUR*) défense *f*; (*de tesis, ideas*) soutien *m* ♦ *nm* (*DEPORTE*) défense *f*; ~**s** *nfpl* (*MED*) défenses *fpl*; **en ~ propia** en légitime défense.

defensiva [defen'siβa] *nf*: **a la ~** sur la défensive.

defensivo, -a [defen'siβo, a] *adj* (*movimiento, actitud*) de défense.

defensor, a [defen'sor, a] *adj* (*persona*) qui défend ♦ *nm/f* (*tb: abogado ~*) avocat(e) de la défense; (*protector*) défenseur *m*; ▶**defensor del pueblo** (*ESP*) défenseur du peuple.

deferencia [defe'renθja] *nf* déférence *f*.

deferente [defe'rente] *adj* déférent(e).

deferir [defe'rir] *vt* déférer.

deficiencia [defi'θjenθja] *nf* défaut *m*; ▶**deficiencia mental** déficience *f* mentale.

deficiente [defi'θjente] *adj* (*trabajo*) insuffisant(e); (*salud*) déficient(e) ♦ *nm/f*: **ser un ~ mental/físico** être handicapé mental/physique ♦ *nm* (*ESCOL*) mauvaise note *f*; ~ **en** insuffisant(e) en.

déficit ['defiθit] (*pl* ~**s**) *nm* déficit *m*; ▶**déficit presupuestario** déficit budgétaire.

deficitario, -a [defiθi'tarjo, a] *adj* déficitaire.
defienda *etc* [de'fjenda] *vb* V **defender**.
defiera *etc* [de'fjera] *vb* V **deferir**.
definición [defini'θjon] *nf* définition *f*.
definido, -a [defini'ðo, a] *adj* net(te); (*LING*) défini(e); **bien** ~ (*posición, respuesta*) bien défini(e); ~ **por el usuario** (*INFORM*) définissable par l'utilisateur.
definir [defi'nir] *vt* définir.
definitivamente [defini'tiβamente] *adv* définitivement.
definitivo, -a [defini'tiβo, a] *adj* définitif (-ive); **en definitiva** définitivement; (*en conclusión, resumen*) en définitive.
defiriendo *etc* [defi'rjendo] *vb* V **deferir**.
deflacionario, -a [deflaθjo'nario, a], **deflacionista** [deflaθjo'nista] *adj* de déflation, déflationniste.
deflector [deflek'tor] *nm* déflecteur *m*.
deforestación [deforesta'θjon] *nf* déforestation *f*.
deformación [deforma'θjon] *nf* déformation *f*; ▶ **deformación profesional** déformation professionnelle.
deformar [defor'mar] *vt* déformer; **deformarse** *vpr* se déformer.
deforme [de'forme] *adj* difforme.
deformidad [deformi'ðað] *nf* difformité *f*.
defraudar [defrau'ðar] *vt* (*a personas*) tromper; (*a Hacienda*) frauder.
defunción [defun'θjon] *nf* décès *m*; "**cerrado por ~**" "fermé pour cause de décès".
degeneración [dexenera'θjon] *nf* dégradation *f*.
degenerado, -a [dexene'raðo, a] *adj*, *nm/f* dégénéré(e).
degenerar [dexene'rar] *vi* dégénérer; ~ **en** dégénérer en.
deglutir [deɣlu'tir] *vt*, *vi* déglutir.
degolladero [deɣoʎa'ðero] *nm* abattoir *m*.
degollar [deɣo'ʎar] *vt* égorger.
degradante [deɣra'ðante] *adj* dégradant(e).
degradar [deɣra'ðar] *vt* (*tb MIL*) dégrader; (*INFORM: datos*) altérer; **degradarse** *vpr* se dégrader.
degüelle *etc* [de'ɣweʎe] *vb* V **degollar**.
degustación [deɣusta'θjon] *nf* dégustation *f*.
degustar [deɣus'tar] *vt* déguster.
dehesa [de'esa] *nf* pâturage *m*.
dejadez [dexa'ðeθ] *nf* laisser-aller *m*.
dejado, -a [de'xaðo, a] *adj* négligent(e).
dejar [de'xar] *vt* laisser; (*persona, empleo, pueblo*) quitter ♦ *vi*: ~ **de** arrêter de; **dejarse** *vpr* se laisser aller; ~ **a algn** (*hacer algo*) laisser qn (faire qch); ~ **de fumar** arrêter de fumer; **no dejes de visitarles** continue à leur rendre visite; **le dejó su**

novia sa fiancée l'a quitté; **no dejes de comprar un billete** n'oublie pas d'acheter un billet; **¡déjame en paz!** laisse-moi tranquille!; ~ **a un lado** laisser de côté; ~ **caer** (*objeto*) laisser tomber; (*fig: insinuar*) glisser; ~ **atrás a algn** dépasser qn; ~ **entrar/salir** laisser entrer/sortir; ~ **pasar** laisser passer; **¡déjalo!** laisse tomber!; **te dejo en tu casa** je te laisse chez toi; (*a un pasajero*) je te dépose chez toi; ~ **a algn sin algo** laisser qn sans qch; **deja mucho que desear** cela laisse beaucoup à désirer; ~**se persuadir** se laisser convaincre; ~**se llevar por algn/algo** se laisser entraîner par qn/qch; **¡déjate de tonterías!** arrête de dire des bêtises!
deje ['dexe], **dejo** ['dexo] *nm* accent *m*; (*sabor*) arrière-goût *m*.
del [del] = (**de** + **el**) V **de**.
del. *abr* (*ADMIN*) = **delegación**.
delación [dela'θjon] *nf* délation *f*.
delantal [delan'tal] *nm* tablier *m*.
delante [de'lante] *adv* devant ♦ *prep*: ~ **de** devant; **la parte de** ~ la partie avant; **estando otros** ~ devant d'autres personnes; **por** ~ (**de**) par devant; ~ **mío/ nuestro** (*esp CSUR: fam*) devant moi/nous.
delantera [delan'tera] *nf* (*de vestido*) devant *m*; (*coche*) avant *m*; (*TEATRO*) fauteuil *m* d'orchestre; (*DEPORTE*) avance *f*; **llevar la** ~ (**a algn**) mener (devant qn); **coger** *o* **tomar la** ~ (**a algn**) devancer (qn).
delantero, -a [delan'tero, a] *adj* (*asiento, balcón*) avant; (*vagón*) de tête; (*patas de animal*) de devant ♦ *nm* (*DEPORTE*) avant *m*; ▶ **delantero centro** avant-centre *m*.
delatar [dela'tar] *vt* dénoncer; (*sonrisa, gesto, ropas*) trahir; **los delató a la policía** il les a dénoncés à la police.
delator, a [dela'tor, a] *adj* (*gesto, sonrisa*) révélateur(-trice) ♦ *nm/f* dénonciateur (-trice).
delco ® ['delko] *nm* delco *m* ®.
delectación [delekta'θjon] *nf* délectation *f*.
delegación [deleɣa'θjon] *nf* délégation *f*; (*MÉX: comisaría*) commissariat *m*; (: *ayuntamiento*) mairie *f*; ~ **de poderes** (*POL*) délégation de pouvoirs; ▶ **Delegación de Educación de Hacienda/de Trabajo** ≈ ministère *m* de l'Éducation/ des Finances/du Travail.
delegado, -a [dele'ɣaðo, a] *nm/f* délégué(e).
delegar [dele'ɣar] *vt*: ~ **algo en algn** déléguer qch à qn.
delegue *etc* [de'leɣe] *vb* V **delegar**.
deleitar [delei'tar] *vt* enchanter; **deleitarse** *vpr*: ~**se con** *o* **en** prendre grand plaisir à.
deleite [de'leite] *nm* ravissement *m*.

deletrear [deletre'ar] *vt* épeler ♦ *vi* articuler.

deleznable [deleθ'naßle] *adj* (*calidad*) mauvais(e); (*argumento*) inconsistant(e).

delfín [del'fin] *nm* dauphin *m*.

delgadez [delɣa'ðeθ] *nf* maigreur *f*; (*fineza*) minceur *f*.

delgado, -a [del'ɣaðo, a] *adj* maigre; (*fino*) mince.

deliberación [delißera'θjon] *nf* délibération *f*.

deliberado, -a [deliße'raðo, a] *adj* délibéré(e)

deliberar [deliße'rar] *vi*: ~ (**sobre**) délibérer (sur).

delicadamente [deli'kaðamente] *adv* délicatement.

delicadeza [delika'ðeθa] *nf* délicatesse *f*; **tener la ~ de hacer** avoir la délicatesse de faire.

delicado, -a [deli'kaðo, a] *adj* délicat(e).

delicia [de'liθja] *nf* délice *m*.

delicioso, -a [deli'θjoso, a] *adj* délicieux (-euse).

delictivo, -a [delik'tißo, a] *adj* délictueux(-euse).

delimitar [delimi'tar] *vt* délimiter.

delincuencia [delin'kwenθja] *nf* délinquance *f*; ▶ **delincuencia juvenil** délinquance juvénile.

delincuente [delin'kwente] *nm/f* délinquant(e); ▶ **delincuente habitual** délinquant(e) récidiviste; ▶ **delincuente juvenil** jeune délinquant(e).

delineante [deline'ante] *nm/f* dessinateur (-trice).

delinear [deline'ar] *vt* (*proyecto*) délimiter; (*plano*) tracer.

delinquir [delin'kir] *vi* commettre un délit.

delirante [deli'rante] *adj* délirant(e).

delirar [deli'rar] *vi* délirer.

delirio [de'lirjo] *nm* délire *m*; **con ~** (*fam*) à la folie; **sentir/tener ~ por algo/algn** aimer qch/qn à la folie; ▶ **delirios de grandeza** folie *f* des grandeurs.

delito [de'lito] *nm* délit *m*; **en flagrante ~** en flagrant délit.

delta ['delta] *nm* delta *m*.

demacrado, -a [dema'kraðo, a] *adj* émacié(e).

demagogia [dema'ɣoxja] *nf* démagogie *f*.

demagógico, -a [dema'ɣoxiko, a] *adj* démagogique.

demanda [de'manda] *nf* (*tb COM, JUR*) demande *f*; (*reivindicación*) requête *f*; **hay poca/mucha ~ de este producto** la demande de pour ce produit est faible/forte; **en ~ de** pour demander; **entablar ~** (*JUR*) intenter une action en justice; **presentar ~ de divorcio** demander le divorce; ▶ **de-**

manda de mercado (*COM*) demande du marché; ▶ **demanda de pago** avertissement *m*; ▶ **demanda final** (*COM*) dernier rappel *m*; ▶ **demanda indirecta** (*COM*) demande induite.

demandado, -a [deman'daðo, a] *nm/f* (*JUR*) défendeur(-deresse).

demandante [deman'dante] *nm/f* (*JUR*) demandeur(-deresse).

demandar [deman'dar] *vt* demander; (*JUR*) poursuivre; ~ **a algn por calumnia/por daños y perjuicios** poursuivre qn en diffamation/en dommages-intérêts.

demarcación [demarka'θjon] *nf* démarcation *f*; (*zona*) zone *f*; (*jurisdicción*) circonscription *f*.

demás [de'mas] *adj*: **los ~ niños** les autres enfants *mpl* ♦ *pron*: **los/las ~** les autres; **lo ~** le reste; **por lo ~** à part cela; **por ~** en vain; **y ~** et cetera.

demasía [dema'sia] *nf*: **en ~** en trop; **comer/beber en ~** manger/boire trop.

demasiado, -a [dema'sjaðo, a] *adj*: ~ **vino** trop de vin ♦ *adv* trop; ~**s libros** trop de livres; **¡es ~!** c'est trop!; **es ~ pesado para levantarlo** c'est trop lourd pour être soulevé; ~ **lo sé** je ne le sais que trop bien; **hace ~ calor** il fait trop chaud.

demencia [de'menθja] *nf* démence *f*; ▶ **demencia senil** démence sénile.

demencial [demen'θjal] *adj* démentiel(le).

demente [de'mente] *adj, nm/f* dément(e).

democracia [demo'kraθja] *nf* démocratie *f*.

demócrata [de'mokrata] *adj, nm/f* démocrate *m/f*.

democratacristiano, -a [demokratakris'tjano, a] *adj, nm/f* démocrate-chrétien(ne).

democráticamente [demo'kratikamente] *adv* démocratiquement.

democrático, -a [demo'kratiko, a] *adj* démocratique.

democristiano, -a [demokris'tjano, a] *adj, nm/f* = **democratacristiano**.

demográfico, -a [demo'ɣrafiko, a] *adj* démographique; (*instituto*) de démographie; **la explosión demográfica** l'explosion *f* démographique.

demoledor, a [demole'ðor, a] *adj* (*argumento, crítica*) destructeur(-trice); (*ataque, fuerza*) dévastateur(-trice).

demoler [demo'ler] *vt* démolir.

demolición [demoli'θjon] *nf* démolition *f*.

demonio [de'monjo] *nm* (*tb fig*) démon *m*; **¡~s!** mince!; **¿cómo ~s?** comment diable?; **¿qué ~s será?** (*fam*) qu'est-ce que ça peut bien être?; **¿dónde ~ lo habré dejado?** où diable l'ai-je laissé?

demora [de'mora] *nf* retard *m*.

demorar [demo'rar] *vt* retarder ♦ *vi*: ~ **en**

(*AM*) mettre du temps à; **demorarse** *vpr* s'attarder; ~**se al** *o* **en hacer algo** prendre du retard en faisant qch.

demos ['demos] *vb* V **dar.**

demostración [demostra'θjon] *nf* démonstration *f*; (*de sinceridad*) preuve *f*.

demostrar [demos'trar] *vt* (*sinceridad*) prouver; (*afecto, fuerza*) montrer; (*funcionamiento, aplicación*) démontrer.

demostrativo, -a [demostra'tiβo, a] *adj* démonstratif(-ive).

demudado, -a [demu'ðaðo, a] *adj*: **tener el rostro** ~ avoir le visage pâle.

demudar [demu'ðar] *vt* altérer; **demudarse** *vpr* (*expresión*) changer.

demuela *etc* [de'mwela] *vb* V **demoler.**

demuestre *etc* [de'mwestre] *vb* V **demostrar.**

den [den] *vb* V **dar.**

denegación [deneɣa'θjon] *nf* refus *msg*, dénégation *f*.

denegar [dene'ɣar] *vt* refuser; (*demanda, recurso*) rejeter.

denegué *etc* [dene'ɣe] *vb* V **denegar.**

dengue ['dengue] *nm* dengue *f*.

deniego *etc* [de'njeɣo], **deniegue** *etc* [de'njeɣe] *vb* V **denegar.**

denigrante [deni'ɣrante] *adj* humiliant(e).

denigrar [deni'ɣrar] *vt* dénigrer; (*humillar*) humilier.

denodado, -a [deno'ðaðo, a] *adj* (*persona*) fougueux(-euse); (*esfuerzos*) intense.

denominación [denomina'θjon] *nf* dénomination *f*; ~ **de origen** appellation *f* d'origine.

denominador [denomina'ðor] *nm*: ~ **común** (*tb fig*) dénominateur *m* commun.

denostar [denos'tar] *vt* insulter.

denotar [deno'tar] *vt* dénoter.

densidad [densi'ðað] *nf* densité *f*; ▶ **densidad de caracteres** (*INFORM*) espacement *m* des caractères; ▶ **densidad de población** densité de population.

denso, -a ['denso, a] *adj* dense; (*humo, niebla*) épais(se); (*novela, discurso*) complexe.

dentado, -a [den'taðo, a] *adj* denté(e).

dentadura [denta'ðura] *nf* denture *f*; ▶ **dentadura postiza** dentier *m*.

dental [den'tal] *adj* dentaire; **hilo** *o* **seda** ~ **fil** *m* dentaire.

dentellada [dente'ʎaða] *nf* morsure *f*; (*al partir, al pelear*) coup *m* de dent.

dentera [den'tera] *nf* frisson *m*; **me da** ~ ça me fait frémir.

dentición [denti'θjon] *nf* dentition *f*.

dentífrico, -a [den'tifriko, a] *adj*: **crema** *o* **pasta dentífrica** pâte *f* dentifrice ♦ *nm* dentifrice *m*.

dentista [den'tista] *nm/f* dentiste *m/f*.

dentistería [dentiste'ria] (*COL, VEN*) *nf* cabinet *m* de dentiste.

dentística [den'tistika] (*CHI*) *nf* odontologie *f*.

dentro ['dentro] *adv* dedans ♦ *prep*: ~ **de** dans; **allí** ~ à l'intérieur; **mirar por** ~ regarder à l'intérieur; ~ **de lo posible** dans la mesure du possible; ~ **de lo que cabe** relativement; ~ **de tres meses** dans trois mois; ~ **de poco** sous peu.

denuesto [de'nwesto] *nm* outrage *m*.

denuncia [de'nunθja] *nf* plainte *f*; **hacer** *o* **poner una** ~ déposer une plainte.

denunciante [denun'θjante] *nm/f* plaignant(e).

denunciar [denun'θjar] *vt* (*en comisaría*) déposer une plainte contre; (*en prensa etc*) dénoncer.

Dep. *abr* (= *Departamento*) dépt (= *département*); (= *depósito*).

deparar [depa'rar] *vt* (*oportunidad*) fournir; (*suj: futuro, destino*) réserver; **los placeres que nos deparó el viaje** les plaisirs *mpl* que ce voyage nous a procurés.

departamento [departa'mento] *nm* département *m*; (*AM*) appartement *m*; (*en mueble*) compartiment *m*; ~ **de envíos** (*COM*) service *m* des expéditions.

departir [depar'tir] *vi* s'entretenir.

dependencia [depen'denθja] *nf* dépendance *f*; (*POL*) bureau *m*; (*COM*) succursale *f*; ~**s** *nfpl* dépendances *fpl*.

depender [depen'der] *vi*: ~ **de** dépendre de; **todo depende** tout dépend; **no depende de mí** cela ne dépend pas de moi; **depende de lo que haga él** cela dépend de ce qu'il fait.

dependienta [depen'djenta] *nf* vendeuse *f*.

dependiente [depen'djente] *adj*: ~ **(de)** dépendant(e) (de) ♦ *nm* vendeur *m*.

depilación [depila'θjon] *nf* épilation *f*.

depilar [depi'lar] *vt* épiler; **depilarse** *vpr* s'épiler.

depilatorio, -a [depila'torjo, a] *adj, nm* dépilatoire *m*.

deplorable [deplo'raβle] *adj* déplorable.

deplorar [deplo'rar] *vt* déplorer.

depondré *etc* [depon'dre] *vb* V **deponer.**

deponer [depo'ner] *vt* (*rey, gobernante*) déposer; (*actitud*) laisser libre cours à; ~ **las armas** déposer les armes.

deponga *etc* [de'ponga] *vb* V **deponer.**

deportación [deporta'θjon] *nf* déportation *f*.

deportar [depor'tar] *vt* déporter.

deporte [de'porte] *nm* sport *m*; **hacer** ~ faire du sport.

deportista [depor'tista] *adj, nm/f* sportif (-ive); **ser muy** ~ être très sportif(-ive); **ser poco** ~ ne pas être très sportif(-ive).

deportividad [deportiβi'ðað] *nf* sportivité *f*.

deportivo, -a [depor'tiβo, a] *adj* sportif (-ive) ♦ *nm* voiture *f* de sport.

deposición [deposi'θjon] *nf* destitution *f*.

depositante [deposi'tante] *nm/f* déposant(e).

depositar [deposi'tar] *vt* déposer; **depositarse** *vpr* se déposer; ~ **la confianza en algn** accorder sa confiance à qn.

depositario, -a [deposi'tarjo, a] *nm/f*: ~ **de** dépositaire *m/f* de; ▶ **depositario judicial** administrateur(trice) judiciaire.

depósito [de'posito] *nm* dépôt *m*; (*de agua, gasolina etc*) réserve *f*; **dejar dinero en** ~ laisser de l'argent en dépôt; ▶ **depósito de cadáveres** morgue *f*.

depravado, -a [depra'βaðo, a] *adj, nm/f* dépravé(e).

depravar [depra'βar] *vt* dépraver; **depravarse** *vpr* (*persona*) se dépraver.

depreciación [depreθja'θjon] *nf* dépréciation *f*.

depreciar [depre'θjar] *vt* déprécier; **depreciarse** *vpr* se déprécier.

depredador, a [depreða'ðor, a] *adj* prédateur(-trice) ♦ *nm* prédateur *m*.

depredar [depre'ðar] *vt* dévaliser.

depresión [depre'sjon] *nf* dépression *f*; ▶ **depresión nerviosa** dépression nerveuse.

depresivo, -a [depre'siβo, a] *adj* (*clima, ambiente*) déprimant(e); (*persona, carácter*) dépressif(-ive).

deprimente [depri'mente] *adj* déprimant(e).

deprimido, -a [depri'miðo, a] *adj* déprimé(e).

deprimir [depri'mir] *vt*, **deprimirse** *vpr* déprimer.

deprisa [de'prisa] *adv* vite; ¡~! vite!; ~ **y corriendo** vite fait bien fait.

depuesto [de'pwesto] *pp de* **deponer**.

depuración [depura'θjon] *nf* (*tb POL*) épuration *f*; (*INFORM*) décontamination *f*.

depuradora [depura'ðora] *nf* station *f* d'épuration.

depurar [depu'rar] *vt* épurer; (*INFORM*) décontaminer.

depuse *etc* [de'puse] *vb* V **deponer**.

der. *abr* (= *derecho*) dr. (= *droit*).

derecha [de'retʃa] *nf* main *f* droite; (*POL*) droite *f*; **a la** ~ à droite; **a ~s** (*hacer*) bien; **de ~s** (*POL*) de droite.

derechazo [dere'tʃaθo] *nm* (*BOXEO*) droit *m*; (*TENIS*) coup *m* droit.

derechista [dere'tʃista] (*POL*) *adj* de droite ♦ *nm/f* ≈ conservateur(-trice).

derecho, -a [de'retʃo, a] *adj* droit(e) ♦ *nm* droit *m*; (*lado*) côté *m* droit ♦ *adv* droit;

~**s** *nmpl* droits *mpl*; **a mano derecha** à droite; **Facultad de D~** Faculté *f* de Droit; **estudiante de D~** étudiant(e) en Droit; **"reservados todos los ~s"** "tous droits réservés"; **¡no hay ~!** il n'y a pas de justice!; **tener** ~ **a algo** avoir droit à qch; **tener** ~ **a hacer algo** avoir le droit de faire qch; **estar en su** ~ être dans son droit; ▶ **derecho a voto** droit de vote; ▶ **derechos civiles** droits civiques; ▶ **derechos de patente** propriété *f* industrielle; ▶ **derecho de propiedad literaria** copyright *m*; ▶ **derecho de timbre** (*COM*) droit de timbre; ▶ **derechos humanos/de autor** droits de l'homme/d'auteur; ▶ **derecho mercantil/penal/de retención** droit commercial/pénal/de rétention; ▶ **derechos portuarios/de muelle** (*COM*) droit de mouillage/de bassin.

deriva [de'riβa] *nf*: **ir/estar a la** ~ (*tb fig*) aller/être à la dérive.

derivación [deriβa'θjon] *nf* embranchement *m*; (*LING*) dérivation *f*.

derivado, -a [deri'βaðo, a] *adj* dérivé(e) ♦ *nm* dérivé *m*.

derivar [deri'βar] *vt* (*conclusión*) arriver à; (*conversación*) dévier ♦ *vi* dévier; **derivarse** *vpr*: ~**se de** dériver de.

dermatólogo, -a [derma'toloɤo, a] *nm/f* dermatologue *m/f*.

dérmico, -a ['dermiko, a] *adj* dermique.

derogación [deroɤa'θjon] *nf* abrogation *f*.

derogar [dero'ɤar] *vt* abroger; (*contrato*) annuler.

derogue *etc* [de'roɤe] *vb* V **derogar**.

derramamiento [derrama'mjento] *nm*: ~ **de sangre** épanchement *m* de sang.

derramar [derra'mar] *vt* (*verter*) verser; (*esparcir*) renverser; **derramarse** *vpr* se répandre; ~ **lágrimas** verser o répandre des larmes.

derrame [de'rrame] *nm* écoulement *m*; (*MED*) épanchement *m*; ▶ **derrame cerebral** hémorragie *f* cérébrale.

derrapar [derra'par] *vi* déraper.

derredor [derre'ðor] *adv*: **en** ~ autour.

derrengado, -a [derren'gaðo, a] *adj*: **estar** ~ être éreinté(e); **dejar** ~ **a algn** éreinter qn.

derretido, -a [derre'tiðo, a] *adj* fondu(e); **estar** ~ **por algn** se mourir d'amour pour qn.

derretir [derre'tir] *vt* fondre; **derretirse** *vpr* fondre; (*fig*) se mourir d'amour; ~**se de calor** être en nage.

derribar [derri'βar] *vt* faire tomber; (*construcción*) abattre; (*gobierno, político*) renverser.

derribo [de'rriβo] *nm* démolition *f*; ~**s** *nmpl*

(*escombros*) décombres *mpl*; **materiales de** ~ **gravats** *mpl*.

derrita *etc* [de'rrita] *vb* V **derretir**.

derrocamiento [derroka'mjento] *nm* renversement *m*.

derrocar [derro'kar] *vt* (*gobierno*) renverser; (*ministro*) destituer.

derrochador, a [derrotʃa'ðor, a] *adj, nm/f* dépensier(-ère).

derrochar [derro'tʃar] *vt* dilapider; (*energía, salud*) déborder de.

derroche [de'rrotʃe] *nm* gaspillage *m*; (*de salud, alegría*) débordement *m*.

derroque *etc* [de'rroke] *vb* V **derrocar**.

derrota [de'rrota] *nf* déroute *f*; (*DEPORTE, POL*) défaite *f*; **sufrir una grave** ~ **subir un échec grave**.

derrotar [derro'tar] *vt* vaincre; (*enemigo*) mettre en déroute; (*DEPORTE, POL*) battre.

derrotero [derro'tero] *nm* cap *m*; **tomar otros** ~**s** prendre une autre voie.

derrotista [derro'tista] *adj, nm/f* défaitiste *m/f*.

derruir [derru'ir] *vt* démolir.

derrumbamiento [derrumba'mjento] *nm* démolition *f*; (*desplome*) écroulement *m*; ▶**derrumbamiento de tierra** éboulement *m*.

derrumbar [derrum'bar] *vt* démolir; **derrumbarse** *vpr* s'écrouler; (*esperanzas*) s'effondrer; (*persona*) se laisser aller.

derrumbe [de'rrumbe] *nm* = **derrumbamiento**.

derruyendo *etc* [derru'jendo] *vb* V **derruir**.

des [des] *vb* V **dar**.

desabastecido, -a [desaβaste'θiðo, a] *adj*: **estar** ~ **de algo** être dépourvu(e) de.

desaborido, -a [desaβo'riðo, a] *adj* insignifiant(e).

desabotonar [desaβoto'nar] *vt* déboutonner; **desabotonarse** *vpr* se déboutonner.

desabrido, -a [desa'βriðo, a] *adj* (*comida*) insipide; (*persona*) désagréable; (*tiempo*) mauvais(e).

desabrigado, -a [desaβri'ɣaðo, a] *adj* peu couvert(e); (*lugar*) ouvert(e) aux quatre vents.

desabrigar [desaβri'ɣar] *vt* découvrir; **desabrigarse** *vpr* se découvrir; **me desabrigué en la cama** je me suis retrouvé sans couvertures.

desabrigue *etc* [desa'βriɣe] *vb* V **desabrigar**.

desabrochar [desaβro'tʃar] *vt* défaire; **desabrocharse** *vpr* (*cinturón*) défaire.

desacatar [desaka'tar] *vt* passer outre.

desacato [desa'kato] *nm* manque *m* de respect; (*JUR*) outrage *m*; ▶**desacato a la autoridad** outrage à agent de la force publique.

desacertado, -a [desaθer'taðo, a] *adj* erroné(e); (*inoportuno*) mal à propos.

desacierto [desa'θjerto] *nm* erreur *f*.

desaconsejado, -a [desakonse'xaðo, a] *adj*: **estar** ~ être déconseillé(e).

desaconsejar [desakonse'xar] *vt*: ~ **algo a algn** déconseiller qch à qn.

desacoplar [desako'plar] *vt* (*ELEC, TEC*) découpler.

desacorde [desa'korðe] *adj* désaccordé(e); (*opiniones*) divergent(e); **estar** ~ **con algo** être en désaccord avec qch.

desacostumbrarse [desakostum'brarse] *vpr* perdre l'habitude.

desacreditar [desakreði'tar] *vt* discréditer.

desactivar [desakti'βar] *vt* désamorcer.

desacuerdo [desa'kwerðo] *nm* désaccord *m*; (*disconformidad*) contradiction *f*; **en** ~ en désaccord.

desafiante [desa'fjante] *adj* (*actitud*) de défi; (*persona*) avec un air de défi.

desafiar [desa'fjar] *vt* affronter; ~ **a algn a hacer** mettre qn au défi de faire.

desafilado, -a [desafi'laðo, a] *adj* émoussé(e).

desafinado, -a [desafi'naðo, a] *adj*: **estar** ~ être désaccordé(e).

desafinar [desafi'nar] *vi* détonner; **desafinarse** *vpr* se désaccorder.

desafío [desa'fio] *nm* défi *m*.

desaforadamente [desafo'raðamente] *adv*: **gritar** ~ s'égosiller.

desaforado, -a [desafo'raðo, a] *adj* (*grito*) terrible; (*ambición*) démesuré(e).

desafortunadamente [desafortu'naðamente] *adv* malheureusement.

desafortunado, -a [desafortu'naðo, a] *adj* malheureux(-euse); (*inoportuno*) inopportun(e).

desafuero [desa'fwero] *nm* violation *f*.

desagradable [desaɣra'ðaβle] *adj* désagréable; **ser** ~ **con algn** être désagréable avec qn; **es** ~ **tener que hacerlo** il est désagréable d'avoir à le faire.

desagradar [desaɣra'ðar] *vi* indisposer; **me desagrada hacerlo** je n'aime pas le faire.

desagradecido, -a [desaɣraðe'θiðo, a] *adj* ingrat(e).

desagrado [desa'ɣraðo] *nm* mécontentement *m*; **con** ~ de mauvaise grâce.

desagraviar [desaɣra'βjar] *vt* se racheter.

desagravio [desa'ɣraβjo] *nm* réparation *f*; **en (señal de)** ~ en (guise de) réparation.

desaguadero [desaɣwa'ðero] *nm* tuyau *m* d'écoulement.

desaguar [desa'ɣwar] *vt* (*pantano, líquido*) drainer ♦ *vi* s'écouler.

desagüe [de'saɣwe] *nm* écoulement *m*; (*de lavadora*) vidange *f*; ▶**tubo de desagüe**

tuyau *m* d'écoulement.

desaguisado [desaɣi'saðo] *nm* dommage *m*.

desahogadamente [desao'ɣaðamente] *adv* dans l'aisance.

desahogado, -a [desao'ɣaðo, a] *adj* aisé(e); (*espacioso*) spacieux(-euse).

desahogar [desao'ɣar] *vt* laisser libre cours à; **desahogarse** *vpr* se soulager; **se desahogó conmigo** il s'est défoulé sur moi.

desahogo [desa'oɣo] *nm* soulagement *m*; (*comodidad*) commodité *f*; **vivir con ~** vivre dans l'aisance.

desahogue *etc* [desa'oɣe] *vb* V **desahogar**.

desahuciado, -a [desau'θjaðo, a] *adj* (*enfermo*) condamné(e); (*inquilino*) expulsé(e).

desahuciar [desau'θjar] *vt* (*enfermo*) condamner; (*inquilino*) expulser.

desahucio [de'sauθjo] *nm* expulsion *f*.

desairado, -a [desai'raðo, a] *adj* (*pretendiente*) éconduit(e); (*sin éxito*) infructueux(-euse); **quedar ~** être humilié(e).

desairar [desai'rar] *vt* dédaigner.

desaire [des'aire] *nm* mépris *m*; **hacer un ~ a algn** faire un affront à qn; **¿me va usted a hacer ese ~?** vous n'allez pas me faire cet affront?

desajustar [desaxus'tar] *vt* desserrer; (*planes*) déranger; **desajustarse** *vpr* se desserrer.

desajuste [desa'xuste] *nm* (*de situación*) dérèglement *m*; (*de piezas*) désserrage *m*; (*desacuerdo*) désaccord *m*; ▸ **desajuste económico/de horarios** décalage *m* économique/horaire.

desalar [desa'lar] *vt* dessaler.

desalentador, a [desalenta'ðor, a] *adj* décourageant(e).

desalentar [desalen'tar] *vt* décourager; **desalentarse** *vpr* se décourager.

desaliento [desa'ljento] *vb* V **desalentar** ♦ *nm* découragement *m*.

desaliñado, -a [desali'ɲaðo, a] *adj* (*descuidado*) négligé(e); (*persona*) négligent(e).

desaliño [desa'liɲo] *nm* négligence *f*.

desalmado, -a [desal'maðo, a] *adj* méchant(e), cruel(le).

desalojar [desalo'xar] *vt* (*salir de*) quitter; (*expulsar*) déloger; (*líquido, aire*) déplacer; **la policía desalojó el local** la police a évacué les locaux.

desalojo [desa'loxo] *nm* évacuation *f*.

desalquilar [desalki'lar] *vt* vider; **desalquilarse** *vpr* se vider (de ses occupants).

desamarrar [desama'rrar] *vt*: **~ un buque** larguer les amarres.

desamor [desa'mor] *nm* froideur *f*.

desamparado, -a [desampa'raðo, a] *adj* (*persona*) désemparé(e); (*lugar: expuesto*) exposé(e); (: *desierto*) déserté(e).

desamparar [desampa'rar] *vt* abandonner.

desamparo [desam'paro] *nm* délaissement *m*.

desamueblado, -a [desamwe'ßlaðo, a] *adj* démeublé(e).

desandar [desan'dar] *vt*: **~ lo andado** *o* **el camino** revenir sur ses pas.

desanduve *etc* [desan'duße], **desanduviera** *etc* [desandu'ßjera] *vb* V **desandar**.

desangelado, -a [desanxc'laðo, a] *adj* tristounet(te).

desangrar [desan'grar] *vt* saigner; **desangrarse** *vpr* se vider de son sang; (*morir*) rendre l'âme.

desanimado, -a [desani'maðo, a] *adj* déprimé(e); (*espectáculo, fiesta*) boudé(e).

desanimar [desani'mar] *vt* décourager; (*deprimir*) déprimer; **desanimarse** *vpr* se décourager.

desánimo [de'sanimo] *nm* manque *m* d'entrain; (*desaliento*) découragement *m*.

desanudar [desanu'ðar] *vt* défaire; (*fig*) débrouiller.

desapacible [desapa'θißle] *adj* orageux(-euse); (*carácter*) désagréable.

desaparecer [desapare'θer] *vi* disparaître ♦ *vt* (*AM: POL*) faire disparaître; **~ de vista** (*fig*) disparaître de la circulation.

desaparecido, -a [desapare'θiðo, a] *adj* disparu(e) ♦ *nm/f* (*AM: POL*) disparu(e); **~s** *nmpl* disparus *mpl*.

desaparezca *etc* [desapa're θka] *vb* V **desaparecer**.

desaparición [desapari'θjon] *nf* disparition *f*.

desapasionado, -a [desapasjo'naðo, a] *adj* impartial(e).

desapego [desa'peɣo] *nm* indifférence *f*; (*a dinero*) désintéressement *m*.

desapercibido, -a [desaperθi'ßiðo, a] *adj*: **pasar ~** passer inaperçu(e); **me cogió ~** il m'a pris au dépourvu.

desaplicado, -a [desapli'kaðo, a] *adj* inattentif(-ive).

desaprensión [desapren'sjon] *nf* manque *m* de scrupules.

desaprensivo, -a [desapren'sißo, a] *adj* sans scrupules ♦ *nm/f* personne *f* sans scrupules.

desaprobación [desaproßa'θjon] *nf* désapprobation *f*.

desaprobar [desapro'ßar] *vt* désapprouver.

desaprovechado, -a [desaproße't ʃaðo, a] *adj* gâché(e).

desaprovechar [desaproße't ʃar] *vt* (*oportunidad, tiempo*) perdre; (*comida, tela*) ne pas apprécier; (*talento*) gâcher.

desapruebe *etc* [desa'prweße] *vb* V **desaprobar**.

desarmador [desarma'ðor] (*MÉX*) *nm* tournevis *msg*.

desarmar [desar'mar] *vt* désarmer; (*mueble, máquina*) démonter; **desarmarse** *vpr* (*romperse*) se casser; (*ser desarmable*) se démonter.

desarme [de'sarme] *nm* désarmement *m*; ~ **nuclear** désarmement nucléaire.

desarraigado, -a [desarrai'ɣaðo, a] *adj* déraciné(e).

desarraigar [desarrai'ɣar] *vt* (*tb fig*) déraciner; **desarraigarse** *vpr* se déraciner.

desarraigo [desa'rraiɣo] *nm* déracinement *m*.

desarraigue *etc* [desa'rraiɣe] *vb* V **desarraigar**.

desarrapado, -a [desarra'paðo, a] *adj* V **desharrapado**.

desarreglado, -a [desarre'ɣlaðo, a] *adj* (*habitación, atuendo*) en désordre; (*hábitos, vida*) désordonné(e).

desarreglar [desarre'ɣlar] *vt* (*peinado, habitación*) mettre en désordre; (*planes, horario*) déranger.

desarreglo [desa'rreɣlo] *nm* désordre *m*; (*en horarios*) irrégularité *f*; ~**s** *nmpl* (*MED*) troubles *mpl*.

desarrollado, -a [desarro'ʎaðo, a] *adj* développé(e).

desarrollar [desarro'ʎar] *vt* développer; (*planta, semilla*) faire pousser; (*plan etc*) mettre au point; **desarrollarse** *vpr* se développer; (*hechos, reunión*) se dérouler; **la acción se desarrolla en Roma** l'action *f* se déroule à Rome.

desarrollo [desa'rroʎo] *nm* développement *m*; (*de acontecimientos*) déroulement *m*; **país en vías de** ~ pays *msg* en voie de développement; **la industria está en pleno** ~ l'industrie *f* est en plein essor.

desarropar [desarro'par] *vt* découvrir; **desarroparse** *vpr* se découvrir.

desarrugar [desarru'ɣar] *vt* défroisser; (*frente, entrecejo*) déplisser.

desarrugue *etc* [desa'rruɣe] *vb* V **desarrugar**.

desarticulado, -a [desartiku'laðo, a] *adj* (*bomba*) désamorcé(e); (*máquina*) désarticulé(e); (*comando, organización*) démantelé(e).

desarticular [desartiku'lar] *vt* (*huesos*) disloquer; (*mecanismo, bomba*) désamorcer; (*grupo terrorista*) démanteler.

desaseado, -a [desase'aðo, a] *adj* malpropre; (*desaliñado*) négligent(e).

desaseo [desa'seo] *nm* (*personal*) malpropreté *f*; (*en vivienda*) laisser-aller *m*.

desasga *etc* [de'sasɣa] *vb* V **desasir**.

desasir [desa'sir] *vt* (*soltar*) lâcher; **desasirse** *vpr*: ~**se** (**de**) se défaire (de).

desasistir [desasis'tir] *vt* négliger.

desasosegar [desasose'ɣar] *vt* inquiéter; **desasosegarse** *vpr* s'inquiéter.

desasosegué *etc* [desasose'ɣe], **desasoseguemos** *etc* [desasose'ɣemos] *vb* V **desasosegar**.

desasosiego [desaso'sjeɣo] *vb* V **desasosegar** ♦ *nm* inquiétude *f*; (*POL*) agitation *f*.

desasosiegue *etc* [desaso'sjeɣue] *vb* V **desasosegar**.

desastrado, -a [desas'traðo, a] *adj* (*desaliñado*) négligé(e); (*descuidado*) négligent(e).

desastre [de'sastre] *nm* désastre *m*; (*fam: persona*) catastrophe *f*; ¡**qué** ~! quel désastre!; **la función fue un** ~ le spectacle a été un désastre; **ir hecho un** ~ être négligé.

desastrosamente [desas'trosamente] *adv* de manière désastreuse.

desastroso, -a [desas'troso, a] *adj* désastreux(-euse); **ser** ~ **para (hacer)** être nul quand il s'agit de (faire).

desatado, -a [desa'taðo, a] *adj* furieux(-euse).

desatar [desa'tar] *vt* (*nudo*) défaire; (*cordones, cuerda*) dénouer; (*perro, prisionero*) détacher; (*protesta, odio*) déchaîner; **desatarse** *vpr* se défaire; (*perro, prisionero*) se détacher; (*tormenta*) se déchaîner; ~**se en injurias** se répandre en injures; **se le desató la lengua** ça lui a délié la langue.

desatascador [desataska'ðor] *nm* débouchoir *m*.

desatascar [desatas'kar] *vt* (*cañería*) déboucher; (*carro, ruedas*) libérer; **desatascarse** *vpr* (*cañería*) se déboucher; (*tráfico*) se fluidifier.

desatasque *etc* [desa'taske] *vb* V **desatascar**.

desatención [desaten'θjon] *nf* inattention *f*; **tener la** ~ **de hacer** avoir l'indélicatesse de faire.

desatender [desaten'der] *vt* (*consejos, súplicas*) ignorer; (*trabajo, hijo*) négliger.

desatento, -a [desa'tento, a] *adj* impoli(e); **estar** ~ être distrait(e).

desatienda *etc* [desa'tjenda] *vb* V **desatender**.

desatinado, -a [desati'naðo, a] *adj* immodéré(e).

desatinar [desati'nar] *vi* déraisonner.

desatino [desa'tino] *nm* folie *f*; (*falta de juicio*) manque *m* de jugement; **decir** ~**s** raconter des bêtises.

desatornillar [desatorni'ʎar] *vt* (*tornillo*) dévisser; (*estructura*) démonter; **des-**

atornillarse *vpr* (*ver vt*) se dévisser; se démonter.

desatrancar [desatran'kar] *vt* (*puerta*) débarrer; (*cañería*) déboucher.

desatranque *etc* [desa'tranke] *vb* V **desatrancar.**

desautorice *etc* [desauto'riθe] *vb* V **desautorizar.**

desautorización [desautoriθa'θjon] *nf* (*de manifestación, medida*) interdiction *f*.

desautorizado, -a [desautori'θaðo, a] *adj* (*persona*) non autorisé(e); (*huelga, medida*) interdit(e).

desautorizar [desautori'θar] *vt* (*oficial*) désavouer; (*informe, declaraciones*) désapprouver; (*huelga, manifestación*) interdire.

desavendré *etc* [desaßen'dre] *vb* V **desavenir.**

desavenencia [desaße'nenθja] *nf* désaccord *m*; (*discordia*) conflit *m*.

desavenga *etc* [desa'ßenga] *vb* V **desavenir.**

desavenido, -a [desaße'niðo, a] *adj* désuni(e); **ellos están ~s** ils ne s'entendent pas.

desavenir [desaße'nir] *vt* brouiller; **desavenirse** *vpr* se brouiller; **~se con algn** se brouiller avec qn.

desaventajado, -a [desaßenta'xaðo, a] *adj* défavorisé(e).

desaviene *etc* [desa'ßjene], **desaviniendo** *etc* [desaßi'njendo] *vb* V **desavenir.**

desayunar [desaju'nar] *vt:* **~ algo** prendre qch au petit déjeuner ♦ *vi* prendre le petit déjeuner; **desayunarse** *vpr* prendre le petit déjeuner; **~ con café** prendre du café au petit déjeuner.

desayuno [desa'juno] *nm* petit déjeuner *m*.

desazón [desa'θon] *nf* malaise *m*; (*fig*) contrariété *f*.

desazonar [desaθo'nar] *vt* inquiéter; **desazonarse** *vpr* se faire du souci.

desbancar [desßan'kar] *vt* (*campeón, director*) détrôner; (*en cariño, estima*) supplanter.

desbandada [desßan'daða] *nf* débandade *f*; **~ general** panique *f* générale; **a la** *o* **en ~** (*salir etc*) à la débandade.

desbandarse [desßan'darse] *vpr* se débander.

desbanque *etc* [des'ßanke] *vb* V **desbancar.**

desbarajuste [desßara'xuste] *nm* pagaille *f*; **¡qué ~!** quelle pagaille!

desbaratar [desßara'tar] *vt* déranger; (*plan*) bouleverser; **desbaratarse** *vpr* (*máquina*) se dérégler; (*peinado*) se défaire.

desbarrar [desßa'rrar] *vi* divaguer.

desbastar [desßas'tar] *vt* (*TEC*) dégrossir;

(*persona*) éduquer.

desbloquear [desßloke'ar] *vt* (*COM, negociaciones*) débloquer; (*tráfico*) rétablir.

desbocado, -a [desßo'kaðo, a] *adj* (*caballo*) emballé(e); (*cuello*) détendu(e); (*herramienta*) émoussé(e); (*fig*) galopant(e).

desbocarse [desßo'karse] *vpr* s'emballer.

desbordamiento [desßorða'mjento] *nm* (*INFORM, de río*) débordement *m*.

desbordante [desßor'ðante] *adj* (*fig*) débordant(e); **estar ~ de** être débordant(e) de; (*local*) être plein(e) à craquer de.

desbordar [desßor'ðar] *vt* déborder; (*fig: paciencia, tolerancia*) pousser à bout; (: *previsiones, expectativas*) dépasser ♦ *vi* déborder; **desbordarse** *vpr:* **~se (de)** déborder (de); **estar desbordado de trabajo** être débordé de travail; **~se de alegría** déborder de joie.

desbravar [desßra'ßar] *vt* dresser.

descabalado, -a [deskaßa'laðo, a] *adj* dépareillé(e).

descabalgar [deskaßal'ɣar] *vi:* **~ (de)** descendre (de).

descabalgue *etc* [deska'ßalɣe] *vb* V **descabalgar.**

descabellado, -a [deskaße'ʎaðo, a] *adj* fantaisiste.

descabellar [deskaße'ʎar] *vt* (*TAUR*) estoquer.

descabezado, -a [deskaße'θaðo, a] *adj* décapité(e); (*insensato*) écervelé(e).

descabezar [deskaße'θar] *vt:* **~ un sueño** faire un petit somme; **descabezarse** *vpr* (*fam*) s'arracher les cheveux.

descafeinado, -a [deskafei'naðo, a] *adj* décaféiné(e); (*fam: obra, proyecto*) qui manque de corps ♦ *nm* décaféiné *m*.

descalabrar [deskala'ßrar] *vt* blesser à la tête; (*perjudicar*) porter atteinte à; **descalabrarse** *vpr* se faire une blessure à la tête.

descalabro [deska'laßro] *nm* revers *msg*; (*daño*) coup *m*.

descalce *etc* [des'kalθe] *vb* V **descalzar.**

descalificar [deskalifi'kar] *vt* (*DEPORTE*) disqualifier; (*desacreditar*) discréditer.

descalifique *etc* [deskali'fike] *vb* V **descalificar.**

descalzar [deskal'θar] *vt* déchausser; (*zapato*) ôter; **descalzarse** *vpr* se déchausser.

descalzo, -a [des'kalθo, a] *adj* (*persona*) pieds nus; (*fig*) sans un sou; **estar/ir (con los pies) ~(s)** être/aller pieds nus.

descambiar [deskam'bjar] *vt* (*COM*) échanger.

descaminado, -a [deskami'naðo, a] *adj:* **estar** *o* **ir ~** se leurrer; **en eso no anda usted muy ~** sur ce point vous ne vous trompez pas tout à fait.

descamisado, -a [deskami'saðo, a] *adj* torse nu.

descamisarse [deskami'sarse] (*CHI*) *vpr* enlever sa chemise.

descampado [deskam'paðo] *nm* terrain *m* vague; **comer al** ~ pique-niquer.

descansado, -a [deskan'saðo, a] *adj* reposant(e); (*oficio, actividad*) facile; **estar/ sentirse** ~ être/se sentir reposé(e).

descansar [deskan'sar] *vt* reposer ♦ *vi* (*reposar*) se reposer; (*no trabajar*) faire une pause; (*dormir*) se coucher; (*cadáver, restos*) reposer; ~ **(sobre** *o* **en)** (*mueble, muro*) reposer (contre *o* sur); **¡que descanse!** reposez-vous bien!; **¡descansen!** (*MIL*) repos!; **descanse en paz** qu'il repose en paix.

descansillo [deskan'siʎo] *nm* palier *m*.

descanso [des'kanso] *nm* repos *msg*; (*en el trabajo*) pause *f*; (*alivio*) soulagement *m*; (*TEATRO, CINE*) entracte *m*; (*DEPORTE*) mi-temps *fsg*; **día de** ~ jour *m* de congé; ~ **por enfermedad/maternidad** congé *m* maladie/de maternité; **tomarse unos días de** ~ prendre quelques jours de congé.

descapitalizado, -a [deskapitali'θaðo, a] *adj* au capital réduit.

descapotable [deskapo'taßle] *nm* (*tb:* **coche** ~) décapotable *f*.

descaradamente [deska'raðamente] *adv* effrontément.

descarado, -a [deska'raðo, a] *adj* éhonté(e); (*insolente*) effronté(e).

descarga [des'karɣa] *nf* déchargement *m*; (*MIL*) décharge *f*.

descargador [deskarɣa'ðor] *nm* docker *m*.

descargar [deskar'ɣar] *vt* décharger; (*golpe*) envoyer; (*nube, tormenta*) déverser; (*cólera*) faire passer; (*de una obligación*) libérer de; (*de culpa*) déclarer innocent ♦ *vi* décharger; (*tormenta*) éclater; (*nube*) crever; ~ **en** (*río*) se jeter dans; **descargarse** *vpr* se décharger; ~**se de** (*penas*) se soulager de; (*responsabilidades*) se décharger de.

descargo [des'karɣo] *nm* (*de obligación*) libération *f*; (*COM*) crédit *m*; (*de conciencia*) soulagement *m*; (*JUR*) décharge *f*; ~ **de una acusación** réfutation *f* d'une accusation.

descargue *etc* [des'karɣe] *vb* V **descargar**.

descarnado, -a [deskar'naðo, a] *adj* (*mejillas*) creux(-euse); (*brazos*) décharné(e); (*reportaje, estilo*) cru(e).

descaro [des'karo] *nm* effronterie *f*; (*insolencia*) impudence *f*; **¡qué** ~! quel toupet!

descarriar [deska'rrjar] *vt* (*fig*) dévergonder; **descarriarse** *vpr* se dévergonder.

descarrilamiento [deskarrila'mjento] *nm*

déraillement *m*.

descarrilar [deskarri'lar] *vi* dérailler.

descartar [deskar'tar] *vt* rejeter; **descartarse** *vpr* (*NAIPES*) se défausser.

descascarillado, -a [deskaskari'ʎaðo, a] *adj* écaillé(e).

descastado, -a [deskas'taðo, a] *adj* ingrat(e).

descendencia [desθen'denθja] *nf* (*estirpe*) lignée *f*; (*hijos*) descendance *f*; **morir sin dejar** ~ mourir sans laisser d'enfants.

descendente [desθen'dente] *adj* descendant(e).

descender [desθen'der] *vt* descendre ♦ *vi* descendre; (*temperatura, nivel*) baisser; (*agua, lava*) couler; ~ **de** descendre de; ~ **de categoría** se déclasser.

descendiente [desθen'djente] *nm/f* descendant(e).

descenso [des'θenso] *nm* descente *f*; (*de temperatura, fiebre*) baisse *f*; (*DEPORTE*) déclassement *m*; (*en un trabajo*) rétrogradation *f*.

descentrado, -a [desθen'traðo, a] *adj* décentré(e); (*rueda*) désaxé(e); (*persona*) mal intégré(e); **todavía está algo** ~ il est encore un peu désorienté.

descentralice *etc* [desθentra'liθe] *vb* V **descentralizar**.

descentralizar [desθentrali'θar] *vt* décentraliser.

descerrajar [desθerra'xar] *vt* enfoncer.

descienda *etc* [des'θjenda] *vb* V **descender**.

descifrable [desθi'fraßle] *adj* lisible; (*mensaje*) intelligible.

descifrar [desθi'frar] *vt* déchiffrer; (*motivo, actitud*) comprendre; (*problema*) cerner; (*misterio*) élucider.

desclavar [deskla'ßar] *vt* déclouer.

descocado, -a [desko'kaðo, a] *adj* (*atrevido*) osé(e); (*desvergonzado*) culotté(e).

descoco [des'koko] *nm* (*en el vestir*) audace *f*; (*en actos, costumbres*) culot *m*, effronterie *f*.

descolgar [deskol'ɣar] *vt* décrocher; (*con cuerdas*) descendre à l'aide de cordes; **descolgarse** *vpr* se laisser glisser; (*lámpara, cortina*) se décrocher; ~**se de** descendre de; ~**se por** (*esp DEPORTE*) se détacher de; **dejó el teléfono descolgado** il a décroché le téléphone.

descolgué *etc* [deskol'ɣe], **descolguemos** *etc* [deskol'ɣemos] *vb* V **descolgar**.

descollar [desko'ʎar] *vi* (*sobresalir*) dominer; (*fig: persona*) se démarquer; **ese alumno descuella entre los demás** cet élève surpasse tous les autres.

descolocar [deskolo'kar] *vt* enlever.

descolonizar [deskoloni'θar] *vt* décoloniser.

descolorido, -a [deskolo'riðo, a] *adj* (*tela, cuadro*) passé(e); (*persona*) pâlot(te).

descompasado, -a [deskompa'saðo, a] *adj* hors du commun.

descompensar [deskompen'sar] *vt* déséquilibrer.

descompondré *etc* [deskompon'dre] *vb* V **descomponer**.

descomponer [deskompo'ner] *vt* décomposer; (*desordenar*) déranger; (*estropear*) casser; (*facciones*) altérer; (*estómago*) détraquer; (*persona: molestar*) énerver; (: *irritar*) exaspérer; **descomponerse** *vpr* se décomposer; (*estómago*) se détraquer; (*encolerizarse*) se mettre en colère; (*MÉX*) se casser.

descomponga *etc* [deskom'ponga] *vb* V **descomponer**.

descomposición [deskomposi'θjon] *nf* décomposition *f*; ▶**descomposición de vientre** diarrhée *f*.

descompostura [deskompos'tura] *nf* laisser-aller *m*; (*MÉX*) panne *f*.

descompuesto, -a [deskom'pwesto, a] *pp de* **descomponer** ♦ *adj* (*alimento*) pourri(e); (*vino*) frelaté(e); (*MÉX: máquina*) en panne; (*persona, rostro*) décomposé(e); (*con diarrea*) dérangé(e).

descompuse *etc* [deskom'puse] *vb* V **descomponer**.

descomulgar [deskomul'ɣar] *vt* excommunier.

descomunal [deskomu'nal] *adj* énorme.

desconcentrar [deskonθen'trar] *vt* déconcentrer; **desconcentrarse** *vpr* se déconcentrer.

desconcertado, -a [deskonθer'taðo, a] *adj* déconcerté(e).

desconcertante [deskonθer'tante] *adj* déconcertant(e).

desconcertar [deskonθer'tar] *vt* déconcerter; **desconcertarse** *vpr* se déconcerter.

desconchado, -a [deskon'tʃaðo, a] *adj* (*pintura*) écaillé(e); (*loza*) ébréché(e).

desconchar [deskon'tʃar] *vt* (*pintura*) écailler; (*loza*) ébrécher; **desconcharse** *vpr* s'écailler.

desconchón [deskon'tʃon] *nm*: **hay un ~ en la pared** la peinture du mur s'est écaillée.

desconcierto [deskon'θjerto] *vb* V **desconcertar** ♦ *nm* désorientation *f*; (*confusión*) discorde *f*; **sembrar el ~** semer la discorde.

desconectado, -a [deskonek'taðo, a] *adj* (*ELEC*) déconnecté(e); (*INFORM*) non connecté(e); **estar ~ de** (*fig*) être déconnecté(e) de.

desconectar [deskonek'tar] *vt* déconnecter; (*desenchufar*) débrancher; (*apagar*)

éteindre; (*INFORM*) désélectionner ♦ *vi* (*perder atención*) déconnecter.

desconfiado, -a [deskon'fjaðo, a] *adj* méfiant(e).

desconfianza [deskon'fjanθa] *nf* méfiance *f*.

desconfiar [deskon'fjar] *vi*: ~ **de algn/algo** se méfier de qn/qch; ~ **de que algn/algo haga algo** (*dudar*) craindre que qn/qch (ne) fasse qch; "**desconfíe de las imitaciones**" (*COM*) "méfiez-vous des imitations".

descongelar [deskonxe'lar] *vt* décongeler; (*POL, COM*) dégeler; **descongelarse** *vpr* se décongeler; se dégeler.

descongestión [desconxes'tjon] *nf* décongestion *f*.

descongestionar [desconxestjo'nar] *vt* décongestionner.

desconocer [deskono'θer] *vt* (*dato*) ignorer; (*persona*) ne pas connaître.

desconocido, -a [deskono'θiðo, a] *adj, nm/f* inconnu(e); **está ~** (*persona*) il est transformé; (*lugar*) c'est transformé; **el soldado ~** le soldat inconnu.

desconocimiento [deskonoθi'mjento] *nm* ignorance *f*.

desconozca *etc* [desko'noθka] *vb* V **desconocer**.

desconsideración [deskonsiðera'θjon] *nf* manque *m* de considération.

desconsiderado, -a [deskonsiðe'raðo, a] *adj* irrespectueux(-euse); (*insensible*) ingrat(e).

desconsolado, -a [deskonso'laðo, a] *adj* inconsolable.

desconsolar [deskonso'lar] *vt* affliger; **desconsolarse** *vpr* s'affliger.

desconsuelo [deskon'swelo] *vb* V **desconsolar** ♦ *nm* affliction *f*, chagrin *m*.

descontado, -a [deskon'taðo, a] *adj*: **por ~** c'est certain; **dar por ~ (que)** escompter (que).

descontaminar [deskontami'nar] *vt* dépolluer.

descontar [deskon'tar] *vt* (*deducir*) déduire; (*rebajar*) faire une remise de.

descontento, -a [deskon'tento, a] *adj* mécontent(e) ♦ *nm* mécontentement *m*.

descontrol [deskon'trol] (*fam*) *nm* pagaille *f*.

descontrolado, -a [deskontro'laðo, a] *adj* incontrôlé(e).

descontrolarse [deskontro'larse] *vpr* perdre le contrôle de soi.

desconvocar [deskombo'kar] *vt* annuler.

descorazonador, a [deskoraθona'ðor, a] *adj* décourageant(e).

descorazonar [deskoraθo'nar] *vt* décourager; **descorazonarse** *vpr* perdre courage.

descorchador [deskortʃa'ðor] *nm* tire-bouchon *m*.

descorchar [deskor'tʃar] *vt* déboucher.

descorrer [desko'rrer] *vt* (*cortina, cerrojo*) tirer.

descortés [deskor'tes] *adj* discourtois(e); (*grosero*) grossier(-ière).

descortesía [deskorte'sia] *nf* manque *m* de courtoisie; **una ~** un manque de courtoisie.

descoser [desko'ser] *vt* découdre; **descoserse** *vpr* se découdre.

descosido, -a [desko'siðo, a] *adj* décousu(e) ♦ *nm* (*en prenda*) trou *m*; **como un ~** (*beber*) comme un trou; (*comer*) comme quatre; (*trabajar*) comme un forcené.

descoyuntar [deskojun'tar] *vt* disloquer; **descoyuntarse** *vpr* se disloquer; **~se de risa** (*fam*) se tordre de rire; **estar descoyuntado** être sur les genoux.

descrédito [des'kreðito] *nm* discrédit *m*; **caer en ~** se discréditer; **ir en ~ de** discréditer.

descreído, -a [deskre'iðo, a] *adj* incrédule.

descremado, -a [deskre'maðo, a] *adj* écrémé(e).

descremar [deskre'mar] *vt* écrémer.

describir [deskri'βir] *vt* décrire.

descripción [deskrip'θjon] *nf* description *f*.

descriptivo, -a [deskrip'tiβo, a] *adj* descriptif(-ive).

descrito, -a [des'krito] *pp de* **describir**.

descuajar [deskwa'xar] *vt* (*disolver*) liquéfier; (*planta*) déraciner.

descuajaringar [deskwaxarin'gar] *vt* (*aparato*) déglinguer; (*tarta*) abîmer; (*paquete*) arracher; **descuajaringarse** *vpr* (*tb: ~ de risa*) se tordre de rire.

descuajeringar [deskwaxerin'gar] *vt* = **descuajaringar**.

descuartizar [deskwarti'θar] *vt* (*CULIN: cerdo*) équarrir; (*: pollo*) dépecer; (*cuerpo, persona*) écorcher.

descubierto, -a [desku'βjerto, a] *pp de* **descubrir** ♦ *adj* découvert(e); (*coche*) décapoté(e); (*campo*) nu(e) ♦ *nm* (COM: *en el presupuesto*) déficit *m*; (*: bancario*) découvert *m*; **al ~** en plein air; **poner al ~** révéler; **quedar al ~** rester à découvert; **estar en ~** (COM) être à découvert.

descubridor, a [deskuβri'ðor, a] *nm/f* découvreur(-euse).

descubrimiento [deskuβri'mjento] *nm* découverte *f*; (*de secreto*) divulgation *f*; (*de estatua*) inauguration *f*.

descubrir [desku'βrir] *vt* découvrir; (*placa, estatua*) inaugurer; (*poner al descubierto*) révéler; (*delatar*) dénoncer; **descubrirse**

vpr se découvrir; (*fig*) éclater; **~se ante** tirer son chapeau à.

descuelga *etc* [des'kwelɣa], **descuelgue** *etc* [des'kwelɣe] *vb* V **descolgar**.

descuelle *etc* [des'kweʎe] *vb* V **descollar**.

descuento [des'kwento] *vb* V **descontar** ♦ *nm* remise *f*; **hacer un ~ del 3%** faire une remise de 3%; **con ~** avec remise; **~ por pago al contado/por volumen de compras** (COM) remise pour paiement comptant/ sur la quantité.

descuerar [deskwe'rar] (CHI: *fam*) *vt* (*reñir*) tuer.

descuidado, -a [deskwi'ðaðo, a] *adj* négligé(e); (*desordenado*) négligent(e); (*jardín, casa*) à l'abandon; **estar ~** être pris(e) au dépourvu; **coger o pillar a algn ~** prendre qn au dépourvu.

descuidar [deskwi'ðar] *vt* négliger ♦ *vi* ne plus y penser; **descuidarse** *vpr* (*despistarse*) ne pas faire attention; (*abandonarse*) s'oublier; ¡**descuida!** n'y pense plus!

descuido [des'kwiðo] *nm* négligence *f*; **al menor ~** à la moindre négligence; **con ~** sans faire attention; **en un ~** dans un moment d'inattention; **por ~** par inadvertance.

══════════ *PALABRA CLAVE*

desde ['desðe] *prep* **1** (*lugar, posición*) depuis; **desde Burgos hasta mi casa hay 30 km** de Burgos à chez moi il y a 30 km; **hablaba desde el balcón** il parlait du balcon

2 (*tiempo*) depuis; **desde ahora** à partir de maintenant; **desde entonces** depuis ce temps-là; **desde niño** depuis qu'il est tout petit; **desde 3 años atrás** depuis 3 ans; **nos conocemos desde 1987/desde hace 20 años** nous nous connaissons depuis 1987/depuis 20 ans; **no le veo desde 1992/desde hace 5 años** je ne le vois plus depuis 1992/depuis 5 ans; **¿desde cuándo vives aquí?** depuis quand est-ce que tu habites ici?

3 (*gama*): **desde los más lujosos hasta los más económicos** des plus luxueux aux plus avantageux

4: **desde luego (que no/sí)** bien sûr (que non/si); **desde luego, no hay quien te entienda** qu'est-ce que tu peux être compliqué!

♦ *conj*: **desde que: desde que recuerdo** aussi loin que je m'en souvienne; **desde que llegó no ha salido** depuis qu'il est rentré il n'est pas sorti.

desdecir [desðe'θir] *vi*: **~ de** ne pas être à la hauteur de; (*no corresponder*) ne pas aller avec; **desdecirse** *vpr*: **~se de** se dédire de.

desdén [des'ðen] *nm* dédain *m*.

desdentado, -a [desðen'taðo, a] *adj* édenté(e).

desdeñable [desðe'naβle] *adj* négligeable.

desdeñar [desðe'nar] *vt* dédaigner.

desdeñoso, -a [desðe'noso, a] *adj* dédaigneux(-euse).

desdibujar [desðiβu'xar] *vt* effacer; **desdibujarse** *vpr* s'effacer.

desdicha [des'ðitʃa] *nf* malheur *m*.

desdichado, -a [desði'tʃaðo, a] *adj* (*sin suerte*) infortuné(e); (*infeliz*) malheureux (-euse) ♦ *nm/f* miséreux(-euse).

desdicho, -a [des'ðitʃo, a] *pp de* **desdecir**.

desdiciendo *etc* [desði'θjendo] *vb V* **desdecir**.

desdiga *etc* [des'ðiɣa], **desdije** *etc* [des'ðixe] *vb V* **desdecir**.

desdoblamiento [desðoβla'mjento] *nm*: ~ **de personalidad** dédoublement *m* de la personnalité.

desdoblar [desðo'βlar] *vt* (*extender*) déplier; (*convertir en dos*) dédoubler.

deseable [dese'aβle] *adj* (*situación*) enviable; (*cuerpo*) désirable.

desear [dese'ar] *vt* désirer; **¿qué desea?** (*en tienda*) que désirez-vous?; **te deseo mucha suerte** je te souhaite bonne chance; **dejar mucho que** ~ laisser beaucoup à désirer; **estoy deseando que esto termine** je souhaite que ça se termine.

desecar [dese'kar] *vt* assécher; **desecarse** *vpr* se dessécher.

desechable [dese'tʃaβle] *adj* jetable.

desechar [dese'tʃar] *vt* jeter; (*oferta*) rejeter.

desecho [de'setʃo] *nm* déchet *m*; ~**s** *nmpl* ordures *fpl*; **de** ~ (*materiales*) de rebut; (*ropa*) à jeter.

desembalar [desemba'lar] *vt* déballer.

desembarace *etc* [desemba'raθe] *vb V* **desembarazar**.

desembarazado, -a [desembara'θaðo, a] *adj* (*libre*) dégagé(e); (*desenvuelto*) désinvolte.

desembarazar [desembara'θar] *vt* débarrasser; **desembarazarse** *vpr*: ~**se de** se débarrasser de.

desembarazo [desemba'raθo] *nm* (*soltura*) désinvolture *f*; (*AM*: *parto*) accouchement *m*.

desembarcadero [desembarka'ðero] *nm* débarcadère *m*.

desembarcar [desembar'kar] *vt* débarquer.

desembarco [desem'barko] *nm* débarquement *m*.

desembargar [desembar'ɣar] *vt* (*JUR*) lever l'embargo sur.

desembargue [desem'βarɣe] *vb V* **desembargar**.

desembarque [desem'barke] *vb V* **desembarcar** ♦ *nm V* **desembarco**.

desembocadura [desemboka'ðura] *nf* (*de río*) embouchure *f*; (*de calle*) bout *m*.

desembocar [desembo'kar] *vi*: ~ **en** (*río*) se jeter dans; (*fig*) déboucher sur.

desemboce *etc* [desem'boθe] *vb V* **desembozar**.

desembolsar [desembol'sar] *vt* débourser.

desemboque *etc* [desem'boke] *vb V* **desembocar**.

desembozar [desembo'θar] *vt* (*rostro*) découvrir.

desembragar [desembra'ɣar] *vt*, *vi* débrayer.

desembrague *etc* [desem'βraɣe] *vb V* **desembragar**.

desembrollar [desembro'ʎar] *vt* débrouiller.

desembuchar [desembu'tʃar] *vt* (*fam*: *secretos*) confesser; (*suj*: *aves*) dégorger ♦ *vi* (*fam*: *confesar*) avouer, se mettre à table; **¡desembucha!** avouc!

desemejante [deseme'xante] *adj* dissemblable; ~ **de** différent(e) de.

desemejanza [deseme'xanθa] *nf* dissemblance *f*.

desempacar [desempa'kar] *vt* (*mercancías*) déballer; (*AM*) défaire.

desempañar [desempa'nar] *vt* (*cristal*) nettoyer.

desempaque *etc* [desem'pake] *vb V* **desempacar**.

desempaquetar [desempake'tar] *vt* déballer.

desempatar [desempa'tar] *vi*: **volvieron a jugar para** ~ ils ont joué à nouveau pour se départager.

desempate [desem'pate] *nm* (*FÚTBOL*) belle *f*; (*TENIS*) tie-break *m*; **partido de** ~ belle; **gol de** ~ but *m* de la victoire.

desempeñar [desempe'nar] *vt* (*cargo, función*) occuper; (*papel*) jouer; (*deber*) accomplir; (*lo empeñado*) dégager; **desempeñarse** *vpr* (*de deudas*) s'acquitter; ~ **un papel** (*fig*) jouer un rôle.

desempeño [desem'peno] *nm* (*de cargo*) accomplissement *m*; (*de lo empeñado*) dégagement *m*.

desempleado, -a [desemple'aðo, a] *adj* au chômage ♦ *nm/f* chômeur(-euse).

desempleo [desem'pleo] *nm* chômage *m*.

desempolvar [desempol'βar] *vt* dépoussiérer; (*recuerdos*) rassembler; (*volver a usar*) ressortir.

desencadenar [desenkaðe'nar] *vt* (*preso, perro*) désenchaîner; (*ira, conflicto*) déchaîner; (*guerra*) déclencher; **desencadenarse** *vpr* (*conflicto, tormenta*) se déchaîner; (*guerra*) se déclencher.

desencajado, -a [desenka'xaðo, a] *adj* décomposé(e).

desencajar [desenka'xar] *vt* (*mandíbula*) décrocher; (*hueso, pieza*) déboîter; **desencajarse** *vpr* se déboîter.

desencantar [desenkan'tar] *vt* désenchanter.

desencanto [desen'kanto] *nm* désenchantement *m*.

desencarcelar [desenkarθe'lar] *vt* libérer.

desenchufar [desentʃu'far] *vt* débrancher.

desencolarse [desenko'larse] *vpr* se décoller.

desencuadernarse [desenkwader'narse] *vpr* se décoller.

desenfadado, -a [desenfa'ðaðo, a] *adj* décontracté(e).

desenfado [desen'faðo] *nm* décontraction *f*.

desenfocado, -a [desenfo'kaðo, a] *adj* (*FOTO*) flou(e).

desenfocar [desenfo'kar] *vt* (*FOTO*) rendre flou(e).

desenfrenado, -a [desenfre'naðo, a] *adj* (*pasión*) sans bornes; (*lenguaje, conducta*) débridé(e); (*multitud*) déchaîné(e).

desenfrenarse [desenfre'narse] *vpr* (*persona*) perdre toute raison retenue; (*pasiones, tempestad*) se déchaîner.

desenfreno [desen'freno] *nm* (*libertinaje*) libertinage *m*; (*falta de control*) déchaînement *m*.

desenfundar [desenfun'dar] *vt* (*pistola*) dégainer.

desenganchar [desengan'tʃar] *vt* décrocher; (*caballerías*) dételer; (*TEC*) déclencher; **desengancharse** *vpr* (*fam: de drogas*) décrocher.

desengañar [desenga'ɲar] *vt* désillusionner; (*abrir los ojos a*) détromper; **desengañarse** *vpr*: ~**se** (**de**) perdre ses illusions (sur); ¡**desengáñate!** détrompe-toi!

desengaño [desen'gaɲo] *nm* désillusion *f*; **llevarse un** ~ (**con algn**) être déçu(e) (par qn); **sufrir un** ~ **amoroso** avoir une déception amoureuse.

desengrasar [desengra'sar] *vt* dégraisser.

desenlace [desen'laθe] *vb* V **desenlazar** ♦ *nm* dénouement *m*.

desenlazar [desenla'θar] *vt* dénouer; **desenlazarse** *vpr* se dénouer.

desenmarañar [desenmara'ɲar] *vt* (*fig*) débrouiller.

desenmascarar [desenmaska'rar] *vt* (*fig*) démasquer.

desenredar [desenre'ðar] *vt* débrouiller.

desenrollar [desenro'ʎar] *vt* dérouler; **desenrollarse** *vpr* se dérouler.

desenroscar [desenros'kar] *vt* dévisser; **desenroscarse** *vpr* se dévisser.

desenrosque *etc* [desen'roske] *vb* V **desenroscar**.

desensillar [desensi'ʎar] *vt* desseller.

desentenderse [desenten'derse] *vpr*: ~ **de** se désintéresser de; **me desentiendo del asunto** je me désintéresse de l'affaire.

desentendido, -a [desenten'diðo, a] *adj*: **hacerse el** ~ faire la sourde oreille.

desenterrar [desente'rrar] *vt* déterrer.

desentierre *etc* [desen'tjerre] *vb* V **desenterrar**.

desentonar [desento'nar] *vi* détonner.

desentorpecer [desentorpe'θer] *vt* dégourdir.

desentorpezca *etc* [desentor'peθka] *vb* V **desentorpecer**.

desentramparse [desentram'parse] *vpr* s'acquitter.

desentrañar [desentra'ɲar] *vt* (*misterio*) percer; (*sentido*) éclaircir.

desentrenado, -a [desentre'naðo, a] *adj* rouillé(e).

desentumecer [desentume'θer] *vt* (*pierna*) dégourdir; (*DEPORTE*) échauffer; **desentumecerse** *vpr* se dégourdir.

desentumezca *etc* [desentu'meθka] *vb* V **desentumecer**.

desenvainar [desembai'nar] *vt* (*espada*) dégainer.

desenvoltura [desembol'tura] *nf* désinvolture *f*.

desenvolver [desembol'ßer] *vt* défaire; **desenvolverse** *vpr* se dérouler; ~**se bien/mal** bien/mal se débrouiller; ~**se en la vida** se débrouiller dans la vie.

desenvolvimiento [desembolßi'mjento] *nm* déroulement *m*.

desenvuelto, -a [desem'bwelto, a] *pp de* **desenvolver** ♦ *adj* désinvolte.

desenvuelva *etc* [desem'buelßa] *vb* V **desenvolver**.

deseo [de'seo] *nm* désir *m*; ~ **de** (**hacer**) désir de (faire); **arder en** ~**s de hacer algo** désirer ardemment faire qch.

deseoso, -a [dese'oso, a] *adj*: **estar** ~ **de** (**hacer**) être désireux(-euse) de (faire).

deseque *etc* [de'seke] *vb* V **desecar**.

desequilibrado, -a [desekili'ßraðo, a] *adj, nm/f* déséquilibré(e).

desequilibrar [desekili'ßrar] *vt* déséquilibrer; **desequilibrarse** *vpr* (*mentalmente*) se déséquilibrer.

desequilibrio [deseki'lißrio] *nm* déséquilibre *m*; ▶ **desequilibrio mental** déséquilibre mental.

desertar [deser'tar] *vi* (*soldado*) déserter; ~ **de** (*sus deberes*) manquer à; (*una organización*) déserter.

desértico, -a [de'sertiko, a] *adj* désertique.

desertor, a [deser'tor, a] *nm/f* déserteur *m*.

desesperación [desespera'θjon] *nf* désespoir *m*; (*irritación*) exaspération *f*; **es una** ~ **tener que** ... c'est malheureux de devoir ... .

desesperada [desespe'raða] *nf*: **hacer algo a la** ~ faire qch en désespoir de cause.

desesperadamente [desespe'raðamente] *adv* désespérément.

desesperado, -a [desespe'raðo, a] *adj* (*sin esperanza*) désespéré(e) ♦ *nm*: **como un** ~ comme un fou.

desesperance *etc* [desespe'ranθe] *vb V* **desesperanzar**

desesperante [desespe'rante] *adj* désespérant(e).

desesperanzar [desesperan'θar] *vt* désespérer; **desesperanzarse** *vpr* se désespérer.

desesperar [desespe'rar] *vt* désespérer; (*exasperar*) exaspérer ♦ *vi*: ~ **(de)** désespérer (de); **desesperarse** *vpr* perdre espoir; (*impacientarse*) s'impatienter; ~ **de hacer** désespérer de faire.

desespero [deses'pero] (*AM*) *nm* désespoir *m*.

desestabilice *etc* [desestaβi'liθe] *vb V* **desestabilizar**.

desestabilizar [desestaβili'θar] *vt* déstabiliser.

desestimar [desesti'mar] *vt* (*menospreciar*) mésestimer; (*rechazar*) rejeter.

desfachatez [desfatʃa'teθ] *nf* aplomb *m*; ¡**qué** ~! quel culot!; **tener la** ~ **de hacer** avoir l'aplomb de faire.

desfalco [des'falko] *nm* détournement *m* de fonds.

desfallecer [desfaʎe'θer] *vi* défaillir; ~ **de agotamiento** défaillir de fatigue; ~ **de hambre/sed** mourir de faim/soif.

desfallecido, -a [desfaʎe'θiðo, a] *adj* défaillant(e).

desfallecimiento [desfaʎeθi'mjento] *nm* (*desmayo*) évanouissement *m*; (*debilidad*) défaillance *f*.

desfallezca *etc* [desfa'ʎeθka] *vb V* **desfallecer**.

desfasado, -a [desfa'saðo, a] *adj* déphasé(e); (*costumbres*) vieux jeu *inv*.

desfasar [desfa'sar] *vt* déphaser.

desfase [des'fase] *nm* (*en mecanismo*) déphasage *m*; (*entre ideas, circunstancias*) décalage *m*; ▶ **desfase horario** décalage horaire.

desfavorable [desfaβo'raβle] *adj* défavorable.

desfavorecer [desfaβore'θer] *vt* (*sentar mal*) aller mal à; (*perjudicar*) défavoriser.

desfavorezca *etc* [desfaβo'reθka] *vb V* **desfavorecer**.

desfigurar [desfiɣu'rar] *vt* défigurer.

desfiladero [desfila'ðero] *nm* défilé *m*.

desfilar [desfi'lar] *vi* défiler; ~**on ante el general** ils ont défilé devant le général.

desfile [des'file] *nm* défilé *m*; ~ **de modelos** défilé de mode.

desflorar [desflo'rar] *vt* (*mujer*) déflorer; (*estropear*) défigurer.

desfogar [desfo'xar] *vt* (*ira*) décharger; **desfogarse** *vpr* (*fig*) se défouler.

desfogue *etc* [des'foxe] *vb V* **desfogar**.

desfondado, -a [desfon'daðo, a] *adj* sans fond.

desgajar [desɣa'xar] *vt* arracher; (*naranja*) cueillir; **desgajarse** *vpr* (*rama*) s'arracher.

desgana [des'ɣana] *nf* (*falta de apetito*) manque *m* d'appétit; (*falta de entusiasmo*) manque d'entrain; **hacer algo a** *o* **con** ~ faire qch à contrecœur.

desganado, -a [desɣa'naðo, a] *adj*: **estar** ~ (*sin apetito*) ne pas avoir d'appétit; (*sin entusiasmo*) manquer d'entrain.

desgañitarse [desɣaɲi'tarse] *vpr* s'époumoner.

desgarbado, -a [desɣar'βaðo, a] *adj* dégingandé(e).

desgarrador, a [desɣarra'ðor, a] *adj* déchirant(e).

desgarrar [desɣa'rrar] *vt* (*tb fig*) déchirer; (*carne*) déchiqueter; **desgarrarse** *vpr* (*prenda*) se déchirer; (*carne*) partir en lambeaux.

desgarrón [desɣa'rron] *nm* déchirure *f*.

desgastar [desɣas'tar] *vt* user; **desgastarse** *vpr* s'user.

desgaste [des'ɣaste] *nm* usure *f*; ~ **físico** déchéance *f* physique.

desglosar [desɣlo'sar] *vt* disjoindre; (*tema, escrito*) décomposer.

desgobierno [desɣo'βjerno] *nm* désordre *m* politique.

desgracia [des'ɣraθja] *nf* malheur *m*; **por** ~ malheureusement; **no hubo que lamentar** ~**s personales** il n'y a pas eu de victimes à déplorer; **caer en** ~ tomber en disgrâce; **tener la** ~ **de** avoir le malheur de.

desgraciadamente [desɣra'θjaðamente] *adv* malheureusement.

desgraciado, -a [desɣra'θjaðo, a] *adj* malheureux(-euse); (*miserable*) infortuné(e); (*AM: fam*) infâme ♦ *nm/f* (*miserable*) infortuné(e); (*infeliz*) malheureux(-euse); ¡~! (*insulto*) malheureux(-euse)!; **es un pobre** ~ c'est un pauvre malheureux.

desgraciar [desɣra'θjar] *vt* (*chaqueta*) nuire à; (*coche, ojo*) abîmer; (*hijo*) déplaire à.

desgranar [desɣra'nar] *vt* égrener; (*frases, insultos*) cracher.

desgravación [desɣraβa'θjon] *nf* (*COM*): ~

fiscal dégrèvement *m* fiscal.
desgravar [desɣra'ßar] *vt* dégrever ♦ *vi* (*FIN*) détaxer; **acciones/operaciones que desgravan** actions *fpl*/opérations *fpl* qui donnent droit à un dégrèvement.
desgreñado, -a [desɣre'ɲaðo, a] *adj* dépeigné(e).
desguace [des'ɣwaθe] *nm* destruction *f*; (*lugar*) casse *f*.
desguazar [desɣwa'θar] *vt* (*coche, barco*) mettre à la casse.
deshabitado, -a [desaßi'taðo, a] *adj* (*edificio*) inhabité(e); (*zona*) déserté(e).
deshabitar [desaßi'tar] *vt* (*casa*) quitter; (*región*) déserter.
deshabituarse [deshaßi'twarse] *vpr* se déshabituer.
deshacer [desa'θer] *vt* défaire; (*proyectos*) ruiner; (*TEC*) démonter; (*familia, grupo*) désunir; (*enemigo*) détruire; (*disolver*) dissoudre; (*derretir*) fondre; (*contrato*) annuler; (*intriga*) dénouer; **deshacerse** *vpr* se défaire; (*planes*) s'écrouler; (*familia, grupo*) se désunir; (*disolverse*) se dissoudre; (*derretirse*) fondre; **~se de se dé faire de**; (*COM: existencias*) liquider; **~se en cumplidos/atenciones/lágrimas** se ré pandre en compliments/être plein d'attentions/fondre en larmes; **~se por algo** se démener pour qch.
deshaga *etc* [de'saɣa] *vb* V **deshacer**.
desharé *etc* [desa're] *vb* V **deshacer**.
desharrapado, -a [desharra'paðo, a] *adj* en haillons.
deshecho, -a [de'setʃo, a] *pp de* **deshacer** ♦ *adj* défait(e); (*roto*) cassé(e); (*helado, pastel*) fondu(e); **estoy ~** (*cansado*) je suis mort(e) de fatigue; (*deprimido*) je suis abattu(e).
deshelar [dese'lar] *vt* dégeler; **deshelarse** *vpr* se dégeler.
desheredado, -a [desere'ðaðo, a] *adj, nm/f* déshérité(e).
desheredar [desere'ðar] *vt* déshériter.
deshice *etc* [de'siθe] *vb* V **deshacer**.
deshidratación [desiðrata'θjon] *nf* déshy dratation *f*.
deshidratar [desiðra'tar] *vt* déshydrater; **deshidratarse** *vpr* se déshydrater.
deshielo [des'jelo] *vb* V **deshelar** ♦ *nm* dé gel *m*.
deshilachado, -a [desila'tʃaðo, a] *adj* ef filoché(e).
deshilachar [desila'tʃar] *vt* effilocher; **des hilacharse** *vpr* s'effilocher.
deshilar [desi'lar] *vt* effiler.
deshilvanado, -a [desilßa'naðo, a] *adj* (*dis curso*) décousu(e).
deshinchar [desin'tʃar] *vt* (*neumático*) dé gonfler; (*herida*) désenfler; **deshincharse**

vpr se dégonfler; se désenfler.
deshipotecar [desipote'kar] *vt* déshypothé quer.
deshojar [deso'xar] *vt* effeuiller; **desho jarse** *vpr* (*flor*) s'effeuiller; (*árbol*) perdre ses feuilles.
deshollinar [desoʎi'nar] *vt* ramoner.
deshonesto, -a [deso'nesto, a] *adj* malhon nête.
deshonor [deso'nor] *nm,* **deshonra** [de'sonra] *nf* déshonneur *m*.
deshonrar [deson'rar] *vt* déshonorer.
deshonroso, -a [deson'roso, a] *adj* désho norant(e).
deshora [de'sora]: **a ~(s)** *adv* (*llegar*) au mauvais moment; (*hablar*) quand il ne faut pas; (*acostarse, comer*) à des heures impossibles.
deshuesar [deswe'sar] *vt* (*carne*) désosser; (*fruta*) dénoyauter.
deshumanizar [desumani'θar] *vt* déshuma niser.
desidia [de'siðja] *nf* laisser-aller *m*.
desierto, -a [de'sjerto, a] *adj* déserté(e) ♦ *nm* désert *m*; **declarar ~ un premio** ne pas décerner un prix (*à cause du niveau in suffisant des candidats*).
designación [desiɣna'θjon] *nf* désignation *f*.
designar [desiɣ'nar] *vt* désigner; **~ (para)** (*nombrar*) désigner (pour).
designio [de'siɣnjo] *nm* dessein *m*; ▶ **designios divinos** volonté *f* divine.
desigual [desi'ɣwal] *adj* inégal(e); (*tamaño, escritura*) irrégulier(-ière).
desigualdad [desiɣwal'ðað] *nf* inégalité *f*; (*de escritura*) irrégularité *f*.
desilusión [desilu'sjon] *nf* désillusion *f*.
desilusionar [desilusjo'nar] *vt* désillusion ner; (*decepcionar*) décevoir; **desilusio narse** *vpr* perdre ses illusions.
desinencia [desi'nenθja] *nf* (*LING*) désinen ce *f*.
desinfección [desinfek'θjon] *nf* désinfec tion *f*.
desinfectante [desinfek'tante] *adj* désin fectant(e) ♦ *nm* désinfectant *m*.
desinfectar [desinfek'tar] *vt* désinfecter.
desinflacionista [desinflaθjo'nista] *adj* désinflationniste.
desinflar [desin'flar] *vt* dégonfler; **desin flarse** *vpr* se dégonfler.
desintegración [desinteɣra'θjon] *nf* désin tégration *f*.
desintegrar [desinte'ɣrar] *vt* (*grupo, fami lia*) diviser; (*átomo, roca*) désintégrer; **desintegrarse** *vpr* se désintégrer.
desinterés [desinte'res] *nm* (*altruismo*) dé sintéressement *m*; **~ por** (*familia, activi dad*) désintérêt *m* pour.
desinteresado, -a [desintere'saðo, a] *adj*

désintéressé(e).

desinteresarse [desinte'sarse] *vpr*: ~ **(de)** se désintéresser (de).

desintoxicación [desintoksika'θjon] *nf* désintoxication *f*; **cura de** ~ cure *f* de désintoxication.

desintoxicar [desintoksi'kar] *vt* désintoxiquer; **desintoxicarse** *vpr* se désintoxiquer.

desintoxique *etc* [desintok'sike] *vb V* **desintoxicar**.

desistir [desis'tir] *vi* renoncer; ~ **de (hacer)** renoncer à (faire).

deslavazado, -a [deslaβa'θaðo, a] *adj* (*lacio*) raide; (*incoherente*) décousu(e).

desleal [desle'al] *adj* déloyal(e).

deslealtad [desleal'taθ] *nf* déloyauté *f*.

desleído, -a [desle'iðo, a] *adj* (*ideas*) délayé(e).

desleír [desle'ir] *vt* diluer.

deslenguado, -a [deslen'gwaðo, a] *adj* (*grosero*) fort(e) en gueule.

deslía *etc* [des'lia] *vb V* **desleír**.

desliar [des'ljar] *vt* délier; (*paquete*) dénouer; **desliarse** *vpr* se dénouer.

deslice *etc* [des'liθe] *vb V* **deslizar**.

desliendo *etc* [desli'endo] *vb V* **desleír**.

desligar [desli'ɣar] *vt* (*separar*) séparer; (*desatar*) délier; **desligarse** *vpr* se détacher.

desligue *etc* [des'liɣe] *vb V* **desligar**.

deslindar [deslin'dar] *vt* (*tb fig*) délimiter.

desliz [des'liθ] *nm* (*fig*) impair *m*; **cometer un** ~ commettre un impair.

deslizante [desli'θante] *adj* glissant(e).

deslizar [desli'θar] *vt* glisser; **deslizarse** *vpr* glisser; (*aguas mansas, lágrimas*) couler; (*horas*) passer; (*con disimulo: entrar, salir*) se glisser.

deslomar [deslo'mar] *vt* (*agotar*) être fourbu(e); **deslomarse** *vpr* (*fam*) être sur les genoux.

deslucido, -a [deslu'θiðo, a] *adj* terne; **quedar** ~ être fâché(e).

deslucir [deslu'θir] *vt* (*color, metal*) ternir; **deslucirse** *vpr* se ternir.

deslumbrar [deslum'brar] *vt* éblouir.

deslustrar [deslus'trar] *vt* ternir.

desluzca *etc* [des'luθka] *vb V* **deslucir**.

desmadrarse [desma'ðrarse] (*fam*) *vpr* se défouler.

desmadre [des'maðre] (*fam*) *nm* bazar *m*.

desmán [des'man] *nm* abus *msg*.

desmandarse [desman'darse] *vpr* (*descontrolarse*) se rebeller.

desmano [des'mano]: **a** ~ *adv*: **me coge o pilla a** ~ ça me fait faire un détour.

desmantelar [desmante'lar] *vt* démanteler; (*casa, fábrica*) vider; (*NÁUT*) démâter.

desmaquillador [desmakiʎa'ðor] *nm* démaquillant *m*.

desmaquillar [desmaki'ʎar] *vt* démaquiller; **desmaquillarse** *vpr* se démaquiller.

desmarcarse [desmar'karse] *vpr* se démarquer.

desmayado, -a [desma'jaðo, a] *adj* (*sin sentido*) sans connaissance; (*fig: sin energía*) découragé(e); (*color*) passé(e).

desmayar [desma'jar] *vi* (*perder ánimo*) faiblir; **desmayarse** *vpr* perdre connaissance.

desmayo [des'majo] *nm* (*MED*) évanouissement *m*; (*desaliento*) découragement *m*; **sufrir un** ~ perdre connaissance; **sin** ~ sans relâche.

desmedido, -a [desme'ðiðo, a] *adj* démesuré(e).

desmedirse [desme'ðirse] *vpr* perdre toute retenue.

desmejorado, -a [desmexo'raðo, a] *adj*: **está muy desmejorada** (*MED*) elle est très affaiblie.

desmejorar [desmexo'rar] *vi* (*MED*) s'affaiblir.

desmelenarse [desmele'narse] *vpr* s'emballer.

desmembración [desmembra'θjon] *nf* démembrement *m*.

desmembrar [desmem'brar] *vt* démembrer; **desmembrarse** *vpr* (*imperio*) se morceler.

desmemoriado, -a [desmemo'rjaðo, a] *adj* distrait(e).

desmentir [desmen'tir] *vt* démentir; **desmentirse** *vpr* se dédire.

desmenuce *etc* [desme'nuθe] *vb V* **desmenuzar**.

desmenuzar [desmenu'θar] *vt* (*pan*) émietter; (*roca*) effriter; (*carne*) couper en morceaux; (*asunto, teoría*) examiner en détail; **desmenuzarse** *vpr* (*pan*) s'émietter; (*roca*) s'effriter.

desmerecer [desmere'θer] *vi* (*marca*) baisser; (*belleza*) se flétrir; ~ **de** (*cosa*) ne pas être à la hauteur de; (*persona*) ne pas être digne de.

desmerezca *etc* [desme'reθka] *vb V* **desmerecer**.

desmesuradamente [desmesu'raðamente] *adv* démesurément.

desmesurado, -a [desmesu'raðo, a] *adj* (*ambición, egoísmo*) démesuré(e); (*habitación, gafas*) énorme.

desmiembre *etc* [des'mjembre] *vb V* **desmembrar**.

desmienta *etc* [des'mjenta] *vb V* **desmentir**.

desmigajar [desmiɣa'xar] *vt* émietter; **desmigajarse** *vpr* s'émietter.

desmilitarice *etc* [desmilita'riθe] *vb V* **des-**

militarizar.
desmilitarizar [desmilitari'θar] *vt* démilitariser.
desmintiendo *etc* [desmin'tjendo] *vb* V **desmentir**.
desmochar [desmo'tʃar] *vt* (*árbol*) étêter; (*cuernos*) écorner.
desmontable [desmon'taßle] *adj* (*que se quita*) démontable; (*que se puede plegar*) pliable.
desmontar [desmon'tar] *vt* démonter; (*escopeta*) désarmer; (*tierra*) aplatir; (*quitar los árboles a*) déboiser; (*jinete*) descendre de cheval ♦ *vi* (*de caballería*) mettre pied à terre.
desmonte [des'monte] *nm* (*de tierra*) tas *msg*; (*terreno*) terrain *m* nivelé.
desmoralice *etc* [desmora'liθe] *vb* V **desmoralizar**.
desmoralizador, a [desmoraliθa'ðor, a] *adj* démoralisant(e).
desmoralizar [desmorali'θar] *vt* démoraliser; **desmoralizarse** *vpr* se démoraliser; **estar desmoralizado** être démoralisé.
desmoronamiento [desmorona'mjento] *nm* écroulement *m*.
desmoronar [desmoro'nar] *vt* saper; **desmoronarse** *vpr* s'écrouler; (*convicción, ilusión*) s'ébranler.
desmovilice *etc* [desmoßi'liθe] *vb* V **desmovilizar**.
desmovilizar [desmoßili'θar] *vt* (*MIL*) démobiliser.
desnacionalización [desnaθjonaliθa'θjon] *nf* dénationalisation *f*.
desnacionalizar [desnaθjonali'θar] *vt* dénationaliser.
desnatado, -a [desna'taðo, a] *adj* écrémé(e).
desnatar [desna'tar] *vt* écrémer; **leche sin ~** lait entier.
desnaturalice *etc* [desnatura'liθe] *vb* V **desnaturalizar**.
desnaturalizado, -a [desnaturali'θaðo, a] *adj* (*persona*) indigne; (*alcohol*) dénaturé(e).
desnaturalizar [desnaturali'θar] *vt* dénaturer; (*MED: nervio*) dévitaliser.
desnivel [desni'ßel] *nm* (*de terreno*) dénivellation *f*; (*económico, cultural*) différence *f*; (*de fuerzas*) déséquilibre *m*.
desnivelar [desniße'lar] *vt* (*terreno*) déniveler; (*balanza, fig*) déséquilibrer; **desnivelarse** *vpr* (*superficie*) devenir inégal(e); (*mesa*) branler.
desnuclearizado, -a [desnukleari'θaðo, a] *adj*: **región desnuclearizada** zone *f* dénucléarisée.
desnudar [desnu'ðar] *vt* dénuder; **desnudarse** *vpr* se dénuder; **~ (de)** (*despojarse*)

se dépouiller (de).
desnudez [desnu'ðeθ] *nf* nudité *f*.
desnudo, -a [des'nuðo, a] *adj* nu(e); (*árbol*) dépouillé(e); (*paisaje*) dénudé(e) ♦ *nm* (*ARTE*) nu *m*; **~ de** dénué(e) de; **poner al ~** mettre à nu; **ir medio ~** se balader à moitié nu(e).
desnutrición [desnutri'θjon] *nf* malnutrition *f*.
desnutrido, -a [desnu'triðo, a] *adj* mal nourri(e).
desobedecer [desoße ðe'θer] *vt, vi* désobéir.
desobedezca *etc* [desoße'ðeθka] *vb* V **desobedecer**.
desobediencia [desoße'ðjenθja] *nf* désobéissance *f*; ► **desobediencia civil** désobéissance civile.
desobediente [desoße'ðjente] *adj* désobéissant(e).
desocupación [desokupa'θjon] (*esp AM*) *nf* chômage *m*.
desocupado, -a [desoku'paðo, a] *adj* (*persona: ocioso*) désœuvré(e); (: *desempleado*) sans emploi; (*casa*) inoccupé(e); (*asiento, servicios*) libre.
desocupar [desoku'par] *vt* (*vivienda*) libérer; (*local*) vider; **desocuparse** *vpr* se libérer.
desodorante [desoðo'rante] *nm* déodorant *m*.
desoiga *etc* [de'soiɣa] *vb* V **desoír**.
desoír [deso'ir] *vt* passer outre.
desolación [desola'θjon] *nf* désolation *f*.
desolado, -a [deso'laðo, a] *adj* (*lugar*) désolé(e); (*persona*) affligé(e).
desolar [deso'lar] *vt* (*región*) dévaster; (*afligir*) affliger.
desollar [deso'ʎar] *vt* (*quitar la piel a*) écorcher; **~ vivo a** (*criticar*) écorcher vif.
desorbitado, -a [desorßi'taðo, a] *adj* (*deseos*) démesuré(e); (*precio*) exorbitant (e); **con los ojos ~s** les yeux exorbités.
desorbitar [desorßi'tar] *vt* (*exagerar*) exagérer; **desorbitarse** *vpr* (*asunto*) prendre des proportions démesurées; (*ojos*) s'exorbiter.
desorden [de'sorðen] *nm* désordre *m*; (*en escrito*) confusion *f*; (*en horarios*) irrégularité *f*; **desórdenes** *nmpl* (*POL*) troubles *mpl*; (*excesos*) excès *mpl*; **ir en ~** (*gente*) marcher dans le plus grand désordre; **estar en ~** (*cabellos, habitación*) être en désordre.
desordenado, -a [desorðe'naðo, a] *adj* (*habitación, objetos*) en désordre; (*persona*) désordonné(e).
desordenar [desorðe'nar] *vt* (*papeles, objetos*) mettre en désordre; (*cuarto, cajón*) mettre sens dessus dessous.
desorganice *etc* [desorɣa'niθe] *vb* V **desor-**

ganizar.

desorganización [desorɣaniθa'θjon] *nf* désorganisation *f*.

desorganizado, -a [desorɣani'θaðo, a] *adj* (*persona*) mal organisé(e); (*oficina*) désordonné(e).

desorganizar [desorɣani'θar] *vt* bouleverser.

desorientado, -a [desorjen'taðo, a] *adj* (*extraviado*) égaré(e); (*confundido*) confus(e).

desorientar [desorjen'tar] *vt* (*extraviar*) égarer; (*desconcertar*) désorienter; (*al electorado*) confondre; **desorientarse** *vpr* s'égarer.

desovar [deso'βar] *vi* pondre.

desoyendo *etc* [deso'jendo] *vb* V **desoír.**

despabilado, -a [despaβi'laðo, a] *adj* (*despierto*) réveillé(e); (*fig*) éveillé(e).

despabilar [despaβi'lar] *vt* réveiller; (*fig*) secouer ♦ *vi* se réveiller; (*fig*) s'éveiller; **despabilarse** *vpr* se réveiller; ¡despabílate! (*date prisa*) réveille-toi!

despachar [despa'tʃar] *vt* (*negocio*) expédier; (*trabajo*) terminer; (*correspondencia*) s'occuper de; (*fam: comida*) se taper; (: *bebida*) descendre; (*mensaje, carta*) envoyer; (*en tienda: cliente*) servir; (*entradas*) distribuer; (*empleado*) se débarrasser de; (*visitas*) décliner; (*matar*) descendre; (*ARG: maletas*) enregistrer ♦ *vi* (*en tienda*) servir; **despacharse** *vpr* se dépêcher; **está despachando con el jefe** il discute avec le chef; ~**se de algo** se débarrasser de qch; ~**se a su gusto con algn** soulager sa conscience auprès de qn.

despacho [des'patʃo] *nm* bureau *m*; (*envío*) dépêche *f*; (*COM: venta*) envoi *m*; (*comunicación oficial*) dépêche; (: *a distancia*) ordre *m*; ~ **de billetes** *o* **boletos** (*AM*) bureau de tabac; ~ **de localidades** guichet *m*; **mesa de** ~ bureau; **muebles de** ~ mobilier *m* de bureau.

despachurrar [despatʃu'rrar] *vt* (*aplastar*) éplucher.

despacio [des'paθjo] *adv* lentement; (*cuidadosamente, AM: en voz baja*) doucement; ¡~! doucement!; **ya hablaremos más** ~ on parlera plus longuement.

despacito [despa'θito] (*fam*) *adv* (*lentamente*) tout doucement; (*suavemente*) doucement.

despampanante [despampa'nante] (*fam*) *adj* (*chica*) superbe, extraordinaire.

desparejado, -a [despare'xaðo, a], **desparejo, -a** [despa'rexo, a] *adj* dépareillé(e).

desparpajo [despar'paxo] *nm* (*desenvoltura*) aisance *f*; (*pey*) insolence *f*.

desparramar [desparra'mar] *vt* répandre.

despatarrarse [despata'rrarse] *vpr* écarter les jambes; (*al caerse*) se retrouver les quatre fers en l'air.

despavorido, -a [despaβo'riðo, a] *adj* terrorisé(e).

despechado, -a [despe'tʃaðo, a] *adj* dépité(e).

despecho [des'petʃo] *nm* dépit *m*; **a** ~ **de** en dépit de; **por** ~ par dépit.

despectivo, -a [despek'tiβo, a] *adj* (*tono, modo*) condescendant(e); (*LING*) péjoratif(-ive).

despedace *etc* [despe'ðaθe] *vb* V **despedazar.**

despedazar [despeða'θar] *vt* réduire en miettes; **despedazarse** *vpr* tomber en miettes.

despedida [despe'ðiða] *nf* (*adiós*) congé *m*; (*antes de viaje*) adieux *mpl*; (*en carta*) formule *f* de politesse; **regalo/cena de** ~ cadeau *m*/dîner *m* d'adieu; **hacer una** ~ **a algn** fêter le départ de qn; **hacer su** ~ **de soltero/soltera** enterrer sa vie de garçon/jeune fille.

despedir [despe'ðir] *vt* (*decir adiós a*) dire au revoir à; (*empleado*) renvoyer; (*arrojar*) lancer, jeter; (*olor, calor*) dégager; **despedirse** *vpr* quitter son emploi; ~**se de algn** dire au revoir à qn; **se despidieron** ils se sont dit au revoir; **salir despedido** être lancé(e); **ir a** ~ **a algn** aller prendre congé de qn.

despegado, -a [despe'ɣaðo, a] *adj* (*separado*) décollé(e); (*poco afectuoso*) distant(e).

despegar [despe'ɣar] *vt, vi* décoller; **despegarse** *vpr* se décoller; **sin** ~ **los labios** sans piper mot.

despego [des'peɣo] *nm* = **desapego.**

despegue [des'peɣe] *vb* V **despegar** ♦ *nm* décollage *m*.

despeinado, -a [despei'naðo, a] *adj* dépeigné(e).

despeinar [despei'nar] *vt* dépeigner; **despeinarse** *vpr* se dépeigner.

despejado, -a [despe'xaðo, a] *adj* dégagé(e); (*persona*) réveillé(e).

despejar [despe'xar] *vt* dégager; (*desalojar*) vider; (*misterio*) éclaircir; (*MAT: incógnita*) isoler; (*mente*) rafraîchir ♦ *vi* s'éclaircir; **despejarse** *vpr* s'éclaircir; (*persona*) émerger; ¡despejen! évacuez les lieux!; **salir a** ~**se** sortir pour se changer les idées.

despeje [des'pexe] *nm* (*DEPORTE*) dégagement *m*.

despellejar [despeʎe'xar] *vt* (*animal*) écorcher; (*fig*) ne pas ménager.

despelotarse [despelo'tarse] *vpr* (*fam*) se mettre à poil; (*de risa*) se poiler.

despelote [despe'lote] (*fam*) *nm* (*lío*) bazar *m*.

despenalizar [despenali'θar] *vt* dépénaliser.

despensa [des'pensa] *nf* armoire *f* à provisions.

despeñadero [despeɲa'ðero] *nm* précipice *m*.

despeñar [despe'ɲar] *vt* précipiter; **despeñarse** *vpr* basculer.

desperdiciar [desperði'θjar] *vt* gaspiller; (*oportunidad*) manquer.

desperdicio [desper'ðiθjo] *nm* gaspillage *m*; (*residuo*) déchet *m*; **~s** *nmpl* (*basura*) ordures *fpl*; (*residuos*) déchets *mpl*; (*de comida*) restes *mpl*; **el libro no tiene ~** le livre est excellent du début à la fin.

desperdigar [desperði'ɣar] *vt* disperser; **desperdigarse** *vpr* se disperser; (*semillas etc*) s'éparpiller; **andar desperdigados** être dispersés.

desperdigue *etc* [desper'ðiɣe] *vb V* **desperdigar**.

desperece *etc* [despe're θe] *vb V* **desperezarse**.

desperezarse [despere'θarse] *vpr* s'étirer.

desperfecto [desper'fekto] *nm* (*deterioro*) dommage *m*; (*defecto*) imperfection *f*.

despersonalizado, -a [despersonali'θaðo, a] *adj* impersonnel(le).

despertador [desperta'ðor] *nm* réveil *m*.

despertar [desper'tar] *vt* réveiller; (*sospechas, admiración*) éveiller; (*apetito*) aiguiser ♦ *vi* se réveiller ♦ *nm* (*de persona*) réveil *m*; (*día, era*) aube *f*; **despertarse** *vpr* se réveiller.

despiadado, -a [despja'ðaðo, a] *adj* impitoyable.

despido [des'piðo] *vb V* **despedir** ♦ *nm* (*de trabajador*) licenciement *m*; ▶**despido improcedente** licenciement abusif; ▶**despido injustificado** renvoi *m* injustifié; ▶**despido libre** faculté *f* de licencier arbitrairement; ▶**despido voluntario** chômage *m* volontaire.

despierto, -a [des'pjerto, a] *vb V* **despertar** ♦ *adj* réveillé(e); (*fig*) éveillé(e).

despilfarrador, a [despilfarra'ðor, a] *nm/f* gaspilleur(-euse).

despilfarrar [despilfa'rrar] *vt* gaspiller.

despilfarro [despil'farro] *nm* gaspillage *m*.

despintar [despin'tar] *vt* enlever la peinture de ♦ *vi*: **A no despinta de B** A n'est pas mieux que B; **despintarse** *vpr* déteindre.

despiojar [despjo'xar] *vt* épouiller.

despiole [des'pjole] (*ARG: fam*) *nm* (*jaleo*) bordel *m*.

despistado, -a [despis'taðo, a] *adj* (*distraído*) distrait(e); (*desorientado*) dérouté(e)

♦ *nm/f* distrait(e).

despistar [despis'tar] *vt* (*perseguidor*) semer; (*desorientar*) dérouter; **despistarse** *vpr* (*distraerse*) être distrait(e).

despiste [des'piste] *nm* distraction *f*; (*confusión*) confusion *f*; **tiene un terrible ~** il est terriblement distrait.

desplace *etc* [des'plaθe] *vb V* **desplazar**.

desplante [des'plante] *nm*: **hacer un ~ a algn** être grossier(-ière) avec qn.

desplazado, -a [despla'θaðo, a] *adj* déplacé(e); **sentirse un poco ~** ne pas se sentir à sa place; **quedar ~** être déplacé(e).

desplazamiento [desplaθa'mjento] *nm* déplacement *m*; (*INFORM*) défilement *m*; **~ hacia arriba/abajo** (*INFORM*) déplacement vers le haut/bas; **gastos de ~** frais *mpl* de déplacement.

desplazar [despla'θar] *vt* déplacer; (*tropas*) transférer; (*fig*) supplanter; (*INFORM*) faire défiler; **desplazarse** *vpr* se déplacer.

desplegar [desple'ɣar] *vt* déployer; (*tela, papel*) déplier; **desplegarse** *vpr* (*MIL*) se déployer.

desplegué *etc* [desple'ɣe], **despleguemos** *etc* [desple'ɣemos] *vb V* **desplegar**.

despliegue [des'pljeɣe] *vb V* **desplegar** ♦ *nm* déploiement *m*.

desplomarse [desplo'marse] *vpr* s'écrouler; **se ha desplomado el techo** le toit s'est effondré.

desplumar [desplu'mar] *vt* (*ave*) déplumer; (*fam*) plumer.

despoblado, -a [despo'ßlaðo, a] *adj* (*sin habitantes*) vide; (*con pocos habitantes*) dépeuplé(e) ♦ *nm* terrain *m* vague.

despoblarse [despo'ßlarse] *vpr* se dépeupler.

despojar [despo'xar] *vt* (*casa*) dépouiller; **~ de** (*persona: de sus bienes*) dépouiller de; (: *de título, derechos*) retirer; (: *de su cargo*) relever; **despojarse** *vpr*: **~se de** (*ropa*) enlever; (*posesiones*) se dépouiller de.

despojo [des'poxo] *nm* (*usurpación*) spoliation *f*; (*botín*) butin *m*; **~s** *nmpl* (*CULIN*) abats *mpl*; (*de banquete*) reliefs *mpl*; (*cadáver*) dépouille *fsg*.

despolitizar [despoliti'θar] *vt* dépolitiser.

desportillarse [desporti'ʎarse] *vpr* s'ébrécher.

desposado, -a [despo'saðo, a] *adj* tout juste marié(e) ♦ *nm/f* jeune marié(e).

desposar [despo'sar] *vt* (*suj: sacerdote*) marier; **desposarse** *vpr* se marier.

desposeer [despose'er] *vt*: **~ (de)** déposséder (de); **~ a algn de su autoridad** priver qn de son autorité.

desposeído, -a [despose'iðo, a] *nm/f* dépossédé(e); ~s *nmpl* (*necesitados*) nécessiteux *mpl*.

desposeyendo *etc* [despose'jendo] *vb* V **desposeer**.

desposorios [despo'sorjos] *nmpl* (*esponsales*) épousailles *fpl*; (*boda*) noce *fsg*.

déspota ['despota] *nm/f* despote *m*.

despotismo [despo'tismo] *nm* despotisme *m*.

despotricar [despotri'kar] *vi*: ~ **(contra)** pester (contre).

despotrique *etc* [despo'trike] *vb* V **despotricar**

despreciable [despre'θjaßle] *adj* (*persona, acto*) méprisable; (*objeto, cantidad*) négligeable.

despreciar [despre'θjar] *vt* mépriser; (*oferta, regalo*) dédaigner.

despreciativo, -a [despreθja'tißo, a] *adj* dépréciatif(-ive); (*mirada*) dédaigneux (-euse).

desprecio [des'preθjo] *nm* dédain *m*; **un ~** un affront; **le hicieron el ~ de no acudir** ils lui ont fait l'affront de ne pas venir.

desprender [despren'der] *vt* ôter; (*olor, calor*) dégager; (*chispas*) jeter; **desprenderse** *vpr* se détacher; (*olor, perfume*) se dégager; **~ (de)** (*separar*) ôter (de); **~se de algo** se défaire de qch; **de ahí se desprende que** il en découle que.

desprendido, -a [despren'diðo, a] *adj* (*persona*) généreux(-euse).

desprendimiento [desprendi'mjento] *nm* générosité *f*; ▶ **desprendimiento de retina** décollement *m* de la rétine; ▶ **desprendimiento de tierras** éboulement *m* de terrain.

despreocupado, -a [despreoku'paðo, a] *adj*: **estar ~** (*sin preocupación*) ne pas s'inquiéter; **ser ~** être insouciant(e).

despreocuparse [despreoku'parse] *vpr*: **~ (de)** (*dejar de inquietarse*) ne plus s'occuper (de); (*desentenderse*) se désintéresser (de).

desprestigiar [despresti'xjar] *vt* discréditer; **desprestigiarse** *vpr* se discréditer.

desprestigio [despres'tixjo] *nm* discrédit *m*.

desprevenido, -a [despreße'niðo, a] *adj* dépourvu(e); **coger** (*ESP*) *o* **agarrar** (*AM*) **a algn ~** prendre qn au dépourvu.

desprolijo, -a [despro'lixo, a] (*ARG: fam*) *adj* nul(le).

desproporción [despropor'θjon] *nf* disproportion *f*.

desproporcionado, -a [desproporθjo'naðo, a] *adj* disproportionné(e).

despropósito [despro'posito] *nm* (*salida de tono*) propos *msg* outrancier; (*disparate*) remarque *f* inopportune.

desprovisto, -a [despro'ßisto, a] *adj*: **~ de** dépourvu(e) de; **estar ~ de** être dépourvu(e) de.

después [des'pwes] *adv* après; (*desde entonces*) dès lors; (*entonces*) alors ♦ *prep*: **~ de** après ♦ *conj*: **~ (de) que** après que; **poco ~** peu après; **un año ~** un an après; **~ se debatió el tema** puis on a discuté de l'affaire; **~ de comer** après manger; **~ de corregir el texto** après avoir corrigé le texte; **~ de esa fecha** (*pasado*) après cette date; (*futuro*) passée cette date; **~ de todo** après tout; **~ de verlo** après l'avoir vu, **mi nombre está ~ del tuyo** mon nom vient après le tien; **~ (de) que lo escribí** après que je l'eus écrit.

despuntar [despun'tar] *vt* (*lápiz*) tailler ♦ *vi* (*plantas*) pointer; (*flores, alba, día*) poindre; (*persona: sobresalir*) briller.

desquiciar [deski'θjar] *vt* (*puerta*) sortir de ses gonds; (*planes*) bouleverser; (*persona*) rendre fou(folle); **el pobre está desquiciado** le pauvre est ébranlé.

desquitarse [deski'tarse] *vpr*: **~ (de)** (*resarcirse*) être récompensé(e) (de); (*vengarse*) se venger (de); **~ de una pérdida** compenser une perte.

desquite [des'kite] *nm*: **tomarse el ~ (de)** prendre sa revanche (sur).

Dest. *abr* = **destinatario**.

destacado, -a [desta'kaðo, a] *adj* (*persona*) célèbre; (*hechos, noticias*) marquant(e); **ocupar un lugar ~** (*fig*) occuper le devant de la scène.

destacamento [destaka'mento] *nm* (*MIL*) détachement *m*.

destacar [desta'kar] *vt* (*ARTE*) mettre en relief; (*fig*) souligner; (*MIL*) détacher ♦ *vi* (*sobresalir: montaña, figura*) ressortir; (: *obra, persona*) se démarquer; **destacarse** *vpr* se démarquer; **quiero ~ que** ... je veux souligner que ...; **~ en/por algo** briller en/par qch; **~(se) de** *o* **entre los demás** se démarquer des autres.

destajo [des'taxo] *nm*: **trabajar a ~** (*por pieza*) travailler à la pièce; (*mucho*) travailler d'arrache-pied.

destapamiento [destapa'mjento] (*MÉX*) *nm* (*POL*) annonce des candidats aux élections du PRI (*parti politique mexicain*).

destapar [desta'par] *vt* découvrir; (*botella*) déboucher; (*cacerola*) ôter le couvercle de; **destaparse** *vpr* (*botella*) se déboucher; (*en la cama*) se découvrir.

destape [des'tape] *nm* (*TEATRO, CINE*) nu *m*.

destaque *etc* [des'take] *vb* V **destacar**.

destartalado, -a [destarta'laðo, a] *adj* (*casa*) délabré(e); (*coche*) démantibulé(e).

destellar [deste'ʎar] *vi* (*diamante, estrella*)

scintiller; (*metal*) étinceler.

destello [des'teʎo] *nm* (*de diamante, metal*) scintillement *m*; (*de estrella*) scintillation *f*; (*de faro*) lueur *f*; **un ~ de lucidez/genio** un éclair de lucidité/génie.

destemplado, -a [destem'plaðo, a] *adj* (*MÚS*) désaccordé(e); (*voz*) discordant(e); (*METEOROLOGÍA*) mauvais(e); **estar/sentirse ~** (*MED*) être/se sentir indisposé(e).

destemplar [destem'plar] *vt* (*MÚS*) désaccorder; **destemplarse** *vpr* (*MÚS*) se désaccorder; (*persona: alterarse*) perdre toute mesure; (*MED*) être indisposé(e).

desteñir [deste'ɲir] *vt* (*sol, lejía*) passer ♦ *vi* (*tejido*) déteindre; **desteñirse** *vpr* déteindre; **esta tela no destiñe** cette toile ne déteint pas.

desternillarse [desterni'ʎarse] *vpr*: **~ de risa** se tordre de rire.

desterrado, -a [deste'rraðo, a] *adj* (*exiliado: persona*) interdit(e) de séjour; (*abandonado: costumbre*) banni(e) ♦ *nm/f* exilé(e).

desterrar [deste'rrar] *vt* exiler; (*pensamiento, tristeza*) chasser; (*sospechas*) bannir.

destetar [deste'tar] *vt* sevrer.

destiempo [des'tjempo]: **a ~** *adv* mal à propos.

destierro [des'tjerro] *vb* V **desterrar** ♦ *nm* (*expulsión*) interdiction *f* de séjour; (*exilio*) exil *m*; **vivir en el ~** vivre en exil.

destilar [desti'lar] *vt, vi* distiller.

destilería [destile'ria] *nf* distillerie *f*.

destinar [desti'nar] *vt* (*funcionario, militar*) affecter; (*habitación, tarea*) assigner; **~ o para** (*fondos*) destiner à; **es un libro destinado a los niños** c'est un livre pour enfants; **una carta que viene destinada a usted** une lettre qui vous est adressée.

destinatario, -a [destina'tarjo, a] *nm/f* destinataire *m/f*.

destino [des'tino] *nm* (*suerte*) destin *m*; (*de viajero*) destination *f*; (*función*) fonction *f*; (*de funcionario, militar*) poste *m*; **con ~ a** à destination de; **salir con ~ a** partir pour.

destiña *etc* [desti'ɲa] *vb* V **desteñir**.

destiñendo *etc* [desti'ɲendo] *vb* V **desteñir**.

destitución [destitu'θjon] *nf* destitution *f*.

destituir [destitu'ir] *vt*: **~ (de)** destituer (de).

destituyendo *etc* [destitu'jendo] *vb* V **destituir**.

destornillador [destorniʎa'ðor] *nm* tournevis *msg*.

destornillar [destorni'ʎar] *vt* = **desatornillar**.

destreza [des'treθa] *nf* dextérité *m*; (*maña*) adresse *f*.

destripar [destri'par] *vt* (*animal*) étriper; (*radio, coche*) démantibuler; (*reventar*) crever.

destroce *etc* [de'stroθe] *vb* V **destrozar**.

destronar [destro'nar] *vt* détrôner.

destroncar [destron'kar] *vt* (*árbol*) abattre; (*proyectos*) ruiner.

destronque *etc* [des'tronke] *vb* V **destroncar**.

destrozar [destro'θar] *vt* (*romper*) casser; (*planes, campaña, persona*) anéantir; (*nervios*) mettre à vif; **está destrozado por la noticia** il est anéanti par la nouvelle.

destrozo [des'troθo] *nm* destruction *f*; **~s** *nmpl* (*daños*) dégâts *mpl*.

destrucción [destruk'θjon] *nf* destruction *f*.

destructivo, -a [destruk'tiβo, a] *adj* destructeur(-trice).

destructor, a [destruk'tor, a] *adj* = **destructivo** ♦ *nm* (*NÁUT*) torpilleur *m*.

destruir [destru'ir] *vt* détruire; (*persona: moralmente*) briser; (*negocio, comarca*) ruiner; (*político, competidor, ilusiones*) anéantir; (*argumento*) démolir.

destruyendo *etc* [destru'jendo] *vb* V **destruir**.

desubicar [desuβi'kar] (*CSUR*) *vt* désorienter.

desuelle *etc* [de'sweʎe] *vb* V **desollar**.

desueve *etc* [de'sweβe] *vb* V **desovar**.

desunión [desu'njon] *nf* (*separación*) séparation *f*; (*entre personas*) désaccord *m*.

desunir [desu'nir] *vt* (*familia, países*) désunir; (*piezas*) séparer; **desunirse** *vpr* se désunir.

desusado, -a [desu'saðo, a] *adj* inusité(e).

desuso [de'suso] *nm* non utilisation *f*; **caer en ~** tomber en désuétude; **estar en ~** être inusité(e); **una expresión (caída) en ~** une expression tombée en désuétude.

desvaído, -a [desβa'iðo, a] *adj* (*color*) fané(e); (*contorno*) effacé(e); (*carácter*) terne.

desvalido, -a [desβa'liðo, a] *adj* déshérité(e); **niños ~s** enfants *mpl* déshérités.

desvalijar [desβali'xar] *vt* dévaliser; (*coche*) cambrioler.

desvalorice *etc* [desβalo'riθe] *vb* V **desvalorizar**.

desvalorizar [desβalori'θar] *vt* (*ECON*) dévaluer.

desván [des'βan] *nm* grenier *m*.

desvanecer [desβane'θer] *vt* (*disipar*) dissiper; (*borrar*) effacer; **desvanecerse** *vpr* (*MED*) s'évanouir; (*fig*) se dissiper; (*borrarse*) s'effacer.

desvanecido, -a [desβane'θiðo, a] *adj* (*MED*) évanoui(e); **caer ~** tomber évanoui(e).

desvanecimiento [desβaneθi'mjento] *nm*

(de contornos, colores) effacement m; (de dudas) dissipation f; (MED) évanouissement m.

desvanezca etc [desβa'neθka] vb V **desvanecer**.

desvariar [desβa'rjar] vi délirer.

desvarío [desβa'rio] nm délire m; ~s nmpl (disparates) absurdités fpl.

desvelar [desβe'lar] vt (suj: café, preocupación) tenir éveillé(e); **desvelarse** vpr rester éveillé(e); ~**se por algo** se démener pour qch; ~**se por los demás** se donner du mal pour autrui.

desvelo [des'βelo] nm éveil m; ~s nmpl (preocupación) soucis mpl.

desvencijado, -a [desβenθi'xaðo, a] adj (silla) branlant(e); (máquina) détraqué(e).

desvencijar [desβenθi'xar] vt casser; (máquina) détraquer; **desvencijarse** vpr se casser; (máquina) se détraquer.

desventaja [desβen'taxa] nf inconvénient m; **estar en** o **llevar** ~ être désavantagé(e).

desventajoso, -a [desβenta'xoso, a] adj désavantageux(-euse).

desventura [desβen'tura] nf malheur m.

desventurado, -a [desβentura̠ðo, a] adj malheureux(-euse).

desvergonzado, -a [desβerɣon'θaðo, a] adj, nm/f dévergondé(e); (descarado) effronté(e).

desvergüenza [desβer'ɣwenθa] nf dévergondage m; (descaro) toupet m; ¡qué ~! quel toupet!; **tener la** ~ **de hacer** avoir le toupet de faire.

desvestir [desβes'tir] vt déshabiller; **desvestirse** vpr se déshabiller.

desviación [desβja'θjon] nf (de río) détournement m; (AUTO) déviation f; (de la conducta) écart m; ▶ **desviación de la columna** (MED) scoliose f.

desviar [des'βjar] vt dévier; (de objetivo) écarter; (río, mirada) détourner; **desviarse** vpr (apartarse del camino) s'égarer; (rumbo) faire un détour; (AUTO) faire une embardée; ~**se de un tema** s'éloigner du sujet.

desvincular [desβinku'lar] vt (de una obligación) délier; (de una organización) détacher; **desvincularse** vpr (de partido, familia) se détacher.

desvío [des'βio] vb V **desviar** ♦ nm (AUTO) détour m.

desvirgar [desβir'xar] vt dépuceler.

desvirtuar [desβir'twar] vt (actuación, labor) nuire à; (argumento) démolir; (sentido) affaiblir; **desvirtuarse** vpr perdre sa signification première.

desvistiendo etc [desβis'tjendo] vb V **desvestir**.

desvitalizar [desβitali'θar] vt (MED) dévitaliser.

desvivirse [desβi'βirse] vpr: ~ **por algo/algn** se mettre en quatre pour qch/qn; ~ **por hacer** se tuer à faire.

detall [de'tal] nm: **al** ~ (COM) au détail; V **detalle**.

detalladamente [deta'ʎaðamente] adv de façon détaillée.

detallado, -a [deta'ʎaðo, a] adj détaillé(e).

detallar [deta'ʎar] vt détailler.

detalle [de'taʎe] nm détail m; (delicadeza) attention f; (narrar con todo) ~ raconter en détail; **no pierde** ~ il n'en perd pas une miette; **tener un** ~ **con algn** avoir une attention pour qn; ¡**qué** ~! comme c'est gentil!; **al** ~ (COM) au détail; **comercio al** ~ commerce m de détail; **vender al** ~ vendre au détail; ▶ **detalle de cuenta** détail d'un compte.

detallista [deta'ʎista] adj méticuleux (-euse) ♦ nm/f (COM) détaillant(e).

detectar [detek'tar] vt (investigador) détecter.

detective [detek'tiβe] nm/f détective m; ▶ **detective privado** détective privé.

detector [detek'tor] nm (NÁUT) détecteur m; (TEC) détecteur radio; ▶ **detector de mentiras/de metales/de minas** détecteur de mensonges/à métaux/de mines.

detención [deten'θjon] nf arrêt m; (retraso) lenteur f; (JUR) arrestation f; (detenimiento) soin m.

detendré etc [deten'dre] vb V **detener**.

detener [dete'ner] vt arrêter; (retrasar) ralentir; **detenerse** vpr s'arrêter; (demorarse) s'attarder; ¡**deténgase**! arrêtez-vous!; ~**se a hacer algo** s'attarder à faire qch.

detenga etc [de'tenga] vb V **detener**.

detenidamente [dete'niðamente] adv minutieusement.

detenido, -a [dete'niðo, a] adj arrêté(e); (minucioso) minutieux(-euse); (preso) détenu(e) ♦ nm/f détenu(e).

detenimiento [deteni'mjento] nm: **con** ~ avec soin.

detentar [deten'tar] vt détenir; (sin derecho) s'approprier.

detergente [deter'xente] nm détergent m.

deteriorado, -a [deterjo'raðo, a] adj détérioré(e).

deteriorar [deterjo'rar] vt détériorer; **deteriorarse** vpr se détériorer.

deterioro [dete'rjoro] nm détérioration f.

determinación [determina'θjon] nf détermination f; (decisión) décision f.

determinado, -a [determi'naðo, a] adj déterminé(e); **a una hora determinada** à une heure précise; **no hay ningún tema** ~ aucun sujet n'a été déterminé.

determinar [determi'nar] *vt* déterminer; **determinarse** *vpr*: ~**se a hacer** se déterminer à faire; **el reglamento determina que...** le règlement prévoit que ...; **aquello determinó la caída del gobierno** cela a déterminé la chute du gouvernement.

detestable [detes'taβle] *adj* (*persona, sabor*) détestable; (*acto*) odieux(-euse); (*obra*) très mauvais(e).

detestar [detes'tar] *vt* détester.

detonación [detona'θjon] *nf* détonation *f*.

detonador [detona'ðor] *nm* détonateur *m*.

detonante [deto'nante] *nm* (*fig*) détonateur *m*.

detonar [deto'nar] *vi* détoner.

detractor, a [detrak'tor, a] *nm/f* détracteur(-trice).

detrás [de'tras] *adv* derrière; (*en sucesión*) après ♦ *prep*: ~ **de** derrière; **hacer algo por** ~ **de algn** faire qch dans le dos de qn; **ir** ~ **de algn/algo** être derrière qn/qch; **por** ~ par derrière; ~ **mio/nuestro** (*esp CSUR*) derrière moi/nous.

detrasito [detra'sito] (*AM*: *fam*) *adv* derrière.

detrimento [detri'mento] *nm*: **en** ~ **de** au détriment de.

detritus [de'tritus] *nm* détritus *msg*.

detuve *etc* [de'tuβe] *vb V* **detener**.

deuda [de'uða] *nf* dette *f*; **estar en** ~ **con algn** (*fig*) avoir une dette envers qn; **contraer** ~**s** contracter des dettes; ► **deuda a largo plazo** dette à long terme; ► **deuda exterior/pública** dette extérieure/publique.

deudor, a [deu'ðor, a] *nm/f* débiteur (-trice); ~ **hipotecario** débiteur hypothécaire; ~ **moroso** mauvais payeur *m*.

devaluación [deβalwa'θjon] *nf* dévaluation *f*.

devaluar [deβalu'ar] *vt* dévaluer.

devanar [deβa'nar] *vt* rembobiner; **devanarse** *vpr*: ~**se los sesos** se ronger les sangs.

devaneo [deβa'neo] *nm* flirt *m*.

devastar [deβas'tar] *vt* dévaster.

devendré *etc* [deβen'dre], **devenga** *etc* [de'βenga] *vb V* **devenir**.

devengar [deβen'gar] *vt* (*retribuciones*) toucher; (*intereses*) rapporter.

devengue *etc* [de'βenge] *vb V* **devengar**.

devenir [deβe'nir] *vi*: ~ **en** se transformer en ♦ *nm* évolution *f*.

deviene *etc* [de'βjene], **deviniendo** *etc* [deβi'njendo] *vb V* **devenir**.

devoción [deβo'θjon] *nf* dévotion *f*; **sentir** ~ **por algn/algo** avoir de la dévotion pour qn/qch.

devocionario [deβoθjo'narjo] *nm* missel *m*.

devolución [deβolu'θjon] *nf* restitution *f*;

(*de carta*) retour *m*; (*de dinero*) remboursement *m*; **no se admiten devoluciones** (*COM*) ni repris ni échangé.

devolver [deβol'βer] *vt* rendre; (*a su sitio*) remettre; (*producto, carta, favor*) retourner; (*regalo, factura*) renvoyer; (*fam: vomitar*) rendre ♦ *vi* (*fam*) rendre; **devolverse** *vpr* (*AM*) revenir; ~ **la pelota a algn** (*fig*) renvoyer la balle à qn.

devorar [deβo'rar] *vt* dévorer; (*fig: fortuna*) manger; ~ **a algn con los ojos** dévorer qn des yeux; **todo lo devoró el fuego** il fut dévoré par les flammes; **le devoran los celos** il est dévoré de jalousie.

devoto, -a [de'βoto, a] *adj* (*REL*) dévot(e); (*amigo*) dévoué(e) ♦ *nm/f* dévot(e); (*adepto*) adepte *m/f*; ~ **de** (*REL*) dévot(e) à; (*muy aficionado a*) adepte de; **su** ~ **servidor** votre dévoué serviteur.

devuelto [de'βwelto] *pp de* **devolver**.

devuelva *etc* [de'βwelβa] *vb V* **devolver**.

D.F. (*MÉX*) *sigla m* (= *Distrito Federal*) Mexico (*ville*).

dg. *abr* (= *decigramo(s)*) dg (= *décigramme(s)*).

D.G. *abr* = (*Dirección General*); (= *Director General*) DG *m* (= *directeur général*).

DGT *sigla f* (= *Dirección General de Tráfico*) *branche ministérielle chargée du contrôle de la circulation routière*; (= *Dirección General de Turismo*) *branche ministérielle chargée du tourisme*.

di [di] *vb V* **dar**; **decir**.

día ['dia] *nm* (*24 horas*) journée *f*; (*lo que no es noche*) jour *m*; ¿**qué** ~ **es?** quel jour est-on?; **estar/poner al** ~ (*cuentas*) être/mettre à jour; (*persona*) être/mettre au courant; **el** ~ **de mañana** demain; **el** ~ **menos pensado te haremos una visita** quand tu t'y attendras le moins, nous te rendrons visite; **hoy (en)** ~ aujourd'hui; **al** ~ **siguiente** le jour suivant; **tener un mal** ~ passer une mauvaise journée; ~ **a** ~ jour après jour; ¡**cualquier** ~ **se mata!** il va finir par se tuer!; **todos los** ~**s** tous les jours; **un** ~ **de estos** un de ces jours; **un** ~ **sí y otro no** tous les deux jours; **vivir al** ~ vivre au jour le jour; **es de** ~ il fait jour; **del** ~ (*estilos*) au goût du jour; (*pan*) frais(fraîche); (*menú*) du jour; **de un** ~ **para otro** d'un jour à l'autre; **en pleno** ~ en plein jour; **en su** ~ en son temps; ¡**hasta otro** ~! à un autre jour!; ¡**buenos** ~**s!** bonjour!; ~ **domingo/lunes** *etc* (*AM*) dimanche/lundi *etc*; ► **día de los (santos) inocentes** (*28 diciembre*) jour des Saints Innocents, ≈ le premier avril; ► **día de precepto** jour du Seigneur; ► **Día de Reyes** Epiphanie *f*; ► **día festivo** *o* **feriado** (*AM*) *o* **de fiesta**

jour férié; ► **día hábil/inhábil** jour ouvrable/chômé; ► **día laborable** jour de travail; ► **día lectivo/libre** jour de classe/de congé.

diabetes [dja'ßetes] *nf* diabète *m*.

diabético, -a [dja'ßetiko, a] *nm/f* diabétique.

diablo ['djaßlo] *nm* diable *m*; ¿cómo/qué ~s ...? comment/que diable ...?; **pobre** ~ pauvre diable; **hace un frío de mil** ~s *o* de **todos los** ~s il fait un froid de tous les diables; **mandar algo/a algn al** ~ envoyer qch/qn au diable; ¡**al** ~ **con** ...! au diable ...!

diablura [dja'ßlura] *nf* diablerie *f*.

diabólico, -a [dja'ßoliko, a] *adj* diabolique.

diácono [di'akono] *nm* diacre *m*.

diadema [dja'ðema] *nf* diadème *m*.

diáfano, -a ['djafano, a] *adj* limpide; (*intención*) clair(e).

diafragma [dja'fraɣma] *nm* diaphragme *m*.

diagnosis [djaɣ'nosis] *nf inv* diagnostic *m*.

diagnosticar [djaɣnosti'kar] *vt* diagnostiquer.

diagnóstico [djaɣ'nostiko] *nm* diagnostic *m*.

diagonal [djaɣo'nal] *adj* oblique ♦ *nf* diagonale *f*; **en** ~ en diagonale.

diagrama [dja'ɣrama] *nm* diagramme *m*; ~ **de barras** diagramme en bâtons; ~ **de flujo** (*INFORM*) organigramme *m*.

dial [di'al] *nm* (*de radio*) bande *f* de fréquence.

dialéctica [dja'lektika] *nf* dialectique *f*.

dialecto [dja'lekto] *nm* dialecte *m*.

dialogar [djalo'ɣar] *vi* dialoguer; ~ **con** (*POL*) s'entretenir avec.

diálogo ['djaloɣo] *nm* dialogue *m*.

dialogue *etc* [dja'loɣe] *vb V* **dialogar**.

diamante [dja'mante] *nm* diamant *m*; ~s *nmpl* (*NAIPES*) carreau *msg*; ► **diamante (en) bruto** diamant brut; (*fig*) perle *f* rare.

diametralmente [djame'tralmente] *adv*: ~ **opuesto a** diamétralement opposé à.

diámetro [di'ametro] *nm* diamètre *m*; **3 m de** ~ 3 m de diamètre.

diana ['djana] *nf* (*MIL*) réveil *m*; (*de blanco*) mouche *f*; **hacer** ~ faire mouche.

diantre ['djantre] *nm*: ¡~! (*fam*) diantre!

diapasón [djapa'son] *nm* diapason *m*; (*de violín, guitarra*) touche *f*.

diapositiva [djaposi'tißa] *nf* (*FOTO*) diapositive *f*.

diario, -a ['djarjo, a] *adj* quotidien(ne) ♦ *nm* quotidien *m*; (*para memorias*) journal *m*; (*COM*) livre *m* journal; **a** ~ tous les jours; **de** *o* **para** ~ de tous les jours; ► **diario de navegación** (*NÁUT*) journal de bord; ► **diario de sesiones** compte rendu d'une session du Parlement; ► **diario hablado** (*RADIO*) journal.

diarrea [dja'rrea] *nf* diarrhée *f*.

diatriba [dja'trißa] *nf* diatribe *f*.

dibujante [dißu'xante] *nm/f* dessinateur (-trice); (*TEC*) dessinateur(-trice) industriel(le); ~ **de publicidad** dessinateur(-trice) publicitaire.

dibujar [dißu'xar] *vt, vi* dessiner; **dibujarse** *vpr* (*emoción*) se peindre; ~**se en el horizonte/a lo lejos** se dessiner à l'horizon/au loin.

dibujo [di'ßuxo] *nm* dessin *m*; ► **dibujos animados** dessins *mpl* animés; ► **dibujo artístico** dessin d'art; ► **dibujo lineal/técnico** dessin industriel.

dic. *abr* = **diciembre**.

diccionario [dikθjo'narjo] *nm* dictionnaire *m*; ► **diccionario enciclopédico** dictionnaire encyclopédique.

dicha ['ditʃa] *nf* (*felicidad*) bonheur *m*; (*suerte*) chance *f*; **tener la** ~ **de** avoir la joie de.

dicharachero, -a [ditʃara'tʃero, a] *adj* jovial(e).

dicho, -a ['ditʃo, a] *pp de* **decir** ♦ *adj*: **en** ~s **países** dans ces pays ♦ *nm* proverbe *m*; **mejor** ~ plutôt; **propiamente** ~ proprement dit; ~ **y hecho** aussitôt dit, aussitôt fait; ~ **sea de paso** soit dit en passant.

dichoso, -a [di'tʃoso, a] *adj* heureux (-euse); ¡**aquel** ~ **coche!** (*fam*) cette sacrée voiture!

diciembre [di'θjembre] *nm* décembre *m*; *V tb* **julio**.

diciendo *etc* [di'θjendo] *vb V* **decir**.

dicotomía [dikoto'mia] *nf* dichotomie *f*.

dictado [dik'taðo] *nm* dictée *f*; **escribir al** ~ écrire sous la dictée; **los** ~s **de la conciencia** ce que dicte la conscience.

dictador [dikta'ðor] *nm* dictateur *m*.

dictadura [dikta'ðura] *nf* dictature *f*.

dictáfono ® [dik'tafono] *nm* Dictaphone *m* ®.

dictamen [dik'tamen] *nm* expertise *f*; ► **dictamen contable** rapport *m* comptable; ► **dictamen facultativo** (*MED*) diagnostic *m*.

dictaminar [diktami'nar] *vt* analyser ♦ *vi*: ~ **(sobre)** donner son avis (sur).

dictar [dik'tar] *vt* dicter; (*decreto*) prendre; (*ley*) édicter; (*AM: clase*) faire; (: *conferencia*) donner.

didáctico, -a [di'ðaktiko, a] *adj* didactique; (*educativo*) éducatif(-ive).

diecinueve [djeθinu'eße] *adj inv, nm inv* dix-neuf *m inv*; **el siglo** ~ le dix-neuvième siècle; *V tb* **seis**.

dieciocho [djeθi'otʃo] *adj inv, nm inv* dix-huit *m inv*; *V tb* **seis**.

dieciséis [djeθi'seis] *adj inv, nm inv* seize *m inv*; V *tb* **seis.**

diecisiete [djeθi'sjete] *adj inv, nm inv* dix-sept *m inv*; V *tb* **seis.**

diente ['djente] *nm* dent *f*; **enseñar los ~s** (*fig*) grincer des dents; **hablar entre ~s** parler entre ses dents; **hincarle el ~ a** (*comida*) mordre à belles dents dans; (*fig: asunto*) s'attaquer à; ▶ **diente de ajo** gousse *f* d'ail; ▶ **diente de leche** dent de lait; ▶ **diente de león** pissenlit *m*; ▶ **dientes postizos** fausses dents.

diera *etc* ['djera] *vb* V **dar.**

diéresis [di'eresis] *nf* diérèse *f*.

dieron ['djeron] *vb* V **dar.**

diesel ['disel] *adj*: **motor ~** (moteur *m*) diesel *m*.

diestra ['djestra] *nf* main *f* droite; **a mi** *etc* **~** à ma *etc* droite.

diestro, -a ['djestro, a] *adj* droit(e); (*hábil*) adroit(e) ♦ *nm* (*TAUR*) matador *m*; **a ~ y siniestro** au hasard.

dieta ['djeta] *nf* régime *m*; **~s** *nfpl* (*de viaje, hotel*) frais *mpl*; **la ~ mediterránea** la cuisine méditerranéenne; **estar a ~** être au régime.

dietética [dje'tetika] *nf* diététique *f*.

dietético, -a [dje'tetiko, a] *adj* diététique ♦ *nm/f* diététicien(ne).

dietista [dje'tista] (*AM*) *nm/f* diététicien(ne).

diez [djeθ] *adj inv, nm inv* dix *m inv*; V *tb* **seis.**

diezmar [djeθ'mar] *vt* décimer.

difamación [difama'θjon] *nf* diffamation *f*.

difamar [difa'mar] *vt* diffamer.

difamatorio, -a [difama'torjo, a] *adj* diffamatoire.

diferencia [dife'renθja] *nf* différence *f*; **~s** *nfpl* (*desacuerdos*) différend *msg*; **a ~ de** à la différence de; **hacer ~ entre** faire la différence entre; ▶ **diferencia salarial** inégalité *f* de salaire.

diferencial [diferen'θjal] *nm* (*AUTO*) différentiel *m*.

diferenciar [diferen'θjar] *vt*: **~ (de)** distinguer (de); (*hacer diferente*) différencier ♦ *vi*: **~ entre A y B** distinguer A de B; **diferenciarse** *vpr*: **~se (de)** se distinguer (de); **¿en qué se diferencian?** en quoi sont-ils différents?

diferente [dife'rente] *adj* différent(e) ♦ *adv* différemment.

diferido [dife'riðo] *nm*: **en ~** (*TV*) en différé.

diferir [dife'rir] *vt, vi* différer.

difícil [di'fiθil] *adj* difficile; **es un hombre ~ (de tratar)** c'est quelqu'un de difficile; **ser ~ de hacer/entender/explicar** être difficile à faire/comprendre/expliquer.

difícilmente [di'fiθilmente] *adv* difficile-

ment.

dificultad [difikul'tað] *nf* difficulté *f*; **~es** *nfpl* (*problemas*) difficultés *fpl*; **poner ~es (a algn)** faire des difficultés (à qn).

dificultar [difikul'tar] *vt* (*explicación, labor*) rendre difficile; (*visibilidad*) brouiller.

dificultosamente [difikul'tosamente] *adv* avec difficulté.

dificultoso, -a [difikul'toso, a] *adj* ardu(e); (*avance*) laborieux(-euse); (*relaciones*) tumultueux(-euse).

difiera *etc* [di'fjera], **difiriendo** *etc* [difi'rjendo] *vb* V **diferir.**

difteria [dif'terja] *nf* diphtérie *f*.

difuminar [difumi'nar] *vt* (*ARTE*) ombrer.

difundir [difun'dir] *vt* (*calor, noticia*) diffuser; (*doctrina, rumores*) répandre; **difundirse** *vpr* se diffuser; (*doctrina*) se répandre.

difunto, -a [di'funto, a] *adj, nm/f* défunt(e).

difusión [difu'sjon] *nf* diffusion *f*; (*de teoría*) généralisation *f*; **un programa de gran ~** une émission à grande diffusion.

difuso, -a [di'fuso, a] *adj* diffus(e); (*explicación*) vague.

diga *etc* ['diɣa] *vb* V **decir.**

digerir [dixe'rir] *vt* digérer.

digestión [dixes'tjon] *nf* digestion *f*; **corte de ~** crampe *f* d'estomac.

digestivo, -a [dixes'tiβo, a] *adj* digestif (-ive) ♦ *nm* digestif *m*.

digiera *etc* [di'xjera], **digiriendo** *etc* [dixi'rjenðo] *vb* V **digerir.**

digital [dixi'tal] *adj* digital(e).

digitalizador [dixitaliθa'ðor] *nm* (*INFORM*) numériseur *m*.

dignarse [diɣ'narse] *vpr*: **~ (a) hacer** daigner faire.

dignatario, -a [diɣna'tarjo, a] *nm/f* dignitaire *m/f*.

dignidad [diɣni'ðað] *nf* dignité *f*; **hacer algo con ~** faire qch avec dignité.

dignificar [diɣnifi'kar] *vt* rendre plus digne.

dignifique *etc* [diɣni'fike] *vb* V **dignificar.**

digno, -a ['diɣno, a] *adj* (*sueldo, nivel de vida*) décent(e); (*comportamiento, actitud*) digne; **~ de** digne de; **es ~ de mención** ça mérite d'être mentionné; **es ~ de verse** ça mérite d'être vu; **poco ~** peu digne.

digresión [diɣre'sjon] *nf* digression *f*.

dije ['dixe] *vb* V **decir** ♦ *adj* (*CHI: fam*) sympa.

dijera *etc* [di'xera] *vb* V **decir.**

dilación [dila'θjon] *nf* retard *m*; **sin ~** sans tarder.

dilapidar [dilapi'ðar] *vt* dilapider.

dilatación [dilata'θjon] *nf* dilatation *f*.

dilatado, -a [dila'taðo, a] *adj* dilaté(e); (*pe-*

ríodo) prolongé(e).
dilatar [dila'tar] *vt* dilater; (*prolongar, aplazar*) prolonger; **dilatarse** *vpr* se dilater.
dilema [di'lema] *nm* dilemme *m*.
diligencia [dili'xenθja] *nf* diligence *f*; (*trámite*) acte *m* de procédure; ~s *nfpl* (*JUR*) formalités *fpl*; ▶ **diligencias judiciales/previas** enquête *fsg* judiciaire/préliminaire.
diligente [dili'xente] *adj* diligent(e); **poco ~** pas très sérieux(-euse).
dilucidar [diluθi'ðar] *vt* élucider.
diluir [dilu'ir] *vt* diluer.
diluviar [dilu'ßjar] *vi*: **está diluviando** il tombe une pluie diluvienne.
diluvio [di'lußjo] *nm* déluge *m*; **un ~ de cartas** (*fig*) un déluge de lettres.
diluyendo *etc* [dilu'jendo] *vb* V **diluir**.
dimanar [dima'nar] *vi*: **~ de** émaner de.
dimensión [dimen'sjon] *nf* dimension *f*; (*de catástrofe*) proportions *fpl*; (*señas*) *nfpl* (*tamaño*) dimensions *fpl*; **tomar las dimensiones de** prendre les dimensions de.
dimes ['dimes] *nmpl*: **andar en ~ y diretes con algn** se chamailler avec qn.
diminutivo [diminu'tißo] *nm* (*LING*) diminutif *m*.
diminuto, -a [dimi'nuto, a] *adj* tout(e) petit(e).
dimisión [dimi'sjon] *nf* démission *f*.
dimitir [dimi'tir] *vi*: **~ (de)** démissionner (de).
dimos ['dimos] *vb* V **dar**.
Dinamarca [dina'marka] *nf* Danemark *m*.
dinamarqués, -esa [dinamar'kes, esa] *adj* = **danés**.
dinámica [di'namika] *nf* dynamique *f*; **la ~ del negocio** (*fig*) la dynamique du commerce.
dinámico, -a [di'namiko, a] *adj* dynamique.
dinamismo [dina'mismo] *nm* dynamisme *m*.
dinamita [dina'mita] *nf* dynamite *f*.
dinamitar [dinami'tar] *vt* dynamiter.
dinamo [di'namo], **dínamo** ['dinamo] *nf*, *nm* en *AM* dynamo *f*.
dinastía [dinas'tia] *nf* dynastie *f*.
dineral [dine'ral] *nm* fortune *f*.
dinero [di'nero] *nm* argent *m*; **es hombre de ~** c'est un homme riche; **andar mal de ~** être sans le sou; ▶ **dinero caro** (*COM*) argent cher; ▶ **dinero contante (y sonante)** espèces *fpl*; ▶ **dinero efectivo** *o* **en metálico** liquide *m*; ▶ **dinero suelto** menue monnaie *f*.
dinosaurio [dino'saurjo] *nm* dinosaure *m*.
dintel [din'tel] *nm* linteau *m*.
diñar [di'ɲar] (*fam*) *vt*: **~la** clamser.
dio [djo] *vb* V **dar**.

diócesis ['djoθesis] *nf inv* diocèse *m*.
Dios [djos] *nm* Dieu *m*; **~ mediante** si Dieu le veut; **¡gracias a ~!** grâce à Dieu!; **a la buena de ~** au petit bonheur la chance; **armar** *o* **armarse la de ~ (es Cristo)** (*fam*) foutre la pagaille; **como ~ manda** comme il faut; **¡~ mío!** mon Dieu!; **¡por ~!** grand Dieu!; **estar dejado de la mano de ~** être abandonné de Dieu; **¡sabe ~!** Dieu seul le sait!; **¡que sea lo que ~ quiera!** advienne que pourra!; **si ~ quiere** si Dieu le veut; **~ te lo pague** Dieu te le rendra; **ni ~** (*fam*) pas un chat; **¡válgame ~!** que Dieu me protège!; **¡vaya por ~!** grand Dieu!
dios [djos] *nm* dieu *m*.
diosa ['djosa] *nf* déesse *f*.
Diosito [djo'sito] (*AM: fam*) *nm* Dieu *m*.
Dip. *abr* = **diputación**.
diploma [di'ploma] *nm* diplôme *m*.
diplomacia [diplo'maθja] *nf* diplomatie *f*.
diplomado, -a [diplo'maðo, a] *adj*, *nm/f* diplômé(e).
diplomático, -a [diplo'matiko, a] *adj* diplomatique ♦ *nm/f* diplomate *m/f*.
diptongo [dip'tongo] *nm* diphtongue *f*.
diputación [diputa'θjon] *nf* ≈ conseil *m* général.
diputado, -a [dipu'taðo, a] *nm/f* député *m*.
dique ['dike] *nm* digue *f*; ▶ **dique de contención** barrage *m*.
Dir. *abr* (= *dirección*) adr. (= *adresse*).
diré *etc* [di're] *vb* V **decir**.
dirección [direk'θjon] *nf* direction *f*; (*fig: tendencia*) tendance *f*; (*señas*) adresse *f*; (*CINE, TEATRO*) mise *f* en scène *f*; **ir/salir con ~ a** aller/sortir en direction de; **cambio de ~** déviation *f*; ▶ **dirección absoluta/relativa** (*INFORM*) adresse absolue/relative; ▶ **dirección administrativa** administration *f*; ▶ **dirección asistida** (*AUTO*) direction assistée; ▶ **Dirección General de Seguridad/de Turismo** ≈ ministère *m* de la Sécurité et des Transports/du Tourisme; ▶ **dirección prohibida/única** sens *m* interdit/unique.
direccionales [direkθjo'nales] (*MÉX*) *nmpl* (*AUTO*) clignotant *msg*.
direccionamiento [direkθjona'mjento] *nm* (*INFORM*) adressage *m*.
directa [di'rekta] *nf* (*AUTO*) quatrième *f*, cinquième *f*.
directamente [di'rektamente] *adv* directement; **pregúntaselo ~ a él** demande-le lui directement.
directiva [direk'tißa] *nf* comité *m* directeur.
directivo [direc'tißo] *nm* (*COM*) cadre *m* dirigeant.

directo, -a [di'rekto, a] *adj* direct(e); (*traducción*) exact(e); **transmitir en** ~ (*TV*) diffuser en direct.

director, a [direk'tor, a] *adj* directeur (-trice) ♦ *nm/f* directeur(-trice); (*CINE, TV*) metteur *m* en scène; (*de orquesta*) chef *m*; ▶ **director adjunto** directeur adjoint; ▶ **director comercial** directeur commercial; ▶ **director de sucursal** directeur de succursale; ▶ **director ejecutivo** directeur exécutif; ▶ **director general** o **gerente** directeur général.

directorio [direk'torjo] *nm* (*INFORM*) répertoire *m*; (*COM*) programme *m*.

directrices [direk'triθes] *nfpl* lignes *fpl* directrices.

dirigente [diri'xente] *adj, nm/f* dirigeant(e).

dirigible [diri'xiβle] *adj, nm* dirigeable *m*.

dirigir [diri'xir] *vt* diriger; (*carta, pregunta*) adresser; (*obra de teatro, film*) mettre en scène; (*sublevación*) prendre la tête de; (*esfuerzos*) concentrer; **dirigirse** *vpr*: ~**se a** s'adresser à; ~ **a** o **hacia** diriger vers; **no** ~ **la palabra a algn** ne pas adresser la parole à qn; ~**se a algn solicitando algo** s'adresser à qn pour solliciter qch; "**diríjase a ...**" "s'adresser à ...".

dirigismo [diri'xismo] *nm* dirigisme *m*.

dirija *etc* [di'rixa] *vb V* **dirigir**.

dirimir [diri'mir] *vt* (*contrato, matrimonio*) annuler; (*disputa*) trancher.

discar [dis'kar] (*AND, CSUR*) *vt* (*TELEC*) composer.

discernir [disθer'nir] *vt* discerner ♦ *vi*: ~ **entre ... y ...** discerner ... de ... .

discierna *etc* [dis'θjerna] *vb V* **discernir**.

disciplina [disθi'plina] *nf* discipline *f*.

disciplinado, -a [disθipli'naðo, a] *adj* discipliné(e).

disciplinar [disθipli'nar] *vt* discipliner; **disciplinarse** *vpr* se discipliner.

discípulo, -a [dis'θipulo, a] *nm/f* disciple *m*.

disco ['disko] *nm* disque *m*; (*AUTO*) feu *m*; ▶ **disco compacto** disque compact; ▶ **disco de arranque** disquette *f* d'initialisation; ▶ **disco de densidad doble/sencilla** disquette double densité/densité simple; ▶ **disco de una cara/dos caras** disquette simple face/double face; ▶ **disco de freno** disque (de frein); ▶ **disco de larga duración** 33 tours *m inv*; ▶ **disco de reserva** disquette de sauvegarde; ▶ **disco de sistema** disque système; ▶ **disco duro** o **rígido/flexible** o **floppy** disque dur/disquette; ▶ **disco maestro** disque d'exploitation; ▶ **disco sencillo** 45 tours *m inv*; ▶ **disco virtual** zone *f* disque en mémoire.

discografía [diskoɣra'fia] *nf* enregistrement *m*.

discográfico, -a [disko'ɣrafiko, a] *adj* (*casa*) de disques; (*industria, éxito*) du disque; **sello** ~ étiquette *f*.

díscolo, -a ['diskolo, a] *adj* rebelle.

disconforme [diskon'forme] *adj* non conforme; **estar** ~ (**con**) ne pas être conforme (à).

discontinuo, -a [diskon'tinwo, a] *adj* discontinu(e).

discordancia [diskor'ðanθja] *nf* (*de sonidos, colores*) discordance *f*; (*de opiniones*) divergence *f*.

discordante [diskor'ðante] *adj* (*sonido*) discordant(e); (*opiniones*) divergent(e).

discordia [dis'korðja] *nf* désaccord *m*.

discoteca [disko'teka] *nf* discothèque *f*.

discreción [diskre'θjon] *nf* discrétion *f*; (*prudencia*) prudence *f*; **añadir azúcar a** ~ (*CULIN*) rajouter du sucre à volonté; **comer/beber a** ~ manger/boire à volonté.

discrecional [diskreθjo'nal] *adj* (*uso, poder*) discrétionnaire; (*servicio*) optionnel(le).

discrepancia [diskre'panθja] *nf* différence *f*; (*desacuerdo*) différend *m*.

discrepante [diskre'pante] *adj* contradictoire; **hubo varias voces** ~**s** quelques protestations se sont élevées.

discrepar [diskre'par] *vi* diverger.

discretamente [dis'kretamente] *adv* discrètement.

discreto, -a [dis'kreto, a] *adj* discret(-ète); (*sensato*) judicieux(-euse); (*mediano*) décent(e).

discriminación [diskrimina'θjon] *nf* discrimination *f*.

discriminar [diskrimi'nar] *vt* discriminer; (*personas*) faire de la discrimination contre.

discriminatorio, -a [diskrimina'torjo, a] *adj* discriminatoire.

disculpa [dis'kulpa] *nf* excuse *f*; **pedir** ~**s a/por** demander pardon à/pour.

disculpar [diskul'par] *vt* pardonner; **disculparse** *vpr*: ~**se (de/por)** s'excuser (de/pour).

discurrir [disku'rrir] *vt* échafauder ♦ *vi* réfléchir; (*el tiempo*) s'écouler; ~ (**por**) (*gente, río*) passer (par).

discurso [dis'kurso] *nm* discours *msg*; **pronunciar un** ~ prononcer un discours; ▶ **discurso de clausura** discours de clôture.

discusión [disku'sjon] *nf* discussion *f*; **tener una** ~ avoir une discussion.

discutible [disku'tiβle] *adj* discutable; **eso es bastante/muy** ~ c'est assez/très discutable.

discutido, -a [disku'tiðo, a] *adj* rebattu(e).

discutir [disku'tir] *vt* discuter ♦ *vi* discuter; (*disputar*): ~ (**con**) se disputer (avec); ~ **de política** discuter politique; **¡no discutas!** ne discute pas!

disecar [dise'kar] *vt* (*animal*) empailler; (*planta*) sécher.

diseminar [disemi'nar] *vt* éparpiller; (*fig*) répandre.

disensión [disen'sjon] *nf* dissension *f*.

disentir [disen'tir] *vi*: ~ **(de)** être en désaccord (sur).

diseñador, a [diseɲa'ðor, a] *nm/f* designer *m*.

diseñar [dise'ɲar] *vt* créer.

diseño [di'seɲo] *nm* (*TEC*) conception *f*; (*boceto*) ébauche *f*; (*COSTURA*) dessin *m*; **de** ~ **italiano** de création italienne; **traje/objetos de** ~ costume *m*/objets *mpl* de créateur; ~ **asistido por ordenador** conception assistée par ordinateur; ▶ **diseño de modas** dessin de mode; ▶ **diseño gráfico/industrial** conception graphique/industrielle.

diseque *etc* [di'seke] *vb V* **disecar.**

disertar [diser'tar] *vi*: ~ **(sobre)** discourir *o* disserter (sur).

disfrace *etc* [dis'fraθe] *vb V* **disfrazar.**

disfraz [dis'fraθ] *nm* déguisement *m*; (*fig*) prétexte *m*; **bajo el** ~ **de** sous le prétexte de.

disfrazado, -a [disfra'θaðo, a] *adj* déguisé(e); **ir** ~ **de** être déguisé(e) en.

disfrazar [disfra'θar] *vt* déguiser; **disfrazarse** *vpr* se déguiser; ~**se de** se déguiser en.

disfrutar [disfru'tar] *vt* jouir de ♦ *vi* prendre beaucoup de plaisir; **¡que disfrutes!** profites-en!; ~ **de buena salud** jouir d'une bonne santé; ~ **de la vida** profiter de la vie.

disfrute [dis'frute] *nm* jouissance *f*.

disgregar [disɣre'ɣar] *vt* (*manifestantes*) disperser; (*familia, imperio*) diviser; **disgregarse** *vpr* (*muchedumbre*) se disperser; (*imperio, país*) se diviser.

disgregue *etc* [dis'ɣreɣe] *vb V* **disgregar.**

disgustar [disɣus'tar] *vt* déplaire à; **disgustarse** *vpr* être contrarié(e); (*dos personas*) s'accrocher; **estaba muy disgustado con ella/con el asunto** elle/l'affaire l'avait beaucoup contrarié.

disgusto [dis'ɣusto] *nm* désagrément *m*; (*pesadumbre*) contrariété *f*; (*desgracia*) malheur *m*; (*riña*) accrochage *m*; **dar un** ~ **a algn** donner un choc à qn; **hacer algo a** ~ faire qch à contre-cœur; **sentirse/estar a** ~ se sentir/être mal à l'aise; **matar a algn a** ~**s** faire mourir qn de chagrin; **llevarse un** ~ avoir un choc.

disidente [disi'ðente] *adj, nm/f* dissident(e).

disienta *etc* [di'sjenta] *vb V* **disentir.**

disimulado, -a [disimu'laðo, a] *adj* dissi-

mulé(e); **hacerse el** ~ faire l'innocent.

disimular [disimu'lar] *vt* dissimuler ♦ *vi* faire comme si de rien n'était.

disimulo [disi'mulo] *nm* dissimulation *f*; **con** ~ avec dissimulation.

disipado, -a [disi'paðo, a] *adj* dissipé(e).

disipar [disi'par] *vt* dissiper; (*fortuna*) dilapider; **disiparse** *vpr* se dissiper.

diskette [dis'ket] *nm* (*INFORM*) disquette *f*.

dislate [dis'late] *nm* absurdité *f*.

dislexia [dis'leksja] *nf* dyslexie *f*.

dislocar [dislo'kar] *vt* (*articulación*) déboîter; (*hechos*) déformer; **dislocarse** *vpr* ɜo déboîter.

disloque [dis'loke] *vb V* **dislocar** ♦ *nm*: **es el** ~ (*fam*) c'est le comble.

disminución [disminu'θjon] *nf* diminution *f*; **ir en** ~ aller en diminuant.

disminuido, -a [disminu'iðo, a] *nm/f*: ~ **mental/físico** handicapé(e) mental/physique.

disminuir [disminu'ir] *vt* (*gastos, cantidad, dolor*) diminuer; (*temperatura, velocidad, población*) réduire ♦ *vi* (*días, población, número*) diminuer; (*precios, temperatura, memoria*) baisser; (*velocidad*) décroître.

disminuyendo *etc* [disminu'jendo] *vb V* **disminuir.**

disociar [diso'θjar] *vt* dissocier; **disociarse** *vpr*: ~**se (de)** se dissocier (de).

disoluble [diso'luβle] *adj* soluble.

disolución [disolu'θjon] *nf* dissolution *f*; (*de costumbres*) renonciation *f*.

disoluto, -a [diso'luto, a] *adj* dissolu(e).

disolvente [disol'βente] *nm* dissolvant *m*.

disolver [disol'βer] *vt* dissoudre; (*manifestación*) disperser; (*contrato*) dénoncer; **disolverse** *vpr* se dissoudre; (*manifestantes*) se disperser.

disonancia [diso'nanθja] *nf* dissonance *f*.

dispar [dis'par] *adj* (*distinto*) distinct(e); (*irregular*) inégal(e).

disparadero [dispara'ðero] *nm*: **poner a algn en el** ~ pousser qn à bout.

disparado, -a [dispa'raðo, a] *adj*: **entrar/salir/ir** ~ entrer/sortir/aller en coup de vent.

disparador [dispara'ðor] *nm* (*de arma*) gâchette *f*; (*FOTO, TEC*) déclencheur *m*.

disparar [dispa'rar] *vt, vi* tirer; **dispararse** *vpr* (*precios*) monter en flèche; (*persona: al hablar o actuar*) s'emporter; **se disparó el arma** le coup de feu est parti tout seul.

disparatado, -a [dispara'taðo, a] *adj* (*precios*) astronomique; (*idea*) absurde.

disparate [dispa'rate] *nm* bêtise *f*; (*error*) absurdité *f*; **decir** ~**s** dire des bêtises; **¡qué** ~**!** quelle imprudence!

disparidad [dispari'ðað] *nf* disparité *f*.

disparo – distraer 150 *ESPAÑOL–FRANCÉS*

disparo [dis'paro] *nm* tir *m*; ~s *nmpl* (*tiroteo*) coups *mpl* de feu.
dispendio [dis'pendjo] *nm* dépense *f* inutile.
dispensa [dis'pensa] *nf* (*esp REL*) dispense *f*.
dispensar [dispen'sar] *vt* dispenser; (*bienvenida*) souhaiter; ¡usted dispense! je vous prie de m'excuser!; ~ a algn de hacer algo dispenser qn de faire qch.
dispensario [dispen'sarjo] *nm* dispensaire *m*.
dispersar [disper'sar] *vt* éparpiller; (*manifestación, fig*) disperser; (*MIL: enemigo*) mettre en déroute; **dispersarse** *vpr* se disperser; (*luz*) se répandre.
disperso, -a [dis'perso, a] *adj* dispersé(e).
displicencia [displi'θenθja] *nf* indifférence *f*; con ~ avec indifférence.
displicente [displi'θente] *adj* indifférent(e).
dispondré *etc* [dispon'dre] *vb V* **disponer**.
disponer [dispo'ner] *vt* disposer; (*mandar*) ordonner ♦ *vi*: ~ de disposer de; **disponerse** *vpr*: ~se a *o* para hacer se disposer à faire; la ley dispone que ... la loi stipule que ...; no puede ~ de esos bienes il ne peut disposer librement de ces biens; puede ~ de mí vous pouvez disposer de moi.
disponga *etc* [dis'ponga] *vb V* **disponer**.
disponibilidad [disponiβili'ðað] *nf* disponibilité *f*; ~es *nfpl* (*COM*) disponibilités *fpl*.
disponible [dispo'niβle] *adj* disponible; no estar ~ ne pas être disponible.
disposición [disposi'θjon] *nf* disposition *f*; última ~ dernières volontés *fpl*; ~ para (*aptitud*) dispositions *fpl* pour; a (la) ~ de à (la) disposition de; a su ~ à votre disposition; no estar en ~ de hacer ne pas être en état de faire; ▶ **disposición de ánimo** disposition d'esprit.
dispositivo [disposi'tiβo] *nm* dispositif *m*; ▶ **dispositivo de alimentación** silo *m*; ▶ **dispositivo de almacenaje** (*INFORM*) unité *f* de stockage; ▶ **dispositivo de seguridad** dispositif de sécurité; ▶ **dispositivo intrauterino** dispositif intra-utérin; ▶ **dispositivo periférico** (*INFORM*) périphérique *m*; ▶ **dispositivo policial** dispositif policier.
dispuesto, -a [dis'pwesto, a] *pp de* **disponer** ♦ *adj* (*preparado*) préparé(e); (*capaz*) capable; estar ~/poco ~ a hacer être disposé(e)/peu disposé(e) à faire.
dispuse *etc* [dis'puse] *vb V* **disponer**.
disputa [dis'puta] *nf* dispute *f*; sin ~ sans aucun doute.
disputar [dispu'tar] *vt* (*DEPORTE, premio, derecho*) disputer ♦ *vi* discuter; **disputarse** *vpr* se disputer; ~ por disputer.

disquete [dis'kete] *nm* (*INFORM*) = **diskette**.
disquetera [diske'tera] *nf* (*INFORM*) lecteur *m* de disquette.
disquisiciones [diskisi'θjones] *nfpl* discussions *fpl*.
Dist. *abr* = **distancia**; **distrito**.
distancia [dis'tanθja] *nf* distance *f*; (*en el tiempo*) écart *m*; (*entre opiniones*) différence *f*; a ~ à distance; a gran *o* larga ~ à grande distance; ¿a qué ~ está? c'est à quelle distance?; a 20 m de ~ à 20 m de distance; guardar las ~s garder ses distances; ▶ **distancia de seguridad** (*AUTO*) distance de sécurité; ▶ **distancia focal** distance focale.
distanciado, -a [distan'θjaðo, a] *adj* éloigné(e).
distanciamiento [distanθja'mjento] *nm* (*entre personas*) éloignement *m*; (*entre opiniones*) divergence *f*.
distanciar [distan'θjar] *vt* distancer; (*amigos, hermanos*) éloigner; **distanciarse** *vpr* (*enemistarse*) se distancier; ~se (de) (*alejarse*) s'éloigner (de).
distante [dis'tante] *adj* distant(e).
distar [dis'tar] *vi*: dista 5 kms de aquí c'est à 5 km d'ici; no dista mucho de aquí ce n'est pas très loin d'ici; dista mucho de la verdad c'est loin d'être vrai.
diste ['diste], **disteis** ['disteis] *vb V* **dar**.
distender [disten'der] *vt* détendre.
distendido, -a [disten'diðo, a] *adj* détendu(e).
distensión [disten'sjon] *nf* détente *f*.
distinción [distin'θjon] *nf* distinction *f*; a ~ de à la différence de; sin ~ de sans distinction de; no hacer distinciones ne pas faire de distinction.
distinga *etc* [dis'tinga] *vb V* **distinguir**.
distinguido, -a [distin'giðo, a] *adj* distingué(e).
distinguir [distin'gir] *vt* distinguer ♦ *vi*: (*entre*) distinguer (entre); **distinguirse** *vpr* se distinguer; ~ X de Y distinguer X de Y; a lo lejos no se distingue de loin cela ne se voit pas.
distintivo, -a [distin'tiβo, a] *adj* distinctif(-ive) ♦ *nm* (*insignia*) insigne *m*; (*fig*) point *m* fort.
distinto, -a [dis'tinto, a] *adj*: ~ (a *o* de) distinct(e) (de); ~s (*varios*) plusieurs.
distorsión [distor'sjon] *nf* (*ANAT, de la verdad*) entorse *f*; (*RADIO etc*) distorsion *f*.
distorsionar [distorsjo'nar] *vt* déformer ♦ *vi* se distordre.
distracción [distrak'θjon] *nf* distraction *f*.
distraer [distra'er] *vt* distraire; (*fondos*) détourner ♦ *vi* distraire; **distraerse** *vpr* (*entretenerse*) se distraire; (*perder la*

concentración) être distrait(e); ~ **a algn de su pensamiento** tirer qn de ses pensées.

distraído, -a [distra'iðo, a] *adj* distrait(e); (*entretenido*) amusé(e); (*que entretiene*) amusant(e) ♦ *nm:* **hacerse el** ~ faire la sourde oreille; **con aire** ~ d'un air distrait; **me miró distraída** elle m'a regardé distraitement.

distraiga *etc* [dis'traɣa], **distraje** *etc* [dis'traixe], **distrajera** *etc* [distra'jera], **distrayendo** *etc* [distra'jendo] *vb V* **distraer.**

distribución [distriβu'θjon] *nf* (*de beneficios*) répartition *f*; (*a domicilio*) distribution *f*; (*COM*) livraison *f*; (*ARQ*) conception *f*; ~ **de premios** distribution des prix.

distribuidor, a [distriβui'ðor, a] *nm/f* (*persona*) distributeur(-trice) ♦ *nf* (*COM*) concessionnaire *m*; (*CINE*) distributeur *m*; **su** ~ **habitual** votre concessionnaire habituel.

distribuir [distriβu'ir] *vt* (*riqueza, beneficio*) répartir; (*cartas, trabajo*) distribuer; (*ARQ*) concevoir.

distribuyendo *etc* [distriβu'jendo] *vb V* **distribuir.**

distrito [dis'trito] *nm* district *m*; ▶ **distrito electoral** circonscription *f* électorale; ▶ **distrito judicial** district; ▶ **distrito postal** secteur *m* postal; ▶ **distrito universitario** ≈ académie *f*.

disturbio [dis'turβjo] *nm* troubles *mpl*; ▶ **disturbios callejeros** agitations *fpl* de rue; ▶ **disturbio de orden público** trouble *m* de l'ordre public.

disuadir [diswa'ðir] *vt:* ~ (**de**) dissuader (de); ~ **a algn de hacer** dissuader qn de faire.

disuasión [diswa'sjon] *nf* dissuasion *f*; **poder/capacidad de** ~ pouvoir *m*/capacité *f* de dissuasion.

disuasivo, -a [diswa'siβo, a] *adj* dissuasif(-ive); **arma disuasiva** arme *f* dissuasive.

disuasorio, -a [diswa'sorjo, a] *adj* = **disuasivo.**

disuelto [di'swelto] *pp de* **disolver.**

disuelva *etc* [di'swelβa] *vb V* **disolver.**

disyuntiva [disjun'tiβa] *nf* alternative *f*.

DIU ['diu] *sigla m* (= *dispositivo intrauterino*) stérilet *m*.

diurno, -a ['djurno, a] *adj* de jour; (*ZOOL*) diurne.

diva ['diβa] *nf* diva *f*.

divagar [diβa'ɣar] *vi* divaguer.

divague *etc* [di'βaɣe] *vb V* **divagar.**

diván [di'βan] *nm* divan *m*.

divergencia [diβer'xenθja] *nf* divergence *f*.

divergir [diβer'xir] *vi* diverger; (*personas*):

~ **en** ne pas être d'accord sur.

diverja *etc* [di'βerxa] *vb V* **divergir.**

diversidad [diβersi'ðað] *nf* diversité *f*.

diversificación [diβersifika'θjon] *nf* diversification *f*.

diversificar [diβersifi'kar] *vt* diversifier; **diversificarse** *vpr* se diversifier.

diversifique *etc* [diβersi'fike] *vb V* **diversificar.**

diversión [diβer'sjon] *nf* distraction *f*.

diverso, -a [di'βerso, a] *adj* (*variado*) varié(e); (*diferente*) distinct(e) ♦ *nm:* ~**s** (*COM*) articles *mpl* divers; ~**s libros** plusieurs livres, **s colores** couleurs *fpl* variées.

divertido, -a [diβer'tiðo, a] *adj* amusant(e); (*fiesta*) réussi(e); (*película, libro*) divertissant(e).

divertir [diβer'tir] *vt* amuser; **divertirse** *vpr* s'amuser.

dividendo [diβi'ðendo] *nm* (*COM*): ~**s** dividendes *mpl*; ▶ **dividendo definitivo** superdividende *m*; ▶ **dividendos por acción** taux *mpl* de rendement d'une action.

dividir [diβi'ðir] *vt* partager; (*separar*) séparer; (*partido, opinión pública*) diviser; (*MAT*): ~ (**por** o **entre**) diviser (par) ♦ *vi* (*MAT*) diviser; **dividirse** *vpr* se diviser.

divierta *etc* [di'βjerta] *vb V* **divertir.**

divinidad [diβini'ðað] *nf* divinité *f*; **la D**~ la Divinité.

divino, -a [di'βino, a] *adj* (*REL, fam*) divin(e).

divirtiendo *etc* [diβir'tjendo] *vb V* **divertir.**

divisa [di'βisa] *nf* devise *f*; ~**s** *nfpl* (*COM*) devises *fpl*; **control/mercado de** ~**s** contrôle *m*/marché *m* des changes.

divisar [diβi'sar] *vt* deviner.

división [diβi'sjon] *nf* division *f*; (*de herencia*) partage *m*.

divisorio, -a [diβi'sorjo, a] *adj* (*línea*) de démarcation; **línea divisoria de las aguas** ligne *f* de partage des eaux.

divo ['diβo] *nm* chanteur *m* d'opéra.

divorciado, -a [diβor'θjaðo, a] *adj, nm/f* divorcé(e).

divorciar [diβor'θjar] *vt* prononcer le divorce de; **divorciarse** *vpr:* ~**se** (**de**) divorcer (de).

divorcio [di'βorθjo] *nm* divorce *m*.

divulgación [diβulɣa'θjon] *nf* divulgation *f*; (*popularización*) vulgarisation *f*; **programa/revista de** ~ **científica** émission *f*/revue *f* scientifique.

divulgar [diβul'ɣar] *vt* divulguer; (*popularizar*) vulgariser.

divulgue *etc* [di'βulɣe] *vb V* **divulgar.**

dizque ['diθke] (*AM: fam*) *adv* que l'on dit.

DM *abr* = **decimal.**

dm. *abr* (= *decímetro(s)*) dm (= *décimètre(s)*).
DNI (*ESP*) *sigla m* (= *Documento Nacional de Identidad*) *V* **documento**.
Dña. *abr* (= *Doña*) Mme (= *Madame*).
do [do] *nm* (*MÚS*) do *m*.
dobladillo [doβla'ðiʎo] *nm* ourlet *m*.
doblaje [do'βlaxe] *nm* (*CINE*) doublage *m*.
doblar [do'βlar] *vt* plier; (*cantidad, CINE*) doubler ◊ *vi* (*campana*) sonner le glas; **doblarse** *vpr* se plier; ~ **la esquina** tourner au coin de la rue; ~ **a la derecha/izquierda** tourner à droite/gauche; ~**le en edad a algn** avoir le double de l'âge de qn.
doble ['doβle] *adj* double ◊ *nm*: **el** ~ **le** double ◊ *nm/f* (*TEATRO, CINE*) double *m*; ~**s** *nmpl* (*DEPORTE*): **partido de** ~**s** double *msg*; ~ **o nada** quitte ou double; **a** ~ **página** à double page; **con** ~ **sentido** à double sens; **es tu** ~ c'est ton sosie; **su sueldo es el** ~ **del mío** il gagne deux fois plus que moi; **trabaja el** ~ **que tú** il travaille deux fois plus que toi; ~ **cara/densidad** (*INFORM*) double face *f*/densité *f*; ~ **espacio** espace *m* double.
doblegar [doβle'ɣar] *vt* obliger; **doblegarse** *vpr* (*ceder*) se plier.
doblegue *etc* [do'βleɣe] *vb* *V* **doblegar**.
doblemente ['doβlemente] *adv* doublement; (*bonito*) deux fois plus.
doblez [do'βleθ] *nm* (*pliegue*) pli *m* ◊ *nf* (*falsedad*) fausseté *f*.
doc. *abr* = **docena**; (= *documento*) doc. (= *document*).
doce ['doθe] *adj inv, nm inv* douze *m inv*; **las** ~ midi, minuit; *V tb* **seis**.
docena [do'θena] *nf* douzaine *f*; **por** ~**s** (*fig*) par douzaines.
docencia [do'θenθja] *nf* enseignement *m*.
docente [do'θente] *adj*: **centro/personal** ~ centre *m*/personnel *m* d'enseignement; **cuerpo** ~ corps *msg* enseignant.
dócil ['doθil] *adj* docile.
dócilmente ['doθilmente] *adv* docilement.
docto, -a ['dokto, a] *adj*: ~ **en** versé(e) en.
doctor, a [dok'tor, a] *nm/f* (*médico*) médecin *m*; (*UNIV*) docteur *m*; ~ **en filosofía** docteur en philosophie.
doctorado [dokto'raðo] *nm* doctorat *m*.
doctorarse [dokto'rarse] *vpr* passer son doctorat.
doctrina [dok'trina] *nf* doctrine *f*.
documentación [dokumenta'θjon] *nf* documentation *f*.
documentado, -a [dokumen'taðo, a] *adj* documenté(e).
documental [dokumen'tal] *adj, nm* documentaire *m*.
documentar [dokumen'tar] *vt* documenter;

documentarse *vpr* se documenter.
documento [doku'mento] *nm* (*certificado*) justificatif *m*; (*histórico*) document *m*; (*fig: testimonio*) témoignage *m*; ~**s** *nmpl* (*de identidad*) papiers *mpl*; ▶ **documento justificativo** justificatif; ▶ **documento nacional de identidad** carte *f* d'identité.
dogma ['doɣma] *nm* dogme *m*; **el** ~ **católico/marxista** le dogme catholique/la doctrine marxiste.
dogmático, -a [doɣ'matiko, a] *adj* dogmatique.
dogo ['doɣo] *nm* dogue *m*.
dólar ['dolar] *nm* dollar *m*.
dolencia [do'lenθja] *nf* maladie *f*.
doler [do'ler] *vi* faire mal; (*fig*) peiner; **dolerse** *vpr* se plaindre; (*de las desgracias ajenas*) compatir; **me duele el brazo** mon bras me fait mal; **esta inyección no duele** cette piqûre ne fait pas mal; **no me duele el dinero** ce n'est pas l'argent qui compte; **¡ahí le duele!** (*fig*) c'est donc ça!
dolido, -a [do'liðo, a] *adj* contrarié(e).
doliente [do'ljente] *adj* affligé(e).
dolor [do'lor] *nm* douleur *f*; ▶ **dolor agudo/sordo** douleur aiguë/sourde; ▶ **dolor de cabeza** mal *m* de tête; ▶ **dolor de estómago** maux *mpl* d'estomac; ▶ **dolor de muelas** mal de dents; ▶ **dolor de oídos** maux d'oreilles.
dolorido, -a [dolo'riðo, a] *adj* endolori(e); (*fig*) affligé(e); **la parte dolorida** la partie endolorie.
doloroso, -a [dolo'roso, a] *adj* douloureux(-euse).
domador, a [doma'ðor, a] *nm/f* dompteur(-euse).
domar [do'mar] *vt* dompter.
domesticado, -a [domesti'kaðo, a] *adj* domestique.
domesticar [domesti'kar] *vt* domestiquer.
doméstico, -a [do'mestiko, a] *adj, nm/f* domestique *m/f*; **economía doméstica** économie *f* domestique.
domestique *etc* [domes'tike] *vb* *V* **domesticar**.
domiciliación [domiθilja'θjon] *nf*: ~ **de pagos** virement *m* automatique.
domiciliar [domiθi'ljar] *vt* domicilier; **domiciliarse** *vpr* élire domicile.
domiciliario, -a [domiθi'ljarjo, a] *adj*: **arresto** ~ arrestation *f* à domicile.
domicilio [domi'θiljo] *nm* domicile *m*; **servicio a** ~ service *m* à domicile; **sin** ~ **fijo** sans domicile fixe; ▶ **domicilio particular** domicile particulier; ▶ **domicilio social** (*COM*) siège *m* social.
dominante [domi'nante] *adj* dominant(e); (*persona*) dominateur(-trice).
dominar [domi'nar] *vt* dominer; (*adversa-*

rio, caballo, idioma) maîtriser; (*epidemia*)
enrayer ♦ *vi* dominer; **dominarse** *vpr* se
dominer; **tener dominado a algn** tenir qn
à sa merci.

domingo [do'mingo] *nm* dimanche *m*; **D~**
de Ramos/de Resurrección dimanche des
Rameaux/de Pâques; *V tb* **sábado.**

dominguero, -a [domin'gero, a] (*pey*) *nm/f*
conducteur(-trice) du dimanche.

dominical [domini'kal] *adj* (*descanso*) do-
minical(e); (*programación*) du dimanche
♦ *nm* journal *m* du dimanche.

dominicano, -a [domini'kano, a] *adj* domi-
nicain(e) ♦ *nm/f* Dominicain(e).

dominio [do'minjo] *nm* domination *f*; (*territorio*) dominion *m*; (*de las pasiones, de
idioma*) maîtrise *f*; **~s** *nmpl* (*tierras*) domaine *msg*; **ser del ~ público** relever du
domaine public.

dominó [domi'no] *nm* domino *m*; (*juego*)
dominos *mpl*.

dom.º *abr* = **domingo.**

don [don] *nm* don *m*; (*tratamiento: con apellido*) Monsieur *m*; (: *sólo con nombre*)
Don *m*, ≈ Monsieur; **D~ Juan Gómez**
Monsieur Juan Gómez; **tener ~ de gentes** savoir s'y prendre avec les gens; **un
~ de la naturaleza** un don de la nature;
tener ~ de mando être organisateur
(-trice) dans l'âme; **tener un ~ para el
dibujo/la música** être doué(e) pour le
dessin/la musique.

donación [dona'θjon] *nf* don *m*.

donaire [do'naire] *nm* charme *m*.

donante [do'nante] *nm/f*: **~ de sangre**
donneur(-euse) de sang.

donar [do'nar] *vt* faire un don de; (*sangre*)
donner.

donativo [dona'tiβo] *nm* don *m*.

doncella [don'θeʎa] *nf* (*criada*) bonne *f*.

donde ['donde] *adv* où ♦ *prep*: **el coche está allí ~ el farol** la voiture est là-bas,
près du réverbère; (*fam*): **se fue ~ sus
tíos** il est allé chez ses vieux; **por ~** par
où; **a/en ~** où; **~ sea** où que ce soit; **está
~ el médico** il est chez le médecin.

dónde ['donde] *adv* où; **¿a ~ vas?** où vas-
tu?; **¿de ~ vienes?** d'où viens-tu?; **¿en ~?**
où?; **¿por ~?** par où?; **¿hasta ~?** jusqu'où?

dondequiera [donde'kjera] *adv* n'importe
où ♦ *conj*: **~ que** où que.

donjuán [don'xwan] *nm* don Juan *m*.

donostiarra [donos'tjarra] *adj* de Saint Sébastien ♦ *nm/f* natif(-ive) *o* habitant(e) de
Saint Sébastien.

donus ['donus], **donut** ® ['donut] *nm* beignet *m*.

doña ['doɲa] *nf* (*tratamiento: con apellido*)
Madame *f*; (: *sólo con nombre*) Doña *f*, ≈

Madame.

dopar [do'par] *vt* (*DEPORTE*) doper; **doparse** *vpr* se doper.

doping ['dopin] *nm* dopage *m*.

doquier [do'kjer] *adv*: **por ~** partout.

dorada [do'raða] *nf* daurade *f*.

dorado, -a [do'raðo, a] *adj* doré(e) ♦ *nm*
dorure *f*.

dorar [do'rar] *vt* dorer; **~ la píldora** dorer
la pilule.

dormilón [dormi'lon] *nm* marmotte *f*.

dormilona [dormi'lona] (*VEN*) *nf* chemise *f*
de nuit.

dormir [dor'mir] *vt* endormir ♦ *vi* dormir;
dormirse *vpr* s'endormir; **~ la siesta** faire la sieste; **se me ha dormido el brazo/la
pierna** j'ai eu des fourmis dans le bras/
la jambe; **~la** *o* **~ la mona** (*fam*) cuver
son vin; **~ como un lirón/tronco** dormir
comme un loir/une souche; **~ a pierna
suelta** avoir un sommeil de plomb; **~
con algn** (*eufemismo*) coucher avec qn;
~se en los laureles s'endormir sur ses
lauriers; **quedarse dormido** être endor-
mi(e); **estar medio dormido** être à moitié
endormi(e).

dormitar [dormi'tar] *vi* somnoler.

dormitorio [dormi'torjo] *nm* chambre *f*;
(*en una residencia*) dortoir *m*.

dorsal [dor'sal] *adj* dorsal(e) ♦ *nm* (*DEPOR-
TE*) dossard *m*.

dorso ['dorso] *nm* dos *m*; **escribir algo al ~**
écrire qch au dos; **"véase al ~"** "voir au
dos".

DOS *sigla m* (= *sistema operativo de disco*)
DOS *msg* (= *Disc-Operating System*).

dos [dos] *adj inv, nm inv* deux *inv*; **los ~** les
deux; **cada ~ por tres** toutes les trente
secondes; **de ~ en ~** deux par deux; **~
piezas** deux-pièces *m inv*; **estar a ~** (*TE-
NIS*) faire un double; *V tb* **seis.**

doscientos, -as [dos'θjentos, as] *adj* deux
cents; *V tb* **seiscientos.**

dosel [do'sel] *nm* dais *m*.

dosificar [dosifi'kar] *vt* doser.

dosifique *etc* [dosi'fike] *vb V* **dosificar.**

dosis ['dosis] *nf inv* dose *f*.

dossier [do'sjer] *nm* dossier *m*.

dotación [dota'θjon] *nf* apport *m*; (*personal*) personnel *m*; (*NÁUT*) équipage *m*.

dotado, -a [do'taðo, a] *adj* doué(e); **~ de**
doté(e) de.

dotar [do'tar] *vt* équiper; **~ de** *o* **con** (*proveer: de inteligencia, simpatía*) douer de; (:
de dinero) allouer; (: *de personal, maquinaria*) doter de.

dote ['dote] *nf* dot *f*; **~s** *nfpl* (*aptitudes*)
dons *mpl*.

doy [doj] *vb V* **dar.**

Dpto. *abr* (= *Departamento*) dépt (= *dépar-*

tement).

Dr(a). *abr* (= *Doctor(a)*) Dr (= *Docteur*).

draga ['draɣa] *nf*, **dragado** [dra'ɣaðo] *nm* drague *f*.

dragaminas [draɣa'minas] *nm inv* dragueur *m* de mines.

dragar [dra'ɣar] *vt* draguer.

dragón [dra'ɣon] *nm* dragon *m*.

drague *etc* ['draɣe] *vb* V **dragar**.

drama ['drama] *nm* drame *m*.

dramático, -a [dra'matiko, a] *adj* dramatique; **obra dramática** œuvre *f* dramatique.

dramatizar [dramati'θar] *vt*, *vi* dramatiser.

dramaturgo, -a [drama'turɣo, a] *nm/f* dramaturge *m/f*.

dramón [dra'mon] *nm* mélodrame *m*; ¡qué ~! quel drame!

drástico, -a ['drastiko, a] *adj* drastique.

drenaje [dre'naxe] *nm* drainage *m*.

drenar [dre'nar] *vt* drainer.

droga ['droɣa] *nf* drogue *f*; ~ **dura/blanda** drogue dure/douce; **el problema de la** ~ le problème de la drogue.

drogadicto, -a [droɣa'ðikto, a] *nm/f* drogué(e).

drogar [dro'ɣar] *vt* droguer; (*DEPORTE*) doper; **drogarse** *vpr* se droguer.

drogodependencia [droɣoðepen'ðenθja] *nf* toxicomanie *f*.

drogue *etc* ['droɣe] *vb* V **drogar**.

droguería [droɣe'ria] *nf* droguerie *f*.

dromedario [drome'ðarjo] *nm* dromadaire *m*.

DSE *sigla f* (= *Dirección de la Seguridad del Estado*) branche ministérielle chargée de la sécurité publique.

dubitativo, a [dußita'tißo, a] *adj* sceptique.

ducha ['dutʃa] *nf* douche *f*; **darse una** ~ prendre une douche.

ducharse [du'tʃarse] *vpr* se doucher.

ducho, -a ['dutʃo, a] *adj*: ~ **en** fort(e) en.

dúctil ['duktil] *adj* ductile.

duda ['duða] *nf* doute *m*; **sin** ~! sans aucun doute; ¡**sin** ~! sûrement!; **no cabe** ~ il n'y a pas de doute; **no le quepa** ~ cela va de soi; **poner algo en** ~ mettre qch en doute; **para salir de** ~s pour en avoir le cœur net; ¿**alguna** ~? des questions?; **tengo mis** ~s je n'en suis pas si sûr(e).

dudar [du'ðar] *vt*, *vi* douter; ~ (**de**) douter (de); **dudó entre** ... il a hésité entre ...; **dudó si comprarlo o no** il a hésité à l'acheter; **dudo que sea cierto** je crains que ce ne soit pas vrai.

dudoso, -a [du'ðoso, a] *adj* douteux (-euse).

duelo ['dwelo] *vb* V **doler** ♦ *nm* duel *m*; (*ceremonia*) deuil *m*; **batirse en** ~ se battre en duel.

duende ['dwende] *nm* lutin *m*; **tiene** ~ (*en flamenco*) elle a de la classe.

dueño, -a ['dweɲo, a] *nm/f* (*propietario*) propriétaire *m/f*; (*empresario*) patron(ne); **ser** ~ **de sí mismo** être maître de soi; **eres (muy)** ~ **de hacer como te parezca** tu es libre de faire comme bon te semblera; **hacerse** ~ **de una situación** se rendre maître de la situation.

duerma *etc* ['dwerma] *vb* V **dormir**.

duermevela [dwerme'ßela] (*fam*) *nf* nuit *f* agitée.

Duero ['dwero] *nm* Douro *m*, Duero *m*.

dulce ['dulθe] *adj* doux(douce) ♦ *nm* gourmandise *f*; (*pastel*) douceur *f*; ▶ **dulce de almíbar** fruit *m* confit.

dulcemente ['dulθemente] *adv* doucement.

dulcificar [dulθifi'kar] *vt* (*fig*) apaiser.

dulcifique *etc* [dulθi'fike] *vb* V **dulcificar**.

dulzón, -ona [dul'θon, ona] *adj* écœurant(e); (*fig*) à l'eau de rose *inv*.

dulzura [dul'θura] *nf* douceur *f*; **con** ~ avec douceur.

duna ['duna] *nf* dune *f*.

dúo ['duo] *nm* duo *m*; **a** ~ en duo; **hacer algo a** ~ faire qch en duo.

duodécimo, -a [duo'ðeθimo, a] *adj*, *nm/f* douzième *m/f*; V *tb* **sexto**.

duodeno [duo'ðeno] *nm* duodénum *m*.

dúplex ['dupleks] *pl inv nm* (*piso, TELEC*) duplex *m*; (*INFORM*) bidirectionnel *m*.

duplicado [dupli'kaðo] *nm* (*de llave etc*) double *m*; (*documento*) duplicata *m*; **por** ~ en double.

duplicar [dupli'kar] *vt* (*llave, documento*) faire un double de; (*cantidad*) doubler; **duplicarse** *vpr* se multiplier par deux.

duplique *etc* [du'plike] *vb* V **duplicar**.

duque ['duke] *nm* duc *m*.

duquesa [du'kesa] *nf* duchesse *f*.

duración [dura'θjon] *nf* durée *f*; (*de máquina*) durée de vie; **de larga** ~ (*enfermedad*) de longue durée; (*pila, disco*) longue durée; **de corta** ~ de courte durée.

duradero, -a [dura'ðero, a] *adj* (*material*) résistant(e); (*fe, paz*) durable.

duramente ['duramente] *adv* durement.

durante [du'rante] *adv* pendant; ~ **toda la noche** pendant toute la nuit; **habló** ~ **una hora** il a parlé pendant une heure.

durar [du'rar] *vi* durer; (*persona: en cargo*) rester.

durazno [du'raθno] (*AM*) *nm* pêche *f*; (*árbol*) pêcher *m*.

durex ® ['dureks] (*AM*) *nm* scotch *m* ®.

dureza [du'reθa] *nf* dureté *f*; (*de clima*) rigueur *f*; (*callosidad*) callosité *f*.

durmiendo *etc* [dur'mjendo] *vb* V **dormir**.

duro, -a ['duro, a] *adj* dur(e) ♦ *adv* dur ♦ *nm* pièce *de cinq pesetas*; **a duras penas** à grand-peine; **estar** ~ être dur(e); **un tipo** ~ un dur; **el sector** ~ **del partido** la faction dure du parti; **ser** ~ **con algn** être dur(e) avec qn; ~ **de mollera** (*torpe*) dur(e) à la détente; ~ **de oído** dur(e) d'oreille; **es** ~ **de pelar** il faut se le farcir; **trabajar** ~ travailler dur; **estar sin un** ~ être sans le sou.

E, e

E, e [e] *nf* (*letra*) E, e *m inv*; ~ **de Enrique** ≈ E comme Eugène.

E *abr* (= *este*) E (= *est*).

e [e] *conj* (*delante de* i- *e* hi-, *pero no* hie-) et; V *tb* **y**.

e/ *abr* (COM) = **envío**.

EA *abr* = *Ejército del Aire*.

EAU *sigla mpl* (= *Emiratos Árabes Unidos*) EAU *mpl* (= *Émirats arabes unis*).

ebanista [eßa'nista] *nm/f* ébéniste *m/f*.

ebanistería [eßaniste'ria] *nf* ébénisterie *f*; (*taller*) atelier *m* d'ébénisterie.

ébano ['eßano] *nm* ébène *m*.

ebrio, -a ['eßrjo, a] *adj* ivre.

Ebro ['eßro] *nm* Ebre *m*.

ebullición [eßuʎi'θjon] *nf* ébullition *f*; **punto de** ~ point *m* d'ébullition.

eccema [ek'θema] *nm* eczéma *m*.

echar [e'tʃar] *vt* (*lanzar*) jeter; (*verter*) verser; (*gasolina, carta, freno*) mettre; (*sal, especias*) ajouter; (*comida*) servir; (*dientes*) pousser; (*expulsar*) mettre dehors; (*empleado*) renvoyer; (*hojas*) pousser; (*despedir: humo*) rejeter; (*: agua*) cracher; (*reprimenda*) faire; (*cerrojo*) fermer; (*película*) passer ♦ *vi*: ~ **a andar/volar/correr** se mettre à marcher/voler/courir; **echarse** *vpr* s'allonger; ~ **a cara o cruz algo** jouer qch à pile ou face; ~ **abajo** (*gobierno*) renverser; (*edificio*) abattre; ~ **una carrera/una siesta** faire une course/une sieste; ~ **un trago** avaler une gorgée; ~ **la buenaventura a algn** dire la bonne aventure à qn; (*echar las cartas a algn*) tirer les cartes à qn; ~ **cuentas** faire ses comptes; ~ **la culpa a** accuser; ~ **chispas** jeter des éclairs; ~ **por tierra** s'écrouler; ~ **de menos** regretter; **la echo de menos** elle me manque; ~ **mano a** mettre la main sur; ~ **a suertes** décider

à pile ou face; ~**se atrás** se pencher en arrière; (*fig*) se dédire; ~**se a llorar/reír/temblar** se mettre à pleurer/rire/trembler; ~**se novia/novio** se fiancer; ~**se a perder** (*alimento*) se gâter; (*persona*) dégénérer.

echarpe [e'tʃarpe] *nm* écharpe *f*.

eclesiástico, -a [ekle'sjastiko, a] *adj* ecclésiastique ♦ *nm* ecclésiastique *m*.

eclipsar [eklip'sar] *vt* éclipser.

eclipse [e'klipse] *nm* éclipse *f*.

eco ['eko] *nm* écho *m*; **encontrar un** ~ **en** trouver un écho dans; **hacerse** ~ **de una opinión** se faire l'écho d'une opinion; **to ner** ~ faire écho.

ecografía [ekoɣra'fia] *nf* échographie *f*.

ecología [ekolo'xia] *nf* écologie *f*.

ecológico, -a [eko'loxiko, a] *adj* écologique.

ecologista [ekolo'xista] *adj, nm/f* écologiste *m/f*.

economato [ekono'mato] *nm* économat *m*.

economía [ekono'mia] *nf* économie *f*; (*de empresa*) situation *f* économique; **hacer** ~**s** faire des économies; ▸ **economías de escala** économies d'échelle; ▸ **economía de mercado** économie de marché; ▸ **economía dirigida/doméstica/mixta/sumergida** économie dirigée/nationale/mixte/souterraine.

economice *etc* [ekono'miθe] *vb* V **economizar**.

económico, -a [eko'nomiko, a] *adj* économique; (*persona*) économe.

economista [ekono'mista] *nm/f* économiste *m/f*.

economizar [ekonomi'θar] *vt, vi* économiser.

ecosistema [ekosis'tema] *nm* écosystème *m*.

ecu ['eku] *nm* écu *m*.

ecuación [ekwa'θjon] *nf* équation *f*.

ecuador [ekwa'ðor] *nm* équateur *m*; **(el) E**~ (l')Équateur.

ecuánime [e'kwanime] *adj* (*carácter*) juste; (*juicio*) impartial(e).

ecuanimidad [ekwanimi'ðað] *nf* impartialité *f*.

ecuatorial [ekwato'rjal] *adj* équatorial(e).

ecuatoriano, -a [ekwato'rjano, a] *adj* équatorien(ne) ♦ *nm/f* Équatorien(ne).

ecuestre [e'kwestre] *adj* équestre.

eczema [ek'θema] *nm* = **eccema**.

ed. *abr* (= *edición*) éd. (= *édition*).

edad [e'ðað] *nf* âge *m*; **¿qué** ~ **tienes?** quel âge as-tu?; **tiene ocho años de** ~ il a huit ans; **de corta** ~ en culottes courtes; **ser de mediana** ~ être d'âge mûr; **ser de** ~ **avanzada** être âgé(e); **ser mayor/menor de** ~ être majeur/mineur; **(no) estar en** ~ **de**

algo (ne pas) être en âge de faire qch; **la E~ Media** le Moyen-Âge; **tercera ~** troisième âge; **la ~ del pavo** l'âge ingrat; ► **Edad de Hierro/Piedra** âge de fer/de pierre.

Edén [e'ðen] *nm* Eden *m*.

edición [eði'θjon] *nf* édition *f*; *"al cerrar la ~"* (*TIP*) "nouvelles de dernière heure"; **última ~** dernière édition.

edicto [e'ðikto] *nm* décret *m*.

edificante [eðifi'kante] *adj* édifiant(e).

edificar [eðifi'kar] *vt* édifier.

edificio [eði'fiθjo] *nm* édifice *m*, bâtiment *m*; ► **edificio público** bâtiment public.

edifique *etc* [eði'fike] *vb V* **edificar**.

Edimburgo [eðim'burɣo] *nm* Edimbourg.

editar [eði'tar] *vt* éditer; (*preparar textos*) mettre en page.

editor, a [eði'tor, a] *nm/f* éditeur(-trice); (*redactor*) rédacteur(-trice) ♦ *adj*: **casa ~a** maison d'édition.

editorial [eðito'rjal] *adj* éditorial(e) ♦ *nm* éditorial *m* ♦ *nf* (*tb*: **casa ~**) maison *f* d'édition.

editorialista [eðitorja'lista] *nm/f* éditorialiste *m/f*.

Edo. *abr* = **estado**.

edredón [eðre'ðon] *nm* couette *f*.

educación [eðuka'θjon] *nf* éducation *f*; **ser de buena/mala ~** être bien/mal élevé(e); **sin ~** sans aucune éducation; **¡qué falta de ~!** quel manque d'éducation!

educado, -a [eðu'kaðo, a] *adj* poli(e); **mal ~** mal élevé(e).

educar [eðu'kar] *vt* éduquer.

educativo, -a [eðuka'tiβo, a] *adj* éducatif(-ive).

eduque *etc* [e'ðuke] *vb V* **educar**.

EE.UU. *sigla mpl* (= *Estados Unidos*) EU *mpl* (= *États-Unis*), US(A) *mpl* (= *United States (of America)*).

efectista [efek'tista] *adj* spectaculaire.

efectivamente [efek'tiβamente] *adv* effectivement.

efectivo, -a [efek'tiβo, a] *adj* effectif(-ive) ♦ *nm*: **en ~** (*COM*) en espèces; **~s** *nmpl* (*de policía, ejército*) effectifs *mpl*; **hacer ~ un cheque** encaisser un chèque.

efecto [e'fekto] *nm* (*tb DEPORTE*) effet *m*; **~s** *nmpl* (*tb*: **~s personales**) effets *mpl*; (*COM*) actif *m*; (*ECON*) valeurs *fpl*; **hacer** *o* **surtir ~** (*medida*) avoir de l'effet; (*medicamento*) faire de l'effet; **hacer** *o* **causar ~** faire de l'effet; **al** *o* **a tal ~** à cet effet; **a ~s de** à des fins de; **en ~** en effet; **tener ~** avoir lieu; ► **efectos a cobrar** effets à recevoir; ► **efectos especiales** effets spéciaux; ► **efectos secundarios** (*MED*) effets secondaires; (*COM*) retombées *fpl*; ► **efectos sonoros** effets de son.

efectuar [efek'twar] *vt* effectuer; **efectuarse** *vpr* avoir lieu.

efervescente [eferβes'θente] *adj* gazeux (-euse).

eficacia [efi'kaθja] *nf* efficacité *f*.

eficaz [efi'kaθ] *adj* efficace.

eficiencia [efi'θjenθja] *nf* efficacité *f*.

eficiente [efi'θjente] *adj* efficace.

efigie [e'fixje] *nf* effigie *f*.

efímero, -a [e'fimero, a] *adj* éphémère.

EFTA *sigla f* (= *Asociación Europea de Libre Comercio*) AELE *f* (= *Association européenne de libre échange*).

efusión [efu'sjon] *nf* effusion *f*; **con ~** avec effusion.

efusivo, -a [efu'siβo, a] *adj* expansif(-ive); **mis más efusivas gracias** mes plus vifs remerciements.

EGB *sigla f* (*ESP*: = *Educación General Básica*) enseignement primaire et premier cycle de l'enseignement secondaire.

Egeo [e'xeo] *nm*: (**Mar**) **~** (Mer *f*) Égée.

egipcio, -a [e'xipθjo, a] *adj* égyptien(ne) ♦ *nm/f* Égyptien(ne).

Egipto [e'xipto] *nm* Egypte *f*.

egocéntrico, -a [eɣo'θentriko, a] *adj* égocentrique.

egoísmo [eɣo'ismo] *nm* égoïsme *m*.

egoísta [eɣo'ista] *adj*, *nm/f* égoïste *m/f*.

ególatra [e'ɣolatra] *adj* égocentrique.

egregio, -a [e'ɣrexjo, a] *adj* illustre.

egresado, -a [evre'saðo, a] (*AM*) *nm/f* diplômé(e).

egresar [evre'sar] (*AM*) *vi* obtenir son diplôme.

eh [e] *excl* eh!

Eire ['eire] *nm* Eire *f*.

ej. *abr* (= *ejemplo*) ex. (= *exemple*).

eje ['exe] *nm* axe *m*.

ejecución [exeku'θjon] *nf* exécution *f*; (*JUR*) saisie *f*; **poner en ~** (*plan*) mettre à exécution.

ejecutar [exeku'tar] *vt* exécuter; (*JUR*) saisir.

ejecutiva [exeku'tiβa] *nf* comité *m* exécutif; *V tb* **ejecutivo**.

ejecutivo, -a [exeku'tiβo, a] *adj* exécutif (-ive) ♦ *nm/f* exécutif *m*; **el ~** l'exécutif; **el poder ~** le pouvoir exécutif.

ejecutor [exeku'tor] *nm* exécuteur *m* testamentaire.

ejecutoria [exeku'torja] *nf* (*JUR*) sentence *f* exécutoire.

ejemplar [exem'plar] *adj* exemplaire ♦ *nm* (*ZOOL*) spécimen *m*; (*de libro, periódico*) exemplaire *m*; ► **ejemplar de regalo** exemplaire offert à titre gracieux.

ejemplificar [exemplifi'kar] *vt* illustrer.

ejemplifique *etc* [exempli'fike] *vb V* **ejem-**

plificar.

ejemplo [e'xemplo] *nm* exemple *m*; **por** ~ par exemple; **dar** ~ donner l'exemple.

ejercer [exer'θer] *vt* exercer ♦ *vi*: ~ **de** exercer le métier de.

ejercicio [exer'θiθjo] *nm* exercice *m*; **hacer** ~ prendre de l'exercice; ▶ **ejercicio acrobático** (*AVIAT*) exercice acrobatique; ▶ **ejercicio comercial** exercice; ▶ **ejercicios espirituales** retraite *fsg*.

ejercitar [exerθi'tar] *vt* exercer; **ejercitarse** *vpr*: ~**se en** s'exercer en.

ejército [e'xerθito] *nm* armée *f*; **entrar en el** ~ entrer dans l'armée; ▶ **ejército de ocupación** troupes *fpl* d'occupation; ▶ **Ejército de Tierra/del Aire** armée de terre/de l'air.

ejerza *etc* [e'xerθa] *vb* V **ejercer**.

ejidatario, -a [exiða'tarjo, a] (*esp MÉX*) *nm/f* propriétaire de terres exploitées en commun.

ejido [e'xiðo] (*esp MÉX*) *nm* terres exploitées en commun.

ejote [e'xote] (*AM*) *nm* haricot *m* vert.

──────────── PALABRA CLAVE ────────────

el [el] (*f* **la**, *pl* **los** *o* **las**) *art def* **1** le, la, les; **el libro/la mesa/los estudiantes/las flores** le livre/la table/les étudiants/les fleurs; **el amor/la juventud** l'amour/la jeunesse; **me gusta el fútbol** j'aime le football; **está en la cama** il est au lit

2: **romperse el brazo** se casser le bras; **levantó la mano** il leva la main; **se puso el sombrero** il mit son chapeau

3 (*en descripción*): **tener la boca grande/los ojos azules** avoir une grande bouche/les yeux bleus

4 (*con días*): **me iré el viernes** je m'en irai vendredi; **los domingos suelo ir a nadar** le dimanche je vais nager

5 (*en exclamación*): **¡el susto que me diste!** tu m'as fait une de ces peurs!

♦ *pron demos*: **mi libro y el de usted** mon livre et le vôtre; **las de Pepe son mejores** celles de Pepe sont mieux; **no la(s) blanca(s) sino la(s) gris(es)** pas la(les) blanche(s), la(les) grise(s)

♦ *pron rel* **1**: **el/la/los/las + que** (*sujeto*) celui/celle/ceux/celles qui; (: *objeto*) celui/celle/ceux/celles que; **el/la que quiera que se vaya** que celui/celle qui le veut s'en aille; **el que sea** n'importe qui; **llévese el que más le guste** emportez celui que vous préférez; **el que compré ayer** celui que j'ai acheté hier; **la que está debajo** celle qui est dessous

2: **el/la/los/las + que** (*con preposición*) lequel/laquelle/lesquels/lesquelles; **la persona con la que hablé** la personne avec la-

quelle j'ai parlé

♦ *conj*: **el que sea tan vago me molesta** ça m'ennuie qu'il soit si paresseux.

────────────────────────────

él [el] *pron pers* (*sujeto*) il; (*con preposición*) lui; **para** ~ pour lui; **es** ~ c'est lui.

elaboración [claβora'θjon] *nf* élaboration *f*; ~ **de presupuestos** élaboration du budget.

elaborar [elaβo'rar] *vt* élaborer; (*madera etc*) travailler.

elasticidad [elasti0i'ðað] *nf* élasticité *f*.

elástico, -a [e'lastiko, a] *adj*, *nm* élastique *m*.

elección [elek'θjon] *nf* élection *f*; (*selección*) choix *m*; (*alternativa*) alternative *f*; **elecciones** *nfpl* élections *fpl*; ▶ **elecciones generales** élections.

electo, -a [e'lekto, a] *adj*: **el presidente** ~ le président élu.

elector, a [elek'tor, a] *nm/f* électeur (-trice).

electorado [elekto'raðo] *nm* électorat *m*.

electoral [elekto'ral] *adj* électoral(e).

electrice *etc* [elek'triθe] *vb* V **electrizar**.

electricidad [elektriθi'ðað] *nf* électricité *f*.

electricista [elektri'θista] *nm/f* électricien(ne).

eléctrico, -a [e'lektriko, a] *adj* électrique.

electrificar [elektrifi'kar] *vt* électrifier.

electrizar [elektri'θar] *vt* électrifier; (*fig*) électriser.

electro... [elektro] *pref* électro... .

electrocardiograma [elektrokarðjo'ɤrama] *nm* électrocardiogramme *m*.

electrochoque [elektro'tʃoke] *nm* électrochoc *m*.

electrocutar [elektroku'tar] *vt* électrocuter; **electrocutarse** *vpr* s'électrocuter.

electrodo [elek'troðo] *nm* électrode *f*.

electrodoméstico [elektroðo'mestiko] *nm* électroménager *m*.

electroencefalograma [elektroenθefalo'ɤrama] *nm* électro-encéphalogramme *m*.

electroimán [electroi'man] *nm* électroaimant *m*.

electrólisis [elek'trolisis] *nf* électrolyse *f*.

electromagnético, -a [elektromaɤ'netiko, a] *adj* électromagnétique.

electrón [elek'tron] *nm* électron *m*.

electrónica [elek'tronika] *nf* électronique *f*.

electrónico, -a [elek'troniko, a] *adj* électronique; **proceso** ~ **de datos** (*INFORM*) traitement *m* électronique des données.

electroshock [elektro'ʃok] *nm* = **electrochoque**.

electrotecnia [elektro'teknja] *nf* électrotechnique *f*.

electrotécnico, -a [elektro'tekniko, a] *nm/f*

électrotechnicien(ne).
elefante [ele'fante] *nm* éléphant *m*.
elegancia [ele'ɣanθja] *nf* élégance *f*.
elegante [ele'ɣante] *adj* (*de buen gusto*) élégant(e); (*fino*) raffiné(e); **estar** *o* **ir** ~ être élégant(e).
elegía [ele'xia] *nf* élégie *f*.
elegir [ele'xir] *vt* choisir; (*por votación*) élire.
elemental [elemen'tal] *adj* élémentaire.
elemento [ele'mento] *nm* élément *m*; (*AM: fam*) type *m*; ~**s** *nmpl* (*de una ciencia*) rudiments *mpl*; (*de la naturaleza*) éléments *mpl*; **estar en su** ~ être dans son élément; ~**s de juicio** éléments de jugement; ¡**menudo** ~! bon à rien!
elenco [e'lenko] *nm* (*TEATRO*) distribution *f*; (*AM: DEPORTE*) équipe *f*.
elepé [ele'pe] (*pl* ~**s**) *nm* 33 tours *m inv*.
elevación [eleßa'θjon] *nf* élévation *f*.
elevado, -a [ele'ßaðo, a] *adj* (*precio, fig*) élevé(e); (*montículo, torre*) haut(e).
elevador [eleßa'ðor] (*AM*) *nm* ascenseur *m*.
elevadorista [eleßaðo'rista] (*AM*) *nm/f* liftier *m*.
elevar [ele'ßar] *vt* élever; (*producción*) augmenter; **elevarse** *vpr* s'élever; ~**se a** s'élever à.
eligiendo *etc* [eli'xjenðo] *vb V* **elegir**.
elija *etc* [e'lixa] *vb V* **elegir**.
eliminar [elimi'nar] *vt* éliminer; (*MED*) enlever; (*INFORM*) supprimer.
eliminatoria [elimina'torja] *nf* épreuve *f* éliminatoire; (*DEPORTE*) éliminatoires *mpl*.
élite ['elite] *nf* élite *f*.
elitista [eli'tista] *adj* élitiste.
elixir [elik'sir] *nm* élixir *m*.
ella ['eʎa] *pron* elle; **de** ~ à elle.
ellas ['eʎas] *pron V* **ellos**.
ello ['eʎo] *pron* cela; **es por** ~ **que** ... c'est pour cela que ... .
ellos, -as ['eʎos, as] *pron* ils(elles); (*después de prep*) eux(elles); **de** ~ à eux(elles).
elocuencia [elo'kwenθja] *nf* éloquence *f*.
elocuente [elo'kwente] *adj* éloquent(e).
elogiar [elo'xjar] *vt* louer.
elogio [e'loxjo] *nm* éloge *m*; **hacer** ~**s a** *o* **de** faire l'éloge de; **deshacerse en** ~**s** ne pas tarir d'éloges.
elote [e'lote] (*AM*) *nm* épi *m* de maïs.
El Salvador [elsalßa'ðor] *nm* Le Salvador.
elucubración [elukußra'θjon] *nf* élucubration *f*.
eludir [elu'ðir] *vt* (*deber*) faillir à; (*responsabilidad*) rejeter; (*justicia*) se soustraire à; (*respuesta*) éluder.
E.M. *abr* (*MIL* = *Estado Mayor*) EM *m* (= État-Major).

Em.ª *abr* (= *Eminencia*) Mgr (= *Monseigneur*).
emanación [emana'θjon] *nf* émanation *f*.
emanar [ema'nar] *vi*: ~ **de** émaner de; (*situación*) découler de.
emancipar [emanθi'par] *vt* affranchir; **emanciparse** *vpr* s'émanciper; (*siervo*) s'affranchir.
embadurnar [embaður'nar] *vt*: ~ (**de**) badigeonner de; **embadurnarse** *vpr*: ~**se** (**de**) se badigeonner (de).
embajada [emba'xaða] *nf* ambassade *f*; (*mensaje*) dépêche *f*.
embajador, a [embaxa'ðor, a] *nm/f* ambassadeur(-drice).
embaladura [embala'ðura] (*AM*) *nf*, **embalaje** [emba'laxe] *nm* emballage *m*.
embalar [emba'lar] *vt* emballer; **embalarse** *vpr* s'emballer.
embaldosar [embaldo'sar] *vt* carreler.
embalsamar [embalsa'mar] *vt* embaumer.
embalsar [embal'sar] *vt* déborder.
embalse [em'balse] *nm* réservoir *m*.
embarace *etc* [emba'raθe] *vb V* **embarazar**.
embarazada [embara'θaða] *adj f* enceinte ♦ *nf* femme *f* enceinte.
embarazar [embara'θar] *vt* embarrasser; (*mujer*) mettre enceinte.
embarazo [emba'raθo] *nm* (*de mujer*) grossesse *f*; (*estorbo, vergüenza*) embarras *m*.
embarazoso, -a [embara'θoso, a] *adj* embarrassant(e).
embarcación [embarka'θjon] *nf* embarcation *f*; ~ **de arrastre** chalutier *m*.
embarcadero [embarka'ðero] *nm* embarcadère *m*.
embarcar [embar'kar] *vt* embarquer; **embarcarse** *vpr* s'embarquer; ~ **a algn en una empresa** (*fig*) embarquer qn dans une affaire; ~(**se**) **en** (*AM: tren, avión*) monter dans.
embarco [em'barko] *nm V* **embarque**.
embargar [embar'ɣar] *vt* (*JUR*) saisir; **me embargaba la emoción** l'émotion m'envahissait.
embargo [em'barɣo] *nm* (*JUR*) saisie *f*; (*COM, POL*) embargo *m*; **sin** ~ cependant.
embargue *etc* [em'barɣe] *vb V* **embargar**.
embarque [em'barke] *vb V* **embarcar** ♦ *nm* embarquement *m*; **tarjeta/sala de** ~ carte *f*/salle *f* d'embarquement.
embarrancar [embarran'kar] *vi* (*NÁUT*) échouer; (*fig*) caler.
embarranque *etc* [emba'rranke] *vb V* **embarrancar**.
embarrar [emba'rrar] *vt* couvrir de boue; **embarrarse** *vpr* se couvrir de boue.
embarullar [embaru'ʎar] *vt* embrouiller.
embate [em'bate] *nm* rugissement *m*.
embaucador, a [embauka'ðor, a] *nm/f*

enjôleur(-euse).

embaucar [embau'kar] *vt* enjôler.

embauque *etc* [em'bauke] *vb* V **embaucar**.

embeber [embe'ßer] *vt* boire ♦ *vi* (*tela*) rétrécir; **embeberse** *vpr*: ~**se en** (*en libro, etc*) se plonger dans.

embebido, -a [embe'ßiðo, a] *adj*: ~ **en** plongé(e) dans.

embelesado, -a [embele'saðo, a] *adj* captivé(e).

embelesar [embele'sar] *vt* captiver; **embelesarse** *vpr*: ~**se (con)** être captivé(e) (par).

embellecedor [embeʎeθe'ðor] *nm* (*AUTO*) enjoliveur *m*.

embellecer [embeʎe'θer] *vt* embellir; **embellecerse** *vpr* embellir.

embellezca *etc* [embe'ʎeθka] *vb* V **embellecer**.

embestida [embes'tiða] *nf* charge *f*.

embestir [embes'tir] *vt* charger ♦ *vi* charger; (*olas*) rugir.

embistiendo *etc* [embis'tjendo] *vb* V **embestir**.

emblema [em'blema] *nm* emblème *m*.

embobado, -a [embo'ßaðo, a] *adj* bouche bée.

embobar [embo'ßar] *vt* fasciner; **embobarse** *vpr*: ~**se con** *o* **de** *o* **en** être fasciné(e) par.

embocadura [emboka'ðura] *nf* embouchure *f*.

embolado [embo'laðo] (*fam*) *nm* (*mentira*) bobard *m*; (*lío*) pétrin *m*.

embolador [embola'ðor] (*COL*) *nm* cireur *m* (de chaussures).

embolar [embo'lar] (*COL*) *vt* (*zapatos*) cirer.

embolia [em'bolja] *nf* embolie *f*; ▸ **embolia cerebral** embolie cérébrale.

émbolo ['embolo] *nm* piston *m*.

embolsar [embol'sar] *vt* empocher; **embolsarse** *vpr* empocher.

emboquillado, -a [emboki'ʎaðo, a] *adj* filtre.

emborrachar [emborra'tʃar] *vt* soûler; **emborracharse** *vpr* se soûler.

emboscada [embos'kaða] *nf* embuscade *f*.

embotado, -a [embo'taðo, a] *adj* émoussé(e).

embotar [embo'tar] *vt* (*sentidos*) émousser; (*facultades*) diminuer.

embotellado, -a [embote'ʎaðo, a] *adj* en bouteille; (*tráfico*) embouteillé(e).

embotellamiento [emboteʎa'mjento] *nm* embouteillage *m*.

embotellar [embote'ʎar] *vt* mettre en bouteille; (*tráfico*) embouteiller; **embotellarse** *vpr* être embouteillé(e).

embozo [em'boθo] *nm* rabat *m*.

embragar [embra'ɣar] *vi* embrayer.

embrague [em'braɣe] *vb* V **embragar** ♦ *nm* embrayage *m*.

embravecer [embraße'θer] *vt* (*toro*) exciter; **embravecerse** *vpr* devenir furieux(-euse); (*mar*) se déchaîner.

embravecido, -a [embraße'θiðo, a] *adj* furieux(-euse); (*mar*) déchaîné(e).

embriagador, a [embrjaɣa'ðor, a] *adj* capiteux(-euse).

embriagar [embrja'ɣar] *vt* soûler; (*fig*) griser; **embriagarse** *vpr* se soûler.

embriague *etc* [em'brjaɣe] *vb* V **embriagar**.

embriaguez [embrja'ɣeθ] *nf* ivresse *f*.

embrión [em'brjon] *nm* embryon *m*; **en** ~ (*proyecto*) à l'état embryonnaire.

embrionario, -a [embrjo'narjo, a] *adj* embryonnaire.

embrollar [embro'ʎar] *vt* embrouiller; **embrollarse** *vpr* s'embrouiller.

embrollo [em'broʎo] *nm* enchevêtrement *m*; (*fig*: *lío*) beaux draps *mpl*.

embromado, -a [cmbro'maðo, a] (*AM*: *fam*) *adj* difficile.

embromar [embro'mar] (*AM*: *fam*) *vt* embêter.

embrujado, -a [embru'xaðo, a] *adj* ensorcelé(e).

embrujar [embru'xar] *vt* ensorceler.

embrujo [em'bruxo] *nm* ensorcellement *m*.

embrutecer [embrute'θer] *vt* abrutir; **embrutecerse** *vpr* s'abrutir.

embrutezca *etc* [embru'teθka] *vb* V **embrutecer**.

embudo [em'buðo] *nm* entonnoir *m*.

embuste [em'buste] *nm* mensonge *m*.

embustero, -a [embus'tero, a] *adj*, *nm/f* menteur(-euse).

embute [em'bute] (*MÉX*) *nm* pot-de-vin *m*.

embutido [embu'tiðo] *nm* (*CULIN*) charcuterie *f*; (*TEC*) emboutissage *m*.

embutir [embu'tir] *vt* (*chorizo etc*) préparer; ~ (**en**) (*encajar*) fourrer (dans); (*introducir*) enfoncer (dans).

emergencia [emer'xenθja] *nf* urgence *f*; (*surgimiento*) émergence *f*.

emerger [emer'xer] *vi* émerger.

emerja *etc* [e'merxa] *vb* V **emerger**.

emigración [emiɣra'θjon] *nf* (*de personas*) émigration *f*; (*de pájaros*) migration *f*; **la** ~ (*emigrantes*) l'émigration.

emigrado, -a [emi'ɣraðo, a] *nm/f* émigré(e).

emigrante [emi'ɣrante] *adj* qui émigre ♦ *nm/f* émigrant(e).

emigrar [emi'ɣrar] *vi* (*personas*) émigrer; (*pájaros*) migrer.

eminencia [emi'nenθja] *nf*: **ser una** ~ (**en algo**) être un génie (en qch); (*en títulos*): **Su/Vuestra E~** (*REL*) Son/Votre Eminence.

eminente [emi'nente] *adj* éminent(e).

emir [e'mir] *nm* émir *m*.

emisario [emi'sarjo] *nm* émissaire *m*.

emisión [emi'sjon] *nf* émission *f*; ▶ **emisión de acciones/de valores** (*COM*) émission d'actions/de titres; ▶ **emisión gratuita de acciones** (*COM*) émission prioritaire.

emisor, a [emi'sor, a] *nm* émetteur *m* ♦ *nf* station *f* d'émission.

emitir [emi'tir] *vt* émettre; (*voto*) exprimer; ~ **una señal sonora** émettre un signal sonore.

emoción [emo'θjon] *nf* (*excitación*) excitation *f*; (*sentimiento*) émotion *f*; ¡**qué ~!** quelle émotion!

emocionado, -a [emoθjo'naðo, a] *adj* ému(e).

emocionante [emoθjo'nante] *adj* excitant(e); (*conmovedor*) émouvant(e).

emocionar [emoθjo'nar] *vt* exciter; (*conmover, impresionar*) émouvoir; **emocionarse** *vpr* s'émouvoir.

emotivo, -a [emo'tißo, a] *adj* (*escena*) émouvant(e); (*persona*) émotif(-ive).

empacar [empa'kar] *vt* empaqueter; (*en caja*) mettre dans des caisses.

empachar [empa'tʃar] *vt* donner une indigestion à; **empacharse** *vpr* avoir une indigestion.

empacho [em'patʃo] *nm* indigestion *f*; (*fig*) scrupule *m*.

empadronamiento [empaðrona'mjento] *nm* recensement *m*.

empadronarse [empaðro'narse] *vpr* se faire recenser.

empalagar [empala'ɣar] *vt*, *vi* (*suj: dulce*) écœurer; (*fig: suj: persona*) être écœurant(e); (*: música*) rendre malade.

empalagoso, -a [empala'ɣoso, a] *adj* (*alimento*) écœurant(e); (*fig: persona*) mielleux(-euse); (*: estilo*) à l'eau de rose.

empalague *etc* [empa'laɣe] *vb V* **empalagar**.

empalizada [empali'θaða] *nf* palissade *f*.

empalmar [empal'mar] *vt* (*cable*) rallonger; (*carretera*) rejoindre; (*sesión*) prolonger ♦ *vi* (*dos caminos*) se rejoindre; ~ **con** (*tren*) assurer la correspondance avec.

empalme [em'palme] *nm* (*TEC*) jointure *f*; (*de carreteras*) croisement *m*; (*de trenes*) correspondance *f*.

empanada [empa'naða] *nf* sorte de chausson salé fourré de tomates, viande etc.

empanar [empa'nar] *vt* (*con pan rallado*) paner; (*en masa*) faire la pâte (*d'un chausson*).

empantanarse [empanta'narse] *vpr* être inondé(e); (*fig*) être dans une impasse.

empañar [empa'ɲar] *vt* embuer; **empañarse** *vpr* s'embuer.

empapar [empa'par] *vt* mouiller; (*suj: toalla, esponja etc*) absorber; **empaparse** *vpr*: ~**se** (**de**) (*persona*) être trempé(e) (par); (*esponja, comida*) absorber.

empapelar [empape'lar] *vt* tapisser.

empaque *etc* [em'pake] *vb V* **empacar**.

empaquetar [empake'tar] *vt* empaqueter.

emparedado [empare'ðaðo] (*esp AM*) *nm* sandwich *m*.

emparejar [empare'xar] *vt* mettre ensemble.

emparentado, -a [emparen'taðo, a] *adj*: **estar ~ con** avoir un lien de parenté avec.

empastar [empas'tar] *vt* plomber.

empaste [em'paste] *nm* plombage *m*.

empatar [empa'tar] *vi* faire match nul ♦ *vt* (*VEN*) assembler; ~**on a 1** il y a eu 1 partout; **estar empatados** (*dos equipos*) être à égalité.

empate [em'pate] *nm* match *m* nul; **un ~ a cero** zéro partout.

empecé *etc* [empe'θe], **empecemos** *etc* [empe'θemos] *vb V* **empezar**.

empecinado, -a [empeθi'naðo, a] *adj* obstiné(e).

empecinarse [empeθi'narse] *vpr*: ~ **en** s'obstiner à.

empedernido, -a [empeðer'niðo, a] *adj* invétéré(e).

empedrado, -a [empe'ðraðo, a] *adj* pavé(e) ♦ *nm* (*pavimento*) pavement *m*.

empedrar [empe'ðrar] *vt* paver.

empeine [em'peine] *nm* (*de pie*) cou-de-pied *m*; (*de zapato*) empeigne *m*.

empellón [empe'ʎon] *nm* coup *m*; **dar empellones a algn** rouer qn de coups; **abrirse paso a empellones** se frayer un chemin à coups de coude.

empeñado, -a [empe'ɲaðo, a] *adj* (*persona*) endetté(e); (*objeto*) mis(e) en gage; ~ **en** (*obstinado*) déterminé(e) à.

empeñar [empe'ɲar] *vt* mettre en gage; **empeñarse** *vpr* s'endetter; ~**se en hacer** s'acharner à faire.

empeño [em'peɲo] *nm* acharnement *m*; (*cosa prendada*) gage *m*; **casa de ~s** établissement *m* de prêts sur gages, mont-de-piété *m*; **con ~** avec acharnement; **poner ~ en hacer algo** mettre de l'acharnement à faire qch; **tener ~ en hacer algo** être déterminé(e) à faire qch.

empeoramiento [empeora'mjento] *nm* dégradation *f*.

empeorar [empeo'rar] *vt*, *vi* empirer.

empequeñecer [empekeɲe'θer] *vt* rapetis-

ser; (fig) banaliser.
empequeñezca etc [empeke'ɲeθka] vb V **empequeñecer.**
emperador [empera'ðor] nm empereur m.
emperatriz [empera'triθ] nf impératrice f.
emperifollarse [emperifo'ʎarse] vpr se pomponner.
emperrarse [empe'rrarse] vpr s'obstiner; ~ **en algo** s'obstiner dans qch.
empezar [empe'θar] vt commencer ♦ vi commencer; **empezó a llover** il a commencé à pleuvoir; **bueno, para** ~ voyons, pour commencer; **a hacer** commencer à faire; ~ **por (hacer)** commencer par (faire).
empiece etc [em'pjeθe] vb V **empezar.**
empiedre etc [em'pjeðre] vb V **empedrar.**
empiezo etc [em'pjeθo] vb V **empezar.**
empinado, -a [empi'naðo, a] adj en pente.
empinar [empi'nar] vt redresser; **empinarse** vpr (persona) se mettre sur la pointe des pieds; (animal) se mettre sur ses pattes de derrière; (camino) grimper; ~ **el codo** (fam) lever le coude.
empingorotado, -a [empingoro'taðo, a] (fam) adj tiré(e) à quatre épingles.
empírico, -a [em'piriko, a] adj empirique.
emplace etc [em'plaθe] vb V **emplazar.**
emplazamiento [emplaθa'mjento] nm emplacement m; (JUR) citation f.
emplazar [empla'θar] vt construire; (JUR) citer à comparaître; (citar) citer.
empleado, -a [emple'aðo, a] adj, nm/f employé(e); **le está bien** ~ c'est bien fait pour lui; ▶ **empleada del hogar** cm ployée de maison; ▶ **empleado público** fonctionnaire m.
emplear [emple'ar] vt employer; **emplearse** vpr: ~**se de** o **como** trouver un emploi de, se faire embaucher comme; ~ **mal el tiempo** mal gérer son temps.
empleo [em'pleo] nm emploi m; "**modo de** ~" "mode d'emploi".
emplomar [emplo'mar] (CSUR) vt (diente) plomber.
empobrecer [empoßre'θer] vt appauvrir; **empobrecerse** vpr s'appauvrir.
empobrecimiento [empoßreθi'mjento] nm appauvrissement m.
empobrezca etc [empo'ßreθka] vb V **empobrecer.**
empollar [empo'ʎar] vt, vi (ZOOL) couver; (ESCOL: fam) bûcher.
empollón, -ona [empo'ʎon, ona] (fam) nm/f (ESCOL) bûcheur(-euse).
empolvar [empol'ßar] vt poudrer; **empolvarse** vpr (cara) se poudrer; (superficie) s'empoussiérer.
emponzoñar [empoɲθo'ɲar] vt (esp fig) détériorer.

ser; (fig) banaliser.
emporio [em'porjo] nm centre m commercial; (AM) grand magasin m.
empotrado, -a [empo'traðo, a] adj V **armario.**
empotrar [empo'trar] vt encastrer.
emprendedor, a [emprende'ðor, a] adj entreprenant(e).
emprender [empren'der] vt entreprendre; ~**la con algn** (fam) s'en prendre à qn; ~**la a bofetadas/golpes (con algn)** commencer à gifler/taper (qn).
empresa [em'presa] nf entreprise f; (esp TEATRO) direction f; **la libre** ~ la libre entreprise; ~ **filial/matriz** filiale f/société f mère.
empresario, -a [empre'sarjo, a] nm/f (COM) chef m d'entreprise; (TEATRO, MÚS) impresario m; ~ **de pompas fúnebres** entrepreneur m de pompes funèbres.
empréstito [em'prestito] nm emprunt m; (COM) capital m d'emprunt.
empujar [empu'xar] vt pousser; ~ **a algn a hacer** pousser qn à faire.
empuje [em'puxe] nm poussée f; (fig) brio m.
empujón [empu'xon] nm coup m; **abrirse paso a empujones** se frayer un chemin à coups de coude.
empuñadura [empuɲa'ðura] nf (de espada) poignée f; (de herramienta) manche m.
empuñar [empu'ɲar] vt empoigner; ~ **las armas** (fig) prendre les armes.
emulación [emula'θjon] nf émulation f.
emular [emu'lar] vt imiter.
emulsión [emul'sjon] nf (FOTO) émulsion f.

════════ PALABRA CLAVE

en [en] prep **1** (posición) dans; (: sobre): **en la mesa** sur la table; (: dentro): **está en el cajón** c'est dans le tiroir; **en el periódico** dans le journal; **en el suelo** par terre; **en Argentina/Francia/España** en Argentine/ France/Espagne; **en La Paz/París/Londres** à La Paz/Paris/Londres; **en casa** à la maison; **en la oficina/el colegio** au bureau/à l'école; **en el quinto piso** au cinquième étage
2 (dirección) dans; **entró en el aula** il est entré dans la salle de classe; **la pelota cayó en el tejado** le ballon est tombé sur le toit
3 (tiempo) en; **en 1605/invierno** en 1605/ hiver; **en el mes de enero** au mois de janvier; **caer en martes** tomber un mardi; **en aquella ocasión/época** à cette occasion/époque; **en ese momento** à ce moment; **en tres semanas** dans trois semaines; **en la mañana** (AM) le matin

4 (*manera*): **en avión/autobús** en avion/autobus; **viajar en tren** voyager en train; **escrito en inglés** écrit en anglais; **en broma** pour rire; **en un susurro** dans un murmure
5 (*forma*): **en espiral** en spirale; **en punta** pointu
6 (*tema, ocupación*): **experto en la materia** expert en la matière; **trabaja en la construcción** il travaille dans la construction
7 (*precio*) pour; **lo vendió en 20 dólares** il l'a vendu pour 20 dollars
8 (*diferencia*) de; **reducir/aumentar en una tercera parte/en un 20 por ciento** diminuer/augmenter d'un tiers/de 20 pour cent
9 (*después de vb que indica gastar etc*) en; **se le va la mitad del sueldo en comida** il dépense la moitié de son salaire en nourriture
10 (*adj + en + infin*): **lento en reaccionar** lent à réagir
11: **¡en marcha!** en route!

enaguas [e'naɣwas] (*AM*) *nfpl* combinaison *f*.
enajenación [enaxena'θjon] *nf* aliénation *f*; (*tb*: ~ **mental**) aliénation (mentale).
enajenamiento [enaxena'mjento] *nm* = **enajenación**.
enajenar [enaxe'nar] *vt* aliéner; (*fig*) déranger.
enamorado, -a [enamo'raðo, a] *adj, nm/f* amoureux(-euse); **estar** ~ **(de)** être amoureux(-euse) (de); **ser un** ~ **de** (*fig*) être un amoureux de.
enamoramiento [enamora'mjento] *nm fait de tomber amoureux*.
enamorar [enamo'rar] *vt* rendre amoureux(-euse); **enamorarse** *vpr*: ~**se (de)** tomber amoureux(-euse) (de).
enano, -a [e'nano, a] *adj* nain(e); (*fam: muy pequeño*) de poupée ♦ *nm/f* nain(e).
enarbolar [enarβo'lar] *vt* brandir.
enardecer [enarðe'θer] *vt* (*incitar*) inciter; (*entusiasmar*) enflammer; **enardecerse** *vpr* (*excitarse*) s'enhardir; (*exaltarse*) s'enflammer.
enardezca *etc* [enar'deθka] *vb V* **enardecer**.
encabece *etc* [enka'βeθe] *vb V* **encabezar**.
encabezamiento [enkaβeθa'mjento] *nm* en-tête *m*; (*de periódico*) titre *m*; ~ **normal** (*TIP etc*) titre courant.
encabezar [enkaβe'θar] *vt* (*movimiento*) prendre la tête de; (*lista*) être en tête de; (*carta, libro*) commencer.
encabritarse [enkaβri'tarse] *vpr* se cabrer.
encadenar [enkaðe'nar] *vt* enchaîner; (*bicicleta*) attacher; **encadenarse** *vpr* s'enchaîner; (*fig*) s'assujettir.

encajar [enka'xar] *vt* encastrer, emboîter; (*fam: golpe*) envoyer; (: *broma, mala noticia*) encaisser ♦ *vi* s'encastrer, s'emboîter; **encajarse** *vpr* (*mecanismo*) se coincer; (*un sombrero*) mettre; ~ **con** (*fig*) cadrer avec.
encaje [en'kaxe] *nm* encastrement *m*.
encajonar [enkaxo'nar] *vt* caser; **encajonarse** *vpr* (*río*) se rétrécir.
encalar [enka'lar] *vt* blanchir à la chaux.
encallar [enka'ʎar] *vi* (*NÁUT*) échouer.
encallecerse [enkaʎe'θerse] *vpr* (*manos*) devenir calleux(-euse).
encaminado, -a [enkamina'ðo, a] *adj*: **medidas encaminadas a ...** mesures tendant à ...; **estar** o **ir bien** ~ prendre la bonne voie.
encaminar [enkami'nar] *vt*: ~ **(a)** diriger (vers); **encaminarse** *vpr*: ~**se a** o **hacia** se diriger vers.
encamotarse [enkamo'tarse] (*AM*) *vpr* (*enamorarse*): ~ **(de** o **con algn)** tomber amoureux(-euse) (de qn).
encandilar [enkandi'lar] *vt* (*fig*) aveugler.
encanecer [enkane'θer] *vi* avoir des cheveux blancs; **encanecerse** *vpr* (*pelo*) devenir grisonnant.
encanezca *etc* [enka'neθka] *vb V* **encanecer**.
encantado, -a [enkan'taðo, a] *adj* enchanté(e); **¡~!** enchanté(e)!; **estar** ~ **con algn/algo** être charmé(e) par qn/qch.
encantador, -a [enkanta'ðor, a] *adj, nm/f* charmeur(-euse); ▶ **encantador de serpientes** charmeur de serpents.
encantamiento [enkanta'mjento] *nm* enchantement *m*.
encantar [enkan'tar] *vt* enchanter; **me encantan los animales** j'adore les animaux; **le encanta esquiar** il adore skier.
encanto [en'kanto] *nm* (*atractivo*) charme *m*; (*magia*) enchantement *m*; (*expresión de ternura*) ravissement *m*; **como por** ~ comme par enchantement.
encañonar [enkaɲo'nar] *vt* diriger le canon sur.
encapotado, -a [enkapo'taðo, a] *adj* (*cielo*) couvert(e).
encapricharse [enkapri'tʃarse] *vpr*: ~ **con algo** s'emballer pour qch; ~ **con algn** s'amouracher de qn.
encapuchado, -a [enkapu'tʃaðo, a] *adj* masqué(e) ♦ *nm/f* homme masqué(femme masquée).
encaramar [enkara'mar] *vt* hisser; **encaramarse** *vpr*: ~**se (a)** se hisser (sur).
encarar [enka'rar] *vt* affronter; **encararse** *vpr*: ~**se con** (*persona*) avoir une prise de bec avec.
encarcelar [enkarθe'lar] *vt* emprisonner.

encarecer [enkare'θer] *vt* augmenter le prix de; (*importancia*) souligner ♦ *vi* augmenter; **encarecerse** *vpr* augmenter; **le encareció que hiciera** il a insisté pour qu'il fasse.

encarecidamente [enkare'θiðamente] *adv* instamment.

encarecimiento [enkareθi'mjento] *nm* renchérissement *m*.

encarezca *etc* [enka'reθka] *vb V* **encarecer.**

encargado, -a [enkar'ɣaðo, a] *adj* chargé(e) ♦ *nm/f* (*gerente*) gérant(e); (*responsable*) responsable *m/f*; ▸ **encargado de negocios** responsable commercial(e).

encargar [enkar'ɣar] *vt* charger; (*COM*) commander; **encargarse** *vpr:* ~**se de** se charger de; ~ **a algn que haga algo** charger qn de faire qch.

encargo [en'karɣo] *nm* requête *f*; (*COM*) commande *f*; **hecho de** ~ fait sur mesure.

encargue *etc* [en'karɣe] *vb V* **encargar.**

encariñarse [enkari'ɲarse] *vpr:* ~ **con** se prendre d'affection pour.

encarnación [enkarna'θjon] *nf* incarnation *f*.

encarnado, -a [enkar'naðo, a] *adj* écarlate; **ponerse** ~ devenir écarlate.

encarnar [enkar'nar] *vt* incarner; **encarnarse** *vpr* s'incarner.

encarnizado, -a [enkarni'θaðo, a] *adj* (*lucha*) sanglant(e).

encarrilar [enkarri'lar] *vt* mettre sur rails; (*fig*) remettre sur les rails.

encasillar [enkasi'ʎar] *vt* (*TEATRO*) attribuer une place à; (*pey*) caser.

encasquetar [enkaske'tar] *vt* (*sombrero*) mettre; (*fig*) imposer; **encasquetarse** *vpr* se mettre.

encauce *etc* [en'kauθe] *vb V* **encauzar.**

encausar [enkau'sar] *vt* mettre en accusation.

encauzar [enkau'θar] *vt* diriger; (*fig*) orienter.

encefalitis [enθefa'litis] *nf* encéphalite *f*.

encefalograma [enθefalo'ɣrama] *nm* encéphalogramme *m*.

encendedor [enθende'ðor] (*esp AM*) *nm* briquet *m*.

encender [enθen'der] *vt* allumer; (*entusiasmo, cólera*) déclencher; **encenderse** *vpr* s'allumer; (*de cólera*) s'enflammer.

encendido, -a [enθen'diðo, a] *adj* allumé(e); (*mejillas*) en feu; (*mirada*) enflammé(e) ♦ *nm* allumage *m*.

encerado, -a [enθe'raðo, a] *adj* (*suelo*) ciré(e) ♦ *nm* (*ESCOL*) tableau *m*.

encerar [enθe'rar] *vt* (*suelo*) cirer.

encerrar [enθe'rrar] *vt* (*persona, animal*) enfermer; (*libros, documentos*) serrer; (*fig*)

renfermer; **encerrarse** *vpr* s'enfermer; (*fig*) se réfugier; ~ **en** (*POL*) occuper.

encerrona [enθe'rrona] *nf* piège *m*.

encestar [enθes'tar] *vi* faire un panier.

encharcar [entʃar'kar] *vt* détremper; **encharcarse** *vpr* être inondé(e).

encharque *etc* [en'tʃarke] *vb V* **encharcar.**

enchastrar [entʃas'trar] (*CSUR*) *vt* salir.

enchilada [entʃi'laða] (*MÉX*) *nf* enchilada *f*, crêpe de maïs fourrée à la viande et au piment.

enchilarse [entʃi'larse] (*MÉX*: *fam*) *vpr* fulminer.

enchinar [entʃi'nar] (*MÉX*) *vt* friser.

enchufado, -a [entʃu'faðo, a] (*fam*) *nm/f* pistonné(e).

enchufar [entʃu'far] *vt* (*ELEC*) brancher; (*TEC*) assembler; (*fam: persona*) pistonner.

enchufe [en'tʃufe] *nm* (*ELEC*: *clavija*) prise *f* mâle; (*: toma*) prise femelle; (*TEC*) jointure *f*; (*fam: recomendación*) piston *m*; (*: puesto*) poste obtenu par piston; **tiene un** ~ **en el ministerio** il est pistonné par quelqu'un au ministère.

encía [en'θia] *nf* gencive *f*.

enciclopedia [enθiklo'peðja] *nf* encyclopédie *f*.

encienda *etc* [en'θjenda] *vb V* **encender.**

encierro [en'θjerro] *vb V* **encerrar** ♦ *nm* retraite *f*; (*TAUR*) lâchage des taureaux dans les rues avant une corrida; **el** ~ **en la fábrica** (*POL*) l'occupation de l'usine.

encima [en'θima] *adv* (*en la parte de arriba*) en-haut; (*además*) en plus; ~ **de** (*sobre*) sur; (*además de*) en plus de; **por** ~ **de** plus haut que; (*fig*) plus haut placé(e) que; **por** ~ **de todo** par-dessus tout; **leer/mirar algo por** ~ lire/regarder qch distraitement; **¿llevas dinero** ~**?** as-tu de l'argent sur toi?; **se me vino** ~ **il est** venu me voir à l'improviste; ~ **mío/ nuestro** *etc* (*esp CSUR*: *fam*) au-dessus de moi/nous *etc*.

encina [en'θina] *nf* chêne *m* vert.

encinta [en'θinta] *adj f* enceinte.

enclavado, -a [enkla'βaðo, a] *adj:* ~ **en** situé(e) dans.

enclave [en'klaβe] *nm* enclave *f*.

enclenque [en'klenke] *adj* malingre.

encoger [enko'xer] *vt* (*ropa*) rétrécir; (*piernas*) étendre; (*músculos*) bander; (*fig*) intimider ♦ *vi* rétrécir; **encogerse** *vpr* rétrécir; (*fig*) être intimidé(e); ~**se de hombros** hausser les épaules.

encoja *etc* [en'koxa] *vb V* **encoger.**

encolar [enko'lar] *vt* recoller.

encolerice *etc* [enkole'riθe] *vb V* **encolerizar.**

encolerizar [enkoleri'θar] *vt* mettre en colère; **encolerizarse** *vpr* se mettre en colère.

encomendar [enkomen'dar] *vt* remettre; **encomendarse** *vpr*: ~**se** a s'en remettre à.

encomiar [enko'mjar] *vt* faire l'éloge de.

encomienda [enko'mjenda] *vb* V **encomendar ♦** *nf (AM)* colis *m*; ~ **postal** colis postal.

encomio [en'komjo] *nm* éloge *m*.

encono [en'kono] *nm* animosité *f*.

encontradizo, -a [enkontra'ðiθo, a] *adj*: **hacerse el** ~ feindre de rencontrer qn par hasard.

encontrado, -a [enkon'traðo, a] *adj* opposé(e).

encontrar [enkon'trar] *vt* trouver; **encontrarse** *vpr (reunirse)* se retrouver; *(estar)* se trouver; *(sentirse)* se sentir; *(entrar en conflicto)* s'opposer; ~ **a algn bien/ cambiado** trouver qn bien/changé; ~**se con algn/algo** tomber sur qn/qch; ~**se bien (de salud)** aller bien.

encontronazo [enkontro'naθo] *nm* rencontre *f* explosive; *(fig)* altercation *f*.

encorvado, -a [enkor'ßaðo, a] *adj* courbé(e).

encorvar [enkor'ßar] *vt* courber; **encorvarse** *vpr* se plier.

encrespado, -a [enkres'paðo, a] *adj (pelo)* moutonné(e); *(mar)* moutonneux(-euse).

encrespar [enkres'par] *vt* faire moutonner; **encresparse** *vpr* moutonner.

encrucijada [enkruθi'xaða] *nf* croisement *m*; **encontrarse** *o* **estar en una** ~ *(fig)* ne plus savoir sur quel pied danser.

encuadernación [enkwaðerna'θjon] *nf* reliure *f*; *(taller)* atelier *m* de relieur.

encuadernar [enkwaðer'nar] *vt* relier.

encuadrar [enkwa'ðrar] *vt* encadrer; *(FOTO)* cadrer.

encubierto [enku'ßjerto] *pp de* **encubrir.**

encubrimiento [enkußri'mjento] *nm (JUR)* complicité *f*.

encubrir [enku'ßrir] *vt* cacher; *(JUR)* couvrir.

encuentro [en'kwentro] *vb* V **encontrar ♦** *nm* rencontre *f*; *(MIL)* choc *m*; *(discusión)* discussion *f*; **ir/salir al** ~ **de algn** aller/ sortir à la rencontre de qn.

encuerado, -a [enkwe'raðo, a] *(AM: fam)* adj à poil.

encuesta [en'kwesta] *nf* sondage *m*; *(investigación)* enquête *f*; ▶ **encuesta de opinión** sondage d'opinion; ▶ **encuesta judicial** enquête judiciaire.

encumbrar [enkum'brar] *vt* élever; **encumbrarse** *vpr* s'élever.

encurtidos [enkur'tiðos] *nmpl* petits légumes macérés dans du vinaigre.

endeble [en'deßle] *adj (argumento)* mauvais(e); *(persona)* faible.

endémico, -a [en'demiko, a] *adj* endémique.

endemoniado, -a [endemo'njaðo, a] *adj* démoniaque; *(fig: travieso)* vicieux (-euse); (: *tiempo*) de chien; *(sabor)* infect(e).

endenantes [ende'nantes] *(AM: fam)* adv avant.

enderece *etc* [ende're0e] *vb* V **enderezar.**

enderezar [endere'θar] *vt (tb fig)* redresser; *(enmendar)* corriger; **enderezarse** *vpr* se redresser.

endeudarse [endeu'ðarse] *vpr* s'endetter.

endiablado, -a [endja'ßlaðo, a] *adj (hum: genio, carácter)* espiègle; (: *problema*) diabolique; (: *tiempo*) de chien.

endibia [en'dißja] *nf* endive *f*.

endilgar [endil'xar] *(fam)* vt: ~ **algo a algn** fourguer qch à qn; ~ **un sermón a algn** balancer un sermon à qn.

endilgue *etc* [en'dilxe] *vb* V **endilgar.**

endiñar [endi'nar] *(fam)* vt refiler.

endiosado, -a [endjo'saðo, a] adj prétentieux(-euse).

endomingarse [endomin'garse] *vpr* s'endimancher.

endomingue *etc* [endo'minge] *vb* V **endomingarse.**

endosar [endo'sar] *vt* endosser; ~ **algo a algn** *(fam)* refiler qch à qn.

endulce *etc* [en'dulθe] *vb* V **endulzar.**

endulzar [endul'θar] *vt (café)* sucrer; *(salsa, fig)* adoucir; **endulzarse** *vpr (ver vt)* sucrer; adoucir, s'adoucir.

endurecer [endure'θer] *vt* durcir; *(fig: persona)* endurcir; **endurecerse** *vpr (ver vt)* se durcir; s'endurcir.

endurezca *etc* [endu're0ka] *vb* V **endurecer.**

ene. *abr* = **enero.**

enebro [e'neßro] *nm* genévrier *m*.

enema [e'nema] *nm* lavement *m*.

enemigo, -a [ene'miɣo, a] *adj, nm/f* ennemi(e); **ser** ~ **de** être l'ennemi(e) de.

enemistad [enemis'tað] *nf* aversion *f*.

enemistar [enemis'tar] *vt* séparer; **enemistarse** *vpr*: ~**se (con)** se fâcher (avec).

energético, -a [ener'xetiko, a] *adj* énergétique.

energía [ener'xia] *nf* énergie *f*; ▶ **energía atómica/nuclear/solar** énergie atomique/nucléaire/solaire.

enérgico, -a [e'nerxiko, a] *adj* énergique.

energúmeno, -a [ener'ɣumeno, a] *nm/f* énergumène *m/f*; **ponerse como un** ~ **con algo** se mettre dans une colère noire pour qch.

enero [e'nero] *nm* janvier *m*; V *tb* **julio.**

enervar [ener'ßar] *vt* énerver.

enésimo, -a [e'nesimo, a] *adj* énième; **por enésima vez** (*fig*) pour la énième fois.

enfadado, -a [enfa'ðaðo, a] *adj* en colère.

enfadar [enfa'ðar] *vt* fâcher; **enfadarse** *vpr* se fâcher.

enfado [en'faðo] *nm* colère *f*.

énfasis ['enfasis] *nm* emphase *f*; **con ~** avec emphase; **poner ~ en** mettre l'accent sur.

enfático, -a [en'fatiko, a] *adj* emphatique.

enfatizar [enfati'θar] *vt* souligner.

enfermar [enfer'mar] *vt* rendre malade ♦ *vi* tomber malade; **enfermarse** *vpr* (*esp AM*) tomber malade; **su actitud me enferma** (*fam*) son attitude me rend malade; **~ del corazón** souffrir d'une maladie de cœur.

enfermedad [enferme'ðað] *nf* maladie *f*.

enfermería [enferme'ria] *nf* infirmerie *f*.

enfermero, -a [enfer'mero, a] *nm/f* infirmier(-ère); ► **enfermera jefa** infirmière en chef.

enfermizo, -a [enfer'miθo, a] *adj* maladif(-ive).

enfermo, -a [en'fermo, a] *adj* malade ♦ *nm/f* malade *m/f*; (*en hospital*) patient(e); **~ del corazón/hígado** malade du cœur/foie; **caer** *o* **ponerse ~** tomber malade; **¡me pone ~!** (*fam*) il me rend malade!

enfervorizar [enferβori'θar] *vt* enthousiasmer.

enfilar [enfi'lar] *vi*: **~ hacia** *o* **por** se diriger vers.

enflaquecer [enflake'θer] *vt* faire maigrir ♦ *vi* maigrir; (*fuerzas, ánimo*) faiblir.

enflaquezca *etc* [enfla'keθka] *vb V* **enflaquecer**.

enfocar [enfo'kar] *vt* (*luz, foco*) diriger; (*persona, objeto*) diriger le projecteur sur; (*FOTO*) faire la mise au point sur; (*fig: problema*) envisager.

enfoque [en'foke] *vb V* **enfocar** ♦ *nm* (*FOTO*) objectif *m*; (*fig*) point *m* de vue.

enfrascado, -a [enfras'kaðo, a] *adj*: **estar ~ en algo** être absorbé(e) dans qch.

enfrascarse [enfras'karse] *vpr*: **~ en la lectura** s'absorber dans sa lecture.

enfrasque *etc* [en'fraske] *vb V* **enfrascarse**.

enfrentamiento [enfrenta'mjento] *nm* affrontement *m*.

enfrentar [enfren'tar] *vt* (*peligro*) affronter; (*contendientes*) confronter; **enfrentarse** *vpr* s'affronter; (*dos equipos*) se rencontrer; **~se a** *o* **con** (*problema*) se trouver face à; (*enemigo*) faire face à.

enfrente [en'frente] *adv* en face; **~ de** devant; **la casa de ~** la maison d'en face; **~ mío/nuestro** *etc* (*esp CSUR: fam*) devant moi/vous *etc*.

enfriamiento [enfria'mjento] *nm* rafraîchissement *m*; (*MED*) refroidissement *m*.

enfriar [enfri'ar] *vt* (*algo caliente, amistad*) refroidir; (*habitación*) rafraîchir; **enfriarse** *vpr* se refroidir; (*habitación*) se rafraîchir; (*MED*) prendre froid.

enfundar [enfun'dar] *vt* rengainer.

enfurecer [enfure'θer] *vt* rendre furieux (-euse); **enfurecerse** *vpr* devenir furieux(-euse); (*mar*) se déchaîner.

enfurezca *etc* [enfu're θka] *vb V* **enfurecer**.

engalanar [engala'nar] *vt* (*persona*) habiller; (*ciudad, calle*) décorer; **engalanarse** *vpr* bien s'habiller.

enganchar [engan'tʃar] *vt* (*persona, dos vagones*) accrocher; (*caballos*) atteler; (*teléfono, electricidad*) mettre; (*fam: persona*) mettre le grappin sur; (*pez*) ferrer; (*TAUR*) encorner; **engancharse** *vpr* (*MIL*) s'engager; **~se (en)** (*ropa*) s'accrocher (à); **~se (a)** (*fam: drogas*) devenir accro (à); **se le enganchó la falda en el clavo** elle a accroché sa jupe au clou.

enganche [en'gantʃe] *nm* (*TEC*) crochet *m*; (*FERRO*) accrochage *m*; (*MIL*) recrutement *m*; (*MÉX: COM*) dépôt *m*.

enganchón [engan'tʃon] *nm* accroc *m*.

engañar [enga'nar] *vt* tromper; (*estafar*) escroquer ♦ *vi* tromper; **engañarse** *vpr* se tromper; **~ el hambre** tromper la faim; **las apariencias engañan** les apparences sont trompeuses.

engaño [en'gano] *nm* (*mentira*) mensonge *m*; (*trampa*) piège *m*; (*estafa*) escroquerie *f*; **estar en** *o* **padecer un ~** être trompé(e); **inducir** *o* **llevar a ~** prêter à confusion.

engañoso, -a [enga'noso, a] *adj* trompeur(-euse).

engarce [en'garθe] *vb V* **engarzar** ♦ *nm* sertissure *f*.

engarzar [engar'θar] *vt* (*joya*) sertir; (*cuentas*) enfiler; (*fig*) associer.

engaste [en'gaste] *nm* = **engarce**.

engatusar [engatu'sar] (*fam*) *vt* enjôler.

engendrar [enxen'drar] *vt* procréer; (*fig*) engendrer.

engendro [en'xendro] (*pey*) *nm* monstre *m*; (*novela, cuadro etc*) monstruosité *f*.

englobar [englo'βar] *vt* englober.

engolado, -a [engo'laðo, a] *adj* affecté(e).

engomar [engo'mar] *vt* engommer.

engordar [engor'ðar] *vt* faire grossir ♦ *vi* grossir; **~ un kilo** prendre un kilo; **los dulces engordan** les sucreries, ça fait grossir.

engorro [en'gorro] (*fam*) *nm* ennui *m*.

engorroso, -a [engo'rroso, a] *adj* empoisonnant(e).

engranaje [engra'naxe] *nm* engrenage *m*.

engrandecer [engrande'θer] *vt* (*hacer más*

grande) agrandir; (*ennoblecer*) ennoblir.

engrandezca *etc* [engran'deθka] *vb* V **engrandecer**.

engrasar [engra'sar] *vt* graisser.

engrase [en'grase] *nm* graissage *m*.

engreído, -a [engre'iðo, a] *adj* suffisant(e).

engreírse [engre'irse] *vpr* s'enorgueillir.

engrosar [engro'sar] *vt* (*manuscrito*) grossir; (*muro*) épaissir; (*capital, filas*) augmenter ♦ *vi* grossir.

engrudo [en'gruðo] *nm* colle *f*.

engruese *etc* [en'grwese] *vb* V **engrosar**.

engullir [engu'ʎir] *vt* engloutir.

enharinar [enari'nar] *vt* recouvrir de farine.

enhebrar [ene'ßrar] *vt* enfiler.

enhiesto, -a [e'njesto, a] *adj* droit(e).

enhorabuena [enora'ßwena] *nf*: **dar la ~ a algn** féliciter qn; ¡~! félicitations!

enigma [e'niɣma] *nm* énigme *f*.

enigmático, -a [eniɣ'matiko, a] *adj* énigmatique.

enjabonar [enxaßo'nar] *vt* savonner; **enjabonarse** *vpr* se savonner; **~se la barba/ las manos** se savonner la barbe/les mains.

enjambre [en'xamßre] *nm* essaim *m*; (*fig*) meute *f*.

enjaular [enxau'lar] *vt* mettre en cage; (*fam: persona*) mettre en taule.

enjoyado, -a [enxo'jaðo, a] *adj* couvert(e) de bijoux.

enjuagar [enxwa'ɣar] *vt* rincer; **enjuagarse** *vpr* se rincer.

enjuague [en'xwaɣe] *vb* V **enjuagar** ♦ *nm* rinçage *m*; (*fig*) magouille *f*.

enjugar [enxu'ɣar] *vt* éponger; (*lágrimas*) essuyer; **enjugarse** *vpr*: **~se el sudor** s'éponger; **~se las lágrimas** essuyer ses larmes.

enjugue *etc* [en'xuɣe] *vb* V **enjugar**.

enjuiciar [enxwi'θjar] *vt* (*JUR*) instruire; (*opinar sobre*) juger.

enjundia [en'xundja] *nf* (*de novela, asunto*) cœur *m*.

enjuto, -a [en'xuto, a] *adj* décharné(e).

enlace [en'laθe] *vb* V **enlazar** ♦ *nm* (*relación*) lien *m*; (*tb*: **~ matrimonial**) union *f*; (*de trenes*) liaison *f*; ► **enlace de datos** enchaînement *m* des faits; ► **enlace policial** contact *m*; ► **enlace sindical** délégué(e) syndical(e); ► **enlace telefónico** liaison téléphonique.

enlatado, -a [enla'taðo, a] *adj* (*comida*) en conserve; (*fam, pey: música*) en conserve.

enlazar [enla'θar] *vt* attacher; (*conceptos, organizaciones*) faire le lien entre; (*AM*) prendre au lasso ♦ *vi*: **~ con** faire le lien avec.

enlodar [enlo'ðar] *vt* tacher de boue; (*fama*) entacher.

enloquecer [enloke'θer] *vt* rendre fou(folle) ♦ *vi* devenir fou(folle); **me enloquece el chocolate** (*fig*) je raffole du chocolat; **~ de** (*fig*) devenir fou(folle) de.

enloquezca *etc* [enlo'keθka] *vb* V **enloquecer**.

enlosado [enlo'saðo] *nm* pavé *m*.

enlosar [enlo'sar] *vt* paver.

enlucir [enlu'θir] *vt* plâtrer.

enlutado, -a [enlu'taðo, a] *adj* en deuil.

enmarañar [enmara'ɲar] *vt* emmêler; (*fig*) embrouiller; **enmarañarse** *vpr* s'embrouiller.

enmarcar [enmar'kar] *vt* encadrer; (*fig*) constituer le cadre de.

enmarque *etc* [en'marke] *vb* V **enmarcar**.

enmascarado, -a [enmaska'raðo, a] *adj* masqué(e) ♦ *nm/f* homme masqué (femme masquée).

enmascarar [enmaska'rar] *vt* masquer; **enmascararse** *vpr* se mettre un masque.

enmendar [enmen'dar] *vt* (*escrito*) modifier; (*constitución, ley*) amender; (*comportamiento*) améliorer; **enmendarse** *vpr* (*persona*) s'améliorer.

enmicar [enmi'kar] (*MÉX*) *vt* (*TEC*) plastifier.

enmienda [en'mjenda] *vb* V **enmendar** ♦ *nf* amendement *m*; (*de carácter*) amélioration *f*; **no tener ~** être incorrigible.

enmohecerse [enmoe'θerse] *vpr* (*metal*) s'oxyder; (*muro, plantas, alimentos*) moisir.

enmohezca *etc* [enmo'eθka] *vb* V **enmohecerse**.

enmudecer [enmuðe'θer] *vi* rester muet(te); (*perder el habla*) devenir muet(te).

enmudezca *etc* [enmu'ðeθka] *vb* V **enmudecer**.

ennegrecer [enneɣre'θer] *vt* noircir; **ennegrecerse** *vpr* (se) noircir.

ennegrezca *etc* [enne'ɣreθka] *vb* V **ennegrecer**.

ennoblecer [ennoßle'θer] *vt* faire honneur à.

ennoblezca *etc* [enno'ßleθka] *vb* V **ennoblecer**.

en.º *abr* = **enero**.

enojadizo, -a [enoxa'ðiθo, a] *adj* soupeau-lait *adj inv*.

enojado, -a [eno'xaðo, a] (*esp AM: fam*) *adj* furax *adj inv*.

enojar [eno'xar] *vt* mettre en colère; (*disgustar*) contrarier; **enojarse** *vpr* (*ver vt*) se mettre en colère; être contrarié(e).

enojo [e'noxo] *nm* colère *f*; (*disgusto*)

contrariété *f*.
enojoso, -a [eno'xoso, a] *adj* ennuyeux (-euse).
enorgullecer [enorɣuʎe'θer] *vt* enorgueillir; **enorgullecerse** *vpr* s'enorgueillir.
enorgullezca *etc* [enorɣu'ʎeθka] *vb* V **enorgullecer**.
enorme [e'norme] *adj* énorme.
enormemente [e'normemente] *adv* énormément.
enormidad [enormi'ðað] *nf* énormité *f*.
enquistarse [enkis'tarse] *vpr* (*MED*) s'enkyster.
enrabiar [enra'bjar] *vt* faire enrager; **enrabiarse** *vpr* enrager.
enraice *etc* [en'raiθe] *vb* V **enraizar**.
enraizar [enrai'θar] *vi* (*BOT*) prendre racine; (*fig*) s'enraciner; **enraizarse** *vpr* s'enraciner.
enrarecido, -a [enrare'θiðo, a] *adj* raréfié(e).
enredadera [enreða'ðera] *nf* plante *f* grimpante.
enredar [enre'ðar] *vt* emmêler; (*fig: asunto*) embrouiller ♦ *vi* (*molestar*) faire des bêtises; (*trastear*) tripoter; **enredarse** *vpr* s'emmêler; (*fig*) s'embrouiller; ~ **a algn en** (*fig: implicar*) mêler qn à; **~se en se** prendre dans; (*fig*) se mêler à; **~se con algn** (*fam*) s'amouracher de qn.
enredo [en'reðo] *nm* nœud *m*; (*fig: lío*) pétrin *m*; (: *amorío*) amourette *f*.
enrejado [enre'xaðo] *nm* grille *f*; (*en jardín*) treillis *m*.
enrevesado, -a [enreße'saðo, a] *adj* épineux(-euse).
enriquecer [enrike'θer] *vt* enrichir ♦ *vi* s'enrichir; **enriquecerse** *vpr* s'enrichir.
enriquezca *etc* [enri'keθka] *vb* V **enriquecer**.
enrojecer [enroxe'θer] *vt*, *vi* rougir; **enrojecerse** *vpr* rougir.
enrojezca *etc* [enro'xeθka] *vb* V **enrojecer**.
enrolar [enro'lar] *vt* enrôler; **enrolarse** *vpr* s'enrôler.
enrollar [enro'ʎar] *vt* enrouler; **enrollarse** *vpr* (*fam: al hablar*) s'éterniser; **~se con algn** (*fam*) sortir avec qn; **~se bien/mal** (*fam*) être très/peu causant(e).
enroque [en'roke] *nm* (*AJEDREZ*) roque *m*.
enroscar [enros'kar] *vt* (*tornillo, tuerca*) visser; (*cable, cuerda*) lover; **enroscarse** *vpr* (*serpiente*) se lover; (*planta*) se vriller.
enrosque *etc* [en'roske] *vb* V **enroscar**.
ensaimada [ensai'maða] *nf* grande brioche ronde, spécialité des îles Baléares.
ensalada [ensa'laða] *nf* salade *f*; ▶ **ensalada mixta/rusa** salade mixte/russe.
ensaladera [ensala'ðera] *nf* saladier *m*.

ensaladilla [ensala'ðiʎa] *nf* (*tb*: ~ **rusa**) salade *f* russe.
ensalce *etc* [en'salθe] *vb* V **ensalzar**.
ensalmo [en'salmo] *nm*: **como por** ~ comme par enchantement.
ensalzar [ensal'θar] *vt* encenser.
ensamblador [ensambla'ðor] *nm* (*INFORM*) assembleur *m*.
ensambladura [ensambla'ðura] *nf* (*TEC*: *acoplamiento*) assemblage *m*; (: *pieza*) joint *m*.
ensamblaje [ensam'blaxe] *nm* = **ensambladura**.
ensamblar [ensam'blar] *vt* assembler.
ensanchamiento [ensantʃa'mjento] *nm* élargissement *m*.
ensanchar [ensan'tʃar] *vt* élargir; **ensancharse** *vpr* s'élargir; (*fig: persona*) se rengorger.
ensanche [en'santʃe] *nm* élargissement *m*; (*zona*) terrain *m* à lotir.
ensangrentado, -a [ensangren'taðo, a] *adj* ensanglanté(e).
ensangrentar [ensangren'tar] *vt* ensanglanter.
ensangriente *etc* [ensan'grjente] *vb* V **ensangrentar**.
ensañarse [ensa'ɲarse] *vpr*: ~ **con** tourmenter.
ensartar [ensar'tar] *vt* enfiler; ~ **(con)** (*atravesar*) transpercer (de).
ensayar [ensa'jar] *vt* essayer; (*TEATRO*) répéter ♦ *vi* répéter.
ensayista [ensa'jista] *nm/f* essayiste *m/f*.
ensayo [en'sajo] *nm* essai *m*; (*TEATRO, MÚS*) répétition *f*; (*ESCOL*) dissertation *f*; **pedido de** ~ (*COM*) commande *f* d'essai; ~ **general** répétition générale.
enseguida [ense'ɣwiða] *adv* = **en seguida**.
ensenada [ense'naða] *nf* crique *f*.
enseña [en'seɲa] *nf* enseigne *f*.
enseñanza [ense'ɲanθa] *nf* enseignement *m*; ▶ **enseñanza primaria/media/superior** enseignement primaire/secondaire/supérieur.
enseñar [ense'ɲar] *vt* enseigner; (*mostrar*) montrer; (*señalar*) signaler; ~ **a algn a hacer** montrer à qn comment faire.
enseres [en'seres] *nmpl* effets *mpl*; (*útiles*) matériel *msg*.
ENSIDESA [ensi'ðesa] (*ESP*) *sigla f* (*COM*) = *Empresa Nacional Siderúrgica, S.A.*
ensillar [ensi'ʎar] *vt* seller.
ensimismarse [ensimis'marse] *vpr* s'absorber; (*AM*) se vanter; ~ **en** s'absorber dans.
ensombrecer [ensombre'θer] *vt* assombrir; **ensombrecerse** *vpr* (*fig: rostro*) s'assombrir.
ensoñación [ensoɲa'θjon] *nf* illusion *f*.

ensopar [enso'par] (*AM*) *vt* absorber.

ensordecedor, a [ensorðeθe'ðor, a] *adj* assourdissant(e).

ensordecer [ensorðe'θer] *vt* assourdir ♦ *vi* devenir sourd(e).

ensordezca *etc* [ensor'ðeθka] *vb V* **ensordecer.**

ensortijado, -a [ensorti'xaðo, a] *adj* (*pelo*) frisé(e).

ensuciar [ensu'θjar] *vt* salir; **ensuciarse** *vpr* se salir.

ensueño [en'sweɲo] *nm* rêve *m*; (*fantasía*) illusion *f*; **de ~** de rêve.

entablado [enta'βlaðo] *nm* (*suelo*) plancher *m*; (*armazón*) échafaudage *m*.

entablar [enta'βlar] *vt* (*suelo, hueco*) planchéier; (*AJEDREZ, DAMAS*) disposer; (*conversación, lucha*) engager; (*pleito, negociaciones*) entamer.

entablillar [entaβli'ʎar] *vt* mettre une attelle à.

entallado, -a [enta'ʎaðo, a] *adj* déchiré(e).

entallar [enta'ʎar] *vt* (*traje*) ajuster.

entarimado [entari'maðo] *nm* plancher *m*.

ente ['ente] *nm* entité *f*; (*ser*) être *m*; (*fam*) phénomène *m*; ▸ **ente público** (*ESP*) télévision *f* espagnole.

entender [enten'der] *vt, vi* comprendre ♦ *nm*: **a mi ~** d'après moi; **entenderse** *vpr* (*a sí mismo*) se comprendre; (*2 personas*) s'entendre; **~ de** s'y entendre en; **~ algo de** avoir quelques notions de; **~ por** entendre par; **dar a ~ que ...** donner à entendre que ...; **~se bien/mal (con algn)** s'entendre bien/mal (avec qn); **¿entiendes? tu** comprends?; **yo me entiendo** (*fam*) je me comprends.

entendido, -a [enten'diðo, a] *adj* (*experto*) compétent(e); (*informado*) informé(e) ♦ *nm/f* connaisseur(-euse) ♦ *excl* entendu!

entendimiento [entendi'mjento] *nm* entente *f*; (*inteligencia*) entendement *m*.

enterado, -a [ente'raðo, a] *adj* informé(e); **estar ~ de** être au courant de; **no darse por ~** jouer les ignorants.

enteramente [ente'ramente] *adv* entièrement.

enterarse [ente'rarse] *vpr*: **~ (de)** apprendre; **no se entera de nada** (*fam*) il ne se rend compte de rien; **para que te enteres ...** (*fam*) je te ferais remarquer ... .

entereza [ente'reθa] *nf* droiture *f*; (*fortaleza*) courage *m*; (*integridad*) intégrité *f*; (*firmeza*) fermeté *f*.

enterito [ente'rito] (*ARG*) *nm* bleu *m* de travail.

enternecedor, a [enterneθe'ðor, a] *adj* attendrissant(e).

enternecer [enterne'θer] *vt* attendrir; **enternecerse** *vpr* s'attendrir.

enternezca *etc* [enter'neθka] *vb V* **enternecer.**

entero, -a [en'tero, a] *adj* (*íntegro*) au complet; (*no roto, fig*) entier(-ère) ♦ *nm* (*MAT*) entier *m*; (*COM*) point *m*; (*AM*) versement *m*; (*ARG*) bleu *m* de travail; **las acciones han subido dos ~s** les actions ont augmenté de deux points; **por ~** entièrement.

enterrador [enterra'ðor] *nm* fossoyeur *m*.

enterrar [ente'rrar] *vt* enterrer.

entibiar [enti'βjar] *vt* tiédir; **entibiarse** *vpr* tiédir.

entidad [enti'ðað] *nf* (*empresa*) entreprise *f*; (*organismo, FILOS*) entité *f*; (*sociedad*) société *f*; **de menor/poca ~** de moindre importance/de peu d'importance.

entienda *etc* [en'tjenda] *vb V* **entender.**

entierro [en'tjerro] *vb V* **enterrar** ♦ *nm* enterrement *m*.

entoldado [entol'daðo] *nm* pavillon *m*.

entomología [entomolo'xia] *nf* entomologie *f*.

entomólogo, -a [ento'moloʏo, a] *nm/f* entomologiste *m/f*.

entonación [entona'θjon] *nf* intonation *f*.

entonar [ento'nar] *vt* entonner; (*colores*) harmoniser; (*MED*) fortifier ♦ *vi* (*al cantar*) donner le ton; **entonarse** *vpr* (*MED*) se fortifier; **~ con** (*colores*) se marier bien avec.

entonces [en'tonθes] *adv* alors; **desde ~** depuis; **en aquel ~** en ce temps-là; **(pues) ~ (et) alors**; **¡(pues) ~!** et alors!

entontecer [entonte'θer] *vt* abrutir; **entontecerse** *vpr* s'abrutir.

entornar [entor'nar] *vt* (*puerta, ventana*) entrebâiller; (*los ojos*) garder mi-clos.

entorno [en'torno] *nm* environnement *m*; **~ de redes** (*INFORM*) environnement de réseaux.

entorpecer [entorpe'θer] *vt* (*tb fig*) gêner; (*mente, persona*) abrutir.

entorpezca *etc* [entor'peθka] *vb V* **entorpecer.**

entrada [en'traða] *nf* entrée *f*; (*de año, libro*) début *m*; (*ingreso, COM*) recette *f*; **~s** *nfpl* (*COM*) recettes *fpl*; **~s brutas** recettes brutes; **~s y salidas** (*COM*) recettes et dépenses; **~ de aire** (*TEC*) entrée d'air; **de ~** d'entrée; **"~ gratis"** "entrée gratuite"; **dar ~ a algn** admettre qn; **tener ~s** avoir le front dégarni.

entrado, -a [en'traðo, a] *adj*: **~ en años** d'un âge avancé; **(una vez) ~ el verano** l'été venu.

entramparse [entram'parse] *vpr* s'endetter.

entrante [en'trante] *adj* prochain(e) ♦ *nm* encaissement *m*; (*CULIN*) entrée *f*.

entrañable [entra'ɲaβle] *adj* (*amigo*)

cher(-ère); (*trato*) cordial(e).

entrañar [entra'ɲar] *vt* renfermer.

entrañas [en'traɲas] *nfpl* entrailles *fpl*; **sin ~** (*fig*) sans merci.

entrar [en'trar] *vt* mettre; (*INFORM*) entrer ♦ *vi* entrer; (*caber: anillo, zapato*) aller; (: *tornillo, personas*) rentrer; (*año, temporada*) commencer; (*en profesión etc*) entrer; (*en categoría, planes*) rentrer; **le ~on ganas de reír** il eut envie de rire; **me entró sueño/frío** j'ai eu sommeil/froid; **~ en acción** entrer en action; (*entrar en funcionamiento*) commencer à fonctionner; **no me entra** je ne saisis pas; **~ a** (*AM*) entrer dans.

entre ['entre] *prep* (*dos cosas*) entre; (*más de dos cosas*) parmi; **se abrieron paso ~ la multitud** ils se frayèrent un passage à travers la foule; **~ otras cosas** entre autres; **lo haremos ~ todos** nous le ferons tous ensemble; **~ más estudia, más aprende** (*esp AM: fam*) plus il étudie, plus il apprend.

entreabierto [entrea'βjerto] *pp de* **entreabrir**.

entreabrir [entrea'βrir] *vt* entrouvrir.

entreacto [entre'akto] *nm* entracte *m*.

entrecano, -a [entre'kano, a] *adj* poivre et sel; **ser ~** avoir les cheveux grisonnants.

entrecejo [entre'θexo] *nm*: **fruncir el ~** froncer les sourcils.

entrecomillado, -a [entrekomi'ʎaðo, a] *adj* entre guillemets.

entrecortado, -a [entrekor'taðo, a] *adj* entrecoupé(e).

entrecot [entre'ko(t)] *nm* entrecôte *f*.

entrecruce *etc* [entre'kruθe] *vb V* **entrecruzarse**.

entrecruzarse [entrekru'θarse] *vpr* (*caminos*) se croiser; (*hilos*) s'entrecroiser.

entredicho [entre'ðitʃo] *nm* (*JUR*) interdiction *f*; **poner/estar en ~** mettre/être mis en doute.

entrega [en'treɣa] *nf* (*de mercancías*) livraison *f*; (*de premios*) remise *f*; (*de novela, serial*) épisode *m*; (*dedicación*) ardeur *f*; "~ **a domicilio**" "livraison à domicile"; **novela por ~s** roman-feuilleton *m*.

entregar [entre'ɣar] *vt* livrer; (*dar*) remettre; **entregarse** *vpr* se livrer; **a ~** (*COM*) à livrer; **~se a** (*al trabajo*) se consacrer à; (*al vicio*) se livrer à.

entregue *etc* [en'treɣe] *vb V* **entregar**.

entrelace *etc* [entre'laθe] *vb V* **entrelazar**.

entrelazar [entrela'θar] *vt* entrelacer.

entremedias [entre'meðjas] *adv* (*en medio*) au milieu; (*mientras tanto*) entre-temps.

entremeses [entre'meses] *nmpl* entrées *fpl*.

entremeter [entreme'ter] *vt* insérer; **en-**

tremeterse *vpr* = **entrometerse**.

entremetido, -a [entreme'tiðo, a] *adj* = **entrometido**.

entremezclar [entremeθ'klar] *vt* mélanger; **entremezclarse** *vpr* se mélanger.

entrenador, a [entrena'ðor, a] *nm/f* entraîneur(-euse).

entrenamiento [entrena'mjento] *nm* entraînement *m*.

entrenar [entre'nar] *vt* entraîner ♦ *vi* (*DEPORTE*) s'entraîner; **entrenarse** *vpr* s'entraîner.

entrepierna [entre'pjerna] *nf* entrejambes *msg*.

entresacar [entresa'kar] *vt* (*árboles*) déboiser; (*pelo*) désépaissir; (*frases, páginas*) sélectionner.

entresaque *etc* [entre'sake] *vb V* **entresacar**.

entresijos [entre'sixos] *nmpl* méandres *mpl*.

entresuelo [entre'swelo] *nm* entresol *m*.

entretanto [entre'tanto] *adv* entre-temps.

entretecho [entre'tetʃo] (*CHI, COL*) *nm* grenier *m*.

entretejer [entrete'xer] *vt* entrelacer.

entretela [entre'tela] *nf* renfort *m*.

entretención [entreten'θjon] (*AM*) *nf* distraction *f*.

entretendré *etc* [entreten'dre] *vb V* **entretener**.

entretener [entrete'ner] *vt* amuser; (*retrasar*) retenir; (*distraer*) distraire; (*fig*) entretenir; **entretenerse** *vpr* s'amuser; (*retrasarse*) s'attarder; (*distraerse*) se distraire; **no le entretengo más** je ne vous retiendrai pas plus longtemps.

entretenga *etc* [entre'tenga] *vb V* **entretener**.

entretenido, -a [entrete'niðo, a] *adj* amusant(e); (*tarea*) prenant(e).

entretenimiento [entreteni'mjento] *nm* distraction *f*.

entretiempo [entre'tjempo] *nm*: **de ~** (*ropa*) demi-saison.

entretiene, entretuve *etc* [entre'tuβe] *vb V* **entretener**.

entreveía *etc* [entreβe'ia] *vb V* **entrever**.

entrever [entre'βer] *vt* entrevoir.

entreverarse [entreβe'rarse] (*CSUR*) *vpr*: **~ en algo** se mêler à qch.

entrevero [entre'βero] (*CSUR*) *nm* enchevêtrement *m*.

entrevista [entre'βista] *nf* entrevue *f*; (*para periódico, TV*) interview *f*.

entrevistar [entreβis'tar] *vt* interviewer; **entrevistarse** *vpr*: **~se (con)** avoir une entrevue (avec).

entrevisto [entre'βisto] *pp de* **entrever**.

entristecer [entriste'θer] *vt* attrister; **entristecerse** *vpr* s'attrister.

entristezca *etc* [entris'teθka] *vb* V **entristecer**.

entrometerse [entrome'terse] *vpr*: ~ **(en)** se mêler de.

entrometido, -a [entrome'tiðo, a] *adj, nm/f* indiscret(-ète).

entroncar [entron'kar] *vi*: ~ **(con)** coïncider (avec).

entronque *etc* [en'tronke] *vb* V **entroncar**.

entumecer [entume'θer] *vt* engourdir; **entumecerse** *vpr* s'engourdir.

entumecido, -a [entume'θiðo, a] *adj* engourdi(e).

entumezca *etc* [entu'meθka] *vb* V **entumecer**.

enturbiar [entur'ßjar] *vt* (*agua*) troubler; (*alegría*) gâter; **enturbiarse** *vpr* (*ver vt*) se troubler; retomber.

entusiasmar [entusjas'mar] *vt* enthousiasmer; **entusiasmarse** *vpr*: ~se **(con** *o* **por)** s'enthousiasmer (pour).

entusiasmo [entu'sjasmo] *nm*: ~ **(por)** enthousiasme *m* (pour); **con** ~ avec enthousiasme.

entusiasta [entu'sjasta] *adj, nm/f* enthousiaste *m/f*; ~ **de** enthousiaste de.

enumerar [enume'rar] *vt* énumérer.

enunciación [enunθja'θjon] *nf* énonciation *f*.

enunciado [enun'θjaðo] *nm* énoncé *m*.

enunciar [enun'θjar] *vt* énoncer.

envainar [embai'nar] *vt* rengainer.

envalentonar [embalento'nar] (*pey*) *vt* stimuler; **envalentonarse** *vpr* se vanter.

envanecer [embane'θer] *vt* monter à la tête; **envanecerse** *vpr*: ~se **de hacer/de haber hecho** se vanter de faire/d'avoir fait.

envanezca *etc* [emba'neθka] *vb* V **envanecer**.

envasar [emba'sar] *vt* conditionner; **envasado al vacío** conditionné sous vide.

envase [em'base] *nm* (*recipiente*) récipient *m*; (*botella*) bouteille *f*; (*lata*) boîte *f* de conserve; (*bolsa*) poche *f*; (*acción*) conditionnement *m*.

envejecer [embexe'θer] *vt, vi* vieillir.

envejecido, -a [embexe'θiðo, a] *adj* vieilli(e).

envejecimiento [embexeθi'mjento] *nm* vieillissement *m*.

envejezca *etc* [embe'xeθka] *vb* V **envejecer**.

envenenamiento [embenena'mjento] *nm* empoisonnement *m*.

envenenar [embene'nar] *vt* empoisonner; (*fig: relaciones*) envenimer.

envergadura [emberɣa'ðura] *nf* envergure *f*; **de gran** ~ de grande envergure.

envés [em'bes] *nm* envers *m*.

enviado, -a [em'bjaðo, a] *nm/f* (*POL*) en-

voyé(e); ► **enviado especial** envoyé(e) spécial(e).

enviar [em'bjar] *vt* envoyer; ~ **a algn a hacer** envoyer qn faire.

enviciar [embi'θjar] *vt* corrompre; **enviciarse** *vpr*: ~se **(con)** s'intoxiquer (avec).

envidia [em'biðja] *nf* envie *f*; (*celos*) jalousie *f*; **tiene** ~ **de nuestro coche** notre voiture lui fait envie.

envidiable [embi'ðjaßle] *adj* enviable.

envidiar [embi'ðjar] *vt* envier; (*tener celos de*) jalouser.

envidioso, -a [embi'ðjoso, a] *adj* envieux(-euse).

envilecer [embile'θer] *vt* avilir; **envilecerse** *vpr* s'avilir.

envío [em'bio] *nm* envoi *m*; (*en barco*) expédition *f*; **gastos de** ~ frais *mpl* d'envoi; ~ **contra reembolso** envoi contre remboursement.

envite [em'bite] *nm* (*NAIPES*) mise *f*.

enviudar [embju'ðar] *vi* devenir veuf(veuve).

envoltorio [embol'torjo] *nm* paquet *m*.

envoltura [embol'tura] *nf* enveloppe *f*.

envolver [embol'ßer] *vt* envelopper; (*enemigo*) encercler; **envolverse** *vpr*: ~se **en** s'envelopper dans; ~ **a algn en** (*implicar*) impliquer qn dans.

envuelto *etc* [em'bwelto], **envuelva** *etc* [em'bwelßa] *vb* V **envolver**.

enyesar [enje'sar] *vt* plâtrer.

enzarzarse [enθar'θarse] *vpr*: ~ **en** se mêler à.

enzima [en'θima] *nf* enzyme *m* o *f*.

epa ['epa] (*AM: fam*) *excl* (*¡oiga!*) écoute!

épale ['epale] (*AM: fam*) *excl* (*¡oiga!*) écoute donc!

E.P.D. *abr* (= *en paz descanse*) qu'il(elle) repose en paix.

épica ['epika] *nf* poésie *f* épique.

epicentro [epi'θentro] *nm* épicentre *m*.

épico, -a ['epiko, a] *adj* épique.

epidemia [epi'ðemja] *nf* épidémie *f*.

epidémico, -a [epi'ðemiko, a] *adj* épidémique.

epidermis [epi'ðermis] *nf* épiderme *m*.

epifanía [epifa'nia] *nf* Epiphanie *f*.

epígrafe [e'piɣrafe] *nm* épigraphe *f*.

epilepsia [epi'lepsja] *nf* épilepsie *f*.

epiléptico, -a [epi'leptiko, a] *nm/f* épileptique *m/f*.

epílogo [e'piloxo] *nm* épilogue *m*.

episcopado [episco'paðo] *nm* épiscopat *m*.

episodio [epi'soðjo] *nm* épisode *m*.

epístola [e'pistola] *nf* lettre *f*.

epitafio [epi'tafjo] *nm* épitaphe *f*.

epíteto [e'piteto] *nm* épithète *f*.

epítome [e'pitome] *nm* abrégé *m*.

época ['epoka] *nf* époque *f*; **de** ~ d'époque;

hacer ~ faire époque.

epopeya [epo'peja] *nf* épopée *f*; **ser una ~** (*fam*) être épique.

equidad [eki'ðað] *nf* équité *f*.

equilibrado, -a [ekili'ßraðo, a] *adj* équilibré(e).

equilibrar [ekili'ßrar] *vt* équilibrer.

equilibrio [eki'lißrjo] *nm* équilibre *m*; **mantener/perder el ~** garder/perdre l'équilibre; ▶ **equilibrio político** équilibre politique.

equilibrista [ekili'ßrista] *nm/f* équilibriste *m/f*.

equino, -a [e'kino, a] *adj* (*ganadería*) de chevaux; (*raza*) équin(e).

equinoccio [eki'nokθjo] *nm* équinoxe *m*.

equipaje [eki'paxe] *nm* bagages *mpl*; **hacer el ~** faire ses bagages; ▶ **equipaje de mano** bagages à main.

equipal [eki'pal] (*MÉX*) *nm* (*silla*: *de mimbre*) chaise *f*; (: *de cuero*) fauteuil *m*.

equipar [eki'par] *vt*: ~ **(con** *o* **de)** équiper (de).

equiparar [ekipa'rar] *vt*: ~ **algo/a algn a** *o* **con** (*igualar*) mettre qch/qn sur un pied d'égalité avec; (*comparar*) comparer qch/qn à; **equipararse** *vpr*: ~**se con** se comparer à.

equipo [e'kipo] *nm* (*grupo*, *DEPORTE*) équipe *f*; (*instrumentos*) matériel *m*, équipement *m*; **trabajo en ~** travail *m* d'équipe; ▶ **equipo de alta fidelidad** matériel de haute fidélité; ▶ **equipo de música** chaîne *f* stéréo; ▶ **equipo de rescate** équipe de sauvetage.

equis ['ekis] *nf* (*letra*) X, x *m inv*; (*fam*: *cantidad indeterminada*) x *m*.

equitación [ekita'θjon] *nf* équitation *f*.

equitativo, -a [ekita'tißo, a] *adj* équitable.

equivaldré *etc* [ekißal'dre] *vb V* **equivaler**.

equivalencia [ekißa'lenθja] *nf* équivalence *f*.

equivalente [ekißa'lente] *adj* équivalent(e) ♦ *nm* équivalent *m*.

equivaler [ekißa'ler] *vi*: ~ **a (hacer)** équivaloir à (faire).

equivalga *etc* [eki'ßalxa] *vb V* **equivaler**.

equivocación [ekißoka'θjon] *nf* erreur *f*.

equivocado, -a [ekißo'kaðo, a] *adj* (*decisión*, *camino*) mauvais(e); **estás (muy) ~** tu te trompes (sur toute la ligne).

equivocarse [ekißo'karse] *vpr* se tromper; ~ **de camino/número** se tromper de chemin/número.

equívoco, -a [e'kißoko, a] *adj* équivoque ♦ *nm* (*ambigüedad*) ambiguïté *f*; (*malentendido*) quiproquo *m*.

equivoque *etc* [eki'ßoke] *vb V* **equivocarse**.

era ['era] *vb V* **ser** ♦ *nf* ère *f*; (*AGR*) aire *f*.

erais ['erais] *vb V* **ser**.

éramos ['eramos] *vb V* **ser**.

eran ['eran] *vb V* **ser**.

erario [e'rarjo] *nm* biens *mpl*.

eras ['eras] *vb V* **ser**.

erección [erek'θjon] *nf* érection *f*.

eres ['eres] *vb V* **ser**.

ergonomía [erɣono'mia] *nf* ergonomie *f*.

erguir [er'xir] *vt* (*alzar*) lever; (*poner derecho*) redresser; **erguirse** *vpr* se redresser.

erice *etc* [e'riθe] *vb V* **erizarse**.

erigir [eri'xir] *vt* ériger; **erigirse** *vpr*: ~**se en s'ériger en**

erija *etc* [e'rixa] *vb V* **erigir**.

erizado, -a [eri'θaðo, a] *adj* hérissé(e).

erizarse [eri'θarse] *vpr* se hérisser.

erizo [e'riθo] *nm* hérisson *m*; (*tb*: ~ **de mar**) oursin *m*.

ermita [er'mita] *nf* ermitage *m*.

ermitaño, -a [ermi'taɲo, a] *nm/f* ermite *m/f*.

erosión [ero'sjon] *nf* érosion *f*.

erosionar [erosjo'nar] *vt* éroder.

erótico, -a [e'rotiko, a] *adj* érotique.

erotismo [ero'tismo] *nm* érotisme *m*.

erradicar [erraði'kar] *vt* éradiquer.

erradique *etc* [erra'ðike] *vb V* **erradicar**.

errado, -a [e'rraðo, a] *adj* dans l'erreur.

errante [e'rrante] *adj* errant(e).

errar [e'rrar] *vi* errer; (*equivocarse*) se tromper ♦ *vt*: ~ **el camino** s'égarer; ~ **el tiro** manquer son coup.

errata [e'rrata] *nf* errata *m inv*.

erre ['erre] *nf* (*letra*) r *m* roulé; ~ **que ~** coûte que coûte.

erróneo, -a [e'rroneo, a] *adj* erroné(e).

error [e'rror] *nm* erreur *f*; **estar en un ~** être dans l'erreur; ▶ **error de escritura/de lectura** (*INFORM*) erreur d'écriture/de lecture; ▶ **error de imprenta** erreur d'impression; ▶ **error judicial** erreur judiciaire.

eructar [eruk'tar] *vi* roter.

eructo [e'rukto] *nm* rot *m*.

erudición [eruði'θjon] *nf* érudition *f*.

erudito, -a [eru'ðito, a] *adj*, *nm/f* érudit(e); **los ~s en esta materia** les experts en la matière.

erupción [erup'θjon] *nf* éruption *f*; (*de violencia*) explosion *f*.

es [es] *vb V* **ser**.

E/S *abr* (*INFORM* = *entrada/salida*) E/S (= *entrée/sortie*).

ESA *sigla f* (= *Administración o Agencia Espacial Europea*) ASE *f* (= *Agence spatiale européenne*).

esa ['esa] *adj demos V* **ese**.

ésa ['esa] *pron V* **ése**.

esas ['esas] *adj demos V* **ese**.

ésas ['esas] *pron V* **ése**.

esbelto, -a [es'βelto, a] *adj* svelte.
esbirro [es'βirro] *nm* sbire *m*.
esbozar [esβo'θar] *vt* ébaucher.
esbozo [es'βoθo] *nm* ébauche *f*.
escabeche [eska'βetʃe] *nm* escabèche *f*; en ~ à l'escabèche.
escabechina [eskaβe'tʃina] *nf* (*en batalla*) massacre *m*; **fue una ~** (*ESCOL*) ça a été l'hécatombe.
escabroso, -a [eska'βroso, a] *adj* (*accidentado*) accidenté(e); (*fig: complicado*) épineux(-euse); (: *atrevido*) scabreux(-euse).
escabullirse [eskaβuʎirse] *vpr* s'esquiver; (*de entre los dedos*) filer.
escacharrar [eskatʃa'rrar] (*fam*) *vt* détraquer; **escacharrarse** *vpr* se détraquer.
escafandra [eska'fandra] *nf* (*tb:* ~ **autónoma**) scaphandre *m* (autonome); ► **escafandra espacial** scaphandre spatial.
escala [es'kala] *nf* échelle *f*; (*tb:* ~ **de cuerda**) échelle de corde; (*AVIAT, NÁUT*) escale *f*; **en gran/pequeña** ~ à grande/petite échelle; **una investigación a** ~ **nacional** une enquête à l'échelon national; **reproducir a** ~ reproduire à l'échelle; **hacer** ~ **en** faire escale à; ► **escala móvil** échelle mobile; ► **escala salarial** échelle des salaires.
escalada [eska'laða] *nf* escalade *f*.
escalafón [eskala'fon] *nm* (*en empresa*) échelle *f* des salaires; (*en organismo público*) échelons *mpl* de solde; **subir en el** ~ monter en grade.
escalar [eska'lar] *vt* escalader; (*fig*) monter ♦ *vi* faire de l'escalade; (*fig*) monter en grade.
escaldar [eskal'dar] *vt* ébouillanter; **escaldarse** *vpr* s'ébouillanter; **salir escaldado** (*fig*) se faire échauder.
escalera [eska'lera] *nf* escalier *m*; (*tb:* ~ **de mano**) marchepied *m*; (*NAIPES*) suite *f*; ► **escalera de caracol/de incendios** escalier en colimaçon/de secours; ► **escalera de tijera** escabeau *m*; ► **escalera mecánica** escalier roulant.
escalerilla [eskale'riʎa] *nf* passerelle *f*.
escalfar [eskal'far] *vt* pocher.
escalinata [eskali'nata] *nf* perron *m*.
escalofriante [eskalo'frjante] *adj* d'horreur.
escalofrío [eskalo'frio] *nm* frisson *m*; ~**s** *nmpl* (*fig*): **dar** *o* **producir** ~**s a algn** donner des frissons à qn.
escalón [eska'lon] *nm* marche *f*; (*de escalera de mano, fig*) échelon *m*.
escalonar [eskalo'nar] *vt* échelonner; (*tierra*) terrasser.
escalope [eska'lope] *nm* escalope *f*.
escalpelo [eskal'pelo] *nm* scalpel *m*.
escama [es'kama] *nf* écaille *f*; (*de jabón*)

paillette *f*.
escamado, -a [eska'maðo, a] *adj* (*piel*) desquamé(e); (*receloso*) soupçonneux(-euse).
escamar [eska'mar] *vt* (*pez*) écailler; (*producir recelo*) rendre soupçonneux(-euse).
escamotear [eskamote'ar] *vt* (*sueldo*) subtiliser; (*verdad*) cacher.
escampar [eskam'par] *vi* se dégager.
escanciar [eskan'θjar] *vt* verser à boire.
escandalice *etc* [eskanda'liθe] *vb V* **escandalizar**.
escandalizar [eskandali'θar] *vt* scandaliser; **escandalizarse** *vpr* se scandaliser.
escándalo [es'kandalo] *nm* scandale *m*; **armar un** ~ faire un scandale; **¡es un** ~**!** c'est un scandale!
escandaloso, -a [eskanda'loso, a] *adj* scandaleux(-euse); (*niño*) turbulent(e).
Escandinavia [eskandi'naβja] *nf* Scandinavie *f*.
escandinavo, -a [eskandi'naβo, a] *adj* scandinave ♦ *nm/f* Scandinave *m/f*.
escáner [es'kaner] *nm* scanner *m*.
escaño [es'kaɲo] *nm* siège *m*.
escapada [eska'paða] *nf* escapade *f*; (*DEPORTE*) échappée *f*; **en una** ~ le temps d'une escapade.
escapar [eska'par] *vi*: ~ **(de)** (*de encierro*) s'échapper (de); (*de peligro*) échapper à; (*DEPORTE*) faire une échappée; **escaparse** *vpr*: ~**se (de)** s'échapper (de); (*agua, gas*) fuir; **dejar** ~ **una oportunidad** laisser échapper une occasion; **se le escapó el secreto** il a vendu la mèche; **se le escapó la risa** un rire lui a échappé; **no se le escapa un detalle** pas un détail ne lui échappe.
escaparate [eskapa'rate] *nm* vitrine *f*.
escapatoria [eskapa'torja] *nf*: **no tener** ~ (*fig*) n'avoir aucune échappatoire.
escape [es'kape] *nm* (*de agua, gas*) fuite *f*; (*tb: tubo de* ~) pot *m* d'échappement; **salir a** ~ sortir à toute vitesse; **tecla** *f* d'échappement.
escapismo [eska'pismo] *nm* évasion *f*.
escaquearse [eskake'arse] (*fam*) *vpr* se tirer d'affaire, faire faux bond.
escarabajo [eskara'βaxo] *nm* scarabée *m*.
escaramuza [eskara'muθa] *nf* escarmouche *f*.
escarbar [eskar'βar] *vt* ratisser ♦ *vi* fouiller; **escarbarse** *vpr*: ~**se los dientes** se curer les dents; ~ **en** (*en asunto*) démêler.
escarceos [eskar'θeos] *nmpl* (*fig*) écarts *mpl*; ~ **amorosos** ébats *mpl* amoureux.
escarcha [es'kartʃa] *nf* rosée *f*.
escarchado, -a [eskar'tʃaðo, a] *adj* glacé(e).

escardar [eskar'ðar] *vt* désherber.
escarlata [eskar'lata] *adj* écarlate.
escarlatina [eskarla'tina] *nf* scarlatine *f*.
escarmentar [eskarmen'tar] *vt* punir ♦ *vi* comprender la leçon; ¡para que escarmientes! ça t'apprendra!
escarmiento [eskar'mjento] *vb* V **escarmentar** ♦ *nm* punition *f*; (*aviso*) leçon *f*.
escarnio [es'karnjo] *nm* raillerie *f*; (*insulto*) quolibet *m*.
escarola [eska'rola] *nf* scarole *f*.
escarpado, -a [eskar'paðo, a] *adj* escarpé(e).
escarpia [es'karpja] *nf* clou *m* à crochet.
escasamente [es'kasamente] *adv* chichement; (*apenas*) à peine.
escasear [eskase'ar] *vi* être rare.
escasez [eska'seθ] *nf* (*falta*) manque *m*; (*pobreza*) misère *f*; **vivir con** ~ vivre pauvrement.
escaso, -a [es'kaso, a] *adj* faible; (*posibilidades*) compté(e); (*recursos*) insuffisant(e); (*público*) peu nombreux(-euse); **estar** ~ **de algo** être à cours de qch; **duró una hora escasa** cela a duré une heure à peine.
escatimar [eskati'mar] *vt* (*sueldo, tela*) lésiner sur; (*elogios, esfuerzos*) ménager; **no** ~ **esfuerzos (para)** ne pas ménager ses efforts (pour).
escatológico, -a [eskato'loxiko, a] *adj* scatologique.
escayola [eska'jola] *nf* plâtre *m*.
escayolar [eskajo'lar] *vt* plâtrer.
escena [es'θena] *nf* scène *f*; **poner en** ~ mettre en scène; **hacer una** ~ (*fam*) faire une scène.
escenario [esθe'narjo] *nm* scène *f*; **el** ~ **del crimen** les lieux du crime.
escenificar [esθenifi'kar] *vt* mettre en scène.
escenografía [esθenoɤra'fia] *nf* scénographie *f*.
escepticismo [esθepti'θismo] *nm* scepticisme *m*.
escéptico, -a [es'θeptiko, a] *adj, nm/f* sceptique *m/f*.
escindir [esθin'dir] *vt* scinder; **escindirse** *vpr* se scinder; ~**se en** se scinder en.
escisión [esθi'sjon] *nf* (*BIO*) excision *f*; (*de partido*) scission *f*; ~ **nuclear** fission nucléaire.
esclarecer [esklare'θer] *vt* éclaircir.
esclarezca *etc* [eskla're'θka] *vb* V **esclarecer.**
esclavice *etc* [eskla'ßiθe] *vb* V **esclavizar.**
esclavitud [esklaßi'tuð] *nf* esclavage *m*.
esclavizar [esklaßi'θar] *vt* asservir.
esclavo, -a [es'klaßo, a] *adj, nm/f* esclave *m/f*.

esclerosis [esθle'rosis] *nf* sclérose *f*; ► **esclerosis múltiple** sclérose multiple.
esclusa [es'klusa] *nf* écluse *f*.
escoba [es'koßa] *nf* balai *m*; **pasar la** ~ passer le balai.
escobazo [esko'ßaθo] *nm* coup *m* de balai; **echar a algn a** ~**s** chasser qn à coups de balai.
escobilla [esko'ßiʎa] *nf* (*del wáter*) balayette *f*; (*esp AM*) brosse *f*.
escocer [esko'θer] *vi* brûler; **escocerse** *vpr* s'irriter; **me escuece mucho la herida** ma blessure me brûle.
escocés, -esa [esko'θes, esa] *adj* écossais(e) ♦ *nm/f* Écossais(e); **falda escocesa** kilt *m*; **tela escocesa** tissu *m* écossais.
Escocia [es'koθja] *nf* Écosse *f*.
escoger [esko'xer] *vt* choisir.
escogido, -a [esko'xiðo, a] *adj* choisi(e).
escoja *etc* [es'koxa] *vb* V **escoger.**
escolar [esko'lar] *adj, nm/f* scolaire *m/f*.
escolaridad [eskolari'ðað] *nf*: **libro de** ~ livret *m* scolaire.
escolarización [eskolariθa'θjon] *nf*: ~ **obligatoria** scolarité *f* obligatoire.
escollo [es'koʎo] *nm* (*tb fig*) écueil *m*.
escolta [es'kolta] *nf* escorte *f*.
escoltar [eskol'tar] *vt* escorter.
escombros [es'kombros] *nmpl* décombres *mpl*.
esconder [eskon'der] *vt* cacher; **esconderse** *vpr* se cacher.
escondidas [eskon'diðas] *nfpl* (*AM*) cache-cache *m inv*; **a** ~ en cachette; **hacer algo a** ~ **de algn** faire qch en cachette de qn.
escondite [eskon'dite] *nm* cachette *f*; (*juego*) cache-cache *m inv*.
escondrijo [eskon'drixo] *nm* cachette *f*.
escopeta [esko'peta] *nf* fusil *m*; ► **escopeta de aire comprimido** fusil à air comprimé.
escoplo [es'koplo] *nm* ciseau *m* à bois.
escorar [esko'rar] *vi* donner de la bande.
escorbuto [eskor'ßuto, a] *nm* scorbut *m*.
escoria [es'korja] *nf* (*mineral*) scorie *f*; (*fig*) lie *f*.
Escorpio [es'korpjo] *nm* (*ASTROL*) Scorpion *m*; **ser** ~ être (du) Scorpion.
escorpión [eskor'pjon] *nm* scorpion *m*.
escorzo [es'korθo] *nm*: **en** ~ (*ARTE*) en perspective.
escotado, -a [esko'taðo, a] *adj* décolleté(e); **ir muy** ~ porter des vêtements très décolletés.
escotar [esko'tar] *vt* (*COSTURA*) décolleter ♦ *vi* payer son écot.
escote [es'kote] *nm* décolleté *m*; **pagar a** ~ payer son écot.
escotilla [esko'tiʎa] *nf* (*NÁUT*) écoutille *f*.
escotillón [eskoti'ʎon] *nm* trappe *f*.

escozor [esko'θor] *nm* cuisson *f*.

escribano, -a [eskri'ßano, a] *nm/f* greffier *m*.

escribir [eskri'ßir] *vt, vi* écrire; **escribirse** *vpr* s'écrire; ~ **a máquina** taper à la machine; **¿cómo se escribe?** comment ça s'écrit?

escrito, -a [es'krito, a] *pp de* **escribir** ♦ *adj* écrit(e) ♦ *nm* (*documento*) écrit *m*; (*manifiesto*) manifeste *m*; **por** ~ par écrit.

escritor, a [eskri'tor, a] *nm/f* écrivain *m/f*.

escritorio [eskri'torjo] *nm* (*mueble*) secrétaire *m*; (*oficina*) bureau *m*.

escritura [eskri'tura] *nf* écriture *f*; (*JUR*) écrit *m*; ~ **de propiedad** titre *m* de propriété; **Sagrada(s) E~(s)** l(es)'Ecriture(s).

escroto [es'kroto] *nm* scrotum *m*.

escrúpulo [es'krupulo] *nm*: **me da** ~ **(hacer)** j'ai des scrupules (à faire); ~**s** *nmpl* (*dudas*) scrupules *mpl*.

escrupuloso, -a [eskrupu'loso, a] *adj* scrupuleux(-euse); (*aprensivo*) maniaque.

escrutar [eskru'tar] *vt* scruter; (*votos*) dépouiller le scrutin.

escrutinio [eskru'tinjo] *nm* examen *m* attentif; (*de votos*) scrutin *m*.

escuadra [es'kwaðra] *nf* équerre *f*; (*MIL*) escouade *f*; (*NÁUT*) escadre *f*.

escuadrilla [eskwa'ðriʎa] *nf* escadrille *f*.

escuadrón [eskwa'ðron] *nm* escadron *m*.

escuálido, -a [es'kwaliðo, a] *adj* efflanqué(e).

escucha [es'kutʃa] *nf*: **estar a la** ~ **(de)** être à l'écoute (de) ♦ *nm/f* (*TELEC, RADIO*) personne chargée des écoutes radio et téléphoniques; ► **escuchas telefónicas** écoutes téléphoniques.

escuchar [esku'tʃar] *vt* écouter; (*esp AM: oír*) entendre ♦ *vi* écouter; **escucharse** *vpr* (*AM: TELEC*): ~**se muy mal** entendre très mal.

escudarse [esku'ðarse] *vpr*: ~ **en** se réfugier derrière.

escudería [eskuðe'ria] *nf* écurie *f*.

escudero [esku'ðero] *nm* écuyer *m*.

escudilla [esku'ðiʎa] *nf* écuelle *f*.

escudo [es'kuðo] *nm* bouclier *m*; (*insignia*) écusson *m*; (*moneda*) écu *m*; ► **escudo de armas** armes *fpl*.

escudriñar [eskuðri'ɲar] *vt* scruter.

escuece *etc* [es'kweθe] *vb V* **escocer**.

escuela [es'kwela] *nf* école *f*; ~ **de arquitectura/Bellas Artes/idiomas** école d'architecture/des Beaux Arts/de langues; ► **escuela normal** école normale.

escueto, -a [es'kweto, a] *adj* (*estilo*) dépouillé(e); (*explicación*) concis(e).

escueza *etc* [es'kweθa] *vb V* **escocer**.

escuincle [es'kwinkle] (*MÉX: fam*) *nm* gosse *m*.

esculcar [eskul'kar] (*MÉX*) *vt* examiner.

esculpir [eskul'pir] *vt* sculpter.

escultor, a [eskul'tor, a] *nm/f* sculpteur *m*.

escultura [eskul'tura] *nf* sculpture *f*.

escultural [eskultu'ral] *adj* sculptural(e).

escupidera [eskupi'ðera] *nf* crachoir *m*; (*orinal*) pot *m* de chambre.

escupir [esku'pir] *vt, vi* cracher; ~ **(a la cara) a algn** (*fig*) abreuver qn d'injures.

escupitajo [eskupi'taxo] *nm* crachat *m*.

escurreplatos [eskurre'platos] *nm inv* égouttoir *m*.

escurridizo, -a [esk..:ri'ðiθo, a] *adj* glissant(e); (*fig: persona*) fuyant(e).

escurridor [eskurri'ðor] *nm* essoreuse *f*.

escurrir [esku'rrir] *vt* (*ropa*) essorer; (*verduras*) égoutter; (*platos*) laisser s'égoutter; (*líquidos*) verser la dernière goutte de ♦ *vi* (*ropa, botella*) goutter; (*líquidos*) couler; **escurrirse** *vpr* (*líquido*) s'écouler; (*ropa, platos*) s'égoutter; (*resbalarse*) glisser; (*escaparse*) s'esquiver; ~ **el bulto** (*fig*) se dérober.

ese¹ ['ese] *nf* (*letra*) S, s *m*; **hacer** ~**s** (*en carretera*) faire des zigzags; (*borracho*) avancer en zigzags.

ese² ['ese], **esa** ['esa], **esos** ['esos], **esas** ['esas] *adj* (*demostrativo: sg*) ce(cette); (: *pl*) ces.

ése ['ese], **ésa** ['esa], **ésos** ['esos], **ésas** ['esas] *pron* (*sg*) celui-là(celle-là); (*pl*) ceux-là(celles-là); ~ ... **éste** ... celui-ci ... celui-là ...; **¡no me vengas con ésas!** tu ne vas pas revenir là-dessus.

esencia [e'senθja] *nf* essence *f*; (*de doctrina*) essentiel *m*; **en** ~ par essence.

esencial [esen'θjal] *adj* essentiel(le); **lo** ~ l'essentiel *m*.

esencialmente [esen'θjalmente] *adv* essentiellement.

esfera [es'fera] *nf* sphère *f*; (*de reloj*) cadran *m*; ► **esfera impresora** boule *f* d'impression; ► **esfera profesional/social** sphère professionnelle/sociale; ► **esfera terrestre** globe *m* terrestre.

esférico, -a [es'feriko, a] *adj* sphérique.

esfinge [es'finxe] *nf* sphinx *m*.

esforcé [esfor'θe] *vb V* **esforzarse**.

esforcemos *etc* [esfor'θemos] *vb V* **esforzarse**.

esforzarse [esfor'θarse] *vpr* s'efforcer; ~ **por hacer** s'efforcer de faire.

esfuerce *etc* [es'fwerθe] *vb V* **esforzarse**.

esfuerzo [es'fwerθo] *vb V* **esforzarse** ♦ *nm* effort *m*; **hacer un** ~ **(para hacer)** faire un effort (pour faire); **con/sin** ~ avec/sans effort.

esfumarse [esfu'marse] *vpr* (*persona*) s'évanouir dans la nature; (*esperanzas*) partir en fumée.

esgrima [es'ɣrima] *nf* escrime *f.*
esgrimir [esɣri'mir] *vt* (*arma*) manier; (*argumento*) déployer.
esguince [es'ɣinθe] *nm* entorse *f.*
eslabón [esla'ɓon] *nm* maillon *m*; **el ~ perdido** (*BIO, fig*) le chaînon manquant.
eslabonar [eslaɓo'nar] *vt* enchaîner.
eslálom [es'lalom] *nm* slalom *m.*
eslavo, -a [es'laɓo, a] *adj* slave ♦ *nm/f* Slave *m/f* ♦ *nm* (*LING*) langue *f* slave.
eslogan [es'loɣan] (*pl* **~s**) *nm* = **slogan**.
eslora [es'loɾa] *nf* (*NÁUT*) longueur *f.*
eslovaco, -a [eslo'ɓako, a] *adj* slovaque ♦ *nm/f* Slovaque *m/f* ♦ *nm* (*LING*) slovaque *m.*
Eslovaquia [eslo'ɓakja] *nf* Slovaquie *f.*
esmaltar [esmal'tar] *vt* émailler.
esmalte [es'malte] *nm* émail *m*; ► **esmalte de uñas** vernis *m* à ongles.
esmerado, -a [esme'raðo, a] *adj* soigné(e).
esmeralda [esme'ralda] *nf* émeraude *f* ♦ *adj* émeraude.
esmerarse [esme'rarse] *vpr*: **~ (en)** se donner du mal (pour).
esmerilado, -a [esmeri'laðo, a] *adj*: **cristal ~** verre *m* poli à l'émeri.
esmero [es'mero] *nm* soin *m*; **con ~** avec soin.
esmirriado, -a [esmi'rrjaðo, a] *adj* chétif (-ive).
esmoquin [es'mokin] *nm* smoking *m.*
esnob [es'nob] *adj inv*, *nm/f* snob *m/f.*
esnobismo [esno'ɓismo] *nm* snobisme *m.*
eso ['eso] *pron* ce, cela; **~ de su coche** cette histoire avec sa voiture; **~ de ir al cine** cette histoire d'aller au cinéma; **a ~ de las cinco** vers cinq heures; **en ~** sur ce; **por ~** c'est pour ça; **~ es** c'est cela; **~ mismo** cela-même; **nada de ~** rien de tout ça; **no es ~** ce n'est pas cela; **¡~ sí que es vida!** ça, c'est la vie!; **por ~ te lo dije** c'est pour cela que je te l'ai dit; **y ~ que llovía** pourtant il pleuvait!
esófago [e'sofaɣo] *nm* œsophage *m.*
esos ['esos] *adj demos* V **ese**.
ésos ['esos] *pron* V **ése**.
esotérico, -a [eso'teriko, a] *adj* ésotérique.
esp. *abr* = **especialmente**.
espabilado, -a [espaɓi'laðo, a] *adj* éveillé(e).
espabilar [espaɓi'lar] *vt* = **despabilar**.
espachurrar [espatʃu'rrar] *vt* écraser; **espachurrarse** *vpr* être écrasé(e).
espaciado [espa'θjaðo] *nm* (*INFORM*) espacement *m.*
espacial [espa'θjal] *adj* spatial(e).
espaciar [espa'θjar] *vt* espacer.
espacio [es'paθjo] *nm* espace *m*; (*MÚS*) interligne *m*; **el ~** l'espace; **ocupar mucho ~** prendre beaucoup de place; **a dos ~s,**

a doble ~ (*TIP*) à double interligne; **en el ~ de una hora/de 3 días** en l'espace d'une heure/de 3 jours; **por ~ de** durant; ► **espacio aéreo/exterior** espace aérien/extérieur.
espacioso, -a [espa'θjoso, a] *adj* spacieux(-euse).
espada [es'paða] *nf* épée *f* ♦ *nm* (*TAUR*) épée; **~s** *nfpl* (*NAIPES*) l'une des quatre couleurs d'un jeu de cartes espagnol; **estar entre la ~ y la pared** être entre le marteau et l'enclume.
espadachín [espaða'tʃin] *nm* spadassin *m.*
espaguetis [espa'ɣetis] *nmpl* spaghettis *mpl.*
espalda [es'palda] *nf* dos *msg*; (*NATACIÓN*) dos crawlé; **a ~s de algn** dans le dos de qn; **a (las) ~s de** (*de edificio*) derrière; **dar la ~ a algn** tourner le dos à qn; **estar de ~s** être de dos; **por la ~** (*atacar*) par derrière; (*disparar*) dans le dos; **ser cargado de ~s** être voûté; **tenderse de ~s** s'allonger sur le dos; **volver la ~ a algn** tourner le dos à qn.
espaldarazo [espalda'raθo] *nm* coup *m* d'épaule.
espalderas [espal'deras] *nfpl* espalier *m.*
espaldilla [espal'diʎa] *nf* (*ANAT*) omoplate *f*; (*CULIN*) épaule *f.*
espantadizo, -a [espanta'ðiθo, a] *adj* craintif(-ive).
espantajo [espan'taxo] *nm*, **espantapájaros** [espanta'paxaros] *nm inv* épouvantail *m.*
espantar [espan'tar] *vt* (*persona*) effrayer; (*animal*) faire fuir; (*fig*) chasser; **espantarse** *vpr* s'effrayer; (*ahuyentar*) déguerpir; (*fig*) se dissiper.
espanto [es'panto] *nm* frayeur *f*; (*terror*) panique *f*; **de ~** (*frío*) de canard; (*ruido*) assourdissant(e); **¡qué ~!** quelle horreur!
espantoso, -a [espan'toso, a] *adj* effrayant(e); (*fam: desmesurado*) terrible; (: *feísimo*) repoussant(e).
España [es'paɲa] *nf* Espagne *f.*
español, a [espa'ɲol, a] *adj* espagnol(e) ♦ *nm/f* Espagnol(e) ♦ *nm* (*LING*) espagnol *m.*
españolice *etc* [espaɲo'liθe] *vb* V **españolizar**.
españolizar [espaɲoli'θar] *vt* hispaniser.
esparadrapo [espara'ðrapo] *nm* sparadrap *m.*
esparcimiento [esparθi'mjento] *nm* éparpillement *m*; (*fig*) divertissement *m.*
esparcir [espar'θir] *vt* (*objetos*) éparpiller; (*semillas*) semer; (*líquido, noticia*) répandre; **esparcirse** *vpr* s'éparpiller; (*noticia*) se répandre; (*divertirse*) se divertir.
espárrago [es'parraɣo] *nm* asperge *f*; **¡vete**

a freír ~s! *(fam)* va te faire cuire un œuf!; ► **espárrago triguero** asperge sauvage.

espartano, -a [espar'tano, a] *adj* spartiate.

esparto [es'parto] *nm* alfa *m*.

esparza *etc* [es'parθa] *vb V* **esparcir.**

espasmo [es'pasmo] *nm* spasme *m*.

espátula [es'patula] *nf* spatule *f*.

especia [es'peθja] *nf* condiment *m*.

especial [espe'θjal] *adj* spécial(e); **en ~** spécialement.

especialidad [espeθjali'ðað] *nf* spécialité *f*; *(ESCOL)* spécialisation *f*.

especialista [espeθja'lista] *nm/f* spécialiste *m/f*; *(CINE)* cascadeur(-euse).

especializado, -a [espeθjali'θaðo, a] *adj* spécialisé(e).

especialmente [espe'θjalmente] *adv* spécialement.

especie [es'peθje] *nf* espèce *f*; **una ~ de** une espèce de; **pagar en ~** payer en espèces.

específicamente [espe'θifikamente] *adv* spécifiquement.

especificar [espeθifi'kar] *vt* spécifier.

específico, -a [espe'θifiko, a] *adj* spécifique.

especifique *etc* [espeθi'fike] *vb V* **especificar.**

espécimen [es'peθimen] *(pl* **especímenes)** *nm* spécimen *m*; *(muestra)* échantillon *m*.

espectacular [espektaku'lar] *adj* spectaculaire.

espectáculo [espek'takulo] *nm* spectacle *m*; **dar un ~** se donner en spectacle.

espectador, a [espekta'ðor, a] *nm/f* spectateur(-trice); *(de incidente)* badaud *m*; **los ~es** *(TEATRO)* les spectateurs.

espectro [es'pektro] *nm* spectre *m*; *(fig: gama)* gamme *f*.

especulación [espekula'θjon] *nf* spéculation *f*; **~ bursátil** spéculation boursière.

especular [espeku'lar] *vi (meditar)*: **~ sobre** spéculer sur; **~ (en)** *(COM)* spéculer (en).

especulativo, -a [espekula'tiβo, a] *adj* théorique; *(persona)* spéculatif(-ive).

espejismo [espe'xismo] *nm* mirage *m*.

espejo [es'pexo] *nm* miroir *m*; **mirarse al ~** se regarder dans la glace; ► **espejo retrovisor** rétroviseur *m*.

espeleología [espeleolo'xia] *nf* spéléologie *f*.

espeleólogo, -a [espele'ologo, a] *nm/f* spéléologue *m/f*.

espeluznante [espeluθ'nante] *adj* à faire dresser les cheveux sur la tête.

espera [es'pera] *nf* attente *f*; *(JUR)* délai *m* de grâce; **a la o en ~ de** dans l'attente de; **en ~ de su contestación/carta** dans

l'attente de votre réponse/lettre.

esperance *etc* [espe'ranθe] *vb V* **esperanzar.**

esperanza [espe'ranθa] *nf* espoir *m*; **hay pocas ~s de que venga** il y a peu de chances pour qu'il vienne; **dar ~s a algn** donner de l'espoir à qn; ► **esperanza de vida** espérance *f* de vie.

esperanzado, -a [esperan'θaðo, a] *adj* plein(e) d'espoir.

esperanzador, a [esperanθa'ðor, a] *adj* qui redonne de l'espoir.

esperanzar [esperan'θar] *vt* donner de l'espoir à.

esperar [espe'rar] *vt* attendre; *(desear, confiar)* espérer ♦ *vi* attendre; **esperarse** *vpr*: **como podía ~se** comme on pouvait s'y attendre; **hacer ~ a algn** faire attendre qn; **ir a ~ a algn** aller attendre qn; **espero que venga** j'espère qu'il va venir; **~ un bebé** attendre un enfant; **es de ~ que** il faut espérer que.

esperma [es'perma] *nm* sperme *m* ♦ *nf (CARIB, COL)* bougie *f*.

espermatozoide [espermato'θoiðe] *nm* spermatozoïde *m*.

esperpento [esper'pento] *nm* épouvantail *m*.

espesar [espe'sar] *vt* épaissir; **espesarse** *vpr* s'épaissir.

espeso, -a [es'peso, a] *adj* épais(se).

espesor [espe'sor] *nm* épaisseur *f*; *(densidad)* densité *f*.

espesura [espe'sura] *nf* fourrés *mpl*.

espetar [espe'tar] *vt* lancer à la figure.

espía [es'pia] *nm/f* espion(ne).

espiar [espi'ar] *vt* espionner ♦ *vi*: **~ para** être un espion à la solde de.

espiga [es'piγa] *nf* épi *m*.

espigado, -a [espi'γaðo, a] *adj (BOT)* mûr(e); *(fig)* grandi(e) trop vite.

espigón [espi'γon] *nm (BOT)* piquant *m*; *(NÁUT)* digue *f*.

espina [es'pina] *nf (BOT)* épine *f*; *(de pez)* arête *f*; **me da mala ~** ça ne me dit rien qui vaille; ► **espina dorsal** épine dorsale.

espinaca [espi'naka] *nf (BOT)* épinard *m*; **~s** *(CULIN)* épinards *mpl*.

espinar [espi'nar] *nm* fourré *m*.

espinazo [espi'naθo] *nm* épine *f* dorsale.

espinilla [espi'niʎa] *nf (ANAT)* tibia *m*; *(MED)* point *m* noir.

espino [es'pino] *nm* aubépine *f*.

espinoso, -a [espi'noso, a] *adj* épineux(euse).

espionaje [espjo'naxe] *nm* espionnage *m*.

espiral [espi'ral] *adj* en spirale ♦ *nf* spirale *f*; *(anticonceptivo)* stérilet *m*; **la ~ inflacionista** la spirale inflationniste; **en ~** en spirale.

espirar [espi'rar] *vt, vi* expirer.

espiritismo [espiri'tismo] *nm* spiritisme *m*.

espiritista [espiri'tista] *adj, nm/f* spirite *m/f*.

espíritu [es'piritu] *nm* esprit *m*; ▶ **espíritu de cuerpo/de equipo** esprit de corps/ d'équipe; ▶ **espíritu de lucha** naturel *m* bagarreur; ▶ **Espíritu Santo** Saint-Esprit *m*.

espiritual [espiri'twal] *adj* spirituel(le).

espita [es'pita] *nf* robinet *m*.

esplendidez [esplendi'ðeθ] *nf* (*generosidad*) générosité *f*; (*magnificencia*) splondeur *f*.

espléndido, -a [es'plendiðo, a] *adj* (*magnífico*) splendide; (*generoso*) généreux(-euse).

esplendor [esplen'dor] *nm* splendeur *f*; (*apogeo*) apogée *m*.

espliego [es'pljeɣo] *nm* lavande *f*.

espolear [espole'ar] *vt* éperonner; (*fig: persona*) tanner.

espoleta [espo'leta] *nf* goupille *f*.

espolón [espo'lon] *nm* (*de ave*) ergot *m*; (*malecón*) jetée *f*.

espolvorear [espolβore'ar] *vt* saupoudrer.

esponja [es'ponxa] *nf* éponge *f*; **beber como o ser una** ~ boire comme un trou; ▶ **esponja de baño** éponge de toilette.

esponjarse [espon'xarse] *vpr* s'imbiber; (*fig: envanecerse*) se rengorger.

esponjoso, -a [espon'xoso, a] *adj* spongieux(-euse); (*bizcocho*) imbibé(e).

esponsales [espon'sales] *nmpl* fiançailles *fpl*.

espontáneamente [espon'taɰcamente] *adv* spontanément.

espontaneidad [espontanei'ðað] *nf* spontanéité *f*.

espontáneo, -a [espon'taneo, a] *adj* spontané(e) ♦ *nm/f* (*esp TAUR*) spectateur qui s'élance dans l'arène pour participer à la corrida.

espora [es'pora] *nf* spore *f*.

esporádico, -a [espo'raðiko, a] *adj* sporadique.

esposar [espo'sar] *vt* passer les menottes à.

esposo, -a [es'poso, a] *nm/f* époux(-ouse); **esposas** *nfpl* (*para detenidos*) menottes *fpl*.

esprint [es'prin(t)] (*pl* ~**s**) *nm* sprint *m*.

espuela [es'pwela] *nf* éperon *m*.

espuerta [es'pwerta] *nf* panier *m*; **a** ~**s** à la pelle.

espuma [es'puma] *nf* mousse *f*; (*sobre olas*) écume *f*; **echar** ~ **por la boca** (*perro*) baver; (*fig: persona*) écumer de rage; ▶ **espuma de afeitar** mousse à raser.

espumadera [espuma'ðera] *nf* écumoire *f*.

espumarajo [espuma'raxo] *nm* bave *f*; **echar** ~**s (de rabia)** écumer (de rage).

espumoso, -a [espu'moso, a] *adj* moussant(e).

esputo [es'puto] *nm* expectoration *f*.

esqueje [es'kexe] *nm* (*BOT*) greffe *f*.

esquela [es'kela] *nf*: ~ **mortuoria** avis *msg* de décès.

esquelético, -a [eske'letiko, a] (*fam*) *adj* décharné(e).

esqueleto [eske'leto] *nm* squelette *m*.

esquema [es'kema] *nm* schéma *m*; (*guión*) plan *m*; **en** ~ schématiquement.

esquemáticamente [eske'matikamente] *adv* schématiquement.

esquemático, -a [eske'matiko] *adj* schématique.

esquí [es'ki] (*pl* ~**s**) *nm* ski *m*; ▶ **esquí acuático** ski nautique.

esquiador, a [eskja'ðor, a] *nm/f* skieur (-euse).

esquiar [es'kjar] *vi* skier.

esquila [es'kila] *nf* cloche *f*.

esquilar [eski'lar] *vt* tondre.

esquimal [eski'mal] *adj* esquimau(de) ♦ *nm/f* Esquimau(de).

esquina [es'kina] *nf* coin *m*; **doblar la** ~ tourner au coin de la rue; **hacer** ~ **con** faire le coin avec.

esquinazo [eski'naθo] *nm*: **dar** ~ **a algn** planter là qn.

esquirla [es'kirla] *nf* fragment *m*.

esquirol [eski'rol] *nm* briseur *m* de grève.

esquivar [eski'βar] *vt* esquiver.

esquivo, -a [es'kiβo, a] *adj* (*huraño*) asocial(e); (*desdeñoso*) dédaigneux(-euse).

esquizofrenia [eskiθo'frenja] *nf* schizophrénie *f*.

esta ['esta] *adj* V **este**.

está [es'ta] *vb* V **estar**.

ésta ['esta] *pron* V **éste**.

estabilice *etc* [estaβi'liθe] *vb* V **estabilizar**.

estabilidad [estaβili'ðað] *nf* stabilité *f*.

estabilización [estaβiliθa'θjon] *nf* stabilisation *f*.

estabilizar [estaβili'θar] *vt* stabiliser; **estabilizarse** *vpr* se stabiliser.

estable [es'taβle] *adj* stable.

establecer [estaβle'θer] *vt* établir; **establecerse** *vpr* s'établir; ~ **se de** *o* **como médico** s'établir comme médecin.

establecimiento [estaβleθi'mjento] *nm* établissement *m*.

establezca *etc* [esta'βleθka] *vb* V **establecer**.

establo [es'taβlo] *nm* étable *f*; (*granero*) grange *f*.

estaca [es'taka] *nf* (*palo*) piquet *m*; (*con punta*) pieu *m*.

estacada [esta'kaða] *nf* palissade *f*; **dejar a algn en la** ~ mettre qn dans de beaux draps.

estación [esta'θjon] *nf* gare *f*; (*del año*) saison *f*; (*REL*) station *f*; ► **estación de autobuses/de ferrocarril** gare routière/de chemin de fer; ► **estación de esquí** station de sports d'hiver; ► **estación de metro** station de métro; ► **estación de radio** station d'émission; ► **estación de servicio** station-service *f*; ► **estación de trabajo** station de travail; ► **estación de visualización** visuel *m*; ► **estación meteorológica** station météorologique.

estacionamiento [estaθjona'mjento] *nm* stationnement *m*.

estacionar [estaθjo'nar] *vt* (*AUT*) garer; **estacionarse** *vpr* (*AUT*) se garer; (*MED*) se stabiliser.

estacionario, -a [estaθjo'narjo, a] *adj* (*estado*) stationnaire; (*mercado*) calme.

estada [es'taða] (*AM*) *nf* séjour *m*.

estadía [esta'ðia] (*AM*) *nf* = **estada**.

estadio [es'taðjo] *nm* stade *m*.

estadista [esta'ðista] *nm* (*POL*) homme *m* d'Etat; (*ESTADÍSTICA*) statisticien(ne).

estadística [esta'ðistika] *nf* statistique *f*.

estadístico, -a [esta'ðistiko, a] *adj* statistique.

estado [es'taðo] *nm* état *m*; **el E~** l'Etat; **estar en ~** (**de buena esperanza**) attendre un heureux événement; ► **estado civil** état civil; ► **estado de ánimo** état d'âme; ► **estado de cuenta(s)** relevé *m* de compte; ► **estado de emergencia** *o* **excepción** état d'urgence; ► **estado de pérdidas y ganancias** compte *m* de profits et pertes; ► **estado de sitio** état de siège; ► **estado financiero** bilan *m* financier; ► **estado mayor** (*MIL*) état-major *m*; ► **Estados Unidos** Etats-Unis.

estadounidense [estaðouni'ðense] *adj* américain(e) ♦ *nm/f* Américain(e).

estafa [es'tafa] *nf* escroquerie *f*.

estafar [esta'far] *vt* escroquer; **les ~on 8 millones** ils les ont escroqués de 8 millions.

estafeta [esta'feta] *nf* bureau *m* de poste.

estalactita [estalak'tita] *nf* stalactite *f*.

estalagmita [estalaɣ'mita] *nf* stalagmite *f*.

estallar [esta'ʎar] *vi* (*bomba*) exploser; (*volcán*) entrer en éruption; (*vidrio*) voler en éclats; (*bolsa, fig*) éclater; ~ (**de**) (*de ira*) exploser de; (*de curiosidad*) être pris(e) de; ~ **en llanto** fondre en larmes.

estallido [esta'ʎiðo] *nm* explosion *f*; (*fig: de guerra*) déclenchement *m*.

estambre [es'tambre] *nm* fibres *fpl*; (*BOT*) étamine *f*.

Estambul [estam'bul] *nm* Istanbul *f*.

estamento [esta'mento] *nm* classe *f*.

estampa [es'tampa] *nf* estampe *f*; (*porte*) allure *f*; **ser la viva ~ de** être l'image même de.

estampado, -a [estam'paðo, a] *adj* imprimé(e) ♦ *nm* (*dibujo*) imprimé *m*.

estampar [estam'par] *vt* imprimer; (*metal*) estamper; (*fam: beso*) plaquer; (: *bofetada*) envoyer; ~ **algo contra la pared** (*fam*) écraser qch contre le mur.

estampida [estam'piða] (*esp AM*) *nf* débandade *f*.

estampido [estam'piðo] *nm* détonation *f*.

estampilla [estam'piʎa] *nf* estampille *f*; (*AM: CORREOS*) timbre *m*.

están [es'tan] *vb V* **estar**.

estancado, -a [estan'kaðo, a] *adj* stagnant(e).

estancamiento [estanka'mjento] *nm* ralentissement *m*.

estancar [estan'kar] *vt* stagner; (*asunto, negociación*) paralyser; **estancarse** *vpr* stagner; (*fig: progreso*) piétiner; (*persona*): ~**se en** s'enliser dans.

estancia [es'tanθja] *nf* séjour *m*; (*sala*) salle *f*; (*AM*) ferme *f* d'élevage.

estanciera [estan'θjera] (*ARG*) *nf* (*AUTO*) fourgonnette *f*.

estanciero [estan'θjero] (*AM*) *nm* (*AGR*) éleveur *m*.

estanco, -a [es'tanko, a] *adj*: **compartimento** ~ compartiment *m* étanche ♦ *nm* bureau *m* de tabac.

estándar [es'tandar] *adj* normal(e); (*medio*) standard ♦ *nm* standard *m*.

estandarice *etc* [estanda'riθe] *vb V* **estandarizar**.

estandarizar [estandari'θar] *vt* standardiser; **estandarizarse** *vpr* se standardiser.

estandarte [estan'darte] *nm* étendard *m*.

estanque [es'tanke] *vb V* **estancar** ♦ *nm* bassin *m*; (*CHI*) réservoir *m*.

estanquero, -a [estan'kero, a] *nm/f* buraliste *m/f*.

estante [es'tante] *nm* (*de mueble*) rayonnage *m*; (*adosado*) étagère *f*; (*AM: soporte*) étai *m*.

estantería [estante'ria] *nf* rayonnage *m*.

estaño [es'taɲo] *nm* étain *m*.

═══ *PALABRA CLAVE*

estar [es'tar] *vi* **1** (*posición*) être; **está en la Plaza Mayor** il est sur la Plaza Mayor; **¿está Juan?** (est-ce que) Juan est là?; **estamos a 30 km de Junín** nous sommes à 30 km de Junín

2 (+ *adj o adv*: *estado*) être; **estar enfermo** être malade; **estar lejos** être loin; **está roto** c'est cassé; **está muy elegante** il est très élégant; **¿cómo estás?** comment vas-tu?; *V tb* **bien**

3 (+ *gerundio*) être en train de; **estoy leyendo** je suis en train de lire

4 (*uso pasivo*): **está condenado a muerte** il est condamné à mort; **está envasado en ...** c'est enveloppé dans ...
5 (*tiempo*): **estamos en octubre/1994** nous sommes en octobre/1994
6 (*estar listo*): ¿**está la comida?** le repas est prêt?; ¿**estará para mañana?** ce sera prêt pour demain?; **ya está** ça y est; **en seguida está** tout de suite
7 (*sentar*) aller; **el traje le está bien** le costume lui va bien
8: **estar a** (*con fechas*): ¿**a cuántos estamos?** nous sommes le combien?; **estamos a 5 de mayo** nous sommes le 5 mai; (*con precios*): **las manzanas están a cien** les pommes sont à cent pesetas; (*con grados*): **estamos a 25°** il fait 25°; **está a régimen** il est au régime
9: **estar con**: **está con gripe** il a la grippe; (*apoyar*): **estoy con él** je suis (d'accord) avec lui
10: **estar de** (*ocupación*): **estar de vacaciones/viaje** être en vacances/voyage; (*trabajo*): **está de camarero** il travaille comme garçon de café; (*actitud*): **está de mal humor** il est de mauvaise humeur
11: **estar en** (*consistir*) résider dans
12: **estar para** (*a punto de*): **está para salir** il est prêt à sortir; (*disponible*): **no estoy para nadie** je n'y suis pour personne; (*con humor de*): **no estoy para bromas** je ne suis pas d'humeur à plaisanter
13: **estar por** (*a favor de*) être pour; **estoy por dejarlo** je suis pour le laisser tomber; (*sin hacer*): **está por limpiar** ça reste à nettoyer
14: **estar que**: ¡**está que trina!** il en est fumasse!; **estoy que me caigo de sueño** c'est que je tombe de sommeil
15: **estar sin**: **estar sin dinero** ne pas avoir d'argent; **la casa está sin terminar** la maison n'est pas finie
16 (*locuciones*): ¡**y a estuvo!** (*AM: fam*) ça suffit!; ¿**estamos?** (¿*de acuerdo?*) d'accord?; ¡**y a está bien!** bon, ça va!
♦ **estarse** *vpr*: **se estuvo en la cama toda la tarde** il est resté au lit tout l'après-midi; ¡**estáte quieto!** reste tranquille!

estárter [es'tarter] *nm* starter *m*.
estas ['estas] *adj demos* V **este**.
estás [es'tas] *vb* V **estar**.
éstas ['estas] *pron* V **éste**.
estatal [esta'tal] *adj* (*política*) gouvernemental(e); (*enseñanza*) public(-ique).
estática [es'tatika] *nf* (*tb*: **electricidad ~**) statique *f*.
estático, -a [es'tatiko, a] *adj* statique.
estatua [es'tatwa] *nf* statue *f*.
estatura [esta'tura] *nf* stature *f*.

estatus [es'tatus] *pl inv nm* statut *m* social.
estatutario, -a [estatu'tarjo, a] *adj* (*medida*) relatif(-ive) au statut; (*reforma*) de statut.
estatuto [esta'tuto] *nm* statut *m*; ▶ **estatutos sociales** (*COM*) statuts.
este¹ ['este] *adj* est; (*viento*) d'est ♦ *nm* est *m*; **los paises del E~** les pays *mpl* de l'Est.
este² ['este], **esta** ['esta], **estos** ['estos], **estas** ['estas] *adj* (*demostrativo: sg*) ce(cette); (: *pl*) ces ♦ *excl* (*AM: fam: esto*) euh!
esté [es'te] *vb* V **estar**.
éste ['este], **ésta** ['esta], **éstos** ['estos], **éstas** ['estas] *pron* (*sg*) celui-ci(celle-ci); (*pl*) ceux-ci(celles-ci); **ése ... ~ ...** celui-ci ... celui-là ... .
estela [es'tela] *nf* sillage *m*.
estelar [este'lar] *adj* (*ASTRON*) stellaire; (*actuación*) de star; (*reparto*) prestigieux(-euse).
estén [es'ten] *vb* V **estar**.
estenografía [estenoɣra'fia] *nf* sténographie *f*.
estentóreo, -a [esten'toreo, a] *adj* (*sonido*) assourdissant(e); (*voz*) de stentor.
estepa [es'tepa] *nf* steppe *f*.
estera [es'tera] *nf* sparterie *f*.
estercolero [esterko'lero] *nm* tas *msg* de fumier; (*fig*) porcherie *f*.
estéreo [es'tereo] *adj inv, nm* stéréo *f*; **en ~** en stéréo.
estereofónico, -a [estereo'foniko, a] *adj* stéréophonique.
estereotipado, -a [estereoti'paðo, a] *adj* stéréotypé(e).
estereotipo [estereo'tipo] (*pey*) *nm* stéréotype *m*.
estéril [es'teril] *adj* stérile.
esterilice *etc* [esteri'liθe] *vb* V **esterilizar**.
esterilidad [esterili'ðað] *nf* stérilité *f*.
esterilizar [esterili'θar] *vt* stériliser.
esterilla [este'riʎa] *nf* natte *f*.
esterlina [ester'lina] *adj*: **libra ~** livre *~* sterling.
esternón [ester'non] *nm* sternum *m*.
estero [es'tero] (*AM*) *nm* lac *m*.
estertor [ester'tor] *nm* stertor *m*.
estés [es'tes] *vb* V **estar**.
estética [es'tetika] *nf* esthétique *f*.
esteticienne [esteti'θjen] *nf* esthéticienne *f*.
esteticista [esteti'θista] *nm/f* esthéticien(ne).
estético, -a [es'tetiko, a] *adj* esthétique.
estetoscopio [estetos'kopjo] *nm* stéthoscope *m*.
estibador [estiβa'ðor] *nm* docker *m*.
estibar [esti'βar] *vt* (*NÁUT*) débarder.
estiércol [es'tjerkol] *nm* fumier *m*.

estigma [es'tiɣma] nm (esp REL) stigmates mpl; (fig) stigmate m.
estigmatice etc [estiɣma'tiθe] vb V **estigmatizar**.
estigmatizar [estiɣmati'θar] vt stigmatiser.
estilarse [esti'larse] vpr être en vogue.
estilete [esti'lete] nm stylet m.
estilice etc [esti'liθe] vb V **estilizar**.
estilizar [estili'θar] vt styliser.
estilo [es'tilo] nm style m; (NATACIÓN) nage f; ~ **de vida** style de vie; **al ~ de** à la mode de; **por el ~ de** de ce genre; **tener ~** avoir du style.
estilográfica [estilo'ɣrafika] nf stylo-plume m.
estima [es'tima] nf estime f; **le tiene en mucha ~** il a beaucoup d'estime pour lui.
estimación [estima'θjon] nf (valoración) estimation f; (estima) estime f.
estimado, -a [esti'maðo, a] adj estimé(e); **"E~ Señor"** "cher monsieur".
estimar [esti'mar] vt estimer; ~ **algo en** (valorar) estimer qch à.
estimulante [estimu'lante] adj stimulant(e) ♦ nm stimulant m.
estimular [estimu'lar] vt stimuler.
estímulo [es'timulo] nm stimulation f.
estío [es'tio] nm été m.
estipendio [esti'pendjo] nm rémunération f.
estipulación [estipula'θjon] nf stipulation f.
estipular [estipu'lar] vt stipuler.
estirado, -a [esti'raðo, a] adj tendu(e); (engreído) infatué(e).
estirar [esti'rar] vt étirer; (brazo, pierna) tendre; (fig: dinero) faire durer ♦ vi tirer; **estirarse** vpr s'étirer; ~ **la pata** (fam) partir les pieds devant; ~ **las piernas** (fig) se dégourdir les jambes.
estirón [esti'ron] nm étirement m; **dar** o **pegar un ~** pousser comme une asperge.
estirpe [es'tirpe] nf souche f.
estival [esti'ßal] adj estival(e).
esto ['esto] pron cela, ça, c' ♦ excl (fam) euh!; ~ **de la boda** cette affaire de la noce; ~ **es, ...** c'est-à-dire, ...; **en ~** sur ce; **por ~** c'est pour ça.
estocada [esto'kaða] nf (TAUR) estocade f.
Estocolmo [esto'kolmo] n Stockholm.
estofa [es'tofa] nf: **de baja ~** de condition modeste.
estofado, -a [esto'faðo, a] adj cuit(e) à l'étouffée ♦ nm estouffade f.
estofar [esto'far] vt cuire à l'étouffée.
estoico, -a [es'toiko, a] adj stoïque.
estola [es'tola] nf étole f.
estomacal [estoma'kal] adj d'estomac; **trastorno ~** troubles mpl gastriques.
estómago [es'tomaɣo] nm estomac m; **tener ~** (fig) avoir de l'estomac; **revolverle**

el ~ a algn (fam) retourner les sangs à qn.
estoque [es'toke] nm (TAUR) estoc m.
estorbar [estor'ßar] vt gêner; (planes) paralyser ♦ vi gêner.
estorbo [es'torßo] nm gêne f.
estornino [estor'nino] nm étourneau m.
estornudar [estornu'ðar] vi éternuer.
estornudo [estor'nuðo] nm éternuement m.
estos ['estos] adj V **este**.
éstos ['estos] pron V **éste**.
estoy [es'toi] vb V **estar**.
estrabismo [estra'ßismo] nm strabisme m.
estrado [es'traðo] nm estrade f; ~**s** nmpl (JUR) salles fpl d'audience.
estrafalario, -a [estrafa'larjo, a] adj extravagant(e).
estrago [es'traɣo] nm: **hacer** o **causar** ~**s en** faire des ravages parmi.
estragón [estra'ɣon] nm estragon m.
estrambótico, -a [estram'botiko, a] adj extravagant(e).
estrangulación [estrangula'θjon], **estrangulamiento** [estrangula'mjento] nf strangulation f.
estrangular [estrangu'lar] vt étrangler; (MED) obstruer.
estraperlo [estra'perlo] nm contrebande f.
Estrasburgo [estras'ßurɣo] n Strasbourg.
estratagema [estrata'xema] nf stratagème m.
estratega [estra'teɣa] nm/f stratège m/f.
estrategia [estra'texja] nf stratégie f.
estratégico, -a [estra'texiko, a] adj stratégique.
estratificar [estratifi'kar] vt stratifier.
estratifique etc [estrati'fike] vb V **estratificar**.
estrato [es'trato] nm strate f; ▶ **estrato social** couche f sociale.
estratosfera [estratos'fera] nf stratosphère f.
estrechamente [es'tretʃamente] adv (íntimamente) étroitement; (pobremente) à l'étroit.
estrechamiento [estretʃa'mjento] nm (AUTO) rétrécissement m.
estrechar [estre'tʃar] vt rétrécir; (persona) serrer; (lazos de amistad) resserrer; **estrecharse** vpr se rétrécir; (dos personas) se rapprocher; (fam: en asiento) se serrer; ~ **la mano** serrer la main.
estrechez [estre'tʃeθ] nf étroitesse f; **estrecheces** nfpl (apuros) difficultés fpl financières.
estrecho, -a [es'tretʃo, a] adj étroit(e); (amistad) intime ♦ nm détroit m; ~ **de miras** borné(e); **estar/ir muy** ~**s** être très serrés; **E~ de Gibraltar** détroit de Gibraltar.

estrella [es'treʎa] *nf* étoile *f*; (*CINE etc*) star *f*; **tener (buena)/mala** ~ être né(e) sous une (bonne)/mauvaise étoile; **ver las ~s** (*fam*) voir trente-six chandelles; ▶ **estrella de mar** étoile de mer; ▶ **estrella fugaz** étoile filante; ▶ **Estrella Polar** étoile polaire.

estrellado, -a [estre'ʎaðo, a] *adj* en forme d'étoile; (*cielo*) étoilé(e); (*huevos*) sur le plat.

estrellar [estre'ʎar] *vt* briser en mille morceaux; (*huevos*) faire cuire sur le plat; **estrellarse** *vpr* se briser en mille morceaux; (*coche*) s'écraser; (*fracasar*) échouer; **se ~on en la carretera** ils sont morts dans un accident de voiture.

estrellato [estre'ʎato] *nm* sommet *m*.

estrellón [estre'ʎon] (*MÉX*) *nm* (*AUTO*) choc *m*.

estremecer [estreme'θer] *vt* bouleverser; (*suj: miedo, frío*) faire frissonner; **estremecerse** *vpr* frissonner; (*edificio*) trembler; **~se de** frissonner de.

estremecimiento [estremeθi'mjento] *nm* frisson *m*.

estremezca *etc* [estre'meθka] *vb* V **estremecer**.

estrenar [estre'nar] *vt* (*vestido*) étrenner; (*casa*) pendre la crémaillère; (*película, obra de teatro*) donner la première de; **estrenarse** *vpr*: ~**se como** (*persona*) faire ses débuts de.

estreno [es'treno] *nm* inauguration *f*; (*CINE, TEATRO*) première *f*.

estreñido, -a [estre'ɲiðo, a] *adj* constipé(e).

estreñimiento [estreɲi'mjento] *nm* constipation *f*.

estreñir [estre'ɲir] *vt* constiper.

estrépito [es'trepito] *nm* fracas *msg*.

estrepitoso, -a [estrepi'toso, a] *adj* (*caída*) spectaculaire; (*gritos*) perçant(e); (*fracaso, victoria*) fracassant(e); **aplausos ~s** un tonnerre d'applaudissements.

estrés [es'tres] *nm* stress *m*.

estresante [estre'sante] *adj* stressant(e).

estría [es'tria] *nf* (*en tronco*) strie *f*; (*columna*) striure *f*; **~s** (*en la piel*) vergetures *fpl*.

estribación [estriβa'θjon] *nf* (*GEO, frec pl*) contrefort *m*.

estribar [estri'βar] *vi*: ~ **en** reposer sur; **la dificultad estriba en el texto** la difficulté se situe dans le texte.

estribillo [estri'βiʎo] *nm* refrain *m*.

estribo [es'triβo] *nm* (*de jinete*) étrier *m*; (*de tren*) marchepied *m*; (*de oído*) osselet *m*; (*de puente, cordillera*) contrefort *m*; **perder los ~s** (*fig*) monter sur ses grands chevaux.

estribor [estri'βor] *nm* (*NÁUT*) tribord *m*.

estricnina [estrik'nina] *nf* strychnine *f*.

estrictamente [es'triktamente] *adv* strictement.

estricto, -a [es'trikto, a] *adj* strict(e).

estridente [estri'ðente] *adj* (*color*) criard(e); (*voz*) strident(e).

estrofa [es'trofa] *nf* strophe *f*.

estropajo [estro'paxo] *nm* lavette *f*.

estropajoso, -a [estropa'xoso, a] *adj* (*carne*) dur(e) comme de la semelle; (*lengua*) râpeux(-euse).

estropeado, -a [estrope'aðo, a] *adj* en panne.

estropear [estrope'ar] *vt* (*material*) abîmer; (*máquina, coche*) casser; (*planes*) détruire; (*cosecha*) gâter; (*persona*) ravager; **estropearse** *vpr* tomber en panne; (*envejecer*) vieillir.

estropicio [estro'piθjo] (*fam*) *nm*: **hacer un** ~ faire un beau désordre.

estructura [estruk'tura] *nf* structure *f*.

estructurar [estruktu'rar] *vt* structurer.

estruendo [es'trwendo] *nm* vacarme *m*.

estruendoso, -a [estrwen'doso, a] *adj* assourdissant(e).

estrujar [estru'xar] *vt* (*limón*) presser; (*bayeta, papel*) tordre; (*persona*) serrer; **estrujarse** *vpr* (*personas*) se serrer; ~**se la cabeza** *o* **los sesos** se ronger les sangs.

estrujón [estru'xon] *nm* serrement *m*.

estuario [es'twarjo] *nm* estuaire *m*.

estuche [es'tutʃe] *nm* trousse *f*.

estuco [es'tuko] *nm* stuc *m*.

estudiante [estu'ðjante] *nm/f* étudiant(e).

estudiantil [estuðjan'til] *adj* estudiantin(e).

estudiar [estu'ðjar] *vt* étudier; (*carrera*) faire des études de ♦ *vi* étudier; ~ **para abogado** faire des études pour devenir avocat.

estudio [es'tuðjo] *nm* étude *f*; (*proyecto*) projet *m*; (*piso*) atelier *m*; (*RADIO, TV etc: local*) studio *m*; ~**s** *nmpl* études *fpl*; **cursar** *o* **hacer ~s** faire des études; ~ **de desplazamientos y tiempos/de motivación** étude des cadences/enquête *f* sur la motivation; ~ **del trabajo/de viabilidad** étude du travail/de faisabilité.

estudioso, -a [estu'ðjoso, a] *adj* studieux(-euse) ♦ *nm/f*: ~ **de** spécialiste *m/f* de.

estufa [es'tufa] *nf* radiateur *m*.

estupefaciente [estupefa'θjente] *adj* stupéfiant(e) ♦ *nm* stupéfiant *m*.

estupefacto, -a [estupe'fakto, a] *adj*: **quedarse** ~ être stupéfait(e); **me dejó** ~ il m'a laissé stupéfait; **me miró** ~ il m'a regardé avec stupéfaction.

estupendamente [estu'pendamente] (*fam*) *adv*: **estoy** *o* **me encuentro** ~ je suis en pleine forme; **llevarse** ~ s'entendre à merveille; **le salió** ~ il l'a fait haut la main.

estupendo, -a [estu'pendo, a] *adj* formidable; ¡~! super!

estupidez [estupi'ðeθ] *nf* stupidité *f*.

estúpido, -a [es'tupiðo, a] *adj* stupide.

estupor [estu'por] *nm* stupeur *f*.

estupro [es'tupro] *nm* détournement *m* de mineure.

esturión [estu'rjon] *nm* esturgeon *m*.

estuve *etc* [es'tuße] *vb* V **estar**.

estuviera *etc* [estu'ßjera] *vb* V **estar**.

esvástica [es'ßastika] *nf* croix *f* gammée.

ET *abr* = *Ejército de Tierra*.

ETA ['eta] *sigla f* (*POL* = *Euskadi Ta Askatasuna*) ETA *m*.

etapa [e'tapa] *nf* étape *f*; **por** ~**s** par étapes; **quemar** ~**s** brûler les étapes.

etarra [e'tarra] *adj*, *nm/f* membre *m/f* de l'ETA.

etc. *abr* (= *etcétera*) etc. (= *et c(a)etera*).

etcétera [et'θetera] *adv* et cetera.

etéreo, -a [e'tereo, a] *adj* éthéré(e).

eternamente [e'ternamente] *adv* éternellement.

eternice *etc* [eter'niθe] *vb* V **eternizarse**.

eternidad [eterni'ðað] *nf* éternité *f*; **una** ~ (*fam*) une éternité.

eternizarse [eterni'θarse] *vpr*: ~ **en hacer algo** mettre une éternité à faire qch.

eterno, -a [e'terno, a] *adj* éternel(le); (*fam: larguísimo*) à n'en plus finir.

ética ['etika] *nf* éthique *f*; ► **ética profesional** éthique professionnelle.

ético, -a ['etiko, a] *adj* éthique.

etílico, -a [e'tiliko, a] *adj* éthylique.

etimología [etimolo'xia] *nf* étymologie *f*.

Etiopía [etio'pia] *nf* Ethiopie *f*.

etiqueta [eti'keta] *nf* (*tb INFORM*) étiquette *f*; **traje de** ~ tenue *f* de soirée.

etnia ['etnja] *nf* ethnie *f*.

étnico, -a ['etniko, a] *adj* ethnique.

ETS *sigla f* (= *Enfermedad de Transmisión Sexual*) MST *f* (= *maladie sexuellement transmissible*).

EUA (*AM*) *sigla mpl* (= *Estados Unidos de América*) USA *mpl* (= *United States of America*).

eucalipto [euka'lipto] *nm* eucalyptus *m*.

Eucaristía [eukaris'tia] *nf* Eucharistie *f*.

eufemismo [eufe'mismo] *nm* euphémisme *m*.

euforia [eu'forja] *nf* euphorie *f*.

eufórico, -a [eu'foriko, a] *adj* euphorique.

eunuco [eu'nuko] *nm* eunuque *m*.

EURATOM *sigla f* Euratom *f*.

Eurocheque [euro'tʃeke] *nm* Eurochèque *m*.

eurodiputado, -a [euroðipu'taðo, a] *nm/f*

député(e) européen(ne).

Europa [eu'ropa] *nf* Europe *f*.

europeice *etc* [euro'peiθe] *vb* V **europeizar**.

europeísta [europe'ista] *adj* pro-européen(ne).

europeizar [europei'θar] *vt* européaniser; **europeizarse** *vpr* s'européaniser.

europeo, -a [euro'peo, a] *adj* européen(ne) ♦ *nm/f* Européen(ne).

Euskadi [eus'kaði] *nm* pays *m* basque.

euskera [eus'kera], **eusquera** [eus'kera] *nm* basque *m*.

eutanasia [euta'nasja] *nf* euthanasie *f*.

evacuación [eßakwa'θjon] *nf* évacuation *f*.

evacuar [eßa'kwar] *vt* évacuer.

evadir [eßa'ðir] *vt* éviter; (*impuesto*) frauder; **evadirse** *vpr* s'évader.

evaluación [eßalwa'θjon] *nf* appréciation *f*.

evaluar [eßa'lwar] *vt* (*valorar*) évaluer; (*calificar*) noter.

evangélico, -a [eßan'xeliko, a] *adj* évangélique.

evangelio [eßan'xeljo] *nm* Évangile *m*.

evaporación [eßapora'θjon] *nf* évaporation *f*.

evaporar [eßapo'rar] *vt* faire évaporer; **evaporarse** *vpr* s'évaporer; (*fam: persona*) se volatiliser.

evasión [eßa'sjon] *nf* évasion *f*; **de** ~ (*novela, película*) d'évasion; ► **evasión de capitales** évasion des capitaux; ► **evasión fiscal** *o* **de impuestos** évasion fiscale.

evasiva [eßa'sißa] *nf* réponse *f* évasive; **contestar con** ~**s** faire des réponses évasives.

evasivamente [eßa'sißamente] *adv* évasivement.

evasivo, -a [eßa'sißo, a] *adj* évasif(-ive).

evento [e'ßento] *nm* événement *m*.

eventual [eßen'twal] *adj* (*circunstancias*) éventuel(le); (*trabajo*) temporaire.

eventualidad [eßentwali'ðað] *nf* éventualité *f*.

Everest [eße'rest] *nm*: **el (Monte)** ~ le Mont Everest, l'Everest *m*.

evidencia [eßi'ðenθja] *nf* évidence *f*; **poner en** ~ (*a algn*) tourner en ridicule; (*algo*) mettre en évidence; **ponerse en** ~ se montrer sous son vrai jour.

evidenciar [eßiðen'θjar] *vt* rendre évident(e); **evidenciarse** *vpr* être manifeste.

evidente [eßi'ðente] *adj* évident(e).

evidentemente [eßi'ðentemente] *adv* évidemment.

evitar [eßi'tar] *vt* éviter; (*molestia*) épargner; (*tentación*) résister à; ~ **hacer** éviter de faire; **si puedo** ~**lo** si je peux faire autrement.

evocador, a [eßoka'ðor, a] *adj* évocateur(-trice).

evocar [eßo'kar] vt évoquer.
evolución [eßolu'θjon] nf évolution f; **evoluciones** nfpl (giros) évolutions fpl.
evolucionar [eßoluθjo'nar] vi évoluer.
evoque etc [e'ßoke] vb V **evocar.**
ex [eks] prep ex; **el ~ ministro** l'ex-ministre.
exabrupto [eksa'ßrupto] nm réplique f cinglante.
exacción [eksak'θjon] nf (de impuestos) perception f.
exacerbar [eksaθer'ßar] vt exacerber; (persona) exaspérer.
exactamente [eks'saktamente] adv exactement.
exactitud [eksakti'tuð] nf exactitude f; (fidelidad) fidélité f.
exacto, -a [ek'sakto, a] adj exact(e); ¡~! exactement!; **eso no es del todo ~** ce n'est pas tout à fait exact; **para ser ~** pour être exact.
exageración [eksaxera'θjon] nf exagération f.
exageradamente [eksaxe'raðamente] adv exagérément.
exagerado, -a [eksaxe'raðo, a] adj exagéré(e); (persona, gesto) outrancier(-ère).
exagerar [eksaxe'rar] vt, vi exagérer.
exaltado, -a [eksal'taðo, a] adj, nm/f exalté(e).
exaltar [eksal'tar] vt exalter; **exaltarse** vpr s'exalter.
examen [ek'samen] nm examen m; ► **examen de conciencia** examen de conscience; ► **examen de conducir** épreuve f de conduite; ► **examen de ingreso** examen d'entrée; ► **examen eliminatorio** épreuve éliminatoire; ► **examen final** examen final.
examinar [eksami'nar] vt examiner; (ESCOL) faire passer un examen à; **examinarse** vpr: **~se (de)** passer un examen (de).
exánime [ek'sanime] adj inanimé(e).
exasperación [eksaspera'θjon] nf exaspération f.
exasperar [eksaspe'rar] vt exaspérer; **exasperarse** vpr s'irriter.
Exc.ª abr = **Excelencia.**
excarcelar [ekskarθe'lar] vt libérer de prison.
ex cátedra [eks'kateðra] adv: **hablar ~ ~** parler ex cathedra.
excavación [ekskaßa'θjon] nf excavation f.
excavador, a [ekskaßa'ðor, a] nm/f (persona) mineur m ♦ nf (TEC) excavateur m, excavatrice f.
excavar [ekska'ßar] vt, vi excaver.
excedencia [eksθe'ðenθja] nf: **estar en ~** être en congé sabbatique; **pedir** o **solici-**

tar la ~ demander o solliciter un congé sabbatique.
excedente [eksθe'ðente] adj (producto, dinero) excédentaire; (funcionario) en disponibilité ♦ nm excédent m; ► **excedente de cupo** exempté m de service militaire.
exceder [eksθe'ðer] vt surpasser; **excederse** vpr dépasser; **~se en gastos** faire trop de dépenses; **~se en sus funciones** outrepasser ses pouvoirs.
excelencia [eksθe'lenθja] nf excellence f; **E~** (tratamiento) Excellence; **por ~** par excellence.
excelente [eksθe'lente] adj excellent(e).
excelso, -a [eks'θelso, a] adj insigne.
excentricidad [eksθentriθi'ðað] nf excentricité f.
excéntrico, -a [eksθentriko, a] adj, nm/f excentrique m/f.
excepción [eksθep'θjon] nf: **ser/hacer una ~** être/faire une exception; **a** o **con ~ de** à l'exception de; **sin ~** sans exception; **de ~** d'exception.
excepcional [eksθepθjo'nal] adj exceptionnel(le).
excepcionalmente [eksθepθjo'nalmente] adv exceptionnellement.
excepto [eks'θepto] adv excepté.
exceptuar [eksθep'twar] vt excepter.
excesivo, -a [eksθe'sißo, a] adj excessif (-ive).
exceso [eks'θeso] nm excès msg; (COM) excédent m; **~s** nmpl (desórdenes) excès mpl; **con** o **en ~** à l'excès; ► **exceso de equipaje/peso** excédent de bagages/ poids; ► **exceso de velocidad** excès de vitesse.
excitación [eksθita'θjon] nf excitation f.
excitante [eksθi'tante] adj excitant(e).
excitar [eksθi'tar] vt exciter; **excitarse** vpr s'exciter; **me excita los nervios** il me porte sur les nerfs.
exclamación [eksklama'θjon] nf exclamation f.
exclamar [eskla'mar] vt, vi s'exclamer.
excluir [eksklu'ir] vt (descartar) exclure; (no incluir): **~ (de)** exclure (de).
exclusión [eksklu'sjon] nf exclusion f; **con ~ de** à l'exclusion de.
exclusiva [eksklu'sißa] nf exclusivité f; **modelo en ~** modèle m exclusif.
exclusivamente [eksklu'sißamente] adv exclusivement.
exclusive [eksklu'siße] adv non compris.
exclusivo, -a [eksklu'sißo, a] adj exclusif (-ive); **trabajar con dedicación exclusiva** por travailler exclusivement pour; **derecho ~** droit m exclusif.
excluyendo etc [eksklu'jendo] vb V **excluir.**

Excma. *abr* (= *Excelentísima*) titre de courtoisie.

Excmo. *abr* (= *Excelentísimo*) titre de courtoisie.

excombatiente [ekskomba'tjente] *nm* ancien combattant *m*.

excomulgar [ekskomul'ɣar] *vt* excommunier.

excomulgue *etc* [eksko'mulɣe] *vb* V **excomulgar.**

excomunión [ekskomu'njon] *nf* excommunion *f*.

excoriar [eksko'rjar] *vt* mettre à vif.

excrementos [ekskre'mentos] *nmpl* excréments *mpl*.

exculpar [ekskul'par] *vt*: ~ **a algn de algo** disculper qn de qch; (*JUR*) acquitter qn de qch.

excursión [ekskur'sjon] *nf* (*por el campo*) randonnée *f*; (*viaje*) excursion *f*; **ir de** ~ faire une excursion.

excursionista [ekskursjo'nista] *nm/f* (*por campo*) randonneur(-euse); (*en excursión de un día*) excursionniste *m/f*.

excusa [eks'kusa] *nf* excuse *f*; **presentar sus ~s** présenter ses excuses.

excusado, -a [eksku'saðo, a] *adj* excusé(e); ~ **es decir** inutile de dire.

excusar [eksku'sar] *vt* excuser; **excusarse** *vpr* s'excuser; ~ **(de hacer)** (*eximir*) excuser (de faire).

execrable [ekse'kraβle] *adj* exécrable.

exención [eksen'θjon] *nf* exemption *f*.

exento, -a [ek'sento, a] *pp de* **eximir ♦** *adj*: ~ **de** exempté(e) de; (*libre*) libre de.

exequias [ek'sekjas] *nfpl* obsèques *fpl*.

exhalación [eksala'θjon] *nf* exhalation *f*; **pasar como una** ~ passer aussi vite que l'éclair.

exhalar [eksa'lar] *vt* exhaler.

exhaustivo, -a [eksaus'tiβo, a] *adj* exhaustif(-ive).

exhausto, -a [ek'sausto, a] *adj* épuisé(e).

exhibición [eksiβi'θjon] *nf* exhibition *f*; (*de película*) projection *f*.

exhibicionista [eksiβiθjo'nista] *adj, nm/f* exhibitionniste *m/f*.

exhibir [eksi'βir] *vt* exhiber; (*película*) projeter; **exhibirse** *vpr* s'exhiber.

exhortación [eksorta'θjon] *nf* exhortation *f*.

exhortar [eksor'tar] *vt*: ~ **a** exhorter à.

exhumar [eksu'mar] *vt* exhumer.

exigencia [eksi'xenθja] *nf* exigence *f*; ~**s del trabajo/de la situación** exigences du travail/de la situation.

exigente [eksi'xente] *adj* exigeant(e); **ser** ~ **con algn** être exigeant(e) avec qn.

exigir [eksi'xir] *vt* (*reclamar*) exiger; (*necesitar*) demander ♦ *vi* être exigeant(e).

exiguo, -a [ek'siɣwo, a] *adj* exigu(-uë).

exija *etc* [e'ksixa] *vb* V **exigir.**

exiliado, -a [eksi'ljaðo, a] *adj, nm/f* exilé(e).

exiliar [eksi'ljar] *vt* exiler; **exiliarse** *vpr* s'exiler.

exilio [ek'siljo] *nm* exil *m*.

eximir [eksi'mir] *vt*: ~ **a algn (de)** exempter qn (de).

existencia [eksis'tenθja] *nf* existence *f*; ~**s** *nfpl* (*artículos*) stock *m*; ~ **de mercancías** (*COM*) stock de marchandises; **en** ~ (*COM*) en stock; **amargar la** ~ **a algn** (*fam*) empoisonner la vie de qn.

existir [eksis'tir] *vi* exister; (*vivir*) vivre.

éxito ['eksito] *nm* succès *m*; **tener** ~ avoir du succès; ▶ **éxito editorial** best-seller *m*.

exitoso, -a [eksi'toso, a] (*esp AM*) *adj* qui a du succès.

éxodo ['eksoðo] *nm* exode *m*; **el** ~ **rural/veraniego** l'exode rural/estival.

exonerar [eksone'rar] *vt*: ~ **de** (*de cargo*) destituer de; (*de obligación*) dispenser de.

exorbitante [eksorβi'tante] *adj* exorbitant(e).

exorcice *etc* [eksor'θiθe] *vb* V **exorcizar.**

exorcismo [eksor'θismo] *nm* exorcisme *m*.

exorcizar [eksorθi'θar] *vt* exorciser.

exótico, -a [ek'sotiko, a] *adj* exotique.

expandir [ekspan'dir] *vt* (*FÍS*) dilater; (*noticia*) répandre; (*COM*) se développer; **expandirse** *vpr* (*ver vt*) se dilater; se répandre.

expansión [ekspan'sjon] *nf* expansion *f*; (*diversión*) distraction *f*; **economía en** ~ économie *f* en expansion; ▶ **expansión económica** expansion économique.

expansionarse [ekspansjo'narse] *vpr* (*gas*) se dilater; (*recrearse*) s'amuser; (*desahogarse*) s'épancher.

expansivo, -a [ekspan'siβo, a] *adj* (*onda*) de propagation; (*carácter*) expansif(-ive).

expatriado, -a [ekspa'trjaðo, a] *nm/f* expatrié(e).

expatriarse [ekspa'trjarse] *vpr* s'expatrier.

expectación [ekspekta'θjon] *nf* attente *f*; (*curiosidad*) curiosité *f*.

expectativa [ekspekta'tiβa] *nf* expectative *f*; (*perspectiva*) perspective *f*; **estar a la** ~ être dans l'expectative.

expedición [ekspeði'θjon] *nf* expédition *f*; **gastos de** ~ frais *mpl* d'expédition.

expedientar [ekspeðjen'tar] *vt* établir le dossier de.

expediente [ekspe'ðjente] *nm* (*JUR*: *procedimiento*) procédure *f*; (: *papeles*) démarches *fpl*; (*ESCOL*: *tb*: ~ **académico**) dossier *m* scolaire; **abrir/formar** ~ **a algn** ouvrir un dossier au nom de qn/instruire le dossier de qn; **cubrir el** ~ (*fam*) pratiquer la politique du moindre effort.

expedir [ekspe'ðir] *vt* (*carta, mercancías*) expédier; (*documento*) délivrer; (*cheque*) établir.

expeditivo, -a [ekspeði'tißo, a] *adj* expéditif(-ive).

expedito, -a [ekspe'ðito, a] *adj* (*camino*) libre.

expeler [ekspe'ler] *vt* rejeter.

expendedor, a [ekspende'ðor, a] *nm/f* vendeur(-euse); (*TEATRO*) ouvreur(-euse) ♦ *nm* (*tb*: ~ **automático**) guichet *m* automatique; ► **expendedor de cigarrillos** distributeur *m* de cigarettes.

expendeduría [ekspendedu'ria] *nf* bureau *m* de tabac.

expendio [eks'pendjo] (*AM*) *nm* boutique *f*.

expensas [eks'pensas] *nfpl* (*JUR*) frais *mpl*; **a ~ de** aux frais de.

experiencia [ekspe'rjenθja] *nf* expérience *f*.

experimentado, -a [eksperimen'taðo, a] *adj* expérimenté(e).

experimental [eksperimen'tal] *adj* expérimental(e).

experimentalmente [eksperimen'talmente] *adv* de manière expérimentale.

experimentar [eksperimen'tar] *vt* (*en laboratorio*) expérimenter; (*probar*) tester; (*deterioro, aumento*) connaître; (*sensación*) ressentir.

experimento [eksperi'mento] *nm* expérience *f*.

experto, -a [eks'perto, a] *adj, nm/f* expert(e).

expiar [ekspi'ar] *vt* expier.

expiatorio, -a [ekspja'torjo] *adj* expiatoire.

expida *etc* [eks'piða] *vb V* **expedir**.

expirar [ekspi'rar] *vi* expirer.

explanada [ekspla'naða] *nf* esplanade *f*.

explayarse [ekspla'jarse] *vpr* s'étendre; (*fam*: *divertirse*) se changer les idées; (*desahogarse*) se soulager; **~ con algn** se confier à qn.

explicación [eksplika'θjon] *nf* explication *f*.

explicar [ekspli'kar] *vt* expliquer; **explicarse** *vpr* s'expliquer; **~se algo** s'expliquer qch; **no me lo explico** je ne me l'explique pas.

explícito, -a [eks'pliθito, a] *adj* explicite.

explique *etc* [eks'plike] *vb V* **explicar**.

exploración [eksplora'θjon] *nf* exploration *f*.

explorador, a [eksplora'ðor, a] *nm/f* explorateur(-trice); (*MIL*) éclaireur (-euse) ♦ *nm* (*MED*) explorateur *m*; (*radar*) détecteur *m* de radar.

explorar [eksplo'rar] *vt* explorer; **~ el terreno** (*fig*) tâter le terrain.

exploratorio, -a [eksplora'torjo] *adj* explorateur(-trice).

explosión [eksplo'sjon] *nf* explosion *f*; **~ atómica/nuclear** explosion atomique/nucléaire.

explosivo, -a [eksplo'sißo, a] *adj* explosif(-ive) ♦ *nm* explosif *m*.

explotación [eksplota'θjon] *nf* exploitation *f*; **~ agrícola/minera/petrolífera** exploitation agricole/minière/pétrolifère.

explotar [eksplo'tar] *vt* exploiter ♦ *vi* exploser.

expondré *etc* [ekspon'dre] *vb V* **exponer**.

exponente [ekspo'nente] *nm*: **~ de** indicateur *m* de.

exponer [ekspo'ner] *vt* exposer; **exponerse** *vpr*: **~se a (hacer) algo** s'exposer à (faire) qch.

exponga *etc* [eks'ponga] *vb V* **exponer**.

exportación [eksporta'θjon] *nf* exportation *f*.

exportador, a [eksporta'ðor, a] *adj, nm/f* exportateur(-trice).

exportar [ekspor'tar] *vt* exporter.

exposición [eksposi'θjon] *nf* exposition *f*; ► **Exposición Universal** exposition universelle.

exprés [eks'pres] *adj inv* (*café*) express ♦ *nm* express *msg*.

expresamente [eks'presamente] *adv* (*decir*) expressément; (*ir*) exprès.

expresar [ekspre'sar] *vt* exprimer; **expresarse** *vpr* s'exprimer.

expresión [expre'sjon] *nf* expression *f*; ► **expresión corporal** expression corporelle.

expresivo, -a [ekspre'sißo, a] *adj* (*vivo*) expressif(-ive); (*cariñoso*) expansif(-ive).

expreso, -a [eks'preso, a] *adj* (*explícito*) exprès(-esse); (*claro*) explicite; (*tren*) express ♦ *nm* (*FERRO*) express *msg*.

exprimidor [eksprimi'ðor] *nm* presse-citrons *msg*.

exprimir [ekspri'mir] *vt* presser; (*fig*: *explotar*) sucer jusqu'à la moëlle; **exprimirse** *vpr*: **~se el cerebro** *o* **los sesos** se ronger les sangs.

ex profeso [ekspro'feso] *adv* ex professo.

expropiar [ekspro'pjar] *vt* exproprier.

expuesto, -a [eks'pwesto, a] *pp de* **exponer** ♦ *adj* exposé(e); **estar ~ a** être exposé(e) à; **según lo ~ arriba** d'après ce qui a été dit plus haut.

expulsar [ekspul'sar] *vt* expulser; (*humo*) cracher.

expulsión [ekspul'sjon] *nf* expulsion *f*; (*de humo*) émission *f*.

expurgar [ekspur'yar] *vt* censurer.

expuse *etc* [eks'puse] *vb V* **exponer**.

exquisito, -a [ekski'sito, a] *adj* exquis(e).

Ext. *abr* = **extensión**.

extasiarse [eksta'sjarse] *vpr* s'extasier.

éxtasis ['ekstasis] *nm* extase *f*.
extender [eksten'der] *vt* étendre; (*mantequilla, pintura*) étaler; (*certificado, documento*) délivrer; (*cheque, recibo*) établir; **extenderse** *vpr* s'étendre; (*en el tiempo*) se prolonger; (*costumbre, rumor*) se répandre.
extendido, -a [eksten'diðo, a] *adj* étendu(e); (*costumbre, creencia*) répandu(e).
extensión [eksten'sjon] *nf* étendue *f*; (*TELEC*) poste *m*; (*COM: de plazo*) prolongation *f*; **en toda la ~ de la palabra** dans tous les sens du terme; **por ~** par extension.
extenso, -a [eks'tenso, a] *adj* étendu(e).
extenuado, -a [ekste'nwaðo, a] *adj* exténué(e).
extenuar [ekste'nwar] *vt* exténuer.
exterior [ekste'rjor] *adj* extérieur(e) ♦ *nm* extérieur *m*; (*aspecto*) aspect *m*; (*países extranjeros*) étranger *m*; **~es** *nmpl* (*CINE*) extérieurs *mpl*; **Asuntos E~es** Affaires *fpl* etrangères; **al ~** à l'extérieur; **en el ~** en extérieur.
exteriorice *etc* [eksterjo'riθe] *vb V* **exteriorizar**.
exteriorizar [eksterjori'θar] *vt* extérioriser.
exteriormente [ekste'rjormente] *adv* extérieurement.
exterminar [ekstermi'nar] *vt* exterminer.
exterminio [ekster'minjo] *nm* extermination *f*.
externamente [eks'ternamente] *adv* extérieurement.
externo, -a [eks'terno, a] *adj* externe; (*culto*) extérieur(e) ♦ *nm/f* externe *m/f*; **de uso ~** (*MED*) à usage externe.
extienda *etc* [eks'tjenda] *vb V* **extender**.
extinción [ekstin'θjon] *nf* extinction *f*.
extinga *etc* [eks'tinga] *vb V* **extinguir**.
extinguido, -a [ekstin'giðo, a] *adj* (*animal*) disparu(e); (*volcán*) éteint(e).
extinguir [ekstin'gir] *vt* (*fuego*) éteindre; (*raza*) provoquer l'extinction de; **extinguirse** *vpr* s'éteindre.
extinto, -a [eks'tinto, a] *adj* disparu(e).
extintor [ekstin'tor] *nm* (*tb: ~ de incendios*) extincteur *m*.
extirpación [ekstirpa'θjon] *nf* extirpation *f*.
extirpar [ekstir'par] *vt* (*mal*) déraciner; (*MED*) extirper.
extorsión [ekstor'sjon] *nf* extorsion *f*; (*molestia*) gêne *f*.
extra ['ekstra] *adj inv* (*tiempo, paga*) supplémentaire; (*chocolate*) extra; (*calidad*) super ♦ *nm/f* (*CINE*) figurant(e) ♦ *nm* (*bono*) bonus *m inv*; (*de menú, cuenta*) supplément *m*; (*periódico*) édition *f* spéciale.
extra... ['ekstra] *pref* extra... .
extracción [ekstrak'θjon] *nf* extraction *f*;

(*en lotería*) tirage *m*.
extracto [eks'trakto] *nm* résumé *m*; (*de café, hierbas*) extrait *m*.
extractor [ekstrak'tor] *nm*: **~ de humos** bouche *f* d'aération.
extradición [ekstraði'θjon] *nf* extradition *f*.
extraditar [ekstraði'tar] *vt* extrader.
extraer [ekstra'er] *vt* extraire.
extraescolar [ekstraesko'lar] *adj*: **actividad ~** activité *f* extrascolaire.
extrafino, -a [ekstra'fino, a] *adj* extrafin(e); **azúcar ~** sucre *m* semoule *inv*.
extraiga *etc* [eks'traiɣa] *vb V* **extraer**.
extraje *etc* [eks'traxe] *vb V* **extraer**.
extrajera *etc* [ekstra'xera] *vb V* **extraer**.
extrajudicial [ekstraxuði'θjal] *adj* extrajudiciaire.
extralimitarse [ekstralimi'tarse] *vpr*: **~ (en)** dépasser les limites (de).
extranjería [ekstranxe'ria] *nf*: **ley de ~** statut *m* d'étranger.
extranjerismo [ekstranxe'rismo] *nm* barbarisme *m*.
extranjero, -a [ekstran'xero, a] *adj, nm/f* étranger(-ère) ♦ *nm* étranger *m*; **en el ~** à l'étranger.
extranjis [eks'tranxis] (*fam*): **de ~** *adv* sans tambour ni trompette.
extrañamiento [ekstraɲa'mjento] *nm* bannissement *m*.
extrañar [ekstra'ɲar] *vt* étonner; (*AM: echar de menos*) regretter; (*algo nuevo*) ne pas reconnaître; **extrañarse** *vpr*: **~se (de)** s'étonner (de); **me extraña** ça m'étonne; **te extraño mucho** tu me manques beaucoup.
extrañeza [ekstra'ɲeθa] *nf* (*rareza*) singularité *f*; (*asombro*) étonnement *m*.
extraño, -a [eks'traɲo, a] *adj* étranger(-ère); (*raro*) bizarre ♦ *nm/f* étranger(-ère); **... lo que por ~ que parezca** ... ce qui, aussi bizarre que cela puisse paraître.
extraoficial [ekstraofi'θjal] *adj* officieux(-euse).
extraordinariamente [ekstraorði'narjamente] *adv* extraordinairement.
extraordinario, -a [ekstraorði'narjo, a] *adj* extraordinaire; (*edición*) spécial(e) ♦ *nm* (*de periódico*) numéro *m* spécial; **horas extraordinarias** heures *fpl* supplémentaires.
extrarradio [ekstra'rraðjo] *nm* banlieue *f*.
extrasensorial [ekstrasenso'rjal] *adj*: **percepción ~** perception *f* extrasensorielle.
extraterrestre [ekstrate'rrestre] *nm/f* extraterrestre *m/f*.
extrauterino, -a [ekstraute'rino, a] *adj* extra-utérin(e).
extravagancia [ekstraβa'ɣanθja] *nf* extra-

vagance *f.*
extravagante [ekstraßa'vante] *adj* extravagant(e).
extraviado, -a [ekstra'ßjaðo, a] *adj* égaré(e).
extraviar [ekstra'ßjar] *vt* (*objeto*) égarer; **extraviarse** *vpr* s'égarer.
extravío [ekstra'ßio] *nm* objet *m* perdu; (*fig*) égarement *m.*
extrayendo [ekstra'jendo] *vb* V **extraer.**
extremadamente [ekstre'maðamente] *adv* extrêmement.
extremado, -a [ekstre'maðo, a] *adj* extrême.
Extremadura [ekstrema'ðura] *nf* Estrémadure *f.*
extremar [ekstre'mar] *vt* pousser à l'extrême; **extremarse** *vpr*: ~**se en** se surpasser dans.
extremaunción [ekstremaun'θjon] *nf* extrême-onction *f.*
extremeño, -a [ekstre'meɲo, a] *adj* d'Estrémadure ♦ *nm/f* natif(-ive) *o* habitant(e) d'Estrémadure.
extremidad [ekstremi'ðað] *nf* extrémité *f*; ~**es** *nfpl* (*ANAT*) extrémités *fpl.*
extremista [ekstre'mista] *adj, nm/f* (*POL*) extrémiste *m/f.*
extremo, -a [eks'tremo, a] *adj* extrême ♦ *nm* (*punta*) extrémité *f*; (*fig*) extrême *m*; **en último** ~ en dernière extrémité; **pasar de un** ~ **a otro** (*fig*) passer d'un extrême à l'autre; **con** *o* **por** ~ extrêmement; **la extrema derecha/izquierda** (*POL*) l'extrême droite/gauche; ► **extremo derecho/izquierdo** (*DEPORTE*) aile *f* droite/gauche; ► **Extremo Oriente** Extrême-Orient *m.*
extrínseco, -a [eks'trinseko, a] *adj* extrinsèque.
extrovertido, -a [ekstroßer'tiðo, a] *adj, nm/f* extraverti(e).
exuberancia [eksuße'ranθja] *nf* exubérance *f.*
exuberante [eksuße'rante] *adj* exubérant(e).
exudar [eksu'ðar] *vt, vi* exsuder.
exultar [eksul'tar] *vi*: ~ **de alegría** exulter.
exvoto [eks'ßoto] *nm* (*REL*) ex-voto *m.*
eyaculación [ejakula'θjon] *nf* éjaculation *f.*
eyacular [ejaku'lar] *vi* éjaculer.

F, f

F, f ['efe] *nf* (*letra*) F, f *m inv*; ~ **de Francia** ~ F comme François.
fa [fa] *nm* fa *m.*
f.a.b. *abr* (= *franco a bordo*) fob (= *franco à bord*).
fabada [fa'ßaða] *nf potage mijoté avec des haricots et du chorizo.*
fábrica ['faßrika] *nf* usine *f*; (*fabricación*) fabrique *f*; **de** ~ (*ARQ*) en brique; **marca/precio de** ~ marque *f*/prix *m* de fabrique; ► **fábrica de cerveza** brasserie *f*; ► **fábrica de textil** manufacture *f* textile; ► **Fábrica de Moneda y Timbre** ≈ Hôtel *m* de la monnaie.
fabricación [faßrika'θjon] *nf* fabrication *f*; **de** ~ **casera** fait(e) maison; **de** ~ **nacional** de fabrication nationale; ► **fabricación en serie** fabrication en série.
fabricante [faßri'kante] *nm/f* fabricant(e).
fabricar [faßri'kar] *vt* fabriquer; (*fig: cuento*) monter; ~ **en serie** fabriquer en série.
fabril [fa'ßril] *adj*: **industria** ~ industrie *f* de transformation.
fabrique *etc* [fa'ßrike] *vb* V **fabricar.**
fábula ['faßula] *nf* (*tb chisme, mentira*) fable *f.*
fabulosamente [faßulo'losamente] *adv* fabuleusement.
fabuloso, -a [faßu'loso, a] *adj* fabuleux(-euse).
FACA ['faka] (*ESP*) *sigla m* (*AVIAT* = *Futuro Avión de Combate y Ataque*) *programme de modernisation de la flotte aérienne.*
facción [fak'θjon] *nf* (*POL*) faction *f*; **facciones** *nfpl* (*del rostro*) traits *mpl.*
faceta [fa'θeta] *nf* facette *f.*
facha ['fatʃa] (*fam*) *adj, nm/f* (*pey*) facho *m/f* ♦ *nf* (*aspecto*) aspect *m*; **estar hecho una** ~ ressembler à un épouvantail; ¡**qué** ~ **tienes!** tu es grotesque!
fachada [fa'tʃaða] *nf* façade *f.*
facial [fa'θjal] *adj* (*rasgos, expresión*) du visage; (*crema*) pour le visage.
fácil ['faθil] *adj* facile; **es** ~ **que venga** il est probable qu'il vienne; ~ **de hacer** facile à faire; ~ **de usar** (*INFORM*) convivial(e).
facilidad [faθili'ðað] *nf* facilité *f*; ~**es** *nfpl*

(*condiciones favorables*) facilités *fpl*; **tener ~ para las matemáticas** avoir des facilités en mathématiques; **"~es de pago"** (*COM*) "facilités de paiement"; ▶ **facilidad de palabra** facilité d'élocution.

facilitar [faθili'tar] *vt* faciliter; (*proporcionar*) fournir; **le agradecería me ~a …** je vous serais reconnaissant de bien vouloir me fournir … .

fácilmente ['faθilmente] *adv* facilement.

facón [fa'kon] (*CSUR*) *nm* couteau *m*.

facsímil [fak'simil] *nm* fac-similé *m*.

factible [fak'tiβle] *adj* faisable.

fáctico, -a ['faktiko, a] *adj*: **los poderes ~s** le pouvoir de fait.

factor [fak'tor] *nm* (*tb MAT*) facteur *m*; (*COM*) agent *m*; (*FERRO*) préposé *m* au fret; ▶ **factor sorpresa** facteur surprise.

factoría [fakto'ria] *nf* (*fábrica*) fabrique *f*; (*agencia*) succursale *f*.

factura [fak'tura] *nf* facture *f*; **presentar ~ a** présenter sa facture à.

facturación [faktura'θjon] *nf* (*COM*) facturation *f*; (: *ventas*) chiffre *m* d'affaires; ▶ **facturación de equipajes** enregistrement *m* des bagages.

facturar [faktu'rar] *vt* (*COM*) facturer; (*equipaje*) enregistrer.

facultad [fakul'tað] *nf* faculté *f*; **tener/no tener ~ para hacer algo** avoir/ne pas avoir la faculté de faire qch; ▶ **facultades mentales** facultés *fpl* mentales.

facultativo, -a [fakulta'tiβo, a] *adj* facultatif(-ive); (*funcionario, cuerpo*) de faculté ♦ *nm/f* médecin *m*; **prescripción facultativa** ordonnance *f*.

FAD (*ESP*) *sigla m* = *Fondo de Ayuda y Desarrollo*.

faena [fa'ena] *nf* tâche *f*; (*CHI*) équipe *f* d'ouvriers; **~s domésticas** tâches *fpl* domestiques; **hacerle una ~ a algn** (*fam*) ficher la frousse à qn.

faenar [fae'nar] *vi* pêcher.

fagot [fa'γot] *nm* trompe *f*.

faisán [fai'san] *nm* faisan *m*.

faja ['faxa] *nf* (*para la cintura*) ceinture *f*; (*de mujer*) gaine *f*; (*de tierra, libro etc*) bande *f*.

fajo ['faxo] *nm* liasse *f*.

falacia [fa'laθja] *nf* fausseté *f*.

falange [fa'lanxe] *nf* phalange *f*; **la F~** (*POL*) la phalange espagnole.

falangista [falan'xista] *adj, nm/f* (*POL*) phalangiste *m/f*.

falda ['falda] *nf* jupe *f*; (*GEO*) versant *m*; (*de mesa, camilla*) couverture *f*; (*regazo*) genoux *mpl*; **~s** *nfpl* (*fam: mujeres*) bonnes femmes *fpl*; ▶ **falda escocesa** kilt *m*; ▶ **falda pantalón** jupe-culotte *f*.

fálico, -a ['faliko, a] *adj* phallique.

falla ['faʎa] *nf* (*GEO*) faille *f*; (*defecto*) défaillance *f*.

fallar [fa'ʎar] *vt* (*JUR*) prononcer; (*blanco*) manquer ♦ *vi* échouer; (*cuerda, rama*) céder; (*motor*) tomber en panne; (*frenos*) lâcher; **~ a algn** décevoir qn; **le falló la memoria** il a eu un trou de mémoire; **le ~on las piernas** les jambes lui ont manqué; **sin ~** sans faute; **~ en favor/en contra** (*JUR*) se prononcer en faveur/contre.

fallecer [faʎe'θer] *vi* décéder.

fallecido, -a [faʎe'θiðo, a] *adj* décédé(e) ♦ *nm/f* défunt(e).

fallecimiento [faʎeθi'mjento] *nm* décès *m*.

fallezca *etc* [fa'ʎeθka] *vb* V **fallecer**.

fallido, -a [fa'ʎiðo, a] *adj* avorté(e).

fallo ['faʎo] *nm* (*JUR*) jugement *m*; (*defecto, INFORM*) défaut *m*; (*error*) erreur *f*; (*de motor*) défaillance *f*; (*DEPORTE*) faute *f*; ▶ **fallo cardíaco** crise *f* cardiaque.

fallutería [faʎute'ria] (*CSUR*) *nf* hypocrisie *f*.

falluto, -a [fa'ʎuto, a] (*CSUR*) *adj* hypocrite.

falo ['falo] *nm* phallus *m*.

falsear [false'ar] *vt* (*hechos*) altérer; (*cifras*) maquiller ♦ *vi* (*MÚS*) se désaccorder.

falsedad [false'ðað] *nf* fausseté *f*; (*mentira*) mensonge *m*.

falsete [fal'sete] *nm* (*MÚS*) fausset *m*.

falsificación [falsifika'θjon] *nf* falsification *f*; (*objeto*) contrefaçon *f*.

falsificar [falsifi'kar] *vt* falsifier.

falsifique *etc* [falsi'fike] *vb* V **falsificar**.

falso, -a ['falso, a] *adj* faux(fausse); (*puerta*) dérobé(e); **declarar en ~** faire une fausse déclaration; **dar un paso en ~** (*tb fig*) faire un faux pas.

falta ['falta] *nf* (*carencia*) manque *m*; (*defecto, en comportamiento*) défaut *m*; (*ausencia*) absence *f*; (*en examen, ejercicio, DEPORTE*) faute *f*; (*JUR*) erreur *f*; **echar en ~** (*persona, clima*) regretter; **echo en ~ mis gafas** j'aurais bien besoin de mes lunettes; **hace ~ hacerlo** il faut le faire; **no hace ~ que vengas** il n'est pas nécessaire que tu viennes; **me hace ~ un lápiz** j'ai besoin d'un crayon; **sin ~** sans faute; **a/por ~ de** faute de; ▶ **falta de asistencia** non-assistance *f*; ▶ **falta de educación** manque d'éducation; ▶ **falta de ortografía** faute d'orthographe; ▶ **falta de respeto** manque de respect.

faltar [fal'tar] *vi* manquer; (*escasear*) se faire rare; **le falta algo** il lui manque qch; **¿falta algo?** il manque qch?; **falta mucho todavía** il reste encore beaucoup de temps; **¿falta mucho?** c'est encore loin?; **faltan 2 horas para llegar** il reste encore 2 heures avant que l'on arrive;

falta poco para que termine c'est presque fini; ~ al respeto a algn manquer de respect à qn; ~ a una cita/a clase manquer un rendez-vous/la classe; ~ al trabajo ne pas aller à son travail; faltó a su palabra/promesa il a manqué à sa parole/promesse; ~ por hacer rester à faire; ~ a la verdad faire une entorse à la vérité; ¡no faltaba o ~ía más! (naturalmente) mais comment donc!; (¡ni hablar!) pas question!; ¡lo que faltaba! c'est le bouquet!

falto, -a ['falto, a] adj: está ~ de il(elle) manque de.

fama ['fama] nf (celebridad) célébrité f; (reputación) réputation f; tener ~ de avoir la réputation de; tener mala ~ avoir mauvaise réputation.

famélico, -a [fa'meliko, a] adj famélique.

familia [fa'milja] nf famille f; de buena ~ de bonne famille; estamos (como) en ~ on est en famille; ► familia numerosa famille nombreuse; ► familia política famille politique.

familiar [fami'ljar] adj familial(e); (conocido, informal) familier(-ère) ♦ nm/f parent(e).

familiarice etc [familja'riθe] vb V familiarizarse.

familiaridad [familjari'ðað] nf familiarité f; ~es nfpl (pey) familiarités fpl.

familiarizarse [familjari'θarse] vpr: ~ con se familiariser avec.

famoso, -a [fa'moso, a] adj célèbre.

fan [fan] (pl ~s) nm/f fan m/f.

fanático, -a [fa'natiko, a] adj, nm/f fanatique m/f; ser un ~ de être un fanatique de.

fanatismo [fana'tismo] nm fanatisme m.

fané [fa'ne] (ARG) adj crevé(e).

fanfarria [fan'farrja] nf fanfare f.

fanfarrón, -ona [fanfa'rron, ona] adj, nm/f fanfaron(ne).

fanfarronear [fanfarrone'ar] vi fanfaronner.

fango ['fango] nm fange f.

fangoso, -a [fan'goso, a] adj fangeux(-euse); (consistencia) visqueux(-euse).

fantasear [fantase'ar] vi rêver.

fantasía [fanta'sia] nf fantaisie f; ~s nfpl (ilusiones) illusions fpl; joyas de ~ bijoux mpl fantaisie.

fantasma [fan'tasma] nm fantôme m; (pey: presuntuoso) frimeur m; compañía ~ société f fantôme.

fantástico, -a [fan'tastiko, a] adj fantastique.

fantoche [fan'totʃe] (fam) nm épouvantail m; ser un ~ (fig: político etc) être un fan-

toche.

FAO ['fao] sigla f (= Organización de las Naciones Unidas para la Agricultura y la Alimentación) FAO f (= Organisation des Nations unies pour l'alimentation et l'agriculture).

faquir [fa'kir] nm fakir m.

farándula [fa'randula] nf théâtre m.

faraón [fara'on] nm pharaon m.

fardar [far'ðar] (fam) vi se pavanner; ~ de se vanter de.

fardo ['farðo] nm balluchon m.

fardón, -ona [far'ðon, ona] (fam) adj (persona) m'as-tu-vu inv; (objeto) classe inv.

farfullar [farfu'ʎar] vt balbutier.

faringe [fa'rinxe] nf pharynx m.

faringitis [farin'xitis] nf pharyngite f.

farmacéutico, -a [farma'θeutiko, a] adj pharmaceutique ♦ nm/f pharmacien(ne).

farmacia [far'maθja] nf pharmacie f; ► farmacia de guardia pharmacie de garde.

fármaco ['farmako] nm médicament m.

faro ['faro] nm (NÁUT, AUTO) phare m; (señal) feu m; ► faros antiniebla/delanteros/traseros feux mpl antibrouillard/avant/arrière.

farol [fa'rol] nm lanterne f; (FERRO) feu m; (poste) réverbère m; echarse o tirarse un ~ (fam) frimer.

farola [fa'rola] nf réverbère m.

farolero, -a [faro'lero, a] (pey) adj crâneur(-euse).

farolillo [faro'liʎo] nm lampion m.

farra ['farra] (esp ARG) nf foire f.

farruco, -a [fa'rruko, a] (fam) adj: estar o ponerse ~ jouer les fiers-à-bras.

farsa ['farsa] nf farce f; ¡es una ~! (fig) quelle farce!

farsante [far'sante] nm/f farceur(-euse).

FASA ['fasa] (ESP) sigla f (AUTO) = Fábrica de Automóviles S.A.

fascículo [fas'θikulo] nm fascicule m.

fascinación [fasθina'θjon] nf fascination f.

fascinante [fasθi'nante] adj fascinant(e).

fascinar [fasθi'nar] vt fasciner.

fascismo [fas'θismo] nm fascisme m.

fascista [fas'θista] adj, nm/f fasciste m/f.

fase ['fase] nf phase f.

fastidiar [fasti'ðjar] vt (molestar) ennuyer; (estropear) gâcher; fastidiarse vpr prendre sur soi; ¡no fastidies! tu n'y penses pas!; ¡no te fastidia! tu imagines!; ando fastidiado del estómago mon estomac me fait souffrir.

fastidio [fas'tiðjo] nm ennui m; ¡qué ~! c'est trop bête!

fastidioso, -a [fasti'ðjoso, a] adj fastidieux(-euse).

fastuosamente [fas'twosamente] adv somptueusement.

fastuoso, -a [fas'twoso, a] *adj* fastueux(-euse).

fatal [fa'tal] *adj* fatal(e); (*fam*: *malo*) dur(e) ♦ *adv* très mal; **lo pasó ~** il l'a très mal vécu.

fatalidad [fatali'ðað] *nf* fatalité *f*.

fatalismo [fata'lismo] *nm* fatalisme *m*.

fatídico, -a [fa'tiðiko, a] *adj* fatidique.

fatiga [fa'tiɣa] *nf* fatigue *f*; **~s** *nfpl* (*penalidades*) tracas *mpl*.

fatigar [fati'var] *vt* fatiguer; (*molestar*) ennuyer; **fatigarse** *vpr* se fatiguer.

fatigosamente [fati'ɣosamente] *adv* péniblement.

fatigoso, -a [fati'ɣoso, a] *adj* (*tarea*) pénible; (*respiración*) difficile.

fatigue *etc* [fa'tive] *vb* V **fatigar**.

fatuo, -a ['fatwo, a] *adj* fat.

fauces ['fauθes] *nfpl* mandibules *fpl*.

fauna ['fauna] *nf* faune *f*.

fausto ['fausto] *nm* faste *m*.

favor [fa'ßor] *nm* faveur *f*; **haga el ~ de ...** faites-moi le plaisir de ...; **por ~** s'il vous plaît; **a ~ pour**; **a ~ de** en faveur de; (*COM*) à l'ordre de; **en ~ de** en faveur de; **gozar del ~ de algn** jouir de l'estime de qn.

favorable [faßo'raßle] *adj* favorable; **ser ~ a algo** être favorable à qch.

favorablemente [faßo'raßlemente] *adv* favorablement.

favorecedor, a [faßoreθe'ðor, a] *adj* seyant(e).

favorecer [faßore'θer] *vt* favoriser; (*suj*: *vestido, peinado*) avantager.

favorezca *etc* [faßo'reθka] *vb* V **favorecer**.

favoritismo [faßori'tismo] *nm* favoritisme *m*.

favorito, -a [faßo'rito, a] *adj, nm/f* favori(te).

fax [faks] *nm* fax *m*.

fayuca [fa'yuka] (*MÉX*: *fam*) *nf* contrebande *f*.

fayuquero, -a [fayu'kero, a] (*MÉX*: *fam*) *adj, nm/f* contrebandier(-ère).

faz [faθ] *nf* visage *m*; **la ~ de la tierra** la face de la terre.

FBI *sigla m* FBI *m*.

F.C. *abr* = **ferrocarril**; (= *Fútbol Club*) FC *m* (= *Football Club*).

f.c. *abr* = **ferrocarril**.

fe [fe] *nf* foi *f*; **de buena/mala ~** de bonne/ mauvaise foi; **dar ~ de** faire foi de; **tener ~ en algo/algn** avoir foi en qch/qn; ► **fe de bautismo/de vida** certificat *m* de baptême/de vie; ► **fe de erratas** errata *m*.

fealdad [feal'dað] *nf* laideur *f*.

feb. *abr* = **febrero**.

feb.º *abr* = **febrero**.

febrero [fe'ßrero] *nm* février *m*; V *tb* **julio**.

febril [fe'ßril] *adj* fiévreux(-euse); (*fig*) fébrile.

fecal [fe'kal] *adj* fécal(e).

fecha ['fetʃa] *nf* date *f*; **en ~ próxima** prochainement; **hasta la ~** jusqu'à aujourd'hui; **por estas ~s** aux alentours de cette date; ► **fecha de caducidad** (*de alimentos*) date limite de consommation; (*de contrato*) terme *m*; ► **fecha de vencimiento** (*COM*) date d'échéance; ► **fecha límite** *o* **tope** date limite.

fechar [fe'tʃar] *vt* dater.

fechoría [fetʃo'ria] *nf* méfait *m*.

fécula ['fekula] *nf* fécule *f*.

fecundación [fekunda'θjon] *nf* fécondation *f*; ► **fecundación artificial/in vitro** fécondation artificielle/in vitro.

fecundar [fekun'dar] *vt* féconder.

fecundidad [fekundi'ðað] *nf* fécondité *f*.

fecundo, -a [fe'kundo, a] *adj* (*mujer, fig*) fécond(e); (*tierra*) fertile.

FED *sigla m* (= *Fondo Europeo de Desarollo*) FER *m* (= *Fonds européen de développement*).

FEDER *sigla m* (= *Fondo Europeo de Desarollo Regional*) FEDER *m* (= *Fonds européen de développement régional*).

federación [feðera'θjon] *nf* fédération *f*.

federal [feðe'ral] *adj* fédéral(e).

federalismo [feðera'lismo] *nm* fédéralisme *m*.

federarse [feðe'rarse] *vpr* se fédérer.

FEF [fef] *sigla f* = *Federación Española de Fútbol*.

fehaciente [fea'θjente] *adj* probant(e).

felicidad [feliθi'ðað] *nf* bonheur *m*; (*dicha*) félicité *f*; **~es** tous mes *etc* vœux.

felicitación [feliθita'θjon] *nf* (*enhorabuena*) vœux *mpl*; (*tarjeta*) carte *f* de vœux; **~ navideña** *o* **de Navidad** carte de Noël.

felicitar [feliθi'tar] *vt*: **~ (por)** féliciter (pour); **me felicitó por mi cumpleaños** il me souhaita un bon anniversaire; **~ las Pascuas** souhaiter un joyeux Noël; **¡te felicito!** je te félicite!, tous mes vœux!

feligrés, -esa [feli'ɣres, esa] *nm/f* fidèle *m/f*.

felino, -a [fe'lino, a] *adj* félin(e).

feliz [fe'liθ] *adj* heureux(-euse); **¡~ cumpleaños!** bon anniversaire!; **¡felices Pascuas!/Navidades!** joyeux Noël!

felizmente [fe'liθmente] *adv* favorablement.

felonía [felo'nia] *nf* félonie *f*.

felpa ['felpa] *nf* velours *msg*.

felpudo [fel'puðo] *nm* paillasson *m*.

femenino, -a [feme'nino, a] *adj* féminin(e); (*ZOOL, BIO*) femelle ♦ *nm* (*LING*) féminin *m*.

feminismo [femi'nismo] *nm* féminisme *m*.

feminista [femi'nista] *adj, nm/f* féministe *m/f.*

fémur ['femur] *nm* fémur *m.*

fenomenal [fenome'nal] *adj (fam: enorme)* phénoménal(e); (: *estupendo*) sensationnel(le) ♦ *adv* vachement bien.

fenómeno [fe'nomeno] *nm* phénomène *m* ♦ *adv*: **lo pasamos ~** on s'est vachement bien amusé ♦ *excl* super!

feo, -a ['feo, a] *adj* laid(e) ♦ *nm*: **hacer un ~ a algn** faire un sale coup à qn; **esto se está poniendo ~** ça va mal tourner; **más ~ que Picio** laid comme un pou.

féretro ['feretro] *nm* cercueil *m.*

feria ['ferja] *nf* foire *f*; (*AM: mercado de pueblo*) marché *m*; (*MÉX: cambio*) monnaie *f*; **~s** *nfpl* (*fiestas*) fêtes *fpl*; ▶ **feria comercial/de muestras** marché *m*/salon *m.*

feriado, -a [fe'rjaðo, a] *adj*: **día ~** jour *m* férié ♦ *nm* (*AM*) jour férié.

ferial [fe'rjal] *adj*: **recinto ~** champ *m* de foire.

fermentación [fermenta'θjon] *nf* fermentation *f.*

fermentar [fermen'tar] *vi* fermenter.

fermento [fer'mento] *nm* ferment *m.*

ferocidad [feroθi'ðað] *nf* férocité *f.*

feroz [fe'roθ] *adj* féroce; (*fam: hambre*) de loup; (*ganas*) dingue.

férreo, -a ['ferreo, a] *adj* ferreux(-euse); (*fig*) de fer; **vía férrea** voie *f* ferrée.

ferretería [ferrete'ria] *nf* ferronnerie *f.*

ferrocarril [ferroka'rril] *nm* chemin *m* de fer; ▶ **ferrocarril de vía estrecha/única** chemin de fer à voie étroite/unique.

ferroviario, -a [ferrovja'rjo, a] *adj* ferroviaire ♦ *nm/f* employé(e) des chemins de fer.

fértil ['fertil] *adj* (*tierra, fig*) fertile; (*persona*) fécond(e).

fertilice *etc* [ferti'liθe] *vb* V **fertilizar.**

fertilidad [fertili'ðað] *nf* (*de tierra*) fertilité *f*; (*de persona*) fécondité *f.*

fertilizante [fertili'θante] *nm* engrais *msg.*

fertilizar [fertili'θar] *vt* fertiliser.

ferviente [fer'βjente] *adj* fervent(e).

fervor [fer'βor] *nm* ferveur *f.*

fervoroso, -a [ferβo'roso, a] *adj* = **ferviente.**

festejar [feste'xar] *vt* fêter.

festejo [fes'texo] *nm* fête *f*; **~s** *nmpl* (*fiestas*) festivités *fpl.*

festín [fes'tin] *nm* festin *m.*

festival [festi'βal] *nm* festival *m.*

festividad [festiβi'ðað] *nf* festivité *f.*

festivo, -a [fes'tiβo, a] *adj* festif(-ive); (*alegre*) joyeux(-euse); **día ~** jour *m* de fête.

fetal [fe'tal] *adj*: **posición ~** position *f* fœtale.

fetiche [fe'titʃe] *nm* talisman *m.*

fetichista [feti'tʃista] *adj, nm/f* fétichiste *m/f.*

fétido, -a ['fetiðo, a] *adj* fétide.

feto ['feto] *nm* fœtus *msg.*

feudal [feu'ðal] *adj* féodal(e).

F.E.V.E. *sigla f* = Ferrocarriles Españoles de Vía Estrecha.

FF.AA. *abr* (*MIL* = Fuerzas Armadas) *V* **fuerza.**

FF.CC. *abr* (= Ferrocarriles) chemins de fer.

fiabilidad [fjaβili'ðað] *nf* fiabilité *f.*

fiable [fi'aβle] *adj* (*persona*) digne de confiance; (*máquina*) fiable; (*criterio, versión*) valable.

fiaca ['fjaka] (*ARG: fam*) *nf* flemme *f.*

fiado [fi'aðo] *nm*: **comprar (al) ~** acheter à crédit.

fiador, a [fja'ðor, a] *nm/f* garant(e); **salir ~ por algn** se porter garant de qn.

fiambre ['fjambre] *adj* (*CULIN*) froid(e) ♦ *nm* (*CULIN*) charcuterie *f*; (*fam*) macchabée *m.*

fiambrera [fjam'brera] *nf* panier-repas *msg.*

fianza ['fjanθa] *nf* caution *f*; **libertad bajo ~** (*JUR*) liberté *f* sous caution.

fiar [fi'ar] *vt* vendre à crédit; (*salir garante de*) se porter garant de ♦ *vi* vendre à crédit; **fiarse** *vpr*: **~se de algn/algo** avoir confiance en qn/qch; **es de ~** on peut se fier à lui.

fiasco ['fjasko] *nm* fiasco *m.*

fibra ['fiβra] *nf* fibre *f*; (*fig*) punch *m*; ▶ **fibra de vidrio** fibre de verre; ▶ **fibra óptica** (*INFORM*) fibre optique.

ficción [fik'θjon] *nf* fiction *f*; **literatura/obra de ~** littérature *f*/œuvre *f* de fiction.

ficha ['fitʃa] *nf* fiche *f*; (*en juegos, casino*) jeton *m*; ▶ **ficha policial** fiche de police; ▶ **ficha técnica** (*CINE*) fiche technique.

fichaje [fi'tʃaxe] *nm* (*DEPORTE*) recrue *f*; (: *suma de dinero*) investissement *m*; **ser un buen ~** être une bonne recrue.

fichar [fi'tʃar] *vt* ficher; (*DEPORTE*) recruter; (*fig*) classer ♦ *vi* (*deportista*) se faire recruter; (*trabajador*) pointer; **estar fichado** être fiché.

fichero [fi'tʃero] *nm* fichier *m*; **nombre de ~** (*INFORM*) nom *m* de fichier; ▶ **fichero activo/archivado/indexado** (*INFORM*) fichier actif/archivé/indexé; ▶ **fichero de reserva** (*INFORM*) fichier de sauvegarde.

ficticio, -a [fik'tiθjo, a] *adj* (*imaginario*) fictif(-ive); (*falso*) simulé(e).

ficus ['fikus] *pl inv nm* ficus *msg.*

fidedigno, -a [fiðe'ðiɣno, a] *adj* authentique.

fideicomisario [fiðeikomi'sarjo] *nm* (*JUR*) fidéicommissaire *m.*

fideicomiso [fiðeiko'miso] *nm* (*JUR*) fidéi-

commis *m*.
fidelidad [fiðeli'ðað] *nf* fidélité *f*; **alta** ~ haute fidélité.
fidelísimo, -a [fiðe'lisimo, a] *adj superl de* **fiel**.
fideos [fi'ðeos] *nmpl* vermicelles *mpl*.
fiduciario, -a [fiðu'θjarjo, a] *nm/f* fiduciaire *m*.
fiebre ['fjeßre] *nf* fièvre *f*; **tener** ~ avoir de la fièvre; ► **fiebre amarilla** fièvre jaune; ► **fiebre del heno** rhume *m* des foins; ► **fiebre palúdica** paludisme *m*.
fiel [fjel] *adj* fidèle ♦ *nm* aiguille *f*; **los ~es** (*REL*) les fidèles *mpl*.
fielmente ['fjelmente] *adv* fidèlement.
fieltro ['fjeltro] *nm* feutre *m*.
fiera [fjera] *nf* bête *f* féroce; **ponerse hecho una** ~ devenir féroce; **ser un(a)** ~ **en** *o* **para algo** être un crack de qch.
fiereza [fje're θa] *nf* férocité *f*.
fiero, -a ['fjero, a] *adj* féroce.
fierro ['fjerro] (*AM*) *nm* fer *m*.
fiesta ['fjesta] *nf* fête *f*; (*vacaciones: tb:* **~s**) fêtes *fpl*; **hoy/mañana es** ~ aujourd'hui/demain c'est fête; **estar de** ~ faire la fête; ► **fiesta de guardar** (*REL*) Fête d'obligation; ► **fiesta nacional** fête nationale.
FIFA *sigla f* (= *Federación Internacional de Fútbol Associación*) FIFA *f* (= *Fédération internationale de football association*).
fifí [fi'fi] (*MÉX*) *nm* petit monsieur *m*.
figura [fi'yura] *nf* figure *f*; (*forma, imagen*) silhouette *f*; (*de porcelana, cristal*) figurine *f*; ► **figura retórica** figure de réthorique.
figurado, -a [fiyu'raðo, a] *adj* figuré(e).
figurante [fiyu'rante] *nm/f* (*TEATRO*) figurant(e).
figurar [fiyu'rar] *vt, vi* figurer; **figurarse** *vpr* se figurer; **¡figúrate!** figure-toi!; **ya me lo figuraba** je l'avais bien dit.
fijación [fixa'θjon] *nf* fixation *f*.
fijador [fixa'ðor] *nm* fixateur *m*.
fijamente ['fixamente] *adv* (*sujetarse*) solidement; (*mirar*) fixement.
fijar [fi'xar] *vt* fixer; (*sellos*) coller; (*cartel*) afficher; (*residencia*) établir; **fijarse** *vpr*: **~se (en)** observer; ~ **algo a** attacher qch à; **¡fíjate!** figure-toi!
fijeza [fi'xeθa] *nf*: **con** ~ (*mirar*) fixement; (*saber*) avec assurance.
fijo, -a ['fixo, a] *adj* fixe; (*sujeto*): ~ **(a)** fixé(e) (à) ♦ *adv*: **mirar** ~ regarder fixement; **de** ~ assurément.
fila ['fila] *nf* file *f*; (*DEPORTE, TEATRO*) rang *m*; (*fig: facción*) faction *f*; **~s** *nfpl* (*MIL*) service *m* militaire; **ponerse en** ~ se mettre en file; **en primera** ~ au premier rang; **alistarse** *o* **incorporarse a ~s** être in-

corporé dans l'armée; ► **fila india** file indienne.
filamento [fila'mento] *nm* filament *m*.
filantrópico, -a [filan'tropiko, a] *adj* philanthropique.
filántropo, -a [fi'lantropo, a] *nm/f* philanthrope *m/f*.
filarmónica [filar'monika] *nf* philharmonique *f*.
filatelia [fila'telja] *nf* philatélie *f*.
filatélico, -a [fila'teliko, a] *adj* philatélique ♦ *nm/f* philatéliste *m/f*.
filete [fi'lete] *nm* filet *m*.
filiación [filja'θjon] *nf* filiation *f*; (*POL*) affiliation *f*; (*datos personales*) fiche *f* d'état civil.
filial [fi'ljal] *adj* filial(e) ♦ *nf* filiale *f*.
filigrana [fili'yrana] *nf* filigrane *f*.
Filipinas [fili'pinas] *nfpl*: **las (Islas)** ~ les (îles) Philippines *fpl*.
filipino, -a [fili'pino, a] *adj* philippin(e) ♦ *nm/f* Philippin(e).
film [film] (*pl* **~s**) *nm* film *m*.
filmación [filma'θjon] *nf* tournage *m*.
filmar [fil'mar] *vt* filmer.
filme [filme] *nm* = **film**.
filmografía [filmoyra'fia] *nf* filmographie *f*.
filmoteca [filmo'teka] *nf* (*cine*) cinémathèque *f*; (*archivo*) filmothèque *f*.
filo ['filo] *nm* fil *m*; **sacar** ~ **a** aiguiser; **al** ~ **de la medianoche** à minuit sonnante; **arma de doble** ~ (*fig*) arme *f* à double tranchant.
filología [filolo'xia] *nf* philologie *f*; ► **filología francesa/inglesa/alemana** (*UNIV*) philologie française/anglaise/germanique.
filólogo, -a [fi'loloyo, a] *nm/f* philologue *m/f*.
filón [fi'lon] *nm* filon *m*.
filoso, -a [fi'loso, a] (*AM*) *adj* aiguisé(e).
filosofía [filoso'fia] *nf* philosophie *f*; **tomarse algo con mucha** ~ prendre qch avec philosophie.
filosófico, -a [filo'sofiko, a] *adj* philosophique; (*actitud*) philosophe.
filósofo, -a [fi'losofo, a] *nm/f* philosophe *m/f*.
filtración [filtra'θjon] *nf* (*de luz*) filtration *f*; (*de agua*) infiltration *f*; (*fig: de fondos*) détournement *m*; (: *de datos*) filtrage *m*.
filtrar [fil'trar] *vt* filtrer ♦ *vi* s'infiltrer; **filtrarse** *vpr* (*líquido*) s'infiltrer; (*luz, noticia*) filtrer; (*fig: dinero*) s'envoler.
filtro ['filtro] *nm* filtre *m*; (*papel*) buvard *m*; ► **filtro de aceite** (*AUTO*) filtre à huile.
filudo, -a [fi'luðo, a] (*AM*) *adj* effilé(e).
fin [fin] *nm* fin *f*; **a** ~ **de cuentas** en fin de compte; **al** ~ à la fin; **al** ~ **y al cabo** finalement; **a** ~ **de (que)** afin que; **a ~es de** à la fin de; **por/en** ~ enfin; **dar** *o* **poner** ~ **a**

algo mettre fin à qch; **con el ~ de** dans le but de; **sin ~** tant qu'on en veut; **llegar a ~ de mes** *(fig)* boucler ses fins de mois; ▶ **fin de año** fin d'année; ▶ **fin de archivo** *(INFORM)* fin de fichier; ▶ **fin de registro** *(INFORM)* fin de sauvegarde; ▶ **fin de semana** fin de semaine.

final [fi'nal] *adj* final(e) ♦ *nm* *(de partido, tarde)* fin *f*; *(de calle, novela)* bout *m* ♦ *nf* *(DEPORTE)* finale *f*; **al ~** à la fin; **a ~es de mayo** fin mai.

finalice *etc* [fina'liθe] *vb* V **finalizar**.

finalidad [finali'ðað] *nf* finalité *f*.

finalista [fina'lista] *nm/f* finaliste *m/f*.

finalizar [finali'θar] *vt* terminer ♦ *vi* toucher à sa fin; **~ la sesión** *(INFORM)* clore la session.

finalmente [fi'nalmente] *adv* finalement.

financiación [finanθja'θjon] *nf* financement *m*.

financiar [finan'θjar] *vt* financer.

financiera [finan'θjera] *nf* groupe *m* financier; V *tb* **financiero**.

financiero, -a [finan'θjero, a] *adj* financier(-ère) ♦ *nm/f* financier *m*.

financista [finan'θista] *(AM)* *nm/f* financier *m*.

finanzas [fi'nanθas] *nfpl* affaires *fpl*.

finca ['finka] *nf* *(rústica)* ferme *f*; *(urbana)* propriété *f*.

fingir [fin'xir] *vt* feindre ♦ *vi* mentir; **fingirse** *vpr:* **~se dormido** faire semblant de dormir; **~se un sabio** se donner des airs de savant.

finiquitar [finiki'tar] *vt* *(ECON: cuenta)* solder.

finiquito [fini'kito] *nm* solde *m*.

finito, -a [fi'nito, a] *adj* fini(e).

finja *etc* ['finxa] *vb* V **fingir**.

finlandés, -esa [finlan'des, esa] *adj* finlandais(e) ♦ *nm/f* Finlandais(e) ♦ *nm* *(LING)* finnois *m*.

Finlandia [fin'landja] *nf* Finlande *f*.

fino, -a ['fino, a] *adj* fin(e); *(tipo)* mince; *(de buenas maneras)* délicat(e) ♦ *nm* *(jerez)* xérès *m*.

finura [fi'nura] *nf* finesse *f*; *(en modales)* délicatesse *f*.

FIP [fip] *(ESP)* *sigla f = Formación Intensiva Profesional.*

firma ['firma] *nf* signature *f*; *(COM)* firme *f*.

firmamento [firma'mento] *nm* firmament *m*.

firmante [fir'mante] *adj, nm/f* signataire *m/f*; **los abajo ~s** les soussignés.

firmar [fir'mar] *vt, vi* signer; **~ un contrato** signer un contrat; **firmado y sellado** signé et scellé.

firme ['firme] *adj* solide; *(fig)* ferme ♦ *nm* chaussée *f*; **mantenerse ~** *(fig)* tenir fer-

me; **de ~** avec acharnement; **¡~s!** *(MIL)* garde-à-vous!; **oferta en ~** *(COM)* offre *f* ferme.

firmemente ['firmemente] *adv* fermement.

firmeza [fir'meθa] *nf* fermeté *f*; *(solidez)* solidité *f*; *(perseverancia)* persévérance *f*.

fiscal [fis'kal] *adj* fiscal(e) ♦ *nm* *(JUR)* avocat *m* général.

fiscalice *etc* [fiska'liθe] *vb* V **fiscalizar**.

fiscalizar [fiskali'θar] *vt* fiscaliser; *(pey)* juger.

fisco ['fisko] *nm* fisc *m*; **declarar algo al ~** déclarer qch au fisc.

fisgar [fis'xar] *vt* fouiner dans ♦ *vi* fouiner.

fisgón, -ona [fis'xon, ona] *adj* fouineur(-euse).

fisgonear [fisxone'ar] *vt* fureter dans ♦ *vi* fureter.

fisgue *etc* ['fisxe] *vb* V **fisgar**.

física ['fisika] *nf* physique *f*; V *tb* **físico**.

físico, -a ['fisiko, a] *adj* physique ♦ *nm* physique *m* ♦ *nm/f* physicien(ne).

fisiología [fisjolo'xia] *nf* physiologie *f*.

fisiológico, -a [fisjo'loxico, a] *adj* physiologique.

fisioterapeuta [fisjotera'peuta] *nm/f* physiothérapeute *m/f*.

fisioterapia [fisjote'rapja] *nf* physiothérapie *f*.

fisioterapista [fisjotera'pista] *(ARG)* *nm/f* = **fisioterapeuta**.

fisonomía [fisono'mia] *nf* physionomie *f*.

fisonomista [fisono'mista] *nm/f:* **ser buen ~** être physionomiste.

fístula ['fistula] *nf* fistule *f*.

fisura [fi'sura] *nf* fissure *f*; *(MED)* fracture *f*.

flac(c)idez [fla(k)θi'ðeθ] *nf:* **tengo ~ en los músculos** mes muscles sont flasques.

flác(c)ido, -a ['fla(k)θiðo, a] *adj* flasque.

flaco, -a ['flako, a] *adj* *(delgado)* maigre; *(débil)* faible; **punto ~** point *m* faible.

flagrante [fla'xrante] *adj* flagrant(e); **en ~ delito** en flagrant délit.

flamante [fla'mante] *(fam)* *adj* *(vistoso)* voyant(e); *(nuevo)* flambant neuf (neuve).

flamear [flame'ar] *vt* *(CULIN)* flamber.

flamenco, -a [fla'menko, a] *adj* *(de Flandes)* flamand(e); *(baile, música)* flamenco ♦ *nm/f* Flamand(e) ♦ *nm* flamenco *m*; *(LING)* flamand *m*; *(ZOOL)* flamant *m*; **los ~s** les Flamands; **ponerse ~** frimer.

flan [flan] *nm* flan *m* au caramel; ▶ **flan de arroz/verduras** boule *f* de riz/légumes.

flanco ['flanko] *nm* flanc *m*.

Flandes ['flandes] *nm* Flandre *f*.

flanquear [flanke'ar] *vt* flanquer; *(MIL: atacar)* déborder.

flaquear [flake'ar] *vi* flancher.

flaqueza [fla'keθa] *nf* faiblesse *f*.
flaquísimo, -a [fla'kisimo, a] *adj superl de* **flaco**.
flash [flas] (*pl* ~**es**) *nm* (*FOTO*) flash *m*.
flato ['flato] *nm* ballonnement *m*.
flatulencia [flatu'lenθia] *nf* flatulence *f*.
flauta ['flauta] *nf* flûte *f* ♦ *nm/f* douillet(te); ¡**la gran ~!** (*AM: fam*) flûte!; **de la gran ~** (: *bárbaro*) du tonnerre; **hijo de la gran ~** (*AM: fam!*) fils *m* de pute (*fam!*); ► **flauta dulce** flûte à bec; ► **flauta travesera** flûte traversière.
flautista [flau'tista] *nm/f* flûtiste *m/f*.
flebitis [fle'ßitis] *nf* phlébite *f*.
flecha ['fletʃa] *nf* flèche *f*.
flechazo [fle'tʃaθo] *nm* (*enamoramiento*) coup *m* de foudre; (*disparo*) tir *m* de flèche.
fleco ['fleko] *nm* frange *f*.
flema ['flema] *nm* flegme *m*.
flemático, -a [fle'matiko, a] *adj* flegmatique.
flemón [fle'mon] *nm* (*MED*) abcès *m*.
flequillo [fle'kiʎo] *nm* frange *f*.
fletar [fle'tar] *vt* (*barco, avión*) affréter; (*autocar, camión*) fréter; (*mercancías*) transporter.
flete ['flete] *nm* fret *m*; ► **flete debido/ sobre compras** (*COM*) port *m* dû/payé.
flexibilidad [fleksiβili'ðað] *nf* (*de material*) souplesse *f*; (*adaptabilidad*) flexibilité *f*.
flexible [flek'sißle] *adj* (*material*) souple; (*fig*) flexible.
flexión [flek'sjon] *nf* flexion *f*.
flexionar [fleksjo'nar] *vt* fléchir.
flexo ['flekso] *nm* lampe *f* de bureau.
flipper ['fliper] (*AM*) *nm* flipper *m*.
flirtear [flirte'ar] *vi* flirter.
FLN *sigla m* (*VEN, PE*: *POL* = *Frente de Liberación Nacional*) parti politique; (*ARGELIA*) FLN *m* (= *Front de libération nationale*).
flojear [floxe'ar] *vi* flancher.
flojera [flo'xera] *nf* défaillance *f*; (*AM*) paresse *f*; **me da ~ (hacer)** j'ai la flemme de (faire).
flojo, -a ['floxo, a] *adj* (*cuerda, nudo*) lâche; (*persona, COM: sin fuerzas*) faible; (*perezoso: esp AM*) paresseux(-euse); (*viento, vino, trabajo*) léger(-ère); (*estudiante*) faible; (*conferencia*) ennuyeux(-euse); **está ~ en matemáticas** il est faible en mathématiques.
floppy ['flopi] *nm* (*INFORM*) disquette *f*.
flor [flor] *nf* fleur *f*; **en ~** en fleur; **la ~ y nata de la sociedad** (*fig*) la crème de la société; **en la ~ de la vida** dans la fleur de l'âge; **a ~ de piel** (*fig*) à fleur de peau; **es ~ de amigo** (*AND, CSUR*) c'est un super ami.
flora ['flora] *nf* flore *f*.

florcita [flor'θita] (*AM: fam*) *nf* fleurette *f*.
florecer [flore'θer] *vi* fleurir.
floreciente [flore'θjente] *adj* fleurissant(e).
Florencia [flo'renθja] *n* Florence.
florero [flo'rero] *nm* pot *m* de fleurs.
florezca *etc* [flo'reθka] *vb* V **florecer**.
florido, -a [flo'riðo, a] *adj* fleuri(e).
florista [flo'rista] *nm/f* fleuriste *m/f*.
floristería [floriste'ria] *nf* fleuriste *m*.
flota ['flota] *nf* flotte *f*.
flotación [flota'θjon] *nf*: **línea de ~** ligne *f* de flottaison.
flotador [flota'ðor] *nm* flotteur *m*; (*para nadar*) bouée *f*.
flotante [flo'tante] *adj* flottant(e); **coma ~** (*INFORM*) virgule flottante.
flotar [flo'tar] *vi* flotter.
flote ['flote] *nm*: **a ~** à flot; **salir a ~** (*fig*) être remis(e) à flot.
flotilla [flo'tiʎa] *nf* flottille *f*.
FLS (*NIC*) *sigla m* (*POL*) = *Frente de Liberación Sandinista*.
fluctuación [fluktwa'θjon] *nf* fluctuation *f*.
fluctuante [fluk'twante] *adj* fluctuant(e).
fluctuar [fluk'twar] *vi* fluctuer.
fluidez [flui'ðeθ] *nf* fluidité *f*; **con ~** avec fluidité.
fluido, -a [flu'iðo, a] *adj, nm* fluide *m*.
fluir [flu'ir] *vi* couler; (*fig: ideas*) venir.
flujo ['fluxo] *nm* flux *m*; (*MED*) écoulement *m*; **~ y reflujo** flux et reflux; **~ de efectivo** (*COM*) marge *f* brute d'autofinancement.
flúor ['fluor] *nm* fluor *m*.
fluorescente [flwores'θente] *adj* fluorescent(e) ♦ *nm* (*tb*: **tubo ~**) néon *m*.
fluoruro [flwo'ruro] *nm* fluorure *f*.
fluvial [fluβi'al] *adj* fluvial(e); **vía ~** voie *f* fluviale.
fluyendo *etc* [flu'jendo] *vb* V **fluir**.
FM *sigla f* (= *Frecuencia Modulada*) FM *f* (= *fréquence modulée*), MF *f* (= *modulation de fréquence*).
FMI *sigla m* (= *Fondo Monetario Internacional*) FMI *m* (= *Fonds monétaire international*).
F.N. (*ESP*) *sigla f* (*POL* = *Frente Nacional*) parti d'extrême-droite; (= *Fuerza Nueva*) ancien parti d'extrême-droite.
FNPT (*ESP*) *sigla m* = *Fondo Nacional de Protección del Trabajo*.
f.° *abr* (= *folio*) f. (= *feuillet*).
fobia ['fobja] *nf* phobie *f*.
foca ['foka] *nf* phoque *m*; (*fam: persona gorda*) gros tas *m*.
foco ['foko] *nm* foyer *m*; (*AM: bombilla*) ampoule *f*; (: *farola*) réverbère *m*; ► **foco de infección** (*MED*) foyer d'infection.
fofo, -a ['fofo, a] *adj* (*esponjoso*) mou (molle); (*carnes*) flasque.
fogata [fo'xata] *nf* feu *m* de bois.

fogón [fo'ɣon] nm (de cocina) plaque f.

fogoso, -a [fo'ɣoso, a] adj fougueux(-euse).

foja ['foja] (AM) nf feuille f; ► **foja de servicios** (ADMIN) fiche f.

fol. abr (= folio) f. (= feuillet).

folder ['folder], **fólder** ['folder] (AM) nm (carpeta) chemise f.

folio ['foljo] nm feuille f de papier; (IMPRENTA) folio m; de tamaño ~ en feuillet.

folklore [fol'klore] nm folklore m.

folklórico, -a [fol'kloriko, a] adj folklorique.

follaje [fo'ʎaxe] nm feuillage m.

follar [fo'ʎar] (fam!) vt, vi baiser (fam!).

folletín [foʎe'tin] nm feuilleton m; (fig) mélodrame m.

folletinesco, -a [foʎetin'esko, a] adj: **una película folletinesca** un film qui tourne au mélodrame.

folleto [fo'ʎeto] nm (de propaganda) prospectus msg; (informativo) dépliant m; (con instrucciones) livret m.

follón [fo'ʎon] (fam) nm bordel m; **armar un ~** faire du bordel; **se armó un ~** ça a été la panique.

fomentar [fomen'tar] vt promouvoir; (odio, envidia) fomenter.

fomento [fo'mento] nm promotion f.

fonda ['fonda] nf auberge f.

fondear [fonde'ar] vt (NÁUT: sondear) sonder; (CHI: ahogar) jeter à la mer ♦ vi jeter l'ancre.

fondillo [fon'diʎo] (AM: fam) nm fond m de pantalón.

fondo ['fondo] nm fond m; (profundidad) profondeur f; (AM: prenda) combinaison f; ~s nmpl (COM, de museo, biblioteca) fonds msg; **a/de ~** à/de fond; **a ~ perdido** à fonds perdu; **al ~ de la calle/del pasillo** au bout de la rue/au fond du couloir; **en el ~** au fond; **tener buen ~** avoir un bon fond; **los bajos ~s** les bas-fonds mpl; ► **fondo común** fonds msg commun; ► **fondo de amortización** (COM) fonds mpl d'amortissement; ► **fondo del mar** fond de la mer; ► **Fondo Monetario Internacional** Fonds msg monétaire international.

fonética [fo'netika] nf phonétique f.

fono ['fono] (AM) nm téléphone m.

fonógrafo [fo'noɣrafo] nm phonographe m.

fonología [fonolo'xia] nf phonologie f.

fonoteca [fono'teka] nf phonothèque f.

fontanería [fontane'ria] nf plomberie f.

fontanero [fonta'nero] nm plombier m.

footing ['futin] nm footing m; **hacer ~** faire du footing.

F.O.P. [fop] (ESP) sigla fpl (= Fuerzas del Orden Público) forces de police.

forajido [fora'xiðo] nm fugitif m.

foral [fo'ral] adj local(e).

foráneo, -a [fo'raneo, a] adj étranger(-ère).

forastero, -a [foras'tero, a] nm/f étranger(-ère).

forcé [for'θe] vb V **forzar**.

forcejear [forθexe'ar] vi lutter.

forcejeo [forθe'xeo] nm lutte f.

forcemos etc [for'θemos] vb V **forzar**.

fórceps ['forθeps] pl inv nm forceps msg.

forense [fo'rense] nm/f (tb: **médico ~**) médecin m légiste.

forestal [fores'tal] adj forestier(-ère).

forjar [for'xar] vt forger; (imperio, fortuna) bâtir; **forjarse** vpr (porvenir) s'assurer; (ilusiones) se faire; **hierro forjado** fer m forgé.

forma ['forma] nf forme f; (manera) façon f, manière f; ~s nfpl (del cuerpo) formes fpl; **en (plena) ~** en (pleine) forme; **en baja ~** (física) pas en bonne forme; **en ~ de** en forme de; ~ **de pago** (COM) mode de paiement; **guardar las ~s** se tenir convenablement; **de ~ que ...** de sorte que ...; **de todas ~s** de toute façon.

formación [forma'θjon] nf formation f; ~ **a cargo de la empresa** formation continue; ► **formación profesional** formation professionnelle.

formal [for'mal] adj (defecto) de forme; (requisito, promesa) formel(le); (persona: de fiar) sérieux(-euse).

formalice etc [forma'liθe] vb V **formalizar**.

formalidad [formali'ðað] nf sérieux m; (trámite) formalité f

formalizar [formali'θar] vt officialiser; **formalizarse** vpr se ranger.

formalmente [for'malmente] adv formellement.

formar [for'mar] vt former; (hacer) faire ♦ vi (MIL) se mettre en formation; (DEPORTE) se placer; **formarse** vpr se former; (jaleo, lío) se produire; ~ **parte de** faire partie de.

formatear [formate'ar] vt (INFORM) formater.

formateo [forma'teo] nm (INFORM) formatage m.

formativo, -a [forma'tiβo, a] adj formateur(-trice).

formato [for'mato] nm format m; **sin ~** (disco, texto) non formaté(e); ► **formato de registro** format d'enregistrement.

Formica ® [for'mika] nf formica m ®.

formidable [formi'ðaßle] adj formidable.

fórmula ['formula] nf formule f; (fig: método) solution f; **hacer algo por (pura) ~** faire qch pour la forme; ► **fórmula de cortesía** formule de courtoisie; ► **fór-**

mula uno (*AUTO*) formule un.

formulación [formula'θjon] *nf* formulation *f*.

formular [formu'lar] *vt* formuler; (*idea*) émettre.

formulario [formu'larjo] *nm* formulaire *m*; **rellenar un** ~ remplir un formulaire; ▶ **formulario de pedido** (*COM*) bon *m* de commande; ▶ **formulario de solicitud** (*COM*) formulaire de demande.

formulismo [formu'lismo] *nm* formalisme *m*.

fornicar [forni'kar] *vi* forniquer.

fornido, -a [for'niδo, a] *adj* corpulent(e).

fornique *etc* [for'nike] *vb* V **fornicar**.

foro ['foro] *nm* forum *m*; (*JUR*) barreau *m*.

forofo, -a [fo'rofo, a] *nm/f* fan *m/f*.

FORPPA ['forpa] (*ESP*) *sigla m* = *Fondo de Ordenación y Regulación de Productos y Precios Agrarios*.

forrado, -a [fo'rraδo, a] *adj* (*ropa*) doublé(e); (*fam: de dinero*) plein(e) aux as.

forraje [fo'rraxe] *nm* fourrage *m*.

forrar [fo'rrar] *vt* (*abrigo*) doubler; (*libro, sofá*) recouvrir; (*puerta*) blinder; **forrarse** *vpr* (*fam*) amasser une petite fortune.

forro ['forro] *nm* (*de abrigo*) doublure *f*; (*de libro*) couverture *f*; (*de sofá*) tissu *m*.

fortalecer [fortale'θer] *vt* fortifier; (*músculos*) endurcir; **fortalecerse** *vpr* se fortifier; (*músculos*) s'endurcir.

fortaleza [forta'leθa] *nf* (*MIL*) forteresse *f*; (*fuerza*) force *f*.

fortalezca *etc* [forta'leθka] *vb* V **fortalecer**.

fortificación [fortifika'θjon] *nf* fortification *f*.

fortificar [fortifi'kar] *vt* fortifier.

fortifique *etc* [forti'fike] *vb* V **fortificar**.

fortísimo, -a [for'tisimo, a] *adj superl de* **fuerte**.

fortuito, -a [for'twito, a] *adj* fortuit(e).

fortuna [for'tuna] *nf* fortune *f*; **por** ~ par hasard; **probar** ~ tenter sa chance.

forúnculo [fo'runkulo] *nm* furoncle *m*.

forzado, -a [for'θaδo, a] *adj* forcé(e); **trabajos** ~**s** travaux *mpl* forcés.

forzar [for'θar] *vt* forcer; (*proceso*) accélérer; (*violar*) violer; (*vista*) aiguiser; ~ **a algn a hacer algo** forcer qn à faire qch.

forzosamente [for'θosamente] *adv* forcément.

forzoso, -a [for'θoso, a] *adj* forcé(e).

forzudo, -a [for'θuδo, a] *adj* (*persona*) d'une force peu commune.

fosa ['fosa] *nf* fosse *f*; ▶ **fosas nasales** fosses *fpl* nasales.

fosfato [fos'fato] *nm* phosphate *m*.

fosforescente [fosfores'θente] *adj* phosphorescent(e); (*ojos*) brillant(e).

fósforo ['fosforo] *nm* phosphore *m*; (*AM:*

cerilla) allumette *f*.

fósil ['fosil] *adj, nm* fossile *m*.

foso ['foso] *nm* (*hoyo, AUTO*) fosse *f*; (*TEATRO*) fosse d'orchestre; (*de castillo*) douves *fpl*.

foto ['foto] *nf* photo *f*; **sacar** o **hacer una** ~ faire une photo.

fotocopia [foto'kopja] *nf* photocopie *f*.

fotocopiadora [fotokopja'δora] *nf* photocopieuse *f*.

fotocopiar [fotoko'pjar] *vt* photocopier.

fotogénico, -a [foto'xeniko, a] *adj* photogénique.

fotografía [fotoɣra'fia] *nf* photographie *f*.

fotografiar [fotoɣra'fjar] *vt* photographier.

fotógrafo, -a [fo'toɣrafo, a] *nm/f* photographe *m/f*.

fotomatón [fotoma'ton] *nm* photomaton *m*.

fotómetro [fo'tometro] *nm* photomètre *m*.

fotonovela [fotono'βela] *nf* roman-photo *m*.

fotuto [fo'tuto] (*CU*) *nm* klaxon *m*.

foulard [fu'lar] *nm* foulard *m*.

FP *sigla f* (*ESP*: = *Formación Profesional*) V **formación**.

FPLP *sigla m* (*POL* = *Frente Popular para la Liberación de Palestina*) FPLP *m* (= *Front populaire de libération de la Palestine*).

fra. *abr* = **factura**.

frac ['frak] (*pl* ~**s** o **fraques**) *nm* frac *m*.

fracasado, -a [fraka'saδo, a] *adj* (*persona*) infortuné(e); (*tentativa*) manqué(e) ♦ *nm/f* raté(e).

fracasar [fraka'sar] *vi* échouer.

fracaso [fra'kaso] *nm* échec *m*; (*desastre*) catastrophe *f*; (*revés*) revers *msg*.

fracción [frak'θjon] *nf* fraction *f*; (*POL*) scission *f*.

fraccionadora [frakθjona'δora] (*MÉX*) *nf* (*COM*) promoteur *m* immobilier.

fraccionamiento [frakθjona'mjento] (*AM*) *nm* lotissement *m*.

fractura [frak'tura] *nf* fracture *f*; (*grieta*) cassure *f*.

fracturarse [fraktu'rarse] *vpr* (*MED*) se fracturer.

fragancia [fra'ɣanθja] *nf* parfum *m*.

fragante [fra'ɣante] *adj* parfumé(e).

fraganti [fra'ɣanti]: **in** ~ *adv*: **pillar a algn en** ~ prendre qn en flagrant délit.

fragata [fra'ɣata] *nf* frégate *f*.

frágil ['fraxil] *adj* fragile; **"fragil"** (*COM*) "fragile".

fragilidad [fraxili'δaδ] *nf* fragilité *f*.

fragmento [fraɣ'mento] *nm* fragment *m*; (*MÚS*) morceau *m* choisi.

fragor [fra'ɣor] *nm* clameur *f*.

fragua ['fraɣwa] *nf* forge *f*.

fraguar [fra'ɣwar] *vt* forger ♦ *vi* prendre.

fragüe *etc* ['fraɣwe] *vb* V **fraguar**.

fraile ['fraile] *nm* moine *m*.

frambuesa [fram'bwesa] *nf* framboise *f*.

francamente ['frankamente] *adv* franchement.

francés, -esa [fran'θes, esa] *adj* français(e) ♦ *nm/f* Français(e) ♦ *nm* (*LING*) français *m*.

Francia ['franθja] *nf* France *f*.

francmasón, -ona [frankma'son, ona] *nm/f* franc-maçon(ne).

franco, -a ['franko, a] *adj* franc(che); (*COM: exento: entrada, puerto*) franco ♦ *nm* franc *m*; ~ de derechos (*COM*) hors taxe; ~ al costado del buque (*COM*) franco long du bord; ~ puesto sobre vagón (*COM*) franco wagon; ~ a bordo (*COM*) franco à bord; ~ en fábrica (*COM*) départ usine; de ~ (*CSUR*) en permission.

francotirador, a [frankotira'ðor, a] *nm/f* franc-tireur *m*.

franela [fra'nela] *nf* flanelle *f*.

franja ['franxa] *nf* (*en vestido, bandera*) frange *f*; (*de tierra, luz*) bande *f*.

franquear [franke'ar] *vt* (*paso, entrada*) débarrasser; (*carta etc*) affranchir; (*obstáculo*) franchir; **franquearse** *vpr*: ~se con algn parler à coeur ouvert avec qn.

franqueo [fran'keo] *nm* affranchissement *m*.

franqueza [fran'keθa] *nf* franchise *f*; con ~ avec franchise.

franquicia [fran'kiθja] *nf* franchise *f*; ▶**franquicia aduanera** franchise douanière.

franquismo [fran'kismo] *nm* franquisme *m*.

franquista [fran'kista] *adj, nm/f* franquiste *m/f*.

frasco ['frasko] *nm* flacon *m*.

frase ['frase] *nf* phrase *f*; (*locución*) expression *f*; ▶**frase hecha** expression *f* figée; (*despectivo*) cliché *m*.

fraternal [frater'nal] *adj* fraternel(le).

fraternizar [fraterni'θar] *vi*: ~ (con) fraterniser (avec).

fraterno, -a [fra'terno, a] *adj* fraternel(le).

fraude ['frauðe] *nm* fraude *f*.

fraudulentamente [frauðu'lentamente] *adv* frauduleusement.

fraudulento, -a [frauðu'lento, a] *adj* frauduleux(-euse).

frazada [fra'θaða] (*AM*) *nf* couvre-lit *m*.

frecuencia [fre'kwenθja] *nf* fréquence *f*; con ~ fréquemment; ▶**frecuencia de red/del reloj** (*INFORM*) fréquence d'alimentation/d'horloge.

frecuentar [frekwen'tar] *vt* fréquenter.

frecuente [fre'kwente] *adj* fréquent(e); (*habitual*) habituel(le).

fregadero [freɣa'ðero] *nm* lave-vaisselle *m*.

fregado, -a [fre'ɣaðo, a] (*fam*) *adj* (*AM*:

molesto) embêtant(e) ♦ *nm* dispute *f*.

fregar [fre'ɣar] *vt* laver; (*AM: fam*) énerver.

fregón, -ona [fre'ɣon, ona] (*AM: fam*) *adj* énervant(e).

fregona [fre'ɣona] *nf* serpillière *f*; (*pey: sirvienta*) boniche *f*.

fregué *etc* [fre'ɣe], **freguemos** *etc* [fre'ɣemos] *vb* V **fregar**.

freidora [frei'ðora] *nf* friteuse *f*.

freír [fre'ir] *vt* frire; **freírse** *vpr* frire; ~ a preguntas a algn assommer qn de questions.

fréjol ['frexol] *nm* = **fríjol**.

frenada [fre'naða] (*CHI*) *nf* coup *m* de frein.

frenar [fre'nar] *vt, vi* freiner; ~ en seco freiner brusquement.

frenazo [fre'naθo] *nm*: dar un ~ piler.

frenesí [frene'si] *nm* frénésie *f*.

frenético, -a [fre'netiko, a] *adj* frénétique; (*persona*) hors de soi; ponerse ~ se mettre en colère.

freno ['freno] *nm* frein *m*; (*de cabalgadura*) mors *m*; poner ~ a algo (*fig*) réfréner qch; ▶**freno de mano** frein à main.

frente ['frente] *nm* front *m*; (*ARQ, de objeto*) devant *m* ♦ *nf* front ♦ *adv* (*esp CSUR: fam*): ~ mío/nuestro *etc* en face de moi/nous *etc*; hacer ~ común con algn faire cause commune avec qn; ~ a en face de; (*en comparación con*) par rapport à; ~ a ~ face à face; chocar de ~ se heurter de front; hacer ~ a faire face à; ir/ponerse al ~ de être/se mettre à la tête de; ▶**frente de batalla** front de bataille; ▶**frente único** front commun.

fresa ['fresa] *nf* (*ESP*) fraise *f*; (*de dentista*) roulette *f*.

fresco, -a ['fresko, a] *adj* frais(fraîche); (*ropa*) léger(ère); (*descarado*) insolent(e); (*descansado*) frais(fraîche) et dispos(e) ♦ *nm* (*aire*) frais *m*; (*ARTE*) fresque *f*; (*AM*) boisson *f* fraîche ♦ *nm/f* (*fam: descarado*) insolent(e); (: *desvergonzado*) effronté(e); al ~ au frais; hace ~ il fait frais; estar/quedarse tan ~ demeurer imperturbable; tomar el ~ prendre le frais; ¡qué ~! quelle insolence!

frescor [fres'kor] *nm* fraîcheur *f*.

frescura [fres'kura] *nf* fraîcheur *f*; (*descaro*) insolence *f*.

fresno ['fresno] *nm* frêne *m*.

fresón [fre'son] *nm* grosse fraise *f*.

frialdad [frjal'dað] *nf* froideur *f*; (*indiferencia*) froideur glaciale.

fricción [frik'θjon] *nf* friction *f*.

friega ['frjeɣa] *vb* V **fregar** ♦ *nf* (*MED*) friction *f*.

friegue *etc* ['frjeɣe] *vb* V **fregar**.

friendo *etc* [fri'endo] *vb* V **freír**.

frigider [frixi'ðer] (*CSUR*) *nm* frigidaire ®
m.

frigidez [frixi'ðeθ] *nf* frigidité *f*.

frígido, -a ['frixiðo, a] *adj* frigide.

frigorífico, -a [friɣo'rifiko, a] *adj* frigorifique ♦ *nm* réfrigérateur *m*; **camión ~** camion *m* frigorifique.

frijol [fri'xol] (*AM*) *nm* haricot *m* sec; (*verde*) haricot vert.

frió [fri'o] *vb* V **freír**.

frío, -a ['frio, a] *adj* froid(e); (*fig: poco entusiasta*) pas très chaud(e); (*relaciones*)
tendu(e) ♦ *nm* froid *m*; **coger ~** prendre
froid; **tener ~** avoir froid; **hace ~** il fait
froid; **¡qué ~!** il fait un de ces froids!;
quedarse ~ commencer à avoir froid.

friolento [frjo'lento, a] (*AM*) *adj* = **friolero**.

friolero, -a [frjo'lero, a] *adj* frileux(-euse).

fritanga [fri'tanga] *nf* (*AM*) aliments frits;
(*pey*) graillon *m*.

fritanguería [fritange'ria] (*AM*) *nf* échoppe
où l'on vend des aliments frits.

frito, -a ['frito, a] *pp de* **freír** ♦ *adj* (*CULIN*)
frit(e) ♦ *nm*: **~s** (*CULIN*) friture *f*; **me tiene** *o* **trae ~ ese hombre** (*fam*) ce type est
barbant; **quedarse ~** (*fam*) s'endormir.

fritura [fri'tura] *nf* friture *f*.

frívolo, -a ['friβolo, a] *adj* frivole.

frondoso, -a [fron'doso, a] *adj* touffu(e).

frontal [fron'tal] *adj* frontal(e); (*choque*)
de front.

frontera [fron'tera] *nf* frontière *f*; **sin ~s**
sans limite.

fronterizo, -a [fronte'riθo, a] *adj* (*pueblo,
paso*) frontalier(-ère); (*países*) limitrophe.

frontón [fron'ton] *nm* (*cancha*) fronton *m*;
(*juego*) pelote *f* basque.

frotar [fro'tar] *vt, vi* frotter; **frotarse** *vpr*:
~se las manos se frotter les mains.

frotis ['frotis] *nm*: **~ cervical** frottis *m* vaginal.

fructífero, -a [fruk'tifero, a] *adj* fruc-
tueux(-euse).

frugal [fru'ɣal] *adj* frugal(e).

frugalidad [fruɣali'ðað] *nf* frugalité *f*.

frunce ['frunθe], **fruncido** [frun'θiðo] *nm*
fronce *f*.

fruncir [frun'θir] *vt* froncer; (*labios*) plisser.

frunza *etc* ['frunθa] *vb* V **fruncir**.

frustración [frustra'θjon] *nf* frustration *f*.

frustrado, -a [frus'traðo, a] *adj* frustré(e);
(*intento*) avorté(e).

frustrar [frus'trar] *vt* frustrer; **frustrarse**
vpr (*plan etc*) échouer.

fruta ['fruta] *nf* fruit *m*; ▶**fruta del tiempo**
fruit de saison; ▶**fruta escarchada** fruit
confit.

frutal [fru'tal] *adj* fruitier(-ère) ♦ *nm* arbre
m fruitier.

frutería [frute'ria] *nf* boutique *f* de fruits et
légumes.

frutero, -a [fru'tero, a] *adj* fruitier(-ère) ♦
nm/f marchand(e) de fruits et légumes ♦
nm compotier *m*.

frutilla [fru'tiʎa] (*AND, CSUR*) *nf* fraise *f*.

fruto ['fruto] *nm* fruit *m*; **dar** *o* **producir ~**
porter ses fruits; ▶**frutos secos** fruits
mpl secs.

FSLN (*NIC*) *sigla m* (*POL*) = *Frente Sandinista de Liberación Nacional*.

fucha ['futʃa], **fuchi** ['futʃi] (*MÉX: fam*) *excl*
ouf!

fue [fwe] *vb* V **ser**; **ir**.

fuego ['fweɣo] *nm* feu *m*; **prender ~ a** mettre le feu à; **a ~ lento** à petit feu; **¡alto
el ~!** cessez le feu!; **estar entre dos ~s**
être pris(e) entre deux feux; **¿tienes ~?**
t'as du feu?; ▶**fuegos artificiales** *o* **de
artificio** feux *mpl* d'artifice.

fueguito [fwe'ɣito] (*AM: fam*) *nm* feu *m*.

fuelle ['fweʎe] *nm* soufflet *m*.

fuel-oil [fuel'oil] *nm* fioul *m*.

fuente ['fwente] *nf* fontaine *f*; (*bandeja*)
plateau *m*; (*fig*) source *f*; **de buena ~** de
source sûre; **de ~s fidedignas** de sources
bien informées; ▶**fuente de alimentación** (*INFORM*) source d'alimentation;
▶**fuente de soda** (*AM*) buvette *f*.

fuera ['fwera] *vb* V **ser**; **ir** ♦ *adv* dehors; (*de
viaje*) en voyage ♦ *prep*: **~ de** hors de;
(*fig*) sauf; **¡~!** dehors!; **~ de alcance** hors
de portée; **~ de combate** hors de
combat; (*BOXEO*) K.O.; (*FÚTBOL*) hors
jeu; **~ de la ley** hors-la-loi; **estar ~ de lugar** ne pas être à sa place; **~ de serie/
servicio/temporada** hors série/service/
saison; **~ de sí** hors de soi; **~ de (toda)
duda/sospecha** au-dessus de tout soupçon; **por ~** au dehors; **los de ~** les étrangers *mpl*.

fuera-borda [fwera'βorða] *nm inv* hors-bord
m.

fuerce *etc* ['fwerθe] *vb* V **forzar**.

fuereño, -a [fwe'reɲo, a] (*AM*) *adj*, *nm/f*
étranger(-ère).

fuero ['fwero] *nm* droit *m* local; (*jurisdicción*) droit; (*fig*): **en mi** *etc* **~ interno** en
mon *etc* for intérieur.

fuerte ['fwerte] *adj* fort(e); (*resistente*) solide; (*chocant*) choquant(e) ♦ *adv* (*sujetar*)
solidement; (*golpear*) violemment; (*llover*) à verse; (*gritar*) fort ♦ *nm* (*MIL*) fort
m; (*fig*): **el canto no es mi ~** le chant, ce
n'est pas mon fort.

fuertemente ['fwertemente] *adv* (*sujetar*)
solidement; (*golpear*) violemment; (*llover*) à verse.

fuerza ['fwerθa] *vb* V **forzar** ♦ *nf* force *f*; (*MIL*: *tb*: ~s) forces *fpl*; **a** ~ **de** à force de; **cobrar** ~s prendre des forces; **empujar/tirar con** ~/**con todas sus** ~s pousser/tirer avec force/de toutes ses forces; **tener** ~ avoir de la force; **tener** ~s **para hacer** avoir la force de faire; **a** *o* **por la** ~ **de** force; **con** ~ **legal** (*COM*) à force de loi; **por** ~ forcément; ▶ **fuerzas aéreas/armadas** forces aériennes/armées; ▶ **fuerza bruta** force brute; ▶ **fuerza de arrastre** (*TEC*) effort *m* de traction; ▶ **fuerzas de Orden Público** forces de l'ordre; ▶ **fuerza de voluntad** volonté *f*; ▶ **fuerza mayor** force majeure; ▶ **fuerza vital** énergie *f* vitale.

fuete ['fwete] (*AM*) *nm* fouet *m*.

fuga ['fuɣa] *nf* fugue *f*; (*de gas, agua*) fuite *f*; ▶ **fuga de capitales** (*ECON*) fuite des capitaux; ▶ **fuga de cerebros** (*fig*) fuite des cerveaux.

fugarse [fu'ɣarse] *vpr* s'enfuir; (*amantes*) faire une fugue.

fugaz [fu'ɣaθ] *adj* fugitif(-ive).

fugitivo, -a [fuxi'tiβo, a] *adj* en fuite ♦ *nm/f* fugitif(-ive).

fugue *etc* ['fuɣe] *vb* V **fugarse**.

fui *etc* [fwi] *vb* V **ser, ir**.

fulano, -a [fu'lano, a] *nm/f* un(e) tel(le).

fular [fu'lar] *nm* = **foulard**.

fulgor [ful'ɣor] *nm* scintillement *m*.

fulminante [fulmi'nante] *adj* explosif(-ive); (*MED, fig*) foudroyant(e); (*fam*: *éxito*) fulgurant(e).

fulminar [fulmi'nar] *vt*· **caer fulminado por un rayo** être foudroyé; ~ **a algn con la mirada** foudroyer qn du regard.

fumada [fu'maða] (*AM*) *nf* succion *f*.

fumador, a [fuma'ðor, a] *nm/f* fumeur(-euse); **no** ~ non fumeur(-euse).

fumar [fu'mar] *vt, vi* fumer; **fumarse** *vpr* fumer; (*fam*: *herencia*) manger; (: *clases, trabajo*) manquer; ~ **en pipa** fumer la pipe.

fumigar [fumi'ɣar] *vt* soumettre à des fumigations, fumiger.

funambulista [funambu'lista], **funámbulo, -a** [fu'nambulo, a] *nm/f* funambule *m/f*.

función [fun'θjon] *nf* fonction *f*; (*TEATRO etc*) représentation *f*; **entrar en funciones** entrer en fonction; ~ **de tarde/de noche** matinée *f*/soirée *f*; **en** ~ **de** en fonction de; **presidente/director en funciones** président/directeur par intérim.

funcional [funθjo'nal] *adj* fonctionnel(le).

funcionamiento [funθjona'mjento] *nm* fonctionnement *m*; **en** ~ (*COM*) en fonctionnement; **entrar/poner en** ~ commencer à/faire fonctionner.

funcionar [funθjo'nar] *vi* fonctionner; "**no funciona**" "en panne".

funcionario, -a [funθjo'narjo, a] *nm/f* fonctionnaire *m/f*.

funda ['funda] *nf* étui *m*; (*de almohada*) taie *f*; (*de disco*) pochette *f*.

fundación [funda'θjon] *nf* fondation *f*.

fundado, -a [fun'daðo, a] *adj* (*justificado*) fondé(e).

fundamental [fundamen'tal] *adj* fondamental(e).

fundamentalmente [fundamen'talmente] *adv* fondamentalement.

fundamentar [fundamen'tar] *vt* (*fig*): ~ (**en**) fonder (sur).

fundamento [funda'mento] *nm* fondement *m*; ~s *nmpl* (*de ciencia, arte*) fondements *mpl*; **eso carece de** ~ ça ne tient pas debout.

fundar [fun'dar] *vt* fonder; (*fig*: *basar*): ~ **en** fonder sur; **fundarse** *vpr*: ~**se en** se fonder sur.

fundición [fundi'θjon] *nf* (*fábrica*) fonderie *f*; (*de metal, TIP*) fonte *f*.

fundillo [fun'diʎo] (*AM*) *nm* (*fam*: *de pantalón*) fond *m*; (*fam!*) cul *m* (*fam!*).

fundir [fun'dir] *vt* fondre; (*COM, fig*) fusionner; **fundirse** *vpr* (*colores etc*) se fondre; (*ELEC, nieve, mantequilla*) fondre; (*fig*) fusionner.

fundo ['fundo] (*AND, CHI*) *nm* ferme *f*.

fúnebre ['funeβre] *adj* funèbre; (*fig*) sombre.

funeral [fune'ral] *nm* funérailles *fpl*.

funeraria [fune'rarja] *nf* pompes *fpl* funèbres.

funesto, -a [fu'nesto, a] *adj* funeste.

fungir [fun'xir] (*AM*) *vi*: ~ **de** faire office de; **va a** ~ **de padrino** il sera le parrain.

funicular [funiku'lar] *nm* funiculaire *m*.

furgón [fur'ɣon] *nm* (*camión*) camion *m*; (*FERRO*) wagon *m*.

furgoneta [furɣo'neta] *nf* fourgonnette *f*.

furia ['furja] *nf* furie *f*; **hecho una** ~ comme une furie.

furibundo, -a [furi'βundo, a] *adj* furibond(e).

furiosamente [fu'rjosamente] *adv* furieusement.

furioso, -a [fu'rjoso, a] *adj* furieux(-euse); (*violento*) violent(e).

furor [fu'ror] *nm* fureur *f*; **hacer** ~ faire fureur.

furtivamente [fur'tiβamente] *adv* furtivement.

furtivo, -a [fur'tiβo, a] *adj* furtif(-ive); (*cazador*) braconnier *m*.

furúnculo [fu'runkulo] *nm* = **forúnculo**.

fuselaje [fuse'laxe] *nm* fuselage *m*.

fusible [fu'siβle] *nm* fusible *m*.

fusil [fu'sil] *nm* fusil *m*.

fusilamiento [fusila'mjento] *nm* exécution *f*.

fusilar [fusi'lar] *vt* fusiller.

fusión [fu'sjon] *nf* fusion *f*.

fusionamiento [fusjona'mjento] *nm* (*COM*) fusionnement *m*.

fusionar [fusjo'nar] *vt* fusionner; **fusionarse** *vpr* (*COM*) fusionner.

fusta ['fusta] *nf* cravache *f*.

fustán [fus'tan] (*AM*) *nm* combinaison *f*.

fustigar [fusti'var] *vt* cravacher; (*persona*) fustiger.

fútbol ['futßol] *nm* football *m*.

futbolín [futßo'lin] *nm* baby-foot *m*.

futbolista [futßo'lista] *nm/f* footballeur(-euse).

fútil ['futil] *adj* futile.

futileza [futi'leθa] (*CHI*), **futilidad** [futili'ðað] *nf* futilité *f*.

futuro, -a [fu'turo, a] *adj* futur(e) ♦ *nm* avenir *m*; (*LING*) futur *m*; ~**s** *nmpl* (*COM*) opérations *fpl* à terme; ► **futura madre** future maman *f*.

G, g

G, g [xe] *nf* (*letra*) G, g *m inv*; ~ **de Gerona** ≈ G comme Gaston.

g/ *abr* = **giro**.

gabacho, -a [ga'ßatʃo, a] (*pey*) *adj* français(e) ♦ *nm/f* Français(e).

gabán [ga'ßan] *nm* caban *m*.

gabardina [gaßar'ðina] *nf* imperméable *m*; (*tela*) gabardine *f*.

gabinete [gaßi'nete] *nm* cabinet *m*; (*de abogados*) étude *f*; ► **gabinete de consulta/de lectura** salle *f* de consultation/de lecture.

gacela [ga'θela] *nf* gazelle *f*.

gaceta [ga'θeta] *nf* gazette *f*.

gacetilla [gaθe'tiʎa] *nf* (*en periódico*) petites annonces *fpl*.

gachas ['gatʃas] *nfpl* polenta *f*.

gacho, -a ['gatʃo, a] *adj* bas(basse).

gachupín, -ina [gatʃu'pin, ina] (*CAM, MÉX: pey*) *nm/f* Espagnol(e).

gaditano, -a [gaði'tano, a] *adj* de Cadix ♦ *nm/f* natif(-ive) *o* habitant(e) de Cadix.

GAE *sigla m* (*ESP: MIL*) = *Grupo Aéreo Embarcado*.

gaélico, -a [ga'eliko, a] *adj* gaélique ♦ *nm/f*

Celte *m/f* ♦ *nm* (*LING*) gaélique *m*.

gafar [ga'far] (*fam*) *vt* porter la poisse à.

gafas ['gafas] *nfpl* lunettes *fpl*; ► **gafas de sol** lunettes de soleil.

gafe ['gafe] *adj*: **ser** ~ porter la poisse.

gaita ['gaita] *nf* cornemuse *f*; (*cosa engorrosa*) fardeau *m*.

gaitero, -a [gai'tero, a] *nm/f* joueur(-euse) de cornemuse.

gajes ['gaxes] *nmpl*: ~ **del oficio** aléas *mpl* du métier.

gajo ['gaxo] *nm* (*de naranja*) quartier *m*; (*racimo*) grappe *f*.

gala ['gala] *nf* gala *m*; ~**s** *nfpl* (*atuendo*) atours *mpl*; **de** ~ de gala; **vestir de** ~ mettre sa tenue de gala; (*MIL*) être en grand uniforme; **hacer** ~ **de** se targuer de; **tener algo a** ~ mettre un point d'honneur à faire qch; **con sus mejores** ~**s** de ses plus beaux atours.

galaico, -a [ga'laiko, a] *adj* galicien(ne).

galán [ga'lan] *nm* don Juan *m*; (*TEATRO*) jeune premier *m*.

galante [ga'lante] *adj* galant(e).

galantear [galante'ar] *vt* courtiser.

galanteo [galan'teo] *nm* cour *f*.

galantería [galante'ria] *nf* galanterie *f*; (*cumplido*) courtoisie *f*.

galápago [ga'lapaʏo] *nm* tortue *f* marine.

galardón [galar'ðon] *nm* récompense *f*.

galardonar [galarðo'nar] *vt* récompenser.

galaxia [ga'laksja] *nf* galaxie *f*.

galbana [gal'ßana] *nf* flemme *f*.

galeón [gale'on] *nm* galion *m*.

galeote [gale'ote] *nm* galérien *m*.

galera [ga'lera] *nf* (*nave*) galère *f*; (*TIP*) galée *f*; ~**s** *nfpl* (*castigo*) galères *fpl*.

galería [gale'ria] *nf* galerie *f*; (*para cortina*) tringle *f*; **hacer algo para la** ~ faire qch pour sauver les apparences; ► **galería comercial** galerie commerciale; ► **galería secreta** passage *m* secret.

Gales ['gales] *nm*: (**el País de**) ~ le pays de Galles.

galés, -esa [ga'les, esa] *adj* gallois(e) ♦ *nm/f* Gallois(e) ♦ *nm* gallois *msg*.

galgo, -a ['galʏo, a] *nm/f* lévrier(levrette).

Galia ['galja] *nf* Gaule *f*.

Galicia [ga'liθja] *nf* Galice *f*, Galicie *f*.

galicismo [gali'θismo] *nm* (*LING*) gallicisme *m*.

Galilea [gali'lea] *nf* Galilée *f*.

galimatías [galima'tias] *nm inv* galimatias *msg*.

gallardía [gaʎar'ðia] *nf* (*en aspecto*) grâce *f*; (*al actuar*) vaillance *f*.

gallardo, -a [ga'ʎarðo, a] *adj* (*en aspecto*) gracieux(-euse); (*al actuar*) vaillant(e).

gallego, -a [ga'ʎexo, a] *adj* galicien(ne); (*AM: pey*) espagnol(e) ♦ *nm/f* Galicien(ne); (*AM: pey*) Espingouin *m* ♦ *nm* (*LING*) galicien *m*.

gallera [ga'ʎera] *nf* enceinte dans laquelle se déroulent des combats de coqs.

galleta [ga'ʎeta] *nf* galette *f*; (*fam: bofetada*) baffe *f*.

gallina [ga'ʎina] *nf* poule *f* ♦ *nm* (*fam*) poule mouillée; **carne de ~** chair *f* de poule; ► **gallina ciega** colin-maillard *m*; ► **gallina clueca** poule pondeuse.

gallinazo [gaʎi'naθo] (*AM*) *nm* vautour *m*.

gallinero [gaʎi'nero] *nm* poulailler *m*; (*donde se vocea*) volière *f*.

gallito [ga'ʎito] (*pey*) *nm* jeune coq *m*.

gallo ['gaʎo] *nm* coq *m*; (*pescado*) raie *f*; (*MÚS*) couac *m*; **en menos que canta un ~ en un clin d'œil; otro ~ nos cantara** ça serait tout autre chose.

galo, -a ['galo, a] *adj* gaulois(e); (*francés*) français(e) ♦ *nm/f* Gaulois(e).

galón [ga'lon] *nm* galon *m*.

galopante [galo'pante] *adj* galopant(e).

galopar [galo'par] *vi* galoper.

galope [ga'lope] *nm* galop *m*; **a ~** (*carrera*) de galop; (*fig*) au galop; **a ~ tendido** au triple galop.

galpón [gal'pon] (*CSUR*) *nm* entrepôt *m*.

galvanice *etc* [galβa'niθe] *vb V* **galvanizar.**

galvanizar [galβani'θar] *vt* galvaniser; (*ambiente, conferencia*) animer.

gama ['gama] *nf* gamme *f*; (*ZOOL*) femelle *f* du daim.

gamba ['gamba] *nf* crevette *f*.

gamberrada [gambe'rraða] *nf* acte *m* de vandalisme.

gamberro, -a [gam'berro, a] *nm/f* vandale *m/f*, voyou *m*.

gamo ['gamo] *nm* daim *m*.

gamonal [gamo'nal] (*AND, CAM, CSUR*) *nm* chef *m* du village.

gamuza [ga'muθa] *nf* chamois *msg*; (*bayeta*) peau *f* de chamois.

gana ['gana] *nf* (*deseo*) envie *f*; (*apetito*) faim *f*; **de buena/mala ~** volontiers/à contrecœur; **me dan ~s de hacer** ça me donne envie de faire; **tener ~s de (hacer)** avoir envie de (faire); **me quedé con las ~s de ir** j'y serais bien allé; **no me da la (real) ~** je n'en ai pas (vraiment) envie; **son ~s de molestar** c'est vraiment pour le plaisir d'embêter le monde; **hacer algo con/sin ~s** faire qch volontiers/à contrecœur.

ganadería [ganaðe'ria] *nf* bétail *m*; (*cría*) élevage *m*; (*comercio*) commerce *m* du bétail.

ganadero, -a [gana'ðero, a] *adj* (*industria*) de l'élevage; (*zona*) d'élevage ♦ *nm* éleveur *m*.

ganado [ga'naðo] *nm* bétail *m*; ► **ganado**

bovino *o* **vacuno** bovins *mpl*; ► **ganado caballar/cabrío** cheveaux *mpl*/chèvres *fpl*; ► **ganado lanar/porcino** moutons *mpl*/porcs *mpl*.

ganador, a [gana'ðor, a] *adj, nm/f* gagnant(e).

ganancia [ga'nanθja] *nf* gain *m*; **~s** *nfpl* (*ingresos*) revenus *mpl*; (*beneficios*) gains *mpl*; **pérdidas y ~s** profits et pertes; **sacar ~ de** tirer profit de; ► **ganancia bruta/líquida** bénéfice *m* brut/net; ► **ganancias de capital** plus-values *fpl* (de capital).

ganancial [ganan'θjal] *adj*: **bienes ~es** biens *mpl* communs.

ganapán [gana'pan] *nm* (*obrero casual*) gagne-petit *m*; (*individuo tosco*) rustre *m*.

ganar [ga'nar] *vt* gagner; (*fama, experiencia*) acquérir; (*premio*) remporter; (*peso*) prendre; (*apoyo*) s'assurer ♦ *vi* (*DEPORTE*) gagner; (*mejorar*) améliorer; **ganarse** *vpr*: **~se la vida** gagner sa vie; **le gana en simpatía** il est plus sympathique; **~ a algn para una causa** rallier qn à une cause; **se lo ha ganado** il l'a bien gagné; **~ tiempo** gagner du temps; **salir ganando** sortir gagnant.

ganchillo [gan'tʃiʎo] *nm* crochet *m*; **hacer ~** faire du crochet; **aguja de ~** crochet.

gancho ['gantʃo] *nm* crochet *m*; (*fam: atractivo*) charme *m*; **usar algo/a algn como ~** utiliser qch/qn comme appât.

gandul, a [gan'dul, a] *adj, nm/f* feignant(e).

ganga ['ganga] *nf* (*COM*) affaire *f*.

Ganges ['ganxes] *nm*: **el (Río) ~** le Gange.

ganglio ['gangljo] *nm* ganglion *m*.

gangrena [gaŋ'grena] *nf* gangrène *f*.

gángster ['ganster] (*pl* **~s**) *nm* gangster *m*.

gansada [gan'saða] (*fam*) *nf* ânerie *f*.

ganso, -a ['ganso, a] *nm/f* jars(oie) *m*; (*fam*) tarte *f*; **hacer el ~** faire l'imbécile.

Gante ['gante] *n* Gand.

ganzúa [gan'θua] *nf* crochet *m*.

gañán [ga'ɲan] *nm* journalier *m*.

garabatear [garaβate'ar] *vt* griffonner ♦ *vi* avoir une écriture de chat.

garabato [gara'βato] *nm* gribouillage *m*; **~s** *nmpl* (*escritura*) pattes *fpl* de mouche.

garaje [ga'raxe] *nm* garage *m*; **plaza de ~** place *f* de parking.

garante [ga'rante] *adj, nm/f* garant(e).

garantía [garan'tia] *nf* garantie *f*; **de máxima ~** garanti(e) à cent pour cent.

garantice *etc* [garan'tiθe] *vb V* **garantizar.**

garantizar [garanti'θar] *vt* garantir; **te garantizo que no vendrá** je te garantis qu'il ne viendra pas.

garbanzo [gar'βanθo] *nm* pois *msg* chiche; ► **garbanzo negro** (*fig*) brebis *fsg* galeuse.

garbeo [gar'βeo] *nm*: **darse un ~** faire un

tour.

garbo ['garßo] *nm* allure *f*; (*gracia*) grâce *f*; **andar con ~** avoir une démarche élégante.

garboso, -a [gar'ßoso, a] *adj*: **es ~** il a de l'allure.

garete [ga'rete] *nm*: **irse al ~** (*fig*) aller à la dérive.

garfio ['garfjo] *nm* (*TEC*) crochet *m*; (*ALPINISMO*) piton *m*.

gargajo [gar'ɣaxo] *nm* crachat *m*.

garganta [gar'ɣanta] *nf* gorge *f*; **se me hizo un nudo en la ~** j'ai eu la gorge nouée.

gargantilla [garɣan'tiʎa] *nf* collier *m*.

gárgara ['garɣara] *nf* gargarisme *m*; **hacer ~s** faire des gargarismes; **¡vete a hacer ~s!** (*fam*) va te faire voir!

gárgola ['garɣola] *nf* gargouille *f*.

garita [ga'rita] *nf* guérite *f*.

garito [ga'rito] *nm* tripot *m*; (*fam: bar*) bistrot *m*.

garra ['garra] *nf* griffe *f*; (*de ave*) serre *f*; **caer en las ~s de algn** tomber entre les griffes de qn.

garrafa [ga'rrafa] *nf* carafe *f*.

garrafal [garra'fal] *adj* (*error*) monumental(e).

garrapata [garra'pata] *nf* puce *f*.

garrapiñado, -a [garrapi'ɲaðo, a] *adj*: **almendras garrapiñadas** pralines *fpl*.

garrotazo [garro'taθo] *nm* (*de palo*) coup *m* de gourdin; (*de porra*) coup de massue.

garrote [ga'rrote] *nm* (*palo*) gourdin *m*; (*porra*) massue *f*; (*ejecución*) garrot *m*.

garúa [ga'rua] (*AM*) *nf* bruine *f*.

garza ['garθa] *nf* héron *m*.

garzón, -ona [gar'θon, ona] (*CSUR*) *nm/f* garçon(serveuse).

gas [gas] *nm* gaz *m*; **~es** *nmpl* (*MED*) gaz *mpl*; **a todo ~** plein gaz; ▶ **gases lacrimógenos** gaz *mpl* lacrymogènes; ▶ **gas natural** gaz *m* naturel.

gasa ['gasa] *nf* gaze *f*; (*de pañal*) couche *f*.

gaseosa [gase'osa] *nf* limonade *f*.

gaseoso, -a [gase'oso, a] *adj* gazeux(-euse).

gásfiter ['gasfiter] (*CHI*) *nm* = **gasfitero**.

gasfitería [gasfite'ria] (*AND, CSUR*) *nf* plomberie *f*.

gasfitero [gasfi'tero] (*CHI*) *nm* plombier *m*.

gasoducto [gaso'ðukto] *nm* gazoduc *m*.

gasoil [ga'soil], **gasóleo** [ga'soleo] *nm* gas oil *m*.

gasolina [gaso'lina] *nf* essence *f*.

gasolinera [gasoli'nera] *nf* station-service *f*.

gastado, -a [gas'taðo, a] *adj* (*ropa*) usé(e); (*mechero*) fini(e); (*bolígrafo*) qui n'a plus d'encre; (*fig: político*) dépassé(e).

gastar [gas'tar] *vt* dépenser; (*malgastar*) perdre; (*desgastar*) user; (*usar*) porter; (*fig: persona*) user; **gastarse** *vpr* s'user; **~ bromas** faire des blagues; **¿qué número gastas?** quelle est ta pointure?

gasto ['gasto] *nm* dépense *f*; **~s** *nmpl* (*desembolsos*) dépenses *fpl*; (*costes*) frais *mpl*; **cubrir ~s** couvrir les frais; **meterse en ~s** faire des frais inutiles; ▶ **gasto corriente/fijo** (*COM*) dépenses courantes/frais fixes; ▶ **gastos de desplazamiento** frais de déplacement; ▶ **gastos de distribución/representación** (*COM*) frais de distribution/représentation; ▶ **gastos de mantenimiento** frais de maintenance; ▶ **gastos de tramitación** (*COM*) frais de dossier; ▶ **gastos generales** frais généraux; ▶ **gastos vencidos** (*COM*) frais à payer.

gástrico, -a ['gastriko, a] *adj* gastrique.

gastritis [gas'tritis] *nf* gastrite *f*.

gastronomía [gastrono'mia] *nf* gastronomie *f*.

gata ['gata] *nf* V **gato**.

gatear [gate'ar] *vi* marcher à quatre pattes.

gatillero [gati'ʎero] (*MÉX*) *nm* pistolet *m*.

gatillo [ga'tiʎo] *nm* gâchette *f*.

gato, -a ['gato] *nm/f* chat(te) ♦ *nm* (*TEC*) cric *m*; **andar a gatas** marcher à quatre pattes; **dar algn ~ por liebre** rouler qn; **aquí hay ~ encerrado** il y a anguille sous roche; ▶ **gato de Angora** chat Angora; ▶ **gato montés/siamés** chat sauvage/siamois.

GATT [gat] *sigla m* (= *Acuerdo General sobre Aranceles Aduaneros y Comercio*) GATT *m* (= *General Agreement on Tariffs and Trade*).

gatuno, -a [ga'tuno, a] *adj* de félin.

gauchada [gau'tʃaða] (*CSUR: fam*) *nf* service *m*.

gaucho, -a ['gautʃo, a] *adj* gaucho ♦ *nm/f* Gaucho *m*.

gaveta [ga'ßeta] *nf* tiroir *m*.

gavilán [gaßi'lan] *nm* épervier *m*.

gavilla [ga'ßiʎa] *nf* fagot *m*.

gaviota [ga'ßjota] *nf* mouette *f*.

gay [ge] *adj, nm* homo *m*.

gazapo [ga'θapo] *nm* jeune lapin *m*; (*error*) lapsus *m*.

gazmoñería [gaθmoɲe'ria] *nf* pruderie *f*.

gazmoño, -a [gaθ'moɲo, a] *adj* prude.

gaznate [gaθ'nate] *nm* gorge *f*, kiki *m* (*fam*).

gazpacho [gaθ'patʃo] *nm* gaspacho *m* (*soupe froide espagnole*).

géiser ['xeiser] *nm* geyser *m*.

gel [xel] *nm* (*de ducha*) gel *m*; (*de baño*) bain *m* moussant.

gelatina [xela'tina] *nf* gélatine *f*.

gema ['xema] nf gène m.
gemelo, -a [xe'melo, a] adj, nm/f jumeau(-elle); ~s nmpl (de camisa) boutons mpl de manchette; (anteojos) jumelles fpl; ▶ **gemelos de campo/de teatro** jumelles de campagne/de spectacle.
gemido [xe'miðo] nm gémissement m.
Géminis ['xeminis] nm (ASTROL) Gémeaux mpl; **ser** ~ être (des) Gémeaux.
gemir [xe'mir] vi gémir; (animal) geindre.
gen [xen] nm gène m.
gon. abr (LING) = **género**.
gendarme [xen'darme] (esp AM) nm gendarme m.
genealogía [xenealo'xia] nf généalogie f.
genealógico, -a [xenea'loxiko, a] adj: **árbol** ~ arbre m généalogique.
generación [xenera'θjon] nf génération f; **primera/segunda** etc ~ (INFORM) première/deuxième etc génération.
generador [xenera'ðor] nm générateur m; ▶ **generador de programas** (INFORM) générateur de programmes.
general [xene'ral] adj général(e) ♦ nm général m; **en** o **por lo** ~ en général; ▶ **general de brigada/de división** général de brigade/de division.
generalice etc [xenera'liθe] vb V **generalizar.**
generalidad [xenerali'ðað] nf (casi totalidad) quasi totalité f; ~es nfpl généralités fpl.
Generalitat [xenerali'tat] nf gouvernement catalan.
generalización [xeneraliθa'θjon] nf généralisation f; (al hablar) généralité f.
generalizar [xenerali'θar] vt, vi généraliser; **generalizarse** vpr se généraliser.
generalmente [xene'ralmente] adv généralement.
generar [xene'rar] vt (energía) générer; (interés) provoquer.
genérico, -a [xe'neriko, a] adj générique.
género ['xenero] nm genre m; (COM) article m; ~s nmpl (productos) articles mpl; ▶ **género chico** (zarzuela) comédie musicale espagnole; ▶ **géneros de punto** tricots mpl; ▶ **género humano** genre humain; ▶ **género literario** genre littéraire.
generosamente [xenero'samente] adv généreusement.
generosidad [xenerosi'ðað] nf générosité f.
generoso, -a [xene'roso, a] adj généreux(-euse).
génesis ['xenesis] nf genèse f.
genética [xe'netika] nf génétique f.
genético, -a [xe'netiko, a] adj génétique.
genial [xe'njal] adj (artista, obra) de génie; (fam: idea) génial(e); (: persona) spiri-

tuel(le).
genialidad [xenjali'ðað] nf (singularidad) génie m; (acto, idea) coup m de génie.
genio ['xenjo] nm tempérament m; (mal carácter) mauvais caractère m; (persona, en cuentos) génie; **tener mal** ~ être soupe au lait inv, être emporté(e); **tener un** ~ vivo être un peu vif(vive), être soupe au lait inv.
genital [xeni'tal] adj génital(e) ♦ nm: ~es organes mpl génitaux.
genocidio [xeno'θiðjo] nm génocide m.
Génova ['xenoβa] n Gênes.
genovés, -esa [xeno'βes, esa] adj génois(e) ♦ nm/f Génois(e).
gente ['xente] nf gens mpl; (fam: familia) petite famille f; (AM: fam): **una** ~ **como usted** quelqu'un comme vous; **es buena** ~ (fam) c'est un bon gars; ▶ **gente baja/bien** petits gens/gens bien; ▶ **gente de la calle** gens comme vous et moi; ▶ **gente gorda** (fig) les grosses légumes fpl; ▶ **gente menuda** les tout petits.
gentil [xen'til] adj gentil(le); (porte) gracieux(-euse); (REL) païen(ne).
gentileza [xenti'leθa] nf: **tener la** ~ **de hacer** avoir la gentillesse de faire; **por** ~ **de** avec l'aimable autorisation de.
gentilicio [xenti'liθjo] nm nom des habitants d'une ville, d'une province ou d'un pays.
gentío [xen'tio] nm foule f; ¡**qué** ~! quel peule!
gentuza [xen'tuθa] (pey) nf (mala gente) racaille f; (chusma) masse f.
genuflexión [xenuflek'sjon] nf génuflexion f.
genuino, -a [xe'nwino, a] adj authentique.
GEO ['xeo] (ESP) sigla mpl (= Grupos Especiales de Operaciones) ≈ GIGN m (= Groupe d'intervention de la gendarmerie nationale).
geografía [xeoɤra'fia] nf géographie f.
geográfico, -a [xeo'ɤrafiko, a] adj géographique; (accidente) de terrain.
geógrafo, -a [xe'oɤrafo, a] nm/f géographe m/f.
geología [xeolo'xia] nf géologie f.
geológico, -a [xeo'loxiko, a] adj géologique.
geólogo, -a [xe'oloɤo, a] nm/f géologue m/f.
geometría [xeome'tria] nf géométrie f.
geométrico, -a [xeo'metriko, a] adj géométrique.
geranio [xe'ranjo] nm géranium m.
gerencia [xe'renθja] nf direction f; (cargo) gérance f.
gerente [xe'rente] nm/f (supervisor) gérant(e); (jefe) directeur(-trice).
geriatría [xerja'tria] nf gériatrie f.
geriátrico, -a [xer'jatriko, a] adj de géron-

tologie.

germánico, -a [xer'maniko, a] *adj* germanique.

germano, -a [xer'mano, a] *adj* germain(e) ♦ *nm/f* Germain(e).

germen ['xermen] *nm* germe *m*.

germicida [xermi'θiða] *nm* germicide *m*.

germinar [xermi'nar] *vi* germer.

gerundense [xerun'dense] *adj* de Gérone ♦ *nm/f* natif(-ive) *o* habitant(e) de Gérone.

gerundio [xe'rundjo] *nm* (*LING*) gérondif *m*.

gesta ['xesta] *nf* exploit *m*.

gestación [xesta'θjon] *nf* gestation *f*.

gestarse [xes'tarse] *vpr* germer.

gesticulación [xestikula'θjon] *nf* gesticulation *f*; (*mueca*) grimace *f*.

gesticular [xestiku'lar] *vi* gesticuler; (*hacer muecas*) faire des grimaces.

gestión [xes'tjon] *nf* gestion *f*; (*trámite*) démarche *f*; **hacer las gestiones preliminares** faire les démarches préliminaires; ► **gestión de cartera/de riesgos** (*COM*) gestion de portefeuille/des risques; ► **gestión de personal** gestion du personnel; ► **gestión financiera** (*COM*) gestion financière; ► **gestión interna** (*INFORM*) gestion des disques.

gestionar [xestjo'nar] *vt* s'occuper de.

gesto ['xesto] *nm* geste *m*; (*mueca*) grimace *f*; **hacer ~s** faire des gestes; **hacer ~s a algn** faire de grands gestes à qn.

gestor, a [xes'tor, a] *adj* de (la) gestion ♦ *nm/f* gérant(e).

gestoría [xesto'ria] *nf* cabinet *m* d'affaires.

giba ['xiβa] *nf* bosse *f*.

Gibraltar [xiβral'tar] *nm* Gibraltar *m*.

gibraltareño, -a [xiβralta're ɲo, a] *adj* de Gibraltar ♦ *nm/f* natif(-ive) *o* habitant(e) de Gibraltar.

gigante [xi'ɣante] *adj* géant(e) ♦ *nm/f* géant(e); (*fig*) génie *m*.

gigantesco, -a [xiɣan'tesko, a] *adj* gigantesque.

gijonés [xixo'nes, esa] *adj* de Gijón ♦ *nm/f* natif(-ive) *o* habitant(e) de Gijón.

gil, -a [xil, 'xila] (*CSUR: fam*) *nm/f* con(ne).

gilipollas [xili'poʎas] (*fam!*) *adj inv, nm/f inv* con(ne) (*fam!*).

gilipollez [xilipo'ʎez] (*fam!*) *nf* connerie *f* (*fam!*).

gima *etc* ['xima] *vb V* **gemir**.

gimnasia [xim'nasja] *nf* gymnastique *f*; **hacer ~** faire de la gymnastique.

gimnasio [xim'nasjo] *nm* gymnase *m*.

gimnasta [xim'nasta] *nm/f* gymnaste *m/f*.

gimnástico, -a [xim'nastiko, a] *adj* de gymnastique.

gimotear [ximote'ar] *vi* pleurnicher.

Ginebra [xi'neβra] *n* Genève.

ginebra [xi'neβra] *nf* genièvre *m*.

ginecología [xinekolo'xia] *nf* gynécologie *f*.

ginecólogo, -a [xine'koloɣo, a] *nm/f* gynécologue *m/f*.

gintonic [jin'tonik] *nm* gin-tonic *m*.

gira ['xira] *nf* excursion *f*; (*de grupo*) tournée *f*.

girar [xi'rar] *vt* (*hacer girar*) faire tourner; (*dar la vuelta*) tourner; (*giro postal, letra de cambio*) virer ♦ *vi* tourner; ~ **(a/hacia)** (*torcer*) virer (à); ~ **en torno a** (*conversación*) s'orienter vers; ~ **alrededor de algo** tourner autour de qch; ~ **en descubierto** être à découvert.

girasol [xira'sol] *nm* tournesol *m*.

giratorio, -a [xira'torjo, a] *adj* tournant(e).

giro ['xiro] *nm* tour *m*; (*COM*) virement *m*; (*tb*: ~ **postal**) mandat (postal) *m*; **dar un ~** tourner; **dar un ~ de 180 grados** (*fig*) faire un demi-tour; ► **giro a la vista** (*COM*) virement à vue; ► **giro bancario** virement bancaire.

gis [xis] (*MÉX*) *nm* craie *f*.

gitano, -a [xi'tano, a] *adj* gitan(e) ♦ *nm/f* Gitan(e).

glaciación [glaθja'θjon] *nf* glaciation .

glacial [gla'θjal] *adj* (*zona*) glaciaire; (*frío, fig*) glacial(e).

glaciar [gla'θjar] *nm* glacier *m*.

gladiolo [gla'ðjolo] *nm* glaïeul *m*.

glándula ['glandula] *nf* glande *f*.

glicerina [gliθe'rina] *nf* glycérine *f*.

global [glo'βal] *adj* global(e).

globalmente [glo'βalmente] *adv* globalement.

globo ['gloβo] *nm* globe *m*; (*para volar, juguete*) ballon *m*; ► **globo ocular** globe oculaire; ► **globo terráqueo** *o* **terrestre** globe terrestre.

glóbulo ['gloβulo] *nm*: ~ **blanco/rojo** globule *m* blanc/rouge.

gloria ['glorja] *nf* gloire *f*; (*REL*) paradis *m*; **estar en la ~** être aux anges; **es una ~** (*fam*) quel délice; **saber a ~** être délicieux(-euse).

glorieta [glo'rjeta] *nf* (*de jardín*) tonnelle *f*; (*AUTO, plaza*) rond-point *m*.

glorificar [glorifi'kar] *vt* glorifier.

glorifique *etc* [glori'fike] *vb V* **glorificar**.

glorioso, -a [glo'rjoso, a] *adj* glorieux(-euse).

glosa ['glosa] *nf* glose *f*.

glosar [glo'sar] *vt* gloser.

glosario [glo'sarjo] *nm* glossaire *m*.

glotón, -ona [glo'ton, ona] *adj, nm/f* glouton(ne).

glotonería [glotone'ria] *nf* gloutonnerie *f*.

glucosa [glu'kosa] *nf* glucose *m*.

gluten ['gluten] *nm* gluten *m*.

glúteos ['gluteos] *nmpl* fesses *fpl*.

G.N. (*NIC, PAN*) *abr* (= *Guardia Nacional*)

police.

gnomo ['nomo] *nm* gnome *m*.

gob. *abr* (= *gobierno*) *gvt.* (= *gouvernement*).

gobernación [goßerna'θjon] *nf* gouvernement *m*.

gobernador, a [goßerna'ðor, a] *nm/f* gouverneur *m*; ► **Gobernador civil** *représentant du gouvernement au niveau local*; ► **Gobernador militar** gouverneur militaire.

gobernanta [goßer'nanta] *nf* gouvernante *f*; *V tb* **gobernante**.

gobernante [goßer'nante] *adj* gouvernant(e) ♦ *nm* gouvernant *m*.

gobernar [goßer'nar] *vt* gouverner; (*nave*) piloter; (*fam*) dominer ♦ *vi* gouverner; (*NÁUT*) piloter; ~ **mal** mal gouverner.

gobierno [go'ßjerno] *vb V* **gobernar** ♦ *nm* gouvernement *m*; (*NÁUT*) pilotage *m*; **G~ Vasco/de Aragón** gouvernement basque/d'Aragon; ► **Gobierno Civil** *institution représentant le gouvernement au niveau local*.

goce ['goθe] *vb V* **gozar** ♦ *nm* jouissance *f*.

godo, -a ['goðo, a] *nm/f* Goth *m*; (*AM: pey*) Espagnol(e).

gofre ['gofre] *nm* gaufre *f*.

gol [gol] *nm* but *m*; **meter un** ~ marquer un but.

golear [gole'ar] *vt* marquer.

goleta [go'leta] *nf* goélette *f*.

golf [golf] *nm* golf *m*.

golfa ['golfa] (*fam*) *nf* pute *f*; *V tb* **golfo**.

golfista [gol'fista] *nm/f* golfeur(-euse).

golfo, -a ['golfo, a] *nm/f* voyou *m*; (*gamberro*) casse-pieds *m/f inv*; (*hum: pillo*) radin(e) ♦ *nm* golfe *m*.

gollete [go'ʎete] *nm* goulot *m*.

golondrina [golon'drina] *nf* hirondelle *f*.

golosina [golo'sina] *nf* gourmandise *f*.

goloso, -a [go'loso, a] *adj* gourmand(e); (*empleo*) de rêve.

golpe ['golpe] *nm* coup *m*; **no dar** ~ ne pas en fiche une rame; **dar el** ~ faire sensation; **darse un** ~ se cogner; **de un** ~ en un clin d'œil; **de** ~ **y porrazo** tout d'un coup; **cerrar una puerta de** ~ claquer la porte; **golpe bajo** coup bas; ► **golpe de fortuna/de maestro** coup du destin/de maître; ► **golpe de gracia** coup de grâce; ► **golpe de tos** quinte *f* de toux.

golpear [golpe'ar] *vt* frapper, heurter ♦ *vi* cogner; (*lluvia*) tomber dru; (*puerta*) battre; **golpearse** *vpr* se cogner.

golpetear [golpete'ar] *vt* donner de petits coups sur; (*dedos, lluvia*) tambouriner sur ♦ *vi* tambouriner.

golpeteo [golpe'teo] *nm* (*gen*) petit coup

m; (*con dedos, de lluvia*) tambourinement *m*.

golpista [gol'pista] *adj* (*tentativa*) de coup d'État ♦ *nm/f* auteur *m* d'un coup d'État.

golpiza [gol'piθa] (*AM*) *nf* volée *f* de coups.

goma ['goma] *nf* gomme *f*; (*gomita, COSTURA*) élastique *m*; ► **goma de mascar** chewing-gum *m*; ► **goma de pegar** colle *f*; ► **goma dos** (*explosivo*) plastic *m*.

goma-espuma [gomaes'puma] *nf* caoutchouc *m* mousse.

gomero [go'mero] (*AND*) *nm* ouvrier qui récolte le caoutchouc.

gomina [go'mina] *nf* gomina *f*.

gomita [go'mita] *nf* élastique *m*.

gónada ['gonaða] *nf* gonade *f*.

góndola ['gondola] *nf* gondole *f*; (*AND, CHI*) bus *msg*.

gong [gon] (*pl* ~**s**) *nm* gong *m*.

gonorrea [gono'rrea] *nf* blennorragie *f*.

gordinflón, -ona [gorðin'flon, ona] *adj* empâté(e) ♦ *nm/f* gros homme(grosse femme).

gordito, -a [gor'ðito, a] (*CHI: fam*) *nm/f*: ¡~! chéri(e)!

gordo, -a ['gorðo, a] *adj* gros(se); (*libro, árbol, tela*) épais(se); (*fam: problema*) de taille; (*accidente*) catastrophique ♦ *nm/f* gros homme(grosse femme) ♦ *nm* (*tb*: **premio** ~) gros lot *m*; (*de la carne*) gras *msg*; ¡~! (*CHI: fam*) chéri(e)!; **ese tipo me cae** ~ ce type ne me revient pas.

gordura [gor'ðura] *nf* obésité *f*; (*grasa*) graisse *f*.

gorgojo [gor'xoxo] *nm* larve *f*.

gorgorito [gorxo'rito] *nm* couac *m*.

gorila [go'rila] *nm* gorille *m*; (*CSUR: fam*: *jefe militar*) chef *m*.

gorjear [gorxe'ar] *vi* triller.

gorjeo [gor'xeo] *nm* trille *m*.

gorra ['gorra] *nf* casquette *f*, béret *m*; (*de niño*) bonnet *m*; **de** ~ (*sin pagar*) à l'œil; ► **gorra de montar** bombe *f*; ► **gorra de paño** béret de laine; ► **gorra de visera** casquette à visière.

gorrión [go'rrjon] *nm* moineau *m*.

gorro ['gorro] *nm* bonnet *m*; **estoy hasta el** ~ j'en ai par-dessus la tête; ► **gorro de baño** bonnet de bain; ► **gorro de punto** bonnet tricoté.

gorrón, -ona [go'rron, ona] *nm/f* parasite *m/f*.

gorronear [gorrone'ar] (*fam*) *vi* être un parasite.

gota ['gota] *nf* goutte *f*; ~**s** *nfpl* (*de medicamento*) gouttes *fpl*; **una** ~, **unas** ~**s** (*un poco*) une goutte; ~ **a** ~ (*caer*) goutte à goutte; (*MED*) goutte-à-goutte *m inv*; **ni** ~ pas une miette; **la** ~ **que colma el vaso** la goutte d'eau qui fait déborder le vase;

como dos ~s de agua comme deux gouttes d'eau; caer unas *o* cuatro ~s tomber
deux ou trois gouttes.

gotear [gote'ar] *vi* goutter; (*lloviznar*) pleuvoter.

gotera [go'tera] *nf* gouttière *f*; (*mancha*) tache *f* d'humidité.

gótico, -a ['gotiko, a] *adj* gothique.

gozar [go'θar] *vi* jouir; ~ **de** jouir de; ~
con algo jouir de qch; ~ **haciendo algo**
éprouver un immense plaisir à faire
qch.

gozne ['goθne] *nm* gond *m*.

gozo ['goθo] *nm* (*alegría*) plaisir *m*; (*placer*)
jouissance *f*; ¡mi ~ **en un pozo!** adieu
veau, vache, cochon, couvée!

g.p. *nm abr* (= *giro postal*) V **giro**.

gr. *abr* (= *gramo(s)*) g (= *gramme(s)*).

grabación [graßa'θjon] *nf* enregistrement
m.

grabado, -a [gra'ßaðo, a] *adj* (*MÚS*) enre-
gistré(e) ♦ *nm* gravure *f*; ▶ **grabado al
agua fuerte** gravure à l'eau-forte;
▶ **grabado en cobre/madera** gravure
sur cuivre/bois.

grabador, a [graßa'ðor, a] *nm/f* graveur *m*.

grabadora [graßa'ðora] *nf* magnétophone
m; V *tb* **grabador**.

grabar [gra'ßar] *vt* (*en piedra, ARTE*) graver; (*discos, en vídeo, INFORM*) enregistrer; **lo tengo grabado en la memoria** ça
reste gravé dans ma mémoire.

gracejo [gra'θexo] *nm* humour *m*.

gracia ['graθja] *nf* grâce *f*; (*chiste*) plaisanterie *f*; (: *irónico*) plaisanterie lourde;
(*humor*) humour *m*; ¡muchas ~s! merci
beaucoup!; ~s **a** grâce à; ¡~s a Dios!
grâce à Dieu!; **caerle en** ~ **a algn** être
dans les bonnes grâces de qn; **tener** ~
(*chiste etc*) être amusant(e); (*irónico*)
être très amusant(e); ¡qué ~! (*gracioso*)
comme c'est drôle!; (*irónico*) très drôle!;
no me hace ~ (**hacer**) ça ne m'amuse pas
(de faire); **dar las** ~s **a algn por algo** remercier qn de *o* pour qch.

grácil ['graθil] *adj* (*movimientos*) délicat(e);
(*figura*) gracile.

gracioso, -a [gra'θjoso, a] *adj* amusant(e)
♦ *nm/f* (*TEATRO*) bouffon(ne); **su graciosa
Majestad** sa gracieuse Majesté; ¡qué ~!
(*irónico*) très amusant!; **es** ~ **que** ... c'est
curieux que ... .

grada ['graða] *nf* marche *f*; ~s *nfpl* (*de estadio*) gradins *mpl*.

gradación [graða'θjon] *nf* dégradé *m*.

gradería [graðe'ria] *nf* gradins *mpl*; ▶ **gradería cubierta** stade *m* couvert.

grado ['graðo] *nm* degré *m*; (*ESCOL*) classe
f; (*UNIV*) titre *m*; (*MIL*) grade *m*; **de buen**
~ de bon gré; **quemaduras de primer/**

segundo ~ brûlures *fpl* au premier/
second degré; **en sumo** ~ au plus haut
degré; ▶ **grado centígrado/Fahrenheit**
degré centigrade/Fahrenheit.

graduación [graðwa'θjon] *nf* (*medición en
grados*) gradation *f*; (*escala*) échelle *f*;
(*del alcohol*) degré *m*; (*UNIV*) remise *f* du
diplôme; (*MIL*) grade *m*; **de alta** ~ de
haut rang.

graduado, -a [gra'ðwaðo, a] *adj* gradué(e)
♦ *nm/f* (*UNIV*) diplômé(e) ♦ *nm*: ~ **escolar**
≈ brevet *m* des collèges; ▶ **graduado
social** ≈ B.T.S. *m* d'assistance sociale.

gradual [gra'ðwal] *adj* progressif(-ive).

gradualmente [gra'ðwalmente] *adv* graduellement.

graduar [gra'ðwar] *vt* graduer; (*volumen*)
mesurer; (*MIL*): ~ **a algn de** conférer à
qn le grade de; **graduarse** *vpr* (*UNIV*)
être diplômé(e); (*MIL*): ~**se (de)** obtenir
son grade (de); ~**se la vista** se faire vérifier la vue.

grafía [gra'fia] *nf* graphie *f*.

gráfica ['grafika] *nf* courbe *f*; ▶ **gráfica de
temperatura** (*MED*) courbe de tempéra-
ture.

gráfico, -a ['grafiko, a] *adj* graphique; (*revista*) d'art; (*expresivo*) vivant(e) ♦ *nm*
graphique *m*; ~s *nmpl* (*tb INFORM*) gra-
phiques *mpl*; ▶ **gráfico de barras** (*COM*)
graphique à barres; ▶ **gráfico de sectores** *o* **de tarta** (*COM*) camembert *m*;
▶ **gráficos empresariales** (*COM*) graphi-
ques de l'entreprise.

grafiti [gra'fiti] *nm* graffiti *m*.

grafito [gra'fito] *nm* graphite *m*.

grafología [grafolo'xia] *nf* graphologie *f*.

gragea [gra'xea] *nf* (*MED*) pilule *f*; (*caramelo*) dragée *f*.

grajo ['graxo] *nm* corbeau *m*.

Gral. *abr* (*MIL* = *General*) g^al (= *Général*).

grama ['grama] *nf* (*CSUR*) herbe *f*.

gramática [gra'matika] *nf* grammaire *f*; V
tb **gramático**.

gramatical [gramati'kal] *adj* grammati-
cal(e).

gramático, -a [gra'matiko, a] *nm/f* gram-
mairien(ne).

gramilla [gra'miʎa] (*CSUR*) *nf* = **grama**.

gramo ['gramo] *nm* gramme *m*.

grampa ['grampa] (*CSUR*) *nf* agrafe *f*.

gran [gran] *adj* V **grande**.

grana ['grana] *adj*, *nf* écarlate *f*; **ponerse
como la** ~ devenir rouge comme une pi-
voine.

granada [gra'naða] *nf* grenade *f*; ▶ **granada de mano** grenade à main.

granadilla [grana'ðiʎa] (*AM*) *nf* fruit *m* de
la passion.

granadina [grana'ðina] *nf* grenadine *f*; V *tb*

granadino.
granadino, -a [grana'ðino, a] adj de Grenade ♦ nm/f natif(-ive) o habitant(e) de Grenade.
granar [gra'nar] vi germer.
granate [gra'nate] adj grenat adj inv ♦ nm grenat m.
Gran Bretaña [grambre'taɲa] nf Grande Bretagne f.
Gran Canaria [granka'narja] nf la Grande Canarie.
grancanario, -a [grankana'rjo, a] adj de la Grande Canarie ♦ nm/f natif(-ive) o habitant(e) de la Grande Canarie.
grande ['grande] adj grand(e); (ARG: fam: gracioso) rigolo ♦ nm grand m; **gran miedo** grand peur; **¿cómo es de ~?** c'est grand comment?; **a lo ~** dans le faste; **pasarlo en ~** faire une fête grandiose; **los zapatos le están** o **quedan ~s** ces chaussures sont trop grandes pour lui.
grandeza [gran'deθa] nf grandeur f.
grandilocuente [grandilo'kwente] adj grandiloquent(e).
grandioso, -a [gran'djoso, a] adj grandiose.
grandullón, -ona [granðu'ʎon, ona] adj, nm/f grande perche f.
granel [gra'nel] nm: **a ~** (COM) en vrac.
granero [gra'nero] nm grenier m.
granice etc [gra'niθe] vb V **granizar**.
granito [gra'nito] nm granit m; **poner/ aportar su ~ de arena** apporter sa modeste contribution; V tb **grano**
granizada [grani'θaða] nf averse f de grêle.
granizado [grani'θaðo] nm jus m de fruit glacé; **~ de café** café m frappé.
granizar [grani'θar] vi grêler.
granizo [gra'niθo] nm grêlon m.
granja ['granxa] nf ferme f; ► **granja avícola** ferme avicole.
granjear [granxe'ar] vt (amistad, simpatía) gagner; **granjearse** vpr gagner.
granjero, -a [gran'xero, a] nm/f fermier(-ère).
grano ['grano] nm grain m; (MED) bouton m; **ir al ~** aller droit au but.
granuja [gra'nuxa] nm (bribón) fripouille f; (golfillo) filou m.
grapa ['grapa] nf agrafe f; (CSUR: aguardiente barato) tord-boyaux m inv.
grapadora [grapa'ðora] nf agrafeuse f.
GRAPO ['grapo] (ESP) sigla m (POL = Grupos de Resistencia Antifascista Primero de Octubre) groupe terroriste de gauche.
grasa ['grasa] nf graisse f; (sebo) gras m; **~s** nfpl (de persona) graisse; ► **grasa de ballena/de pescado** graisse de baleine/de poisson.

grasiento, -a [gra'sjento, a] adj gras(se); (sucio) graisseux(-euse).
graso, -a ['graso, a] adj gras(se).
grasoso, -a [gra'soso, a] (AM) adj graisseux(-euse).
gratamente ['gratamente] adv agréablement; **~ impresionado** agréablement impressionné.
gratificación [gratifika'θjon] nf gratification f.
gratificar ['gratifi'kar] vt (recompensar) gratifier; **"se ~á"** "récompense".
gratifique etc [grati'fike] vb V **gratificar**.
gratinar [grati'nar] vt gratiner.
gratis ['gratis] adj inv, adv gratis inv.
gratitud [grati'tuð] nf gratitude f.
grato, -a ['grato, a] adj agréable; **ser ~ de hacer** être heureux(-euse) de faire; **nos es ~ informarle que ...** nous sommes heureux de vous informer que ...; **persona non-grata** persona f non grata.
gratuito, -a [gra'twito, a] adj gratuit(e).
grava ['graβa] nf gravier m.
gravamen [gra'βamen] nm (carga) poids msg; (impuesto) servitude f, hypothèque f; **libre de ~** (ECON) non grevé(e) d'hypothèques.
gravar [gra'βar] vt (JUR: propiedad) grever; **~ (con impuesto)** (producto) imposer.
grave ['graβe] adj grave; **estar ~** être grave; **herida ~** blessure f grave.
gravedad [graβe'ðað] nf gravité f.
gravemente ['graβemente] adv gravement; **estar ~ enfermo** être gravement malade.
gravidez [graβi'ðeθ] nf grossesse f.
gravilla [gra'βiʎa] nf gravillon m.
gravitación [graβita'θjon] nf gravitation f.
gravitar [graβi'tar] vi graviter; **~ sobre algn** peser sur qn.
gravoso, -a [gra'βoso, a] adj (pesado) pesant(e); (costoso) coûteux(-euse).
graznar [graθ'nar] vi (cuervo) croasser; (pato) cancaner.
graznido [graθ'niðo] nm (de cuervo) croassement m; (de ganso) cancanement m; (pey) voix fsg discordante.
Grecia ['greθja] nf Grèce f.
gregario, -a [gre'ɣarjo, a] adj grégaire; **instinto ~** instinct m grégaire.
gremio ['gremjo] nm corporation f.
greña ['greɲa] nf (tb: ~s) tignasse f; **andar a la ~** se disputer.
greñudo, -a [gre'ɲuðo, a] adj chevelu(e).
gresca ['greska] nf altercation f.
griego, -a ['grjeɣo, a] adj grec(que) ♦ nm/f Grec(que) ♦ nm (LING) grec m.
grieta ['grjeta] nf (en pared, madera) fente f; (en terreno, MED) crevasse f.
grifa ['grifa] (fam) nf came f.
grifero, -a [gri'fero, a] (PE) nm/f em-

ployé(e).

grifo ['grifo] *nm* robinet *m*; (*AND*) station-service *f*.

grillado, -a [gri'ʎaðo, a] (*fam*) *adj* givré(e).

grilletes [gri'ʎetes] *nmpl* fers *mpl*.

grillo ['griʎo] *nm* grillon *m*; ~s *nmpl* (*de preso*) fers *mpl*.

grima ['grima] *nf* dégoût *m*; **me da ~ ça me dégoûte.**

gringada [grin'gaða] (*AM*: *fam*) *nf* vacherie *f*; (*grupo de gringos*) groupe *m* d'étrangers.

gringo, -a ['gringo, a] (*AM*: *pey*) *adj* (*extranjero*) étranger(-ère); (*norteamericano, idioma*) ricain(e) ♦ *nm/f* (*extranjero*) étranger(-ère); (*norteamericano*) Ricain(e).

gripa ['gripa] (*AM*) *nf* = **gripe.**

gripe ['gripe] *nf* grippe *f*.

gris [gris] *adj* gris(e); (*vida*) triste; (*personaje*) terne; (*estudiante*) médiocre ♦ *nm* gris *msg*; ► **gris marengo/perla** gris anthracite/perle.

grisáceo, -a [gri'saθeo, a] *adj* grisâtre.

grisalla [gri'saʎa] (*MÉX*) *nf* ferraille *f*.

grisoso, -a [gri'soso, a] (*AM*) *adj* = **grisáceo.**

gritar [gri'tar] *vt, vi* crier; ¡no (me) grites! ne crie pas (après moi)!

griterío [grite'rio] *nm* brouhaha.

grito ['grito] *nm* cri *m*; **a ~ pelado** en hurlant; **a ~s** en criant; **dar ~s** pousser des cris; **poner el ~ en el cielo** pousser des hauts cris; **es el último ~** (*de moda*) c'est le dernier cri.

groenlandés, -esa [groenlan'des, esa] *adj* groenlandais(e) ♦ *nm/f* Groenlandais(e).

Groenlandia [groen'landja] *nf* Groenland *m*.

grogui ['groɣi] (*fam*) *adj* groggy *inv* **quedarse ~** (*dormido*) s'endormir.

grosella [gro'seʎa] *nf* groseille *f*; ► **grosella negra** cassis *msg*.

grosería [grose'ria] *nf* grossièreté *f*.

grosero, -a [gro'sero, a] *adj* grossier(-ère).

grosor [gro'sor] *nm* grosseur *f*.

grotesco, -a [gro'tesko, a] *adj* grotesque.

grúa ['grua] *nf* grue *f*; ► **grúa corrediza** *o* **móvil** pont *m* roulant; ► **grúa de pescante** grue à flèche; ► **grúa de torre** grue de chantier; ► **grúa puente** grue à chevalet.

grueso, -a ['grweso, a] *adj* épais(se); (*persona*) corpulent(e); (*mar*) fort(e) ♦ *nm* grosseur *f*; **el ~ de** le gros de.

grulla ['gruʎa] *nf* grue *f*.

grumete [gru'mete] *nm* (*NÁUT*) mousse *m*.

grumo ['grumo] *nm* grumeau *m*.

gruñido [gru'ɲiðo] *nm* grognement *m*.

gruñir [gru'ɲir] *vi* grogner.

gruñón, -ona [gru'ɲon, ona] *adj, nm/f* grognon *m/f*.

grupa ['grupa] *nf* (*ZOOL*) croupe *f*.

grupo ['grupo] *nm* groupe *m*; ► **grupo de presión** groupe de pression; ► **grupo sanguíneo** groupe sanguin.

grupúsculo [gru'puskulo] *nm* (*POL*) groupuscule *m*.

gruta ['gruta] *nf* grotte *f*.

Gta. *abr* (*AUTO*) = **glorieta.**

gua- [gwa] *v* **hua-.**

guaca ['gwaka] (*AM*) *nf* tombe *f* indienne.

guacal ['gwakal] *nm* (*CAM, MÉX*) calebasse *f*; (*AM*) caisse *f*.

guacamayo [gwaka'majo] (*AM*) *nm* perroquet *m*.

guacamole [gwaka'mole] (*AM*) *nm* guacamole *m*.

guachada [gwa'tʃaða] (*ARG*: *fam*) *nf* vacherie *f*.

guachafita [gwatʃa'fita] (*CARIB, COL*) *nf* vacarme *m*.

guachimán [gwatʃi'man] (*AM*) *nm* gardien *m*.

guachinango [gwatʃi'nango] (*ANT, MÉX*) *nm* daurade *f*.

guacho, -a ['gwatʃo, a] (*AND, CSUR*) *nm/f* orphelin(e); (*hijo natural*) fils(fille) naturel(le).

guadalajareño, -a [gwaðalaxa'reɲo, a] *adj* de Guadalajara ♦ *nm/f* natif(-ive) *o* habitant(e) de Guadalajara.

guadaña [gwa'ðaɲa] *nf* serpe *f*.

guadañar [gwaða'ɲar] *vt* tailler à la serpe.

guagua ['gwaɣwa] *nf* (*ANT, CANARIAS*) autobus *msg*; (*AND, CSUR*) bébé *m*.

guajiro, -a [gwa'xiro, a] (*ANT, COL*) *adj, nm/f* paysan(ne).

guajolote [gwaxo'lote] (*MÉX*) *nm* dindon *m*.

guambra ['gwambra] (*ECU*) *nm/f* (*niño indio*) enfant *m/f* indien(ne); (*niño mestizo*) enfant métis(se).

guampa ['gwampa] (*AND, CSUR*) *nf* corne *f*.

guampudo, -a [gwam'puðo, a] (*AND, CSUR*) *adj* à cornes.

guanábana [gwa'naβana] (*AM*) *nf* fruit *m* du corossol.

guanábano [gwa'naβano] (*AM*) *nm* corossol *m*.

guanaco [gwa'nako] (*AM*) *nm* guanaco *m*.

guano ['gwano] *nm* engrais *msg*.

guantada [gwan'taða] *nf* claque *f*.

guantazo [gwan'taθo] *nm* = **guantada.**

guante ['gwante] *nm* gant *m*; **se ajusta como un ~** il te/lui *etc* va comme un gant; **más suave que un ~** doux(douce) comme un agneau; **arrojar el ~ a algn** jeter le gant à qn; **echar el ~ a algn** prendre qn au collet; **con ~ blanco** (*fig*) en prenant des gants; ► **guantes de goma**

gants de caoutchouc.

guantera [gwan'tera] *nf* (*AUTO*) boîte *f* à gants.

guapo, -a ['gwapo, a] *adj* beau(belle) ♦ *nm* (*AND: fam*) beau gosse *m*; **estar ~** être beau; ¡**ven, ~!** (*a niños*) viens, mon mignon!; ¿**quién será el ~ que se atreva?** alors, qui est chiche d'y aller?

guaraca [gwa'raka] (*AND, CSUR*) *nf* fronde *f*.

guarache [gwa'ratʃe] (*MÉX*) *nm* sandale *f*.

guarangada [gwaraŋ'gaða] (*CSUR*) *nf* grossièreté *f*.

guaraní [gwara'ni] *adj* guarani ♦ *nm/f* Guarani *m/f* ♦ *nm* (*LING, moneda*) guarani *m*.

guarapo [gwa'rapo] (*AM*) *nm* sucre de canne fermenté.

guarda ['gwarða] *nm/f* gardien(ne) ♦ *nf* garde *f*; **▶ guarda forestal** garde *m* forestier; **▶ guarda jurado** vigile *m*.

guarda(a)gujas [gwarda'ɣuxas] *nm/f inv* (*FERRO*) aiguilleur *m*.

guardabarrera [gwarðaßa'rrera] *nm/f* (*FERRO*) garde *m/f* barrière.

guardabarros [gwarða'ßarros] *nm inv* garde-boue *m inv*.

guardabosques [gwarda'ßoskes] *nm/f inv* garde *m* forestier.

guardacoches [gwarða'kotʃes] *nm/f inv* gardien(ne) de parking.

guardacostas [gwarda'kostas] *nm inv* garde *m* côte.

guardador, a [gwarða'ðor, a] *adj*: **ser (muy) ~** être (très) protecteur(-trice).

guardaespaldas [gwardaes'paldas] *nm/f inv* garde *m/f* du corps.

guardameta [gwarða'meta] *nm* gardien *m* de but.

guardamuebles [gwarða'mweßles] *nm inv* garde-meuble *m*.

guardapolvo [gwarda'polßo] *nm* housse *f*; (*prenda de vestir*) blouse *f*.

guardar [gwar'ðar] *vt* garder; (*poner: en su sitio*) mettre; (: *en sitio seguro*) ranger; (*ley*) observer; **guardarse** *vpr* garder; (*ocultar*) garder (pour soi); **~ de** garder de; **~ cama/silencio** garder le lit/le silence; **~ el sitio** (*en cola*) garder la place; **~ las apariencias** sauver les apparences; **~se de** (*evitar*) se garder de; **~se de hacer** (*abstenerse*) se garder de faire; **se la tengo guardada** il me le paiera.

guardarropa [gwarða'rropa] *nm* (*armario*) armoire *f*; (*en establecimiento público*) vestiaire *m*; (*ropas*) garde-robe *f*.

guardavía [gwarða'ßia] *nm/f* (*FERRO*) garde-voie *f*.

guardería [gwarðe'ria] *nf* garderie *f*.

guardia ['gwarðja] *nf* garde *f* ♦ *nm/f* (*de tráfico, municipal etc*) agent *m*; (*policía*)

policier(femme policier); **estar de ~** être de garde; **estar/ponerse en ~** être sur ses gardes/se mettre en garde; **montar ~** monter la garde; **▶ la Guardia Civil** la Garde Civile espagnole; **▶ un guardia civil** ≈ un gendarme; **▶ guardia de tráfico** agent de la circulation; **▶ guardia municipal** *o* **urbana** agent de police; **▶ Guardia Nacional** (*NIC, PAN*) ≈ gendarmerie *f* nationale.

guardián, -ana [gwar'ðjan, ana] *nm/f* gardien(ne).

guarecer [gware'θer] *vt* héberger; **guarecerse** *vpr*: **~se (de)** s'abriter (de).

guarezca *etc* [gwa'reθka] *vb* V **guarecer**.

guarida [gwa'riða] *nf* abri *m*; (*fig: de delincuentes*) repaire *m*.

guarismo [gwa'rismo] *nm* chiffre *m*.

guarnecer [gwarne'θer] *vt* garnir; (*TEC*) revêtir; (*MIL*) doter d'une garnison.

guarnezca *etc* [gwar'neθka] *vb* V **guarnecer**.

guarnición [gwarni'θjon] *nf* (*de vestimenta*) ornement *m*; (*de piedra preciosa*) chaton *m*; (*CULIN*) garniture *f*; (*arneses*) harnachement *m*; (*MIL*) garnison *f*.

guarrada [gwa'rraða] (*fam*) *nf* saleté *f*; (*mala jugada*) saloperie *f*.

guarrería [gwarre'ria] (*fam*) *nf* = **guarrada**.

guarro, -a ['gwarro, a] (*fam*) sale ♦ *nm/f* cochon(truie); (*fam: persona*) cochon(ne).

guarura [gwa'rura] (*MÉX: fam*) *nm* gorille *m*.

guasa ['gwasa] *nf* blague *f*; **con** *o* **de ~** pour rire; V *tb* **guaso**.

guasca ['gwaska] (*AND, CSUR*) *nf* fouet *m*.

guaso, -a ['gwaso, a] *adj, nm/f* = **huaso**.

guasón, -ona [gwa'son, ona] *adj, nm/f* blagueur(-euse).

guata ['gwata] (*CHI: fam*) *nf* bidon *m*.

guateado, -a [gwate'aðo, a] *adj* ouaté(e).

Guatemala [gwate'mala] *nf* Guatemala *m*.

guatemalteco, -a [gwatemal'teko, a] *adj* guatémaltèque ♦ *nm/f* Guatémaltèque *m/f*.

guateque [gwa'teke] *nm* fête *f*.

guatero [gwa'tero] (*CHI*) *nm* bouillotte *f*.

guatitas [gwa'titas] (*CHI*) *nfpl* (*CULIN*) tripes *fpl*.

guatón, -ona [gwa'ton, ona] (*CHI: fam*) *adj* bedonnant(e).

guau [gwau] *excl*: ¡**~**, **~!** ouah, ouah!

guay [gwai] *excl* génial!

guayaba [gwa'jaßa] *nf* goyave *f*.

guayabera [gwaja'ßera] (*AM*) *nf* (*camisa bordada*) blouse *f* brodée; (*chaquetilla bordada*) boléro *m* brodé.

guayabo [gwa'jaßo] (*AM*) *nm* goyavier *m*.

Guayana [gwa'jana] *nf* Guyane *f*.

guayanés, -esa [gwaja'nes, esa] *adj* guyanais(e) ♦ *nm/f* Guyanais(e).

guayín [gwa'jin] (*MÉX*) *nm* fourgonnette *f*.

guayuco [gwa'juko] (*COL, VEN*) *nm* pagne *m*.

gubernamental [gußernamen'tal] *adj* gouvernemental(e).

gubernativo, -a [gußerna'tißo, a] *adj* du gouvernement.

guedeja [ge'ðexa] *nf* chevelure *f*.

güero, -a ['gwero, a] (esp *MÉX*) *adj, nm/f* roux(rousse).

guerra ['gerra] *nf* guerre *f*; ~ **a muerte** guerre à mort; **Primera/Segunda G**~ **Mundial** Première/Deuxième Guerre mondiale; **estar en** ~ être en guerre; **dar** ~ donner du fil à retordre; ▸ **guerra atómica /bacteriológica /nuclear /psicológica** guerre atomique/bactériologique/nucléaire/psychologique; ▸ **guerra civil/fría** guerre civile/froide; ▸ **guerra de guerrillas** guérilla *f*, guerre de partisans; ▸ **guerra de precios** (*COM*) guerre des prix.

guerrear [gerre'ar] *vi* guerroyer.

guerrera [ge'rrera] *nf* (*chaqueta*) veste *f*; (*de militar*) veste d'uniforme; *V tb* **guerrero**.

guerrero, -a [ge'rrero, a] *adj* de guerre; (*carácter*) guerrier(-ère) ♦ *nm/f* guerrier(-ère).

guerrilla [ge'rriʎa] *nf* guérilla *f*.

guerrillero, -a [gerri'ʎero, a] *nm/f* guérillero *m*.

gueto ['geto] *nm* ghetto *m*.

guía ['gia] *vb V* **guiar** ♦ *nm/f* (*persona*) guide *m/f* ♦ *nf* (*libro*) guide *m*; (*BOT*) élagage *m*; (*INFORM*) message *m*; ▸ **guía de ferrocarriles** horaire *m* des trains; ▸ **guía telefónica** annuaire *m*; ▸ **guía turística** (*libro*) guide *m* touristique; ▸ **guía turístico** (*persona*) guide *m/f*.

guiar [gi'ar] *vt* guider; (*AUTO*) diriger; **guiarse** *vpr*: ~**se por** suivre.

guijarro [gi'xarro] *nm* caillou *m*.

guillotina [giʎo'tina] *nf* guillotine *f*; (*para papel*) coupe-papier *m inv*.

guillotinar [giʎoti'nar] *vt* guillotiner; (*papel*) couper.

guinda ['ginda] *nf* griotte *f*.

guindar [gin'dar] (*fam*) *vt* faucher.

guindilla [gin'diʎa] *nf* piment *m*.

Guinea [gi'nea] *nf* Guinée *f*.

guineano, -a [gine'ano, a] *adj* guinéen(ne) ♦ *nm/f* Guinéen(ne).

guineo [gi'neo, a] (*AND, CAM, PR*) *nm* banane *f*.

guiñapo [gi'ɲapo] *nm* (*harapo*) haillon *m*; (*persona*) chiffe *f* molle; **estar hecho un** ~ être lessivé.

guiñar [gi'ɲar] *vt* cligner de.

guiño ['giɲo] *nm* clin *m* d'œil; **hacer un** ~ **a** algn faire un clin d'œil à qn.

guiñol [gi'ɲol] *nm* (*TEATRO*) guignol *m*.

guión [gi'on] *nm* (*LING*) tiret *m*; (*esquema*) plan *m*; (*CINE*) scénario *m*.

guionista [gjo'nista] *nm/f* scénariste *m/f*.

güipil [gwi'pil] *nm* = **huipil**.

guipuzcoano, -a [gipuθko'ano, a] *adj* de Guipuzcoa ♦ *nm/f* natif(-ive) *o* habitant(e) de Guipuzcoa.

guiri ['giri] (*pey*) *nm/f* métèque *m*.

guirigay [giri'gai] *nm* (*griterío*) vacarme *m*; (*alboroto*) bagarre *f*.

guirlache [gir'latʃe] *nm* nougat *m* dur.

guirnalda [gir'nalda] *nf* guirlande *f*.

guisa ['gisa] *nf*: **a** ~ **de** en guise de; **de esta** ~ de cette façon.

guisado [gi'saðo] *nm* ragoût *m*.

guisante [gi'sante] *nm* petit pois *msg*.

guisar [gi'sar] *vt, vi* faire cuire; (*fig*) tramer.

guiso ['giso] *nm* plat *m*.

guita ['gita] (*fam*) *nf* blé *m*.

guitarra [gi'tarra] *nf* guitare *f*.

guitarrista [gita'rrista] *nm/f* guitariste *m/f*.

gula ['gula] *nf* gloutonnerie *f*.

gurí [gu'ri] (*CSUR: fam*) (*pl* **gurises**) *nm/f* (*chiquillo*) gosse *m*.

gurisa [gu'risa] (*CSUR: fam*) *nf* gosse *f*.

gurmet [gur'me] (*pl* ~**s**) *nm/f* gourmet *m*.

gurú [gu'ru] (*pl* ~**s**) *nm* (*fig*) gourou *m*.

gusano [gu'sano] *nm* vers *msg*; (*de mariposa, pey*) larve *f*; (*ser despreciable*) larve; (*CU: pey*) réfugié cubain; ▸ **gusano de seda** vers à soie.

gustar [gus'tar] *vt* goûter ♦ *vi* plaire; ~ **de hacer** prendre plaisir à faire; **me gustan las uvas** j'aime le raisin; **le gusta nadar** il aime nager; **me gusta ese chico/esa chica** j'aime bien ce garçon/cette fille; **¿usted gusta?** vous en prendrez bien?; **como usted guste** comme il vous plaira.

gustazo [gus'taθo] *nm*: **darse el** ~ **de hacer algo** avoir le plaisir de faire qch.

gusto ['gusto] *nm* goût *m*; (*agrado, placer*) plaisir *m*; (*afición*) intérêt *m*; **a su** *etc* ~ à votre *etc* aise; **hacer algo con** ~ faire qch avec plaisir; **dar** ~ **a algn** faire plaisir à qn; **que da** ~ bien agréable; **tiene un** ~ **amargo** ça a un goût amer; **tener buen/mal** ~ avoir bon/mauvais goût; **sobre** ~**s no hay nada escrito** chacun ses goûts; **de buen/mal** ~ de bon/mauvais goût; **darse el** ~ **de hacer algo** se faire le plaisir de faire qch; **estar/sentirse a** ~ être/se sentir à l'aise; **¡mucho** *o* **tanto** ~ **(en conocerle)!** enchanté(e) *o* ravi(e) de faire votre connaissance; **el** ~ **es mío** tout le plaisir est pour moi; **coger** *o* **tomar** ~ **a algo** prendre goût à qch.

gustoso, -a [gus'toso, a] *adj* savou-

reux(-euse); **aceptar** ~ accepter avec
joie.
gutural [gutu'ral] *adj* guttural(e).

H, h

H, h ['atʃe] *nf* (*letra*) H, h *m inv*; ~ **de Historia** ≈ H comme Henri.
H *abr* (= *hombre*) m (= *masculin*).
H. *abr* (*QUÍM* = *Hidrógeno*) H (= *hydrogène*); (*COM*) = *haber*.
h. *abr* (= *hora(s)*) h (= *heure(s)*); (= *habi-
tante(s)*) hab. (= *habitant(s)*).
ha [a] *vb* V **haber.**
Ha. *abr* (= *Hectárea(s)*) ha (= *hectare(s)*).
hab. *abr* (= *habitantes*) hab. (= *habitants*).
haba ['aßa] *nf* fève *f*; **en todas partes cue-
cen ~s** ça peut arriver à tout le monde.
Habana [a'ßana] *nf*: **la** ~ la Havane.
habanera [aßa'nera] *nf* (*MÚS*) danse de la
Havane; *V tb* **habanero.**
habanero, -a [aßa'nero, a] *adj* havanais(e)
♦ *nm/f* Havanais(e).
habano [a'ßano] *nm* havane *m*.
habeas corpus [a'ßeas'korpus] *nm* (*JUR*)
habeas corpus *m inv*.

═══════════ PALABRA CLAVE

haber [a'ßer] *vb aux* **1** (*tiempos compuestos*)
avoir; (*con verbos pronominales y de movimiento*) être; **he/había comido** j'ai/
j'avais mangé; **antes/después de haberlo
visto** avant/après l'avoir vu; **si lo hubiera
sabido, habría ido** si j'avais su, j'y serais
allé; **se ha sentado** il s'est assis; **ella había salido** elle être était sortie; **¡haberlo dicho
antes!** il fallait le dire plus tôt!
2: **haber de** (+ *infin*): **he de hacerlo** je
dois le faire; **ha de llegar mañana** il doit
arriver demain; **no ha de tardar** (*AM*) il
arrivera bientôt; **has de estar loco** (*AM*)
tu dois être tombé sur la tête
♦ *vb impers* **1** (*existencia*) avoir; **hay un
hermano/dos hermanos** il y a un frère/
deux frères; **¿cuánto hay de aquí a Sucre?**
il y a combien d'ici à Sucre?; **habrá unos
4°** (*de temperatura*) il doit faire 4°; **no
hay cintas blancas, pero sí las hay rojas** il
n'y a pas de rubans blancs, mais il y en
a des rouges; **¡no hay quien le entienda!**
personne n'arrive à le comprendre!; **no**

hay nada como un buen filete il n'y a rien
de tel qu'un bon filet
2 (*tener lugar*): **hubo mucha sequía/una
guerra** il y a eu une grande sécheresse/
une guerre; **¿hay partido mañana?** il y a
un match demain?
3: **¡no hay de o por** (*AM*) **qué!** il n'y a pas
de quoi!
4: **¿qué hay?** (*¿qué pasa?*) qu'est-ce qu'il
y a?; (*¿qué tal?*) ça va?; **¡qué hubo!, ¡qué
húbole!** (*esp MEX, CHI*: *fam*) salut!
5 (*haber que* + *infin*): **hay que apuntarlo
para acordarse** il faut le marquer pour
s'en souvenir; **¡habrá que decírselo!** il
faudra le lui dire!
6: **¡hay que ver!** il faut voir!
7: **he aquí las pruebas** voici les preuves
8: **¡habráse visto!** (*fam*) eh bien dis o dites donc!; **¡hubiera visto ...!** (*MÉX*: *si hubiera visto*) si vous aviez vu ...!
♦ **haberse** *vpr*: **voy a habérmelas con él** je
vais m'expliquer avec lui
♦ *nm* **1** (*COM*) crédit *m*; **¿cuánto tengo en
el haber?** j'ai combien sur mon compte?;
tiene varias novelas en su haber il a plusieurs romans à son actif
2: **haberes** *nmpl* avoirs *mpl*.

habichuela [aßi'tʃwela] *nf* haricot *m*.
hábil ['aßil] *adj* habile; **día** ~ jour *m* ouvrable.
habilidad [aßili'ðað] *nf* habileté *f*; **~es** *nfpl*
(*aptitudes*) aptitudes *fpl*; **tener** ~ **manual**
être habile de ses mains.
habilitación [aßilita'θjon] *nf* habilitation *f*.
habilitado [aßili'taðu] *nm* trésorier-payeur
m.
habilitar [aßili'tar] *vt* (*autorizar, JUR*) habiliter; (*financiar*) financer; ~ (**para**) (*casa, local*) aménager (pour); ~ **a algn para hacer**
habiliter qn à faire.
hábilmente ['aßilmente] *adv* habilement.
habitable [aßi'taßle] *adj* habitable.
habitación [aßita'θjon] *nf* pièce *f*; (*dormitorio*) chambre *f*; ► **habitación doble** o **de
matrimonio** chambre double; ► **habitación sencilla** o **individual** chambre simple.
habitante [aßi'tante] *nm/f* habitant(e).
habitar [aßi'tar] *vt, vi* habiter.
hábitat ['aßitat] (*pl* ~**s**) *nm* habitat *m*.
hábito ['aßito] *nm* (*costumbre*) habitude *f*;
(*traje*) habit *m*; **tener el** ~ **de hacer algo**
avoir l'habitude de faire qch.
habitual [aßi'twal] *adj* habituel(le).
habituar [aßi'twar] *vt*: ~ **a algn a** (**hacer**)
habituer qn à (faire); **habituarse** *vpr*:
~se a (**hacer**) s'habituer à (faire).
habla ['aßla] *nf* (*capacidad de hablar*) parole *f*; (*forma de hablar*) langage *m*; (*dialec-*

to) parler *m*; **perder el** ~ perdre l'usage de la parole; **de** ~ **francesa/española** de langue française/espagnole; **estar/ponerse al** ~ être en train de parler/se mettre à parler; **estar al** ~ (*TELEC*) être à l'appareil; **¡González al** ~! (*TELEC*) González à l'appareil!

hablado, -a [a'ßlaðo, a] *adj*: **mal** ~ vulgaire.

hablador, a [aßla'ðor, a] *adj, nm/f* bavard(e).

habladuría [aßlaðu'ria] *nf* commérage *m*; ~**s** *nfpl* (*chismes*) commérages *mpl*.

hablante [a'ßlante] *nm/f* (*LING*) locuteur(-trice); **los** ~**s de catalán** les personnes parlant catalan.

hablar [a'ßlar] *vt, vi* parler; **hablarse** *vpr* se parler; ~**lo (con algn)** en parler (avec qn); ~ **con** parler avec; **¡ya puede** ~! (*TELEC*) à vous!; **¡ni** ~! pas question!; ~ **alto/claro** parler fort/clairement; **dar que** ~ faire jaser; **~ por los codos** bavarder comme une pie; ~ **entre dientes** marmonner; ~ **de** parler de; ~ **mal/bien de algn** dire du mal/du bien de qn; ~ **de tú/de usted** tutoyer/vouvoyer; **"se habla francés"** "on parle français"; **no se hablan** ils ne se parlent plus; **no me hablo con mi hermana** je ne parle plus à ma sœur.

habré *etc* [a'ßre] *vb* V **haber**.

hacedor, a [aθe'ðor, a] *nm/f* créateur(-trice).

hacendado, -a [aθen'daðo, a] *adj* propriétaire ♦ *nm* propriétaire *m* terrien.

hacendoso, -a [aθen'doso, a] *adj* travailleur(-euse).

━━━━━━━━ *PALABRA CLAVE* ━━━━━━━━

hacer [a'θer] *vt* **1** (*producir, ejecutar*) faire; **hacer una película/un ruido** faire un film/un bruit; **hacer la compra** faire les courses; **hacer la comida** faire à manger; **hacer la cama** faire le lit

2 (*obrar*) faire; **¿qué haces?** qu'est-ce que tu fais?; **eso no se hace** ça ne se fait pas; **¡así se hace!** c'est comme ça que l'on fait!; **¡bien hecho!** bravo!; **¿cómo has hecho para llegar tan rápido?** comment as-tu fait pour arriver si vite?; **no hace más que criticar** il ne fait que critiquer; **¡eso está hecho!** tout de suite!; **hacer el papel del malo** (*TEATRO*) avoir le rôle du méchant; **hacer el tonto/el ridículo** faire l'idiot/le pitre

3 (*dedicarse a*) faire de; **hacer teatro** faire du théâtre; **hacer español/económicas** faire de l'espagnol/de l'économie; **hacer yoga/gimnasia/deporte** faire du yoga/de la gym/du sport

4 (*causar*): **hacer ilusión** faire plaisir; **hacer gracia** faire rire

5 (*conseguir*): **hacer amigos** se faire des amis; **hacer una fortuna** faire une fortune

6 (*dar aspecto de*): **ese peinado te hace más joven** cette coiffure te rajeunit

7 (*cálculo*): **esto hace 100 et voilà 100**

8 (*como sustituto de vb*) faire; **él bebió y yo hice lo mismo** il a bu et j'ai fait la même chose

9 (+ *inf, + que*): **les hice venir** je les ai fait venir; **hacer trabajar a los demás** faire travailler les autres; **aquello me hizo comprender** cela m'a fait comprendre; **hacer reparar algo** faire réparer qch; **esto nos hará ganar tiempo** ça nous fera gagner du temps; **harás que no quiera venir** tu vas lui ôter l'envie de venir

10 (+ *adj*): rendre; ~ **feliz a algn** rendre qn heureux

♦ *vi* **1**: **hiciste bien en decírmelo** tu as bien fait de me le dire

2 (*convenir*): **si os hace** si ça vous dit; **¿hace?** ça vous dit?

3: **no le hace** (*AM: no importa*) ça ne fait rien

4: **haz como que no lo sabes** fais comme si tu ne savais rien

5: **hacer de** (*objeto*) servir de; **la tabla hace de mesa** la planche sert de table; **hacer de madre** jouer le rôle de mère; (*pey*) jouer les mères poules; (*TEATRO*): **hacer de Otelo** jouer Othello

♦ *vb impers* **1**: **hace calor/frío** il fait chaud/froid; V *tb* **bueno**; **sol**; **tiempo**

2 (*tiempo*): **hace 3 años** il y a 3 ans; **hace un mes que voy/no voy** voy cela fait un mois que j'y vais/je n'y vais plus; **desde hace mucho** depuis longtemps; **no lo veo desde hace mucho** cela fait longtemps que je ne l'ai pas vu

hacerse *vpr* **1** (*volverse*) se faire; **hacerse viejo** se faire vieux; **se hicieron amigos** ils sont devenus amis

2 (*resultar*): **se me hizo muy duro el viaje** j'ai trouvé le voyage très pénible

3 (*acostumbrarse*): **hacerse a** se faire à; **hacerse a una idea** se faire à une idée

4 (*obtener*): **hacerse de** *o* **con algo** obtenir qch

5 (*fingir*): **hacerse el sordo** *o* **el sueco** faire la sourde oreille

6: **hacerse idea de algo** se faire une idée de qch; **hacerse ilusiones** se faire des illusions

7: **se me hace que** (*AM: me parece que*) il me semble que.

hacha ['atʃa] *nf* hache *f*; (*antorcha*) mèche *f*; **ser un** ~ (*fig*) être un as.

hachazo [a'tʃaθo] nm coup m de hache.
hache ['atʃe] nf (letra) h m; **llámale ~** (fig) appelez-le comme vous voudrez.
hachís [a'tʃis] nm haschich m.
hacia ['aθja] prep vers; (actitud) envers; **~ adelante/atrás/dentro/fuera** devant/derrière/dedans/dehors; **~ abajo/arriba** en bas/haut; **mira ~ acá** regarde par ici; **~ mediodía/finales de mayo** vers midi/la fin mai.
hacienda [a'θjenda] nf (propiedad) propriété f; (finca) ferme f; (AM) hacienda f; (**Ministerio de) H~** (ministère m des) Finances fpl; ▶ **hacienda pública** trésor m public.
hacinamiento [aθina'mjento] nm attroupement m.
hacinar [aθi'nar] vt (cosas) empiler; (personas) entasser; **hacinarse** vpr (en una vivienda) s'entasser.
hada ['aða] nf fée f; ▶ **hada madrina** fée marraine.
hado ['aðo] nm destin m.
haga etc ['aɣa] vb V **hacer**.
Haití [ai'ti] nm Haïti f.
haitiano, -a [ai'tjano, a] adj haïtien(ne) ♦ nm/f Haïtien(ne).
hala ['ala] excl (para dar prisa) allez!; (para dar ánimo) allons!; (tras exageración) eh oh!
halagar [ala'ɣar] vt flatter; (agradar) réjouir.
halago [a'laɣo] nm flatterie f.
halague etc [a'laɣe] vb V **halagar**.
halagüeño, -a [ala'ɣweɲo, a] adj réjouissant(e); (lisonjero) flatteur(-euse).
halcón [al'kon] nm faucon m.
hale ['ale] excl allez!
hálito ['alito] nm haleine f.
halitosis [ali'tosis] nf mauvaise haleine f.
hall [xol] (pl ~s) nm (de hotel) hall m; (de cine, teatro) entrée f.
hallar [a'ʎar] vt trouver; **hallarse** vpr se trouver; **se halla fuera** il est dehors.
hallazgo [a'ʎaθɣo] nm trouvaille f.
halo ['alo] nm halo m.
halógeno [a'loxeno] adj: **faro ~** phare m halogène.
halterofilia [altero'filja] nf haltérophilie f.
hamaca [a'maka] nf hamac m; (asiento) chaise f longue.
hambre ['ambre] nf faim f; **~ de** (fig) faim de; **tener ~** avoir faim; **pasar ~** souffrir de la faim.
hambriento, -a [am'brjento, a] adj, nm/f affamé(e); **los ~s** les affamés; **~ de** (fig) affamé(e) de.
hambruna [am'bruna] nf faim f.
Hamburgo [am'burɣo] n Hambourg f.
hamburguesa [ambur'ɣesa] nf hamburger m.

hampa ['ampa] nf pègre f.
hampón [am'pon] nm voyou m.
han [an] vb V **haber**.
hándicap ['xandikap] (pl **handicaps**) nm handicap m.
haragán, -ana [ara'ɣan, ana] adj, nm/f fainéant(e).
haraganear [araɣane'ar] vi fainéanter.
harapiento, -a [ara'pjento, a] adj en haillons.
harapos [a'rapos] nmpl haillons mpl.
hardware ['xardwer] nm (INFORM) matériel m, hardware m.
haré etc [a're] vb V **hacer**.
harén [a'ren] nm harem m.
harina [a'rina] nf farine f; **eso es ~ de otro costal** c'est une autre paire de manches; ▶ **harina de maíz/de trigo** farine de maïs/de blé.
harinoso, -a [ari'noso, a] adj farineux(-euse).
hartar [ar'tar] vt (de comida) gaver; (saturar) saturer; (fastidiar) fatiguer; **hartarse** vpr (cansarse) se lasser; (de comida): **~se (de)** se gaver (de); **~se de leer/reír** se lasser de lire/rire; **¡me estás hartando!** tu m'ennuies!
hartazgo [ar'taθɣo] nm: **darse un ~ (de)** avoir son content (de).
harto, -a ['arto, a] adj: **~ (de)** rassasié(e) (de); (cansado) fatigué(e) (de) ♦ adv (bastante) assez; (muy) bien assez; **estar ~ de hacer/algn** en avoir marre de faire/qn; **¡estoy ~ de decírtelo!** je te l'ai assez dit!; **¡me tienes ~!** tu me fatigues!
hartura [ar'tura] nf excès msg.
has [as] vb V **haber**.
Has. abr (= Hectáreas) ha (= hectares).
hasta ['asta] adv même, voire ♦ prep jusqu'à ♦ conj: **~ que** jusqu'à ce que; (CAM, COL, MÉX: no ... hasta): **viene ~ las cuatro** il ne vient pas avant quatre heures; **~ luego o ahora** (fam), **~ siempre** (ARG) salut!; **~ mañana/el sábado** à demain/samedi; **~ la fecha/ahora** jusqu'à aujourd'hui/maintenant; **~ nueva orden** jusqu'à nouvel ordre; **¿~ qué punto?** à quel point?; **~ tal punto que ...** à tel point que ...; **¿~ cuándo/dónde?** on se voit quand/où?; **~ ayer empezó** (AM) cela n'a commencé qu'hier.
hastiar [as'tjar] vt fatiguer; **hastiarse** vpr: **~se de (hacer)** se lasser de (faire).
hastío [as'tio] nm ennui m.
hatajo [a'taxo] nm: **un ~ de gamberros/de idiotas** un tas de voyous/d'idiots.
hatillo [a'tiʎo] nm affaires fpl.
hato ['ato] nm paquet m; (rebaño) troupeau m; (ANT, CAR, COL) ranch m.

Hawai [a'wai] *nm* (*tb*: **las Islas** ~) Hawaï *f*.
hawaiano, -a [awa'jano, a] *adj* hawaïen(ne) ♦ *nm/f* Hawaïen(ne); **hawaianas** (esp *AM*) tongs *fpl*.
hay [ai] *vb* V **haber**.
Haya ['aja] *nf*: **la** ~ La Haye.
haya ['aja] *vb* V **haber** ♦ *nf* hêtre *m*.
hayal [a'jal] *nm* hêtraie *f*.
haz [aθ] *vb* V **hacer** ♦ *nm* botte *f*; (*de luz*) faisceau *m* ♦ *nf* (*de tela*) endroit *m*.
hazaña [a'θaɲa] *nf* exploit *m*.
hazmerreír [aθmerre'ir] *nm inv*: **ser/convertirse en el** ~ **de** être/devenir la risée de.
HB *abr* (= *Herri Batasuna*) *parti politique basque*.
he [e] *vb* V **haber** ♦ *adv*: ~ **aquí** voici; ~ **aquí por qué** ... voici pourquoi ... .
hebilla [e'ßiʎa] *nf* boucle *f*.
hebra ['eßra] *nf* fil *m*; (*de carne*) nerf *m*; (*de tabaco*) fibre *f*; **pegar la** ~ tailler une bavette.
hebreo, -a [e'ßreo, a] *adj* hébreu (*sólo m*), hébraïque ♦ *nm/f* Hébreu *m* ♦ *nm* (*LING*) hébreu *m*.
hecatombe [eka'tombe] *nf* hécatombe *f*.
hechice *etc* [e'tʃiθe] *vb* V **hechizar**.
hechicería [etʃiθe'ria] *nf* sorcellerie *f*.
hechicero, -a [etʃi'θero, a] *nm/f* ensorceleur(-euse).
hechizar [etʃi'θar] *vt* ensorceler.
hechizo [e'tʃiθo] *nm* sorcellerie *f*; (*encantamiento*) enchantement *m*; (*fig*) fascination *f*.
hecho, -a ['etʃo, a] *pp de* **hacer** ♦ *adj* fait(e); (*hombre, mujer*) mûr(e); (*vino*) arrivé(e) à maturation; (*ropa*) de prêt-à-porter ♦ *nm* fait *m*; (*factor*) facteur *m* ♦ *excl* c'est fait!; **¡bien** ~! bravo!, bien joué!; **muy/poco** ~ (*CULIN*) très/peu cuit(e); **estaba** ~ **una fiera/un mar de lágrimas** il était dans une colère noire/en larmes; **bien/mal** ~ bien/mal fait(e); **estar** ~ **a algo** s'être fait(e) à qch; ~ **a la medida** fait(e) sur mesure; **de** ~ de fait; **el** ~ **es que** ... le fait est que ...; **el** ~ **de que** ... le fait que ... .
hechura [e'tʃura] *nf* (*confección*) confection *f*; (*corte, forma*) coupe *f*; (*TEC*) fabrication *f*.
hectárea [ek'tarea] *nf* hectare *m*.
hectolitro [ekto'litro] *nm* hectolitre *m*.
heder [e'ðer] *vi* puer.
hediondez [eðjon'deθ] *nf* puanteur *f*.
hediondo, -a [e'ðjondo, a] *adj* puant(e); (*fig*) dégoûtant(e).
hedor [e'ðor] *nm* puanteur *f*.
hegemonía [exemo'nia] *nf* hégémonie *f*.
helada [e'laða] *nf* gelée *f*; **caer una** ~ geler.
heladera [ela'ðera] (*CSUR*) *nf* réfrigérateur

m.
heladería [elaðe'ria] *nf* marchand *m* de glaces.
helado, -a [e'laðo, a] *adj* congelé(e); (*muy frío*) gelé(e); (*fig*) de glace ♦ *nm* glace *f*; **¡estoy** ~ **(de frío)!** je gèle!; **dejar** ~ **a algn** épater qn; **quedarse** ~ être abasourdi(e).
helador, a [ela'ðor, a] *adj* (*viento etc*) glacial(e).
helar [e'lar] *vt* congeler; (*BOT*) geler; (*dejar atónito*) abasourdir ♦ *vi* geler; **helarse** *vpr* geler; ~**se de frío** mourir de froid; **ha helado esta noche** il a gelé cette nuit.
helecho [e'letʃo] *nm* fougère *f*.
helénico, -a [e'leniko, a] *adj* hellénique.
hélice ['eliθe] *nf* hélice *f*.
helicóptero [eli'koptero] *nm* hélicoptère *m*.
helio ['eljo] *nm* hélium *m*.
helmántico, -a [el'mantiko, a] *adj* de Salamanque.
helvético, -a [el'ßetiko, a] *adj* helvétique ♦ *nm/f* Helvète *m/f*.
hematoma [ema'toma] *nm* hématome *m*.
hembra ['embra] *nf* femelle *f*; (*mujer*) femme *f*; **un elefante** ~ un éléphant femelle.
hemeroteca [emero'teka] *nf* bibliothèque *f* de périodiques.
hemiciclo [emi'θiklo] *nm* (*POL*) hémicycle *m*.
hemisferio [emis'ferjo] *nm* hémisphère *m*.
hemofilia [emo'filja] *nf* hémophilie *f*.
hemorragia [emo'rraxja] *nf* hémorragie *f*; ► **hemorragia nasal** saignement *m* de nez.
hemorroides [emo'rroiðes] *nfpl* hémorroïdes *fpl*.
hemos ['emos] *vb* V **haber**.
henar [e'nar] *nm* champ *m*.
henchir [en'tʃir] *vt* (*pulmones*) gonfler; **henchido de orgullo** bouffi d'orgueil.
Hendaya [en'daja] *n* Hendaye.
hender [en'der] *vt* fendre.
hendidura [endi'ðura] *nf* fente *f*; (*GEO*) faille *f*.
henequén [ene'ken] *nm* agave *m*.
heno ['eno] *nm* foin *m*.
hepático, -a [e'patiko, a] *adj* hépatique.
hepatitis [epa'titis] *nf* hépatite *f*.
herbario, -a [er'ßarjo, a] *nm/f* botaniste *m/f* ♦ *nm* herbier *m*.
herbicida [erßi'θiða] *nm* herbicide *m*.
herbívoro, -a [er'ßißoro, a] *adj* herbivore.
herbolario, -a [erßo'larjo, a] *nm/f* herboriste *m/f* ♦ *nm* (*tienda*) herboristerie *f*.
herboristería [erßoriste'ria] *nf* herboristerie *f*.
heredad [ere'ðað] *nf* domaine *m*.
heredar [ere'ðar] *vt* hériter.
heredero, -a [ere'ðero, a] *nm/f* héritier(-ère); **príncipe** ~ prince *m* héritier.

▶ **heredero del trono** héritier du trône.
hereditario, -a [ereði'tarjo, a] *adj* héréditaire.
hereje [e'rexe] *nm/f* hérésiarque *m/f.*
herejía [ere'xia] *nf* hérésie *f.*
herencia [e'renθja] *nf* héritage *m*; (*BIO*) hérédité *f.*
herético, -a [e'retiko, a] *adj* hérétique.
herida [e'riða] *nf* blessure *f*; *V tb* **herido.**
herido, -a [e'riðo, a] *adj, nm/f* blessé(e); **resultar ~** être blessé(e); **sentirse ~** (*fig*) se
sentir blessé(e).
herir [e'rir] *vt* blesser; (*vista, oídos*) irriter;
herirse *vpr* se blesser.
hermana [er'mana] *nf* sœur *f*; ▶ **hermana
gemela** sœur jumelle; ▶ **hermana política** belle-sœur.
hermanar [erma'nar] *vt* (*conceptos*) associer; (*personas*) unir; (*ciudades*) jumeler.
hermanastro, -a [erma'nastro, a] *nm/f*
demi-frère(demi-sœur).
hermandad [erman'dað] *nf* congrégation *f*;
(*fraternidad*) fraternité *f.*
hermano, -a [er'mano, a] *adj* (*ciudad*) ju-
meau(jumelle) ◆ *nm* frère *m*; **él y ella son
~s** ils sont frère et sœur; ▶ **hermano
gemelo** frère jumeau; ▶ **hermano político** beau-frère.
herméticamente [er'metikamente] *adv*: **~
cerrado** hermétiquement fermé.
hermético, -a [er'metiko, a] *adj* hermétique.
hermoso, -a [er'moso, a] *adj* beau(belle);
(*espacioso*) spacieux(-euse).
hermosura [ermo'sura] *nf* beauté *f*; **ese ni
ño es una ~** c'est un beau bébé.
hernia ['ernja] *nf* hernie *f*; ▶ **hernia discal**
hernie discale.
herniarse [er'njarse] *vpr* se faire une hernie; (*fam*) se fatiguer.
héroe ['eroe] *nm* héros *msg.*
heroicidad [eroiθi'ðað] *nf* héroïsme *m*;
(*acto*) acte *m* d'héroïsme.
heroico, -a [e'roiko, a] *adj* héroïque.
heroína [ero'ina] *nf* (*mujer, droga*) héroïne
f.
heroinómano, -a [eroi'nomano, a] *nm/f* héroïnomane *m/f.*
heroísmo [ero'ismo] *nm* héroïsme *m.*
herpes ['erpes] *nm/fpl* herpès *msg*; ▶ **herpes
labial** herpès labial.
herradura [erra'ðura] *nf* fer *m* à cheval.
herraje [e'rraxe] *nm* ferronnerie *f.*
herramienta [erra'mjenta] *nf* outil *m.*
herrar [e'rrar] *vt* (*caballería*) ferrer; (*ganado*) marquer.
herrería [erre'ria] *nf* forge *f.*
herrero [e'rrero] *nm* forgeron *m.*
herrete [e'rrete] *nm* ferret *m.*
herrumbre [e'rrumbre] *nf* rouille *f.*

herrumbroso, -a [errum'broso, a] *adj*
rouillé(e).
hervidero [erßi'ðero] *nm* (*fig: de personas*)
foule *f*; (: *de animales*) troupeau *m*; (: *de
pasiones*) déchaînement *m.*
hervir [er'ßir] *vt* (faire) bouillir ◆ *vi* bouillir; (*fig*): **~ de** bouillir de; **~ en deseos de**
brûler du désir de.
hervor [er'ßor] *nm*: **dar un ~** a faire bouillir.
heterodoxo, -a [etero'ðokso, a] *adj, nm/f*
hétérodoxe *m/f.*
heterogéneo, -a [etero'xeneo, a] *adj* hétérogène.
heterosexual [eterosek'swal] *adj, nm/f* hété-
rosexuel(le).
hexágono [ek'saɣono] *nm* hexagone *m.*
hez [eθ] *nf* (*tb*: **heces**) fèces *fpl*; **la ~ de la
sociedad** le rebut de la société.
hiato ['jato] *nm* (*LING*) hiatus *msg.*
hibernación [ißerna'θjon] *nf* hibernation *f.*
híbrido, -a ['ißriðo, a] *adj* hybride.
hice *etc* ['iθe] *vb V* **hacer.**
hidalgo [i'ðalɣo] *nm* hidalgo *m.*
hidratación [iðrata'θjon] *nf* hydratation *f.*
hidratante [iðra'tante] *adj*: **crema ~** crème
f hydratante.
hidratar [iðra'tar] *vt* hydrater.
hidrato [i'ðrato] *nm*: **~s de carbono** hydra-
tes *mpl* de carbone.
hidráulica [i'ðraulika] *nf* hydraulique *f.*
hidráulico, -a [i'ðrauliko, a] *adj* hydraulique.
hidro... [iðro] *pref* hydro-...
hidroavión [iðroa'ßjon] *nm* hydravion *m.*
hidroeléctrico, -a [iðroe'lektriko, a] *adj*
hydroélectrique.
hidrófilo, -a [i'ðrofilo, a] *adj*: **algodón ~** coton *m* hydrophile.
hidrofobia [iðro'foßja] *nf* hydrophobie *f.*
hidrógeno [i'ðroxeno] *nm* hydrogène *m.*
hidroterapia [iðrote'rapja] *nf* hydrothéra-
pie *f.*
hidróxido [i'ðroksiðo] *nm*: **~ de carbono**
hydroxyde *m* de carbone.
hieda *etc* ['jeða] *vb V* **heder.**
hiedra ['jeðra] *nf* lierre *m.*
hiel [jel] *nf* bile *f*; (*fig*) fiel *m.*
hielera [je'lera] (*CHI, MÉX*) *nf* réfrigérateur
m.
hielo ['jelo] *vb V* **helar** ◆ *nm* glace *f*; (*fig*)
froideur *f*; **~s** *nmpl* (*escarcha*) gelées *fpl*;
romper el ~ (*fig*) rompre la glace.
hiena ['jena] *nf* hyène *f.*
hiera *etc* ['jera] *vb V* **herir.**
hierba ['jerßa] *nf* herbe *f*; **mala ~** mauvaise herbe; (*fig*) mauvaise graine *f.*
hierbabuena [jerßa'ßwena] *nf* menthe *f.*
hierro ['jerro] *nm* fer *m*; (*trozo, pieza*) bout
m de fer; **de ~** en fer; (*fig: persona*)

fort(e) comme un bœuf; (: *voluntad, salud*) de fer; ►**hierro colado/forjado/ fundido** fer coulé/forgé/fondu.

hierva *etc* ['jerßa] *vb* V **hervir**.

hígado ['iɣaðo] *nm* foie *m*; **echar los ~s** se décarcasser.

highball ['xaißol] (*AM*) *nm* whisky *m* soda.

higiene [i'xjene] *nf* hygiène *f*.

higiénico, -a [i'xjeniko, a] *adj* hygiénique.

higo ['iɣo] *nm* figue *f*; **de ~s a brevas** tous les 36 du mois; **estar hecho un ~** (*fam*) être tout chiffonné; ►**higo chumbo** figue de Barbarie; ►**higo seco** figue sèche.

higuera [i'ɣera] *nf* figuier *m*.

hija ['ixa] *nf* fille *f*; (*uso vocativo*) ma fille; ►**hija política** belle-fille.

hijastro, -a [i'xastro, a] *nm/f* beau-fils (belle-fille); ~**s** beaux-enfants *mpl*.

hijo ['ixo] *nm* (*retoño*) fils *msg*; (*uso vocativo*) fiston *m*, mon garçon; ~**s** *nmpl* (*hijos e hijas*) enfants *mpl*; (*descendientes*) enfants et petits-enfants *mpl*; **sin ~s** sans enfants; **cada ~ de vecino** tout un chacun; ►**hijo adoptivo** fils adoptif; ►**hijo de mamá/papá** fils à maman/papa; ►**hijo de puta** (*fam!*) fils de pute (*fam!*); ►**hijo ilegítimo** fils illégitime; ►**hijo político** gendre *m*; ►**hijo pródigo** fils prodigue.

híjole ['ixole] (*MÉX: fam*) *excl* putain!

hilacha [i'latʃa] *nf* fil *m*.

hilandero, -a [ilan'dero, a] *nm/f* fileur(-euse).

hilar [i'lar] *vt* filer; ~ **delgado** o **fino** (*fig*) jouer finement.

hilaridad [ilari'ðað] *nf* hilarité *f*.

hilera [i'lera] *nf* rangée *f*.

hilo ['ilo] *nm* fil *m*; (*de metal*) filon *m*; (*de agua, luz, voz*) filet *m*; **colgar de un ~** (*fig*) ne tenir qu'à un fil; **perder/seguir el ~** (*de relato, pensamientos*) perdre/suivre le fil; **traje de ~** costume *m* de toile.

hilván [il'ßan] *nm* (*COSTURA*) ourlet *m*.

hilvanar [ilßa'nar] *vt* (*COSTURA*) ourler; (*bosquejar*) esquisser; (*precipitadamente*) ébaucher.

Himalaya [ima'laja] *nm*: **el ~, los Montes ~** l'Himalaya *m*.

himen ['imen] *nm* hymen *m*.

himno ['imno] *nm* hymne *m*; ►**himno nacional** hymne national.

hincapié [inka'pje] *nm*: **hacer ~ en** mettre l'accent sur.

hincar [in'kar] *vt* planter; **hincarse** *vpr* s'enfoncer; ~**le el diente a** (*comida*) mordre à belles dents dans; (*fig: asunto*) s'attaquer à; ~**se de rodillas** s'agenouiller.

hincha ['intʃa] *nm/f* (*fam: DEPORTE*) fan *m/f*

♦ *nf*: **tenerle ~ a algn** avoir une dent contre qn.

hinchada [in'tʃaða] (*fam*) *nf* (*DEPORTE*) fans *mpl*.

hinchado, -a [in'tʃaðo, a] *adj* (*MED*) enflammé(e); (*inflado*) enflé(e); (*estilo*) ronflant(e).

hinchar [in'tʃar] *vt* gonfler; (*fig*) exagérer; **hincharse** *vpr* (*MED*) s'enflammer; (*fig: engreírse*) se rengorger; ~**se de** (*hacer*) en avoir marre de (faire).

hinchazón [intʃa'θon] *nf* inflammation *f*.

hindú [in'du] *adj* hindou(e) ♦ *nm/f* Hindou(e).

hinojo [i'noxo] *nm* fenouil *m*; **de ~s** sur les genoux.

hinque *etc* ['inke] *vb* V **hincar**.

hipar [i'par] *vi* avoir le hoquet.

hiper... [iper...] *pref* hyper... .

híper ['iper] *nm inv* (*tb:* **hipermercado**) hypermarché *m*.

hiperactivo, -a [iperak'tißo, a] *adj* hyperactif(-ive).

hipérbole [i'perßole] *nf* hyperbole *f*.

hipermercado [ipermer'kaðo] *nm* hypermarché *m*.

hipersensible [ipersen'sißle] *adj* hypersensible.

hipertensión [iperten'sjon] *nf* hypertension *f*.

hipertrofia [iper'trofja] *nf* hypertrophie *f*.

hípica ['ipika] *nf* équitation *f*; (*local*) hippodrome *m*.

hípico, -a ['ipiko, a] *adj* (*concurso*) hippique; (*carrera*) de chevaux; **club ~** club *m* d'équitation.

hipido [i'piðo] *nm* plainte *f*.

hipnosis [ip'nosis] *nf* hypnose *f*.

hipnotice *etc* [ipno'tiθe] *vb* V **hipnotizar**.

hipnotismo [ipno'tismo] *nm* hypnotisme *m*.

hipnotizar [ipnoti'θar] *vt* hypnotiser.

hipo ['ipo] *nm* hoquet *m*; **me ha entrado ~** j'ai le hoquet; **tener ~** avoir le hoquet; **quitar el ~ a algn** (*fig*) couper le sifflet à qn.

hipo... ['ipo] *pref* hypo... .

hipocondría [ipokon'dria] *nf* hypocondrie *f*.

hipocondríaco, -a [ipokon'driako, a] *adj, nm/f* hypocondriaque *m/f*.

hipocresía [ipokre'sia] *nf* hypocrisie *f*.

hipócrita [i'pokrita] *adj, nm/f* hypocrite *m/f*.

hipodérmico, -a [ipo'ðermiko, a] *adj*: **aguja hipodérmica** seringue *f* hypodermique.

hipódromo [i'poðromo] *nm* hippodrome *m*.

hipopótamo [ipo'potamo] *nm* hippopotame *m*.

hipoteca [ipo'teka] *nf* hypothèque *f*; **pagar la ~** rembourser l'hypothèque.

hipotecar [ipote'kar] *vt* hypothéquer.

hipotecario, -a [ipote'karjo, a] *adj* hypothécaire.
hipotensión [ipoten'sjon] *nf* hypotension *f.*
hipotenusa [ipote'nusa] *nf* hypoténuse *f.*
hipótesis [i'potesis] *nf inv* hypothèse *f.*
hipotético, -a [ipo'tetiko, a] *adj* hypothétique.
hiriendo *etc* [i'rjendo] *vb V* **herir.**
hiriente [i'rjente] *adj* blessant(e).
hirsuto, -a [ir'suto, a] *adj* hirsute.
hirviendo *etc* [ir'βjendo] *vb V* **hervir.**
hisopo [i'sopo] *nm* buis *msg.*
hispánico, -a [is'paniko, a] *adj* hispanique.
hispanidad [ispani'ðað] *nf* peuples *mpl* hispaniques.
hispanista [ispa'nista] *nm/f* (*UNIV etc*) hispanisant(e).
hispano, -a [is'pano, a] *adj* espagnol(e); (*en EEUU*) hispano-américain(e) ♦ *nm/f* Espagnol(e); (*en EEUU*) Hispano-Américain(e).
Hispanoamérica [ispanoa'merika] *nf* Amérique *f* latine.
hispanoamericano, -a [ispanoameri'kano, a] *adj* hispano-américain(e) ♦ *nm/f* Hispano-Américain(e).
hispanoárabe [ispano'araβe] *adj* hispano-arabe.
hispanohablante [ispanoa'βlante], **hispanoparlante** [ispanopar'lante] *adj* hispanophone.
histerectomía [isterekto'mia] *nf* hystérectomie *f.*
histeria [is'terja] *nf* hystérie *f;* ~ **colectiva** hystérie collective.
histérico, -a [is'teriko a] *adj* hystérique.
histerismo [iste'rismo] *nm* hystérie *f.*
historia [is'torja] *nf* histoire *f;* ~**s** *nfpl* (*chismes*) histoires *fpl* drôles; ¡**la** ~ **de siempre!**, ¡**la misma** ~! c'est toujours la même histoire!; **déjate de** ~**s** ne me raconte pas d'histoires; **pasar a la** ~ passer à la postérité; ▶ **historia antigua/contemporánea** histoire ancienne/contemporaine; ▶ **historia natural** histoire naturelle.
historiado, -a [isto'rjaðo, a] *adj* tarabiscoté(e).
historiador, a [istorja'ðor, a] *nm/f* historien(ne).
historial [isto'rjal] *nm* (*profesional*) curriculum vitae *m inv;* (*MED*) antécédents *mpl.*
históricamente [is'torikamente] *adv* historiquement.
histórico, -a [is'toriko, a] *adj* historique; (*estudios*) d'histoire.
historieta [isto'rjeta] *nf* bande *f* dessinée.
histrionismo [istrjo'nismo] *nm* histrion *m.*
hito ['ito] *nm* (*fig*) fait *m* historique; **mirar**

a algn de ~ **en** ~ regarder fixement qn.
hizo ['iθo] *vb V* **hacer.**
Hna(s). *abr* = *hermana(s).*
Hno(s). *abr* (= *Hermano(s)*) Fre(s) (= *frère(s)*).
hobby ['xoβi] (*pl* ~**s**) *nm* hobby *m.*
hocico [o'θiko] *nm* museau *m;* **estar de** ~**s** faire la tête; **torcer el** ~ faire la moue; **meter el** ~ **en algo** mettre son nez dans qch.
hockey ['xoki] *nm* hockey *m;* ▶ **hockey sobre hielo/patines** hockey sur glace/patins.
hogar [o'ɣar] *nm* foyer *m;* **labores del** ~ tâches *fpl* domestiques; **crear/formar un** ~ créer/fonder une famille.
hogareño, -a [oɣa'reɲo, a] *adj* (*ambiente*) familial(e); (*escena*) de famille; (*persona*) casanier(-ère).
hogaza [o'ɣaθa] *nf* miche *f.*
hoguera [o'ɣera] *nf* feu *m* de bois; (*para herejes*) bûcher *m.*
hoja [oxa] *nf* feuille *f;* (*de flor*) pétale *m;* (*de cuchillo*) lame *f;* (*de puerta, ventana*) battant *m;* **de** ~ **caduca/perenne** à feuille caduque/persistante; ▶ **hoja de afeitar** lame de rasoir; ▶ **hoja electrónica** *o* **de cálculo** feuille de calcul (électronique); ▶ **hoja de pedido** bon *m* de commande; ▶ **hoja de servicios** états *mpl* de service; ▶ **hoja de trabajo** (*INFORM*) feuille de programmation; ▶ **hoja informativa** circulaire *f.*
hojalata [oxa'lata] *nf* fer *m* blanc.
hojaldre [o'xaldre] *nm* pâte *f* feuilletée.
hojarasca [oxa'raska] *nf* fouilles *fpl* mortes; (*en discurso, escrito*) verbiage *m.*
hojear [oxe'ar] *vt* feuilleter.
hola ['ola] *excl* salut!
Holanda [o'landa] *nf* Hollande *f.*
holandés, -esa [olan'des, esa] *adj* hollandais(e) ♦ *nm/f* Hollandais(e) ♦ *nm* (*LING*) hollandais *msg.*
holgado, -a [ol'ɣaðo, a] *adj* (*prenda*) ample; (*situación*) aisé(e); **iban muy** ~**s en el coche** ils étaient au large dans la voiture.
holgar [ol'ɣar] *vi:* **huelga decir que** inutile de dire que.
holgazán, -ana [olɣa'θan, ana] *adj, nm/f* paresseux(-euse).
holgazanear [olɣaθane'ar] *vi* paresser.
holgura [ol'ɣura] *nf* ampleur *f;* (*TEC*) jeu *m;* **vivir con** ~ vivre dans l'aisance; **cabemos con** ~ on a largement la place.
hollar [o'ʎar] *vt* fouler.
hollejo [o'ʎexo] *nm* (*BOT*) peau *f.*
hollín [o'ʎin] *nm* suie *f.*
holocausto [olo'kausto] *nm* holocauste *m.*
holografía [oloɣra'fia] *nf* holographie *f.*

hombre ['ombre] *nm* homme *m*; (*raza humana*): **el ~** l'homme ♦ *excl* dis donc!; **hacerse ~** devenir un homme; **buen ~** bon gars *msg*; **pobre ~** pauvre homme; **¡sí, ~!** mais si!; **de ~ a ~** d'homme à homme; **ser muy ~** être un homme, un vrai; ▶ **hombre de bien** homme de bien; ▶ **hombre de confianza** homme de confiance; ▶ **hombre de estado** homme d'Etat; ▶ **hombre de la calle** homme de la rue; ▶ **hombre de letras** homme de lettres; ▶ **hombre de mundo** homme du monde; ▶ **hombre de negocios** homme d'affaires; ▶ **hombre de palabra** homme de parole; ▶ **hombre-rana** (*pl* **~s-rana**) homme-grenouille *m*.
hombrera [om'brera] *nf* épaulette *f*.
hombro ['ombro] *nm* épaule *f*; **al ~** sur l'épaule; **arrimar el ~** se mettre au travail; **encogerse de ~s** hausser les épaules; **llevar/traer a ~s** porter sur les épaules; **mirar a algn por encima del ~** regarder qn de haut.
hombruno, -a [om'bruno, a] *adj* hommasse.
homenaje [ome'naxe] *nm* hommage *m*; **un partido (de) ~** un match d'adieu.
homenajear [omenaxe'ar] *vt* rendre hommage.
homeopatía [omeopa'tia] *nf* homéopathie *f*.
homicida [omi'θiða] *adj* (*arma*) du crime; (*carácter*) meurtrier(-ère) ♦ *nm/f* meurtrier(-ère).
homicidio [omi'θiðjo] *nm* homicide *m*.
homilía [omi'lia] *nf* sermon *m*.
homo... [omo] *pref* homo... .
homogéneo, -a [omo'xeneo, a] *adj* homogène.
homologación [omoloɣa'θjon] *nf* homologation *f*.
homologar [omolo'ɣar] *vt* homologuer.
homólogo, -a [o'moloɣo, a] *nm/f*: **su** *etc* **~** son *etc* homologue.
homónimo, -a [o'monimo, a] *adj, nm* homonyme *m*.
homosexual [omosek'swal] *adj, nm/f* homosexuel(le).
honda ['onda] *nf* fronde *f*.
hondamente ['ondamente] *adv* profondément.
hondo, -a ['ondo, a] *adj* profond(e); **en lo ~ de** au fond de.
hondonada [ondo'naða] *nf* creux *msg*.
hondura [on'dura] *nf* profondeur *f*.
Honduras [on'duras] *nf* Honduras *m*.
hondureño, -a [ondu'reɲo, a] *adj* du Honduras ♦ *nm/f* natif(-ive) *o* habitant(e) du Honduras.
honestamente [o'nestamente] *adv* honnêtement.

honestidad [onesti'ðað] *nf* honnêteté *f*.
honesto, -a [o'nesto, a] *adj* honnête; (*decente*) vertueux(-euse).
hongo ['ongo] *nm* champignon *m*; (*sombrero*) couvre-chef *m*; **~s** *nmpl* (*MED*) champignons *mpl*, mycose *f*; ▶ **hongos del pie** mycose au pied.
honor [o'nor] *nm* honneur *m*; **en ~ a la verdad** ... la vérité est que ...; **hacer ~ a** algo/algn faire honneur à qch/qn; **en ~ de** algn en l'honneur de qn; **es un ~ para mí** ... c'est un honneur pour moi ...; **rendir los ~es a** algn rendre les honneurs à qn; **hacer los ~es** (*suj*: *anfitrión*) faire les honneurs de la maison; ▶ **honor profesional** honneur professionnel.
honorable [ono'raßle] *adj* honorable.
honorario, -a [ono'rarjo, a] *adj* honoraire ♦ *nm*: **~s** honoraires *mpl*.
honorífico, -a [ono'rifiko, a] *adj* honorifique.
honra ['onra] *nf* honneur *m*; (*renombre*) prestige *m*; **tener algo a mucha ~** s'enorgueillir de qch; ▶ **honras fúnebres** honneurs funèbres.
honradamente [on'raðamente] *adv* honnêtement.
honradez [onra'ðeθ] *nf* honnêteté *f*; (*de mujer*) vertu *f*.
honrado, -a [on'raðo, a] *adj* honnête; (*mujer*) vertueux(-euse).
honrar [on'rar] *vt* honorer; **honrarse** *vpr*: **~se con algo/de hacer algo** s'enorgueillir de qch/de faire qch; **nos honró con su presencia/amistad** il nous a honorés de sa présence/son amitié.
honroso, -a [on'roso, a] *adj* (*que da honra*) tout à l'honneur de qn; (*decoroso*) pour sauver l'honneur.
hora ['ora] *nf* heure *f*; **¿qué ~ es?** quelle heure est-il?; **¿tienes ~?** tu as l'heure?; **¿a qué ~?** à quelle heure?; **media ~** une demi-heure; **a la ~ de comer/del recreo** à l'heure du repas/de la récréation; **a primera/última ~** à la première/dernière heure; **a última ~** à la fin; **~ tras ~** heure après heure; **"última ~"** "dernière heure"; **¡es la ~!** c'est l'heure!; **noticias de última ~** nouvelles *fpl* de dernière heure; **a altas ~s (de la noche)** à des heures tardives; **a estas ~s** à l'heure qu'il est; **a la ~ en punto** à l'heure pile; **entre ~s** (*comer*) entre les repas; **por ~s** à l'heure; **¡a buena(s) ~(s) me lo dices!** c'est maintenant que tu me le dis!; **a todas ~s** à toute heure; **en mala ~** par malchance; **me han dado ~ para mañana** ils m'ont fixé rendez-vous pour demain; **dar la ~** donner l'heure; **pasarse las ~s muertas ha-**

ciendo algo passer son temps à faire qch; **pedir** ~ demander l'heure; **poner el reloj en** ~ mettre sa montre à l'heure; **no ver la** ~ **de** avoir hâte de; **¡ya era** ~**!** il était temps!; ▶ **horas de oficina/de trabajo/de visita** heures de bureau/de travail/de visite; ▶ **horas extra** heures sup; ▶ **horas extraordinarias** heures supplémentaires; ▶ **hora punta** o **pico** (MÉX) heure de pointe.

horadar [ora'ðar] vt forer.

horario, -a [o'rarjo, a] adj, nm horaire m; ▶ **horario comercial** heures fpl ouvrables.

horca ['orka] nf potence f; (AGR) fourche f.

horcajadas [orka'xaðas]: **a** ~ adv à califourchon.

horchata [or'tʃata] nf ≈ sirop m d'orgeat.

horda ['orða] nf horde f.

horizontal [oriθon'tal] adj horizontal(e).

horizontalmente [oriθon'talmente] adv horizontalement.

horizonte [ori'θonte] nm horizon m.

horma ['orma] nf forme f; **de** ~ **estrecha/ancha** (zapatos) large/étroit(e).

hormiga [or'miɣa] nf fourmi f.

hormigón [ormi'ɣon] nm béton m; ~ **armado** béton armé.

hormigueo [ormi'ɣeo] nm fourmis fpl; (fig) agitation f.

hormiguero [ormi'ɣero] nm fourmilière f.

hormiguita [ormi'ɣita] nf: **ser una** ~ (fig) être une vraie fourmi.

hormona [or'mona] nf hormone f.

hormonal [ormo'nal] adj hormonal(e).

hornada [or'naða] nf fournée f.

hornillo [or'niʎo] nm réchaud m; ▶ **hornillo de gas** réchaud à gaz.

horno ['orno] nm four m; (CULIN) four, fourneau m; **alto(s)** ~**(s)** haut(s) fourneau(x); **al** ~ (CULIN) au four; **no estar el** ~ **para bollos** ne pas être d'humeur à plaisanter; **¡este lugar es un** ~**!** c'est pire que dans un four!; ▶ **horno crematorio** four crématoire; ▶ **horno microondas** four à micro-ondes.

horóscopo [o'roskopo] nm horoscope m.

horquilla [or'kiʎa] nf peigne m; (AGR) fourche f.

horrendo, -a [o'rrendo, a] adj affreux(-euse).

horrible [o'rriβle] adj horrible.

horriblemente [o'rriβlemente] adv horriblement.

horripilante [orripi'lante] adj horripilant(e).

horripilar [orripi'lar] vt horripiler.

horror [o'rror] nm horreur f; ~**es** nmpl (atrocidades) horreurs fpl; **¡qué** ~**!** (fam) quelle horreur!; **me da** ~ cela me fait

horreur; **tener** ~ **a (hacer)** avoir horreur de (faire); **me gusta** ~**es** j'en raffole.

horrorice etc [orro'riθe] vb V **horrorizar**.

horrorizar [orrori'θar] vt horrifier; **horrorizarse** vpr: **se horrorizó de pensarlo** il a été horrifié à cette idée; **estar horrorizado** être horrifié.

horroroso, -a [orro'roso, a] adj affreux(-euse); (hambre, sueño) terrible.

hortaliza [orta'liθa] nf légume m.

hortelano, -a [orte'lano, a] nm/f maraîcher(-ère).

hortensia [or'tensja] nf hortensia m.

hortera [or'tera] (fam) adj, nm/f plouc m/f.

horterada [orte'raða] (fam) nf horreur f.

horticultor, a [ortikul'tor, a] nm/f horticulteur(-trice).

horticultura [ortikul'tura] nf horticulture f.

hortofrutícola [ortofru'tikola] adj (productos) maraîcher(-ère).

hosco, -a ['osko, a] adj (persona) antipathique; (lugar) exécrable.

hospedaje [ospe'ðaxe] nm logement m; (dinero) loyer m.

hospedar [ospe'ðar] vt loger; **hospedarse** vpr se loger.

hospedería [ospeðe'ria] nf auberge f.

hospicio [os'piθjo] nm (para niños) orphelinat m.

hospital [ospi'tal] nm hôpital m; ▶ **hospital clínico** clinique f.

hospitalario, -a [ospita'larjo, a] adj hospitalier(-ère).

hospitalice etc [ospita'liθe] vb V **hospitalizar**.

hospitalidad [ospitali'ðað] nf hospitalité f.

hospitalizar [ospitali'θar] vt hospitaliser; **estar hospitalizado** être hospitalisé.

hosquedad [oske'ðað] nf antipathie f.

hostal [os'tal] nm pension f.

hostelería [ostele'ria] nf hôtellerie f.

hostería [oste'ria] (CSUR) nf hôtel m.

hostia ['ostja] nf (REL) ostie f; (fam!) beigne f (fam!) ♦ excl: **¡**~**(s)!** (fam!) putain! (fam!); **¡es la** ~**!** (fam!: como crítica) c'est nul!; (: apreciativo) c'est d'enfer!; **está (de) la** ~ (fam!) il est vachement mignon; **está de mala** ~ (fam!: mal humor) il fait la gueule (fam!); **tiene mala** ~ (fam!: mala intención) c'est un salaud (fam!); **a toda** ~ (fam!) à toute berzingue (fam!).

hostigar [osti'ɣar] vt (MIL, fig) harceler; (caballería) cravacher.

hostigue etc [os'tiɣe] vb V **hostigar**.

hostil [os'til] adj hostile.

hostilidad [ostili'ðað] nf hostilité f; ~**es** nfpl: **iniciar/romper las** ~**es** engager/cesser les hostilités.

hostilmente [os'tilmente] adv hostilement.

hotel [o'tel] nm hôtel m.

hotelero, -a [ote'lero, a] *adj, nm/f* hôtelier(-ère).

hoy [oi] *adv* aujourd'hui; ~ mismo aujourd'hui même; ~ (en) día, el día de ~ (AM) aujourd'hui; ~ por ~ aujourd'hui; por ~ pour aujourd'hui; de ~ en ocho días aujourd'hui en huit; de ~ en adelante dorénavant.

hoya ['oja] *nf* fosse *f*; (GEO) vallée *f*.

hoyo ['ojo] *nm* fosse *f*; (GOLF) trou *m*.

hoyuelo [oj'welo] *nm* fossette *f*.

hoz [oθ] *nf* faux *fsg*; (GEO) gorge *f*.

hua- [wa] *V* gua-.

huaca ['waka] *nf* = guaca.

huacal [wa'kal] *nm* = guacal.

huachafería [watʃafe'ria] (PE: fam) *nf* snobisme *m*.

huachafo, -a [wat'ʃafo, a] (PE: fam) *adj* snob.

huasipungo [wasi'pungo] (AND) *nm* (AGR) bout *m* de terrain.

huaso, -a ['waso, a] (AND, CSUR) *adj, nm/f* paysan(ne).

huayco ['waiko] (PE) *nm* glissement *m* de terrain.

huayno ['waino] (PE) *nm* chant et danse traditionnels du Pérou.

hube *etc* ['uβe] *vb V* haber.

hucha ['utʃa] *nf* tirelire *f*.

hueco, -a ['weko, a] *adj* creux(-euse); (persona, estilo) vain(e) ♦ *nm* creux *msg*; (espacio) place *f*; hacerle (un) ~ a algn faire une place à qn; tener un ~ avoir un trou; ▸ hueco de la escalera/del ascensor cage *f* d'escalier/d'ascenseur; ▸ hueco de la mano creux de la main.

huela *etc* ['wela] *vb V* oler.

huelga ['welɣa] *vb V* holgar ♦ *nf* grève *f*; declararse/estar en ~ se mettre/être en grève; ▸ huelga de brazos caídos grève sur le tas; ▸ huelga de celo grève du zèle; ▸ huelga de hambre grève de la faim; ▸ huelga general grève générale.

huelgue *etc* ['welɣe] *vb V* holgar.

huelguista [wel'ɣista] *nm/f* gréviste *m/f*.

huella ['weʎa] *nf* trace *f*; sin dejar ~ sans laisser de traces; perder las ~s perdre la trace; seguir las ~s de algn (fig) marcher sur les traces de qn; ▸ huella dactilar trace de doigt; ▸ huella digital empreinte *f* digitale.

huemul [we'mul] (CSUR) *nm* cerf *m*.

huérfano, -a ['werfano, a] *adj*: ~ (de) orphelin(e) (de) ♦ *nm/f* orphelin(e); quedar(se) ~ devenir orphelin(e).

huerta ['werta] *nf* verger *m*; (en Murcia, Valencia) huerta *f*.

huerto ['werto] *nm* (de verduras) jardin *m* potager; (de árboles frutales) verger *m*.

huesillos [we'siʎos] (CHI) *nmpl* pêches *fpl*.

hueso ['weso] *nm* os *msg*; (de fruta) noyau *m*; (MÉX: fam) sinécure *f*; estar en los ~s être sur les genoux; estar calado o mojado hasta los ~s être trempé jusqu'aux os; ser un ~ (profesor) être un tyran; un ~ duro de roer (persona) un(e) dur(e) à cuire; de color ~ blanc cassé.

huesoso, -a [we'soso, a] (esp AM) *adj* osseux(-euse).

huésped, -a ['wespeð, a] *nm/f* hôte *m/f*; (en hotel) client(e).

huesudo, -a [we'suðo, a] *adj* osseux(-euse).

huevada [we'βaða] (AND, CSUR: fam!) *nf* (estupidez) connerie *f* (fam!).

huevas ['weβas] *nfpl* œufs *mpl* de poisson; (CHI: fam!) couilles *fpl* (fam!).

huevera [we'βera] *nf* (para servir) coquetier *m*; (para transportar) boîte *f* à œufs.

huevo ['weβo] *nm* œuf *m*; (fam!) couille *f* (fam!); me costó un ~ (fam!: caro) ça m'a coûté la peau des fesses (fam!); (: difícil) ça a été coton; tener ~s (fam!) avoir des couilles (fam!); ▸ huevo duro/escalfado/frito œuf dur/poché/au plat; ▸ huevo estrellado œuf sur le plat; ▸ huevos revueltos œufs *mpl* brouillés; ▸ huevo pasado por agua o (AM) tibio o (AND, CSUR) a la copa œuf à la coque.

huida [u'iða] *nf* fuite *f*; ~ de capitales (COM) fuite des capitaux.

huidizo, -a [ui'ðiθo, a] *adj* (tímido) farouche; (mirada, frente) fuyant(e); (tiempo) passager(-ère).

huincha ['wintʃa] (AND, CSUR) *nf* serre-tête *m inv*.

huipil [wi'pil] (CAM, MÉX) *nm* blouse indienne.

huir [u'ir] *vt, vi* fuir; ~ de fuir.

huiro ['wiro] (AND, CSUR) *nm* algue *f*.

huitlacoche [witla'kotʃe] (CAM, MÉX) *nf* champignon noir très apprécié.

huizache [wi'θatʃe] (CAM, MÉX) *nm* acacia *m*.

hule ['ule] (esp AM) *nm* (goma) gomme *f*; (encerado) toile *f* cirée.

hulla ['uʎa] *nf* houille *f*.

humanice *etc* [uma'niθe] *vb V* humanizar.

humanidad [umani'ðað] *nf* humanité *f*; ~es *nfpl* (UNIV, ESCOL) lettres *fpl*.

humanitario, -a [umani'tarjo, a] *adj* humanitaire.

humanizar [umani'θar] *vt* humaniser; humanizarse *vpr* s'humaniser.

humano, -a [u'mano, a] *adj* humain(e) ♦ *nm* humain *m*; ser ~ être humain.

humareda [uma'reða] *nf* nuage *m* de fumée.

humeante [ume'ante] *adj* fumant(e).

humear [ume'ar] *vi* fumer.
humedad [ume'ðað] *nf* humidité *f*; **a prueba de** ~ résiste à l'humidité.
humedecer [umeðe'θer] *vt* humidifier; **humedecerse** *vpr* s'humidifier.
humedezca *etc* [ume'ðeθka] *vb* V **humedecer.**
húmedo, -a ['umeðo, a] *adj* humide.
húmero ['umero] *nm* humérus *msg*.
humildad [umil'dað] *nf* humilité *f*.
humilde [u'milde] *adj* humble.
humillación [umiʎa'θjon] *nf* humiliation *f*.
humillante [umi'ʎante] *adj* humiliant(e).
humillar [umi'ʎar] *vt* humilier; **humillarse** *vpr*: ~**se (ante)** s'humilier (devant); **sentirse humillado** se sentir humilié.
humita [u'mita] (*AND, CSUR*) *nf* (*CULIN*) plat à base de maïs et de piment, enveloppé dans une feuille de maïs.
humo ['umo] *nm* fumée *f*; ~**s** *nmpl* (*fig: altivez*) air *m* hautain; **echar** ~ fumer; **bajar los** ~**s a algn** rabattre son caquet à qn; **hacerse** ~ (*AND, CSUR: fam*) s'évanouir dans la nature.
humor [u'mor] *nm* humeur *f*; **de buen/mal** ~ de bonne/mauvaise humeur; **(no) estar de** ~ **para (hacer) algo** (ne pas) être d'humeur à (faire) qch.
humorismo [umo'rismo] *nm* humour *m*.
humorista [umo'rista] *nm/f* humoriste *m/f*.
humorístico, -a [umo'ristiko, a] *adj* humoristique.
hundido, -a [un'diðo, a] *adj* (*ojos*) creux(creuse); (*persona*) abattu(e).
hundimiento [undi'mjento] *nm* (*de barco*) naufrage *m*; (*de edificio*) écroulement *m*; (*de tierra*) éboulement *m*; (*del terreno*) creux *msg*.
hundir [un'dir] *vt* (*barco, negocio*) couler; (*edificio*) raser; (*pavimento*) enfoncer; (*fig: persona*) abattre; **hundirse** *vpr* (*barco, negocio*) couler; (*edificio*) s'écrouler; (*terreno, cama*) s'affaisser; (*economía, precios*) s'effondrer; ~**se en la miseria** sombrer dans la misère.
húngaro, -a ['ungaro, a] *adj* hongrois(e) ♦ *nm/f* Hongrois(e) ♦ *nm* (*LING*) hongrois *m*.
Hungría [un'gria] *nf* Hongrie *f*.
huracán [ura'kan] *nm* ouragan *m*; **pasar/entrar como un** ~ passer/entrer en trombe.
huracanado, -a [uraka'naðo, a] *adj* (*viento*) violent(e).
huraño, -a [u'raɲo, a] *adj* désagréable; (*poco sociable*) peu sociable.
hurgar [ur'ɣar] *vt* remuer ♦ *vi*: ~ (**dans**); **hurgarse** *vpr*: ~**se (las narices)** se curer (le nez); ~ **en la herida** (*fig*) remuer le couteau dans la plaie.
hurgue *etc* ['urɣe] *vb* V **hurgar.**

hurón [u'ron] *nm* furet *m*.
hurra ['urra] *excl* hourra!
hurtadillas [urta'ðiʎas]: **a** ~ *adv* à la dérobée.
hurtar [ur'tar] *vt* dérober; **hurtarse** *vpr*: ~**se a** se dérober.
hurto ['urto] *nm* vol *m*.
husmear [usme'ar] *vt* humer ♦ *vi* fouiner; ~ **en** (*fam*) se mêler de.
huso ['uso] *nm* fuseau *m*; ► **huso horario** fuseau horaire.
huy ['ui] *excl* (*dolor, sorpresa*) aïe!; (*asombro*) eh bien!; (*reparo*) oh mon Dieu!
huyendo *etc* [u'jendo] *vb* V **huir.**
Hz *abr* (= *hertzio*) Hz (= *Hertz*).

I, i

I, i [i] *nf* (*letra*) I, i *m inv*; ~ **de Inés** ≈ I comme Irma.
IA *abr* (= *inteligencia artificial*) IA (= *intelligence artificielle*).
iba *etc* ['iβa] *vb* V **ir.**
Iberia [i'βerja] *nf* Ibérie *f*.
ibérico, -a [i'βeriko, a] *adj* ibérique; **la Península ibérica** la Péninsule Ibérique.
iberoamericano, -a [iβeroameri'kano, a] *adj* latino-américain(e) ♦ *nm/f* Latino-américain(e).
íbice ['iβiθe] *nm* bouquetin *m*.
ibicenco, -a [iβi'θenko, a] *adj* d'Ibiza ♦ *nm/f* natif(-ive) *o* habitant(e) d'Ibiza.
Ibiza [i'βiθa] *nf* Ibiza *f*.
ice *etc* ['iθe] *vb* V **izar.**
iceberg [iθe'βer] (*pl* ~**s**) *nm* iceberg *m*.
ICONA [i'kona] (*ESP*) *sigla m* = *Instituto Nacional para la Conservación de la Naturaleza.*
icono [i'kono] *nm* (*tb INFORM*) icône *f*.
iconoclasta [ikono'klasta] *adj, nm/f* (*tb fig*) iconoclaste *m/f*.
ictericia [ikte'riðja] *nf* jaunisse *f*.
íd. *abr* (= *ídem*) id. (= *idem*).
I+D *sigla f* (= *Investigación y Desarrollo*) R-D *f* (= *Recherche-Développement*).
ida ['iða] *nf* aller *m*; ~ **y vuelta** aller et retour; ~**s y venidas** allées *fpl* et venues.
IDE [iðe] *sigla f* (= *Iniciativa de Defensa Estratégica*) IDS *f* (= *Initiative de défense stratégique*).
idea [i'ðea] *nf* idée *f*; (*propósito*) intention

f; ~s *nfpl* (*manera de pensar*) idées *fpl*; **a mala** ~ dans l'intention de nuire; **no tengo la menor** ~ je n'en ai pas la moindre idée; **hacerse a la** ~ **(de que)** se faire à l'idée (que); **cambiar de** ~ changer d'idée; **¡ni** ~**!** aucune idée!; **tener** ~ **de (hacer)** algo avoir l'intention de (faire) qch; **tener mala** ~ être malintentionné(e); ▸ **idea genial** idée géniale.

ideal [iðe'al] *adj* idéal(e) ♦ *nm* idéal *m*.

idealice *etc* [iðea'liθe] *vb* V **idealizar**.

idealista [iðea'lista] *adj, nm/f* idéaliste *m/f*.

idealizar [iðeali'θar] *vt* idéaliser.

idear [iðe'ar] *vt* concevoir.

ídem ['iðem] *pron* idem.

idéntico, -a [i'ðentiko, a] *adj*: ~ **(a)** identique (à).

identidad [iðenti'ðað] *nf* identité *f*; ~ **corporativa** image *f* de l'entreprise.

identificación [iðentifika'θjon] *nf* identification *f*.

identificar [iðentifi'kar] *vt* identifier; **identificarse** *vpr*: ~**se (con)** s'identifier (à).

identifique *etc* [iðenti'fike] *vb* V **identificar**.

ideología [iðeolo'xia] *nf* idéologie *f*.

ideológico, -a [iðeo'loxiko, a] *adj* idéologique.

idílico, -a [i'ðiliko, a] *adj* idyllique.

idilio [i'ðiljo] *nm* idylle *f*.

idioma [i'ðjoma] *nm* langue *f*.

idiomático, -a [iðjo'matiko, a] *adj* idiomatique.

idiota [i'ðjota] *adj, nm/f* idiot(e).

idiotez [iðjo'teθ] *nf* idiotie *f*.

idolatrar [iðola'trar] *vt* idolâtrer.

ídolo ['iðolo] *nm* (*tb fig*) idole *f*.

idoneidad [iðonei'ðað] *nf* aptitude *f*.

idóneo, -a [i'ðoneo, a] *adj* idéal(e); ~ **para (hacer)** idéal(e) pour (faire).

iglesia [i'ɣlesja] *nf* église *f*; **la I~ católica** l'église catholique; ▸ **iglesia parroquial** église paroissiale.

iglú [i'ɣlu] *nm* igloo *m*.

IGME *sigla m* (= *Instituto Geográfico y Minero*) ≈ BRGM *m* (= *Bureau de recherches géologiques et minières*).

IGN (*ESP*) *sigla m* (= *Instituto Geográfico Nacional*) ≈ IGN *m* (= *Institut géographique national*).

ignición [iɣni'θjon] *nf* ignition *f*.

ignominia [iɣno'minja] *nf* ignominie *f*.

ignominioso, -a [iɣnomi'njoso, a] *adj* ignominieux(-euse).

ignorado, -a [iɣno'raðo, a] *adj* ignoré(e).

ignorancia [iɣno'ranθja] *nf* ignorance *f*.

ignorante [iɣno'rante] *adj, nm/f* ignorant (e).

ignorar [iɣno'rar] *vt* ignorer; **ignoramos su paradero** nous ignorons où il se trouve.

ignoto, -a [iɣ'noto, a] *adj* inconnu(e).

═══════════════ PALABRA CLAVE

igual [i'ɣwal] *adj* **1** (*idéntico*) pareil(le); **Pedro es igual que tú** Pedro est comme toi; **X es igual a Y** (*MAT*) X est égal à Y; **son iguales** ils sont pareils; **van iguales** (*en carrera, competición*) ils sont à égalité; **él, igual que tú, está convencido de que ...** comme toi, il est convaincu que ...; **¡es igual!** (*no importa*) ça ne fait rien!; **me da igual** ça m'est égal

2 (*liso: terreno, superficie*) égal(e)

3 (*constante: velocidad, ritmo*) égal(e)

4 al igual que comme

♦ *nm/f* (*persona*) égal(e); **no tener igual** ne pas avoir d'égal; **sin igual** sans égal; **de igual a igual** d'égal à égal

♦ *adv* **1** (*de la misma manera*) de la même façon, pareil (*fam*); **visten igual** ils s'habillent de la même façon

2 (*fam: a lo mejor*) peut-être que; **igual no lo saben todavía** peut-être qu'ils ne le savent pas encore

3 (*esp CSUR: fam: a pesar de todo*) quand même; **era inocente pero me expulsaron igual** j'étais innocent mais ils m'ont renvoyé quand même.

igualada [iɣwa'laða] *nf* égalisation *f*.

igualar [iɣwa'lar] *vt* égaliser; **igualarse** *vpr* (*diferencias*) s'aplanir; ~**se (con)** (*compararse*) se comparer (avec).

igualdad [iɣwal'dað] *nf* (*tb MAT*) égalité *f*; **en** ~ **de condiciones** dans les mêmes conditions.

igualitario, -a [iɣwali'tarjo, a] *adj* égalitaire.

igualmente [i'ɣwalmente] *adv* également; (*en comparación*) aussi; **¡felices vacaciones!** – ~ bonnes vacances! – à toi aussi.

iguana [i'ɣwana] *nf* iguane *m*.

ikurriña [iku'rriɲa] *nf* drapeau basque.

ilegal [ile'ɣal] *adj* illégal(e).

ilegalmente [ile'ɣalmente] *adv* illégalement.

ilegible [ile'xiβle] *adj* illisible.

ilegitimidad [ilexitimi'ðað] *nf* illégitimité *f*.

ilegítimo, -a [ile'xitimo, a] *adj* illégitime.

ileso, -a [i'leso, a] *adj*: **resultar o salir** ~ **(de)** sortir indemne (de); sortir sain(e) et sauf(sauve) (de).

ilícito, -a [i'liθito, a] *adj* illicite.

ilimitado, -a [ilimi'taðo, a] *adj* illimité(e).

Ilma. *abr* (= *Ilustrísima*) illustrissime.

Ilmo. *abr* (= *Ilustrísimo*) illustrissime.

ilocalizable [ilokali'θaβle] *adj* introuvable.

ilógico, -a [i'loxiko, a] *adj* illogique.

iluminación [ilumina'θjon] *nf* illumination *f*, éclairage *m*; (*de local, habitación*) éclairage.

iluminar [ilumi'nar] vt illuminer, éclairer; (*adornar con luces*) illuminer; (*colorear: ilustración*) enluminer; (*fig: inspirar*) éclairer; **iluminarse** vpr: **se le iluminó la cara** son visage s'est illuminé.

ilusión [ilu'sjon] nf illusion f; (*alegría*) joie f; (*esperanza*) espoir m; (*emoción*) émotion f; **hacerle ~ a algn** faire plaisir à qn; **hacerse ilusiones** se faire des illusions; **no te hagas ilusiones** ne te fais pas d'illusions, **tener ~ por (hacer)** se réjouir de (faire).

ilusionado, -a [ilusjo'naðo, a] adj: **estar ~ (con)** se réjouir (de).

ilusionar [ilusjo'nar] vt réjouir; **ilusionarse** vpr: **~se (con)** se réjouir (de).

ilusionista [ilusjo'nista] nm/f illusionniste m/f.

iluso, -a [i'luso, a] adj naïf(-ïve) ♦ nm/f rêveur(-euse).

ilusorio, -a [ilu'sorjo, a] adj illusoire.

ilustración [ilustra'θjon] nf illustration f; (*cultura*) instruction f, culture f; **servir como o de ~** servir d'exemple; **la l~** le Siècle des lumières.

ilustrado, -a [ilus'traðo, a] adj illustré(e); (*persona*) cultivé(e), instruit(e).

ilustrar [ilus'trar] vt illustrer; (*instruir*) instruire, cultiver; **ilustrarse** vpr s'instruire, se cultiver.

ilustrativo, -a [ilustra'tiβo, a] adj: **~ (de)** révélateur(-trice) (de).

ilustre [i'lustre] adj illustre, célèbre.

imagen [i'maxen] nf image f; **ser la viva ~ de** être le portrait tout craché de; **a su ~** à son image.

imaginación [imaxina'θjon] nf imagination f; **imaginaciones** nfpl (*suposiciones*) idées fpl; **no se me pasó por la ~ que ...** je n'aurais jamais imaginé que ... .

imaginar [imaxi'nar] vt imaginer; (*idear*) imaginer, concevoir; **imaginarse** vpr s'imaginer; **~ que ...** (*suponer*) imaginer que ...; **¡imagínate!** tu te rends compte!; **imagínese que ...** figurez-vous que ...; **me imagino que sí** j'imagine que oui.

imaginario, -a [imaxi'narjo, a] adj imaginaire.

imaginativa [imaxina'tiβa] nf imagination f.

imaginativo, -a [imaxina'tiβo, a] adj imaginatif(-ive).

imán [i'man] nm aimant m.

iman(t)ar [ima'n(t)ar] vt aimanter.

imbécil [im'beθil] adj, nm/f imbécile m/f.

imbecilidad [imbeθili'ðað] nf imbécillité f.

imberbe [im'berβe] adj imberbe.

imborrable [imbo'rraβle] adj ineffaçable, indélébile; (*recuerdo*) indélébile.

imbuir [imbu'ir] vt: **~ (de)** imbiber (de).

imbuyendo etc [imbu'jendo] vb V **imbuir**.

imitación [imita'θjon] nf imitation f; (*parodia*) imitation, pastiche m; (*COM*) contrefaçon f; **a ~ de** sur le modèle de; **de ~** en imitation; **desconfíe de las imitaciones** (*COM*) méfiez-vous des contrefaçons.

imitador, a [imita'ðor, a] nm/f (*TEATRO*) imitateur(-trice).

imitar [imi'tar] vt imiter; (*parodiar*) imiter, pasticher.

impaciencia [impa'θjenθja] nf impatience f.

impacientar [impaθjen'tar] vt (*inquietar*) tracasser; (*enfadar*) impatienter; **impacientarse** vpr s'impatienter; (*inquietarse*) se tracasser.

impaciente [impa'θjente] adj impatient(e); **estar ~** se tracasser; (*deseoso*) être impatient; **estar ~ (por hacer)** être impatient (de faire), avoir hâte (de faire).

impacientemente [impa'θjentemente] adv avec impatience.

impacto [im'pakto] nm impact m; (esp *AM*: fig) impression f.

impagado, -a [impa'ɣaðo, a] adj impayé(e).

impago [im'paɣo] nm non-paiement m ♦ nmpl: **~s** impayés mpl.

impalpable [impal'paβle] adj impalpable.

impar [im'par] adj impair(e) ♦ nm impair m.

imparable [impa'raβle] adj imparable.

imparcial [impar'θjal] adj impartial(e).

imparcialidad [imparθjali'ðað] nf impartialité f.

imparcialmente [impar'θjalmente] adv impartialement.

impartir [impar'tir] vt (*clases*) donner; (*orden*) intimer.

impasible [impa'siβle] adj impassible.

impasiblemente [impa'siβlemente] adv impassiblement.

impávido, -a [im'paβiðo, a] adj impavide.

IMPE ['impe] (*ESP*) sigla m (*COM* = *Instituto de la Pequeña y Mediana Empresa*) confédération des P.M.E.

impecable [impe'kaβle] adj impeccable.

impecablemente [impe'kaβlemente] adv impeccablement.

impedido, -a [impe'ðiðo, a] adj: **estar ~** être handicapé(e) ♦ nm/f: **ser un ~ físico** être handicapé moteur.

impedimento [impeði'mento] nm empêchement m, obstacle m.

impedir [impe'ðir] vt (*imposibilitar*) empêcher; (*estorbar*) gêner; **~ a algn hacer o que haga algo** empêcher qn de faire qch; **~ el tráfico** bloquer la circulation.

impeler [impe'ler] vt (tb fig) pousser.

impenetrabilidad [impenetraβili'ðað] nf impénétrabilité f.

impenetrable [impene'traßle] *adj* impénétrable.

impenitente [impeni'tente] *adj* impénitent(e).

impensable [impen'saßle] *adj* impensable.

impepinable [impepi'naßle] (*fam*) *adj*: **es ~** c'est clair *o* sûr.

imperante [impe'rante] *adj* répandu(e).

imperar [impe'rar] *vi* régner; (*fig*) dominer, prévaloir.

imperativo, -a [impera'tißo, a] *adj* impératif(-ive) ♦ *nm* (*LING*) impératif *m*; **~s** *nmpl* (*exigencias*) impératifs *mpl*.

imperceptible [imperθep'tißle] *adj* imperceptible.

imperceptiblemente [imperθep'tißlemente] *adv* imperceptiblement.

imperdible [imper'ðißle] *nm* épingle *f* à nourrice.

imperdonable [imperðo'naßle] *adj* impardonnable.

imperecedero, -a [impereθe'ðero, a] *adj* impérissable.

imperfección [imperfek'θjon] *nf* (*en prenda, joya, vasija*) défaut *m*; (*de persona*) imperfection *f*.

imperfectamente [imper'fektamente] *adv* imparfaitement.

imperfecto, -a [imper'fekto, a] *adj* défectueux(-euse); (*tarea, LING*) imparfait(e) ♦ *nm* (*LING*) imparfait *m*.

imperial [impe'rjal] *adj* impérial(e).

imperialismo [imperja'lismo] *nm* impérialisme *m*.

imperialista [imperja'lista] *adj, nm/f* impérialiste *m/f*.

impericia [impe'riθja] *nf* (*torpeza*) incapacité *f*; (*inexperiencia*) inexpérience *f*.

imperio [im'perjo] *nm* empire *m*; **el ~ de la ley/justicia** le règne de la loi/justice; **vale un ~** (*fig*) cela vaut son pesant d'or.

imperiosamente [impe'rjosamente] *adv* impérieusement.

imperioso, -a [impe'rjoso, a] *adj* impérieux(-euse).

impermeable [imperme'aßle] *adj, nm* imperméable *m*.

impersonal [imperso'nal] *adj* impersonnel(le).

impertérrito, -a [imper'territo, a] *adj*: **quedarse/seguir ~** rester/demeurer imperturbable.

impertinencia [imperti'nenθja] *nf* impertinence *f*.

impertinente [imperti'nente] *adj* impertinent(e).

imperturbable [impertur'ßaßle] *adj* imperturbable.

imperturbablemente [impertur'ßaßlemente] *adv* imperturbablement.

impétigo [im'petiɣo] *nm* impétigo *m*.

ímpetu ['impetu] *nm* (*violencia*) violence *f*; (*energía*) énergie *f*; (*impetuosidad*) fougue *f*.

impetuosamente [impe'twosamente] *adv* impétueusement, avec fougue.

impetuosidad [impetwosi'ðað] *nf* impétuosité *f*, fougue *f*; (*violencia*) violence *f*.

impetuoso, -a [impe'twoso, a] *adj* impétueux(-euse); (*paso, ritmo*) soutenu(e).

impida *etc* [im'piða] *vb V* **impedir**.

impío, -a [im'pio, a] *adj* (*sin fe*) impie; (*irreverente*) irrévérencieux(-euse); (*cruel*) impitoyable.

implacable [impla'kaßle] *adj* implacable.

implacablemente [impla'kaßlemente] *adv* implacablement.

implantación [implanta'θjon] *nf* implantation *f*; (*introducción*) introduction *f*.

implantar [implan'tar] *vt* implanter; **implantarse** *vpr* s'implanter.

implicar [impli'kar] *vt* impliquer; **~ a algn en algo** impliquer qn dans qch; **eso no implica que ...** cela n'implique pas que ... .

implícito, -a [im'pliθito, a] *adj* (*tácito*) tacite; (*sobreentendido*) implicite; **llevar ~** comporter implicitement.

implique *etc* [im'plike] *vb V* **implicar**.

implorante [implo'rante] *adj* implorant(e).

implorar [implo'rar] *vt* implorer.

imponderable [imponde'raßle] *adj, nm* impondérable *m*.

imponderá *etc* [impon'dre] *vb V* **imponer**.

imponente [impo'nente] *adj* imposant(e); (*fam*) sensationnel(le) ♦ *nm/f* (*COM*) déposant(e).

imponer [impo'ner] *vt* imposer; (*respeto*) inspirer; (*COM*) placer, déposer ♦ *vi* en imposer; **imponerse** *vpr* (*moda, costumbre*) s'imposer; (*razón, equipo*) l'emporter; **~se (a)** s'imposer (à); **~se (hacer)** s'imposer (de faire); **~se un deber** s'imposer un devoir.

imponga *etc* [im'ponga] *vb V* **imponer**.

imponible [impo'nißle] *adj* (*COM*) imposable; (*importación*) soumis(e) aux droits de douane; **no ~** non imposable.

impopular [impopu'lar] *adj* impopulaire.

importación [importa'θjon] *nf* importation *f*.

importador, a [importa'ðor] *nm/f* importateur(-trice).

importancia [impor'tanθja] *nf* importance *f*; **no dar ~ a** ne pas attacher d'importance à; **darse ~** faire l'important; **sin ~** sans importance; **no tiene ~** ce n'est pas important.

importante [impor'tante] *adj* important(e); **lo ~ es hacer .../que haga ...** l'important c'est de faire .../qu'il fasse ... .

importar [impor'tar] *vt* importer; *(ascender a: cantidad)* se monter à, coûter ♦ *vi* importer; **me importa un bledo** *o* **rábano** je m'en fiche pas mal; **¿le importa que fume?** ça vous ennuie si je fume?; **¿te importa prestármelo?** ça ne te dérange pas de me le prêter?; **¿y a tí qué te importa?** qu'est-ce que ça peut (bien) te faire?; **¿qué importa?** qu'est-ce que ça peut faire?; **no importa** ce n'est pas grave, ça ne fait rien; **no le importa** ça ne le regarde pas; *"no importa precio"* "prix indifférent".

importe [im'porte] *nm (coste)* coût *m*; *(total)* montant *m*.

importunar [importu'nar] *vt* importuner.

importuno, -a [impor'tuno, a] *adj* importun(e).

imposibilidad [imposiβili'ðað] *nf* impossibilité *f*.

imposibilitado, -a [imposiβili'taðo, a] *adj*: **verse ~ para hacer algo** se voir dans l'impossibilité de faire qch; **estar/quedar ~** être/rester paralysé(e).

imposibilitar [imposiβili'tar] *vt* rendre impossible; *(impedir)* empêcher.

imposible [impo'siβle] *adj*, *nm* impossible *m*; **es ~** c'est impossible; **es ~ de predecir** c'est impossible à prévoir; **hacer lo ~ por** faire l'impossible pour.

imposición [imposi'θjon] *nf (de moda)* introduction *f*; *(sanción, condena)* application *f*; *(mandato)* ordre *m*; *(COM: impuesto)* imposition *f*; (: *depósito)* dépôt *m*; **efectuar una ~** faire un dépôt.

impostor, a [impos'tor, a] *nm/f* imposteur *m*.

impostura [impos'tura] *nf* imposture *f*.

impotencia [impo'tenθja] *nf* impuissance *f*.

impotente [impo'tente] *adj* impuissant(e) ♦ *nm* impuissant *m*.

impracticable [imprakti'kaβle] *adj (camino)* impraticable.

imprecación [impreka'θjon] *nf* imprécation *f*.

imprecar [impre'kar] *vi* proférer des imprécations.

imprecisión [impreθi'sjon] *nf* imprécision *f*.

impreciso, -a [impre'θiso, a] *adj* imprécis(e).

impredecible [impreðe'θiβle] *adj* imprévisible.

impredictible [impreðik'tiβle] *adj* imprévisible.

impregnar [imprex'nar] *vt* imprégner; **impregnarse** *vpr* s'imprégner.

impremeditadamente [impremeði'taðamente] *adv* sans réfléchir.

impremeditado, -a [impremeði'taðo, a] *adj* irréfléchi(e).

imprenta [im'prenta] *nf* imprimerie *f*; *(aparato)* presse *f*; **letra de ~** caractère *m* d'imprimerie.

impreque *etc* [im'preke] *vb* V **imprecar**.

imprescindible [impresθin'diβle] *adj* indispensable; **es ~ hacer/que haga ...** il est indispensable de faire/qu'il fasse ... .

impresión [impre'sjon] *nf* impression *f*; *(marca)* empreinte *f*; **tengo** *o* **me da la ~ de que no va a venir** j'ai (bien) l'impression qu'il ne viendra pas; **cambio de impresiones** échange *m* de vues; ▶ **impresión digital** empreinte digitale.

impresionable [impresjo'naβle] *adj* impressionnable.

impresionado, -a [impresjo'naðo, a] *adj* impressionné(e).

impresionante [impresjo'nante] *adj* impressionnant(e); *(conmovedor)* bouleversant(e).

impresionar [impresjo'nar] *vt* impressionner; *(conmover)* bouleverser, toucher; **impresionarse** *vpr* être impressionné(e); **se impresiona con facilidad** il ne faut pas grand-chose pour l'impressionner.

impresionista [impresjo'nista] *adj*, *nm/f (ARTE)* impressionniste *m/f*.

impreso, -a [im'preso, a] *pp de* **imprimir** ♦ *adj* imprimé(e) ♦ *nm (solicitud)* imprimé *m*, formulaire *m*; **~s** *nmpl (material impreso)* imprimés *mpl*; ▶ **impreso de solicitud** formulaire de demande.

impresora [impre'sora] *nf (INFORM)* imprimante *f*; ▶ **impresora de chorro de tinta** imprimante à jet d'encre; ▶ **impresora de línea** imprimante ligne par ligne; ▶ **impresora de margarita** imprimante à marguerite; ▶ **impresora de matriz (de agujas)** imprimante matricielle; ▶ **impresora de rueda** imprimante à marguerite; ▶ **impresora (por) láser** imprimante laser.

imprevisible [impreβi'siβle] *adj* imprévisible.

imprevisión [impreβi'sjon] *nf* imprévoyance *f*.

imprevisto, -a [impre'βisto, a] *adj* imprévu(e) ♦ *nm* imprévu *m*.

imprimir [impri'mir] *vt* imprimer.

improbabilidad [improβaβili'ðað] *nf* improbabilité *f*.

improbable [impro'βaβle] *adj* improbable.

improcedente [improθe'ðente] *adj* inopportun(e); *(JUR)* irrégulier(-ère).

improductivo, -a [improðuk'tiβo, a] *adj* improductif(-ive).

impronunciable [impronun'θjaβle] *adj* imprononçable.

improperio [impro'perjo] *nm* insulte *f*, injure *f*.

impropiedad [impropje'ðað] *nf* impropriété *f*.

impropio, -a [im'propjo, a] *adj* impropre; ~ de o para peu approprié(e) à.

improvisación [improβisa'θjon] *nf* improvisation *f*.

improvisadamente [improβi'saðamente] *adv* à l'improviste.

improvisado, -a [improβi'saðo, a] *adj* improvisé(e).

improvisar [improβi'sar] *vt*, *vi* improviser.

improviso [impro'βiso] *adv*: de ~ à l'improviste.

imprudencia [impru'ðenθja] *nf* imprudence *f*; (*indiscreción*) indiscrétion *f*; ▶ **imprudencia temeraria** (*JUR*) imprudence.

imprudente [impru'ðente] *adj* imprudent(e); (*indiscreto*) indiscret(-ète).

imprudentemente [impru'ðentemente] *adv* imprudemment.

Impte. *abr* = **importe**.

impúdico, -a [im'puðiko, a] *adj* impudique, indécent(e).

impudor [impu'ðor] *nm* impudeur *f*.

impuesto, -a [im'pwesto, a] *pp de* **imponer** ♦ *adj*: estar ~ en s'y connaître en ♦ *nm* impôt *m*; (*derecho*) droit *m*, taxe *f*; anterior al ~ avant impôt; libre de ~s exonéré(e) d'impôt; sujeto a ~ soumis(e) à l'impôt; ▶ **impuesto de lujo** taxe de luxe; ▶ **impuesto de plusvalía** impôt sur les plus-values; ▶ **impuesto de transferencia de capital** droit de mutation; ▶ **impuesto de venta** taxe à l'achat; ▶ **impuesto directo/indirecto** impôt direct/indirect; ▶ **impuesto sobre el valor añadido** o (*AM*) **agregado** taxe à la valeur ajoutée; ▶ **impuesto sobre la propiedad** impôt foncier; ▶ **impuesto sobre la renta/sobre la renta de las personas físicas** impôt sur le revenu/sur le revenu des personnes physiques; ▶ **impuesto sobre la riqueza** impôt sur la fortune.

impugnar [impuɣ'nar] *vt* contester; (*refutar*) réfuter.

impulsar [impul'sar] *vt* propulser; (*economía*) stimuler; él me impulsó a hacerlo o a que lo hiciera il m'a poussé à le faire.

impulsivo [impul'siβo, a] *adj* impulsif(-ive).

impulso [im'pulso] *nm* impulsion *f*; (*fuerza*) élan *m*; a ~s del miedo poussé(e) par la peur; dar ~ a donner une impulsion à.

impune [im'pune] *adj* impuni(e).

impunemente [im'punemente] *adv* impunément.

impunidad [impuni'ðað] *nf* impunité *f*.

impureza [impu'reθa] *nf* impureté *f*; ~s *nfpl*

(*de agua, aire*) impuretés *fpl*.

impuro, -a [im'puro, a] *adj* impur(e).

impuse *etc* [im'puse] *vb* V **imponer**.

imputación [imputa'θjon] *nf* imputation *f*.

imputar [impu'tar] *vt* imputer.

inabordable [inaβor'ðaβle] *adj* inabordable.

inacabable [inaka'βaβle] *adj* interminable.

inaccesible [inakθe'siβle] *adj* inaccessible; (*fig: precio*) inabordable.

inacción [inak'θjon] *nf* inaction *f*.

inaceptable [inaθep'taβle] *adj* inacceptable.

inactividad [inaktiβi'ðað] *nf* inactivité *f*; (*COM*) inutilisation *f*.

inactivo, -a [inak'tiβo, a] *adj* inactif(-ive); (*período*) d'inaction; (*COM*) inutilisé(e); la población ~a les inactifs.

inadaptación [inaðapta'θjon] *nf* inadaptation *f*.

inadaptado, -a [inaðap'taðo, a] *adj*, *nm/f* inadapté(e).

inadecuado, -a [inaðe'kwaðo, a] *adj* inadéquat(e).

inadmisible [inaðmi'siβle] *adj* inadmissible.

inadvertido, -a [inaðβer'tiðo, a] *adj*: pasar ~ passer inaperçu(e).

inagotable [inaɣo'taβle] *adj* inépuisable, intarissable.

inaguantable [inaɣwan'taβle] *adj* insupportable.

inalámbrico, -a [ina'lambriko, a] *adj* sans fil.

inalcanzable [inalkan'θaβle] *adj* inaccessible.

inalienable [inalje'naβle] *adj* inaliénable.

inalterable [inalte'raβle] *adj* inaltérable; (*persona*) entier(-ère).

inamovible [inamo'βiβle] *adj* inamovible.

inanición [inani'θjon] *nf* inanition *f*.

inanimado, -a [inani'maðo, a] *adj* inanimé(e).

inapelable [inape'laβle] *adj* (*JUR*) sans appel.

inapetente [inape'tente] *adj*: estar ~ manquer d'appétit.

inaplicable [inapli'kaβle] *adj* inapplicable.

inapreciable [inapre'θjaβle] *adj* (*poco importante*) insignifiant(e); (*de gran valor*) inestimable; (*invisible: objeto*) invisible.

inarrugable [inarru'ɣaβle] *adj* infroissable.

inasequible [inase'kiβle] *adj* inabordable.

inaudible [inau'ðiβle] *adj* inaudible.

inaudito, -a [inau'ðito, a] *adj* inouï(e).

inauguración [inauɣura'θjon] *nf* inauguration *f*.

inaugurar [inauɣu'rar] *vt* inaugurer.

I.N.B. *abr* (= *Instituto Nacional de Bachillerato*) lycée.

I.N.B.A. (*MÉX*) *abr* = *Instituto Nacional de Bellas Artes.*

INC (*ESP*) *sigla m* (= *Instituto Nacional de Consumo*) INC *m* (= *Institut national de la consommation*).

inca ['inka] *adj* inca ɪnv ♦ *nm/f* Inca *m/f*.

INCAE [in'kae] *sigla m* = *Instituto Centroamericano de Administración de Empresas.*

incaico, -a [in'kaiko, a] *adj* inca ɪnv.

incalculable [inkalku'laßle] *adj* incalculable.

incalificable [inkalifi'kaßle] *adj* inqualifiable.

incanato [inka'nato] (*AND, CHI*) *nm* (*HIST*) période *f* inca.

incandescente [inkandes'θente] *adj* incandescent(e).

incansable [inkan'saßle] *adj* infatigable.

incansablemente [inkan'saßlemente] *adv* inlassablement.

incapacidad [inkapaθi'ðað] *nf* incapacité *f*; ~ **para hacer** incapacité à faire; ▶ **incapacidad física** incapacité physique; ▶ **incapacidad laboral** incapacité de travail; ▶ **incapacidad mental** incapacité mentale.

incapacitar [inkapaθi'tar] *vt*: ~ **(para)** (*inhabilitar*) rendre inapte (à); (*descalificar*) déclarer inapte (à).

incapaz [inka'paθ] *adj* incapable; ~ **de hacer algo** incapable de faire qch.

incautación [inkauta'θjon] *nf* saisie *f*.

incautarse [inkau'tarse] *vpr*: ~ **de** s'emparer de.

incauto, -a [in'kauto, a] *adj* (*imprudente*) imprudent(e); (*crédulo*) crédule.

incendiar [inθen'djar] *vt* incendier; **incendiarse** *vpr* prendre feu, brûler.

incendiario, -a [inθen'djarjo, a] *adj, nm/f* incendiaire *m/f*.

incendio [in'θendjo] *nm* incendie *m*.

incentivo [inθen'tißo] *nm* stimulation *f*, aiguillon *m*.

incertidumbre [inθerti'ðumbre] *nf* incertitude *f*.

incesante [inθe'sante] *adj* incessant(e).

incesantemente [inθe'santemente] *adv* sans cesse.

incesto [in'θesto] *nm* inceste *m*.

incidencia [inθi'ðenθja] *nf* (*repercusión*) incidence *f*; (*suceso*) incident *m*.

incidente [inθi'ðente] *nm* incident *m*.

incidir [inθi'ðir] *vi*: ~ **en** affecter; ~ **en un error** tomber dans l'erreur.

incienso [in'θjenso] *nm* encens *msg*.

incierto, -a [in'θjerto, a] *adj* incertain(e).

incineración [inθinera'θjon] *nf* incinération *f*.

incinerador [inθinera'ðor] *nm* incinérateur *m*.

incinerar [inθine'rar] *vt* incinérer.

incipiente [inθi'pjente] *adj* naissant(e).

incisión [inθi'sjon] *nf* incision *f*.

incisivo, -a [inθi'sißo, a] *adj* (*instrumento*) tranchant(e); (*fig*) incisif(-ive) ♦ *nm* incisive *f*.

inciso [in'θiso] *nm* (*en texto*) incise *f*; (*al hablar*) parenthèse *f*.

incitar [inθi'tar] *vt* inciter; ~ **a algn a hacer** inciter qn à faire, pousser qn à faire.

incívico, -a [in'θißiko, a] *adj* incivique.

inclemencia [inkle'menθja] *nf* sévérité *f*; ~**s** *nfpl* (*del tiempo*) rigueurs *fpl*.

inclemente [inkle'mente] *adj* sévère; (*invierno*) rigoureux(-euse).

inclinación [inklina'θjon] *nf* inclinaison *f*; (*fig*) inclination *f*, penchant *m*; **tener** ~ **por algn/algo** avoir un penchant pour qn/qch.

inclinado, -a [inkli'naðo, a] *adj* incliné(e).

inclinar [inkli'nar] *vt* incliner; (*cabeza, cuerpo*) incliner, pencher; **inclinarse** *vpr* pencher; (*persona*) se pencher; ~**se ante** s'incliner devant; **me inclina a pensar que** ... j'incline à penser que ... .

incluir [inklu'ir] *vt* (*abarcar*) comprendre; (*meter*) inclure; **todo incluido** (*COM*) tout compris.

inclusión [inklu'sjon] *nf* inclusion *f*; **con** ~ **de** ... inclus ..., y compris ... .

inclusive [inklu'siße] *adv* (*incluido*) inclus, y compris; (*incluso*) même.

incluso, -a [in'kluso, a] *adv, prep* même.

incluyendo *etc* [inklu'jendo] *vb* V **incluir.**

incoar [inko'ar] *vt* (*JUR*) engager, intenter.

incobrable [inko'Braßle] *adj* (*cheque*) non encaissable.

incógnita [in'koɣnita] *nf* (*MAT*) inconnue *f*; (*fig*) énigme *f*.

incógnito [in'koɣnito]: **de** ~ *adv* incognito.

incoherencia [inkoe'renθja] *nf* incohérence *f*.

incoherente [inkoe'rente] *adj* incohérent(e).

incoloro, -a [inko'loro, a] *adj* incolore.

incólume [in'kolume] *adj* indemne.

incombustible [inkombus'tißle] *adj* incombustible.

incomible [inko'mißle] *adj* immangeable.

incomodar [inkomo'ðar] *vt* incommoder; **incomodarse** *vpr* se fâcher.

incomodidad [inkomoði'ðað] *nf* ennui *m*; (*de vivienda, asiento*) manque *m* de confort.

incómodo, -a [in'komoðo, a] *adj* (*vivienda*) inconfortable; (*asiento*) peu confortable; (*molesto*) incommodant(e); **sentirse** ~ se sentir mal à l'aise.

incomparable [inkompa'raßle] *adj* incomparable.

incomparablemente [inkompa'raßlemente] *adv* incomparablement.

incomparecencia [inkompa're0en0ja] *nf* non-comparution *f*.

incompatibilidad [inkompatißili'ðað] *nf* incompatibilité *f*.

incompatible [inkompa'tißle] *adj*: ~ **(con)** incompatible (avec).

incompetencia [inkompe'ten0ja] *nf* incompétence *f*.

incompetente [inkompe'tente] *adj* incompétent(e).

incompleto, -a [inkom'pleto, a] *adj* incomplet(-ète).

incomprendido, -a [inkompren'ðiðo, a] *adj* incompris(e).

incomprensible [inkompren'sißle] *adj* incompréhensible.

incomprensiblemente [inkompren'sißlemente] *adv* de façon incompréhensible.

incomprensión [inkompren'sjon] *nf* incompréhension *f*.

incomunicación [inkomunika'0jon] *nf* (*JUR*) isolement *m* cellulaire.

incomunicado, -a [inkomuni'kaðo, a] *adj* (*aislado*: *persona*) isolé(e); (: *pueblo*) coupé(e) de tout; (*preso*) mis(e) au régime cellulaire.

incomunicar [inkomuni'kar] *vt* (*persona*, *preso*) isoler; (*pueblo*) couper de tout.

incomunique *etc* [inkomu'nike] *vb* V **incomunicar**.

inconcebible [inkonθe'ßißle] *adj* inconcevable.

inconcluso, -a [inkon'kluso, a] *adj* inachevé(e).

incondicional [inkondiθjo'nal] *adj* inconditionnel(le).

incondicionalmente [inkondiθjo'nalmente] *adv* inconditionnellement.

inconexo, -a [inko'nekso, a] *adj* décousu(e).

inconfeso, -a [inkon'feso, a] *adj* inavoué(e).

inconformista [inkonfor'mista] *adj* non-conformiste.

inconfundible [inkonfun'dißle] *adj* caractéristique.

incongruente [inkon'grwente] *adj* incongru(e); ~ **(con)** (*actitud*) en désaccord (avec).

inconmensurable [inkonmensu'raßle] *adj* incommensurable.

inconmovible [inkonmo'ßißle] *adj* inébranlable.

inconsciencia [inkons'θjenθja] *nf* inconscience *f*.

inconsciente [inkons'θjente] *adj* inconscient(e); ~ **de** inconscient(e) de.

inconscientemente [inkons'θjentemente]

adv inconsciemment.

inconsecuencia [inkonse'kwenθja] *nf* (*incoherencia*) incohérence *f*; (*contradicción*) inconséquence *f*.

inconsecuente [inkonse'kwente] *adj*: ~ **(con)** inconséquent(e) (avec).

inconsiderado, -a [inkonsiðe'raðo, a] *adj* inconsidéré(e).

inconsistente [inkonsis'tente] *adj* inconsistant(e).

inconstancia [inkons'tanθja] *nf* inconstance *f*.

inconstante [inkons'tante] *adj* inconstant(e).

inconstitucional [inkonstituθjo'nal] *adj* inconstitutionnel(le).

incontable [inkon'taßle] *adj* innombrable, incalculable.

incontenible [inkonte'nißle] *adj* irrépressible.

incontestable [inkontes'taßle] *adj* incontestable.

incontinencia [inkonti'nenθja] *nf* incontinence *f*.

incontrolado, -a [inkontro'laðo, a] *adj* incontrôlé(e).

incontrovertible [inkontroßer'tißle] *adj* indiscutable.

inconveniencia [inkombe'njenθja] *nf* inconvenance *f*.

inconveniente [inkombe'njente] *adj* déplacé(e) ♦ *nm* inconvénient *m*; **el** ~ **es que** ... l'inconvénient, c'est que ...; **no hay** ~ **en** *o* **para hacer eso** il n'y a pas d'inconvénient à faire cela; **no tengo** ~ je n'y vois pas d'inconvénients.

incordiar [inkor'ðjar] (*fam*) *vt* emmerder (*fam!*).

incordio [in'korðjo] (*fam*) *nm* emmerdement *m* (*fam!*).

incorporación [inkorpora'θjon] *nf* incorporation *f*.

incorporado, -a [inkorpo'raðo, a] *adj* (*TEC*) incorporé(e).

incorporar [inkorpo'rar] *vt* incorporer; (*enderezar*) lever; **incorporarse** *vpr* se lever; ~**se a** (*puesto*) se présenter à; (*grupo*, *manifestación*) s'incorporer à.

incorrección [inkorrek'θjon] *nf* incorrection *f*.

incorrectamente [inko'rrektamente] *adv* incorrectement.

incorrecto, -a [inko'rrekto, a] *adj* incorrect(e).

incorregible [inkorre'xißle] *adj* incorrigible.

incorruptible [inkorrup'tißle] *adj* incorruptible.

incorrupto, -a [inko'rrupto, a] *adj* (*cuerpo*) intact(e); (*político*) intègre.

incredulidad [inkreðuli'ðað] *nf* incrédulité *f*.

incrédulo, -a [in'kreðulo, a] *adj* incrédule.

increíble [inkre'ißle] *adj* incroyable.

incrementar [inkremen'tar] *vt* augmenter; **incrementarse** *vpr* augmenter.

incremento [inkre'mento] *nm* augmentation *f*.

increpar [inkre'par] *vt* admonester.

incriminar [inkrimi'nar] *vt* (*JUR*) incriminer.

incruento, -a [in'krwento, a] *adj* sans effusion de sang.

incrustación [inkrusta'θjon] *nf* (*ARTE*) incrustation *f*.

incrustado, -a [inkrus'taðo, a] *adj* incrusté(e).

incrustar [inkrus'tar] *vt* incruster; **incrustarse** *vpr*: ~se (en) s'incruster (dans).

incubadora [inkußa'ðora] *nf* incubateur *m*.

incubar [inku'ßar] *vt* couver.

incuestionable [inkwestjo'naßle] *adj* indiscutable.

inculcar [inkul'kar] *vt* inculquer.

inculpar [inkul'par] *vt* inculper.

inculque *etc* [in'kulke] *vb* V **inculcar**.

inculto, -a [in'kulto, a] *adj* inculte ♦ *nm/f* ignorant(e).

incumbencia [inkum'benθja] *nf*: **no es de mi** ~ ce n'est pas de mon ressort.

incumbir [inkum'bir] *vi*: ~ **a** incomber à; **no me incumbe a mí** ce n'est pas de mon ressort.

incumplimiento [inkumpli'mjento] *nm* (*de promesa*) manquement *m*; (*COM*) rupture *f*; **por** ~ par défaut; ▸ **incumplimiento de contrato** rupture de contrat.

incurable [inku'raßle] *adj* incurable.

incurrir [inku'rrir] *vi*: ~ **en** (*error*) tomber dans; (*crimen*) en arriver à; (*enfado*) risquer de.

incursión [inkur'sjon] *nf* incursion *f*.

indagación [indaɣa'θjon] *nf* recherche *f*.

indagar [inda'ɣar] *vt* rechercher; (*policía*) enquêter sur.

indague *etc* [in'daɣe] *vb* V **indagar**.

indebido, -a [inde'ßiðo, a] *adj* (*adelantamiento*) indu(e); (*dicho*) déplacé(e).

indecencia [inde'θenθja] *nf* indécence *f*.

indecente [inde'θente] *adj* indécent(e); (*indigno*) peu convenable; (*ruin: comportamiento*) incorrect(e).

indecible [inde'θißle] *adj* indicible; **sufrir lo** ~ souffrir atrocement.

indeciso, -a [inde'θiso, a] *adj* indécis(e).

indecoroso, -a [indeko'roso, a] *adj* indécent(e).

indefectible [indefek'tißle] *adj* inévitable.

indefectiblemente [indefek'tißlemente] *adv* inévitablement.

indefenso, -a [inde'fenso, a] *adj* (*animal, persona*) sans défense; (*ciudad*) indéfendable.

indefinible [indefi'nißle] *adj* indéfinissable.

indefinidamente [indefi'niðamente] *adv* indéfiniment.

indefinido, -a [indefi'niðo, a] *adj* (*indeterminado*) indéfini(e); (*ilimitado*) indéterminé(e).

indeleble [inde'leßle] *adj* indélébile.

indelicadeza [indelika'ðeθa] *nf* indélicatesse *f*.

indemne [in'demne] *adj*: **salir** ~ **de** sortir indemne de.

indemnice *etc* [indem'niθe] *vb* V **indemnizar**.

indemnización [indemniθa'θjon] *nf* (*compensación*) indemnisation *f*; (*suma*) indemnité *f*; **doble** ~ double indemnité; ▸ **indemnización de cese** *o* **de despido** prime *f* de licenciement.

indemnizar [indemni'θar] *vt*: ~ **(de)** indemniser (de).

independencia [indepen'denθja] *nf* indépendance *f*; **con** ~ de indépendamment de.

independice *etc* [indepen'diθe] *vb* V **independizar**.

independiente [indepen'djente] *adj* indépendant(e); (*INFORM*) autonome.

independientemente [indepen'djentemente] *adv* (*funcionar*) de façon autonome; (*actuar*) de manière indépendante; ~ **de lo que** ... indépendamment de ce qui ... .

independizar [indepɛndi'θar] *vt* accorder l'indépendance à; **independizarse** *vpr* devenir indépendant(e).

indescifrable [indesθi'fraßle] *adj* (*MIL: código*) indéchiffrable; (*fig: misterio*) énigmatique.

indescriptible [indeskrip'tißle] *adj* indescriptible.

indeseable [indese'aßle] *adj*, *nm/f* indésirable *m/f*.

indesmallable [indesma'ʎaßle] *adj* indémaillable.

indestructible [indestruk'tißle] *adj* indestructible.

indeterminado, -a [indetermi'naðo, a] *adj* indéterminé(e).

India ['indja] *nf*: **la** ~ l'Inde *f*.

indiada [in'djaða] (*AM*) *nf* Indiens *mpl*.

indicación [indika'θjon] *nf* indication *f*; (*señal: de persona*) signe *m*; **indicaciones** *nfpl* (*instrucciones*) indications *fpl*.

indicado, -a [indi'kaðo, a] *adj* indiqué(e).

indicador [indika'ðor] *nm* indicateur *m*; (*AUTO*) panneau *m* de signalisation; ~ **de encendido** (*INFORM*) voyant *m* "sous tension".

indicar [indi'kar] *vt* indiquer.

indicativo, -a [indika'tiβo, a] *adj*: ~ (de) révélateur(-trice) (de) ♦ *nm* (*RADIO, LING*) indicatif *m*.

índice ['indiθe] *nm* index *m*; ▶ **índice de materias** table *f* des matières; ▶ **índice de natalidad** taux *msg* de natalité; ▶ **índice de precios al por menor** (*COM*) indice *m* des prix de détail; ▶ **índice del coste de (la) vida** indice du coût de la vie.

indicio [in'diθjo] *nm* indice *m*; (*INFORM*) repère *m*.

indiferencia [indife'renθja] *nf* indifférence *f*.

indiferente [indife'rente] *adj*: ~ (a) indifférent(e) (à); **es ~ que viva en Madrid o Valencia** peu importe qu'il habite à Madrid ou à Valence; **me es ~ hacerlo hoy o mañana** cela m'est égal de le faire aujourd'hui ou demain; **a Alfonso le era ~ Carmen** Carmen laissait Alfonso indifférent.

indiferentemente [indife'rentemente] *adv* indifféremment.

indígena [in'dixena] *adj, nm/f* indigène *m/f*.

indigencia [indi'xenθja] *nf* indigence *f*.

indigenista [indixe'nista] (*AM*) *adj* (*POL*) partisan(e) de la cause indienne; (*estudios*) des civilisations indiennes ♦ *nm/f* (*estudiante*) personne qui étudie les civilisations indiennes; (*POL etc*) défenseur de la cause indienne.

indigestar [indixes'tar] *vt* (*suj: comida*) donner une indigestion à; **indigestarse** *vpr* (*persona*) avoir une indigestion; (*comida*) donner une indigestion; **se me ha indigestado ese tipo/la física** (*fam*) je ne supporte plus ce type/la physique.

indigestión [indixes'tjon] *nf* indigestion *f*.

indigesto, -a [indi'xesto, a] *adj* indigeste; (*persona*) insupportable.

indignación [indixna'θjon] *nf* indignation *f*.

indignante [indix'nante] *adj* scandaleux(-euse).

indignar [indix'nar] *vt* indigner; **indignarse** *vpr*: ~**se (por)** s'indigner (de).

indignidad [indixni'ðað] *nf* indignité *f*.

indigno, -a [in'dixno, a] *adj*: ~ (de) indigne (de).

indio, -a ['indjo, a] *adj* indien(ne) ♦ *nm/f* Indien(ne); **hacer el ~** faire l'imbécile; **subírsele** o **asomarle el ~** (*CSUR: fam*) s'exciter.

indique *etc* [in'dike] *vb V* **indicar**.

indirecta [indi'rekta] *nf* allusion *f*; **soltar una ~** faire une allusion.

indirectamente [indi'rektamente] *adv* indirectement.

indirecto, -a [indi'rekto, a] *adj* indirect(e).

indisciplina [indisθi'plina] *nf* indiscipline *f*.

indisciplinado, -a [indisθipli'naðo, a] *adj* indiscipliné(e).

indiscreción [indiskre'θjon] *nf* indiscrétion *f*; **..., si no es ~ ...**, si ce n'est pas indiscret.

indiscreto, -a [indis'kreto, a] *adj* indiscret(-ète).

indiscriminadamente [indiskrimi'naðamente] *adv* sans discrimination.

indiscriminado, -a [indiskrimi'naðo, a] *adj* (*golpes*) distribué(e) au hasard; **de un modo ~** sans discrimination.

indiscutible [indisku'tiβle] *adj* indiscutable.

indiscutiblemente [indisku'tiβlemente] *adv* indiscutablement.

indisoluble [indiso'luβle] *adj* indissoluble.

indisolublemente [indiso'luβlemente] *adv* indissolublement.

indispensable [indispen'saβle] *adj* indispensable.

indispondré *etc* [indispon'dre] *vb V* **indisponer**.

indisponer [indispo'ner] *vt* indisposer; **indisponerse** *vpr* (*MED*) se sentir indisposé(e); ~**se con** o **contra algn** se brouiller avec qn.

indisponga *etc* [indis'ponga] *vb V* **indisponer**.

indisposición [indisposi'θjon] *nf* indisposition *f*.

indispuesto, -a [indis'pwesto, a] *pp de* **indisponer** ♦ *adj* indisposé(e); **estar/sentirse ~** être/se sentir indisposé(e).

indispuse *etc* [indis'puse] *vb V* **indisponer**.

indistintamente [indis'tintamente] *adv* indistinctement.

indistinto, -a [indis'tinto, a] *adj* indistinct(e); **es ~ que hables tú o ella** peu importe ce soit toi ou elle qui parle.

individual [indiβi'ðwal] *adj* individuel(le); (*habitación, cama*) simple ♦ *nm* (*DEPORTE*) simple *m*.

individualidad [indiβiðwali'ðað] *nf* individualité *f*.

individualista [indiβiðwa'lista] *adj* individualiste.

individualmente [indiβi'ðwalmente] *adv* individuellement.

individuo [indi'βiðwo, a] *nm* individu *m*.

Indochina [indo'tʃina] *nf* Indochine *f*.

indocumentado, -a [indokumen'taðo, a] *adj* sans papiers; (*ignorante*) ignorant(e).

indoeuropeo, -a [indoeuro'peo, a] *adj* indo-européen(ne) ♦ *nm/f* Indo-européen(ne).

índole ['indole] *nf* (*naturaleza*) nature *f*; (*clase*) caractère *m*.

indolencia [indo'lenθja] *nf* indolence *f*.

indoloro, -a [in'doloro, a] *adj* indolore.
indomable [indo'maßle] *adj* indomptable.
indómito, -a [in'domito, a] *adj* = **indomable.**
Indonesia [indo'nesja] *nf* Indonésie *f*.
indonesio, -a [indo'nesjo, a] *adj* indonésien(ne) ♦ *nm/f* Indonésien(ne).
inducción [induk'θjon] *nf* induction *f*; **por ~ par induction.**
inducir [indu'θir] *vt* induire; **~ a algn a hacer** inciter qn à faire; **~ a algn a error** induire qn en erreur.
indudable [indu'ðaßle] *adj* indubitable; **es ~ que ...** il n'y a aucun doute que ... .
indudablemente [indu'ðaßlemente] *adv* indubitablement.
indulgencia [indul'xenθja] *nf* indulgence *f*; **proceder sin ~ contra** se montrer implacable envers.
indultar [indul'tar] *vt* gracier; **~ (de)** (*JUR*) dispenser (de).
indulto [in'dulto] *nm* grâce *f*.
indumentaria [indumen'tarja] *nf* tenue *f*.
industria [in'dustrja] *nf* industrie *f*; (*habilidad*) adresse *f*; ► **industria agropecuaria** industrie agricole et de la pêche; ► **industria pesada** industrie lourde; ► **industria petrolífera** industrie du pétrole.
industrial [indus'trjal] *adj* industriel(le) ♦ *nm* industriel *m*.
industrialización [industrjaliθa'θjon] *nf* industrialisation *f*.
industrializar [industrjali'θar] *vt* industrialiser; **industrializarse** *vpr* s'industrialiser.
INE ['ine] (*ESP*) *sigla m* (= *Instituto Nacional de Estadística*) ≈ INSEE *m* (= *Institut national de la statistique et des études économiques*).
inédito, -a [i'neðito, a] *adj* inédit(e).
inefable [ine'faßle] *adj* ineffable.
ineficacia [inefi'kaθja] *nf* inefficacité *f*.
ineficaz [inefi'kaθ] *adj* (*medida, medicamento*) inefficace; (*persona*) peu efficace.
ineficazmente [inefi'kaθmente] *adv* inefficacement.
ineludible [inelu'ðißle] *adj* incontournable.
INEM ['inem] (*ESP*) *sigla m* (= *Instituto Nacional de Empleo*) ≈ ANPE *f* (= *Agence nationale pour l'emploi*).
INEN ['inen] (*MÉX*) *sigla m* = *Instituto Nacional de Energía Nuclear*.
inenarrable [inena'rraßle] *adj* indescriptible.
ineptitud [inepti'tuð] *nf* ineptie *f*.
inepto, -a [i'nepto, a] *adj* inepte ♦ *nm/f* incapable *m/f*.
inequívoco, -a [ine'kißoko, a] *adj* clair(e).
inercia [i'nerθja] *nf* inertie *f*; **por ~** (*fig*) par habitude.

inerme [i'nerme] *adj* (*sin armas*) désarmé(e); (*indefenso*) sans défense.
inerte [i'nerte] *adj* inerte.
inescrutable [ineskru'taßle] *adj* insondable.
inesperadamente [inespe'raðamente] *adv* de manière inattendue.
inesperado, -a [inespe'raðo, a] *adj* inattendu(e).
inestabilidad [inestaßili'ðað] *nf* instabilité *f*.
inestable [ines'taßle] *adj* instable.
inestimable [inesti'maßle] *adj* inestimable; **de valor ~** d'une valeur inestimable.
inevitable [ineßi'taßle] *adj* inévitable.
inevitablemente [ineßi'taßlemente] *adv* inévitablement.
inexactitud [ineksakti'tuð] *nf* inexactitude *f*.
inexacto, -a [inek'sakto, a] *adj* inexact(e).
inexistente [ineksis'tente] *adj* inexistant(e).
inexorable [inekso'raßle] *adj* inexorable.
inexorablemente [inekso'raßlemente] *adv* inexorablement.
inexperiencia [inekspe'rjenθja] *nf* inexpérience *f*.
inexperto, -a [ineks'perto, a] *adj* inexpérimenté(e).
inexplicable [inekspli'kaßle] *adj* inexplicable.
inexpresable [inekspre'saßle] *adj* inexprimable.
inexpresivo, -a [inekspre'sißo, a] *adj* inexpressif(-ive).
inexpugnable [inekspuɣ'naßle] *adj* (*MIL*) inexpugnable; (*fig*) inébranlable.
infalible [infa'lißlo] *adj* infaillible.
infaliblemente [infa'lißlemente] *adv* infailliblement.
infame [in'fame] *adj* infâme.
infamia [in'famja] *nf* infamie *f*.
infancia [in'fanθja] *nf* enfance *f*; **jardín de la ~** jardin *m* d'enfants.
infanta [in'fanta] *nf* infante *f*.
infante [in'fante] *nm* infant *m*.
infantería [infante'ria] *nf* infanterie *f*; ► **infantería de marina** infanterie de marine.
infantil [infan'til] *adj* (*programa, juego*) pour les enfants; (*población*) enfantin(e); (*pey*) puéril(e).
infarto [in'farto] *nm* (*tb: ~ de miocardio*) infarctus *msg*.
infatigable [infati'ɣaßle] *adj* infatigable.
infección [infek'θjon] *nf* infection *f*.
infeccioso, -a [infek'θjoso, a] *adj* (*MED*) infectieux(-euse); (*fig*) contagieux(-euse).
infectar [infek'tar] *vt* infecter; **infectarse** *vpr* s'infecter.
infecundidad [infekundi'ðað] *nf* infécondité *f*.

infecundo, -a [infe'kundo, a] *adj* infécond(e).

infeliz [infe'liθ] *adj, nm/f* malheureux(-euse).

inferior [infe'rjor] *adj, nm/f* inférieur(e); ~ **(a)** inférieur(e) (à); **un número ~ a 9** un chiffre inférieur à 9; **una cantidad ~** une quantité moindre.

inferioridad [inferjori'ðað] *nf* infériorité *f*; **complejo de ~** complexe *m* d'infériorité; **estar en ~ de condiciones** être désavantagé(e).

inferir [infe'rir] *vt* inférer; *(herida)* infliger.

infernal [infer'nal] *adj* infernal(e).

infértil [in'fertil] *adj* infertile.

infestar [infes'tar] *vt* infester.

infidelidad [infiðeli'ðað] *nf* infidélité *f*; **~es** *nfpl (adulterios)* infidélités *fpl*; ▶ **infidelidad conyugal** infidélité conjugale.

infiel [in'fjel] *adj, nm/f* infidèle *m/f*.

infiera *etc* [in'fjera] *vb* V **inferir**.

infierno [in'fjerno] *nm* (REL) enfer *m*; **ser un ~** *(fig)* être un enfer; **¡vete al ~!** vat'en au diable!; **está en el quinto ~** il est à l'autre bout du monde.

infiltrar [infil'trar] *vt* infiltrer; **infiltrarse** *vpr* s'infiltrer.

ínfimo, -a ['infimo, a] *adj* infime.

infinidad [infini'ðað] *nf*: **una ~ de** une infinité de; **una ~ de veces** un nombre incalculable de fois.

infinitamente [infi'nitamente] *adv* infiniment.

infinitivo [infini'tiβo] *nm* infinitif *m*.

infinito, -a [infi'nito, a] *adj* infini(e) ♦ *adv* infiniment ♦ *nm (tb MAT)* infini *m*; **hasta lo ~** jusqu'à l'infini.

infiriendo *etc* [infi'rjendo] *vb* V **inferir**.

inflable [in'flaβle] *adj* gonflable.

inflación [infla'θjon] *nf* (ECON) inflation *f*.

inflacionario, -a [inflaθjo'narjo, a] *adj* inflationniste.

inflacionismo [inflaθjo'nismo] *nm* tendance *f* inflationniste.

inflacionista [inflaθjo'nista] *adj* inflationniste.

inflamación [inflama'θjon] *nf* inflammation *f*.

inflamar [infla'mar] *vt* enflammer; **inflamarse** *vpr* s'enflammer; *(hincharse)* s'enfler.

inflar [in'flar] *vt* gonfler; *(fig)* exagérer; **inflarse** *vpr* s'enfler; **~se de** *(chocolate etc)* se bourrer de.

inflexibilidad [infleksiβili'ðað] *nf* inflexibilité *f*.

inflexible [inflek'siβle] *adj (material)* indéformable; *(persona)* inflexible.

inflexiblemente [inflek'siβlemente] *adv* inflexiblement.

infligir [infli'xir] *vt* infliger.

inflija *etc* [in'flixa] *vb* V **infligir**.

influencia [in'flwenθja] *nf* influence *f*.

influenciar [inflwen'θjar] *vt* influencer.

influir [influ'ir] *vt* influencer ♦ *vi* agir; **~ en** *o* **sobre** influer sur, influencer.

influjo [in'fluxo] *nm* influence *f*; ▶ **influjo de capitales** afflux *msg* de capitaux.

influyendo *etc* [influ'jendo] *vb* V **influir**.

influyente [influ'jente] *adj* influent(e).

información [informa'θjon] *nf (sobre un asunto, INFORM)* information *f*; *(noticias, informe)* informations *fpl*; *(JUR)* enquête *f*; **l~** *(oficina, TELEC)* Renseignements *mpl*; *(mostrador)* Information; **abrir una ~** *(JUR)* ouvrir une enquête; ▶ **información deportiva** nouvelles *fpl* sportives.

informador, a [informa'ðor, a] *nm/f* informateur(-trice).

informal [infor'mal] *adj (persona)* peu sérieux(-euse); *(estilo, lenguaje)* informel(le).

informalmente [infor'malmente] *adv* de manière informelle.

informante [infor'mante] *nm/f* informateur(-trice).

informar [infor'mar] *vt* informer; *(dar forma a)* donner forme à ♦ *vi (dar cuenta de)*: **~ de/sobre** informer de/sur; **informarse** *vpr*: **~se (de)** s'informer (de); **~ (contra)** *(JUR)* plaider (contre); **(les) informó que ...** il (les) a informé(s) que ... .

informática [infor'matika] *nf* informatique *f*; ▶ **informática de gestión** informatique de gestion.

informatice *etc* [informa'tiθe] *vb* V **informatizar**.

informático, -a [infor'matiko, a] *adj* informatique.

informativo, -a [informa'tiβo, a] *adj (programa, artículo)* d'information ♦ *nm (RADIO, TV)* journal *m*.

informatización [informatiθa'θjon] *nf* informatisation *f*.

informatizar [informati'θar] *vt* informatiser.

informe [in'forme] *adj* informe ♦ *nm* rapport *m*; *(JUR)* plaidoyer *m*; **~s** *nmpl (referencias)* références *fpl*; ▶ **informe anual** rapport annuel.

infortunio [infor'tunjo] *nm* infortune *f*.

infracción [infrak'θjon] *nf* infraction *f*.

infractor, a [infrak'tor, a] *nm/f* contrevenant *m/f*.

infraestructura [infraestruk'tura] *nf* infrastructure *f*.

in fraganti [infra'ɣanti] *adv*: **pillar a algn ~** prendre qn sur le fait.

infrahumano, -a [infrau'mano, a] *adj* misérable.

infranqueable [infranke'aβle] *adj* infranchissable.

infrarrojo, -a [infra'rroxo, a] adj infrarouge.

infravalorar [infraβalo'rar] vt sous-estimer.

infrecuente [infre'kwente] adj peu fréquent(e).

infringir [infrin'xir] vt transgresser.

infrinja etc [in'frinxa] vb V **infringir**.

infructuosamente [infruk'twosamente] adv infructueusement.

infructuoso, -a [infruk'twoso, a] adj infructueux(-euse).

infundado, -a [infun'daðo, a] adj peu fondé(e).

infundir [infun'dir] vt: ~ ánimo o valor insuffler du courage; ~ respeto inspirer le respect; ~ miedo inspirer de la crainte.

infusión [infu'sjon] nf infusion f; ▶ **infusión de manzanilla** infusion de camomille.

Ing. (MÉX) abr (= Ingeniero) titre de courtoisie.

ing. (MÉX) abr (= ingeniero) titre de courtoisie.

ingeniar [inxe'njar] vt inventer; **ingeniarse** vpr: ~se o ingeniárselas para hacer se débrouiller pour faire.

ingeniería [inxenje'ria] nf ingénierie f; ▶ **ingeniería de sistemas** (INFORM) développement m de systèmes.

ingeniero, -a [inxe'njero, a] nm/f ingénieur m; (esp MÉX: título de cortesía: tb: I~) Monsieur(Madame); ▶ **ingeniero agrónomo** ingénieur agronome; ▶ **ingeniero de caminos** ingénieur des travaux publics; ▶ **ingeniero de montes** ingénieur des Eaux et Forêts; ▶ **ingeniero de sonido** ingénieur du son; ▶ **ingeniero naval** ingénieur des constructions navales.

ingenio [in'xenjo] nm génie m; (TEC) engin m; **aguzar el** ~ faire travailler sa matière grise; ▶ **ingenio azucarero** raffinerie f de sucre.

ingeniosamente [inxe'njosamente] adv ingénieusement.

ingenioso, -a [inxe'njoso, a] adj (hábil) ingénieux(-euse); (divertido) spirituel(le).

ingente [in'xente] adj (cantidad) considérable.

ingenuamente [in'xenwamente] adv candidement.

ingenuidad [inxenwi'ðað] nf ingénuité f.

ingenuo, -a [in'xenwo, a] adj ingénu(e).

ingerir [inxe'rir] vt ingérer.

ingiera etc [in'xjera], **ingiriendo** etc [inxi'rjendo] vb V **ingerir**.

Inglaterra [ingla'terra] nf Angleterre f.

ingle ['ingle] nf aine f.

inglés, -esa [in'gles, esa] adj anglais(e) ♦ nm/f Anglais(e) ♦ nm (LING) anglais msg.

ingratitud [ingrati'tuð] nf ingratitude f.

ingrato, -a [in'grato, a] adj ingrat(e).

ingravidez [ingraβi'ðeθ] nf apesanteur f.

ingrediente [ingre'ðjente] nm ingrédient m; ~s nmpl (AM) tapas fpl.

ingresar [ingre'sar] vt (dinero) déposer; (enfermo) faire entrer ♦ vi: ~ (en) (en facultad, escuela) être admis(e) (à); (en club etc) s'inscrire (à); (en ejército) entrer (dans); (en hospital) entrer à; ~ a (esp AM) rentrer dans.

ingreso [in'greso] nm admission f; (en ejército) entrée f; ~s nmpl (dinero) revenus mpl; (: COM) recettes fpl; ~ gravable revenu imposable; ~s accesorios avantages mpl en nature; ~s brutos revenus bruts; ~s devengados revenus salariaux; ~s exentos de impuestos revenus non imposables; ~s personales disponibles revenus disponibles.

íngrimo, -a ['ingrimo, a] (esp AM) adj seul(e); ~ y solo tout seul.

inhábil [i'naβil] adj (día) non ouvrable.

inhabilitar [inaβili'tar] vt: ~ a algn para déclarer qn inapte à.

inhabitable [inaβi'taβle] adj inhabitable.

inhalador [inala'ðor] nm inhalateur m.

inhalar [ina'lar] vt inhaler.

inherente [ine'rente] adj: ~ a inhérent(e) à.

inhibición [iniβi'θjon] nf inhibition f.

inhibir [ini'βir] vt (MED) inhiber; **inhibirse** vpr: ~se (de hacer) s'abstenir (de faire).

inhospitalario, -a [inospita'larjo, a] adj (persona) peu accueillant(e); (lugar) inhospitalier(-ère).

inhóspito, -a [i'nospito, a] adj inhospitalier(-ère).

inhumación [inuma'θjon] nf inhumation f.

inhumano, -a [inu'mano, a] adj inhumain(e).

INI ['ini] sigla m (= Instituto Nacional de Industria) institut gouvernemental d'aide à l'industrie.

iniciación [iniθja'θjon] nf (comienzo) commencement m; (en doctrina, rito) initiation f.

inicial [ini'θjal] adj initial(e); (letra) premier(-ère) ♦ nf initiale f.

inicialice etc [iniθja'liθe] vb V **inicializar**.

inicializar [iniθjali'θar] vt (INFORM) initialiser.

inicialmente [ini'θjalmente] adv initialement.

iniciar [ini'θjar] vt commencer; ~ (en) (persona) initier (à); ~ a algn en un secreto mettre qn dans le secret; ~ la sesión (INFORM) ouvrir la session.

iniciativa [iniθja'tiβa] nf initiative f; la ~ privada l'initiative privée; por ~ propia de sa *etc* propre initiative; **tomar la ~** prendre l'initiative.

inicio [i'niθjo] *nm* début *m*.

inicuo, -a [i'nikwo, a] *adj* vil(e).

inigualable [iniɣwalaßle] *adj* inégalable.

inimitable [inimi'taßle] *adj* inimitable.

ininteligible [ininteli'xißle] *adj* inintelligible.

ininterrumpidamente [ininterrum'piðamente] *adv* sans interruption.

ininterrumpido, -a [ininterrum'piðo, a] *adj* ininterrompu(e).

injerencia [inxe'renθja] *nf* ingérence *f*.

injertar [inxer'tar] *vt* greffer.

injerto [in'xerto] *nm* greffe *f*; (*producto*) greffon *m*; ► **injerto de piel** greffe de la peau.

injuria [in'xurja] *nf* injure *f*.

injuriar [inxu'rjar] *vt* injurier.

injurioso, -a [inxu'rjoso, a] *adj* injurieux(-euse).

injustamente [in'xustamente] *adv* injustement.

injusticia [inxus'tiθja] *nf* injustice *f*; **con ~** injustement.

injusto, -a [in'xusto, a] *adj* injuste.

inmaculado, -a [inmaku'laðo, a] *adj* immaculé(e).

inmadurez [inmaðu'reθ] *nf* immaturité *f*.

inmaduro, -a [inma'ðuro, a] *adj* immature; (*fruta*) vert(e).

inmediaciones [inmeðja'θjones] *nfpl* environs *mpl*.

inmediatamente [inme'ðjatamente] *adv* immédiatement.

inmediato, -a [inme'ðjato, a] *adj* immédiat(e); (*contiguo*) contigu(ë); **~ a** contigu(ë) à; **de ~** (*esp AM*) tout de suite.

inmejorable [inmexo'raßle] *adj* excellent(e).

inmemorable [inmemo'raßle] *adj* = **inmemorial**.

inmemorial [inmemo'rjal] *adj* immémorial(e).

inmensamente [in'mensamente] *adv* (*muy*) immensément; (*mucho*) infiniment.

inmensidad [inmensi'ðað] *nf* immensité *f*.

inmenso, -a [in'menso, a] *adj* immense.

inmerecido, -a [inmere'θiðo, a] *adj* (*críticas*) injustifié(e); (*premio*) immérité(e).

inmersión [inmer'sjon] *nf* immersion *f*.

inmerso, -a [in'merso, a] *adj*: **~ en** immergé(e) dans.

inmigración [inmiɣra'θjon] *nf* immigration *f*.

inmigrante [inmi'ɣrante] *adj, nm/f* immigrant(e).

inminencia [inmi'nenθja] *nf* imminence *f*.

inminente [inmi'nente] *adj* imminent(e).

inmiscuirse [inmisku'irse] *vpr*: **~ (en)** s'immiscer (dans).

inmiscuyendo *etc* [inmisku'jendo] *vb* V **inmiscuirse**.

inmobiliaria [inmoßi'ljarja] *nf* (*tb*: **agencia ~**) agence *f* immobilière.

inmobiliario, -a [inmoßi'ljarjo, a] *adj* immobilier(-ère).

inmolar [inmo'lar] *vt* immoler.

inmoral [inmo'ral] *adj* immoral(e).

inmoralidad [inmorali'ðað] *nf* immoralité *f*.

inmortal [inmor'tal] *adj* immortel(le).

inmortalice *etc* [inmorta'liθe] *vb* V **inmortalizar**.

inmortalizar [inmortali'θar] *vt* immortaliser.

inmotivado, -a [inmoti'ßaðo, a] *adj* non fondé(e).

inmóvil [in'moßil] *adj* immobile.

inmovilizar [inmoßili'θar] *vt* immobiliser; (*brazo, pierna*) paralyser; **inmovilizarse** *vpr*: **se le ha inmovilizado la pierna** il a eu la jambe paralysée.

inmueble [in'mweßle] *adj*: **bienes ~s** biens *mpl* immeubles ♦ *nm* immeuble *m*.

inmundicia [inmun'diθja] *nf* saleté *f*.

inmundo, -a [in'mundo, a] *adj* (*lugar*) immonde; (*lenguaje*) vulgaire.

inmune [in'mune] *adj*: **~ (a)** immunisé(e) (contre).

inmunidad [inmuni'ðað] *nf* immunité *f*; ► **inmunidad diplomática/parlamentaria** immunité diplomatique/parlementaire.

inmunización [inmuniθa'θjon] *nf* immunisation *f*.

inmunizar [inmuni'θar] *vt* immuniser.

inmunológico, -a [inmuno'loxiko, a] *adj* (*MED*) immunologique.

inmutable [inmu'taßle] *adj* immuable; **permanecer ~** (*persona*) demeurer inébranlable.

inmutarse [inmu'tarse] *vpr* se troubler; **siguió sin ~** il poursuivit sans se troubler le moins du monde.

innato, -a [in'nato, a] *adj* inné(e).

innecesariamente [inneθe'sarjamente] *adv* pas nécessairement.

innecesario, -a [inneθe'sarjo, a] *adj* pas nécessaire.

innegable [inne'ɣaßle] *adj* indéniable; **es ~ que ...** il est indéniable que ... .

innoble [in'noßle] *adj* ignoble.

innovación [innoßa'θjon] *nf* innovation *f*.

innovador, a [innoßa'ðor, a] *adj, nm/f* innovateur(-trice).

innovar [inno'ßar] *vi* innover.

innumerable [innume'raßle] *adj* incalculable.

inocencia [ino'θenθja] *nf* innocence *f*.

inocentada [inoθen'taða] *nf* (*broma*) ≈

poisson *m* d'avril; **gastar una ~ a algn** ≈ faire un poisson d'avril à qn.

inocente [ino'θente] *adj, nm/f* innocent(e); **día de los (Santos) I~s** jour *m* des (saints) Innocents.

inocentemente [ino'θentemente] *adv* innocemment.

inocuidad [inokwi'ðað] *nf* innocuité *f*.

inoculación [inokula'θjon] *nf* inoculation *f*.

inocular [inoku'lar] *vt* inoculer.

inocuo, -a [i'nokwo, a] *adj* inoffensif(-ive).

inodoro, -a [ino'ðoro, a] *adj* inodore ♦ *nm* cabinet *m*

inofensivo, -a [inofen'siβo, a] *adj* inoffensif(-ive).

inolvidable [inolβi'ðaβle] *adj* inoubliable.

inoperante [inope'rante] *adj* inopérant(e).

inopia [i'nopja] *nf*: **estar en la ~** (*fig*) être dans la lune.

inopinadamente [inopi'naðamente] *adv* inopinément.

inopinado, -a [inopi'naðo, a] *adj* inopiné(e).

inoportuno, -a [inopor'tuno, a] *adj* inopportun(e).

inoxidable [inoksi'ðaβle] *adj* inoxydable; **acero ~** acier *m* inoxydable.

inquebrantable [inkeβran'taβle] *adj* (*fe*) inébranlable; (*promesa*) solennel(le).

inquiera *etc* [in'kjera] *vb* V **inquirir**.

inquietante [inkje'tante] *adj* inquiétant(e).

inquietar [inkje'tar] *vt* inquiéter; **inquietarse** *vpr* s'inquiéter.

inquieto, -a [in'kjeto, a] *adj* inquiet(-ète); (*niño*) turbulent(e); **estar ~ por** être inquiet(-ète) de.

inquietud [inkje'tuð] *nf* inquiétude *f*; (*agitación*) dissipation *f*.

inquilinato [inkili'nato] *nm* loyer *m*.

inquilino, -a [inki'lino, a] *nm/f* locataire *m/f*; (*COM*) preneur(-euse) à bail.

inquina [in'kina] *nf* aversion *f*; (*rencor*) rancœur *f*; **tener ~ a algn** éprouver de l'aversion pour qn.

inquiriendo *etc* [inki'rjendo] *vb* V **inquirir**.

inquirir [inki'rir] *vt* s'enquérir de.

inquisidor, a [inkisi'ðor] *adj* inquisiteur(-trice).

insaciable [insa'θjaβle] *adj* insatiable.

insaciablemente [insa'θjaβlemente] *adv* insatiablement.

insalubre [insa'luβre] *adj* insalubre.

INSALUD [in'saluð] (*ESP*) *sigla m* (= *Instituto Nacional de la Salud*) branche de la Sécurité sociale ne s'occupant que de l'assistance médicale.

insano, -a [in'sano, a] *adj* malsain(e).

insatisfacción [insatisfak'θjon] *nf* mécontentement *m*.

insatisfecho, -a [insatis'fetʃo, a] *adj* insa-

tisfait(e); (*descontento*) mécontent(e).

inscribir [inskri'βir] *vt* inscrire; **inscribirse** *vpr* (*ESCOL etc*) s'inscrire.

inscripción [inskrip'θjon] *nf* inscription *f*.

inscrito [ins'krito] *pp de* **inscribir**.

insecticida [insekti'θiða] *nm* insecticide *m*.

insecto [in'sekto] *nm* insecte *m*.

inseguridad [inseɣuri'ðað] *nf* insécurité *f*; (*inestabilidad*) instabilité *f*; (*de carácter*) manque *m* de confiance; (*indecisión*) indécision *f*; ► **inseguridad ciudadana** insécurité urbaine.

inseguro, -a [inse'ɣuro, a] *adj* incertain(e); (*persona*) pas sûr(e) de soi; (*lugar*) peu sûr(e); (*terreno*) instable; (*escalera*) branlant(e); **sentirse ~** ne pas se sentir en sécurité.

inseminación [insemina'θjon] *nf*: **~ artificial** insémination *f* artificielle.

insensatez [insensa'teθ] *nf* (*de persona, decisión*) manque *m* de bon sens; (*tontería*) absurdité *f*.

insensato, -a [insen'sato, a] *adj* insensé(e).

insensibilice *etc* [insensiβi'liθe] *vb* V **insensibilizar**.

insensibilidad [insensiβili'ðað] *nf* insensibilité *f*.

insensibilizar [insensiβili'θar] *vt* insensibiliser; **insensibilizarse** *vpr*: **~se a** (*a sufrimiento*) demeurer insensible à.

insensible [insen'siβle] *adj* insensible.

insensiblemente [insen'siβlemente] *adv* insensiblement.

inseparable [insepa'raβle] *adj* inséparable.

inserción [inser'θjon] *nf* insertion *f*.

INSERSO [in'serso] *sigla m* (= *Instituto Nacional de Servicios Sociales*) branche du ministère des Affaires sociales qui s'occupe de l'assistance au troisième âge.

insertar [inser'tar] *vt* insérer; **insertarse** *vpr*: **~se en** s'insérer dans.

inservible [inser'βiβle] *adj* inutilisable.

insidia [in'siðja] *nf* fourberie *f*.

insidioso, -a [insi'ðjoso, a] *adj* insidieux(-euse); (*persona*) fourbe.

insigne [in'siɣne] *adj* insigne.

insignia [in'siɣnja] *nf* (*emblema*) insigne *m*; (*estandarte*) enseigne *f*; **buque ~** vaisseau *m* amiral.

insignificante [insiɣnifi'kante] *adj* insignifiant(e).

insinuación [insinwa'θjon] *nf* insinuation *f*.

insinuar [insi'nwar] *vt* insinuer; **insinuarse** *vpr*: **él se me insinuó** il me fit des avances.

insípido, -a [in'sipiðo, a] *adj* insipide.

insistencia [insis'tenθja] *nf* insistance *f*; **con ~** avec insistance.

insistente [insis'tente] *adj* insistant(e).

insistentemente [insis'tentemente] *adv*

avec insistance.

insistir [insis'tir] *vi*: ~ **(en)** insister (sur).

insobornable [insoβor'naβle] *adj* incorruptible.

insociable [inso'θjaβle] *adj* insociable.

insolación [insola'θjon] *nf* insolation *f*.

insolencia [inso'lenθja] *nf* insolence *f*.

insolentarse [insolen'tarse] *vpr*: ~ **con algn** se montrer insolent(e) envers qn.

insolente [inso'lente] *adj* insolent(e).

insolentemente [inso'lentemente] *adv* avec insolence.

insólito, -a [in'solito, a] *adj* insolite.

insoluble [inso'luβle] *adj* (*problema*) insoluble; ~ **(en)** (*sustancia*) insoluble (dans).

insolvencia [insol'βenθja] *nf* (*COM*) insolvabilité *f*.

insomne [in'somne] *adj* insomniaque.

insomnio [in'somnjo] *nm* insomnie *f*.

insondable [inson'daβle] *adj* insondable.

insonorización [insonoriθa'θjon] *nf* insonorisation *f*.

insonorizar [insonori'θar] *vt* insonoriser.

insoportable [insopor'taβle] *adj* insupportable.

insoslayable [insosla'jaβle] *adj* incontournable.

insospechado, -a [insospe'tʃaðo, a] *adj* insoupçonné(e).

insostenible [insoste'niβle] *adj* insoutenable.

inspección [inspek'θjon] *nf* inspection *f*; **l~** inspection.

inspeccionar [inspekθjo'nar] *vt* inspecter; (*INFORM*) contrôler.

inspector, a [inspek'tor, a] *nm/f* inspecteur(-trice).

inspectorado [inspekto'raðo] *nm* inspectorat *m*.

inspiración [inspira'θjon] *nf* inspiration *f*; **de** ~ **clásica/romántica** d'inspiration classique/romantique.

inspirador, a [inspira'ðor, a] *adj* inspirateur(-trice).

inspirar [inspi'rar] *vt* inspirer; **inspirarse** *vpr*: ~**se en** s'inspirer de.

instalación [instala'θjon] *nf* installation *f*; **instalaciones** *nfpl* (*de centro deportivo, hotel*) installations *fpl*; ▶ **instalación eléctrica** installation électrique.

instalar [insta'lar] *vt* installer; **instalarse** *vpr* s'installer.

instancia [ins'tanθja] *nf* instance *f*; **a ~s de** à la requête de; **en última ~** en dernier ressort.

instantánea [instan'tanea] *nf* instantané *m*.

instantáneamente [instan'taneamente] *adv* instantanément.

instantáneo, -a [instan'taneo, a] *adj* instantané(e); **café** ~ café *m* instantané.

instante [ins'tante] *nm* instant *m*; **a cada** ~ à tout instant; **al** ~ à l'instant; **en un** ~ en un instant.

instar [ins'tar] *vt*: ~ **a algn a hacer** *o* **para que haga** prier instamment qn de faire.

instauración [instaura'θjon] *nf* instauration *f*.

instaurar [instau'rar] *vt* instaurer.

instigador, a [instiɣa'ðor, a] *nm/f* instigateur(-trice); ▶ **instigador de un delito** (*JUR*) instigateur d'un délit.

instigar [insti'ɣar] *vt*: ~ **a algn a (hacer)** inciter qn à (faire).

instigue *etc* [ins'tiɣe] *vb* V **instigar**.

instintivamente [instin'tiβamente] *adv* instinctivement.

instintivo, -a [instin'tiβo, a] *adj* instinctif(-ive).

instinto [ins'tinto] *nm* instinct *m*; **por** ~ d'instinct; ▶ **instinto de conservación** instinct de conservation; ▶ **instinto maternal/sexual** instinct maternel/sexuel.

institución [institu'θjon] *nf* institution *f*; **instituciones** *nfpl* (*de un país*) institutions *fpl*; ~ **benéfica** société *f* de bienfaisance.

institucional [instituθjo'nal] *adj* institutionnel(le).

instituir [institu'ir] *vt* instituer.

instituto [insti'tuto] *nm* (*ESCOL*) lycée *m*; (*de investigación, cultural etc*) institut *m*; **l~ de Bachillerato** (*ESP*) lycée.

institutriz [institu'triθ] *nf* préceptrice *f*.

instituyendo *etc* [institu'jendo] *vb* V **instituir**.

instrucción [instruk'θjon] *nf* instruction *f*; (*DEPORTE*) entraînement *m*; (*INFORM*) instruction; **instrucciones** *nfpl* (*normas de uso, órdenes*) instructions *fpl*; ▶ **instrucciones de funcionamiento** (*INFORM*) guide *m* de l'utilisateur; ▶ **instrucción del sumario** (*JUR*) instruction.

instructivo, -a [instruk'tiβo, a] *adj* instructif(-ive).

instruido, -a [instru'iðo, a] *adj* instruit(e).

instruir [instru'ir] *vt* (*tb JUR*) instruire.

instrumento [instru'mento] *nm* instrument *m*; (*COM*) effet *m*; ▶ **instrumento de cuerda/de percusión/de viento** instrument à cordes/à percussion/à vent.

instruyendo *etc* [instru'jendo] *vb* V **instruir**.

insubordinación [insuβorðina'θjon] *nf* insubordination *f*.

insubordinarse [insuβorði'narse] *vpr*: ~ **(contra)** se rebeller (contre).

insuficiencia [insufi'θjenθja] *nf* insuffisance *f*; ▶ **insuficiencia cardíaca/renal** insuffisance cardiaque/rénale.

insuficiente [insufi'θjente] *adj* insuffisant(e) ♦ *nm* (*ESCOL*) note *f* inférieure à

la moyenne.
insufrible [insu'friβle] *adj* = **insoportable**.
insular [insu'lar] *adj* insulaire.
insulina [insu'lina] *nf* insuline *f*.
insulso, -a [in'sulso] *adj* (*comida, persona*) fade, insipide; (*novela, película*) insipide, ennuyeux(-euse).
insultante [insul'tante] *adj* insultant(e).
insultar [insul'tar] *vt* insulter.
insulto [in'sulto] *nm* insulte *f*.
insumisión [insumi'sjon] *nf* (*ESP: POL*) *refus de faire le service militaire et d'être objecteur de conscience*.
insumiso, -a [insu'miso, a] *adj* insoumis(e) ♦ *nm* (*ESP: MIL*) *personne qui refuse de faire le service militaire et d'être objecteur de conscience*; **~s** *nmpl* (esp *MÉX: ECON*) recettes *fpl*.
insuperable [insupe'raβle] *adj* (*excelente*) incomparable; (*invencible*) insurmontable.
insurgente [insur'xente] *adj, nm/f* insurgé(e).
insurrección [insurrek'θjon] *nf* insurrection *f*.
insustituible [insusti'twiβle] *adj* irremplaçable.
intachable [inta'tʃaβle] *adj* irréprochable.
intacto, -a [in'takto, a] *adj* intact(e).
intangible [intan'xiβle] *adj* intangible.
integrado, -a [inte'ɣraðo, a] *adj* (*INFORM*): **circuito ~** circuit *m* intégré.
integral [inte'ɣral] *adj* intégral(e); (*idiota*) parfait(e); **pan ~** pain *m* complet.
íntegramente ['inteɣramente] *adv* intégralement.
integrante [inte'ɣrante] *adj* intégrant(e) ♦ *nm/f* (*de equipo*) membre *m/f*; (*de conjunto*) composant(e).
integrar [inte'ɣrar] *vt* composer; (*MAT*) intégrer; **integrarse** *vpr* s'intégrer.
integridad [inteɣri'ðað] *nf* intégrité *f*; **en su ~** dans son intégralité.
íntegro, -a ['inteɣro, a] *adj* intègre; (*texto*) intégral(e).
intelecto [inte'lekto] *nm* intellect *m*.
intelectual [intelek'twal] *adj, nm/f* intellectuel(le).
intelectualidad [intelektwali'ðað] *nf* intelligentsia *f*.
inteligencia [inteli'xenθja] *nf* intelligence *f*; ► **inteligencia artificial** intelligence artificielle.
inteligente [inteli'xente] *adj* intelligent(e).
inteligible [inteli'xiβle] *adj* intelligible.
intemperancia [intempe'ranθja] *nf* intempérance *f*.
intemperie [intem'perje] *nf* intempérie *f*; **a la ~** sans abri.
intempestivamente [intempes'tiβamente]
adv intempestivement.
intempestivo, -a [intempes'tiβo, a] *adj* intempestif(-ive).
intención [inten'θjon] *nf* intention *f*; **con segundas intenciones** avec des intentions cachées; **con ~** à dessein, intentionnellement; **buena/mala ~** bonne/mauvaise intention; **de buena/mala ~** bien/mal intentionné(e).
intencionadamente [intenθjo'naðamente] *adv* intentionnellement.
intencionado, -a [intenθjo'naðo, a] *adj* intentionnel(le); **bien/mal ~** bien/mal intentionné(e).
intendencia [inten'denθja] *nf* (*MIL*) intendance *f*; (: *tb*: **cuerpo de ~**) Intendance.
intendente [inten'dente] *nm* (*CSUR: alcalde*) gouverneur *m*, maire *m*; (*CHI*) gouverneur (*d'une province*); (*MÉX*) inspecteur *m* de police.
intensamente [in'tensamente] *adv* intensément.
intensidad [intensi'ðað] *nf* intensité *f*; **llover con ~** pleuvoir dru.
intensificación [intensifika'θjon] *nf* intensification *f*.
intensificar [intensifi'kar] *vt* intensifier; **intensificarse** *vpr* s'intensifier.
intensifique *etc* [intensi'fike] *vb* V **intensificar**.
intensivamente [inten'siβamente] *adv* intensivement.
intensivo, -a [inten'siβo, a] *adj* intensif(-ive); **curso ~** cours *m* intensif.
intenso, -a [in'tenso, a] *adj* intense.
intentar [inten'tar] *vt*: **~ (hacer)** essayer o tenter de (faire).
intento [in'tento] *nm* essai *m*, tentative *f*; (*propósito*) intention *f*; **al primer/segundo ~** à la première/seconde tentative.
intentona [inten'tona] *nf* tentative *f*; ► **intentona golpista** (*POL*) tentative *f* de coup d'Etat.
interacción [interak'θjon] *nf* interaction *f*.
interaccionar [interakθjo'nar] *vi* interagir.
interactivo, -a [interak'tiβo, a] *adj* (*INFORM*) interactif(-ive).
intercalación [interkala'θjon] *nf* intercalation *f*.
intercalar [interka'lar] *vt* intercaler.
intercambiable [interkam'bjaβle] *adj* interchangeable.
intercambio [inter'kambjo] *nm* échange *m*.
interceder [interθe'ðer] *vi*: **~ (por)** intercéder (en faveur de).
interceptar [interθep'tar] *vt* intercepter; (*tráfico*) entraver.
interceptor [interθep'tor] *nm* (*TEC*) intercepteur *m*.
intercesión [interθe'sjon] *nf* intercession *f*.

intercontinental [interkontinen'tal] *adj* intercontinental(e).

interdicto [inter'ðikto] *nm (JUR)* interdit *m*.

interdisciplinario, -a [interðisθipli'narjo, a] *adj* interdisciplinaire.

interés [inte'res] *nm* intérêt *m*; **intereses** *nmpl (dividendos, aspiraciones)* intérêts *mpl*; *(patrimonio)* biens *mpl*; **con un ~ de 9 por ciento** à 9 pour cent d'intérêt; **dar a ~** prêter à *o* avec intérêt; **devengar ~** rapporter un intérêt; **sentir/tener ~ en** éprouver/avoir de l'intérêt pour; **tipo de ~** *(COM)* taux *msg* d'intérêt; ► **intereses acumulados** intérêts cumulés; ► **interés compuesto/simple** intérêt composé/simple; ► **intereses creados** coalition *f* d'intérêts; ► **intereses por cobrar/por pagar** intérêts à percevoir/à verser; ► **interés propio** intérêt personnel.

interesadamente [intere'saðamente] *adv (por propio interés)* de façon intéressée.

interesado, -a [intere'saðo, a] *adj, nm/f* intéressé(e); **~ en/por** intéressé(e) par.

interesante [intere'sante] *adj* intéressant(e); **hacerse el/la ~** faire l'intéressant(e).

interesar [intere'sar] *vt* intéresser; *(MED)* affecter ♦ *vi* être intéressant(e); **interesarse** *vpr:* **~se en** *o* **por** s'intéresser à; **no me interesan los toros** les courses de taureaux ne m'intéressent pas.

interestatal [interesta'tal] *adj* interétatique.

interface [inter'faθe] *nm (INFORM)* interface *f*; **~ hombre/máquina/por menús** interface homme/machine/par menus.

interfase [inter'fase] *nm* = **interface**.

interfaz [inter'faθ] *nm* = **interface**.

interferencia [interfe'renθja] *nf (RADIO, TV, TELEC)* interférence *f*; **~ (en)** *(injerencia)* ingérence *f* (dans).

interferir [interfe'rir] *vt (TELEC)* brouiller ♦ *vi (persona)* **~ (en)** s'immiscer (dans).

interfiera *etc* [inter'fjera], **interfiriendo** *etc* [interfi'rjendo] *vb* V **interferir**.

interfono [inter'fono] *nm* interphone *m*.

ínterin ['interin] *adv:* **en el ~** dans l'intervalle.

interino, -a [inte'rino, a] *adj* intérimaire ♦ *nm/f* intérimaire *m/f*; *(MED)* remplaçant(e).

interior [inte'rjor] *adj* intérieur(e) ♦ *nm* intérieur *m*; *(DEPORTE)* inter *m*; *(COL, VEN: tb: ~es)* caleçon *m*; **Ministerio del I~** ministère *m* de l'Intérieur; **dije para mí ~** je me suis dit en mon for intérieur; **habitación ~** chambre *f* de derrière; **ropa ~** linge *m* de corps; **vida ~** vie *f* intérieure.

interjección [interxek'θjon] *nf* interjection *f*.

interlínea [inter'linea] *nf (INFORM)* interligne *m*.

interlocutor, a [interloku'tor, a] *nm/f* interlocuteur(-trice); **mi ~** mon interlocuteur.

interludio [inter'luðjo] *nm (MÚS)* interlude *m*.

intermediario, -a [interme'ðjarjo, a] *adj, nm/f* intermédiaire *m/f*.

intermedio, -a [inter'meðjo, a] *adj* intermédiaire ♦ *nm (TEATRO, CINE)* intervalle *m*.

interminable [intermi'naßle] *adj* interminable.

intermitente [intermi'tente] *adj* intermittent(e) ♦ *nm (AUTO)* clignotant *m*.

intermitentemente [intermi'tentemente] *adv* par intermittence.

internacional [internaθjo'nal] *adj* international(e).

internacionalizarse [internaθjonaliθar'se] *vpr* s'internationaliser.

internado [inter'naðo] *nm* internat *m*.

internamiento [interna'mjento] *nm* internement *m*.

internar [inter'nar] *vt* interner; **internarse** *vpr (penetrar):* **~se en** pénétrer dans.

internista [inter'nista] *nm/f* médecin *m* généraliste.

interno, -a [in'terno, a] *adj* interne; *(POL etc)* intérieur(e) ♦ *nm/f (alumno)* interne *m/f*; *(médico)* généraliste *m/f*; **medicina interna** médecine *f* générale.

interpelación [interpela'θjon] *nf* interpellation *f*.

interpelar [interpe'lar] *vt (tb POL)* interpeller.

INTERPOL [inter'pol] *sigla f* INTERPOL *m*.

interpondré *etc* [interpon'dre] *vb* V **interponer**.

interponer [interpo'ner] *vt* interposer; *(JUR: apelación)* interjeter; **interponerse** *vpr* s'interposer; **~ (entre)** interposer (entre); **~ recurso (contra)** interjeter appel (contre).

interponga *etc* [inter'ponga] *vb* V **interponer**.

interposición [interposi'θjon] *nf* interposition *f*.

interpretación [interpreta'θjon] *nf* interprétation *f*; **mala ~** mauvaise *o* fausse interprétation.

interpretar [interpre'tar] *vt* interpréter; **~ mal** mal interpréter.

intérprete [in'terprete] *nm/f* interprète *m/f*.

interpuesto *etc* [inter'pwesto], **interpuse** *etc* [inter'puse] *vb* V **interponer**.

interrogación [interroɣa'θjon] *nf* interrogation *f*; *(tb: signo de ~)* point *m* d'interrogation.

interrogante [interro'ɣante] adj interrogateur(-trice) ♦ nm question f.
interrogar [interro'ɣar] vt interroger.
interrogativo, -a [interroɣa'tiβo, a] adj (LING) interrogatif(-ive).
interrogatorio [interroɣa'torjo] nm interrogatoire m.
interrogue etc [inte'rroɣe] vb V **interrogar**.
interrumpir [interrum'pir] vt interrompre.
interrupción [interrup'θjon] nf interruption f.
interruptor [interrup'tor] nm (ELEC) interrupteur m.
intersección [intersek'θjon] nf intersection f.
intersticio [inters'tiθjo] nm interstice m.
interurbano, -a [interur'ßano, a] adj interurbain(e); **llamada/conferencia interurbana** appel m interurbain/communication f interurbaine.
intervalo [inter'ßalo] nm intervalle m; **a ~s** à intervalles.
intervención [interßen'θjon] nf intervention f; (TELEC) écoute f téléphonique; **la política de no ~** la politique de non-intervention; ► **intervención quirúrgica** intervention chirurgicale.
intervencionista [interßenθjo'nista] adj: **no ~** (COM) non-interventionniste.
intervendré etc [interßen'dre], **intervenga** etc [inter'ßenga] vb V **intervenir**.
intervenir [interße'nir] vt (MED) pratiquer une intervention sur; (suj: policía) saisir; (teléfono) placer sous écoute téléphonique; (cuenta bancaria) bloquer ♦ vi intervenir.
interventor, a [interßen'tor, a] nm/f (en elecciones) inspecteur(-trice); (COM) audit m/f.
interviniendo etc [interßi'njendo] vb V **intervenir**.
interviú [inter'ßju] nf interview f.
intestinal [intesti'nal] adj intestinal(e).
intestino [intes'tino] nm intestin m; ► **intestino delgado/grueso** intestin grêle/gros intestin.
inti ['inti] (PE) nm unité monétaire du Pérou.
íntimamente ['intimamente] adv intimement.
intimar [inti'mar] vt: ~ **a algn a que ...** intimer à qn de ... ♦ vi se lier d'amitié.
intimidad [intimi'ðað] nf intimité f; (amistad) amitié f; **en la ~** dans l'intimité.
intimidar [intimi'ðar] vt intimider.
íntimo, -a ['intimo, a] adj intime.
intolerable [intole'raßle] adj intolérable.
intolerancia [intole'ranθja] nf intolérance f.
intolerante [intole'rante] adj: ~ **(con o para)** intolérant(e) (envers).
intoxicación [intoksika'θjon] nf intoxica-

tion f; ► **intoxicación alimenticia** intoxication alimentaire.
intraducible [intraðu'θißle] adj intraduisible.
intranquilice etc [intranki'liθe] vb V **intranquilizar**.
intranquilidad [intrankili'ðað] nf inquiétude f.
intranquilizar [intrankili'θar] vt inquiéter; **intranquilizarse** vpr s'inquiéter.
intranquilo, -a [intran'kilo, a] adj inquiet(-ète).
intransferible [intransfe'rißle] adj intransmissible.
intransigencia [intransi'xenθja] nf intransigeance f.
intransigente [intransi'xente] adj intransigeant(e).
intransitable [intransi'taßle] adj impraticable.
intransitivo, -a [intransi'tiβo, a] adj intransitif(-ive).
intrascendente [intrasθen'dente] adj sans importance.
intratable [intra'taßle] adj (problema) difficile; (dificultad) inabordable; (individuo) intraitable.
intrepidez [intrepi'ðeθ] nf intrépidité f.
intrépido, -a [in'trepiðo, a] adj intrépide.
intriga [in'triɣa] nf intrigue f.
intrigar [intri'ɣar] vt, vi intriguer.
intrigue etc [in'triɣe] vb V **intrigar**.
intrincado, -a [intrin'kaðo, a] adj (camino) embrouillé(e); (bosque) impénétrable; (problema, asunto) inextricable.
intrínseco, -a [in'trinseko, a] adj intrinsèque.
introducción [introðuk'θjon] nf introduction f.
introducir [introðu'θir] vt introduire; **introducirse** vpr s'introduire.
introduje etc [intro'ðuxe], **introduzca** etc [intro'ðuθka] vb V **introducir**.
intromisión [intromi'sjon] nf intromission f.
introspectivo, -a [introspek'tiβo, a] adj introspectif(-ive).
introvertido, -a [introßer'tiðo, a] adj, nm/f introverti(e).
intruso, -a [in'truso, a] nm/f intrus(e).
intuición [intwi'θjon] nf intuition f; **por ~** par intuition; **tener una gran ~** avoir beaucoup d'intuition.
intuir [intu'ir] vt pressentir.
intuitivamente [intwi'tißamente] adv intuitivement.
intuitivo, -a [intwi'tiβo, a] adj intuitif(-ive).
intuyendo etc [intu'jendo] vb V **intuir**.
inundación [inunda'θjon] nf inondation f.

inundar [inun'dar] *vt* inonder; **inundarse** *vpr* s'inonder.

inusitadamente [inusi'taðamente] *adv* de façon inusitée.

inusitado, -a [inusi'taðo, a] *adj* (*espectáculo*) insolite; (*hora, calor*) inhabituel(le).

inusual [inu'swal] *adj* inhabituel(le).

inútil [i'nutil] *adj* (*herramienta*) inutilisable; (*esfuerzo*) inutil(e); (*persona*: *minusválido*) handicapé(e); (: *pey*) bon(ne) à rien, inepte; **declarar** ~ **a algn** (*MIL*) réformer qn.

inutilice *etc* [inuti'liθe] *vb* V **inutilizar**.

inutilidad [inutili'ðað] *nf* inutilité *f*; (*ineptitud*) ineptie *f*.

inutilizar [inutili'θar] *vt* rendre inutilisable.

inútilmente [i'nutilmente] *adv* inutilement.

invadir [imba'ðir] *vt* envahir.

invalidar [imbali'ðar] *vt* invalider.

invalidez [imbali'ðeθ] *nf* invalidité *f*.

inválido, -a [im'baliðo, a] *adj* invalide ♦ *nm/f* handicapé(e).

invariable [imba'rjable] *adj* invariable.

invariablemente [imba'rjaßlemente] *adv* invariablement.

invasión [imba'sjon] *nf* invasion *f*.

invasor, a [imba'sor, a] *adj* envahissant(e) ♦ *nm/f* envahisseur *m*.

invencible [imben'θißle] *adj* invincible.

invención [imben'θjon] *nf* invention *f*.

inventar [imben'tar] *vt* inventer.

inventario [imben'tarjo] *nm* inventaire *m*; **hacer** ~ **de** faire l'inventaire de.

inventiva [imben'tißa] *nf* inventivité *f*.

invento [im'bento] *nm* invention *f*.

inventor, a [imben'tor, a] *nm/f* inventeur(-trice).

invernadero [imberna'ðero] *nm* serre *f*.

invernal [imber'nal] *adj* hivernal(e).

invernar [imber'nar] *vi* hiverner.

inverosímil [imbero'simil] *adj* invraisemblable.

inversión [imber'sjon] *nf* (*COM*) investissement *m*; ▶ **inversión de capitales** investissement de capitaux; ▶ **inversiones extranjeras** investissements étrangers.

inversionista [imbersjo'nista] *nm/f* = **inversor**.

inverso, -a [im'berso, a] *adj* inverse; **en orden** ~ dans l'ordre inverse; **a la inversa** à l'inverse; **traducción inversa** thème *m*.

inversor, a [imber'sor, a] *nm/f* (*COM*) investisseur *m*.

invertebrado, -a [imberte'ßraðo, a] *adj* invertébré(e) ♦ *nm* invertébré *m*.

invertido, -a [imber'tiðo, a] *adj* inversé(e); (*al revés*) à l'inverse; (*homosexual*) inverti(e) ♦ *nm/f* inverti(e).

invertir [imber'tir] *vt* (*COM*) investir; (*po-*

---

ner del revés) intervertir; (*tiempo*) consacrer.

investidura [imbesti'ðura] *nf* investiture *f*.

investigación [imbestiɣa'θjon] *nf* recherche *f*; ▶ **investigación de los medios de publicidad** recherche sur les supports publicitaires; ▶ **investigación del mercado** étude *f* de marché; ▶ **investigación y desarrollo** (*COM*) recherche et développement.

investigador, a [imbestiɣa'ðor, a] *nm/f* (*tb*: ~ **privado**) détective *m/f* privé(e); (*UNIV*) chercheur(-euse).

investigar [imbesti'ɣar] *vt* (*indagar*) chercher; (*estudiar*) faire des recherches en.

investigue *etc* [imbes'tiɣe] *vb* V **investigar**.

investir [imbes'tir] *vt*: ~ **(con/de)** investir (de).

inveterado, -a [imbete'raðo, a] *adj* invétéré(e).

invidente [imbi'ðente] *adj* aveugle ♦ *nm/f* aveugle *m/f*, non-voyant(e).

invierno [im'bjerno] *nm* hiver *m*.

invierta *etc* [im'bjerta] *vb* V **invertir**.

inviolabilidad [imbjolaßili'ðað] *nf* inviolabilité *f*; ▶ **inviolabilidad del domicilio** inviolabilité du domicile; ▶ **inviolabilidad parlamentaria** inviolabilité *o* immunité *f* parlementaire.

inviolable [imbjo'laßle] *adj* inviolable.

invirtiendo *etc* [imbir'tjendo] *vb* V **invertir**.

invisible [imbi'sißle] *adj* invisible; **exportaciones/importaciones** ~**s** exportations *fpl*/importations *fpl* invisibles.

invitación [imbita'θjon] *nf* invitation *f*.

invitado, -a [imbi'taðo, a] *nm/f* invité(e).

invitar [imbi'tar] *vt* inviter; ~ **a algn a hacer algo** inviter qn à faire qch; ~ **a algo** inviter à qch; **te invito a un café** je te paie un café; **invito yo** c'est moi qui invite *o* paie.

invocar [imbo'kar] *vt* (*tb INFORM*) invoquer.

involucrar [imbolu'krar] *vt*: ~ **a algn en** impliquer qn dans; **involucrarse** *vpr*: ~**se en** s'impliquer dans.

involuntariamente [imbolun'tarjamente] *adv* involontairement.

involuntario, -a [imbolun'tarjo, a] *adj* involontaire.

invoque *etc* [im'boke] *vb* V **invocar**.

invulnerable [im'bulne'raßle] *adj* invulnérable.

inyección [injek'θjon] *nf* piqûre *f*, injection *f*; **poner una** ~ **a algn** faire une piqûre à qn; **ponerse una** ~ se faire une piqûre; ▶ **inyección intramuscular** injection intramusculaire; ▶ **inyección intravenosa** injection intraveineuse, intraveineuse *f*.

inyectado, -a [injek'taðo, a] *adj*: **ojos** ~**s en**

sangre yeux *mpl* injectés de sang.
inyectar [injek'tar] *vt* (*MED*) injecter; ~ **(en)** (*introducir*) injecter (dans).
ión [i'on] *nm* (*FÍS*) ion *m*.
IPC (*ESP*) *sigla m* (= *Índice de Precios al Consumo*) IPC *m* (= *indice des prix à la consommation*).
IPM *sigla m* (= *índice de precios al por menor*) V **índice**.

================ *PALABRA CLAVE*

ir [ir] *vi* **1** aller; **ir andando** marcher; **fui en tren** j'y suis allé en train; **voy a la calle** je sors; **¡(ahora) voy!** j'y vais!; **ir desde X a Y** (*extenderse*) aller de X à Y; **ir de pesca/de vacaciones** aller à la pêche/en vacances
2: **ir (a) por**: **ir (a) por el médico** aller chercher le docteur
3 (*progresar*) aller; **el trabajo va muy bien** le travail marche très bien; **¿cómo te va?** tu t'y fais?; **¿cómo te va en el trabajo?** comment ça va au travail?; **me va muy bien** ça va très bien; **le fue fatal** ça n'a pas du tout été
4 (*funcionar*): **el coche no va muy bien** la voiture ne marche pas très bien
5 (*sentar*): **me va estupendamente** (*ropa, color*) me va à merveille; (*medicamento*) c'est exactement ce qu'il me fallait
6 (*aspecto*): **ir con zapatos negros** porter des chaussures noires; **iba muy bien vestido** il était très bien habillé
7 (*combinar*): **ir con algo** aller avec qch
8 (*excl*): **¡que va!** (*no*) mais non!; **¿qué tal?** – **¡vaya!** ça va? – à peu près!; **vamos, no llores** allons, ne pleure pas; **vamos a ver** voyons voir; **¡vaya coche!** (*admiración*) quelle super voiture!; (*desprecio*) quelle voiture minable!; **que le vaya bien** (*esp AM: despedida*) salut!; **¡vete a saber!** allez savoir!
9 **ir a mejor/peor** aller mieux/mal; **ir de mal en peor** aller de mal en pis; **va para largo** ça va prendre du temps; **en esta casa cada uno va a lo suyo** dans cette maison c'est chacun pour soi; **ya me voy!** j'y viens!; **eso no va por tí** ça ne s'applique pas à toi; **ni me va ni me viene** ça ne me regarde pas
10: **no vaya a ser**: **tienes que correr, no vaya a ser que pierdas el tren** il faut que tu te dépêches, sinon tu vas rater ton train
♦ *vb aux* **1**: **ir a**: **voy/iba a hacerlo hoy** je vais/j'allais le faire aujourd'hui
2 (+ *gerundio*): **iba anocheciendo** il commençait à faire nuit; **todo se me iba aclarando** tout devenait clair pour moi

3 (+ *pp* = *pasivo*): **van vendidos 300 ejemplares** 300 exemplaires ont déjà été vendus
irse *vpr* **1**: **¿por dónde se va al parque?** comment va-t-on au parc?
2: **irse (de)** (*marcharse*) s'en aller (de); **ya se habrán ido** ils doivent être déjà partis; **¡vete!** vas-y!; (*con enfado*) va-t-en!; **¡vámonos!** allons-y!, on y va!; **¡nos fuimos!** (*AM: vámonos*) on y va!

IRA ['ira] *sigla m* (= *Ejército Republicano Irlandés*) IRA *f* (= *Armée Républicaine Irlandaise*).
ira ['ira] *nf* colère *f*.
iracundo, -a [ira'kundo, a] *adj* coléreux(-euse).
Irak [i'rak] *nm* = **Iraq**.
Irán [i'ran] *nm* Iran *m*.
iraní [ira'ni] *adj* iranien(ne) ♦ *nm/f* Iranien(ne).
Iraq [i'rak] *nm* Irak *m*.
iraquí [ira'ki] *adj* irakien(ne), iraquien(ne) ♦ *nm/f* Irakien(ne), Iraquien(ne).
irascible [iras'θiβle] *adj* irascible.
irguiendo *etc* [ir'yjendo] *vb* V **erguir**.
iris ['iris] *nm inv* (*arco iris*) arc-en-ciel *m*; (*ANAT*) iris *msg*.
Irlanda [ir'landa] *nf* Irlande *f*; ~ **del Norte** Irlande du Nord.
irlandés, -esa [irlan'des, esa] *adj* irlandais(e) ♦ *nm/f* Irlandais(e) ♦ *nm* (*LING*) irlandais *msg*.
ironía [iro'nia] *nf* ironie *f*.
irónicamente [i'ronikamente] *adv* ironiquement.
irónico, -a [i'roniko, a] *adj* ironique.
IRPF (*ESP*) *sigla m* (= *Impuesto sobre la Renta de las Personas Físicas*) ≈ IRPP *m* (= *impôt sur le revenu des personnes physiques*).
irracional [irraθjo'nal] *adj* irrationnel(le).
irrazonable [irraθo'naβle] *adj* déraisonnable.
irreal [irre'al] *adj* irréel(le).
irrealizable [irreali'θaβle] *adj* irréalisable.
irrebatible [irreβa'tiβle] *adj* irréfutable.
irreconciliable [irrekonθi'ljaβle] *adj* irréconciliable.
irreconocible [irrekono'θiβle] *adj* méconnaissable.
irrecuperable [irrekupe'raβle] *adj* irrécupérable.
irreembolsable [irreembol'saβle] *adj* (*COM*) irrécupérable; (*que se tira*) non consigné(e).
irreemplazable [irreempla'θaβle] *adj* irremplaçable.
irreflexión [irreflek'sjon] *nf* irréflexion *f*.
irreflexivo, -a [irreflek'siβo, a] *adj* irréflé-

chi(e).
irrefutable [irrefu'taßle] *adj* irréfutable.
irregular [irreɣu'lar] *adj* irrégulier(-ère).
irregularidad [irreɣulari'ðað] *nf* irrégularité *f*.
irrelevante [irrele'ßante] *adj* banal(e), sans importance.
irremediable [irreme'ðjaßle] *adj* irrémédiable.
irreparable [irrepa'raßle] *adj* irréparable.
irreprochable [irrepro't∫aßle] *adj* irréprochable.
irresistible [irresis'tißle] *adj* irrésistible.
irresoluble [irreso'lußle] *adj* insoluble.
irresoluto, -a [irreso'luto, a] *adj* irrésolu(e).
irrespetuoso, -a [irrespe'twoso, a] *adj* irrespectueux(-euse).
irrespirable [irrespi'raßle] *adj* irrespirable.
irresponsable [irrespon'saßle] *adj* irresponsable.
irresponsablemente [irrespon'saßlemente] *adv* d'une manière irresponsable.
irreverente [irreße'rente] *adj* irrévérencieux(-euse).
irreversible [irreßer'sißle] *adj* irréversible.
irrevocable [irreßo'kaßle] *adj* irrévocable.
irrigar [irri'ɣar] *vt* irriguer.
irrigue *etc* [i'rriɣe] *vb* V **irrigar**.
irrisorio, -a [irri'sorjo, a] *adj* dérisoire.
irritable [irri'taßle] *adj* irritable.
irritación [irrita'θjon] *nf* irritation *f*.
irritar [irri'tar] *vt* irriter; **irritarse** *vpr* s'irriter.
irrompible [irrom'pißle] *adj* incassable.
irrumpir [irrum'pir] *vi*: ~ **en** faire irruption dans.
irrupción [irrup'θjon] *nf* irruption *f*.
IRTP (*ESP*) *sigla m* (= *impuesto sobre los rendimientos del trabajo personal*) charges sociales.
ISBN *sigla m* (= *Número Internacional Uniforme para los libros*) ISBN *m* (= *International Standard Book Number*).
isla ['isla] *nf* île *f*; **las I~s Filipinas/Malvinas/Canarias** les îles Philippines/Malouines/Canaries.
Islam [is'lam] *nm* Islam *m*.
islámico, -a [is'lamiko, a] *adj* islamique.
islandés, -esa [islan'des, esa] *adj* islandais(e) ♦ *nm/f* Islandais(e) ♦ *nm* (*LING*) islandais *msg*.
Islandia [is'landja] *nf* Islande *f*.
isleño, -a [is'leɲo, a] *adj, nm/f* insulaire *m/f*.
isleta [is'leta] *nf* (*AUTO*) refuge *m*.
islote [is'lote] *nm* îlot *m*.
isótopo [i'sotopo] *nm* isotope *m*.
Israel [isra'el] *nm* Israël *m*.
israelí [israe'li] *adj* israélien(ne) ♦ *nm/f* Israélite *m/f*.

istmo ['istmo] *nm* isthme *m*; **el l~ de Panamá** l'Isthme de Panama.
Italia [i'talja] *nf* Italie *f*.
italiano, -a [ita'ljano, a] *adj* italien(ne) ♦ *nm/f* Italien(ne) ♦ *nm* (*LING*) italien *m*.
itálica [i'talika] *nf*: **en** ~ en italique.
itinerante [itine'rante] *adj* itinérant(e).
itinerario [itine'rarjo] *nm* itinéraire *m*.
IVA ['ißa] (*ESP*) *sigla m* (*COM* = *Impuesto sobre el Valor Añadido*) TVA *f* (= *taxe à la valeur ajoutée*).
IVP *sigla m* = *Instituto Venezolano de Petroquímica*.
izada [i'θaða] (*AM*) *nf* levée *f*.
izar [i'θar] *vt* hisser.
izda. *abr* (= *izquierda*) g (= *gauche*).
izdo. *abr* (= *izquierdo*) g (= *gauche*).
izq. *abr* (= *izquierdo*) g (= *gauche*).
izq.ª *abr* (= *izquierda*) g (= *gauche*).
izq.º *abr* (= *izquierdo*) g (= *gauche*).
izquierda [iθ'kjerða] *nf* gauche; (*lado izquierdo*) côté *m* gauche; **a la** ~ à gauche; **a la** ~ **del edificio** à gauche de l'immeuble; **el camino de la** ~ le chemin de gauche; **es un cero a la** ~ (*fam*) c'est un nullard; **conducción por la** ~ conduite *f* à gauche; **ser de ~s** être de gauche.
izquierdista [iθkjer'ðista] *adj* (*POL*) de gauche ♦ *nm/f* gauchiste *m/f*.
izquierdo, -a [iθ'kjerðo, a] *adj* gauche.

J, j

J, j ['xota] *nf* (*letra*) J, j *m inv*; ~ **de José** ≈ J comme Joseph.
J *abr* (= *julio(s)*) J (= *Joule(s)*).
jabalí [xaßa'li] *nm* sanglier *m*.
jabalina [xaßa'lina] *nf* javelot *m*.
jabato [xa'ßato, a] *nm* marcassin *m*; (*fig*) lion *m*.
jabón [xa'ßon] *nm* savon *m*; **dar** ~ **a algn** passer de la pommade à qn; ► **jabón de afeitar** savon à barbe; ► **jabón de baño** savon liquide; ► **jabón de tocador** savon de toilette; ► **jabón en polvo** savon en poudre.
jabonar [xaßo'nar] *vt* savonner; **jabonarse** *vpr* se savonner.
jabonera [xaßo'nera] *nf* boîte *f* à savon.
jabonoso, -a [xaßo'noso, a] *adj* savonneux(-euse).

jaca ['xaka] *nf* bidet *m*; (*yegua*) petite jument *f*.

jacal [xa'kal] (*MÉX*) *nf* cabane *f*.

jacarandá [xakaran'da] *nm* jacaranda *m*.

jacinto [xa'θinto] *nm* jacinthe *f*.

jactancia [xak'tanθja] *nf* vantardise *f*, jactance *f*.

jactancioso, -a [xaktan'θjoso, a] *adj* vantard(e).

jactarse [xak'tarse] *vpr*: ~ **(de)** se vanter (de).

jade ['xaðe] *nm* jade *m*.

jadear [xaðe'ar] *vi* haleter.

jadeo [xa'ðeo] *nm* halètement *m*.

jaguar [xa'ɣwar] *nm* jaguar *m*.

jaiba ['xaiβa] (*AM*) *nf* écrevisse *f*.

jaibol ['xaiβol] (*esp MÉX*) *nm* whisky *m* soda.

jalar [xa'lar] *vt* (*AM*) tirer; (*fam*) bouffer.

jalea [xa'lea] *nf* gelée *f*.

jaleo [xa'leo] *nm* (*barullo*) tapage *m*; (*riña*) grabuge *m*; **armar un** ~ faire (toute) une histoire; **me armé un** ~ **con las fechas** je me suis embrouillé dans ces dates; ¡qué ~! quelle pagaille!

jalón [xa'lon] *nm* (*AM*: *estirón*) coup *m*; (*estaca, fig*) jalon *m*.

jalonar [xalo'nar] *vt* jalonner.

Jamaica [xa'maika] *nf* Jamaïque *f*.

jamaicano, -a [xamai'kano, a] *adj* jamaïquain(e) ♦ *nm/f* Jamaïquain(e).

jamás [xa'mas] *adv* jamais; ¿se vio ~ tal cosa? a-t-on jamais vu cela?

jamón [xa'mon] *nm* jambon *m*; ¡y un ~! (*fam*) mon œil!; ▶ **jamón de York/serrano** jambon cuit/cru.

Japón [xa'pon] *nm* Japon *m*.

japonés, -esa [xapo'nes, esa] *adj* japonais(e) ♦ *nm/f* Japonais(e) ♦ *nm* (*LING*) japonais *msg*.

jaque ['xake] *nm* (*AJEDREZ*) échec *m*; **dar** ~ mettre en échec; **tener en** ~ **a algn** tracasser qn; ▶ **jaque mate** échec et mat.

jaqueca [xa'keka] *nf* migraine *f*.

jara ['xara] *nf* ciste *m*.

jarabe [xa'raβe] *nm* sirop *m*; ~ **para la tos** sirop contre la toux.

jarana [xa'rana] *nf* fête *f*; **andar/ir de** ~ faire la fête; **armar** ~ faire du tapage.

jarcia ['xarθja] *nf* (*NÁUT*) cordage *m*.

jardín [xar'ðin] *nm* jardin *m*; ~ **botánico** jardin botanique; ~ **de (la) infancia** *o* **de infantes** (*AM*) jardin d'enfants.

jardinera [xarði'nera] *nf* jardinière *f*; (*CSUR*) voiture *f* de marchand ambulant; *V tb* **jardinero**.

jardinería [xarðine'ria] *nf* jardinage *m*.

jardinero, -a [xarði'nero, a] *nm/f* jardinier(-ère).

jarra ['xarra] *nf* jarre *f*; (*de leche*) cruchon *m*; (*de cerveza*) chope *f*; **de** *o* **en** ~**s** les poings sur les hanches.

jarro ['xarro] *nm* broc *m*; **ser un** ~ **de agua fría** faire l'effet d'une douche froide.

jarrón [xa'rron] *nm* vase *m*.

jaspeado, -a [xaspe'aðo, a] *adj* jaspé(e).

Jauja, jauja ['xauxa] *nf* pays *m* de cocagne.

jaula ['xaula] *nf* cage *f*; (*embalaje*) cageot *m*.

jauría [xau'ria] *nf* meute *f*.

jazmín [xaθ'min] *nm* jasmin *m*.

J. C. *abr* (= *Jesucristo*) J. C. *m* (= *Jésus-Christ*)

jeep ® [jip] (*pl* ~**s**) *nm* jeep ® *f*.

jefa ['xefa] *nf/V* **jefe**.

jefatura [xefa'tura] *nf* (*liderato*) commandement *m*; (*sede*) direction *f*; **J~ de la aviación civil** Direction de l'aviation civile; ▶ **jefatura de policía** préfecture *f* de police.

jefazo [xe'faθo] (*fam*) *nm* grand chef *m*.

jefe, -a ['xefe, a] *nm/f* chef *m*; **ser el** ~ (*fig*) être le chef; **comandante en** ~ commandant *m* en chef; ~ **ejecutivo** (*COM*) directeur *m* des ventes; ▶ **jefe de estación** chef de gare; ▶ **jefe de estado** chef d'état; ▶ **jefe de estado mayor** chef d'état major; ▶ **jefe de estudios** surveillant *m* général; ▶ **jefe de gobierno** chef de gouvernement; ▶ **jefe de negociado** chef de service; ▶ **jefe de oficina/de producción** (*COM*) chef de bureau/de production; ▶ **jefe de redacción** rédacteur *m* en chef.

jején [xe'xen] (*AM*) *nm* petit moustique *m*.

jemer [xe'mer] *adj* khmer(-ère) ♦ *nm/f* Khmer(-ère).

JEN [xen] (*ESP*) *sigla f* = *Junta de la Energía Nuclear*.

jengibre [xen'xiβre] *nm* gingembre *m*.

jeque ['xeke] *nm* cheik *m*.

jerarquía [xerar'kia] *nf* hiérarchie *f*; (*persona*) supérieur *m*.

jerárquicamente [xe'rarkikamente] *adv* hiérarchiquement.

jerárquico, -a [xe'rarkiko, a] *adj* hiérarchique.

jerez [xe'reθ] *nm* xérès *msg*, jerez *msg*; **J~ de la Frontera** Jerez.

jerezano, -a [xere'θano, a] *adj* de Jerez ♦ *nm/f* natif(-ive) *o* habitant(e) de Jerez.

jerga ['xerɣa] *nf* jargon *m*; ▶ **jerga informática** jargon informatique.

jergón [xer'ɣon] *nm* paillasse *f*.

jeringa [xe'ringa] *nf* seringue *f*; (*esp AM*: *fam*) ennui *m*; ▶ **jeringa de engrase** graisseur *m*.

jeringuilla [xerin'guiʎa] *nf* seringue *f*.

jeroglífico [xero'ɣlifiko] *nm* hiéroglyphe *m*;

(*pasatiempo*) rébus *m*.

jersey [xer'sei] (*pl* ~s *o* **jerséis**) *nm* pullover *m*.

Jerusalén [xerusa'len] *n* Jérusalem.

Jesucristo [xesu'kristo] *nm* Jésus-Christ *m*.

jesuita [xe'swita] *adj, nm* jésuite *m*.

Jesús [xe'sus] *nm* Jésus *m*; ¡~! mon Dieu!; (*al estornudar*) à tes *o* vos souhaits!

jeta ['xeta] *nf* museau *m*; (*fam: cara*) culot *m*, toupet *m*; ¡**que ~ tienes!** (*fam*) que tu es culotté(e)!

jíbaro, -a ['xiβaro, a] (*AM*) *adj* relatif(-ive) à la tribu des Jivaros ♦ *nm/f* Jivaro *m*.

jibia ['xiβja] *nf* seiche *f*.

jícama ['xikama] (*AM*) *nf* (*BOT*) tubercule *m*.

jícara ['xikara] (*AM*) *nf* calebasse *f*.

jienense [xje'nense] *adj* de Jaén ♦ *nm/f* natif(-ive) *o* habitant(e) de Jaén.

jilguero [xil'ɣero] *nm* chardonneret *m*.

jinete [xi'nete] *nm* cavalier *m*; **ser buen/mal ~** être un bon/mauvais cavalier.

jiote ['xjote] (*MÉX*) *nm* éruption *f* cutanée.

jipijapa [xipi'xapa] (*AM*) *nm* panama *m*.

jirafa [xi'rafa] *nf* girafe *f*.

jirón [xi'ron] *nm* lambeau *m*; (*PE: calle*) rue *f*.

jitomate [xito'mate] (*CAM, MÉX*) *nm* tomate *f*.

JJ.OO. *abr* (= *Juegos Olímpicos*) J.O. *mpl* (= *Jeux olympiques*).

jocosidad [xokosi'ðaθ] *nf* drôlerie *f*; (*chiste*) blague *f*.

jocoso, -a [xo'koso, a] *adj* cocasse.

joder [xo'ðer] (*fam!*) *vt* baiser (*fam!*); (*fig*) emmerder (*fam!*); **joderse** *vpr* (*plan, fiesta*) s'en aller en eau de boudin; (*persona*) se faire chier (*fam!*); ¡~! merde!, putain! (*fam!*); **las moscas te joden todo el tiempo** les mouches t'enquiquinent sans arrêt; **se jodió todo** tout est foutu.

jodido, -a [xo'ðiðo, a] (*fam!*) *adj* (*difícil*) coton *inv*, duraille (*fam!*); (*AM: pesado*) chiant(e) (*fam!*); **estoy ~** je suis foutu(e).

jofaina [xo'faina] *nf* cuvette *f*.

jojoba [xo'xoβa] *nf* jujube *m*.

jojoto [xo'xoto] (*VEN*) *nm* maïs *m* tendre.

jolgorio [xol'ɣorjo] *nm* fête *f*.

jonrón [xon'ron] (*esp AM: en béisbol*) *nm* home-run *m*, tour *m* complet.

Jordania [xor'ðanja] *nf* Jordanie *f*.

jornada [xor'naða] *nf* journée *f*; (*DEPORTE*) étape *f*; **~ de 8 horas** journée de 8 heures; (**trabajar a) ~ intensiva/partida** (faire la) journée continue/discontinue.

jornal [xor'nal] *nm* journée *f*.

jornalero [xorna'lero] *nm* journalier *m*.

joroba [xo'roβa] *nf* bosse *f*.

jorobado, -a [xoro'βaðo, a] *adj, nm/f* bossu(e).

jorobar [xoro'βar] *vt* enquiquiner; **jorobarse** *vpr* se débrouiller; ¡**que se jorobe!** tant pis pour lui!; ¡**hay que ~se!** quelle poisse!; **esto me joroba** ça m'emmerde.

jorongo [xo'rongo] (*MÉX*) *nm* poncho *m*.

jota ['xota] *nf* (*letra*) j *m inv*; (*danza*) jota *f*; **no entiendo ni ~** je n'y pige rien; **no sabe ni ~** il n'en sait rien; **no veo ni ~** je n'y vois rien.

joven ['xoβen] *adj* jeune ♦ *nm* jeune homme *m*; (*MÉX: COM: señor*) monsieur *m* ♦ *nf* jeune fille *f*; ¡**oiga, ~!** eh, jeune homme!

jovencito, -a [xoβen'θito, a] *nm/f* jeune homme(jeune fille).

jovial [xo'βjal] *adj* jovial(e).

jovialidad [xoβjali'ðað] *nf* jovialité *f*.

jovialmente [xo'βjalmente] *adv* jovialement.

joya ['xoja] *nf* bijou *m*; (*persona*) perle *f*; ▶ **joyas de fantasía** bijoux *mpl* fantaisie.

joyería [xoje'ria] *nf* bijouterie *f*.

joyero [xo'jero] *nm* bijoutier *m*; (*caja*) coffret *m* à bijoux.

juanete [xwa'nete] *nm* (*del pie*) oignon *m*.

jubilación [xuβila'θjon] *nf* retraite *f*.

jubilado, -a [xuβi'lado, a] *adj, nm/f* retraité(e).

jubilar [xuβi'lar] *vt* mettre à la retraite; (*fam: algo viejo*) mettre au rancart; **jubilarse** *vpr* prendre sa retraite.

júbilo ['xuβilo] *nm* joie *f*.

jubilosamente [xuβilosa'mente] *adv* joyeusement.

jubiloso, -a [xuβi'loso, a] *adj* (*comentario*) joyeux(-euse); (*día*) radieux(-euse).

judaísmo [xuða'ismo] *nm* judaïsme *m*.

judía [xu'ðia] *nf* haricot *m*; ▶ **judía verde** haricot vert; ▶ **judía blanca** flageolet *m*; *V tb* **judío**.

judicatura [xuðika'tura] *nf* (*cargo*) judicature *f*; (*cuerpo*) magistrature *f*.

judicial [xuði'θjal] *adj* judiciaire.

judicialmente [xuði'θjalmente] *adv* judiciairement.

judío, -a [xu'ðio, a] *adj, nm/f* juif(-ive).

judo ['juðo] *nm* judo *m*.

juego ['xweɣo] *vb V* **jugar** ♦ *nm* jeu *m*; (*vajilla*) service *m*; (*herramientas*) assortiment *m*; **estar en ~** être en jeu; **fuera de ~** hors-jeu; **hacer ~ con** aller avec, faire pendant à; **hacerle el ~ a algn** faire le jeu de qn; **por ~** par jeu, pour jouer; ▶ **juego de azar** jeu de hasard; ▶ **juego de café** service à café; ▶ **juego de caracteres** (*INFORM*) jeu de caractères; ▶ **juego de cartas** *o* **de naipes** jeu de cartes; ▶ **juego de palabras** jeu de mots; ▶ **juego de programas** (*INFORM*) jeu de programmes; ► **juego limpio** jeu franc, fair-play *m*; ► **juegos malabares** jongleries *fpl*; ► **Juegos Olímpicos** Jeux olympiques; ► **juego sucio** jeu déloyal.

juegue *etc* ['xweɣe] *vb* V **jugar.**

juerga ['xwerɣa] *nf* fête *f*; **ir de** ~ faire la fête; **tomar a** ~ **algo** ne pas prendre qch au sérieux.

juerguista [xwer'ɣista] *nm/f* noceur(-euse).

jueves ['xweßes] *nm inv* jeudi *m*; **la fiesta no fue nada del otro** ~ la fête n'était pas géniale; V *tb* **sábado.**

juez [xweθ] *nm/f* (*f tb:* **jueza**) juge *m*; ► **juez de instrucción** juge d'instruction; ► **juez de línea** juge de touche; ► **juez de paz** juge de paix; ► **juez de salida** starter *m*.

jugada [xu'ɣaða] *nf* (*en juego*) coup *m*; (*fig*) mauvais tour *m*; **buena/mala** ~ bon/ mauvais tour.

jugador, a [xuɣa'ðor, a] *nm/f* joueur(-euse).

jugar [xu'ɣar] *vt*, *vi* jouer; **jugarse** *vpr* (*partido*) se jouer; (*lotería*) être tiré(e); (*vida, puesto, futuro*) jouer; ~ **a** jouer à; ~**(se) algo a cara o cruz** jouer qch à pile ou face; ~ **sucio** ne pas jouer franc jeu; **¿quién juega?** à qui le tour?; **¡me la han jugado!** (*fam*) on m'a eu!, on m'a refait!; ~**se el todo por el todo** jouer le tout pour le tout.

jugarreta [xuɣa'rreta] *nf* mauvais tour *m*; **hacer una** ~ **a algn** jouer un mauvais tour à qn.

juglar [xu'ɣlar] *nm* jongleur *m*.

jugo ['xuɣo] *nm* jus *m*sg; (*fig: de artículo etc*) suc *m*; **sacarle** ~ **a algo** (*fig*) profiter au maximum de qch; ► **jugo de naranja/de piña** jus d'orange/d'ananas.

jugoso, -a [xu'ɣoso, a] *adj* juteux(-euse); (*fig*) savoureux(-euse).

jugué *etc* [xu'ɣe], **juguemos** *etc* [xu'ɣemos] *vb* V **jugar.**

juguete [xu'ɣete] *nm* jouet *m*.

juguetear [xuɣete'ar] *vi* jouer.

juguetería [xuɣete'ria] *nf* magasin *m* de jouets.

juguetón, -ona [xuɣe'ton, ona] *adj* joueur(-euse).

juicio ['xwiθjo] *nm* jugement *m*; (*sensatez*) esprit *m*; (*opinión*) avis *msg*; (*JUR*) procès *msg*; **a mi** *etc* ~ à mon *etc* avis; **estar fuera de** ~ avoir perdu l'esprit; **estar algn en su (sano)** ~ avoir tous ses esprits; **perder el** ~ perdre la tête; **poner algo en tela de** ~ remettre qch en question; ► **Juicio Final** jugement dernier.

juicioso, -a [xwi'θjoso, a] *adj* sage.

JUJEM [xu'xem] (*ESP*) *sigla f* (*MIL*) = *Junta de Jefes del Estado Mayor.*

jul. *abr* = **julio.**

julio ['xuljo] *nm* juillet *m*; **el uno de** ~ le premier juillet; **el dos/once de** ~ le deux/onze juillet; **a primeros/finales de** ~ début/fin juillet.

jumbo ['jumbo] *nm* jumbo *m*.

jun. *abr* = **junio.**

junco ['xunko] *nm* jonc *m*; (*NÁUT*) jonque *f*.

jungla ['xungla] *nf* jungle *f*.

junio ['xunjo] *nm* juin *m*; V *tb* **julio.**

junta ['xunta] *nf* comité *m*; (*organismo*) assemblée *f*, conseil *m*; (*TEC: punto de unión*) joint *m*; (: *arandela*) joint, rondelle *f*; ► **junta constitutiva** (*COM*) comité constitutif; ► **junta de culata** (*AUTO*) joint de culasse; ► **junta directiva** équipe de direction; ► **junta general extraordinaria** assemblée générale extraordinaire; ► **junta militar** junte *f* militaire.

juntar [xun'tar] *vt* (*grupo, dinero*) rassembler; (*rodillas, pies*) joindre; **juntarse** *vpr* (*ríos, carreteras*) se rejoindre; (*personas*) se rassembler; (: *citarse*) se voir; (: *acercarse*) se rapprocher; (: *vivir juntos*) vivre à la colle; ~**se a** *o* **con algn** rejoindre qn.

junto, -a ['xunto, a] *adj* ensemble ♦ *adv*: **todo** ~ tout ensemble; ~ **a** (*cerca de*) à côté de; (*además de*) avec; ~ **con** ci-joint; ~**s** ensemble; (*próximos*) rapprochés; (*en contacto*) joints.

juntura [xun'tura] *nf* jointure *f*.

jura ['xura] *nf* serment *m*; ► **jura de bandera** serment de fidélité à la patrie.

jurado [xu'raðo] *nm* jury *m*; (*individuo: JUR*) juré *m*; (: *de concurso*) membre *m* du jury.

juramentar [xuramen'tar] *vt* faire prêter serment à; **juramentarse** *vpr* prêter serment.

juramento [xura'mento] *nm* serment *m*; (*maldición*) juron *m*; **bajo** ~ sous la foi du serment; **prestar** ~ prêter serment; **tomar** ~ **a** faire prêter serment de.

jurar [xu'rar] *vt*, *vi* jurer; ~ **en falso** se parjurer; **jurársela(s) a algn** garder un chien de sa chienne à qn.

jurídico, -a [xu'riðiko, a] *adj* juridique.

jurisdicción [xurisðik'θjon] *nf* juridiction *f*.

jurisprudencia [xurispru'ðenθja] *nf* jurisprudence *f*.

jurista [xu'rista] *nm/f* juriste *m/f*.

justamente ['xustamente] *adv* justement.

justicia [xus'tiθja] *nf* justice *f*; **en** ~ en toute justice; **hacer** ~ rendre la justice; **ser de** ~ être juste; **su físico hacía** ~ **a su imagen** son physique correspondait à l'image qu'on se faisait de lui.

justicialismo [xustiθja'lismo] (*ARG*) *nm*

(*HIST*: *POL*) justicialisme *m*.
justiciero, -a [xusti'θjero, a] *adj* justicier(-ère).
justificable [xustifi'kaβle] *adj* justifiable.
justificación [xustifika'θjon] *nf* justification *f*; ► **justificación automática** (*INFORM*) justification automatique.
justificado, -a [xustifi'kaðo, a] *adj* justifié(e); (**no**) ~ (*TIP*) (non) justifié(e).
justificante [xustifi'kante] *nm* justificatif *m*.
justificar [xustifi'kar] *vt* justifier; **justificarse** *vpr* se justifier.
justifique *etc* [xusti'fike] *vb* V **justificar**.
justo, -a ['xusto, a] *adj* juste; (*exacto*) exact(e); (*preciso*) précis(e) ♦ *adv* précisément; ¡~! juste!; **llegaste muy** ~ tu es arrivé juste à temps; **venir muy** ~ (*dinero, comida*) être (tout) juste suffisant; **me viene** *o* **está muy justa esta falda** cette jupe est un peu juste pour moi; **vivir muy** ~ parvenir tout juste à joindre les deux bouts.
juvenil [xuβe'nil] *adj* juvénile; (*equipo*) junior; (*moda, club*) de jeunes; (*aspecto*) jeune.
juventud [xuβen'tuð] *nf* jeunesse *f*; (*jóvenes*) jeunes *mpl*.
juzgado [xuθ'yaðo] *nm* tribunal *m*; ► **juzgado de instrucción/de primera instancia** tribunal *m* de police/de première instance.
juzgar [xuθ'yar] *vt* juger; (*opinar*) penser; **a** ~ **por** ... à en juger par ...; ~ **mal** se méprendre (sur); **júzguelo usted mismo** jugez-en vous-même; **la juzgo muy capaz de hacerlo** j'estime qu'elle est très capable de le faire; **lo juzgo mi deber** j'estime que c'est mon devoir.
juzgue *etc* ['xuθye] *vb* V **juzgar**.

K, k

K, k [ka] *nf* (*letra*) K, k *m inv*; ~ **de Kilo** ≈ K comme Kléber.
K *abr* (= *1.000*) K (= *1 000*); (*INFORM* = *1 024*) K (= *kilo-octet*); = **quilate**.
Kampuchea [kampu'tʃea] *nf* Kampuchéa *m*.
karate [ka'rate], **kárate** ['karate] *nm* karaté *m*.
k/c. *abr* (= *kilociclos*) kHz (= *kilohertz*).

Kenia ['kenja] *nf* Kenya *m*.
keniata [ke'njata] *adj* kenyan(ne) ♦ *nm/f* Kenyan(ne).
kepi ['kepi] (*pl* ~**s**), **kepí** [ke'pi] (*pl* ~**s**) (*esp AM*) *nm* képi *m*.
kerosene [kero'sene] *nm* kérosène *m*.
Kg., kg. *abr* (= *kilogramo(s)*) kg, K (= *kilogramme(s)*).
KGB *sigla m* KGB *m*.
kilate [ki'late] *nm* = **quilate**.
kilo ['kilo] *nm* kilo *m*; (*fam*) million *m* de pesetas.
kilobyte ['kiloβait] *nm* (*INFORM*) kilo-octet *m*.
kilocaloría [kilokalo'ria] *nf* kilocalorie *f*.
kilogramo [kilo'yramo] *nm* kilogramme *m*.
kilolitro [kilo'litro] *nm* kilolitre *m*.
kilometraje [kilome'traxe] *nm* kilométrage *m*.
kilométrico, -a [kilo'metriko, a] *adj* kilométrique; (*fam*) interminable ♦ *nm* (*FERRO*) *carte de train*.
kilómetro [ki'lometro] *nm* kilomètre *m*; ► **kilómetro cuadrado** kilomètre carré.
kiloocteto [kilook'teto] *nm* (*INFORM*) kilo-octet *m*.
kilovatio [kilo'βatjo] *nm* kilowatt *m*; ► **kilovatio hora** kilowatt-heure *m*.
kiosco ['kjosko] *nm* = **quiosco**.
km *abr* (= *kilómetro(s)*) km (= *kilomètre(s)*).
km/h *abr* (= *kilómetros por hora*) km/h (= *kilomètres/heure*).
K.O. [kaw] *abr*: **dejar a algn** ~-~ mettre qn K.O.
k.p.h. *abr* (= *kilómetros por hora*) km/h (= *kilomètres/heure*).
k.p.l. *abr* (= *kilómetros por litro*; **10** ~ ≈ 10 litres aux 100.
kuchen ['kutʃen] (*CHI*) *nm* tarte *f*.
Kurdistán [kurðis'tan] *nm* Kurdistan *m*.
kurdo, -a [kurðo, a] *adj* kurde ♦ *nm/f* Kurde *m/f*.
Kuwait [ku'βait] *nm* Koweit *m*.
kuwaití [kuβai'ti] *adj* koweitien(ne) ♦ *nm/f* Koweitien(ne).
kv *abr* (= *kilovatio(s)*) kW (= *kilowatt*).
kv/h *abr* (= *kilovatios-hora*) kWh (= *kilowattheure*).

L, l

L, l ['ele] *nf (letra)* L, l *m inv*; ~ **de Lorenzo** ≈ L comme Louis.
l. *abr (= litro(s))* l (= *litre(s))*; (*JUR*) = **ley.**
L / *abr (COM)* = **letra.**
la [la] *art def* la ♦ *pron (a ella)* la, l'; *(usted)* vous; *(cosa)* la ♦ *nm (MÚS)* la *m inv*; **está en ~ cárcel** il est en prison; ~ **del sombrero rojo** celle qui porte un chapeau rouge.
laberinto [laβe'rinto] *nm* labyrinthe *m.*
labia ['laβja] *nf (locuacidad)* volubilité *f*; (*pey*) bagout *m*; **tener mucha ~** avoir du bagout.
labial [la'βjal] *adj (LING)* labial(e); **crema ~** baume *m* pour les lèvres.
labio ['laβjo] *nm* lèvre *f*; *(de vasija etc)* bord *m*; ▶ **labio inferior/superior** lèvre inférieure/supérieure.
labor [la'βor] *nf* travail *m*, labeur *m*; (*AGR*) labour *m*; *(obra)* travail; *(COSTURA, de punto)* ouvrage *m*; ▶ **labor de equipo** travail d'équipe; ▶ **labor de ganchillo** ouvrage au crochet; ▶ **labores domésticas** o **del hogar** tâches *fpl* domestiques.
laborable [laβo'raβle] *adj (AGR)* labourable; **día ~** jour *m* ouvrable.
laboral [laβo'ral] *adj* du travail.
laboralista [laβora'lista] *adj*: **abogado ~** avocat *m* du travail.
laborar [laβo'rar] *vi* œuvrer.
laboratorio [laβora'torjo] *nm* laboratoire *m.*
laborioso, -a [laβo'rjoso, a] *adj (persona)* travailleur(-euse); *(negociaciones, trabajo)* laborieux(-euse).
laborista [laβo'rista] (*BRIT*) *adj*: **Partido L~** parti *m* travailliste ♦ *nm/f* travailliste *m/f.*
labrado, -a [la'βraðo, a] *adj (campo)* labouré(e); *(madera)* travaillé(e); *(metal, cristal)* ciselé(e) ♦ *nm (de madera etc)* travail *m.*
Labrador [laβra'ðor] *nm* Labrador *m.*
labrador, a [laβra'ðor, a] *nm/f* cultivateur(-trice).
labranza [la'βranθa] *nf* labour *m.*
labrar [la'βrar] *vt (tierra)* labourer; *(madera, cuero)* travailler; *(metal, cristal)* ciseler; *(porvenir, ruina)* courir à.

labriego, -a [la'βrjeɣo, a] *nm/f* paysan(ne).
laburar [laβu'rar] (*CSUR: fam*) *vi* trimer.
laca ['laka] *nf* laque *f*; ▶ **laca de uñas** vernis *msg* à ongles.
lacayo [la'kajo] *nm* laquais *msg.*
lacerar [laθe'rar] *vt* lacérer.
lacio, -a ['laθjo, a] *adj* raide.
lacón [la'kon] *nm (CULIN)* épaule *f* de porc.
lacónico, -a [la'koniko, a] *adj* laconique.
lacra ['lakra] *nf* cicatrice *f*; (*fig*) fléau *m*; ▶ **lacra social** fléau de la société.
lacrar [la'krar] *vt* cacheter.
lacre ['lakre] *nm* cire *f* (à cacheter).
lacrimógeno, -a [lakri'moxeno, a] *adj (fig)* gnangnan *adj inv*; **gas ~** gaz *m* lacrymogène.
lacrimoso, -a [lakri'moso, a] *adj (ojos)* larmoyant(e); *(escena)* déchirant(e).
lactancia [lak'tanθja] *nf* allaitement *m.*
lácteo, -a ['lakteo, a] *adj*: **productos ~s** produits *mpl* laitiers.
ladear [laðe'ar] *vt* pencher; **ladearse** *vpr* se pencher; *(AVIAT)* virer sur l'aile.
ladera [la'ðera] *nf* versant *m.*
ladino, -a [la'ðino, a] *adj (astuto)* malin(e); *(CAM: indio)* qui parle espagnol ♦ *nm/f (CAM: indio)* Indien parlant espagnol; (: *mestizo)* métis(se).
lado ['laðo] *nm* côté *m*; *(de cuerpo, MIL)* flanc *m*; ~ **izquierdo/derecho** côté gauche/droit; **al ~ (de)** à côté (de); **estar/ponerse del ~ de algn** être/se mettre du côté de qn; **hacerse a un ~** se mettre sur le côté; **poner de ~** mettre o placer de côté; **poner a un ~** mettre à côté; **me da de ~** je m'en fiche; **por un ~ ..., por otro ~ ...** d'un côté ..., d'un autre côté ...; **por todos ~s** de tous les côtés.
ladrar [la'ðrar] *vi* aboyer.
ladrido [la'ðriðo] *nm* aboiement *m.*
ladrillo [la'ðriʎo] *nm* brique *f*; **este libro es un ~** (*fig*) ce livre est un pavé.
ladrón, -ona [la'ðron, ona] *nm/f* voleur(-euse) ♦ *nm (ELEC)* prise *f* multiple.
lagar [la'ɣar] *nm* pressoir *m.*
lagarta [la'ɣarta] (*fam!*) *nf (mujer taimada)* salope *f* (*fam!*); *(mujer licenciosa)* putain *f* (*fam!*).
lagartija [laɣar'tixa] *nf* lézard *m.*
lagarto [la'ɣarto] *nm* lézard *m*; (*AM: caimán*) caïman *m.*
lago ['laɣo] *nm* lac *m.*
Lagos ['laɣos] *n* Lagos *m.*
lágrima ['laɣrima] *nf* larme *f*; ▶ **lágrimas de cocodrilo** larmes de crocodile.
lagrimal [laɣri'mal] *nm* coin *m* interne de l'œil.
lagrimear [laɣrime'ar] *vi* pleurer.
laguna [la'ɣuna] *nf* lagune *f*; *(en escrito, conocimientos)* lacune *f.*

laico, -a ['laiko, a] *adj, nm/f* laïque *m/f*.
laja ['laxa] *nf* galet *m*.
lamber [lam'ber] (*AM: fam*) *vt* lécher.
lambiscón, -ona [lambis'kon, ona] (*AM: fam*) *adj, nm/f* lèche-bottes *m/f inv*.
lameculos [lame'kulos] (*fam, pey*) *nm/f inv* lèche-cul *m/f inv*.
lamentable [lamen'taßle] *adj* (*desastroso*) déplorable; (*lastimoso*) lamentable.
lamentablemente [lamen'taßlemente] *adv* lamentablement.
lamentación [lamenta'θjon] *nf* lamentation *f*; ahora no sirven lamentaciones rien ne sert de pleurer.
lamentar [lamen'tar] *vt* (*desgracia, pérdida*) pleurer; **lamentarse** *vpr*: ~se (de) se lamenter (sur); **lamento tener que decirle** ... je regrette d'avoir à vous dire ...; **lamento que no haya venido** je regrette qu'il ne soit pas venu; **lo lamento mucho** je regrette beaucoup.
lamento [la'mento] *nm* plainte *f*.
lamer [la'mer] *vt* lécher.
lámina ['lamina] *nf* (*de metal, papel*) feuille *f*; (*ilustración, de madera*) planche *f*.
laminar [lami'nar] *vt* laminer.
lámpara ['lampara] *nf* lampe *f*; (*mancha*) tache *f*; ▶ **lámpara de alcohol/de gas** lampe à alcool/à gaz; ▶ **lámpara de pie** lampe de chevet.
lamparilla [lampa'riʎa] *nf* chandelle *f*.
lamparón [lampa'ron] *nm* tache *f*.
lampiño, -a [lam'piɲo, a] *adj* imberbe.
lana ['lana] *nf* laine *f*, (*AM: fam: dinero*) fric *m*; **de** ~ en laine.
lance ['lanθe] *vb V* **lanzar** ♦ *nm* (*DEPORTE, TAUR*) passe *f*; (*suceso*) épisode *m*.
lanceta [lan'θeta] (*AM*) *nf* dard *m*.
lancha ['lantʃa] *nf* canot *m*, vedette *f*; ▶ **lancha de socorro** canot de sauvetage; ▶ **lancha motora** canot à moteur; ▶ **lancha neumática** canot pneumatique; ▶ **lancha torpedera** vedette lance-torpilles.
lanero, -a [la'nero, a] *adj* lainier(-ère).
langosta [lan'gosta] *nf* (*insecto*) sauterelle *f*; (*crustáceo*) langouste *f*.
langostino [langos'tino] *nm* langoustine *f*.
lánguidamente ['langiðamente] *adv* languissamment.
languidecer [langiðe'θer] *vi* languir.
languidez [langi'ðeθ] *nf* langueur *f*.
languidezca *etc* [langi'ðeθka] *vb V* **languidecer**.
lánguido, -a ['langiðo, a] *adj* languissant(e).
lanilla [la'niʎa] *nf* (*pelillo*) peluche *f*; (*tela*) chiffon *m* de flanelle.
lanolina [lano'lina] *nf* lanoline *f*.
lanudo, -a [la'nuðo, a] *adj* laineux(-euse).

lanza ['lanθa] *nf* lance *f*.
lanzacohetes [lanθako'etes] *nm inv* lance-fusées *m inv*.
lanzadera [lanθa'ðera] *nf* navette *f*.
lanzado, -a [lan'θaðo, a] *adj*: **ser** ~ être impétueux(-euse); **ir** ~ voler.
lanzagranadas [lanθaɣra'naðas] *nm inv* lance-grenades *m inv*.
lanzallamas [lanθa'ʎamas] *nm inv* lance-flammes *m inv*.
lanzamiento [lanθa'mjento] *nm* lancer *m*; (*de cohete, COM*) lancement *m*; ▶ **lanzamiento de pesos** lancer du poids.
lanzar [lan'θar] *vt* lancer; **lanzarse** *vpr*: ~se a se jeter à; (*al vacío*) se jeter dans; (*fig*) se lancer à; ~se contra algn/algo se lancer contre qn/qch.
Lanzarote [lanθa'rote] *nm* Lanzarote *f*.
lanzatorpedos [lanθator'peðos] *nm inv* lance-torpilles *m inv*.
lapa ['lapa] *nf* bernicle *f*, bernique *f*; **pegarse como** *o* **ser una** ~ (*fam*) être pot de colle.
La Paz [la'paθ] *nf* La Paz.
lapicera [lapi'θera] (*CSUR*) *nf* stylo *m*.
lapicero [lapi'θero] *nm* crayon *m*; (*AM: bolígrafo*) stylo *m*.
lápida ['lapiða] *nf* pierre *f* tombale; ▶ **lápida conmemorativa** plaque *f* commémorative.
lapidar [lapi'ðar] *vt* lapider.
lapidario, -a [lapi'ðarjo, a] *adj, nm* lapidaire *m*.
lápiz ['lapiθ] *nm* crayon *m* (à papier); **a** ~ au crayon; ▶ **lápiz de color** crayon de couleur; ▶ **lápiz de labios/de ojos** rouge *m* à lèvres/crayon pour les yeux; ▶ **lápiz óptico** *o* **luminoso** crayon optique.
lapón, -ona [la'pon, ona] *adj* lapon(e) ♦ *nm/f* Lapon(e) ♦ *nm* (*LING*) lapon *m*.
Laponia [la'ponja] *nf* Laponie *f*.
lapso ['lapso] *nm* (*tb*: ~ **de tiempo**) laps *msg* de temps; (*error*) lapsus *msg*.
lapsus ['lapsus] *nm inv* lapsus *msg*.
LAR [lar] (*ESP*) *sigla f* (*JUR = Ley de Arrendamientos Rústicos*) *réglementation des loyers agricoles*.
largamente [larɣamente] *adv* longuement.
largar [lar'ɣar] *vt* (*NÁUT: cable*) larguer; (*fam: dinero, bofetada*) allonger; (: *discurso*) infliger; (*AM*) lancer ♦ *vi* (*fam: hablar*) causer; **largarse** *vpr* (*fam*) se casser; ~se a (*AM*) se mettre à.
largavistas [larɣa'ßistas] (*CSUR*) *nm inv* (*TEC*) jumelles *fpl*.
largo, -a ['larɣo, a] *adj* long(longue); (*persona: alta*) grand(e); (: *generosa*) large ♦ *nm* longueur *f*; (*MÚS*) largo *m*; **dos horas largas** deux bonnes heures; **a** ~ **plazo** à

long terme; **tiene 9 metros de** ~ il fait 9 mètres de long; ¡~ **(de aquí)!** (fam) fous le camp!; ~ **y tendido** (hablar) en long et en large; **a lo** ~ (posición) en long; **a lo** ~ **de** (espacio) le long de; (tiempo) pendant; **hacerse muy** ~ traîner en longueur; **a la larga** à la fin; **me dio largas con la promesa de que** ... il s'est débarrassé de moi en promettant que ...

largometraje [larɣome'traxe] nm long métrage m.

largue etc ['larɣe] vb V **largar**.

larguero [lar'ɣero] nm (ARQ) poutre f maîtresse; (de puerta) chambranle m; (en cama, DEPORTE) barre f transversale.

largueza [lar'ɣeθa] nf largesse f.

larguirucho, -a [larɣi'rutʃo, a] adj dégingandé(e).

larguísimo, -a [lar'ɣisimo, a] adj superl très long(longue).

largura [lar'ɣura] nf longueur f.

laringe [la'rinxe] nf larynx msg.

laringitis [larin'xitis] nf laryngite f.

larva ['larβa] nf larve f.

las [las] art def, pron les; ~ **que cantan** celles qui chantent.

lasaña [la'saɲa] nf (CULIN) lasagnes fpl.

lasca ['laska] nf (de piedra) éclat m; (de jamón) tranche f.

lascivia [las'θiβja] nf lascivité f.

lascivo, -a [las'θiβo, a] adj lascif(-ive).

láser ['laser] nm laser m; **rayo** ~ rayon m laser.

lástima ['lastima] nf pitié f; **dar** ~ faire pitié; **es una** ~ **que** quel dommage que; ¡**qué** ~! quel dommage!, **estar hecho una** ~ faire pitié à voir.

lastimar [lasti'mar] vt (herir) blesser; (ofender) peiner; **lastimarse** vpr se blesser.

lastimero, -a [lasti'mero, a] adj navrant(e).

lastimoso, -a [lasti'moso, a] adj déplorable.

lastre ['lastre] nm (TEC, NÁUT) leste m; (fig) poids msg mort.

lata ['lata] nf (metal) fer m blanc; (envase) boîte f de conserve; (fam) plaie f; **en** ~ en conserve; **dar (la)** ~ enquiquiner; ¡**qué** ~! quelle plaie!

latente [la'tente] adj latent(e).

lateral [late'ral] adj latéral(e) ♦ nm (de iglesia, camino) côté m; (DEPORTE) aile f.

latido [la'tiðo] nm (del corazón) battement m.

latifundio [lati'fundjo] nm latifundio m, latifundium m.

latifundista [latifun'dista] nm/f propriétaire m/f d'un latifundio.

latigazo [lati'ɣaθo] nm coup m de fouet; (fig: dolor) douleur f vive.

látigo ['latiɣo] nm fouet m.

latiguillo [lati'ɣiʎo] nm phrase f stéréotypée.

latín [la'tin] nm (LING) latin m; **saber (mucho)** ~ (fam) ne pas être né(e) de la dernière pluie.

latinajo [lati'naxo] (pey) nm mot m en latin; **echar** ~s parler en latin de cuisine.

latino, -a [la'tino, a] adj latin(e).

Latinoamérica [latinoa'merika] nf Amérique f latine.

latinoamericano, -a [latinoameri'kano, a] adj latino-américain(e) ♦ nm/f Latino américain(e).

latir [la'tir] vi battre.

latitud [lati'tuð] nf latitude f; ~**es** nfpl (región) latitudes fpl.

lato, -a ['lato, a] adj: **en sentido** ~ au sens large.

latón [la'ton] nm laiton m.

latoso, -a [la'toso, a] adj enquiquinant(e).

latrocinio [latro'θinjo] nm vol m.

LAU (ESP) sigla f (JUR = Ley de Arrendamientos Urbanos) réglementation des loyers urbains.

laucha ['lautʃa] (CSUR) nf souris f.

laúd [la'uð] nm (MÚS) luth m.

laudable [lau'ðaβle] adj louable.

laudo ['lauðo] nm (JUR) arbitrage m.

laureado, -a [laure'aðo, a] adj lauréat(e).

laurel [lau'rel] nm laurier m; **dormirse en los** ~**es** s'endormir sur ses lauriers.

Lausana [lau'sana] n Lausanne.

lava ['laβa] nf lave f.

lavable [la'βaβle] adj lavable.

lavabo [la'βaβo] nm lavabo m; (servicio) toilettes fpl.

lavadero [laβa'ðero] nm lavoir m.

lavado [la'βaðo] nm nettoyage m; (de cuerpo) toilette f; ▶ **lavado de cerebro** lavage m de cerveau; ▶ **lavado de estómago** lavage d'estomac.

lavadora [laβa'ðora] nf machine f à laver.

lavafrutas [laβa'frutas] nm inv rince-doigts m inv.

lavanda [la'βanda] nf lavande f.

lavandería [laβande'ria] nf blanchisserie f; ▶ **lavandería automática** laverie f automatique.

lavaplatos [laβa'platos] nm inv lave-vaisselle m inv.

lavar [la'βar] vt laver; **lavarse** vpr se laver; ~ **y marcar** (pelo) faire un shampooing et une mise en plis; ~ **en seco** nettoyer à sec; ~**se las manos** se laver les mains; (fig) s'en laver les mains.

lavaseco [laβa'seko] (CHI) nm teinturier m.

lavativa [laβa'tiβa] nf (MED) lavement m.

lavatorio [laβa'torjo] (CSUR) nm lavabo m.

lavavajillas [laβaβa'xiʎas] nm inv = **lavapla-**

tos.

laxante [lak'sante] *nm* laxatif *m*.

laxitud [laksi'tuð] *nf* laxisme *m*.

lazada [la'θaða] *nf* nœud *m*.

lazarillo [laθa'riʎo] *nm* guide *m/f* d'aveugle; **perro ~** chien *m* d'aveugle.

lazo ['laθo] *nm* nœud *m*; (*para animales*) lasso *m*; (*trampa*) piège *m*; (*vínculo*) lien *m*; ► **lazo corredizo** nœud coulant; ► **lazos de amistad/de parentesco** liens *mpl* d'amitié/de parenté.

LBE (*ESP*) *sigla f* (*JUR*) = *Ley Básica de Empleo*.

lb(s) *abr* (= *libra(s)*) lb (= *livre(s)*).

L/C *abr* (= *Letra de Crédito*) L/C (= *lettre de crédit*).

Lda. *abr* (= *Licenciada*) V **licenciado**.

Ldo. *abr* = **Licenciado**.

le [le] *pron* (*directo*) le; (: *usted*) vous; (*indirecto*) lui; (: *usted*) vous.

leal [le'al] *adj* loyal(e).

lealtad [leal'tað] *nf* loyauté *f*.

lebrel [le'ßrel] *nm* lévrier *m*.

lección [lek'θjon] *nf* leçon *f*; **dar lecciones de** donner des leçons de; **dar una ~ a algn** (*fig*) donner une bonne leçon à qn; ► **lección práctica** leçon de choses.

leche ['letʃe] *nf* lait *m*; **dar una ~ a algn** (*fam*) filer un gnon à qn; **darse una ~** (*fam*) se filer un gnon; **¡~!** (*fam*) putain! (*fam!*); **tener** *o* **estar de mala ~** (*fam*) être de mauvais poil; ► **leche condensada/descremada** *o* **desnatada** lait condensé/écrémé; ► **leche en polvo** lait en poudre.

lechera [le'tʃera] *nf* (*recipiente*) pot *m* à lait; *V tb* **lechero**.

lechería [letʃe'ria] *nf* laiterie *f*.

lechero, -a [le'tʃero, a] *adj*, *nm/f* laitier(-ère).

lecho [letʃo] *nm* lit *m*, couche *f*; ► **lecho de muerte** lit de mort; ► **lecho de río** lit de la rivière.

lechón [le'tʃon] *nm* cochon *m* de lait.

lechosa [le'tʃosa] (*VEN*) *nf* papaye *f*.

lechoso, -a [le'tʃoso, a] *adj* laiteux(-euse).

lechuga [le'tʃuɣa] *nf* laitue *f*.

lechuza [le'tʃuθa] *nf* chouette *f*.

lectivo, -a [lek'tißo, a] *adj* (*día, horas*) de cours.

lector, a [lek'tor, a] *nm/f* lecteur(-trice) ♦ *nm* (*INFORM*) lecteur *m* ♦ *nf*: **~a de fichas** (*INFORM*) lecteur de cartes; ► **lector óptico de caracteres** (*INFORM*) lecteur optique de caractères.

lectura [lek'tura] *nf* lecture *f*.

leer [le'er] *vt* lire; **~ algo en los ojos/la cara de algn** lire qch dans les yeux/sur le visage de qn; **~ entre líneas** lire entre les lignes.

legación [leɣa'θjon] *nf* légation *f*.

legado [le'ɣaðo] *nm* (*JUR, fig*) legs *msg*; (*enviado*) légat *m*.

legajo [le'ɣaxo] *nm* dossier *m*.

legal [le'ɣal] *adj* légal(e); (*fam: persona*) réglo *adj inv*.

legalice *etc* [leɣa'liθe] *vb* V **legalizar**.

legalidad [leɣali'ðað] *nf* légalité *f*; (*normas*) législation *f*.

legalizar [leɣali'θar] *vt* légaliser.

legalmente [le'ɣalmente] *adv* légalement.

legaña [le'ɣaɲa] *nf* chassie *f*.

legar [le'ɣar] *vt* (*JUR, fig*) léguer.

legatario, -a [leɣa'tarjo, a] *nm/f* (*JUR*) légataire *m/f*.

legendario, -a [lexen'darjo, a] *adj* légendaire.

legible [le'xißle] *adj* lisible; **~ por máquina** (*INFORM*) exploitable par une machine.

legión [le'xjon] *nf* (*MIL, fig*) légion *f*; **L~ Extranjera** Légion étrangère.

legionario [lexjo'narjo, a] *nm* légionnaire *m*.

legislación [lexisla'θjon] *nf* législation *f*; ► **legislación antimonopolio** lois *fpl* anti-trust.

legislar [lexis'lar] *vi* légiférer.

legislativo, -a [lexisla'tißo, a] *adj* législatif(-ive); (*elecciones*) **legislativas** (élections) législatives *fpl*.

legislatura [lexisla'tura] *nf* législature *f*.

legitimar [lexiti'mar] *vt* légitimer.

legítimo, -a [le'xitimo, a] *adj* (*genuino*) véritable; (*legal*) légitime; **en legítima defensa** en légitime défense.

lego, -a ['leɣo, a] *adj* (*REL*) séculaire; (*ignorante*) profane ♦ *nm/f* profane *m/f*.

legua [le'ɣwa] *nf* lieue *f*; **se ve** *o* **se nota a la ~** ça se voit comme le nez au milieu de la figure.

legue *etc* [le'ɣe] *vb* V **legar**.

legumbres [le'ɣumbres] *nfpl* légumes *mpl*.

leído, -a [le'iðo, a] *adj* instruit(e).

lejanía [lexa'nia] *nf* éloignement *m*.

lejano, -a [le'xano, a] *adj* éloigné(e); ► **Lejano Oriente** Extrême-Orient *m*.

lejía [le'xia] *nf* lessive *f*.

lejísimos [le'xisimos] *adv* très loin.

lejos ['lexos] *adv* loin; **a lo ~** au loin; **de** *o* **desde ~** de loin; **está muy ~** c'est très loin; **¿está ~?** c'est loin?; **ir demasiado ~** (*fig*) aller trop loin; **sin ir más ~** sans aller plus loin; **llegar ~** (*fig*) aller loin; **~ de loin de**.

lelo, -a ['lelo, a] *adj* bébête ♦ *nm/f* sot(te).

lema ['lema] *nm* devise *f*; (*POL*) slogan *m*.

lempira [lem'pira] (*HON*) *nm* monnaie du Honduras.

lencería [lenθe'ria] *nf* linge *m*; (*ropa interior*) lingerie *f*.

lendakari [lenda'kari] *nm président du gouvernement autonomiste basque.*

lengua ['lengwa] *nf* langue *f*; **dar a la ~** causer; **irse de la ~** avoir la langue bien pendue; **morderse la ~** (*fig*) se mordre les doigts; ► **lenguas clásicas** langues mortes; ► **lengua de tierra** (*GEO*) langue de terre; ► **lengua materna** langue maternelle.

lenguado [len'gwaðo] *nm* sole *f*.

lenguaje [len'gwaxe] *nm* langage *m*; **en ~ llano** simplement; ► **lenguaje comercial** langage commercial; ► **lenguaje de programación** (*INFORM*) langage de programmation; ► **lenguaje ensamblador** o **de bajo nivel** (*INFORM*) assembleur *m*; ► **lenguaje máquina** (*INFORM*) langage machine; ► **lenguaje periodístico** langage journalistique.

lengüeta [len'gweta] *nf* (*de zapatos, MÚS*) languette *f*.

Leningrado [lenin'graðo] *n* (*HIST*) Léningrad.

lente ['lente] *nf* lentille *f*; (*lupa*) loupe *f*; **~s** *nmpl* (*gafas*) lorgnon *m*; ► **lentes de contacto** lentilles de contact.

lenteja [len'texa] *nf* lentille *f*.

lentejuela [lente'xwela] *nf* paillette *f*.

lentilla [len'tiʎa] *nf* lentille *f*.

lentitud [lenti'tuð] *nf* lenteur *f*; **con ~** avec lenteur.

lento, -a ['lento, a] *adj* lent(e).

leña ['leɲa] *nf* (*para el fuego*) bois *msg*; **dar** o **repartir ~ a** distribuer des coups à; **echar ~ al fuego** (*fig*) mettre de l'huile sur le feu.

leñador, a [leɲa'ðor, a] *nm/f* bûcheron(ne).

leño ['leɲo] *nm* tronc *m*; (*fig*) crétin *m*.

Leo ['leo] *nm* (*ASTROL*) Lion *m*; **ser ~** être (du Lion).

león [le'on] *nm* lion *m*; ► **león marino** otarie *f*.

leonera [leo'nera] *nf* (*jaula*) cage *f* aux lions; **esta habitación está hecha una ~** cette chambre est dans une pagaille épouvantable.

leonés, -esa [leo'nes, esa] *adj* léonais(e) ♦ *nm/f* Léonais(e).

leonino, -a [leo'nino, a] *adj* léonin(e).

leopardo [leo'parðo] *nm* léopard *m*.

leotardos [leo'tarðos] *nmpl* collants *mpl*.

lépero, -a ['lepero, a] (*CAM, MÉX*) *adj* grossier(-ère) ♦ *nm/f* malotru(e).

leporino, -a [lepo'rino, a] *adj*: **labio ~** bec-de-lièvre *m*.

lepra ['lepra] *nf* lèpre *f*.

leprosario [lepro'sarjo] (*MÉX*) *nf* = **leprosería**.

leprosería [leprose'ria] *nf* léproserie *f*.

leproso, -a [le'proso, a] *nm/f* lé-

preux(-euse).

lerdo, -a ['lerðo, a] *adj* lent(e).

leridano, -a [leri'ðano, a] *adj* de Lérida ♦ *nm/f* natif(-ive) o habitant(e) de Lérida.

les [les] *pron* (*directo*) les; (: *ustedes*) vous; (*indirecto*) leur; (: *ustedes*) vous.

lesbiana [les'βjana] *nf* lesbienne *f*.

leseras [le'seras] (*CSUR*) *nfpl* idioties *fpl*.

lesión [le'sjon] *nf* lésion *f*.

lesionado, -a [lesjo'naðo, a] *adj* blessé(e).

lesionar [lesjo'nar] *vt* blesser; **lesionarse** *vpr* se blesser.

letal [le'tal] *adj* létal(e).

letanía [leta'nia] *nf* (*REL*) litanie *f*; (*retahíla*) chapelet *m*.

letárgico, -a [le'tarxiko, a] *adj* léthargique.

letargo [le'tarɣo] *nm* léthargie *f*.

Letonia [le'tonja] *nf* Lettonie *f*.

letra ['letra] *nf* lettre *f*; (*escritura*) écriture *f*; (*COM*) traite *f*; (*MÚS: de canción*) paroles *fpl*; **L~s** *nfpl* (*UNIV, ESCOL*) Lettres *fpl*; **escribir 4 ~s a algn** écrire un petit mot à qn; ► **letra bancaria** traite bancaire; ► **letra bastardilla/negrita** (*TIP*) italique *m*/caractères *mpl* gras; ► **letra de cambio** (*COM*) lettre de change; ► **letra de imprenta** o **de molde** caractère *m* d'imprimerie; ► **letra de patente** (*COM*) brevet *m* d'invention; ► **letra inicial** initiale *f*; ► **letra mayúscula/minúscula** lettre majuscule/minuscule.

letrado, -a [le'traðo, a] *adj* instruit(e) ♦ *nm/f* avocat(e).

letrero [le'trero] *nm* panneau *m*; (*anuncio*) écriteau *m*.

letrina [le'trina] *nf* latrines *fpl*.

leucemia [leu'θemja] *nf* leucémie *f*.

leucocito [leuko'θito] *nm* leucocyte *m*.

leva ['leβa] *nf* (*NÁUT*) appareillage *m*; (*MIL*) levée *f*; (*TEC*) levier *m*.

levadizo, -a [leβa'ðiθo, a] *adj*: **puente ~** pont *m* basculant; (*HIST*) pont-levis *m*.

levadura [leβa'ðura] *nf* levure *f*; ► **levadura de cerveza** levure de bière; ► **levadura en polvo** (*CULIN*) levure en poudre.

levantada [leβan'taða] (*PE*) *nf* levée *f*.

levantamiento [leβanta'mjento] *nm* soulèvement *m*; (*de castigo, orden*) levée *f*; ► **levantamiento de pesos** haltérophilie *f*.

levantar [leβan'tar] *vt* lever; (*velo, telón*) relever; (*paquete, niño*) soulever; (*voz*) élever; (*mesa*) débarrasser; (*polvo*) soulever; (*construir*) élever; **levantarse** *vpr* se lever; (*desprenderse*) s'enlever; (*sesión*) être levé(e); **~ el ánimo** ranimer les esprits; **no levanto cabeza** tout va de travers.

levante [le'βante] *nm* (*GEO*) levant *m*;

(*viento*) vent *m* d'Est; **el L~** le Levant.
levantino, -a [leßan'tino, a] *adj* du Levant.
levantisco, -a [leßan'tisko, a] *adj* levantin(e).
levar [le'ßar] *vt*: ~ **anclas** lever l'ancre.
leve ['leße] *adj* léger(-ère).
levedad [leße'ðað] *nf* légèreté *f*; (*de herida*) caractère *m* bénin.
levemente ['leßemente] *adv* légèrement.
levita [le'ßita] *nf* redingote *f*.
levitación [leßita'θjon] *nf* lévitation *f*.
léxico, -a ['leksiko, a] *adj* lexical(e) ♦ *nm* lexique *m*.
ley [lei] *nf* loi *f*; (*de sociedad*) règlement *m*; **de** ~ (*oro, plata*) au titre; **vivir fuera de la** ~ vivre en dehors des lois; **según la** ~ d'après la loi; **aplicar la** ~ **del embudo** faire deux poids, deux mesures; ► **ley de la gravedad** loi de la pesanteur.
leyenda [le'jenda] *nf* légende *f*.
leyendo *etc* [le'jendo] *vb V* **leer**.
liar [li'ar] *vt* (*atar*) lier; (*enredar*) embrouiller; (*cigarrillo*) rouler; (*envolver*) enrouler; **liarse** *vpr* (*fam*) s'embrouiller; ~ **a algn en algo** (*fam*) embarquer qn dans qch; ~**se a palos** se taper dessus; ~**se a hacer algo** se mettre à faire qch; ~**se haciendo algo** se plonger dans qch; ~**se con algn** (*fam*) avoir une liaison avec qn; **¡la que has liado!** tu te rends compte de ce que tu as fait?
lib. *abr* = **libro**.
libanés, -esa [lißa'nes, esa] *adj* libanais(e) ♦ *nm/f* Libanais(e).
Líbano ['lißano] *nm*: **el** ~ le Liban.
libar [li'ßar] *vt* butiner.
libelo [li'ßelo] *nm* libelle *m*.
libélula [li'ßelula] *nf* libellule *f*.
liberación [lißera'θjon] *nf* libération *f*.
liberado, -a [liße'raðo, a] *adj* libéré(e); (*COM*) à jour.
liberal [liße'ral] *adj, nm/f* (*POL, ECON*) libéral(e); **profesiones** ~**es** professions *fpl* libérales.
liberalidad [lißerali'ðað] *nf* libéralité *f*.
liberalizar [lißerali'θar] *vt* libéraliser.
liberar [liße'rar] *vt* libérer; **liberarse** *vpr* se libérer.
libertad [lißer'tað] *nf* liberté *f*; ~**es** *nfpl* (*pey*) libertés *fpl*; **estar en** ~ être en liberté; **poner a algn en** ~ remettre qn en liberté; ► **libertad bajo fianza/bajo palabra** liberté sous caution/sur parole; ► **libertad condicional** liberté conditionnelle; ► **libertad de comercio** libre-échange *m*; ► **libertad de culto/de expresión/de prensa** liberté du culte/d'expression/de presse; ► **libertad provisional** liberté provisoire.
Libertador [lißerta'ðor] (*AM*) *nm* (*HIST*): **El**

~ le Libérateur.
libertar [lißer'tar] *vt* (*preso*) délivrer.
libertinaje [lißerti'naxe] *nm* libertinage *m*.
libertino, -a [lißer'tino, a] *adj, nm/f* libertin(e).
Libia ['lißja] *nf* Libye *f*.
libidinoso, -a [lißiði'noso, a] *adj* libidineux(-euse).
libido [li'ßiðo] *nf* libido *f*.
libio, -a ['lißjo, a] *adj* libyen(ne) ♦ *nm/f* Libyen(ne).
libra ['lißra] *nf* livre *f*; **L~** (*ASTROL*) Balance *f*; **ser L~** être (de la) Balance; ► **libra esterlina** livre sterling.
librador, a [lißra'ðor, a] *nm/f* (*COM*) tireur *m*.
libramiento [lißra'mjento] *nm* (*COM*) ordre *m* de paiement.
libranza [li'ßranθa] *nf* (*COM*) ordre *m* de paiement; (*letra de cambio*) tirage *m*.
librar [li'ßrar] *vt* (*de castigo, obligación*) soustraire; (*de peligro*) sauver; (*batalla*) livrer; (*cheque*) virer; (*JUR*) exempter ♦ *vi* avoir un jour de congé; **librarse** *vpr*: ~**se de algn/algo** échapper à qn/qch; **libro los domingos** je ne travaille pas le dimanche; **de buena nos hemos librado** nous l'avons échappé belle.
libre ['lißre] *adj* libre; ~ **a bordo** (*COM*) franco à bord; ~ **de impuestos** exonéré(e) d'impôts; ~ **de preocupaciones** libre de toute préoccupation; **tiro** ~ coup *m* franc; **los 100 metros** ~**s** le 100 mètres nage libre; **al aire** ~ à l'air libre; **entrada** ~ entrée *f* libre; **día** ~ jour *m* de congé; **¿estás** ~? tu es libre?
librecambio [lißre'kambjo] *nm* (*ECON*) libre-échange *m*.
librecambista [lißrekam'bista] *adj, nm* (*ECON*) libre-échangiste *m*.
libremente ['lißremente] *adv* librement.
librería [lißre'ria] *nf* librairie *f*; (*estante*) bibliothèque *f*; ► **librería de ocasión** librairie de livres d'occasion.
librero, -a [li'ßrero, a] *nm/f* libraire *m/f* ♦ *nm* (*MÉX*) bibliothèque *f*.
libreta [li'ßreta] *nf* cahier *m*; ► **libreta de ahorros** livret *m* de caisse d'épargne.
libreto [li'ßreto] *nm* (*MÚS*) livret *m*.
libro ['lißro] *nm* livre *m*; ► **libro azul/blanco** (*POL*) livre bleu/blanc; ► **libro de actas** minutes *fpl*; ► **libro de bolsillo** livre de poche; ► **libro de caja/de caja auxiliar** (*COM*) livre de caisse/de petite caisse; ► **libro de cocina** livre de cuisine; ► **libro de consulta** ouvrage *m* de référence; ► **libro de cuentas** livre de comptes; ► **libro de cuentos** livre de contes; ► **libro de entradas y salidas** (*COM*) main *f* courante; ► **libro de fami-**

lia (*JUR*) livret *m* de famille; ▶ **libro de honor** livre d'or; ▶ **libro de reclamaciones** registre des réclamations; ▶ **libro de texto** manuel *m*; ▶ **libro mayor** (*COM*) grand livre.

Lic. *abr* = *Licenciado, a.*

licencia [li'θenθja] *nf* (*ADMIN, JUR*) licence *f*, autorisation *f*; ▶ **licencia de apertura** licence; ▶ **licencia de armas/de caza** permis *msg* de port d'arme/de chasse; ▶ **licencia de exportación** (*COM*) licence d'exportation; ▶ **licencia de obras** permis de construire; ▶ **licencia fiscal** patente *f*; ▶ **licencia poética** figures *fpl* de rhétorique.

licenciado, -a [liθen'θjaðo, a] *adj* (*soldado*) libéré(e); (*UNIV*) titulaire d'une maîtrise ♦ *nm/f* titulaire *m/f* d'une maîtrise; **L~** (*esp MÉX: título*) Professeur; **L~ en Filosofía y Letras** titulaire d'une maîtrise de Lettres.

licenciar [liθen'θjar] *vt* (*soldado*) libérer; **licenciarse** *vpr* terminer son service militaire; (*UNIV*) passer sa maîtrise; **~se en letras** obtenir une maîtrise de lettres.

licenciatura [liθenθja'tura] *nf* maîtrise *f*.

licencioso, -a [liθen'θjoso, a] *adj* licencieux(-euse).

liceo [li'θeo] (*esp AM*) *nm* lycée *m*.

licitación [liθita'θjon] *nf* vente *f* aux enchères; (*oferta*) enchère *f*.

licitador [liθita'ðor] *nm*, **licitante** [liθi'tante] *nm* enchérisseur *m*.

licitar [liθi'tar] *vt* faire une enchère sur ♦ *vi* faire monter les enchères.

lícito, -a ['liθito, a] *adj* (*legal*) licite, (*justo*) juste; (*permisible*) permis(e).

licor [li'kor] *nm* liqueur *f*.

licuadora [likwa'ðora] *nf* mixeur *m*.

licuar [li'kwar] *vt* passer au mixeur.

lid [lið] *nf* lutte *f*; **~es** *nfpl* matière *f*.

líder ['liðer] *nm/f* leader *m*.

liderato [liðe'rato] *nm* = **liderazgo**.

liderazgo [liðe'raɣo] *nm* leadership *m*.

lidia ['liðja] *nf* (*TAUR*) combat *m*; (: *una lidia*) corrida *f*; **toros de ~** taureaux *mpl* de combat.

lidiar [li'ðjar] *vt* combattre ♦ *vi*: **~ con** (*dificultades, enemigos*) batailler avec.

liebre ['ljeβre] *nf* lièvre *m*; (*CHI: microbús*) minibus *msg*; **dar gato por ~** rouler.

Lieja ['ljexa] *nf* Liège *f*.

lienzo ['ljenθo] *nm* toile *f*; (*ARQ*) mur *m*.

lifting ['liftin] *nm* lifting *m*.

liga ['liɣa] *nf* (*de medias*) porte-jarretelles *m inv*; (*DEPORTE*) compétition *f*; (*POL*) ligue *f*.

ligadura [liɣa'ðura] *nf* ligature *f*; ▶ **ligadura de trompas** (*MED*) ligature des trompes.

ligamento [liɣa'mento] *nm* ligament *m*.

ligar [li'ɣar] *vt* lier; (*MED*) ligaturer ♦ *vi* (*fam: persona*) draguer; (: *2 personas*) se faire du gringue; **ligarse** *vpr* (*fig*) se lier; **~ con** (*fam*) draguer; **estar muy ligado a algn/algo** être très attaché à qn/qch; **~se a algn** (*fam*) draguer qn.

ligeramente [li'xeramente] *adv* légèrement.

ligereza [lixe'reθa] *nf* légèreté *f*.

ligero, -a [li'xero, a] *adj* léger(-ère) ♦ *adv* (*andar*) d'un pas léger; (*moverse*) avec légèreté; **a la ligera** à la légère.

light ['lait] *adj inv* (*cigarrillo*) léger(-ère); (*comida*) allégé(e).

ligón, -ona [li'ɣon, ona] (*fam*) *nm/f* dragueur(-euse).

ligue ['liɣe] *vb V* **ligar** ♦ *nm* (*fam*): **ir de ~** draguer.

liguero [li'ɣero] *nm* porte-jarretelles *m inv*.

lija ['lixa] *nf* (*pez*) roussette *f*; (*tb*: **papel de ~**) papier *m* de verre.

lijar [li'xar] *vt* poncer.

lila ['lila] *adj inv* lilas *adj inv* ♦ *nf* (*BOT*) lilas *msg* ♦ *nm* (*color*) lilas *msg*; (*fam: tonto*) crétin.

lima ['lima] *nf* (*herramienta, BOT*) lime *f*; **comer como una ~** manger comme quatre; ▶ **lima de uñas** lime à ongles.

limar [li'mar] *vt* limer; **~ asperezas** (*fig*) passer l'éponge.

limbo ['limbo] *nm*: **estar en el ~** (*fig*) être dans la lune.

limeño, -a [li'meɲo, a] *adj* de Lima ♦ *nm/f* natif(-ive) o habitant(e) de Lima

limitación [limita'θjon] *nf* limitation *f*; **limitaciones** *nfpl* (*carencias*) limites *fpl*; ▶ **limitación de velocidad** limitation de vitesse.

limitado, -a [limi'taðo, a] *adj* limité(e); **sociedad limitada** société *f* à responsabilité limitée.

limitar [limi'tar] *vt* limiter; (*terreno, tiempo*) délimiter ♦ *vi*: **~ con** (*GEO*) faire frontière avec; **limitarse** *vpr*: **~se a (hacer)** se limiter à (faire).

límite ['limite] *nm* limite *f*; **~s** *nmpl* (*de finca, país*) limites *fpl*; **fecha ~** date *f* limite; **situación ~** situation *f* limite; **no tener ~s** être sans limite; ▶ **límite de crédito** découvert *m* autorisé; ▶ **límite de página** fin *f* de page; ▶ **límite de velocidad** limitation *f* de vitesse.

limítrofe [li'mitrofe] *adj* limitrophe.

limón [li'mon] *nm* citron *m* ♦ *adj*: **amarillo ~** jaune citron *inv*.

limonada [limo'naða] *nf* limonade *f*.

limonero [limo'nero] *nm* citronnier *m*.

limosna [li'mosna] *nf* aumône *f*; **pedir ~** demander l'aumône, mendier; **vivir de la ~**

vivre de mendicité.

limpia ['limpja] (*CAM, MÉX*) *nf* propreté *f*.

limpiabotas [limpja'ßotas] *nm/f inv* cireur (-euse) (de chaussures).

limpiacristales [limpjakris'tales] *nm inv* produit *m* pour les vitres.

limpiador, a [limpja'ðor, a] *adj* nettoyant(e) ♦ *nm/f* nettoyeur(-euse); ♦ *nm* (*producto*) nettoyant *m*.

limpiaparabrisas [limpjapara'ßrisas] *nm inv* essuie-glace *m*.

limpiar [lim'pjar] *vt* nettoyer; (*fam: robar*) soulager (de); **limpiarse** *vpr*: ~**se la cara/los pies** se laver la figure/les pieds; ~ **en seco** nettoyer à sec.

limpieza [lim'pjeθa] *nf* propreté *f*; (*acto, POLICÍA*) nettoyage *m*; (*habilidad*) adresse *f*; **operación de** ~ (*MIL*) opération *f* de nettoyage; ▶ **limpieza en seco** nettoyage à sec; ▶ **limpieza étnica** purification *f* ethnique.

limpio, -a ['limpjo, a] *adj* propre; (*conducta, negocio*) net(te); (*cielo, pared*) dégagé(e); (*aire*) pur(e); (*agua*) clair(e); (*conciencia*) tranquille ♦ *adv*: **jugar** ~ (*fig*) jouer franc jeu; **pasar a** ~ mettre au propre; **gana 200.000 ptas limpias** il gagne 200 000 pesetas net; **sacar algo en** ~ tirer qch au clair; ~ **de** libre de; **a grito/puñetazo** ~ avec force cris/coups de poing.

linaje [li'naxe] *nm* lignée *f*.

linaza [li'naθa] *nf* lin *m*; **aceite de** ~ huile *f* de lin.

lince ['linθe] *nm* lynx *msg*; **ser un** ~ (*observador*) ne pas avoir les yeux dans sa poche; (*astuto*) être rusé(e) comme un renard.

linchar [lin'tʃar] *vt* lyncher.

lindante [lin'dante] *adj*: ~ **con algo** adjacent(e) à qch; (*fig*) qui frise qch.

lindar [lin'dar] *vi*: ~ **con** border; (*fig*) friser.

linde ['linde] *nm o f* (*de bosque, terreno*) limite *f*.

lindero [lin'dero, a] *nm* = **linde**.

lindo, -a ['lindo, a] *adj* joli(e) ♦ *adv* (*AM*) bien; **canta muy** ~ (*AM*) il chante très bien; **de lo** ~ (*fam: muy bien*) vachement; **disfrutar/divertirse de lo** ~ vachement bien s'amuser.

lindura [lin'dura] (*esp AM*) *nf* beauté *f*.

línea ['linea] *nf* ligne *f*; (*estilo: esp COM*) style *m*; **en** ~ (*INFORM*) en ligne; **de primera** ~ en première ligne; **en** ~**s generales** globalement; **guardar la** ~ garder la ligne; **fuera de** ~ (*INFORM*) déconnecté(e); ▶ **línea aérea** ligne aérienne; ▶ **línea de fuego** (*MIL*) ligne de tir; ▶ **línea de meta** (*DEPORTE*) ligne de touche; (:

de carrera) ligne d'arrivée; ▶ **línea discontinua** (*AUTO*) ligne discontinue; ▶ **línea dura** (*POL*) noyau ·m dur; ▶ **líneas enemigas** (*MIL*) lignes ennemies; ▶ **línea recta** ligne droite.

lineal [line'al] *adj* linéaire.

lingote [lin'gote] *nm* lingot *m*.

lingüista [lin'gwista] *nm/f* linguiste *m/f*.

lingüística [lin'gwistika] *nf* linguistique *f*.

linimento [lini'mento] *nm* liniment *m*.

lino ['lino] *nm* lin *m*.

linóleo [li'noleo] *nm* linoléum *m*.

linterna [lin'terna] *nf* lampe *f* de poche.

linyera [lin'jera] (*CSUR*) *nm* vagabond *m*.

lío ['lio] *nm* paquet *m*; (*desorden*) fatras *msg*; (*fam: follón*) bordel *m*; (: *relación amorosa*) liaison *f*; **armar un** ~ foutre le bordel; **hacerse un** ~ s'emmêler les pédales; **meterse en un** ~ se fourrer dans un drôle de pétrin; **tener un** ~ **con algn** avoir une liaison avec qn.

liofilizado, -a [ljofili'θaðo, a] *adj* lyophilisé(e).

lipotimia [lipo'timja] *nf* lipothymie *f*.

liquen ['liken] *nm* lichen *m*.

liquidación [likiða'θjon] *nf* (*de empresa*) dépôt *m* de bilan; (*de salario*) prime *f*; (*de existencias, cuenta, deuda*) liquidation *f*.

liquidar [liki'ðar] *vt* liquider.

liquidez [liki'ðeθ] *nf* (*ECON*) liquidités *fpl*.

líquido, -a ['likiðo, a] *adj* liquide; (*ganancia*) net(te) ♦ *nm* liquide *m*; (*COM: ganancia*) bénéfice *m* net; ▶ **líquido de frenos** liquide de frein.

lira ['lira] *nf* (*MÚS*) lyre *f*; (*moneda*) lire *f*.

lírico, -a ['liriko, a] *adj* lyrique.

lirio ['lirjo] *nm* iris *msg*.

lirismo [li'rismo] *nm* lyrisme *m*.

lirón [li'ron] *nm* loir *m*; **dormir como un** ~ dormir comme un loir.

Lisboa [lis'ßoa] *n* Lisbonne.

lisboeta [lisßo'eta] *adj* de Lisbonne ♦ *nm/f* natif(-ive) *o* habitant(e) de Lisbonne.

lisiado, -a [li'sjaðo, a] *adj, nm/f* estropié(e).

lisiar [li'sjar] *vt* estropier; **lisiarse** *vpr* se blesser.

liso, -a ['liso, a] *adj* (*superficie, cabello*) lisse; (*tela, color*) uni(e); (*AND, CSUR: grosero*) grossier(-ère); **lisa y llanamente** purement et simplement.

lisonja [li'sonxa] *nf* flatterie *f*.

lisonjear [lisonxe'ar] *vt* flatter.

lisonjero, -a [lison'xero, a] *adj, nm/f* (*persona*) flatteur(-euse).

lista ['lista] *nf* liste *f*; (*franja*) rayure *f*; **pasar** ~ faire la liste; **tela a** ~**s** tissu *m* rayé; ▶ **lista de correos** poste *f* restante; ▶ **lista de direcciones** fichier *m* d'adresses; ▶ **lista de espera** liste d'attente; ► **lista de platos** carte *f*; ► **lista de precios** tarif *m*; ► **lista electoral** liste électorale.

listado, -a [lis'taðo, a] *adj* à rayures ♦ *nm* (*COM*, *INFORM*) listing *m*, listage *m*; ~ **paginado** (*INFORM*) listing *o* listage paginé.

listar [lis'tar] *vt* (*INFORM*) lister.

listín [lis'tin] *nm*: ~ **telefónico** listing *m* téléphonique.

listo, -a ['listo, a] *adj* intelligent(e); (*preparado*) prêt(e); ~ **para empezar** prêt(e) à commencer; *¿estás* ~? tu es prêt(e)?; **pasarse de** ~ se tromper lourdement.

listón [lis'ton] *nm* planche *f*.

lisura [li'sura] (*AND*, *CSUR*) *nf* grossièreté *f*.

litera [li'tera] *nf* (*en barco, tren*) couchette *f*; (*en dormitorio*) lit *m* superposé.

literal [lite'ral] *adj* littéral(e).

literalmente [lite'ralmente] *adv* littéralement.

literario, -a [lite'rarjo, a] *adj* littéraire.

literato, -a [lite'rato, a] *nm/f* écrivain *m*.

literatura [litera'tura] *nf* littérature *f*.

litigante [liti'ɣante] *adj*, *nm/f* (*JUR*) plaignant(e).

litigar [liti'ɣar] *vi* (*JUR*) plaider; (*fig*) être en conflit.

litigio [li'tixjo] *nm* (*JUR*, *fig*) litige *m*; **en** ~ **con** en litige avec.

litigue *etc* [li'tiɣe] *vb V* **litigar**.

litografía [litoɣra'fia] *nf* lithographie *f*.

litoral [lito'ral] *adj* littoral(e) ♦ *nm* littoral *m*.

litro ['litro] *nm* litre *m*.

Lituania [li'twanja] *nf* Lituanie *f*.

liturgia [li'turxja] *nf* liturgie *f*.

liviano, -a [li'βjano, a] *adj* (*sin importancia*) trivial(e); (*AM*: *de poco peso*) léger(-ère).

lívido, -a ['liβiðo, a] *adj* livide.

living ['liβin] (*esp AM*) (*pl* ~**s**) *nm* living *m*.

Ll, ll ['eʎe] *nf* ancienne lettre de l'alphabet espagnol.

llaga ['ʎaɣa] *nf* plaie *f*.

llagar [ʎa'ɣar] *vt* entailler, blesser; **llagarse** *vpr* s'entailler, se blesser.

llague *etc* ['ʎaɣe] *vb ver V* **llagar**.

llama ['ʎama] *nf* flamme *f*; (*ZOOL*) lama *m*; **en** ~**s** en flammes.

llamada [ʎa'maða] *nf* (*telefónica*) appel *m*; (*a la puerta*) coup *m*; (: *timbre*) coup de sonnette; (*en un escrito*) renvoi *m*; ► **llamada a cobro revertido** appel en PCV; ► **llamada al orden** *o* **de atención** rappel *m* à l'ordre; ► **llamada interurbana** appel interurbain.

llamado [ʎa'maðo] (*AM*), **llamamiento** [ʎama'mjento] *nm* appel *m*.

llamar [ʎa'mar] *vt* appeler; (*convocar*) convoquer ♦ *vi* (*a la puerta*) frapper; (*al timbre*) sonner; **llamarse** *vpr* s'appeler;

¿cómo te llamas? comment t'appelles-tu?; ~ **la atención** attirer l'attention; ~ **por teléfono** appeler, téléphoner; **me han llamado payaso/cobarde** ils m'ont traité de clown/lâche; *¿quién llama?* (*TELEC*) qui est à l'appareil?; ~ **al orden** rappeler à l'ordre.

llamarada [ʎama'raða] *nf* flambée *f*; (*rubor*) rougeur *f* passagère.

llamativo, -a [ʎama'tiβo, a] *adj* voyant(e); (*color*) criard(e).

llamear [ʎame'ar] *vi* flamber.

llanamente [ʎana'mente] *adv* simplement; *V tb* **liso**.

llaneza [ʎa'neθa] *nf* simplicité *f*.

llano, -a ['ʎano, a] *adj* (*superficie*) plat(e); (*persona, estilo*) simple ♦ *nm* plaine *f*; **Los L~s** (*VEN*) les Plaines.

llanta ['ʎanta] *nf* jante *f*; (*AM*: *cámara*) chambre *f* à air.

llanto ['ʎanto] *nm* pleurs *mpl*, larmes *fpl*.

llanura [ʎa'nura] *nf* plaine *f*.

llave ['ʎaβe] *nf* clé *f*, clef *f*; (*de gas, agua*) robinet *m*; (*MEC*) clé; (*de la luz*) interrupteur *m*; (*TIP*) crochet *m*; **cerrar con** ~ *o* **echar la** ~ fermer à clé; ► **llave de contacto** (*AUTO*) clé de contact; ► **llave de judo** prise *f* de judo; ► **llave de paso** robinet d'arrêt; ► **llave inglesa** clé anglaise; ► **llave maestra** passe-partout *m inv*.

llavero [ʎa'βero] *nm* porte-clefs *msg*.

llegada [ʎe'ɣaða] *nf* arrivée *f*.

llegar [ʎe'ɣar] *vi* arriver; (*ruido*) parvenir; (*bastar*) suffire; **llegarse** *vpr*: ~**se a** aller à; ~ **a** arriver à; **llegó a pegarme** il est allé jusqu'à me frapper; ~ **a saber** finir par savoir; ~ **a (ser) famoso/jefe** devenir célèbre/le patron; ~ **a las manos** en venir aux mains; ~ **a las manos de algn** tomber entre les mains de qn; **no llegues tarde** ne rentre pas trop tard; **esta cuerda no llega** cette corde n'est pas assez longue.

llegue *etc* ['ʎeɣe] *vb V* **llegar**.

llenar [ʎe'nar] *vt* remplir; (*superficie*) couvrir; (*tiempo*) faire passer; (*satisfacer*) combler ♦ *vi* rassasier; **llenarse** *vpr*: ~**se (de)** se remplir (de); (*al comer*) se rassasier (de).

lleno, -a ['ʎeno, a] *adj* plein(e), rempli(e); (*persona*: *de comida*) rassasié(e) ♦ *nm* (*TEATRO*) salle *f* comble; ~ **de polvo/de gente/de errores** rempli(e) de poussière/de gens/d'erreurs; **dar de** ~ **contra algo** heurter qch de plein fouet.

llevadero, -a [ʎeβa'ðero, a] *adj* supportable.

llevar [ʎe'βar] *vt* porter; (*en coche*) emmener; (*transportar*) transporter; (*ruta*) suivre; (*dinero*) avoir sur soi; (*coche, moto*) conduire; (*soportar*) supporter; (*negocio*) diriger; (*ritmo, compás*) mener; (*MAT*) retenir; **llevarse** *vpr* (*estar de moda*) se porter beaucoup; **me llevó una hora hacerlo** j'ai mis une heure à le faire; **llevamos dos días aquí** nous sommes ici depuis deux jours; **llevo un año estudiando** cela fait un an que j'étudie; ~ **hecho/vendido/estudiado** avoir fait/vendu/étudié; **él me lleva 2 años** il a 2 ans de plus que moi; ~ **a** (*suj: camino*) mener à; ~ **adelante** (*fig*) faire avancer; ~ **la contraria/la corriente a algn** contredire/suivre qn; ~ **ventaja** avoir l'avantage; ~ **los libros** (*COM*) tenir les registres; ~ **una vida tranquila** mener une vie paisible; **nos llevó a cenar fuera** il nous a emmenés dîner; ~ **de paseo** emmener faire un tour; ~**se el dinero/coche** prendre l'argent/la voiture; ~**se algo/a algn por delante** (*atropellar*) percuter qch/qn; ~**se un susto/disgusto/sorpresa** être effrayé(e)/mécontent(e)/surpris(e); ~**se bien/mal (con algn)** bien/ne pas s'entendre (avec qn); **dejarse** ~ **por algo/algn** se laisser emporter par qch/se laisser faire par qn.

llorar [ʎo'rar] *vt, vi* pleurer; ~ **a moco tendido** (*fam*) pleurer toutes les larmes de son corps; ~ **de risa** pleurer de rire.

lloriquear [ʎorike'ar] *vi* pleurnicher.

lloro ['ʎoro] *nm* pleur *m*.

llorón, -ona [ʎo'ron, ona] *adj, nm/f* pleurnichard(e).

lloroso, -a [ʎo'roso, a] *adj* (*ojos*) gonflé(e) par les larmes; (*persona*) qui a pleuré.

llover [ʎo'βer] *vi* pleuvoir; ~ **a cántaros** *o* **a cubos** *o* **a mares** pleuvoir à seaux *o* des cordes; **como llovido del cielo** tombé(e) du ciel; **llueve sobre mojado** les catastrophes se succèdent.

llovizna [ʎo'βiθna] *nf* bruine *f*.

lloviznar [ʎoβiθ'nar] *vi* pleuvoter.

llueve *etc* ['ʎweβe] *vb* V **llover**.

lluvia ['ʎuβja] *nf* pluie *f*; **día de** ~ jour *m* pluvieux *o* de pluie; ▶ **lluvia radioactiva** pluie radioactive.

lluvioso, -a [ʎu'βjoso, a] *adj* pluvieux (-euse).

═══════════ *PALABRA CLAVE* ═══════════

lo [lo] *art def* **1**: **lo bueno/caro** ce qui est bon/cher; **lo mejor/peor** le mieux/pire; **lo gracioso fue que ...** ce qui est drôle, c'est que ...; **lo mío** ce qui est à moi; **olvidaste lo esencial** tu as oublié l'essentiel; **¡no sabes lo aburrido que es!** tu ne peux pas savoir comme c'est ennuyeux!; **con lo poco que gana** avec le peu d'argent qu'il

gagne

2: **lo + de** (*pron dem*): **¿sabes lo del presidente?** tu es au courant pour le président?; **olvida lo de ayer** oublie ce qui s'est passé hier; **(a) lo de** (*CSUR: a casa de*) chez; (+ *inf*): **¿a quién se le ocurrió lo de esperar aquí?** qui a eu l'idée d'attendre ici?

3: **lo que** (*pron rel*): **lo que yo pienso** ce que je pense; **lo que más me gusta** ce que j'aime le plus; **lo que pasa es que ...** ce qu'il y a, c'est que ...; **más de lo que crees** plus que tu ne crois; **en lo que se refiere a** pour ce qui est de; **lo que quieras** ce que tu veux *o* voudras; **lo que sea** quoi que ce soit; **(a) lo que** (*AM: en cuanto*) dès que

4: **lo cual**: **lo cual es lógico** ce qui est logique

♦ *pron pers* **1** (*a él*) le, l'; **lo han despedido** ils l'ont renvoyé; **no lo conozco** je ne le connais pas

2 (*a usted*) vous; **lo escucho señor** je vous écoute, monsieur

3 (*cosa, animal*) le, l'; **te lo doy** je te le donne; **no lo veo** je ne le vois pas

4 (*concepto*) le, l'; **no lo sabía** je ne le savais pas; **voy a pensarlo** je vais y réfléchir; **es fácil, pero no lo parece** c'est facile, mais ça n'en a pas l'air.

───────────────────────

loa ['loa] *nf* louange *f*.

loable [lo'aβle] *adj* louable.

LOAPA [lo'apa] (*ESP*) *sigla f* (*JUR = Ley Orgánica de Armonización del Proceso Autónomo*) loi pour l'autonomie des régions.

loar [lo'ar] *vt* louer.

lobato [lo'βato] *nm* louveteau *m*.

lobezno [lo'βeθno] *nm* = **lobato**.

lobo ['loβo] *nm* loup *m*; ▶ **lobo de mar** (*fig*) loup de mer; ▶ **lobo marino** phoque *m*.

lóbrego, -a ['loβreɣo, a] *adj* sombre.

lóbulo ['loβulo] *nm* lobe *m*.

local [lo'kal] *adj* local(e) ♦ *nm* local *m*; (*bar*) bar *m*.

localice *etc* [loka'liθe] *vb* V **localizar**.

localidad [lokali'ðað] *nf* localité *f*; (*TEATRO*) place *f*.

localizar [lokali'θar] *vt* localiser; **localizarse** *vpr* (*dolor*) être localisé(e).

localmente [lo'kalmente] *adv*: ~ **enamorado** follement amoureux

loción [lo'θjon] *nf* lotion *f*; ▶ **loción capilar** lotion capillaire.

loco, -a ['loko, a] *adj, nm/f* (*MED*) fou(folle); ~ **de atar** *o* **remate**, ~ **rematado** fou(folle) à lier; **a lo** ~ comme un(e) fou(folle); **ando** ~ **con el examen** l'examen me rend malade; **estar** ~ **de alegría** être fou(folle) de joie; **estar** ~ **con algo/por algn** être fou(folle) de qch/de qn; **como un** ~ comme un fou; **me vuelve** ~ (*me gusta mucho*) j'en suis fou(folle); (*me marea*) il me rend fou(folle).

locomoción [lokomo'θjon] *nf* locomotion *f.*

locomotora [lokomo'tora] *nf* locomotive *f.*

locuaz [lo'kwaθ] *adj* loquace.

locución [loku'θjon] *nf* (*LING*) locution *f.*

locumba [lo'kumba] (*PE: fam*) *adj*, *nm/f* taré(e).

locumbeta [lokum'beta] (*PE: fam*) *adj*, *nm/f* = **locumba**.

locura [lo'kura] *nf* folie *f*; **con** ~ follement.

locutor, a [loku'tor, a] *nm/f* (*RADIO, TV*) speaker(ine).

locutorio [loku'torjo] *nm* cabine *f* téléphonique.

lodo ['lodo] *nm* boue *f.*

logia ['loxja] *nf* loge *f.*

lógica ['loxika] *nf* logique *f.*

lógicamente ['loxikamente] *adv* logiquement.

lógico, -a ['loxiko, a] *adj* logique; **es** ~ **que** ... il est logique que ... .

logística [lo'xistika] *nf* logistique *f.*

logístico, -a [lo'xistiko, a] *adj* de logistique.

logotipo [loxo'tipo] *nm* logo *m.*

logrado, -a [lo'xraðo, a] *adj* réussi(e).

lograr [lo'xrar] *vt* réussir; (*victoria*) remporter; ~ **hacer algo** réussir à faire qch; ~ **que algn venga** réussir à faire venir qn.

logro ['loxro] *nm* réussite *f.*

logroñés, -esa [loxro'ɲes, esa] *adj* de Logroño ♦ *nm/f* natif(-ive) *o* habitant(e) de Logroño.

LOGSE ['loxse] *sigla f* (= *Ley Orgánica de Ordenación General del Sistema Educativo*) *loi de réforme scolaire.*

Loira ['loira] *nm* Loire *f.*

lola ['lola] (*CHI: fam*) *nf* nana *f.*

lolo ['lolo] (*CHI: fam*) *nm* mec *m.*

loma ['loma] *nf* colline *f.*

Lombardía [lombar'ðia] *nf* Lombardie *f.*

lombriz [lom'briθ] *nf* (*ZOOL*) ver *m* de terre; (*MED*) ver.

lomo ['lomo] *nm* (*de animal*) dos *msg*, échine *f*; (*CULIN: de cerdo*) épaule *f*; (: *de vaca*) entrecôte *f*; (*de libro*) dos; **a** ~**s de** (*caballo*) à dos de; ▶ **lomo de burro** (*ARG: fam*) ralentisseur *m.*

lona ['lona] *nf* toile *f* cirée.

loncha ['lontʃa] *nf* tranche *f.*

lonche ['lontʃe] (*AM*) *nm* petit-déjeuner *m.*

lonchería [lontʃe'ria] (*AM*) *nf* cafétéria *f.*

londinense [londi'nense] *adj* londonien(ne) ♦ *nm/f* Londonien(ne).

Londres ['londres] *n* Londres.

longaniza [longa'niθa] *nf sorte de merguez.*

longevidad [lonxeβi'ðað] *nf* longévité *f.*

longitud [lonxi'tuð] *nf* longueur *f*; (*GEO*) longitude *f*; **tener 3 metros de** ~ faire 3 mètres de long; **salto de** ~ (*DEPORTE*) saut *m* en longueur; ▶ **longitud de onda** (*FIS*) longueur d'onde.

longitudinal [lonxituði'nal] *adj* longitudinal(e).

longo, -a ['longo, a] (*ECU*) *nm/f* jeune indien(ne).

lonja ['lonxa] *nf* (*edificio*) halle *f*; (*de jamón, embutido*) tranche *f*; ▶ **lonja de pescado** halle *f* au poisson.

lontananza [lonta'nanθa] *nf*: **en** ~ au loin.

loor [lo'or] *nm*: **en** ~ **de** en hommage à.

loquería [loke'ria] (*CHI: fam*) *nf* asile *m* de fous.

loquero [lo'kero] *nm* (*persona*) gardien *m* d'un asile de fous; (*ARG: bullicio*) pagaille *f.*

Lorena [lo'rena] *nf* Lorraine *f.*

loro ['loro] *nm* perroquet *m.*

los [los] *art def* les ♦ *pron* les; (*ustedes*) vous; **mis libros y** ~ **de usted** mes livres et les vôtres; ~ **de Ana** son verdes ceux d'Ana sont verts.

losa ['losa] *nf* dalle *f*; ▶ **losa sepulcral** pierre *f* tombale.

lote ['lote] *nm* (*de libros, COM, INFORM*) lot *m*; (*de comida*) portion *f.*

lotería [lote'ria] *nf* loterie *f*; **le tocó la** ~ il a gagné le gros lot; ▶ **lotería nacional** loterie nationale; ▶ **lotería primitiva** (*ESP*) ≈ Loto *m.*

lotero, -a [lo'tero, a] *nm/f* vendeur(-euse) de billets de loterie.

loto ['loto] *nm* (*BOT*) lotus *msg* ♦ *nf* (*lotería*) ≈ Loto *m.*

Lovaina [lo'βaina] *n* Louvain.

loza ['loθa] *nf* (*material*) faïence *f*; (*vajilla*) vaisselle *f.*

lozanía [loθa'nia] *nf* vigueur *f.*

lozano, -a [lo'θano, a] *adj* vigoureux(-euse).

LPA *sigla f* (= *Ley del Proceso Autonómico*) *loi pour l'autonomie des régions.*

LRA *sigla f* = *Ley de Reforma Agraria.*

LRU *sigla f* = *Ley de Reforma Universitaria.*

LSD *sigla m* (= *Dietilamida del Acido Lisérgico*) LSD *m* (= *acide lysergique diéthilamide*).

lubina [lu'βina] *nf* bar *m.*

lubricante [luβri'kante] *adj* lubrifiant(e) ♦ *nm* lubrifiant *m.*

lubricar [luβri'kar] *vt* lubrifier.

lubrificar [luβrifi'kar] *vt* = **lubricar**.

lubrifique *etc* [luβri'fike] *vb* V **lubrificar**.

lubrique *etc* [lu'βrike] *vb* V **lubricar**.

lucense [lu'θense] *adj* de Lugo ♦ *nm/f* na-

tif(-ive) *o* habitant(e) de Lugo.
Lucerna [luˈθerna] *n* Lucerne.
lucero [luˈθero] *nm* (*ASTRON*) étoile *f*; (*de ojos*) éclat *m*; ~ **del alba/de la tarde** étoile du matin/du soir.
luces [ˈluθes] *nfpl de* **luz**.
lucha [ˈlutʃa] *nf* lutte *f*; ~ **contra/por** lutte contre/pour; ▸ **lucha de clases** lutte des classes; ▸ **lucha libre** lutte libre.
luchar [luˈtʃar] *vi* lutter; ~ **contra/por** (*problema*) lutter contre/pour.
lucidez [luθiˈðeθ] *nf* lucidité *f*.
lucido, -a [luˈθiðo, a] *adj* (*representación, cortejo*) réussi(e); (*intervención, actuación, fiesta*) brillant(e).
lúcido, -a [ˈluθiðo, a] *adj* lucide; **estar ~** être lucide.
luciérnaga [luˈθjernaɣa] *nf* ver *m* luisant.
lucimiento [luθiˈmjento] *nm* éclat *m*.
lucio [ˈluθjo] *nm* brochet *m*.
lucir [luˈθir] *vt* (*vestido, coche*) étrenner; (*conocimientos*) étaler; (*habilidades*) exhiber ♦ *vi* briller; (*AM: parecer*) sembler; **lucirse** *vpr* (*presumir*) se montrer; ¡**te has lucido!** (*irónico*) bien joué!; **no me luce lo que trabajo** mon travail n'est pas productif; **la casa luce limpia** (*AM*) la maison a l'air très propre.
lucrativo, -a [lukraˈtiβo, a] *adj* lucratif(-ive); **no lucrativa** à but non lucratif.
lucro [ˈlukro] (*pey*) *nm* lucre *m*; **el afán** *o* **ánimo de ~** le goût du lucre; **organización sin ánimo de ~** organisation *f* à but non lucratif.
luctuoso, -a [lukˈtwoso, a] *adj* tragique.
lucubración [lukuβraˈθjon] *nf* élucubration *f*.
lúdico, -a [ˈluðiko, a] *adj* ludique.
luego [ˈlweɣo] *adv* (*después*) après; (*más tarde*) puis; (*AM: fam: en seguida*) tout de suite ♦ *conj* (*consecuencia*) donc; **desde ~** évidemment; ¡**hasta ~!** à plus tard!, salut!; ¿**y ~?** et maintenant?; ~ **lo sabía** donc, il le savait; ~ **luego** (*esp MÉX*) dare-dare.
lugar [luˈɣar] *nm* lieu *m*, endroit *m*; (*en lista*) place *f*; **en ~ de** au lieu de; **en primer ~** en premier lieu; **dar ~ a** donner lieu à; **hacer ~** faire de la place; **fuera de ~** (*comentario, comportamiento*) déplacé(e); **tener ~** avoir lieu; **yo en su ~** moi, à sa place; **sin ~ a dudas** sans aucun doute; ▸ **lugar común** lieu commun.
lugareño, -a [luɣaˈreɲo, a] *nm/f* villageois(e).
lugarteniente [luɣarteˈnjente] *nm* remplaçant *m*.
lúgubre [ˈluɣuβre] *adj* lugubre.
lujo [ˈluxo] *nm* luxe *m*; **de ~** de luxe; **permitirse el ~ de hacer** se permettre le

luxe de faire; **con todo ~ de detalles** avec force détails.
lujoso, -a [luˈxoso, a] *adj* luxueux(-euse).
lujuria [luˈxurja] *nf* luxure *f*.
lumbago [lumˈbaɣo] *nm* lumbago *m*.
lumbre [ˈlumbre] *nf* feu *m* (de bois); **a la ~** près du feu.
lumbrera [lumˈbrera] *nf* (*genio*) lumière *f*.
luminoso, -a [lumiˈnoso, a] *adj* lumineux(-euse).
luna [ˈluna] *nf* lune *f*; (*vidrio*) glace *f*; **media ~** demi-lune; **estar en la ~** être dans la lune; **pedir la ~** demander la lune; ▸ **luna creciente/menguante** lune croissante/décroissante; ▸ **luna de miel** lune de miel; ▸ **luna llena/nueva** pleine/nouvelle lune.
lunar [luˈnar] *adj* lunaire ♦ *nm* grain *m* de beauté; (*diseño*) pois *msg*; **tela de ~es** tissu *m* à pois.
lunático, -a [luˈnatiko, a] *nm/f* fou(folle).
lunes [ˈlunes] *nm inv* lundi *m*; *V tb* **sábado**.
lunfardo [lunˈfarðo] (*ARG*) *nm* argot de la pègre de Buenos Aires.
lupa [ˈlupa] *nf* loupe *f*.
lusitano, -a [lusiˈtano, a] *adj* lusitanien(ne) ♦ *nm/f* Lusitanien(ne).
luso, -a [ˈluso, a] *adj* portugais(e) ♦ *nm/f* Portugais(e).
lustrabotas [lustraˈβotas] (*AND, CSUR*) *nm inv* cireur *m* (de chaussures).
lustrador [lustraˈðor] (*AM*) *nm* cireur *m* (de chaussures).
lustrar [lusˈtrar] *vt* lustrer; (*AM: zapatos*) cirer.
lustre [ˈlustre] *nm* lustre *m*; (*fig*) éclat *m*; **dar ~ a algo** faire briller qch.
lustro [ˈlustro] *nm* lustre *m*.
lustroso, -a [lusˈtroso, a] *adj* brillant(e).
luterano, -a [luteˈrano, a] *adj* luthérien(ne).
luto [ˈluto] *nm* deuil *m*; **ir** *o* **vestirse de ~** porter des habits de deuil; ▸ **luto oficial** deuil national.
luxación [luksaˈθjon] *nf* (*MED*) luxation *f*; ▸ **luxación de tobillo** luxation de la cheville.
Luxemburgo [luksemˈburɣo] *nm* Luxembourg *m*.
luz [luθ] (*pl* **luces**) *nf* lumière *f*; **dar a ~ un niño** mettre un enfant au monde; **dar la ~** donner de la lumière; **encender** (*ESP*) *o* **prender** (*esp AM*)/**apagar la ~** allumer/éteindre la lumière; **les cortaron la ~** ils leur ont coupé l'électricité; **a la ~ de** (*tb fig*) à la lumière de; **a todas luces** de toute évidence; **a media ~** dans la pénombre; **se hizo la ~ sobre ...** la lumière se fit sur ...; **sacar a la ~** tirer au clair; **el Siglo de las Luces** le Siècle des Lumières; **te-**

ner pocas luces ne pas être une lumière; ► luz de cruce feu *m* de croisement; ► luz de la luna clair *m* de lune; ► luz eléctrica lumière électrique; ► luz intermitente lumière intermittente; (*AUTO*) clignotant *m*; ► luz roja/verde (*AUTO*) feu rouge/vert; ► luz solar *o* del sol lumière du jour; ► luz trasera/de freno feu arrière/de stop.
luzca *etc* ['luθka] *vb V* **lucir**.

M, m

M, m ['eme] *nf* (*letra*) M, m *m inv*; ᵔ de Madrid ≈ M comme Marcel.
M. *abr* (= *mujer*) F (= *féminin*); (= *Metro*) M(o) (= *métro*).
m. *abr* (= *metro(s)*) m (= *mètre(s)*); (= *minuto(s)*) min. (= *minute(s)*); (= *masculino*) m (= *masculin*).
M.ª *abr* = *María*.
macabro, -a [ma'kaβro, a] *adj* macabre.
macaco [ma'kako] *nm* macaque *m*.
macana [ma'kana] (*AM*) *nf* (*porra*) massue *f*; (esp *AND, CSUR: mentira*) mensonge *m*; (: *tontería*) bêtise *f*.
macanear [makane'ar] (*AND, CSUR: fam*) *vi* faire des bêtises; (*decir tonterías*) dire des bêtises; (*mentir*) mentir.
macanudo, -a [maka'nuðo, a] (esp *AM*: *fam*) *adj* génial(e).
macarra [ma'karra] (*fam*) *nm* maquereau *m* ♦ *nm/f* zonard(e).
macarrones [maka'rrones] *nmpl* (*CULIN*) macarons *mpl*.
macedonia [maθe'ðonja] *nf*: ᵔ de frutas macédoine *f* de fruits.
macerar [maθe'rar] *vt* macérer.
maceta [ma'θeta] *nf* pot *m* de fleurs.
macetero [maθe'tero] *nm* support *m* de pot de fleurs.
machacar [matʃa'kar] *vt* (*ajos*) réduire en purée; (*asignatura*) rabâcher; (*enemigo*) écraser ♦ *vi* insister.
machacón, -ona [matʃa'kon, ona] *adj* (*persona*) insistant(e); (*música*) répétitif(-ive).
machamartillo [matʃamar'tiʎo]: a ᵔ *adv* de toutes ses forces.
machaque *etc* [ma'tʃake] *vb V* **machacar**.
machete [ma'tʃete] *nm* machette *f*.

machismo [ma'tʃismo] *nm* machisme *m*.
machista [ma'tʃista] *adj, nm/f* machiste *m/f*.
macho ['matʃo] *adj* (*BOT, ZOOL*) mâle; (*fam*) macho ♦ *nm* mâle *m*; (*fig*) macho *m*; (*fam: apelativo*) mec *m*; (*TEC*) cheville *f*; (*ELEC*) prise *f* mâle; (*COSTURA*) crochet *m*.
machote [ma'tʃote] (*MÉX*) *nm* (*borrador*) brouillon *m*; (*patrón*) modèle *m*.
macilento, -a [maθi'lento, a] *adj* (*rostro*) émacié(e); (*luz*) pâle.
macizo, -a [ma'θiθo, a] *adj* massif(-ive) ♦ *nm* (*GEO, de flores*) massif *m*; ¡qué chica más maciza! (*fam*) quelle belle plante!
macramé [makra'me] *nm* macramé *m*.
macro ['makro] *nm* (*INFORM*) macro-ordinateur *m*.
macró [ma'kro] (*CSUR*) *nm* (*alcahuete*) maquereau *m*.
macrobiótico, -a [makro'βjotiko, a] *adj* macrobiotique.
macro-comando [makroko'mando] *nm* (*INFORM*) macro-commande *f*.
macroeconomía [makroekono'mia] *nf* (*COM*) macro-économie *f*.
mácula ['makula] *nf* tache *f*.
macuto [ma'kuto] *nm* (*MIL*) musette *f*.
Madagascar [maðaɣas'kar] *nm* Madagascar *m*.
madeja [ma'ðexa] *nf* (*de lana*) écheveau *m*.
madera [ma'ðera] *nf* bois *msg*; una ᵔ un morceau de bois; ᵔ contrachapada *o* laminada contre-plaqué *m*; de ᵔ en bois; tiene buena ᵔ il a de bonnes dispositions; tiene ᵔ de profesor il a l'étoffe d'un professeur.
maderaje [maðe'raxe], **maderamen** [maðe'ramen] *nm* bois *msg* de construction.
maderero [maðe'rero] *nm* marchand *m* de bois de construction.
madero [ma'ðero] *nm* madrier *m*.
madrastra [ma'ðrastra] *nf* belle-mère *f*.
madre ['maðre] *adj* (*lengua*) maternel(le); (*acequia*) maîtresse ♦ *nf* mère *f*; (*de vino etc*) lie *f*; ¡ᵔ mía! mon Dieu!; ¡tu ᵔ! (*fam!*) va te faire foutre! (*fam!*); salirse de ᵔ (*río*) sortir de son lit; (*persona*) dépasser les bornes; ► madre adoptiva/de alquiler/soltera mère adoptive/porteuse/célibataire; ► madre patria mère patrie; ► madre política belle-mère *f*.
madreperla [maðre'perla] *nf* nacre *f*.
madreselva [maðre'selβa] *nf* chèvrefeuille *m*.
Madrid [ma'ðrið] *n* Madrid.
madriguera [maðri'ɣera] *nf* terrier *m*.
madrileño, -a [maðri'leɲo, a] *adj* madrilène ♦ *nm/f* Madrilène *m/f*.

madrina [ma'ðrina] *nf* marraine *f*; ~ **de boda** demoiselle *f* d'honneur.

madroño [ma'ðroɲo] *nm* (*BOT*) arbouse *f*.

madrugada [maðru'ɣaða] *nf* aube *f*; **de** ~ de bon matin; **a las 4 de la** ~ à 4 heures du matin.

madrugador, a [maðruɣa'ðor, a] *adj* lève-tôt *inv*.

madrugar [maðru'ɣar] *vi* se lever tôt; (*anticiparse*) s'avancer.

madrugue *etc* [ma'ðruɣe] *vb* V **madrugar**.

madurar [maðu'rar] *vt*, *vi* mûrir.

madurez [maðu'reθ] *nf* maturité *f*.

maduro, -a [ma'ðuro, a] *adj* mûr(e); (*hombre, mujer*) d'âge mûr; **poco** ~ immature.

MAE (*ESP*) *sigla m* (*POL*) = Ministerio de Asuntos Exteriores.

maestra [ma'estra] *nf* V **maestro**.

maestría [maes'tria] *nf* maestria *f*; (*ESCOL*: *grado*) maîtrise *f*.

maestro, -a [ma'estro, a] *adj* maître(sse) ♦ *nm/f* (*de escuela*) maître(sse) (d'école), instituteur(-trice); (*en la vida*) maître *m* ♦ *nm* maître *m*; (*MÚS*) maestro *m*; ~ **albañil** maître maçon *m*; ~ **de obras** maître d'ouvrage.

mafia ['mafja] *nf* mafia *f*; **la M~** (*italiana*) la Mafia.

mafioso, -a [ma'fjoso] *adj* maffieux(-euse) ♦ *nm* mafioso.

Magallanes [maɣa'ʎanes] *nm*: **Estrecho de** ~ détroit *m* de Magellan.

magia ['maxja] *nf* magie *f*; ► **magia negra** magie noire.

mágico, -a ['maxiko, a] *adj* magique.

magisterio [maxis'terjo] *nm* (*enseñanza*) études *fpl* d'instituteur(-trice); (*profesión*) métier *m* d'instituteur(-trice); (*maestros*) corps *msg* des instituteurs.

magistrado [maxis'traðo] *nm* (*JUR*) magistrat *m*; **primer M~** (*AM*) président *m*.

magistral [maxis'tral] *adj* magistral(e).

magistratura [maxistra'tura] *nf* magistrature *f*; ► **Magistratura del Trabajo** (*ESP*) ≈ Conseil *m* des prud'hommes.

magnánimo, -a [maɣ'nanimo, a] *adj* magnanime.

magnate [maɣ'nate] *nm* magnat *m*; ~ **de la prensa** magnat de la presse.

magnavoz [maɣna'βoθ] (*MÉX*) *nm* porte-voix *m inv*.

magnesio [maɣ'nesjo] *nm* magnésium *m*.

magnetice *etc* [maɣne'tiθe] *vb* V **magnetizar**.

magnético, -a [maɣ'netiko, a] *adj* magnétique.

magnetismo [maɣne'tismo] *nm* magnétisme *m*.

magnetizar [maɣneti'θar] *vt* (*tb fig*) magnétiser.

magnetofón [maɣneto'fon] *nm* magnétophone *m*.

magnetofónico, -a [maɣneto'fonico, a] *adj*: **cinta magnetofónica** bande *f* magnétique.

magnetófono [maɣne'tofono] *nm* = **magnetofón**.

magnicidio [maɣni'θiðjo] *nm* assassinat *m* (d'une personne haut placée).

magnífico, -a [maɣ'nifiko, a] *adj* magnifique; (*carácter*) exceptionnel(le); (*tratamiento: rector*) titre honorifique du recteur; ¡~! magnifique!

magnitud [maɣni'tuð] *nf* (*física*) grandeur *f*; (*de problema etc*) ampleur *f*.

mago, -a ['maɣo, a] *nm/f* mage *m*; **los Reyes M~s** les Rois *mpl* Mages.

magrear [maɣre'ar] (*fam*) *vt* peloter.

magrebí [maɣre'βi] *adj* maghrébin(e) ♦ *nm/f* Maghrébin(e).

magro, -a ['maɣro, a] *adj*, *nm* maigre *m*.

maguey [ma'ɣei] *nm* (*BOT*) agave *m*.

magulladura [maɣuʎa'ðura] *nf* contusion *f*.

magullar [maɣu'ʎar] *vt* contusionner; (*lastimar*) abîmer; **magullarse** *vpr* se faire une o des contusion(s).

mahometano, -a [maome'tano, a] *adj* mahométan(e) ♦ *nm/f* Mahométan(e).

mahonesa [mao'nesa] *nf* = **mayonesa**.

maicena ® [mai'θena] *nf* maïzena *f*.

maillot [ma'jot] *nm* maillot *m*.

maître ['metre] *nm* maître *m* d'hôtel.

maíz [ma'iθ] *nm* maïs *msg*.

maizal [mai'θal] *nm* (*AGR*) champ *m* de maïs.

majadero, -a [maxa'ðero, a] *adj* imbécile.

majareta [maxa'reta], **majara** [ma'xara] (*fam*) *adj* givré(e).

majestad [maxes'tað] *nf* majesté *f*; **Su M~** Sa Majesté; (**Vuestra**) **M~** (Votre) Majesté.

majestuoso, -a [maxes'twoso, a] *adj* majestueux(-euse).

majo, -a ['maxo, a] *adj* beau(belle); (*persona, apelativo*) mignon(ne); (: *elegante*) classe *inv*; (*apelativo cariñoso*) mignon(ne).

mal [mal] *adv* mal; (*oler, saber*) mauvais ♦ *adj* = **malo** ♦ *nm*: **el** ~ le mal; (*desgracia*) le malheur ♦ *conj*: ~ **que le pese** qu'il ne le veuille ou non; **me entendió** ~ il m'a mal compris; **haces** ~ **en callarte** tu as tort de te taire; **hablar** ~ **de algn** dire du mal de qn; **ir de** ~ **en peor** aller de mal en pis; **si** ~ **no recuerdo** si mes souvenirs sont exacts; ¡**menos** ~! heureusement!; **menos** ~ **que heureusement que** ; **que bien tant bien que mal**; ► **mal de ojo** mauvais œil *m*.

malabarismo [malaβa'rismo] *nm* jonglerie

f; hacer ~s (fig) louvoyer.
malabarista [malaβa'rista] nm/f jongleur(-euse).
malacate [mala'kate] nm cabestan m; (CAM, MÉX: huso) fuseau m.
malaconsejado, -a [malakonse'xaðo, a] adj mal conseillé(e).
malacostumbrado, -a [malakostum'braðo, a] adj: estar ~ avoir pris de mauvaises habitudes.
malagueño, -a [mala'xeno, a] adj de Malaga ♦ nm/f natif(-ive) o habitant(e) de Malaga.
malaria [ma'larja] nf malaria f.
Malasia [ma'lasja] nf Malaisie f.
malavenido, -a [malaβe'niðo, a] adj mécontent(e).
malayo, -a [ma'lajo, a] adj malais(e) ♦ nm/f Malais(e) ♦ nm (LING) malais msg.
malcarado, -a [malka'raðo, a] adj mal luné(e).
malcomer [malko'mer] vi manger mal.
malcriado, -a [mal'krjaðo, a] adj mal élevé(e).
malcriar [mal'krjar] vt mal élever.
maldad [mal'dað] nf méchanceté f.
maldecir [malde'θir] vt, vi maudire; ~ de maudire.
maldiciendo etc [maldi'θjendo] vb V **maldecir**.
maldición [maldi'θjon] nf malédiction f; ¡~! malédiction!
maldiga etc [mal'ðixa], **maldije** etc [mal'dixe] vb V **maldecir**.
maldito, -a [mal'dito, a] adj maudit(e); ¡~ sea! (fam) maudit(e) soit ...!; ¡malditas las ganas que tengo de verle! (fam) comme si j'avais envie de le voir!
maleable [male'aβle] adj (metal, carácter) malléable; (plástico, cuero) souple.
maleante [male'ante] nm/f malfaiteur m, criminel(le).
malecón [male'kon] nm digue f; (para atracar) môle m.
maledicencia [maleði'θenθja] nf médisance f.
maleducado, -a [maleðu'kaðo, a] adj mal élevé(e).
maleficio [male'fiθjo] nm maléfice m.
maléfico, -a [ma'lefiko, a] adj maléfique.
malentendido [malenten'diðo] nm malentendu m.
malestar [males'tar] nm malaise m.
maleta [ma'leta] nf valise f; hacer la ~ faire sa valise.
maletera [male'tera] (AM) nf, **maletero** [male'tero] nm (AUTO) coffre m.
maletín [male'tin] nm (de uso profesional) serviette f; (de viaje) mallette f.
malevolencia [maleβo'lenθja] nf mal-

veillance f.
malévolo, -a [ma'leβolo, a] adj malveillant(e).
maleza [ma'leθa] nf (hierbas malas) mauvaises herbes fpl; (arbustos) fourré m.
malgastar [malɣas'tar] vt gaspiller; (oportunidades) laisser passer; (salud) abîmer.
malhablado, -a [mala'βlaðo, a] adj grossier(-ère).
malhaya [ma'laja] (esp AM: fam) excl bon sang!; ¡~ sea(n)! maudit(s)(e(s)) ...!
malhechor, a [male'tʃor, a] nm/f malfaiteur m.
malherido, -a [male'riðo, a] adj gravement blessé(e).
malhumorado, -a [malumo'raðo, a] adj de mauvaise humeur.
malicia [ma'liθja] nf méchanceté f; (de niño) malice f.
malicioso, -a [mali'θjoso, a] adj malicieux(-euse); (con mala intención) méchant(e); (de malpensado) mauvais(e).
malignidad [maliɣni'ðað] nf (MED) malignité f; (de persona) méchanceté f.
maligno, -a [ma'liɣno, a] adj (MED) malin(maligne); (ser) méchant(e).
malintencionado, -a [malintenθjo'naðo, a] adj mal intentionné(e).
malla ['maʎa] nf maille f; (esp AM) maillot m de bain; (tb: ~s) collants mpl.
Mallorca [ma'ʎorka] nf Majorque f.
mallorquín, -ina [maʎor'kin, ina] adj majorquin(e) ♦ nm (LING) langue f de Majorque ♦ nm/f Majorquin(e).
malnutrido, -a [malnu'triðo, a] adj mal nourri(e).
malo, -a ['malo, a] adj (antes de nmsg: mal) mauvais(e); (niño) méchant(e) ♦ nm/f (en cuentos, cine) méchant(e); estar ~ (persona) être malade; (comida) être mauvais(e); ser ~ de (entender, hacer) être difficile à; ser ~ haciendo/en algo ne pas savoir faire qch/être mauvais(e) en qch; estar de malas être fâché(e); lo ~ es que ... le problème, c'est que ...; por las malas de force.
malograr [malo'ɣrar] vt (juventud, carrera) gâcher; (plan) faire tomber à l'eau; **malograrse** vpr (plan) tomber à l'eau; (cosecha) être gâché(e); (carrera profesional) se briser; (PE: fam) s'abîmer; el malogrado actor l'acteur mort prématurément.
maloliente [malo'ljente] adj malodorant(e).
malparado, -a [malpa'raðo, a] adj: salir ~ s'en tirer mal.
malpensado, -a [malpen'saðo, a] adj malveillant(e).
malquerencia [malke'renθja] nf antipathie f.
malquistar [malkis'tar] vt: ~ a dos perso-

nas brouiller deux personnes; **malquistarse** *vpr* se brouiller.

malsano, -a [mal'sano, a] *adj* malsain(e).

malsonante [malso'nante] *adj* malsonnant(e).

Malta ['malta] *nf* Malte *f*.

malta ['malta] *nf* malt *m*.

maltés, -esa [mal'tes, esa] *adj* maltais(e) ♦ *nm/f* Maltais(e).

maltraer [maltra'er] *vt*: **llevar a ~** mener la vie dure.

maltratar [maltra'tar] *vt* maltraiter; **niños maltratados** enfants *mpl* maltraités.

maltrecho, -a [mal'tretʃo, a] *adj* en mauvais état.

malucho, -a [ma'lutʃo, a] *adj* (*pey*) affreux(-euse); (*algo enfermo*) chose *inv*.

malva ['malßa] *adj* mauve ♦ *nf* (*BOT*) mauve *f* ♦ *nm* (*color*) mauve *m*; **como una ~** doux(douce) comme un agneau; ▶ **malva loca** rose *f* trémière.

malvado, -a [mal'ßaðo, a] *adj* méchant(e).

malvavisco [malßa'ßisko] *nm* marshmallow *m*.

malvender [malßen'der] *vt* vendre à bas prix.

malversación [malßersa'θjon] *nf*: **~ de fondos** détournement *m* de fonds.

malversar [malßer'sar] *vt* détourner.

Malvinas [mal'ßinas] *nfpl*: **las (Islas) ~** les (îles) Malouines *fpl*.

malvivir [malßi'ßir] *vi* vivre à l'étroit.

mama ['mama] *nf* mamelle *f*.

mamá [ma'ma] *nf* (*fam*) maman *f*; (*CAM, CARIB, MÉX: cortesía*) mère *f*; ▶ **mamá grande** (*COL*) grand-maman *f*.

mamacita [mama'θita] (*AM: fam*) *nf* maman *f*.

mamadera [mama'ðera] (*AM*) *nf* biberon *m*.

mamar [ma'mar] *vt* (*pecho*) téter; (*ideas*) se nourrir de ♦ *vi* téter; **dar de ~** allaiter.

mamarracho [mama'rratʃo] *nm* (*persona despreciable*) rien-du-tout *m/f inv*; (*por su apariencia física*) original(e).

mambo ['mambo] *nm* (*MÚS*) mambo *m*.

mameluco [mameluko] (*CSUR*) *nm* (*prenda*) salopette *f*; (*de niños*) grenouillère *f*.

mamey [ma'mei] (*AM*) *nm* (*fruta*) fruit *m* du mammea; (*árbol*) mammea *m*.

mamífero, -a [ma'mifero, a] *adj*, *nm* mammifère *m*.

mamotreto [mamo'treto] *nm* (*libro*) pavé *m*; (*objeto*) horreur *f*.

mampara [mam'para] *nf* (*entre habitaciones*) cloison *f*; (*biombo*) écran *m*.

mamporro [mam'porro] (*fam*) *nm*: **dar un ~ a** envoyer un coup à; **darse/pegarse un ~** (*al caer*) se cogner.

mampostería [mamposte'ria] *nf* maçonnerie *f*.

mamut [ma'mut] *nm* mammouth *m*.

maná [ma'na] *nm* manne *f*.

manada [ma'naða] *nf* (*de leones, lobos*) horde *f*; (*de búfalos, elefantes*) troupeau *m*; **llegaron en ~** (*fam*) ils sont arrivés en bande.

Managua [ma'naɣwa] *n* Managua.

manantial [manan'tjal] *nm* source *f*.

manar [ma'nar] *vt* laisser couler ♦ *vi* jaillir.

manatí [mana'ti] *nm* lamantin *m*.

manaza [ma'naθa] *nf* paluche *f* ♦ *adj inv*, *nm/f inv*: **~s brise-fer** *m inv*.

mancebo [man'θeßo] *nm* jeune homme *m*.

mancha ['mantʃa] *nf* tache *f*; **la M~** la Manche.

manchado, -a [man'tʃaðo, a] *adj* taché(e); (*piel de animal*) tacheté(e).

manchar [man'tʃar] *vt*, *vi* tacher; **mancharse** *vpr* se tacher.

manchego, -a [man'tʃeɣo, a] *adj* de la Manche ♦ *nm/f* natif(-ive) *o* habitant(e) de la Manche.

mancilla [man'θiʎa] *nf* tache *f*.

mancillar [manθi'ʎar] *vt* souiller.

manco, -a ['manko, a] *adj* manchot(e); (*incompleto*) incomplet(-ète); **no ser ~** (*fig*) être dégourdi(e).

mancomunar [mankomu'nar] *vt* mettre en commun; (*JUR*) rendre solidaires.

mancomunidad [mankomuni'ðað] *nf* (*de bienes*) copropriété *f*; (*de personas, JUR*) association *f*; (*de municipios*) syndicat *m*.

mancuernas [man'kwernas] (*CAM, MÉX*) *nfpl* boutons *mpl* de manchette.

mandado [man'daðo] *nm* commission *f*; **ser un ~** être (un) commis.

mandamás [manda'mas] (*pey*) *nm/f inv* gros bonnet *m*; **ser un ~** être autoritaire.

mandamiento [manda'mjento] *nm* (*REL*) commandement *m*; ▶ **mandamiento judicial** mandat *m* d'arrêt.

mandar [man'dar] *vt* ordonner; (*MIL*) commander; (*enviar*) envoyer ♦ *vi* commander; (*en un país*) diriger; **mandarse** *vpr*: **~se mudar** (*AM: fam*) se casser; **¿mande?** je vous demande pardon?; **¿manda usted algo más?** désirez-vous autre chose?; **se lo ~emos por correo** nous vous l'enverrons par courrier; **~ hacer un traje** se faire faire un costume; **~ a algn a hacer algo** ordonner à qn de faire qch; **~ a algn a paseo** *o* **a la porra** envoyer qn au diable.

mandarina [manda'rina] *nf* mandarine *f*.

mandatario, -a [manda'tarjo, a] *nm/f* (*JUR*) mandataire *m/f*; (*primer*) **~** (*esp AM: POL*) président *m*.

mandato [man'dato] *nm* (*orden*) ordre *m*; (*POL*) mandat *m*; (*INFORM*) commande *f*; ▶ **mandato judicial** mandat d'arrêt.

mandíbula [man'diβula] *nf* mandibule *f*.

mandil [man'dil] *nm* tablier *m*.

mandinga [man'dinga] (*AM*) *nm* diable *m*.

mandioca [man'djoka] *nf* manioc *m*.

mando ['mando] *nm* (*MIL*) commandement *m*; (*de organización, país*) direction *f*; (*TEC*) commande *f*; **los (altos) ~s** les chefs *mpl*; **el alto ~** le haut commandement; **al ~ (de)** sous la responsabilité (de); **tomar el ~** prendre le commandement; ▶ **mando a distancia** télécommande *f*.

mandolina [mando'lina] *nf* mandoline *f*.

mandón, -ona [man'don, ona] (*pey*) *adj* autoritaire.

manecilla [mane'θiʎa] *nf* (*de reloj*) aiguille *f*.

manejable [mane'xaβle] *adj* maniable; (*libro*) peu encombrant(e); (*persona*) facile.

manejar [mane'xar] *vt* manier; (*máquina*) manœuvrer; (*caballo*) mener; (*pey: a personas*) manœuvrer; (*casa, negocio*) mener; (*dinero, números*) brasser; (*idioma*) maîtriser; (*AM: AUTO*) conduire ♦ *vi* (*AM: AUTO*) conduire; **manejarse** *vpr* se débrouiller; *"~ con cuidado"* "manipuler avec précaution".

manejo [ma'nexo] *nm* maniement *m*; (*de máquinas*) manœuvre *f*; (*AM: de negocio*) conduite *f*; (*soltura*) aisance *f*; **~s** *nmpl* (*pey*) manœuvres *fpl*.

manera [ma'nera] *nf* manière *f*, façon *f*; **~s** *nfpl* (*modales*) manières *fpl*; **~ de pensar/ de ser** façon de penser/d'être; **a mi ~** à ma façon; **de qualquier ~** de toute manière; (*pey*) n'importe comment; **de mala ~** (*fam*) brutalement; **¡de ninguna ~!** en aucun cas!; **de otra ~** autrement; **de todas ~s** de toute manière; **en gran ~** largement; **sobre ~** énormément; **a mi ~ de ver** d'après moi; **no hay ~ de persuadirle** il n'y a pas de moyen de le persuader; **de ~ que** de sorte que.

manga ['manga] *nf* manche *f*; (*GEO*) tuyau *m*; **de ~ corta/larga** à manches courtes/ longues; **en ~s de camisa** en bras de chemise; **andar ~ por hombro** être débraillé(e); **tener ~ ancha** être très ouvert(e); ▶ **manga de pastelero** douille *f* (de pâtissier); ▶ **manga de riego** tuyau d'irrigation; ▶ **manga de viento** manche *f* à air.

mangante [man'gante] (*fam*) *adj, nm/f* voyou *m*.

mangar [man'gar] (*fam*) *vt* piquer.

manglar [man'glar] *nm* mangrove *f*.

mangle ['mangle] *nm* palétuvier *m*.

mango ['mango] *nm* manche *m*; (*BOT*) mangue *f*; **~ de escoba** manche à balai.

mangonear [mangone'ar] (*pey*) *vt* commander ♦ *vi* se mêler de tout.

mangue *etc* ['mange] *vb* V **mangar**.

manguera [man'gera] *nf* lance *f* d'arrosage; **~ de incendios** lance d'incendie.

maní [ma'ni] (*pl* **~es** *o* **manises**) (*AM*) *nm* cacahuète *f*; (*planta*) arachide *f*.

manía [ma'nia] *nf* manie *f*; **tiene sus ~s** il a ses petites manies; **tener ~ a algn/algo** avoir de l'antipathie pour qn/qch.

maníaco, -a [ma'niako, a] *adj, nm/f* maniaque *m/f*.

maniatar [manja'tar] *vt* ligoter.

maniático, -a [ma'njatiko, a] *adj, nm/f* maniaque *m/f*.

manicomio [mani'komjo] *nm* asile *m* (de fous).

manicura [mani'kura] *nf* manucure *f*.

manido, -a [ma'niðo, a] *adj* rebattu(e).

manifestación [manifesta'θjon] *nf* manifestation *f*; (*declaración*) déclaration *f*.

manifestante [manifes'tante] *nm/f* manifestant(e).

manifestar [manifes'tar] *vt* manifester; (*declarar*) déclarer; **manifestarse** *vpr* (*POL*) manifester; (*interés, dolor*) se manifester.

manifiesto, -a [mani'fjesto, a] *pp de* **manifestar** ♦ *adj* manifeste ♦ *nm* (*ARTE, POL*) manifeste *m*; **poner (algo) de ~** mettre (qch) en évidence.

manigua [ma'niɣwa] (*CAM, CARIB, MÉX*) *nf* broussailles *fpl*.

manija [ma'nixa] *nf* manche *m*.

manilla [ma'niʎa] *nf* (*de reloj*) aiguille *f* (de montre); (*AM*) levier *m*; **~s** *nfpl*: **~s (de hierro)** fers *mpl*.

manillar [mani'ʎar] *nm* guidon *m*.

maniobra [ma'njoβra] *nf* manœuvre *f*; **~s** *nfpl* (*MIL, pey*) manœuvres *fpl*.

maniobrar [manio'βrar] *vi* manœuvrer; (*MIL*) faire des manœuvres.

manipulación [manipula'θjon] *nf* manipulation *f*.

manipular [manipu'lar] *vt* manipuler.

maniqueismo [manike'ismo] *nm* manichéisme *m*.

maniquí [mani'ki] *nm/f* mannequin *m/f* ♦ *nm* (*de escaparate*) mannequin *m*.

manirroto, -a [mani'rroto, a] *adj, nm/f* dépensier(-ère).

manita [ma'nita] *nf* menotte *f*; **~s de plata** doigts *mpl* de fée; **hacer ~s** se caresser les mains.

manitas [ma'nitas] *adj inv* adroit(e) ♦ *nm/f inv*: **ser un(a) ~** être très adroit(e).

manito [ma'nito] (*AM*) *nm* (*en conversación*) copain *m*.

manivela [mani'ßela] *nf* manivelle *f*.
manjar [man'xar] *nm* mets *msg*.
mano ['mano] *nf* main *f*; (*ZOOL*) patte *f*, griffe *f*; (*CULIN*) pied *m*; (*de pintura*) couche *f* ♦ *nm* (*MÉX: fam*) copain *m*; **a ~ à la main**; **estar/tener algo a ~** être/avoir qch à portée de la main; **a ~ derecha/izquierda** à (main) droite/gauche; **hecho a ~** fait à la main; **a ~s llenas** à pleines mains; **de primera ~** de première main; **de segunda ~** d'occasion; **robo a ~ armada** vol *m* à main armée; **Pedro es mi ~ derecha** Pedro est mon bras droit; **darse la(s) ~(s)** se donner la main; **echar una ~** donner un coup de main; **hacer algo ~ a ~** faire qch en tête à tête; **echar ~ a algn** mettre la main sur qn; **echar ~ de algo** (*para usarlo*) recourir à qch; **estrechar la ~ a algn** serrer la main à qn; **dar algo en ~** donner qch en mains propres; **ir de la ~** échapper; **tener buena/mala ~ para algo** être doué(e)/peu doué(e) pour qch; **meter ~** (*fam*) peloter; **traer** *o* **llevar algo entre ~s** avoir qch entre les mains; **estar en ~s de algn** être entre les mains de qn; **estar en buenas ~s** être en de bonnes mains; **se le fue la ~** il n'y est pas allé de main morte; (*con ingredientes*) il a eu la main un peu lourde; **haré lo que esté en mi ~** je ferai mon possible; **¡~s a la obra!** au travail!; **pillar/coger/sorprender a algn con las ~s en la masa** prendre qn la main dans le sac; ► **mano de obra** main-d'œuvre *f*; ► **mano dura** sévérité *f*.
manojo [ma'noxo] *nm* (*de hierbas*) brassée *f*; (*de llaves*) trousseau *m*; **ser un ~ de nervios** être un paquet de nerfs.
manómetro [ma'nometro] *nm* manomètre *m*.
manopla [ma'nopla] *nf* moufle *f*; ► **manopla de cocina** poignée *f*.
manoseado, -a [manose'aðo, a] *adj* (*tema*) rebattu(e); (*papel*) manipulé(e).
manosear [manose'ar] *vt* (*libro*) manipuler; (*flores*) écraser; (*tema, asunto*) rebattre; (*fam: una persona*) tripoter.
manotazo [mano'taθo] *nm* gifle *f*.
manotear [manote'ar] *vi* gesticuler.
mansalva [man'salßa]: **a ~** *adv* sans risque.
mansedumbre [manse'ðumbre] *nf* (*de persona*) douceur *f*; (*de animal*) docilité *f*.
mansión [man'sjon] *nf* demeure *f*.
manso, -a ['manso, a] *adj* (*persona*) doux(douce); (*animal*) apprivoisé(e); (*aguas*) tranquille; (*CHI: fam*) énorme.
manta ['manta] *nf* couvre-lit *m*; (*AM*) poncho *m*; **una ~ de azotes/palos** une volée de coups de fouet/de bâton; **a ~** (*llover*)

des cordes; (*reirse*) aux larmes.
manteca [man'teka] *nf* (*de cerdo*) saindoux *m*; (*de cacao, AM*) beurre *m*; (*de leche*) crème *f*.
mantecado [mante'kaðo] *nm* (*pasta*) sorte de gâteau au saindoux; (*helado*) glace *f*.
mantecoso, -a [mante'koso, a] *adj* crémeux(-euse).
mantel [man'tel] *nm* nappe *f*.
mantelería [mantele'ria] *nf* linge *m* de table.
mantendré *etc* [manten'dre] *vb* V **mantener**.
mantener [mante'ner] *vt* maintenir; (*familia*) subvenir aux besoins de; (*TEC*) assurer la maintenance (de); (*actividad*) conserver; (*edificio*) soutenir; **mantenerse** *vpr* (*edificio*) être soutenu(e); (*no ceder*) se maintenir; **~ la línea** garder la ligne; **~ el equilibrio** garder l'équilibre; **~ algo encendido/caliente** laisser qch allumé(e)/garder qch au chaud; **~ a algn informado** tenir qn au courant; **~ a algn con vida** maintenir qn en vie; **~se a distancia** garder ses distances; **~se (de/con)** vivre (de); **~se en forma** garder la forme; **~se en pie** rester debout; **~se firme** rester ferme.
mantenga *etc* [man'tenga] *vb* V **mantener**.
mantenimiento [manteni'mjento] *nm* (*TEC*) maintenance *f*; (*de orden, relaciones*) maintien *m*; (*sustento*) subsistance *f*; **ejercicios de ~** exercices *mpl* de gymnastique.
mantequería [manteke'ria] *nf* crémerie *f*.
mantequilla [mante'kiʎa] *nf* beurre *m*.
mantilla [man'tiʎa] *nf* mantille *f*; (*de bebé*) lange *m*; **estar en ~s** (*persona*) être naïf(-ïve); (*proyecto*) être à l'état d'embryon.
manto ['manto] *nm* cape *f*.
mantón [man'ton] *nm* châle *m*; ► **mantón de manila** châle en soie brodée.
mantuve *etc* [man'tuße] *vb* V **mantener**.
manual [ma'nwal] *adj* manuel(le) ♦ *nm* manuel *m*.
manubrio [ma'nubrjo] (*AM*) *nm* (*AUTO*) volant *m*.
manufactura [manufak'tura] *nf* manufacture *f*.
manufacturado, -a [manufaktu'raðo, a] *adj* manufacturé(e).
manuscrito, -a [manus'krito, a] *adj* manuscrit(e) ♦ *nm* manuscrit *m*.
manutención [manuten'θjon] *nf* (*de persona*) subsistance *f*; (*de alimentos, dinero*) conservation *f*.
manzana [man'θana] *nf* pomme *f*; (*de edificios*) pâté *m*; **~ de la discordia** (*fig*) pomme de discorde.

manzanilla [manθa'niʎa] *nf* camomille *f*; (*vino*) manzanilla *m*.

manzano [man'θano] *nm* pommier *m*.

maña ['maɲa] *nf* adresse *f*; ~**s** *nfpl* (*artimañas*) ruses *fpl*; **con** ~ avec adresse; **darse (buena)** ~ **para hacer algo** être doué(e) pour faire qch.

mañana [ma'ɲana] *adv* demain ♦ *nm*: **(el)** ~ (**le**) lendemain ♦ *nf* matin *m*; **de** *o* **por la** ~ le matin; **¡hasta** ~! à demain!; **pasado** ~ après-demain; ~ **por la** ~ demain matin; **a las 3 de la** ~ à 3 heures du matin; **a media** ~ tard dans la matinée.

mañanero, -a [maɲa'nero, a] *adj* matinal(e).

mañanitas [maɲa'nitas] (*MÉX*) *nfpl* chanson *f* d'anniversaire.

maño, -a ['maɲo] *adj* d'Aragon ♦ *nm/f* natif(-ive) *o* habitant(e) d'Aragon.

mañoso, -a [ma'ɲoso, a] *adj* adroit(e).

mapa ['mapa] *nm* carte *f*.

mapamundi [mapa'mundi] *nm* mappemonde *f*.

mapucha [ma'putʃa] *adj* mapuche ♦ *nm/f* Mapuche *m/f*.

mapuche [ma'putʃe] *adj*, *m/f* = **mapucha**.

maqueta [ma'keta] *nf* maquette *f*.

maquiavélico, -a [makja'βeliko, a] (*pey*) *adj* machiavélique.

maquiladora [makila'ðora] (*MÉX*) *nf* usine *f*.

maquillador, a [makiʎa'ðor, a] *nm/f* (*TEATRO etc*) maquilleur(-euse).

maquillaje [maki'ʎaxe] *nm* maquillage *m*.

maquillar [maki'ʎar] *vt* maquiller; **maquillarse** *vpr* se maquiller.

máquina ['makina] *nf* machine *f*; (*de tren*) locomotive *f*; (*CAM, CU*) voiture *f*; **a toda** ~ à toute allure; **escrito a** ~ tapé à la machine; ▶**máquina de coser/de escribir/de vapor** machine à coudre/à écrire/à vapeur; ▶**máquina fotográfica** appareil *m* photographique; ▶**máquina herramienta** machine-outil *f*; ▶**máquina tragaperras** machine à sous.

maquinación [makina'θjon] *nf* machination *f*.

maquinal [maki'nal] *adj* machinal(e).

maquinar [maki'nar] *vt*, *vi* comploter.

maquinaria [maki'narja] *nf* machinerie *f*.

maquinilla [maki'niʎa] *nf* (*tb*: ~ **de afeitar**) rasoir *m*; ▶**maquinilla eléctrica** rasoir électrique.

maquinista [maki'nista] *nm* mécanicien *m*.

maquinización [makiniθa'θjon] *nf* mécanisation *f*.

mar [mar] *nm o f* mer *f*; ~ **de fondo** lame *f* de fond; (*fig*) malaise *m*; ~ **gruesa** mer forte; ~ **adentro** au large; **en alta** ~ en haute mer; **por** ~ par mer; **hacerse a la** ~ partir en mer; **a** ~**es** (*llover*) à verse; (*llorar*) comme une madeleine; **estar hecho un** ~ **de lágrimas** pleurer comme une fontaine; **es la** ~ **de guapa** elle est très jolie; **la** ~ **de bien** très bien; **el M**~ **Negro/Báltico** la Mer Noire/Baltique; **el M**~ **Muerto/Rojo** la Mer Morte/Rouge; **el M**~ **del Norte** la Mer du Nord.

mar. *abr* = **marzo**.

maraca [ma'raka] *nf* (*MÚS*) maraca *f*.

maraña [ma'raɲa] *nf* enchevêtrement *m*.

maratón [mara'ton] *nm* marathon *m*.

maravilla [mara'βiʎa] *nf* merveille *f*; (*BOT*) souci *m*; **¡qué** ~! quelle merveille!; **hacer** ~**s** faire des merveilles; **a (las mil)** ~**s** à merveille.

maravillar [maraβi'ʎar] *vt* émerveiller; **maravillarse** *vpr*: ~**se (de)** s'émerveiller (de).

maravilloso, -a [maraβi'ʎoso, a] *adj* merveilleux(-euse); **¡es** ~! c'est merveilleux!

marbellí [marβe'ʎi] *adj* de Marbella ♦ *nm/f* natif(-ive) *o* habitant(e) de Marbella.

marca ['marka] *nf* marque *f*; (*acto*) marquage *m*; (*DEPORTE*) record *m*; **de** ~ (*COM*) de marque; ▶**marca de fábrica** marque; ▶**marca propia/registrada** marque propre/déposée.

marcado, -a [mar'kaðo, a] *adj* marqué(e).

marcador [marka'ðor] *nm* (*DEPORTE*) tableau *m*.

marcapasos [marka'pasos] *nm inv* stimulateur *m* cardiaque.

marcar [mar'kar] *vt* marquer; (*número de teléfono*) composer; (*COM*) étiqueter ♦ *vi* (*DEPORTE*) marquer; (*TELEC*) composer le numéro; (*en peluquería*) faire une mise en plis; **mi reloj marca las 2** à ma montre il est 2 heures; ~ **el compás** (*MÚS*) battre la mesure; ~ **el paso** marquer le pas; **lavar y** ~ faire un shampooing et une mise en plis.

marcha ['martʃa] *nf* marche *f*; (*AUTO*) vitesse *f*; (*dirección*) tournure *f*; (*fam: animación*) fête *f*; **dar** ~ **atrás** (*AUTO, fig*) faire marche arrière; **estar en** ~ être en marche; (*negocio*) marcher; **hacer algo sobre la** ~ faire qch au fur et à mesure; **poner en** ~ faire démarrer; **ponerse en** ~ se mettre en marche; **a** ~**s forzadas** (*fig*) en quatrième vitesse; **¡en** ~! (*MIL*) en avant, marche!; (*fig*) allons-y!; **una persona/una ciudad/un bar con (mucha)** ~ une personne (très) dynamique/une ville/un bar (très) animé(e).

marchante [mar'tʃante, a] *nm/f* marchand(e) de tableaux.

marchar [mar'tʃar] *vi* marcher; (*ir*) partir; **marcharse** *vpr* s'en aller; **todo marcha**

bien tout va bien.

marchitar [martʃi'tar] *vt* faner; **marchitarse** *vpr* se faner.

marchito, -a [mar'tʃito, a] *adj* fané(e).

marchoso, -a [mar'tʃoso, a] *(fam) adj* animé(e).

marcial [mar'θjal] *adj* martial(e).

marciano, -a [mar'θjano, a] *nm/f* martien(ne).

marco ['marko] *nm* cadre *m*; *(moneda)* Mark *m*.

marea [ma'rea] *nf* marée *f*; ~ **alta/baja** marée haute/basse; **una** ~ **de gente** une marée humaine; ▶ **marea negra** marée noire.

mareado, -a [mare'aðo, a] *adj*: **estar** ~ *(con náuseas)* avoir mal au cœur; *(aturdido)* être abruti(e); *V tb* **mareo**.

marear [mare'ar] *vt* harceler; *(MED)* donner mal au cœur à; **marearse** *vpr* avoir le mal de mer; *(desmayarse)* s'évanouir; *(estar aturdido)* être abruti(e); *(emborracharse)* se soûler; *V tb* **mareo**.

marejada [mare'xaða] *nf* mer *f* agitée.

maremágnum [mare'maɣnum] *nm (fig)* foisonnement *m*.

maremoto [mare'moto] *nm* raz-de-marée *m inv*.

mareo [ma'reo] *nm* mal *m* au cœur; *(en barco)* mal de mer; *(en avión)* mal de l'air; *(en coche)* mal des transports; *(desmayo)* évanouissement *m*; *(aturdimiento)* abrutissement *m*; *(fam: lata)* ennui *m*.

marfil [mar'fil] *nm* ivoire *m*.

margarina [marɣa'rina] *nf* margarine *f*.

margarita [marɣa'rita] *nf* marguerite *f*.

margen ['marxen] *nm o f (de río, camino)* bord *m*; *(de página)* marge *f* ♦ *nm* marge; ~ **de beneficio** *o* **de ganancia** marge bénéficiaire; ~ **de confianza** marge de confiance; **dar** ~ **para** donner l'occasion de; **dejar a algn al** ~ laisser qn en plan; **mantenerse al** ~ rester en marge; **al** ~ **de lo que digas** quoi que tu dises.

marginado, -a [marxi'naðo, a] *adj, nm/f* marginal(e).

marginal [marxi'nal] *adj* marginal(e).

marginar [marxi'nar] *vt (socialmente)* marginaliser.

mariachi [ma'rjatʃi] *(MÉX) nm (MÚS)* mariachi *m*.

marica [ma'rika] *nm (fam!: homosexual)* pédé *m (fam!)*; *(: cobarde)* poule *f* mouillée.

Maricastaña [marikas'taɲa] *nf*: **en los días** *o* **en tiempos de** ~ du temps où la reine Berthe filait.

maricón [mari'kon] *nm (fam!: homosexual)* pédé *m (fam!)*; *(: insulto)* connard *m (fam!)*.

marido [ma'riðo] *nm* mari *m*.

marihuana [mari'wana] *nf* marijuana *f*.

marimacho [mari'matʃo] *nf (fam!)* garçon *m* manqué.

marimba [ma'rimba] *nf* marimba *m*.

marimorena [marimo'rena] *nf* bagarre *f*; **armar una** ~ provoquer une bagarre.

marina [ma'rina] *nf (MIL)* marine *f*; ~ **mercante** marine marchande.

marinero, -a [mari'nero, a] *adj* marin(e) ♦ *nm* marin *m*.

marino, -a [ma'rino, a] *adj* marin(e) ♦ *nm* marin *m*.

marioneta [marjo'neta] *nf* marionnette *f*.

mariposa [mari'posa] *nf* papillon *m*; *(TEC)* veilleuse *f*; *(en natación)* brasse *f* papillon.

mariposear [maripose'ar] *vi* papillonner.

mariquita [mari'kita] *nm (fam!)* pédé *m (fam!)* ♦ *nf* coccinelle *f*.

marisco [ma'risko] *nm* fruit *m* de mer.

marisma [ma'risma] *nf* marais *msg*.

marisquería [mariske'ria] *nf* bar où l'on consomme des fruits de mer.

marítimo, -a [ma'ritimo, a] *adj* maritime.

marketing ['marketin] *nm* marketing *m*.

marmita [mar'mita] *nf* marmite *f*.

mármol ['marmol] *nm* marbre *m*.

marmóreo, -a [mar'moreo, a] *adj* de marbre.

marmota [mar'mota] *nf* marmotte *f*.

maroma [ma'roma] *nf* cordage *m*.

marque *etc* ['marke] *vb V* **marcar**.

marqués, -esa [mar'kes, esa] *nm/f* marquis(e).

marquesina [marke'sina] *nf (de parada)* abri *m*; *(de estación)* toit *m*; *(de puerta)* marquise *f*.

marquetería [marke'teria] *nf* marqueterie *f*.

marranada [marra'naða] *nf (fam)* saleté *f*; *(acción)* bassesse *f*.

marrano, -a [ma'rrano, a] *adj (fam)* sale ♦ *nm/f* cochon(truie); *(persona sucia; fam)* cochon(ne).

marras ['marras]: **de** ~ *adv*: **el tipo de** ~ le type en question; **el asunto de** ~ la même ritournelle.

marrón [ma'rron] *adj* marron.

marroquí [marro'ki] *adj* marocain(e) ♦ *nm/f* Marocain(e) ♦ *nm (cuero)* maroquin *m*.

Marruecos [ma'rrwekos] *nm* Maroc *m*.

marta ['marta] *nf* martre *f*.

Marte [marte] *nm* Mars *fsg*.

martes ['martes] *nm inv* mardi *m*; ▶ **martes de carnaval** Mardi-Gras *msg*; *V tb* **sábado**.

martillar [marti'ʎar] *vt* marteler.

martillazo [marti'ʎaθo] *nm* coup *m* de marteau.

martillear [marti'ʎar] vt marteler.
martilleo [marti'ʎeo] nm martèlement m.
martillo [mar'tiʎo] nm marteau m; ▶ **martillo neumático** marteau-piqueur m.
Martinica [marti'nika] nf Martinique f.
mártir ['martir] nm/f martyr(e).
martirice etc [marti'riθe] vb V **martirizar**.
martirio [mar'tirjo] nm martyre m.
martirizar [martiri'θar] vt martyriser.
marxismo [mark'sismo] nm marxisme m.
marxista [mark'sista] adj, nm/f marxiste m/f.
marzo ['marθo] nm mars msg; V tb **julio**.
mas [mas] conj mais.

════════════ PALABRA CLAVE ════════════

más [mas] adv **1** (compar) plus; **más grande/inteligente** plus grand/intelligent; **trabaja más (que yo)** il travaille plus (que moi); **más de mil** plus de mille; **más de lo que yo creía** plus que je ne croyais
2 (+ sustantivo) plus de; **más libros** plus de livres; **más tiempo** plus longtemps
3 (tras sustantivo) en plus, de plus; **3 personas más (que ayer)** 3 personnes de plus (qu'hier)
4 (superl): **el más ... le plus ...; el más inteligente (de)** le plus intelligent (de); **el coche más grande** la voiture la plus grande; **el que más corre** le plus rapide; **puedo hacerlo como el que más** je peux le faire comme personne
5 (adicional): **deme una más** donnez m'en encore une; **un poco más** encore un peu; **¿qué más?** quoi d'autre?, quoi encore?; **¿quién más?** qui d'autre?; **¿quieres más?** en veux-tu plus o davantage?
6 (negativo): **no tengo más dinero** je n'ai plus d'argent; **no viene más por aquí** il ne vient plus par ici; **no sé más** je n'en sais pas plus o davantage; **nunca más** plus jamais; **no hace más que hablar** il ne fait que parler; **no lo sabe nadie más que él** il n'y a que lui qui le sache
7 (+ adj: valor intensivo): **¡qué perro más sucio!** comme ce chien est sale!; **¡es más tonto!** qu'est-ce qu'il est bête!
8 (locuciones): **más o menos** plus ou moins; **ni más ni menos** ni plus ni moins; **los más la plupart; es más, acabamos pegándonos** on a même fini par se battre; **más aún** mieux encore; **más bien** plutôt; **¡más te vale!** ça vaut mieux pour toi!; **más vale tarde que nunca** mieux vaut tard que jamais; **a más tardar** au plus tard; **a más y mejor** à qui mieux mieux; **¡qué más da!** qu'est-ce que cela fait!; V tb **cada**
9: **de más: veo que aquí estoy de más** je vois que je suis de trop ici; **tenemos uno de más** nous en avons un de trop

10 (AM): **no más** seulement; **así no más** comme ça; **ayer no más** pas plus tard qu'hier
11: **por más: por más que lo intento** j'ai beau essayer; **por más que quisiera ...** j'ai beau vouloir ...
12 (MAT): **2 más 2 son 4** 2 plus 2 font 4
♦ nm (MAT: signo) signe m plus; **este trabajo tiene sus más y sus menos** ce travail a de bons et de mauvais côtés.

masa ['masa] nf masse f; (CSUR) gâteau m; **las ~s** nmpl (POL) les masses fpl, **en ~** en masse.
masacrar [masa'krar] vt massacrer.
masacre [ma'sakre] nf massacre m.
masaje [ma'saxe] nm massage m.
masajista [masa'xista] nm/f masseur(-euse).
mascar [mas'kar] vt, vi mâcher; **hay que dárselo todo mascado** (fig) il faut toujours lui mâcher le travail.
máscara ['maskara] nf (tb INFORM) masque m ♦ nm/f personne f masquée; ▶ **máscara antigás/de oxígeno** masque à gaz/à oxygène.
mascarada [maska'raða] nf bal m masqué; (pey) mascarade f.
mascarilla [maska'riʎa] nf (MED, en cosmética) masque m.
mascarón [maska'ron] nm mascaron m; ▶ **mascarón de proa** figure f de proue.
mascota [mas'kota] nf mascotte f.
masculino, -a [masku'lino, a] adj masculin(e); (BIO) masculin(e), mâle ♦ nm (LING) masculin m.
mascullar [masku'ʎar] vt bredouiller.
masificación [masifika'θjon] nf encombrement m.
masilla [ma'siʎa] nf mastic m.
masivo, -a [ma'siβo, a] adj massif(-ive).
masón [ma'son] nm franc-maçon m.
masonería [masone'ria] nf franc-maçonnerie f.
masoquista [maso'kista] adj, nm/f masochiste m/f.
masque etc ['maske] vb V **mascar**.
máster ['master] nm (ESCOL) mastère m.
masticar [masti'kar] vt, vi mastiquer.
mástil ['mastil] nm mât m; (de guitarra) manche m.
mastín [mas'tin] nm mâtin m.
mastique etc [mas'tike] vb V **masticar**.
mastodonte [masto'ðonte] nm mastodonte m.
masturbación [masturβa'θjon] nf masturbation f.
masturbarse [mastur'βarse] vpr se masturber.
mata ['mata] nf (esp AM) arbuste m; (de espinas) brassée f; (de perejil) bouquet m;

~s *nfpl* (*matorral*) fourrés *mpl*; ► **mata de pelo** touffe *f* de cheveux.

matadero [mata'ðero] *nm* abattoir *m*.

matador, a [mata'ðor, a] *adj* laid(e) à faire peur ♦ *nm* (*TAUR*) matador *m*.

matamoscas [mata'moskas] *nm inv* tue-mouches *m inv*.

matanza [ma'tanθa] *nf* (*de gente*) massacre *m*; (*de cerdo: acción*) abattage *m* du cochon; (: *época*) saison de l'abattage du cochon; (: *carne*) viande du cochon abattu.

matar [ma'tar] *vt* tuer; (*hambre, sed*) apaiser ♦ *vi* tuer; **matarse** *vpr* se tuer; ~ **a algn a disgustos** faire mourir qn d'inquiétude; ~**las callando** agir en douce; ~**se trabajando** *o* **a trabajar** se tuer au travail; ~**se por hacer algo** se tuer à faire qch.

matarife [mata'rife] (*pey*) *nm* tueur *m*.

matasanos [mata'sanos] (*pey*) *nm inv* ennui *m* de santé.

matasellos [mata'seʎos] *nm inv* cachet *m* de la poste.

mate ['mate] *adj* mat(e) ♦ *nm* (*en ajedrez*) mat *m*; (*AND, CSUR: hierba, infusión*) maté *m*, thé *m* des Jésuites; (: *vasija*) récipient *m* pour le maté; ► **mate de coca/de menta** thé à la coca/à la menthe.

matemáticas [mate'matikas] *nfpl* mathématiques *fpl*, maths *fpl*; *V tb* **matemático**.

matemático, -a [mate'matiko, a] *adj* mathématique ♦ *nm/f* mathématicien(ne); ¡**es** ~! c'est mathématique!

materia [ma'terja] *nf* matière *f*; **en** ~ **de** en matière de; **entrar en** ~ entrer en matière; ► **materia prima** matière première.

material [mate'rjal] *adj* matériel(le); (*autor*) corporel(le) ♦ *nm* matière *f*, matériau *m*; (*dotación*) matériel *m*; (*cuero*) peau *f*; ~ **de construcción** matériau de construction; ~**es de derribo** décombres *mpl*; **no tener tiempo** ~ **para algo** ne pas avoir le temps matériel de faire qch.

materialismo [materja'lismo] *nm* matérialisme *m*.

materialista [materja'lista] *adj* matérialiste.

materialmente [mate'rjalmente] *adv*: **es** ~ **imposible** c'est matériellement impossible.

maternal [mater'nal] *adj* maternel(le).

maternidad [materni'ðað] *nf* maternité *f*.

materno, -a [ma'terno, a] *adj* maternel(le).

matice *etc* [ma'tiθe] *vb V* **matizar**.

matinal [mati'nal] *adj* matinal(e).

matiz [ma'tiθ] *nm* nuance *f*; **un (cierto)** ~ **irónico** une (légère) nuance d'ironie.

matizar [mati'θar] *vt, vi* préciser.

matón [ma'ton] *nm* dur *m*.

matorral [mato'rral] *nm* buisson *m*.

matraca [ma'traka] *nf* matraque *f*; (*fam: lata*) plaie *f*.

matraz [ma'traθ] *nm* (*QUÍM*) ballon *m*.

matriarcado [matrjar'kaðo] *nm* matriarcat *m*.

matrícula [ma'trikula] *nf* (*ESCOL*) inscription *f*; (*AUTO*) immatriculation *f*; (: *placa*) plaque *f* d'immatriculation; ► **matrícula de honor** ≈ mention *f* très bien.

matricular [matriku'lar] *vt* (*coche*) immatriculer; (*alumno*) inscrire; **matricularse** *vpr* s'inscrire.

matrimonial [matrimo'njal] *adj* (*contrato*) de mariage; (*vida*) conjugal(e).

matrimonio [matri'monjo] *nm* (*pareja*) couple *m*; (*boda*) mariage *m*; ~ **civil/clandestino** mariage civil/clandestin; **contraer** ~ (**con**) se marier (avec).

matriz [ma'triθ] *nf* (*ANAT*) utérus *msg*; (*TEC, MAT*) matrice *f*; **casa** ~ (*COM*) maison *f* mère.

matrona [ma'trona] *nf* matrone *f*.

matutino, -a [matu'tino, a] *adj* (*periódico*) du matin; (*actividades*) matinal(e).

maullar [mau'ʎar] *vi* miauler.

maullido [mau'ʎiðo] *nm* miaulement *m*.

Mauricio [mau'riθjo] *nm* (île *f*) Maurice *f*.

Mauritania [mauri'tanja] *nf* Mauritanie *f*.

mausoleo [mauso'leo] *nm* mausolée *m*.

max. *abr* (= *máximo*) max. (= *maximum*).

maxilar [maksi'lar] *adj, nm* maxillaire *m*.

máxima ['maksima] *nf* maxime *f*.

máxime ['maksime] *adv* particulièrement.

máximo, -a ['maksimo, a] *adj* maximal(e), maximum; (*longitud, altitud*) maximal(e); (*galardón*) supérieur(e) ♦ *nm* maximum *m*; **como** ~ au plus; **al** ~ au maximum; **lo** ~ le maximum; ~ **líder** *o* **jefe, líder** ~ (*esp AM*) président *m*.

maxisingle [maksi'singel] *nm* maxi 45 tours *msg*.

maya ['maja] *adj* maya ♦ *nm/f* Maya *m/f*.

mayo ['majo] *nm* mai *m*; *V tb* **julio**.

mayonesa [majo'nesa] *nf* mayonnaise *f*.

mayor [ma'jor] *adj* (*adulto*) adulte; (*de edad avanzada*) âgé(e); (*MÚS, fig*) majeur(e); (*compar: de tamaño*) plus grand(e); (: *de edad*) plus âgé(e); (*superl: ver compar*) très grand(e); très âgé(e); (*calle, plaza*) grand(e) ♦ *nm* (*AM: MIL*) major *m*; ~**es** *nmpl* adultes *mpl*; **al por** ~ en gros; ► **mayor de edad** majeur(e).

mayoral [majo'ral] *nm* (*AGR*) contremaître *m*; (*pastor*) berger *m*.

mayordomo [major'ðomo] *nm* majordome *m*.

mayoreo [majo'reo] (*AM*) *nm* vente *f* en

gros.

mayoría [majo'ria] *nf* majorité *f*; **en la ~ de los casos** dans la majorité des cas; **en su ~** en majorité; **~ absoluta/relativa** majorité absolue/relative; ▶ **mayoría de edad** majorité.

mayorista [majo'rista] *nmlf* grossiste *m/f*.

mayoritario, -a [majori'tarjo, a] *adj* majoritaire.

mayúscula [ma'juskula] *nf* (*tb*: **letra ~**) majuscule *f*.

mayúsculo, -a [ma'juskulo, a] *adj* (*susto*) terrible; (*error*) magistral(e).

maza ['maθa] *nf* (*TEC*) masse *f*; (*arma*) massue *f*.

mazacote [maθa'kote] *nm* matière *f* dure; (*CULIN*) pâte *f* dure; (*libro gordo*) pavé *m*.

mazamorra [maθa'morra] (*AM*) *nf* sucrerie *à base de miel*.

mazapán [maθa'pan] *nm* pâte *f* d'amande.

mazmorra [maθ'morra] *nf* cachot *m*.

mazo ['maθo] *nm* maillet *m*; (*de mortero*) pilon *m*; (*naipes*) paquet *m*; (*billetes*) liasse *f*.

mazorca [ma'θorka] *nf* épi *m* de maïs.

Mb *abr* (= *megabyte*) Mo (= *méga-octet*).

MCAC *sigla m* = *Mercado Común de la América Central*.

m.c.d. *abr* (= *mínimo común denominador*) p.p.d.c. *m* (= *plus petit dénominateur commun*).

MCI *sigla m* = *Mercado Común Iberoamericano*.

m.c.m. *abr* (= *mínimo común múltiplo*) p.p.c.m. *m* (= *plus petit commun multiple*).

me [me] *pron* me; (*en imperativo*) moi; **~ lo compró** il me l'a acheté; **¡dámelo!** donne-le-moi!

meandro [me'andro] *nm* méandre *m*.

mear [me'ar] (*fam*) *vt*, *vi* pisser; **mearse** *vpr* pisser; **~se de risa** pisser de rire.

Meca ['meka] *nf*: **La ~** La Mecque; **la m~ del cine** la mecque du cinéma.

mecánica [me'kanika] *nf* mécanique *f*; *V tb* **mecánico**.

mecanice *etc* [meka'niθe] *vb V* **mecanizar**.

mecánico, -a [me'kaniko, a] *adj* mécanique ♦ *nm/f* mécanicien(ne).

mecanismo [meka'nismo] *nm* mécanisme *m*.

mecanizar [mekani'θar] *vt* mécaniser.

mecanografía [mekanoɤra'fia] *nf* dactylographie *f*.

mecanografiado, -a [mekanoɤra'fjaðo, a] *adj* dactylographié(e).

mecanografiar [mekanoɤra'fjar] *vt* dactylographier.

mecanógrafo, -a [meka'noɤrafo, a] *nm/f* dactylo(graphe) *m/f*.

mecapalero [mekapa'lero] (*CAM, MÉX*) *nm* porteur *m*.

mecate [me'kate] (*AM*) *nm* corde *f*.

mecedor [meθe'ðor] (*AM*) *nm*, **mecedora** [meθe'ðora] *nf* fauteuil *m* à bascule.

mecenas [me'θenas] *nm inv* mécène *m*.

mecenazgo [meθe'naθɤo] *nm* mécénat *m*.

mecer [me'θer] *vt* balancer; **mecerse** *vpr* se balancer.

mecha ['metʃa] *nf* mèche *f*; **~s** *nfpl* (*en el pelo*) mèches *fpl*; **a toda ~** à toute allure.

mechero [me'tʃero] *nm* briquet *m*.

mechón [me'tʃon] *nm* (*de pelo*) mèche *f*; (*de lana*) brins *mpl*.

medalla [me'ðaʎa] *nf* médaille *f*.

media ['meðja] *nf* moyenne *f*; (*prenda de vestir*) bas *msg*; (*AM*) chaussette *f*.

mediación [meðja'θjon] *nf* médiation *f*; **por ~ de** par l'intermédiaire de.

mediado, -a [me'ðjaðo] *adj* (*botella*) à moitié plein(e); (*trabajo*) à moitié fait(e); **a ~s de** au milieu de.

mediador, a [meðja'ðor, a] *nm/f* médiateur(-trice).

mediagua [meðja'aɤwa] (*CHI*) *nf* cabane *f*.

medialuna [meðja'luna] (*esp CSUR*) *nf* (*CULIN*) croissant *m*.

mediana [me'ðjana] *nf* (*en autopista*) séparation *f*.

medianamente [me'ðjanamente] *adv* moyennement; **está ~ bien** c'est moyennement bien.

mediano, -a [me'ðjano, a] *adj* moyen(ne); **de tamaño ~** de taille moyenne; **el ~** celui du milieu.

medianoche [meðja'notʃe] *nf* minuit *m*.

mediante [me'ðjante] *adv* grâce à.

mediar [me'ðjar] *vi* servir d'intermédiaire; (*tiempo*) s'écouler; (*distancia*) séparer; (*problema: interponerse*) s'interposer; **media el hecho de que ...** il y a le fait que ...; **~ por algn** intercéder en faveur de qn; **entre ambos media un abismo** un abîme les sépare.

mediatizar [meðjati'θar] *vt* médiatiser.

medicación [meðika'θjon] *nf* (*acción*) prise *f* de médicaments; (*medicamentos*) médicaments *mpl*.

medicamento [meðika'mento] *nm* médicament *m*.

medicina [meði'θina] *nf* (*ciencia*) médecine *f*; (*medicamento*) médicament *m*; **estudiante de ~** étudiant(e) en médecine; ▶ **medicina general** médecine générale.

medicinal [meðiθi'nal] *adj* médicinal(e).

medición [meði'θjon] *nf* mesure *f*.

médico, -a ['meðiko, a] *adj* médical(e) ♦ *nm/f* médecin *m/f*; ▶ **médico de cabecera** médecin de famille; ▶ **médico forense** médecin légiste; ▶ **médico residente** interne *m/f*.

medida [me'ðiða] *nf* mesure *f*; (*de camisa etc*) taille *f*; ~s *nfpl* (*de persona*) mesures *fpl*; **en cierta** ~ dans une certaine mesure; **en gran** ~ en grande partie; **un traje a la** ~ un costume sur mesure; ~ **de cuello** encolure *f*; **a** ~ **de mi** *etc* **capacidad/necesidad** dans la mesure de mes *etc* possibilités/besoins; **con** ~ avec mesure; **sin** ~ sans aucune mesure; **a** ~ **que ...** à mesure que ...; **en la** ~ **de lo posible** dans la mesure du possible; **tomar** ~s prendre des mesures.

medieval, a [meðje'ßal] *adj* médiéval(e).

medio, -a ['meðjo, a] *adj* moyen(ne) ♦ *adv* à moitié ♦ *nm* milieu *m*; (*método*) moyen *m*; ~s *nmpl* moyens *mpl*; **a medias** à moitié; **pagar a medias** partager les frais; ~ **litro** un demi-litre; **media hora/docena/manzana** une demi-heure/douzaine/pomme; **las tres y media** trois heures et demie; **a** ~ **camino** à mi-chemin; **a media luz** dans la pénombre; ~ **dormido/enojado** à moitié endormi/fâché; **a** ~ **terminar** à moitié fait; **en** ~, **entre medias** au milieu; **por** ~ **de** au moyen de; **(de) por** ~ au milieu; **en los** ~s **financieros** dans les milieux financiers; ► **medio ambiente** environnement *m*; ► **medios de comunicación/transporte** moyens de communication/transport; ► **Medio Oriente** Moyen-Orient *m*.

medioambiental [meðjoambjen'tal] *adj* (*efectos*) sur l'environnement; (*pólitica*) écologique.

mediocre [me'ðjokre] (*pey*) *adj* médiocre.

mediocridad [meðjokri'ðað] (*pey*) *nf* médiocrité *f*.

mediodía [meðjo'ðia] *nm* midi *m*; **a** ~ à midi.

mediopensionista [meðjopensjo'nista] *nmf* demi-pensionnaire *mf*.

medir [me'ðir] *vt* mesurer; **medirse** *vpr* se mesurer; ~ **mal sus fuerzas** trop présumer de ses forces; ~ **las palabras/acciones** (*fig*) mesurer ses paroles/actes; **¿cuánto mides?** – **mido 1.50 m** tu mesures combien? – je mesure 1 m 50; ~**se con algn** se mesurer à qn.

meditabundo, -a [meðita'ßundo, a] *adj* méditatif(-ive).

meditación [meðita'θjon] *nf* méditation *f*.

meditar [meði'tar] *vt* méditer ♦ *vi*: ~ (**sobre**) méditer (sur).

mediterráneo, -a [meðite'rraneo, a] *adj* méditerranéen(ne) ♦ *nm*: **el (mar) M**~ la (Mer) Méditerranée.

medrar [me'ðrar] *vi* réussir.

médula ['meðula] *nf* moelle *f*; **hasta la** ~ (*fig*) jusqu'à la moelle; ► **médula espinal** moelle épinière.

medusa [me'ðusa] (*ESP*) *nf* méduse *f*.

megabyte ['meɣaßait] *nm* (*INFORM*) méga-octet *m*.

megafonía [meɣafo'nia] *nf* sono *f*; (*técnica*) sonorisation *f*.

megáfono [me'ɣafono] *nm* porte-voix *m inv*.

megalomanía [meɣaloma'nia] *nf* mégalomanie *f*.

megalómano, -a [meɣa'lomano, a] *nmf* mégalomane *mf*.

megaocteto [meɣaok'teto] *nm* (*INFORM*) méga-octet *m*.

mejicano, -a [mexi'kano, a] (*ESP*) *adj* mexicain(e) ♦ *nmf* Mexicain(e).

Méjico ['mexiko] (*ESP*) *nm* Mexique *m*.

mejilla [me'xiʎa] *nf* joue *f*.

mejillón [mexi'ʎon] *nm* moule *f*.

mejor [me'xor] *adj* meilleur(e) ♦ *adv* mieux; **lo** ~ le mieux; **en lo** ~ **de la vida** dans la fleur de l'âge; **será** ~ **que vayas** il vaut mieux que tu t'en ailles; **a lo** ~ peut-être; ~ **dicho** plutôt; **¡(tanto)** ~! tant mieux!; **es el** ~ **de todos** c'est le meilleur de tous; ~ **vámonos** (esp *AM: fam*) allons-y; **tu,** ~ **te callas** (esp *AM: fam*) toi, tu ferais mieux de te taire.

mejora [me'xora] *nf* amélioration *f*.

mejorar [mexo'rar] *vt* améliorer ♦ *vi* s'améliorer; (*enfermo*) se rétablir; **mejorarse** *vpr* s'améliorer; (*paciente*) se rétablir; **mejorando lo presente** à l'exception des personnes ici-présentes; **¡que se mejore!** je vous souhaite un prompt rétablissement!

mejoría [mexo'ria] *nf* (*de enfermo*) rétablissement *m*; (*del tiempo*) amélioration *f*.

mejunje [me'xunxe] (*pey*) *nm* (*bebida*) breuvage *m* infâme; (*cosmética*) crèmes *fpl*.

melancolía [melanko'lia] *nf* mélancolie *f*.

melancólico, -a [melan'koliko, a] *adj* mélancolique.

melena [me'lena] *nf* (*de persona*) chevelure *f*; (*de léon*) crinière *f*; ~s *nfpl* (*pey*) tignasse *fsg*.

melillense [meli'ʎense] *adj* de Melilla ♦ *nmf* natif(-ive) *o* habitant(e) de Melilla.

mella [me'ʎa] *nf* ébréchure *f*; **hacer** ~ (*fig*) ébranler.

mellizo, -a [me'ʎiθo, a] *adj, nmf* jumeau(-elle); ~s *nmpl* (*AM*) jumelles *fpl*; (*de ropa*) boutons *mpl* de manchette.

melocotón [meloko'ton] (*ESP*) *nm* pêche *f*.

melodía [melo'ðia] *nf* mélodie *f*.

melodrama [melo'ðrama] *nm* mélodrame *m*.

melodramático, -a [meloðra'matiko, a] *adj* mélodramatique.

melón [me'lon] *nm* melon *m*.
melopea [melo'pea] (*fam*) *nf* cuite *f*.
meloso, -a [me'loso, a] (*pey*) *adj* mielleux(-euse).
membrana [mem'brana] *nf* membrane *f*.
membresía [membre'sia] (*MÉX*) *nf* adhérents *mpl*.
membrete [mem'brete] *nm* en-tête *m*.
membrillo [mem'briʎo] *nm* (*fruto*) coing *m*; (*árbol*) cognassier *m*; (*tb*: **carne de ~**) confiture *f* de coings.
memez [me'meθ] *nf* bêtise *f*.
memo, -a ['memo, a] *adj* bête ♦ *nm/f* imbécile *m/f*.
memorable [memo'raßle] *adj* mémorable.
memorándum [memo'randum] *nm* (*libro*) mémo *m*; (*comunicación*) mémorandum *m*.
memoria [me'morja] *nf* mémoire *f*; (*informe*) rapport *m*; **~s** *nfpl* (*de autor*) mémoires *fpl*; **tener buena/mala ~** avoir une bonne/mauvaise mémoire; **~ anual** rapport annuel; **aprender/saber/recitar algo de ~** apprendre/savoir/réciter qch par cœur; **a la ~ de** à la mémoire de; **en ~ de** en mémoire de; **ahora que me viene a la ~** ça me revient; ► **memoria auxiliar/fija/fija programable** (*INFORM*) mémoire auxiliaire/morte/morte programmable; ► **memoria de acceso aleatorio** (*INFORM*) mémoire vive; ► **memoria del teclado** (*INFORM*) mémoire du clavier.
memorice *etc* [memo'riθe] *vb* V **memorizar**.
memorizar [memori'θar] *vt* mémoriser.
menaje [me'naxe] *nm* (*de cocina*) ustensiles *mpl* de cuisine; (*del hogar*) ustensiles de ménage.
mención [men'θjon] *nf* mention *f*; **digno de ~** digne de mention; **hacer ~ de** faire mention de; ► **mención especial del jurado** mention spéciale du jury.
mencionar [menθjo'nar] *vt* mentionner; **sin ~ ...** sans parler de ...
mendicidad [mendiθi'ðað] *nf* mendicité *f*.
mendigar [mendi'ɣar] *vt*, *vi* mendier.
mendigo, -a [men'diɣo, a] *nm/f* mendiant(e).
mendigue *etc* [men'diɣe] *vb* V **mendigar**.
mendrugo [men'druɣo] *nm* quignon *m*.
menear [mene'ar] *vt* remuer; (*cadera*) balancer; **menearse** *vpr* remuer; (*al andar*) se déhancher; (*fam*) se manier.
menester [menes'ter] *nm*: **es ~ hacer algo** il faut faire qch; **~es** *nmpl* devoirs *mpl*.
menestra [me'nestra] *nf*: **~ de verduras** macédoine *f* de légumes (*parfois avec des morceaux de viande*).
mengano, -a [men'gano, a] *nm/f* un tel(une telle).
mengua ['mengwa] *nf* diminution *f*; **en ~ de** aux dépens de.
menguante [men'gwante] *adj* décroissant(e).
menguar [men'gwar] *vt* diminuer ♦ *vi* décroître; (*número*) réduire; (*días*) diminuer; (*marea*) descendre.
mengüe *etc* ['mengwe] *vb* V **menguar**.
meningitis [menin'xitis] *nf* méningite *f*.
menisco [me'nisko] *nm* ménisque *m*.
menopausia [meno'pausja] *nf* ménopause *f*.
menor [me'nor] *adj* (*más pequeño*: *compar*) plus petit(e); (*más joven*) plus jeune; (*MÚS*) mineur(e) ♦ *nm/f* (*tb*: **~ de edad**) mineur(e); **Juanito es ~ que Pepe** Juanito est plus jeune que Pepe; **ella es la ~ de todas** c'est la plus jeune de toutes; **no tengo la ~ idea** je n'en ai pas la moindre idée; **al por ~** au détail.
Menorca [me'norka] *nf* Minorque *f*.
menorquín, -ina [menor'kin, ina] *adj* minorquin(e) ♦ *nm/f* Minorquin(e).

—————————— *PALABRA CLAVE*

menos ['menos] *adv* **1** (*compar*) moins; **me gusta menos (que el otro)** je l'aime moins (que l'autre); **menos de 50** moins de 50; **menos de lo que esperaba** moins que je n'en attendais; **hay 7 de menos** il y en a 7 de moins
2 (+ *sustantivo*) moins de; **menos gente** moins de gens; **menos coches** moins de voitures
3 (*tras sustantivo*) de moins; **3 libros menos (que ayer)** 3 livres de moins (qu'hier)
4 (*superl*): **es la menos lista (de su clase)** c'est la moins intelligente (de sa classe); **el libro menos vendido** le livre le moins vendu; **de todas ellas es la que me agrada** c'est celle qui me plaît le moins parmi elles; **es el que menos culpa tiene** c'est celui qui est le moins coupable; **lo menos que ...** le moins que ...
5 (*locuciones*): **no quiero verle y menos visitarle** je ne veux pas le voir, encore moins lui rendre visite; **menos aun cuando ...** d'autant moins que ...; **¡menos mal (que ...)!** heureusement (que ...)!; **al o por lo menos** (tout) au moins; **si al menos ...** si seulement ...; **qué menos que entres y tomes un café** tu peux bien entrer prendre un café; **¡eso es lo de menos!** ça, c'est le moins important!
6 (*MAT*): **5 menos 2** 5 moins 2
♦ *prep* (*excepto*) sauf; **todos menos él** tous sauf lui

♦ *conj*: **a menos que**: **a menos que venga mañana** à moins qu'il ne vienne demain ♦ *nm* (*MAT*: *signo*) signe *m* moins.

menoscabo [menos'kaßo] *nm*: **ir en ~ de** porter atteinte à; **sin ~ de** sans porter atteinte à.

menospreciar [menospre'θjar] *vt* sous-estimer; (*despreciar*) mépriser.

menosprecio [menos'preθjo] *nm* mépris *msg*.

mensaje [men'saxe] *nm* message *m*; **~ de error** (*INFORM*) message *m* d'erreur.

mensajero, -a [mensa'xero, a] *nm/f* messager(-ère).

menstruación [menstrwa'θjon] *nf* menstruation *f*.

menstruar [mens'trwar] *vi* avoir ses règles.

mensual [men'swal] *adj* mensuel(elle); **100 ptas ~es** 100 pesetas par mois.

mensualidad [menswali'ðað] *nf* mensualité *f*.

menta ['menta] *nf* menthe *f*.

mentada [men'taða] *nf*: **hacerle a algn una ~** (*AM*: *fam*) cracher sur qn.

mentado, -a [men'taðo, a] *adj* (*mencionado*) en question; (*famoso*) célèbre.

mental [men'tal] *adj* mental(e).

mentalidad [mentali'ðað] *nf* mentalité *f*.

mentalizar [mentali'θar] *vt* faire prendre conscience à; **mentalizarse** *vpr*: **~se (de/de que)** se faire à l'idée (de/que).

mentar [men'tar] *vt* mentionner; **~le la madre a algn** (*fam*) mettre qn plus bas que terre.

mente ['mente] *nf* esprit *m*; **tener en ~ (hacer)** avoir dans l'idée (de faire); **tener la ~ en blanco** avoir la tête vide.

mentecato, -a [mente'kato, a] *adj*, *nm/f* idiot(e).

mentir [men'tir] *vi* mentir; **¡miento!** que dis-je!

mentira [men'tira] *nf* mensonge *m*; **eso es ~** ce n'est pas vrai; **una ~ como una casa** (*fam*) un mensonge gros comme une maison; **parece ~ que ...** on ne dirait vraiment pas que ...; (*como reproche*) cela paraît incroyable que ...; **de ~** (*pistola*) pour rire; (*historia*) pour blaguer; ► **mentira piadosa** pieux mensonge.

mentiroso, -a [menti'roso, a] *adj*, *nm/f* menteur(-euse).

mentís [men'tis] *nm inv*: **dar un ~ a** apporter un démenti à.

mentón [men'ton] *nm* menton *m*.

menú [me'nu] *nm* (*tb INFORM*) menu *m*; **guiado por ~** (*INFORM*) contrôlé par menu.

menudear [menuðe'ar] *vt* multiplier ♦ *vi* se multiplier.

menudencia [menu'ðenθja] *nf* bricole *f*.

menudeo [menu'ðeo] (*AM*) *nm* vente *f* au détail.

menudillos [menu'ðiʎos] *nmpl* (*CULIN*) abats *mpl*.

menudo, -a [me'nuðo, a] *adj* (*muy pequeño*) menu(e); (*sin importancia*) insignifiant(e); **¡~ negocio!** drôle d'affaire!; **¡~ chaparrón/lío!** quelle engueulade/histoire!; **¡~ sitio/actor!** (*pey*) drôle d'endroit/d'acteur!; **a ~** souvent.

meñique [me'ɲike] *nm* (*tb*: **dedo ~**) auriculaire *m*.

meollo [me'oʎo] *nm*: **el ~ del asunto** le fond du problème.

mequetrefe [meke'trefe] (*pey*) *nm* fantoche *m*, fâcheux *m*.

mercader [merka'ðer] *nm* marchand *m*.

mercado [mer'kaðo] *nm* marché *m*; ► **Mercado Común** marché commun; ► **mercado de valores** marché des valeurs; ► **mercado exterior/interior** marché extérieur/intérieur; ► **mercado laboral** marché du travail; ► **mercado negro** marché noir.

mercancía [merkan'θia] *nf* marchandise *f*; **~s en depósito** marchandises en stock.

mercancías [merkan'θias] *nm inv* (*tb*: **tren de ~**) train *m* de marchandises.

mercantil [merkan'til] *adj* commercial(e).

merced [mer'θeð] *nf*: (**estar**) **a ~ de** (être) à la merci de.

mercenario, -a [merθe'narjo, a] *adj*, *nm* mercenaire *m*.

mercería [merθe'ria] *nf* mercerie *f*; **artículos/sección de ~** mercerie.

Mercosur [merko'sur] *sigla m* = *Mercado Común del Sur* (*Argentina, Brasil, Paraguay, Uruguay*).

mercurio [mer'kurjo] *nm* mercure *m*.

merecedor, a [mereθe'ðor, a] *adj*: **~ (de)** digne (de).

merecer [mere'θer] *vt* mériter; **merece la pena** ça vaut la peine.

merecido, -a [mere'θiðo, a] *adj* mérité(e); **recibir su ~** en prendre pour son grade.

merendar [meren'dar] *vt* prendre pour son goûter ♦ *vi* prendre son goûter; (*en el campo*) pique-niquer.

merendero [meren'dero] *nm* aire *f* de pique-nique.

merengue [me'renge] *nm* meringue *f*.

merezca *etc* [me'reθka] *vb* V **merecer**.

meridiano, -a [meri'ðjano, a] *adj*: **la explicación es de una claridad meridiana** l'explication est on ne peut plus claire ♦ *nm* méridien *m*.

meridional [meriðjo'nal] *adj* méridional(e).

merienda [me'rjenda] *vb* V **merendar** ♦ *nf*

goûter *m*; (*en el campo*) pique-nique *m*; ~ **de negros** foire *f* d'empoigne.

mérito ['merito] *nm* mérite *m*; **hacer** ~**s** se faire remarquer par son zèle; **restar** ~ **a** ôter tout mérite à.

meritorio, -a [meri'torjo, a] *adj* méritoire.

merluza [mer'luθa] *nf* colin *m*; **coger una** ~ (*fam*) prendre une cuite.

merma ['merma] *nf* perte *f*.

mermar [mer'mar] *vt* diminuer ♦ *vi* (*comida*) réduire; (*fortuna*) diminuer.

mermelada [merme'laða] *nf* confiture *f*.

mero, -a ['mero, a] *adj* simple; (*CAM, MÉX: fam: verdadero*) vrai(o); (: *principal*) principal(e); (: *exacto*) précis(e) ♦ *nm* (*ZOOL*) mérou *m* ♦ *adv* (*CAM, MÉX: fam*) précisément; **allí** ~ là-bas précisément; **el** ~ **mero** (*MÉX: fam*) le grand manitou.

merodear [meroðe'ar] *vi*: ~ **por (un lugar)** rôder dans (un endroit).

mersa ['mersa] (*ARG*) *adj* grossier(-ère) ♦ *nm/f* grossier personnage *m*.

mes [mes] *nm* mois *msg*; **el** ~ **corriente** ce mois-ci; **llegar a fin de** ~ joindre les deux bouts.

mesa ['mesa] *nf* table *f*; **poner/quitar la** ~ mettre/débarrasser la table; ▶ **mesa de billar** table de billard; ▶ **mesa electoral** bureau *m* de vote; ▶ **mesa redonda** table ronde.

mesarse [me'sarse] *vpr*: ~ **los cabellos** s'arracher les cheveux.

mesero, -a [me'sero] (*esp MÉX*) *nm/f* garçon(serveuse).

meseta [me'seta] *nf* plateau *m*.

mesilla [me'siʎa] *nf* (*tb*: ~ **de noche**) table *f* de nuit.

mesón [me'son] *nm* restaurant *m*.

mesonero, -a [meso'nero, a] (*CARIB*) *nm/f* restaurateur(-trice).

mestizo, -a [mes'tiθo, a] *adj, nm/f* métis(-isse).

mesura [me'sura] *nf* (*moderación*) mesure *f*; (*en trato con gente*) réserve *f*.

meta ['meta] *nf* (*tb FÚTBOL*) but *m*.

metabolismo [metaβo'lismo] *nm* métabolisme *m*.

metafísica [meta'fisika] *nf* métaphysique *f*.

metafísico, -a [meta'fisiko, a] *adj* métaphysicien(ne).

metáfora [me'tafora] *nf* métaphore *f*.

metafórico, -a [meta'foriko, a] *adj* métaphorique.

metal [me'tal] *nm* métal *m*; (*MÚS*) cuivres *mpl*.

metálico, -a [me'taliko, a] *adj* métallique ♦ *nm*: **en** ~ en espèces.

metalizado, -a [metali'θaðo, a] *adj* métallisé(e).

metalurgia [meta'lurxja] *nf* métallurgie *f*.

metalúrgico, -a [meta'lurxiko, a] *adj* métallurgique.

metamorfosear [metamorfose'ar] *vt*: ~ **(en)** métamorphoser (en).

metamorfosis [metamor'fosis] *nf inv* métamorphose *f*.

metate [me'tate] (*MÉX*) *nm* pierre *f* meulière.

metedura [mete'ðura] *nf*: ~ **de pata** (*fam*) gaffe *f*.

meteórico, -a [mete'oriko, a] *adj* météorique.

meteorito [meteo'rito] *nm* météorite *m ou f*.

meteoro [mete'oro] *nm* météore *m*; **como un** ~ comme un éclair.

meteorología [meteorolo'xia] *nf* météorologie *f*.

meteorológico, -a [meteoro'loxiko, a] *adj* météorologique.

meteorólogo, -a [meteo'roloɣo, a] *nm/f*; (*RADIO, TV*) monsieur(madame) météo.

meter [me'ter] *vt* mettre; (*involucrar*) mêler; (*COSTURA*) raccourcir; (*miedo*) faire; (*paliza*) flanquer; (*marchas: AUTO*) mettre, passer; **meterse** *vpr*: ~**se en** (*un lugar*) entrer dans; (*negocios, política*) se lancer dans; (*entrometerse*) se mêler de; ~ **algo en** *o* (*esp AM*) **a** mettre qch dans; ~ **ruido** faire du bruit; ~ **una mentira** glisser un mensonge; ~ **prisa a algn** bousculer qn; ~**se a hacer algo** se mettre à faire qch; ~**se a escritor** se lancer dans la littérature; ~**se con algn** s'en prendre à qn; (*en broma*) taquiner qn; ~**se en todo/donde no le llaman** se mêler de tout/de ce qui ne le regarde pas.

meticuloso, -a [metiku'loso, a] *adj* méticuleux(-euse).

metido, -a [me'tiðo, a] *adj*: **estar muy** ~ **en un asunto** être engagé(e) à fond dans une affaire; ~ **en años** d'un certain âge, âgé(e); ~ **en carnes** bien en chair.

metódico, -a [me'toðiko, a] *adj* méthodique.

metodista [meto'ðista] *adj* méthodiste.

método ['metoðo] *nm* méthode *f*; **con** ~ avec méthode.

metodología [metoðolo'xia] *nf* méthodologie *f*.

metomentodo [metomen'toðo] *nm/f inv* fouineur(-euse).

metraje [me'traxe] *nm* (*CINE*) métrage *m*.

metralla [me'traʎa] *nf* mitraille *f*.

metralleta [metra'ʎeta] *nf* mitraillette *f*.

métrica ['metrika] *nf* (*LIT*) métrique *f*.

métrico, -a ['metriko, a] *adj* métrique; **cinta métrica** mètre-ruban *m*.

metro ['metro] *nm* mètre *m*; (*tren*: *tb*: ~**politano**) métro *m*; ~ **cuadrado/cúbico** mètre carré/cube.

metrópoli [me'tropoli] *nf* métropole *f.*

mexicano, -a [mexi'kano, a] (*AM*) *adj* mexicain(e) ♦ *nm/f* Mexicain(e).

México ['mexiko] (*AM*) *nm* Mexique *m*; Ciudad de ~ Mexico.

meza *etc* ['meθa] *vb* V **mecer**.

mezanine [metsa'nin] *nm* = **mezzanine**.

mezcal [meθ'kal] (*MÉX*) *nm* mescal *m.*

mezcla ['meθkla] *nf* mélange *m.*

mezclar [meθ'klar] *vt* mélanger; (*cosas, ideas dispares*) mêler; **mezclarse** *vpr* se mélanger; ~ **a algn en** (*pey*) mêler qn à; **~se en algo** (*pey*) se mêler de qch; **~se con algn** (*pey*) fréquenter qn.

mezcolanza [meθko'lanθa] *nf* mélange *m.*

mezquindad [meθkin'dað] *nf* mesquinerie *f.*

mezquino, -a [meθ'kino, a] *adj* mesquin(e).

mezquita [meθ'kita] *nf* mosquée *f.*

mezzanine [metsa'nin] (*esp AM*) *nm* mezzanine *f.*

mg. *abr* (= *miligramo(s)*) mg (= *milligramme(s)*).

mi [mi] *adj* mon(ma) ♦ *nm* (*MÚS*) mi *m*; ~ **hijo** mon fils; **mis hijos** mes enfants.

mí [mi] *pron* moi; ¿y **a ~ qué?** qu'est-ce que ça peut bien me faire à moi?; **para ~ que ...** à mon avis ...; **por ~ no hay problema** pour ma part il n'y a pas de problème; **por ~ mismo** de moi-même.

miaja ['mjaxa] *nf* miette *f*; **ni una ~ que** dalle.

miau [mjau] *nm* miaou *m.*

michelín [mitʃe'lin] *nm* bourrelet *m.*

mico ['miko] *nm* (*ZOOL*) singe *m*; (*fam: a niño*) petit cochon *m*; **volverse ~ haciendo algo** se démener pour faire qch.

micrero, -a (*CHI*) [mi'krero, a] *nm/f* chauffeur *m* de minibus; (*ARG*) chauffeur d'autocar.

micro ['mikro] *nm* micro *m*; (*AM: microordenador*) micro-ordinateur *m*; (: *microbús*) minibus *msg*; (*ARG*) autocar *m* ♦ *nf* (*a veces nm: CHI*) minibus.

microbio [mi'kroβjo] *nm* microbe *m.*

microbús [mikro'βus] *nm* minibus *msg.*

microchip [mikro'tʃip] *nm* puce *f.*

microclima [mikro'klima] *nm* microclimat *m.*

microcomputador [mikrokomputa'ðor] *nm*, **microcomputadora** [mikrokomputa'ðora] *nf* micro-ordinateur *m.*

microficha [mikro'fitʃa] *nf* microfiche *f.*

microfilm [mikro'film] *nm* microfilm *m.*

micrófono [mi'krofono] *nm* microphone *m.*

microinformática [mikroinfor'matika] *nf* micro-informatique *f.*

micrómetro [mi'krometro] *nm* micromètre *m.*

microondas [mikro'ondas] *nm inv* (*tb*: **horno ~**) four *m* à micro-ondes.

microordenador [mikroordena'ðor] *nm* micro-ordinateur *m.*

micropastilla [mikropas'tiʎa] *nf* (*INFORM*) puce *f*, pastille *f.*

microplaquita [mikropla'kita] *nf*: ~ **de silicio** puce *f* électronique.

microprocesador [mikroprocesa'ðor] *nm* microprocesseur *m.*

microprograma [mikropro'ɣrama] *nm* (*INFORM*) microprogramme *m.*

microscópico, -a [mikros'kopiko, a] *adj* microscopique.

microscopio [mikros'kopjo] *nm* microscope *m.*

midiendo *etc* [mi'ðjendo] *vb* V **medir**.

miedo ['mjeðo] *nm* peur *f*; **meter ~ a** faire peur à; **tener ~** avoir peur; **tener ~ de que** avoir peur que; **de ~** (*fam*) terrible; **esa chica está de ~** cette fille est sublime; **pasarlo de ~** s'en donner à cœur joie; **me da ~** cela me fait peur; **me da ~ pensarlo/perderlo** je tremble à cette idée/à l'idée de le perdre; **hace un frío de ~** (*fam*) il fait un froid de loup.

miedoso, -a [mje'ðoso, a] *adj* peureux(-euse).

miel [mjel] *nf* miel *m.*

miembro ['mjembro] *nm* membre *m*; ► **miembro viril** membre viril.

mientes ['mjentes] *vb* V **mentar**; **mentir** ♦ *nfpl*: **no parar ~ en** ne pas s'arrêter sur.

mientras ['mjentras] *conj* pendant que ♦ *adv* en attendant; ~ **viva/pueda** tant que je vivrai/pourrai; ~ **que** tandis que; ~ **tanto** entre-temps; ~ **más tiene, más quiere** (*esp AM*) plus on en a, plus on en veut.

miérc. *abr* = **miércoles**.

miércoles ['mjerkoles] *nm inv* mercredi *m*; ~ **de ceniza** mercredi des Cendres; V *tb* **sábado**.

mierda ['mjerða] (*fam!*) *nf* merde *f* (*fam!*); **ser una ~** (*pey*) être de la merde; ¡**vete a la ~!** va te faire voir!; ¡~! merde!; **de ~** de merde, merdique.

mies [mjes] *nf* moisson *f*; **~es** *nfpl* (*campos*) moissons *fpl.*

miga ['miɣa] *nf* mie *f*; (*una miga*) miette *f*; **hacer buenas ~s** (*fam*) faire bon ménage; **estar hecho ~s** (*fam*) être lessivé; **esto tiene ~** ce n'est pas rien.

migaja [mi'ɣaxa] *nf* miette *f*; **~s** *nfpl* (*pey: sobras*) restes *mpl.*

migración [miɣra'θjon] *nf* migration *f.*

migratorio, -a [miɣra'torjo, a] *adj* (*ave*) migrateur(-trice); (*movimientos*) migratoire.

mil [mil] *adj, nm* mille *m*; **dos ~ libras** deux milles livres; **~es de veces** des milliers de fois.

milagro [mi'laɣro] *nm* miracle *m*; **de ~** par miracle; **hacer ~s** faire des miracles.

milagroso, -a [mila'ɣroso, a] *adj* miraculeux(-euse).

Milán [mi'lan] *n* Milan.

milano [mi'lano] *nm* milan *m*.

milenario, -a [mile'narjo, a] *adj, nm* millénaire *m*.

milenio [mi'lenjo] *nm* millénaire *m*.

milésimo, -a [mi'lesimo, a] *adj, nm/f* millième *m*.

mili ['mili] *nf.* **la ~** (*fam*) le service (militaire); **hacer la ~** faire son service.

milicia [mi'liθja] *nf* milice *f*.

miliciano, -a [mili'θjano, a] *nm/f* milicien(-enne).

milico [mi'liko] (*AND, CSUR*: *pey*) *nm* (*policía*) flic *m*; (*soldado*) troufion *m*.

miligramo [mili'ɣramo] *nm* milligramme *m*.

mililitro [mili'litro] *nm* millilitre *m*.

milímetro [mi'limetro] *nm* millimètre *m*.

militante [mili'tante] *adj, nm/f* militant(e).

militar [mili'tar] *adj, nm/f* militaire *m* ♦ *vi*: **~ en** (*POL*) militer dans; **los ~es** les militaires *mpl*, l'armée *f*.

militarismo [milita'rismo] *nm* militarisme *m*.

militarizar [militari'θar] *vt* militariser; (*policía*) réquisitionner.

mill. *abr* (= *millón(millones)*) M (= *million(s)*).

milla ['miʎa] *nf* mille *m*; **~ marina** mille *m* marin.

millar [mi'ʎar] *nm* millier *m*; **a ~es** par milliers.

millón [mi'ʎon] *nm* million *m*.

millonada [miʎo'naða] *nf*: **una ~** un tas.

millonario, -a [miʎo'narjo, a] *adj, nm/f* millionnaire *m/f*.

millonésimo, -a [miʎo'nesimo, a] *adj, nm/f* millionième *m/f*.

milonga [mi'longa] (*ARG*) *nf danse populaire.*

milpa ['milpa] (*CAM, MÉX*) *nf* champ *m* de maïs; (*planta*) maïs *msg*.

milpero, -a ['milpero, a] (*CAM, MÉX*) *adj* agricole ♦ *nm/f* cultivateur(-trice) de maïs.

mimado, -a [mi'maðo, a] *adj* gâté(e).

mimar [mi'mar] *vt* gâter.

mimbre ['mimbre] *nm o f* osier *m*; **de ~** en osier.

mimeógrafo [mime'oɣrafo] *nm* machine *f* à polycopier.

mimetismo [mime'tismo] *nm* mimétisme *m*.

mímica ['mimika] *nf* mimique *f*.

mimo ['mimo] *nm* (*gesto cariñoso*) mamours *mpl*; (*en trato con niños*: *pey*) indulgence *f*; (*TEATRO*) mime *m*; **un trabajo hecho con ~** un travail fait avec amour.

mina ['mina] *nf* mine *f*; **ese negocio es una ~** c'est une affaire en or; **ese actor es una ~** cet acteur vaut de l'or.

minar [mi'nar] *vt* miner.

mineral [mine'ral] *adj* minéral(e) ♦ *nm* minéral *m*.

minería [mine'ria] *nf* (*técnica*) travail *m* de la mine; (*sector minero*) mine *f*, mineurs *mpl*.

minero, -a [mi'nero, a] *adj* minier(-ière) ♦ *nm/f* mineur *m*.

miniatura [minja'tura] *nf* miniature *f*; **en ~** en miniature.

minicomputador [minikomputa'ðor] *nm* mini-ordinateur *m*.

minidisco [mini'ðisko] *nm* (*INFORM*) disquette *f*.

minifalda [mini'falda] *nf* mini-jupe *f*.

minifundio [mini'fundjo] *nm* petite propriété *f*.

mínima ['minima] *nf* (*tb*: **temperatura ~**) température *f* minimale.

minimizar [minimi'θar] *vt* minimiser.

mínimo, -a ['minimo, a] *adj* (*temperatura, salario*) minimal(e); (*detalle, esfuerzo*) minime ♦ *nm* minimum *m*; **lo ~ que puede hacer** le moins qu'il puisse faire; **como ~** au minimum; **en lo más ~** le moins du monde.

minino, -a [mi'nino, a] (*fam*) *nm/f* minet(te).

ministerio [minis'terjo] *nm* ministère *m*; **M~ de Asuntos Exteriores/de Comercio e Industria** ministère des Affaires étrangères/du Commerce et de l'Industrie; **M~ del Interior/de Hacienda** ministère de l'Intérieur/des Finances.

ministro, -a [mi'nistro, a] *nm/f* ministre *m*; **M~ de Hacienda/del Interior** ministre des Finances/de l'Intérieur.

minoría [mino'ria] *nf* minorité *f*.

minorista [mino'rista] *nm* détaillant *m*.

mintiendo *etc* [min'tjendo] *vb* V **mentir**.

minucia [mi'nuθja] *nf* bricole *f*.

minuciosidad [minuθjosi'ðað] *nf* minutie *f*.

minucioso, -a [minu'θjoso, a] *adj* minutieux(-euse).

minúscula [mi'nuskula] *nf* minuscule *f*; **con ~(s)** (*TIP*) en minuscule(s).

minúsculo, -a [mi'nuskulo, a] *adj* minuscule.

minusvalía [minusßa'lia] *nf* (*MED, COM*) handicap *m*.

minusválido, -a [minus'ßaliðo, a] *adj, nm/f* handicapé(e).

minuta [mi'nuta] *nf* (*de comida*) menu *m*; (*de abogado etc*) minute *f*.

minutero [minu'tero] *nm* aiguille *f* des minutes.

minuto [mi'nuto] *nm* minute *f*.

Miño ['miɲo] *nm*: **el (río)** ~ le Minho.

mío, -a ['mio, a] *adj* mien(-enne) ♦ *pron* le mien(la mienne); **un amigo** ~ un de mes amis; **lo** ~ ce qui m'appartient; **los** ~**s** les miens.

miope ['mjope] *adj* myope.

miopía [mjo'pia] *nf* myopie *f*.

MIR [mir] *sigla m* (*POL* = *Movimiento de Izquierda Revolucionaria*) parti révolutionnaire; (*ESP: MED* = *Médico Interno y Residente*) interne *m/f*; (*oposición*) concours *msg* de l'internat.

mira ['mira] *nf* (*de arma*) viseur *m*; **con la** ~ **de (hacer)** dans le but de (faire); **con** ~**s a (hacer)** en vue de (faire); **de amplias/estrechas** ~**s** large/étroit(e) d'esprit.

mirada [mi'raða] *nf* regard *m*; (*momentánea*) coup *m* d'œil; **echar una** ~ **a** jeter un coup d'œil à; **levantar/bajar la** ~ lever/baisser les yeux; **resistir la** ~ **de** algn soutenir le regard de qn; ▶ **mirada de soslayo** regard de travers; ▶ **mirada fija** regard fixe; ▶ **mirada perdida** regard dans le vague.

mirado, -a [mi'raðo, a] *adj* réservé(e); **estar bien/mal** ~ être bien/mal vu(e).

mirador [mira'ðor] *nm* mirador *m*.

miramiento [mira'mjento] *nm* égards *mpl*; **tratar sin** ~**(s) a** algn traiter qn sans égards.

mirar [mi'rar] *vt* regarder; (*considerar*) penser à ♦ *vi* regarder; (*suj: ventana etc*) donner sur; **mirarse** *vpr* se regarder; ~ **algo/a algn de reojo** regarder qch/qn du coin de l'œil; ~ **algo por encima** survoler qch; ~ **algo/a algn por encima del hombro** regarder qch/qn par dessus son épaule; ~ (**hacia/por**) regarder (vers/par); ~ (**en/por**) veiller (à); ~ **fijamente** regarder fixement; **mira a ver si está ahí** regarde s'il y est; ~ **bien/mal a** algn apprécier/ne pas apprécier qn; **mirándolo bien**, ... réflexion faite, ...; ~ **por** algn/algo veiller sur qn/qch; ~**se al espejo** se regarder dans le miroir; ~**se a los ojos** se regarder dans les yeux.

mirilla [mi'riʎa] *nf* judas *msg*.

mirlo ['mirlo] *nm* merle *m*.

misa ['misa] *nf* messe *f*; **lo que él dice va a** ~ ce qu'il dit est parole d'évangile; ▶ **misa de difuntos/del gallo** messe des morts/de minuit.

misántropo [mi'santropo] *nm* misanthrope *m*.

miscelánea [misθe'lanea] *nf* mélanges *mpl*.

miserable [mise'raßle] *adj, nm/f* misérable *m/f*.

miseria [mi'serja] *nf* misère *f*; (*tacañería*) mesquinerie *f*; **una** ~ (*muy poco*) une misère; **hundir(se) en la** ~ être au trentesixième dessous.

misericordia [miseri'korðja] *nf* miséricorde *f*.

misia ['misja], **misiá** [misi'a] (*esp CSUR: fam*) *nf* (*tratamiento*) madame *f*.

misil [mi'sil] *nm* missile *m*.

misión [mi'sjon] *nf* mission *f*; **misiones** *nfpl* (*REL*) missions *fpl*.

misionero, -a [misjo'nero, a] *nm/f* missionnaire *m/f*.

mismamente ['mismamente] (*fam*) *adv* précisément.

mismísimo, -a [mis'misimo, a] *adj superl* en personne.

mismo, -a ['mismo, a] *adj*: **el** ~ **libro/apellido** le même livre/nom de famille; (*con pron personal*): **mi** *etc* ~ moi *etc* même ♦ *adv*: **aquí/hoy** ~ (*dando énfasis*) ici/aujourd'hui même; (*por ejemplo*) par exemple ici/aujourd'hui; **ayer** ~ pas plus tard qu'hier; *conj*: **lo** ~ **que** de même que; **el** ~ **color** la même couleur; **ahora** ~ à l'instant; **por lo** ~ du coup; **lo hizo por sí** ~ il l'a fait de lui-même; **en ese** ~ **momento** à ce moment-là; **vino el** ~ **Ministro** le ministre en personne est venu; **yo** ~ **lo vi** je l'ai vu de mes propres yeux; **quiero lo** ~ je veux la même chose; **es/da lo** ~ peu importe; **lo** ~ **viene** rien ne dit qu'il ne viendra pas, il peut très bien venir; **quedamos en las mismas** nous en sommes au même point; **volver a las mismas** en revenir où on en était; ~ **que** (*MÉX: esp en prensa*) qui; **detuvieron al ladrón,** ~ **que fue trasladado a la cárcel** ils ont arrêté le voleur qui a été conduit en prison.

misógino [mi'soxino] *nm* misogyne *m*.

miss [mis] *nf* miss *f*.

misterio [mis'terjo] *nm* mystère *m*; **hacer algo con (mucho)** ~ faire qch en (grand) secret.

misterioso, -a [miste'rjoso, a] *adj* mystérieux(-euse).

mística [mis'tika] *nf* (*REL*) mystique *f*; (*LIT*) littérature *f* mystique; *V tb* **místico**.

misticismo [misti'θismo] *nm* mysticisme *m*.

místico, -a [mis'tiko, a] *adj, nm* mystique *m*.

mitad [mi'tað] *nf* moitié *f*; (*centro*) milieu *m*; ~ **y** ~ moitié moitié; **a** ~ **de precio** à moitié prix; **en** *o* **a** ~ **del camino** à mi-

chemin; **cortar por la** ~ partager en deux.
mítico, -a ['mitiko, a] *adj* mythique.
mitigar [miti'ɣar] *vt* atténuer.
mitigue *etc* [mi'tiɣe] *vb* V **mitigar**.
mitin ['mitin] *nm* (*esp POL*) meeting *m*.
mito ['mito] *nm* mythe *m*.
mitología [mitolo'xia] *nf* mythologie *f*.
mitológico, -a [mito'loxiko, a] *adj* mythologique.
mitote [mi'tote] (*MÉX: fam*) *nm* grabuge *m*.
mixto, -a ['miksto, a] *adj* mixte; (*ensalada*) composé(e).
ml *abr* (= *mililitro(s)*) ml (= *millilitre(s)*).
mm. *abr* (= *milímetro(s)*) mm (= *millimètre(s)*).
M.N. (*AM*) *sigla f* = *Moneda nacional*.
m/n *abr* (*ECON*) = *moneda nacional*.
M.º *abr* = *Ministerio*.
m/o *abr* (*COM* = *mi orden*) notre réf.
moai ['moai] (*pl* ~**s**) (*CHI*) *nm* (*estatua primitiva*) moai *m inv* (*statue de l'île de Pâques*).
mobiliario [moβi'ljarjo] *nm* mobilier *m*.
MOC [mok] *sigla m* = *Movimiento de Objeción de Conciencia*.
mocasín [moka'sin] *nm* mocassin *m*.
mocedad [moθe'ðað] *nf* jeunesse *f*.
mochila [mo'tʃila] *nf* sac *m* à dos.
mochuelo [mo'tʃwelo] *nm*: **sacudirse el** ~ (*fam*) décliner toute responsabilité.
moción [mo'θjon] *nf* motion *f*; ~ **de censura** motion de censure.
moco ['moko] *nm* morve *f*; **limpiarse los** ~**s** se moucher; **no es** ~ **de pavo** ce n'est pas rien.
mocoso, -a [mo'koso, a] (*fam: pey*) *nm/f* morveux(-euse).
moda ['moða] *nf* mode *f*; **estar de** ~ être à la mode; **pasado de** ~ démodé(e); **ir a la** ~ suivre la mode; **a la última** ~ à la dernière mode.
modales [mo'ðales] *nmpl* manières *fpl*; **buenos** ~ bonnes manières.
modalidad [moðali'ðað] *nf* modalité *f*.
modelar [moðe'lar] *vt* modeler.
modelo [mo'ðelo] *adj inv* modèle ♦ *nm/f* modèle *m*; (*en moda, publicitario*) mannequin *m* ♦ *nm* (*a imitar*) modèle.
módem ['moðem] *nm* modem *m*.
moderación [moðera'θjon] *nf* modération *f*.
moderado, -a [moðe'raðo, a] *adj* modéré(e).
moderador, a [moðera'ðor, a] *nm/f* modérateur(-trice).
moderar [moðe'rar] *vt* modérer; **moderarse** *vpr*: ~**se (en)** se modérer (dans).
modernice *etc* [moðer'niθe] *vb* V **moderni-**

zar.
modernizar [moðerni'θar] *vt* moderniser; **modernizarse** *vpr* se moderniser.
moderno, -a [mo'ðerno, a] *adj* moderne.
modestia [mo'ðestja] *nf* modestie *f*.
modesto, -a [mo'ðesto, a] *adj* modeste.
módico, -a ['moðiko, a] *adj* modique.
modificar [moðifi'kar] *vt* modifier.
modifique *etc* [moði'fike] *vb* V **modificar**.
modismo [mo'ðismo] *nm* (*LING*) idiotisme *m*.
modisto, -a [mo'ðisto, a] *nm/f* couturier(-ère).
modo ['moðo] *nm* (*manera*) manière *f*; (*INFORM, MÚS, LING*) mode *f*; ~**s** *nmpl* (*modales*): **buenos/malos** ~**s** bonnes/mauvaises manières; "~ **de empleo**" "mode d'emploi"; **a** ~ **de** en guise de; **de cualquier** ~ de n'importe quelle manière; **de este** ~ de cette façon; **de ningún** ~ en aucune façon; **de todos** ~**s** de toute manière; **de un** ~ **u otro** d'une façon ou de l'autre; **en cierto** ~ d'une certaine manière; **de** ~ **que** de sorte que.
modorra [mo'ðorra] *nf* léthargie *f*.
modoso, -a [mo'ðoso, a] *adj* sage.
modular [moðu'lar] *vt* moduler.
módulo ['moðulo] *nm* module *m*.
mofa ['mofa] *nf*: **hacer** ~ **de algn** se moquer de qn.
mofarse [mo'farse] *vpr*: ~ **de** se moquer de.
moflete [mo'flete] *nm* bajoue *f*.
mogollón [moɣo'ʎon] (*fam*) *nm*: (**un**) ~ **de cosas/gente** (une) flopée de choses/gens ♦ *adv* vachement.
mohín [mo'in] *nm* grimace *f*.
mohíno, -a [mo'ino, a] *adj* fâché(e).
moho ['moo] *nm* (*en pan etc*) moisi *m*; (*en metal*) rouille *f*.
mohoso, -a [mo'oso, a] *adj* (*pan*) moisi(e); (*metal*) rouillé(e).
mojado, -a [mo'xaðo, a] *adj* mouillé(e).
mojar [mo'xar] *vt* mouiller; **mojarse** *vpr* se mouiller; ~ **el pan en el café/en salsa** tremper son pain dans le café/dans la sauce.
mojigato, -a [moxi'ɣato, a] *adj* (*que se escandaliza fácilmente*) bigot(e); (*muy recatado*) prude, bégueule.
mojón [mo'xon] *nm* borne *f*; ► **mojón kilométrico** borne kilométrique.
moka ['moka] *nf* moka *m*.
mol. *abr* = *molécula*.
molar [mo'lar] *nm* molaire *f* ♦ *vt* (*fam*): **lo que más me mola es ...** ce qui me botte le plus, c'est ... ♦ *vi* (*fam*): **esa cazadora/ir en moto mola (mucho)** ce blouson/me balader à moto me botte (beaucoup).
molcajete [molka'xete] (*esp MÉX*) *nm* mor-

tier *m*.
molde ['molde] *nm* moule *m*; (*TIP*) forme *f*; **romper ~s** rompre les schémas traditionnels.
moldeado [molde'aðo] *nm* mise *f* en plis.
moldear [molde'ar] *vt* mouler; (*carácter*) modeler.
mole ['mole] *nf* masse *f* ♦ *nm* (*MÉX*) (sorte *f* de viande en) daube *f*.
molécula [mo'lekula] *nf* molécule *f*.
moler [mo'ler] *vt* moudre; (*cansar*) crever; **~ a algn a palos** rouer qn de coups.
molestar [moles'tar] *vt* (*suj: olor, ruido*) gêner; (: *visitas, niño*) déranger; (: *zapato, herida*) faire mal à; (: *comentario, actitud*) vexer ♦ *vi* (*visitas, niño*) déranger; **molestarse** *vpr* se déranger; (*ofenderse*) se vexer; **¿le molesta el humo?** la fumée vous dérange?; **me molesta tener que hacerlo** cela m'ennuie de devoir faire cela; **siento ~le** je regrette de vous déranger; **~se (en)** prendre la peine (de).
molestia [mo'lestja] *nf* gêne *f*; (*MED*) douleur *f*; **tomarse la ~ de** prendre la peine de; **no es ninguna ~** cela ne me dérange pas du tout, je vous en prie; **"perdonen las ~s"** "veuillez nous excuser pour le désagrément".
molesto, -a [mo'lesto, a] *adj* gênant(e), désagréable; **estar ~** (*MED*) se sentir mal; (*enfadado*) être fâché(e); **estar ~ con algn** ne pas être à l'aise avec qn.
molido, -a [mo'liðo, a] *adj*: **estar ~** être crevé(e).
molinero, -a [moli'nero] *nm/f* meunier(-ère).
molinillo [moli'niʎo] *nm*: **~ de café** moulin *m* à café.
molino [mo'lino] *nm* moulin *m*.
mollera [mo'ʎera] *nf* (*fam: seso*) cervelle *f*; **ser duro de ~** (*torpe*) être complètement bouché; (*testarudo*) avoir la tête dure.
molusco [mo'lusko] *nm* mollusque *m*.
momentáneamente [momen'taneamente] *adv* momentanément.
momentáneo, -a [momen'taneo, a] *adj* momentané(e).
momento [mo'mento] *nm* moment *m*; **es el/no es el ~ de (hacer)** c'est/ce n'est pas le moment de (faire); **en estos ~s** en ce moment; **un buen/mal ~** un bon/mauvais moment; **al ~** sur le champ; **a cada ~** à tout moment; **en un ~** en un instant; **de ~** pour le moment; **del ~** (*actual*) du moment; **por el ~** pour le moment; **de un ~ a otro** d'un moment à l'autre; **por ~s** par moments.
momia ['momja] *nf* momie *f*; *V tb* **momio**.
momio, -a ['momjo, a] (*CHI: fam*) *adj, nm/f* réac *m/f*.

mona ['mona] *nf* (*fam*) cuite *f*; (*VEN*) mijaurée *f*; **dormir la ~** cuver (son vin); *V tb* **mono**.
Mónaco ['monako] *nm* Monaco *m*.
monada [mo'naða] *nf* bijou *m*; **¡qué ~!** quel bijou!
monaguillo [mona'ɣiʎo] *nm* enfant *m* de chœur.
monarca [mo'narka] *nm* monarque *m*; **los ~s** le roi et la reine.
monarquía [monar'kia] *nf* monarchie *f*.
monárquico, -a [mo'narkiko, a] *adj* monarchique ♦ *nm/f* monarchiste *m/f*.
monasterio [monas'terjo] *nm* monastère *m*.
monda ['monda] *nf* (*de fruta*) peau *f*; **¡es la ~!** (*fam: inaudito*) faut le voir pour le croire!; (: *dicho con enfado*) c'est le comble!; (: *muy gracioso*) c'est à se tordre de rire.
mondadientes [monda'ðjentes] *nm inv* cure-dent *m*.
mondar [mon'dar] *vt* éplucher; **mondarse** *vpr*: **~se de risa** (*fam*) se tordre de rire.
moneda [mo'neða] *nf* (*unidad monetaria*) monnaie *f*; (*pieza*) pièce *f* de monnaie; **una ~ de 5 pesetas** une pièce de 5 pesetas; **es ~ corriente** c'est monnaie courante; ►**moneda de curso legal** monnaie au cours légal; ►**moneda extranjera** monnaie étrangère.
monedero [mone'ðero] *nm* porte-monnaie *m inv*.
monegasco, -a [mone'ɣasko, a] *adj* monégasque ♦ *nm/f* Monégasque *m/f*.
monería [mone'ria] *nf* = **monada**.
monetario, -a [mone'tarjo, a] *adj* monétaire.
monetarista [moneta'rista] *adj, nm/f* monétariste *m/f*.
mongólico, -a [mon'goliko, a] *nm/f* mongolien(ne).
monigote [moni'ɣote] *nm* (*dibujo*) dessin *m*; (*de papel*) bonhomme *m*; (*persona: pey*) pantin *m*.
monitor [moni'tor] *nm/f* moniteur(-trice) ♦ *nm* (*TV, INFORM*) moniteur *m*; **~ en color** écran *m* couleur.
monja ['monxa] *nf* religieuse *f*.
monje ['monxe] *nm* moine *m*.
mono, -a ['mono, a] *adj* beau(belle); (*COL*) blond(e) ♦ *nm/f* singe(guenon) ♦ *nm* (*prenda: entera*) bleu *m* de travail; (: *con peto*) salopette *f*.
monóculo [mo'nokulo] *nm* monocle *m*.
monogamia [mono'ɣamja] *nf* monogamie *f*.
monografía [monoɣra'fia] *nf* monographie *f*.
monograma [mono'ɣrama] *nm* monogramme *m*.

monolingüe [mono'lingwe] *adj* monolingue.

monólogo [mo'noloɣo] *nm* monologue *m*.

monopatín [monopa'tin] *nm* planche *f* à roulettes.

monopolice *etc* [monopo'liθe] *vb V* **monopolizar**.

monopolio [mono'poljo] *nm* monopole *m*; ~ **estatal** monopole d'Etat.

monopolizar [monopoli'θar] *vt* monopoliser.

monosílabo, -a [mono'silaßo, a] *adj* monosyllabique ♦ *nm* monosyllabe *m*; **constestar con ~s** répondre par monosyllabes.

monoteísmo [monote'ismo] *nm* monothéisme *m*.

monotonía [monoto'nia] *nf* monotonie *f*.

monótono, -a [mo'notono, a] *adj* monotone.

mono-usuario, -a [monou'swarjo, a] *adj* (*INFORM*) mono-utilisateur(-trice).

monóxido [mo'noksiðo] *nm* monoxyde *m*; ~ **de carbono** monoxyde de carbone.

Mons. *abr* (*REL* = *Monseñor*) Mgr (= *Monseigneur*).

monseñor [monse'ɲor] *nm* monseigneur *m*.

monserga [mon'serɣa] *nf*: ¡**no me vengas con** *o* **déjate de ~s!** ne me raconte pas d'histoires!

monstruo ['monstrwo] *nm* monstre *m*; ~ **de la música** monstre sacré de la musique.

monstruoso, -a [mons'trwoso, a] *adj* monstrueux(-euse).

monta ['monta] *nf*: **de poca** ~ sans importance.

montacargas [monta'karɣas] *nm inv* monte-charge *m inv*.

montador [monta'ðor] *nm* monteur *m*.

montaje [mon'taxe] *nm* montage *m*; (*pey*: *historia falsa*) mise *f* en scène.

montante [mon'tante] *nm* montant *m*.

montaña [mon'taɲa] *nf* montagne *f*; (*AM*) forêt *f*; (*de ropa, problemas*) tas *msg*; ► **montaña rusa** montagne russe.

montañero, -a [monta'ɲero, a] *nm/f* alpiniste *m/f*.

montañés, -esa [monta'ɲes, esa] *adj* de la région de Santander ♦ *nm/f* natif(-ive) *o* habitant(e) de la région de Santander.

montañismo [monta'ɲismo] *nm* alpinisme *m*.

montañoso, -a [monta'ɲoso, a] *adj* montagneux(-euse).

montar [mon'tar] *vt*, *vi* monter; **montarse** *vpr* (*en vehículo*) monter; ~ **un número** *o* **numerito** faire son numéro; ~ **a caballo** monter à cheval; **botas de** ~ bottes *fpl* d'équitation; ~ **en cólera** se mettre en

colère; **ir montado en autobús/bicicleta** être en autobus/bicyclette.

montaraz [monta'raθ] *adj* sauvage.

monte ['monte] *nm* mont *m*; (*área sin cultivar*) bois *msg*; ► **monte alto** futaie *m*; ► **monte bajo** maquis *msg*; ► **monte de piedad** mont de piété.

montera [mon'tera] *nf* (*de torero*) toque *f*.

montería [monte'ria] *nf* chasse *f* à courre.

monto ['monto] *nm* montant *m*.

montón [mon'ton] *nm* tas *msg*; (*de gente, dinero*) flopée *f*; **a montones** en masse; **del** ~ **de la masse**.

montonero, -a [monto'nero, a] (*CSUR*) *adj* (de) guerillero ♦ *nm/f* guerillero *m*.

montura [mon'tura] *nf* monture *f*; (*silla de montar*) selle *f*; (*arreos*) harnais *msg*.

monumental [monumen'tal] *adj* monumental(e).

monumento [monu'mento] *nm* monument *m*.

monzón [mon'θon] *nm* mousson *f*.

moña ['moɲa] (*fam*) *nf* cuite *f*.

moño ['moɲo] *nm* chignon *m*; **estar hasta el** ~ (*fam*) en avoir plein le dos.

MOPT *sigla m* = *Ministerio de Obras Públicas y Transporte*.

moquear [moke'ar] *vi* couler.

moqueta [mo'keta] *nf* moquette *f*.

moquillo [mo'kiʎo] *nm* rhume *m* des foins.

mora ['mora] *nf* (*BOT*) mûre *f*; **en** ~ (*COM*) en retard.

morada [mo'raða] *nf* demeure *f*.

morado, -a [mo'raðo, a] *adj* violet(-ette) ♦ *nm* violet *m*; **pasar las moradas** en voir de toutes les couleurs; **ponerse** ~ **(a algo)** se gaver (de qch).

moral [mo'ral] *adj* moral(e) ♦ *nf* morale *f*; (*ánimo*) moral *m* ♦ *nm* (*BOT*) mûrier *m*; **tener baja la** ~ ne pas avoir le moral.

moraleja [mora'lexa] *nf* morale *f*.

moralice *etc* [mora'liθe] *vb V* **moralizar**.

moralidad [morali'ðað] *nf* moralité *f*.

moralizar [morali'θar] *vi* moraliser.

morar [mo'rar] *vi* demeurer.

moratón [mora'ton] (*fam*) *nm* bleu *m*.

moratoria [mora'torja] *nf* moratoire *m*; ► **moratoria nuclear** moratoire nucléaire.

morbo ['morßo] (*fam*) *nm*, **morbosidad** [morßosi'ðað] *nf* curiosité *f* morbide.

morboso, -a [mor'ßoso, a] *adj* morbide.

morcilla [mor'θiʎa] *nf* (*CULIN*) ≈ boudin *m* noir; ¡**que le den ~!** qu'il aille se faire voir!

mordaz [mor'ðaθ] *adj* (*crítica*) sévère.

mordaza [mor'ðaθa] *nf* bâillon *m*.

morder [mor'ðer] *vt*, *vi* mordre; **morderse** *vpr* se mordre; **está que muerde** il n'est pas à prendre avec des pincettes; ~**se**

las uñas se ronger les ongles; ~**se la lengua** se mordre la langue.

mordida [mor'ðiða] (*AM: fam*) *nf* dessous *msg* de table.

mordisco [mor'ðisko] *nm* petite morsure *f*.

mordisquear [morðiske'ar] *vt* mordiller.

moreno, -a [mo'reno, a] *adj* brun(e); (*de pelo*) mat(e); (*negro*) noir(e) ♦ *nm/f* brun(e); (*negro*) noir(e); **estar** ~ être bronzé(e); **ponerse** ~ se bronzer.

morfina [mor'fina] *nf* morphine *f*.

morfinómano, -a [morfi'nomano, a] *adj*, *nm/f* morphinomane *m/f*.

morgue ['morxe] (*AM*) *nf* morgue *f*.

moribundo, -a [mori'ßundo, a] *adj*, *nm/f* moribond(e).

morir [mo'rir] *vi* mourir; (*olas, día*) se mourir; (*camino, río*) finir; **morirse** *vpr* mourir; **fue muerto a tiros/en un accidente** il a été tué par balles/dans un accident; ~ **de frío/hambre** mourir de froid/faim; **¡me muero de hambre!** je meurs de faim!; ~**se de envidia/de ganas/de vergüenza** mourir de jalousie/d'envie/de honte; **se muere por ella** il est fou d'elle; **se muere por comprar una moto** il meurt d'envie d'acheter une moto.

mormón, -ona [mor'mon, ona] *nm/f* mormon(e).

moro, -a ['moro, a] *adj* maure(mauresque) ♦ *nm/f* Maure(Mauresque); **¡hay ~s en la costa!** faites gaffe!, vingt-deux!

morocho, -a [mo'rotʃo, a] *adj* (*AND, CSUR*) brun(e); ~**s** *nmpl* (*VEN*) jumeaux *mpl*.

moroso, -a [mo'roso, a] *adj* retardataire ♦ *nm* (*COM*) mauvais payeur *m*.

morral [mo'rral] *nm* musette *f*.

morralla [mo'rraʎa] *nf* (*pey*) fretin *m*; (*MÉX*) ferraille *f*.

morriña [mo'rriɲa] *nf* mal *m* du pays, nostalgie *f*.

morro ['morro] *nm* museau *m*; (*AUTO, AVIAT*) devant *m*; **beber a** ~ boire au goulot; **estar de ~s (con algn)** faire la gueule (à qn); **tener mucho** ~ (*fam*) avoir du toupet.

morrocotudo, -a [morroko'tuðo, a] *adj* carabiné(e).

morsa ['morsa] *nf* (*ZOOL*) morse *m*.

morse ['morse] *nm* morse *m*.

mortadela [morta'ðela] *nf* mortadelle *f*.

mortaja [mor'taxa] *nf* linceul *m*; (*TEC*) mortaise *f*; (*AM*) papier *m* à cigarettes.

mortal [mor'tal] *adj*, *nm/f* mortel(-elle).

mortalidad [mortali'ðað] *nf* mortalité *f*.

mortandad [mortan'dað] *nf* carnage *m*.

mortecino, -a [morte'θino, a] *adj* (*luz*) mourant(e); (*color*) terne.

mortero [mor'tero] *nm* mortier *m*.

mortífero, -a [mor'tifero, a] *adj* meur-

trier(-ère).

mortificar [mortifi'kar] *vt* mortifier; **mortificarse** *vpr* se mortifier.

mortifique *etc* [morti'fike] *vb* V **mortificar**.

mortuorio, -a [mor'tworjo, a] *adj* mortuaire.

mosaico [mo'saiko] *nm* mosaïque *f*.

mosca ['moska] *nf* mouche *f*; **por si las** ~**s** au cas où; **estar** ~ être sur le qui-vive; **tener la** ~ **en** *o* **detrás de la oreja** avoir la puce à l'oreille.

moscardón [moskar'ðon], **moscón** [mos'kon] *nm* (*ZOOL*) frelon *m*; (*pey*) crampon *m*.

moscovita [mosko'ßita] *adj* moscovite ♦ *nm/f* Moscovite *m/f*.

Moscú [mos'ku] *n* Moscou.

mosquear [moske'ar] (*fam*) *vt* (*hacer sospechar*) faire soupçonner; (*fastidiar*) agacer; **mosquearse** (*fam*) *vpr* se vexer.

mosquita [mos'kita] *nf*: ~ **muerta** sainte nitouche *f*.

mosquitero [moski'tero] *nm* moustiquaire *f*.

mosquito [mos'kito] *nm* moustique *m*.

mostaza [mos'taθa] *nf* moutarde *f*.

mosto ['mosto] *nm* moût *m*.

mostrador [mostra'ðor] *nm* comptoir *m*.

mostrar [mos'trar] *vt* montrer; (*el camino*) montrer, indiquer; (*explicar*) expliquer; **mostrarse** *vpr*: ~**se amable** se montrer aimable; ~ **en pantalla** (*INFORM*) visualiser.

mota ['mota] *nf* poussière *f*; (*en tela: dibujo*) nœud *m*.

mote ['mote] *nm* surnom *m*; (*AND, CHI*) maïs *msg* cuit.

motín [mo'tin] *nm* mutinerie *f*; (*del pueblo*) émeute *f*.

motivación [motißa'θjon] *nf* motivation *f*.

motivar [moti'ßar] *vt* motiver, encourager, stimuler; **(no) estar/sentirse motivado (para hacer)** (ne pas) avoir le cœur (de faire).

motivo [mo'tißo] *nm* motif *m*; **con** ~ **de** en raison de; **sin** ~ sans raison; **no tener** ~**s para (hacer/estar)** ne pas avoir de raison de (faire/être).

moto ['moto], **motocicleta** [motoθi'kleta] *nf* moto *f*.

motocrós [moto'kros] *nm* motocross *m*.

motoneta [moto'neta] (*AM*) *nf* scooter *m*.

motor, a [mo'tor, a] *adj* moteur(-trice) ♦ *nm* moteur *m*; ~ **a** *o* **de reacción/de explosión** moteur à réaction/à explosion.

motora [mo'tora] *nf* canot *m*.

motorismo [moto'rismo] *nm* motocyclisme *m*.

motorista [moto'rista] *nm/f* motard *m*; (*esp AM*) chauffeur *m*.

motorizado, -a [motori'θaðo, a] *adj* motorisé(e).

motoso, -a [mo'toso, a] (*AM*) *adj* (*pelo*) crépu(e).

motriz [mo'triz, a] *adj* motrice.

movedizo, -a [moβe'ðiθo, a] *adj*: **arenas movedizas** sables *mpl* mouvants.

mover [mo'βer] *vt* bouger; (*máquina*) mettre en marche; (*asunto*) activer; **moverse** *vpr* se déplacer; (*tierra*) glisser; (*con impaciencia*) gigoter; (*para conseguir algo*) se remuer; ~ **a algn a hacer** (*inducir*) pousser qn à faire; ~ **a compasión/risa** faire pitié/rire; **¡muévete!** magne-toi!, grouille-toi!; ~ **la cabeza** (*para negar*) hocher la tête de droite à gauche; (*para asentir*) hocher la tête de haut en bas.

movible [mo'βiβle] *adj* mobile.

movida [mo'βiða] *nf* (*fam: acontecimiento*) ramdam *m*, bamboula *f*; (: *asunto*) affaire *f*; **¡qué ~!** (*fam*) quel tapage!; **la ~ madrileña** la "movida" o "nuit" madrilène.

movido, -a [mo'βiðo, a] *adj* (*FOTO*) flou(e); (*persona*) actif(-ive); (*día*) agité(e).

móvil ['moβil] *adj* mobile; (*pieza de máquina*) roulant(e) ♦ *nm* (*de crimen*) mobile *m*.

movilice *etc* [moβi'liθe] *vb* V **movilizar**.

movilidad [moβili'ðað] *nf* mobilité *f*.

movilizar [moβili'θar] *vt* mobiliser.

movimiento [moβi'mjento] *nm* mouvement *m*; **el M~** (*POL*) le Mouvement, soulèvement du Général Franco en 1936 en Espagne; **poner/estar en ~** mettre/être en mouvement; ▶ **movimiento de bloques** (*INFORM*) transfert *m* de blocs; ▶ **movimiento de capital** mouvement de capitaux; ▶ **movimiento de divisas** mouvement de devises; ▶ **movimiento de mercancías** (*COM*) mouvement des marchandises; ▶ **movimiento obrero/político/sindical** mouvement ouvrier/politique/syndical; ▶ **movimiento sísmico** mouvement sismique.

moviola [mo'βjola] *nf* moviola *f*.

moza ['moθa] *nf* jeune fille *f*; **una buena ~** une belle femme, un beau brin de fille.

Mozambique [moθam'bike] *nm* Mozambique *m*.

mozambiqueño, -a [moθambi'keɲo, a] *adj* mozambicain(e) ♦ *nm/f* Mozambicain(e).

mozo ['moθo, a] *nm* jeune homme *m*; (*en hotel*) groom *m*; (*camarero*) garçon *m*; (*MIL*) conscrit *m*; **un buen ~** un beau garçon; ▶ **mozo de estación** porteur *m*.

mucamo, -a [mu'kamo, a] (*AM*) *nm/f* domestique *m/f*.

muchacha [mu'tʃatʃa] *nf* fille *f*; (*criada*) domestique *f*.

muchachada [mutʃa'tʃaða] (*AM*) *nf* marmaille *f*.

muchacho [mu'tʃatʃo, a] *nm* garçon *m*.

muchedumbre [mutʃe'ðumbre] *nf* foule *f*.

muchísimo, -a [mu'tʃisimo, a] *adj* (*superl de mucho*) énormément de ♦ *adv* énormément.

━━━━━━━━━━━━━━ *PALABRA CLAVE*

mucho, -a ['mutʃo, a] *adj* **1** (*cantidad, número*) beaucoup de; **mucha gente** beaucoup de monde; **mucho dinero** beaucoup d'argent; **hace mucho calor** il fait très chaud; **muchas amigas** beaucoup d'amies
2 (*sg: grande*): **ésta es mucha casa para él** cette maison est bien trop grande pour lui
3 (*sg: demasiados*): **hay mucho gamberro aquí** il y a beaucoup de voyous par ici
♦ *pron*: **tengo mucho que hacer** j'ai beaucoup (de choses) à faire; **muchos dicen que ...** beaucoup de gens disent que ...; V tb **tener**
♦ *adv* **1**: **te quiero mucho** je t'aime beaucoup; **lo siento mucho** je regrette beaucoup, je suis vraiment désolé; **mucho más/menos** beaucoup plus/moins; **mucho antes/mejor** bien avant/meilleur; **come mucho** il mange beaucoup; **viene mucho** il vient souvent; **¿te vas a quedar mucho?** tu vas rester longtemps?
2 (*respuesta*) très; **¿estás cansado? – ¡mucho!** tu es fatigué? – très!
3 (*locuciones*): **leo como mucho un libro al mes** je lis au maximum un livre par mois; **el mejor con mucho** de loin le meilleur; **ese ni con mucho llega a sargento** il ne réussira même pas à être sergent; **¡ni mucho menos!** loin de là!; **él no es ni mucho menos trabajador** il est loin d'être travailleur; **¡mucho la quieres tú!** (*irón*) tu parles que tu l'aimes bien!
4: **por mucho que: por mucho que le quieras** tu as beau l'aimer.

mucosa [mu'kosa] *nf* mucosité *f*.

muda ['muða] *nf* (*de ropa*) linge *m* de rechange; (*ZOOL, de voz*) mue *f*.

mudanza [mu'ðanθa] *nf* déménagement *m*; **estar de ~** déménager; **camión/casa de ~s** camion *m*/entreprise *f* de déménagement.

mudar [mu'ðar] *vt* changer; (*ZOOL*) muer; **mudarse** *vpr*: ~**se (de ropa)** se changer; ~ **de** (*opinión, color*) changer de; ~**se (de casa)** déménager; **la voz se le está mudando** il est en train de muer.

mudo, -a ['muðo, a] *adj* muet(te); (*callado*) silencieux(-euse); **quedarse ~ de asombro** rester bouche bée.

mueble ['mweβle] *nm* meuble *m*.

mueble-bar [mweßle'ßar] *nm* bar *m*.

mueca ['mweka] *nf* grimace *f*; **hacer** ~s a faire des grimaces à.

muela ['mwela] *vb* V **moler** ♦ *nf* (*diente de atrás*) molaire *f*; (*de molino*) meule *f*; (*de afilar*) meule, affiloir *m*; ► **muela del juicio** dent *f* de sagesse.

muelle ['mweʎe] *adj* (*vida*) doux(douce) ♦ *nm* ressort *m*; (*NÁUT*) quai *m*.

muera *etc* ['mwera] *vb* V **morir**.

muerda *etc* ['mwerða] *vb* V **morder**.

muérdago ['mwerðaɣo] *nm* gui *m*.

muermo ['mwermo] (*fam*) *nm* (*aburrimiento*) poisse *f*; (*desgana*) mélancolie *f*; ¡qué ~! quelle poisse!

muerte ['mwerte] *nf* mort *f*; **dar** ~ a donner la mort à; **de mala** ~ (*fam*) minable; **es la** ~ (*fam*) c'est la galère!

muerto, -a ['mwerto, a] *pp de* **morir** ♦ *adj* mort(e); (*color*) terne; (*manos*) ballant(e) ♦ *nm/f* mort(e); **cargar con el** ~ (*fam*) payer les pots cassés; **echar el** ~ a algn mettre tout sur le dos de qn; **hacer el** ~ (*nadando*) faire la planche; **estar** ~ **de cansancio/frío/hambre/sed** être mort(e) de fatigue/froid/faim/soif.

muesca ['mweska] *nf* encoche *f*.

muestra ['mwestra] *vb* V **mostrar** ♦ *nf* (*COM, COSTURA*) échantillon *m*; (*de sangre*) prélèvement *m*; (*en estadística*) échantillonnage *m*; (*señal*) preuve *f*; (*exposición*) foire *f*; (*demostración explicativa*) démonstration *f*; **dar** ~s **de** donner signe de; ► **muestra al azar** (*COM*) échantillon *m* prélevé au hasard.

muestrario [mwes'trarjo] *nm* (*COM*) échantillonnage *m*.

muestreo [mwes'treo] *nm* (*estadístico*) échantillonnage *m*.

mueva *etc* [mweßa] *vb* V **mover**.

mugir [mu'xir] *vi* mugir.

mugre ['muɣre] *nf* (*suciedad*) crasse *f*; (: *grasienta*) cambouis *msg*.

mugriento, -a [mu'ɣrjento, a] *adj* crasseux(-euse).

muja *etc* ['muxa] *vb* V **mugir**.

mujer [mu'xer] *nf* femme *f*.

mujeriego [muxe'rjeɣo] *adj, nm* coureur *m*.

mula ['mula] *nf* mule *f*.

mulato, -a [mu'lato, a] *adj, nm/f* mulâtre(sse).

muleta [mu'leta] *nf* (*para andar*) béquille *f*; (*TAUR*) muleta *f*.

muletilla [mule'tiʎa] *nf* tic *m*.

mullido, -a [mu'ʎiðo, a] *adj* moelleux(-euse).

multa ['multa] *nf* amende *f*; (*AUT*) amende, contravention *f*; **me han puesto una** ~ ils m'ont mis une amende.

multar [mul'tar] *vt* condamner à une amende.

multiacceso [multjak'θeso] *adj* (*INFORM*) à accès multiple.

multicine [multi'θine] *nm* cinéma *m* multisalle.

multicolor [multiko'lor] *adj* multicolore.

multicopista [multiko'pista] *nm* duplicateur *m*.

multilateral [multilate'ral] *adj* multilatéral(e).

multimillonario, -a [multimiʎo'narjo, a] *adj, nm/f* multimillionnaire *m/f*.

multinacional [multinaθjo'nal] *adj* multinational(e) ♦ *nf* multinationale *f*.

múltiple ['multiple] *adj* multiple; **de tarea** ~ (*INFORM*) multitâche; **de usuario** ~ (*INFORM*) à utilisateurs multiples.

multiplicar [multipli'kar] *vt* multiplier; **multiplicarse** *vpr* se multiplier; (*para hacer algo*) se démener, se mettre en quatre.

multiplique *etc* [multi'plike] *vb* V **multiplicar**.

múltiplo ['multiplo] *adj, nm* multiple *m*.

multitud [multi'tuð] *nf* foule *f*; ~ **de** multitude de.

multitudinario, -a [multituði'narjo, a] *adj* populeux(-euse).

mundanal [munda'nal] *adj*: **lejos del** ~ **ruido** loin des rumeurs de ce monde.

mundano, -a [mun'dano, a] *adj* mondain(e).

mundial [mun'djal] *adj* mondial(e) ♦ *nm* (*FÚTBOL*) coupe *f* du monde.

mundialmente [mun'djalmente] *adv*: **conocido/aceptado** ~ connu/accepté dans le monde entier; ~ **famoso** mondialement célèbre.

mundillo [mun'diʎo] *nm* monde *m*.

mundo ['mundo] *nm* monde *m*; **el otro** ~ l'autre monde; **el** ~ **del espectáculo** le monde du spectacle; **todo el** ~ tout le monde; **tiene mundo** il sait comment se comporter en société; **un hombre de** ~ un homme du monde; **hacer de algo un** ~ faire tout un monde de qch; **el** ~ **es un pañuelo** le monde est petit; **por nada del** ~ pour rien au monde; **no es nada del otro** ~ ce n'est pas la mer à boire; **se le cayó el** ~ (**encima**) il est accablé par ce coup du sort; **el Tercer M**~ le Tiers-Monde.

Munich ['munitʃ] *n* Munich.

munición [muni'θjon] *nf* munition *f*.

municipal [muniθi'pal] *adj* municipal(e) ♦ *nm/f* (*tb*: **policía municpal**) agent *m* de police.

municipio [muni'θipjo] *nm* municipalité *f*.

muñeca [mu'ɲeka] *nf* (*ANAT*) poignet *m*; (*juguete, mujer*) poupée *f*; (*AND, CSUR*:

fam) prise *f* de courant.

muñeco [mu'ɲeko] *nm* (*juguete*) baigneur *m*; (*dibujo*) dessin *m*; (*marioneta, fig*) pantin *m*; ► **muñeco de nieve** bonhomme *m* de neige.

muñequera [muɲe'kera] *nf* poignet *m* de force.

muñón [mu'ɲon] *nm* moignon *m*.

mural [mu'ral] *adj* mural(e) ♦ *nm* peinture *f* murale.

muralla [mu'raʎa] *nf* muraille *f*.

murciano, -a [mur'θjano, a] *adj* natif(-ive) *o* habitant(e) de Murcie.

murciélago [mur'θjelavo] *nm* chauve-souris *fsg*.

murga ['murʁa] *nf* galère *f*; **dar la** ~ casser les pieds.

murmullo [mur'muʎo] *nm* murmure *m*.

murmuración [murmura'θjon] *nf* médisance *f*.

murmurar [murmu'rar] *vt, vi* murmurer; ~ **(de)** (*criticar*) dire du mal (de).

muro ['muro] *nm* mur *m*; ► **muro de contención** mur de soutènement.

mus [mus] *nm* jeu de cartes.

musaraña [musa'raɲa] *nf*: **pensar en** *o* **mirar las** ~s bayer aux corneilles.

muscular [musku'lar] *adj* musculaire.

músculo ['muskulo] *nm* muscle *m*.

musculoso, -a [musku'loso, a] *adj* musclé(e).

museo [mu'seo] *nm* musée *m*; ► **museo de arte** *o* **de pintura** musée d'art; ► **museo de cera** musée de cire.

musgo ['musʁo] *nm* mousse *f*.

música ['musika] *nf* musique *f*, **Irse con la** ~ **a otra parte** plier bagage; *V tb* **músico**.

musical [musi'kal] *adj* musical(e) ♦ *nm* comédie *f* musicale.

músico, -a ['musiko, a] *nm/f* musicien(ne).

musitar [musi'tar] *vt, vi* marmotter.

muslo ['muslo] *nm* cuisse *f*.

mustio, -a ['mustjo, a] *adj* (*planta*) flétri(e); (*persona*) triste.

musulmán, -ana [musul'man, ana] *adj, nm/f* musulman(e).

mutación [muta'θjon] *nf* mutation *f*.

mutilado, -a [muti'laðo, a] *adj, nm/f* mutilé(e).

mutilar [muti'lar] *vt* mutiler.

mutis ['mutis] *nm inv* (*TEATRO*) sortie *f* de scène; **hacer** ~ sortir de scène; (*fig*) se taire.

mutismo [mu'tismo] *nm* mutisme *m*.

mutua ['mutwa] *nf* = **mutualidad**.

mutual [mu'twal] (*AND, CSUR*) *nf* mutualité *f*.

mutualidad [mutwali'ðað] *nf* mutualité *f*; ► **mutualidad de seguros** mutuelle *f* d'assurances.

mutuamente ['mutwamente] *adv* mutuelle-ment.

mutuo, -a ['mutwo, a] *adj* mutuel(-elle).

muy [mwi] *adv* très; (*demasiado*) trop; **M~ Señor mío/Señora mía** cher Monsieur/chère Madame; ~ **bien** très bien; ~ **de noche** tard dans la nuit; **eso es** ~ **de él** c'est bien de lui; **eso es** ~ **español** c'est très espagnol; **por** ~ **tarde que sea** si tard soit-il.

N, n

N, n ['ene] *nf* (*letra*) N, n *m inv*; ~ **de Navarra** ≈ N comme Nicolas.

N *abr* (= *norte*) N (= *nord*).

N. *sigla f* (= *carretera nacional*) RN *f* (= *route nationale*).

n. *abr* (*LING* = *nombre*) n (= *nom*); (= *nacido, a*) né(e).

n/ *abr* = **nuestro, a.**

nabo ['naβo] *nm* navet *m*.

nácar ['nakar] *nm* nacre *f*.

nacer [na'θer] *vi* naître; (*vegetal, barba, vello*) pousser; (*río*) prendre sa source; (*columna, calle*) commencer; ~ **de** naître de; **ha nacido para poeta** c'est un poète né; **no ha nacido para trabajar** le travail et lui, ça fait deux.

nacido, -a [na'θiðo, a] *adj*: ~ **en** né(e) en.

naciente [na'θjente] *adj* naissant(e); **el sol** ~ le soleil levant.

nacimiento [naθi'mjento] *nm* naissance *f*; (*de Navidad*) crèche *f*; (*de río*) source *f*; **ciego de** ~ aveugle de naissance.

nación [na'θjon] *nf* nation *f*; **Naciones Unidas** Nations unies.

nacional [naθjo'nal] *adj* national(e).

nacionalice *etc* [naθjona'liθe] *vb V* **nacionalizar.**

nacionalidad [naθjonali'ðað] *nf* nationalité *f*; (*ESP: POL: nación*) communauté *f* autonome.

nacionalismo [naθjona'lismo] *nm* nationalisme *m*.

nacionalista [naθjona'lista] *adj, nm/f* nationaliste *m/f*.

nacionalizar [naθjonali'θar] *vt* nationaliser; **nacionalizarse** *vpr* se faire naturaliser.

nada ['naða] *pron, adv* rien ♦ *nf*: **la** ~ le néant; **no decir** ~ ne rien dire; **de** ~ de rien; **¡**~ **de eso!** pas question!; **antes de**

~ avant tout; **como si** ~ comme si de rien n'était; **no ha sido** ~ ce n'est pas bien grave; ~ **menos que** ni plus ni moins que; ~ **de** ~ rien de rien; **para** ~ *(inútilmente)* pour rien; *(claro que no)* pas du tout; **por** ~ pour rien; **por** ~ **del mundo** pour rien au monde.

nadador, a [naða'ðor, a] *nm/f* nageur(-euse).

nadar [na'ðar] *vi* nager; ~ **en la abundancia** nager dans l'opulence; ~ **contra corriente** nager à contre-courant.

nadie ['naðje] *pron* personne; ~ **habló** personne n'a parlé; **no había** ~ il n'y avait personne; **no soy** ~ **para** ... ce n'est pas moi qui peut ...; **es un don** ~ c'est un rien-du-tout.

nadita [na'ðita] *pron, adv* (esp *AM*: *fam*) = **nada**.

nado ['naðo] *adv*: **a** ~ à la nage.

nafta ['nafta] *(CSUR)* *nf* (gasolina) essence *f*.

naftalina [nafta'lina] *nf*: **bolas de** ~ boules *fpl* de naphtaline.

nahuatl [na'watl] *adj, nm* nahuatl *m*.

naipe ['naipe] *nm* carte *f*.

nal. *abr* = **nacional**.

nalgas ['nalɣas] *nfpl* fesses *fpl*.

Namibia [na'miβja] *nf* Namibie *f*.

nana ['nana] *nf* berceuse *f*; *(CAM, MÉX: fam)* nourrice *f*.

napias ['napjas] *(fam) nfpl* pif *msg*.

napoleón [napole'on] *(CHI) nm* pince *f*.

Nápoles ['napoles] *n* Naples.

napolitano, -a [napoli'tano, a] *adj* napolitain(e) ♦ *nm/f* Napolitain(e).

naranja [na'ranxa] *adj inv* orange ♦ *nm (color)* orange *m* ♦ *nf (fruta)* orange *f*; **media** ~ *(fam)* moitié *f*.

naranjada [naran'xaða] *nf* orangeade *f*.

naranjo [na'ranxo] *nm* oranger *m*.

narcisista [narθi'sista] *adj* narcissique.

narciso [nar'θiso] *nm* narcisse *m*.

narcotice *etc* [narko'tiθe] *vb V* **narcotizar**.

narcótico, -a [nar'kotiko, a] *adj, nm* narcotique *m*.

narcotizar [narkoti'θar] *vt* administrer des narcotiques à.

narcotraficante [narkotrafi'kante] *nm/f* narcotrafiquant(e).

narcotráfico [narko'trafiko] *nm* trafic *m* de stupéfiants.

nardo ['narðo] *nm* nard *m*.

narices [na'riθes] *nfpl V* **nariz**.

narigón, -ona [nari'ɣon, ona], **narigudo, -a** [nari'ɣuðo, a] *adj*: **un tipo** ~ un type au grand nez.

nariz [na'riθ] *nf* nez *m*; **narices** *nfpl* narines *fpl*; ¡**narices!** *(fam)* flûte alors!; **me dio con la puerta en las narices** il m'a fermé la porte au nez; **darse de narices contra algo/con** algn se trouver nez à nez avec qch/qn; ¡**se me están hinchando las narices!** la moutarde me monte au nez!; **delante de las narices de** algn au nez de qn; **estar hasta las narices (de algo/algn)** *(fam)* en avoir ras le bol (de qch/qn); **meter las narices en algo** *(fam)* mettre son nez dans qch; **hacer algo por narices** *(fam)* faire qch coûte que coûte; ▸ **nariz chata/respingona** nez épaté/en trompette.

narizotas [nari'θotas] *nm inv*: ¡**es un** ~! il a un grand pif!

narración [narra'θjon] *nf* narration *f*.

narrador, a [narra'ðor, a] *nm/f* narrateur(-trice).

narrar [na'rrar] *vt* raconter.

narrativa [narra'tiβa] *nf* genre *m* narratif.

narrativo, -a [narra'tiβo, a] *adj* narratif(-ive).

NASA ['nasa] *sigla f* (= *National Aeronautics and Space Administration*) NASA *f*.

nasal [na'sal] *adj* nasal(e).

N.ª S.ʳᵃ *abr* (= *Nuestra Señora*) ND (= *Notre-Dame*).

nata ['nata] *nf* crème *f*; *(en leche cocida)* peau *f*; ~ **montada** crème fouettée.

natación [nata'θjon] *nf* natation *f*.

natal [na'tal] *adj* natal(e).

natalidad [natali'ðað] *nf* natalité *f*; **control de** ~ contrôle *m* des naissances; **índice** o **tasa de** ~ taux *msg* de natalité.

natillas [na'tiʎas] *nfpl* crème *f* renversée.

natividad [natiβi'ðað] *nf* nativité *f*.

nativo, -a [na'tiβo, a] *adj (costumbres)* local(e), du pays; *(lengua)* maternel(le); *(país)* natal(e) ♦ *nm/f* natif(-ive).

nato, -a ['nato, a] *adj*: **un actor/pintor/músico** ~ un acteur/peintre/musicien né.

natural [natu'ral] *adj* naturel(le); *(luz)* du jour; *(flor, fruta)* vrai(e); *(café)* non traité(e) ♦ *nm* naturel *m*; ~ **de** natif(-ive) de; **ser** ~ **en** algn être naturel chez qn; **es** ~ **que** il est naturel que; **al** ~ au naturel.

naturaleza [natura'leθa] *nf* nature *f*; **por** ~ par nature; ▸ **naturaleza humana** nature humaine; ▸ **naturaleza muerta** nature morte.

naturalice *etc* [natura'liθe] *vb V* **naturalizarse**.

naturalidad [naturali'ðað] *nf* naturel *m*; **con** ~ avec naturel.

naturalista [natura'lista] *nm/f* naturaliste *m/f*.

naturalizarse [naturali'θarse] *vpr* se faire naturaliser.

naturalmente [natu'ralmente] *adv* naturellement; ¡~! naturellement!

naturista [natu'rista] *adj, nm/f* naturiste *m/f*.

naufragar [naufra'ɣar] *vi* faire naufrage; (*negocio*) faire faillite; (*proyecto*) tomber à l'eau.

naufragio [nau'fraxjo] *nm* naufrage *m*.

náufrago, -a ['naufraɣo, a] *nm/f* naufragé(e).

naufrague *etc* [nau'fraɣe] *vb* V **naufragar**.

nauseabundo, -a [nausea'ßundo, a] *adj* nauséabond(e).

náuseas ['nauseas] *nfpl* nausées *fpl*; **sentir** ~ avoir des nausées; **me da** ~ **ça** me donne la nausée.

náutica ['nautika] *nf* navigation *f*.

náutico, -a ['nautiko, a] *adj* nautique.

navaja [na'ßaxa] *nf* couteau *m* (de poche); ~ **(de afeitar)** rasoir *m* à main.

navajazo [naßa'xaθo] *nm* (*herida*) blessure *f* au couteau; (*golpe*) coup *m* de couteau.

naval [na'ßal] *adj* naval(e).

Navarra [na'ßarra] *nf* Navarre *f*.

navarro, -a [na'ßarro, a] *adj* navarrais(e) ♦ *nm/f* Navarrais(e).

nave ['naße] *nf* (*barco*) navire *m*; (*ARQ*) nef *f*; (*almacén*) entrepôt *m*; **quemar las ~s** couper les ponts; ► **nave espacial** vaisseau *m* spatial; ► **nave industrial** atelier *m*.

navegable [naße'ɣaßle] *adj* navigable.

navegación [naßeɣa'θjon] *nf* navigation *f*; (*viaje*) voyage *m* en mer; ► **navegación aérea/costera/fluvial** navigation aérienne/côtière/fluviale.

navegante [naße'ɣante] *nm/f* navigateur(-trice).

navegar [naße'ɣar] *vi* naviguer.

navegue *etc* [na'ßeɣe] *vb* V **navegar**.

navidad [naßi'ðað] *nf* (*tb*: ~**es**) fêtes *fpl* de Noël; (*tb*: **día de** ~) la Noël; (*REL*) Noël *m*; **por** ~**es** à Noël; **¡felices** ~**es!** joyeux Noël!

navideño, -a [naßi'ðeɲo, a] *adj* de Noël.

naviero, -a [na'ßjero, a] *adj* naval(e) ♦ *nm* armateur *m*.

navío [na'ßio] *nm* navire *m*.

nazi ['naθi] *adj* nazi(e) ♦ *nm/f* Nazi(e).

nazismo [na'θismo] *nm* nazisme *m*.

N.B. *abr* (= *nota bene*) NB (= *nota bene*).

n/cta *abr* (*COM* = *nuestra cuenta*) notre compte.

N. de la R. *abr* (= *nota de la redacción*) NDLR (= *note de la rédaction*).

N. de la T./del T. *abr* (= *nota de la traductora/del traductor*) NDT (= *note du traducteur*).

NE *abr* = *nor(d)este* N.-E. (= *nord-est*).

neblina [ne'ßlina] *nf* brume *f*.

nebulosa [neßu'losa] *nf* nébuleuse *f*.

nebuloso, -a [neßu'loso, a] *adj* (*con nubes*) nuageux(-euse); (*con niebla*) brumeux(-euse); (*idea*) nébuleux(-euse);

(*vista*) brouillé(e).

necedad [neθe'ðað] *nf* idiotie *f*.

necesario, -a [neθe'sarjo, a] *adj*: ~ **(para)** nécessaire (pour); **(no) es** ~ **que** il (n')est (pas) nécessaire que; **si es** ~ ... **si** nécessaire ... .

neceser [neθe'ser] *nm* nécessaire *m*.

necesidad [neθesi'ðað] *nf* besoin *m*; (*cosa necesaria*) nécessité *f*; (*miseria*) pauvreté *f*; ~**es** *nfpl* (*penurias*) privations *fpl*; **en caso de** ~ en cas de besoin; **de primera** ~ de première nécessité; **no hay** ~ **de/de que** il n'est pas nécessaire de/que; **hacer sus** ~ **es** faire ses besoins.

necesitado, -a [neθesi'taðo, a] *adj* nécessiteux(-euse); **estar** ~ **de** avoir grand besoin de.

necesitar [neθesi'tar] *vt*: ~ **(hacer)** avoir besoin de (faire) ♦ *vi*: ~ **de** avoir besoin de; **¿qué se necesita?** que faut-il?; **"se necesita camarero"** "on demande un garçon de café".

necio, -a ['neθjo, a] *adj*, *nm/f* idiot(e).

necrología [nekrolo'xia] *nf* nécrologie *f*.

necrológico, -a [nekro'loxiko, a] *adj*: **nota necrológica** avis *msg* de décès.

necrópolis [ne'kropolis] *nf inv* nécropole *f*.

néctar ['nektar] *nm* nectar *m*.

nectarina [nekta'rina] *nf* nectarine *f*.

neerlandés, -esa [neerlan'des, esa] *adj* néerlandais(e) ♦ *nm/f* Néerlandais(e) ♦ *nm* (*LING*) néerlandais *msg*.

nefasto, -a [ne'fasto, a] *adj* néfaste.

nefrítico, -a [ne'fritiko, a] *adj*: **cólico** ~ colique *f* néphrétique.

negación [neɣa'θjon] *nf* négation *f*.

negado, -a [ne'ɣaðo, a] *adj*: ~ **para** pas doué(e) pour.

negar [ne'ɣar] *vt* (*hechos*) nier; (*permiso, acceso*) refuser; **negarse** *vpr*: ~**se a hacer algo** se refuser à faire qch; ~ **que** nier que; ~ **con la cabeza** faire non de la tête; ~ **el saludo a algn** ignorer qn; **¡me niego!** je refuse!

negativa [neɣa'tißa] *nf* négative *f*; (*rechazo*) refus *msg*.

negativamente [neɣa'tißamente] *adv* négativement.

negativo, -a [neɣa'tißo, a] *adj* négatif(-ive) ♦ *nm* (*FOTO*) négatif *m*.

negligencia [neɣli'xenθja] *nf* négligence *f*.

negligente [neɣli'xente] *adj* négligent(e).

negociable [neɣo'θjaßle] *adj* négociable.

negociación [neɣoθja'θjon] *nf* négociation *f*.

negociado [neɣo'θjaðo] *nm* bureau *m*.

negociante [neɣo'θjante] *nm/f* (*COM*) négociant(e); (*pey*) trafiquant(e).

negociar [neɣo'θjar] *vt* négocier ♦ *vi*: ~ **en** *o* **con** (*COM*) faire le commerce de *o* du commerce avec.

negocio [ne'ɣoθjo] *nm* affaire *f*; *(tienda)* commerce *m*; **los ~s** les affaires *fpl*; **hacer ~** faire des affaires; **hacer (un) buen/ mal ~** faire une bonne/mauvaise affaire; **¡eso es un ~!** ça rapporte!; **~ sucio** affaire *f* louche; **¡mal ~!** *(fam)* ça va mal!

negra ['neɣra] *nf* (*MÚS*) noire *f*; **tener la ~** avoir la poisse; *V tb* **negro**.

negrita [ne'ɣrita] *nf* (*TIP*) caractère *m* gras; **en ~** en gras.

negro, -a ['neɣro, a] *adj* noir(e); *(futuro)* sombre; *(tabaco)* brun(e) ♦ *nm (color)* noir *m* ♦ *nf*: **la negra** la poisse ♦ *nm/f (persona)* noir(e); (*AM: fam*) chéri(e); **¡estoy ~!** je suis furax!; **¡me pone ~!** ça *o* il me porte sur les nerfs!; **verse ~ para hacer algo** avoir beaucoup de mal à faire qch; **trabajar como un ~** travailler comme un forçat.

negrura [ne'ɣrura] *nf* noirceur *f*.

negué *etc* [ne'ɣe] *vb V* **negar**.

nene, -a ['nene, a] *nm/f* petit(e).

nenúfar [ne'nufar] *nm* nénuphar *m*.

neoclásico, -a [neo'klasiko, a] *adj* néoclassique.

neologismo [neolo'ɣismo] *nm* néologisme *m*.

neón [ne'on] *nm*: **luz** *o* **lámpara de ~** néon *m*.

neoyorquino, -a [neojor'kino, a] *adj* new yorkais(e) ♦ *nm/f* New Yorkais(e).

neozelandés, -esa [neoθelan'des, esa] *adj* néo-zélandais(e) ♦ *nm/f* Néo-Zélandais(e).

nepotismo [nepo'tismo] *nm* népotisme *m*.

nervio ['nerβjo] *nm* nerf *m*; (*BOT, ARQ*) nervure *f*; **ser puro ~** être un paquet de nerfs; **alterarle** *o* **crisparle los ~s a algn** taper sur les nerfs de qn; **estar de los ~s** *(fam)* avoir les nerfs; (: *MED*) être malade des nerfs; **tener los ~s destrozados** avoir les nerfs en pelote; **me pone los ~s de punta** ça *o* il me tape sur le système.

nerviosismo [nerβjo'sismo] *nm* état *m* d'agitation, nervosité *f*.

nervioso, -a [ner'βjoso, a] *adj* nerveux(-euse); **¡me pone ~!** ça m'énerve!

nervudo, -a [ner'βuðo, a] *adj (mano)* nerveux(-euse).

neto, -a ['neto, a] *adj* net(nette).

neumático, -a [neu'matiko, a] *adj (cámara)* à air; *(martillo)* pneumatique ♦ *nm* pneu *m*; ▶ **neumático de recambio** roue *f* de secours.

neumonía [neumo'nia] *nf* pneumonie *f*.

neura ['neura] *(fam) nm/f* névrosé(e) ♦ *nf* obsession *f*.

neuralgia [neu'ralxja] *nf* névralgie *f*.

neurálgico, -a [neu'ralxiko, a] *adj* névral-

gique.

neurastenia [neuras'tenja] *nf* neurasthénie *f*.

neurasténico, -a [neuras'teniko, a] *adj* neurasthénique.

neurólogo, -a [neu'roloɣo, a] *nm/f* neurologue *m/f*.

neurona [neu'rona] *nf* neurone *m*.

neurosis [neu'rosis] *nf inv* névrose *f*.

neurótico, -a [neu'rotiko, a] *adj* névrotique ♦ *nm/f* (*tb fam*) névrosé(e).

neutral [neu'tral] *adj* neutre.

neutralice *etc* [neutra'liθe] *vb V* **neutralizar**.

neutralidad [neutrali'ðað] *nf* neutralité *f*.

neutralizar [neutrali'θar] *vt* neutraliser.

neutro, -a ['neutro, a] *adj (tb LING)* neutre; (*BIO*) asexué(e).

neutrón [neu'tron] *nm* neutron *m*.

nevada [ne'βaða] *nf* chute *f* de neige.

nevado, -a [ne'βaðo, a] *adj* enneigé(e).

nevar [ne'βar] *vi* neiger.

nevera [ne'βera] (*ESP*) *nf* réfrigérateur *m*.

nevisca [ne'βiska] *nf* petite chute *f* de neige.

nexo ['nekso] *nm* lien *m*.

n/f *abr* (*COM* = *nuestro favor*) *notre crédit*.

ni [ni] *conj* ni; (*tb*: **~ siquiera**) même pas; **~ aunque** même si; **~ blanco ~ negro** ni blanc ni noir; **~ (el) uno ~ (el) otro** ni l'un ni l'autre; **¡~ que fuese un dios!** comme si c'était un dieu!; **¡~ hablar!** pas question!

nica ['nika] (*AM: pey*) *adj* nicaraguayen(ne) ♦ *nm/f* Nicaraguayen(ne).

Nicaragua [nika'raɣwa] *nf* Nicaragua *m*.

nicaragüense [nikara'ɣwense] *adj* nicaraguayen(ne) ♦ *nm/f* Nicaraguayen(ne).

nicho ['nitʃo] *nm* niche *f*.

nicotina [niko'tina] *nf* nicotine *f*.

nido ['niðo] *nm* nid *m*; **~ de amor** nid d'amour; **~ de ladrones** repaire *m* de voleurs; **~ de víboras** nid de vipères.

niebla ['njeβla] *nf* brouillard *m*; **hay ~** il y a du brouillard.

niego *etc* ['njeɣo], **niegue** *etc* ['njeɣe] *vb V* **negar**.

nieto, -a ['njeto, a] *nm/f* petit-fils(petite-fille); **los ~s** *nmpl* les petits-enfants.

nieve ['njeβe] *vb V* **nevar** ♦ *nf* neige *f*; (*AM: helado*) glace *f*; **copo de ~** flocon *m* de neige.

N.I.F. [nif] *sigla m* (= *Número de Identificación Fiscal*) *numéro d'identification personnel nécessaire pour effectuer des opérations bancaires et commerciales*.

Nigeria [ni'xerja] *nf* Nigéria *m*.

nigeriano, -a [nixe'rjano, a] *adj* nigérien(ne) ♦ *nm/f* Nigérien(ne).

nigromancia [niɣro'manθja] *nf* nécromancie *f*.

nigua ['niɣwa] (*ANT, CAM*) *nf* puce *f*.

nihilista [nii'lista] *adj, nmlf* nihiliste *mlf*.

Nilo ['nilo] *nm*: **el (Río)** ~ le Nil.

nimbo ['nimbo] *nm* (*aureola*) nimbe *m*; (*nube*) nimbus *msg*.

nimiedad [nimje'ðað] *nf* bagatelle *f*; (*de problema, detalle*) petitesse *f*.

nimio, -a ['nimjo, a] *adj* insignifiant(e), sans importance.

ninfa ['ninfa] *nf* nymphe *f*.

ninfómana [nin'fomana] *nf* nymphomane *f*.

ninguno, -a [nin'guno, a] *adj* aucun(e) ♦ *pron* personne; **no es ninguna belleza** c'est loin d'être une beauté; **de ninguna manera** en aucune manière; **en ningún sitio** nulle part; **no voy a ninguna parte** je ne vais nulle part; ~ **de ellos** aucun d'entre eux.

niña ['nina] *nf* (petite) fille *f*; (*del ojo*) pupille *f*; **ser la ~ de los ojos de algn** (*fig*) tenir à qn comme à la prunelle de ses yeux; *V tb* **niño**.

niñera [ni'nera] *nf* nourrice *f*.

niñería [nine'ria] (*pey*) *nf* enfantillage *m*.

niñez [ni'neθ] *nf* enfance *f*.

niño, -a ['nino, a] *adj* jeune; (*pey*) puéril(e) ♦ *nm* enfant *m*; (*chico*) (petit) garçon *m*; (*bebé*) petit enfant *m*; **los ~s** *nmpl* les enfants; **de** ~ quand j'étais *etc* petit; **ser el** ~ **mimado de algn** être le chouchou de qn; ► **niño bien** *o* **de papá** (*pey*) fils *msg* à papa; ► **niño de pecho** nourrisson *m*; ► **niño prodigio** enfant prodige.

nipón, -ona [ni'pon, ona] *adj* nippon(e *o* ne) ♦ *nmlf* Nippon(e *o* ne).

níquel [ni'nikel] *nm* nickel *m*.

niquelar [nike'lar] *vt* nickeler.

níscalo ['niskalo] *nm* lactaire *m* délicieux.

níspero ['nispero] *nm* néflier *m*.

nitidez [niti'ðeθ] *nf* (*de imagen*) netteté *f*; (*de atmósfera*) pureté *f*; **ver algo con** ~ voir qch très nettement.

nítido, -a ['nitiðo, a] *adj* (*imagen*) net(te); (*cielo*) dégagé(e); (*atmósfera*) pur(e); (*gestión, conducta*) clair(e).

nitrato [ni'trato] *nm* nitrate *m*; ► **nitrato de Chile** salpêtre *m* du Chili.

nítrico, -a ['nitriko, a] *adj* nitrique.

nitrógeno [ni'troxeno] *nm* azote *m*.

nitroglicerina [nitroɣliθe'rina] *nf* nitroglycérine *f*.

nivel [ni'ßel] *nm* niveau *m*; **al mismo** ~ au même niveau; **de alto** ~ de haut niveau; **a 900m sobre el** ~ **del mar** à 900 m au-dessus du niveau de la mer; ► **nivel de aire** (*TEC*) niveau à bulle (d'air); ► **nivel del aceite** niveau d'huile; ► **nivel de vida** niveau de vie.

nivelado, -a [niße'laðo, a] *adj* nivelé(e); (*balanza*) équilibré(e).

nivelar [niße'lar] *vt* niveler; (*ingresos, categorías*) égaliser; (*balanza de pagos*) équilibrer.

nixtamal [niksta'mal] (*CAM, MÉX*) *nm* maïs *msg* bouilli.

Niza ['niθa] *n* Nice.

n/l. *abr* (*COM = nuestra letra*) notre lettre.

NNE *abr* (= *nornordeste*) N.-N.-E. (= *nord-nord-est*).

NNO *abr* (= *nornoroeste*) N.-N.-O. (= *nord-nord-ouest*).

NN. UU. *abr* (= *Naciones Unidas*) NU (= *Nations unies*).

NO *abr* (= *noroeste*) N.-O. (= *nord-ouest*).

─────────────── *PALABRA CLAVE*

no [no] *adv* **1**: ¡no! (*en respuesta*) non!; **ahora no** pas maintenant; **no mucho** pas tellement, pas beaucoup; ¡cómo no! bien sûr!; ¡que no! non!

2 (*con verbo*) ne ... pas; **no viene** il ne vient pas; **no es el mío** ce n'est pas le mien; **creo que no** je crois que non; **decir que no** dire non; **no quiero nada** je ne veux rien; **no es que no quiera** ce n'est pas que je ne veuille pas; **no dormir** ne pas dormir; **"No Fumara"** "Défense de fumer"

3 (*no + sustantivo*): **pacto de no agresión** pacte *m* de non-agression; **los países no alineados** les pays non-alignés; **la no intervención** la non-intervention; **el no va más** le nec plus ultra

4 (*en comparación*): **mejor ir ahora que no luego** mieux vaut partir maintenant.

5: **no sea que haga frío** au cas où il ferait froid

6: **no bien hubo terminado se marchó** à peine eut-il terminé qu'il s'en alla

7: **¡a que no lo sabes!** je parie que tu ne le sais pas!

♦ *nm*: **un no rotundo** un non catégorique.

N.º, nº *abr* (= *número*) nº (= *numéro*).

n/o *abr* (*COM = nuestra orden*) notre ordre.

noble ['noßle] *adj, nmlf* noble *mlf*.

nobleza [no'ßleθa] *nf* noblesse *f*; **la** ~ la noblesse.

noche ['notʃe] *nf* nuit *f*; (*la tarde*) soir *m*; **de** ~, **por la** ~ le soir; **se hace/es de** ~ la nuit tombe; **ayer por la** ~ hier soir; **esta** ~ (*hoy*) ce soir; (*ayer*) la nuit dernière; **de la** ~ **a la mañana** du jour au lendemain; **hacer** ~ **en un sitio** passer la nuit quelque part; ¡buenas ~s! (*saludo*) bonsoir!; (*despedida*) bonsoir!, bonne nuit!; ► **noche cerrada** nuit noire; ► **noche de bodas** nuit de noces

Nochebuena [notʃe'ßwena] *nf* nuit *f* de Noël.

nochero [no'tʃero] *nm* (*CSUR*) veilleur *m* de nuit; (*COL*) table *f* de nuit.

Nochevieja [notʃe'βjexa] *nf* nuit *f* de la Saint Sylvestre.

noción [no'θjon] *nf* notion *f*; **nociones** *nfpl* (*rudimentos*) notions *fpl*.

nocivo, -a [no'θiβo, a] *adj* nocif(-ive).

noctámbulo, -a [nok'tambulo, a] *adj, nm/f* noctambule *m/f*.

nocturno, -a [nok'turno, a] *adj* nocturne; (*club*) de nuit; (*clases*) du soir ♦ *nm* (*MÚS*) nocturne *m*.

nodriza [no'ðriθa] *nf* nourrice *f*; **buque/nave** ~ bateau *m*/navire *m* de ravitaillement.

Noé [no'e] *nm* Noé *m*.

nogal [no'ɣal] *nm* noyer *m*.

nómada ['nomaða] *adj, nm/f* nomade *m/f*.

nomás [no'mas] (*AM*) *adv* seulement; (*tan sólo*) juste ♦ *conj* à peine; **así** ~ (*fam*) comme ça; **ayer** ~ pas plus tard qu'hier; ~ **se fue se acordó** à peine était-il parti qu'il s'en est souvenu.

nombramiento [nombra'mjento] *nm* nomination *f*.

nombrar [nom'brar] *vt* nommer; ~ **a algn gobernador** nommer qn gouverneur; ~ **a algn heredero** faire de qn son héritier.

nombre ['nombre] *nm* nom *m*; (*tb:* ~ **completo**) nom (et prénoms); **abogado de** ~ avocat *m* de renom; ~ **y apellidos** nom et prénoms; (*estar/poner algo*) **a** ~ **de** (être/mettre qch) au nom de; **en** ~ **de** au nom de; **sin** ~ sans nom; **su conducta no tiene** ~ sa conduite dépasse les bornes; ▶ **nombre común** nom commun; ▶ **nombre de fichero** (*INFORM*) nom de fichier; ▶ **nombre de pila** prénom *m*; ▶ **nombre de soltera** nom de jeune fille; ▶ **nombre propio** nom propre.

nomenclatura [nomenkla'tura] *nf* nomenclature *f*; (*POL*) nomenklatura *f*.

nomeolvides [nomeol'βiðes] *nm inv* myosotis *msg*.

nómina ['nomina] *nf* (*de personal*) liste *f*; (*hoja de sueldo*) feuille *f* de paie; **estar en** ~ faire partie du personnel.

nominal [nomi'nal] *adj* nominal(e).

nominar [nomi'nar] *vt* nommer.

nominativo, -a [nomina'tiβo, a] *adj* (*LING*) nominatif(-ive); **un cheque** ~ **a X** un chèque à l'ordre de X.

non [non] *adj* impair(e) ♦ *nm* nombre *m* impair; **¿pares o** ~**es?** (*juego*) pair ou impair?; **de** ~ (*sin pareja*) dépareillé(e); (*persona*) tout(e) seul(e).

nonagésimo, -a [nona'xesimo, a] *adj, nm/f* quatre-vingt-dixième *m/f*.

nono, -a ['nono, a] *adj* neuvième.

nopal [no'pal] *nm* nopal *m*.

nordeste [nor'ðeste] *adj* nord-est ♦ *nm* nord-est *m*; (*viento*) nordet *m*.

nórdico, -a ['norðiko, a] *adj* (*zona*) nord; (*escandinavo*) nordique ♦ *nm/f* Nordique *m/f*.

noreste [no'reste] *adj, nm* = **nordeste**.

noria ['norja] *nf* (*AGR*) noria *f*; (*de feria*) grande roue *f*.

norma ['norma] *nf* norme *f*; **por** ~ **general** en règle générale; **las** ~**s establecidas** les normes établies.

normal [nor'mal] *adj* normal(e); **¡es** ~ **que ...!** c'est normal que ...!; **Escuela N**~ ≈ École *f* normale; **gasolina** ~ essence *f* ordinaire.

normalice *etc* [norma'liθe] *vb* V **normalizar**.

normalidad [normali'ðað] *nf* normalité *f*; **restablecer la** ~ rétablir l'ordre.

normalista [norma'lista] *adj, nm/f* normalien(ne).

normalizar [normali'θar] *vt* normaliser; (*gastos*) régulariser; **normalizarse** *vpr* se normaliser.

normalmente [nor'malmente] *adv* normalement.

Normandía [norman'dia] *nf* Normandie *f*.

normando, -a [nor'mando, a] *adj* normand(e) ♦ *nm/f* Normand(e).

normativa [norma'tiβa] *nf* réglementation *f*.

normativo, -a [norma'tiβo, a] *adj*: **es** ~ **en todos los coches nuevos** c'est obligatoire pour toutes les voitures neuves.

noroeste [noro'este] *adj* nord-ouest ♦ *nm* nord-ouest *m*; (*viento*) noroît *m*.

norte ['norte] *adj* nord ♦ *nm* nord *m*; (*tb:* **viento (del)** ~) vent *m* du nord; (*fig*) objectif *m*; **país/gentes del** ~ pays *msg*/peuples *mpl* du Nord; **al** ~ **de** au nord de.

norteafricano, -a [norteafri'kano, a] *adj* nord-africain(e) ♦ *nm/f* Nord-africain(e).

Norteamérica [nortea'merika] *nf* Amérique *f* du Nord.

norteamericano, -a [norteameri'kano, a] *adj* américain(e) ♦ *nm/f* Américain(e).

norteño, -a [nor'teɲo, a] *adj* du nord ♦ *nm/f* natif(-ive) *o* habitant(e) du nord.

nortino, -a [nor'tino, a] (*AND, CSUR*) *adj, nm/f* = **norteño**.

Noruega [no'rweɣa] *nf* Norvège *f*.

noruego, -a [no'rweɣo, a] *adj* norvégien(ne) ♦ *nm/f* Norvégien(ne) ♦ *nm* (*LING*) norvégien *m*.

nos [nos] *pron* nous; ~ **levantamos a las 7** nous nous levons à 7 heures.

nosocomio [noso'komjo] (*esp AM*) *nm* hôpital *m*.

nosotros, -as [no'sotros, as] *pron* nous; ~ **(mismos)** nous(-mêmes).

nostalgia [nos'talxja] *nf* nostalgie *f*.
nostálgico, -a [nos'talxiko, a] *adj* nostalgique.
nota ['nota] *nf* note *f*; ~**s** *nfpl* (*apuntes*) notes *fpl*; (*ESCOL*) résultats *mpl*; **tomar (buena)** ~ **de algo** prendre (bonne) note de qch; **de mala** ~ **mal famé(e)**; **dar la** ~ (*fam*) se faire remarquer; **la** ~ **dominante** la note dominante; **tomar** ~**s** prendre des notes; ▶ **nota a pie de página** note de bas de page; ▶ **notas de sociedad** chronique *fsg* mondaine.
notable [no'taβle] *adj* notable; (*persona*) remarquable ♦ *nm* (*ESCOL*) mention située entre bien et très bien; ~**s** *nmpl* notables *mpl*.
notar [no'tar] *vt* (*darse cuenta de*) remarquer; (*percibir*) noter; (*frío, calor*) sentir; **notarse** *vpr* (*efectos, cambio*) se faire sentir; (*mancha*) se voir; **se nota que** ... on voit que ...; **te noto cambiado** je te trouve changé; **me noto cansado** je me sens fatigué; **hacerse** ~ se faire remarquer.
notaría [nota'ria] *nf* (*profesión*) notariat *m*; (*despacho*) étude *f*.
notarial [nota'rjal] *adj* notarial(e); **acta** ~ acte *m* notarié.
notario [no'tarjo] *nm* notaire *m*.
noticia [no'tiθja] *nf* nouvelle *f*; (*TV, RADIO*) information *f*; **las** ~**s** (*TV*) les informations; **según nuestras** ~**s** d'après nos informations; **tener** ~ **de algn** avoir des nouvelles de qn; ▶ **noticia(s) de última hora** nouvelle(s) de dernière minute.
noticiario [noti'θjarjo] *nm* actualités *fpl*.
noticiero [noti'θjero] *nm* journal *m*; (*AM*) point *m* sur l'actualité.
notificación [notifika'θjon] *nf* notification *f*.
notificar [notifi'kar] *vt* notifier.
notifique *etc* [noti'fike] *vb* V **notificar**.
notoriedad [notorje'ðað] *nf* notoriété *f*.
notorio, -a [no'torjo, a] *adj* notoire.
nov. *abr* = **noviembre**.
novatada [noβa'taða] *nf* bizutage *m*, brimade *f*; **pagar la** ~ faire les frais de son inexpérience.
novato, -a [no'βato, a] *adj, nm/f* nouveau(-velle).
novecientos, -as [noβe'θjentos, as] *adj* neuf cents; *V tb* **seiscientos**.
novedad [noβe'ðað] *nf* nouveauté *f*; (*noticia*) nouvelle *f*; ~**es** *nfpl* (*noticia*) nouvelles *fpl*; (*COM*) nouveautés *fpl*; **sin** ~ rien de neuf.
novedoso, -a [noβe'ðoso, a] *adj* novateur(-trice).
novel [no'βel] *adj* débutant(e).
novela [no'βela] *nf* roman *m*; ▶ **novela policíaca** roman policier.

novelero, -a [noβe'lero, a] (*pey*) *adj*: **ser muy** ~ (*aficionado a novelas*) être un grand lecteur de romans; (*aficionado a novedades*) aimer la nouveauté.
novelesco, -a [noβe'lesko, a] *adj* romanesque.
novelista [noβe'lista] *nm/f* romancier(-ière).
novelística [noβe'listika] *nf*: **la** ~ le genre romanesque.
noveno, -a [no'βeno, a] *adj, nm/f* neuvième *m/f*; *V tb* **sexto**.
noventa [no'βenta] *adj inv, nm inv* quatre-vingt-dix *m inv*; *V tb* **sesenta**.
novia [no'βja] *nf* V **novio**.
noviar [no'βjar] (*CSUR*) *vi*: ~ **con** (*cortejar*) fréquenter.
noviazgo [no'βjaθɣo] *nm* fiançailles *fpl*.
novicio, -a [no'βiθjo, a] *adj* (*REL*) novice; (*novato*) nouveau(-velle) ♦ *nm/f* (*REL*) novice *m/f*.
noviembre [no'βjembre] *nm* novembre *m*; *V tb* **julio**.
novilla [no'βiʎa] *nf* génisse *f*.
novillada [noβi'ʎaða] *nf* course de jeunes taureaux.
novillero [noβi'ʎero] *nm* torero combattant de jeunes taureaux.
novillo [no'βiʎo] *nm* jeune taureau *m*; **hacer** ~**s** (*fam*) faire l'école buissonnière.
novio, -a ['noβjo, a] *nm/f* (*amigo íntimo*) petit(e) ami(e); (*prometido*) fiancé(e); (*en boda*) marié(e); **los** ~**s** les fiancés *mpl*; (*en boda*) les mariés *mpl*.
novísimo, -a [no'βisimo, a] *adj superl de* **nuevo, a**.
N. S. *abr* (= *Nuestro Señor*) N.S. (= *Notre Seigneur*).
ns/nc *abr* (= *no sabe(n)/no contesta(n)*) sans opinion, NSP (= *ne sais pas*).
ntra. *abr* (= *nuestra*) *V* **nuestro**.
Ntra. Sra. *abr* (= *Nuestra Señora*) ND (= *Notre-Dame*).
ntro. *abr* = **nuestro**.
Ntro. Sr. *abr* (= *Nuestro Señor*) NS (= *Notre Seigneur*).
nubarrón [nuβa'rron] *nm* gros nuage *m*.
nube ['nuβe] *nf* nuage *m*; (*de mouches*) nuée *f*; (*MED: ocular*) taie *f*; **una** ~ **de polvo** un nuage de poussière; **los precios están por las** ~**s** les prix sont astronomiques; **estar en las** ~**s** être dans les nuages; **vivir en las** ~**s** ne pas avoir les pieds sur terre; **poner algo/a algn por las** ~**s** porter qch/qn aux nues.
nublado, -a [nu'βlaðo, a] *adj* nuageux(-euse); (*día*) gris(e) ♦ *nm* nuages *mpl* lourds.
nublar [nu'βlar] *vt* (*cielo*) assombrir; (*vista*) voiler; (*alegría*) gâcher; (*entendimiento*)

obscurcir; **nublarse** *vpr* se couvrir; (*vista*) se voiler.

nuca ['nuka] *nf* nuque *f*.

nuclear [nukle'ar] *adj* nucléaire.

nuclearizado, -a [nukleari'θaðo, a] *adj*: **países ~s** puissances *fpl* nucléaires.

núcleo ['nukleo] *nm* noyau *m*; ► **núcleo de población** agglomération *f*; ► **núcleos de resistencia** noyaux *mpl* de résistance; ► **núcleo urbano** centre *m* urbain.

nudillo [nu'ðiʎo] *nm* jointure *f*.

nudista [nu'dista] *adj, nm/f* nudiste *m/f*.

nudo ['nuðo] *nm* nœud *m*; **se le hizo un ~ en la garganta** il avait la gorge nouée; ► **nudo corredizo** nœud coulant; ► **nudo de carreteras** nœud routier; ► **nudo de comunicaciones** nœud de communications.

nudoso, -a [nu'ðoso, a] *adj* noueux(-euse).

nueces ['nweθes] *nfpl de* **nuez**.

nuera ['nwera] *nf* belle-fille *f*.

nuestro, -a ['nwestro, a] *adj* à nous ♦ *pron* notre; **~ padre** notre père; **un amigo ~** un de nos amis; **es el ~** c'est le nôtre; **los ~s** les nôtres; (*DEPORTE*) notre équipe.

nueva ['nweβa] *nf* nouvelle *f*; **hacerse de ~s** feindre l'étonnement; *V tb* **nuevo**.

nuevamente ['nweβamente] *adv* à nouveau.

Nueva York [-'jork] *n* New York.

Nueva Zelanda [-θe'landa] *nf* Nouvelle-Zélande *f*.

Nueva Zelandia [-θe'landja] (*AM*) *nf* = **Nueva Zelanda**.

nueve ['nweβe] *adj inv, nm inv* neuf *m inv*; *V tb* **seis**.

nuevo, -a ['nweβo, a] *adj* nouveau(-velle); (*no usado*) neuf(neuve) ♦ *nm/f* nouveau(-velle); **ese abrigo está ~** ce manteau est neuf; **¿qué hay de ~?** (*fam*) quoi de neuf?; **soy ~ aquí** je suis nouveau ici; **de ~** de nouveau.

Nuevo Méjico *nm* Nouveau-Mexique *m*.

nuez [nweθ] (*pl* **nueces**) *nf* noix *fsg*; ► **nuez (de Adán)** pomme *f* d'Adam; ► **nuez moscada** noix muscade.

nulidad [nuli'ðað] *nf* nullité *f*; **es una ~** (*pey*) il est nul.

nulo, -a ['nulo, a] *adj* nul(le); **soy ~ para la música** je suis nul(le) en musique.

núm. *abr* (= *número*) n° (= *numéro*).

numeración [numera'θjon] *nf* (*de calle, páginas*) numérotation *f*; (*sistema*) chiffres *mpl*; ► **numeración arábiga/romana** chiffres arabes/romains; ► **numeración de línea** (*INFORM*) numérotation des lignes.

numerador [numera'ðor] *nm* numérateur *m*.

numeral [nume'ral] *adj* (*LING*) numéral(e) ♦ *nm* numéral *m*.

numerar [nume'rar] *vt* numéroter; **numerarse** *vpr* se numéroter.

numerario, -a [nume'rarjo, a] *adj* titulaire; **profesor no ~** professeur *m* non titulaire.

numérico, -a [nu'meriko, a] *adj* numérique.

número ['numero] *nm* nombre *m*; (*de zapato*) pointure *f*; (*TEATRO, de publicación, de lotería*) numéro *m*; **sin ~** sans nombre; **en ~s redondos** en chiffres ronds; **hacer o montar un ~** (*fam*) faire un numéro; **hacer ~s** faire les comptes; **ser el ~ uno** être le numéro un; **estar en ~s rojos** être à découvert; ► **número atrasado** vieux numéro; ► **número binario** (*INFORM*) nombre *m* binaire; ► **número de matrícula/de teléfono** numéro d'immatriculation/de téléphone; ► **número de serie** numéro de série; ► **número decimal/impar/par** nombre décimal/impair/pair; ► **número personal de identificación** (*INFORM etc*) numéro personnel d'identification; ► **número romano** chiffre romain.

numeroso, -a [nume'roso, a] *adj* nombreux(-euse); **~ familia**.

numerus ['numerus] *nm*: **~ clausus** (*UNIV*) numerus clausus *m*.

nunca ['nunka] *adv* jamais; **~ me escribes** tu ne m'écris jamais; **no estudia ~** il n'étudie jamais; **¿~ lo has pensado?** tu n'y as jamais pensé?; **~ más** jamais plus.

nuncio ['nunθjo] *nm* nonce *m*; ► **nuncio apostólico** nonce apostolique.

nupcial [nup'θjal] *adj* (*banquete*) de noces; (*marcha*) nuptial(e).

nupcias ['nupθjas] *nfpl*: **en segundas ~** en secondes noces.

nutria ['nutrja] *nf* loutre *f*.

nutrición [nutri'θjon] *nf* nutrition *f*.

nutrido, -a [nu'triðo, a] *adj* nourri(e); (*grupo, representación*) dense; **bien/mal ~** bien/mal nourri(e); **~ de** truffé(e) de.

nutrir [nu'trir] *vt* nourrir; **nutrirse** *vpr*: **~se de se nourrir de**.

nutritivo, -a [nutri'tiβo, a] *adj* nutritif(-ive).

nylon [ni'lon] *nm* nylon *m*.

Ñ, ñ

Ñ, ñ ['eɲe] *nf* (*letra*) Ñ, ñ, cette lettre n'existe pas en français; elle a le son du n mouillé français.
ñame ['ɲame] *nm* (*BOT*) igname *f.*
ñandú [ɲan'du] (*pl* ~**es**) *nm* (*ZOOL*) nandou *m.*
ñandutí [ɲandu'ti] (*CSUR*) *nm* (*encaje*) dentelle *f.*
ñapa ['ɲapa] *nf* = **yapa**.
ñato, -a ['ɲato, a] (*CSUR*) *adj* (*de nariz chato*) camus(e).
ñoñería [ɲoɲe'ria] *nf* (*de persona sosa*) fadeur *f*; (*de persona melindrosa*) pudibonderie *f*; (*una ñoñería*) niaiserie *f.*
ñoñez [ɲo'ɲeθ] *nf* = **ñoñería**.
ñoño, -a ['ɲoɲo, a] *adj* (*soso*) fadasse (*fam*); (*melindroso*) pudibond(e).
ñoquis ['ɲokis] *nmpl* (*CULIN*) gnocchi *m.*
ñudo ['ɲuðo] (*CSUR: fam*): **al ~** *adv* en vain.

O, o

O, o [o] *nf* (*letra*) O, o *m inv*; ~ **de Oviedo** ≈ O comme Oscar.
O *abr* (= *oeste*) O (= *ouest*).
o [o] *conj* ou; ~ ... ~ ... soit ... soit ...; ~ **sea** c'est-à-dire.
o/ *nm* (= *orden*) commande *f.*
OACI *sigla f* (= *Organización de la Aviación Civil Internacional*) OACI *f* (= *Organisation de l'aviation civile internationale*).
oasis [o'asis] *nm inv* oasis *msg o fsg.*
obcecación [oβθeka'θjon] *nf* (*mental*) aveuglement *m.*
obcecado, -a [oβθe'kaðo, a] *adj*: **estar ~** être aveugle.
obcecarse [oβθe'karse] *vpr* être aveuglé(e); ~ **en hacer** s'obstiner à faire.

obceque *etc* [oβ'θeke] *vb* V **obcecarse.**
obedecer [oβeðe'θer] *vt* obéir à ♦ *vi* obéir; ~ **a** (*MED, fig*) succomber à; ~ **al hecho de** provenir du fait que.
obedezca *etc* [oβe'ðeθka] *vb* V **obedecer.**
obediencia [oβe'ðjenθja] *nf* obéissance *f.*
obediente [oβe'ðjente] *adj* obéissant(e).
obelisco [oβe'lisko] *nm* obélisque *m.*
obertura [oβer'tura] *nf* (*MÚS*) ouverture *f.*
obesidad [oβesi'ðað] *nf* obésité *f.*
obeso, -a [o'βeso, a] *adj* obèse.
óbice ['oβiθe] *nm*: **no es ~ para que ...** cela n'empêche pas que ...
obispado [oβis'paðo] *nm* évêché *m.*
obispo [o'βispo] *nm* évêque *m.*
óbito ['oβito] *nm* décès *msg.*
objeción [oβxe'θjon] *nf* objection *f*; **hacer una ~, poner objeciones** faire une objection, soulever des objections; ► **objeción de conciencia** objection de conscience.
objetar [oβxe'tar] *vt*: ~ **que** objecter que ♦ *vi* être objecteur de conscience; ¿**algo que ~?** des objections?
objetivamente [oβxe'tiβamente] *adv* objectivement.
objetivo, -a [oβxe'tiβo, a] *adj* objectif(-ive) ♦ *nm* objectif *m.*
objeto [oβ'xeto] *nm* objet *m*; (*finalidad*) objet, but *m*; **ser ~ de algo** être l'objet de qch; **con ~ de** dans le but de.
objetor [oβxe'tor] *nm* (*tb*: ~ **de conciencia**) objecteur *m* de conscience.
oblea [o'βlea] *nf* (*de harina*) pain *m* azyme; (*INFORM*) tranche *f* (de silicium).
oblicuo, -a [o'βlikwo, a] *adj* oblique.
obligación [oβliɣa'θjon] *nf* (*tb COM*) obligation *f*; **obligaciones** *nfpl* obligations *fpl*; **cumplir con mi** *etc* ~ remplir mon *etc* devoir.
obligado, -a [oβli'ɣaðo, a] *adj* obligé(e); **estar/sentirse/verse ~ a hacer** être/se sentir/se voir obligé de faire.
obligar [oβli'ɣar] *vt* obliger; **obligarse** *vpr*: ~**se a hacer** s'obliger à faire.
obligatorio, -a [oβliɣa'torjo, a] *adj* obligatoire.
obligue *etc* [o'βliɣe] *vb* V **obligar.**
oboe [o'βoe] *nm* hautbois *msg*; (*músico*) hautboïste *m/f.*
Ob.ᵖᵒ *abr* (= *obispo*) év. (= *évêque*).
obra ['oβra] *nf* œuvre *f*; (*libro*) œuvre, ouvrage *m*; (*tb*: ~ **dramática o de teatro**) pièce *f*; ~**s** *nfpl* travaux *mpl*; **ser ~ de algn** être l'œuvre de qn; **por ~ de** à cause de; **estar de o en ~s** être en travaux; ► **obras benéficas/de caridad** œuvres *fpl* de bienfaisance/de charité; ► **obras completas** œuvres complètes; ► **obra de arte** œuvre d'art; ► **obra de consulta**

ouvrage de référence; ▶ **obra maestra** chef-d'œuvre *m*; ▶ **obras públicas** travaux publics.

obrar [o'βrar] *vt*: ~ **milagros** (*fig*) faire des miracles ♦ *vi* agir; **la carta obra en su poder** la lettre est en votre possession.

obr. cit. *abr* (= *obra citada*) op. cit. (= *ouvrage cité*).

obrero, -a [o'βrero, a] *adj* ouvrier(-ère) ♦ *nm/f* ouvrier(-ère); (*del campo*) ouvrier (-ère) (agricole); **clase obrera** classe *f* ouvrière.

obscenidad [oβsθeni'ðað] *nf* obscénité *f*.

obsceno, -a [oβs'θeno, a] *adj* obscène.

obscu... [oβsku] = **oscu...** .

obsequiar [oβse'kjar] *vt*: ~ **a algn con algo** faire cadeau de qch à qn; (*con una atención*) offrir qch à qn.

obsequio [oβ'sekjo] *nm* (*regalo*) présent *m*; (*cortesía*) attention *f*.

obsequioso, -a [oβse'kjoso, a] *adj* attentionné(e).

observación [oβserβa'θjon] *nf* observation *f*; **capacidad de** ~ esprit *m* d'observation.

observador, a [oβserβa'ðor, a] *adj* observateur(-trice) ♦ *nm/f* observateur *m*.

observancia [oβser'βanθja] *nf* observance *f*.

observar [oβser'βar] *vt* observer.

observatorio [oβserβa'torjo] *nm* observatoire *m*; ▶ **observatorio meteorológico** observatoire.

obsesión [oβse'sjon] *nf* obsession *f*.

obsesionar [oβsesjo'nar] *vt* obséder; **obsesionarse** *vpr* être obsédé(e).

obsesivo, -a [oβse'siβo, a] *adj* obsessionnel(le).

obseso, -a [oβ'seso, a] *nm/f* obsédé(e).

obsolescencia [oβsoles'θenθja] *nf*: ~ **incorporada** (*COM*) obsolescence *f* programmée.

obsoleto, -a [oβso'leto, a] *adj* (*máquina*) obsolète; (*ideas*) désuet(te).

obstaculice *etc* [oβstaku'liθe] *vb V* **obstaculizar**.

obstaculizar [oβstakuli'θar] *vt* (*entrada*) barrer; (*obra*) entraver; (*convenio, relaciones*) faire obstacle à.

obstáculo [oβs'takulo] *nm* obstacle *m*.

obstante [oβs'tante] *adv*: **no** ~ cependant.

obstetra [oβs'tetra] *nm/f* obstétricien(ne).

obstetricia [oβste'triθja] *nf* obstétrique *f*.

obstinado, -a [oβsti'naðo, a] *adj* obstiné(e).

obstinarse [oβsti'narse] *vpr* s'obstiner; ~ **en** s'obstiner à.

obstrucción [oβstruk'θjon] *nf V* **obstruir**.

obstruir [oβstru'ir] *vt* obstruer; (*plan, labor, proceso*) faire obstacle à.

obstruyendo *etc* [oβstru'jendo] *vb V* **obs-**

truir.

obtención [oβten'θjon] *nf* obtention *f*.

obtendré *etc* [oβten'dre] *vb V* **obtener**.

obtener [oβte'ner] *vt* obtenir.

obtenga *etc* [oβ'tenga] *vb V* **obtener**.

obturación [oβtura'θjon] *nf* obturation *f*; (*FOTO*): **velocidad de** ~ vitesse *f* d'obturation.

obturador [oβtura'ðor] *nm* obturateur *m*.

obtuso, -a [oβ'tuso, a] *adj* obtus(e).

obtuve *etc* [oβ'tuβe] *vb V* **obtener**.

obús [o'βus] *nm* obus *msg*.

obviar [oβ'βjar] *vt* contourner.

obvio, -a ['oββjo, a] *adj* évident(e).

oca ['oka] *nf* oie *f*; (*tb*: **juego de la** ~) jeu *m* de l'oie.

ocasión [oka'sjon] *nf* occasion *f*; ¡~! (*COM*) offre spéciale; **de** ~ (*libro*) d'occasion; **con** ~ **de** à l'occasion de; **dar** ~ **de** donner l'occasion de; **en (algunas) ocasiones** parfois; **aprovechar la** ~ profiter de l'occasion.

ocasional [okasjo'nal] *adj* fortuit(e).

ocasionar [okasjo'nar] *vt* occasionner.

ocaso [o'kaso] *nm* (*puesta de sol*) coucher *m* du soleil; (*decadencia*) déclin *m*.

occidental [okθiðen'tal] *adj* occidental(e) ♦ *nm/f* Occidental(e).

occidente [okθi'ðente] *nm* occident *m*; **el O~** l'Occident *m*.

occiso, -a [ok'θiso, a] *nm/f*: **el** ~ la victime.

O.C.D.E. *sigla f* (= *Organización para la Cooperación y el Desarrollo Económico*) OCDE *f* (= *Organisation de coopération et de développement économique*).

océano [o'θeano] *nm* océan *m*; **el** ~ **Atlántico** l'océan *m* Atlantique.

ocelote [oθe'lote] *nm* ocelot *m*.

ochenta [o'tʃenta] *adj inv*, *nm inv* quatre-vingts *m inv*; *V tb* **sesenta**.

ocho ['otʃo] *adj inv*, *nm inv* huit *m inv*; ~ **días** huit jours *mpl*; *V tb* **seis**.

ochocientos, -as [otʃo'θjentos, as] *adj* huit cents; *V tb* **seiscientos**.

OCI ['oθi] (*VEN, PE*) *sigla f* (= *Oficina Central de Información*) *services secrets*.

ocio ['oθjo] *nm* (*tiempo*) loisir *m*; (*pey*) oisiveté *f*; **"guía del** ~**"** "guide *m* art et spectacles".

ociosidad [oθjosi'ðað] (*pey*) *nf* oisiveté *f*.

ocioso, -a [o'θjoso, a] *adj*: **estar** ~ être oisif(-ive); **ser** ~ être oiseux(-euse).

ocote [o'kote] (*CAM, MÉX*) *nm* pin *m*.

ocre ['okre] *adj*, *nm* (*color, pintura*) ocre *m*.

oct. *abr* = **octubre**.

octanaje [okta'naxe] *nm*: **de alto** ~ à indice d'octane élevé.

octano [ok'tano] *nm* octane *m*.

octava [ok'taβa] *nf* (*MÚS*) octave *f*.

octavilla [okta'βiʎa] *nm* (*esp POL*) tract *m*.

octavo, -a [ok'taβo, a] *adj, nm/f* huitième *m/f*; *V tb* **sexto**.

octeto [ok'teto] *nm* (*INFORM*) octet *m*.

octogenario, -a [oktoxe'narjo, a] *adj, nm/f* octogénaire *m/f*.

octogésimo, -a [okto'xesimo, a] *adj, nm/f* quatre-vingtième *m/f*.

octubre [ok'tuβre] *nm* octobre *m*; *V tb* **julio**.

OCU ['oku] *sigla f* (= *Organización de Consumidores y Usuarios*) association pour la défense des consommateurs.

ocular [oku'lar] *adj* (*inspección*) des yeux; **testigo ~** témoin *m* oculaire.

oculista [oku'lista] *nm/f* oculiste *m/f*.

ocultar [okul'tar] *vt* cacher; **ocultarse** *vpr*: **~se (tras/de)** se cacher (derrière/de).

oculto, -a [o'kulto, a] *adj* (*puerta, persona*) dissimulé(e); (*razón*) caché(e).

ocupación [okupa'θjon] *nf* occupation *f*.

ocupado, -a [oku'paðo, a] *adj* occupé(e); **¿está ocupada la silla?** la place est prise?

ocupar [oku'par] *vt* occuper; **ocuparse** *vpr*: **~se de** s'occuper de; **~se de lo suyo** s'occuper de ses affaires.

ocurrencia [oku'rrenθja] *nf* (*idea*) idée *f*; (: *graciosa*) trait *m* d'esprit; **¡qué ~!** (*pey*) quelle drôle d'idée!

ocurrente [oku'rrente] *adj* amusant(e).

ocurrir [oku'rrir] *vi* (*suceso*) se produire, se passer; **ocurrirse** *vpr*: **se me ha ocurrido que ...** il m'est venu à l'esprit que ...; **¿qué te ocurre?** qu'est-ce que tu as?; **¿qué ocurre?** qu'est-ce qui se passe?; **lo que ocurre es que ...** ce qui se passe, c'est que ...; **¡ni se te ocurra!** pas question!; **¡qué cosas se te ocurren!** tu as de ces idées!; **¿se te ocurre algo?** tu as une idée?

oda ['oða] *nf* ode *f*.

ODECA [o'ðeka] *sigla f* (= *Organización de los Estados Centroamericanos*) ODECA *f* (= *Organisation des États d'Amérique centrale*).

odiar [o'ðjar] *vt* (*a algn*) haïr; (*comida, trabajo*) détester.

odio ['oðjo] *nm* haine *f*; **tener ~ a algn** détester qn, haïr qn.

odioso, -a [o'ðjoso, a] *adj* (*persona*) odieux(-euse); (*tiempo*) exécrable; (*trabajo, tema*) insupportable.

odisea [oði'sea] *nf* (*fig*) épopée *f*.

odontología [oðontolo'xia] *nf* odontologie *f*.

odontólogo, -a [oðon'tolovo, a] *nm/f* odontologiste *m/f*.

odre ['oðre] *nm* outre *f*.

O.E.A. *sigla f* (= *Organización de Estados Americanos*) OEA *f* (= *Organisation des États américains*).

OECE *sigla f* (= *Organización Europea de Cooperación Económica*) OECE *f* (= *Organisation européenne de coopération économique*).

OELA [o'ela] *sigla f* = *Organización de Estados Latinoamericanos*.

oeste [o'este] *nm* ouest *m*; **película del ~** western *m*; *V tb* **norte**.

ofender [ofen'der] *vt* offenser; **ofenderse** *vpr* s'offenser; **~ a la vista** blesser la vue; **~ a los oídos** écorcher les oreilles; **sentirse ofendido** se froisser.

ofensa [o'fensa] *nf* offense *f*; (*JUR*) délit *m*.

ofensiva [ofen'siβa] *nf* offensive *f*.

ofensivo, -a [ofen'siβo, a] *adj* (*palabra etc*) offensant(e); (*MIL*) offensif(-ive).

oferta [o'ferta] *nf* offre *f*; (*COM: de bajo precio*) promotion *f*; **la ~ y la demanda** l'offre et la demande; **artículos de o en ~** articles *mpl* en promotion; ▶ **ofertas de trabajo** offres *fpl* d'emploi; ▶ **oferta monetaria** offre monétaire; ▶ **oferta pública de compra** (*COM*) offre publique d'achat.

offset ['ofset] *nm*: **sistema/prensa ~** système *m*/presse *f* offset.

oficial [ofi'θjal] *adj* officiel(le) ♦ *nm/f* (*MIL*) officier *m*; (*en un trabajo*) ouvrier(-ère) qualifié(e).

oficialista [ofiθja'lista] (*AM*) *adj* officiel(le); **el candidato ~** le candidat officiel.

oficialmente [ofi'θjalmente] *adv* officiellement.

oficiar [ofi'θjar] *vt*: **~ la misa** officier ♦ *vi* (*REL*) officier; **~ de** faire office de.

oficina [ofi'θina] *nf* bureau *m*; ▶ **oficina de empleo** agence *f* pour l'emploi; ▶ **oficina de información** bureau d'information; ▶ **oficina de objetos perdidos** bureau des objets trouvés; ▶ **oficina de turismo** office *m* du tourisme.

oficinista [ofiθi'nista] *nm/f* employé(e) de bureau.

oficio [o'fiθjo] *nm* travail *m*; (*REL*) office *m*; (*función*) fonction *f*; (*comunicado*) communiqué *m*; **ser del ~** être du métier; **sin ~ ni beneficio** sans profession; **buenos ~s (de algn)** bons offices (de qn); ▶ **oficio de difuntos** office des morts.

oficioso, -a [ofi'θjoso, a] *adj* officieux(-euse).

ofimática [ofi'matika] *nf* bureautique *f*.

ofrecer [ofre'θer] *vt* offrir; (*fiesta*) donner; **ofrecerse** *vpr*: **~se a o para hacer algo** s'offrir pour faire qch; **~ la posibilidad de** donner la possibilité de; **¿qué se le ofrece?, ¿se le ofrece algo?** puis-je vous aider?; **~se de** s'offrir comme.

ofrecimiento [ofreθi'mjento] *nm* offre *f*.

ofrenda [o'frenda] *nf* offrande *f*.

ofrendar [ofren'dar] *vt* faire l'offrande de.

ofrezca *etc* [o'freθka] *vb* V **ofrecer**.

oftalmología [oftalmolo'xia] *nf* ophtalmologie *f*.

oftalmólogo, -a [oftal'moloɤo, a] *nm/f* ophtalmologue *m/f*.

ofuscación [ofuska'θjon] *nf* aveuglement *m*.

ofuscamiento [ofuska'mjento] *nm* aveuglement *m*.

ofuscar [ofus'kar] *vt* aveugler; **ofuscarse** *vpr* se troubler; **estar ofuscado por** *o* **con algo** être aveuglé par qch.

ofusque *etc* [o'fuske] *vb* V **ofuscar**.

ogro ['oɤro] *nm* ogre *m*; (*pey*) monstre *m*.

OIC *sigla f* (*COM* = *Organización Internacional del Comercio*) ITO *f* (= *organisation du commerce international*); = *Organización Interamericana del Café*.

oída [o'iða] *nf*: **de ~s** par ouï-dire.

oído [o'iðo] *nm* (*ANAT*) oreille *f*; (*sentido*) ouïe *f*; **al ~** à l'oreille; **de ~** d'oreille; **tener ~** avoir de l'oreille; **tener buen ~** avoir une bonne oreille; **ser todo ~s** être tout ouïe; **ser duro de ~** être dur d'oreille; **no doy crédito a mis ~s** je n'en crois pas mes oreilles; **hacer ~s sordos a** faire la sourde oreille à; ▶ **oído interno** oreille interne.

OIEA *sigla m* (= *Organismo Internacional de Energía Atómica*) AIEA *f* (= *Agence internationale de l'énergie atomique*).

oiga *etc* ['oiɤa] *vb* V **oír**.

oír [o'ir] *vt* entendre; (*atender a, esp AM*) écouter ♦ *vi* entendre; **¡oye!, ¡oiga!** écoute!, écoutez!; **¿oiga?** (*TELEC*) allo?; **~ misa** entendre la messe; **¡lo que hay que ~!** ce qu'il ne faut pas entendre!; **como quien oye llover** autant parler à un mur; **~ hablar de algn/algo** entendre parler de qn/qch.

OIR [o'ir] *sigla f* (= *Organización Internacional para los Refugiados*) OIR *f* (= *Organisation internationale des réfugiés*); (= *Organización Internacional de Radiodifusión*) OIR *f* (= *Organisation internationale de radiodiffusion*).

O.I.T. *sigla f* (= *Organización Internacional del Trabajo*) OIT *f* (= *Organisation internationale du travail*).

ojal [o'xal] *nm* boutonnière *f*.

ojalá [oxa'la] *excl* si seulement!, espérons! ♦ *conj* (*tb*: **~ que**) si seulement, espérons que; **~ (que) venga hoy** espérons qu'il viendra aujourd'hui; **¡~ pudiera!** si seulement il pouvait!

ojeada [oxe'aða] *nf* coup *m* d'œil; **echar una ~ a** jeter un coup d'œil à.

ojera [o'xera] *nf* cerne *m*; **tener ~s** avoir les yeux cernés.

ojeriza [oxe'riθa] *nf*: **tener ~ a** prendre en grippe.

ojeroso, -a [oxe'roso, a] *adj* (*cara, aspecto*) fatigué(e); (*ojos*) cerné(e).

ojete [o'xete] *nm* œillet *m*.

ojo ['oxo] *nm* œil *m*; (*de puente*) arche *f*; (*de cerradura*) trou *m*; (*de aguja*) chas *msg* ♦ *excl* attention!; **tener ~ para** avoir l'œil pour; **~s saltones** yeux *mpl* globuleux; **ir/andar con ~** faire attention; **no pegar ~** ne pas fermer l'œil; **~ por ~** œil pour œil; **tener ~ clínico** avoir l'œil infaillible; **tener echado el ~ a algo/algn** avoir l'œil sur qch/qn; **en un abrir y cerrar de ~s** en un clin d'œil; **mirar** *o* **ver con buenos/malos ~s** voir d'un bon/mauvais œil; **a ~s vistas** à vue d'œil; **¡dichosos los ~s (que te ven)!** quelle bonne surprise!; **a ~ (de buen cubero)** à vue de nez; **ten mucho ~ con ése** fais bien attention avec ce type-là; **ser el ~ derecho de algn** (*fig*) être le chouchou de qn; ▶ **ojo de buey** œil-de-bœuf *m*.

ojota [o'xote] (*AND, CSUR*) *nf* sandale *f*.

OL *abr* (= *onda larga*) GO (= *grandes ondes*).

ola ['ola] *nf* vague *f*; **~ de calor/frío** vague *f* de chaleur/froid; **la nueva ~** la nouvelle vague.

OLADE [o'laðe] *sigla f* = *Organización Latinoamericana de Energía*.

olé [o'le] *excl* olé!

oleada [ole'aða] *nf* (*tb fig*) vague *f*.

oleaje [ole'axe] *nm* vagues *fpl*.

óleo ['oleo] *nm*: **un ~** une peinture à l'huile; **al ~** à l'huile.

oleoducto [oleo'ðukto] *nm* oléoduc *m*.

oler [o'ler] *vt* (*tb sospechar*) sentir; (*curiosear*) mettre le nez (dans) ♦ *vi* (*despedir olor*) sentir; **huele a tabaco** ça sent le tabac; **huele a corrupción** ça sent la corruption; **huele mal** ça sent mauvais; (*fig*) ça sent le brûlé; **huele que apesta** ça pue.

olfatear [olfate'ar] *vt* renifler; (*con el hocico*) flairer; (*sospechar*) flairer; (*curiosear*) mettre le nez (dans).

olfato [ol'fato] *nm* odorat *m*; **tener (buen) ~ para algo** avoir du flair pour qch.

oligarquía [oliɤar'kia] *nf* oligarchie *f*.

oligofrénico, -a [oliɤo'freniko, a] *adj* oligophrène.

olimpiada [olim'pjaða] *nf* olympiade *f*; **~s** *nfpl* jeux *mpl* olympiques.

olímpicamente [o'limpikamente] *adv* souverainement.

olímpico, -a [o'limpiko, a] *adj* (*deporte*) olympique; (*gesto*) magnifique.

olisquear [oliske'ar] *vt* (*suj: perro*) renifler; (*curiosear*) farfouiller.

oliva [o'liβa] *nf* olive *f*; **aceite de ~** huile *f* d'olive.

olivar [oli'ßar] *nm* oliveraie *f*.

olivo [o'lißo] *nm* olivier *m*.

olla ['oλa] *nf* marmite *f*; (*comida*) ragoût *m*; ~ **a presión** cocotte-minute *f*.

olmo ['olmo] *nm* orme *m*.

olor [o'lor] *nm* odeur *f*; **mal** ~ mauvaise odeur; ~ **a** odeur de.

oloroso, -a [olo'roso, a] *adj* odorant(e).

olote [o'lote] (*CAM, MÉX*) *nm* (*AGR*) épi *m*.

OLP *sigla f* (= *Organización para la Liberación de Palestina*) OLP *f* (= *Organisation de libération de la Palestine*).

olvidadizo, -a [olßiða'ðiθo, a] *adj* tête en-l'air *inv*.

olvidar [olßi'ðar] *vt* oublier; **olvidarse** *vpr*: ~**se (de)** oublier (de); ~ **hacer algo** oublier de faire qch; **se me olvidó (hacerlo)** j'ai oublié (de le faire); **¡se me olvidaba!** j'allais l'oublier!

olvido [ol'ßiðo] *nm* oubli *m*; **por** ~ par inadvertance; **echar algo en el** ~ tirer un trait sur qch; **caer en el** ~ tomber dans l'oubli.

O.M. *abr* = *Orden Ministerial*; (= *onda media*) OM *fpl* (= *ondes moyennes*); (= *Oriente Medio*) V **oriente**.

ombligo [om'blixo] *nm* nombril *m*.

ombú [om'bu] (*ARG*) *nm* arbre de la pampa.

OMI *sigla f* (= *Organización Marítima Internacional*) OMI *f* (= *Organisation maritime internationale*).

omisión [omi'sjon] *nf* omission *f*.

omiso, -a [o'miso, a] *adj*: **hacer caso** ~ **de** passer outre à.

omitir [omi'tir] *vt* omettre.

ómnibus ['omnißus] (*AM*) *nm inv* autobus *msg*.

omnipotente [omnipo'tente] *adj* omnipotent(e).

omnipresente [omnipre'sente] *adj* omni-présent(e).

omnívoro, -a [om'nißoro, a] *adj* omnivore.

omoplato [omo'plato] *nm* omoplate *f*.

OMS ['oms] *sigla f* (= *Organización Mundial de la Salud*) OMS *f* (= *Organisation mondiale de la santé*).

ONCE ['onθe] *sigla f* (= *Organización Nacional de Ciegos Españoles*) entreprise et organisme d'aide aux aveugles.

once ['onθe] *adj inv, nm inv* onze *m inv* ♦ *nf* (*AM*: *refrigerio, merienda*): **la ~, las ~s** le goûter, le thé; *V tb* **seis**.

onceavo, -a [onθe'aßo, a] *adj, nm* onzième *m*.

onda ['onda] *nf* (*FÍS*) onde *f*; (*del pelo*) ondulation *f*; ► **ondas acústicas/hertzianas** ondes acoustiques/hertziennes; ► **onda corta/larga/media** onde courte/grande/moyenne; ► **la onda**

expansiva l'onde de choc porteuse; ► **onda sonora** onde sonore.

ondear [onde'ar] *vi* onduler.

ondulación [ondula'θjon] *nf* ondulation *f*.

ondulado, -a [ondu'laðo, a] *adj* ondulé(e).

ondulante [ondu'lante] *adj* ondulant(e).

ondular [ondu'lar] *vt, vi* onduler; **ondularse** *vpr* onduler.

oneroso, -a [one'roso, a] *adj* onéreux(-euse).

ONG ['ong] *sigla f* (= *Organización no gubernamental*) ONG *f* (= *organisation non-gouvernementale*).

onomástica [ono'mastika] *nf* onomastique *f*.

ONU ['onu] *sigla f* (= *Organización de las Naciones Unidas*) ONU *f* (= *Organisation des Nations unies*).

onubense [onu'ßense] *adj* de Huelva ♦ *nm/f* natif(-ive) *o* habitant(e) de Huelva.

ONUDI [o'nuði] *sigla f* (= *Organización de las Naciones Unidas para el Desarrollo Industrial*) ONUDI *f* (= *Organisation des Nations unies pour le développement industriel*).

onza ['onθa] *nf* once *f*.

O.P. *abr* (= *Obras Públicas*) TP *mpl* (= *Travaux publics*); (*REL* = *Orden de Predicadores*) OP (= *Ordre des prêcheurs*).

opa ['opa] (*CSUR*) *adj, nm/f* idiot(e).

OPA ['opa] *sigla f* (= *Oferta Pública de Adquisición*) OPA *f* (= *offre publique d'achat*).

opacidad [opaθi'ðað] *nf*: ~ **informativa** opacité *f* de l'information.

opaco, -a [o'pako, a] *adj* opaque.

ópalo ['opalo] *nm* opale *f*.

opción [op'θjon] *nf* (*elección*) choix *m*; (*una opción*) option *f*; (*derecho*): ~ **a** choix entre; **no hay otra** ~ il n'y a pas d'autre solution.

opcional [opθjo'nal] *adj* facultatif(-ive).

O.P.E.P. [o'pep] *sigla f* (= *Organización de Países Exportadores del Petróleo*) OPEP *f* (= *Organisation des pays exportateurs de pétrole*).

ópera ['opera] *nf* opéra *m*; ► **ópera bufa/cómica** opéra bouffe/comique.

operación [opera'θjon] *nf* opération *f*; ~ **a plazo** (*COM*) transaction *f* à terme; **operaciones accesorias** (*INFORM*) gestion *f* des disques; **operaciones a término** (*COM*) marché *m* à terme.

operador, a [opera'ðor, a] *nm/f* (*MED*) chirurgien(ne); (*TELEC*) opérateur(-trice); (*CINE: en proyección*) projectionniste *m/f*; (: *en rodaje*) opérateur(-trice) de prise de vues ♦ *nmpl*: ~**es** (*INFORM*) opérateurs *mpl*.

operante [ope'rante] *adj* opérant(e).

operar [ope'rar] *vt* opérer ♦ *vi* opérer;

(*COM*) faire des transactions; (*MAT*) faire une opération; **operarse** *vpr* (*cambio*) s'opérer; ~ **a algn de algo** opérer qn de qch; **se han operado grandes cambios** il s'est opéré de grands changements; ~**se (de)** être opéré(e) (de).

operario, -a [ope'rarjo, a] *nm/f* (esp *AM*) ouvrier(-ère).

opereta [ope'reta] *nf* opérette *f*.

opinar [opi'nar] *vt* penser ♦ *vi*: ~ **(de o sobre)** donner son avis (sur); ~ **bien/mal de** penser du bien/mal de.

opinión [opi'njon] *nf* opinion *f*, avis *msg*; **cambiar de** ~ changer d'avis; **tener mala/buena** ~ **de algo/algn** avoir mauvaise/bonne opinion de qch/qn; ► **la opinión pública** l'opinion publique.

opio ['opjo] *nm* opium *m*.

opíparo, -a [o'piparo, a] *adj* copieux(-euse).

opondré *etc* [opon'dre] *vb* V **oponer.**

oponente [opo'nente] *nm/f* adversaire *m/f*.

oponer [opo'ner] *vt* opposer; **oponerse** *vpr*: ~**se (a)** s'opposer (à); ~ **A a B** opposer A à B; **¡me opongo!** je m'y oppose!

oponga *etc* [o'ponga] *vb* V **oponer.**

Oporto [o'porto] *n* Porto.

oporto [o'porto] *nm* (*vino*) porto *m*.

oportunidad [oportuni'ðað] *nf* (*ocasión*) occasion *f*; (*posibilidad*) opportunité *f*; ~**es** *nfpl* (*COM*) promotions *fpl*; (*en trabajo, educación*) possibilités *fpl*; **dar a algn otra** ~ redonner une chance à qn.

oportunismo [oportu'nismo] *nm* opportunisme *m*.

oportunista [oportu'nista] *nm/f* opportuniste *m/f*.

oportuno, -a [opor'tuno, a] *adj* opportun(e); (*persona*) judicieux(-euse); **en el momento** ~ au moment opportun; **¡qué** ~**!** (*irónico*) c'est bien le moment!

oposición [oposi'θjon] *nf* opposition *f*; **oposiciones** *nfpl* (*ESP*) concours *msg*; **la** ~ (*POL*) l'opposition; **hacer oposiciones (a),** **presentarse a unas oposiciones (a)** se présenter au concours (de).

opositar [oposi'tar] *vi*: ~ **(a)** se présenter au concours (de).

opositor, a [oposi'tor, a] *nm/f* candidat(e).

opresión [opre'sjon] *nf* oppression *f*.

opresivo, -a [opre'siβo, a] *adj* (*régimen*) oppressif(-ive); (*medidas*) de répression.

opresor, a [opre'sor, a] *nm/f* oppresseur *m*.

oprimido, -a [opri'miðo, a] *adj* opprimé(e); ♦ *nmpl*: **los** ~**s** les opprimés *mpl*.

oprimir [opri'mir] *vt* (*botón*) presser; (*suj: cinturón, ropa*) serrer; (*fig: corazón*) oppresser; (*obrero, campesino*) opprimer.

oprobio [o'proβjo] *nm* opprobre *m*.

optar [op'tar] *vi*: ~ **por** opter pour; ~ **a** aspirer à.

optativo, -a [opta'tiβo, a] *adj* (*asignatura*) facultatif(-ive).

óptica ['optika] *nf* (*tienda*) opticien *m*; (*FÍS, TEC*) optique *f*; V *tb* **óptico.**

óptico, -a ['optiko, a] *adj* optique ♦ *nm/f* opticien(ne).

optimismo [opti'mismo] *nm* optimisme *m*.

optimista [opti'mista] *adj, nm/f* optimiste *m/f*.

óptimo, -a ['optimo, a] *adj* optimal(e).

opuesto, -a [o'pwesto, a] *pp de* **oponer** ♦ *adj* opposé(e).

opulencia [opu'lenθja] *nf* opulence *f*.

opulento, -a [opu'lento, a] *adj* opulent(e).

opuse *etc* [o'puse] *vb* V **oponer.**

oquedad [oke'ðað] *nf* cavité *f*.

ORA ['ora] *sigla f* (= *Operación de Regulación de Aparcamientos*) *programme de réglementation du stationnement à Madrid.*

ora ['ora] *conj*: ~ **aquí,** ~ **allá** de-ci, de-là.

oración [ora'θjon] *nf* (*REL*) prière *f*; (*LING*) énoncé *m*.

oráculo [o'rakulo] *nm* oracle *m*.

orador, a [ora'ðor, a] *nm/f* orateur(-trice).

oral [o'ral] *adj* oral(e); **por vía** ~ par voie orale.

órale ['orale] (*MÉX: fam*) *excl* (*¡venga!*) allez!; (*¡oiga!*) écoutez!

orangután [orangu'tan] *nm* orang-outang *m*.

orar [o'rar] *vi* prier.

oratoria [ora'torja] *nf* éloquence *f*, bagou *m*.

orbe ['orβe] *nm*: **en todo el** ~ dans le monde entier.

órbita ['orβita] *nf* orbite *f*; (*ámbito*) champ *m*.

orden ['orðen] *nm* ordre *m* ♦ *nf* (*mandato, REL*) ordre *m*; **por** ~ par ordre; **por** ~ **alfabético/de** **aparición** par ordre alphabétique/d'apparition; **estar/poner en** ~ être/mettre en ordre; **del** ~ **de** de l'ordre de; **de primer** ~ de premier ordre; **estar a la** ~ **del día** être à l'ordre du jour; **¡a sus órdenes!** à vos ordres!; **dar la** ~ **de hacer algo** donner l'ordre de faire qch; ► **orden bancaria** virement *m* bancaire; ► **orden de comparecencia** assignation *f* à comparaître; ► **orden de compra** (*COM*) ordre d'achat; ► **orden del día** ordre du jour; ► **orden público** ordre public.

ordenación [orðena'θjon] *nf* (*manera de ordenar*) rangement *m*; (*REL*) ordination *f*; (*INFORM: de líneas, por registros*) tri *m*; **cambiar el tipo de** ~ changer le mode de tri.

ordenado, -a [orðe'naðo, a] *adj* ordonné(e).

ordenador [orðena'ðor] *nm* (*INFORM*) ordinateur *m*; ~ **central/de gestión/personal/de sobremesa** ordinateur central/de gestion/personnel/de bureau.

ordenamiento [orðena'mjento] *nm* (*JUR*) ordonnance *f*.

ordenanza [orðe'nanθa] *nf* (*militar, municipal*) ordonnance *f* ♦ *nm* (*en oficinas*) employé *m* de bureau; (*MIL*) ordonnance *f*.

ordenar [orðe'nar] *vt* (*mandar*) ordonner; (*papeles, juguetes*) ranger; (*habitación, ideas*) mettre de l'ordre (dans); (*REL*) ordonner; **ordenarse** *vpr* (*REL*) être ordonné(e).

ordeñadora [orðeɲa'ðora] *nf* trayeuse *f* électrique.

ordeñar [orðe'ɲar] *vt* traire.

ordinariez [orðina'rjeθ] *nf* grossièreté *f*.

ordinario, -a [orði'narjo, a] *adj* ordinaire; (*pey*) grossier(-ère); **de** ~ d'ordinaire.

orear [ore'ar] *vt* aérer; **orearse** *vpr* s'aérer.

orégano [o'reɣano] *nm* origan *m*.

oreja [o'rexa] *nf* oreille *f*; **sonrisa de** ~ **a** ~ sourire *m* jusqu'aux oreilles; **ver las ~s al lobo** sentir le vent tourner.

orejera [ore'xera] *nf* oreillette *f*.

orejón [ore'xon] *nm* (*HIST*) *officier inca*.

orensano, -a [oren'sano, a] *adj* d'Orense ♦ *nm/f* natif(-ive) *o* habitant(e) d'Orense.

orfanato [orfa'nato] *nm* orphelinat *m*.

orfanatorio [orfana'torjo] (*MÉX*) *nm* orphelinat *m*.

orfandad [orfan'dað] *nf fait d'être orphelin*.

orfebre [or'feβre] *nm* orfèvre *m*.

orfebrería [orfeβre'ria] *nf* orfèvrerie *f*.

orfelinato [orfeli'nato] *nm* orphelinat *m*.

orfeón [orfe'on] *nm* (*MÚS*) chorale *f*.

organice *etc* [orɣa'niθe] *vb V* **organizar**.

orgánico, -a [or'ɣaniko, a] *adj* (*tb ley*) organique; (*todo*) organisé(e).

organigrama [orɣani'ɣrama] *nm* organigramme *m*.

organillo [orɣa'niʎo] *nm* orgue *m* de Barbarie.

organismo [orɣa'nismo] *nm* organisme *m*; ~ **internacional** organisation *f* internationale.

organista [orɣa'nista] *nm/f* organiste *m/f*.

organización [orɣaniθa'θjon] *nf* organisation *f*; **buena/mala** ~ bonne/mauvaise organisation; **O~ de las Naciones Unidas** Organisation des Nations unies; **O~ del Tratado del Atlántico Norte** Organisation du traité de l'Atlantique Nord.

organizado, -a [orɣani'θaðo, a] *adj* organisé(e).

organizador, a [orɣaniθa'ðor, a] *adj, nm/f* organisateur(-trice).

organizar [orɣani'θar] *vt* organiser; (*crear*)

fonder; **organizarse** *vpr* s'organiser; (*escándalo*) se produire.

órgano ['orɣano] *nm* organe *m*; (*MÚS*) orgue *m*.

orgasmo [or'ɣasmo] *nm* orgasme *m*.

orgía [or'xia] *nf orgie f*.

orgullo [or'ɣuʎo] *nm* orgueil *m*.

orgulloso, -a [orɣu'ʎoso, a] *adj* orgueilleux(-euse).

orientación [orjenta'θjon] *nf* orientation *f*; ~ **profesional/universitaria** orientation professionnelle/des études; **tener sentido de la** ~ avoir le sens de l'orientation.

oriental [orjen'tal] *adj* oriental(e) ♦ *nm/f* Oriental(e).

orientar [orjen'tar] *vt* orienter; (*esfuerzos*) diriger; **~se** *vpr* s'orienter; **~se (en, sobre)** s'orienter (vers, d'après).

oriente [o'rjente] *nm* orient *m*; **el O~** l'Orient *m*; **O~ Medio/Próximo** Moyen-/Proche-Orient; **Lejano O~** Extrême-Orient.

orificio [ori'fiθjo] *nm* orifice *m*.

origen [o'rixen] *nm* origine *f*; **de** ~ **español** d'origine espagnole; **de** ~ **humilde** d'origine modeste; **dar** ~ **a** donner lieu à; **país/lugar de** ~ pays *msg*/lieu *m* d'origine; **idioma de** ~ langue *f* maternelle.

original [orixi'nal] *adj* original(e); (*relativo al origen*) originel(le) ♦ *nm* original *m*; **el pecado** ~ le péché originel.

originalidad [orixinali'ðað] *nf* originalité *f*.

originar [orixi'nar] *vt* causer, provoquer; **originarse** *vpr:* **~se (en)** trouver son origine (dans).

originario, -a [orixi'narjo, a] *adj* originaire; (*motivo, razón*) premier(-ère); ~ **de** originaire de; **país** ~ pays *msg* d'origine.

orilla [o'riʎa] *nf* bord *m*; **a ~s del mar/río** au bord de la mer/rivière.

orillar [ori'ʎar] *vt* (*camino, río*) border; (*COSTURA*) ourler; (*dificultad*) contourner.

orín [o'rin] *nm* rouille *f*.

orina [o'rina] *nf* urine *f*.

orinal [ori'nal] *nm* pot *m* de chambre.

orinar [ori'nar] *vi* uriner; **orinarse** *vpr* faire pipi.

orines [o'rines] *nmpl* urines *fpl*.

oriundo, -a [o'rjundo, a] *adj:* ~ **de** originaire de.

orla ['orla] *nf* (*adorno*) bord *m*; (*ESCOL*) photo *f* de classe.

ornamental [ornamen'tal] *adj* ornemental(e).

ornamento [orna'mento] *nm* ornement *m*.

ornitología [ornitolo'xia] *nf* ornithologie *f*.

oro ['oro] *nm* or *m*; ~ **de ley** or au titre; **de** ~ en or; **ofrecer/prometer el** ~ **y el moro** promettre monts et merveilles; **no es** ~ **todo lo que reluce** tout ce qui brille n'est pas or; **hacerse de** ~ rouler sur l'or; *V tb* **oros**.

orondo, -a [o'rondo, a] *adj* (*satisfecho*) fat(e); (*gordo*) rond(e).

oropel [oro'pel] *nm* oripeau *m*.

oros ['oros] *nmpl* (*NAIPES*) ≈ l'une des quatre couleurs d'un jeu de cartes espagnol.

orquesta [or'kesta] *nf* orchestre *m*; ~ **de cámara/de jazz** orchestre de chambre/de jazz.

orquestar [orkes'tar] *vt* orchestrer.

orquídea [or'kiðea] *nf* orchidée *f*.

ortiga [or'tiɣa] *nf* ortie *f*.

ortodoncia [orto'ðonθja] *nf* orthodontie *f*.

ortodoxo, -a [orto'ðokso, a] *adj* orthodoxe.

ortografía [ortoɣra'fia] *nf* orthographe *f*.

ortopedia [orto'peðja] *nf* orthopédie *f*.

ortopédico, -a [orto'peðiko, a] *adj* orthopédique.

oruga [o'ruɣa] *nf* chenille *f*.

orujo [o'ruxo] *nm* marc *m* de raisin.

orzuelo [or'θwelo] *nm* orgelet *m*.

os [os] *pron* vous; **vosotros** ~ **laváis** vous vous lavez; **¡callaros!** (*fam*) taisez-vous!

osa ['osa] *nf* ourse *f*; **O~ Mayor/Menor** Grande/Petite Ourse.

osadía [osa'ðia] *nf* audace *f*.

osamenta [osa'menta] *nf* ossements *mpl*.

osar [o'sar] *vi* oser.

oscense [os'θense] *adj* de Huesca ♦ *nm/f* natif(-ive) *o* habitant(e) de Huesca.

oscilación [osθila'θjon] *nf* oscillation *f*; (*de precios, temperaturas*) fluctuation *f*.

oscilar [osθi'lar] *vi* osciller; (*precio, temperatura*) fluctuer; (*titubear*) vaciller.

oscurecer [oskure'θer] *vt* obscurcir ♦ *vi* commencer à faire nuit; **oscurecerse** *vpr* s'obscurcir.

oscurezca *etc* [osku're θka] *vb V* **oscurecer**.

oscuridad [oskuri'ðað] *nf* obscurité *f*; (*cualidad: de color*) foncé *m*.

oscuro, -a [os'kuro, a] *adj* obscur(e); (*color etc*) foncé(e); (*día, cielo*) sombre; (*futuro*) sombre; **a oscuras** dans l'obscurité.

óseo, -a ['oseo, a] *adj* osseux(-euse).

oso ['oso] *nm* ours *msg*; ~ **blanco/pardo** ours blanc/brun; **hacer el** ~ faire le clown; ► **oso de peluche** ours en peluche; ► **oso hormiguero** tamanoir *m*.

ostensible [osten'siβle] *adj* ostensible; **hacer algo** ~ manifester qch ostensiblement.

ostentación [ostenta'θjon] *nf* ostentation *f*; **hacer** ~ **de algo** (*pey*) faire étalage de qch.

ostentar [osten'tar] *vt* arborer; (*cargo, título, récord*) posséder.

ostentoso, -a [osten'toso, a] *adj* ostentatoire.

osteópata [oste'opata] *nm/f* ostéopathe *m/f*.

ostionería [ostjone'ria] (*MÉX*) *nf* marchand *m* d'huîtres.

ostra ['ostra] *nf* huître *f* ♦ *excl*: **¡~s!** (*fam*) mince!

ostracismo [ostra'θismo] *nm* ostracisme *m*.

OTAN ['otan] *sigla f* (= *Organización del Tratado del Atlántico Norte*) OTAN *f* (= *Organisation du traité de l'Atlantique Nord*).

OTASE [o'tase] *sigla f* (= *Organización del Tratado del Sudeste Asiático*) OTASE *f* (= *Organisation du traité de l'Asie du Sud-Est*).

otate [o'tate] (*MÉX*) *nm* jonc *m*.

otear [ote'ar] *vt* scruter.

otero [o'tero] *nm* butte *f*.

otitis [o'titis] *nf* otite *f*.

otoñal [oto'ɲal] *adj* automnal(e); (*amor*) mûr(e).

otoño [o'toɲo] *nm* automne *m*.

otorgar [otor'ɣar] *vt* octroyer, concéder; (*perdón*) accorder; (*poderes*) attribuer; (*premio*) décerner.

otorgue *etc* [o'torɣe] *vb V* **otorgar**.

otorrinolaringólogo, -a [otorrinolarin'goloɣo, a] *nm/f* (*tb*: **otorrino**) otorhino(-laryngologiste) *m/f*.

═══════════════ *PALABRA CLAVE*

otro, -a ['otro, a] *adj* **1** (*distinto: sg*) un(e) autre; (: *pl*) d'autres; **otra persona** autre personne; **con otros amigos** avec d'autres amis

2 (*adicional*): **tráigame otro café (más), por favor** apportez-moi un autre café, s'il vous plaît; **otros 10 días más** encore 10 jours; **otros 3** 3 autres; **otra vez** encore une fois

3 (*un nuevo*): **es otro Mozart** c'est un nouveau Mozart; **¡otra!** (*en concierto*) encore!; **¡a otra cosa!** passons à autre chose!

♦ *pron* **1**: **el otro/la otra** l'autre; **otros/otras** d'autres; **los otros/las otras** les autres; **no cojas esa gabardina, que es de otro** ne prends pas cet imperméable, il est à quelqu'un d'autre; **que lo haga otro** que quelqu'un d'autre le fasse

2 (*recíproco*): **se odian (la) una a (la) otra** elles se détestent l'une l'autre; **unos y otros los uns et les autres**

3: **otro tanto**: **comer otro tanto** manger autant; **recibió una decena de telegramas y otras tantas llamadas** il a reçu une dizaine de télégrammes et autant de coups de téléphone.

OUA *sigla f* (= *Organización para la Unidad Africana*) OUA *f* (= *Organisation de l'unité africaine*).

ovación [oβa'θjon] *nf* ovation *f*.

ovacionar [oβaθjo'nar] *vt* ovationner, faire

une ovation à.

oval [o'βal] *adj* oval(e).

ovalado, -a [oβa'laðo, a] *adj* oval(e).

óvalo ['oβalo] *nm* ovale *m*.

ovario [o'βarjo] *nm* ovaire *m*.

oveja [o'βexa] *nf* brebis *fsg*; ~ **negra** (*de familia*) brebis galeuse.

overol [oβe'rol] (*AM*) *nm* salopette *f*.

ovetense [oβe'tense] *adj* d'Oviedo ♦ *nm/f* natif(-ive) *o* habitant(e) d'Oviedo.

ovillo [o'βiʎo] *nm* pelote *f*; **hacerse un** ~ se pelotonner.

OVNI ['oβni] *sigla m* (= *objeto volante (o volador) no identificado*) OVNI *m* (= *objet volant non identifié*).

ovulación [oβula'θjon] *nf* ovulation *f*.

óvulo ['oβulo] *nm* ovule *m*.

oxidación [oksiða'θjon] *nf* oxydation *f*, rouille *f*.

oxidar [oksi'ðar] *vt* oxyder, rouiller; **oxidarse** *vpr* s'oxyder, se rouiller; (*TEC*) s'oxyder.

óxido ['oksiðo] *nm* oxyde *m*; (*sobre metal*) rouille *f*.

oxigenado, -a [oksixe'naðo, a] *adj* (*agua*) oxygéné(e); (*pelo*) blond(e) oxygéné(e).

oxigenar [oksixe'nar] *vt* oxygéner; **oxigenarse** *vpr* s'oxygéner.

oxígeno [ok'sixeno] *nm* oxygène *m*.

oyendo *etc* [o'jendo] *vb V* **oír**.

oyente [o'jente] *nm/f* auditeur(-trice).

ozono [o'θono] *nm* ozone *m*; **agujero/capa de** ~ trou *m*/couche *f* d'ozone.

P, p

P, p [pe] *nf* (*letra*) P, p *m inv*; ~ **de París** ≈ P comme Pierre.

P *abr* (*REL* = *Padre*) P (= *Père*); = *Papa*; (= *pregunta*) Q. (= *question*).

p. *abr* (*TIP* = *página*) p (= *page*); (*COSTURA*) = **punto**.

p.a. *abr* = *por autorización*; = *por ausencia*.

pabellón [paβe'ʎon] *nm* pavillon *m*; ▶ **pabellón de conveniencia** (*COM*) pavillon de complaisance; ▶ **pabellón de la oreja** pavillon de l'oreille.

pábulo ['paβulo] *nm*: **dar** ~ **a** donner prise à, alimenter.

PAC *sigla f* (= *Política Agraria Común*) PAC *f* (= *Politique agricole commune*).

pacense [pa'θense] *adj* de Badajoz ♦ *nm/f* natif(-ive) *o* habitant(e) de Badajoz.

paceño, -a [pa'θeɲo, a] *adj* de La Paz ♦ *nm/f* natif(-ive) *o* habitant(e) de La Paz.

pacer [pa'θer] *vi* paître.

pachá [pa'tʃa] *nm*: **vivir como un** ~ vivre comme un pacha.

Pachamama [patʃa'mama] (*AND, CSUR*) *nf* Pachamama *f*.

pachanga [pa'tʃanga] (*CAM, MÉX*) *nf* pachanga *f*.

pachanguero, -a [patʃan'gero, a] (*pey*) *adj* tapageur(-euse).

pacharán [patʃa'ran] *nm* liqueur *f* de prunelle.

pachorra [pa'tʃorra] *nf* (*lentitud*) torpeur *f*; (*tranquilidad*) nonchalance *f*.

pachucho, -a [pa'tʃutʃo, a] *adj* (*fruta*) trop mûr(e); (*fam*: *persona*) patraque.

pachuco, -a [pa'tʃuko, a] *nm/f* (*MÉX*: *pey*) chicano *m*.

paciencia [pa'θjenθja] *nf* patience *f*; ¡~! patience!; **armarse de** ~ s'armer de patience; **perder la** ~ perdre patience.

paciente [pa'θjente] *adj*, *nm/f* patient(e).

pacientemente [pa'θjentemente] *adv* patiemment.

pacificación [paθifika'θjon] *nf* pacification *f*.

pacificar [paθifi'kar] *vt* pacifier.

pacífico, -a [pa'θifiko, a] *adj* pacifique; **el (Océano) P~** le (*o* l'océan) Pacifique.

pacifique *etc* [paθi'fike] *vb V* **pacificar**.

pacifismo [paθi'fismo] *nm* pacifisme *m*.

pacifista [paθi'fista] *nm/f* pacifiste *m/f*.

paco ['pako] (*AND, CHI*: *pey*) *nm* flic *m* (*fam*).

pacotilla [pako'tiʎa] *nf*: **de** ~ de pacotille.

pactar [pak'tar] *vt*, *vi* pactiser.

pacto ['pakto] *nm* pacte *m*.

padecer [paðe'θer] *vt* (*dolor, enfermedad*) souffrir de; (*injusticia*) pâtir de; (*consecuencias, sequía*) subir ♦ *vi*: ~ **de** souffrir de.

padecimiento [paðeθi'mjento] *nm* souffrance *f*.

padezca *etc* [pa'ðeθka] *vb V* **padecer**.

padrastro [pa'ðrastro] *nm* beau-père *m*; (*en las uñas*) envie *f*.

padrazo [pa'ðraθo] *nm* papa *m* gâteau.

padre ['paðre] *nm* père *m*; ~**s** *nmpl* (*padre y madre*) parents *mpl*; ♦ *adj* (*fam*): **una juerga** ~ une bringue à tout casser; **un susto** ~ une peur bleue; **García** ~ Garcia père; ¡**tu** ~! (*fam!*) mon œil!; ▶ **padre adoptivo** père adoptif; ▶ **padre de familia** père de famille; ▶ **padre espiritual** père spirituel; ▶ **Padre Nuestro** Notre Père; ▶ **padre político** beau-père *m*.

padrino [pa'ðrino] *nm* parrain *m*; ~**s** *nmpl*

le parrain et la marraine; ~ **de boda** témoin *m* de mariage.

padrón [pa'ðron] *nm* recensement *m*.

padrote [pa'ðrote] (*CAM, MÉX: fam*) *nm* entremetteur *m*.

paella [pa'eʎa] *nf* paella *f*.

paga ['paɣa] *nf* paie *f*, paye *f*; ▶ **paga extra** treizième mois *m*.

pagadero, -a [paɣa'ðero, a] *adj* payable; ~ **a la entrega/a plazos** payable à la livraison/à crédit.

pagano, -a [pa'ɣano, a] *adj, nmf* païen(ne).

pagar [pa'ɣar] *vt, vi* payer; **¡me las ~ás!** tu me le payeras!; ~ **al contado** payer au comptant; ~ **algo caro** (*fig*) payer cher qch.

pagaré [paɣa're] *nm* billet *m* à ordre.

página ['paxina] *nf* page *f*.

paginación [paxina'θjon] *nf* pagination *f*.

paginar [paxi'nar] *vt* paginer.

pago ['paɣo] *nm* paiement *m*; ~**(s)** (*esp AND, CSUR*) région *fsg*; **en** ~ **de** en paiement de; ▶ **pago a cuenta** acompte *m*; ▶ **pago a la entrega/anticipado/en especie** paiement à la livraison/anticipé/en espèces; ▶ **pago inicial** versement *m* initial.

pág(s). *abr* (= *página(s)*) pp (= *page(s)*).

pague *etc* ['paɣe] *vb* V **pagar**.

paila ['paila] (*AM*) *nf* poêle *f*.

país [pa'is] *nm* pays *msg*; **los Países Bajos** les Pays Bas; **el P~ Vasco** le Pays Basque.

paisaje [pai'saxe] *nm* paysage *m*.

paisano, -a [pai'sano, a] *nmf* compatriote *mf*; (*esp CSUR*) paysan(ne) ♦ *adj* (*esp CSUR*) paysan(ne); **vestir de** ~ être en civil.

paja ['paxa] *nf* paille *f*; (*fig*) remplissage *m*.

pajar [pa'xar] *nm* grenier *m* à foin.

pajarita [paxa'rita] *nf* nœud *m* papillon.

pájaro ['paxaro] *nm* oiseau *m*; (*fam*) oiseau, loustic *m*; **tener la cabeza llena de** ~**s** avoir la tête ailleurs *o* en l'air; ▶ **pájaro carpintero** pic *m*.

pajita [pa'xita] *nf* paille *f*.

pajizo, -a [pa'xiθo, a] *adj* jaune paille.

pakistaní [pakista'ni] *adj* pakistanais(e) ♦ *nmf* Pakistanais(e).

pala ['pala] *nf* pelle *f*; (*de pingpong, frontón*) raquette *f*; (*de hélice, remo*) pale *f*; ▶ **pala mecánica** pelle mécanique.

palabra [pa'laβra] *nf* mot *m*; (*promesa, facultad, en asamblea*) parole *f*; **faltar a su** ~ manquer à sa parole; **dejar a algn con la** ~ **en la boca** ne pas laisser qn terminer sa phrase; **pedir/tener/tomar la** ~ demander/avoir/prendre la parole; **no encuentro** ~**s para expresar ...** je ne trouve pas les mots pour exprimer ...; ▶ **pa-**

labra de honor parole d'honneur.

palabrería [palaβre'ria] *nf* palabres *fpl*.

palabrota [pala'βrota] *nf* gros mot *m*.

palacio [pa'laθjo] *nm* palais *msg*; ▶ **palacio de justicia** palais de justice.

palada [pa'laða] *nf* pelletée *f*; (*de remo*) coup *m* de rame.

paladar [pala'ðar] *nm* (*tb fig*) palais *msg*.

paladear [palaðe'ar] *vt* savourer.

palanca [pa'lanka] *nf* levier *m*; (*fig*) piston *m*; ▶ **palanca de cambio/mando** levier de changement de vitesse/de commande.

palangana [palan'gana] *nf* cuvette *f*.

palco ['palko] *nm* (*TEATRO*) loge *f*; ▶ **palco de autoridades/de honor** tribune *f* officielle/d'honneur.

palenque [pa'lenke] (*CSUR*) *nm* poteau *m*.

palentino, -a [palen'tino, a] *adj* de Palencia ♦ *nmf* natif(-ive) *o* habitant(e) de Palencia.

paleolítico, -a [paleo'litiko, a] *adj* paléolithique.

paleontología [paleontolo'xia] *nf* paléontologie *f*.

Palestina [pales'tina] *nf* Palestine *f*.

palestino, -a [pales'tino, a] *adj* palestinien(ne) ♦ *nmf* Palestinien(ne).

palestra [pa'lestra] *nf*: **salir** *o* **saltar a la** ~ descendre dans l'arène.

paleta [pa'leta] *nf* (*de albañil*) truelle *f*; (*ARTE*) palette *f*; (*de hélice*) pale *f*; (*AM*) esquimau *m*; *V tb* **paleto**.

paletilla [pale'tiʎa] *nf* omoplate *f*; (*CULIN*) épaule *f*.

paleto, -a [pa'leto, a] *adj, nmf* péquenaud(e).

paliar [pa'ljar] *vt* pallier.

paliativo [palja'tiβo] *nm* palliatif *m*.

palidecer [paliðe'θer] *vi* pâlir.

palidez [pali'ðeθ] *nf* pâleur *f*.

palidezca *etc* [pali'ðeθka] *vb* V **palidecer**.

pálido, -a ['paliðo, a] *adj* pâle.

palillo [pa'liʎo] *nm* cure-dents *msg*; (*MÚS*) baguette *f*; ~**s** *nmpl* (*para comer*: *tb*: ~**s chinos**) baguettes *fpl*; **estar hecho un** ~ être maigre comme un clou.

palio ['paljo] *nm* dais *msg*.

palique [pa'like] *nm*: **estar de** ~ (*fam*) papoter.

paliza [pa'liθa] *nf* raclée *f*; **dar la** ~ **a algn** assommer qn; **dar una** ~ **a algn** flanquer une raclée à qn; **darse una** ~ **haciendo algo** s'esquinter à faire qch.

palma ['palma] *nf* (*de mano*) paume *f*; (*árbol*) palmier *m*; **batir** *o* **dar** ~**s** battre des mains; **llevarse la** ~ remporter la palme, l'emporter.

palmada [pal'maða] *nf* tape *f*; ~**s** *nfpl* (*aplauso*) applaudissements *mpl*; (*en mú-*

sica) battements *mpl* de mains.
Palma de Mallorca *n* Palma de Majorque.
palmar [pal'mar] (*fam*) *vi* (*tb*: ~**la**) clamser.
palmarés [palma'res] *nm* palmarès *msg*.
Palmas ['palmas] *nfpl*: **Las** ~ Las Palmas.
palmatoria [palma'torja] *nf* bougeoir *m*.
palmear [palme'ar] *vi* applaudir; (*en flamenco*) battre des mains.
palmera [pal'mera] *nf* palmier *m*; V *tb* **palmero**.
palmero, -a [pal'mero, a] *adj* de Santa Cruz de la Palma ♦ *nm/f* natif(-ive) *o* habitant(e) de Santa Cruz de la Palma ♦ *nm* (*AND, MEX*) employé *m* d'une palmeraie.
palmo ['palmo] *nm* empan *m*; (*fig*) pied *m*; ~ **a** ~ (*recorrer*) d'un bout à l'autre; (*registrar*) de fond en comble; **dejar a algn con un** ~ **de narices** couper le souffle à qn.
palmotear [palmote'ar] *vi* battre des mains.
palo ['palo] *nm* (*de madera*) bâton *m*; (*poste*) piquet *m*; (*mango*) manche *m*; (*golpe*) coup *m*; (*de golf*) club *m*; (*NÁUT*) mât *m*; (*NAIPES*) couleur *f*; **vermut a** ~ **seco** vermouth *m* sec; **dar (de)** ~**s a algn** rouer qn de coups; **¡qué** ~**!** (*fam*) quelle tuile!
paloma [pa'loma] *nf* pigeon *m*; **la** ~ **de la paz** la colombe de la paix; ▸ **paloma mensajera** pigeon voyageur.
palomilla [palo'miʎa] *nf* (*tuerca*) papillon *m*; (*soporte*) console *f*.
palomitas [palo'mitas] *nfpl* (*tb*: ~ **de maíz**) pop-corn *msg*.
palote [pa'lote] *nm* bâton *m*.
palpable [pal'paβle] *adj* palpable.
palpar [pal'par] *vt* palper; (*al andar a ciegas*) tâter; **se palpaba la tensión** la tension était palpable.
palpitación [palpita'θjon] *nf* palpitation *f*.
palpitante [palpi'tante] *adj* palpitant(e); (*fig*) brûlant(e).
palpitar [palpi'tar] *vi* palpiter.
palta ['palta] (*AND, CSUR*) *nf* avocat *m*.
palúdico, -a [pa'luðiko, a] *adj*: **fiebres palúdicas** fièvres *fpl* paludéennes.
paludismo [palu'ðismo] *nm* paludisme *m*.
palurdo, -a [pa'lurðo, a] (*pey*) *adj, nm/f* péquenaud(e).
pamela [pa'mela] *nf* capeline *f*.
pampa ['pampa] (*AM*) *nf* pampa *f*.
pampero [pam'pero] (*CSUR*) *nm* vent *m* froid du sud.
pamplinas [pam'plinas] *nfpl* bêtises *fpl*; **déjate de** ~ trêve de plaisanteries.
pamplonés, -esa [pamplo'nes, esa], **pamplonica** [pamplo'nika] *adj* de Pampelune

♦ *nm/f* natif(-ive) *o* habitant(e) de Pampelune.
pan [pan] *nm* pain *m*; **un** ~ un pain; **barra de** ~ baguette *f*, flûte *f*; **eso es** ~ **comido** c'est du gâteau, c'est du tout cuit; **llamar al** ~ **pan y al vino vino** appeler un chat un chat; **ganarse el** ~ gagner son pain; ▸ **pan de molde** pain de mie; ▸ **pan integral** pain complet; ▸ **pan rallado** chapelure *f*.
pana ['pana] *nf* velours *msg* côtelé; (*CHI*: *avería*) panne *f*.
panacea [pana'θea] *nf* panacée *f*.
panadería [panaðe'ria] *nf* boulangerie *f*.
panadero, -a [pana'ðero, a] *nm/f* boulanger(-ère).
panal [pa'nal] *nm* rayon *m*.
Panamá [pana'ma] *nm* Panama *m*.
panameño, -a [pana'meɲo, a] *adj* panaméen(ne) ♦ *nm/f* Panaméen(ne).
pancarta [pan'karta] *nf* pancarte *f*.
pancho, -a ['pantʃo, a] *adj*: **estar** *o* **quedarse tan** ~ ne pas broncher.
pancito [pan'θito] (*AM*) *nm* petit pain *m*.
páncreas ['pankreas] *nm* pancréas *msg*.
panda ['panda] *nm* panda *m* ♦ *nf* (*fam*) bande *f*.
pandereta [pande'reta] *nf* tambourin *m*.
pandilla [pan'diʎa] *nf* bande *f*.
pando, -a ['pando, a] *adj* (*pared*) bombé(e); (*plato*) creux(-euse).
panecillo [pane'θiʎo] *nm* petit pain *m*.
panel [pa'nel] *nm* panneau *m*; ▸ **panel acústico** isolant *m* acoustique; ▸ **panel de control/de mandos** tableau *m* de contrôle/de commandes; ▸ **panel de invitados** (*RADIO, TV*) plateau *m* d'invités; ▸ **panel solar** panneau solaire.
panera [pa'nera] *nf* corbeille *f* à pain.
panfletario, -a [panfle'tarjo, a] (*pey*) *adj* pamphlétaire.
panfleto [pan'fleto] *nm* pamphlet *m*.
pánico ['paniko] *nm* panique *f*.
panificadora [panifika'ðora] *nf* boulangerie *f*.
panocha [pa'notʃa], **panoja** [pa'noxa] *nf* épi *m*.
panorama [pano'rama] *nm* panorama *m*.
panqué [pan'ke] (*AM*) *nm* crêpe *f*.
pantaletas [panta'letas] (*AM*) *nfpl* culotte *fsg*.
pantalla [pan'taʎa] *nf* écran *m*; (*de lámpara*) abat-jour *m*; **servir de** ~ a servir de couverture à; ▸ **pantalla de ayuda** aide *f* (en ligne); ▸ **pantalla de cristal líquido** écran à cristaux liquides; ▸ **pantalla plana** écran plat; ▸ **pantalla táctil** écran tactile.
pantalón [panta'lon] *nm*, **pantalones** [panta'lones] *nmpl* pantalon *msg*; ▸ **pantalones**

vaqueros blue-jean *msg*.
pantano [pan'tano] *nm* (*ciénaga*) marécage *m*; (*embalse*) barrage *m*; (*fig*: *atolladero*) bourbier *m*.
pantera [pan'tera] *nf* panthère *f*.
pantis ['pantis] *nmpl* collant *msg*.
pantomima [panto'mima] *nf* pantomime *f*.
pantorrilla [panto'rriʎa] *nf* mollet *m*.
pantufla [pan'tufla] *nf* pantoufle *f*.
panza ['panθa] *nf* panse *f*.
panzada [pan'θaða] *nf* (*atracón*) ventrée *f*; (*golpe*: *en agua*) plat *m*.
panzón, -ona [pan'θono, a], **panzudo, -a** [pan'θuðo, a] *adj* ventru(e).
pañal [pa'ɲal] *nm* lange *m*; **estar todavía en ~es** (*proyecto*) en être à ses débuts; (*persona*) être novice.
paño ['paɲo] *nm* (*tela*) étoffe *f*; (*trapo*) torchon *m*; **en ~s menores** en petite tenue; ▶ **paños calientes** (*fig*) palliatifs *mpl*, baume *msg*; ▶ **paño de cocina** torchon; ▶ **paño de lágrimas** (*fig*) réconfort *m*.
pañoleta [paɲo'leta] *nf* mantille *f*.
pañuelo [pa'ɲwelo] *nm* (*para la nariz*) mouchoir *m*; (*para la cabeza*) foulard *m*; ▶ **pañuelo de papel** mouchoir en papier.
Papa ['papa] *nm* Pape *m*.
papa ['papa] (*AM*) *nf* pomme de terre *f*.
papá [pa'pa] (*fam*) *nm* papa *m*; **~s** *nmpl* (*padre y madre*) parents *mpl*; **hijo de ~** fils *msg* à papa; ▶ **Papá Noel** père Noël *m*.
papachar [papa'tʃar] (*MÉX*: *fam*) *vt* gâter.
papada [pa'paða] *nf* double menton *m*.
papagayo [papa'xajo] *nm* perroquet *m*.
papal [pa'pal] *adj* papal(e).
papalote [papa'lote] (*CAM*, *MÉX*) *nm* cerf-volant *m*.
papanatas [papa'natas] (*fam*) *nm inv* gobe-mouches *m inv*.
paparrucha [papa'rrutʃa] *nf* (*tontería*) bourde *f*; (*rumor falso*) bobard *m*.
papaya [pa'paja] *nf* papaye *f*.
papel [pa'pel] *nm* papier *m*; (*TEATRO*, *fig*) rôle *m*; **~es** *nmpl* (*documentos*) papiers *mpl*; ▶ **papel carbón** papier carbone; ▶ **papel continuo** papier en continu; ▶ **papel de aluminio** papier aluminium; ▶ **papel de calco/de lija** papier calque/de verre; ▶ **papel de carta(s)/de fumar** papier à lettres/à cigarettes; ▶ **papel de envolver** papier d'emballage; ▶ **papel timbrado** *o* **del Estado** papier timbré; ▶ **papel de estaño** *o* **plata** papier aluminium; ▶ **papel higiénico** *o* (*MÉX*) **sanitario/secante** papier hygiénique/buvard; ▶ **papel madera** (*CSUR*) carton *m*; ▶ **papel moneda** papier-monnaie *m*; ▶ **papel térmico** papier thermique.
papeleo [pape'leo] *nm* paperasserie *f*.
papelera [pape'lera] *nf* corbeille *f* à pa-

piers; (*en la calle*) poubelle *f*; (*industria*) papeterie *f*.
papelería [papele'ria] *nf* papeterie *f*.
papeleta [pape'leta] *nf* (*de rifa*) billet *m*; (*POL*) bulletin *m*; (*ESCOL*: *calificación*) relevé *m* de notes; ¡**vaya ~!** quelle histoire!, quelle affaire!
paperas [pa'peras] *nfpl* oreillons *mpl*.
papiamento [papja'mento] *nm* langue *f* créole de Curaçao.
papilla [pa'piʎa] *nf* bouillie *f*; **dejar hecho** *o* **hacer ~** réduire *o* mettre en bouillie.
paquete [pa'kete] *nm* paquet *m*; (*esp AM*: *fam*) ennui *m*; (*INFORM*) progiciel *m*; ▶ **paquete de aplicaciones** lot *m* de logiciels; ▶ **paquete de gestión integrado** progiciel de gestion; ▶ **paquete integrado** progiciel; ▶ **paquetes postales** colis *mpl* postaux; ▶ **paquete-bomba** colis *msg* piégé.
paquistaní [pakista'ni] = **pakistaní**.
par [par] *adj* pair(e) ♦ *nm* (*de guantes, calcetines*) paire *f*; (*de veces, días*) deux; (*pocos*) deux ou trois; (*título*) pair *m*; (*GOLF*) par *m* ♦ *nf* (*COM*) pair; **~es o nones** pairs ou impairs; **a ~es** par paires; **abrir de ~ en ~** ouvrir tout grand; **a la ~** à la fois; **sobre/bajo la ~** (*ECON*) au dessus/au dessous du pair; **sin ~** unique.
para ['para] *prep* pour; **decir ~ sí** se dire; **~ ti** pour toi; **¿~ qué?** pourquoi faire?; **¿~ qué lo quieres?** que veux-tu en faire?; **~ que te sientes** pour que tu t'assoies; **~ entonces** à ce moment-là; **estará listo ~ mañana** ça sera prêt demain; **ir ~ casa** aller chez soi; **~ ser tan mayor, está ágil** il est agile pour son âge; **¿quién es usted ~ gritar así?** vous vous prenez pour qui pour crier comme ça?; **tengo bastante ~ vivir** j'ai de quoi vivre; **~ el caso que me haces** vu l'intérêt que tu me portes; **eso no vengas** si c'est pour ça, ne viens pas; **~ colmo** pour comble.
parabellum [paraβe'lum] *nf* parabellum *m*.
parabién [para'βjen] *nm* félicitations *fpl*.
parábola [pa'raβola] *nf* parabole *f*.
parabólica [para'βolika] *nf* (*tb*: **antena ~**) antenne *f* parabolique.
parabrisas [para'βrisas] *nm inv* pare-brise *m inv*.
paracaídas [paraka'iðas] *nm inv* parachute *m*.
paracaidista [parakai'ðista] *nm/f* parachutiste *m/f*; (*MÉX*: *fam*) squatter *m*.
parachoques [para'tʃokes] *nm inv* pare-chocs *m inv*.
parada [pa'raða] *nf* arrêt *m*; ▶ **parada de autobús/de taxis** arrêt d'autobus/station *f* de taxis; ▶ **parada discrecional** arrêt facultatif; ▶ **parada en seco** arrêt

net; ▶ **parada militar** parade *f*; V *tb* **parado**.

paradero [para'ðero] *nm* endroit *m*; (*AND, CSUR*) halte *f*; **en ~ desconocido** parti sans laisser d'adresse.

paradigma [para'ðiɣma] *nm* paradigme *m*.

parado, -a [pa'raðo, a] *adj* arrêté(e); (*tímido*) timide; (*sin empleo*) au chômage; (*confuso*) confondu(e); (*AM*) debout ♦ *nm/f* chômeur(-euse); **salir bien ~** bien s'en tirer.

paradoja [para'ðoxa] *nf* paradoxe *m*.

paradójicamente [para'ðoxikamente] *adv* paradoxalement.

paradójico, -a [para'ðoxiko, a] *adj* paradoxal(e).

parador [para'ðor] *nm* (*tb: ~ de turismo*) parador *m* (*hôtel de première catégorie géré par l'état*).

parafrasear [parafrase'ar] *vt* paraphraser.

paráfrasis [pa'rafrasis] *nf inv* paraphrase *f*.

paraguas [pa'raɣwas] *nm inv* parapluie *m*.

Paraguay [para'ɣwai] *nm* Paraguay *m*.

paraguayo, -a [para'ɣwajo, a] *adj* paraguayen(ne) ♦ *nm/f* Paraguayen(ne).

paraíso [para'iso] *nm* paradis *msg*; ▶ **paraíso fiscal** paradis fiscal.

paraje [pa'raxe] *nm* parage *m*.

paralelo, -a [para'lelo, a] *adj*, *nm* parallèle *m*; **en ~** en parallèle.

paralice *etc* [para'liθe] *vb* V **paralizar**.

parálisis [pa'ralisis] *nf inv* paralysie *f*; ▶ **parálisis cerebral/infantil/progresiva** paralysie cérébrale/infantile/progressive.

paralítico, -a [para'litiko, a] *adj*, *nm/f* paralytique *m/f*.

paralizar [parali'θar] *vt* paralyser; **paralizarse** *vpr* être paralysé(e); **estar/quedarse paralizado de miedo** être paralysé par la peur.

parámetro [pa'rametro] *nm* paramètre *m*; **~s** *nmpl* (*INFORM*) paramètres *mpl*.

paramilitar [paramili'tar] *adj* paramilitaire.

páramo ['paramo] *nm* plateau *m* nu.

parangón [paran'gon] *nm*: **sin ~** sans égal(e).

paraninfo [para'ninfo] *nm* grand amphithéâtre *m*.

paranoia [para'noia] *nf* paranoïa *f*; (*fig*) obsession *f*.

paranoico, -a [para'noiko, a] *adj* paranoïaque ♦ *nm/f* paranoïaque *m/f*; (*fig*) maniaque, obsédé(e).

paranormal [paranor'mal] *adj* paranormal(e).

parapetarse [parape'tarse] *vpr*: **~ tras** se retrancher derrière.

parapléjico, -a [para'plexiko, a] *adj*, *nm/f* paraplégique *m/f*.

parar [pa'rar] *vt* arrêter ♦ *vi* s'arrêter; **pa-**

rarse *vpr* s'arrêter; (*AM*) se lever; **sin ~** sans arrêt; **no ~** ne pas arrêter; **no ~ de hacer algo** ne pas arrêter de faire qch; **ha parado de llover** il ne pleut plus; **fue a ~ a la comisaría** il a atterri au commissariat; **no sé en qué va a ~ todo esto** je ne sais pas comment tout cela va finir; **¡dónde va a ~!** ce n'est pas comparable!; **~se a hacer algo** s'arrêter pour faire qch.

pararrayos [para'rrajos] *nm inv* paratonnerre *m*.

parasicología [parasikolo'xia] *nf* para-psychologie *f*.

parásito, -a [pa'rasito, a] *adj*, *nm* parasite *m*; **un ~ de la sociedad** un parasite de la société.

parcela [par'θela] *nf* parcelle *f*.

parche ['partʃe] *nm* (*de rueda*) rustine *f*; (*de ropa*) pièce *f*; (*fig: de problema*) pis-aller *m inv*; **sólo estamos poniendo ~s** (*fig*) nous ne faisons que du rafistolage.

parchís [par'tʃis] *nm* sorte de jeu de puce.

parcial [par'θjal] *adj* (*pago, eclipse*) partiel(le); (*juicio*) partial(e).

parcialidad [parθjali'ðað] *nf* partialité *f*.

parcialmente [par'θjalmente] *adv* (*en parte*) partiellement; (*con parcialidad*) partialement.

parco, -a ['parko, a] *adj* sobre; **~ en palabras** modéré(e) dans ses propos.

pardillo, -a [par'ðiʎo, a] *adj*, *nm/f* péquenaud(e) (*fam*); (*inocente*) naif(naïve) ♦ *nm* (*ZOOL*) bouvreuil *m*.

pardo, -a ['parðo, a] *adj* brun grisâtre *inv*.

pareado [pare'aðo] *nm* vers *msg* à rime plate.

parecer [pare'θer] *nm* opinion *f*; (*aspecto*) allure *f* ♦ *vi* sembler; (*asemejarse a*) ressembler à; **parecerse** *vpr* se ressembler; **~se a** ressembler à; **parece mentira** cela semble incroyable; **al ~** à ce qu'il paraît; **parece que va a llover** on dirait qu'il va pleuvoir; **me parece bien/importante que ...** je trouve que c'est bien/qu'il est important que ...; **¿que te pareció la película?** comment as-tu trouvé le film?; **me parece bien** ça me va; **me parece que** il me semble que.

parecido, -a [pare'θiðo, a] *adj* semblable ♦ *nm* ressemblance *f*; **~ a algo** semblable à qch; **un hombre bien ~** un bel homme.

pared [pa'reð] *nf* mur *m*; (*de montaña*) paroi *f*; **subirse por las ~es** (*fam*) monter sur ses grands chevaux; ▶ **pared medianera/divisoria** mur mitoyen/de refend.

paredón [pare'ðon] *nm*: **llevar a algn al ~** conduire qn au poteau (d'exécution).

pareja [pa'rexa] *nf* paire *f*; (*hombre y mu-*

jer) couple *m*; (*persona*) partenaire *m/f*; **una ~ de guardias** deux gendarmes; **la ~** (*de un par*) l'autre.

parejo, -a [pa'rexo, a] *adj* pareil(le).

parentela [paren'tela] *nf* parenté *f*.

parentesco [paren'tesko] *nm* parenté *f*.

paréntesis [pa'rentesis] *nm inv* parenthèse *f*; **entre ~** entre parenthèses.

parezca *etc* [pa'reθka] *vb* V **parecer**.

parida [pa'riða] (*fam*) *nf* connerie *f*.

paridad [pari'ðað] *nf* parité *f*.

pariente, -a [pa'rjente, a] *nm/f* parent(e).

paripé [pari'pe] *nm*: **hacer el ~** jouer la comédie.

parir [pa'rir] *vt* (*hijo*) accoucher de; (*animal*) mettre bas ♦ *vi* (*mujer*) accoucher; (*animal*) mettre bas; (*yegua*) mettre bas, pouliner; (*vaca*) mettre bas, vêler.

París [paris] *n* Paris.

parisiense [pari'sjense], **parisino, -a** [pari'sino] *adj* parisien(ne) ♦ *nm/f* Parisien(ne).

paritario, -a [pari'tarjo, a] *adj* paritaire.

parking ['parkin] *nm* parking *m*.

parlamentar [parlamen'tar] *vi* parlementer.

parlamentario, -a [parlamen'tarjo, a] *adj*, *nm/f* parlementaire *m/f*.

parlamento [parla'mento] *nm* parlement *m*; (*discurso*) discours *msg*; ▶ **Parlamento Europeo** Parlement européen.

parlanchín, -ina [parlan'tʃin, ina] *adj*, *nm/f* bavard(e).

parlante [par'lante] (*AM*) *nm* haut-parleur *m*.

parlar [par'lar] *vi* bavarder.

parloteo [parlo'teo] *nm* papotage *m*.

paro ['paro] *nm* (*huelga*) arrêt *m*; (*desempleo, subsidio*) chômage *m*; **estar en ~** être au chômage; **~ del sistema** (*INFORM*) arrêt du système; ▶ **paro cardíaco** arrêt cardiaque.

parodia [pa'roðja] *nf* parodie *f*.

parodiar [paro'ðjar] *vt* parodier.

parpadear [parpaðe'ar] *vi* clignoter.

parpadeo [parpa'ðeo] *nm* clignotement *m*.

párpado ['parpaðo] *nm* paupière *f*.

parque ['parke] *nm* parc *m*; ▶ **parque de atracciones** parc d'attractions; ▶ **parque de bomberos** caserne *f* de pompiers; ▶ **parque móvil** parc automobile; ▶ **parque nacional/zoológico** parc national/zoologique.

parqué [par'ke], **parquet** [par'ke] *nm* parquet *m*.

parquímetro [par'kimetro] *nm* parcmètre *m*, parcomètre *m*.

parra ['parra] *nf* treille *f*.

parrafada [parra'faða] *nf*: **echar una ~** faire un brin de conversation.

párrafo ['parrafo] *nm* paragraphe *m*.

parranda [pa'rranda] (*fam*) *nf*: **ir(se) de ~** aller faire la bringue.

parrilla [pa'rriʎa] *nf* grill *m*; (*AM*) portebagages *m inv*; **carne a la ~** viande *f* grillée.

parrillada [parri'ʎaða] *nf* grillade *f*.

párroco ['parroko] *nm* curé *m*.

parroquia [pa'rrokja] *nf* paroisse *f*; (*COM*) clientèle *f*.

parroquiano, -a [parro'kjano, a] *nm/f* paroissien(ne); (*COM*) client(e).

parsimonia [parsi'monja] *nf* parcimonie *f*; **con ~** avec parcimonie.

parte ['parte] *nm* rapport *m* ♦ *nf* partie *f*; (*lado*) côté *m*; (*lugar, de reparto*) part *f*; **en alguna ~ de Europa** quelque part en Europe; **por todas ~s** partout; **en cualquier ~** partout, n'importe où; **en (gran) ~** en (grande) partie; **la mayor ~ de los españoles** la plupart des Espagnols; **de algún tiempo a esta ~** depuis quelque temps; **de ~ de algn** de la part de qn; **¿de ~ de quién?** (*TELEC*) de la part de qui?; **por ~ de** de la part de; **yo por mi ~** en ce qui me concerne, quant à moi; **por una ~ ... por otra ~** d'une part ... d'autre part; **dar ~ a algn** communiquer à qn; **formar ~ de** faire partie de; **ponerse de ~ de algn** prendre fait et cause pour qn; **tomar ~ (en)** prendre part (à); ▶ **parte de guerra** communiqué *m* de guerre; ▶ **parte meteorológico** bulletin *m* météorologique.

partero [par'tero] (*MÉX*) *nm* médecin-accoucheur *m*.

parterre [par'terre] *nm* parterre *m*.

partición [parti'θjon] *nf* partage *m*.

participación [partiθipa'θjon] *nf* participation *f*; (*de lotería*) tranche *f*; **~ en los beneficios** participation aux bénéfices; **~ minoritaria** participation minoritaire.

participante [partiθi'pante] *nm/f* participant(e).

participar [partiθi'par] *vt* communiquer ♦ *vi*: **~ (en)** participer (à); **~ de algo** partager qch; **~ en una empresa** (*COM*) investir dans une entreprise; **le participo que ... je** vous informe que ... .

partícipe [par'tiθipe] *nm/f*: **hacer ~ a algn de algo** faire part à qn de qch.

participio [parti'θipjo] *nm* participe *m*; ▶ **participio de pasado/presente** participe passé/présent.

partícula [par'tikula] *nf* particule *f*.

particular [partiku'lar] *adj* particulier(-ière) ♦ *nm* (*punto, asunto*) sujet *m*, chapitre *m*; (*individuo*) particulier *m*; **clases ~es** cours *mpl* particuliers; **en ~** en particulier; **no dijo mucho sobre el ~**

il n'en a pas dit long sur ce sujet.

particularice etc [partikula'riθe] vb V **particularizar.**

particularidad [partikulari'ðað] nf particularité f.

particularizar [partikulari'θar] vt particulariser; (especificar) spécifier.

particularmente [partiku'larmente] adv particulièrement.

partida [par'tiða] nf départ m; (COM: de mercancía) lot m; (: de cuenta, factura) entrée f; (: de presupuesto) chapitre m; (juego) partie f; (grupo, bando) bande f; **mala ~ mauvais tour** m; **echar una ~ faire une partie; ▶partida de caza** partie de chasse; **▶partida de defunción/de matrimonio** extrait m d'acte de décès/ de mariage; **▶partida de nacimiento** extrait de naissance.

partidario, -a [parti'ðarjo, a] adj: **ser ~ de** être partisan(e) de ♦ nm/f (seguidor) partisan(e).

partidismo [parti'ðismo] nm esprit m de parti.

partido [par'tiðo] nm parti m; (DEPORTE) match m; **sacar ~ de** tirer parti de; **tomar ~** prendre parti; **▶partido amistoso** match amical; **▶partido de baloncesto** match de basket; **▶partido de fútbol** match de football; **▶partido de tenis** match de tennis; **▶partido judicial** arrondissement m.

partir [par'tir] vt (dividir) partager; (romper) casser; (rebanada, trozo) couper ♦ vi partir; **partirse** vpr se casser; **a ~ de** à partir de, à compter de; **~ de** partir de; **~se de risa** se tordre de rire.

partitura [parti'tura] nf partition f.

parto ['parto] nm (de una mujer) accouchement m; (de un animal) mise bas f; (fig) enfantement m; **estar de ~** être en couches.

parvulario [parβu'larjo] nm école f maternelle.

párvulo, -a ['parβulo, a] nm/f petit enfant m.

pasa ['pasa] nf raisin m sec; **▶pasa de corinto** raisin de Corinthe.

pasable [pa'saβle] adj passable.

pasada [pa'saða] nf passage m; (con trapo, escoba) coup m; **de ~** (leer, decir) au passage; **mala ~** mauvais tour m.

pasadizo [pasa'ðiθo] nm passage m.

pasado, -a [pa'saðo, a] adj passé(e); (muy hecho) trop cuit(e); (anticuado) dépassé(e), démodé(e) ♦ nm passé m; **~ mañana** après-demain; **el mes ~** le mois dernier; **~s dos días** deux jours plus tard; **lo ~, pasado** tout ça, c'est du passé; **~ de moda** démodé(e); **~ por agua**

(huevo) à la coque.

pasador [pasa'ðor] nm verrou m; (de pelo) barrette f; (de corbata) épingle f; (AM) lacet m.

pasaje [pa'saxe] nm passage m; (de barco, avión) billet m; (los pasajeros) passagers mpl.

pasajero, -a [pasa'xero, a] adj, nm/f passager(-ère).

pasamanos [pasa'manos] nm inv rampe f.

pasamontañas [pasamon'taɲas] nm inv passe-montagne m.

pasapalos [pasa'palos] (MÉX, VEN) nmpl amuse-gueules mpl.

pasaporte [pasa'porte] nm passeport m.

pasar [pa'sar] vt passer; (barrera, meta) franchir; (frío, calor, hambre) avoir; (: con énfasis) souffrir de; (rebasar) dépasser ♦ vi passer; (ocurrir) se passer; (entrar) entrer; **pasarse** vpr se passer; (flores) se faner; (comida) se gâter; (excederse) exagérer; **hacer ~** a algn faire entrer qn; **~ a (hacer)** en venir à (faire); **~ de** dépasser de; **~ de largo** ne pas s'en faire; **~ de (hacer)** algo (fam) se ficher de (faire) qch; **~ de todo** (fam) se ficher de tout; **¡pase!** entrez!; **~ por un sitio/una calle** passer par un endroit/une rue; **~ por alto** faire fi de, passer sous silence; **~ por una crisis** traverser une crise; **~ sin algo** se passer de qch; **~lo bien** s'amuser; **¿qué pasa?** que se passe-t-il?; **¿qué te pasa?** que t'arrive-t-il?; **¡cómo pasa el tiempo!** comme le temps passe vite!; **pase lo que pase** quoi qu'il en soit, advienne que pourra; **se hace ~ por médico** il se fait passer pour médecin; **pásate por casa/la oficina** passe chez moi/par mon bureau; **~se al enemigo** passer à l'ennemi; **~se de moda** passer de mode; **~se de la raya** dépasser les bornes; **¡no te pases!** n'exagère pas!; **me lo pasé bien/mal** cela s'est bien/mal passé; **se me pasó** j'ai complètement oublié; **se me pasó el turno** j'ai laissé passer mon tour; **no se le pasa nada** rien ne lui échappe; **ya se te ~á** ça te passera.

pasarela [pasa'rela] nf passerelle f; (de modas) podium m.

pasatiempo [pasa'tjempo] nm passe-temps msg; **~s** nmpl (en revista) jeux mpl.

Pascua ['paskwa], **pascua** ['paskwa] nf (tb: **~ de Resurrección**) Pâques fpl; **~s** nfpl Noël msg; **¡felices ~s!** joyeux Noël!; **de ~s a Ramos** tous les trente-six du mois; **hacer la ~ a algn** (fam) mettre qn dans le pétrin.

pase ['pase] nm passe m; (COM) passavant m; (CINE) projection f; **▶pase de modelos** défilé m de mannequins.

pasear [pase'ar] *vt, vi* promener; **pasearse** *vpr* se promener.

paseo [pa'seo] *nm* promenade *f*; (*distancia corta*) pas *msg*; **dar un ~** faire une promenade; **mandar a algn a ~** envoyer qn promener; **¡vete a ~!** va te faire voir!; ▶ **paseo marítimo** front *m* de mer.

pasillo [pa'siʎo] *nm* couloir *m*; ▶ **pasillo aéreo** couloir aérien.

pasión [pa'sjon] *nf* passion *f*.

pasional [pasjo'nal] *adj*: **crimen ~** crime *m* passionnel.

pasivo, -a [pa'siβo, a] *adj* passif(-ive) ♦ *nm* (*COM*) passif *m*; ▶ **pasivo circulante** passif exigible.

pasma ['pasma] (*fam*) *nm* flic *m* ♦ *nf*: **la ~** les flics.

pasmado, -a [pas'maðo, a] *adj* ébahi(e).

pasmar [pas'mar] *vt* ébahir; **pasmarse** *vpr* être ébahi(e), ne pas en revenir.

pasmo ['pasmo] *nm* stupéfaction *f*.

pasmoso, -a [pas'moso, a] *adj* stupéfiant(e).

paso, -a ['paso, a] *adj* (*ciruela*) sec(sèche) ♦ *nm* passage *m*; (*pisada, de baile*) pas *msg*; (*modo de andar*) pas, allure *f*; (*de montaña*) col *m*; (*TELEC*) unité *f*; **~s** *nmpl* (*gestiones*) démarches *fpl*; (*huellas*) pas *mpl*; **~ a ~** pas à pas; **a cada ~** à tout bout de champ; **a un ~ o dos ~s** à deux pas; **a ese ~** à cette allure; **a ~ lento** à pas comptés; **a ~ ligero** d'un pas léger; **abrirse ~** se frayer un chemin; **salir al ~ de** répliquer à; **salir al ~** passer à la contre-offensive; **salir del ~** se tirer d'affaire; **dar un ~ en falso** faire un faux pas, trébucher; (*fig*) faire un faux pas, commettre une faute; **de ~, ...** au passage, ...; **estar de ~** être de passage; **un ~ atrás** un pas en arrière; **un mal ~** (*fig*) une mauvaise passe; **prohibido el ~** passage interdit; **ceda el ~** céder le passage, priorité; ▶ **paso a nivel** passage à niveau; ▶ **paso de peatones/de cebra** passage pour piétons/clouté; ▶ **paso elevado** saut-de-mouton *m*; ▶ **paso subterráneo** passage souterrain.

pasota [pa'sota] (*fam*) *adj, nm/f* je-m'enfoutiste *m/f*.

pasta ['pasta] *nf* pâte *f*; (*tb:* **~ de té**) petit four *m*; (*fam: dinero*) fric *m*; (*encuadernación*) reliure *f*; ▶ **pasta dentífrica** *o* **de dientes** dentifrice *m*; ▶ **pasta de papel** pâte à papier.

pastar [pas'tar] *vi* paître.

pastel [pas'tel] *nm* gâteau *m*; (*de carne*) friand *m*; (*ARTE*) pastel *m*; **se descubrió el ~** on a découvert le pot aux roses.

pastelería [pastele'ria] *nf* pâtisserie *f*.

pasteurizado, -a [pasteuri'θaðo, a] *adj* pasteurisé(e).

pastilla [pas'tiʎa] *nf* (*de jabón*) savonnette *f*; (*de chocolate*) tablette *f*; (*MED*) comprimé *m*, cachet *m*.

pastizal [pasti'θal] *nm* pâturage *m*.

pasto ['pasto] *nm* pâture *f*; (*lugar*) pâturage *m*; **fue ~ de las llamas** il a été la proie des flammes.

pastor, a [pas'tor, a] *nm/f* berger(-ère) ♦ *nm* (*REL*) pasteur *m*; **perro ~** chien *m* (de) berger; ▶ **pastor alemán** berger allemand.

pastoso, -a [pas'toso, a] *adj* pâteux(-euse).

pat. *abr* = **patente**.

pata ['pata] *nf* patte *f*; (*pie*) pied *m*; **~s arriba** (*caer*) les quatre fers en l'air; (*revuelto*) sens dessus dessous; **a cuatro ~s** à quatre pattes; **a la ~ coja** à cloche-pied; **meter la ~** mettre les pieds dans le plat; **tener mala ~** ne pas avoir de chance; ▶ **pata de cabra** (*TEC*) pince *f* à levier; ▶ **pata de gallo** pied-de-poule.

patada [pa'taða] *nf* coup *m* de pied; **dar una ~ a algn/a algo** donner un coup de pied à qn/à qch; **a ~s** (*fam: en abundancia*) à foison; **echar a algn a ~s** éjecter qn à coup de pieds; **tratar a algn a ~s** recevoir qn comme un chien dans un jeu de quilles.

patagón, -ona [pata'ɣon, ona] *adj* de la Patagonie ♦ *nm/f* habitant(e) *o* natif(-ive) de la Patagonie.

Patagonia [pata'ɣonja] *nf* Patagonie *f*.

patalear [patale'ar] *vi* trépigner.

pataleo [pata'leo] *nm* trépignement *m*.

patán [pa'tan] (*pey*) *nm* plouc *m*.

patata [pa'tata] *nf* pomme *f* de terre; **~s fritas** frites *fpl*; (*en rebanadas*) chips *fpl*; **no entender/no saber ni ~** (*fam*) ne comprendre/ne savoir que dalle.

paté [pa'te] *nm* pâté *m*.

patear [pate'ar] *vt* piétiner; (*fig: humillar*) houspiller; (*fam: ciudad, museo*) parcourir de long en large *o* en tous sens ♦ *vi* trépigner.

patentar [paten'tar] *vt* breveter.

patente [pa'tente] *adj* manifeste ♦ *nf* patente *f*, brevet *m*; (*CSUR*) immatriculation *f*; **hacer ~** manifester.

paternal [pater'nal] *adj* paternel(le).

paternalista [paterna'lista] *adj* paternaliste.

paternidad [paterni'ðað] *nf* paternité *f*.

paterno, -a [pa'terno, a] *adj* paternel(le).

patético, -a [pa'tetiko, a] *adj* pathétique.

patetismo [pate'tismo] *nm* pathétisme *m*.

patíbulo [pa'tiβulo] *nm* échafaud *m*.

patilla [pa'tiʎa] *nf* (*de gafas*) branche *f*; **~s** *nfpl* (*de la barba*) favoris *mpl*.

patín [pa'tin] *nm* patin *m*; (*de mar*) pédalo

m; ▶ **patín de hielo/de ruedas** patin à glace/à roulettes.

patinaje [pati'naxe] *nm* patinage *m*; ▶ **patinaje artístico** patinage artistique; ▶ **patinaje sobre hielo/sobre ruedas** patinage (sur glace)/à roulettes.

patinar [pati'nar] *vi* patiner; *(fam: equivocarse)* se gourer.

patinazo [pati'naθo] *nm* (*AUTO*) dérapage *m*; **dar un ~** *(fam)* faire une gaffe.

patinete [pati'nete] *nm* patinette *f*, trottinette *f*.

patio ['patjo] *nm* cour *f*; ▶ **patio de butacas** (*CINE, TEATRO*) orchestre *m*; ▶ **patio de recreo** cour de récréation.

pato ['pato] *nm* canard *m*; **pagar el ~** *(fam)* payer les pots cassés.

patológico, -a [pato'loxiko, a] *adj* pathologique.

patoso, -a [pa'toso, a] *adj* lourdaud(e).

patraña [pa'traɲa] *nf* mensonge *m*.

patria ['patrja] *nf* patrie *f*; ▶ **patria chica** terroir *m*.

patrimonio [patri'monjo] *nm* patrimoine *m*.

patriota [pa'trjota] *nm/f* patriote *m/f*.

patriotero, -a [patrjo'tero, a] *(pey)* *adj* chauvin(e).

patriótico, -a [pa'trjotiko, a] *adj* patriotique.

patriotismo [patrjo'tismo] *nm* patriotisme *m*.

patrocinador, -a [patroθina'ðor, a] *nm/f* sponsor *m*.

patrocinar [patroθi'nar] *vt* (*sufragar*) sponsoriser, parrainer; (*apoyar*) appuyer, parrainer.

patrocinio [patro'θinjo] *nm* parrainage *m*.

patrón, -ona [pa'tron, ona] *nm/f* patron(ne); (*de pensión*) hôte(hôtesse); (*de barco*) patron *m* ♦ *nm* patron *m*; ▶ **patrón oro** étalon-or *m*.

patronal [patro'nal] *adj*: **la clase ~** la classe patronale ♦ *nf* patronat *m*; **cierre ~** lock-out *m*.

patronato [patro'nato] *nm* patronage *m*.

patrulla [pa'truʎa] *nf* patrouille *f*.

patrullar [patru'ʎar] *vi* patrouiller.

paulatino, -a [paula'tino, a] *adj* lent(e).

paupérrimo, -a [pau'perrimo, a] *adj* très pauvre.

pausa ['pausa] *nf* pause *f*; **con ~** posément, tranquillement.

pausadamente [pau'saðamente] *adv* posément, tranquillement.

pausado, -a [pau'saðo, a] *adj* posé(e).

pauta ['pauta] *nf* modèle *m*.

pava ['paβa] (*CSUR*) *nf* bouilloire *f* à maté.

pavada(s) [pa'βaða(s)] (*AND, CSUR: fam*) *nf(pl)* bêtise(s) *f(pl)*.

pavimento [paβi'mento] *nm* pavement *m*.

pavo ['paβo] *nm* dindon *m*; **¡no seas ~!** ne fais pas le mariolle!; **estar en la edad del ~** être en plein âge bête; ▶ **pavo real** paon *m*.

pavonearse [paβone'arse] *vpr* se pavaner.

pavor [pa'βor] *nm* frayeur *f*.

payasada [paja'saða] (*pey*) *nf* pitrerie *f*; **hacer ~s** faire des pitreries.

payaso, -a [pa'jaso, a] *nm/f* clown *m*.

payo, -a ['pajo, a] *nm/f* gadjo *m/f*.

paz [paθ] *nf* paix *f*; (*tranquilidad*) calme *m*; **dejar algo/a algn en ~** laisser qch/qn en paix; **hacer las paces** faire la paix; **que en ~ descanse** qu'il repose en paix.

pazca *etc* ['paθka] *vb* V **pacer**.

PC *sigla m* = *Partido Comunista*.

P.C.E. *sigla m* = *Partido Comunista Español*.

PCL *sigla f* (= *pantalla de cristal líquido*) LCD *m* (= *affichage à cristaux liquides*).

PCUS [pe'kus] *sigla m* (= *Partido Comunista de la Unión Soviética*) PCUS *msg* (= *Parti communiste de l'Union soviétique*).

P.D. *abr* (= *posdata*) P.S. (= *post-scriptum*).

pdo. *abr* (= *pasado*) dernier(-ère).

peaje [pe'axe] *nm* péage *m*; **autopista de ~** autoroute *f* à péage.

peatón [pea'ton] *nm* piéton *m*.

peca ['peka] *nf* tache *f* de rousseur.

pecado [pe'kaðo] *nm* péché *m*; ▶ **pecado mortal/venial** péché mortel/véniel.

pecador, a [peka'ðor, a] *adj, nm/f* pécheur(-eresse).

pecaminoso, -a [pekami'noso, a] *adj* coupable, inavouable.

pecar [pe'kar] *vi* pécher; **~ de generoso** pécher par excès de générosité.

pecera [pe'θera] *nf* aquarium *m*.

pecho ['petʃo] *nm* poitrine *f*; (*fig*) cœur *m*; **dar el ~ a** donner le sein à; **tomar algo a ~** prendre qch à cœur; **la alegría no le cabía en el ~** il ne sentait plus la joie.

pechuga [pe'tʃuɣa] *nf* (*de ave*) blanc *m*.

pecoso, -a [pe'koso, a] *adj* criblé(e) de taches de rousseur.

peculiar [peku'ljar] *adj* caractéristique; (*particular*) particulier(-ère).

peculiaridad [pekuljari'ðað] *nf* particularité *f*.

pedagogía [peðaɣo'xia] *nf* pédagogie *f*.

pedal [pe'ðal] *nm* pédale *f*; ▶ **pedal de embrague/de freno** pédale d'embrayage/de frein.

pedalear [peðale'ar] *vi* pédaler.

pedante [pe'ðante] *adj, nm/f* pédant(e).

pedantería [peðante'ria] *nf* pédanterie *f*.

pedazo [pe'ðaθo] *nm* morceau *m*; **hacer algo ~s** réduire qch en mille morceaux; **hacer ~s a algn** mettre qn en bouillie; **caerse algo a ~s** tomber en ruine; **ser un**

~ **de pan** (*fig*) avoir un cœur d'or.

pedernal [peðer'nal] *nm* silex *m*.

pedestal [peðes'tal] *nm* piédestal *m*; **tener/ poner a algn en un** ~ mettre qn sur un piédestal.

pedestre [pe'ðestre] *adj*: **carrera** ~ course *f* à pied.

pediatra [pe'ðjatra] *nm/f* pédiatre *m/f*.

pediatría [peðja'tria] *nf* pédiatrie *f*.

pedicuro, -a [peði'kuro, a] *nm/f* pédicure *m/f*.

pedido [pe'ðiðo] *nm* commande *f*; ~**s en cartera** commandes *fpl* en souffrance.

pedigrí [peði'xri] *nm* pedigree *m*.

pedir [pe'ðir] *vt* demander; (*COM*) commander ♦ *vi* mendier; ~ **limosna** demander l'aumône; ~ **la mano de** demander la main de; ~ **disculpas** demander des excuses; ~ **prestado** emprunter; **me pidió que cerrara la puerta** il me demanda de fermer la porte; **¿cuánto piden por el coche?** combien demande-t-on pour cette voiture?

pedo ['peðo] (*fam!*) *adj inv*: **estar** ~ être rond(e) ♦ *nm* (*ventosidad*) pet *m*; (*borrachera*) cuite *f*.

pedrada [pe'ðraða] *nf*: **me tiraron una** ~ **en la cabeza** j'ai reçu une pierre dans la tête.

pedrea [pe'ðrea] *nf* grêle *f*; **la** ~ (*de lotería*) le plus petit lot.

pedregoso, -a [peðre'xoso, a] *adj* rocailleux(-euse).

pedrisco [pe'ðrisko] *nm* grêle *f*.

Pedro ['peðro] *nm*: **como** ~ **por su casa** comme dans un moulin.

pega ['pexa] *nf* (*obstáculo*) problème *m*; (*fam: pregunta*) colle *f*; **de** ~ à la gomme, de pacotille; **nadie me** *etc* **puso** ~**s** personne n'a trouvé à redire.

pegadizo, -a [pexa'ðiθo, a] *adj* (*canción*) entraînant(e).

pegajoso, -a [pexa'xoso, a] *adj* collant(e).

pegamento [pexa'mento] *nm* colle *f*.

pegar [pe'xar] *vt* coller; (*enfermedad, costumbre*) passer; (*golpear*) frapper; (*COSTURA*) coudre ♦ *vi* (*adherirse*) se coller; (*armonizar*) aller bien; (*el sol*) taper; **pegarse** *vpr* se coller; (*costumbre, enfermedad*) s'attraper; (*dos personas*) se frapper; ~ **un grito** pousser un cri; ~ **un salto** faire un saut; ~ **un susto a algn** faire peur à qn; ~ **fuego** mettre le feu; ~ **la mesa a la pared** mettre la table contre le mur; ~ **en** toucher; **ese sombrero no pega con el abrigo** ce chapeau ne va pas avec ce manteau; ~**se un tiro** se tirer une balle dans la tête; ~**se un golpe** se donner un coup; **me pega que ...** j'ai comme l'impression que ...; ~**se a algn** se coller à qn; **pegársela a algn** (*fam*) tromper qn; **se me ha pegado la costumbre/el acento** j'ai pris l'habitude/l'accent.

pegatina [pexa'tina] *nf* adhésif *m*.

pego ['pexo] *nm*: **dar el** ~ **en** imposer.

pegote [pe'xote] (*fam*) *nm* emplâtre *m*; **tirarse un** ~ (*fam*) s'envoyer des fleurs.

pegue *etc* ['pexe] *vb* V **pegar**.

peinado [pei'naðo] *nm* coupe *f*.

peinar [pei'nar] *vt* peigner; (*rastrear*) passer au peigne fin; **peinarse** *vpr* se peigner.

peine ['peine] *nm* peigne *m*.

peineta [pei'neta] *nf* grand peigne *m*.

p.ej. *abr* (= *por ejemplo*) p. ex. (= *par exemple*).

Pekín [pe'kin] *n* Pékin.

pela ['pela] (*ESP: fam*) *nf* peseta *f*; *V tb* **pelas**.

pelado, -a [pe'laðo, a] *adj* pelé(e); (*cabeza*) tondu(e); (*sueldo*) simple, seul(e); (*fam*) fauché(e).

pelaje [pe'laxe] *nm* pelage *m*; (*fig*) dégaine *f*.

pelambre [pe'lambre] *nm* poil *m*.

pelar [pe'lar] *vt* (*fruta, animal*) peler; (*patatas, marisco*) éplucher; (*habas*) écosser; (*nueces*) écaler; (*cortar el pelo*) couper; (*ave*) plumer; **pelarse** *vpr* (*la piel*) peler; (*cortarse el pelo*) se faire couper les cheveux; **hace un frío que pela** il fait un froid de canard; **corre que se las pela** (*fam*) il court à toutes jambes.

pelas ['pelas] (*ESP: fam*) *nfpl* fric *m*.

peldaño [pel'daɲo] *nm* marche *f*; (*de escalera de mano*) échelon *m*.

pelea [pe'lea] *nf* (*lucha*) lutte *f*; (*discusión*) discussion *f*.

peleado, -a [pele'aðo, a] *adj*: **estar** ~ (**con algn**) être brouillé(e) (avec qn).

pelear [pele'ar] *vi* se battre; (*discutir*) se disputer; **pelearse** *vpr* se battre; se disputer; (*enemistarse*) se brouiller.

pelele [pe'lele] *nm* (*pey*) pantin *m*; (*insulto*) guignol *m*; (*prenda de niño*) barboteuse *f*.

peletería [pelete'ria] *nf* pelleterie *f*.

peliagudo, -a [pelja'xuðo, a] *adj* épineux(-euse).

pelícano [pe'likano] *nm* pélican *m*.

película [pe'likula] *nf* film *m*; (*capa fina, FOTO*) pellicule *f*; **de** ~ (*fam*) sensass; ▶**película de dibujos (animados)** dessin *m* animé; ▶**película del oeste** western *m*; ▶**película muda** film muet.

peligrar [peli'xrar] *vi* être en danger; (*trabajo, acuerdo*) être menacé(e).

peligro [pe'lixro] *nm* danger *m*; "~ **de muerte**" "danger de mort"; **correr** ~ **de** courir le risque de; **fuera de** ~ hors de danger; **poner algo/a algn en** ~ exposer qch/qn à un danger.

peligroso, -a [peli'ɣroso, a] *adj* dangereux(-euse).

pelirrojo, -a [peli'rroxo, a] *adj* roux(rousse), rouquin(e) ♦ *nm/f* rouquin(e).

pellejo [pe'ʎexo] *nm* peau *f*; **salvar el ~** sauver sa peau.

pellizcar [peʎiθ'kar] *vt* pincer; *(comida)* grignoter; **pellizcarse** *vpr* se pincer.

pellizco [pe'ʎiθko] *nm* pincement *m*; *(pizca)* pincée *f*.

pellizque *etc* [pe'ʎiθke] *vb* V **pellizcar**.

pelma ['pelma], **pelmazo, -a** [pel'maθo, a] *(fam) nm/f* casse-pieds *m/fsg*.

pelo ['pelo] *nm* cheveux *mpl*; *(un pelo)* cheveu *m*; (: *en el cuerpo*) poil *m*; *(de sierra)* lame *f*; **a ~** *(sin abrigo)* peu couvert(e); *(sin ayuda)* tout(e) seul(e); **venir al ~** tomber à pic; **por los ~s** de justesse; **faltó un ~ para que ...** il s'en est fallu d'un poil que ...; **se me pusieron los ~s de punta** mes cheveux se sont dressés sur ma tête; **con ~s y señales** en long et en large; **no tener ~s en la lengua** ne pas mâcher ses mots; **tomar el ~ a algn** se payer la tête de qn; **¡y yo con estos ~s!** *(fam)* et moi qui ne suis même pas prêt(e)!

pelón, -ona [pe'lon, ona] *adj* chauve.

pelota [pe'lota] *nf* pelote *f*; (tb: **~ vasca**) pelote; *(fam: cabeza)* bouille *f* ♦ *nm/f (fam)* lèche-bottes *m inv (fam)*; **en ~(s)** *(fam)* à poil; **devolver la ~ a algn** *(fig)* renvoyer la balle à qn; **hacer la ~ (a algn)** lécher les bottes (à qn).

pelotera [pelo'tera] *(fam) nf* prise *f* de bec.

pelotón [pelo'ton] *nm* peloton *m*; ► **pelotón de ejecución** peloton d'exécution.

pelotudo, -a [pelo'tuðo, a] *(CSUR: fam) adj, nm/f* demeuré(e).

peluca [pe'luka] *nf* perruque *f*.

peluche [pe'lutʃe] *nm:* **muñeco de ~** peluche *f*.

peludo, -a [pe'luðo, a] *adj (cabeza)* chevelu(e); *(persona, perro)* poilu(e).

peluquería [peluke'ria] *nf* salon *m* de coiffure.

peluquero, -a [pelu'kero, a] *nm/f* coiffeur(-euse).

peluquín [pelu'kin] *nm* postiche *m*.

pelusa [pe'lusa] *nf (BOT)* duvet *m*; *(de tela)* peluche *f*; *(de polvo)* mouton *m*; *(celos)* jalousie *f*.

pelvis ['pelßis] *nf* bassin *m*.

PEMEX [pe'meks] *sigla m = Petróleos Mejicanos*.

PEN [pen] *sigla m (ESP) = Plan Energético Nacional; (ARG) = Poder Ejecutivo Nacional*.

pena ['pena] *nf* peine *f*; *(AM)* honte *f*; **~s** *nfpl* pénalités *fpl*; **merecer/valer la ~** valoir la peine; **a duras ~s** à grand-peine; **sin ~ ni gloria** sans se faire remarquer, en passant inaperçu; **bajo** *o* **so ~ de** sous peine de; **me da ~** cela me fait de la peine; **es una ~** c'est vraiment dommage; **¡qué ~!** quel dommage!; ► **pena capital** peine capitale; ► **pena de muerte** peine de mort.

penal [pe'nal] *adj* pénal; **antecedentes ~es** casier *msg* judiciaire.

penalidades [penali'ðaðes] *nfpl* souffrances *fpl*.

penalizar [penali'θar] *vt* pénaliser.

penalti [pe'nalti], **penalty** [pe'nalti] *nm* penalty *m*.

penar [pe'nar] *vt* peiner; *(castigar)* condamner ♦ *vi* peiner.

pendejo, -a [pen'dexo, a] *(AM: fam!) nm/f* abruti(e).

pender [pen'der] *vi* pendre; *(JUR)* être en suspens; **~ de** pendre à.

pendiente [pen'djente] *adj (asunto)* en suspens; *(asignatura)* à repasser; *(terreno)* en pente ♦ *nm* boucle *f* d'oreille ♦ *nf* pente *f*; **~ de confirmación** en instance de confirmation; **estar ~ de algo/algn** *(vigilar)* garder un œil sur qch/qn; **estar ~ de los labios/de las palabras de algn** être pendu(e) aux lèvres de qn/boire les paroles de qn.

pendón [pen'don] *nm* bannière *f*.

péndulo ['pendulo] *nm* pendule *m*.

pene ['pene] *nm* pénis *msg*.

penene [pe'nene] *nm/f* = **PNN**.

penetración [penetra'θjon] *nf* pénétration *f*.

penetrante [pene'trante] *adj* pénétrant(e).

penetrar [pene'trar] *vt, vi* pénétrer.

penicilina [peniθi'lina] *nf* pénicilline *f*.

península [pe'ninsula] *nf* péninsule *f*; ► **Península Ibérica** péninsule ibérique.

peninsular [peninsu'lar] *adj* péninsulaire.

penique [pe'nike] *nm* penny *m*.

penitencia [peni'tenθja] *nf* pénitence *f*; **en ~** en pénitence.

penitenciaría [penitenθja'ria] *nf* pénitencier *m*.

penitenciario, -a [peniten'θjarjo, a] *adj* pénitentiaire.

penoso, -a [pe'noso, a] *adj* pénible.

pensado, -a [pen'saðo, a] *adj:* **bien ~, ...** tout bien considéré, ...; **ser mal ~** avoir l'esprit mal tourné; **en el momento menos ~** au moment où l'on s'y attend le moins; **tener algo ~** avoir une idée.

pensador, -a [pensa'ðor, a] *nm/f* penseur(-euse).

pensamiento [pensa'mjento] *nm* pensée *f*;

no le pasó por el ~ cela ne lui a pas traversé l'esprit.

pensar [pen'sar] *vt, vi* penser; ~ **(hacer)** penser (faire); ~ **en** penser à; **he pensado que** j'ai pensé que; **¡ni ~lo!** (il n'en est) pas question!; **pensándolo bien** tout bien réfléchi; ~ **mal de algn** avoir une mauvaise opinion de qn; **tras pensárselo mucho** après y avoir bien réfléchi.

pensativo, -a [pensa'tiβo, a] *adj* pensif(-ive).

pensión [pen'sjon] *nf* pension *f*; **media** ~ *(en hotel)* demi-pension *f*; ~ **completa** pension complète; ▶ **pensión de jubilación** pension de retraite.

pensionista [pensjo'nista] *nm/f* (*jubilado*) pensionné(e); *(ESCOL)* pensionnaire *m/f*.

pentágono [pen'taɣono] *nm* pentagone *m*; **el P~** le Pentagone.

pentagrama [penta'ɣrama] *nm* portée *f*.

Pentecostés [pentekos'tes] *nm* Pentecôte *f*.

penúltimo, -a [pe'nultimo, a] *adj, nm/f* avant-dernier(-ière).

penumbra [pe'numbra] *nf* pénombre *f*.

penuria [pe'nurja] *nf* pénurie *f*.

peña ['peɲa] *nf* rocher *m*; *(grupo)* amicale *f*; *(DEPORTE)* club *m*.

peñasco [pe'ɲasko] *nm* rocher *m*.

peñón [pe'ɲon] *nm* piton *m*; **el P~** Gibraltar.

peón [pe'on] *nm* manœuvre *m*, ouvrier *m*; (*esp AM*) ouvrier agricole; *(AJEDREZ)* pion *m*; ▶ **peón de albañil** aide-maçon *m*.

peonza [pe'onθa] *nf* toupie *f*.

peor [pe'or] *adj (compar)* moins bon, pire; *(superl)* pire ♦ *adv (compar)* moins bon, pire; *(superl)* moins bien; **de mal en** ~ **de** mal en pis; **A es** ~ **que B** A est pire que B, A est moins bien que B; **Z es el** ~ **de todos** Z est le pire de tous; **y lo que es** ~ et le pire c'est que; **¡**~ **para tí!** tant pis pour toi!

pepenar [pepe'nar] (*CAM, MÉX*) *vi* fouiller.

pepinillo [pepi'niʎo] *nm* cornichon *m*.

pepino [pe'pino] *nm* concombre *m*; **(no) me importa un** ~ je m'en fiche complètement.

pepita [pe'pita] *nf* pépin *m*; *(de mineral)* pépite *f*.

pepito [pe'pito] *nm* (*CULIN*) *(sorte de) friand* à la viande.

peque *etc* ['peke] *vb V* **pecar**.

pequeñez [peke'neθ] *nf* petitesse *f*.

pequeño, -a [pe'keɲo, a] *adj, nm/f* petit(e); ▶ **pequeño burgués** petit bourgeois.

pequinés, -esa [peki'nes, esa] *adj* pékinois(e) ♦ *nm/f* Pékinois(e) ♦ *nm* (*perro*) pékinois *m*.

pera ['pera] *adj inv* ≈ BCBG *inv* ♦ *nf* poire *f*;

niño ~ petit snob; **eso es pedir** ~**s al olmo** c'est demander l'impossible.

peral [pe'ral] *nm* poirier *m*.

percance [per'kanθe] *nm* contretemps *msg*.

percatarse [perka'tarse] *vpr*: ~ **de** se rendre compte de.

percebe [per'θeβe] *nm* anatife *m*; *(fam: persona)* gourde *f*.

percepción [perθep'θjon] *nf* perception *f*.

perceptible [perθep'tiβle] *adj* perceptible; *(COM)* percevable.

percha ['pertʃa] *nf* cintre *m*; *(en la pared)* portemanteau *m*; *(de ave)* perchoir *m*.

perchero [per'tʃero] *nm* portemanteau *m*.

percibir [perθi'βir] *vt* percevoir.

percusión [perku'sjon] *nf* percussion *f*.

percusor [perku'sor], **percutor** [perku'tor] *nm* percuteur *m*.

perdedor, a [perðe'ðor, a] *adj, nm/f* perdant(e).

perder [per'ðer] *vt* perdre; *(tren)* rater ♦ *vi* perdre; **perderse** *vpr* se perdre; **echar a** ~ *(comida)* gâcher, gâter; *(oportunidad)* laisser passer; ~ **el conocimiento** perdre connaissance; ~ **el juicio/la calma** perdre la tête/son calme; **tener algo/no tener nada que** ~ avoir qch/ne rien avoir à perdre; **he perdido la costumbre** j'ai perdu l'habitude; ~**se en detalles** se perdre dans des détails; **¡no te lo pierdas!** ne rate pas ça!

perdición [perði'θjon] *nf* perdition *f*.

pérdida ['perðiða] *nf* perte *f*; *(COM)* perte, manque *m* à gagner; ~**s** *nfpl* (*COM*) pertes *fpl*; **una** ~ **de tiempo** une perte de temps; **¡no tiene** ~**!** vous ne pouvez pas vous tromper!; ▶ **pérdida contable** *(COM)* perte comptable.

perdido, -a [per'ðiðo, a] *adj* perdu(e); **estar** ~ **por** être épris(e) de; **es un caso** ~ c'est un cas désespéré; **tonto** ~ *(fam)* bête à manger du foin, bête comme ses pieds.

perdigón [perði'ɣon] *nm* chevrotine *f*.

perdiz [per'ðiθ] *nf* perdrix *f*.

perdón [per'ðon] *nm* pardon *m*; **¡**~**!** pardon!; **con** ~ avec votre permission.

perdonar [perðo'nar] *vt* pardonner; *(la vida)* gracier; *(eximir)* dispenser, exempter ♦ *vi* pardonner; **¡perdone (usted)!** pardon!; **perdone, pero me parece que ...** excusez-moi, mais il me semble que ... .

perdurable [perðu'raβle] *adj* durable; *(eterno)* éternel(le).

perdurar [perðu'rar] *vi* perdurer; *(continuar)* durer.

perecedero, -a [pereθe'ðero, a] *adj* périssable.

perecer [pere'θer] *vi* périr.

peregrinación [pereɣrina'θjon] *nf*

pèlerinage *m*.

peregrino, -a [pere'ɤrino] *adj* (*idea*) curieux(-euse), bizarre ♦ *nm/f* pèlerin(e).

perejil [pere'xil] *nm* persil *m*.

perenne [pe'renne] *adj* permanent(e); **hoja** ~ feuille persistante.

perentorio, -a [peren'torjo, a] *adj* péremptoire; (*final*) ultime.

pereza [pe'reθa] *nf* paresse *f*; **me da** ~ **hacerlo** cela ne me dit rien de le faire.

perezca *etc* [pe'reθka] *vb* V **perecer**.

perezoso, -a [pere'θoso, a] *adj* paresseux(-euse).

perfección [perfek'θjon] *nf* perfection *f*; **a la** ~ à la perfection.

perfeccionar [perfekθjo'nar] *vt* perfectionner.

perfeccionista [perfekθjo'nista] *nm/f* perfectionniste *m/f*.

perfectamente [per'fektamente] *adv* parfaitement; **¡~!** parfaitement!, certainement!

perfecto, -a [per'fekto, a] *adj* parfait(e).

perfidia [per'fiðja] *nf* perfidie *f*.

pérfido, -a ['perfiðo, a] *adj* perfide.

perfil [per'fil] *nm* profil *m*; ~**es** *nmpl* (*de figura*) contours *mpl*; **de** ~ **de** profil; ▶**perfil del cliente** profil du client.

perfilado, -a [perfi'laðo, a] *adj* bien détaché(e), bien découpé(e).

perfilar [perfi'lar] *vt* profiler; **perfilarse** *vpr* se profiler; **el proyecto se va perfilando** peu à peu ce projet prend corps.

perforación [perfora'θjon] *nf* perforation *f*.

perforadora [perfora'ðora] *nf* chignole *f*; ▶**perforadora de fichas** perforatrice *f* de fiches *o* de bureau.

perforar [perfo'rar] *vt* perforer.

perfumar [perfu'mar] *vt* parfumer; **perfumarse** *vpr* se parfumer.

perfume [per'fume] *nm* parfum *m*.

pergamino [perɤa'mino] *nm* parchemin *m*.

pericia [pe'riθja] *nf* adresse *f*.

perico [pe'riko] (*COL*) *nm* café *m* au lait.

periferia [peri'ferja] *nf* périphérie *f*.

periférico, -a [peri'feriko, a] *adj* périphérique ♦ *nm* (*INFORM*) périphérique *m*; (*AM: AUTO*) (boulevard *m*) périphérique *m*.

perífrasis [pe'rifrasis] *nf* périphrase *f*.

perilla [pe'riʎa] *nf* bouc *m*; **de** ~ à point nommé.

perímetro [pe'rimetro] *nm* périmètre *m*.

periódicamente [pe'rjoðikamente] *adv* périodiquement.

periodicidad [perioðiθi'ðað] *nf* périodicité *f*.

periódico, -a [pe'rjoðiko, a] *adj* périodique ♦ *nm* journal *m*; ▶**periódico dominical** journal du dimanche.

periodismo [perjo'ðismo] *nm* journalisme

m.

periodista [perjo'ðista] *nm/f* journaliste *m/f*.

periodístico, -a [perjo'ðistiko, a] *adj* journalistique; ▶**artículos periodísticos** articles *mpl* de journaux.

periodo [pe'rjoðo], **período** [pe'rioðo] *nm* période *f*; (*menstruación*) règles *fpl*; ▶**periodo contable** (*COM*) période comptable.

peripecia [peri'peθja] *nf* péripétie *f*.

peripuesto, -a [peri'pwesto, a] *adj* attifé(e).

perito, -a [pe'rito, a] *nm/f* expert(e), (*técnico*) technicien(ne); ▶**perito agrónomo** agronome *m/f*, ▶**perito industrial** technicien.

perjudicar [perxuði'kar] *vt* nuire à, porter préjudice à.

perjudicial [perxuði'θjal] *adj* néfaste, préjudiciable.

perjudique *etc* [perxu'ðike] *vb* V **perjudicar**.

perjuicio [per'xwiθjo] *nm* préjudice *m*; **en/sin** ~ **de** au/sans préjudice de.

perjurar [perxu'rar] *vi* parjurer.

perjurio [perxu'rjo] *nm* parjure *m*.

perla ['perla] *nf* perle *f*; **me viene de** ~**s** ça tombe à pic.

permanecer [permane'θer] *vi* séjourner, rester; (*seguir*) rester.

permanencia [perma'nenθja] *nf* durée *f*; (*estancia*) séjour *m*.

permanente [perma'nente] *adj* permanent(e) ♦ *nf* permanente *f*; **hacerse una** ~ se faire faire une permanente.

permanentemente [perma'nentemente] *adv* en permanence.

permanezca *etc* [perma'neθka] *vb* V **permanecer**.

permeable [perme'aβle] *adj* perméable.

permisible [permi'siβle] *adj* acceptable.

permisivo, -a [permi'siβo, a] *adj* permissif(-ive).

permiso [per'miso] *nm* permission *f*; (*licencia*) licence *f*, permis *msg*; **con** ~ avec votre permission; **estar de** ~ être en permission; ▶**permiso de conducir** permis de conduire; ▶**permiso de exportación/de importación** licence d'exportation/d'importation; ▶**permiso de residencia** permis de séjour.

permitir [permi'tir] *vt* permettre; **permitirse** *vpr*: **se algo** se permettre qch; **no me puedo** ~ **ese lujo** je ne puis m'offrir ce luxe; **¿me permite?** vous permettez?

permuta [per'muta] *nf* permutation *f*.

permutar [permu'tar] *vt* permuter; ~ **destinos con algn** échanger sa destinée avec celle de qn.

pernicioso, -a [perni'θjoso, a] *adj* perni-

cieux(-euse).
perno ['perno] *nm* boulon *m*.
pernoctar [pernok'tar] *vi* passer la nuit.
pero ['pero] *conj* mais ♦ *nm* objection *f*; ~
¿qué haces? mais qu'est-ce que tu fais?;
¡~ si yo no he sido! mais ce n'est pas
moi!; ¡~ bueno! mais (enfin) bon!
perogrullada [peroɣru'ʎaða] *nf* lapalissade
f.
perol [pe'rol] *nm*, **perola** [pe'rola] *nf* marmite *f*.
peronismo [pero'nismo] *nm* péronisme *m*.
peronista [pero'nista] *adj*, *nm/f* péroniste
m/f.
perorata [pero'rata] *nf* laïus *msg*.
perpendicular [perpendiku'lar] *adj* perpendiculaire.
perpetrar [perpe'trar] *vt* perpétrer.
perpetuar [perpe'twar] *vt* perpétuer.
perpetuidad [perpetwi'ðað] *nf*: **a** ~ à perpétuité.
perpetuo, -a [per'petwo, a] *adj* perpé-
tuel(le); **cadena perpetua** réclusion *f* à
perpétuité; **nieves perpetuas** neiges *fpl*
éternelles.
Perpiñán [perpi'ɲan] *n* Perpignan.
perplejo, -a [per'plexo, a] *adj* perplexe.
perra ['perra] *nf* chienne *f*; *(fam: dinero)*
tune *f*; (: *manía*) manie *f*; (: *rabieta*) colère *f*; **estoy sin una** ~ je n'ai plus un
rond.
perrera [pe'rrera] *nf* chenil *m*.
perrería [perre'ria] *nf* tour *m* de cochon.
perrito [pe'rrito] *nm*: ~ **caliente** hot-dog *m*.
perro, -a ['perro] *adj*: **qué vida más perra**
chienne de vie! ♦ *nm* chien *m*; **ser** ~ **viejo**
être un vieux renard; **de** ~**s** *(tiempo)* de
chien; *(noche)* épouvantable; ► **perro**
callejero/guardián/guía chien errant/de
garde/d'aveugle.
persa ['persa] *adj* persan(e) ♦ *nm/f* Per-
san(e) ♦ *nm* (*LING*) persan *m*.
persecución [perseku'θjon] *nf* poursuite *f*;
(REL, POL) persécution *f*.
perseguir [perse'ɣir] *vt* poursuivre; *(atosigar, REL, POL)* persécuter.
perseverante [perseβe'rante] *adj* persévé-
rant(e).
perseverar [perseve'rar] *vi* persévérer; ~
en persévérer dans.
persiana [per'sjana] *nf* persienne *f*.
pérsico, -a ['persiko, a] *adj*: **el Golfo P**~ le
Golfe Persique.
persiga *etc* [per'siɣa] *vb V* **perseguir**.
persignarse [persiɣ'narse] *vpr* se signer.
persiguiendo *etc* [persi'ɣjenðo] *vb V* **perseguir**.
persistente [persis'tente] *adj* persistant(e).
persistir [persis'tir] *vi*: ~ **(en)** persister
(dans).

persona [per'sona] *nf* personne *f*; **por** ~
par personne; **es buena** ~ c'est quelqu'un de bien; ► **persona jurídica** personne morale; ► **persona mayor** adulte
m/f.
personaje [perso'naxe] *nm* personnage *m*.
personal [perso'nal] *adj* personnel(le);
(aseo) intime ♦ *nm* personnel *m*; *(fam)*
gens *mpl*.
personalice *etc* [persona'liθe] *vb V* **personalizar**.
personalidad [personali'ðað] *nf* personnalité *f*.
personalizar [personali'θar] *vt* personnaliser ♦ *vi* donner des noms.
personalmente [perso'nalmente] *adv* personnellement; ~, **prefiero ésta** personnellement, je préfère celle-ci.
personarse [perso'narse] *vpr*: ~ **(en)** se
présenter (à).
personero [perso'nero] *(esp AM)* *nm* officiel
m.
personificar [personifi'kar] *vt* personnifier.
personifique *etc* [personi'fike] *vb V* **personificar**.
perspectiva [perspek'tiβa] *nf* perspective *f*;
~**s** *nfpl* *(de futuro)* perspectives *fpl*; **tener**
algo en ~ avoir qch en perspective.
perspicacia [perspi'kaθja] *nf* perspicacité *f*.
perspicaz [perspi'kaθ] *adj* perspicace.
persuadir [perswa'ðir] *vt* persuader; **per-
suadirse** *vpr* se persuader.
persuasión [perswa'sjon] *nf* persuasion *f*.
persuasivo, -a [perwa'siβo, a] *adj* persua-
sif(-ive).
pertenecer [pertene'θer] *vi*: ~ **a** appartenir
à.
perteneciente [pertene'θjente] *adj*: **ser** ~ **a**
appartenir à.
pertenencia [perte'nenθja] *nf* possession *f*;
(a organización, club) affiliation *f*; ~**s** *nfpl*
(posesiones) biens *mpl*.
pertenezca *etc* [perte'neθka] *vb V* **pertenecer**.
pértiga ['pertiɣa] *nf* perche *f*; **salto de** ~
saut *m* à la perche.
pertinaz [perti'naθ] *adj* tenace.
pertinente [perti'nente] *adj* pertinent(e);
(momento etc) approprié(e); ~ **a** rela-
tif(-ive) à.
pertrechar [pertre'tʃar] *vt* fournir; **pertre-
charse** *vpr*: ~**se de** *o* **con algo** se fournir
en qch.
perturbación [perturβa'θjon] *nf* perturbation *f*; ~ **del orden público** trouble *m* de
l'ordre public.
perturbado, -a [pertur'βaðo, a] *adj* trou-
blé(e) ♦ *nm/f* (*tb*: ~ **mental**) malade *m/f*
mental(e).
perturbar [pertur'βar] *vt* perturber, trou-

bler; (*MED*) troubler.
Perú [pe'ru] *nm* Pérou *m*.
peruano, -a [pe'rwano, a] *adj* péruvien(ne)
♦ *nm/f* Péruvien(ne).
perversión [perßer'sjon] *nf* perversion *f*.
perverso, -a [perßerso, a] *adj* pervers(e).
pervertido, -a [perßer'tiðo, a] *adj, nm/f* pervers(e).
pervertir [perßer'tir] *vt* pervertir; **pervertirse** *vpr* se pervertir.
pervierta *etc* [per'ßjerta], **pervirtiendo** *etc* [perßir'tjendo] *vb* V **pervertir**.
pesa ['pesa] *nf* poids *msg*; (*DEPORTE*) haltère *m*, hacer ~s faire des haltères.
pesadamente [pe'saðamente] *adv* pesamment.
pesadez [pesa'ðeθ] *nf* lourdeur *f*; (*lentitud*) lenteur *f*; (*fastidio*) ennui *m*; **es una ~ tener que ...** quel ennui que d'avoir à ...; ~ **de estómago** lourdeurs *fpl* d'estomac; **tener ~ en los párpados** avoir les paupières lourdes.
pesadilla [pesa'ðiʎa] *nf* cauchemar *m*.
pesado, -a [pe'saðo, a] *adj* lourd(e); (*lento*) lent(e); (*difícil, duro*) pénible; (*aburrido*) ennuyeux(-euse) ♦ *nm/f* enquiquineur (-euse); **tener el estómago ~** avoir l'estomac lourd; **¡no seas ~!** ne commence pas!
pesadumbre [pesa'ðumbre] *nf* chagrin *m*.
pésame ['pesame] *nm* condoléances *fpl*; **dar el ~** présenter ses condoléances.
pesar [pe'sar] *vt* peser ♦ *vi* peser; (*fig: opinión*) compter; (*arrepentirse de*) regretter ♦ *nm* (*remordimiento*) remords *msg*; (*pena*) chagrin *m*; **peso 50 kg** je pèse 50 kg; **a ~ de** en dépit de; **a ~ de que** bien que; **pese a que** en dépit du fait que; **(no) me pesa haberlo hecho** je (ne) regrette (pas) de l'avoir fait; **lo haré mal que me pese** je le ferai coûte que coûte.
pesca ['peska] *nf* pêche *f*; **ir de ~** aller à la pêche; ►**pesca de altura/de bajura** pêche hauturière/côtière.
pescadería [peskaðe'ria] *nf* poissonnerie *f*.
pescadilla [peska'ðiʎa] *nf* merlan *m*.
pescado [pes'kaðo] *nm* poisson *m*.
pescador, a [peska'ðor, a] *nm/f* pêcheur(-euse).
pescar [pes'kar] *vt* pêcher; (*fam*) choper; (*novio*) se dénicher; (*delincuente*) cueillir ♦ *vi* pêcher; **¡te pesqué!** (*fam*) je t'ai vu!
pescuezo [pes'kweθo] *nm* cou *m*.
pesebre [pe'seßre] *nm* mangeoire *f*.
pesero [pe'sero] (*MÉX*) *nm* taxi *m* collectif.
peseta [pe'seta] *nf* peseta *f*.
pesetero, -a [pese'tero, a] *adj* grippe-sou.
pesimismo [pesi'mismo] *nm* pessimisme *m*.
pesimista [pesi'mista] *adj, nm/f* pessimiste

m/f.
pésimo, -a ['pesimo, a] *adj* lamentable.
peso ['peso] *nm* poids *msg*; (*balanza*) balance *f*; (*AM: moneda*) peso *m*; **de poco ~** léger(-ère); **levantamiento de ~s** haltérophilie *f*; **vender a ~** vendre au poids; **argumento de ~** argument *m* de poids; **eso cae por su propio ~** cela tombe sous le sens; ►**peso bruto** poids brut; ►**peso específico** masse *f* spécifique; ►**peso neto** poids net; ►**peso pesado/pluma** (*BOXEO*) poids lourd/plume.
pespunte [pes'punte] *nm* point *m* arrière.
pesque *etc* ['peske] *vb* V **pescar**.
pesquero, -a [pes'kero, a] *adj* (*industria*) de la pêche; (*barco*) de pêche.
pesquisa [pes'kisa] *nf* recherche *f*.
pestaña [pes'taɲa] *nf* cil *m*; (*borde*) bord *m*.
pestañear [pestaɲe'ar] *vi* cligner des yeux; **sin ~** sans sourciller.
peste ['peste] *nf* peste *f*; (*fig*) plaie *f*; (*mal olor*) puanteur *f*; **echar ~s** pester; ►**peste negra** peste noire.
pesticida [pesti'θiða] *nm* pesticide *m*.
pestilencia [pesti'lenθja] *nf* pestilence *f*.
pestillo [pes'tiʎo] *nm* verrou *m*; (*picaporte*) poignée *f*.
petaca [pe'taka] *nf* (*para cigarros*) porte-cigarettes *m inv*; (*para tabaco*) tabatière *f*; (*para beber*) flasque *f*; (*AM*) valise *f*.
pétalo ['petalo] *nm* pétale *m*.
petanca [pe'tanka] *nf* pétanque *f*.
petardo [pe'tarðo] *nm* pétard *m*; **¡que ~ de película!** (*fam*) quelle barbe ce film!
petate [pe'tate] *nm* (*MIL*) sac *m*.
petición [peti'θjon] *nf* demande *f*; (*JUR*) requête *f*; **a ~ de** à la demande de; **firmar una ~** signer une pétition.
petirrojo [peti'rroxo] *nm* rouge-gorge *m*.
petiso, -a [pe'tiso, a], **petizo, -a** [pe'tiθo, a] (*AM*) *adj* (*bajito*) petit(e) ♦ *nm/f* petit cheval *m*.
peto ['peto] *nm* plastron *m*; (*tb: pantalones de ~*) salopette *f*; (*TAUR*) caparaçon *m*.
pétreo, -a ['petreo, a] *adj* de pierre; (*expresión*) de glace.
petrificar [petrifi'kar] *vt* pétrifier.
petrifique *etc* [petri'fike] *vb* V **petrificar**.
petrodólar [petro'ðolar] *nm* pétrodollar *m*.
petróleo [pe'troleo] *nm* pétrole *m*.
petrolero, -a [petro'lero, a] *adj* pétrolier(-ère) ♦ *nm* pétrolier *m*.
petroquímico, -a [petro'kimiko, a] *adj* pétrochimique.
PETROVEN [petro'ßen] *sigla m* = *Petróleos de Venezuela*.
petulancia [petu'lanθja] *nf* vanité *f*.
peyorativo, -a [pejora'tißo, a] *adj* péjoratif(-ive).

pez [peθ] *nm* poisson *m* ♦ *nf* poix *fsg*; **estar como el ~ en el agua** être comme un poisson dans l'eau; **estar ~ en algo** être nul(le) en qch; ▶ **pez de colores** poisson rouge; ▶ **pez espada** poisson-épée *m*; ▶ **pez gordo** (*fig*) grosse légume *f*.

pezón [pe'θon] *nm* mamelon *m*.

pezuña [pe'θuɲa] *nf* (*de animal*) sabot *m*.

piadoso, -a [pja'ðoso, a] *adj* pieux(-euse).

Piamonte [pja'monte] *nm* Piémont *m*.

pianista [pja'nista] *nm/f* pianiste *m/f*.

piano ['pjano] *nm* piano *m*; ▶ **piano de cola** piano à queue.

piar [pjar] *vi* piailler.

piara ['pjara] *nf* troupeau *m* de cochons.

PIB *sigla m* (= *Producto Interior Bruto*) PIB *m* (= *produit intérieur brut*).

pibe, -a ['piße, a] (*AM*) *nm/f* gosse *m/f*.

pica ['pika] *nf* pique *f*; **poner una ~ en Flandes** faire un exploit.

picada [pi'kaða] (*CSUR*) *nf* amuse-gueule *m* inv.

picadero [pika'ðero] *nm* manège *m*.

picadillo [pika'ðiʎo] *nm* hachis *msg*.

picado, -a [pi'kaðo, a] *adj* haché(e); (*hielo*) pilé(e); (*vino*) piqué(e); (*tela, ropa*) mangé(e); (*mar*) agité(e); (*diente*) gâté(e); (*tabaco*) découpé(e); (*enfadado*) piqué(e) ♦ *nm*: **en ~** en piqué; **~ de viruelas** ravagé(e) par la petite vérole.

picador [pika'ðor] *nm* (*TAUR*) picador *m*; (*minero*) piqueur *m*.

picadora [pika'ðora] *nf* hachoir *m* électrique.

picadura [pika'ðura] *nf* piqûre *f*; (*tabaco picado*) tabac *m* gris.

picana [pi'kana] (*AM*) *nf* (*AGR*) aiguillon *m* (électrique); (*para tortura*) aiguillon électrique.

picante [pi'kante] *adj* épicé(e); (*comentario, chiste*) piquant(e).

picantería [pikante'ria] (*AND, CSUR*) *nf* ≈ bistro(t) *m*.

picaporte [pika'porte] *nm* poignée *f*.

picar [pi'kar] *vt* piquer; (*ave*) picoter; (*anzuelo*) mordre à; (*CULIN*) hacher; (*billete, papel*) poinçonner; (*comer*) grignoter ♦ *vi* piquer; (*el sol*) brûler; (*pez*) mordre; **picarse** *vpr* (*vino*) se piquer; (*mar*) s'agiter; (*muela*) se gâter; (*ofenderse*) prendre la mouche; (*fam: con droga*) se shooter; **me pica el brazo** mon bras me démange; **me pica la curiosidad** ça pique ma curiosité; **¡picaste!** je t'ai eu!; **~se con algn** se fâcher avec qn.

picardía [pikar'ðia] *nf* sournoiserie *f*; (*astucia*) astuce *f*; (*travesura*) espièglerie *f*.

picaresco, -a [pika'resko, a] *adj* espiègle; (*LIT*) picaresque.

pícaro, -a ['pikaro, a] *adj* astucieux(-euse); (*travieso*) espiègle ♦ *nm* canaille *f*; (*LIT*) pícaro *m*.

picazón [pika'θon] *nf* piqûre *f*; (*comezón*) picotement *m*.

pichón, -ona [pi'tʃon, ona] *nm/f* pigeon *m*; (*apelativo*) mon(ma) chéri(e).

pico ['piko] *nm* bec *m*; (*de mesa, ventana*) coin *m*; (*GEO, herramienta*) pic *m*; (*fam: labia*) tchatche *f*; (: *de drogas*) shoot *m*; **no abrir el ~** ne pas ouvrir le bec; **son las 3 y ~** il est 3 heures et quelque; **peso 50 kilos y ~** je pèse 50 kg et quelque; **me costó un ~** ça m'a coûté une jolie somme.

picor [pi'kor] *nm* (*comezón*) picotement *m*; (*ardor*) piqûre *f*.

picoso, -a [pi'koso, a] (*MÉX*) *adj* piquant(e).

picota [pi'kota] *nf* pilori *m*; (*cereza*) bigarreau *m*; **poner a algn en la ~** (*fig*) mettre qn au supplice.

picotada [piko'taða] *nf*, **picotazo** [piko'taθo] *nm* (*de pájaro*) coup de bec; (*de insecto*) piqûre *f*.

picotear [pikote'ar] *vt*, *vi* (*fam*) grignoter ♦ *vi* (*ave*) picorer.

pictórico, -a [pik'toriko, a] *adj* pictural(e); (*paisaje, motivo*) pittoresque; **tiene dotes pictóricas** il a des dons pour la peinture.

picudo, -a [pi'kuðo, a] *adj* au bec pointu; (*zapato, tejado*) pointu(e).

pidiendo *etc* [pi'ðjendo] *vb* V **pedir**.

pie [pje] *nm* pied *m*; (*de página*) bas *msg*; **ir a ~** aller à pied; **a ~s juntillas** sur parole; **al ~ de** au pied de; **estar de ~** être debout; **de a ~** moyen(ne); **ponerse de ~** se mettre debout; **al ~ de la letra** au pied de la lettre; **con ~s de plomo** avec précaution; **con buen/mal ~** avec/sans succès; **de ~s a cabeza** des pieds à la tête; **en ~ de guerra** sur le pied de guerre; **en ~ de igualdad** sur un pied d'égalité; **sin ~s ni cabeza** sans queue ni tête; **dar ~ a** donner prise à; **no dar ~ con bola** ne pas savoir où on en est; **hacer ~** (*en el agua*) avoir pied; **saber de qué ~ cojea algn** connaître les faiblesses de qn; **seguir en ~** (*propuesta, pregunta*) demeurer ouvert(e).

piedad [pje'ðað] *nf* pitié *f*; **tener ~ de algn** avoir pitié de qn.

piedra ['pjeðra] *nf* pierre *f*; (*MED*) calcul *m*; (*METEOROLOGÍA*) grêlon *m*; **quedarse/dejar de ~** rester/laisser de glace; ▶ **piedra angular** pierre angulaire; ▶ **piedra de afilar** pierre à aiguiser; ▶ **piedra preciosa** pierre précieuse.

piel [pjel] *nf* peau *f*; (*de animal, abrigo*) fourrure *f* ♦ *nm/f*: **~ roja** Peau-Rouge *m/f*; **abrigo de ~** manteau *m* de fourrure.

pienso ['pjenso] vb V **pensar** ♦ nm (AGR) tourteau m.

pierda etc ['pjerða] vb V **perder**.

pierna ['pjerna] nf jambe f; (de cordero) gigot m.

pieza ['pjeθa] nf pièce f; **quedarse de una ~ rester sans voix; un dos/tres ~s** (traje) un costume deux-/trois-pièces; ▶ **pieza de recambio** o **de repuesto** pièce de rechange.

pigmento [piɣ'mento] nm pigment m.

pigmeo, -a [piɣ'meo, a] adj pygmée ♦ nm/f Pygmée m/f.

pijada [pi'xaða] (fam) nf bêtise f.

pijama [pi'xama] nm pyjama m.

pijo, -a ['pixo, a] (fam) adj huppé(e).

pijotada [pixo'taða] nf bêtise f.

pila ['pila] nf pile f; (fregadero) évier m; (lavabo) lavabo m; (fuente) fontaine f; **nombre de ~** nom m de baptême; **tengo una ~ de cosas que hacer** (fam) j'ai une montagne de choses à faire; ▶ **pila bautismal** fonts mpl baptismaux.

pilar [pi'lar] nm pilier m.

píldora ['pildora] nf pilule f; **la ~ (anticonceptiva)** la pilule (contraceptive); **tragarse la ~** (creerse) avaler la pilule.

pileta [pi'leta] (esp CSUR) nf évier m; (piscina) piscine f.

pillaje [pi'ʎaxe] nm pillage m.

pillar [pi'ʎar] vt coincer; (fam: coger, sorprender) pincer; (: conseguir) se dégotter; (: atropellar) faucher; (: alcanzar) attraper; (: entender indirecta) piger; **le pillé en casa/comiendo** je l'ai trouvé chez lui/on train de manger; **me pilla cerca/lejos** c'est près/loin de chez moi; **~ una borrachera** (fam) prendre une cuite; **~ un resfriado** (fam) choper un rhume.

pillo, -a ['piʎo, a] adj malin(-igne), coquin(e) ♦ nm/f fripouille f.

pilón [pi'lon] nm pilier m; (abrevadero) abreuvoir m; (de fuente) bassin m.

pilotar [pilo'tar] vt piloter.

piloto [pi'loto] nm/f pilote m ♦ nm (ARG) imperméable m ♦ adj inv: **programa/piso ~** programme m/appartement m pilote; ▶ **piloto automático** pilote automatique.

piltrafa [pil'trafa] nf déchet m.

pimentón [pimen'ton] nm piment m doux.

pimienta [pi'mjenta] nf poivre m.

pimiento [pi'mjento] nm poivron m.

pimpante [pim'pante] adj charmant(e); **se quedó tan ~** il n'a pas bronché.

PIN sigla m (= Producto Interior Neto) produit m intérieur net.

pin [pin] nm pin's m inv.

pinacoteca [pinako'teka] nf galerie f de peintures.

pináculo [pi'nakulo] nm pinacle m; (de fama, éxito) faîte m.

pinar [pi'nar] nm pinède f.

pincel [pin'θel] nm pinceau m.

pincelada [pinθe'laða] nf coup m de pinceau; **última ~** touche f finale.

pinchadiscos [pintʃa'ðiskos] nm/f inv disc-jockey m.

pinchar [pin'tʃar] vt piquer; (neumático) crever; (teléfono) mettre sur (table d')écoute ♦ vi (AUTO) crever; **pincharse** vpr se piquer; (neumático) crever; **ni pincha ni corta en esto** (fam) il n'a rien à voir là-dedans; (no tiene influencia) il compte pour du beurre là-dedans; **tener un neumático pinchado** avoir un pneu crevé.

pinchazo [pin'tʃaθo] nm piqûre f; (de dolor) élancement m; (de llanta) crevaison f; ▶ **pinchazo telefónico** écoute f téléphonique.

pinche ['pintʃe] nm aide-cuisinier m; (MÉX: fam) bandit m.

pinchito [pin'tʃito] nm amuse-gueule m inv.

pincho ['pintʃo] nm pointe f; (de planta) épine f; (CULIN) amuse-gueule m inv; ▶ **pincho de tortilla** fine tranche f d'omelette; ▶ **pincho moruno** (chiche-)kebab m.

ping-pong ['pimpon] nm ping-pong m.

pingüe ['pingwe] adj (beneficios) rondelet(te).

pingüino [pin'gwino] nm pingouin m.

pinitos [pi'nitos] nmpl: **hacer mis** etc **primeros ~** faire mes etc premiers pas.

pino ['pino] nm pin m; **en el quinto ~** dans un coin perdu.

pinta ['pinta] nf (mota) tache f; (aspecto) mine f; **tener buena ~** avoir bonne mine; **por la ~** d'aspect.

pintada [pin'taða] nf graffiti m.

pintado, -a [pin'taðo, a] adj peint(e); (ojos, boca) maquillé(e); (uñas) fait(e); **me viene** o **me sienta que ni ~** cela me va comme un gant.

pintar [pin'tar] vt peindre; (con lápices de colores) colorier; (fig) dépeindre ♦ vi peindre; (fam) compter; **pintarse** vpr se maquiller; (uñas) se faire; **pintárselas solo para hacer algo** être passé maître dans l'art de faire qch; **no pinta nada** (fam) il compte pour du beurre; **¿qué pinta aquí esto?** qu'est-ce que ça vient faire ici?

pintor, a [pin'tor, a] nm/f peintre m/f; ▶ **pintor de brocha gorda** peintre en bâtiment.

pintoresco, -a [pinto'resko, a] adj pittoresque.

pintura [pin'tura] nf peinture f; (lápiz de color) crayon m de couleur; ▶ **pintura a**

la acuarela aquarelle *f*; ► **pintura al óleo** peinture à l'huile; ► **pintura rupestre** peinture rupestre.

pinza ['pinθa] *nf* pince *f*; *(para colgar ropa)* pince à linge; ~**s** *nfpl (para depilar)* pince à épiler.

piña ['piɲa] *nf (fruto del pino)* pomme *f* de pin; *(fruta)* ananas *msg*; *(fig: conjunto)* bande *f*.

piñón [pi'ɲon] *nm* pignon *m*.

pío, -a ['pio, a] *adj* pieux(-euse) ♦ *nm*: **no decir ni ~** ne pas piper mot.

PIO *(ESP) sigla m* (= *Patronato de Igualdad de Oportunidades*) *organisme d'aide à la lutte contre les inégalités.*

piojo ['pjoxo] *nm* pou *m*.

piojoso, -a [pjo'xoso, a] *adj* pouilleux(-euse).

piola ['pjola] *(ARG: fam) adj* débrouillard(e).

piolet [pjo'le] *(pl* ~**s**) *nm* piolet *m*.

pionero, -a [pjo'nero, a] *adj, nm/f* pionnier(-ère).

pipa ['pipa] *nf* pipe *f*; *(BOT)* pépin *m*; ~**s** *nfpl (de girasol)* graines *fpl* (de tournesol); **pasarlo** ~ *(fam)* bien s'amuser.

pipeta [pi'peta] *nf* pipette *f*.

pipí [pi'pi] *(fam) nm*: **hacer** ~ faire pipi.

pipiolo, -a [pi'pjolo, -a] *nm* gamin(e); *(novato)* bleu(novice).

pique ['pike] *vb* V **picar** ♦ *nm* brouille *f*; *(rivalidad)* compétition *f*; **irse a** ~ couler à pic; *(familia, negocio)* aller à la dérive; **tener un** ~ **con algn** avoir une dent contre qn.

piqueta [pi'keta] *nf (CONSTR)* pic *m*; *(de tienda de campaña)* piquet *m*.

piquete [pi'kete] *nm* piquet *m*.

pira ['pira] *nf* bûcher *m*.

pirado, -a [pi'raðo, a] *(fam) adj* givré(e).

piragua [pi'raɣwa] *nf* pirogue *f*; *(DEPORTE)* canoë *m*.

piragüismo [pira'ɣwismo] *nm* canoë-kayak *m*.

pirámide [pi'ramiðe] *nf* pyramide *f*.

piraña [pi'raɲa] *nf* piranha *m*.

pirarse [pi'rarse] *vpr (tb:* **pirárselas**) se tirer; ~ **las clases** faire l'école buissonnière.

pirata [pi'rata] *adj:* **edición/disco** ~ édition *f*/disque *m* pirate ♦ *nm* pirate *m*; ► **pirata informático** pirate informatique.

pirenaico, -a [pire'naiko, a] *adj* pyrénéen(ne).

Pirineo(s) [piri'neo(s)] *nm(pl)* Pyrénées *fpl*.

pirómano, -a [pi'romano, a] *nm/f* pyromane *m/f*.

piropo [pi'ropo] *nm* flatterie *f*; **echar** ~**s a algn** faire des compliments à qn.

pirrado, -a [pi'rraðo, a] *adj:* ~ **por** fou(folle) de.

pirrarse [pi'rrarse] *vpr*: ~ **(por)** raffoler (de).

pirueta [pi'rweta] *nf* pirouette *f*.

pirulí [piru'li] *nm* sucette *f*.

pis [pis] *(fam) nm* pipi *m*, pisse *f*; **hacer** ~ pisser.

pisada [pi'saða] *nf* pas *msg*.

pisapapeles [pisapa'peles] *nm inv* presse-papiers *m inv*.

pisar [pi'sar] *vt* fouler, marcher sur; *(apretar con el pie, fig)* écraser; *(idea, puesto)* piquer ♦ *vi* marcher; **me has pisado** tu m'as marché dessus; **no** ~ **(por) un sitio** *(fig)* ne pas mettre les pieds quelque part; ~ **fuerte** *(fig)* ne pas y aller par quatre chemins.

piscifactoría [pisθifakto'ria] *nf* établissement *m* piscicole.

piscina [pis'θina] *nf* piscine *f*.

Piscis ['pisθis] *nm (ASTROL)* Poissons *mpl*; **ser** ~ être Poissons.

pisco ['pisko] *(AND, CHI) nm* aguardiente *f*.

piso ['piso] *nm (planta)* étage *m*; *(apartamento)* appartement *m*; *(suelo)* sol *m*; **primer** ~ premier étage; *(AM: de edificio)* rez-de-chaussée *m inv*.

pisotear [pisote'ar] *vt* piétiner; *(fig)* humilier.

pisotón [piso'ton] *nm* piétinement *m*.

pista ['pista] *nf* piste *f*; **estar sobre la** ~ **de algn** être sur la piste de qn; ► **pista de aterrizaje** piste d'atterrissage; ► **pista de auditoría** *(COM)* piste de vérification; ► **pista de baile** piste de danse; ► **pista de carreras** champ *m* de courses; ► **pista de hielo** patinoire *f*; ► **pista de tenis** court *m* de tennis.

pisto ['pisto] *nm* ≈ ratatouille *f*; **darse** ~ *(fam)* se faire mousser.

pistola [pis'tola] *nf* pistolet *m*.

pistolera [pisto'lera] *nf* gaine *f*; *V tb* **pistolero**.

pistolero, -a [pisto'lero, a] *nm/f* gangster *m*.

pistón [pis'ton] *nm* piston *m*.

pita ['pita] *nf* agave *m*.

pitar [pi'tar] *vt* siffler; *(AUTO)* klaxonner ♦ *vi* siffler; *(AUTO)* klaxonner; *(fam)* gazer; *(AM)* fumer; **salir pitando** se tirer.

pitido [pi'tiðo] *nm* coup *m* de sifflet; *(sonido fino)* sifflement *m*.

pitillera [piti'ʎera] *nf* tabatière *f*.

pitillo [pi'tiʎo] *nm (fam)* sèche *f*; *(COL: pajita)* paille *f*.

pito ['pito] *nm* sifflement *m*; *(silbato)* sifflet *m*; *(de coche)* klaxon *m*; *(fam: cigarrillo)* clope *f*; *(fam!: pene)* bite *f (fam!)*; **me importa un** ~ je m'en fous.

pitón [pi'ton] *nm* python *m*.

pitonisa [pito'nisa] *nf* pythonisse *f*.

pitorrearse [pitorre'arse] *vpr*: ~ **de** se moquer de.

pitorreo [pito'rreo] *nm* moquerie *f*; **estar de** ~ se payer la tête des gens.

pituco, -a [pi'tuko, a] (*AND, CSUR: fam*) *adj, nm/f* richard(e).

pivote [pi'βote] *nm* pivot *m*.

píxel ['piksel] *nm* (*INFORM*) pixel *m*.

piyama [pi'jama] (*AM*) *nm o f* pyjama *m*.

pizarra [pi'θarra] *nf* ardoise *f*; (*encerado*) tableau *m* (noir).

pizca ['piθka] *nf* pincée *f*; (*de pan*) miette *f*; (*fig*) petit morceau *m*; **ni** ~ pas une miette.

pizza ['pitsa] *nf* pizza *f*.

placa ['plaka] *nf* plaque *f*; (*INFORM*) panneau *m*; ▶ **placa conmemorativa** plaque commémorative; ▶ **placa de matrícula** plaque d'immatriculation; ▶ **placa dental** plaque dentaire; ▶ **placa madre** (*INFORM*) carte-mère *f*.

placaje [pla'kaxe] *nm* (*DEPORTE*) plaquage *m*.

placard [pla'kar] (*CSUR*) *nm* placard *m*.

placenta [pla'θenta] *nf* placenta *m*.

placentero, -a [plaθen'tero, a] *adj* agréable.

placer [pla'θer] *nm* plaisir *m*; **a** ~ à loisir.

plácido, -a ['plaθiδo, a] *adj* placide; (*día, mar*) calme.

plafón [pla'fon] *nm* (*lámpara*) plafonnier *m*; (*AM*) ciel *m* dégagé.

plaga ['plaγa] *nf* fléau *m*; (*fig*) horde *f*.

plagar [pla'γar] *vt* infester; **plagado de moscas/turistas** infesté de mouches/touristes.

plagiar [pla'xjar] *vt* plagier; (*AM*) kidnapper.

plagiario, -a [pla'xjarjo, a] (*AM*) *nm/f* kidnappeur(-euse).

plagio ['plaxjo] *nm* plagiat *m*; (*AM*) kidnapping *m*.

plague *etc* ['plaγe] *vb V* **plagar**.

plan [plan] *nm* plan *m*, projet *m*; (*idea*) idée *f*; ¡menudo ~! quelle idée géniale!; **tener** ~ (*fam*) voir qn; **en** ~ **de cachondeo** pour rigoler; **en** ~ **económico** (*fam*) pour pas cher; **vamos en** ~ **de turismo** on y va en touristes; **si te pones en ese** ~ ... si tu le vois comme ça ...; ▶ **plan cotizable de jubilación** ≈ plan d'épargne-retraite; ▶ **plan de estudios** programme *m*; ▶ **plan de incentivos** (*COM*) système *m* de primes.

plana ['plana] *nf* page *f*; **a toda** ~ sur toute une page; **la primera** ~ la une; ▶ **plana mayor** (*MIL*) état-major *m*.

plancha ['plantʃa] *nf* (*para planchar*) fer *m* (à repasser); (*ropa*) repassage *m*; (*de metal, madera, TIP*) planche *f*; (*CULIN*) grill *m*; **pescado a la** ~ poisson *m* grillé.

planchado, -a [plan'tʃaδo, a] *adj* repassé(e) ♦ *nm* repassage *m*.

planchar [plan'tʃar] *vt, vi* repasser.

planeador [planea'δor] *nm* planeur *m*.

planear [plane'ar] *vt* planifier ♦ *vi* planer.

planeta [pla'neta] *nm* planète *f*.

planetario, -a [plane'tarjo, a] *adj* planétaire ♦ *nm* planétarium *m*.

planicie [pla'niθje] *nf* plaine *f*.

planificación [planifika'θjon] *nf* planification *f*; **diagrama de** ~ (*COM*) planning *m*; ▶ **planificación corporativa** (*COM*) planning de l'entreprise; ▶ **planificación familiar** planning familial.

planilla [pla'niʎa] (*AM*) *nf* formulaire *m*.

plano, -a ['plano, a] *adj* plat(e) ♦ *nm* plan *m*; **primer** ~ (*CINE*) premier plan; **en primer/segundo** ~ au premier/second plan; **caer de** ~ tomber de tout son long; **rechazar algo de** ~ rejeter entièrement qch; **me da el sol de** ~ le soleil m'arrive en plein dessus (*fam*).

planta ['planta] *nf* plante *f*; (*TEC*) usine *f*; (*piso*) étage *m*; **tener buena** ~ avoir de l'allure; ▶ **planta baja** rez-de-chaussée *m inv*.

plantación [planta'θjon] *nf* plantation *f*.

plantado, -a [plan'taδo, a] *adj*: **dejar** ~ **a algn** (*no aparecer*) poser un lapin à qn; (*marcharse*) planter là qn; (*abandonar a*) laisser tomber qn; **quedarse** ~ rester planté(e) là.

plantar [plan'tar] *vt* planter; (*novio, trabajo*) laisser tomber; **plantarse** *vpr* se planter; ~ **a algn en la calle** mettre qn à la rue; ~**se (en)** arriver (à).

plantear [plante'ar] *vt* exposer; (*problema*) poser; (*proponer*) proposer; **plantearse** *vpr* envisager; **se lo** ~**é** je le lui expliquerai.

plantel [plan'tel] *nm* groupe *m*.

plantilla [plan'tiʎa] *nf* (*de zapato*) semelle *f*; (*personal*) personnel *m*; **estar en** ~ faire partie du personnel.

plantío [plan'tio] *nm* plantation *f*.

plantón [plan'ton] *nm*: **dar (un)** ~ **a algn** poser un lapin à qn; **estar de** ~ poireauter.

plañidero, -a [plaɲi'δero, a] *adj* geignard(e).

plasma ['plasma] *nm* plasma *m*.

plasmar [plas'mar] *vt* (*dar forma*) modeler; (*representar*) reproduire; **plasmarse** *vpr*: ~**se en** se concrétiser.

plasta ['plasta] *adj inv* (*fam*) enquiquinant(e) ♦ *nm/f* (*fam*) enquiquineur(-euse) ♦ *nf* (*pasta*) purée *f*.

plástica ['plastika] *nf* plastique *f*.

plástico, -a ['plastiko, a] *adj* plastique ♦ *nm* plastique *m*; **artes plásticas** arts *mpl* plastiques.

plastificar [plastifi'kar] *vt* plastifier.

plastifique *etc* [plasti'fike] *vb* V **plastificar**.

plastilina ® [plasti'θina] *nf* pâte *f* à modeler.

plata ['plata] *nf* (*metal, dinero*) argent *m*; (*cosas de plata*) argenterie *f*; **hablar en ~** aller droit au but.

plataforma [plata'forma] *nf* plate-forme *f*; (*tribuna*) estrade *f*; (*de zapatos*) semelle *f* (compensée); ► **plataforma de lanzamiento** rampe *f* de lancement; ► **plataforma petrolera/de perforación** plateforme pétrolière/de forage; ► **plataforma reivindicativa** plate-forme de revendications.

plátano ['platano] *nm* banane *f*; (*árbol*) bananier *m*.

platea [pla'tea] *nf* orchestre *m*.

plateado, -a [plate'aðo, a] *adj* argenté(e); (*TEC*) plaqué(e) argent.

platense [pla'tense] (*fam*) = **rioplatense**.

plática ['platika] *nf* (*CAM, MÉX*) discussion *f*; (: *informal*) conversation *f*; (*REL*) sermon *m*.

platicar [plati'kar] (*CAM, MÉX*) *vi* discuter; (*de manera informal*) bavarder.

platillo [pla'tiʎo] *nm* soucoupe *f*; (*de balanza*) plateau *m*; (*de limosnas*) timbale *f*; **~s** *nmpl* (*MÚS*) cymbales *fpl*; ► **platillo volante** soucoupe volante.

platino [pla'tino] *nm* platine *m*; **~s** *nmpl* (*AUTO*) vis *fpl* platinées.

platique *etc* [pla'tike] *vb* V **platicar**.

plato ['plato] *nm* assiette *f*; (*guiso*) plat *m*; (*de tocadiscos*) platine *f*; **pagar los ~s rotos** (*fam*) payer les pots cassés; **primer/segundo ~** entrée *f*/plat principal; ► **plato combinado** menu *m* express; ► **plato hondo/llano** o **pando** assiette creuse/plate.

plató [pla'to] *nm* plateau *m*.

platónico, -a [pla'toniko, a] *adj*: **amor ~** amour *m* platonique.

platudo, -a [pla'tuðo, a] (*AM: fam*) *adj* friqué(e).

playa ['plaja] *nf* plage *f*; **~ de estacionamiento** (*AM*) place *f* de stationnement.

playera [pla'jera] *nf* (*AM*) T-shirt *m*; **~s** *nfpl* chaussures *fpl* en toile.

playero, -a [pla'jero, a] *adj* de plage.

playo, -a ['plajo, a] (*AM*) *adj* plat(e).

plaza ['plaθa] *nf* place *f*; (*mercado*) place du marché; ► **plaza de abastos** marché *m*; ► **plaza de toros** arène *f*; ► **plaza mayor** grand'place *f*.

plazca *etc* ['plaθka] *vb* V **placer**.

plazo ['plaθo] *nm* délai *m*; (*pago parcial*) terme *m*; **a corto/largo ~** à court/long terme; **comprar a ~s** acheter à tempéra-

ment; **nos dan un ~ de 8 días** ils nous donnent un délai de 8 jours.

plazoleta [plaθo'leta], **plazuela** [pla'θwela] *nf* petite place *f*.

pleamar [plea'mar] *nf* pleine mer *f*.

plebe ['pleβe] (*pey*) *nf* plèbe *f*.

plebeyo, -a [ple'βejo, a] *adj* plébéien(ne).

plebiscito [pleβis'θito] *nm* plébiscite *m*.

plegable [ple'xaβle] *adj* pliable.

plegar [ple'xar] *vt* plier; **plegarse** *vpr* se plier.

plegaria [ple'xarja] *nf* prière *f*.

plegué *etc* [ple'xe] *vb* V **plegar**.

pleitear [pleite'ar] *vi* plaider.

pleito ['pleito] *nm* procès *msg*; (*fig*) conflit *m*; **entablar ~** entamer un procès; **poner (un) ~ a** poursuivre.

plenario, -a [ple'narjo, a] *adj* plénier(-ière).

plenilunio [pleni'lunjo] *nm* pleine lune *f*.

plenitud [pleni'tuð] *nf* plénitude *f*; **en la ~ de la vida** dans la fleur de l'âge.

pleno, -a ['pleno, a] *adj* plein(e) ♦ *nm* plenum *m*; **en ~** (*reunirse*) au complet; (*elegir*) à l'unanimité; **en ~ día/verano** en plein jour/été; **en plena cara** en plein visage.

pletina [ple'tina] *nf* (*MÚS*) platine *f*.

plexiglás ® [pleksi'xlas] *nm* plexiglas *msg* ®.

pliego ['pljexo] *vb* V **plegar** ♦ *nm* (*hoja*) feuille *f* (de papier); (*carta*) pli *m*; ► **pliego de cargos** charges *fpl* produites contre l'accusé; ► **pliego de condiciones** cahier *m* des charges; ► **pliego de descargo** témoignages *mpl* à la décharge de l'accusé.

pliegue ['pljexe] *vb* V **plegar** ♦ *nm* pli *m*.

plisado, -a [pli'saðo] *adj* plissé(e).

plomero [plo'mero] (*AM*) *nm* plombier *m*.

plomizo, -a [plo'miθo, a] *adj* de plomb.

plomo ['plomo] *nm* plomb *m*; **~s** *nmpl* (*ELEC*) plombs *mpl*; **caer a ~** tomber de tout son long; **ser un ~** (*fam*) être une peste; (*libro*) être un torchon; (**gasolina**) **sin ~** (essence) sans plomb.

pluma ['pluma] *nf* plume *f*; **de ~s** en plumes; ► **pluma (estilográfica)**, **~ fuente** (*AM*) stylo-plume *m*.

plumaje [plu'maxe] *nm* plumage *m*.

plumazo [plu'maθo] *nm*: **de un ~** d'un trait de plume.

plumero [plu'mero] *nm* plumeau *m*; **se te ve el ~** je te vois venir avec tes gros sabots.

plumilla [plu'miʎa] *nf* plume *f*.

plumón [plu'mon] *nm* (*AM*) stylo-feutre *m*; (*para saco de dormir*) duvet *m*; (*anorak*) doudoune *f*.

plural [plu'ral] *adj* pluriel(le) ♦ *nm* pluriel

m.

pluralidad [plurali'ðað] *nf* pluralité *f*.
pluralismo [plura'lismo] *nm* pluralisme *m*.
pluriempleo [pluriem'pleo] *nm* cumul *m* d'emplois.
plus [plus] *nm* prime *f*.
plusmarquista [plusmar'kista] *nm/f* recordman(-woman).
plusvalía [plusßa'lia] *nf* (*COM*) plus-value *f*.
plutocracia [pluto'kraθja] *nf* ploutocratie *f*.
Plutón [plu'ton] *nm* Pluton *m*.
PM *sigla f* (= *Policía Militar*) PM *f* (= *police militaire*).
p.m. *abr* (*csp AM.* – *post meridiem*) après-midi; (= *por minuto*) /min (= *par minute*).
PMA *sigla m* (= *Programa Mundial de Alimentos*) WFP *m* (= *World Food Program*).
P.M.A. *sigla m* (= *peso máximo autorizado*) PTMA *m* (= *poids total maximum autorisé*).
pmo. *abr* (= *próximo*) prochain.
PN *sigla f* (*MIL*) = *Policía Naval*.
PNB *sigla m* (*COM* = *Producto Nacional Bruto*) PNB *m* (= *produit national brut*).
P.N.D. *sigla m* (*ESCOL* = *personal no docente*) personnel *msg* non enseignant.
PNN [pe'nene] *sigla m/f* (= *profesor(a) no numerario(-a)*) professeur *m* non titulaire ♦ *sigla m* (*COM* = *Producto Nacional Neto*) PNN *m* (= *produit national net*).
PNUD *sigla m* (= *Programa de las Naciones Unidas para el Desarrollo*) PNUD *m* (= Programme des Nations unies pour le développement).
PNV *sigla m* (*POL* = *Partido Nacionalista Vasco*) parti politique basque.
P.º *abr* = **paseo.**
p.o. *abr* (= *por orden*) p.o. (= *par ordre*).
población [poßla'θjon] *nf* population *f*; (*pueblo, ciudad*) peuplement *m*; (*CHI*) bidonville *m*; ► **población activa/pasiva** population active/non active; ► **población callampa** (*CSUR*) bidonville.
poblado, -a [po'ßlaðo, a] *adj* peuplé(e); (*barba, cejas*) fourni(e) ♦ *nm* hameau *m*; ~ **de** peuplé(e) de; **densamente** ~ densément peuplé(e).
poblador, -a [poßla'ðor, a] *nm/f* habitant(e).
poblar [po'ßlar] *vt* peupler; **poblarse** *vpr* (*árbol*) reverdir; ~**se de** se peupler de.
pobre ['poßre] *adj, nm/f* pauvre *m/f*; ~ **en recursos/proteínas** pauvre en ressources/ protéines; **los** ~**s** les pauvres *mpl*; ¡~ **hombre!** pauvre homme!; ¡**el** ~! le pauvre!; ~ **diablo** (*fig*) pauvre diable *m*.
pobreza [po'ßreθa] *nf* pauvreté *f*.
pochismo [po'tʃismo] (*MÉX: fam*) *nm* anglicisme *m*.
pocho, -a ['potʃo, a] *adj* (*fruta*) gâté(e);

(*persona*) mal en point *inv*; (*MÉX*) américanisé(e) ♦ *nm/f* (*MÉX*) immigrant(e) américanisé(e).
pocilga [po'θilɣa] *nf* porcherie *f*.
pocillo [po'θiʎo] (*AM*) *nm* tasse *f*.
pócima ['poθima], **poción** [po'θjon] *nf* potion *f*.

============== PALABRA CLAVE

poco, -a ['poko, a] *adj* **1** (*sg*) peu de; **poco tiempo** peu de temps; **de poco interés** peu intéressant; **poca cosa** peu de chose

2 (*pl*) peu de; **pocas personas lo saben** peu de gens le savent; **unos pocos libros** quelques livres

♦ *adv* **1** (*comer, trabajar*) peu; **poco amable/inteligente** peu aimable/intelligent; **es poco** c'est peu; **cuesta poco** cela ne coûte pas cher; **poco más o menos** à peu près; **a poco que se interese** ... pour peu qu'il montre de l'intérêt ...

♦ *pron*: **unos/as pocos/as** quelques-uns/ unes

2 (*casi*): **por poco me caigo** j'ai failli tomber

3 (*locuciones de tiempo*): **a poco de haberse casado** peu après s'être marié; **poco después** peu après; **dentro de poco** sous peu, bientôt; **hace poco** il n'y a pas longtemps

4: **poco a poco** peu à peu

♦ *nm*: **un poco** un peu; **un poco triste** un peu triste; **un poco de dinero** un peu d'argent.

poda ['poða] *nf* élagage *m*.
podadora [poða'ðora] (*MÉX*) *nf* tondeuse *f*.
podar [po'ðar] *vt* élaguer.
podenco [po'ðenko] *nm* épagneul *m*.

============== PALABRA CLAVE

poder [po'ðer] *vb aux* (*capacidad, posibilidad, permiso*) pouvoir; **no puedo hacerlo** je ne peux pas le faire; **puede llegar mañana** il peut arriver demain; **pudiste haberte hecho daño** tu aurais pu te faire mal; **no se puede fumar en este hospital** on n'a pas le droit de fumer dans cet hôpital; **podías habérmelo dicho** tu aurais pu me le dire

♦ *vi* **1** pouvoir; **tanto como puedas** autant que tu peux; **¿se puede?** on peut entrer?; **¡no puedo más!** je n'en peux plus!; **¡quién pudiera!** si seulement!; **no pude menos que dejarlo** je n'ai pas pu m'empêcher de le laisser; **a o hasta más no poder** jusqu'à n'en plus pouvoir; **¡es tonto a más no poder!** il est on ne peut plus idiot!

2: **¿puedes con eso?** tu peux y arriver?; **no puedo con este crío** je n'arrive pas à

venir à bout de cet enfant
3: **A le puede a B** (*fam*) A est plus fort
que B
♦ *vb impers:* **¡puede (ser)!** cela se peut!;
¡no puede ser! ce n'est ne pas possible!;
puede que llueva il pourrait pleuvoir
♦ *nm* pouvoir *m*; **ocupar el poder** détenir
le pouvoir; **detentar el poder** s'emparer
du pouvoir; **estar en el poder** être au
pouvoir; **en mi/tu** *etc* **poder** (*posesión*) en
ma/ta *etc* possession; **en poder de** entre
les mains de; **por poderes** (*JUR*) par procuration; ▶ **poder adquisitivo** pouvoir
d'achat; ▶ **poder ejecutivo/legislativo/
judicial** (*POL*) pouvoir exécutif/
législatif/judiciaire.

poderío [poðe'rio] *nm* pouvoir *m*.
poderosamente [poðe'rosamente] *adv*
puissamment; (*atraer*) fortement.
poderoso, -a [poðe'roso, a] *adj* puis-
sant(e).
podio ['poðjo], **podium** ['poðjum] *nm* podium *m*.
podólogo, -a [po'ðoloɣo, a] *nm/f* podolo-
gue *m/f*.
podré *etc* [po'ðre] *vb* V **poder**.
podrido, -a [po'ðriðo, a] *adj* pourri(e);
(*fig*) corrompu(e).
podrir [po'ðrir] *vt* = **pudrir**.
poema [po'ema] *nm* poème *m*.
poesía [poe'sia] *nf* poésie *f*.
poeta [po'eta] *nm* poète *m*.
poético, -a [po'etiko, a] *adj* poétique.
poetisa [poe'tisa] *nf* poétesse *f*.
póker ['poker] *nm* poker *m*.
polaco, -a [po'lako, a] *adj* polonais(e) ♦
nm/f Polonais(e) ♦ *nm* (*LING*) polonais *msg*.
polar [po'lar] *adj* polaire.
polarice *etc* [pola'riθe] *vb* V **polarizar**.
polaridad [polari'ðað] *nf* polarité *f*.
polarizar [polari'θar] *vt* polariser; **polari-
zarse** *vpr* se polariser.
polea [po'lea] *nf* poulie *f*.
polémica [po'lemika] *nf* polémique *f*.
polemice *etc* [pole'miθe] *vb* V **polemizar**.
polémico, -a [po'lemiko, a] *adj* controver-
sé(e).
polemizar [polemi'θar] *vi* polémiquer.
polen ['polen] *nm* pollen *m*.
poleo [po'leo] *nm* pouliot *m*.
polera [po'lera] (*CHI*) *nf* T-shirt *m*.
poli ['poli] (*fam*) *nm* flic *m* ♦ *nf:* **la ~ les**
flics *mpl*.
policía [poli'θia] *nm/f* policier, femme-
policier, agent(e) (de police) ♦ *nf*
police *f*; ▶ **policía secreta** services *mpl* secrets.
policíaco, -a [poli'θiako, a], **policial**
[poli'θjal] *adj* policier(-ière).
polideportivo [poliðepor'tiβo] *nm*

complexe *m* omnisports.
poliéster [poli'ester] *nm* polyester *m*.
polietileno [polieti'leno] *nm* polyéthylène
m.
polifacético, -a [polifa'θetiko, a] *adj* aux
multiples facettes.
poligamia [poli'ɣamja] *nf* polygamie *f*.
polígamo, -a [po'liɣamo, a] *adj, nm/f* polygame *m/f*.
políglota [po'liɣlota] *adj, nm/f* polyglotte *m/
f*.
polígono [po'liɣono] *nm* polygone *m*; ▶ **polígono industrial** zone *f* industrielle;
▶ **polígono residencial** quartier *m* résidentiel.
polilla [po'liʎa] *nf* mite *f*.
Polinesia [poli'nesja] *nf* Polynésie *f*.
polinesio, -a [poli'nesjo, a] *adj* polyné-
sien(ne) ♦ *nm/f* Polynésien(ne).
polio ['poljo] *nf* polio *f*.
pólipo ['polipo] *nm* polype *m*.
politécnico, -a [poli'tekniko] *adj:* **universidad politécnica** ≈ Institut *m* universitaire
de technologie, ≈ IUT *m*.
política [po'litika] *nf* politique *f*; ▶ **política
agraria** politique agricole; ▶ **política de
ingresos y precios** politique des revenus et des prix; ▶ **política económica**
politique économique; ▶ **política exterior** politique extérieure; *V tb* **político**.
político, -a [po'litiko, a] *adj* politique ♦
nm/f homme/femme politique; **padre/
hermano ~** beau-père/-frère *m*; **madre política** belle-mère *f*.
póliza ['poliθa] *nf* police *f*; (*sello*) timbre *m*
fiscal; ▶ **póliza de seguro(s)** police d'assurance.
polizón [poli'θon] *nm* passager(-ère) clan-
destin(e).
pollera [po'ʎera] (*AM*) *nf* jupe *f*.
pollo ['poʎo] *nm* poulet *m*; (*joven*) jeune
homme *m*; (*MÉX: fam*) immigré *m* clandestin; ▶ **pollo asado** poulet rôti.
polo ['polo] *nm* pôle *m*; (*helado*) glace *f*;
(*DEPORTE, suéter*) polo *m*; **es el ~ opuesto
de su hermano** c'est tout le contraire de
son frère; ▶ **Polo Norte/Sur** Pôle Nord/
Sud.
pololo, -a [po'lolo, a] (*AND, CSUR*) *nm/f* co-
pain(copine).
Polonia [po'lonja] *nf* Pologne *f*.
poltrona [pol'trona] (*esp AM*) *nf* fauteuil *m*.
polución [polu'θjon] *nf* pollution *f*.
polvareda [polβa'reða] *nf* nuage *m* de
poussière.
polvera [pol'βera] *nf* poudrier *m*.
polvo ['polβo] *nm* poussière *f*; (*fam!*) baise
f (*fam!*); **~s** *nmpl* (*en cosmética etc*) poudre *fsg*; **en ~** en poudre; **estar hecho ~**
(*fam*) être fichu; (: *persona*) être crevé;

(: *deprimido*) ne pas aller fort; **dejar hecho** ~ **a algn** (*fam*) épuiser qn; (*suj*: *noticia*) abattre qn; ▶ **polvos de talco** talc *m*.

pólvora ['polβora] *nf* poudre *f*; (*fuegos artificiales*) feux *mpl* d'artifice; **propagarse como la** ~ **se** répandre comme une traînée de poudre.

polvoriento, -a [polβo'rjento, a] *adj* poussiéreux(-euse).

polvorosa [polβo'rosa] (*fam*) *adj*: **poner pies en** ~ mettre les voiles *o* les bouts.

polvoso, -a [pol'βoso, a] (*AM*) *adj* poussiéreux(-euse).

pomada [po'maða] *nf* pommade *f*.

pomelo [po'melo] *nm* pomélo *m*.

pómez ['pomeθ] *nf*: **piedra** ~ pierre *f* ponce.

pomo ['pomo] *nm* poignée *f*.

pompa ['pompa] *nf* bulle *f*; (*ostentación*) pompe *f*; ▶ **pompas fúnebres** pompes *fpl* funèbres.

pomposo, -a [pom'poso, a] (*pey*) *adj* prétentieux(-euse); (*lenguaje, estilo*) pompeux(-euse).

pómulo ['pomulo] *nm* pommette *f*.

ponchada [pon'tʃaða] (*CSUR*) *nf* quantité *d'objets pouvant tenir dans un poncho.*

ponche ['pontʃe] *nm* punch *m*.

poncho ['pontʃo] (*AM*) *nm* poncho *m*.

ponderar [ponde'rar] *vt* soupeser; (*elogiar*) porter aux nues.

pondré *etc* [pon'dre] *vb V* **poner**.

ponencia [po'nenθja] *nf* exposé *m*.

══════════ *PALABRA CLAVE*

poner [po'ner] *vt* **1** (*colocar*) mettre, poser; (*ropa, mesa*) mettre; **poner algo a hervir/a secar** mettre qch à bouillir/à sécher; (*TELEC*): **póngame con el Sr. López** passez-moi M. López; **poner a algn a la cabeza de una empresa** placer qn à la tête d'une entreprise

2 (*fig*: *emoción, énfasis*) mettre; (*condiciones*) poser; **poner interés** porter de l'intérêt; **poner en claro/duda** mettre au clair/en doute; **poner al corriente** mettre au courant

3 (*imponer*: *tarea*) donner; (*multa*) condamner à.

4 (*obra de teatro, película*) passer; **¿qué ponen en el Excelsior?** qu'est-ce qui passe à l'Excelsior?

5 (*tienda*) monter; (*casa*) arranger; (*instalar*: *gas etc*) (faire) mettre

6 (*radio, TV*) mettre; **ponlo más alto** mets-le plus fort.

7 (*mandar*: *telegrama*) envoyer

8 (*suponer*): **pongamos que** ... mettons que ...

9 (*contribuir*): **el gobierno ha puesto un mi-** llón le gouvernement a mis un million

10 (+ *adj*) rendre; **me estás poniendo nerviosa** tu commences à m'énerver

11 (*dar nombre*): **al hijo le pusieron Diego** ils ont appelé leur fils Diego

12 (*decir por escrito*) dire; **¿qué pone el periódico?** que dit le journal?

13 (*huevos*) pondre

♦ *vi* (*gallina*) pondre

ponerse *vpr* **1** (*colocarse*): **se puso a mi lado** il s'est mis à côté de moi; **ponte en esa silla** mets-toi sur cette chaise

2 (*vestido, cosméticos*) mettre; **¿por qué no te pones el vestido nuevo?** pourquoi ne mets-tu pas ta nouvelle robe?

3 (*sol*) se coucher

4 (+ *adj*) devenir; **ponerse bueno** aller mieux; **ponerse malo** tomber malade; **ponerse rojo** devenir tout rouge; **se puso muy serio** il a pris un air très sérieux; **¡no te pongas así!** ne te mets pas dans cet état!

5: **ponerse a: se puso a llorar** il s'est mis à pleurer; **tienes que ponerte a estudiar** il faut que tu te mettes à étudier

6: **ponerse a bien con algn** se réconcilier avec qn; **ponerse a mal con algn** se mettre mal avec qn

7 (*AM*: *parecer*): **se me pone que** ... j'ai l'impression que ... .

ponga *etc* ['ponga] *vb V* **poner**.

pongo, -a ['pongo, a] (*AND*) *nm/f* domestique *m/f* indien(ne).

poniente [po'njente] *nm* couchant *m*.

p.º n.º *abr* (= *peso neto*) V **peso**.

pontevedrés, -esa [ponteβe'ðres, esa] *adj* de Pontevedra ♦ *nm/f* natif(-ive) *o* habitant(e) de Pontevedra.

pontificar [pontifi'kar] (*pey*) *vi* pontifier.

pontífice [pon'tifiθe] *nm* pontife *m*; **el Sumo P**~ le souverain pontife.

ponzoña [pon'θoɲa] *nf* poison *m*.

ponzoñoso, -a [ponθo'ɲoso, a] *adj* empoisonné(e).

pop [pop] *adj inv*: **música** ~ musique *f* pop ♦ *nm* pop *f*.

popa ['popa] *nf* poupe *f*; **a** ~ en poupe; **de** ~ **a proa** d'un bout à l'autre.

populachero, -a [popula'tʃero, a] *adj* (*político*) démagogue; (*política*) démagogique; (*espectáculo*) populaire.

popular [popu'lar] *adj* populaire.

popularice *etc* [popula'riθe] *vb V* **popularizar**.

popularidad [populari'ðað] *nf* popularité *f*.

popularizar [populari'θar] *vt* populariser; **popularizarse** *vpr* se populariser.

poquísimo, -a [po'kisimo, a] *adj* (*superl de poco*) très peu (de).

poquito [po'kito] *nm*: **un ~ (de)** un petit peu (de) ♦ *adv* peu; **a ~s** petit à petit.

═══════════════ *PALABRA CLAVE*

por [por] *prep* **1** *(objetivo, en favor de)* pour; **luchar por la patria** combattre pour la patrie; **hazlo por mí** fais-le pour moi
2 (+ *infin*) pour; **por no llegar tarde** pour ne pas arriver tard; **por citar unos ejemplos** pour citer quelques exemples
3 *(causa, agente)* par; **por escasez de fondos** par manque de fonds; **le castigaron por desobedecer** il a été puni pour avoir désobéi; **por eso** c'est pourquoi; **escrito por él** écrit par lui
4 *(tiempo)*: **por la mañana/Navidad** le matin/vers Noël
5 *(duración)*: **se queda por una semana** il reste une semaine; **se fue por 3 días** il est parti pour 3 jours
6 *(lugar)*: **pasar por Madrid** passer par Madrid; **ir a Guayaquil por Quito** aller à Guayaquil via Quito; **caminar por la calle/por las Ramblas** déambuler dans la rue/sur les Rambles; **por fuera/dentro** par dehors/dedans; **anda por la izquierda** marche à gauche; **vive por aquí** il habite par ici; **pasear por el jardín** se promener dans le jardin; V *tb* **todo**
7 *(cambio, precio)*: **te doy uno nuevo por el que tienes** je t'en donne un neuf contre le tien; **lo vendo por 1.000 pesetas** je le vends pour 1 000 pesetas
8 *(valor distributivo)*: **550 pesetas por hora/cabeza** 550 pesetas de l'heure/par tête; **100km por hora** 100 km à l'heure; **veinte por ciento** vingt pour cent; **tres horas por semana** trois heures par semaine; **por centenares** par centaines
9 *(modo, medio)* par; **por avión/correo** par avion/la poste; **por orden** par ordre; **caso por caso** cas par cas; **por tamaños** par ordre de taille
10: **25 por 4 son 100** 4 fois 25 font 100
11: **ir/venir por algo/algn** aller/venir chercher qch/qn; **estar/quedar por hacer** être/rester à faire
12 *(evidencia)*: **por lo que dicen** d'après ce qu'ils disent
13: **por bonito que sea** cela a beau être très joli; **por más que lo intento** j'ai beau essayer
14: **por si (acaso)** au cas où; **lo hice por si acaso** je l'ai fait au cas où; **por si acaso venía/viniera** au cas où il serait venu/viendrait; **por si fuera poco** si ça n'était pas assez
15: **¿por qué?** pourquoi?; **¿por qué no?** pourquoi pas?

porcelana [porθe'lana] *nf* porcelaine *f.*
porcentaje [porθen'taxe] *nm* pourcentage *m*; **~ de actividad** *(INFORM)* taux *msg* d'activité.
porche ['portʃe] *nm* arcade *f*; *(de casa)* porche *m.*
porción [por'θjon] *nf* portion *f.*
pordiosero, -a [porðjo'sero, a] *nm/f* mendiant(e).
porfiado, -a [por'fjaðo, a] *adj* insistant(e); *(terco)* entêté(e).
porfiar [por'fjar] *vi* insister (lourdement); *(disputar)* discuter.
pormenor [porme'nor] *nm* détail *m.*
pormenorice *etc* [pormeno'riθe] *vb* V **pormenorizar.**
pormenorizar [pormenori'θar] *vi* détailler.
porno ['porno] *adj inv* porno *inv.*
pornografía [pornoɣra'fia] *nf* pornographie *f.*
poro ['poro] *nm* pore *m.*
porongo [poron'go] *(AND, CSUR)* *nm* gourde *f* à maté.
poroso, -a [po'roso, a] *adj* poreux(-euse).
poroto [po'roto] *(AND, CSUR)* *nm* haricot *m.*
porque ['porke] *conj* parce que; **~ sí** parce que.
porqué [por'ke] *nm* pourquoi *m.*
porquería [porke'ria] *nf* cochonnerie *f*, saleté *f*; *(algo sin valor)* cochonnerie; *(jugarreta)* tour *m* de cochon; **~s** *nfpl (comida)* cochonneries *fpl*; **hacer ~s** faire des cochonneries; **de ~** *(AM: fam)* à la noix.
porra ['porra] *nf* matraque *f*; **¡~s!** flûte!; **¡vete a la ~!** va te faire voir!
porrazo [po'rraθo] *nm* coup *m*; **darse un ~ con** *o* **contra algo** se cogner contre qch.
porro ['porro] *nm* joint *m.*
porrón [po'rron] *nm* gourde *f.*
port ['por(t)] *nm (INFORM)* port *m.*
portaaviones [portaa'βjones] *nm inv* porte-avions *m inv.*
portabusto(s) [porta'ßusto(s)] *(MÉX)* *nm inv* soutien-gorge *m.*
portada [por'taða] *nf* couverture *f.*
portador, -a [porta'ðor, a] *nm/f* porteur(-euse); *(COM)* porteur *m*; **cheque al ~** chèque *m* au porteur.
portaequipajes [portaeki'paxes] *nm inv (maletero)* coffre *m*; *(baca)* porte-bagages *m inv.*
portafolio(s) [porta'foljo(s)] *nm (AM)* attaché-case *m*; **portafolio de inversiones** portefeuille *m* d'investissements.
portal [por'tal] *nm (entrada)* vestibule *m*; *(puerta)* porte *f*; ▶ **portal de Belén** crèche *f.*
portamaletas [portama'letas] *nm inv* = **portaequipajes.**

portarse [por'tarse] *vpr* se comporter; ~ **bien/mal** bien/mal se comporter; **se portó muy bien conmigo** il s'est très bien comporté avec moi.

portátil [por'tatil] *adj* portatif(-ive); (*ordenador*) portable.

portaviones [porta'βjones] *nm inv* = **portaaviones**.

portavoz [porta'βoθ] *nm/f* porte-parole *m inv*.

portazo [por'taθo] *nm*: **dar un** ~ claquer la porte.

porte ['porte] *nm* (*COM*) port *m*; (*aspecto*) allure *f*; ► **porte debido/pagado** (*COM*) port dû/payé.

portento [por'tento] *nm* prodige *m*.

portentoso, -a [porten'toso, a] *adj* prodigieux(-euse).

porteño, -a [por'teɲo, a] *adj* de Buenos Aires ♦ *nm/f* natif(-ive) o habitant(e) de Buenos Aires.

portería [porte'ria] *nf* loge *f* (de concierge); (*DEPORTE*) but *m*.

portero, -a [por'tero, a] *nm/f* concierge *m/f*; (*de club*) portier *m*; (*DEPORTE*) gardien(ne) de but; ► **portero automático** interphone *m*.

pórtico ['portiko] *nm* portique *m*.

portorriqueño, -a [portorri'keɲo, a] *adj* portoricain(e) ♦ *nm/f* Portoricain(e).

portuario, -a [por'twarjo] *adj* portuaire; **trabajador** ~ docker *m*.

Portugal [portu'ɣal] *nm* Portugal *m*.

portugués, -esa [portu'ɣes, esa] *adj* portugais(e) ♦ *nm/f* Portugais(e) ♦ *nm* (*LING*) portugais *msg*.

porvenir [porβe'nir] *nm* avenir *m*.

pos [pos]: **en** ~ **de** *prep* après, en quête de.

posada [po'saða] *nf* auberge *f*; **dar** ~ **a** héberger.

posaderas [posa'ðeras] *nfpl* fesses *fpl*.

posar [po'sar] *vt*, *vi* poser; **posarse** *vpr* se poser; (*polvo*) se déposer.

posdata [pos'ðata] *nf* post-scriptum *m inv*.

pose ['pose] *nf* pose *f*.

poseedor, a [posee'ðor, a] *nm/f* possesseur *m*; (*de récord, título*) détenteur(-trice).

poseer [pose'er] *vt* posséder; (*conocimientos, belleza*) avoir; (*récord, título*) détenir.

poseído, -a [pose'iðo, a] *adj*: **estar** ~ **de ira/odio** suffoquer de rage/haine ♦ *nm/f* posséde(e); **como un** ~ comme un possédé.

posesión [pose'sjon] *nf* possession *f*; **estar en** ~ **de** être en possession de, détenir; **tomar** ~ **(de)** prendre possession (de).

posesionarse [posesjo'narse] *vpr*: ~ **de** prendre possession de.

posesivo, -a [pose'siβo, a] *adj* possessif(-ive).

poseyendo *etc* [pose'jendo] *vb* V **poseer**.

posgrado [pos'ɣraðo] *nm* = **postgrado**.

posgraduado, -a [posɣra'ðwaðo, a] *adj*, *nm/f* = **postgraduado**.

posguerra [pos'ɣerra] *nf* = **postguerra**.

posibilidad [posiβili'ðað] *nf* possibilité *f*.

posibilitar [posiβili'tar] *vt* permettre.

posible [po'siβle] *adj* possible; **de ser** ~ si possible; **en** o **dentro de lo** ~ dans la mesure du possible; **es** ~ **que** il est possible que; **hacer todo lo** ~ faire tout son *etc* possible; **lo antes** ~ le plus tôt possible; **lo menos/más** ~ le moins/plus possible; **estudiar lo más** ~ étudier le plus possible; **lo más pronto** ~ le plus vite possible; **ser/no ser** ~ **(hacer)** être/ne pas être possible (de faire).

posición [posi'θjon] *nf* position *f*.

positivo, -a [posi'tiβo, a] *adj* positif(-ive) ♦ *nf* (*FOTO*) cliché *m*; **el test dio** ~ les résultats du test sont positifs.

poso ['poso] *nm* (*de café*) marc *m*; (*de vino*) lie *f*.

posoperatorio, -a [posopera'torjo, a] *adj* post-opératoire ♦ *nm* période *f* postopératoire.

posponer [pospo'ner] *vt* subordonner; (*aplazar*) ajourner.

posponga *etc* [pos'ponga], **pospuesto** [pos'pwesto], **pospuse** *etc* [pos'puse] *vb* V **posponer**.

posta ['posta] *nf*: **a** ~ exprès.

postal [pos'tal] *adj* postal(e) ♦ *nf* carte *f* postale.

poste ['poste] *nm* poteau *m*; (*DEPORTE*) pilier *m*.

póster ['poster] *nm* poster *m*.

postergar [poster'ɣar] *vt* reléguer; (*esp AM: aplazar*) retarder.

postergue *etc* [pos'terɣe] *vb* V **postergar**.

posteridad [posteri'ðað] *nf* postérité *f*.

posterior [poste'rjor] *adj* de derrière; (*parte*) postérieur(e); (*en el tiempo*) ultérieur(e); **ser** ~ **a** être ultérieur(e) à.

posteriori [poste'rjori]: **a** ~ *adv* a posteriori.

posterioridad [posterjori'ðað] *nf*: **con** ~ par la suite.

posteriormente [poste'rjormente] *adv* ultérieurement.

postgrado [postɣraðo] *nm* troisième cycle *m*.

postgraduado, -a [postɣra'ðwaðo, a] *adj* de troisième cycle ♦ *nm/f* étudiant(e) de troisième cycle ♦ *nm* (*estudios*) troisième cycle *m*.

postguerra [post'ɣerra] *nf* après-guerre *m*; **en la** ~ après-guerre.

postigo [pos'tiɣo] *nm* volet *m*; (*de puerta*) battant *m*.

postín [pos'tin] (*fam*) *nm*: **de** ~ huppé(e); **darse** ~ se donner de grands airs.

postizo, -a [pos'tiθo, a] *adj* faux(fausse), postiche ♦ *nm* postiche *m*.

postoperatorio, -a [postopera'torjo, a] *adj*, *nm* = **posoperatorio**.

postor, a [pos'tor, a] *nm/f* offrant *m*; **al mejor** ~ au plus offrant.

postrarse [pos'trarse] *vpr* se prosterner.

postre ['postre] *nm* dessert *m* ♦ *nf*: **a la** ~ finalement; **para** ~ (*fig*) pour finir.

postrero, -a [pos'trero] *adj* dernier(-ière); (*momentos, obra*) ultime.

postrimerías [postrime'rias] *nfpl* (*de siglo*) fin *f*.

postulado [postu'laðo] *nm* postulat *m*.

póstumo, -a ['postumo, a] *adj* posthume.

postura [pos'tura] *nf* position *f*, posture *f*; (*ante hecho, idea*) position.

post-venta [pos'ßenta] *adj inv* après-vente *inv*.

potable [po'taßle] *adj* potable.

potaje [po'taxe] *nm* potage *m*.

pote ['pote] *nm* pot *m*.

potencia [po'tenθja] *nf* puissance *f*; **en** ~ en puissance.

potencial [poten'θjal] *adj* potentiel(le) ♦ *nm* potentiel *m*; ▶ **potencial eléctrico** potentiel électrique.

potencialmente [poten'θjalmente] *adv* potentiellement.

potenciar [poten'θjar] *vt* promouvoir.

potente [po'tente] *adj* puissant(e).

potestad [potes'taθ] *nf* autorité *f*; **patria** ~ autorité parentale.

potra ['potra] *nf* pouliche *f*; **tener** ~ (*fam*) avoir du bol.

potrero [po'trero] (*AM*) *nm* herbage *m*.

potro ['potro] *nm* poulain *m*; (*DEPORTE*) cheval *m* d'arçon.

poza ['poθa] *nf* endroit le plus profond.

pozo ['poθo] *nm* puits *msg*; (*de río*) endroit le plus profond; **ser un** ~ **de sabiduría** être un puits de science.

PP *sigla m* (= *Partido Popular*) parti de droite.

pp. *abr* (= *páginas*) pp (= *pages*).

P.P. *abr* = **porte pagado**.

p.p. *abr* (= *por poderes*) p.p. (= *par procuration*).

p.p.m. *abr* (= *palabras por minuto*) mots/min (= *mots par minute*).

práctica ['praktika] *nf* pratique *f*; ~**s** *nfpl* (*ESCOL*) travaux *mpl* pratiques; (*MIL*) entraînement *m*; **en la** ~ dans la pratique; **llevar a la** *o* **poner en** ~ mettre en pratique.

practicable [prakti'kaßle] *adj* praticable.

prácticamente ['praktikamente] *adv* pratiquement.

practicante [prakti'kante] *adj* (*REL*) pratiquant(e) ♦ *nm/f* (*MED*) aide-soignant(e).

practicar [prakti'kar] *vt, vi* pratiquer.

práctico, -a ['praktiko, a] *adj* pratique.

practique *etc* [prak'tike] *vb* V **practicar**.

pradera [pra'ðera] *nf* prairie *f*.

prado ['praðo] *nm* pré *m*; (*AM*) gazon *m*.

Praga ['praɣa] *n* Prague.

pragmático, -a [praɣ'matiko, a] *adj* pragmatique.

preámbulo [pre'ambulo] *nm* préambule *m*; **sin** ~**s** sans préambule.

preaviso [prea'ßiso] *nm* préavis *msg*.

precalentamiento [prekalenta'mjento] *nm* (*DEPORTE*) échauffement *m*.

precalentar [prekalen'tar] *vt* (*horno*) préchauffer.

precaliente *etc* [preka'ljente] *vb* V **precalentar**.

precandidato [prekandi'ðato] (*esp MÉX*) *nm* candidat *m* potentiel.

precario, -a [pre'karjo, a] *adj* précaire.

precaución [prekau'θjon] *nf* précaution *f*.

precaverse [preka'ßerse] *vpr*: ~ **de** *o* **contra algo** se prémunir contre qch.

precavido, -a [preka'ßiðo, a] *adj* prévoyant(e).

precedencia [preθe'ðenθja] *nf* priorité *f*.

precedente [preθe'ðente] *adj* précédent(e) ♦ *nm* précédent *m*; **sin** ~**(s)** sans précédent; **establecer** *o* **sentar un** ~ créer un précédent.

preceder [preθe'ðer] *vt* précéder.

preceptivo, -a [preθep'tißo, a] *adj* obligatoire.

precepto [pre'θepto] *nm* précepte *m*.

preceptor, a [preθep'tor, a] *nm/f* précepteur(-trice).

preciado, -a [pre'θjaðo, a] *adj* précieux (-euse).

preciarse [pre'θjarse] *vpr* se vanter; ~ **de** se vanter de.

precintar [preθin'tar] *vt* sceller.

precinto [pre'θinto] *nm* (*COM*: *tb*: ~ **de garantía**) cachet *m*.

precio ['preθjo] *nm* prix *msg*; **a cualquier** ~ (*fig*) à tout prix; **no tener** ~ (*fig*) ne pas avoir de prix; **"no importa** ~**"** "prix indifférent"; **a** ~ **de saldo** en réclame; ▶ **precio al contado** prix au comptant; ▶ **precio al detalle** prix de détail; ▶ **precio al detallista** prix de gros; ▶ **precio al por menor** prix de détail; ▶ **precio de compra/de coste/de entrega inmediata** prix d'achat/de revient/de livraison immédiate; ▶ **precio de ocasión** prix avantageux; ▶ **precio de oferta** prix promotionnel; ▶ **precio de salida** prix initial, mise *f* à prix; ▶ **precio de venta al público** prix de vente conseillé; ▶ **precio por unidad** prix à l'unité, prix unitaire; ▶ **precio tope** prix plafond; ▶ **precio unitario** prix à l'unité.

preciosidad [preθjosi'ðað] *nf* (*valor*) beauté *f*; (*cosa bonita*) merveille *f*; **es una** ~ c'est une merveille.

precioso, -a [pre'θjoso, a] *adj* (*hermoso*) beau(belle); (*de mucho valor*) précieux(-euse).

precipicio [preθi'piθjo] *nm* (*tb fig*) précipice *m*.

precipitación [preθipita'θjon] *nf* précipitation *f*.

precipitadamente [preθipi'taðamente] *adv* précipitamment.

precipitado, -a [preθipi'taðo, a] *adj* précipité(e) ♦ *nm* (*QUÍM*) précipité *m*.

precipitar [preθipi'tar] *vt* précipiter; **precipitarse** *vpr* se précipiter.

precisado, -a [preθi'saðo, a] *adj*: **verse** ~ **a hacer algo** se voir obligé(e) de faire qch.

precisamente [pre'θisamente] *adv* précisément; ~ **por eso** pour cette raison précisément; ~ **fue él quien lo dijo** c'est précisément lui qui l'a dit; **no es** ~ **bueno** il n'est pas vraiment bon.

precisar [preθi'sar] *vt* (*necesitar*) avoir besoin de; (*determinar, especificar*) préciser.

precisión [preθi'sjon] *nf* précision *f*; **de** ~ de précision.

preciso, -a [pre'θiso, a] *adj* précis(e); (*necesario*) nécessaire; **en ese** ~ **momento** à ce moment précis; **es** ~ **que lo hagas** il faut que tu le fasses.

precocidad [prekoθi'ðað] *nf* précocité *f*.

precolombino, -a [prekolom'bino, a] *adj* précolombien(ne).

preconcebido, -a [prekonθe'βiðo, a] *adj* préconçu(e).

preconice *etc* [preko'niθe] *vb V* **preconizar**.

preconizar [prekoni'θar] *vt* préconiser.

precoz [pre'koθ] *adj* précoce.

precursor, a [prekur'sor, a] *nm/f* précurseur *m*.

predecesor, a [preðeθe'sor, a] *nm/f* prédécesseur *m*.

predecir [preðe'θir] *vt* prédire.

predestinado, -a [preðesti'naðo, a] *adj* prédestiné(e).

predeterminar [preðetermi'nar] *vt* prédéterminer.

predicado [preði'kaðo] *nm* (*LING*) prédicat *m*.

predicador, a [preðika'ðor, a] *nm/f* prédicateur *m*.

predicar [preði'kar] *vt, vi* prêcher.

predicción [preðik'θjon] *nf* prédiction *f*; ~ **del tiempo** prévisions *fpl* météorologiques.

predicho [pre'ðitʃo] *vb V* **predecir**.

prediga *etc* [pre'ðiɣa], **predije** *etc* [pre'ðixe] *vb V* **predecir**.

predilecto, -a [preði'lekto, a] *adj* préféré(e).

predique *etc* [pre'ðike] *vb V* **predicar**.

prediré *etc* [preði're] *vb V* **predecir**.

predispondré *etc* [preðispon'dre] *vb V* **predisponer**.

predisponer [preðispo'ner] *vt* prédisposer.

predisponga *etc* [preðis'ponga] *vb V* **predisponer**.

predisposición [preðisposi'θjon] *nf* prédisposition *f*.

predispuesto [preðis'pwesto], **predispuse** *etc* [preðis'puse] *vb V* **predisponer**.

predominante [preðomi'nante] *adj* prédominant(e).

predominar [preðomi'nar] *vi* prédominer.

predominio [preðo'minjo] *nm* prédominance *f*.

preeminencia [preemi'nenθja] *nf* primauté *f*.

preescolar [preesko'lar] *adj* préscolaire.

preestablecido, -a [preestaβle'θiðo, a] *adj* préétabli(e).

preestreno [prees'treno] *nm* avant-première *f*.

prefabricado, -a [prefaβri'kaðo, a] *adj* préfabriqué(e).

prefacio [pre'faθjo] *nm* préface *f*.

preferencia [prefe'renθja] *nf* (*predilección*) préférence *f*; (*AUTO, ventaja*) priorité *f*; **de** ~ de préférence; **localidad de** ~ place *f* de choix.

preferible [prefe'riβle] *adj* préférable.

preferir [prefe'rir] *vt* préférer; ~ **hacer/que** préférer faire/que.

prefiera *etc* [pre'fjera] *vb V* **preferir**.

prefijar [prefi'xar] *vt* (*fecha, condiciones*) fixer d'avance.

prefijo [pre'fixo] *nm* (*TELEC*) indicatif *m*; (*LING*) préfixe *m*.

prefiriendo *etc* [prefi'rjendo] *vb V* **preferir**.

pregón [pre'ɣon] *nm* (*en fiestas*) discours *msg* inaugural; (*de mercancías*) cri *m*; (*aviso público*) annonce *f*.

pregonar [preɣo'nar] *vt* crier; (*edicto*) annoncer.

pregunta [pre'ɣunta] *nf* question *f*; **hacer una** ~ poser une question; ▶ **pregunta capciosa** question piège.

preguntar [preɣun'tar] *vt, vi* demander; **preguntarse** *vpr* se demander; ~ **por algn** demander qn; ~ **por la salud de algn** s'enquérir de la santé de qn.

preguntón, -ona [preɣun'ton, ona] (*fam*) *adj* questionneur(-euse).

prehistórico, -a [preis'toriko, a] *adj* préhistorique.

prejuicio [pre'xwiθjo] *nm* préjugé *m*; **tener**

~s avoir des préjugés.

prejuzgar [prexuθ'xar] *vt* préjuger.

prejuzgue *etc* [pre'xuθɣe] *vb* V **prejuzgar**.

preliminar [prelimi'nar] *adj, nm* préliminaire *m*.

preludio [pre'luðjo] *nm* prélude *m*.

premamá [prema'ma] *adj*: **vestido** ~ robe *f* de grossesse.

prematrimonial [prematrimo'njal] *adj*: **relaciones** ~es relations *fpl* avant le mariage.

prematuro, -a [prema'turo, a] *adj* prématuré(e).

premeditación [premeðita'θjon] *nf* préméditation *f*.

premeditado, -a [premeði'taðo, a] *adj* prémédité(e).

premeditar [premeði'tar] *vt* préméditer.

premiar [pre'mjar] *vt* récompenser; (*en un concurso*) décerner un prix à.

premio ['premjo] *nm* récompense *f*; (*de concurso etc*) prix *msg*; ► **premio gordo** gros lot *m*.

premisa [pre'misa] *nf* prémisse *f*.

premonición [premoni'θjon] *nf* prémonition *f*.

premura [pre'mura] *nf* (*prisa*) hâte *f*.

prenatal [prena'tal] *adj* prénatal(e).

prenda ['prenda] *nf* (*ropa*) vêtement *m*; (*garantía*) gage *m*; (*fam: apelativo*) mon chou; ~s *nfpl* (*juego*) gages *mpl*; **dejar algo en** ~ laisser qch en gage; **no soltar** ~ (*fig*) ne pas dire un mot.

prendado, -a [pren'daðo, a] *adj*: ~ **de algo/algn** épris(e) de qch/qn.

prendedor [prende'ðor] *nm* broche *f*.

prender [pren'der] *vt* (*sujetar*) attacher; (*delincuente*) arrêter; (*esp AM: encender*) allumer ♦ *vi* (*idea, miedo*) s'enraciner; (*planta, fuego*) prendre; **prenderse** *vpr* prendre feu; (*esp AM: encenderse*) s'allumer; ~ **fuego a algo** mettre le feu à qch.

prendido, -a [pren'diðo, a] (*AM*) *adj* (*luz etc*) allumé(e).

prensa ['prensa] *nf* presse *f*; **tener mala** ~ avoir mauvaise presse; **agencia/conferencia de** ~ agence *f*/conférence *f* de presse.

prensar [pren'sar] *vt* (*papel, uva*) presser.

preñado, -a [pre'ɲaðo, a] *adj* (*mujer*) enceinte; ~ **de** chargé(e) de.

preocupación [preokupa'θjon] *nf* souci *m*.

preocupado, -a [preoku'paðo, a] *adj* soucieux(-euse).

preocupar [preoku'par] *vt* préoccuper; **preocuparse** *vpr* (*inquietarse*) se soucier; ~**se de algo** (*hacerse cargo*) s'occuper de qch; ~**se por algo** se soucier de qch; **¡no te preocupes!** ne t'en fais pas!

preparación [prepara'θjon] *nf* préparation *f*.

preparado, -a [prepa'raðo, a] *adj* (*dispuesto*) prêt(e); (*platos, estudiante etc*) préparé(e) ♦ *nm* (*MED*) préparation *f*; **¡~s, listos, ya!** à vos marques ... prêts? ... partez!

preparar [prepa'rar] *vt* préparer; **prepararse** *vpr* se préparer; ~**se para hacer algo** se préparer à faire qch.

preparativos [prepara'tiβos] *nmpl* préparatifs *mpl*.

preparatoria [prepara'torja] (*AM*) *nf* terminale *f*.

preponderante [preponde'rante] *adj* prépondérant(e).

preposición [preposi'θjon] *nf* (*LING*) préposition *f*.

prepotencia [prepo'tenθja] *nf* domination *f*; (*arrogancia*) arrogance *f*.

prepotente [prepo'tente] *adj* dominateur (-trice); (*arrogante*) arrogant(e).

prerrogativa [prerroɣa'tiβa] *nf* prérogative *f*.

presa ['presa] *nf* (*de animal*) proie *f*; (*de agua*) barrage *m*; **hacer** ~ **en** avoir prise sur; **ser** ~ **de** (*fig: remordimientos*) être en proie à; (*llamas*) être la proie de.

presagiar [presa'xjar] *vt* présager.

presagio [pre'saxjo] *nm* présage *m*.

presbítero [pres'βitero] *nm* prêtre *m*.

prescindir [presθin'dir] *vi*: ~ **de** (*privarse de*) se passer de; (*descartar*) faire abstraction de; **no podemos** ~ **de él** nous ne pouvons nous passer de lui.

prescribir [preskri'βir] *vt* prescrire.

prescripción [preskrip'θjon] *nf* prescription *f*; ► **prescripción facultativa** prescription médicale.

prescrito [pres'krito] *pp de* **prescribir**.

preseleccionar [preselekθjo'nar] *vt* présélectionner.

presencia [pre'senθja] *nf* présence *f*; **en** ~ **de** en présence de; **tener buena** ~ avoir une bonne présentation; ► **presencia de ánimo** présence d'esprit.

presencial [presen'θjal] *adj*: **testigo** ~ témoin *m* oculaire.

presenciar [presen'θjar] *vt* (*accidente, discusión*) être témoin de; (*ceremonia etc*) assister à.

presentación [presenta'θjon] *nf* présentation *f*; (*JUR: de pruebas, documentos*) production *f*.

presentador, a [presenta'ðor, a] *nm/f* présentateur(-trice).

presentar [presen'tar] *vt* présenter; (*JUR: pruebas, documentos*) produire; **presentarse** *vpr* se présenter; ~ **al cobro** (*COM*) présenter au recouvrement; ~**se a la policía** se présenter à la police.

presente [pre'sente] *adj* présent(e) ♦ *nm*

présent m; los ~s les personnes fpl présentes; ¡~! présent!; **hacer** ~ faire savoir; **tener** ~ se souvenir de; **la** ~ **(carta)** la présente.

presentimiento [presenti'mjento] nm pressentiment m.

presentir [presen'tir] vt pressentir; ~ **que** pressentir que.

preservación [preserßa'θjon] nf préservation f.

preservar [preser'ßar] vt préserver.

preservativo [preserßa'tißo] nm préservatif m.

presidencia [presi'ðenθja] nf présidence f; **ocupar la** ~ occuper la présidence.

presidente [presi'ðente] nm/f président(e).

presidiario [presi'ðjarjo] nm forçat m.

presidio [pre'siðjo] nm prison f.

presidir [presi'ðir] vt (reunión) présider; (suj: sentimiento) présider à.

presienta etc [pre'sjenta], **presintiendo** etc [presin'tjendo] vb V **presentir**.

presión [pre'sjon] nf (tb fig) pression f; **a** ~ à pression; **cerrar a** ~ fermer avec des pressions; **grupo de** ~ (POL) groupe m de pression; ► **presión arterial** tension f artérielle; ► **presión atmosférica** pression atmosphérique; ► **presión sanguínea** tension veineuse.

presionar [presjo'nar] vt (coaccionar) faire pression sur; (botón) presser ♦ vi: ~ **para** o **por** faire pression pour.

preso, -a ['preso, a] adj: ~ **de terror/pánico** pris(e) de terreur/panique ♦ nm/f (en la cárcel) prisonnier(-ière); **tomar** o **llevar** ~ **a algn** faire prisonnier qn.

prestación [presta'θjon] nf (ADMIN) prestation f; **prestaciones** nfpl (TEC, AUTO) performances fpl; ► **prestación social sustitutoria** service m des objecteurs de conscience.

prestado, -a [pres'taðo, a] adj emprunté(e); **dar algo** ~ prêter qch; **pedir** ~ emprunter.

prestamista [presta'mista] nm/f prêteur(-euse).

préstamo ['prestamo] nm prêt m; ► **préstamo con garantía** prêt sur gages; ► **préstamo hipotecario** prêt hypothécaire.

prestar [pres'tar] vt prêter; (servicio) rendre; **prestarse** vpr: ~**se a hacer** s'offrir à faire; ~**se a malentendidos** prêter à confusion.

prestatario, -a [presta'tarjo, a] nm/f emprunteur(-euse).

presteza [pres'teθa] nf promptitude f.

prestidigitador, a [prestiðixita'ðor, a] nm/f prestidigitateur(-trice).

prestigio [pres'tixjo] nm prestige m.

prestigioso, -a [presti'xjoso, a] adj prestigieux(-euse).

presto, -a ['presto, a] adj (rápido) preste; (dispuesto) prêt(e).

presumido, -a [presu'miðo, a] adj, nm/f prétentieux(-euse); (preocupado de su aspecto) coquet(te).

presumir [presu'mir] vt présumer ♦ vi (tener aires) s'afficher; **según cabe** ~ selon toute vraisemblance, à ce que l'on suppose; ~ **de listo** se croire fin.

presunción [presun'θjon] nf présomption f.

presuntamente [pre'suntamente] adv soidisant, en principe.

presunto, -a [pre'sunto, a] adj présumé(e); (heredero) présomptif(-ive).

presuntuoso, -a [presun'twoso, a] adj présomptueux(-euse).

presupondré etc [presupon'dre] vb V **presuponer**.

presuponer [presupo'ner] vt présupposer.

presuponga etc [presu'ponga] vb V **presuponer**.

presupuestar [presupwes'tar] vt (coste, obra) établir un devis de.

presupuestario, -a [presupwes'tarjo, a] adj budgétaire.

presupuesto [presu'pwesto] pp de **presuponer** ♦ nm (FIN) budget m; (de costo, obra) devis msg; **asignación de** ~ (COM) dotation f budgétaire.

presupuse etc [presu'puse] vb V **presuponer**.

presuroso, -a [presu'roso, a] adj pressé(e).

pretencioso, -a [preten'θjoso, a] adj prétentieux(-euse).

pretender [preten'der] vt prétendre; ~ **que** prétendre que; **¿qué pretende usted?** que prétendez-vous?

pretendiente, -a [preten'djente] nm/f prétendant(e).

pretensión [preten'sjon] nf prétention f; **pretensiones** nfpl (pey) prétentions fpl; **tener muchas/pocas pretensiones** avoir des prétentions élevées/de faibles prétentions.

pretérito, -a [pre'terito, a] adj (LING, fig) passé(e).

pretextar [preteks'tar] vt prétexter.

pretexto [pre'teksto] nm (excusa) prétexte m; **so** o **con el** ~ **de** sous prétexte de.

pretil [pre'til] nm (valla) garde-fou m; (baranda) balustrade f.

prevalecer [preßale'θer] vi prévaloir.

prevaleciente [preßale'θjente] adj prédominant(e).

prevalezca etc [preßa'leθka] vb V **prevalecer**.

prevención [preßen'θjon] nf prévention f.

prevendré etc [preßen'dre], **prevenga** etc

[pre'ßenga] *vb* V **prevenir**.

prevenido, -a [preße'niðo, a] *adj*: **(estar)** ~ (*preparado*) (être) prévenu(e); **(ser)** ~ (*cuidadoso*) (être) averti(e); **hombre** ~ **vale por dos** un homme averti en vaut deux.

prevenir [preße'nir] *vt* prévenir; (*preparar*) préparer; **prevenirse** *vpr* se préparer; ~ **(en) contra (de)/a favor de** prévenir contre/en faveur de; ~**se contra** se prémunir contre.

preventivo, -a [preßen'tißo, a] *adj* préventif(-ive).

prever [pre'ßer] *vt* prévoir.

previamente ['preßjamente] *adv* préalablement.

previniendo *etc* [preßi'njendo] *vb* V **prevenir**.

previo, -a ['preßjo, a] *adj* (*anterior*) préalable; ~ **pago de los derechos** moyennant l'acquittement préalable des droits.

previsible [preßi'sißle] *adj* prévisible.

previsión [preßi'sjon] *nf* prévision *f*; **en** ~ **de** en prévision de; ▸ **previsión del tiempo** prévision météorologique; ▸ **previsión de ventas** prévision des ventes.

previsor, a [preßi'sor, a] *adj* prévoyant(e).

previsto, -a [pre'ßisto, a] *pp de* **prever**; **según lo** ~ comme prévu.

P.R.I. ['pri] (*MÉX*) *sigla m* (= *Partido Revolucionario Institucional*) parti politique.

prieto, -a ['prjeto, a] *adj* (*apretado*) serré(e); (*esp MÉX*: *moreno*) basané(e).

prima ['prima] *nf* prime *f*; V *tb* **primo**; ▸ **prima única** prime unique.

primacía [prima'θia] *nf* primauté *f*.

primar [pri'mar] *vi* primer; ~ **sobre** primer sur.

primario, -a [pri'marjo, a] *adj* primaire.

primavera [prima'ßera] *nf* printemps *m*.

primaveral [primaße'ral] *adj* printanier(-ière).

primera [pri'mera] *nf* première *f*; **a la** ~ **du premier coup**; **de** ~ (*fam*) de première.

primero, -a [pri'mero, a] *adj* (*delante de nmsg*: **primer**) premier(-ière) ♦ *adv* (*en primer lugar*) d'abord; (*más bien*) plutôt ♦ *nm*: **ser/llegar el** ~ être/arriver le premier; **a** ~**s (de mes)** en début de mois; ▸ **primer ministro** Premier ministre *m*.

primicia [pri'miθja] *nf* primeur *f*.

primitiva [primi'tißa] *nf* (*tb*: **lotería** ~) loto *m*.

primitivo, -a [primi'tißo, a] *adj* primitif(-ive).

primo, -a ['primo, a] *adj* (*MAT*) premier(-ière) ♦ *nm/f* cousin(e); (*fam*) idiot(e); **materias primas** matières *fpl* premières; **hacer el** ~ faire l'idiot; ▸ **primo**

hermano cousin *m* germain.

primogénito, -a [primo'xenito, a] *adj* aîné(e).

primor [pri'mor] *nm* (*cuidado*) délicatesse *f*; (*cosa*) merveille *f*.

primordial [primor'ðjal] *adj* primordial(e).

primoroso, -a [primo'roso, a] *adj* délicat(e).

princesa [prin'θesa] *nf* princesse *f*.

principado [prinθi'paðo] *nm* principauté *f*.

principal [prinθi'pal] *adj* principal(e); (*piso*) premier(-ière) ♦ *nm* principal *m*.

príncipe ['prinθipe] *nm* prince *m*; ▸ **príncipe de gales** (*tela*) prince de Galles; ▸ **príncipe heredero** prince héritier.

principiante [prinθi'pjante] *nm/f* débutant(e).

principio [prin'θipjo] *nm* (*comienzo*) début *m*; (*origen*) commencement *m*; (*fundamento, moral, tb* QUÍM) principe *m*; **a** ~**s de** au début de; **al** ~ au début; **en** ~ en principe.

pringar [prin'gar] *vt* (*CULIN*: *pan*) tremper; (*ensuciar*) salir; **pringarse** *vpr* se salir; ~ **a algn en un asunto** (*fam*) mêler qn à une affaire.

pringoso, -a [prin'goso, a] *adj* gras(se).

pringue ['pringe] *vb* V **pringar** ♦ *nm* (*grasa*) graisse *f*; (*suciedad*) saleté *f*.

prioridad [priori'ðað] *nf* priorité *f*.

prioritario, -a [priori'tarjo, a] *adj* prioritaire.

prisa ['prisa] *nf* hâte *f*; (*rapidez*) rapidité *f*; **correr** ~ être urgent(e); **darse** ~ se presser; **tener** ~ être pressé(e).

prisión [pri'sjon] *nf* prison *f*.

prisionero, -a [prisjo'nero, a] *nm/f* prisonnier(-ière).

prismáticos [pris'matikos] *nmpl* jumelles *fpl*.

privación [prißa'θjon] *nf* privation *f*; **privaciones** *nfpl* (*necesidades*) privations *fpl*.

privado, -a [pri'ßaðo, a] *adj* privé(e); **en** ~ en privé; **"**~ **y confidencial"** "personnel".

privar [pri'ßar] *vt* (*despojar*) priver; (*fam*: *gustar*) raffoler de; **privarse** *vpr*: ~**se de** (*abstenerse*) se priver de; ~ **a algn de hacer** empêcher qn de faire; **me privan la moto** la moto c'est mon dada.

privativo, -a [prißa'tißo, a] *adj*: ~ **de** propre à.

privatizar [prißati'θar] *vt* privatiser.

privilegiado, -a [prißile'xjaðo, a] *adj, nm/f* privilégié(e).

privilegiar [prißile'xjar] *vt* privilégier.

privilegio [prißi'lexjo] *nm* privilège *m*.

pro [pro] *nm* profit *m* ♦ *prep*: **asociación** ~ **ciegos** association *f* au profit des aveugles ♦ *pref*: ~ **soviético/americano** prosoviétique/américain; **en ~ de** en faveur de; **los ~s y los contras** le pour et le contre; **ciudadano de ~** honorable citoyen *m*; **hombre de ~** homme *m* de bien.

proa ['proa] *nf* (*NÁUT*) proue *f*.

probabilidad [proβaβili'ðað] *nf* probabilité *f*; **~es** *nfpl* (*perspectivas*) chances *fpl*.

probable [pro'βaβle] *adj* probable; **es ~ que** + *subjun* il est probable que + *subjonctif*; **es ~ que no venga** il est probable qu'il ne viendra pas.

probador [proβa'ðor] *nm* cabine *f* d'essayage.

probar [pro'βar] *vt* essayer; (*demostrar*) prouver; (*comida*) goûter ♦ *vi* essayer; **probarse** *vpr*: **~se un traje** essayer un costume.

probeta [pro'βeta] *nf* éprouvette *f*; **bebé-~** bébé *m* éprouvette.

problema [pro'βlema] *nm* problème *m*; **el ~ del paro** le problème du chômage.

procaz [pro'kaθ] *adj* insolent(e).

procedencia [proθe'ðenθja] *nf* provenance *f*.

procedente [proθe'ðente] *adj*: **~ de** en provenance de; (*JUR*) recevable.

proceder [proθe'ðer] *vi* (*actuar*) procéder; (*ser correcto*) convenir ♦ *nm* (*comportamiento*) procédé *m*; **~ a** procéder à; **~ de** provenir de; **no procede obrar así** il n'y a pas lieu d'agir ainsi.

procedimiento [proθeði'mjento] *nm* (*JUR, ADMIN*) procédure *f*; (*proceso*) processus *msg*; (*método*) procédé *m*.

prócer ['proθer] (*esp AM*) *nm* (*POL*) personnage *m* illustre.

procesado, -a [proθe'saðo, a] *nm/f* (*JUR*) prévenu(e).

procesador [proθesa'ðor] *nm*: **~ de textos** (*INFORM*) machine *f* de traitement de texte.

procesal [proθe'sal] *adj* (*JUR*) de procédure.

procesamiento [proθesa'mjento] *nm* (*INFORM*) traitement *m*; ▶ **procesamiento de datos/textos** traitement de données/texte; ▶ **procesamiento por lotes** traitement par lots.

procesar [proθe'sar] *vt* (*JUR*) accuser; (*INFORM*) traiter.

procesión [proθe'sjon] *nf* procession *f*; **la ~ va por dentro** il *etc* souffre en silence.

proceso [pro'θeso] *nm* (*desarrollo, procedimiento*) processus *msg*; (*JUR*) procès *msg*; (*lapso*) cours *msg*; (*INFORM*): **~ (automático) de datos** traitement *m* (automatique) de données; **~ de textos** traitement de textes; **~ no prioritario** traitement non prioritaire; **~ por pasadas** traitement séquentiel; **~ en tiempo real** traitement en

temps réel.

proclama [pro'klama] *nf* proclamation *f*.

proclamar [prokla'mar] *vt* proclamer.

proclive [pro'kliβe] *adj*: **~ (a)** enclin(e) (à).

procreación [prokrea'θjon] *nf* procréation *f*.

procrear [prokre'ar] *vt, vi* procréer.

procurador, a [prokura'ðor, a] *nm/f* (*JUR*) avoué *m*; (*POL*) député *m*.

procurar [proku'rar] *vt* (*intentar*) essayer de; (*proporcionar*) procurer; **procurarse** *vpr* se procurer.

prodigar [proði'γar] *vt* prodiguer; **prodigarse** *vpr*: **~se** en être prodigue de.

prodigio [pro'ðixjo] *nm* prodige *m*; **niño ~** enfant *m* prodige.

prodigioso, -a [proði'xjoso, a] *adj* prodigieux(-euse).

pródigo, -a ['proðiγo, a] *adj* prodigue; **hijo ~** fils *m* prodigue.

producción [proðuk'θjon] *nf* production *f*; **~ en serie** production en série.

producir [proðu'θir] *vt* produire; (*impresión, heridas, tristeza*) causer; **producirse** *vpr* se produire.

productividad [proðuktiβi'ðað] *nf* productivité *f*.

productivo, -a [proðuk'tiβo, a] *adj* productif(-ive).

producto [pro'ðukto] *nm* produit *m*; ▶ **producto alimenticio** produit alimentaire; ▶ **producto interior bruto** produit intérieur brut; ▶ **productos lácteos** produits laitiers; ▶ **producto nacional bruto** produit national brut.

productor, a [proðuk'tor, a] *adj, nm/f* producteur(-trice).

produje *etc* [pro'ðuxe], **produzca** *etc* [pro'ðuθka] *vb* **V** **producir**.

proeza [pro'eθa] *nf* prouesse *f*.

profanar [profa'nar] *vt* profaner.

profano, -a [pro'fano, a] *adj, nm/f* profane *m/f*; **soy ~ en la materia** je suis profane en la matière.

profecía [profe'θia] *nf* prophétie *f*.

proferir [profe'rir] *vt* proférer.

profesar [profe'sar] *vt* professer.

profesión [profe'sjon] *nf* profession *f*; **abogado de ~, de ~ abogado** avocat *m* de profession.

profesional [profesjo'nal] *adj, nm/f* professionnel(le).

profesionalidad [profesjonali'ðað] *nf* professionnalisme *m*.

profesionista [profesjo'nista] (*MÉX*) *nm/f* professionnel(le).

profesor, a [profe'sor, a] *nm/f* professeur *m*; ▶ **profesor adjunto** professeur assistant.

profesorado [profeso'raðo] *nm* professorat

_m._

profeta [pro'feta] _nm_ prophète _m._

profetice _etc_ [profe'tiθe] _vb_ V **profetizar.**

profetizar [profeti'θar] _vt, vi_ prophétiser.

profiera _etc_ [pro'fjera] _vb_ V **proferir.**

profilaxis [profi'laksis] _nf inv_ (_MED_) prophylaxie _f._

profiriendo _etc_ [profi'rjendo] _vb_ V **proferir.**

prófugo, -a ['profuɣo, a] _nm/f_ fugitif(-ive) ♦ _nm_ (_MIL_) insoumis _msg._

profundamente [pro'fundamente] _adv_ profondément.

profundice _etc_ [profun'diθe] _vb_ V **profundizar.**

profundidad [profundi'ðað] _nf_ profondeur _f;_ ~**es** _nfpl_ (_de océano etc_) profondeurs _fpl;_ **tener una** ~ **de 30 cm** avoir une profondeur de 30 cm.

profundizar [profundi'θar] _vi:_ ~ **en** (_fig_) approfondir.

profundo, -a [pro'fundo, a] _adj_ profond(e); **poco** ~ peu profond.

profusión [profu'sjon] _nf_ profusion _f._

progenie [pro'xenje] _nf_ descendance _f._

progenitor [proxeni'tor] _nm_ ancêtre _m;_ ~**es** _nmpl_ (_padres_) parents _mpl._

programa [pro'ɣrama] _nm_ programme _m;_ ▶ **programa de estudios** programme; ▶ **programa verificador de ortografía** (_INFORM_) vérificateur _m_ d'orthographe.

programación [proɣrama'θjon] _nf_ programmation _f;_ ▶ **programación estructurada** programmation structurée.

programa-concurso [pro'ɣramakon'kurso] (_pl_ ~**s**-~) _nm_ programme _m_ de jeux.

programador, a [proɣrama'ðor, a] _nm/f_ programmeur(-euse) ♦ _nm_ programmateur _m;_ ▶ **programador de aplicaciones** programmateur d'applications.

programar [proɣra'mar] _vt_ programmer.

progre ['proɣre] (_fam_) _adj_ progressiste.

progresar [proɣre'sar] _vi_ progresser.

progresión [proɣre'sjon] _nf:_ ~ **geométrica/ aritmética** progression _f_ géométrique/ arithmétique.

progresista [proɣre'sista] _adj, nm/f_ progressiste _m/f._

progresivo, -a [proɣre'siβo, a] _adj_ progressif(-ive).

progreso [pro'ɣreso] _nm_ (_avance_) progrès _msg;_ **el** ~ le progrès; **hacer** ~**s** faire des progrès.

prohibición [proiβi'θjon] _nf_ interdiction _f;_ (_ADMIN, JUR_) prohibition _f;_ **levantar la** ~ **de** lever l'interdiction de.

prohibir [proi'βir] _vt_ interdire; (_ADMIN, JUR_) prohiber; **"prohibido fumar"** "défense de fumer"; **"prohibida la entrada"** "entrée interdite"; **dirección prohibida** (_AUTO_) sens _m_ interdit.

prohibitivo, -a [proiβi'tiβo, a] _adj_ prohibitif(-ive).

prójimo ['proximo, a] _nm_ prochain _m._

prole ['prole] _nf_ progéniture _f._

proletariado [proleta'rjaðo] _nm_ prolétariat _m._

proletario, -a [prole'tarjo, a] _adj, nm/f_ prolétaire _m/f._

proliferación [prolifera'θjon] _nf_ prolifération _f;_ ~ **de armas nucleares** prolifération des armes nucléaires.

proliferar [prolife'rar] _vi_ proliférer.

prolífico, -a [pro'lifiko, a] _adj_ prolifique.

prolijo, -a [pro'lixo, a] _adj_ prolixe; (_esp AM: pulcro_) propre.

prólogo ['proloɣo] _nm_ prologue _m._

prolongación [prolonga'θjon] _nf_ prolongation _f._

prolongado, -a [prolon'gaðo, a] _adj_ (_largo_) prolongé(e); (_alargado_) allongé(e).

prolongar [prolon'gar] _vt_ prolonger; **prolongarse** _vpr_ se prolonger.

prolongue _etc_ [pro'longe] _vb_ V **prolongar.**

prom. _abr_ = **promedio.**

promedio [pro'meðjo] _nm_ moyenne _f._

promesa [pro'mesa] _nf_ promesse _f_ ♦ _adj:_ **jóvenes** ~**s** jeunes espoirs _mpl;_ **faltar a una** ~ ne pas tenir une promesse.

prometedor, a [promete'ðor, a] _adj_ prometteur(-euse).

prometer [prome'ter] _vt:_ ~ **hacer algo** promettre de faire qch ♦ _vi_ promettre; **prometerse** _vpr_ (_dos personas_) se fiancer.

prometido, -a [prome'tiðo, a] _adj_ promis(e) ♦ _nm/f_ promis(e), fiancé(e).

prominente [promi'nente] _adj_ proéminent(e); (_artista_) en vue; (_político_) important(e).

promiscuidad [promiskwi'ðað] _nf_ promiscuité _f._

promiscuo, -a [pro'miskwo, a] (_pey_) _adj_ (_persona_) de mœurs légères.

promoción [promo'θjon] _nf_ promotion _f;_ ~ **por correspondencia directa** (_COM_) publipostage _m;_ ▶ **promoción de ventas** promotion des ventes.

promocionar [promoθjo'nar] _vt_ promouvoir; **promocionarse** se promouvoir; (_profesionalmente_) monter en grade.

promontorio [promon'torjo] _nm_ promontoire _m._

promotor, a [promo'tor, a] _nm/f_ promoteur(-trice).

promover [promo'βer] _vt_ promouvoir; (_escándalo, juicio_) provoquer.

promueva _etc_ [pro'mweβa] _vb_ V **promover.**

promulgar [promul'ɣar] _vt_ promulguer.

promulgue _etc_ [pro'mulɣe] _vb_ V **promulgar.**

pronombre [pro'nombre] _nm_ pronom _m._

pronosticar [pronosti'kar] *vt* pronostiquer.
pronóstico [pro'nostiko] *nm* pronostic *m*; **de ~ leve** au pronostic dénué de toute gravité; **de ~ reservado** au pronostic réservé; ▶ **pronóstico del tiempo** prévisions *fpl* météorologiques.
pronostique *etc* [pronos'tike] *vb* V **pronosticar.**
prontitud [pronti'tuð] *nf* promptitude *f*.
pronto, -a ['pronto, a] *adj* (*rápido*) rapide; (*preparado*) prêt(e) ♦ *adv* rapidement; (*dentro de poco*) bientôt; (*temprano*) tôt ♦ *nm* (*impulso*) élan *m*; (: *de ira*) accès *msg*; **al ~** au début; **de ~** tout à coup; ¡hasta ~! à bientôt; **lo más ~ posible** le plus tôt possible; **por lo ~** pour l'instant; **tan ~ como** dès que.
pronunciación [pronunθja'θjon] *nf* (*LING*) prononciation *f*; (*JUR*) prononcé *m*.
pronunciado, -a [pronun'θjaðo, a] *adj* prononcé(e).
pronunciamiento [pronunθja'mjento] *nm* pronunciamiento *m*.
pronunciar [pronun'θjar] *vt* prononcer; **pronunciarse** *vpr* (*MIL*) se soulever; (*declararse*) se prononcer; **~se sobre** se prononcer sur.
propagación [propaɣa'θjon] *nf* propagation *f*.
propaganda [propa'ɣanda] *nf* propagande *f*; **hacer ~ de** (*COM*) faire de la propagande pour.
propagar [propa'ɣar] *vt* propager; **propagarse** *vpr* se propager.
propague *etc* [pro'paɣe] *vb* V **propagar.**
propalar [propa'lar] *vt* (*noticia, secreto*) divulguer.
propano [pro'pano] *nm* propane *m*.
propasarse [propa'sarse] *vpr* (*excederse*) dépasser les limites; (*sexualmente*) prendre des libertés.
propensión [propen'sjon] *nf* propension *f*.
propenso, -a [pro'penso, a] *adj*: **~ a** enclin(e) à; **ser ~ a hacer algo** être enclin(e) à faire qch.
propiamente ['propjamente] *adv* proprement; **~ dicho** proprement dit.
propiciar [propi'θjar] *vt* favoriser.
propicio, -a [pro'piθjo, a] *adj* propice.
propiedad [propje'ðað] *nf* propriété *f*; **ceder algo a algn en ~** céder la propriété de qch à qn; **ser ~ de** être propriété de; **con ~** (*hablar*) correctement; ▶ **propiedad intelectual** propriété intellectuelle; ▶ **propiedad particular** propriété privée; ▶ **propiedad pública** (*COM*) propriété publique.
propietario, -a [propje'tarjo, a] *nm/f* propriétaire *m*.
propina [pro'pina] *nf* pourboire *m*; **dar algo**

de ~ donner qch en pourboire.
propinar [propi'nar] *vt* administrer.
propio, -a ['propjo, a] *adj* propre; (*mismo*) en personne; **el ~ ministro** le ministre en personne; **¿tienes casa propia?** as-tu une maison à toi?; **eso es muy ~ de él** c'est bien de lui; **nombre ~** nom *m* propre.
propondré *etc* [propon'dre] *vb* V **proponer.**
proponer [propo'ner] *vt* proposer; **proponerse** *vpr*: **~se hacer** se proposer de faire.
proponga *etc* [pro'ponga] *vb* V **proponer.**
proporción [propor'θjon] *nf* proportion *f*; **proporciones** *nfpl* (*dimensiones, tb fig*) proportions *fpl*; **en ~ con** en proportion de.
proporcionado, -a [proporθjo'naðo, a] *adj* proportionné(e); **bien ~** bien proportionné(e).
proporcional [proporθjo'nal] *adj* proportionnel(le); **~ a** proportionnel à.
proporcionar [proporθjo'nar] *vt* offrir; (*COM*) fournir; **esto le proporciona una renta anual de ...** cela lui rapporte un revenu annuel de ... .
proposición [proposi'θjon] *nf* proposition *f*; ▶ **proposiciones deshonestas** propositions malhonnêtes.
propósito [pro'posito] *nm* intention *f* ♦ *adv*: **a ~** à propos; **a ~ de** à propos de; **hacer algo a ~** faire qch exprès.
propuesta [pro'pwesta] *nf* proposition *f*.
propuesto, -a [pro'pwesto, a] *pp de* **proponer.**
propugnar [propuɣ'nar] *vt* défendre.
propulsar [propul'sar] *vt* (*impulsar*) propulser; (*fig*) développer.
propulsión [propul'sjon] *nf* propulsion *f*; **~ a chorro** *o* **por reacción** propulsion par réaction.
propuse *etc* [pro'puse] *vb* V **proponer.**
prorrata [pro'rrata] *nf* prorata *m*; **a ~** au prorata.
prorratear [prorrate'ar] *vt* répartir au prorata.
prórroga ['prorroɣa] *nf* (*de plazo*) prorogation *f*; (*DEPORTE*) prolongations *fpl*; (*MIL*) sursis *msg*.
prorrogable [prorro'ɣaβle] *adj* susceptible d'être prorogé(e).
prorrogar [prorro'ɣar] *vt* (*plazo*) proroger; (*decisión*) différer.
prorrogue *etc* [pro'rroɣe] *vb* V **prorrogar.**
prorrumpir [prorrum'pir] *vi*: **~ en lágrimas/carcajadas** éclater en sanglots/de rire; **el público prorrumpió en aplausos** les applaudissements ont fusé dans le public.
prosa ['prosa] *nf* (*LIT*) prose *f*.
prosaico [pro'saiko, a] *adj* prosaïque.
proscribir [proskri'βir] *vt* proscrire.

proscripción [proskrip'θjon] *nf* proscription *f*.
proscrito, -a [pros'krito, a] *pp de* **proscribir** ♦ *adj, nm/f* proscrit(e).
prosecución [proseku'θjon] *nf* poursuite *f*.
proseguir [prose'ɣir] *vt* poursuivre ♦ *vi* poursuivre; *(discusiones etc)* se poursuivre; ~ **con algo** poursuivre qch.
prosélito [pro'selito] *nm* prosélyte *m*.
prosiga *etc* [pro'siɣa], **prosiguiendo** *etc* [prosi'ɣjenðo] *vb V* **proseguir**.
prosista [pro'sista] *nm/f* prosateur *m*.
prospección [prospek'θjon] *nf* prospection *f*.
prospecto [pros'pekto] *nm* (*MED*) notice *f*; *(publicidad)* prospectus *msg*.
prosperar [prospe'rar] *vi* prospérer.
prosperidad [prosperi'ðað] *nf* prospérité *f*.
próspero, -a ['prospero, a] *adj* prospère; ~ **año nuevo** bonne année!
prostíbulo [pros'tiβulo] *nm* bordel *m*.
prostitución [prostitu'θjon] *nf* prostitution *f*.
prostituir [prosti'twir] *vt* prostituer; **prostituirse** *vpr* se prostituer.
prostituta [prosti'tuta] *nf* prostituée *f*.
prostituyendo *etc* [prostitu'jendo] *vb V* **prostituir**.
protagonice *etc* [protaɣo'niθe] *vb V* **protagonizar**.
protagonista [protaɣo'nista] *nm/f* protagoniste *m/f*.
protagonizar [protaɣoni'θar] *vt* (*película, suceso*) être le/la protagoniste de.
protección [protek'θjon] *nf* protection *f*.
proteccionismo [protekθjo'nismo] *nm* (*COM*) protectionnisme *m*.
protector, a [protek'tor, a] *adj* (*barrera, gafas, crema*) de protection; *(tono)* protecteur(-trice) ♦ *nm/f* protecteur(-trice).
protectorado [protekto'raðo] *nm* protectorat *m*.
proteger [prote'xer] *vt* protéger; **protegerse** *vpr*: ~**se** (**de**) se protéger (de); ~ **contra grabación** *o* **contra escritura** (*INFORM*) protéger contre l'écriture.
protegido, -a [prote'xiðo, a] *nm/f* protégé(e).
proteína [prote'ina] *nf* protéine *f*.
proteja *etc* [pro'texa] *vb V* **proteger**.
prótesis ['protesis] *nf* (*MED*) prothèse *f*.
protesta [pro'testa] *nf* protestation *f*.
protestante [protes'tante] *adj* protestant(e).
protestar [protes'tar] *vt* (*cheque*) protester ♦ *vi* protester; ¡**protesto**! je proteste!
protocolo [proto'kolo] *nm* protocole *m*; **sin** ~**s** sans protocole.
protón [pro'ton] *nm* proton *m*.
prototipo [proto'tipo] *nm* prototype *m*.

protuberancia [protuβe'ranθja] *nf* protubérance *f*.
prov. *abr* = **provincia**.
provecho [pro'βetʃo] *nm* profit *m*; ¡**buen** ~! bon appétit!; **en** ~ **de** au profit de; **sacar** ~ **de** tirer profit de.
provechoso, -a [proβe'tʃoso, a] *adj* profitable.
proveedor, a [proβee'ðor, a] *nm/f* fournisseur(-euse).
proveer [proβe'er] *vt* (*suministrar*) fournir; *(preparar)* préparer ♦ *vi*: ~ **a** pourvoir à; **proveerse** *vpr*: ~**se de** se pourvoir de.
provendré *etc* [proβen'dre], **provenga** *etc* [pro'βenɡa] *vb V* **provenir**.
provenir [proβe'nir] *vi* provenir.
Provenza [pro'βenθa] *nf* Provence *f*.
proverbial [proβer'βjal] *adj* proverbial(e).
proverbio [pro'βerβjo] *nm* proverbe *m*.
proveyendo *etc* [proβe'jendo] *vb V* **proveer**.
providencia [proβi'ðenθja] *nf* providence *f*; ~**s** *nfpl* (*disposiciones*) mesures *fpl*.
providencial [proβiðen'θjal] *adj* providentiel(le).
provincia [pro'βinθja] *nf* province *f*; (*ADMIN*) ≈ département *m*; **un pueblo de** ~**s** un village de province.
provinciano, -a [proβin'θjano, a] (*pey*) *adj* provincial(e).
proviniendo *etc* [proβi'njendo] *vb V* **provenir**.
provisión [proβi'sjon] *nf* (*abastecimiento*) provision *f*; *(precaución)* mesure *f*; **provisiones** *nfpl* (*víveres*) provisions *fpl*.
provisional [proβisjo'nal] *adj* provisoire.
provisionalmente [proβisjo'nalmente] *adv* provisoirement.
provisorio, -a [proβi'sorjo, a] (*AM*) *adj* provisoire.
provisto, -a [pro'βisto, a] *adj* pourvu(e).
provocación [proβoka'θjon] *nf* provocation *f*.
provocador, a [proβoka'ðor, a] *adj, nm/f* provocateur(-trice).
provocar [proβo'kar] *vt* provoquer; (*AM*): ¿**te provoca un café**? ça te dit, un café?
provocativo, -a [proβoka'tiβo, a] *adj* provocant(e).
provoque *etc* [pro'βoke] *vb V* **provocar**.
proxeneta [prokse'neta] *nm/f* proxénète *m/f*.
próximamente ['proksimamente] *adv* prochainement.
proximidad [proksimi'ðað] *nf* proximité *f*; ~**es** *nfpl* (*cercanías*) proximité *fsg*.
próximo, -a ['proksimo, a] *adj* (*cercano*) proche; *(parada, año)* prochain(e); **en fecha próxima** sous peu.
proyección [projek'θjon] *nf* projection *f*.
proyectar [projek'tar] *vt* projeter; **proyec-**

tarse *vpr* se projeter.
proyectil [projek'til] *nm* projectile *m*;
▶ **proyectil teledirigido** projectile télé-
commandé.
proyecto [pro'jekto] *nm* projet *m*; **tener
algo en** ~ avoir qch en projet; ▶ **proyecto de ley** projet de loi.
proyector [projek'tor] *nm* projecteur *m*.
prudencia [pru'ðenθja] *nf* prudence *f*.
prudente [pru'ðente] *adj* prudent(e).
prueba ['prweßa] *vb* V **probar** ♦ *nf* (*gen*)
épreuve *f*; (*testimonio*) témoignage *m*;
(*JUR*) preuve *f*; (*de ropa*) essayage *m*; a
~ à l'épreuve; (*COM*) à l'essai, a ~ **de** à
l'épreuve de; **a** ~ **de agua/fuego**
étanche/à l'épreuve du feu; **en** ~ **de** en
témoignage de; **período/fase de** ~ période *f*/phase *f* d'essai; **poner/someter a** ~
mettre/soumettre à l'épreuve; **¿tiene usted** ~ **de ello?** en avez-vous la preuve?;
▶ **prueba de capacitación** (*COM*) preuve
d'aptitudes; ▶ **prueba de fuego** (*fig*)
épreuve du feu.
prurito [pru'rito] *nm* (*tb fig*) démangeaison
f.
psico... [siko] *pref* psycho... .
psicoanálisis [sikoa'nalisis] *nm* psychanalyse *f*.
psicoanalista [sikoana'lista] *nm/f* psychanalyste *m/f*.
psicología [sikolo'xia] *nf* psychologie *f*.
psicológico, -a [siko'loxiko, a] *adj* psychologique.
psicólogo, -a [si'koloʏo, a] *nm/f* psychologue *m/f*.
psicomotricidad [sikomotriθi'ðað] *nf* psy-
chomotricité *f*.
psicópata [si'kopata] *nm/f* psychopathe *m/f*.
psicosis [si'kosis] *nf inv* psychose *f*.
psicosomático, -a [sikoso'matiko, a] *adj*
psychosomatique.
psicoterapia [sikote'rapja] *nf* psychothérapie *f*.
psiquiatra [si'kjatra] *nm/f* psychiatre *m/f*.
psiquiátrico, -a [si'kjatriko, a] *adj* psychiatrique.
psíquico, -a ['sikiko, a] *adj* psychique.
PSOE [pe'soe] *sigla m = Partido Socialista
Obrero Español*.
PSS *sigla f = Prestación Social Sustitutoria*.
Pta. *abr* (*GEO = Punta*) pte (= *pointe*).
pta(s). *abr* = **peseta(s)**.
ptmo. *abr* (*COM*) = **préstamo**.
pts. *abr* = **pesetas**.
púa ['pua] *nf* (*de planta*) piquant *m*; (*de peine*) dent *f*; (*para guitarra*) médiator *m*;
alambre de ~s fil *m* de fer barbelé.
pub [puß/paß/paf] *nm* pub *m*.
púber ['pußer] *adj* pubère.
pubertad [pußer'tað] *nf* puberté *f*.

publicación [pußlika'θjon] *nf* publication *f*.
públicamente ['pußlikamente] *adv* publiquement.
publicar [pußli'kar] *vt* publier.
publicidad [pußliθi'ðað] *nf* publicité *f*; **dar**
~ **a** rendre public(-ique); ▶ **publicidad
en el punto de venta** publicité sur le
point de vente.
publicitario, -a [pußliθi'tarjo, a] *adj* publicitaire.
público, -a ['pußliko, a] *adj* public(-ique) ♦
nm public *m*; **el gran** ~ le grand public;
en ~ en public; **hacer** ~ (*difundir*) rendre
public; ~ **objetivo** (*COM*) public ciblé.
publique *etc* [pu'ßlike] *vb* V **publicar**.
pucha ['putʃa] (*AND, CSUR: fam*) *excl*: ¡~(s)!
mince!
pucherazo [putʃe'raθo] *nm* (*fraude*) truquage *m*; **dar** ~ truquer une élection.
puchero [pu'tʃero] *nm* (*CULIN: olla*) marmite *f*; (: *guiso*) pot-au-feu *m*; **hacer** ~s bouder.
pucho ['putʃo] *nm* (*CSUR*) nm mégot *m*.
púdico, -a ['puðiko, a] *adj* pudique.
pudiendo *etc* [pu'ðjendo] *vb* V **poder**.
pudiente [pu'ðjente] *adj* (*rico*) riche; (*poderoso*) puissant(e).
pudín [pu'ðin] *nm* pudding *m*.
pudor [pu'ðor] *nm* pudeur *f*.
pudoroso, -a [puðo'roso, a] *adj* pudique.
pudrir [pu'ðrir] *vt* pourrir; **pudrirse** *vpr*
pourrir.
pueblerino, -a [pweßle'rino, a] *adj* villa-
geois(e); (*pey*) de clocher ♦ *nm/f* villa-
geois(e); (*pey*) péquenaud(e).
pueblito [pwe'ßlito] (*esp AM: fam*) *nm* petit
village *m*.
pueblo ['pweßlo] *vb* V **poblar** ♦ *nm* peuple
m; (*población pequeña*) village *m*; ▶ **pueblo joven** (*PE*) quartier *m* de bidonvilles.
pueda *etc* ['pweða] *vb* V **poder**.
puente ['pwente] *nm* (*gen*) pont *m*; (*de gafas*) arcade *f*; (*de dientes*) bridge *m*;
(*NÁUT: tb*: ~ **de mando**) passerelle *f*; **curso** ~ (*ESCOL*) cours *msg* d'adaptation; **hacer** ~ (*fam*) faire le pont; ▶ **puente
aéreo/colgante** pont aérien/suspendu;
▶ **puente levadizo** pont-levis *m*.
puerco, -a ['pwerko, a] *adj* cochon(ne) ♦
nm/f (*ZOOL*) porc(truie); (*fam*)
porc(cochonne); ▶ **puerco espín** porc-
épic *m*.
pueril [pwe'ril] *adj* puéril.
puerro ['pwerro] *nm* poireau *m*.
puerta ['pwerta] *nf* porte *f*; (*de coche*) portière *f*; (*de jardín*) portail *m*, porte *f*; (*portería: DEPORTE*) but *m*; (*INFORM*) port *m*; **a**
~ **cerrada** à huis clos; ▶ **puerta
batiente/blindada/corredera** porte

battante/blindée/coulissante; ▸**puerta de servicio** porte de service; ▸**puerta (de transmisión) en paralelo/en serie** (*INFORM*) port parallèle/série; ▸**puerta giratoria** tourniquet *m*, porte à tambour; ▸**puerta principal/trasera** porte d'entrée/de derrière.

puerto ['pwerto] *nm* (*tb INFORM*) port *m*; (*de montaña*) col *m*; **llegar a ~** (*fig*) arriver à bon port; ▸**puerto franco** port franc.

Puerto Rico [pwerto'riko] *nm* Porto Rico *m*.

puertorriqueño, -a [pwertorri'keɲo, a] *adj* portoricain(e) ◊ *nm/f* Portoricain(e).

pues [pwes] *conj* (*en tal caso*) donc; (*puesto que*) car ◊ *adv* (*así que*) donc; **¡~ claro!** bien sûr!; **~ ... no sé** eh bien ... je ne sais pas; **~ sí** eh bien, oui!

puesta ['pwesta] *nf*: **~ a cero** (*INFORM*) re-initialisation *f*; ▸**puesta al día/a punto** mise *f* à jour/au point; ▸**puesta del sol** coucher *m* du soleil; ▸**puesta en escena** mise en scène; ▸**puesta en marcha** mise en marche.

puesto, -a ['pwesto, a] *pp de* **poner** ◊ *adj*: **ir bien/muy ~** être bien habillé/tiré à quatre épingles ◊ *nm* (*tb MIL*) poste *m*; (: *en clasificación*) rang *m*; (*tb:* **~ de trabajo**) poste; (*COM: en mercado*) étal *m*, éventaire *m*; (: *de flores, periódicos*) kiosque *m* ◊ *conj*: **~ que** puisque; ▸**puesto de mando/policía/socorro** poste de commandement/police/secours.

pugna ['puɣna] *nf* lutte *f*.

pugnar [puɣ'nar] *vi*: **~ por** lutter pour.

puja ['puxa] *nf* (*esfuerzo*) effort *m*; (*en una subasta*) enchère *f*.

pujante [pu'xante] *adj* vigoureux(-euse).

pujar [pu'xar] *vi* (*en subasta*) surenchérir; (*fig*) faire un effort.

pulcro, -a ['pulkro, a] *adj* propre.

pulga ['pulɣa] *nf* puce *f*; **tener malas ~s** avoir mauvais caractère.

pulgada [pul'ɣaða] *nf* (*medida*) pouce *m*.

pulgar [pul'ɣar] *nm* pouce *m*.

pulgón [pul'ɣon] *nm* puceron *m*.

pulir [pu'lir] *vt* (*tb fig*) polir.

pulla ['puʎa] *nf* (*broma*) pique *f*.

pulmón [pul'mon] *nm* poumon *m*; **a pleno ~** à pleins poumons; ▸**pulmón artificial/de acero** poumon artificiel/d'acier.

pulmonía [pulmo'nia] *nf* pneumonie *f*.

pulpa ['pulpa] *nf* pulpe *f*.

pulpería [pulpe'ria] *(AM) nf* épicerie *f*.

púlpito ['pulpito] *nm* (*REL*) chaire *f*.

pulpo ['pulpo] *nm* poulpe *m*.

pulque ['pulke] *(CAM, MÉX) nm* pulque *m*.

pulquería [pulke'ria] *(CAM, MÉX) nf* débit *m* de pulque.

pulsación [pulsa'θjon] *nf* pulsation *f*; **pulsaciones por minuto** (*del teclado*) caractères *mpl* par minute.

pulsador [pulsa'ðor] *nm* poussoir *m*.

pulsar [pul'sar] *vt* (*tecla*) frapper; (*botón*) appuyer sur ◊ *vi* (*latir*) battre.

pulsera [pul'sera] *nf* bracelet *m*; **reloj de ~** montre-bracelet *f*.

pulso ['pulso] *nm* (*MED*) pouls *msg*; (*COL: pulsera*) bracelet *m*; (: *reloj de pulsera*) montre-bracelet *f*; **a ~** (*tb fig*) à la force du poignet; **con ~ firme** de propos délibéré; **echar un ~** faire un bras de fer.

pulular [pulu'lar] *vi* pulluler.

pulverice etc [pulβe'riθe] *vb V* **pulverizar**.

pulverizador [pulβeriθa'ðor] *nm* pulvérisateur *m*.

pulverizar [pulβeri'θar] *vt* pulvériser.

puna ['puna] *(AND, CSUR) nf* (*MED*) puna *f*.

punce etc ['punθe] *vb V* **punzar**.

punción [pun'θjon] *nf* (*MED*) ponction *f*.

pundonor [pundo'nor] *nm* point *m* d'honneur.

punitivo, -a [puni'tiβo, a] *adj* punitif(-ive).

punki ['punki] *adj, nm/f* punk *m/f*.

punta ['punta] *nf* pointe *f*; (*de lengua, dedo*) bout *m*; (*fig: toque*) brin *m*; **horas ~s** heures *fpl* de pointe; **tecnología ~** technologie *f* de pointe; **de ~** debout; **de ~ a ~** d'un bout à l'autre; **estar de ~** être à bout; **ir de ~ en blanco** être tiré à quatre épingles; **sacar ~ a** (*lápiz*) tailler; **sacarle ~ a todo** chercher la petite bête; **tener algo en la ~ de la lengua** avoir qch sur le bout de la langue; **se me pusieron los pelos de ~** j'en ai eu les cheveux qui se sont dressés sur la tête; ▸**punta del iceberg** (*fig*) pointe de l'iceberg.

puntada [pun'taða] *nf* (*COSTURA*) point *m*.

puntal [pun'tal] *nm* étai *m*.

puntapié [punta'pje] (*pl* **~s**) *nm* coup *m* de pied; **echar a algn a ~s** éjecter qn à coups de pied aux fesses.

punteado [punte'aðo] *nm* (*MÚS*) pincement *m*.

puntear [punte'ar] *vt* (*dibujar*) pointiller; (*MÚS*) pincer.

puntera [pun'tera] *nf* (*de zapato*) bout *m*.

puntería [punte'ria] *nf* (*de arma*) visée *f*; (*destreza*) précision *f*.

puntero, -a [pun'tero, a] *adj* (*industria, país*) de pointe ◊ *nm* (*vara*) baguette *f*.

puntiagudo, -a [puntja'ɣuðo, a] *adj* pointu(e).

puntilla [pun'tiʎa] *nf* (*COSTURA*) dentelle *f* fine; (**andar**) **de ~s** (marcher) sur la pointe des pieds.

puntilloso, -a [punti'ʎoso, a] *adj* (*en trabajo*) pointilleux(-euse); (*susceptible*) tatillon(ne).

punto ['punto] *nm* point *m*; **a** ~ (*listo*) au point; **estar a** ~ **de** être sur le point de; **llegar a** ~ arriver à point; **al** ~ immédiatement; **dos** ~**s** (*TIP*) deux points; **de** ~ tricoté(e); **en** ~ (*horas*) pile; **estar en su** ~ (*CULIN*) être à point; **hasta cierto** ~ jusqu'à un certain point; **hasta tal** ~ **que** à tel point que; **hacer** ~ tricoter; **poner un motor a** ~ mettre un moteur au point; ~**s a tratar** points à traiter; ▶ **punto acápite** (*AM*) point, à la ligne; ▶ **punto culminante** point culminant; ▶ **punto de apoyo** point d'appui; ▶ **punto débil** point faible; ▶ **punto de congelación** point de congélation; ▶ **punto de equilibrio** (*COM*) seuil *m* de rentabilité; ▶ **punto de fusión** point de fusion; ▶ **punto de partida** point de départ; ▶ **punto de pedido** (*COM*) seuil de réapprovisionnement; ▶ **punto de referencia** (*COM*) point de référence; ▶ **punto de salida** (*INFORM*) point de départ; ▶ **punto de venta** (*COM*) point de vente; ▶ **punto de vista** point de vue; ▶ **punto final** point final; ▶ **punto muerto** point mort; ▶ **punto negro** (*AUTO*) point noir; ▶ **puntos suspensivos** points de suspension; ▶ **punto y coma** point-virgule *m*.

puntuación [puntwa'θjon] *nf* (*signos*) ponctuation *f*; (*puntos*) points *mpl*.

puntual [pun'twal] *adj* ponctuel(le).

puntualice *etc* [puntwa'liθe] *vb V* **puntualizar**.

puntualidad [puntwali'ðað] *nf* ponctualité *f*.

puntualizar [puntwali'θar] *vt* préciser.

puntualmente [pun'twalmente] *adv* ponctuellement.

puntuar [pun'twar] *vt* (*LING, TIP*) ponctuer; (*examen*) noter ♦ *vi* (*DEPORTE*) compter.

punzada [pun'θaða] *nf* (*puntura*) piqûre *f*; (*dolor*) élancement *m*.

punzante [pun'θante] *adj* (*dolor*) aigu(ë), lancinant(e); (*herramienta*) pointu(e); (*comentario*) piquant(e).

punzar [pun'θar] *vt* (*pinchar*) piquer ♦ *vi* (*doler*) élancer.

punzón [pun'θon] *nm* pointeau *m*.

puñado [pu'ɲaðo] *nm* poignée *f*; **a** ~**s** à foison.

puñal [pu'ɲal] *nm* poignard *m*.

puñalada [puɲa'laða] *nf* coup *m* de poignard; **una** ~ **trapera** (*fig*) un coup de Jarnac.

puñeta [pu'ɲeta] (*fam!*) *nf*: ¡~!, ¡qué ~(s)! merde! (*fam!*); **mandar a algn a hacer** ~**s** envoyer paître qn.

puñetazo [puɲe'taθo] *nm* coup *m* de poing.

puño ['puɲo] *nm* (*ANAT*) poing *m*; (*de ropa*) poignet *m*; (*de herramienta*) manche *m*; **como un** ~ (*verdad*) flagrant(e); **de su** ~ **y letra** de sa main; **tener el corazón en un** ~ avoir le cœur gros.

pupila [pu'pila] *nf* (*ANAT*) pupille *f*.

pupitre [pu'pitre] *nm* pupitre *m*.

puré [pu're] *nm* (*CULIN*) purée *f*; **estar hecho** ~ (*fig*) être à bout de forces; ▶ **puré de patatas/de verduras** purée de pommes de terre/de légumes.

pureza [pu'reθa] *nf* pureté *f*.

purga ['purxa] *nf* purge *f*.

purgante [pur'xante] *adj* purgatif(-ive) ♦ *nm* purgatif *m*.

purgar [pur'xar] *vt* purger; **purgarse** *vpr* se purger.

purgatorio [purxa'torjo] *nm* purgatoire *m*.

purgue *etc* ['purxe] *vb V* **purgar**.

purificar [purifi'kar] *vt* purifier.

purifique *etc* [puri'fike] *vb V* **purificar**.

puritano, -a [puri'tano, a] *adj, nm/f* puritain(e).

puro, -a ['puro, a] *adj* pur(e); (*esp MÉX*) même ♦ *nm* (*tabaco*) cigare *m* ♦ *adv* (*esp MÉX*) uniquement; **de** ~ **cansado** à force de fatigue; **por pura casualidad/curiosidad** par pur hasard/pure curiosité.

púrpura ['purpura] *nf* pourpre *f*.

purpúreo, -a [pur'pureo, a] *adj* pourpré(e).

pus [pus] *nm* pus *msg*.

puse *etc* ['puse] *vb V* **poner**.

pústula ['pustula] *nf* pustule *f*.

puta ['puta] (*fam!*) *nf* putain *f*, pute *f* (*fam!*); **de** ~ **madre** du tonnerre.

putada [pu'taða] (*fam!*) *nf* vacherie *f*; **¡qué** ~! quelle vacherie!

puteada [pute'aða] (*CSUR: fam!*) *nf* insulte *f*.

putear [pute'ar] (*fam!*) *vt* emmerder (*fam!*).

putrefacción [putrefak'θjon] *nf* putréfaction *f*.

pútrido, -a ['putriðo, a] *adj* putride.

puzzle ['puθle] *nm* puzzle *m*.

PVP (*ESP*) *sigla m = Precio de Venta al Público*.

PYME ['pime] *sigla f* (= *Pequeña y Mediana Empresa*) PME *f* (= *petite et moyenne entreprise*).

Pza *abr* = **plaza**.

Q, q

Q, q [ku] *nf* (*letra*) Q, q *m inv*; ~ **de Querido**
≈ Q comme Quintal.

QED *abr* (= *lo que se había de demostrar*)
CQFD (= *ce qu'il fallait démontrer*).

q.e.g.e. *abr* (= *que en gloria esté*)
qu'il(elle) repose en paix.

q.e.p.d. *abr* (= *que en paz descanse*)
qu'il(elle) repose en paix.

q.e.s.m. *abr* (= *que estrecha su mano*) votre ami.

QH *abr* (= *quiniela hípica*) ≈ tiercé *m*.

qm. *abr* (= *quintal(es) métrico(s)*) q (= *quin-
tal(aux)*).

══════════ *PALABRA CLAVE*

que [ke] *pron rel* **1** (*sujeto*) qui; **el hombre
que vino ayer** l'homme qui est venu hier
2 (*objeto*) que; **el sombrero que te com-
praste** le chapeau que tu t'es acheté; **la
chica que invité** la fille que j'ai invitée
3 (*circunstancial, con prep*): **el día que yo
llegué** le jour où je suis arrivé; **el piano
con que toca** le piano sur lequel il joue;
el libro del que te hablé le livre dont je
t'ai parlé; **la cama en que dormí** le lit
dans lequel j'ai dormi; *V tb* **el**
♦ *conj* **1** (*con oración subordinada*) que;
dijo que vendría a dit qu'il viendrait;
espero que lo encuentres j'espère que tu
le retrouveras; *V tb* **el**
2 (*con verbo de mandato*): **dile que me lla-
me** dis-lui de m'appeler
3 (*en oración independiente*): **¡que entre!**
qu'il(elle) entre!; **¡que se mejore tu padre!** j'espère que ton père ira mieux!;
que lo haga él qu'il le fasse, lui; **que yo
sepa** que je sache
4 (*enfático*): **¿me quieres? – ¡que sí!** tu
m'aimes? – oh oui!
5 (*repetición*): **¿cómo has dicho? – ¿que si
...?** qu'est-ce que tu disais? – que si ...?
6 (*consecutivo*) que; **es tan grande que no
lo puedo levantar** c'est si gros que je ne
peux pas le soulever
7 (*en comparaciones*) que; **es más alto que
tú** il est plus grand que toi; **ese libro es
igual que el otro** ce livre est pareil que
l'autre; *V tb* **más; menos; mismo**

8 (*valor disyuntivo*): **que venga o que no
venga** qu'il vienne ou qu'il ne vienne
pas
9 (*porque*): **no puedo, que tengo que quedarme en casa** je ne peux pas, je dois
rester à la maison
10 (*valor condicional*): **que no puedes, no
lo haces** si tu ne peux pas, ne le fais pas
11 (*valor final*): **sal a que te vea** sors pour
que je te voie
12: **todo el día toca que toca** il joue toute la sainte journée; **y él dale que dale**
(*hablando*) et lui qui n'arrêtait pas
13: **yo que tú ...** si j'étais toi ... .

qué [ke] *adj* quel(le) ♦ *pron* que, quoi; **¿qué
edad tienes?** quel âge as-tu?; **¿a qué velocidad?** à quelle vitesse?; **¡qué divertido/
asco!** comme c'est drôle/dégoûtant!;
¡qué día más espléndido! quelle journée
splendide!; **¿qué?** quoi?; **¿qué quieres?**
qu'est-ce que tu veux?; **¿de qué me hablas?** de quoi me parles-tu?; **¿qué tal?**
(comment) ça va?; **¿qué hay de nuevo?**
quoi de neuf?; **¿qué más?** autre chose?;
no sé qué quiere hacer je ne sais pas ce
qu'il veut faire; **¡y qué!** et alors!

quebrada [ke'ßraða] *nf* vallée *f* encaissée;
V tb **quebrado**.

quebradero [keßra'ðero] *nm*: ~ **de cabeza**
casse-tête *m inv*.

quebradizo, -a [keßra'ðiθo, a] *adj* cas-
sant(e); (*persona, salud*) fragile.

quebrado, -a [ke'ßraðo, a] *adj* (*roto*) cas-
sé(e); (*línea*) brisé(e); (*terreno*) acciden-
té(e) ♦ *nm/f* (*COM*) failli(e) ♦ *nm* (*MAT*)
fraction *f*; ~ **rehabilitado** failli réhabilité.

quebrantamiento [keßranta'mjento] *nm*
(*de ley, norma*) infraction *f*; (*de salud*) affaiblissement *m*.

quebrantar [keßran'tar] *vt* (*moral*) casser;
(*ley, secreto, promesa*) violer; (*salud*) affaiblir; **quebrantarse** *vpr* (*persona, fuerzas*) s'affaiblir.

quebranto [ke'ßranto] *nm* (*en salud*) affaiblissement *m*; (*en fortuna*) perte *f*; (*fig*:
pena) affliction *f*.

quebrar [ke'ßrar] *vt* casser ♦ *vi* faire faillite; **quebrarse** *vpr* se casser; (*línea, cordillera*) se briser; (*MED: herniarse*) se faire
une hernie; **se le quebró la voz** sa voix
s'est brisée.

quechua ['ketʃwa] *adj* quechua ♦ *nm/f*
membre *m* d'une tribu quechua.

queda ['keða] *nf*: **toque de** ~ couvre-feu *m*.

quedar [ke'ðar] *vi* rester; (*encontrarse*) se
donner rendez-vous; **quedarse** *vpr* rester; ~ **en** convenir de; ~ **en nada** ne pas
aboutir; ~ **por hacer** rester à faire; **no te
queda bien ese vestido** cette robe ne te

va pas bien; **quedamos aquí** on reste là; **quedamos a las seis** (*en pasado*) on a dit 6 heures; (*en presente*) on se voit à 6 heures; **eso queda muy lejos** c'est très loin; **nos quedan 12 kms para llegar al pueblo** il nous reste encore 12 km avant d'arriver au village; **quedan dos horas** il reste deux heures; **eso queda por/hacia allí** c'est par là; **ahí quedó la cosa** la chose en est restée là; **no queda otra** il n'y en a plus; **~se ciego/mudo** devenir aveugle/muet; **~se (con) algo** garder qch; **~se con algn** (*fam*) taquiner qn; **~se sin** ne plus avoir de.

quedo, -a ['keðo, a] *adj* (*voz*) bas(basse); (*pasos*) feutré(e) ♦ *adv* (*hablar*) doucement; (*andar*) à pas feutrés.

quehacer [kea'θer] *nm* tâche *f*; **~es** (**domésticos**) tâches *fpl* (domestiques).

queja ['kexa] *nf* plainte *f*.

quejarse [ke'xarse] *vpr* se plaindre; **~ de que ...** se plaindre que ... .

quejica [ke'xika] *adj*, *nm/f* pleurnichard(e).

quejido [ke'xiðo] *nm* gémissement *m*, plainte *f*.

quejoso, -a [ke'xoso, a] *adj* mécontent(e).

quejumbroso, -a [kexum'broso, a] *adj* geignard(e).

quema ['kema] *nf* incendie *m*.

quemado, -a [ke'maðo, a] *adj* brûlé(e) ♦ *nm*: **oler a ~** sentir le brûlé; **estar ~** (*fam*: *irritado*) être en pétard; (: *político, actor*) être fini.

quemadura [kema'ðura] *nf* brûlure *f*; (*de sol*) coup *m* de soleil.

quemar [ke'mar] *vt* brûler; (*fig*: *malgastar*) gâcher; (: *deteriorar: imagen, persona*) détruire; (*fastidiar*) agacer ♦ *vi* brûler; **quemarse** *vpr* (*consumirse*) brûler; (*del sol*) attraper un (des) coup(s) de soleil.

quemarropa [kema'rropa]: **a ~** *adv* (*disparar*) à bout portant; (*preguntar*) à brûle-pourpoint.

quemazón [kema'θon] *nf* brûlure *f*; (*picor*) démangeaison *f*.

quena ['kena] (*AM*) *nf* flûte *f* indienne.

quepí(s) [ke'pi(s)] *nm* V **kepí(s)**.

quepo *etc* ['kepo] *vb* V **caber**.

queque ['keke] (*AND, CSUR*) *nm* gâteau *m*.

querella [ke're.ʎa] *nf* (*JUR*) plainte *f*; (*disputa*) querelle *f*.

querellarse [kere'ʎarse] *vpr* porter plainte.

querencia [ke'renθja] *nf* attachement *m*.

===================== *PALABRA CLAVE*

querer [ke'rer] *vt* **1** (*desear*) vouloir; **quiero más dinero** je veux plus d'argent; **quisiera o querría un té** je voudrais un thé; **sin querer** sans le vouloir; **quiera o no quiera** qu'il le veuille ou non; **¡no quiero!** je ne veux pas!; **como Vd quiera** comme vous voudrez; **como quien no quiere la cosa** mine de rien; **¡qué más quisiera yo!** si seulement je pouvais!

2 (+ *vb dependiente*): **quiero ayudar/que vayas** je veux aider/que tu t'en ailles; **¿qué quieres decir?** que veux-tu dire?

3 (*para pedir algo*): **¿quiere abrir la ventana?** vous voulez bien ouvrir la fenêtre?

4 (*amar*) aimer; (*amigo, perro*) aimer bien; **quiere mucho a sus hijos** elle aime beaucoup ses enfants; **te quiero bien** je ne veux que ton bien; **¡por lo que más quieras!** je t'en prie!

5 (*requerir*): **esta planta quiere más luz** cette plante a besoin de plus de lumière

6 (*impersonal*): **quiere llover** il va pleuvoir

7: **como quiera que ...** (*dado que*) puisque ..., comme ... .

_____

querido, -a [ke'riðo, a] *adj* (*mujer, hijo*) chéri(e); (*tierra, amigo, en carta*) cher(chère) ♦ *nm/f* amant(e); **nuestra querida patria** notre chère patrie; **¡sí, ~!** oui, chéri!

querosén [kero'sen] (*AM*), **querosene** [kero'sene] (*AM*), **queroseno** [kero'seno] *nm* kérosène *m*.

querré *etc* [ke'rre] *vb* V **querer**.

quesadilla [kesa'ðiʎa] (*CAM, MÉX*) *nf* crêpe de maïs fourrée.

quesera [ke'sera] *nf* ≈ plateau *m* à fromage.

quesería [kese'ria] *nf* fromagerie *f*.

quesero, -a [ke'sero, a] *adj*: **la industria quesera** l'industrie *f* fromagère.

queso ['keso] *nm* fromage *m*; **dárselas con ~ a algn** (*fam*) mener qn en bateau; ▶ **queso cremoso** fromage crémeux; ▶ **queso rallado** fromage râpé.

quetzal [ket'sal] *nm* quetzal *m*.

quiche [kiʃ] *nm* quiche *f*.

quicio ['kiθjo] *nm* gond *m*; **estar fuera de ~** aller de travers; **sacar a algn de ~** mettre qn hors de soi.

quid [kið] *nm* quid *m*; **dar en el ~** mettre en plein dans le mille.

quiebra ['kjeβra] *nf* effondrement *m*; (*COM*) faillite *f*.

quiebro ['kjeβro] *vb* V **quebrar** ♦ *nm* (*del cuerpo*) déhanchement *m*; (*del torero*) écart *m*.

quien [kjen] *pron* (*relativo: sujeto*) qui; (: *complemento*) qui, que; **la persona a ~ quiero** la personne que j'aime; **~ dice eso es tonto** (*indefinido*) celui qui dit cela est un idiot; **hay ~ piensa que** il y a des gens qui pensent que; **no hay ~ lo haga** il n'y a personne qui le fasse; **~ más, ~ menos tiene sus problemas** tout le monde

a des problèmes.
quién [kjen] *pron (interrogativo)* qui; ¿~ **es?** qui est-ce?; *(TELEC)* qui est à l'appareil?; ¡~ **pudiera!** si seulement je pouvais!
quienquiera [kjen'kjera] *(pl* **quienesquiera)** *pron* quiconque.
quiera *etc* ['kjera] *vb* V **querer.**
quieto, -a ['kjeto, a] *adj (manos, cuerpo)* immobile; *(carácter)* tranquille; ¡**estate** ~! reste tranquille!
quietud [kje'tuð] *nf (inmovilidad)* immobilité *f*; *(tranquilidad)* tranquillité *f*, quiétude *f*.
quijada [ki'xaða] *nf* mâchoire *f*.
quijote [ki'xote] *nm*: **ser un** ~ être un Don Quichotte; **Don Q~** Don Quichotte.
quil., qts. *abr (= quilates)* V **quilate.**
quilate [ki'late] *nm* carat *m*.
quilla ['kiʎa] *nf* quille *f*.
quilo... ['kilo...] = **kilo...** .
quilombo [ki'lombo] *(CSUR) nm* bordel *m (fam)*.
quimera [ki'mera] *nf* chimère *f*.
quimérico, -a [ki'meriko, a] *adj* chimérique.
química ['kimika] *nf* chimie *f*.
químico, -a ['kimiko, a] *adj* chimique ♦ *nm/f* chimiste *m/f*.
quina ['kina] *nf* quinine *f*.
quincallería [kinkaʎe'ria] *nf* quincaillerie *f*.
quince ['kinθe] *adj inv, nm inv* quinze *m inv*; ~ **días** quinze jours; V *tb* **seis.**
quinceañero, -a [kinθea'ɲero, a] *adj* adolescent(e) ♦ *nm/f* garçon(fille) de quinze ans, adolescent(e).
quincena [kin'θena] *nf* quinzaine *f*.
quincenal [kinθe'nal] *adj (pago, reunión)* bimensuel(le).
quincenalmente [kinθe'nalmente] *adv* tous les quinze jours.
quincuagésimo, -a [kinkwa'xesimo, a] *adj, nm/f* cinquantième *m/f*.
quiniela [ki'njela] *nf (impreso)* grille *f o* feuille *f* de paris; ~**(s)** ≈ Loto *msg* sportif; ► **quiniela hípica** ≈ tiercé *m*.
quinientos, -as [ki'njentos, as] *adj* cinq cents V *tb* **seiscientos.**
quinina [ki'nina] *nf* quinine *f*.
quinqué [kin'ke] *nm* lampe *f* à huile *o* à pétrole.
quinquenal [kinke'nal] *adj* quinquennal(e).
quinquenio [kin'kenjo] *nm* quinquennat *m*.
quinqui ['kinki] *(pey: fam) nm* voyou *m*.
quinta ['kinta] *nf* maison *f* de campagne; *(MIL)* classe *f*; **la ~ del 56** la classe de 1956.
quintaesencia [kintae'senθja] *nf* quintessence *f*.
quintal [kin'tal] *nm*: ~ **métrico** *(100 kg)* quintal *m*.

quinteto [kin'teto] *nm* quintette *m*.
quinto, -a ['kinto, a] *adj* cinquième ♦ *nm (MIL)* recrue *f*; *(ordinal)* cinquième *m*; V *tb* **sexto.**
quintral [kin'tral] *(CSUR) nm* gui *m*.
quintuplo, -a [kin'tuplo, a] *adj* quintuple.
quiosco ['kjosko] *nm* kiosque *m*.
quirófano [ki'rofano] *nm* salle *f* d'opération.
quiromancia [kiro'manθja] *nf* chiromancie *f*.
quirúrgico, -a [ki'rurxiko, a] *adj* chirurgical.
quise *etc* ['kise] *vb* V **querer.**
quisque ['kiske] *(fam) pron*: **cada** *o* **todo** ~ tous.
quisquilloso [kiski'ʎoso, a] *adj (susceptible)* chatouilleux(-euse); *(meticuloso)* pointilleux(-euse).
quiste ['kiste] *nm* kyste *m*.
quitaesmalte [kitaes'malte] *nm* dissolvant *m*.
quitamanchas [kita'mantʃas] *nm inv* détachant *m*.
quitanieves [kita'njeßes] *nm inv* chasseneige *m inv*.
quitar [ki'tar] *vt* enlever; *(ropa)* enlever, ôter; *(dolor)* éliminer; *(vida)* donner la mort à ♦ *vi*: ¡**quita de ahí!** hors d'ici!; **quitarse** *vpr (mancha)* partir; *(ropa)* ôter; *(vida)* se donner la mort; **de quita y pon** amovible; **quítalo de ahí** enlève ça de là; **me quita mucho tiempo** cela me prend beaucoup de temps; ~ **la televisión/radio** éteindre la télévision/radio; ~ **la mesa** débarrasser la table; **el café me quita el sueño** le café m'empêche de dormir; ~ **de en medio a algn** se débarrasser de qn; **eso no quita para que venga** cela n'empêche pas de venir; ~**se algo de encima** se débarrasser de qch; ~**se del tabaco/de fumar** arrêter de fumer; **se quitó el sombrero** il ôta son chapeau; ~**se de renoncer à.**
quitasol [kita'sol] *nm* parasol *m*.
quite ['kite] *nm (esgrima)* parade *f*; *(TAUR)* action de détourner l'attention du taureau; **estar al** ~ être prêt à aider qn.
Quito ['kito] *n* Quito.
quizá(s) [ki'θa(s)] *adv* peut-être.
quórum ['kworum] *(pl* ~**s)** *nm* quorum *m*.

R, r

R, r ['erre] *nf* (*letra*) R, r *m*; ~ **de Ramón** ≈ R comme Raoul.
R. *abr* (*REL*) = **reverendo**; **real**; (= *remite*, *remitente*) exp. (= *expéditeur*); (= *río*) fl. (= *fleuve*).
rabadilla [raβa'ðiʎa] *nf* (*de ave*) croupion *m*; (*de conejo*) râble *m*; (*del hombre*) coccyx *msg*.
rábano ['raβano] *nm* radis *msg*; **me importa un ~** je m'en moque comme de l'an quarante.
rabia ['raβja] *nf* rage *f*; **¡qué ~!** c'est trop bête!; **me da ~ cela** me fait rager; **tener ~ a algn** avoir une dent contre qn; **me da ~ marcharme** je dois partir, c'est trop bête!
rabiar [ra'βjar] *vi* (*MED*) avoir la rage; **~ por hacer algo** mourir d'envie de faire qch.
rabieta [ra'βjeta] *nf* crise *f* de colère.
rabino [ra'βino] *nm* rabbin *m*.
rabioso, a [ra'βjoso, a] *adj* (*perro*) enragé(e); (*dolor, ganas*) fou(folle); **estar ~** (*fig*) être enragé(c).
rabo ['raβo] *nm* queue *f*.
racanear [rakane'ar] (*fam*) *vi* (*ser vago*) flemmarder; (*ser tacaño*) être radin(e).
rácano ['rakano] (*fam*) *adj*, *nm/f* radin(e).
RACE ['raθe] *sigla m* (= *Real Automóvil Club de España*) ≈ ACF *m* (= *Automobile Club de France*).
racha ['ratʃa] *nf* (*de viento*) rafale *f*; (*serie*) suite *f*; **buena/mala ~** bonne/mauvaise passe *f*; **~ de mala suerte** série *f* de malchances.
racial [ra'θjal] *adj* racial(e).
racimo [ra'θimo] *nm* grappe *f*.
raciocinio [raθjo'θinjo] *nm* raisonnement *m*.
ración [ra'θjon] *nf* ration *f*; (*en bar*) portion *f*.
racional [raθjo'nal] *adj* rationnel(le); **animal ~** être *m* doué de raison.
racionalice *etc* [raθjona'liθe] *vb V* **racionalizar**.
racionalizar [raθjonali'θar] *vt* rationaliser.
racionalmente [raθjo'nalmente] *adv* rationnellement.

racionamiento [raθjona'mjento] *nm* rationnement *m*.
racionar [raθjo'nar] *vt* rationner.
racismo [ra'θismo] *nm* racisme *m*.
racista [ra'θista] *adj*, *nm/f* raciste *m/f*.
radar [ra'ðar], **rádar** ['raðar] *nm* radar *m*.
radiación [raðja'θjon] *nf* (*solar, atómica*) rayonnement *m*; (*TELEC*) radiation *f*.
radiactividad [raðjaktiβi'ðað] *nf* = **radioactividad**.
radiado, -a [ra'ðjaðo, a] *adj* radiodiffusé(e).
radiador [raðja'ðor] *nm* radiateur *m*.
radial [ra'ðjal] (*AM*) *adj* radiophonique.
radiante [ra'ðjante] *adj* radieux(-euse).
radiar [ra'ðjar] *vt* (*programa*) radiodiffuser; (*ondas, luz*) irradier; (*MED*) traiter par radiothérapie.
radical [raði'kal] *adj* radical(e) ♦ *nm* (*LING, MAT*) radical *m*.
radicar [raði'kar] *vi*: **~ en** (*consistir*) résider en; (*estar situado*) être basé à; **radicarse** *vpr* s'établir.
radio ['raðjo] *nf* (*AM: a veces nm*) radio *f* ♦ *nm* rayon *m*; **por ~** à la radio; ▶ **radio de acción** rayon d'action.
radioactividad [raðjoaktiβi'ðað] *nf* radioactivité *f*.
radioactivo, -a [raðjoak'tiβo, a] *adj* radioactif(-ive).
radioaficionado, -a [raðjoafiθjo'naðo, a] *nm/f* radioamateur *m*.
radiocasete [raðjoca'sete] *nm* radiocassette *m*.
radiodespertador [raðjoðesperta'ðor] *nm* radio-réveil *m*.
radiodifusión [raðjodifu'sjon] *nf* radiodiffusion *f*.
radioemisora [raðjoemi'sora] *nf* station *f* (de radio).
radiofónico, -a [raðjo'foniko, a] *adj* radiophonique.
radiografía [raðjoɣra'fia] *nf* radiographie *f*.
radiólogo, -a [ra'ðjoloɣo, a] *nm/f* radiologue *m/f*.
radionovela [raðjono'βela] *nf* feuilleton *m* (radiodiffusé).
radiotaxi [raðjo'taksi] *nm* radio-taxi *m*.
radioteléfono [raðjote'lefono] *nm* radiotéléphone *m*.
radioterapia [raðjote'rapja] *nf* radiothérapie *f*.
radiotransmisor [raðjotransmi'sor] *nm* poste *m* émetteur.
radioyente [raðjo'jente] *nm/f* auditeur(-trice).
radique *etc* [ra'ðike] *vb V* **radicar**.
RAE ['rae] (*ESP*) *sigla f* (= *Real Academia Española*) ≈ Académie *f* française.
ráfaga ['rafaɣa] *nf* rafale *f*; (*de luz*) jet *m*.

raíces [ra'iθes] *nfpl de* **raíz**.

raid [raid] *nm* (*MIL*) raid *m*.

raído, -a [ra'iðo, a] *adj* (*ropa*) râpé(e).

raigambre [rai'ɣambre] *nf* racines *fpl*.

raíz [ra'iθ] (*pl* **raíces**) *nf* racine *f*; ~ **cuadrada** racine carrée; **a** ~ **de** (*como consecuencia de*) à la suite de; (*después de*) après; **echar raíces** (*fig*) prendre racine.

raja ['raxa] *nf* (*de melón, limón*) tranche *f*; (*en tela, plástico*) coupure *f*; (*en muro, madera*) fissure *f*.

rajar [ra'xar] *vt* (*tela*) couper; (*madera*) fendre; (*fam: herir*) entailler ♦ *vi* (*fam*) jacasser; **rajarse** *vpr* se fendre; (*fam*) se dégonfler.

rajatabla [raxa'taβla]: **a** ~ *adv* à la lettre.

RAL *abr* (*INFORM* = *red de área local*) réseau *m* local.

ralea [ra'lea] (*pey*) *nf*: **de baja** ~ de bas étage; **tener mala** ~ être mauvais coucheur.

ralenti [ra'lenti] *nm* (*AUTO*) ralenti *m*; **al** ~ au ralenti.

rallador [raʎa'ðor] *nm* râpe *f*.

rallar [ra'ʎar] *vt* râper.

ralo, -a ['ralo, a] *adj* clairsemé(e).

RAM [ram] *sigla f* (= *random access memory*) RAM *f* (= *mémoire vive*).

rama ['rama] *nf* branche *f*; **andarse** *o* **irse por las** ~**s** (*fig, fam*) tourner autour du pot.

ramadán [rama'ðan] *nm* ramadan *m*.

ramaje [ra'maje] *nm* ramage *m*.

ramal [ra'mal] *nm* (*de cuerda*) brin *m*; (*FERRO*) embranchement *m*; (*AUTO*) bretelle *f*.

ramalazo [rama'laθo] (*fam*) *nm*: **tener un** ~ **de loco** avoir un grain.

rambla ['rambla] *nf* rambla *f*.

ramera [ra'mera] (*fam!*) *nf* catin *f* (*fam!*).

ramificación [ramifika'θjon] *nf* ramification *f*.

ramificarse [ramifi'karse] *vpr* se ramifier.

ramifique *etc* [rami'fike] *vb V* **ramificarse**.

ramillete [rami'ʎete] *nm* bouquet *m*.

ramo ['ramo] *nm* bouquet *m*; (*de industria*) branche *f*.

rampa ['rampa] *nf* rampe *f*; ► **rampa de acceso** rampe d'accès; ► **rampa de lanzamiento** rampe de lancement.

ramplón, -ona [ram'plon, ona] *adj* vulgaire.

rana ['rana] *nf* grenouille *f*; **salir** ~ (*fam*) échouer; **cuando las** ~**s críen pelo** quand les poules auront des dents.

ranchera [ran'tʃera] *nf* (*MÉX*) chanson populaire du Mexique; (*AUTO*) break *m*.

ranchero [ran'tʃero] *nm* (*AM*) fermier *m*; (*MÉX*) paysan *m*.

ranchitos [ran'tʃitos] (*VEN*) *nmpl* bidonvilles *mpl*.

rancho ['rantʃo] *nm* (*comida*) popote *f*; (*AM*) ranch *m*; (: *pequeño*) petite ferme *f*; (*choza*) cabane *f*; ~**s** *nmpl* (*VEN: barrio de chabolas*) bidonvilles *mpl*.

rancio, -a ['ranθjo, a] *adj* rance; (*vino, fig*) vieux(vieille).

rango ['rango] *nm* rang *m*.

ranura [ra'nura] *nf* rainure *f*; (*de teléfono*) fente *f*; ► **ranura de expansión** (*INFORM*) emplacement *m*.

rap [rap] *nm* (*MÚS*) rap *m*.

rapacidad [rapaθi'ðað] *nf* rapacité *f*.

rapapolvo [rapa'polβo] *nm*: **echar un** ~ **a algn** sonner les cloches à qn.

rapar [ra'par] *vt* raser.

rapaz [ra'paθ] *adj* (*ave*) de proie ♦ *nf* (*tb fig*) rapace *m* ♦ *nm* gamin *m*.

rapaza [ra'paθa] *nf* gamine *f*.

rape ['rape] *nm* (*pez*) baudroie *f*; **al** ~ ras *inv*.

rapé [ra'pe] *nm* chique *f*.

rapel [ra'pel] *nm* (*DEPORTE*) rappel *m*.

rápidamente ['rapiðamente] *adv* rapidement.

rapidez [rapi'ðeθ] *nf* rapidité *f*.

rápido, -a ['rapiðo, a] *adj* rapide ♦ *adv* rapidement ♦ *nm* (*FERRO*) rapide *m*; ~**s** *nmpl* (*de río*) rapides *mpl*.

rapiña [ra'piɲa] *nm* rapine *f*; **ave de** ~ oiseau *m* de proie.

raptar [rap'tar] *vt* enlever.

rapto ['rapto] *nm* rapt *m*, enlèvement *m*; (*impulso*) accès *msg*; (*éxtasis*) transport *m*, ravissement *m*.

raqueta [ra'keta] *nf* raquette *f*.

raquítico, -a [ra'kitiko, a] *adj* rachitique.

raquitismo [raki'tismo] *nm* rachitisme *m*.

raramente ['raramente] *adv* rarement.

rareza [ra'reθa] *nf* rareté *f*; (*fig*) manie *f*.

raro, -a ['raro, a] *adj* rare; (*extraño*) curieux(-euse); **¡qué** ~**!** que c'est curieux!; **qué cosa más rara!** comme c'est bizarre!

ras [ras] *nm*: **a** ~ **de tierra/del suelo** à ras de terre/au ras du sol.

rasar [ra'sar] *vt* raser.

rascacielos [raska'θjelos] *nm inv* gratte-ciel *m inv*.

rascar [ras'kar] *vt* gratter; (*raspar*) racler; **rascarse** *vpr* se gratter.

rasgado, -a [ras'ɣaðo, a] *adj*: **ojos** ~**s** yeux *mpl* bridés.

rasgar [ras'ɣar] *vt* déchirer.

rasgo ['rasɣo] *nm* trait *m*; ~**s** *nmpl* (*de rostro*) traits *mpl*; **a grandes** ~**s** à grands traits.

rasgue *etc* ['rasɣe] *vb V* **rasgar**.

rasguear [rasɣe'ar] *vt* (*MÚS*) gratter.

rasguñar [rasɣu'ɲar] *vt* égratigner; **rasgu-**

ñarse *vpr* s'égratigner.
rasguño [ras'ɣuɲo] *nm* égratignure *f*.
raso, -a ['raso, a] *adj* ras(e) ♦ *nm* satin *m*; **cielo** ~ ciel *m* dégagé; **al** ~ à la belle étoile.
raspado [ras'paðo] *nm* (*MED*) curetage *m*.
raspador [raspa'ðor] *nm* grattoir *m*.
raspadura [raspa'ðura] *nf* (*de pintura*) grattage *m*; (*marca*) rayure *f*; ~**s** *nfpl* (*restos*) restes *mpl*.
raspar [ras'par] *vt* gratter; (*arañar*) rayer; (*limar*) râper ♦ *vi* être rugueux(-euse); (*vino*) être râpeux(-euse).
rasque *etc* ['raske] *vb V* **rascar**.
rastacuero, -a [rasta'kwero, a] (*AM: fam*) *adj, nm/f* rastaquouère *m*.
rastra ['rastra] *nf*: **a** ~**s** en traînant; (*fig*) à contrecœur.
rastreador, a [rastrea'ðor, a] *adj*: **perro** ~ chien *m* d'arrêt ♦ *nm* (*de huellas, pistas*) pisteur *m*; ► **rastreador de minas** dragueur *m* de mines.
rastrear [rastre'ar] *vt* (*pista*) suivre; (*minas*) draguer.
rastreo [ras'treo] *nm* ratissage *m*.
rastrero, -a [ras'trero, a] *adj* (*BOT*) grimpant(e); (*ZOOL, fig*) rampant(e).
rastrillo [ras'triʎo] *nm* râteau *m*; (*MÉX*) rasoir *m*.
rastro ['rastro] *nm* trace *f*; (*AGR*) râteau *m*; (*mercado*) marché *m* aux puces; **el R**~ *le marché aux puces de Madrid*; **perder el** ~ perdre la trace; **desaparecer sin dejar** ~ disparaître sans laisser de traces; **¡ni** ~**!** pas la moindre trace!
rastrojo [ras'troxo] *nm* chaume *m*.
rasuradora [rasura'ðora] (*MÉX*) *nf* rasoir *m*.
rasurarse [rasu'rarse] (*AM*) *vpr* se raser.
rata ['rata] *nf* rat *m*.
ratear [rate'ar] *vt* voler.
ratero, -a [ra'tero, a] *nm/f* voleur(-euse); (*AM: de casas*) cambrioleur(-euse).
ratificar [ratifi'kar] *vt* ratifier; **ratificarse** *vpr*: ~**se en algo** réaffirmer qch.
ratifique *etc* [rati'fike] *vb V* **ratificar**.
rato ['rato] *nm* moment *m*; **a** ~**s** par moments; **de a** ~**s** (*ARG*) de temps en temps; **al poco** ~ peu après; ~**s libres** *o* **de ocio** moments de loisir; **¡hasto otro** ~**!** à la prochaine!; **hay para** ~ il y en a pour un bon bout de temps; **pasar el** ~ passer le temps; **pasar un buen/mal** ~ passer un bon/mauvais moment.
ratón [ra'ton] *nm* (*tb INFORM*) souris *fsg*.
ratonera [rato'nera] *nf* souricière *f*.
RAU *sigla f* (= *República Árabe Unida*) RAU *f* (= *République arabe unie*).
raudal [rau'ðal] *nm* torrent *m*; **a** ~**es** à flots; **entrar a** ~**es** entrer à flots.
raudo, -a ['rauðo, a] *adj* rapide.

raya ['raja] *nf* raie *f*; (*en tela*) rayure *f*; (*TIP*) tiret *m*; (*de droga*) ligne *f*; **a** ~**s** à rayures; **pasarse de la** ~ dépasser les bornes; **tener a** ~ tenir en respect.
rayado, -a [ra'jaðo, a] *adj* rayé(e).
rayar [ra'jar] *vt* rayer ♦ *vi*: ~ **en** *o* **con** confiner à *o* avec; (*parecerse a*) friser; **raya en la cincuentena** il frise la cinquantaine; **al** ~ **el alba** au point du jour.
rayo ['rajo] *nm* rayon *m*; (*en una tormenta*) foudre *f*; **ser un** ~ (*fig*) être très vif(vive); **como un** ~ comme un éclair; **la noticia cayó como un** ~ la nouvelle a fait l'effet d'une bombe; **pasar como un** ~ passer comme un éclair; ► **rayo de luna** rayon de lune; ► **rayo solar** *o* **de sol** rayon de soleil; ► **rayos infrarrojos** rayons *mpl* infrarouges; ► **rayos X** rayons X.
rayuela [ra'jwela] (*ARG*) *nf* marelle *f*.
raza ['raθa] *nf* race *f*; **de pura** ~ (*animal*) de race; ► **raza humana** race humaine.
razón [ra'θon] *nf* raison *f*; (*MAT*) relation *f*; **a** ~ **de 10 cada día** à raison de 10 par jour; **"~: aquí"** "s'adresser ici"; **en** ~ **de** en raison de; **en** ~ **directa con** en relation directe avec; **perder la** ~ perdre la raison; **entrar en** ~ entendre raison; **dar la** ~ **a algn** donner raison à qn; **dar** ~ **de** renseigner sur; **¡y con** ~**!** et pour cause!; **tener/no tener** ~ avoir/ne pas avoir raison; ~ **directa/inversa** relation directe/indirecte; ~ **de ser** raison d'être.
razonable [raθo'naßle] *adj* raisonnable.
razonado, -a [raθo'naðo, a] *adj* (*COM: cuenta etc*) détaillé(e).
razonamiento [raθona'mjento] *nm* raisonnement *m*.
razonar [raθo'nar] *vt* raisonner; (*COM: cuenta*) détailler ♦ *vi* raisonner.
RDA *sigla f* (*HIST*: = *República Democrática Alemana*) RDA *f* (= *République démocratique allemande*).
Rdo. *abr* = **reverendo**.
re [re] *nm* (*MÚS*) ré *m inv*.
re ... [re] (*esp AM*) *pref* très.
reabierto [rea'ßjerto] *pp V* **reabrir**.
reabrir [rea'ßrir] *vt* rouvrir; **reabrirse** *vpr* se rouvrir.
reacción [reak'θjon] *nf* réaction *f*; **avión a** ~ avion *m* à réaction; ► **reacción en cadena** réaction en chaîne.
reaccionar [reakθjo'nar] *vi* réagir.
reaccionario, -a [reakθjo'narjo, a] *adj, nm/f* réactionnaire *m/f*.
reacio, -a [re'aθjo, a] *adj* réticent(e); **ser/estar** ~ **a hacer algo** être/se montrer réticent(e) à faire qch.
reacondicionar [reakondiθjo'nar] *vt* (*local*) restructurer.

reactivar [reakti'βar] *vt* (*economía, negociaciones*) relancer; **reactivarse** *vpr* reprendre.

reactor [reak'tor] *nm* réacteur *m*; (*avión*) avion *m* à réaction; ▶ **reactor nuclear** réacteur nucléaire.

readaptación [reaðapta'θjon] *nf*: ~ **profesional** réadaptation *f* professionnelle.

readmitir [reaðmi'tir] *vt* réadmettre.

reafirmar [reafir'mar] *vt* réaffirmer; **reafirmarse** *vpr*: ~**se en** (*posición*) rester sur.

reagrupar [reaɣru'par] *vt* regrouper.

reajustar [reaxus'tar] *vt* (*tb INFORM*) réajuster.

reajuste [rea'xuste] *nm* réajustement *m*; ▶ **reajuste de plantilla** compression *f* de personnel; ▶ **reajuste ministerial** remaniement *m* ministériel; ▶ **reajuste salarial** réajustement des salaires.

real [re'al] *adj* (*verdadero*) réel(le); (*del rey, fig*) royal(e).

realce [re'alθe] *vb V* **realzar** ♦ *nm* relief *m*; **poner de** ~ mettre en relief; **dar** ~ **a algo** (*fig*) mettre qch en relief.

real-decreto [re'al-de'kreto] (*pl* ~**es-**~**s**) *nm* arrêté *m* royal.

realeza [rea'leθa] *nf* royauté *f*.

realice *etc* [rea'liθe] *vb V* **realizar**.

realidad [reali'ðað] *nf* réalité *f*; **en** ~ en réalité.

realismo [rea'lismo] *nm* réalisme *m*.

realista [rea'lista] *adj* réaliste; (*POL*) royaliste ♦ *nm/f* réaliste *m/f*; (*POL*) royaliste *m/f*.

realizable [reali'θaβle] *adj* réalisable.

realización [realiθa'θjon] *nf* réalisation *f*; ~ **de plusvalías** réalisation de plus-values.

realizador, -a [realiθa'ðor, a] *nm/f* (*TV, CINE*) réalisateur(-trice).

realizar [reali'θar] *vt* réaliser; **realizarse** *vpr* se réaliser; ~**se** (*como persona*) se réaliser.

realmente [re'almente] *adv* réellement; (*con adjetivo*) vraiment; **es** ~ **apasionante** c'est vraiment passion.

realquilar [realki'lar] *vt* (*subarrendar*) sous-louer; (*alquilar de nuevo*) relouer.

realzar [real'θar] *vt* (*TEC*) surélever; (*belleza*) rehausser, mettre en valeur; (*importancia*) augmenter.

reanimar [reani'mar] *vt* ranimer; **reanimarse** *vpr* se ranimer.

reanudar [reanu'ðar] *vt* renouer; (*historia, viaje*) reprendre.

reaparición [reapari'θjon] *nf* réapparition *f*.

reapertura [reaper'tura] *nf* réouverture *f*.

rearme [re'arme] *nm* réarmement *m*.

reavivar [reaβi'βar] *vt* ranimer.

rebaja [re'βaxa] *nf* solde *m*; "**grandes** ~**s**" "soldes".

rebajar [reβa'xar] *vt* rabaisser; (*reducir: artículo*) solder; **rebajarse** *vpr*: ~**se a hacer algo** s'abaisser à faire qch.

rebanada [reβa'naða] *nf* tranche *f*.

rebañar [reβa'ɲar] *vt* racler.

rebaño [re'βaɲo] *nm* troupeau *m*.

rebasar [reβa'sar] *vt* dépasser; (*AUTO*) doubler.

rebatir [reβa'tir] *vt* réfuter.

rebato [re'βato] *nm*: **llamar** *o* **tocar a** ~ sonner le glas *o* tocsin.

rebeca [re'βeka] *nf* cardigan *m*.

rebelarse [reβe'larse] *vpr* se rebeller.

rebelde [re'βelde] *adj* rebelle ♦ *nm/f* (*POL*) rebelle *m/f*; (*JUR*) accusé(e) défaillant(e).

rebeldía [reβel'dia] *nf* rébellion *f*; (*JUR*) contumace *f*; **en** ~ par contumace.

rebelión [reβe'ljon] *nf* rébellion *f*.

rebenque [re'βenke] (*AM*) *nm* fouet *m*.

reblandecer [reβlande'θer] *vt* ramollir.

reblandezca *etc* [reβlan'deθka] *vb V* **reblandecer**.

rebobinar [reβoβi'nar] *vt* rembobiner.

reboce *etc* [re'βoθe] *vb V* **rebozar**.

rebosante [reβo'sante] *adj*: ~ **de** (*fig*) débordant(e) de.

rebosar [reβo'sar] *vt, vi* déborder; ~ **de salud** respirer la santé.

rebotar [reβo'tar] *vi* rebondir.

rebote [re'βote] *nm* rebondissement *m*; **de** ~ (*fig*) par ricochet.

rebozado, -a [reβo'θaðo, a] *adj* enrobé(e) de pâte à frire.

rebozar [reβo'θar] *vt* enrober de pâte à frire.

rebozo [re'βoθo] *nm* (*mantilla*) mantille *f*; (*disfraz*) masque *m*; (*AM*) châle *m*.

rebuscado, -a [reβus'kaðo, a] *adj* recherché(e).

rebuscar [reβus'kar] *vt* rechercher ♦ *vi*: ~ (**en** *o* **por**) chercher (dans).

rebuznar [reβuθ'nar] *vi* braire.

recabar [reka'βar] *vt* obtenir; ~ **fondos** obtenir des fonds.

recadero [reka'ðero] *nm* garçon *m* de courses.

recado [re'kaðo] *nm* course *f*; (*mensaje*) message *m*; (*AM: montura*) selle *f*; **recados** *nmpl* (*compras*) courses *fpl*, commissions *fpl*; **dejar/tomar un** ~ (*TELEC*) laisser/prendre un message; **fui a hacer unos** ~**s** je suis allé faire des courses.

recaer [reka'er] *vi* rechuter; ~ **en** (*responsabilidad*) retomber sur; (*premio*) échoir à; (*criminal*) retomber dans.

recaída [reka'iða] *nf* (*MED*) rechute *f*.

recaiga *etc* [re'kaiɣa] *vb V* **recaer**.

recalcar [rekal'kar] *vt* (*fig*) souligner.

recalcitrante [rekalθi'trante] *adj* récalcitrant(e).

recalentamiento [rekalenta'mjento] *nm*: ~ global réchauffement *m* global.

recalentar [rekalen'tar] *vt* réchauffer; *(demasiado)* surchauffer; **recalentarse** *vpr* se réchauffer.

recaliente *etc* [reka'ljente] *vb* V **recalentar**.

recalque *etc* [re'kalke] *vb* V **recalcar**.

recámara [re'kamara] *nf* *(habitación)* dressing-room *m*; *(de arma)* magasin *m*; *(AM)* chambre *f*.

recamarera [rekama'rera] *(MÉX)* *nf* domestique *f*.

recambio [re'kambjo] *nm* *(de pieza)* pièce *f* détachée; *(de pluma)* recharge *f*; **piezas de** ~ pièces *fpl* détachées.

recapacitar [rekapaθi'tar] *vi* réfléchir.

recapitular [rekapitu'lar] *vt* récapituler.

recargable [rekar'ɣaßle] *adj* rechargeable.

recargado, -a [rekar'ɣaðo, a] *adj* surchargé(e).

recargar [rekar'ɣar] *vt* recharger; *(pago)* alourdir.

recargo [re'karɣo] *nm* majoration *f* de prix; *(aumento)* augmentation *f*.

recargue *etc* [re'karɣe] *vb* V **recargar**.

recatado, -a [reka'taðo, a] *adj* réservé(e).

recato [re'kato] *nm* réserve *f*.

recauchutado, -a [rekautʃu'taðo, a] *adj* rechapé(e).

recaudación [rekauða'θjon] *nf* recette *f*; *(acción)* perception *f*.

recaudador, a [rekauða'ðor, a] *nm/f* *(tb:* ~ **de impuestos)** percepteur(-trice).

recaudar [rekau'ðar] *vt* percevoir.

recaudo [re'kauðo] *nm:* **estar a buen** ~ être en lieu sûr; **poner algo a buen** ~ mettre qch en lieu sûr.

recayendo *etc* [reka'jendo] *vb* V **recaer**.

rece *etc* ['reθe] *vb* V **rezar**.

recelar [reθe'lar] *vt*: ~ **que** *(sospechar)* soupçonner que; *(temer)* craindre que ♦ *vi* se méfier; **recelarse** *vpr* se méfier.

recelo [re'θelo] *nm* *(desconfianza)* méfiance *f*; *(temor)* crainte *f*.

receloso, -a [reθe'loso, a] *adj* *(suspicaz)* méfiant(e); *(temeroso)* craintif(-ive).

recepción [reθep'θjon] *nf* réception *f*.

recepcionista [reθepθjo'nista] *nm/f* réceptionniste *m/f*.

receptáculo [reθep'takulo] *nm* réceptacle *m*.

receptivo, -a [reθep'tißo, a] *adj* réceptif(-ive).

receptor, a [reθep'tor, a] *nm/f* réceptionnaire *m/f* ♦ *nm* *(TELEC, radio)* récepteur *m*; **descolgar el** ~ décrocher le récepteur.

recesión [reθe'sjon] *nf* récession *f*.

receta [re'θeta] *nf* *(CULIN)* recette *f*; *(MED)* ordonnance *f*.

recetar [reθe'tar] *vt* prescrire.

rechace *etc* [re'tʃaθe] *vb* V **rechazar**.

rechazar [retʃa'θar] *vt* *(ataque, oferta)* repousser; *(idea, acusación)* rejeter.

rechazo [re'tʃaθo] *nm* rejet *m*; *(sentimiento)* refoulement *m*; **de** ~ par ricochet.

rechifla [re'tʃifla] *nf* huées *fpl*; *(fig)* risée *f*.

rechinar [retʃi'nar] *vi* grincer.

rechistar [retʃis'tar] *vi*: **sin** ~ sans rechigner.

rechoncho, -a [re'tʃontʃo, a] *(fam)* *adj* trapu(e).

rechupete [retʃu'pete]: **de** ~ *adj* à s'en lécher les babines *o* doigts.

recibí [reθi'ßi] *nm* reçu *m*.

recibidor [reθißi'ðor] *nm* vestibule *m*.

recibimiento [reθißi'mjento] *nm* accueil *m*.

recibir [reθi'ßir] *vt, vi* recevoir; **recibirse** *vpr* *(AM: ESCOL):* ~**se** de obtenir le diplôme de.

recibo [re'θißo] *nm* reçu *m*; **acusar** ~ **de** accuser réception de.

reciclaje [reθi'klaxe] *nm* recyclage *m*; **curso de** ~ stage *m* de recyclage.

reciclar [reθi'klar] *vt* recycler.

recién [re'θjen] *adv* récemment; *(AM: sólo)* seulement; ~ **casado** jeune marié; **el** ~ **llegado/nacido** le nouveau venu/-né; ~ **a las seis me enteré** *(AM)* je ne l'ai appris qu'à six heures.

reciente [re'θjente] *adj* récent(e); *(pan, herida)* frais(fraîche).

recientemente [re'θjentemente] *adv* récemment.

recinto [re'θinto] *nm* enceinte *f*; ▸ **recinto ferial** parc *m* des expositions.

recio, -a ['reθjo, a] *adj* résistant(e); *(voz)* fort(e) ♦ *adv* fortement.

recipiente [reθi'pjente] *nm* *(objeto)* récipient *m*; *(persona)* récipiendaire *m/f*.

reciprocidad [reθiproθi'ðað] *nf* réciprocité *f*.

recíproco, -a [re'θiproko, a] *adj* réciproque.

recital [reθi'tal] *nm* récital *m*.

recitar [reθi'tar] *vt* réciter.

reclamación [reklama'θjon] *nf* réclamation *f*; ▸ **reclamación salarial** revendication *f* salariale.

reclamar [rekla'mar] *vt, vi* réclamer; ~ **a algn en justicia** assigner qn en justice.

reclamo [re'klamo] *nm* *(en caza)* appeau *m*; *(incentivo)* appât *m*; *(AND, CSUR: queja)* plainte *f*; ▸ **reclamo publicitario** réclame *f*.

reclinar [rekli'nar] *vt* incliner; **reclinarse** *vpr* s'incliner.

recluir [reklu'ir] *vt* enfermer; **recluirse** *vpr* vivre en reclus; ~ **en su casa** s'enfermer chez soi.

reclusión [reklu'sjon] *nf* réclusion *f*; *(volun-*

tario) retraite *f*; ► **reclusión perpetua** réclusion à perpétuité.

recluso, -a [re'kluso, a] *adj* reclus(e) ♦ *nm/f* reclus(e); **población reclusa** population *f* pénitentiaire.

recluta [re'kluta] *nm/f* recrue *f* ♦ *nf* recrutement *m*.

reclutamiento [rekluta'mjento] *nm* recrutement *m*.

reclutar [reklu'tar] *vt* recruter.

recluyendo *etc* [reklu'jendo] *vb* V **recluir**.

recobrar [reko'βrar] *vt* récupérer; (*ciudad*) reprendre; **recobrarse** *vpr*: ~**se (de)** se remettre (de); ~ **el sentido** reprendre connaissance.

recocer [reko'θer] *vt* trop cuire.

recochineo [rekotʃi'neo] *nm* mise *f* en boîte.

recodo [re'koðo] *nm* coude *m*.

recogedor [rekoxe'ðor, a] *nm* pelle *f*.

recoger [reko'xer] *vt* (*firmas, dinero*) recueillir; (*fruta*) cueillir; (*del suelo*) ramasser; (*ordenar*) ranger; (*juntar*) rassembler; (*pasar a buscar*) prendre; (*dar asilo*) recueillir; (*plegar*) plier; (*faldas, mangas*) retrousser; (*polvo*) prendre; **recogerse** *vpr* se retirer; (*pelo*) se ramasser; **me recogieron en la estación** ils sont venus me chercher à la gare.

recogida [reko'xiða] *nf* (*AGR*) cueillette *f*; (*de basura*) ramassage *m*; (*de cartas*) levée *f*; **horas de** ~ heures *fpl* de levée; ► **recogida de datos** (*INFORM*) saisie *f* de données; ► **recogida de equipajes** livraison *f* des bagages.

recogido, -a [reko'xiðo, a] *adj* (*lugar*) retiré(e); (*pequeño*) petit(e).

recogimiento [rekoxi'mjento] *nm* recueillement *m*.

recoja *etc* [re'koxa] *vb* V **recoger**.

recolección [rekolek'θjon] *nf* (*AGR*) récolte *f*; (*de datos, dinero*) collecte *f*.

recolectar [rekolek'tar] *vt* (*AGR*) récolter; (*datos, dinero*) collecter.

recomencé *etc* [rekomen'θe], **recomencemos** *etc* [rekomen'θemos] *vb* V **recomenzar**.

recomendable [rekomen'daβle] *adj* recommandable; **poco** ~ peu recommandable.

recomendación [rekomenda'θjon] *nf* recommandation *f*; **carta de** ~ lettre *f* de recommandation.

recomendar [rekomen'dar] *vt* recommander.

recomenzar [rekomen'θar] *vt, vi* recommencer.

recomience *etc* [reko'mjenθe] *vb* V **recomenzar**.

recomiende *etc* [reko'mjende] *vb* V **reco-**

mendar.

recomienzo *etc* [reko'mjenθo] *vb* V **recomenzar**.

recompensa [rekom'pensa] *nf* récompense *f*; **como** *o* **en** ~ **por** en récompense de.

recompensar [rekompen'sar] *vt* récompenser.

recompondré *etc* [rekompon'dre] *vb* V **recomponer**.

recomponer [rekompo'ner] *vt* réparer.

recomponga *etc* [rekom'ponga], **recompuesto** *etc* [rekom'pwesto], **recompuse** *etc* [rekom'puse] *vb* V **recomponer**.

reconciliación [rekonθilja'θjon] *nf* réconciliation *f*.

reconciliar [rekonθi'ljar] *vt* réconcilier; **reconciliarse** *vpr* se réconcilier.

recóndito, -a [re'kondito, a] *adj* (*lugar*) retiré(e); **en lo más** ~ **de ...** au plus profond de ... .

reconfortante [rekonfor'tante] *adj* réconfortant(e).

reconfortar [rekonfor'tar] *vt* réconforter.

reconocer [rekono'θer] *vt* reconnaître; **reconocerse** *vpr*: **se le reconoce por el habla** on le reconnaît à sa voix; ~ **los hechos** reconnaître les faits.

reconocido, -a [rekono'θiðo, a] *adj* reconnu(e).

reconocimiento [rekonoθi'mjento] *nm* reconnaissance *f*; ► **reconocimiento de la voz** (*INFORM*) reconnaissance de la parole; ► **reconocimiento óptico de caracteres** (*INFORM*) reconnaissance optique de caractères.

reconozca *etc* [reko'noθka] *vb* V **reconocer**.

reconquista [rekon'kista] *nf* reconquête *f*.

reconquistar [rekonkis'tar] *vt* (*MIL, fig*) reconquérir.

reconsiderar [rekonsiðe'rar] *vt* reconsidérer.

reconstituyente [rekonstitu'jente] *nm* reconstituant *m*.

reconstruir [rekonstru'ir] *vt* reconstruire; (*suceso*) reconstituer.

reconstruyendo *etc* [rekonstru'jendo] *vb* V **reconstruir**.

reconversión [rekomber'sjon] *nf* reconversion *f*.

reconvertir [rekomber'tir] *vt* reconvertir.

recopilación [rekopila'θjon] *nf* (*resumen*) résumé *m*; (*colección*) recueil *m*, compilation *f*.

recopilar [rekopi'lar] *vt* compiler.

récord ['rekorð] (*pl* **records** *o* ~**s**) *adj inv* record ♦ *nm* record *m*; **cifras** ~ chiffres *mpl* records; **batir el** ~ battre le record.

recordar [rekor'ðar] *vt* se rappeler; (*traer a la memoria*) rappeler ♦ *vi* (*acordarse de*) se rappeler; ~ **algo a algn** rappeler qch à qn; **recuérdale que me debe 5 dólares** rappelle-lui qu'il me doit 5 dollars; **que yo recuerde** pour autant que je me souvienne; **creo ~** je crois me rappeler; **si mal no recuerdo** si je me souviens bien; **me recuerda a su madre** elle me rappelle sa mère.

recordatorio [rekorða'torjo] *nm carte souvenir distribuée à l'occasion des premières communions, des enterrements etc.*

recorrer [reko'rrer] *vt* parcourir; (*registrar*) fouiller.

recorrido [reko'rriðo] *nm* parcours *msg*; **tren de largo ~** train *m* de grandes lignes.

recortado, -a [rekor'taðo, a] *adj* découpé(e); (*barba*) taillé(e).

recortar [rekor'tar] *vt* découper; (*pelo*) rafraîchir; (*presupuesto, gasto*) réduire; **recortarse** *vpr* (*marcarse*) se détacher.

recorte [re'korte] *nm* (*de telas, chapas: acto*) coupe *f*; (: *fragmento*) découpure *f*; (*de prensa*) coupure *f*; (*de presupuestas, gastos*) compression *f*; ▶ **recorte salarial** réduction *f* de salaire.

recostado, -a [rekos'taðo, a] *adj* penché(e); **estar ~** être allongé(e).

recostar [rekos'tar] *vt* appuyer; **recostarse** *vpr* s'appuyer.

recoveco [reko'βeko] *nm* (*de camino, río*) coude *m*; (*en casa*) coin *m*.

recreación [rekrea'θjon] *nf* récréation *f*.

recrear [rekre'ar] *vt* recréer; **recrearse** *vpr:* **~se con/en** prendre plaisir à.

recreativo, -a [rekrea'tiβo, a] *adj* récréatif(-ive); **sala ~a** salle *f* de jeux.

recreo [re'kreo] *nm* récréation *f*.

recriminar [rekrimi'nar] *vt* reprocher ♦ *vi* récriminer.

recrudecer [rekruðe'θer] *vi* redoubler d'intensité; **recrudecerse** *vpr* redoubler d'intensité.

recrudecimiento [rekruðeθi'mjento] *nm* recrudescence *f*.

recrudezca *etc* [recru'ðeθka] *vb* V **recrudecer**.

recta ['rekta] *nf* ligne *f* droite; ▶ **recta final** dernière ligne droite.

rectangular [rektangu'lar] *adj* rectangulaire.

rectángulo, -a [rek'tangulo, a] *adj, nm* rectangle *m*.

rectificable [rektifi'kaβle] *adj* rectifiable; **fácilmente ~** facile à rectifier *o* corriger.

rectificación [rektifika'θjon] *nf* rectification *f*.

rectificar [rektifi'kar] *vt* rectifier ♦ *vi* se corriger.

rectifique *etc* [rekti'fike] *vb* V **rectificar**.

rectitud [rekti'tuð] *nf* rectitude *f*.

recto, -a ['rekto, a] *adj* droit(e); (*juicio*) sain(e) ♦ *nm* (*ANAT*) rectum *m*; **en el sentido ~ de la palabra** au sens strict du terme.

rector, a [rek'tor, a] *adj, nm/f* recteur(-trice).

rectorado [rekto'raðo] *nm* rectorat *m*.

recuadro [re'kwaðro] *nm* case *f*; (*TIP*) entrefilet *m*.

recubrir [reku'βrir] *vt:* **~ (con)** recouvrir (de).

recuento [re'kwento] *nm* décompte *m*; **hacer el ~ de** faire le décompte de.

recuerdo [re'kwerðo] *vb* V **recordar** ♦ *nm* souvenir *m*; **~s** *nmpl* (*saludos*) amitiés *fpl*; **¡~s a tu madre!** amitiés à ta mère!; **"R~ de Mallorca"** "Souvenir de Majorque".

recueste *etc* [re'kweste] *vb* V **recostar**.

recular [reku'lar] *vi* reculer.

recuperable [rekupe'raβle] *adj* récupérable.

recuperación [rekupera'θjon] *nf* récupération *f*; (*de enfermo*) rétablissement *m*; (*ESCOL*) rattrapage *m*; ▶ **recuperación de datos** (*INFORM*) extraction *f* de données.

recuperar [rekupe'rar] *vt* récupérer; (*INFORM: archivo*) extraire, aller chercher; **recuperarse** *vpr* se récupérer; **~ fuerzas** reprendre ses forces.

recurrente [reku'rrente] *adj* récurrent(e) ♦ *nm/f* (*JUR*) appelant(e).

recurrir [reku'rrir] *vi* (*JUR*) faire appel; **~ a algo/a algn** recourir à qch/à qn.

recurso [re'kurso] *nm* recours *msg*; **como último ~** en dernier recours; ▶ **recursos económicos/naturales** ressources *fpl* économiques/naturelles.

recusar [reku'sar] *vt* récuser.

red [reð] *nf* (*tejido, trampa*) filet *m*; (*organización*) réseau *m*; **estar conectado con la ~** être connecté au réseau; ▶ **red local** (*INFORM*) réseau local.

redacción [reðak'θjon] *nf* rédaction *f*.

redactar [reðak'tar] *vt* rédiger.

redactor, a [reðak'tor, a] *nm/f* rédacteur(-trice); ▶ **redactor jefe** rédacteur en chef.

redada [re'ðaða] *nf* (*tb: ~ policial*) descente *f*.

redecilla [reðe'θiʎa] *nf* filet *m*.

redención [reðen'θjon] *nf* rédemption *f*.

redentor, a [reðen'tor, a] *adj* rédempteur(-trice).

redescubierto [reðesku'βjerto] *pp* V **redescubrir**.

redescubrir [reðesku'βrir] *vt* redécouvrir.

redicho, -a [re'ðitʃo, a] *adj* maniéré(e).

redil [re'ðil] *nm* bercail *m*.

redimir [reði'mir] *vt* racheter.

redistribución [reðistriβu'θjon] *nf* (*COM*) redistribution *f*.

rédito ['reðito] *nm* (*ECON*) intérêt *m*.

redoblar [reðo'βlar] *vt* redoubler ◆ *vi* battre le tambour.

redoble [re'ðoβle] *nm* (*MÚS*) roulement *m*.

redomado, -a [reðo'maðo, a] *adj* (*astuto*) rusé(e); **sinvergüenza** ~ fieffée canaille.

redonda [re'ðonda] *nf* (*MÚS*) ronde *f*; **a la** ~ à la ronde; **en varios kilómetros a la** ~ à plusieurs kilomètres à la ronde.

redondear [reðonde'ar] *vt* (*negocio, velada*) conclure; (*cifra, objeto*) arrondir.

redondel [reðon'del] *nm* cercle *m*; (*TAUR*) arène *f*.

redondo, -a [re'ðondo, a] *adj* rond(e); (*completo*) bon(ne) ◆ *nm*: ~ **de carne** (*CULIN*) romsteck *m*; **rehusar en** ~ refuser en bloc; **en números** ~s en chiffres ronds.

reducción [reðuk'θjon] *nf* réduction *f*.

reduccionista [reðukθjo'nista] *adj* réductionniste.

reducido, -a [reðu'θiðo, a] *adj* réduit(e); **quedar** ~ **a** en être réduit(e) à.

reducir [reðu'θir] *vt* réduire; **reducirse** *vpr* se réduire; **el terremoto redujo la ciudad a escombros** le tremblement de terre a réduit la ville à l'état de ruines; ~ **las millas a kilómetros** convertir les milles en kilomètres; ~**se a** (*fig*) se réduire à.

reducto [re'ðukto] *nm* réduit *m*.

reduje *etc* [re'ðuxe] *vb* V **reducir**.

redundancia [reðun'danθja] *nf* redondance *f*.

redundante [reðun'dante] *adj* redondant(e).

redundar [reðun'dar] *vi*: ~ **en beneficio de algn** tourner à l'avantage de qn.

reduzca *etc* [re'ðuθka] *vb* V **reducir**.

reedición [re(e)ði'θjon] *nf* réédition *f*.

reeducación [re(e)ðuka'θjon] *nf* rééducation *f*.

reelección [re(e)lek'θjon] *nf* réélection *f*.

reembolsable [re(e)mbol'saβle] *adj* remboursable.

reembolsar [re(e)mbol'sar] *vt* rembourser.

reembolso [re(e)m'bolso] *nm* remboursement *m*; **enviar algo contra** ~ envoyer qch contre remboursement; **contra** ~ **del flete** port dû.

reemplace *etc* [re(e)m'plaθe] *vb* V **reemplazar**.

reemplazar [re(e)mpla'θar] *vt* (*tb INFORM*) remplacer.

reemplazo [re(e)m'plaθo] *nm* remplacement *m*; **de** ~ (*MIL*) du contingent.

reencarnación [re(e)nkarna'θjon] *nf* réincarnation *f*.

reencuentro [re(e)n'kwentro] *nm* rencontre *f*.

reengancharse [re(e)ngan'tʃarse] *vpr* (*MIL*) rempiler.

reestreno [re(e)s'treno] *nm*: **película de** ~ reprise *f*.

reestructuración [re(e)struktura'θjon] *nf* restructuration *f*.

reestructurar [re(e)struktu'rar] *vt* restructurer.

reexpedir [re(e)kspe'ðir] *vt* réexpédier.

reexportación [re(e)ksporta'θjon] *nf* réexportation *f*.

reexportar [re(e)kspor'tar] *vt* réexporter.

REF (*ESP*) *sigla m* (*ECON* = *Régimen económico fiscal*) régime fiscal.

Ref.ª *abr* (= *referencia*) réf. (= *référence*).

refacción [refak'θjon] *nf* (*AM: TEC*) réfection *f*; **refacciones** *nfpl* (: *reparaciones*) travaux *mpl* de réfection; (*MÉX: piezas de repuesto*) pièces *fpl* détachées.

referencia [refe'renθja] *nf* référence *f*; ~**s** *nfpl* (*de trabajo*) références *fpl*; **con** ~ **a** en ce qui concerne; **hacer** ~ **a** faire référence à; ► **referencia comercial** (*COM*) référence commerciale.

referéndum [refe'rendum] (*pl* ~**s**) *nm* référendum *m*.

referente [refe'rente] *adj*: ~ **a** relatif(-ive) à.

referir [refe'rir] *vt* rapporter; **referirse** *vpr*: ~**se a** se référer à; ~ **al lector a un apéndice** renvoyer le lecteur à un appendice; ~ **a** (*COM*) convertir en; **por lo que se refiere a eso** en ce qui concerne cela.

refiera *etc* [re'fjera] *vb* V **referir**.

refilón [refi'lon]: **de** ~ *adv* en passant; **mirar a algn de** ~ jeter un regard oblique à qn.

refinado, -a [refi'naðo, a] *adj* raffiné(e).

refinamiento [refina'mjento] *nm* raffinement *m*; ► **refinamiento por pasos** (*INFORM*) approximations *fpl* successives.

refinar [refi'nar] *vt* (*petróleo, azúcar*) raffiner; (*modales*) affiner.

refinería [refine'ria] *nf* raffinerie *f*.

refiriendo *etc* [refi'rjendo] *vb* V **referir**.

reflector [reflek'tor] *nm* réflecteur *m*; (*AVIAT, MIL*) projecteur *m*.

reflejar [refle'xar] *vt* refléter; **reflejarse** *vpr* se refléter.

reflejo, -a [re'flexo, a] *adj* réflexe ◆ *nm* reflet *m*; (*ANAT*) réflexe *m*; ~**s** *nmpl* (*en el pelo*) reflets *mpl*; **pelo castaño con** ~**s rubios** cheveux châtains à reflets blonds.

reflexión [reflek'sjon] *nf* réflexion *f*.

reflexionar [refleksjo'nar] *vi* réfléchir; ~ **sobre** réfléchir sur; ¡**reflexione!** réfléchissez!

reflexivo, -a [reflek'siβo, a] *adj* (*carácter*) réflexif(-ive); (*LING*) réfléchi(e).

refluir [reflu'ir] *vi* refluer.

reflujo [re'fluxo] *nm* reflux *m*.
refluyendo *etc* [reflu'jendo] *vb* V **refluir**.
reforcé *etc* [refor'θe], **reforcemos** *etc* [refor'θemos] *vb* V **reforzar**.
reforma [re'forma] *nf* réforme *f*; ~s *nfpl* (*obras*) transformations *fpl*; ▶ **reforma agraria/económica/educativa** réforme agraire/économique/éducative.
reformar [refor'mar] *vt* réformer; (*texto*) refondre; (*ARQ*) transformer; **reformarse** *vpr* se réformer.
reformatorio [reforma'torjo] *nm* (*tb*: ~ **de menores**) maison *f* de redressement *o* correction.
reformista [refor'mista] *adj* réformiste.
reforzamiento [reforθa'mjento] *nm* renforcement *m*.
reforzar [refor'θar] *vt* renforcer.
refractario, -a [refrak'tarjo, a] *adj* réfractaire; **ser ~ a** être réfractaire à.
refrán [re'fran] *nm* proverbe *m*.
refregar [refre'ɣar] *vt* frotter.
refrenar [refre'nar] *vt* (*deseos*) refréner; (*marcha*) freiner; (*caballo*) brider.
refrendar [refren'dar] *vt* ratifier.
refrescante [refres'kante] *adj* rafraîchissant(e).
refrescar [refres'kar] *vt* rafraîchir ♦ *vi* se rafraîchir; **refrescarse** *vpr* se rafraîchir.
refresco [re'fresko] *nm* rafraîchissement *m*; **de ~** (*jugador, tropas*) de renfort.
refresque *etc* [re'freske] *vb* V **refrescar**.
refriega [re'frjeɣa] *vb* V **refregar** ♦ *nf* bagarre *f*.
refriegue *etc* [re'frjeɣe] *vb* V **refregar**.
refrigeración [refrixera'θjon] *nf* réfrigération *f*; **sistema de ~** système *m* de réfrigération.
refrigerado, -a [refrixe'raðo, a] *adj* réfrigéré(e).
refrigerador [refrixera'ðor] (*esp AM*) *nm*, **refrigeradora** [refrixera'ðora] (*AM*) *nf* réfrigérateur *m*.
refrigerar [refrixe'rar] *vt* réfrigérer.
refrito [re'frito] *nm* (*CULIN*): **preparar un ~ de cebolla** faire revenir des oignons.
refucilo [refu'θilo] (*AND, CSUR*) *nm* éclair *m*.
refuerce [re'fwerθe], **refuerzo** [re'fwerθo] *vb* V **reforzar** ♦ *nm* renfort *m*; ~s *nmpl* (*MIL*) renforts *mpl*.
refugiado, -a [refu'xjaðo, a] *nm/f* réfugié(e).
refugiarse [refu'xjarse] *vpr* se réfugier.
refugio [re'fuxjo] *nm* refuge *m*; ▶ **refugio de montaña** refuge; ▶ **refugio atómico/subterráneo** abri *m* antiatomique/souterrain.
refulgencia [reful'xenθja] *nf* éclat *m*.
refulgir [reful'xir] *vi* resplendir.

refulja *etc* [re'fulxa] *vb* V **refulgir**.
refundir [refun'dir] *vt* refondre.
refunfuñar [refunfu'nar] *vi* ronchonner.
refunfuñón, -ona [refunfu'non, ona] (*fam*) *adj* grognon(ne) ♦ *nm/f* ronchonneur(euse).
refusilo [refu'silo] (*AND, CSUR*) *nm* = **refucilo**.
refutación [refuta'θjon] *nf* réfutation *f*.
refutar [refu'tar] *vt* réfuter.
regadera [reɣa'ðera] *nf* arrosoir *m*; (*MÉX: ducha*) douche *f*; **estar como una ~** (*fam*) travailler du chapeau.
regadío [reɣa'ðio] *nm* irrigation *f*; **tierras de ~** terres irriguées.
regalado, -a [reɣa'laðo, a] *adj* (*gratis*) gratis; (*vida*) de château; **lo tuvo ~** on le lui a apporté sur un plateau; **a precios ~s** à un prix dérisoire.
regalar [reɣa'lar] *vt* offrir; (*mimar*) cajoler; **regalarse** *vpr*: ~**se** (**con**) se régaler (de).
regalía [reɣa'lia] *nf* privilège *m*; (*por derechos*) redevance *f*.
regaliz [reɣa'liθ] *nm* réglisse *m o f*.
regalo [re'ɣalo] *nm* cadeau *m*; (*gusto*) régal *m*; (*comodidad*) aisance *f*.
regañadientes [reɣaɲa'ðjentes]: **a ~** *adv* en rechignant.
regañar [reɣa'ɲar] *vt* gronder ♦ *vi* se fâcher; (*dos personas*) se disputer.
regañina [reɣa'ɲina] *nf*: **echar una ~ a algn** tirer les oreilles à qn.
regañón, -ona [reɣa'ɲon, ona] *adj* ronchon(ne).
regar [re'ɣar] *vt* arroser; (*fig*) semer.
regata [re'ɣata] *nf* régate *f*.
regate [re'ɣate] *nm* feinte *f*.
regatear [reɣate'ar] *vt* marchander ♦ *vi* (*COM*) marchander; (*DEPORTE*) feinter; **no ~ esfuerzo** ne pas ménager ses efforts.
regateo [reɣa'teo] *nm* (*COM*) marchandage *m*.
regazo [re'ɣaθo] *nm* giron *m*.
regencia [re'xenθja] *nf* régence *f*.
regeneración [rexenera'θjon] *nf* régénération *f*.
regenerar [rexene'rar] *vt* régénérer.
regentar [rexen'tar] *vt* (*empresa, negocio*) régenter; (*local, bar*) tenir; (*puesto*) être à la tête de.
regente, -a [re'xente, a] *adj* (*príncipe*) régent(e) ♦ *nm/f* (*COM*) gérant(e); (*POL*) régent(e); (*MÉX: alcalde*) maire *m*.
regidor, -a [rexi'ðor, a] *adj* (*POL*) dirigeant(e) ♦ *nm/f* (*de TV, teatro*) régisseur(-euse).
régimen ['reximen] (*pl* **regímenes**) *nm* régime *m*; **estar/ponerse a ~** être/se mettre

au régime.

regimiento [rexi'mjento] *nm* régiment *m*.

regio, -a ['rexjo, a] *adj* royal(e); (*AM*: *fam*) formidable.

regiomontano, -a [rexjomon'tano, a] (*MÉX*) *adj* de Monterey ♦ *nm/f* natif(-ive) o habitant(e) de Monterey.

región [re'xjon] *nf* région *f*.

regional [rexjo'nal] *adj* régional(e).

regir [re'xir] *vt* (*ECON, JUR, LING*) régir ♦ *vi* (*ley*) être en vigueur; **mi abuela ya no rige** ma grand-mère perd la tête.

registrado, -a [rexis'traðo, a] (*MÉX*) *adj* (*CORREOS*) recommandé(e).

registrador, a [rexistra'ðor, a] *nm/f* conservateur(-trice) des hypothèques.

registrar [rexis'trar] *vt* fouiller; (*anotar*) enregistrer; **registrarse** *vpr* (*inscribirse*) s'inscrire; (*ocurrir*) avoir lieu.

registro [re'xistro] *nm* registre *m*; (*inspección*) fouille *f*; (*de datos*) enregistrement *m*; (*oficina*) bureau *m* d'enregistrement; ▶ **registro civil** état *m* civil; ▶ **registro de la propiedad** bureau des hypothèques; ▶ **registro electoral** registre électoral.

regla ['rexla] *nf* règle *f*; **en ~** en règle; **por ~ general** en règle générale; **las ~s del juego** les règles du jeu.

reglamentación [rexlamenta'θjon] *nf* réglementation *f*.

reglamentar [rexlamen'tar] *vt* réglementer.

reglamentariamente [rexlamen'tarjamente] *adv* réglementairement.

reglamentario, -a [rexlamen'tarjo, a] *adj* réglementaire; **en la forma reglamentaria** en bonne et due forme.

reglamento [rexla'mento] *nm* règlement *m*; ▶ **reglamento del tráfico** code *m* de la route.

reglar [re'xlar] *vt* régler.

regocijarse [rexoθi'xarse] *vpr*: **~ de** o **por** se réjouir de.

regocijo [rexo'θixo] *nm* réjouissance *f*.

regodearse [rexoðe'arse] *vpr*: **~ con** o **en algo** se délecter de qch; (*pey*) se réjouir de qch.

regodeo [rexo'ðeo] *nm* délectation *f*.

regordete [rexor'ðete] (*fam*) *adj* rondelet(te).

regresar [rexre'sar] *vi* retourner ♦ *vt* (*MÉX*: *devolver*) rendre; **regresarse** *vpr* (*AM*) retourner.

regresivo, -a [rexre'siβo, a] *adj* régressif(-ive).

regreso [re'xreso] *nm* retour *m*; **estar de ~** être de retour.

regué *etc* [re'xe], **reguemos** *etc* [re'xemos] *vb* V **regar**.

reguero [re'xero] *nm* traînée *f*; **como un ~**

de pólvora comme une traînée de poudre.

regulación [rexula'θjon] *nf* (*control*) régulation *f*; (*TEC*) réglage *m*; ▶ **regulación de empleo** régulation de l'emploi; ▶ **regulación del tráfico** régulation du trafic.

regulador, a [rexula'ðor, a] *adj* régulateur(-trice) ♦ *nm* régulateur *m*; ▶ **regulador cardíaco** stimulateur *m* cardiaque.

regular [rexu'lar] *adj* régulier(-ière); (*mediano*) moyen; (*fam: no bueno*) médiocre ♦ *adv* comme ci, comme ça ♦ *vt* régler; (*normas, salarios*) contrôler; **por lo ~** en général; **línea ~** (*AVIAT*) ligne *f* régulière.

regularice *etc* [rexula'riθe] *vb* V **regularizar**.

regularidad [rexulari'ðað] *nf* régularité *f*; **con ~** régulièrement.

regularizar [rexulari'θar] *vt* régulariser.

regularmente [rexu'larmente] *adv* régulièrement.

regusto [re'xusto] *nm* arrière-goût *m*.

rehabilitación [reaβilita'θjon] *nf* (*de drogadicto*) rééducation *f*; (*ARQ, de memoria*) réhabilitation *f*.

rehabilitar [reaβili'tar] *vt* (*drogadicto*) rééduquer; (*ARQ, memoria*) réhabiliter.

rehacer [rea'θer] *vt* refaire; **rehacerse** *vpr* se rétablir; **va a ~ su vida** il va refaire sa vie.

rehaga *etc* [re'axa], **reharé** *etc* [rea're] *vb* V **rehacer**.

rehaz [re'aθ] *vb* V **rehacer**.

rehecho, -a [re'etʃo, a] *pp de* **rehacer**.

rehén [re'en] *nm* otage *m*.

rehice *etc* [re'iθe], **rehizo** *etc* [re'iθo] *vb* V **rehacer**.

rehogar [reo'xar] *vt* (*CULIN*) faire revenir.

rehuir [reu'ir] *vt* fuir.

rehusar [reu'sar] *vt*, *vi* refuser.

rehuyendo *etc* [reu'jendo] *vb* V **rehuir**.

reina ['reina] *nf* reine *f*; **~ de (la) belleza/de las fiestas** reine de beauté/de la fête; **prueba ~** épreuve *f* phare.

reinado [rei'naðo] *nm* règne *m*.

reinante [rei'nante] *adj* régnant(e).

reinar [rei'nar] *vi* régner.

reincidir [reinθi'ðir] *vi* (*JUR*) récidiver; **~ (en)** (*recaer*) retomber (dans).

reincorporarse [reinkorpo'rarse] *vpr*: **~ a** réintégrer; (*MIL*) être réincorporé dans.

reingresar [reingre'sar] *vi*: **~ en** retourner à.

reinicializar [reiniθjali'θar] *vt* (*INFORM*) remettre à zéro.

reiniciar [reini'θjar] *vt* reprendre.

reino ['reino] *nm* royaume *m*; ▶ **reino animal/vegetal** règne *m* animal/végétal; ▶ **el Reino Unido** le Royaume-Uni.

reinserción [reinser'θjon] *nf*: ~ **social** réinsertion *f* sociale.

reintegración [reinteɤra'θjon] *nf* réintégration *f*.

reintegrar [reinte'ɤrar] *vt* réintégrer; **reintegrarse** *vpr*: ~**se a** réintégrer.

reintegro [rein'teɤro] *nm* remboursement *m*; (*en banco*) retrait *m*.

reinversión [reimber'sjon] *nm* réinvestissement *m*.

reír [re'ir] *vi* rire; **reírse** *vpr* rire; ~ **entre dientes** rire sous cape; ~**se de** rire de.

reiteradamente [reite'raðamente] *adv* à plusieurs reprises.

reiterado, -a [reite'raðo, a] *adj* réitéré(e).

reiterar [reite'rar] *vt* réitérer; **reiterarse** *vpr*: ~**se en algo** réaffirmer qch.

reivindicación [reiβindika'θjon] *nf* revendication *f*.

reivindicar [reiβindi'kar] *vt* revendiquer.

reivindique *etc* [reiβin'dike] *vb* V **reivindicar**.

reja ['rexa] *nf* grille *f*.

rejego, -a [re'xeɤo, a] (*MÉX: fam*) *adj* rebelle.

rejilla [re'xiʎa] *nf* grillage *m*; (*en muebles*) cannage *m*; (*en hornillo, de ventilación*) grille *f*; (*para equipaje*) filet *m*.

rejoneador [rexonea'ðor] *nm* (*TAUR*) sorte de picador.

rejuvenecer [rexuβenc'θer] *vt, vi* rajeunir.

rejuvenezca *etc* [rexuβe'neθka] *vb* V **rejuvenecer**.

relación [rela'θjon] *nf* relation *f*; (*lista*) liste *f*; (*narración*) récit *m*; **relaciones** *nfpl* (*enchufes*) relations *fpl*; **con ~ a, en ~ con** par rapport à; **estar en** *o* **tener buenas relaciones con** être en bons termes avec; ▶ **relación calidad-precio** rapport *m* qualité-prix; ▶ **relación costo-efectivo** *o* **costo rendimiento** (*COM*) rapport coût-efficacité; ▶ **relaciones carnales/ sexuales** relations charnelles/sexuelles; ▶ **relaciones comerciales** relations commerciales; ▶ **relaciones humanas/ laborales** relations humaines/industrielles; ▶ **relaciones públicas** relations publiques.

relacionar [relaθjo'nar] *vt* mettre en rapport; **relacionarse** *vpr* fréquenter.

relajación [relaxa'θjon] *nf* relaxation *f*.

relajado, -a [rela'xaðo, a] *adj* (*costumbres, moral*) relâché(e); (*persona*) détendu(e).

relajante [rela'xante] *adj* reposant(e); (*MED*) laxatif(-ive).

relajar [rela'xar] *vt* (*mente, cuerpo*) décontracter; (*disciplina, moral*) relâcher; **relajarse** *vpr* (*distraerse*) se détendre; (*corromperse*) se relâcher.

relajo [re'laxo] *nm* (*esp CAM, MÉX: alboroto*) tumulte *m*; (*ANT, CAM, MÉX: libertinaje*) débauche *f*.

relamerse [rela'merse] *vpr* se pourlécher.

relamido, -a [rela'miðo, a] (*pey*) *adj* (*pulcro*) bichonné(e); (*afectado*) collet-monté *inv*.

relámpago, -a [re'lampaɤo, a] *adj*: **visita/ huelga** ~ visite *f*/grève *f* éclair ♦ *nm* éclair *m*; **como un** ~ comme un éclair.

relampaguear [relampaɤe'ar] *vi* étinceler.

relanzar [relan'θar] *vt* relancer.

relatar [rela'tar] *vt* relater.

relatividad [relatiβi'ðað] *nf* relativité *f*.

relativo, -a [rela'tiβo, a] *adj* relatif(-ive); **en lo** ~ **a** en ce qui concerne.

relato [re'lato] *nm* récit *m*.

relax [re'las] *nm* relax *m*.

relegar [rele'ɤar] *vt* reléguer; ~ **algo al olvido** jeter qch aux oubliettes.

relegue *etc* [re'leɤe] *vb* V **relegar**.

relevante [rele'βante] *adj* remarquable.

relevar [rele'βar] *vt* relever; **relevarse** *vpr* se relayer; ~ **a algn de su cargo** relever qn de ses fonctions.

relevo [re'leβo] *nm* relève *f*; **carrera de** ~**s** course *f* de relais; **coger** *o* **tomar el** ~ prendre le relais.

relieve [re'ljeβe] *nm* relief *m*; **bajo** ~ basrelief *m*; **un personaje de** ~ un haut personnage; **dar** ~ **a** mettre en valeur; **poner de** ~ mettre en relief.

religión [reli'xjon] *nf* religion *f*.

religiosamente [reli'xjosamente] *adv* religieusement.

religioso, -a [reli'xjoso, a] *adj, nm/f* religieux(-euse).

relinchar [relin'tʃar] *vi* hennir.

relincho [re'lintʃo] *nm* hennissement *m*.

reliquia [re'likja] *nf* relique *f*; ~**s del pasado** vestiges *mpl* du passé.

rellano [re'ʎano] *nm* (*ARQ*) palier *m*.

rellenar [reʎe'nar] *vt* remplir; (*CULIN*) farcir; (*COSTURA*) rembourrer.

relleno, -a [re'ʎeno, a] *adj* plein(e); (*CULIN*) farci(e) ♦ *nm* (*CULIN*) farce *f*; (*de cojín*) rembourrage *m*; (*fig*) remplissage *m*.

reloj [re'lo(x)] *nm* montre *f*; **como un** ~ comme du papier à musique; **contra (el)** ~ contre la montre; ▶ **reloj de pie** horloge *f* de parquet; ▶ **reloj (de pulsera)** montre; ▶ **reloj de sol** cadran *m* solaire; ▶ **reloj despertador** réveille-matin *m inv*; ▶ **reloj digital** montre à affichage numérique.

relojería [reloxe'ria] *nf* horlogerie *f*; **aparato de** ~ mécanisme *m* d'horlogerie; **bomba de** ~ bombe *f* à retardement.

relojero, -a [relo'xero, a] *nm/f* horloger(-ère).

reluciente [relu'θjente] *adj* reluisant(e).

relucir [relu'θir] *vi* reluire; (*fig*) briller; **sacar algo a** ~ remettre qch sur le tapis.

relumbrante [relum'brante] *adj* reluisant(e).

relumbrar [relum'brar] *vi* reluire.

reluzca *etc* [re'luθka] *vb* V **relucir**.

remachar [rema'tʃar] *vt* river; (*fig*) insister sur.

remache [re'matʃe] *nm* rivet *m*.

remanente [rema'nente] *nm* (*resto*) reste *m*; (*COM*) surplus *msg*; (*de producto*) excédent *m*.

remangarse [reman'garse] *vpr* retrousser ses manches.

remanso [re'manso] *nm* (*de río*) bras *msg* mort.

remar [re'mar] *vi* ramer.

rematado, -a [rema'taðo, a] *adj*: **loco** ~ fou à lier.

rematar [rema'tar] *vt* achever; (*trabajo*) parfaire; (*COM*) liquider; (*COSTURA*) arrêter ♦ *vi* (*en fútbol*) tirer; ~ **de cabeza** faire une tête.

remate [re'mate] *nm* fin *f*; (*extremo*) couronnement *m*; (*DEPORTE*) tir *m*; (*ARQ*) sommet *m*; (*COM*) liquidation *f*; **de** ~ (*tonto*) complètement; **para** ~ pour couronner le tout.

remecer [reme'θer] *vt* secouer.

remediable [reme'ðjaßle] *adj* remédiable.

remediar [reme'ðjar] *vt* remédier à; (*evitar*) éviter; **sin poder** ~**lo** sans pouvoir y remédier.

remedio [re'meðjo] *nm* remède *m*; (*JUR*) secours *msg*; **poner** ~ **a** remédier à; **no tener más** ~ ne pas avoir le choix; **¡qué** ~**!** c'est comme ça!, qu'y faire!; **como último** ~ en dernier ressort; **sin** ~ sans rémission.

remedo [re'meðo] *nm* imitation *f*; (*pey*) contrefaçon *f*.

remendar [remen'dar] *vt* raccommoder; (*con parche*) rapiécer.

remera [re'mera] (*ARG*) *nf* tee-shirt *m*.

remesa [re'mesa] *nf* (*tb COM*) envoi *m*.

remezón [reme'θon] (*AND, CSUR*) *nm* secousse *f*.

remiendo [re'mjendo] *vb* V **remendar** ♦ *nm* raccommodage *m*; (*con parche*) rapiéçage *m*; (*fig*) arrangement *m*.

remilgado, -a [remil'ɣaðo, a] *adj* (*melindroso*) minaudier(-ière); (*afectado*) maniéré(e).

remilgo [re'milɣo] *nm* (*melindre*) minauderie *f*; (*afectación*) manière *f*.

reminiscencia [reminis'θenθja] *nf* réminiscence *f*.

remirar [remi'rar] *vt* revoir.

remisión [remi'sjon] *nf* (*envío*) remise *f*; (*MÉX: COM*) envoi *m*; (*REL*) rémission *f*;

sin ~ sans rémission.

remiso, -a [re'miso, a] *adj* réticent(e).

remite [re'mite] *nm* expéditeur *m*.

remitente [remi'tente] *nm/f* expéditeur(-trice).

remitir [remi'tir] *vt* envoyer ♦ *vi* (*tempestad*) se calmer; (*fiebre*) baisser; **remitirse** *vpr*: ~**se a** s'en remettre à.

remo ['remo] *nm* rame *f*; **cruzar un río a** ~ traverser un fleuve à la rame.

remoce *etc* [re'moθe] *vb* V **remozar**.

remodelación [remodela'θjon] *nf* (*POL*) remaniement *m*.

remojar [remo'xar] *vt* laisser tremper; (*fam: celebrar*) arroser.

remojo [re'moxo] *nm*: **dejar la ropa en** ~ laisser tremper le linge.

remojón [remo'xon] *nm*: **darse un** ~ (*fam: por lluvia*) prendre une douche; (: *en mar, río*) prendre un bain.

remolacha [remo'latʃa] *nf* betterave *f*.

remolcador [remolka'ðor] *nm* remorqueur *m*.

remolcar [remol'kar] *vt* remorquer.

remolino [remo'lino] *nm* remous *msg*; (*de pelo*) épi *m*.

remolón, -ona [remo'lon, ona] *adj* mou(molle) ♦ *nm/f* tire-au-flanc *m inv*.

remolque [re'molke] *vb* V **remolcar** ♦ *nm* remorque *f*; (*cuerda*) câble *m* de remorquage; **llevar a** ~ prendre en remorque.

remontar [remon'tar] *vt* remonter; (*obstáculo*) surmonter; **remontarse** *vpr* s'élever; ~**se a** (*COM*) s'élever à; (*en tiempo*) remonter à; ~ **el vuelo** monter en flèche.

remorder [remor'ðer] *vt* causer du remords à; **me remuerde la conciencia** j'ai des remords.

remordimiento [remorði'mjento] *nm* remords *msg*.

remotamente [re'motamente] *adv*: **ni** ~ de loin.

remoto, -a [re'moto, a] *adj* éloigné(e).

remover [remo'ßer] *vt* remuer.

remozar [remo'θar] *vt* (*ARQ*) rafraîchir.

remuerda *etc* [re'mwerða] *vb* V **remorder**.

remueva *etc* [re'mweßa] *vb* V **remover**.

remuneración [remunera'θjon] *nf* rémunération *f*.

remunerado, -a [remune'raðo, a] *adj*: **trabajo bien/mal** ~ travail *m* bien/mal rémunéré.

remunerar [remune'rar] *vt* rémunérer.

renacer [rena'θer] *vi* renaître.

renacimiento [renaθi'mjento] *nm* renaissance *f*; **el R**~ la Renaissance.

renacuajo [rena'kwaxo] *nm* têtard *m*.

renal [re'nal] *adj* rénal(e).

Renania [re'nanja] *nf* Rhénanie *f*.

renazca *etc* [re'naθka] *vb* V **renacer**.

rencilla [ren'θiʎa] *nf* querelle *f*.

rencor [ren'kor] *nm* (*resentimiento*) rancœur *f*; **guardar ~ a** garder rancune à.

rencoroso, -a [renko'roso, a] *adj* rancunier(-ière).

rendición [rendi'θjon] *nf* reddition *f*.

rendido, -a [ren'diðo, a] *adj* épuisé(e); **~ a sus encantos/a su belleza** fasciné(e) par son charme/sa beauté; **su ~ admirador** votre admirateur passionné.

rendija [ren'dixa] *nf* fente *f*.

rendimiento [rendi'mjento] *nm* rendement *m*; **sacar ~ a algo** tirer parti de qch; **alto/bajo ~** haut/bas rendement; ▶ **rendimiento de capital** (*COM*) rémunération *f* du capital; ▶ **rendimiento de trabajo** revenu *m* du travail.

rendir [ren'dir] *vt* rapporter; (*agotar*) épuiser; (*entregar*) livrer ♦ *vi* (*COM*) rapporter; **rendirse** *vpr* (*tb: cansarse*) se rendre; **~ homenaje/culto a** rendre hommage/un culte à; **~ cuentas a algn** rendre des comptes à qn; **el negocio no rinde** les affaires ne rapportent rien.

renegado, -a [rene'ɣaðo, a] *adj*, *nm/f* (*REL*) renégat(e).

renegar [rene'ɣar] *vi* renier; (*quejarse*) grommeler; (*con imprecaciones*) blasphémer.

renegociación [reneɣoθja'θjon] *nf* renégociation *f*.

renegué *etc* [rene'ɣe], **reneguemos** *etc* [rene'ɣemos] *vb* V **renegar**.

RENFE, Renfe ['renfe] *sigla f* (*FERRO* = *Red Nacional de los Ferrocarriles Españoles*) société nationale des chemins de fer espagnols.

renglón [ren'glon] *nm* ligne *f*; (*COM*) chapitre *m*; **a ~ seguido** à la ligne.

rengo, -a ['rengo, a] (*esp AM*) *adj* boiteux(-euse).

renguera [ren'gera] (*AM*) *nf* claudication *f*.

reniego *etc* [re'njeɣo], **reniegue** *etc* [re'njeɣe] *vb* V **renegar**.

reno ['reno] *nm* renne *m*.

renombrado, -a [renom'braðo, a] *adj* renommé(e).

renombrar [renom'brar] *vt* (*INFORM: archivo*) rebaptiser.

renombre [re'nombre] *nm* renom *m*; **de ~** de renom.

renovable [reno'ßaßle] *adj* renouvelable.

renovación [renoßa'θjon] *nf* (*de contrato, sistema*) renouvellement *m*; (*ARQ*) rénovation *f*.

renovar [reno'ßar] *vt* renouveler; (*ARQ*) rénover.

renquear [renke'ar] *vi* boiter; (*fam*) tirer au flanc.

renta ['renta] *nf* revenu *m*; (*esp AM: alquiler*) loyer *m*; **política de ~s** politique *f* salariale; **vivir de las ~s** vivre de ses rentes; ▶ **renta disponible** revenu (individuel) disponible; ▶ **renta gravable** *o* **imponible** revenu imposable; ▶ **renta nacional (bruta)** revenu national (brut); ▶ **renta no salarial** rente *f*; ▶ **renta sobre el terreno** (*COM*) revenu foncier; ▶ **renta vitalicia** rente viagère.

rentabilidad [rentaßili'ðað] *nf* rentabilité *f*.

rentabilizar [rentaßili'θar] *vt* rentabiliser.

rentable [ren'taßle] *adj* rentable; **no ~** non rentable.

rentar [ren'tar] *vt* rapporter; (*AM: alquilar*) louer.

rentista [ren'tista] *nm/f* rentier(-ière).

renuencia [re'nwenθja] *nf* réticence *f*.

renueve *etc* [re'nweße] *vb* V **renovar**.

renuncia [re'nunθja] *nf* renonciation *f*.

renunciar [renun'θjar] *vi* renoncer; **~ a hacer algo** renoncer à faire qch.

reñido, -a [re'ɲiðo, a] *adj* (*batalla, debate, votación*) serré(e); **estar ~ con algn** être brouillé(e) avec qn; **estar ~ con algo** (*conceptos etc*) être incompatible avec qch; **está ~ con su familia** il est brouillé avec sa famille.

reñir [re'ɲir] *vt* gronder ♦ *vi* (*pareja, amigos*) se disputer; (*físicamente*) se battre.

reo ['reo] *nm/f* (*JUR*) accusé(e); **~ de muerto** condamné à mort.

reojo [re'oxo]: **de ~** *adv* (*mirar*) à la dérobée.

reorganice *etc* [reorɣa'niθe] *vb* V **reorganizar**.

reorganizar [reorɣani'θar] *vt* réorganiser.

Rep *abr* = **República**.

reparación [repara'θjon] *nf* réparation *f*; **"reparaciones en el acto"** (*calzado*) "talon minute".

reparar [repa'rar] *vt* réparer ♦ *vi*: **~ en** (*darse cuenta de*) s'apercevoir de; (*poner atención en*) remarquer; **sin ~ en los gastos** sans lésiner.

reparo [re'paro] *nm* (*duda*) doute *m*; (*inconveniente*) obstacle *m*; (*escrúpulo*) scrupule *m*; **poner ~s** formuler des objections; **poner ~s a algo** contester qch; **no tuvo ~ en hacerlo** il n'a eu aucun scrupule à le faire.

repartición [reparti'θjon] *nf* répartition *f*; (*CSUR: ADMIN*) département *m*.

repartidor, a [reparti'ðor, a] *nm/f* livreur(-euse).

repartir [repar'tir] *vt* distribuer; (*COM*) livrer; (*riquezas*) répartir.

reparto [re'parto] *nm* (*de dinero, poder*) répartition *f*; (*COM*) livraison *f*; (*CINE, CORREOS*) distribution *f*; (*AM: urbanización*) lotissement *m*; **"~ a domicilio"** "livraison à domicile".

repasador [repasa'ðor] (*CSUR*) *nm* (*trapo de secar*) torchon *m*.

repasar [repa'sar] *vt* réviser.

repaso [re'paso] *nm* révision *f*; **curso de ~** cours *m* de rattrapage; ▶ **repaso general** révision générale.

repatriar [repa'trjar] *vt* rapatrier; **repatriarse** *vpr* être rapatrié(e).

repelente [repe'lente] *adj* repoussant(e); (*resabido*) écœurant(e).

repeler [repe'ler] *vt* (*ELEC, enemigo*) repousser; (*insecto*) éloigner; (*suj: idea, contacto*) répugner.

repensar [repen'sar] *vt* reconsidérer.

repente [re'pente] *nm* accès *msg*; **de ~** soudain; ▶ **repente de ira** accès de colère.

repentice *etc* [repen'tiθe] *vb V* **repentizar**.

repentinamente [repen'tinamente] *adv* subitement.

repentino, -a [repen'tino, a] *adj* (*súbito*) subit(e); (*inesperado*) inopiné(e).

repentizar [repenti'θar] *vi, vt* (*MÚS*) déchiffrer.

repercusión [reperku'sjon] *nf* répercussion *f*; **de amplia ~** d'une grande portée.

repercutir [reperku'tir] *vi* répercuter; **~ en** (*fig*) répercuter sur.

repertorio [reper'torjo] *nm* répertoire *m*.

repesca [re'peska] (*fam*) *nf* (*ESCOL*) repêchage *m*.

repetición [repeti'θjon] *nf* répétition *f*; **escopeta/fusil de ~** fusil *m* de chasse/fusil à répétition.

repetidamente [repe'tiðamente] *adv* à plusieurs reprises.

repetido, -a [repe'tiðo, a] *adj* (*frase*) répandu(e); **repetidas veces** à plusieurs reprises; **lo tengo ~** je l'ai en double.

repetidor, a [repeti'ðor, a] *nm/f* (*ESCOL*) répétiteur(-trice) ♦ *nm* (*de radio, TV*) relais *msg*.

repetir [repe'tir] *vt* répéter; (*ESCOL*) redoubler; (*plato, TEATRO*) reprendre ♦ *vi* (*ESCOL*) redoubler; (*sabor*) revenir; (*en comida*) en reprendre; **repetirse** *vpr* se répéter.

repetitivo, -a [repeti'tiβo, a] *adj* répétitif(-ive).

repicar [repi'kar] *vi* (*campanas*) sonner, carillonner.

repiense *etc* [re'pjense] *vb V* **repensar**.

repintarse [repin'tarse] *vpr* se maquiller exagérément.

repipi [re'pipi] *nm/f* bêcheur(-euse).

repique [re'pike] *vb V* **repicar** ♦ *nm* (*de campanas*) volée *f*.

repiqueteo [repike'teo] *nm* (*de campanas*) volée *f*.

repisa [re'pisa] *nf* étagère *f*; (*ARQ*) console

f; (*de chimenea*) dessus *msg*; (*de ventana*) rebord *m*.

repitiendo *etc* [repi'tjendo] *vb V* **repetir**.

replantear [replante'ar] *vt* reconsidérer.

replegarse [reple'varse] *vpr* se replier.

replegué *etc* [reple've], **repleguemos** *etc* [reple'vemos] *vb V* **replegarse**.

repleto, -a [re'pleto, a] *adj* plein(e); **~ de** plein(e) de; **estoy ~** je suis repu(e).

réplica ['replika] *nf* réplique *f*; **derecho de ~** droit *m* de réponse.

replicar [repli'kar] *vt, vi* répliquer; **¡no repliques!** et pas de discussion!

repliego *etc* [re'pljeʝo] *vb V* **replegarse**.

repliegue *etc* [re'pljeʝe] *vb V* **replegarse** ♦ *nm* (*MIL*) repli *m*.

replique *etc* [re'plike] *vb V* **replicar**.

repoblación [repoβla'θjon] *nf* repeuplement *m*; ▶ **repoblación forestal** reboisement *m*.

repoblar [repo'βlar] *vt* repeupler; (*bosque*) reboiser.

repollo [re'poʎo] *nm* chou *m*.

repondré *etc* [repon'dre] *vb V* **reponer**.

reponer [repo'ner] *vt* (*volver a poner*) réinstaller; (*reemplazar*) remplacer; (*TEATRO*) reprendre; **reponerse** *vpr* se remettre; **~ que** répondre que.

reponga *etc* [re'ponga] *vb V* **reponer**.

reportaje [repor'taxe] *nm* reportage *m*; ▶ **reportaje gráfico** reportage photographique.

reportar [repor'tar] *vt* rapporter; **reportarse** *vpr* (*refrenarse*) se calmer; **el asunto no le reportó más que disgustos** cette histoire ne lui a rapporté que des ennuis.

reporte [re'porte] (*MÉX*) *nm* reportage *m*.

reportero, -a [repor'tero, a] *nm/f* reporter *m*; ▶ **reportero gráfico** reporter photographe.

reposabrazos [reposa'βraθos] *nm inv* accoudoir *m*.

reposacabezas [reposaka'βeθas] *nm inv* appui-tête *m*.

reposado, -a [repo'saðo, a] *adj* reposé(e); (*tranquilo*) calme.

reposar [repo'sar] *vi* reposer.

reposera [repo'sera] (*CSUR*) *nf* chaise longue *f*, transat *m*.

reposición [reposi'θjon] *nf* (*de dinero*) réinvestissement *m*; (*maquinaria*) remplacement *m*; (*CINE, TEATRO*) reprise *f*.

reposo [re'poso] *nm* repos *msg*; **en ~** en repos.

repostar [repos'tar] *vt* se ravitailler en ♦ *vi* se ravitailler en; (*AUTO*) se ravitailler en carburant.

repostería [reposte'ria] *nf* pâtisserie *f*.

repostero, -a [repos'tero, a] *nm/f* pâtissier(-ière) ♦ *nm* (*AND, CHI*) garde-manger *m inv.*

reprender [repren'der] *vt* (*persona*) réprimander; (*comportamiento*) blâmer.

reprensión [repren'sjon] *nf* réprimande *f.*

represa [re'presa] *nf* barrage *m.*

represalia [repre'salja] *nf* représailles *fpl*; **tomar ~s** exercer des représailles.

representación [representa'θjon] *nf* représentation *f*; **en ~ de** en représentation de; **por ~** par représentation; ▶ **representación visual** (*INFORM*) représentation visuelle.

representante [represen'tante] *nm/f* (*POL, COM*) représentant(e); (*de artista*) agent *m*; ▶ **representante diplomático** (*POL*) représentant diplomatique.

representar [represen'tar] *vt* représenter; (*significar*) signifier; **representarse** *vpr* se représenter; **tal acto ~ía la guerra** une telle action entraînerait la guerre.

representativo, -a [representa'tiβo, a] *adj* représentatif(-ive); **cargo ~** fonction *f* représentative.

represión [repre'sjon] *nf* répression *f.*

represivo, -a [repre'siβo, a] *adj* répressif(-ive); **fuerzas represivas** forces *fpl* de répression.

reprimenda [repri'menda] *nf* réprimande *f.*

reprimir [repri'mir] *vt* réprimer; **reprimirse** *vpr*: **~se de hacer algo** se retenir de faire qch.

reprobación [reproβa'θjon] *nf* réprobation *f.*

reprobar [repro'βar] *vt* réprouver; (*AM: ESCOL*) ajourner.

réprobo, -a ['reproβo, a] *nm/f* réprouvé(e).

reprochar [repro'tʃar] *vt* reprocher.

reproche [re'protʃe] *nm* reproche *m.*

reproducción [reproðuk'θjon] *nf* reproduction *f.*

reproducir [reproðu'θir] *vt* reproduire; **reproducirse** *vpr* se reproduire.

reproductor, a [reproðuk'tor, a] *adj* reproducteur(-trice).

reproduje *etc* [repro'ðuxe], **reproduzca** *etc* [repro'ðuθka] *vb V* **reproducir**.

repruebe *etc* [re'prweβe] *vb V* **reprobar**.

reptar [rep'tar] *vi* ramper.

reptil [rep'til] *nm* reptile *m.*

república [re'puβlika] *nf* république *f*; ▶ **República Árabe Unida** République arabe unie; ▶ **República Democrática/Federal Alemana** République démocratique/fédérale d'Allemagne; ▶ **República Dominicana** République dominicaine.

republicano, -a [repuβli'kano, a] *adj, nm/f* républicain(e).

repudiar [repu'ðjar] *vt* répudier.

repudio [re'puðjo] *nm* répudiation *f.*

repueble *etc* [re'pweβle] *vb V* **repoblar**.

repuesto [re'pwesto] *pp de* **reponer** ♦ *nm* (*pieza de recambio*) pièce *f* de rechange; (*abastecimiento*) ravitaillement *m*; **rueda de ~** roue *f* de secours; **llevamos otro de ~** nous en avons un de rechange.

repugnancia [repuɣ'nanθja] *nf* répugnance *f.*

repugnante [repuɣ'nante] *adj* répugnant(e).

repugnar [repuɣ'nar] *vt, vi* répugner; **repugnarse** *vpr* s'opposer.

repujado, -a [repu'xaðo, a] *adj* gaufré(e).

repulsa [re'pulsa] *nf* condamnation *f.*

repulsión [repul'sjon] *nf* répulsion *f.*

repulsivo, -a [repul'siβo, a] *adj* répulsif(-ive).

repuse *etc* [re'puse] *vb V* **reponer**.

reputación [reputa'θjon] *nf* réputation *f.*

reputar [repu'tar] *vt* réputer.

requemado, -a [reke'maðo, a] *adj* brûlé(e); (*bronceado*) hâlé(e).

requemar [reke'mar] *vt* brûler; (*secar*) dessécher, calciner; (*CULIN*) laisser griller *o* attacher.

requerimiento [rekeri'mjento] *nm* requête *f*; (*JUR*) mise *f* en demeure.

requerir [reke'rir] *vt* requérir; **~ a algn para que haga algo** (*ordenar*) requérir qn de faire qch.

requesón [reke'son] *nm* fromage *m* blanc.

requete... [rekete] *pref* très.

requiebro [re'kjeβro] *nm* propos *msg* galant.

réquiem ['rekjem] *nm* requiem *m.*

requiera *etc* [re'kjera], **requiriendo** *etc* [reki'rjendo] *vb V* **requerir**.

requisa [re'kisa] *nf* (*MIL, confiscación*) réquisition *f*; (*inspección*) inspection *f.*

requisar [reki'sar] *vt* réquisitionner.

requisito [reki'sito] *nm* condition *f* requise; **~ previo** condition préalable; **tener los ~s para un cargo** remplir les conditions requises pour un poste.

res [res] *nf* bête *f.*

resabido, -a [resa'βiðo, a] *adj* pédant(e).

resabio [re'saβjo] *nm* (*maña*) manie *f*; (*sabor*) arrière-goût *m.*

resaca [re'saka] *nf* (*en el mar*) ressac *m*; (*de alcohol*) gueule *f* de bois.

resaltar [resal'tar] *vt* détacher ♦ *vi* se détacher.

resarcir [resar'θir] *vt* (*reparar*) dédommager; (*pagar*) indemniser; **resarcirse** *vpr* se rattraper; **~ a algn de algo** dédommager qn de qch.

resarza *etc* [re'sarθa] *vb V* **resarcir**.

resbalada [resβa'laða] (*AM*) *nf* glissade *f.*

resbaladizo, -a [resβala'ðiθo, a] *adj* glissant(e).

resbalar [resβa'lar] *vi* glisser; (*gotas*) couler; **resbalarse** *vpr* glisser; **le resbalaban las lágrimas por las mejillas** les larmes coulaient sur ses joues; **me resbala lo que piense de mí** je me moque de ce qu'il peut bien penser de moi.

resbalón [resβa'lon] *nm* glissade *f*; (*fig*) faux-pas *msg*.

rescatar [reska'tar] *vt* sauver; (*pagando rescate*) payer la rançon de; (*objeto*) récupérer.

rescate [res'kate] *nm* sauvetage *m*; (*dinero*) rançon *f*; (*de objeto*) récupération *f*; **pagar un ~** payer une rançon.

rescindir [resθin'dir] *vt* résilier.

rescisión [resθi'sjon] *nf* résiliation *f*.

rescoldo [res'koldo] *nm* braises *fpl*.

resecar [rese'kar] *vt* dessécher; (*MED*) disséquer; **resecarse** *vpr* se dessécher.

reseco, -a [re'seko, a] *adj* desséché(e).

resentido, -a [resen'tiðo, a] *adj* (*envidioso*) jaloux(-ouse); (*dolido*) aigri(e) ♦ *nm/f* mauvais(e) coucheur(-euse).

resentimiento [resenti'mjento] *nm* ressentiment *m*.

resentirse [resen'tirse] *vpr*: **~ de** *o* **con** se ressentir de; **su salud se resiente** sa santé s'en ressent.

reseña [re'seɲa] *nf* (*descripción*) description *f*; (*informe, LIT*) compte *m* rendu.

reseñar [rese'ɲar] *vt* décrire; (*LIT*) faire le compte rendu de.

reseque *etc* [re'seke] *vb* V **resecar**.

reserva [re'serβa] *nf* réserve *f*; (*de entradas*) réservation *f*, location *f*; **a ~ de que ...** (*AM*) sous réserve que ...; **con ~** (*con cautela*) sous toutes réserves; (*con condiciones*) sous réserve; **de ~** en réserve; **tener algo de ~** avoir qch en réserve; **gran ~** (*vino*) grand cru *m*; ► **reserva de caja** fond *m* de caisse; ► **reserva de indios** réserve indienne; ► **reservas del Estado** réserves de l'État; ► **reserva en efectivo** réserve en argent liquide; ► **reservas en oro** réserves d'or.

reservado, -a [reser'βaðo, a] *adj* réservé(e) ♦ *nm* cabinet *m* particulier; (*FERRO*) compartiment *m* réservé.

reservar [reser'βar] *vt* réserver; (*TEATRO*) réserver, louer; **reservarse** *vpr* se réserver.

resfriado [res'friaðo] *nm* rhume *m*.

resfriarse [res'friarse] *vpr* s'enrhumer.

resfrío [res'frio] (*esp AM*) *nm* rhume *m*.

resguardar [resɣwar'ðar] *vt* protéger; **resguardarse** *vpr*: **~se de** se protéger de.

resguardo [res'ɣwarðo] *nm* abri *m*; (*justificante, recibo*) reçu *m*.

residencia [resi'ðenθja] *nf* résidence *f*; ► **residencia de ancianos** maison *f*

de retraite.

residencial [resiðen'θjal] *adj* résidentiel(le) ♦ *nf* (*esp AM: urbanización*) lotissement *m*; (*AND, CHI*) hôtel *m* modeste.

residente [resi'ðente] *adj, nm/f* résident(e).

residir [resi'ðir] *vi* résider; **~ en** (*habitar en: ciudad*) résider à; (: *pais*) résider en *o* à; (*consistir en*) résider dans.

residual [resi'ðwal] *adj* résiduel(le); **aguas ~es** eaux *fpl* usées.

residuo [re'siðwo] *nm* (*sobrante*) résidu *m*; (*desperdicios*) résidus *mpl*; ► **residuos radiactivos** déchets *mpl* radioactifs.

resienta *etc* [re'sjenta] *vb* V **resentirse**.

resignación [resiɣna'θjon] *nf* résignation *f*.

resignarse [resiɣ'narse] *vpr*: **~ a** se résigner à.

resina [re'sina] *nf* résine *f*.

resintiendo *etc* [resin'tjendo] *vb* V **resentirse**.

resistencia [resis'tenθja] *nf* résistance *f*; **no ofrece ~** il n'offre pas de résistance; **la R~** (*MIL*) la Résistance; ► **resistencia pasiva** résistance passive.

resistente [resis'tente] *adj* résistant(e); **~ al calor** résistant à la chaleur.

resistir [resis'tir] *vt* résister à; (*peso, calor, persona*) supporter ♦ *vi* résister; **resistirse** *vpr* résister; **~se a** (*decir, salir*) refuser de; (*cambio, ataque*) résister à; **no puedo ~ este frío** je ne peux pas supporter ce froid; **me resisto a creerlo** je me refuse à le croire; **se le resiste la química** la chimie lui donne du mal; **el detenido se resistió** le détenu a refusé d'obtempérer.

resol [re'sol] *nm* réverbération *f* du soleil.

resollar [reso'ʎar] *vi* souffler.

resolución [resolu'θjon] *nf* résolution *f*; (*arrojo*) détermination *f*; **con ~** avec vigueur, avec fermeté; **tomar una ~** prendre une résolution; ► **resolución judicial** décision *f* de justice.

resoluto, -a [reso'luto, a] *adj* résolu(e).

resolver [resol'βer] *vt* résoudre; **resolverse** *vpr* se résoudre.

resonancia [reso'nanθja] *nf* résonance *f*; (*fig*) retentissement *m*.

resonar [reso'nar] *vi* résonner.

resoplar [reso'plar] *vi* haleter.

resoplido [reso'pliðo] *nm* halètement *m*.

resorte [re'sorte] *nm* (*TEC, fig*) ressort *m*.

respaldar [respal'dar] *vt* appuyer; (*INFORM*) sauvegarder; **respaldarse** *vpr* (*en asiento*) s'adosser; **~se en** (*fig*) s'appuyer sur.

respaldo [res'paldo] *nm* (*de sillón*) dossier *m*; (*fig*) appui *m*.

respectivamente [respek'tiβamente] *adv* respectivement.

respectivo, -a [respek'tiβo, a] *adj* respectif(-ive); **en lo** ~ **a** en ce qui concerne.

respecto [res'pekto] *nm*: **al** ~ à ce sujet; **con** ~ **a** en ce qui concerne; ~ **de** par rapport à.

respetable [respe'taβle] *adj* respectable ♦ *nm* public *m*.

respetar [respe'tar] *vt* respecter.

respeto [res'peto] *nm* respect *m*; ~**s** *nmpl* respects *mpl*; **por** ~ **a** par respect pour *o* envers; **presentar sus** ~**s a** présenter ses respects à; **faltar al** ~ **a algn** manquer de respect à qn.

respetuoso, -a [respe'twoso, a] *adj* respectueux(-euse).

respingo [res'pingo] *nm*: **dar** *o* **pegar un** ~ sursauter.

respiración [respira'θjon] *nf* respiration *f*; ▶ **respiración artificial** respiration artificielle; ▶ **respiración asistida** respiration assistée; ▶ **respiración boca a boca** bouche à bouche *m*.

respiradero [respira'ðero] *nm* arrivée *f* d'air.

respirar [respi'rar] *vt, vi* respirer; **no dejar** ~ **a algn** ne pas laisser respirer qn; **estuvo escuchándole sin** ~ il l'a écouté sans broncher *o* dire un mot; **por fin pude** ~ *(de alivio)* j'ai enfin pu respirer.

respiratorio, -a [respira'torjo, a] *adj* respiratoire.

respiro [res'piro] *nm* répit *m*; *(COM)* délai *m*.

resplandecer [resplande'θer] *vi* resplendir; *(belleza)* resplendir, rayonner.

resplandeciente [resplande'θjente] *adj* resplendissant(e).

resplandezca *etc* [resplan'deθka] *vb V* **resplandecer.**

resplandor [resplan'dor] *nm* éclat *m*.

responder [respon'der] *vt* répondre ♦ *vi* répondre; *(corresponder)* payer de retour; ~ **a** *(situación)* répondre à; *(guardar relación)* avoir trait à; ~ **a una pregunta** répondre à une question; ~ **a una descripción** répondre à un signalement; ~ **de** *o* **por** répondre de *o* pour.

respondón, -ona [respon'don, ona] *adj* effronté(e); **¡no seas** ~! ne réponds pas!

responsabilice *etc* [responsaβi'liθe] *vb V* **responsabilizar.**

responsabilidad [responsaβili'ðað] *nf* responsabilité *f*; **bajo mi** ~ sous ma responsabilité; ▶ **responsabilidad ilimitada** *(COM)* responsabilité illimitée.

responsabilizar [responsaβili'θar] *vt* responsabiliser, rendre responsable; **responsabilizarse** *vpr*: ~**se de** *(atentado)* revendiquer; *(crisis, accidente)* assumer la responsabilité de.

responsable [respon'sable] *adj, nm/f* respon-

sable *m/f*; **la persona** ~ la personne responsable; **hacerse** ~ **de algo** assumer la responsabilité de qch.

responsablemente [respon'saβlemente] *adv* de manière responsable.

respuesta [res'pwesta] *nf* réponse *f*.

resquebrajar [reskeβra'xar] *vt* fendiller, fissurer; **resquebrajarse** *vpr* s'écailler.

resquemor [reske'mor] *nm* remords *msg*.

resquicio [res'kiθjo] *nm* fente *f*; *(fig)* possibilité *f*, rayon *m*.

resta ['resta] *nf* soustraction *f*.

restablecer [restaβle'θer] *vt* rétablir; **restablecerse** *vpr* se rétablir.

restablecimiento [restaβleθi'mjento] *nm* rétablissement *m*.

restablezca *etc* [resta'βleθka] *vb V* **restablecer.**

restallar [resta'ʎar] *vi* claquer.

restante [res'tante] *adj* restant(e); **lo** ~ le reste, ce qui reste; **los** ~**s** les autres; *(cosas)* le reste.

restar [res'tar] *vt* *(MAT)* soustraire; *(fig)* ôter ♦ *vi* rester.

restauración [restaura'θjon] *nf* restauration *f*.

restaurador, a [restaura'ðor, a] *nm/f* restaurateur(-trice).

restaurante [restau'rante] *nm* restaurant *m*.

restaurar [restau'rar] *vt* restaurer.

restitución [restitu'θjon] *nf* restitution *f*.

restituir [restitu'ir] *vt* restituer.

restituyendo *etc* [restitu'jendo] *vb V* **restituir.**

resto ['resto] *nm* reste *m*; ~**s** *nmpl* *(CULIN, de civilización etc)* restes *mpl*; **echar el** ~ jouer le tout pour le tout; ▶ **restos mortales** dépouille *fsg* (mortelle).

restregar [restre'ɣar] *vt* frotter.

restregué *etc* [restre'ɣe], **restreguemos** *etc* [restre'ɣemos] *vb V* **restregar.**

restricción [restrik'θjon] *nf* restriction *f*; **sin** ~ **de** sans restriction de.

restrictivo, -a [restrik'tiβo, a] *adj* restrictif(-ive).

restriego *etc* [res'trjeɣo], **restriegue** *etc* [res'trjeɣe] *vb V* **restregar.**

restringir [restrin'xir] *vt* restreindre.

restrinja *etc* [res'trinxa] *vb V* **restringir.**

restructuración [restruktura'θjon] *nf* restructuration *f*.

restructurar [restruktu'rar] *vt* restructurer.

resucitar [resuθi'tar] *vt, vi* ressusciter.

resuello [re'sweʎo] *vb V* **resollar** ♦ *nm* *(aliento)* souffle *m*.

resuelto, -a [re'swelto, a] *pp de* **resolver** ♦ *adj* résolu(e); **estar** ~ **a hacer algo** être résolu(e) à faire qch.

resuelva *etc* [re'swelßa] *vb V* **resolver**.
resuene *etc* [re'swene] *vb V* **resonar**.
resulta [re'sulta] *nf:* **de ~s** (*entonces*) du coup; **de ~s de** (*a consecuencia de*) à la suite de.
resultado [resul'taðo] *nm* résultat *m;* ~s *nmpl* (*INFORM*) résultats *mpl;* **dar ~** réussir.
resultante [resul'tante] *adj* résultant(e).
resultar [resul'tar] *vi* (*ser*) être; (*llegar a ser*) finir par être; (*salir bien*) réussir; (*ser consecuencia*) résulter; **~ a** (*COM*) revenir à; **~ de** résulter de; **resulta que ...** il se trouve que ...; **el conductor resultó muerto** le chauffeur est mort; **no resultó** cela n'a pas réussi; **me resulta difícil hacerlo** il m'est difficile de le faire.
resultón, -ona [resul'ton, ona] (*fam*) *adj* classe *inv.*
resumen [re'sumen] *nm* résumé *m;* **en ~** en résumé; **hacer un ~** faire un résumé.
resumir [resu'mir] *vt* résumer; **resumirse** *vpr* se résumer; **en resumidas cuentas** en résumé *o* en bref.
resurgir [resur'xir] *vi* ressurgir.
resurrección [resurrek'θjon] *nf* résurrection *f.*
retablo [re'taßlo] *nm* retable *m.*
retaguardia [reta'ɣwarðja] *nf* arrière-garde *f.*
retahíla [reta'ila] *nf* chapelet *m.*
retal [re'tal] *nm* coupon *m.*
retama [re'tama] *nf* genêt *m.*
retar [re'tar] *vt* défier.
retardar [retar'ðar] *vt* (*demorar*) retarder; (*hacer más lento*) ralentir.
retardo [re'tarðo] *nm* retard *m.*
retazo [re'taθo] *nm* coupon *m;* **a ~s** (*contar*) par fragments.
RETD (*ESP*) *sigla f* (*TELEC*) = Red Especial de Transmisión de Datos.
rete... ['rete] (*esp AM*) *pref* très.
retén [re'ten] *nm* renfort *m,* réserve *f;* (*esp AM: control*) contrôle *m* de police, barrage *m* de police.
retención [reten'θjon] *nf* retenue *f;* (*MED*) rétention *f;* (*de prisionero*) détention *f,* garde *f* à vue; ▶ **retención de llamadas** (*TELEC*) mémoire *f;* ▶ **retención de tráfico** embouteillage *m,* bouchon *m;* ▶ **retención fiscal** prélèvement *m* fiscal.
retendré *etc* [reten'dre] *vb V* **retener**.
retener [rete'ner] *vt* retenir; (*suj: policía*) garder à vue; (*impuestos, sueldo*) prélever.
retenga *etc* [re'tenga] *vb V* **retener**.
reticencia [reti'θenθja] *nf* réticence *f.*
reticente [reti'θente] *adj* réticent(e).
retiene *etc* [re'tjene] *vb V* **retener**.
retina [re'tina] *nf* rétine *f.*

retintín [retin'tin] *nm* tintement *m;* **decir algo con ~** dire qch d'un ton malicieux.
retirada [reti'raða] *nf* (*MIL*) retraite *f;* (*de dinero*) retrait *m;* (*de embajador*) rappel *m;* **batirse en ~** battre en retraite; *V tb* **retirado**.
retirado, -a [reti'raðo, a] *adj* (*lugar*) retiré(e); (*vida*) calme; (*jubilado*) retraité(e) ♦ *nm/f* retraité(e).
retirar [reti'rar] *vt* retirer; (*jubilar*) mettre à la retraite; **retirarse** *vpr* se retirer; (*jubilarse*) prendre sa retraite; **~ la acusación** retirer la plainte.
retiro [re'tiro] *nm* retraite *f;* (*DEPORTE*) abandon *m.*
reto ['reto] *nm* défi *m.*
retocar [reto'kar] *vt* retoucher.
retoce *etc* [re'toθe] *vb V* **retozar**.
retoño [re'topo] *nm* rejeton *m.*
retoque [re'toke] *vb V* **retocar** ♦ *nm* retouche *f.*
retorcer [retor'θer] *vt* (*tela*) essorer; (*brazo*) tordre; (*argumento*) déformer; **retorcerse** *vpr* se tortiller; (*persona*) se contorsionner; **~se de dolor** se tordre de douleur.
retorcido, -a [retor'θiðo, a] *adj* (*tronco*) tordu(e); (*columna*) tors(e); (*personalidad*) retors(e); (*mente*) mal tourné(e).
retorcimiento [retorθi'mjento] *nm* (*fig*) byzantinisme *m.*
retórica [re'torika] *nf* rhétorique *f.*
retórico, -a [re'toriko, a] *adj* rhétorique.
retornable [retor'naßle] *adj* consigné(e).
retornar [retor'nar] *vt* (*cartas*) renvoyer; (*dinero*) rendre ♦ *vi:* **~** (a) retourner (à).
retorno [re'torno] *nm* retour *m;* ▶ **retorno del carro** (*TIP*) retour du chariot; ▶ **retorno del carro automático** (*TIP*) retour automatique du chariot.
retortero [retor'tero] *nm:* **andar al ~** ne pas savoir où donner de la tête; **andar al ~ por algn** être éperdu(e) d'amour pour qn; **llevar a algn al ~** faire tourner qn en bourrique; (*enamorar*) mener qn par le bout du nez.
retortijón [retorti'xon] *nm* (*tb:* **~ de tripas**) crampe *f* (d'estomac).
retorzamos *etc* [retor'θamos] *vb V* **retorcer**.
retozar [reto'θar] *vi* folâtrer.
retozón, -ona [reto'θon, ona] *adj* folâtre.
retracción [retrak'θjon] *nf* rétraction *f.*
retractarse [retrak'tarse] *vpr* se rétracter; **me retracto** je me rétracte.
retráctil [re'traktil] *adj* rétractile.
retraer [retra'er] *vt* (*antena*) rentrer; (*órgano*) rétracter; **retraerse** *vpr:* **~se (de)** se retirer (de).
retraído, -a [retra'iðo, a] *adj* renfermé(e).

retraiga etc [re'traiɣa] vb V **retraer.**
retraimiento [retrai'mjento] nm (aislamiento) retraite f; (timidez) réserve f.
retraje etc [re'traxe], **retrajera** etc [retra'xera] vb V **retraer.**
retransmisión [rɛtransmi'sjon] nf retransmission f.
retransmitir [retransmi'tir] vt retransmettre.
retrasado, -a [retra'saðo, a] adj en retard; (MED: tb: ~ **mental**) attardé(e); **estar ~** (reloj) être en retard, retarder; (persona, país) être en retard.
retrasar [retra'sar] vt, vi retarder; **retrasarse** vpr (persona, tren) être en retard; (reloj) retarder; (quedarse atrás) s'attarder; (production) prendre du retard.
retraso [re'traso] nm retard m; ~**s** nmpl (COM) arriérés mpl; **llegar con ~** arriver en retard; **llegar con 25 minutos de ~** arriver avec 25 minutes de retard; **llevamos un ~ de 6 semanas** nous sommes en retard de 6 semaines; ► **retraso mental** déficience f mentale.
retratar [retra'tar] vt (ARTE) faire le portrait de; (FOTO) photographier; (fig) décrire; **retratarse** vpr se faire faire son portrait; (fig) se révéler.
retratista [retra'tista] nm/f portraitiste m/f.
retrato [re'trato] nm portrait m; **ser el vivo ~ de** être tout le portrait de.
retrayendo etc [retra'jendo] vb V **retraer.**
retreta [rɛ'trɛta] nf (MIL) retraite f.
retrete [re'trete] nm toilettes fpl.
retribución [retriβu'θjon] nf rétribution f.
retribuir [retriβu'ir] vt rétribuer.
retribuyendo etc [retriβu'jendo] vb V **retribuir.**
retro... [retro] pref rétro... .
retroactivo, -a [retroak'tiβo, a] adj rétroactif(-ive); **con efecto ~** avec effet rétroactif.
retroalimentación [retroalimenta'θjon] nf (INFORM) retour m de l'information.
retroceder [retroθe'ðer] vi reculer; **la policía hizo ~ a la multitud** la police a fait reculer la foule.
retroceso [retro'θeso] nm recul m.
retrógrado, -a [re'troɣraðo, a] adj rétrograde.
retropropulsión [retropropul'sjon] nf rétropropulsion f.
retrospectivo, -a [retrospek'tiβo, a] adj rétrospectif(-ive); **mirada retrospectiva** regard m rétrospectif.
retrovisor [retroβi'sor] nm rétroviseur m.
retuerce etc [re'twerθe], **retuerza** etc [re'twerθa] vb V **retorcer.**

retumbante [retum'bante] adj retentissant(e).
retumbar [retum'bar] vi retentir.
retuve etc [re'tuβe] vb V **retener.**
reuma [re'uma] nm rhumatisme m.
reumático, -a [reu'matiko, a] adj (enfermo) rhumatisant(e); (enfermedad) rhumatismal(e).
reumatismo [reuma'tismo] nm rhumatisme m.
reunificar [reunifi'kar] vt réunifier.
reunifique etc [rɛuni'fikɛ] vb V **reunificar.**
reunión [rɛu'njon] nf réunion f, ► **reunión de ventas** (COM) meeting m commercial; ► **reunión en la cumbre** réunion au sommet; ► **reunión extraordinaria** réunion extraordinaire.
reunir [reu'nir] vt réunir; (recoger) rassembler, réunir; (personas) rassembler; **reunirse** vpr se réunir; **reunió a sus amigos para discutirlo** il a réuni ses amis pour en débattre.
revalidar [reβali'ðar] vt (título) confirmer.
revalor(iz)ación [reβalor(iθ)a'θjon] nf révalorisation f.
revaluar [reβa'lwar] vt réévaluer.
revancha [re'βantʃa] nf revanche f.
revelación [reβela'θjon] nf révélation f.
revelado [reβe'laðo] nm développement m.
revelador, a [reβela'ðor, a] adj révélateur(-trice).
revelar [reβe'lar] vt révéler; (FOTO) développer.
revendedor, a [reβende'ðor, a] nm/f revendeur(-euse).
revendré etc [reβen'dre], **revenga** etc [re'βenga] vb V **revenirse.**
revenirse [reβe'nirse] vpr s'abîmer.
reventa [re'βenta] nf revente f.
reventar [reβen'tar] vt (globo) faire éclater; (presa) céder; (molestar) agacer ♦ vi éclater; **reventarse** vpr éclater; **me revienta tener que ponérmelo** ça m'agace de devoir le mettre; ~ **de** (alegría) sauter de; (ganas) mourir de; ~ **por** brûler de; **estar a ~** (lleno) être plein à craquer; ~**se trabajando** se ruiner la santé au travail.
reventón [reβen'ton] nm crevaison f.
reverberación [reβerβera'θjon] nf réverbération f.
reverberar [reβerβe'rar] vi se réverbérer.
reverbero [reβer'βero] nm = **reverberación.**
reverdecer [reβerðe'θer] vt, vi reverdir.
reverencia [reβe'renθja] nf révérence f.
reverenciar [reβeren'θjar] vt révérer.
reverendo, -a [reβe'rendo, a] adj révérend(e).
reverente [reβe'rente] adj révérencieux

reversible [reßer'sißle] *adj* réversible.
reverso [re'ßerso] *nm* revers *msg*.
revertido, -a [reßer'tiðo, a] *adj*: **llamar a cobro** ~ téléphoner en PCV.
revertir [reßer'tir] *vi* revenir; ~ **en beneficio/en perjuicio de** tourner à l'avantage/au désavantage de.
revés [re'ßes] *nm* envers *msg*; (*fig, TENIS*) revers *msg*; **al** ~ à l'envers; **y al** ~ et inversement; **volver algo al** *o* **del** ~ retourner qch; **los reveses de la fortuna** les revers de fortune.
revestir [reßes'tir] *vt* revêtir; **revestirse** *vpr* (*REL*) se revêtir; ~ **con** *o* **de** s'armer de; **el acto revestía gran solemnidad** la cérémonie revêtait une grande solennité.
reviene *etc* [re'ßjene] *vb V* **revenirse**.
reviente *etc* [re'ßjente] *vb V* **reventar**.
revierta *etc* [re'ßjerta] *vb V* **revertir**.
reviniendo *etc* [reßi'njendo] *vb V* **revenirse**.
revirtiendo *etc* [reßir'tjendo] *vb V* **revertir**.
revisar [reßi'sar] *vt* réviser.
revisión [reßi'sjon] *nf* révision *f*; ▶ **revisión de cuentas** contrôle des comptes; ▶ **revisión salarial** révision des salaires.
revisor, a [reßi'sor, a] *nm/f* contrôleur(-euse); ▶ **revisor de cuentas** contrôleur(-euse) des comptes.
revista [re'ßista] *vb V* **revestir** ♦ *nf* revue *f*, magazine *m*; **pasar** ~ **a** passer en revue; ▶ **revista de libros** chronique *f* littéraire; ▶ **revista literaria** revue littéraire; ▶ **revistas del corazón** presse *f* du cœur.
revistero [reßis'tero] *nm* porte-revues *m inv*.
revivir [reßi'ßir] *vt, vi* revivre.
revocación [reßoka'θjon] *nf* révocation *f*.
revocar [reßo'kar] *vt* révoquer.
revolcar [reßol'kar] *vt* terrasser; **revolcarse** *vpr* se vautrer.
revolcón [reßol'kon] *nm* culbute *f*.
revolotear [reßolote'ar] *vi* voltiger.
revoloteo [reßolo'teo] *nm* voltigement *m*.
revolqué *etc* [reßol'ke], **revolquemos** *etc* [reßol'kemos] *vb V* **revolcar**.
revoltijo [reßol'tixo] *nm* embrouillamini *m*.
revoltoso, -a [reßol'toso, a] *adj* turbulent(e).
revolución [reßolu'θjon] *nf* révolution *f*; (*TEC*) tour *m*.
revolucionar [reßoluθjo'nar] *vt* révolutionner.
revolucionario, -a [reßoluθjo'narjo, a] *adj, nm/f* révolutionnaire *m/f*.
revolver [reßol'ßer] *vt* remuer; (*casa*) mettre sens dessus dessous; (*mezclar*) remuer, agiter; (*POL*) soulever ♦ *vi*: ~ **en** fouiller dans; **revolverse** *vpr* (*en cama*)

s'agiter; (*de dolor*) s'agiter, se tordre; (*METEOROLOGÍA*) se gâter; ~**se contra** se retourner contre; **han revuelto toda la casa** ils ont mis la maison sens dessus dessous; **la injusticia me revuelve las tripas** l'injustice me révolte.
revólver [re'ßolßer] *nm* révolver *m*.
revoque *etc* [re'ßoke] *vb V* **revocar**.
revuelco *etc* [re'ßwelko] *vb V* **revolcar**.
revuelo [re'ßwelo] *nm* vol *m*; (*fig*) trouble *m*; **armar** *o* **levantar un gran** ~ jeter le trouble.
revuelque *etc* [re'ßwelke] *vb V* **revolcar**.
revuelta [re'ßwelta] *nf* révolte *f*; (*pelea*) bagarre *f*.
revuelto, -a [re'ßwelto, a] *pp de* **revolver** ♦ *adj* (*desordenado*) sens dessus dessous; (*mar*) agité(e), houleux(-euse); (*pueblo*) agité(e); (*tiempo*) orageux(-euse); (*estómago*) barbouillé(e); **todo estaba** ~ tout était sens dessus dessous.
revuelva *etc* [re'ßwelßa] *vb V* **revolver**.
revulsivo [reßul'sißo] *nm*: **servir de** ~ faire réagir.
rey [rei] *nm* roi *m*; **los R~es** le Roi et la Reine, les Souverains; **el deporte** ~ le sport roi.
reyerta [re'jerta] *nf* rixe *f*.
rezagado, -a [reθa'ɣaðo, a] *adj*: **quedar** ~ être en retard; (*fig*) être à la traîne.
rezagar [reθa'ɣar] *vt* retarder; **rezagarse** *vpr* traîner.
rezague *etc* [re'θaɣe] *vb V* **rezagar**.
rezar [re'θar] *vi* prier; ~ **con** (*fam*) aller avec.
rezo ['reθo] *nm* prière *f*.
rezongar [reθoŋ'ɣar] *vi* ronchonner.
rezongue *etc* [re'θoŋge] *vb V* **rezongar**.
rezumar [reθu'mar] *vt* laisser couler ♦ *vi* suinter; **rezumarse** *vpr* transpirer.
RFA *sigla f* (= *República Federal Alemana*) RFA *f* (= *République fédérale d'Allemagne*).
RI *abr* (= *regimiento de infantería*) RI *m* (= *régiment d'infanterie*).
ría ['ria] *nf* ria *f*.
riachuelo [rja'tʃwelo] *nm* ruisseau *m*.
riada [ri'aða] *nf* crue *f*, inondation *f*.
ribera [ri'ßera] *nf* rive *f*, berge *f*; (*área*) rivage *m*, littoral *m*.
ribete [ri'ßete] *nm* (*de vestido*) liseré *m*; ~**s** *nmpl* (*atisbos*) côtés *mpl*; **muestra** ~**s de filósofo** il a un côté philosophe.
rice *etc* ['riθe] *vb V* **rizar**.
ricino [ri'θino] *nm*: **aceite de** ~ huile *f* de ricin.
rico, -a ['riko, a] *adj* riche; (*comida*) délicieux(-euse); (*niño*) gentil(le) ♦ *nm/f* riche *m/f*; **nuevo** ~ nouveau riche; ~ **en** riche en.

rictus ['riktus] *nm* rictus *msg*; ► **rictus de amargura** grimace *f* d'amertume.

ricura [ri'kura] *nf* amour *m*; ¡qué ~ de vestido/de niño! quel amour de robe/d'enfant!

ridiculez [riðiku'leθ] *nf* ridicule *m*; (*nimiedad*) insignifiance *f*.

ridiculice *etc* [riðiku'liθe] *vb* V **ridiculizar**.

ridiculizar [riðikuli'θar] *vt* ridiculiser.

ridículo, -a [ri'ðikulo, a] *adj* ridicule; **hacer el** ~ se couvrir de ridicule; **poner a algn en** ~ tourner qn en ridicule; **ponerse en** ~ s'exposer au ridicule.

riego ['rjeɣo] *vb* V **regar** ♦ *nm* arrosage *m*; ► **riego sanguíneo** irrigation *f*.

riegue *etc* ['rjeɣe] *vb* V **regar**.

riel [rjel] *nm* (*FERRO*) rail *m*; (*de cortina*) tringle *f*.

rienda ['rjenda] *nf* rêne *f*; **dar ~ suelta a** donner libre cours à; **llevar las ~s** (*fig*) tenir les rênes.

riendo ['rjendo] *vb* V **reír**.

riesgo ['rjesɣo] *nm* risque *m*; **seguro a** *o* **contra todo** ~ assurance *f* tous risques; ~ **para la salud** risque pour la santé; **correr el** ~ **de** courir le risque de.

Rif [rif] *nm* Rif *m*.

rifa ['rifa] *nf* tombola *f*.

rifar [ri'far] *vt* tirer au sort; **rifarse** *vpr* se disputer.

rifeño, -a [ri'feɲo, a] *adj* du Rif ♦ *nm/f* natif(-ive) *o* habitant(e) du Rif.

rifle ['rifle] *nm* rifle *m*.

rigidez [rixi'ðeθ] *nf* rigidité *f*.

rígido, -a ['rixiðo, a] *adj* rigide; (*cara*) sévère.

rigiendo *etc* [ri'xjendo] *vb* V **regir**.

rigor [ri'ɣor] *nm* rigueur *f*; **el** ~ **del invierno** la rigueur de l'hiver; **con todo el** ~ **científico** avec la plus grande rigueur scientifique; **de** ~ de rigueur; **después de los saludos de** ~ après les salutations de rigueur.

rigurosamente [riɣu'rosamente] *adv* rigoureusement.

riguroso, -a [riɣu'roso, a] *adj* rigoureux (-euse); **de rigurosa actualidad** d'une actualité brûlante.

rija *etc* ['rixa] *vb* V **regir**.

rima ['rima] *nf* rime *f*; ~**s** *nfpl* (*composición*) rimes *fpl*; ► **rima asonante/consonante** rime pauvre/riche.

rimar [ri'mar] *vi*: ~ (**con**) rimer (avec).

rimbombante [rimbom'bante] *adj* (*fig*) ronflant(e).

rímel ['rimel] *nm* rimmel *m*.

rimero [ri'mero] *nm* tas *msg*.

rímmel ['rimel] *nm* = **rímel**.

Rin [rin] *nm* Rhin *m*.

rincón [rin'kon] *nm* coin *m*; **buscar por los rincones** chercher dans tous les coins.

rindiendo *etc* [rin'djendo] *vb* V **rendir**.

ring [riŋ] *nm* (*BOXEO*) ring *m*.

rinoceronte [rinoθe'ronte] *nm* rhinocéros *msg*.

riña ['riɲa] *nf* (*disputa*) dispute *f*; (*pelea*) bagarre *f*.

riñendo *etc* [ri'ɲendo] *vb* V **reñir**.

riñón [ri'ɲon] *nm* (*ANAT*) rein *m*; (*CULIN*) rognon *m*; **me costó un** ~ (*fam*) cela m'a coûté les yeux de la tête; **tener dolor de riñones** avoir mal aux reins; **tener riñones** (*fig*) avoir du cran.

rió [ri'o] *vb* V **reír**.

río ['rio] *vb* V **reír** ♦ *nm* (*que desemboca en otro río*) rivière *f*; (*que desemboca en el mar*) fleuve *m*; (*fig*) flot *m*; ~ **abajo/arriba** en aval/amont; **cuando el** ~ **suena, agua lleva** il n'y a pas de fumée sans feu; **a** ~ **revuelto, ganancia de pescadores** à quelque chose malheur est bon.

Río de Janeiro ['rioðexa'neiro] *n* Rio de Janeiro.

Río de la Plata ['rioðela'plata] *n* Rio de la Plata.

Rioja [ri'oxa] *nf*: **La ~** La Rioja.

rioja [ri'oxa] *nf* rioja *m*.

riojano, -a [rjo'xano, a] *adj* de La Rioja ♦ *nm/f* natif(-ive) *o* habitant(e) de La Rioja.

rioplatense [riopla'tense] *adj* de Rio de la Plata ♦ *nm/f* natif(-ive) *o* habitant(e) de Rio de la Plata.

ripio ['ripjo] *nm* (*LIT*) cheville *f*.

riqueza [ri'keθa] *nf* richesse *f*.

risa ['risa] *nf* rire *m*; ¡qué ~! que c'est drôle!; **caerse/morirse de** ~ se tordre/mourir de rire; **tomar algo a** ~ (*a la ligera*) prendre qch à la rigolade; (*con buen humor*) prendre qch avec bonne humeur; **el libro es una** ~ (*es divertido*) ce livre est à se tordre de rire; (*no vale nada*) ce livre ne vaut rien; **tener la** ~ **fácil** rire facilement; ► **risa de conejo** rire jaune.

risco ['risko] *nm* rocher *m* escarpé.

risible [ri'siβle] *adj* risible.

risotada [riso'taða] *nf* éclat *m* de rire.

ristra ['ristra] *nf* chapelet *m*; ► **ristra de ajos** chapelet d'ails.

ristre ['ristre] *nm*: **en** ~ bien en main.

risueño, -a [ri'sweɲo, a] *adj* souriant(e).

ritmo ['ritmo] *nm* rythme *m*; **a** ~ **lento** au ralenti; **trabajar a** ~ **lento** travailler au ralenti; ► **ritmo de vida** rythme de vie.

rito ['rito] *nm* rite *m*.

ritual [ri'twal] *adj* rituel(le) ♦ *nm* rituel *m*.

rival [ri'βal] *adj, nm/f* rival(e).

rivalice *etc* [riβa'liθe] *vb* V **rivalizar**.

rivalidad [riβali'ðað] *nf* rivalité *f*.

rivalizar [riβali'θar] *vi* rivaliser.

rizado, -a [ri'θaðo, a] *adj* (*pelo*) frisé(e); (*mar*) moutonneux(-euse) ♦ *nm* frisure *f*.

rizar [ri'θar] *vt* friser; **rizarse** *vpr* (*el pelo*) se friser; (*agua, mar*) moutonner.

rizo ['riθo] *nm* boucle *f*.

Rma. *abr* = *Reverendísima*.

Rmo. *abr* = *Reverendísimo*.

RNE *abr* = *Radio Nacional de España*.

R. O. *abr* (= *Real Orden*) ordre de Sa Majesté.

robar [ro'ßar] *vt* voler; (*NAIPES*) piocher; (*atención*) dérober.

roble ['roßle] *nm* chêne *m*.

robledal [roßle'ðal], **robledo** [ro'ßleðo] *nm* chênaie *f*.

robo ['roßo] *nm* vol *m*; ¡esto es un ~! c'est du vol!; ► **robo a mano armada** vol à main armée.

robot [ro'ßo(t)] (*pl* ~**s**) *adj, nm* robot *m*; ► **robot de cocina** robot.

robótica [ro'ßotika] *nf* robotique *f*.

robustecer [roßuste'θer] *vt* fortifier.

robustezca *etc* [roßus'teθka] *vb V* **robustecer**.

robusto, -a [ro'ßusto, a] *adj* robuste.

ROC *sigla m* (*INFORM* = *reconocimiento óptico de caracteres*) ROC (= *reconnaissance optique de caractères*).

roca ['roka] *nf* roche *f*; **la R~** Gibraltar.

rocambolesco, -a [rokambo'lesko, a] *adj* rocambolesque.

roce ['roθe] *vb V* **rozar** ♦ *nm* frottement *m*; (*caricia*) frôlement *m*; (*TEC*) friction *f*; (*señal*) éraflure *f*; (: *en la piel*) égratignure *f*; (*trato*) fréquentation *f*; **tener un ~ con** s'accrocher avec, avoir une prise de bec avec.

rociar [ro'θjar] *vt* arroser.

rocín [ro'θin] *nm* rosse *f*.

rocío [ro'θio] *nm* rosée *f*.

rock [rok] *adj, nm* (*MÚS*) rock *m*.

rockero, -a [ro'kero, a] *adj* rock ♦ *nm/f* rocker *m/f*.

rocoso, -a [ro'koso, a] *adj* rocailleux(-euse).

rocote [ro'kote], **rocoto** [ro'koto] (*AM*) *nm* poivron *m* rouge.

rodado, -a [ro'ðaðo, a] *adj*: **tráfico ~** circulation *f* routière; **canto ~** galet *m*; **venir ~** se présenter on ne peut mieux.

rodaja [ro'ðaxa] *nf* tranche *f*.

rodaje [ro'ðaxe] *nm* (*CINE*) tournage *m*; **en ~** (*AUTO*) en rodage.

rodamiento [roða'mjento] *nm* chape *f*.

Ródano ['roðano] *nm* Rhône *m*.

rodapié [roða'pje] *nm* plinthe *f*.

rodar [ro'ðar] *vt* (*vehículo*) roder; (*bola*) faire rouler; (*película*) tourner ♦ *vi* rouler; (*CINE*) tourner; (*persona*) circuler.

Rodas ['roðas] *nf* Rhodes *fsg*.

rodear [roðe'ar] *vt* entourer; (*dar un rodeo*) contourner; **rodearse** *vpr*: ~**se de amigos** s'entourer d'amis; **rodeado de misterio** entouré de mystère.

rodeo [ro'ðeo] *nm* détour *m*; (*AM*: *DEPORTE*) rodéo *m*; **dar un ~** faire un détour; **dejarse de ~s** ne pas tergiverser; **hablar sin ~s** parler sans détours.

rodilla [ro'ðiʎa] *nf* genou *m*; **de ~s** à genoux.

rodillazo [roði'ʎaθo] *nm* coup *m* de genou; (*recibido*) coup au genou.

rodillo [ro'ðiʎo] *nm* rouleau *m*; (*en máquina de escribir, impresora*) chariot *m*.

roedor, a [roe'ðor, a] *adj* rongeur(-euse) ♦ *nm* rongeur *m*.

roer [ro'er] *vt* ronger.

rogar [ro'xar] *vt, vi* prier; **se ruega no fumar** prière de ne pas fumer; **me rogó que me quedara** il m'a prié de rester; **no se hace de ~** il ne se fait pas prier.

rogué *etc* [ro'xe], **roguemos** *etc* [ro'xemos] *vb V* **rogar**.

roído, -a [ro'iðo, a] *adj* rongé(e).

rojizo, -a [ro'xiθo, a] *adj* rougeâtre.

rojo, -a ['roxo, a] *adj* rouge ♦ *nm* rouge *m* ♦ *nm/f* (*POL*) rouge *m/f*; **ponerse ~** rougir; **al ~ (vivo)** (*metal*) rouge; (*fig*) chauffé(e) à blanc.

rol [rol] *nm* rôle *m*.

rollizo, -a [ro'ʎiθo, a] *adj* rondelet(te).

rollo, -a ['roʎo, a] *adj* (*fam*) barbant(e) ♦ *nm* rouleau *m*; (*fam*: *película*) navet *m*; (*libro*) ouvrage *m* de bas étage; (: *discurso*) laïus *msg*; ¡qué ~! quelle barbe!, quelle scie!; **la conferencia fue un ~** cette conférence a été soporifique.

ROM [rom] *sigla f* (= *memoria de sólo lectura*) ROM *f* (= *mémoire morte*).

Roma ['roma] *n* Rome.

romance [ro'manθe] *nm* (*LING*) roman *m*; (*LIT*) romance *f*; (*relación*) idylle *f*.

románico [ro'maniko] *adj* roman(e) ♦ *nm* roman *m*.

romano, -a [ro'mano, a] *adj* romain(e) ♦ *nm/f* Romain(e).

romanticismo [romanti'θismo] *nm* romantisme *m*.

romántico, -a [ro'mantiko, a] *adj* romantique.

rombo ['rombo] *nm* losange *m*.

romería [rome'ria] *nf* (*REL*) fête *f* patronale, ≈ pardon *m*; (*excursión*) pèlerinage *m*.

romero, -a [ro'mero, a] *nm/f* pèlerin *m* ♦ *nm* (*BOT*) romarin *m*.

romo, -a ['romo, a] *adj* émoussé(e).

rompecabezas [rompeka'ßeθas] *nm inv* casse-tête *m inv*.

rompehielos [rompe'jelos] *nm inv* brise-glace *m inv*.

rompeolas [rompe'olas] *nm inv* brise-lames *m inv*.

romper [rom'per] *vt* casser; (*papel, tela*) déchirer; (*contrato*) rompre ♦ *vi* (*olas*) briser; (*diente*) casser; **romperse** *vpr* se casser; ~ **filas** (*MIL*) rompre les rangs; ~ **el día** commencer à faire jour; ~ **a** se mettre à; ~ **a llorar** éclater en sanglots; ~ **con algn** rompre avec qn.

rompimiento [rompi'mjento] *nm* rupture *f*.

ron [ron] *nm* rhum *m*.

roncar [ron'kar] *vi* ronfler.

roncha ['rontʃa] *nf* éruption *f* cutanée.

ronco, -a ['ronko, a] *adj* rauque.

ronda ['ronda] *nf* (*de bebidas, negociaciones*) tournée *f*; (*patrulla*) ronde *f*; (*de naipes*) main *f*, partie *f*; (*DEPORTE*) manche *f*; **ir de ~** faire sa tournée; **hacer la ~** (*MIL*) faire sa ronde; ► **ronda electoral** tournée électorale.

rondeño, -a [ron'deɲo, a] *adj* de Ronda ♦ *nm/f* natif(-ive) *o* habitant(e) de Ronda.

rondín [ron'din] (*AND*) *nm* harmonica *m*.

ronque *etc* ['ronke] *vb* V **roncar**.

ronquera [ron'kera] *nf* enrouement *m*.

ronquido [ron'kiðo] *nm* ronflement *m*.

ronronear [ronrone'ar] *vi* ronronner.

ronroneo [ronro'neo] *nm* ronronnement *m*.

roña ['roɲa] *nf* (*VETERINARIA*) gale *f*; (*mugre*) crasse *f*; (*óxido*) rouille *f*.

roñica [ro'ɲika] *nm/f* radin(e).

roñoso, -a [ro'ɲoso, a] *adj* (*mugriento*) crasseux(-euse); (*tacaño*) radin(e).

ropa ['ropa] *nf* vêtements *mpl*; ► **ropa blanca/de casa** linge *m* blanc/de maison; ► **ropa de cama** literie *f*; ► **ropa interior** *o* **íntima** linge de corps; ► **ropa sucia** linge sale; ► **ropa usada** vêtements usagés.

ropaje [ro'paxe] *nm* vêtements *mpl*.

ropero [ro'pero] *nm* (*de ropa de cama*) armoire *f* (à linge); (*guardarropa*) garde-robe *f*.

roque ['roke] *nm* (*AJEDREZ*) tour *f*; **estar ~** (*fam*) écraser.

roquero, -a [ro'kero, a] *nm/f* = **rockero**.

rosa ['rosa] *adj inv* rose ♦ *nf* (*BOT*) rose *f* ♦ *nm* (*color*) rose *m*; **estar como una ~** être frais(fraîche) comme une rose; **verlo todo color de ~** voir la vie en rose; ► **rosa de los vientos** rose *f* des vents.

rosado, -a [ro'saðo, a] *adj* rose ♦ *nm* rosé *m*.

rosal [ro'sal] *nm* rosier *m*.

rosaleda [rosa'leða] *nf* roseraie *f*.

rosario [ro'sarjo] *nm* chapelet *m*; (*oraciones*) rosaire *m*; **rezar el ~** dire son chapelet.

rosbif [ros'βif] *nm* rosbif *m*.

rosca ['roska] *nf* pas *msg*; (*pan*) couronne *f*; **hacer la ~ a algn** (*fam*) faire du plat à qn; **pasarse de ~** (*fig*) dépasser les bornes.

Rosellón [rose'ʎon] *nm* Roussillon *m*.

rosetón [rose'ton] *nm* (*ARQ*) rosace *f*.

rosquete [ros'kete] (*AND*: *fam!*) *nm* pédale *f*, pédé *m* (*fam!*).

rosquilla [ros'kiʎa] *nf* beignet à pâte dure en forme d'anneau; **venderse como ~s** se vendre comme des petits pains.

rostro ['rostro] *nm* visage *m*; **tener mucho ~** (*fam*) avoir un sacré culot *o* toupet.

rotación [rota'θjon] *nf* rotation *f*; ► **rotación de cultivos** rotation des cultures.

rotativo [rota'tiβo] *nm* journal *m*.

rotatorio, -a [rota'torjo, a] *adj* rotatif(-ive).

roto, -a ['roto, a] *pp de* **romper** ♦ *adj* cassé(e); (*tela, papel*) déchiré(e); (*vida*) brisé(e); (*CHI*: *de clase obrera*) ouvrier(-ière) ♦ *nm/f* (*CHI*) ouvrier(-ière) ♦ *nm* (*en vestido*) accroc *m*.

rótula ['rotula] *nf* rotule *f*.

rotulador [rotula'ðor] *nm* crayon *m* feutre.

rotular [rotu'lar] *vt* (*carta, documento*) légender.

rótulo ['rotulo] *nm* (*título*) enseigne *f*; (*letrero*) écriteau *m*.

rotundamente [ro'tundamente] *adv* catégoriquement.

rotundo, -a [ro'tundo, a] *adj* catégorique.

rotura [ro'tura] *nf* rupture *f*; (*MED*) fracture *f*.

roturar [rotu'rar] *vt* défricher.

roulote [ru'lote] *nf* roulotte *f*, caravane *f*.

rozadura [roθa'ðura] *nf* (*huella*) éraflure *f*; (*herida*) écorchure *f*.

rozar [ro'θar] *vt* frôler; (*raspar, ensuciar*) érafler; (*MED*) écorcher; (*tocar ligeramente, fig*) effleurer; **rozarse** *vpr* se frôler; ~**se (con)** (*tratar*) se frotter (à); **su actitud roza el fanatismo** son attitude frise le fanatisme.

Rte. *abr* (= *remite, remitente*) exp. (= expéditeur).

RTVE *sigla f* = *Radiotelevisión Española*.

Ruán [ru'an] *n* Rouen.

ruana ['rwana] (*AND, CARIB*) *nf* poncho *m*.

rubeola [ruβe'ola], **rubéola** [ru'βeola] *nf* rubéole *f*.

rubí [ru'βi] *nm* rubis *msg*.

rubio, -a ['ruβjo, a] *adj, nm/f* blond(e); **tabaco ~** tabac *m* blond.

rubor [ru'βor] *nm* (*sonrojo*) rougeur *f*; (*vergüenza*) honte *f*.

ruborice – s/   362   ESPAÑOL–FRANCÉS

ruborice etc [ruβo'riθe] vb V **ruborizarse**.
ruborizarse [ruβori'θarse] vpr rougir.
ruboroso, -a [ruβo'roso, a] adj rougissant(e).
rúbrica ['ruβrika] nf (de firma) paraphe m, parafe m; (final) couronnement m; (título) rubrique f; **bajo la ~ de** dans la rubrique de.
rubricar [ruβri'kar] vt (firmar) parapher o parafer; (concluir) couronner.
rubrique etc [ru'βrike] vb V **rubricar**.
rudeza [ru'ðeθa] nf rudesse f.
rudimentario, -a [ruðimen'tarjo, a] adj rudimentaire.
rudimentos [ruði'mentos] nmpl rudiments mpl.
rudo, -a ['ruðo, a] adj (material) rude; (modales, persona) grossier(-ière).
rueda ['rweða] nf roue f; (corro) ronde f; **ir sobre ~s** aller comme sur des roulettes; ▶ **rueda de prensa** conférence f de presse; ▶ **rueda de recambio o de repuesto** roue de secours; ▶ **rueda delantera/trasera** roue avant/arrière; ▶ **rueda dentada** roue dentée; ▶ **rueda impresora** (INFORM) marguerite f.
ruedo ['rweðo] vb V **rodar** ♦ nm (contorno) bord m; (de vestido) ourlet m; (TAUR) arène f; (corro) ronde f.
ruego ['rweɣo] vb V **rogar** ♦ nm prière f; **a ~s de** à la demande de; **"~s y preguntas"** "questions et réponses".
ruegue etc ['rweɣe] vb V **rogar**.
rufián [ru'fjan] nm ruffian m.
rugby ['ruɣβi] nm rugby m.
rugido [ru'xiðo] nm rugissement m.
rugir [ru'xir] vi rugir; (estómago) gargouiller.
rugosidad [ruɣosi'ðað] nf rugosité f.
rugoso, -a [ru'ɣoso, a] adj rugueux(-euse).
ruido ['rwiðo] nm bruit m; (alboroto) bruit m, grabuge m; ~ **de fondo** bruit de fond; **hacer o meter** ~ faire du bruit.
ruidoso, -a [rwi'ðoso, a] adj bruyant(e); (fig) tapageur(-euse).
ruin [rwin] adj (vil) vil(e); (tacaño) pingre.
ruina ['rwina] nf ruine f; ~**s** nfpl ruines fpl; **estar hecho una** ~ être en piteux état; **aquello le llevó a la** ~ cela a entraîné sa ruine.
ruindad [rwin'dað] nf mesquinerie f; (acto) bassesse f.
ruinoso, -a [rwi'noso, a] adj (tb COM) ruineux(-euse).
ruiseñor [rwise'ɲor] nm rossignol m.
ruja etc ['ruxa] vb V **rugir**.
ruleta ['rula] nf roulette f.
ruletero [rule'tero] (CAM, MÉX) nm chauffeur m de taxi.
rulo ['rulo] nm rouleau m.

rulot(e) [ru'lot(e)] nf roulotte f, caravane f.
ruma ['ruma] (AND, CSUR) nf tas msg.
Rumania [ru'manja] nf Roumanie f.
rumano, -a [ru'mano, a] adj roumain(e) ♦ nm/f Roumain(e) ♦ nm (LING) roumain m.
rumba ['rumba] nf rumba f.
rumbo ['rumbo] nm (ruta) cap m; (ángulo de dirección) rumb m, rhumb m; (fig) direction f; **con ~ a** en direction de; **poner** ~ **a** mettre le cap sur; **sin ~ fijo** au hasard.
rumboso, -a [rum'boso, a] (fam) adj généreux(-euse).
rumiante [ru'mjante] nm ruminant m.
rumiar [ru'mjar] vt, vi ruminer.
rumor [ru'mor] nm (ruido sordo) rumeur f; (chisme) bruit m.
rumorearse [rumore'arse] vpr: **se rumorea que** le bruit court que.
rumoroso, -a [rumo'roso, a] adj (arroyo) gazouillant(e).
runa ['runa] (AND, CSUR) nm indien m.
runrún [run'run] nm rumeur f; (de una máquina) ronronnement m; (fig) rengaine f.
rupestre [ru'pestre] adj: **pintura** ~ peinture f rupestre.
ruptura [rup'tura] nf rupture f; ~ **con** rupture avec.
rural [ru'ral] adj rural(e).
Rusia ['rusja] nf Russie f.
ruso, -a ['ruso, a] adj russe ♦ nm/f Russe m/f ♦ nm (LING) russe m.
rústica ['rustika] nf: **libro en** ~ livre m broché; V tb **rústico**.
rústico, -a ['rustiko, a] adj (del campo) rustique; (ordinario) rustre.
ruta ['ruta] nf route f.
rutilante [ruti'lante] adj rutilant(e).
rutina [ru'tina] nf routine f; ~ **diaria** routine quotidienne; **por** ~ par routine.
rutinario, -a [ruti'narjo, a] adj routinier(-ière).

S, s

S, s ['ese] nf (letra) S, s m; ~ **de Sábado** ≈ S comme Suzanne.
S ['ese] abr (= sur) S (= sud).
S. abr (= san) S (= Saint).
s. abr = **siglo; siguiente**.
s/ abr (COM) = **su**.

S.A. *abr* (*COM* = *Sociedad Anónima*) SA *f* (= *société anonyme*); (= *Su Alteza*) SA (= *Son Altesse*).

sáb. *abr* = **sábado**.

sábado ['saβaðo] *nm* samedi *m*; **del ~ en ocho días** samedi en huit; **un ~ sí y otro no, cada dos ~s** un samedi sur deux.

sabana [sa'βana] *nf* savane *f*.

sábana ['saβana] *nf* drap *m*; **se le pegan las ~s** (*fig*) il fait la grasse matinée.

sabandija [saβan'dixa] *nf* (*ZOOL*) bestiole *f*; (*fig*) fripouille *f*.

sabañón [saβa'ɲon] *nm* engelure *f*.

sabático, -a [sa'βatiko, a] *adj* sabbatique.

sabelotodo [saβelo'toðo] *nm/f inv* monsieur(mademoiselle) je-sais-tout.

═══════════════════ *PALABRA CLAVE*

saber [sa'βer] *vt* savoir; **a saber** à savoir; **no lo supe hasta ayer** je ne l'ai appris qu'hier; **¿sabes conducir/nadar?** sais-tu conduire/nager?; **¿sabes francés?** sais-tu parler français?; **no sé nada de coches** je n'y connais rien en voitures; **no sé nada de él** je ne sais rien de lui; **un no sé qué** un je ne sais quoi; **saber de memoria** savoir *o* connaître par cœur; **lo sé** je (le) sais; **hacer saber** faire savoir; **¡cualquiera sabe!** allez savoir!; **que yo sepa** que je sache; **¡si lo sabré yo!** je le sais mieux que personne!; **¡vete a saber!** va savoir!; **¡yo que sé!** je n'en sais rien, moi!; **¿sabes?** tu vois?

♦ *vi*: **saber a** avoir le goût de; **sabe a fresa** ça a un goût de fraise; **saber mal/bien** (*comida, bebida*) avoir bon/mauvais goût; **le sabe mal que otro saque** a bailar a su mujer ça ne lui plaît pas que d'autres gens invitent sa femme à danser; **saberse** *vpr*: **se sabe que ...** on sait que ...; **no se sabe todavía** on ne sait toujours pas.

sabido, -a [sa'βiðo, a] *adj*: **como es (bien) ~** comme chacun sait.

sabiduría [saβiðu'ria] *nf* savoir *m*; (*buen juicio*) sagesse *f*; ► **sabiduría popular** sagesse populaire.

sabiendas [sa'βjendas]: **a ~** *adv* en connaissance de cause; **a ~ de que ...** en sachant que ... .

sabihondo, -a [sa'βjondo, a] *adj, nm/f* pédant(e).

sabio, -a ['saβjo,a] *adj* savant(e); (*prudente*) sage ♦ *nm/f* savant(e).

sablazo [sa'βlaθo] *nm*: **dar un ~ a algn** (*fam*) plumer qn comme un pigeon.

sable [sa'βle] *nm* sabre *m*.

sabor [sa'βor] *nm* goût *m*, saveur *f*; (*fig*) saveur *f*; **con ~ a** au goût de; **sin ~** sans aucun goût.

saborear [saβore'ar] *vt* savourer.

sabotaje [saβo'taxe] *nm* sabotage *m*.

saboteador, a [saβotea'ðor, a] *nm/f* saboteur(-euse).

sabotear [saβote'ar] *vt* saboter.

Saboya [sa'βoja] *nf* Savoie *f*.

sabré *etc* [sa'βre] *vb* V **saber**.

sabroso, -a [sa'βroso, a] *adj* savoureux(-euse); (*salado*) salé(e).

saca ['saka] *nf* grand sac *m*; ► **saca de correo(s)** sac postal.

sacacorchos [saka'kortʃos] *nm inv* tire-bouchon *m*.

sacapuntas [saka'puntas] *nm inv* taille-crayon *m*.

sacar [sa'kar] *vt* sortir; (*muela*) arracher; (*dinero, entradas*) retirer; (*beneficios*) tirer; (*premio*) remporter; (*datos*) extraire; (*conclusión*) arriver à; (*esp AM: ropa*) enlever; (*TENIS*) servir; (*FÚTBOL*) remettre en jeu; (*COSTURA*) rallonger; ~ **adelante** (*hijos*) élever; (*negocio*) faire démarrer; ~ **a algn a bailar** inviter qn à danser; ~ **algo a relucir** placer qch (dans une conversation); ~ **a algn de sí** mettre qn hors de lui; ~ **algo en limpio** *o* **en claro** mettre qch au propre *o* au clair; ~ **algo/a algn en TV/en el periódico** parler de qch/faire passer qn à la TV/dans le journal; ► **brillo a algo** faire briller qch; ~ **una foto** faire une photo; ~ **la lengua** tirer la langue; ~ **buenas/malas notas** avoir de bonnes/mauvaises notes.

sacarina [saka'rina] *nf* saccharine *f*.

sacerdote [saθer'ðote] *nm* prêtre *m*.

saciar [sa'θjar] *vt* assouvir; **saciarse** *vpr* se rassasier.

saciedad [saθje'ðað] *nf*: **hasta la ~** (*comer*) à satiété; (*repetir*) 36 fois la même chose.

saco ['sako] *nm* sac *m*; (*AM: chaqueta*) veste *f*; ► **saco de dormir** sac de couchage.

sacramento [sakra'mento] *nm* sacrement *m*.

sacrificar [sakrifi'kar] *vt* sacrifier; (*reses*) abattre; (*animal doméstico*) endormir; **sacrificarse** *vpr*: ~**se por** se sacrifier pour.

sacrificio [sakri'fiθjo] *nm* sacrifice *m*.

sacrifique *etc* [sakri'fike] *vb* V **sacrificar**.

sacrilegio [sakri'lexjo] *nm* sacrilège *m*.

sacrílego, -a [sa'krilevo, a] *adj* sacrilège.

sacristán [sakris'tan] *nm* sacristain *m*.

sacristía [sakris'tia] *nf* sacristie *f*.

sacro, -a ['sakro, a] *adj* sacré(e).

sacudida [saku'ðiða] *nf* secousse *f*; ► **sacudida eléctrica** décharge *f* électrique.

sacudir [saku'ðir] *vt* secouer; (*ala*) battre de; (*fam: persona*) tabasser; **sacudirse**

vpr: ~**se el polvo** s'épousseter; ~**se los mosquitos** chasser les moustiques.

S.A. de C.V. *abr* (*MÉX*: = *Sociedad Anónima de Capital Variable*) SA *f* (= *société anonyme*).

sádico, -a ['saðiko, a] *adj, nm/f* sadique *m/f*.

sadismo [sa'ðismo] *nm* sadisme *m*.

sadomasoquista [saðomaso'kista] *adj, nm/f* sadomasochiste *m/f*.

saeta [sa'eta] *nf* flèche *f*; (*MÚS*) chant religieux de la semaine sainte.

safari [sa'fari] *nm* safari *m*.

sagacidad [saɣaθi'ðað] *nf* sagacité *f*.

sagaz [sa'ɣaθ] *adj* sagace.

Sagitario [saxi'tarjo] *nm* (*ASTROL*) Sagittaire *m*; **ser ~** être (du) Sagittaire.

sagrado, -a [sa'ɣraðo, a] *adj* sacré(e).

Sáhara ['saara] *nm*: **el ~** le Sahara.

saharaui [saxa'rawi] *adj* saharien(ne) ♦ *nm/f* Saharien(ne).

sajón, -ona [sa'xon, 'xona] *adj* saxon(e) ♦ *nm/f* Saxon(e).

Sajonia [sa'xonja] *nf* Saxe *f*.

sal [sal] *vb V* **salir** ♦ *nf* sel *m*; (*encanto*) grâce *f*; ▶ **sales de baño** sels de bain; ▶ **sal de cocina** sel de cuisine; ▶ **sal gorda** gros sel.

sala ['sala] *nf* salle *f*; (*sala de estar*) salle de séjour; (*JUR*) tribunal *m*; ▶ **sala de conciertos** salle de concerts; ▶ **sala de conferencias** salle de conférences; ▶ **sala de embarque** salle d'embarquement; ▶ **sala de espera** salle d'attente; ▶ **sala de fiestas** salle des fêtes; ▶ **sala de juntas** (*COM*) salle de réunion; ▶ **sala de operaciones** (*MED*) salle d'opération.

salado, -a [sa'laðo, a] *adj* salé(e); (*fig*) piquant(e); (*AND: desgraciado*) malheureux(-euse); **agua salada** eau *f* salée.

salame [sa'lame] (*CSUR*) *nm* salami *m*.

salar [sa'lar] *vt* saler.

salarial [sala'rjal] *adj* (*aumento*) de salaire; (*revisión*) salarial(e).

salario [sa'larjo] *nm* salaire *m*; ▶ **salario mínimo interprofesional** ≈ salaire *m* minimum interprofessionnel de croissance.

salchicha [sal'tʃitʃa] *nf* saucisse *f*.

salchichón [saltʃi'tʃon] *nm* saucisson *m*.

saldar [sal'dar] *vt* solder; (*deuda, diferencias*) régler.

saldo ['saldo] *nm* solde *m*; (*de deuda*) règlement *m*; **a precio de ~** en solde; ▶ **saldo acreedor/deudor** *o* **pasivo** solde créditeur/débiteur; ▶ **saldo anterior** solde reporté; ▶ **saldo final** balance *f* après clôture.

saldré *etc* [sal'dre] *vb V* **salir**.

salero [sa'lero] *nm* (*CULIN*) salière *f*; (*ingenio*) esprit *m*; (*encanto*) charme *m*.

salga *etc* ['salɣa] *vb V* **salir**.

salida [sa'liða] *nf* sortie *f*; (*de tren, AVIAT, DEPORTE*) départ *m*; (*del sol*) lever *m*; (*puerta*) sortie, issue *f*; (*fig*) issue *m*; (: *de estudios*) débouché *m*; (*fam: ocurrencia*) mot *m* d'esprit; **calle sin ~** voie *f* sans issue; **a la ~ del teatro** à la sortie du théâtre; **dar la ~** (*DEPORTE*) donner le départ; **línea de ~** (*DEPORTE*) ligne *f* de touche; **no hay ~** il n'y a pas d'issue; **no tenemos otra ~** nous n'avons pas d'autre issue; ▶ **salida de emergencia/de incendios** sortie de secours; ▶ **salida de tono** propos *msg* déplacé; ▶ **salida impresa** (*INFORM*) tirage *m* papier.

salido, -a [sa'liðo, a] (*fam*) *adj* chaud(e).

saliente [sa'ljente] *adj* saillant(e); (*cesante*) sortant(e) ♦ *nm* saillie *f*.

salina [sa'lina] *nf* marais *msg* salant; ~**s** *nfpl* (*fábrica*) salines *fpl*.

─────────────── *PALABRA CLAVE*

salir [sa'lir] *vi* **1** (*ir afuera*) sortir; (*tren, avión*) partir; **salir de** sortir de; **Juan ha salido** Juan est sorti; **salió de la cocina** il est sorti de la cuisine; **salir de viaje** partir en voyage; **salir corriendo** partir en courant; **salir bien de algo** (*fig*) bien se sortir de qch

2 (*aparecer: sol*) se lever; (*flor, pelo, dientes*) pousser; (*disco, libro*) sortir; **anoche salió el reportaje en la tele** le reportage est passé hier soir à la télé); **su foto salió en todos los periódicos** sa photo est parue dans tous les journaux

3 (*resultar*): **salir bien/mal** réussir/rater; **el niño nos ha salido muy estudioso** notre fils se révèle très studieux; **la comida ha salido exquisita** ton repas est très réussi; **salir elegido/premiado** être choisi/récompensé; **ha salido a su madre** il tient de sa mère; **¡no me sale!** je n'y arrive pas!; **sale muy caro** c'est très cher; **salís a 2.000 ptas cada uno** vous en avez pour 2 000 pesetas chacun; **la cena nos salió por 5.000 ptas** le dîner nous a coûté 5 000 pesetas; **no salen las cuentas** ça ne tombe pas juste

4 (*mancha*) partir; (*tapón*) s'enlever

5 (*en el juego*) avoir la main; (*DEPORTE*) commencer; (*TEATRO*) entrer en scène

6: **salir a** (*desembocar*) déboucher sur; **salir de** (*proceder*) venir de

7: **salir con algn** (*amigos, novios*) sortir avec qn

8: **le salió un trabajo** il a trouvé du travail

9: **salir adelante** s'en sortir; **no sé como haré para salir adelante** je ne sais pas comment faire pour m'en sortir

voyage
VIAGE
d'de placer
d'agrement

Hacer un
BUEN VIAGE

Salir de
VIAGE
Partie en
voyage

salir comiendo
patir en comant

---

c'est Tres cher
sale muy caro

La plus grande
librairie
française
de la région

LIBRAIRIE
SONS
ET
LETTRES

4150 Wellington
769-2321

Ouvert 7 jours

salirse *vpr* (*líquido*) se renverser; (*animal*) sortir; (*de la carretera*) quitter; (*persona: de asociación*) quitter; **salirse del tema** s'écarter du sujet; **salirse con la suya** n'en faire qu'à sa tête.

salitre [sa'litre] *nm* salpêtre *m*.

saliva [sa'liβa] *nf* salive *f*.

salivadera [saliβa'ðera] (*AM*) *nf* crachoir *m*.

salmantino, -a [salman'tino, a] *adj* de Salamanque ♦ *nm/f* natif(-ive) *o* habitant(e) de Salamanque.

salmo ['salmo] *nm* psaume *m*.

salmón [sal'mon] *nm* saumon *m*.

salmonete [salmo'nete] *nm* rouget *m*.

salmuera [sal'mwera] *nf* saumure *f*.

salón [sa'lon] *nm* salon *m*; (*CHI: FERRO*) salle *f* d'attente; ▶ **salón de actos** *o* **de sesiones** salle de réunion; ▶ **salón de baile** salle de danse; ▶ **salón de belleza** institut *m* de beauté; ▶ **salón de té** salon de thé.

salpicadera [salpika'ðera] (*MÉX*) *nf* garde-boue *m inv*.

salpicadero [salpika'ðero] *nm* (*AUTO*) tableau *m* de bord.

salpicadura [salpika'ðura] *nf* éclaboussure *f*.

salpicar [salpi'kar] *vt* éclabousser; (*esparcir*) parsemer.

salpicón [salpi'kon] *nm* (*CULIN*) *viande ou poisson en vinaigrette.*

salpique *etc* [sal'pike] *vb V* **salpicar**.

salsa ['salsa] *nf* (*CULIN, MÚS*) sauce *f*; (*fig*) piquant *m*; **está en su ~** (*fam*) c'est son domaine.

saltamontes [salta'montes] *nm inv* sauterelle *f*.

saltar [sal'tar] *vt* sauter ♦ *vi* sauter; (*al agua*) plonger; (*cristal*) se briser; (*explotar: persona*) exploser; **saltarse** *vpr* sauter; (*lágrimas*) jaillir; **~ a la comba** sauter à la corde; **salta a la vista** sauter aux yeux; **~ con** (*fam: decir*) sortir; **~ de una cosa a otra** sauter du coq à l'âne; **~se un semáforo** brûler un feu; **~se todas las reglas** enfreindre toutes les règles.

salteado, -a [salte'aðo, a] *adj* (*CULIN*) sauté(e); (*sin orden*) dans le désordre.

salteador [saltea'ðor] *nm* (*tb*: **~ de caminos**) bandit *m* (de grand chemin).

saltear [salte'ar] *vt* attaquer; (*números, páginas*) sauter; (*CULIN*) faire sauter.

saltimbanqui [saltim'banki] *nm/f* saltimbanque *m/f*.

salto ['salto] *nm* saut *m*; (*al agua*) plongeon *m*; **a ~s** en sautant; **vivir a ~ de mata** vivre au jour le jour; ▶ **salto de agua** chute *f* d'eau; ▶ **salto de altura/de longitud** saut en hauteur/en longueur;

▶ **salto de cama** peignoir *m*; ▶ **salto de línea (automático)** (*INFORM*) retour *m* à la ligne (automatique); ▶ **salto de página** alimentation *f* en feuilles; ▶ **salto mortal** saut périlleux.

saltón, -ona [sal'ton, ona] *adj* (*ojos*) globuleux(-euse); (*dientes*) en avant.

salubre [sa'luβre] *adj* salubre.

salud [sa'luð] *nf* santé *f*; **estar bien/mal de ~** être en bonne/mauvaise santé; **¡(a su) ~!** (à votre) santé!; **beber a la ~ de** boire à la santé de.

saludable [salu'ðaβle] *adj* sain(e).

saludar [salu'ðar] *vt* (*tb MIL*) saluer; **ir a ~ a algn** aller dire bonjour à qn; **salude de mi parte a X** saluez X de ma part; **le saluda atentamente** (*en carta*) salutations distinguées.

saludo [sa'luðo] *nm* salut *m*; **~s** *nmpl* (*en carta*) salutations *fpl*; **un ~ afectuoso** *o* **cordial** (*en carta*) affectueusement *o* cordialement *o* bien à vous.

salva ['salβa] *nf* (*MIL*) salve *f*; **una ~ de aplausos** une salve d'applaudissements.

salvación [salβa'θjon] *nf* sauvetage *m*; (*REL*) salut *m*; **¡fue mi ~!** c'est ce qui m'a sauvé!

salvado [sal'βaðo] *nm* (*AGR*) son *m*.

salvador [salβa'ðor] *nm* sauveur *m*; **el S~** (*REL*) le Sauveur; **El S~** (*GEO*) El Salvador; **San S~** San Salvador.

salvadoreño, -a [salβaðo'reɲo, a] *adj* salvadorien(ne) ♦ *nm/f* Salvadorien(ne).

salvaguardar [salβaɣwar'ðar] *vt* sauvegarder.

salvajada [salβa'xaða] *nf* sauvagerie *f*.

salvaje [sal'βaxe] *adj*, *nm/f* sauvage *m/f*.

salvajismo [salβa'xismo] *nm* sauvagerie *f*.

salvamento [salβa'mento] *nm* sauvetage *m*.

salvar [sal'βar] *vt* sauver; (*un barco*) procéder au sauvetage de; (*obstáculo, distancias*) franchir; (*exceptuar*) excepter; (*INFORM: archivo*) sauvegarder; **salvarse** *vpr*: **~se (de)** se sauver (de); **~ algo/a algn de** sauver qch/qn de; **¡sálvese quien pueda!** sauve qui peut!

salvavidas [salβa'βiðas] *adj inv*: **bote/chaleco/cinturón ~** canot *m*/gilet *m*/bouée *f* de sauvetage.

salvedad [salβe'ðað] *nf* exception *f*; **con la ~ de que ...** mis à part le fait que ... .

salvia ['salβja] *nf* sauge *f*.

salvo, -a ['salβo, a] *adj*: **a ~** en lieu sûr ♦ *adv* sauf; **~ error u omisión** (*COM*) sauf erreur ou omission; **~ que** sauf que.

salvoconducto [salβokon'dukto] *nm* sauf-conduit *m*.

samba ['samba] *nf* samba *f*.

san [san] *nm* saint *m*; ~ **Juan** Saint Jean.
sanar [sa'nar] *vt, vi* guérir.
sanatorio [sana'torjo] *nm* sanatorium *m*.
sanción [san'θjon] *nf* sanction *f*; (*aprobación*) approbation *f*.
sancionar [sanθjo'nar] *vt* sanctionner; (*aprobar*) approuver.
sancocho [san'kotʃo] (*AM*) *nm* pot-au-feu *m inv*.
sandalia [san'dalja] *nf* sandale *f*.
sándalo ['sandalo] *nm* santal *m*, bois *msg* de santal.
sandez [san'deθ] *nf* bêtise *f*; **decir sandeces** dire des bêtises.
sandía [san'dia] *nf* pastèque *f*.
sandinista [sandi'nista] (*NIC*) *adj, nm/f* (*POL*) sandiniste *m/f*.
sandwich ['sandwitʃ] (*pl* ~**s** *o* ~**es**) *nm* sandwich *m*.
saneamiento [sanea'mjento] *nm* assainissement *m*.
sanear [sane'ar] *vt* assainir.
sangrante [san'grante] *adj* sanglant(e); (*fig*) terrible.
sangrar [san'grar] *vt* saigner; (*INFORM, TIP*) commencer en retrait ♦ *vi* saigner.
sangre ['sangre] *nf* sang *m*; **a** ~ **fría** de sang-froid; **de** ~ **fría** (*ZOOL*) à sang-froid; **pura** ~ pur sang; ▶**sangre azul** sang bleu; ▶**sangre fría** sang-froid *m*.
sangría [san'gria] *nf* (*MED*) saignée *f*; (*CULIN*) sangria *f*; (*INFORM, TIP*) retrait *m*; (*fig: gasto*) frais *msg*.
sangriento, -a [san'grjento, a] *adj* sanglant(e).
sanguijuela [sangi'xwela] *nf* sangsue *f*.
sanguinario, -a [sangi'narjo, a] *adj* sanguinaire.
sanguíneo, -a [san'gineo, a] *adj* sanguin(e).
sanguinolento, -a [sangino'lento, a] *adj* sanguinolent(e); (*manchado*) taché(e) de sang; (*ojos*) injecté(e) (de sang).
sanidad [sani'ðað] *nf* (*ADMIN*) santé *f*; (*de ciudad, clima*) salubrité *f*; ▶**sanidad pública** santé publique.
sanitario, -a [sani'tarjo, a] *adj* sanitaire ♦ *nm*: ~**s** sanitaires *mpl* ♦ *nm/f* agent *m* de service de santé.
San Marino [sanma'rino] *nm*: (**La República de**) ~ ~ (la République de) Saint-Marin *m*.
sano, -a ['sano, a] *adj* sain(e); (*sin daños*) intact(e); ~ **y salvo** sain et sauf.
santanderino, -a [santande'rino, a] *adj* de Santander ♦ *nm/f* natif(-ive) *o* habitant(e) de Santander.
Santiago [san'tjaɣo] *n*: ~ (**de Chile**) Santiago (du Chili); ~ (**de Compostela**) Saint Jacques de Compostela.

santiaguino, -a [santja'ɣino, a] *adj* de Santiago (du Chili) ♦ *nm/f* natif(-ive) *o* habitant(e) de Santiago (du Chili).
santiamén [santja'men] *nm*: **en un** ~ en un clin d'œil.
santidad [santi'ðað] *nf* sainteté *f*.
santificar [santifi'kar] *vt* sanctifier.
santifique *etc* [santi'fike] *vb* V **santificar**.
santiguarse [santi'ɣwarse] *vpr* se signer.
santigüe *etc* [san'tiɣwe] *vb* V **santiguarse**.
santo, -a ['santo, a] *adj* saint(e) ♦ *nm/f* (*REL*) Saint(e); (*fig*) saint(e) ♦ *nm* fête *f*; **hacer su santa voluntad** faire ses 4 volontés; **todo el** ~ **día** toute la journée; **¿a** ~ **de qué ...?** en quel honneur ...?; **se le fue el** ~ **al cielo** il a oublié ce qu'il allait dire; ~ **y seña** mot *m* de passe.
santuario [san'twarjo] *nm* sanctuaire *m*.
saña ['saɲa] *nf* (*crueldad*) sauvagerie *f*; (*furor*) fureur *f*.
sapo ['sapo] *nm* crapaud *m*.
saque ['sake] *vb* V **sacar** ♦ *nm* (*TENIS*) service *m*; (*FÚTBOL*) remise *f* en jeu; ▶**saque de esquina** corner *m*; ▶**saque inicial** coup *m* d'envoi.
saquear [sake'ar] *vt* piller.
saqueo [sa'keo] *nm* pillage *m*.
S.A.R. *abr* (= *Su Alteza Real*) SAR (= *Son Altesse Royale*).
sarampión [saram'pjon] *nm* rougeole *f*.
sarape [sa'rape] (*AM*) *nm* poncho *m*.
sarcasmo [sar'kasmo] *nm* sarcasme *m*.
sarcástico, -a [sar'kastiko, a] *adj* sarcastique.
sarcófago [sar'kofaɣo] *nm* sarcophage *m*.
sarcoma [sar'koma] *nm* sarcome *m*.
sardina [sar'ðina] *nf* sardine *f*.
sardo, -a ['sarðo, a] *adj* sarde ♦ *nm/f* Sarde *m/f*.
sardónico, -a [sar'ðoniko, a] *adj* sardonique.
sargazo [sar'ɣaθo] *nm* sargasse *f*.
sargento [sar'xento] *nm* (*MIL*) sergent *m*; (*fig*) personne *f* autoritaire.
sarmiento [sar'mjento] *nm* sarment *m*.
sarna ['sarna] *nf* (*MED, ZOOL*) gale *f*.
sarpullido [sarpu'ʎiðo] *nm* (*MED*) éruption *f* (prurigineuse).
sarro ['sarro] *nm* tartre *m*.
sarta ['sarta] *nf*: **una** ~ **de mentiras** un chapelet de mensonges.
sartén [sar'ten] *nf o* (*AM*) *m* (*CULIN*) poêle *f* (à frire); **tener la** ~ **por el mango** tenir les rênes.
sastre ['sastre] *nm* tailleur *m*.
sastrería [sastre'ria] *nf* (*arte*) fabrication *f* de tailleurs; (*tienda*) tailleur *m*.
Satanás [sata'nas] *nm* Satan *m*.
satélite [sa'telite] *nm* satellite *m*; **vía** ~ (*TELEC*) par satellite.

satinado, -a [sati'naðo, a] *adj* (*papel*) satiné(e) ♦ *nm* satiné *m.*
sátira ['satira] *nf* satire *f.*
satírico, -a [sa'tiriko, a] *adj* satirique.
sátiro ['satiro] *nm* satyre *m.*
satisfacción [satisfak'θjon] *nf* satisfaction *f;* (*para desagravio*) satisfaction, réparation *f.*
satisfacer [satisfa'θer] *vt* satisfaire; (*deuda*) acquitter; **satisfacerse** *vpr* se satisfaire; (*vengarse*) se venger.
satisfaga *etc* [satis'faɣa], **satisfaré** *etc* [satisfa're] *vb* V **satisfacer**.
satisfecho, -a [satis'fetʃo, a] *pp de* **satisfacer** ♦ *adj* satisfait(e).
satisfice *etc* [satis'fiθe] *vb* V **satisfacer**.
saturación [satura'θjon] *nf* saturation *f.*
saturar [satu'rar] *vt* saturer; **saturarse** *vpr* être saturé(e).
Saturno [sa'turno] *nm* Saturne *m.*
sauce ['sauθe] *nm* saule *m;* ► **sauce llorón** saule pleureur.
saúco [sa'uko] *nm* sureau *m.*
saudí [sau'ði], **saudita** [sau'ðita] *adj* saoudien(ne) ♦ *nm/f* Saoudien(ne).
sauna ['sauna] *nf* (*nm en CSUR*) sauna *m.*
savia ['saβja] *nf* sève *f.*
saxo ['sakso] (*fam*) *nm* saxo *m;* (*persona*) saxophoniste *m/f.*
saxofón [sakso'fon] *nm* saxophone *m.*
sazón [sa'θon] *nf* (*de fruta*) maturité *f;* (*CULIN*) goût *m;* **a la ~** alors, à cette époque; **en ~** (*fruta*) mûr(e).
sazonado, -a [saθo'naðo, a] *adj* (*fruta*) mûr(e); (*CULIN*) relevé(e).
sazonar [saθo'nar] *vt* mûrir; (*CULIN*) relever ♦ *vi* être mûr(e).
s/c *abr* (*COM = su casa*) *votre société;* (*= su cuenta*) *votre compte.*
schop ['tʃop] (*CSUR*) *nm* V **chop**.
schopería [tʃope'ria] (*CSUR*) *nf* brasserie *f.*
Scotch [es'kotʃ] *nm* scotch *m.*
Sdo. *abr* (*COM*) = **saldo**.
SE *abr* (*= sudeste*) S.-E. (*= sud-est*).

============ *PALABRA CLAVE* ============

se [se] *pron* **1** (*reflexivo*) se, s'; (: *de Vd, Vds*) vous; **se divierte** il s'amuse; **lavarse** se laver; **¡siéntese!** asseyez-vous!
2 (*con complemento directo: sg*) lui; (*pl*) leur; (*Vd, Vds*) vous; **se lo dije** (*a él*) je le lui ai dit; (*a ellos*) je le leur ai dit; (*a usted(es)*) je vous l'ai dit; **se compró un sombrero** il s'est acheté un chapeau; **se rompió la pierna** il s'est cassé la jambe; **cortarse el pelo** se faire couper les cheveux
3 (*uso recíproco*) se; (: *Ustedes*) vous; **se miraron (el uno al otro)** ils se sont regardés (l'un l'autre); **cuando (ustedes) se co-**

nocieron quand vous vous êtes connus
4 (*en oraciones pasivas*): **se han vendido muchos libros** beaucoup de livres ont été vendus; **se compró hace 3 años** ça a été acheté il y a 3 ans
5 (*impersonal*): **se dice que ...** on dit que ...; **allí se come muy bien** on y mange très bien; **se habla inglés** on parle anglais; **se ruega no fumar** prière de ne pas fumer.

─────────────────────────────────

sé [se] *vb* V **saber; ser**.
sea *etc* ['sea] *vb* V **ser**.
SEAT ['seat] *sigla f = Sociedad Española de Automóviles de Turismo.*
sebo ['seβo] *nm* sébum *m.*
Sec. *abr* = **secretario**.
seca ['seka] *nf* sécheresse *f.*
secado [se'kaðo] *nm* séchage *m;* **~ a mano** brushing *m.*
secador [seka'ðor] *nm* (*tb:* **~ de pelo**) sèche-cheveux *m inv.*
secadora [seka'ðora] *nf* sèche-linge *m inv;* ► **secadora centrífuga** essoreuse *f.*
secam *sigla m* SECAM *m* (*= procédé séquentiel à mémoire*).
secano [se'kano] *nm* (*AGR: tb:* **tierra de ~**) terrain *m* non irrigué; **cultivo de ~** dry farming *m.*
secante [se'kante] *nm* (*tb:* **papel ~**) buvard *m.*
secar [se'kar] *vt* sécher; (*río, tierra, plantas*) assécher; **secarse** *vpr* sécher; (*persona*) se sécher; **~se las manos** se sécher les mains.
sección [sek'θjon] *nf* section *f;* ► **sección deportiva** (*en periódico*) pages *fpl* sportives.
seco, -a ['seko, a] *adj* sec(sèche); **habrá pan a secas** il n'y aura que du pain; **Juan, a secas** Juan tout court; **parar/frenar en ~** s'arrêter/freiner brusquement.
secreción [sekre'θjon] *nf* sécrétion *f.*
secretaría [sekreta'ria] *nf* secrétariat *m.*
secretariado [sekreta'rjaðo] *nm* secrétariat *m.*
secretario, -a [sekre'tarjo, a] *nm/f* secrétaire *m/f;* ► **secretario adjunto** (*COM*) secrétaire adjoint.
secreto, -a [se'kreto, a] *adj* secret(-ète) ♦ *nm* secret *m;* **en ~** en secret; ► **secreto profesional** secret professionnel.
secta ['sekta] *nf* secte *f.*
sectario, -a [sek'tarjo, a] *adj* sectaire.
sector [sek'tor] *nm* secteur *m;* ► **sector privado/público** secteur privé/public; ► **sector terciario** secteur tertiaire.
secuela [se'kwela] *nf* séquelle *f.*
secuencia [se'kwenθja] *nf* séquence *f.*
secuestrar [sekwes'trar] *vt* séquestrer;

(*avión*) détourner; (*publicación*) retirer de la circulation; (*bienes: JUR*) séquestrer, mettre sous séquestre.

secuestro [se'kwestro] *nm* (*de persona*) séquestration *f*; (*de avión*) détournement *m*.

secular [seku'lar] *adj* séculaire.

secundar [sekun'dar] *vt* seconder.

secundario, -a [sekun'darjo, a] *adj* secondaire; (*INFORM*) d'arrière-plan.

sed [seð] *nf* soif *f*; **tener** ~ avoir soif.

seda ['seða] *nf* soie *f*; **como una** ~ (*sin problema*) comme sur des roulettes; (*dócil*) doux(douce) comme un agneau.

sedal [se'ðal] *nm* ligne *f*.

sedante [se'ðante] *nm* sédatif *m*.

sede ['seðe] *nf* siège *m*; **Santa S~** Saint Siège.

sedentario, -a [seðen'tarjo, a] *adj* sédentaire.

SEDIC [se'ðik] *sigla f* = *Sociedad Española de Documentación e Información Científica*.

sedición [seði'θjon] *nf* sédition *f*.

sediento, -a [se'ðjento, a] *adj* assoiffé(e); ~ **de gloria/poder** assoiffé(e) de gloire/pouvoir.

sedimentar [seðimen'tar] *vt* faire se déposer; **sedimentarse** *vpr* se déposer.

sedimento [seði'mento] *nm* sédiment *m*.

sedoso, -a [se'ðoso, a] *adj* soyeux(-euse).

seducción [seðuk'θjon] *nf* séduction *f*.

seducir [seðu'θir] *vt* séduire.

seductor, a [seðuk'tor, a] *adj* séducteur(-trice); (*personalidad, idea*) séduisant(e) ♦ *nm/f* séducteur(-trice).

seduje *etc* [se'ðuxe], **seduzca** *etc* [se'ðuθka] *vb V* **seducir**.

sefardí [sefar'ði], **sefardita** [sefar'ðita] *adj, nm/f* séfarade *m/f*.

segador, a [seɣa'ðor, a] *nm/f* faucheur(-euse) ♦ *nf* (*TEC*) moissonneuse *f*.

segar [se'ɣar] *vt* (*mies*) moissonner; (*hierba*) faucher; (*vidas*) briser; (*esperanzas*) réduire à néant.

seglar [se'ɣlar] *adj* séculier(-ière).

segoviano, -a [seɣo'ßjano, a] *adj* de Ségovie ♦ *nm/f* natif(-ive) *o* habitant(e) de Ségovie.

segregación [seɣreɣa'θjon] *nf* ségrégation *f*; ► **segregación racial** ségrégation raciale.

segregar [seɣre'ɣar] *vt* ségréguer; (*líquido*) sécréter.

segregue *etc* [se'ɣreɣe] *vb V* **segregar**.

segué *etc* [se'ɣe], **seguemos** *etc* [se'ɣemos] *vb V* **segar**.

seguida [se'ɣiða] *nf*: **en** ~ tout de suite; **en** ~ **termino** j'ai presque fini.

seguidamente [se'ɣiðamente] *adv* (*sin parar*) à la suite; (*a continuación*) ensuite.

seguido, -a [se'ɣiðo, a] *adj* (*semana*) continu(e); (*línea*) droit(e) ♦ *adv* (*derecho*) tout droit; (*después*) à la suite; (*AM: a menudo*) souvent; **5 días** ~**s** 5 jours de suite.

seguimiento [seɣi'mjento] *nm* suivi *m*.

seguir [se'ɣir] *vt* suivre ♦ *vi* (*venir después*) suivre; (*continuar*) poursuivre; **seguirse** *vpr*: ~**se** (**de**) résulter (de); **sigo sin comprender** je ne comprends toujours pas; **sigue lloviendo** il continue de pleuvoir; **sigue** (*en carta*) T.S.V.P.; (*en libro, TV*) suite; ¡**siga!** (*AM*) allez-y!

según [se'ɣun] *prep* d'après ♦ *adv* (*tal como*) tel(le) que; (*depende de*) selon; (*a medida que*) à mesure que; ~ **parece** ... il semblerait que ...; ~ **esté el tiempo** selon le temps qu'il fera; ~ **me consta** autant que je sache; **está** ~ **lo dejaste** c'est resté tel que tu l'avais laissé.

segundo, -a [se'ɣundo, a] *adj* deuxième, second(e); (*en discurso*) deuxièmement ♦ *nm* seconde *f*; (*piso*) deuxième *m*, second *m* ♦ *nm/f* deuxième *m/f*, second(e); ~ (**de a bordo**) (*NÁUT*) second (à bord); **segunda (clase)** (*FERRO*) seconde (classe) *f*; **segunda (marcha)** (*AUTO*) seconde; **con segundas (intenciones)** avec une arrière-pensée; **de segunda mano** d'occasion.

seguramente [se'ɣuramente] *adv* sûrement; **¿lo va a comprar?** – ~ va-t-il l'acheter? – sûrement.

seguridad [seɣuri'ðað] *nf* sécurité *f*; (*certeza*) certitude *f*; (*confianza*) confiance *f*; **cerradura/cinturón de** ~ serrure *f*/ceinture *f* de sécurité; ► **seguridad ciudadana** sécurité en ville; ► **seguridad en sí mismo** confiance en soi; ► **seguridad social** sécurité sociale.

seguro, -a [se'ɣuro, a] *adj* sûr(e) ♦ *adv* sûr ♦ *nm* sécurité *f*; (*de cerradura*) gorge *f*; (*de arma*) cran *m* de sûreté; (*COM*) assurance *f*; (*CAM, MÉX*) épingle *f* à nourrice; ~ **de sí mismo** sûr(e) de soi; **lo más** ~ **es que** ... sans doute que ...; ► **seguro a todo riesgo/contra terceros** assurance tous risques/au tiers; ► **seguro contra accidentes/contra incendios** assurance contre les accidents/contre l'incendie; ► **Seguro de Enfermedad** assurance maladie; ► **seguro de vida** assurance-vie *f*; ► **seguro dotal con beneficios** assurance à capital différé avec bénéfice; ► **seguro marítimo** assurance maritime; ► **seguro mixto** assurance à capital différé; ► **seguro temporal** assurance à terme.

seis [seis] *adj inv, nm inv* six *m inv*; ~ **mil** six mille; **el** ~ **de abril** le six avril; **hoy es** ~ nous sommes le six aujourd'hui; **son las**

~ il est six heures; **tiene** ~ **años** il a six ans; **unos** ~ environ six.

seiscientos, -as [seis'θjentos, as] *adj* six cents; ~ **veinticinco** six cent vingt-cinq.

seísmo [se'ismo] *nm* séisme *m*.

SELA *sigla m* (= *Sistema Económico Latinoamericano*) SELA *m* (= *Système économique latino-américain*).

selección [selek'θjon] *nf* sélection *f*; ▶**selección nacional** (*DEPORTE*) équipe *f* nationale; ▶**selección natural** sélection naturelle.

seleccionador, a [selekθjona'ðor, a] *nm/f* (*DEPORTE*) sélectionneur(-euse).

seleccionar [selekθjo'nar] *vt* sélectionner.

selectividad [selektiβi'ðað] *nf* (*UNIV*) sélection *f*.

selecto, -a [se'lekto, a] *adj* sélect(e).

sellado, -a [se'ʎaðo, a] *adj* (*documento oficial*) scellé(e); (*pasaporte*) tamponné(e).

sellar [se'ʎar] *vt* sceller; (*pasaporte*) tamponner.

sello ['seʎo] *nm* (*de correos*) timbre *m*; (*para estampar*) tampon *m*; (*precinto*) sceau *m*; (*tb*: ~ **distintivo**) cachet *m*; ▶**sello de prima** (*COM*) timbre-prime *m*; ▶**sello discográfico** maison *f* de disques; ▶**sello fiscal** timbre fiscal.

selva ['selβa] *nf* (*bosque*) forêt *f*; (*jungla*) jungle *f*; **la S~ Negra** la Forêt Noire.

selvático, -a [sel'βatiko, a] *adj* forestier(-ière); (*vegetación*) sauvage.

S.Em. *abr* (= *Su Eminencia*) SE (= *Son Éminence*).

semáforo [se'maforo] *nm* (*AUTO*) feu *m* rouge o de circulation, (*FERRO*) sémaphore *m*.

semana [se'mana] *nf* semaine *f*; **entre** ~ dans la semaine; ▶**semana inglesa** semaine de 35 heures; ▶**semana laboral** semaine de travail; ▶**Semana Santa** semaine sainte.

semanal [sema'nal] *adj* hebdomadaire ♦ *nm* (*PRENSA*) hebdomadaire *m*.

semanario [sema'narjo] *nm* = **semanal**.

semántica [se'mantika] *nf* sémantique *f*.

semblante [sem'blante] *nm* (traits *mpl* du) visage *m*; (*fig*) allure *f*.

semblanza [sem'blanθa] *nf* essai *m* autobiographique.

sembrar [sem'brar] *vt* semer.

semejante [seme'xante] *adj, nm* semblable *m*; **son muy ~s** ils se ressemblent beaucoup; **nunca hizo cosa** ~ il n'a jamais fait semblable chose.

semejanza [seme'xanθa] *nf* ressemblance *f*; **a** ~ **de** pareil(le) à.

semejar [seme'xar] *vi* ressembler à; **semejarse** *vpr* se ressembler.

semen ['semen] *nm* sperme *m*, semence *f*.

semental [semen'tal] *nm* (*ZOOL*) géniteur *m*.

sementera [semen'tera] *nf* semailles *fpl*; (*tierra*) semis *msg*.

semestral [semes'tral] *adj* semestriel(le).

semestre [se'mestre] *nm* semestre *m*.

semi... [semi] *pref* semi... .

semicírculo [semi'θirkulo] *nm* demi-cercle *m*.

semiconductor [semikonduk'tor] *nm* semi-conducteur *m*.

semiconsciente [semikons'θjente] *adj* à demi conscient(e).

semidesnatado, -a [semiðesna'taðo, a] *adj* demi-écrémé(e).

semifinal [semifi'nal] *nf* demi-finale *f*.

semiinconsciente [semiinkons'θjente] *adj* à demi inconscient(e).

semilla [se'miʎa] *nf* graine *f*, semence *f*.

semillero [semi'ʎero] *nm* (*AGR*) semis *msg*; (*fig*) source *f*.

seminario [semi'narjo] *nm* (*REL*) séminaire *m*; (*ESCOL*) séance *f* de T.P.

semiseco, -a [semi'seko, a] *adj* demi-sec(sèche).

semita [se'mita] *adj* sémite ♦ *nm/f* Sémite *m*.

sémola ['semola] *nf* semoule *f*.

sempiterno, -a [sempi'terno, a] *adj* éternel(le).

Sena ['sena] *nm*: **el** ~ la Seine.

senado [se'naðo] *nm* sénat *m*.

senador, a [sena'ðor, a] *nm/f* sénateur(-trice).

sencillez [senθi'ʎeθ] *nf* simplicité *f*.

sencillo, -a [sen'θiʎo, a] *adj* simple ♦ *nm* (*AM*) chaudière *f*.

senda ['senda] *nf* sentier *m*.

senderismo [sende'rismo] *nm* randonnée *f*.

sendero [sen'dero] *nm* sentier *m*; ▶**Sendero Luminoso** (*PE*: *POL*) Sentier lumineux.

sendos, -as ['sendos, as] *adj pl*: **recibieron** ~ **golpes** ils ont tous deux reçu des coups.

senil [se'nil] *adj* sénile.

seno ['seno] *nm* sein *m*; (*MAT*) sinus *m*; ~ **materno** sein maternel.

sensación [sensa'θjon] *nf* sensation *f*; **causar** o **hacer** ~ faire sensation.

sensacional [sensaθjo'nal] *adj* sensationnel(le).

sensatez [sensa'teθ] *nf* bon sens *msg*.

sensato, -a [sen'sato, a] *adj* sensé(e).

sensibilidad [sensiβili'ðað] *nf* sensibilité *f*.

sensibilizar [sensiβili'θar] *vt* sensibiliser.

sensible [sen'sible] *adj* sensible.

sensiblero, -a [sensi'βlero, a] (*pey*) *adj* sentimental(e), qui tombe dans la sensiblerie.

sensitivo, -a [sensi'tiβo, a] *adj* sensible.
sensor [sen'sor] *nm* détecteur *m*; ~ **de fin de papel** fin *f* de papier.
sensorial [senso'rjal] *adj* sensoriel(le).
sensual [sen'swal] *adj* sensuel(le).
sentada [sen'taða] *nf* (*protesta*) sit-in *m*; **de una** ~ d'une traite.
sentado, -a [sen'taðo, a] *adj*: **estar** ~ être assis(e); **dar por** ~ considérer comme réglé(e); **dejar** ~ **que** ... établir que ... .
sentar [sen'tar] *vt* asseoir; (*noticia, hecho, palabras*) établir ♦ *vi* (*vestido, color*) aller; **sentarse** *vpr* s'asseoir; (*el tiempo*) se stabiliser; (*sedimentos*) se déposer; ~ **bien** (*ropa*) aller bien; (*comida*) faire du bien; (*vacaciones*) réussir; **me ha sentado mal** (*comida*) je ne l'ai pas digéré; (*comentario*) cela m'a blessé; **¡siéntese!** asseyez-vous!
sentencia [sen'tenθja] *nf* sentence *f*; (*IN-FORM*) instruction *f*; ▶ **sentencia de muerte** sentence de mort.
sentenciar [senten'θjar] *vt* (*JUR*) condamner.
sentido, -a [sen'tiðo, a] *adj* (*pérdida*) regretté(e); (*carácter*) sensible ♦ *nm* sens *msg*; **mi más** ~ **pésame** mes plus sincères condoléances; **en el buen** ~ **de la palabra** au sens propre du terme; **con** ~ **doble** à double sens; **sin** ~ qui ne veut rien dire; **tener** ~ avoir du sens; **¿qué** ~ **tiene que ...?** à quoi cela sert-il de ...?; ▶ **sentido común** bon sens; ▶ **sentido del humor** sens de l'humour; ▶ **sentido único** (*AUTO*) sens unique.
sentimental [sentimen'tal] *adj* sentimental(e); **vida** ~ vie *f* sentimentale.
sentimiento [senti'mjento] *nm* sentiment *m*.
sentir [sen'tir] *nm* opinion *f* ♦ *vt* sentir; (*lamentar*) regretter; (*esp AM*) entendre; (*música, arte*) avoir un don pour ♦ *vi* sentir; **sentirse** *vpr* se sentir; **lo siento (mucho)** je suis désolé(e); **siento molestarle** je suis désolé(e) de vous déranger; ~**se bien/mal** se sentir bien/mal; ~**se como en su casa** se sentir chez soi.
seña ['seɲa] *nf* signe *m*; (*MIL*) mot *m* de passe; ~**s** *nfpl* (*dirección*) adresse *f*; **(y) por más** ~**s** (et) en plus de cela; **dar** ~**s de** donner des signes de; ▶ **señas personales** (*descripción*) caractéristiques *fpl* physiques.
señal [se'ɲal] *nf* signal *m*; (*síntoma*) signe *m*; (*marca, INFORM*) marque *f*; (*COM*) arrhes *fpl*; **en** ~ **de** en signe de; **dar** ~**es de** donner des signes de; ▶ **señal de auxilio/de peligro** signal de détresse/d'alarme; ▶ **señal de llamada** sonnerie *f*; ▶ **señales de tráfico** panneaux *mpl* de

signalisation; ▶ **señal para marcar** tonalité *f*.
señalado, -a [seɲa'laðo, a] *adj* (*persona*) distingué(e); (*fecha*) important(e).
señalar [seɲa'lar] *vt* signaler; (*poner marcas*) marquer; (*con el dedo*) montrer du doigt; (*hora*) donner; (*fijar*) déterminer.
señalice *etc* [seɲa'liθe] *vb V* **señalizar**.
señalización [seɲaliθa'θjon] *nf* signalisation *f*.
señalizar [seɲali'θar] *vt* (*AUTO*) indiquer; (*FERRO*) signaliser.
señor, a [se'ɲor, a] *adj* (*fam*) classe ♦ *nm* monsieur *m*; (*hombre*) homme *m*; (*trato*) monsieur; **los** ~**es González** M. et Mme González; **S~ Don Jacinto Benavente** (*en sobre*) Monsieur Jacinto Benavente; **S~ Director ...** (*de periódico*) Monsieur le directeur ...; ~ **juez/Presidente** Monsieur le juge/le président; **Muy** ~ **mío** cher Monsieur; **Muy** ~**es nuestros** Messieurs; **Nuestro S~** (*REL*) Notre Seigneur.
señora [se'ɲora] *nf* madame *f*; (*dama*) dame *f*; (*mujer*) femme *f*; **¿está la ~?** madame est-elle chez elle?; **la** ~ **de Pérez** Madame Pérez; **Nuestra S~** (*REL*) Notre-Dame.
señoría [seɲo'ria] *nf*: **su S~** Votre Seigneurie *f*; (*para un juez*) Votre Honneur *m*; **sus S** ~**s** (*POL*) (mes) chers collègues.
señorío [seɲo'rio] *nm* seigneurie *f*.
señorita [seɲo'rita] *nf* (*tratamiento*) mademoiselle *f*; (*mujer joven*) demoiselle *f*, jeune fille *f*; (*maestra*) maîtresse *f*.
señorito [seɲo'rito] *nm* (*tratamiento*) jeune monsieur *m*; (*pey*) fils *msg* à papa.
señuelo [se'ɲwelo] *nm* leurre *m*.
sep. *abr* = **septiembre**.
sepa *etc* ['sepa] *vb V* **saber**.
separación [separa'θjon] *nf* séparation *f*; (*división*) partage *m*; (*distancia*) distance *f*; ▶ **separación de bienes** séparation des biens.
separado, -a [sepa'raðo, a] *adj* séparé(e); (*TEC*) détaché(e); **por** ~ séparément.
separador [separa'ðor] *nm* (*INFORM*) borne *f*.
separadora [separa'ðora] *nf* (*INFORM*): ~ **de hojas** séparateur *m*.
separar [sepa'rar] *vt* séparer; (*TEC: pieza*) détacher; (*persona: de un cargo*) relever; (*dividir*) diviser; **separarse** *vpr* se séparer; (*partes*) se détacher; ~ **de** (*persona: de un lugar*) s'éloigner de; (: *de asociación*) quitter.
separata [sepa'rata] *nf* (*PRENSA*) tiré *m* à part.
separatismo [separa'tismo] *nm* séparatisme *m*.
separo [se'paro] (*MÉX*) *nm* cellule *f*.

sepelio [se'peljo] *nm* enterrement *m*.
sepia ['sepja] *nf* (*CULIN*) seiche *f*; (*tb*: color
~) sépia *f*.
sept. *abr* = **septiembre**.
septentrional [septentrjo'nal] *adj* septen-
trionnal(e).
septiembre [sep'tjembre] *nm* septembre *m*;
V tb **julio**.
séptimo, -a ['septimo, a] *adj*, *nm/f* septième
m/f; *V tb* **sexto**.
septuagésimo, -a [septwa'xesimo, a] *adj*,
nm/f soixante-dizième *m/f*.
sepulcral [sepul'kral] *adi* funéraire; (*fig*)
sépulcral(e).
sepulcro [se'pulkro] *nm* sépulcre *m*.
sepultar [sepul'tar] *vt* inhumer; (*suj*: *aguas,
escombros*) ensevelir.
sepultura [sepul'tura] *nf* (*entierro*) inhumation *f*; (*tumba*) sépulture *f*; **dar** ~ **a** donner une sépulture à; **recibir** ~ recevoir
une sépulture.
sepulturero, -a [sepultu'rero, a] *nm/f* fossoyeur *m*.
seque *etc* ['seke] *vb V* **secar**.
sequedad [seke'ðað] *nf* sécheresse *f*.
sequía [se'kia] *nf* sécheresse *f*.
séquito ['sekito] *nm* (*de rey*) cour *f*; (*POL*)
partisans *mpl*.
SER *sigla f* (*RADIO*: = *Sociedad Española de
Radiodifusión*) sociéte privée de radiodiffusion.

================= *PALABRA CLAVE*

ser [ser] *vi* **1** (*descripción, identidad*) être;
es médico/muy alto il est docteur/très
grand; **soy Pepe** (*TELEC*) c'est Pepe (à
l'appareil)
2 (*suceder*): **¿qué ha sido eso?** qu'est-ce
que c'était?; **la fiesta es en casa** la fête a
lieu chez nous
3 (*ser + de*: *posesión*): **es de Joaquín**
c'est à Joaquín; (*origen*): **ella es de Cuzco**
elle est de Cuzco; (*sustancia*): **es de piedra** c'est en pierre; **¿qué va a ser de nosotros?** qu'allons nous devenir?; **es de
risa/pena** c'est ridicule/lamentable
4 (*horas, fechas, números*): **es la una** il est
une heure; **son las seis y media** il est six
heures et demi; **es el 1 de junio** c'est le
1er juin; **somos/son seis** nous sommes/ils
sont six; **2 y 2 son 4** 2 et 2 font 4
5 (*valer*): **¿cuánto es?** c'est combien?
6 (+ *para*): **es para pintar** c'est pour peindre; **no es para tanto** ce n'est pas si grave
7 (*en oraciones pasivas*): **ya ha sido descubierto** ça a déjà été découvert; **fue construido** ça a été construit
8 (*ser + de + vb*): **es de esperar que** ... il
faut s'attendre à ce que ...

9 (+ *que*): **es que no puedo** c'est que je
ne peux pas; **¿cómo es que no lo sabes?**
comment se fait-il que tu ne le saches
pas?
10 (*locuciones*: *con subjun*): **o sea** c'est-
à-dire; **sea él, sea su hermana** soit lui,
soit sa sœur; **tengo que irme, no sea que
mis hijos estén esperándome** il faut que
j'y aille, au cas où mes enfants m'atten-
draient
11 (*con infinitivo*): **a no ser** ... si ce n'est
...; **a no ser que salga mañana** à moins
qu'il ne sorte demain; **de no ser así** si ce
n'était pas le cas
12: **érase una vez** ... il était une fois ...
♦ *nm* (*ente*) être *m*; **ser humano/vivo** être
humain/vivant; **en lo más íntimo de su ser**
au plus profond de son être.

Serbia ['serβja] *nf* Serbie *f*.
serbio, -a ['serβjo, a] *adj* serbe ♦ *nm/f* Serbe *m/f*.
serenarse [sere'narse] *vpr* s'apaiser; (*tiempo*) se calmer.
serenidad [sereni'ðað] *nf* sérénité *f*.
sereno, -a [se'reno, a] *adj* serein(e); (*tiempo*) calme ♦ *nm* veilleur *m* de nuit.
serial [se'rjal] *nm* feuilleton *m*.
serie ['serje] *nf* série *f*; (*TV*: *por capítulos*)
feuilleton *m*; **fuera de** ~ (*COM*) hors série; (*fig*) hors norme; **fabricación en** ~ fabrication *f* en série; **interface/impresora
en** ~ (*INFORM*) interface *f*/imprimante *f*
série.
seriedad [serje'ðað] *nf* sérieux *msg*; (*de crisis*) gravité *f*.
serigrafía [seriɣra'fia] *nf* sérigraphie *f*.
serio, -a ['serjo, a] *adj* sérieux(-ieuse); **en**
~ sérieusement.
sermón [ser'mon] *nm* sermon *m*.
sermonear [sermone'ar] (*pey*) *vt* faire un
sermon à ♦ *vi* prêcher.
serpentear [serpente'ar] *vi* serpenter.
serpentina [serpen'tina] *nf* serpentin *m*.
serpiente [ser'pjente] *nf* serpent *m*; ▶ **serpiente de cascabel** serpent à sonnettes;
▶ **serpiente pitón** python *m*.
serranía [serra'nia] *nf* zone *f* montagneuse.
serrano, -a [se'rrano, a] *adj* monta-
gnard(e); (*jamón*) ≈ de Bayonne ♦ *nm/f*
montagnard(e).
serrar [se'rrar] *vt* scier.
serrín [se'rrin] *nm* sciure *f* (de bois).
serrucho [se'rrutʃo] *nm* scie *f* égoïne.
Servia ['serβja] *nf* Serbie *f*.
servicial [serβi'θjal] *adj* serviable.
servicio [ser'βiθjo] *nm* service *m*; ~**s** *nmpl*
(*wáter*) toilettes *fpl*; (*ECON*: *sector*) services *mpl*; **estar de** ~ être de service;
▶ **servicio a domicilio** service de livrai-

son à domicile; ▶ **servicio aduanero** _o_ **aduana** services de douane; ▶ **servicio incluido** service compris; ▶ **servicio militar** service militaire; ▶ **servicio público** (_COM_) service public; ▶ **servicio secreto** service secret.

servidor, a [serßi'ðor, a] _nm/f_ serviteur (servante); **su seguro** ~ votre très humble serviteur; **un** ~ à votre service.

servidumbre [serßi'ðumbre] _nf_ servitude _f_; (_criados_) domestiques _mpl_.

servil [ser'ßil] (_pey_) _adj_ servile.

servilleta [serßi'ʎeta] _nf_ serviette _f_.

servilletero [serßiʎe'tero] _nm_ rond _m_ de serviette.

servir [ser'ßir] _vt, vi_ servir; **servirse** _vpr_ se servir; ~ **(para)** servir (à); ¿**en qué puedo** ~**le?** en quoi puis-je vous être utile?; ~ **vino a algn** servir du vin à qn; ~ **de guía** servir de guide; **no sirve para nada** ça ne sert à rien; ~**se de algo** se servir de qch; **sírvase pasar** veuillez entrer.

sesenta [se'senta] _adj inv, nm inv_ soixante _m inv_; ~ **mil** soixante mille; **tiene** ~ **años** il a soixante ans; **unos** ~ environ soixante.

sesentón, -ona [sesen'ton, ona] _adj, nm/f_ sexagénaire _m/f_.

sesgado, -a [ses'ɣaðo, a] _adj_ (_COSTURA_) coupé(e) en biais.

sesgo ['sesɣo] _nm_ tournure _f_; **al** ~ (_COSTURA_) en biais.

sesión [se'sjon] _nf_ séance _f_; (_TEATRO_) représentation _f_; **abrir/levantar la** ~ ouvrir/lever la séance; ▶ **sesión de tarde/de noche** (_CINE_) ≈ séance de 14h/de 20h.

seso ['seso] _nm_ cerveau _m_; (_fig_) jugeote _f_; ~**s** _nmpl_ (_CULIN_) cervelle _f_; **devanarse los** ~**s** se creuser la cervelle.

sesudo, -a [se'suðo, a] _adj_ intelligent(e).

set [set] _nm_ (_TENIS_) set _m_.

set. _abr_ = **setiembre**.

seta ['seta] _nf_ champignon _m_; ▶ **seta venenosa** champignon vénéneux.

setecientos, -as [sete'θjentos, as] _adj_ sept cents; _V tb_ **seiscientos**.

setenta [se'tenta] _adj inv, nm inv_ soixante-dix _m inv_; _V tb_ **sesenta**.

setiembre [se'tjembre] _nm_ = **septiembre**.

seto ['seto] _nm_ haie _f_.

seudo... [seuðo] _pref_ pseudo... .

seudónimo [seu'ðonimo] _nm_ pseudonyme _m_.

Seúl [se'ul] _n_ Seoul.

s.e.u.o. _abr_ (= _salvo error u omisión_) SEO (= _sauf erreur ou omission_).

severidad [seßeri'ðað] _nf_ sévérité _f_.

severo, -a [se'ßero, a] _adj_ sévère.

Sevilla [se'ßiʎa] _n_ Séville.

sevillano, -a [seßi'ʎano, a] _adj_ sévillan(e) ♦ _nm/f_ Sévillan(e).

sexagenario, -a [seksaxe'narjo, a] _adj, nm/f_ sexagénaire _m/f_.

sexagésimo, -a [seksa'xesimo, a] _adj, nm/f_ soixantième _m/f_.

S.Exc. _abr_ (= _Su Excelencia_) SE (= _Son Excellence_).

sexenio [se'ksenjo] (_esp MÉX_) _nm_ (_POL_) mandat _m_ de 6 ans.

sexo ['sekso] _nm_ sexe _m_; **el** ~ **femenino/masculino** le sexe féminin/masculin.

sexto, -a ['seksto, a] _adj, nm/f_ sixième _m/f_; **Juan S**~ Jean Six; **un** ~ **de la población** un sixième de la population.

sexual [sek'swal] _adj_ sexuel(le); **vida** ~ **vie** _f_ sexuelle.

sexualidad [sekswali'ðað] _nf_ sexualité _f_.

s.f. _abr_ (= _sin fecha_) n.d. (= _non daté_).

s/f _abr_ (_COM_ = _su favor_) votre crédit.

sgte(s). _abr_ (= _siguiente(s)_) _V_ **siguiente**.

si [si] _conj_ si ♦ _nm_ (_MÚS_) si _m inv_; ~ ... **o** ~ ... si ... ou si ...; **me pregunto** ~ ... je me demande si ...; ~ **no** sinon; ¡~ **fuera verdad!** si seulement ça pouvait être vrai!; ¡(**pero**) ~ **no lo sabía!** (mais) je ne le savais même pas!; **por** ~ (**acaso**) au cas où; ¿**y** ~ **llueve?** et s'il pleut?

sí [si] _adv_ oui; (_tras frase negativa_) si; ¡¿~?! (_asombro_) ah bon?; "**nos vas a llevar al cine, ¿a que** ~?" "tu nous emmènes bien au ciné, hein?"; **él no quiere pero yo** ~ il ne veut pas mais moi oui; **ella** ~ **vendrá** elle, elle viendra; **claro que** ~ bien sûr que oui/si; **creo que** ~ je crois que oui/si; **porque** ~ (_porque lo digo yo_) parce que; ¡~ **que lo es!** bien sûr que si!; ¡**eso** ~ **que no!** alors là, non!; _nm_ (_consentimiento_) oui _m_ ♦ _pron_ (_uso impersonal_) soi; (_sg: m_) lui; (: _f_) elle; (: _de cosa_) lui(elle); (: _de usted, ustedes_) vous; (_pl_) eux; **por** ~ **solo/solos** à lui seul/eux seuls; **volver en** ~ revenir à soi; ~ **mismo/misma** lui-/elle-même; **se ríe de** ~ **misma** elle rit d'elle-même; **hablaban entre** ~ ils parlaient entre eux; **de por** ~ en soi-même _etc_.

siamés, -esa [sja'mes, esa] _adj, nm/f_ siamois(e).

sibarita [sißa'rita] _adj_ raffiné(e) ♦ _nm/f_ épicurien(ne).

sicario [si'karjo] _nm_ tueur _m_ à gages.

Sicilia [si'θilja] _nf_ Sicile _f_.

siciliano, -a [siθi'ljano, a] _adj_ sicilien(ne) ♦ _nm/f_ Sicilien(ne).

sico... ['siko] _pref_ = **psico...** .

SIDA, sida [si'ða] _sigla m_ (= _síndrome de inmuno-deficiencia adquirida_) SIDA _m_, sida _m_ (= _syndrome immunodéficitaire acquis_).

sida ['siða] _nm_ sida _m_.

siderurgia [siðe'rurxja] _nf_ sidérurgie _f_.

siderúrgico, -a [siðe'rurxico, a] *adj* sidérurgique.

sidra ['siðra] *nf* cidre *m*.

siega ['sjeɣa] *vb V* **segar** ♦ *nf* (*AGR*) moisson *f*.

siegue *etc* ['sjeɣe] *vb v* **segar**.

siembra ['sjembra] *vb V* **sembrar** ♦ *nf* (*AGR*) semence *f*.

siempre ['sjempre] *adv* toujours ♦ *conj*: ~ que ... (*cada vez que*) chaque fois que ...; (*a condición de que*) seulement si; **es lo de** ~ c'est tout le temps la même chose; **como** ~ comme toujours; **para** ~ pour toujours; ~ **me voy mañana** (*AM*) de toute façon, je pars demain.

sien [sjen] *nf* tempe *f*.

siento ['sjento] *vb v* **sentar; sentir**.

sierra ['sjerra] *vb V* **serrar** ♦ *nf* (*TEC*) scie *f*; (*GEO*) chaîne *f* de montagnes; **la** ~ (*zona*) la montagne; ▶ **Sierra Leona** Sierra *f* Leone.

siervo, -a ['sjerβo, a] *nm/f* serf(serve).

siesta ['sjesta] *nf* sieste *f*; **dormir la** *o* **echarse una** ~ faire une (petite) sieste.

siete ['sjete] *adj inv, nm inv* sept *m inv* ♦ *nm* (*en tela*) accroc *m* ♦ *excl* (*AM: fam*): ¡la gran ~! punaise!; **se armó un follón de la gran** ~ ça a fait un raffut de tous les diables; **hijo de la gran** ~ (*fam!*) fils *msg* de pute; *V tb* **seis**.

sífilis ['sifilis] *nf* syphilis *fsg*.

sifón [si'fon] *nm* siphon *m*; **whisky con** ~ whisky *m* soda.

siga *etc* ['siɣa] *vb V* **seguir**.

sigilo [si'xilo] *nm* silence *m*; (*secreto*) secret *m*.

sigla ['siɣla] *nf* sigle *m*.

siglo ['siɣlo] *nm* siècle *m*; **hace** ~**s que no la veo** ça fait un bail que je ne l'ai pas vue; ▶ **Siglo de las Luces** Siècle des lumières; ▶ **Siglo de Oro** Siècle d'or.

significación [siɣnifika'θjon] *nf* signification *f*.

significado [siɣnifi'kaðo] *nm* signification *f*.

significar [siɣnifi'kar] *vt* signifier.

significativo, -a [siɣnifika'tiβo, a] *adj* significatif(-ive).

signifique *etc* [siɣni'fike] *vb V* **significar**.

signo ['siɣno] *nm* signe *m*; ▶ **signo de admiración** point *m* d'exclamation; ▶ **signo de interrogación** point d'interrogation; ▶ **signo de más/de menos** signe plus/moins; ▶ **signos de puntuación** signes de ponctuation; ▶ **signo igual** signe égal.

siguiendo *etc* [si'xjendo] *vb V* **seguir**.

siguiente [si'xjente] *adj* suivant(e); ¡**el** ~! au suivant!

sílaba ['silaβa] *nf* syllabe *f*.

silbar [sil'βar] *vt, vi* siffler.

silbato [sil'βato] *nm* sifflet *m*.

silbido [sil'βiðo], **silbo** ['silβo] *nm* sifflement *m*; (*abucheo*) sifflet *m*.

silenciador [silenθja'ðor] *nm* silencieux *msg*.

silenciar [silen'θjar] *vt* (*AM: persona*) faire taire; (*ruidos, escándalo*) étouffer.

silencio [si'lenθjo] *nm* silence *m*; **en el más absoluto** ~ dans un silence absolu; **guardar** ~ garder le silence.

silencioso, -a [silen'θjoso, a] *adj* silencieux(-ieuse).

silicio [si'liθjo] *nm* silicium *m*

silla ['siʎa] *nf* chaise *f*; (*tb*: ~ **de montar**) selle *f*; ▶ **silla de ruedas** chaise roulante; ▶ **silla eléctrica** chaise électrique.

sillería [siʎe'ria] *nf* sièges *mpl*; (*REL*) stalles *fpl*.

sillín [si'ʎin] *nm* selle *f*.

sillón [si'ʎon] *nm* fauteuil *m*.

silueta [si'lweta] *nf* silhouette *f*.

silvestre [sil'βestre] *adj* (*BOT*) sauvage; (*fig*) rustique.

sima ['sima] *nf* abîme *m*.

simbolice *etc* [simbo'liθe] *vb V* **simbolizar**.

simbólico, -a [sim'boliko, a] *adj* symbolique.

simbolizar [simboli'θar] *vt* symboliser.

símbolo ['simbolo] *nm* symbole *m*; ~ **gráfico** (*INFORM*) symbole graphique.

simetría [sime'tria] *nf* symétrie *f*.

simétrico, -a [si'metriko, a] *adj* symétrique.

simiente [si'mjente] *nf* graine *f*.

similar [simi'lar] *adj* similaire.

similitud [simili'tuð] *nf* similitude *f*.

simio ['simjo] *nm* singe *m*.

simpatía [simpa'tia] *nf* sympathie *f*; **tener** ~ **a** avoir de la sympathie pour.

simpatice *etc* [simpa'tiθe] *vb V* **simpatizar**.

simpático, -a [sim'patiko, a] *adj* (*persona*) sympathique; (*animal*) gentil(le); **caer** ~ **a algn** être sympathique à qn.

simpatiquísimo, -a [simpati'kisimo, a] *adj superl de* **simpático**.

simpatizante [simpati'θante] *nm/f* sympathisant(e).

simpatizar [simpati'θar] *vi*: ~ **con** sympathiser avec.

simple ['simple] *adj* simple ♦ *nm/f* (*pey*) simplet(te).

simpleza [sim'pleθa] *nf* simplicité *f* d'esprit; (*tontería*) bêtise *f*.

simplicidad [simpliθi'ðað] *nf* simplicité *f*.

simplificar [simplifi'kar] *vt* simplifier.

simplifique *etc* [simpli'fike] *vb V* **simplificar**.

simplista [sim'plista] *adj* simpliste.

simplón, -ona [sim'plon, ona] *adj* simplet(te) ♦ *nm/f* nigaud(e).

simposio [sim'posjo] *nm* symposium *m*.
simulacro [simu'lakro] *nm* simulacre *m*.
simular [simu'lar] *vt* simuler.
simultanear [simultane'ar] *vt*: ~ **dos cosas** faire deux choses en même temps.
simultáneo, -a [simul'taneo, a] *adj* simultané(e).
sin [sin] *prep* sans ♦ *conj*: ~ **que** +*subjun* sans que +*subjun*; ~ **hogar** sans domicile; ~ **decir nada** sans rien dire; ~ **verlo yo** sans que je le voie; **platos** ~ **lavar** assiettes *fpl* pas lavées; **la ropa está** ~ **lavar** le linge n'est pas lavé; **quedarse** ~ **algo** ne plus avoir de qch; ~ **que lo sepa él** sans qu'il le sache; ~ **embargo** cependant; **no** ~ **antes** non sans.
sinagoga [sina'ɣoɣa] *nf* synagogue *f*.
Sinaí [sina'i] *nm*: **El** ~ le Sinaï; **el Monte** ~ le Mont Sinaï.
sinceridad [sinθeri'ðað] *nf* sincérité *f*.
sincero, -a [sin'θero, a] *adj* sincère.
síncope ['sinkope] *nm* syncope *f*.
sincronice *etc* [sinkro'niθe] *vb* V **sincronizar**.
sincronizar [sinkroni'θar] *vt* synchroniser.
sindical [sindi'kal] *adj* syndical(e); **central** ~ **centrale** *f* syndicale.
sindicalista [sindika'lista] *adj, nm/f* syndicaliste *m/f*.
sindicar [sindi'kar] *vt* syndiquer; **sindicarse** *vpr* se syndiquer.
sindicato [sindi'kato] *nm* syndicat *m*.
sindique *etc* [sin'dike] *vb* V **sindicar**.
síndrome ['sindrome] *nm* syndrome *m*; ▶ **síndrome de abstinencia** symptômes *mpl* de la privation.
sinfín [sin'fin] *nm*: **un** ~ **de** une infinité de.
sinfonía [sinfo'nia] *nf* symphonie *f*.
sinfónico, -a [sin'foniko] *adj* symphonique.
Singapur [singa'pur] *nm* Singapour *f*.
singular [singu'lar] *adj* singulier(-ière) ♦ *nm* (*LING*) singulier *m*; **en** ~ au singulier.
singularice *etc* [singula'riθe] *vb* V **singularizar**.
singularidad [singulari'ðað] *nf* singularité *f*.
singularizar [singulari'θar] *vt* singulariser; **singularizarse** *vpr* se singulariser.
siniestro, -a [si'njestro, a] *adj* sinistre; (*izquierdo*) gauche ♦ *nm* sinistre *m*; (*en carretera*) accident *m*.
sinnúmero [sin'numero] *nm* = **sinfín**.
sino ['sino] *nm* destin *m* ♦ *conj* sinon; **no son 8** ~ **9** il n'y en a pas 8 mais 9; **no sólo es lista** ~ **guapa** non seulement elle est intelligente mais en plus elle est belle.
sinónimo, -a [si'nonimo, a] *adj, nm* synonyme *m*.

sinopsis [si'nopsis] *nf* synopsis *m o f*.
sinrazón [sinra'θon] *nf* injustice *f*.
sinsabor [sinsa'ßor] *nm* désagrément *m*.
sintaxis [sin'taksis] *nf* syntaxe *f*.
síntesis ['sintesis] *nf inv* synthèse *f*.
sintetice *etc* [sinte'tiθe] *vb* V **sintetizar**.
sintético, -a [sin'tetiko, a] *adj* (*material*) synthétique; (*producto*) de synthèse.
sintetizador [sintetiθa'ðor] *nm* synthétiseur *m*.
sintetizar [sinteti'θar] *vt* synthétiser.
sintiendo *etc* [sin'tjendo] *vb* V **sentir**.
síntoma ['sintoma] *nm* symptôme *m*.
sintomático, -a [sinto'matiko, a] *adj* symptomatique.
sintonía [sinto'nia] *nf* (*RADIO*) réglage *m*; (*melodía*) indicatif *m* (musical); **estar en** ~ **con algn/algo** être sur la même longueur d'onde que qn/être au fait de qch.
sintonice *etc* [sinto'niθe] *vb* V **sintonizar**.
sintonizador [sintoniθa'ðor] *nm* (*RADIO*) tuner *m*, syntoniseur *m*.
sintonizar [sintoni'θar] *vt* (*RADIO*) régler ♦ *vi*: ~ **con** régler sur; (*fig*) coïncider avec.
sinuoso, -a [si'nwoso, a] *adj* sinueux(-euse).
sinvergüenza [simber'ɣwenθa] *adj, nm/f* canaille *f*; (*descarado*) effronté(e).
sionismo [sjo'nismo] *nm* sionisme *m*.
siqui... [siki] *pref* = **psiqui...** .
siquiera [si'kjera] *conj* même si ♦ *adv* au moins; **ni** ~ pas même; ~ **bebe algo** bois au moins qch.
sirena [si'rena] *nf* sirène *f*.
Siria ['sirja] *nf* Syrie *f*.
sirio, -a ['sirjo, a] *adj* syrien(ne) ♦ *nm/f* Syrien(ne).
sirviendo *etc* [sir'ßjendo] *vb* V **servir**.
sirviente, -a [sir'ßjente, a] *nm/f* domestique *m/f*.
sisa ['sisa] *nf* (*COSTURA*) emmanchure *f*; (*robo*) vol *m* à l'étalage.
sisal [si'sal] *nm* sisal *m*.
sisar [si'sar] *vt* voler.
sisear [sise'ar] *vi* dire "chut".
sísmico, -a ['sismiko, a] *adj* sismique.
sismógrafo [sis'moɣrafo] *nm* sismographe *m*.
sistema [sis'tema] *nm* système *m*; **el** ~ (*POL*) le système; **por** ~ systématiquement; ▶ **sistema binario** (*INFORM*) système binaire; ▶ **sistema de alerta inmediata** système d'alarme; ▶ **sistema de facturación** (*COM*) système de facturation; ▶ **sistema de fondo fijo** (*COM*) *système de gestion de la petite caisse par avance de fonds*; ▶ **sistema de lógica compartida** (*INFORM*) système de logique commune; ▶ **sistema educativo**

système éducatif; ► **sistema experto** (*INFORM*) système expert; ► **sistema impositivo** *o* **tributario** système d'imposition; ► **sistema métrico** système métrique; ► **sistema nervioso** système nerveux; ► **sistema operativo** (*INFORM*) système d'exploitation; ► **sistema solar** système solaire.

sistemático, -a [siste'matiko, a] *adj* systématique.

sitiar [si'tjar] *vt* assiéger.

sitio ['sitjo] *nm* endroit *m*, site *m*; (*espacio*) place *f*; (*MIL*) siège *m*; **en cualquier ~** n'importe où; **¿hay ~?** il y a de la place?; **hay ~ de sobra** il y a de la place en trop; **guardar el ~ a algn** garder la place à qn.

situ ['situ]: **in ~** *adv* in situ.

situación [sitwa'θjon] *nf* situation *f*.

situado, -a [si'twaðo, a] *adj* situé(e); **estar bien ~** (*económicamente*) avoir une bonne situation.

situar [si'twar] *vt* situer; (*socioeconómicamente*) placer; **situarse** *vpr* se situer; (*socioeconómicamente*) réussir (dans la vie).

siútico, -a ['sjutiko, a] (*CHI*: *fam*) *adj* snob.

S.L. *abr* (*COM* = *Sociedad Limitada*) SARL *f* (= *société à responsabilité limitée*).

slip [es'lip] (*pl* ~**s**) *nm* slip *m*.

slogan [es'loɣan] *nm* = **eslogan**.

slot [es'lot] (*pl* ~**s**) *nm*: ~ **de expansión** (*INFORM*) logement *m* d'extension.

S.M. (*ESP*) *abr* (= *Su Majestad*) SM (= *Sa Majesté*); (*REL* = *Sociedad Marianista*) SM (= *marianistes*).

SME *sigla m* (= *Sistema Monetario Europeo*) SME *m* (= *Système monétaire européen*).

smoking [(e)'smokin] (*pl* ~**s**) *nm* smoking *m*.

s/n *abr* = **sin número**.

snob [es'nob] *nm* = **esnob**.

SO *abr* (= *suroeste*) S.-O. (= *sud-ouest*).

so [so] *excl* (*a animal*) ho! ♦ *prep* sous; **¡~ burro!** espèce d'idiot!

s/o *abr* (= *su orden*) *votre ordre*.

sobaco [so'βako] *nm* aisselle *f*.

sobado, -a [so'βaðo, a] *adj* (*ropa*) élimé(e); (*libro*) vieux(vieille).

sobar [so'βar] *vt* tripoter.

soberanía [soβera'nia] *nf* souveraineté *f*.

soberano, -a [soβe'rano, a] *adj* souverain(e); (*paliza*) magistral(e) ♦ *nm/f* souverain(e); **los ~s** *nmpl* (*rey y reina*) le couple royal.

soberbia [so'βerβja] *nf* superbe *f*, orgueil *m*.

soberbio, -a [so'βerβjo, a] *adj* (*persona*) orgueilleux(-euse); (*palacio, ejemplar*) su-

sobornar [soβor'nar] *vt* acheter, soudoyer.

soborno [so'βorno] *nm* (*un soborno*) pot-de-vin *m*; (*el soborno*) corruption *f*.

sobra ['soβra] *nf* excès *msg*; ~**s** *nfpl* (*restos*) restes *mpl*; **de ~** en trop; **lo sé de ~** je ne le sais que trop bien; **tengo de ~** j'en ai plus qu'assez.

sobradamente [so'βraðamente] *adv* (*caber*) amplement; (*saber*) parfaitement bien.

sobrado, -a [so'βraðo, a] *adj* largement suffisant(e); **sobradas veces** à plusieurs reprises; **estar ~ de dinero/tiempo** disposer de beaucoup d'argent/de temps.

sobrante [so'βrante] *adj* restant(e) ♦ *nm* restant *m*.

sobrar [so'βrar] *vi* (*quedar*) rester; (*estar de más*: *persona*) être de trop; **sobra una silla** il y a une chaise en trop; **me sobran tres entradas** j'ai trois entrées en trop.

sobrasada [soβra'saða] *nf* sorte de chorizo.

sobre ['soβre] *prep* sur; (*por encima de*) au-dessus de; (*aproximadamente*) environ ♦ *nm* enveloppe *f*; ~ **todo** surtout; **3 ~ 100** 3 sur cent; **se lanzó ~ él** il s'est jeté sur lui.

sobreabundancia [soβreaβun'danθja] *nf* surabondance *f*.

sobrecama [soβre'kama] *nf* dessus *msg* de lit.

sobrecapitalice *etc* [soβrekapita'liθe] *vb* V **sobrecapitalizar**.

sobrecapitalizar [soβrekapitali'θar] *vi* surcapitaliser.

sobrecarga [soβre'karɣa] *nf* surcharge *f*; (*ELEC*) surtension *f*.

sobrecargar [soβrekar'ɣar] *vt* (*camión*) surcharger; (*COM*) surtaxer.

sobrecargue *etc* [soβre'karɣe] *vb* V **sobrecargar**.

sobrecoger [soβreko'xer] *vt* (*sobresaltar*) faire sursauter; (*asustar*) faire peur (à); **sobrecogerse** *vpr* sursauter; (*quedar impresionado*): ~**se (de)** être saisi(e) (par).

sobrecoja *etc* [soβre'koxa] *vb* V **sobrecoger**.

sobredosis [soβre'ðosis] *nf inv* overdose *f*.

sobreentender [soβreenten'der] *vt* sous-entendre; **sobreentenderse** *vpr*: **se sobreentiende (que)** il est sous-entendu (que).

sobreescribir [soβreeskri'βir] *vt* (*INFORM*) écraser.

sobreestimar [soβreesti'mar] *vt* = **sobrestimar**.

sobregiro [soβre'xiro] *nm* (*COM*) découvert *m*.

sobrehumano, -a [soβreu'mano, a] *adj* surhumain(e).

sobreimpresión [soβreimpre'sjon] *nf*

sobrellevar [soβreʎe'βar] *vt* supporter.
sobremanera [soβrema'nera] *adv* tout spécialement.
sobremesa [soβre'mesa] *nf*: **de** ~ (*ordenador*) de bureau; (*programación*) de l'après-midi; **en la** ~ après manger.
sobrenatural [soβrenatu'ral] *adj* surnaturel(le).
sobrenombre [soβre'nombre] *nm* surnom *m*.
sobrentender [soβrenten'der] *vt* = **sobreentender.**
sobrepasar [soβrepa'sar] *vt* dépasser.
sobrepondré *etc* [soβrepon'dre] *vb V* **sobreponer.**
sobreponer [soβrepo'ner] *vt* superposer; (*anteponer*) faire passer avant; **sobreponerse** *vpr*: ~**se a algo** surmonter qch.
sobreponga *etc* [soβre'ponga] *vb V* **sobreponer.**
sobreprima [soβre'prima] *nf* (*COM*) majoration *f*.
sobreproducción [soβreproðuk'θjon] *nf* surproduction *f*.
sobrepuesto *etc* [soβre'pwesto], **sobrepuse** *etc* [soβre'puse] *vb V* **sobreponer.**
sobresaldré *etc* [soβresal'dre], **sobresalga** *etc* [soβre'salγa] *vb V* **sobresalir.**
sobresaliente [soβresa'ljente] *adj* extraordinaire ♦ *nm* (*ESCOL*) ≈ mention *f* "très bien".
sobresalir [soβresa'lir] *vi* (*punta*) saillir; (*cabeza*) dépasser; (*fig*) se distinguer.
sobresaltar [soβresal'tar] *vt* faire sursauter; **sobresaltarse** *vpr* sursauter.
sobresalto [soβre'salto] *nm* sursaut *m*.
sobreseer [soβrese'er] *vt*: ~ **una causa** (*JUR*) classer une affaire.
sobrestadía [soβresta'ðia] *nf* (*COM*) surestarie *f*.
sobrestimar [soβresti'mar] *vt* surestimer.
sobretasa [soβre'tasa] *nf* (*COM*) surtaxe *f*.
sobretensión [soβreten'sjon] *nf* (*ELEC*) surtension *f*.
sobretiempo [soβre'tiempo] (*AM*) *nm* heures *fpl* supplémentaires.
sobretiro [soβre'tiro] (*MÉX*) *nm* (*ESCOL*) nota bene *m*.
sobretodo [soβre'toðo] *nm* pardessus *msg*.
sobrevendré *etc* [soβreβen'dre], **sobrevenga** *etc* [soβre'βenγa] *vb V* **sobrevenir.**
sobrevenir [soβreβe'nir] *vi* survenir.
sobreviene *etc* [soβre'βjene], **sobrevine** *etc* [soβre'βine] *vb V* **sobrevenir.**
sobreviviente [soβreβi'βjente] *adj, nm/f* survivant(e).
sobrevivir [soβreβi'βir] *vi* survivre; ~ **a algn** survivre à qn.
sobrevolar [soβreβo'lar] *vt* survoler.
sobrevuele *etc* [soβre'βwele] *vb V* **sobrevo-**

lar.
sobriedad [soβrje'ðað] *nf* sobriété *f*.
sobrino, -a [so'βrino, a] *nm/f* neveu(nièce).
sobrio, -a ['soβrjo, a] *adj* sobre.
socarrón, -ona [soka'rron, ona] *adj* narquois(e).
socavar [soka'βar] *vt* saper.
socavón [soka'βon] *nm* (*en calle*) trou *m*; (*excavado*: *en monte*) galerie *f*.
sociable [so'θjaβle] *adj* sociable.
social [so'θjal] *adj* social(e).
socialdemócrata [soθjalde'mokrata] *adj*, *nm/f* social-démocrate *m/f*.
socialice *etc* [soθja'liθe] *vb V* **socializar.**
socialista [soθja'lista] *adj, nm/f* socialiste *m/ f*.
socializar [soθjali'θar] *vt* (*ECON*) nationaliser.
sociedad [soθje'ðað] *nf* société *f*; **en** ~ en société; ► **sociedad anónima** société anonyme; ► **sociedad comanditaria** (*COM*) société en commandite; ► **sociedad conjunta** (*COM*) société en participation; ► **sociedad de cartera** société d'investissements; ► **sociedad de consumo** société de consommation; ► **sociedad inmobiliaria** société immobilière; ► **sociedad (de responsabilidad) limitada** (*COM*) société à responsabilité limitée.
socio, -a ['soθjo, a] *nm/f* membre *m*; (*COM*) associé(e); ► **socio activo** membre actif; ► **socio capitalista** *o* **comanditario** commanditaire *m*.
socioeconómico, -a [soθjoeko'nomiko, a] *adj* socioéconomique.
sociología [soθjolo'xia] *nf* sociologie *f*.
sociólogo, -a [so'θjoloγo, a] *nm/f* sociologue *m/f*.
socorrer [soko'rrer] *vt* secourir.
socorrido, -a [soko'rriðo, a] *adj* pratique.
socorrismo [soko'rrismo] *nf* secourisme *m*.
socorrista [soko'rrista] *nm/f* secouriste *m/f*.
socorro [so'korro] *nm* secours *msg*; (*MIL*) secours *mpl*; ¡~! au secours!; **puesto de** ~ poste *m* de secours.
soda ['soða] *nf* soda *m*.
sódico, -a ['soðiko, a] *adj* de soude.
soez [so'eθ] *adj* grossier(-ière).
sofá [so'fa] *nm* canapé *m*.
sofá-cama [so'fakama] *nm* canapé-lit *m*.
Sofía ['sofja] *n* Sofia.
sofisticación [sofistika'θjon] *nf* sophistication *f*.
sofisticado, -a [sofisti'kaðo, a] *adj* sophistiqué(e).
sofocante [sofo'kante] *adj* (*calor*) suffocant(e).
sofocar [sofo'kar] *vt* suffoquer, étouffer; (*incendio, rebelión*) étouffer; **sofocarse**

vpr étouffer; (*fig*) suffoquer.

sofoco [so'foko] *nm* suffocation *f*; (*vergüenza*) embarras *msg*; ~s (*MED*) bouffées *fpl* de chaleur.

sofocón [sofo'kon] *nm*: **llevarse** *o* **pasar un** ~ avoir un choc.

sofreír [sofre'ir] *vt* faire rissoler.

sofría *etc* [so'fria], **sofriendo** *etc* [so'frjendo] *vb* V **sofreír**.

sofrito [so'frito] *vb* V **sofreír** ♦ *nm* sorte de sauce tomate aux oignons.

software ['sofwer] *nm* (*INFORM*) logiciel *m*.

soga ['soɣa] *nf* cordage *m*.

sois [sois] *vb* V **ser**.

soja ['soxa] *nf* soja *m*.

sojuzgar [soxuθ'ɣar] *vt* soumettre, faire ployer.

sojuzgue *etc* [so'xuθɣe] *vb* V **sojuzgar**.

sol [sol] *nm* soleil *m*; (*moneda*, *MÚS*) sol *m* *inv*; **hace** ~ il fait soleil; **tomar el** ~ prendre le soleil; ► **sol naciente/poniente** soleil levant/couchant.

solace *etc* [so'laθe] *vb* V **solazarse**.

solamente ['solamente] *adv* seulement.

solapa [so'lapa] *nf* (*de chaqueta*) revers *msg*; (*de libro*) rabat *m*.

solapado, -a [sola'paðo, a] *adj* dissimulé(e).

solar [so'lar] *adj* solaire ♦ *nm* terrain *m* vague.

solaz [so'laθ] *nm* distraction *f*.

solazarse [sola'θarse] *vpr* se distraire.

soldada [sol'daða] *nf* solde *f*.

soldadera [solda'ðera] (*MÉX*) *nf* (*HIST*) vivandière *f*.

soldado [sol'daðo] *nm* soldat *m*; ► **soldado raso** simple soldat.

soldador, a [solda'ðor] *nm/f* soudeur(-euse) ♦ *nm* machine *f* à souder.

soldar [sol'dar] *vt* souder; **soldarse** *vt* (*huesos*) se souder.

soleado, -a [sole'aðo, a] *adj* ensoleillé(e).

soledad [sole'ðað] *nf* solitude *f*.

solemne [so'lemne] *adj* solennel(le); (*tontería*) magistral(e).

solemnidad [solemni'ðað] *nf* solennité *f*.

soler [so'ler] *vi*: ~ **hacer algo** avoir l'habitude de faire qch; **suele salir a las ocho** d'ordinaire, il sort à 8 heures; **solíamos ir todos los años** nous y allions tous les ans.

solera [so'lera] *nf* tradition *f*; **vino de** ~ grand cru *m*.

solfeo [sol'feo] *nm* (*MÚS*) solfège *m*.

solicitar [soliθi'tar] *vt* solliciter.

solícito, -a [so'liθito, a] *adj* plein(e) d'attentions.

solicitud [soliθi'tuð] *nf* sollicitation *f*.

solidaridad [soliðari'ðað] *nf* solidarité *f*; **por** ~ **con** par solidarité avec.

solidario, -a [soli'ðarjo, a] *adj* solidaire; **hacerse** ~ **de** être solidaire de.

solidarizarse [soliðari'θarse] *vpr*: ~ **con algn** se solidariser avec qn.

solidez [soli'ðeθ] *nf* solidité *f*.

sólido, -a ['soliðo, a] *adj* solide; (*color*) grand teint *inv* ♦ *nm* solide *m*.

soliloquio [soli'lokjo] *nm* soliloque *m*.

solista [so'lista] *nm/f* soliste *m/f*.

solitaria [soli'tarja] *nf* ver *m* solitaire; V *tb* **solitario**.

solitario, -a [soli'tarjo, a] *adj*, *nm/f* solitaire *m/f* ♦ *nm* (*NAIPES*) réussite *f*; **hacer algo en** ~ faire qch en solitaire.

soliviantar [solißjan'tar] *vt* soulever; (*exasperar*) exaspérer.

solloce *etc* [so'ʎoθe] *vb* V **sollozar**.

sollozar [soʎo'θar] *vi* sangloter.

sollozo [so'ʎoθo] *nm* sanglot *m*.

solo, -a ['solo, a] *adj* (*único*) seul(e) (et unique); (*sin compañía*) seul(e); (*café*) noir(e); (*whisky etc*) sec(sèche) ♦ *nm* (*MÚS*) solo *m*; **hay una sola dificultad** il y a une seule difficulté; **a solas** tout(e) seul(e); (*dos personas*) seul à seul.

sólo ['solo] *adv* seulement; **no** ~ ... **sino** non seulement ... mais encore; **tan** ~ simplement; ~ **que** ... seulement, ...; ~ **lo sabe él** il n'y a que lui qui le sache.

solomillo [solo'miʎo] *nm* aloyau *m*.

solsticio [sols'tiθjo] *nm* solstice *m*.

soltar [sol'tar] *vt* lâcher; (*preso*) relâcher; (*pelo*) détacher; (*nudo*) défaire; (*amarras*) larguer; (*estornudo, carcajada*) laisser échapper; (*taco*) lancer; (*bofetada*) donner; **soltarse** *vpr* se détacher; (*desprenderse*) se distinguer; (*adquirir destreza*) se débrouiller; (*relajarse*) se relâcher; **¡suéltame!** lâche-moi!

soltero, -a [sol'tero, a] *adj*, *nm/f* célibataire *m/f*.

solterón, -ona [solte'ron, ona] *nm/f* vieux garçon(vieille fille).

soltura [sol'tura] *nf* (*al hablar, escribir*) facilité *f*; (*agilidad*) adresse *f*.

soluble [so'lußle] *adj* soluble; ~ **en agua** soluble dans l'eau.

solución [solu'θjon] *nf* solution *f*; **sin** ~ **de continuidad** sans solution de continuité.

solucionar [soluθjo'nar] *vt* résoudre.

solvencia [sol'ßenθja] *nf* (*COM*) solvabilité *f*; (*profesional*) responsabilité *f*.

solventar [solßen'tar] *vt* (*deudas*) régler; (*conflicto*) résoudre.

solvente [sol'ßente] *adj* (*COM*) solvable; (*fuentes*) sûr(es); (*profesional*) responsable.

Somalia [so'malja] *nf* Somalie *f*.

sombra ['sombra] *nf* ombre *f*; ~s *nfpl* (*oscuridad*) ombre; **sin** ~ **de duda** sans l'om-

bre d'un doute; **tener buena/mala** ~
(*suerte*) avoir de la/pas de chance; (*carácter*) être agréable/désagréable;
▶ **sombras chinescas** ombres chinoises;
▶ **sombra de ojos** ombre à paupières.
sombrero [som'brero] *nm* chapeau *m*;
▶ **sombrero de copa** *o* **de pelo** (*AM*)
haut-de-forme *m*; ▶ **sombrero hongo**
chapeau melon.
sombrilla [som'briʎa] *nf* ombrelle *f*.
sombrío, -a [som'brio, a] *adj* sombre.
somero, -a [so'mero, a] *adj* sommaire.
someter [some'ter] *vt* soumettre; (*alumnos,
familia*) faire obéir; **someterse** *vpr* se
soumettre; ~ **algo/a algn a** soumettre
qch/qn à; ~**se a** (*mayoria, opinión*) se soumettre à; (*tratamiento*) subir.
sometimiento [someti'mjento] *nm* soumission *f*.
somier [so'mjer] (*pl* ~**s**) *nm* sommier *m*.
somnífero [som'nifero] *nm* somnifère *m*.
somnolencia [somno'lenθja] *nf* somnolence *f*.
somos ['somos] *vb V* ser.
son [son] *vb V* ser ♦ *nm* son *m*; **al** ~ **de** au
son de; **en** ~ **de paz** en signe de paix.
sonado, -a [so'naðo, a] *adj* (*comentado*) re-
battu(e).
sonajero [sona'xero] *nm* hochet *m*.
sonambulismo [sonambu'lismo] *nm* somnambulisme *m*.
sonámbulo, -a [so'nambulo, a] *nm/f* somnambule *m/f*.
sonar [so'nar] *vt* sonner ♦ *vi* sonner; (*música, voz*) retentir; (*LING*) être pronon-
cé(e); (*resultar conocido*) dire qch; (*máquina*) faire du bruit; **sonarse** *vpr*: ~**se
(la nariz)** renifler; **suena a hueco/falso** sonner creux/faux; **es un nombre que suena**
c'est un nom qui sonne bien; **me suena
ese nombre/esa cara** ce nom/ce visage
me dit qch.
sonda ['sonda] *nf* sonde *f*.
sondear [sonde'ar] *vt* sonder; (*MED*) examiner à la sonde.
sondeo [son'deo] *nm* sondage *m*; (*MED*)
examen *m* à la sonde; ~ **de la opinión pública** sondage de l'opinion publique.
sónico, -a ['soniko, a] *adj* (*velocidad, límite*)
sonique.
sonido [so'niðo] *nm* son *m*.
sonorizar [sonori'θar] *vt* sonoriser.
sonoro, -a [so'noro, a] *adj* sonore; **banda
sonora** bande *f* son.
sonreír [sonre'ir] *vi* sourire; **sonreírse** *vpr*
sourire; ~ **a algn** sourire à qn.
sonría *etc* [son'ria], **sonriendo** *etc*
[son'rjendo] *vb V* **sonreír**.
sonriente [son'rjente] *adj* souriant(e).
sonrisa [son'risa] *nf* sourire *m*.

sonrojar [sonro'xar] *vt*: ~ **a algn** faire rougir qn; **sonrojarse** *vpr* rougir.
sonrojo [son'roxo] *nm* honte *f*.
sonsacar [sonsa'kar] *vt* soutirer.
sonsaque *etc* [son'sake] *vb V* **sonsacar**.
sonso, -a ['sonso, a] *adj, nm/f* = **zonzo**.
sonsonete [sonso'nete] *nm* (*ruido*) bruit *m*
insistant; (*voz monótona*) ton *m* monotone; (*tono irónico*) ton narquois.
soñador, a [soɲa'ðor, a] *nm/f* rêveur
(-euse).
soñar [so'ɲar] *vt, vi* rêver; ~ **con algn/algo**
rêver de qn/qch; ~ **despierto** rêver tout
éveillé.
soñoliento, -a [soɲo'ljento, a] *adj* somno-
lent(e).
sopa ['sopa] *nf* soupe *f*; **hasta en la** ~ (*fam*)
partout.
sopera [so'pera] *nf* soupière *f*.
sopero, -a [so'pero, a] *adj* (*plato, cuchara*)
à soupe ♦ *nm* assiette *f* à soupe.
sopesar [sope'sar] *vt* peser.
sopetón [sope'ton] *nm*: **de** ~ tout à coup;
(*decir*) de but en blanc.
soplar [so'plar] *vt* souffler; (*fam: delatar*)
vendre ♦ *vi* souffler; (*fam: delatar*) moucharder; (: *beber*) descendre.
soplete [so'plete] *nm* (*TEC*) lampe *f* à souder; ▶ **soplete soldador** chalumeau *m*.
soplo ['soplo] *nm* souffle *m*; (*fam*) mouchardage *m*; **la semana pasó en un** ~ (*fam*)
la semaine a passé à toute vitesse.
soplón, -ona [so'plon, ona] (*fam*) *nm/f*
(*chismoso*) rapporteur(-euse); (*de policía*)
mouchard(e).
soponcio [so'ponθjo] (*fam*) *nm* évanouissement *m*.
sopor [so'por] *nm* somnolence *f*.
soporífero, -a [sopo'rifero, a] *adj* soporifique.
soportable [sopor'taßle] *adj* supportable.
soportal [sopor'tal] *nm* porche *m*; ~**es** *nmpl*
(*alrededor de plaza*) arcades *fpl*.
soportar [sopor'tar] *vt* supporter.
soporte [so'porte] *nm* support *m*; (*fig*) soutien *m*; ▶ **soporte de entrada/de salida**
support d'entrée/de sortie.
soprano [so'prano] *nm/f* soprano *m/f*.
soquetes [so'ketes] (*AM*) *nmpl* socquettes
fpl.
sor [sor] *nf*: **S**~ **María** Sœur *f* Marie.
sorber [sor'ßer] *vt* (*sopa*) avaler; (*refresco*)
siroter; (*absorber*) absorber.
sorbete [sor'ßete] *nm* sorbet *m*.
sorbo ['sorßo] *nm* gorgée *f*; **beber a** ~**s** boire à petites gorgées.
sordera [sor'ðera] *nf* surdité *f*.
sórdido, -a ['sorðiðo, a] *adj* sordide.
sordo, -a ['sorðo, a] *adj, nm/f* sourd(e); **quedarse** ~ devenir sourd(e).

sordomudo, -a [sorðo'muðo, a] *adj, nm/f* sourd-muet(sourde-muette).

soriano, -a [so'rjano, a] *adj* de Soria ♦ *nm/f* natif(-ive) *o* habitant(e) de Soria.

sorna ['sorna] *nf* ton *m* sarcastique.

soroche [so'rotʃe] (*AM*) *nm* mal *m* des montagnes.

sorprendente [sorpren'dente] *adj* surprenant(e).

sorprender [sorpren'der] *vt* surprendre; **sorprenderse** *vpr*: ~**se (de)** être surpris(e) (de); **le sorprendieron robando** ils l'ont surpris en train de voler.

sorpresa [sor'presa] *nf* surprise *f*; **por** ~ par surprise.

sorpresivo, -a [sorpre'sißo, a] (*AM*) *adj* surprenant(e).

sortear [sorte'ar] *vt* tirer (au sort); (*MIL*) affecter; (*dificultad*) déjouer.

sorteo [sor'teo] *nm* tirage *m* (au sort).

sortija [sor'tixa] *nf* bague *f*; (*rizo*) boucle *f*.

sortilegio [sorti'lexjo] *nm* (*hechicería*) sorcellerie *f*; (*hechizo*) sortilège *m*.

SOS *sigla m* SOS *m*.

sosa ['sosa] *nf* soude *f*.

sosegado, -a [sose'ɣaðo, a] *adj* paisible.

sosegar [sose'ɣar] *vt* apaiser; **sosegarse** *vpr* s'apaiser.

sosegué [sose'ɣe] *vb V* **sosegar**.

soseguemos [sose'ɣemos] *vb V* **sosegar**.

sosiego [so'sjeɣo] *vb V* **sosegar** ♦ *nm* calme *m*.

sosiegue *etc* [so'sjeɣe] *vb V* **sosegar**.

soslayar [sosla'jar] *vt* contourner.

soslayo [sos'lajo]: **de** ~ *adv* (*mirar*) de côté; (*pasar*) sans s'arrêter.

soso, -a ['soso, a] *adj* insipide.

sospecha [sos'petʃa] *nf* soupçon *m*.

sospechar [sospe'tʃar] *vt*: ~ **(que)** soupçonner (que) ♦ *vi*: ~ **de algn** soupçonner qn.

sospechoso, -a [sospe'tʃoso, a] *adj, nm/f* suspect(e).

sostén [sos'ten] *nm* soutien *m*; (*sujetador*) soutien-gorge *m*.

sostendré *etc* [sosten'dre] *vb V* **sostener**.

sostener [soste'ner] *vt* soutenir; (*alimentar*) faire vivre; **sostenerse** *vpr* (*en pie*) rester; (*económicamente*) survivre; (*seguir*) se maintenir.

sostenga *etc* [sos'tenga] *vb V* **sostener**.

sostenido, -a [soste'niðo, a] *adj* soutenu(e); (*MÚS*) dièse ♦ *nm* (*MÚS*) dièse *m*.

sostuve *etc* [sos'tuße] *vb V* **sostener**.

sota ['sota] *nf* (*NAIPES*) ≈ valet *m*.

sotana [so'tana] *nf* soutane *f*.

sótano ['sotano] *nm* sous-sol *m*.

sotavento [sota'ßento] *nm* (*NÁUT*) côté *m* sous le vent.

soterrado, -a [sote'rraðo, a] *adj* (*miedo, rencor*) sourd(e); (*influencia*) caché(e).

soviético, -a [so'ßjetiko, a] *adj* soviétique ♦ *nm/f* Soviétique *m/f*.

soy [soi] *vb V* **ser**.

soya ['soja] (*AM*) *nf* soja *m*.

spooling [es'pulin] *nm* (*INFORM*) traitement *m* différé en entrée/sortie.

sport [es'por(t)]: **de** ~ *adj* de sport.

spot [es'pot] (*pl* ~**s**) *nm* spot *m*.

squash [es'kwas] *nm* squash *m*.

Sr. *abr* (= *Señor*) M. (= *Monsieur*).

Sra. *abr* (= *Señora*) Mme (= *Madame*).

S.R.C. *abr* (= *se ruega contestación*) RSVP (= *répondez s'il vous plaît*)

Sres. *abr* (= *Señores*) MM (= *Messieurs*).

Sri Lanka [sri'lanka] *nm* Sri Lanka *m*.

Srta. *abr* (= *Señorita*) Mlle (= *Mademoiselle*).

ss. *abr* (= *siguientes*) *V* **siguiente**.

S.S. *abr* (*REL* = *Su Santidad*) SS (= *Sa Sainteté*); (= *Seguridad Social*) SS (= *sécurité sociale*).

SSE *abr* (= *sursudeste*) S.-S.-E. (= *sud-sud-est*).

SS.MM. *abr* (= *Sus Majestades*) LL.MM. (= *Leurs Majestés*).

SSO *abr* (= *sursudoeste*) S.-S.-O. (= *sud-sud-ouest*).

Sta. *abr* (= *Santa*) Ste (= *Sainte*).

stand [es'tan] *nm* (*COM*) stand *m*.

stárter [es'tarter] *nm* (*AUTO*) starter *m*.

status ['status, es'tatus] *nm inv* statut *m*.

Sto. *abr* (= *Santo*) St (= *Saint*).

stop [es'top] *nm* (*AUTO*) stop *m*.

su [su] *adj* (*de él, ella, una cosa*) son(sa); (*de ellos, ellas*) leur; (*de usted, ustedes*) votre; **sus** (*de él, ella, una cosa*) ses; (*de ellos, ellas*) leurs; (*de usted, ustedes*) vos.

suave ['swaße] *adj* doux(douce).

suavice *etc* [swa'ßiθe] *vb V* **suavizar**.

suavidad [swaßi'ðað] *nf* douceur *f*.

suavizante [swaßi'θante] *nm* (*de ropa*) adoucissant *m*; (*de pelo*) baume *m*.

suavizar [swaßi'θar] *vt* adoucir; (*pendiente*) rendre plus doux(douce); **suavizarse** *vpr* s'adoucir.

subalimentado, -a [sußalimen'taðo, a] *adj* sous-alimenté(e).

subalterno, -a [sußal'terno, a] *adj, nm/f* subalterne *m/f*.

subarrendar [sußarren'dar] *vt* sous-louer.

subarriendo [sußa'rrjendo] *nm* sous-location *f*.

subasta [su'ßasta] *nf* vente *f* aux enchères; (*de obras, servicios*) appel *m* d'offre; **poner en** *o* **sacar a pública** ~ mettre aux enchères; ▶ **subasta a la baja** enchères *fpl* au rabais.

subastador, a [sußasta'ðor, a] *nm/f* commissaire-priseur *m*.

subastar [sußas'tar] *vt* vendre aux en-

chères.
subcampeón, -ona [suβkampe'on, ona] *nm/f* second(e).
subconsciente [suβkons'θjente] *adj* subconscient(e) ♦ *nm* subconscient *m*.
subcontratar [suβkontra'tar] *vt* soustraiter.
subcontrato [suβkon'trato] *nm* soustraitance *f*.
subdesarrollado, -a [suβðesarro'ʎaðo, a] *adj* sous-développé(e).
subdesarrollo [suβðesa'rroʎo] *nm* sousdéveloppement *m*.
subdirector, a [suβðirek'tor, a] *nm/f* sousdirecteur(-trice).
subdirectorio [suβðirek'torjo] *nm* (*INFORM*) sous-répertoire *m*.
súbdito, -a ['suβðito, a] *nm/f* sujet *m*.
subdividir [suβðiβi'ðir] *vt* subdiviser.
subempleo [suβem'pleo] *nm* sous-emploi *m*.
subestimar [suβesti'mar] *vt* sous-estimer.
subexponer [suβekspo'ner] *vt* (*FOTO*) sous-exposer.
subida [su'βiða] *nf* montée *f*.
subido, -a [su'βiðo, a] *adj* (*color*) soutenu(e); (*precio*) élevé(e).
subíndice [su'βindiθe] *nm* (*INFORM, TIP*) indice *m*.
subir [su'βir] *vt* (*mueble, niño*) soulever; (*cabeza*) lever; (*volumen*) augmenter; (*calle*) remonter; (*montaña, escalera*) monter, gravir; (*precio*) augmenter; (*producto*) augmenter le prix de; (*empleado*) faire monter en grade ♦ *vi* monter; (*precio, temperatura, calidad*) augmenter; (*en el camino*) monter en grade; **subirse** *vpr*: ~**se a** monter dans; ~**se los pantalones/la falda** remonter son pantalon/sa jupe.
súbito, -a ['suβito, a] *adj* subit(e), soudain(e).
subjetivo, -a [suβxe'tiβo, a] *adj* subjectif(-ive).
subjuntivo [suβxun'tiβo] *nm* subjonctif *m*.
sublevación [suβleβa'θjon] *nf* soulèvement *m*.
sublevar [suβle'βar] *vt* soulever; (*indignar*) répugner à; **sublevarse** *vpr* se soulever.
sublimar [suβli'mar] *vt* encenser; (*deseos*) sublimer.
sublime [su'βlime] *adj* sublime.
subliminal [suβlimi'nal] *adj* subliminal.
submarinista [suβmari'nista] *nm/f* plongeur(-euse) sous-marin(e).
submarino, -a [suβma'rino, a] *adj* sousmarin(e) ♦ *nm* sous-marin *m*.
subnormal [suβnor'mal] *adj* anormal(e) ♦ *nm/f* handicapé(e) mental(e); (*fam: insulto*) débile *m/f* mental(e).
suboficial [suβofi'θjal] *nm* sous-officier *m*.

subordinado, -a [suβorði'naðo, a] *adj, nm/f* subordonné(e).
subordinar [suβorði'nar] *vt*: ~ **algo a algo** subordonner qch à qch; **subordinarse** *vpr*: ~**se a** être subordonné(e) à.
subproducto [suβpro'ðukto] *nm* sousproduit *m*.
subrayar [suβra'jar] *vt* souligner.
subrepticio, -a [suβrep'tiθjo, a] *adj* furtif(-ive).
subrutina [suβru'tina] *nf* (*INFORM*) sousprogramme *m*.
subsanar [suβsa'nar] *vt* pallier.
subscribir [suβskri'βir] *vt* = **suscribir**.
subscrito [suβs'krito] *pp de* **subscribir**.
subsecretario, -a [suβsekre'tarjo, a] *nm/f* sous-secrétaire *m/f*.
subsidiario, -a [suβsi'ðjarjo, a] *adj* subsidiaire.
subsidio [suβ'siðjo] *nm* (*de enfermedad, paro, etc*) allocation *f*.
subsistencia [suβsis'tenθja] *nf* subsistance *f*.
subsistir [suβsis'tir] *vi* subsister.
subst... [suβst] *pref* = **sust...** .
subsuelo [suβ'swelo] *nm* sous-sol *m*.
subte (*CSUR*) *nm abr* = **subterráneo**.
subterfugio [suβter'fuxjo] *nm* subterfuge *m*.
subterráneo, -a [suβte'rraneo, a] *adj* souterrain(e) ♦ *nm* souterrain *m*; (*CSUR: metro*) métro *m*.
subtítulo [suβ'titulo] *nm* sous-titre *m*.
suburbano, -a [suβur'βano, a] *adj* de banlieue ♦ *nm* train *m* de banlieue.
suburbio [su'βurβjo] *nm* banlieue *f*.
subvención [suββen'θjon] *nf* subvention *f*; ▶ **subvención estatal** subvention de l'Etat; ▶ **subvención para la inversión** prime *f* à l'investissement.
subvencionar [suββenθjo'nar] *vt* subventionner.
subversión [suββer'sjon] *nf* subversion *f*.
subversivo, -a [suββer'siβo, a] *adj* subversif(-ive).
subyacente [suβja'θente] *adj* sousjacent(e).
subyugar [suβju'ɣar] *vt* opprimer; (*fig*) subjuguer.
subyugue *etc* [sub'juɣe] *vb V* **subyugar**.
succión [suk'θjon] *nf* succion *f*.
succionar [sukθjo'nar] *vt* (*sorber*) sucer; (*TEC*) absorber.
sucedáneo [suθe'ðaneo, a] *nm* ersatz *m*.
suceder [suθe'ðer] *vi* se passer; ~ **a** succéder à; **lo que sucede es que** ... ce qui se passe, c'est que ...; ~ **al rey** succéder au roi.
sucesión [suθe'sjon] *nf* succession *f*.
sucesivamente [suθe'siβamente] *adv*: **y así**

~ et ainsi de suite.

sucesivo, -a [suθe'sißo, a] *adj* successif(-ive); **en lo** ~ à l'avenir.

suceso [su'θeso] *nm* événement *m*; **sección de** ~**s** (*PRENSA*) faits *mpl* divers.

sucesor, a [suθe'sor, a] *nm/f* successeur *m*.

suciedad [suθje'ðað] *nf* saleté *f*.

sucinto, -a [su'θinto, a] *adj* succinct(e).

sucio, -a ['suθjo, a] *adj* sale; (*estómago*) barbouillé(e); (*lengua*) blanc(blanche); (*negocio*) malhonnête; (*guerra*) déshonorant(e); **juego** ~ tricherie *f*; **en** ~ au brouillon.

sucre ['sukre] (*ECU*) *nm* unité monétaire de *l'Équateur*.

suculento, -a [suku'lento, a] *adj* succulent(e).

sucumbir [sukum'bir] *vi* succomber; ~ **a la tentación** succomber à la tentation.

sucursal [sukur'sal] *nf* succursale *f*.

Sudáfrica [su'ðafrika] *nf* Afrique *f* du Sud.

sudafricano, -a [suðafri'kano, a] *adj* sud-africain(e) ♦ *nm/f* Sud-Africain(e).

Sudamérica [suða'merika] *nf* Amérique *f* du Sud.

sudamericano, -a [suðameri'kano, a] *adj* sud-américain(e) ♦ *nm/f* Sud-Américain(e).

sudanés, -esa [suða'nes, esa] *adj* soudanais(e) ♦ *nm/f* Soudanais(e).

sudar [su'ðar] *vt* (*ropa*) tremper (de sueur); (*BOT*) exsuder ♦ *vi* suer.

sudeste [su'ðeste] *adj* sud-est *inv* ♦ *nm* Sud-Est *m*; (*viento*) vent *m* de sud-est.

sudoeste [suðo'este] *adj* sud-ouest *inv* ♦ *nm* Sud-Ouest *m*; (*viento*) vent *m* de sud-ouest.

sudor [su'ðor] *nm* sueur *f*.

sudoroso, -a [suðo'roso, a] *adj* en sueur.

Suecia ['sweθja] *nf* Suède *f*.

sueco, -a ['sweko, a] *adj* suédois(e) ♦ *nm/f* Suédois(e) ♦ *nm* (*LING*) suédois *msg*; **hacerse el** ~ faire la sourde oreille.

suegro, -a ['sweɣro, a] *nm/f* beaupère(belle-mère); **los** ~**s** les beaux-parents *mpl*.

suela ['swela] *nf* semelle *f*.

sueldo ['sweldo] *vb* V **soldar** ♦ *nm* salaire *m*.

suelo ['swelo] *vb* V **soler** ♦ *nm* sol *m*; **caerse al** ~ tomber par terre; **estar por los** ~**s** (*precios*) s'être effondré(e).

suelto, -a ['swelto, a] *vb* V **soltar** ♦ *adj* (*hojas*) volant(e); (*pelo, pieza*) détaché(e); (*preso*) libéré(e); (*por separado: ejemplar*) séparé(e); (*arroz*) qui ne colle pas; (*ropa*) ample; (*con diarrea*) qui a la colique ♦ *nm* monnaie *f*; **dinero** ~ (petite) monnaie; **está muy** ~ **en inglés** il parle anglais couramment.

suene *etc* ['swene] *vb* V **sonar**.

sueño ['sweɲo] *vb* V **soñar** ♦ *nm* sommeil *m*; (*lo soñado, fig*) rêve *m*; **descabezar** *o* **echarse un** ~ faire un somme; **tener** ~ avoir sommeil; ▶ **sueño pesado** sommeil lourd; ▶ **sueño profundo** profond sommeil.

suero ['swero] *nm* (*MED*) sérum *m*; (*de leche*) petit-lait *m*.

suerte ['swerte] *nf* (*fortuna*) chance *f*; (*azar*) hasard *m*; (*destino*) destin *m*; (*condición*) condition *f*; (*género*) sorte *f*; **lo echaron a** ~ ils ont tiré au sort; **tener** ~ avoir de la chance; **tener mala** ~ ne pas avoir de chance; **de** ~ **que** de sorte que; **por** ~ par chance.

suéter ['sweter] (*pl* ~**s**) *nm* pull *m*.

suficiencia [sufi'θjenθja] *nf* aptitude *f*; (*pey*) suffisance *f*.

suficiente [sufi'θjente] *adj* suffisant(e) ♦ *nm* (*ESCOL*) moyenne *f*.

suficientemente [sufi'θjentemente] *adv* suffisamment.

sufijo [su'fixo] *nm* suffixe *m*.

sufragar [sufra'ɣar] *vt* (*gastos*) supporter; (*proyecto*) financer.

sufragio [su'fraxjo] *nm* suffrage *m*.

sufrague *etc* [su'fraɣe] *vb* V **sufragar**.

sufrido, -a [su'friðo, a] *adj* (*persona*) résigné(e); (*tela, color*) peu salissant(e).

sufrimiento [sufri'mjento] *nm* souffrance *f*.

sufrir [su'frir] *vt* souffrir de; (*malos tratos, cambios*) subir; (*fam: soportar*) sentir ♦ *vi* souffrir; ~ **de corazón/estómago** souffrir du cœur/de l'estomac; **hacer** ~ **a algn** faire souffrir qn.

sugerencia [suxe'renθja] *nf* suggestion *f*.

sugerir [suxe'rir] *vt* suggérer.

sugestión [suxes'tjon] *nf* suggestion *f*.

sugestionar [suxestjo'nar] *vt* influencer; **sugestionarse** *vpr* se faire des idées.

sugestivo, -a [suxes'tißo, a] *adj* suggestif(-ive); (*idea*) séduisant(e).

sugiera *etc* [su'xjera], **sugiriendo** *etc* [suxi'rjendo] *vb* V **sugerir**.

suicida [sui'θiða] *adj* suicidaire ♦ *nm/f* (*que se mata*) suicidé(e); (*que arriesga su vida*) suicidaire *m/f*.

suicidarse [suiθi'ðarse] *vpr* se suicider.

suicidio [sui'θiðjo] *nm* suicide *m*.

Suiza ['swiθa] *nf* Suisse *f*.

suizo, -a ['swiθo, a] *adj* suisse ♦ *nm/f* Suisse *m/f* ♦ *nm* (*CULIN*) pain *m* au lait.

sujeción [suxe'θjon] *nf* assujettissement *m*.

sujetador [suxeta'ðor] *nm* soutien-gorge *m*.

sujetapapeles [suxetapa'peles] *nm inv* trombone *m*.

sujetar [suxe'tar] *vt* attacher; (*someter*) avoir de l'autorité sur; **sujetarse** *vpr* s'attacher; (*someterse*) se soumettre.

sujeto, -a [su'xeto, a] *adj* attaché(e) ♦ *nm* sujet *m*; ~ **a cambios** susceptible d'être modifié.

sulfato [sul'fato] *nm* sulfate *m*.

sulfurar [sulfu'rar] *vt* énerver; **sulfurarse** *vpr* s'énerver.

sulfuro [sul'furo] *nm* sulfure *m*.

suma ['suma] *nf* somme *f*; (*operación*) addition *f*; **en** ~ en somme.

sumador [suma'ðor] *nm* additionneur *m* (électronique).

sumamente ['sumamente] *adv*: ~ **agradecido/necesario** extrêmement reconnaissant/absolument nécessaire.

sumar [su'mar] *vt* additionner ♦ *vi* faire une addition; **sumarse** *vpr*: ~**se (a)** s'additionner (à); **suma y sigue** (*COM*) reporter.

sumario, -a [su'marjo, a] *adj* sommaire ♦ *nm* (*JUR*) mise *f* en accusation.

sumarísimo, -a [suma'risimo, a] *adj* (*juicio*) abrégé(e).

sumergible [sumer'xiβle] *adj* (*reloj*) étanche ♦ *nm* submersible *m*.

sumergido, -a [sumer'xiðo, a] *adj* (*economía*) souterrain(e).

sumergir [sumer'xir] *vt* submerger; **sumergirse** *vpr* plonger.

sumerja *etc* [su'merxa] *vb V* **sumergir**.

sumidero [sumi'ðero] *nm* égout *m*; (*TEC*) puisard *m*.

suministrador, a [suministra'ðor, a] *nm/f* fournisseur(-euse).

suministrar [suminis'trar] *vt* fournir.

suministro [sumi'nistro] *nm* approvisionnement *m*; ~**s** *nmpl* (*provisiones*) provisions *fpl*.

sumir [su'mir] *vt* submerger; (*fig*) plonger; **sumirse** *vpr*: ~**se en** se plonger dans.

sumisión [sumi'sjon] *nf* soumission *f*.

sumiso, -a [su'miso, a] *adj* soumis(e).

súmmum ['sumum] *nm inv* summum *m*.

sumo, -a ['sumo, a] *adj* (*cuidado*) extrême; (*grado*) supérieur(e); **a lo** ~ au maximum.

suntuoso, -a [sun'twoso, a] *adj* somptueux(-euse).

supe *etc* ['supe] *vb V* **saber**.

supeditar [supeði'tar] *vt*: ~ **algo a algo** faire passer qch avant qch; **supeditarse** *vpr*: ~**se a** se plier à.

super ['super] (*fam*) *adv* hyper ♦ *adj inv* super-; ~ **caro** hyper cher; ~ **oferta** offre *f* exceptionnelle.

super... [super] *pref* super...; (*fam*: +*adjetivo*) hyper; (: +*adverbio*) super-.

súper ['super] *nf* (*tb*: **gasolina** ~) super *m* ♦ *nm* (*fam*) supermarché *m*.

superable [supe'raβle] *adj* surmontable; (*récord*) qui peut être battu(e).

superación [supera'θjon] *nf* surpassement *m*.

superar [supe'rar] *vt* surpasser; (*crisis, prueba*) surmonter; (*récord*) battre; **superarse** *vpr* se surpasser.

superávit [supe'raβit] (*pl* ~**s**) *nm* (*ECON*) excédent *m*.

superchería [supert∫e'ria] *nf* (*falsa creencia*) mensonge *m*; (*engaño*) supercherie *f*.

superdotado, -a [superðo'taðo, a] *adj* surdoué(e).

superficial [superfi'θjal] *adj* superficiel(le).

superficie [super'fiθje] *nf* surface *f*; (*área*) superficie *f*.

superfluo, -a [su'perflwo, a] *adj* superflu(e).

superíndice [supe'rindiθe] *nm* (*INFORM, TIP*) exposant *m*.

superintendente [superinten'dente] *nm/f* directeur(-trice).

superior [supe'rjor] *adj*, *nm/f* supérieur(e).

superioridad [superjori'ðað] *nf* supériorité *f*.

superlativo, -a [superla'tiβo, a] *adj* (*LING*) superlatif(-ive) ♦ *nm* superlatif *m*.

supermercado [supermer'kaðo] *nm* supermarché *m*.

superpoblación [superpoβla'θjon] *nf* surpopulation *f*.

superponer [superpo'ner] *vt* superposer; (*anteponer*) faire passer avant.

superposición [superposi'θjon] *nf* superposition *f*.

superpotencia [superpo'tenθja] *nf* superpuissance *f*.

superproducción [superproðuk'θjon] *nf* surproduction *f*.

supersónico, -a [super'soniko, a] *adj* supersonique.

superstición [supersti'θjon] *nf* superstition *f*.

supersticioso, -a [supersti'θjoso, a] *adj* superstitieux(-ieuse).

superventas [super'βentas] *nmpl* grosses ventes *fpl*.

supervisar [superβi'sar] *vt* superviser.

supervisor, a [superβi'sor, a] *nm/f* surveillant(e).

supervivencia [superβi'βenθja] *nf* survie *f*.

superviviente [superβi'βjente] *adj*, *nm/f* survivant(e).

suplantar [suplan'tar] *vt* supplanter.

suplementario, -a [suplemen'tarjo, a] *adj* supplémentaire.

suplemento [suple'mento] *nm* supplément *m*.

suplencia [su'plenθja] *nf* remplacement *m*; (*actor*) doublage *m*.

suplente [su'plente] *adj* remplaçant(e) ♦ *nm/f* remplaçant(e); (*actor*) doublure *f*.

supletorio, -a [suple'torjo, a] *adj* supplémentaire ♦ *nm* (*tb*: **teléfono** ~) second poste *m*.

súplica ['suplika] *nf* supplication *f*; (*REL*) supplique *f*; (*JUR*) placet *m*.

suplicar [supli'kar] *vt* supplier; (*JUR*) faire appel (à).

suplicio [su'pliθjo] *nm* supplice *m*.

suplique *etc* [su'plike] *vb V* **suplicar**.

suplir [su'plir] *vt* suppléer; (*objeto*) remplacer.

supo *etc* ['supo] *vb V* **saber**.

supondré *etc* [supon'dre] *vb V* **suponer**.

suponer [supo'ner] *vt* supposer; **era de ~ que ...** il fallait s'attendre à ce que ...; **supone mucho para mí** cela représente beaucoup pour moi.

suponga *etc* [su'ponga] *vb V* **suponer**.

suposición [suposi'θjon] *nf* supposition *f*.

supositorio [suposi'torjo] *nm* suppositoire *m*.

supremacía [suprema'θia] *nf* suprématie *f*.

supremo, -a [su'premo, a] *adj* suprême.

supresión [supre'sjon] *nf* suppression *f*.

suprimir [supri'mir] *vt* supprimer.

supuestamente [su'pwestamente] *adv* à ce qu'on suppose.

supuesto, -a [su'pwesto, a] *pp de* **suponer** ♦ *adj* supposé(e) ♦ *nm* supposition *f*; **dar por ~ algo** penser que qch est évident; **¡por ~!** évidemment!

supurar [supu'rar] *vi* suppurer.

supuse *etc* [su'puse] *vb V* **suponer**.

sur [sur] *adj* sud ♦ *nm* Sud *m*; (*viento*) vent *m* du Sud.

Suráfrica *etc* [su'rafrika] *nf* = **Sudáfrica** *etc*.

Suramérica *etc* [sura'merika] *nf* = **Sudamérica** *etc*.

surcar [sur'kar] *vt* sillonner.

surco ['surko] *nm* sillon *m*; (*en agua, piel*) ride *f*.

surcoreano, -a [surkore'ano, a] *adj* sudcoréen(ne) ♦ *nm/f* Sud-Coréen(ne).

sureño, -a [su'reno, a] *adj* du Sud ♦ *nm/f* natif(-ive) *o* habitant(e) du Sud.

sureste [su'reste] = **sudeste**.

surf [surf] *nm* surf *m*.

surgir [sur'xir] *vi* surgir.

surja *etc* ['surxa] *vb V* **surgir**.

suroeste [suro'este] = **sudoeste**.

surque *etc* ['surke] *vb V* **surcar**.

surrealismo [surrea'lismo] *nm* surréalisme *m*.

surrealista [surrea'lista] *adj, nm/f* surréaliste *m/f*.

surtido, -a [sur'tiðo, a] *adj* (*galletas*) assorti(e); (*persona, tienda*) fourni(e) ♦ *nm* assortiment *m*.

surtidor [surti'ðor] *nm* jet *m* d'eau; ► **surtidor de gasolina** pompe *f* à essence.

surtir [sur'tir] *vt* fournir; (*efecto*) produire; **surtirse** *vpr*: ~**se de** se fournir en.

susceptible [susθep'tiβle] *adj* susceptible; ~ **a** sujet(te) à; ~ **de** susceptible de.

suscitar [susθi'tar] *vt* susciter.

suscribir [suskri'βir] *vt* (*firmar*) souscrire; (*respaldar*) approuver; (*COM*: *acciones*) souscrire (à); **suscribirse** *vpr*: ~**se (a)** souscrire (à); (*a periódico etc*) s'abonner (à); ~ **a algn a una revista** abonner qn à une revue.

suscripción [suskrip'θjon] *nf* souscription *f*; (*a periódico etc*) abonnement *m*.

suscrito, -a [sus'krito, a] *pp de* **suscribir** ♦ *adj*: **estar ~ a** être abonné(e) à.

susodicho, -a [suso'ditʃo, a] *adj* susdit(e), susmentionné(e).

suspender [suspen'der] *vt* suspendre; (*ESCOL*) recaler ♦ *vi* (*ESCOL*) échouer, être recalé(e); ~ **a algn de empleo y sueldo** relever qn de ses fonctions.

suspense [sus'pense] *nm* suspense *m*; **novela/película de** ~ thriller *m*.

suspensión [suspen'sjon] *nf* suspension *f*; (*de empleo, garantías*) suppression *f*; ► **suspensión de pagos** suspension de paiements.

suspensivo, -a [suspen'siβo, a] *adj*: **puntos** ~**s** points *mpl* de suspension.

suspenso, -a [sus'penso, a] *adj* (*en el aire*) suspendu(e); (*desconcertado*) interloqué(e); (*ESCOL*: *asignatura*) pas passé(e); (: *alumno*) recalé(e) ♦ *nm* (*ESCOL*) échec *m*; **quedar** *o* **estar en** ~ rester en suspens.

suspensores [suspen'sores] (*AND, CSUR*) *nmpl* bretelles *fpl*.

suspicacia [suspi'kaθja] *nf* suspicion *f*.

suspicaz [suspi'kaθ] *adj* suspicieux(-ieuse).

suspirar [suspi'rar] *vi* soupirer; ~ **por algo/algn** avoir très envie de qch/se languir de qn.

suspiro [sus'piro] *nm* soupir *m*.

sustancia [sus'tanθja] *nf* substance *f*; **sin** ~ sans substance; ► **sustancia gris** matière *f* grise.

sustancial [sustan'θjal] *adj* important(e).

sustancioso, -a [sustan'θjoso, a] *adj* substantiel(le).

sustantivo, -a [sustan'tiβo, a] *adj* (*LING*) substantif(-ive) ♦ *nm* substantif *m*.

sustentar [susten'tar] *vt* (*familia*) faire vivre; (*bóveda*) soutenir; (*idea, moral*) soutenir; (*esperanzas*) nourrir; **sustentarse** *vpr* vivre.

sustento [sus'tento] *nm* (*alimento*) aliment *m*; (*apoya moral*) soutien *m*.

sustitución [sustitu'θjon] *nf* substitution *f*; (*ESCOL*) remplacement *m*.

sustituir [sustitu'ir] *vt* substituer; (*temporalmente*) remplacer; ~ **A por B** substituer B à A, remplacer A par B.

sustituto, -a [susti'tuto, a] *nm/f* remplaçant(e).

sustituyendo *etc* [sustitu'jendo] *vb* V **sustituir.**

susto ['susto] *nm* peur *f*; **dar un ~ a algn** faire peur à qn; **darse** o **pegarse un ~** avoir peur.

sustraer [sustra'er] *vt* subtiliser; (*MAT*) soustraire; **sustraerse** *vpr*: **~se a** se sustraire à.

sustraiga *etc* [sus'traiɣa], **sustraje** *etc* [sus'traxe], **sustrajera** *etc* [sustra'xera] *vb* V **sustraer.**

sustrato [sus'trato] *nm* substrat *m*.

sustrayendo *etc* [sustra'jendo] *vb* V **sustraer.**

susurrar [susu'rrar] *vi* susurrer.

susurro [su'surro] *nm* susurrement *m*.

sutil [su'til] *adj* subtil(e); (*gasa, hilo*) fin(e); (*brisa*) léger(-ère).

sutileza [suti'leθa] *nf* subtilité *f*; **~s** *nfpl* (*pey*) manigances *fpl*.

sutura [su'tura] *nf* suture *f*.

suturar [sutu'rar] *vt* suturer.

suyo, -a ['sujo, a] *adj* (*después del verbo ser: de él, ella*) le sien(la sienne), à lui(à elle); (: *de ellos, ellas*) le(la) leur, à eux(à elles); (: *de usted, ustedes*) le(-la) vôtre, à vous; (*después de un nombre: de él, ella*) à lui(à elle); (: *de ellos, ellas*) à eux(à elles); (: *de usted, ustedes*) à vous ♦ *pron*: **el ~/la suya** (*de él, ella*) le sien(la sienne); (*de ellos, ellas*) le(la) leur; (*de usted, ustedes*) le(la) vôtre; **los ~s** les siens; **~ afectísimo** (*en carta*) bien affectueusement; **de ~** en soi; **eso es muy ~** c'est bien de lui; **hacer de las suyas** faire des siennes; **lo ~ sería de ...** le mieux serait de ...; **cada uno va a lo ~** chacun s'occupe de ses affaires; **salirse con la suya** avoir ce qu'on veut.

T, t

T, t [te] *nf* (*letra*) T, t *m inv*; **~ de Tarragona** ≈ T comme Thérèse.

T. *abr* (*COM*) = **tarifa**; **tasa.**

t. *abr* (= *tomo(s)*) t (= *tome(s)*).

TA *abr* = *traducción automática*.

Tabacalera [taβaka'lera] *nf* ≈ SEITA *f*.

tabaco [ta'βako] *nm* tabac *m*; ► **tabaco de pipa** tabac pour la pipe; ► **tabaco negro/rubio** tabac brun/blond.

tábano ['taβano] *nm* taon *m*.

tabarra [ta'βarra] (*fam*) *nf* casse-pieds *m inv*; (*trabajo*) plaie *f*; **dar la ~** enquiquiner.

taberna [ta'βerna] *nf* taverne *f*.

tabernero, -a [taβer'nero, a] *nm/f* tavernier(-ère).

tabique [ta'βike] *nm* cloison *f*; ► **tabique nasal** (*MED*) cloison nasale.

tabla ['taβla] *nf* (*de madera*) planche *f*; (*lista, catálogo*) table *f*, tableau *m*; (*MAT*) table; (*de falda*) pli *m*; (*ARTE*) panneau *m*; **~s** *nfpl* (*TEATRO*) planches *fpl*; **tener ~s** (*actor*) être un(une) comédien(ne) accompli(e); **quedar en/hacer ~s** faire match nul; ► **tabla de planchar** planche à repasser.

tablado [ta'βlaðo] *nm* plancher *m*, estrade *f*; (*TEATRO*) scène *f*.

tablao [ta'βlao] *nm* (*tb: ~ flamenco*) *bar où l'on donne des représentations de flamenco.*

tablero [ta'βlero] *nm* planche *f*; (*pizarra*) bleau *m*; (*de ajedrez, damas*) damier *m*; ► **tablero de anuncios** panneau *m* d'affichage; ► **tablero de mandos** (*AUTO, AVIAT*) tableau de bord.

tableta [ta'βleta] *nf* (*MED*) comprimé *m*; (*de chocolate*) tablette *f*.

tablilla [ta'βliʎa] *nf* planchette *f*; (*MED*) éclisse *f*.

tablón [ta'βlon] *nm* (*de suelo*) planche *f*; (*de techo*) poutre *f*; ► **tablón de anuncios** panneau *m* d'affichage.

tabú [ta'βu] *nm* tabou *m*.

tabulación [taβula'θjon] *nf* (*INFORM*) tabulation *f*.

tabulador [taβula'ðor] *nm* (*INFORM, TIP*) tabulateur *m*.

tabuladora [taβula'ðora] *nf*: **~ eléctrica** machine *f* comptable.

tabular [taβu'lar] *vt* (*TIP*) mettre en colonnes; (*INFORM*) disposer en tableau.

taburete [taβu'rete] *nm* tabouret *m*.

tacaño, -a [ta'kaɲo, a] *adj* radin(e).

tacataca [taka'taka] *nm* trotteur *m*.

tacha ['tatʃa] *nf* défaut *m*; (*TEC*) clou *m* (à grosse tête), broquette *f*; **poner ~ a** trouver à redire à; **sin ~** sans défaut.

tachar [ta'tʃar] *vt* rayer; (*corregir*) raturer; **le tachan de irresponsable** ils l'accusent d'être irresponsable.

tacho ['tatʃo] (*AM*) *nm* seau *m*.

tachón [ta'tʃon] *nm* rature *f*; (*TEC*) clou *m* de tapissier.

tachuela [ta'tʃwela] *nf* punaise *f*.

tácitamente ['taθitamente] *adv* tacitement.

tácito, -a ['taθito, a] *adj* tacite; (*LING*) implicite.

taciturno, -a [taθi'turno, a] *adj* taciturne, morose.

taco ['tako] *nm* (*tarugo*) cheville *f*, taquet *m*; (*libro de entradas*) carnet *m*; (*manojo de billetes*) liasse *f*; (*de bota de fútbol*) crampon *m*; (*AM*: *tacón*) talon *m*; (*tb*: ~ **de billar**) queue *f*; (*de jamón, queso*) cube *m*; (*fam*: *lío*) pagaille *f*; (: *palabrota*) grossièreté *f*, gros mot *m*; (*CAM*, *MÉX*) crêpe *de maïs fourrée*; (*CHI*: *fam*) bouchon *m*; **armarse** o **hacerse un** ~ s'embrouiller.

tacógrafo [ta'koɣrafo] *nm* tachygraphe *m*.

tacón [ta'kon] *nm* talon *m*; **de** ~ **alto** à talons hauts.

taconear [takone'ar] *vi*: **se la oía** ~ on entendait le martellement de ses talons.

taconeo [tako'neo] *nm* bruit *m* des talons sur le sol.

táctica ['taktika] *nf* tactique *f*.

táctico, -a ['taktiko, a] *adj* tactique.

tacto ['takto] *nm* toucher *m*; (*fig*) tact *m*.

tafetán [tafe'tan] *nm* taffetas *msg*.

tafilete [tafi'lete] *nm* maroquin *m*.

tahona [ta'ona] *nf* (*panadería*) boulangerie *f*; (*molino*) moulin *m*.

tahur [ta'ur] *nm* (*jugador*) joueur *m*; (*pey*) tricheur *m*.

tailandés, -esa [tailan'des, esa] *adj* thaïlandais(e) ♦ *nm/f* Thaïlandais(e) ♦ *nm* (*LING*) thaïlandais *msg*.

Tailandia [tai'landja] *nf* Thaïlande *f*.

taimado, -a [tai'maðo, a] *adj* rusé(e), sournois(e).

taita ['taita] (*AND, CSUR*: *fam*) *nm* papa *m*.

tajada [ta'xaða] *nf* tranche *f*; (*fam*: *borrachera*) cuite *f*; **sacar** ~ tirer profit.

tajante [ta'xante] *adj* catégorique; (*persona*) abrupt(e).

tajantemente [ta'xantemente] *adj* catégoriquement.

tajar [ta'xar] *vt* trancher.

Tajo ['taxo] *nm* Tage *m*.

tajo ['taxo] *nm* (*corte*) coupure *f*; (*filo*) tranchant *m*; (*GEO*) gorge *f*; (*fam*: *trabajo*) boulot *m*; (*bloque de madera*) billot *m*.

tal [tal] *adj* tel(telle); (*semejante*) un(e) tel(telle), pareil(le) ♦ *pron* (*persona*) un(e) tel(telle); (*cosa*) une telle chose ♦ *adv*: ~ **como** (*igual*) tel(telle) que ♦ *conj*: **con** ~ (**de**) **que** pourvu que, du moment que; ~ **día a** ~ **hora** tel jour à telle heure; **jamás vi** ~ **desvergüenza** je n'ai jamais vu une telle effronterie o une telle effronterie pareille; ~**es cosas** de telles choses; **el** ~ **cura** le curé en question; **un** ~ **García** un certain García; ~**es como** tels(telles) que; **son** ~ **para cual** ils sont deux qui font la paire; **hablábamos de que si** ~ **que**

si **cual** nous parlions de choses et d'autres; **fuimos al cine y** ~ nous avons été au ciné et tout ça; ~ **cual** (*como es*) tel(telle) quel(quelle); ~ **como lo dejé** tel que je l'ai laissé; ~ **el padre, cual el hijo** tel père, tel fils; ~ **vez** peut-être; **¿qué** ~**?** ça va?; **¿qué** ~ **has comido?** tu as bien mangé?; **con** ~ **de llamar la atención** du moment qu'il *etc* attire l'attention.

tala ['tala] *nf* taille *f*.

taladradora [talaðra'ðora] *nf* perceuse *f*; (*de papel*) perforeuse *f*; ► **taladradora neumática** marteau-piqueur *m*.

taladrar [tala'ðrar] *vt* percer.

taladro [ta'laðro] *nm* perceuse *f*; (*hoyo*) trou *m* (fait à la perceuse); ► **taladro neumático** marteau-piqueur *m*.

talante [ta'lante] *nm* humeur *f*; (*voluntad*) gré *m*.

talar [ta'lar] *vt* abattre.

talco ['talko] *nm* (*tb*: **polvos de** ~) talc *m*.

talega [ta'leɣa] *nf* sac *m*.

talego [ta'leɣo] *nm* sac *m*; (*fam*) mille pesetas; **medio** ~ (*fam*) cinq cents pesetas.

talento [ta'lento] *nm* talent *m*; (*capacidad, don*) don *m*.

Talgo *sigla m* (*FERRO* = *tren articulado ligero Goicoechea-Oriol*) train rapide.

talidomida [taliðo'miða] *nm* thalidomide *f*.

talismán [talis'man] *nm* talisman *m*.

talla ['taʎa] *nf* taille *f*; (*fig*) envergure *f*; (*figura*) sculpture *f*; **dar la** ~ (*MIL*) avoir la taille requise; (*fig*) être de taille.

tallado, -a [ta'ʎaðo, a] *adj* taillé(e), sculpté(o) ♦ *nm* sculpture *f*.

tallar [ta'ʎar] *vt* tailler, sculpter; (*grabar*) graver; (*medir*) toiser.

tallarines [taʎa'rines] *nmpl* nouilles *fpl*.

talle ['taʎe] *nm* taille *f*; (*figura*) silhouette *f*; **de** ~ **esbelto** svelte.

taller [ta'ʎer] *nm* atelier *m*.

tallo ['taʎo] *nm* (*de planta*) tige *f*; (*de hierba*) brin *m*; (*brote*) pousse *f*.

talmente ['talmente] *adv* exactement.

talón [ta'lon] *nm* talon *m*; (*COM*) chèque *m*; (*TEC*) bord *m*; **pisar a algn los talones** être sur les talons de qn; ► **talón de Aquiles** talon d'Achille.

talonario [talo'narjo] *nm* carnet *m*; (*de cheques*) carnet de chèques.

tamaño, -a [ta'maɲo, a] *adj* tel(telle) ♦ *nm* taille *f*; **de** ~ **natural** grandeur *f* nature; **de** ~ **grande/pequeño** de grande/petite taille.

tamarindo [tama'rindo] *nm* tamarinier *m*.

tambaleante [tambale'ante] *adj* chancelant(e); (*mueble*) branlant(e); (*vehículo*) bringuebalant(e).

tambalearse [tambale'arse] *vpr* chanceler; (*mueble*) branler; (*vehículo*) bringuebaler.

también [tam'bjen] *adv* aussi; *(además)* de plus; **estoy cansado – yo ~** je suis fatigué – moi aussi.

tambor [tam'bor] *nm* tambour *m*; (*ANAT*) tympan *m*; ► **tambor del freno/de lavadora** tambour de frein/de machine à laver.

tamboril [tambo'ril] *nm* tambourin *m*.

tamborilear [tamborile'ar] *vi* tambouriner.

tamborilero, -a [tambori'lero, a] *nm/f* tambour *m*.

Támesis ['tamesis] *nm* Tamise *f*.

tamice *etc* [ta'miθe] *vb* V **tamizar.**

tamiz [ta'miθ] *nm* tamis *msg*.

tamizar [tami'θar] *vt* tamiser.

tampoco [tam'poko] *adv* non plus; **yo ~ lo compré** je ne l'ai pas acheté non plus.

tampón [tam'pon] *nm* tampon *m*.

tan [tan] *adv* si; **~ ... como** aussi ... que; **~ siquiera** au moins; **es pesada, de ~ amable que es** elle est si aimable qu'elle finit par être ennuyeuse; **¡qué cosa ~ rara!** comme c'est bizarre!; **no es una idea ~ buena** ce n'est pas une si bonne idée.

tanda ['tanda] *nf* série *f*; *(de personas)* équipe *f*; *(turno)* tour *m*; **~ de penaltis/de inyecciones** série de penalties/de piqûres; **~ de golpes** volée *f* de coups.

tándem ['tandem] *nm* tandem *m*.

tanga ['tanga] *nm* string *m*.

tangente [tan'xente] *nf* tangente *f*; **salirse por la ~** prendre la tangente.

Tánger ['tanxer] *n* Tanger.

tangerino, -a [tanxe'rino, a] *adj* de Tanger ♦ *nm/f* natif(-ive) *o* habitant(e) de Tanger.

tangible [tan'xiβle] *adj* tangible.

tango ['tango] *nm* tango *m*.

tanino [ta'nino] *nm* tanin *m*.

tano, -a ['tano, a] (*CSUR*: pey, fam) *adj, nm/f* rital(e).

tanque ['tanke] *nm* (*MIL*) char *m* d'assaut; *(depósito: AUTO)* citerne *f*; (: *NÁUT*) tanker *m*; (: *de agua*) réservoir *m*.

tanqueta [tan'keta] *nf* blindé *m* léger.

tantear [tante'ar] *vt* jauger; *(probar)* essayer ♦ *vi* (*DEPORTE*) compter les points.

tanteo [tan'teo] *nm* *(cálculo)* calcul *m* approximatif; *(prueba)* essai *m*; (*DEPORTE*) score *m*; *(sondeo)* sondage *m*; **al ~** par tâtonnements.

tantito [tan'tito] (*MÉX*: fam) *adj, adv* un peu.

tanto, -a ['tanto, a] *adj* *(cantidad)* tant de, tellement de; *(en comparaciones)* autant de ♦ *adv* tant, autant; *(tiempo)* si longtemps ♦ *nm* *(suma)* quantité *f*; *(proporción)* tant *m*; *(punto)* point *m*; *(gol)* but *m* ♦ *pron*: **cada uno paga ~** chacun paie tant

♦ *suf*: **veintitantos** vingt et quelques; **tiene ~s amigos** il a tellement *o* tant d'amis; **~ dinero como tú** autant d'argent que toi; **~ gusto** (*al ser presentado*) enchanté(e); **~ que** tellement que; **~ como él** autant que lui; **~ como eso** pas tant que ça; **~ es así que ...** c'est si vrai que ...; **~ más cuanto que ...** d'autant plus que ...; **~ mejor/peor** tant mieux/pis; **~ quejarse para nada** tant de plaintes pour rien; **~ tú como yo** toi autant que moi; **me he vuelto ronco de *o* con ~ hablar** je me suis enroué à force de parler; **no quiero ~** je n'en veux pas autant; **gasta ~ que ...** il dépense tellement que ...; **viene ~** il vient si souvent; **ni ~ así** (*fam*) pas une miette; **ni ~ ni tan calvo** n'exagérons rien; **¡no es para ~!** ce n'est pas si grave!; **¡y ~!** je ne vous *o* te le fais pas dire!; **en ~ que** pendant que; **entre ~** entre-temps; **por ~, por lo ~** donc, par conséquent; **~ alzado** forfait *m*; **~ por ciento** tant pour cent; **estar al ~** être au courant; **estar al ~ de los acontecimientos** être au courant des événements; **un ~ perezoso** un rien paresseux; **uno de ~s** un parmi d'autres; **he visto ~** j'en ai tellement vu; **a ~s de agosto** tel jour *o* telle date en août; **cuarenta y ~s** quarante et quelques; **se quedó en el bar hasta las tantas** il est resté au café jusqu'à une heure impossible.

tañer [ta'ɲer] *vt* (*MÚS*) jouer; *(campana)* sonner.

T/año *abr* (= *toneladas por año*) tonnes par an.

TAO *sigla f* (= *traducción asistida por ordenador*) TAO *f* (= *traduction assistée par ordinateur*).

tapa ['tapa] *nf* couvercle *m*; *(de libro)* couverture *f*; *(comida)* amuse-gueule *m inv*, tapa *f*; *(de zapato)* semelle *f*; ► **tapa de los sesos** boîte *f* crânienne.

tapabarro [tapa'βarro] (*AND, CSUR*) *nm* garde-boue *m inv*.

tapacubos [tapa'kuβos] *nm inv* enjoliveur *m*.

tapadera [tapa'ðera] *nf* couvercle *m*; *(fig)* couverture *f*.

tapadillo [tapa'ðiʎo] *nm*: **de ~** en douce.

tapado [ta'paðo] *nm* (*AM*) manteau *m*; (*MÉX: POL*) candidat officiel du PRI, parti politique mexicain.

tapar [ta'par] *vt* couvrir; *(hueco, ventana)* fermer, boucher; *(ocultar)* dissimuler; *(vista)* boucher; (*AM: dientes*) plomber; **taparse** *vpr* se couvrir.

tapatío, -a [tapa'tio, a] (*MÉX*) *adj* de Guadalajara ♦ *nm/f* natif(-ive) *o* habitant(e) de Guadalajara.

tapete [ta'pete] *nm* tapis *msg*; **poner sobre el ~** mettre sur le tapis.

tapia ['tapja] *nf* mur *m* de pisé; **estar (sordo) como una ~** être sourd comme un pot.

tapiar [ta'pjar] *vt* murer.

tapice *etc* [ta'piθe] *vb* V **tapizar**.

tapicería [tapiθe'ria] *nf* tapisserie *f*; (*para muebles*) tissu *m* d'ameublement; (*para coches*) garniture *f*.

tapicero, -a [tapi'θero, a] *nm/f* tapissier(-ère).

tapioca [ta'pjoka] *nf* tapioca *m*.

tapir [ta'pir] *nm* tapir *m*.

tapiz [ta'piθ] *nm* tapisserie *f*.

tapizar [tapi'θar] *vt* (*pared*) tapisser; (*suelo*) recouvrir; (*muebles*) recouvrir.

tapón [ta'pon] *nm* bouchon *m*; (*TEC*) bonde *f*; (*MED: de cera*) bouchon de cire; **~ de rosca** *o* **de tuerca** bouchon à vis.

taponar [tapo'nar] *vt* boucher.

taponazo [tapo'naθo] *nm* bruit *m* sec.

tapujo [ta'puxo] *nm* (*disimulo*) dissimulation *f*, détour *m*; (*engaño*) tromperie *f*; **sin ~s** sans détours.

taquería [take'ria] (*MÉX*) *nf* échoppe où l'on vend des "tacos".

taquigrafía [takiɤra'fia] *nf* sténographie *f*.

taquígrafo, -a [ta'kiɤrafo, a] *nm/f* sténo *m/f*.

taquilla [ta'kiʎa] *nf* guichet *m*; (*suma recogida*) recette *f*; (*armario*) classeur *m*.

taquillero, -a [taki'ʎero, a] *adj*: **función taquillera** spectacle *m* qui fait recette ♦ *nm/f* guichetier(-ère).

taquimecanografía [takimekanoɤra'fia] *nf* sténodactylo(graphie) *f*.

tara ['tara] *nf* tare *f*.

tarado, -a [ta'raðo, a] *adj* (*producto*) défectueux(-euse); (*idiota*) retardé(e); (*loco*) taré(e) ♦ *nm/f* taré(e).

tarambana [taram'bana] *adj* irresponsable.

tarántula [ta'rantula] *nf* tarentule *f*.

tararear [tarare'ar] *vt* fredonner.

tardanza [tar'ðanθa] *nf* (*demora*) retard *m*; (*lentitud*) lenteur *f*.

tardar [tar'ðar] *vi* (*tomar tiempo*) mettre longtemps, tarder; (*llegar tarde*) être en retard; **¿tarda mucho el tren?** le train arrive bientôt?; **a más ~** au plus tard; **~ en hacer algo** mettre longtemps *o* tarder à faire qch; **no tardes en venir** ne tarde pas en chemin.

tarde ['tarðe] *adv* tard ♦ *nf* (*de día*) après-midi *m* o *f inv*; (*de noche*) soir *m*; **~ o temprano** tôt ou tard; **de ~ en ~** de temps en temps; **¡buenas ~s!** (*de día*) bonjour!; (*de noche*) bonsoir!; **a** o **por la ~** l'après-midi *o* le soir; **más ~** plus tard.

tardío, -a [tar'ðio, a] *adj* tardif(-ive).

tardo, -a ['tarðo, a] *adj* lent(e).

tardón, -ona [tar'ðon, ona] (*fam*) *adj* lambin(e) ♦ *nm/f* traînard(e).

tarea [ta'rea] *nf* travail *m*, tâche *f*; **~s** *nfpl* (*ESCOL*) devoirs *mpl*; ▶ **tareas domésticas** travaux *mpl* domestiques.

tarifa [ta'rifa] *nf* tarif *m*; ▶ **tarifa básica** tarif de base; ▶ **tarifa completa** plein tarif; ▶ **tarifa doble** tarif double.

tarima [ta'rima] *nf* plate-forme *f*; (*movible*) estrade *f*.

tarjeta [tar'xeta] *nf* carte *f*; (*DEPORTE*) carton *m*; ▶ **tarjeta bancaria** carte bancaire; ▶ **tarjeta comercial/de visita** carte de visite; ▶ **tarjeta de circuitos** circuit *m* imprimé; ▶ **tarjeta gráfica/de multifunción** (*INFORM*) carte graphique/multifonction; ▶ **tarjeta de crédito/de embarque/de transporte** carte de crédit/d'embarquement/de transport; ▶ **tarjeta de identificación fiscal** carte d'immatriculation fiscale; ▶ **tarjeta postal/de Navidad** carte postale/de Noël; ▶ **tarjeta sanitaria** carte d'assuré social; ▶ **tarjeta verde** (*MÉX*) permis *m* de travail.

tarraconense [tarrako'nense] *adj* de Tarragone ♦ *nm/f* natif(-ive) *o* habitant(e) de Tarragone.

tarro ['tarro] *nm* pot *m*.

tarta ['tarta] *nf* tarte *f*.

tartajear [tartaxe'ar] *vi* bégayer.

tartamudear [tartamuðe'ar] *vi* bégayer.

tartamudo, -a [tarta'muðo, a] *adj, nm/f* bègue.

tartárico, -a [tar'tariko, a] *adj*: **ácido ~** acide *m* tartrique.

tártaro, -a ['tartaro, a] *adj* tartare ♦ *nm/f* Tartare *m/f* ♦ *nm* (*QUÍM*) tartre *m*.

tartera [tar'tera] *nf* gamelle *f*.

tarugo [ta'ruɤo] *nm* morceau *m* (de bois); (*fam*) balourd *m*.

tarumba [ta'rumba] *adj*: **volver a algn ~** rendre qn dingue.

tasa ['tasa] *nf* (*valoración*) évaluation *f*; (*precio*) taxe *f*; (*índice*) taux *msg*; (*medida*) mesure *f*, règle *f*; **sin ~** sans mesure; ▶ **tasa básica** (*COM*) taux de base; ▶ **tasa de cambio/de interés** taux de change/d'intérêt; ▶ **tasa de crecimiento/de natalidad/de rendimiento** taux de croissance/de natalité/de rendement; ▶ **tasas académicas** droits *mpl* d'inscription.

tasación [tasa'θjon] *nf* taxation *f*.

tasador, a [tasa'ðor, a] *nm/f* taxateur *m*; (*COM*) commissaire-priseur *m*.

tasar [ta'sar] *vt* (*fijar el precio*) taxer; (*valorar*) évaluer; (*limitar*) limiter, rationner; **~ en** évaluer à.

tasca ['taska] (*fam*) *nf* bistro(t) *m*.

tata ['tata] *nm* (*AM*: *fam*) = **taita** ♦ *nf* nounou *f*; (*fam*: *hermana*) grande sœur *f*.

tatarabuelo, -a [tatara'ßwelo, a] *nm/f* trisaïeul(e); ~s *nmpl* trisaïeuls *mpl*.

tatuaje [ta'twaxe] *nm* tatouage *m*.

tatuar [ta'twar] *vt* tatouer.

taurino, -a [tau'rino, a] *adj* taurin(e).

Tauro ['tauro] *nm* (*ASTROL*) Taureau *m*; **ser** ~ être (du) Taureau.

tauromaquia [tauro'makja] *nf* tauromachie *f*.

tautología [tautolo'xia] *nf* tautologie *f*.

taxativamente [taksa'tißamente] *adv* particulièrement.

taxativo, -a [taksa'tißo, a] *adj* strict(e).

taxi ['taksi] *nm* taxi *m*.

taxidermia [taksi'ðermja] *nf* taxidermie *f*.

taximetrero [taksimet'rero] (*ARG*) *nm* chauffeur *m* de taxi.

taxímetro [tak'simetro] *nm* taximètre *m*.

taxista [tak'sista] *nm/f* chauffeur *m* de taxi.

taza ['taθa] *nf* tasse *f*; (*fam*: *de retrete*) cuvette *f*; ~ **de/para café** tasse de/à café.

tazón [ta'θon] *nm* bol *m*.

TC *sigla m* (= *Tribunal Constitucional*) juridiction suprême.

TCI *sigla f* (= *tarjeta de circuito impreso*) plaquette *f* de circuit imprimé.

te [te] *pron* te; (*delante de vocal*) t'; (*con imperativo*) toi; *¿*~ **duele mucho el brazo?** ton bras te fait très mal?, tu as très mal au bras?; ~ **equivocas** tu te trompes; **¡cálmate!** calme-toi!

té [te] *nm* thé *m*.

tea ['tea] *nf* torche *f*.

teatral [tea'tral] *adj* théâtral(e).

teatro [te'atro] *nm* théâtre *m*; **hacer** ~ (*fig*) faire du cinéma; ▶ **teatro de aficionados/variedades** théâtre d'amateurs/de variétés; ▶ **teatro de la ópera** opéra *m*.

tebeo [te'ßeo] *nm* bande *f* dessinée, BD *f*.

teca ['teka] *nm* teck *m*.

techado [te'tʃaðo] *nm* toit *m*.

techo ['tetʃo] *nm* (*tb fig*) plafond *m*; (*tejado*) toit *m*; **bajo** ~ à l'abri; **tocar** ~ plafonner.

techumbre [te'tʃumbre] *nf* toiture *f*.

tecla ['tekla] *nf* (*INFORM, MÚS, TIP*) touche *f*; **tocar muchas** ~s exercer toute son influence; ▶ **tecla de anulación/de borrar** touche d'annulation/d'effacement; ▶ **tecla de control/de edición** touche de contrôle/de correction; ▶ **tecla de control direccional del cursor** touche de déplacement du curseur; ▶ **tecla de retorno/de tabulación** touche de retour chariot/de tabulation; ▶ **tecla programable** touche programmable.

teclado [te'klaðo] *nm* clavier *m*; ▶ **teclado**

numérico (*INFORM*) clavier numérique.

teclear [tekle'ar] *vt* (*piano*) tapoter ♦ *vi* (*MÚS, fam*) pianoter; (*INFORM, TIP*) taper.

tecleo [te'kleo] *nm* (*MÚS*) pianotage *m*; (*fam*) pianotage, tapotement *m*.

técnica ['teknika] *nf* technique *f*; V tb **técnico**.

técnicamente ['teknikamente] *adv* techniquement.

tecnicismo [tekni'θismo] *nm* technicité *f*; (*LING*) terme *m* technique.

técnico, -a ['tekniko, a] *adj* technique ♦ *nm/f* technicien(ne).

tecnicolor [tekniko'lor] *nm* technicolor *m*.

tecnócrata [tek'nokrata] *nm/f* technocrate *m/f*.

tecnología [teknolo'xia] *nf* technologie *f*; ▶ **tecnología de la información/punta** technologie de l'information/de pointe.

tecnológico, -a [tekno'loxiko, a] *adj* technologique.

tecolote [teko'lote] (*CAM, MÉX*) *nm* hibou *m*.

tedio [te'ðjo] *nm* ennui *m*.

tedioso, -a [te'ðjoso, a] *adj* ennuyeux(-euse).

tee [ti] *nm* tee *m*.

Teherán [tee'ran] *n* Téhéran.

teja ['texa] *nf* tuile *f*.

tejado [te'xaðo] *nm* toit *m*.

tejano, -a [te'xano, a] *adj* texan(e) ♦ *nm/f* Texan(e); ~s *nmpl* (*vaqueros*) jeans *mpl*.

Tejas ['texas] *nm* Texas *msg*.

tejemaneje [texema'nexe] *nm* (*actividad*) agitation *f*; (*intriga*) manigances *fpl*.

tejer [te'xer] *vt* tisser; (*AM*) tricoter; (*fig*) ourdir ♦ *vi*: ~ **y destejer** faire et défaire.

tejido [te'xiðo] *nm* tissu *m*.

tejo ['texo] *nm* if *m*; **tirar los** ~**s a algn** faire des avances à qn.

tejón [te'xon] *nm* blaireau *m*.

tel. *abr* (= *teléfono*) tél. (= *téléphone*).

tela ['tela] *nf* toile *f*; (*en líquido*) peau *f*; **¡hay** ~ **para rato!** (*fam*) on en a pour un moment!; **poner en** ~ **de juicio** mettre en doute; ▶ **tela de araña** toile d'araignée; ▶ **tela metálica** grillage *m*.

telar [te'lar] *nm* (*máquina*) métier *m* à tisser; (*de teatro*) cintre *m*; ~**es** *nmpl* (*fábrica*) usine *f* textile.

telaraña [tela'raɲa] *nf* toile *f* d'araignée.

tele ['tele] (*fam*) *nf* télé *f*.

tele... ['tele] *pref* télé... .

teleadicto, -a [telea'ðikto, a] (*fam*) *nm/f* accro *m/f* de la télé.

telecabina [teleka'ßina] *nf* télécabine *f*.

telecomunicación [telekomunika'θjon] *nf* télécommunication *f*.

telecontrol [telekon'trol] *nm* télécommande f.

telecopia [tele'kopja] nf télécopie f.

telecopiadora [telekopja'ðora] nf: ~ **facsímil** télécopieur m.

telediario [tele'ðjarjo] nm journal m télévisé.

teledifusión [teleðifu'sjon] nf télédiffusion f.

teledirigido, -a [teleðiri'xiðo, a] adj téléguidé(e).

teléf. abr (= teléfono) tél. (= téléphone).

telefacsímil [telefak'simil] nm télécopie f.

telefax [tele'faks] nm télécopie f.

teleférico [tcle'feriko] nm téléphérique m.

telefilm(e) [tele'film(e)] nm téléfilm m.

telefonazo [telefo'naθo] (fam) nm coup m de fil; **te daré un ~** je te passerai un coup de fil.

telefonear [telefone'ar] vt, vi téléphoner.

Telefónica [tele'fonika] nf ≈ France Télécom.

telefónicamente [tele'fonikamente] adv par téléphone.

telefónico, -a [tele'foniko, a] adj téléphonique.

telefonillo [telefo'niʎo] nm interphone m.

telefonista [telefo'nista] nm/f standardiste m/f.

teléfono [te'lefono] nm téléphone m; **está hablando por ~** il est au téléphone; ▶**teléfono inalámbrico/móvil/rojo** téléphone sans fil/portable/rouge.

telefoto [tele'foto] nf téléphotographie f.

telegrafía [telexra'fia] nf télégraphie f.

telégrafo [te'lexrafo] nm télégraphe m.

telegrama [tele'xrama] nm télégramme m.

teleimpresor [teleimpre'sor] nm téléimprimeur m.

telemando [tele'mando] nm télécommande f.

telemática [tele'matika] nf télématique f.

telémetro [te'lemetro] nm télémètre m.

telenovela [teleno'ßela] nf feuilleton m télévisé.

teleobjetivo [teleobxe'tißo] nm téléobjectif m.

telepatía [telepa'tia] nf télépathie f.

telepático, -a [tele'patiko, a] adj télépathique.

teleproceso [telepro'θeso] nm télétraitement m.

teleprograma [telepro'xrama] nm programme m de télévision.

telescópico, -a [tele'skopiko, a] adj télescopique.

telescopio [tele'skopjo] nm télescope m.

telesilla [tele'siʎa] nm télésiège m.

telespectador, a [telespekta'ðor, a] nm/f téléspectateur(-trice).

telesquí [teles'ki] nm téléski m.

teletex(to) [tele'teks(to)] nm télétexte m.

teletipo [tele'tipo] nm téléimprimeur m.

televidente [teleßi'ðente] nm/f téléspectateur(-trice).

televisar [teleßi'sar] vt téléviser.

televisión [teleßi'sjon] nf télévision f; ▶**televisión en blanco y negro/en color** télévision en noir et blanc/en couleurs; ▶**televisión por cable/por** o **vía satélite** télévision par câble/par satellite; ▶**televisión privada/pública** télévision privée/publique.

televisivo, -a [teleßi'sißo, a] adj télévisuel(le).

televisor [teleßi'sor] nm téléviseur m; ▶**televisor portátil** téléviseur portable.

télex ['teleks] nm télex m; **máquina ~ télex; enviar por ~** télexer.

telón [te'lon] nm rideau m; ▶**telón de acero** (POL) rideau de fer; ▶**telón de boca/de seguridad** rideau de scène/de fer; ▶**telón de fondo** toile f de fond.

telonero, -a [telo'nero, a] nm/f (MÚS, TEATRO) artiste qui passe en première partie.

tema ['tema] nm thème m, sujet m; (MÚS) thème; (obsesión) marotte f; ~**s de actualidad** sujets mpl o thèmes d'actualité.

temario [te'marjo] nm programme m.

temática [te'matika] nf thématique f.

temático, -a [te'matiko, a] adj thématique.

tembladera [tembla'ðera] (AM) nf bourbier m.

temblar [tem'blar] vi trembler.

tembleque [tem'bleke] nm (hum) tremblement m.

temblón, -ona [tem'blon, ona] adj tremblotant(e).

temblor [tem'blor] nm tremblement m; ▶**temblor de tierra** tremblement de terre.

tembloroso, -a [temblo'roso, a] adj tremblant(e).

temer [te'mer] vt craindre, avoir peur de; ♦ vi avoir peur **temo que Juan llegue tarde** je crains que Juan n'arrive tard; ~ **por** avoir peur pour.

temerario, -a [teme'rarjo, a] adj téméraire.

temeridad [temeri'ðað] nf témérité f; (una temeridad) acte m irréfléchi.

temeroso, -a [teme'roso, a] adj craintif(-ive), peureux(-euse); (que inspira temor) redoutable.

temible [te'mißle] adj redoutable.

temor [te'mor] nm crainte f, peur f.

tempano ['tempano] nm (tb: ~ **de hielo**) banquise f.

temperamental [temperamen'tal] adj d'humeur changeante.

temperamento [tempera'mento] nm tempérament *m*; **tener** ~ avoir du tempérament.

temperatura [tempera'tura] *nf* température *f*.

tempestad [tempes'taδ] *nf* tempête *f*.

tempestuoso, -a [tempes'twoso, a] *adj* orageux(-euse).

templado, -a [tem'plaδo, a] *adj* tempéré(e); (*en el comer, beber*) modéré(e); (*agua*) tiède; (*nervios*) solide, bien trempé(e).

templanza [tem'planθa] *nf* tempérance *f*; (*en el beber*) modération *f*; (*del clima*) douceur *f*.

templar [tem'plar] *vt* tempérer, modérer; (*agua, brisa*) tiédir; (*solución*) diluer; (*MÚS*) accorder; (*acero*) tremper; **templarse** *vpr* se modérer; (*agua, aire*) se réchauffer.

temple ['temple] *nm* (*humor*) humeur *f*; (*serenidad, TEC*) trempe *f*; (*MÚS*) accord *m*; (*pintura*) détrempe *f*.

templo ['templo] *nm* temple *m*; (*iglesia*) église *f*; ► **templo metodista** église méthodiste.

temporada [tempo'raδa] *nf* période *f*; (*estación, social, DEPORTE*) saison *f*; **en plena** ~ en pleine saison; **de** ~ saisonnier(-ière).

temporal [tempo'ral] *adj* temporaire; (*REL*) temporel(le) ♦ *nm* tempête *f*.

temporalmente [tempo'ralmente] *adv* temporairement.

tempranero, -a [tempra'nero, a] *adj* (*BOT*) précoce; (*persona*) matinal(e).

temprano, -a [tem'prano, a] *adj* précoce ♦ *adv* tôt; (*demasiado pronto*) trop tôt; **levantarse** ~ se lever de bonne heure; **lo más** ~ **posible** le plus tôt possible.

ten [ten] *vb* V **tener.**

tenacidad [tenaθi'δaδ] *nf* ténacité *f*.

tenacillas [tena'θiλas] *nfpl* pincettes *fpl*; (*para rizar*) fer *m* à friser.

tenaz [te'naθ] *adj* résistant(e).

tenaza(s) [te'naθa(s)] *nf(pl)* pince(s) *f(pl)*.

tendedero [tende'δero] *nm* séchoir *m* à linge; (*cuerda*) corde *f* à linge.

tendencia [ten'denθja] *nf* tendance *f*; ~ **imperante** tendance dominante; **tener** ~ **a** avoir tendance à; ► **tendencia del mercado** tendance du marché.

tendencioso, -a [tenden'θjoso, a] *adj* tendancieux(-euse).

tender [ten'der] *vt* étendre; (*vía férrea, cable*) poser; (*cuerda, trampa*) tendre ♦ *vi*: ~ **a** tendre à; **tenderse** *vpr* s'étendre, s'allonger; ~ **la cama** (*AM*) faire le lit; ~ **la mesa** (*AM*) mettre la table; ~ **la mano** tendre la main.

ténder ['tender] *nm* tender *m*.

tenderete [tende'rete] *nm* (*puesto*) étalage *m*.

tendero, -a [ten'dero, a] *nm/f* commerçant(e).

tendido, -a [ten'diδo, a] *adj* étendu(e), allongé(e); (*colgado*) accroché(e), pendu(e) ♦ *nm* (*TAUR*) gradins *mpl*; **a galope** ~ au triple galop; ► **tendido eléctrico** ligne *f* électrique.

tendón [ten'don] *nm* tendon *m*.

tendré *etc* [ten'dre] *vb* V **tener.**

tenebroso, -a [tene'ßroso, a] *adj* sombre.

tenedor, a [tene'δor, a] *nm/f* détenteur(-trice) ♦ *nm* fourchette *f*; **restaurante de 5** ~**es** restaurant *m* cinq étoiles; ► **tenedor de acciones** actionnaire *m/f*; ► **tenedor de libros** comptable *m/f*; ► **tenedor de póliza** assuré(e), détenteur(-trice) d'une police d'assurance.

teneduría [teneδu'ria] *nf* comptabilité *f*.

tenencia [te'nenθja] *nf* (*de propiedad*) possession *f*; ~ **ilícita de armas/drogas** détention *f* illégale d'armes/de drogue.

========= *PALABRA CLAVE*

tener [te'ner] *vt* **1** avoir; (*sostener*) tenir; **¿tienes un boli?** tu as un stylo?; **¿dónde tienes el libro?** où as-tu mis le livre?; **va a tener un niño** elle va avoir un enfant; **tiene los ojos azules** il a les yeux bleus; **¡ten!, ¡aquí tienes!** tiens!, voilà!; **¡tenga!, ¡aquí tiene!** tenez!, voilà!

2 (*edad*) avoir; (*medidas*) faire; **tiene 7 años** il a 7 ans; **tiene 15 cm de largo** cela fait 15 cm de long; *V tb* **calor; hambre** *etc*

3 (*sentimiento, dolor*) avoir; **tener admiración/cariño** avoir de l'admiration/l'affection; **tener miedo** avoir peur; **¿qué tienes, estás enfermo?** qu'est-ce que tu as, tu es malade?

4 (*considerar*): **lo tengo por brillante** je le considère comme quelqu'un de brillant; **tener en mucho/poco a algn** avoir beaucoup/peu d'estime pour qn; **ten por seguro** sois-en sûr

5: **tengo/tenemos que acabar este trabajo hoy** il faut que je finisse/nous finissions ce travail aujourd'hui

6 (+ *pp* = *pretérito*): **tengo terminada ya la mitad del trabajo** j'ai déjà fait la moitié du travail

7 (+ *adj*, + *gerundio*): **nos tiene muy contentos/hartos** nous sommes très satisfaits de lui/en avons assez de lui; **me ha tenido tres horas esperando** il m'a fait attendre pendant trois heures

8: **las tiene todas consigo** il a tout pour lui

tenerse *vpr* **1**: **tenerse en pie** se tenir de-

bout
2: **tenerse por** se croire; **se tiene por muy listo** il se croit très intelligent.

tenga etc ['tenga] vb V **tener**.
tenia ['tenja] nf ténia m.
tenida [te'niða] (CSUR) nf tenue f.
teniente [te'njente] nm lieutenant m; ▸ **teniente alcalde** adjoint m au maire; ▸ **teniente coronel** lieutenant colonel.
tenis ['tenis] nm tennis msg; ▸ **tenis de mesa** tennis de table, ping-pong m.
tenista [te'nista] nm/f joueur(-euse) de tennis.
tenor [te'nor] nm (sentido) teneur f; (MÚS) ténor m; **a ~ de** d'après.
tenorio [te'norjo] (fam) nm don Juan m.
tensar [ten'sar] vt tendre; (arco) bander.
tensión [ten'sjon] nf tension f; **de alta ~** (ELEC) haute tension; **en ~** tendu(e); **tener la ~ alta** avoir de la tension; ▸ **tensión arterial** tension artérielle; ▸ **tensión nerviosa** tension nerveuse.
tenso, -a ['tenso, a] adj tendu(e).
tentación [tenta'θjon] nf tentation f.
tentáculo [ten'takulo] nm tentacule m.
tentador, a [tenta'ðor, a] adj tentant(e); (gesto) tentateur(-trice) ♦ nm/f tentateur(-trice).
tentar [ten'tar] vt tenter; (palpar, MED) tâter; (incitar) inciter.
tentativa [tenta'tiβa] nf tentative f; ▸ **tentativa de asesinato** tentative d'assassinat.
tentempié [tentem'pje] (fam) nm casse-croûte m inv.
tenue ['tenwe] adj (hilo) mince; (luz) faible; (sonido, vínculo) ténu(e); (neblina) léger(-ère).
tenuemente ['tenwemente] adv légèrement; (alumbrar) faiblement.
teñir [te'ɲir] vt teindre; (fig) teinter; **~se el pelo** se (faire) teindre les cheveux.
teocali [teo'kali], **teocalli** [teo'kaʎi] (MÉX) nm téocalli m.
teología [teolo'xia] nf théologie f.
teólogo, -a ['teoloɣo, a] nm/f théologien(ne).
teorema [teo'rema] nm théorème m.
teoría [teo'ria] nf théorie f; **en ~** en principe.
teóricamente [te'orikamente] adv théoriquement.
teorice etc [teo'riθe] vb V **teorizar**.
teórico, -a [te'oriko, a] adj théorique ♦ nm/f théoricien(ne).
teorizar [teori'θar] vi théoriser.
tequila [te'kila] nf tequila f.
TER [ter] sigla m (= Tren Español Rápido) train rapide.

terapeuta [tera'peuta] nm/f thérapeute m/f.
terapéutica [tera'peutika] nf thérapeutique f.
terapéutico, -a [tera'peutiko, a] adj thérapeutique.
terapia [te'rapja] nf thérapie f; ▸ **terapia laboral** ergothérapie f.
tercer [ter'θer] adj V **tercero**.
tercera [ter'θera] nf (AUTO) troisième f; **a la ~ va la vencida** la troisième fois sera la bonne.
tercermundista [terθermun'dista] adj tiers-mondiste.
tercero, -a [ter'θero, a] adj (delante de nmsg: **tercer**) troisième ♦ nm (mediador) tiers msg, tierce personne f; (JUR) tiers.
terceto [ter'θeto] nm (MÚS) trio m.
terciado, -a [ter'θjaðo, a] adj (botella) entamé(e); (toro) de taille moyenne; (arma) en bandoulière.
terciar [ter'θjar] vt (bolsa etc) mettre en bandoulière ♦ vi intervenir; **terciarse** vpr se présenter; **si se tercia** à l'occasion.
terciario, -a [ter'θjarjo, a] adj tertiaire.
tercio ['terθjo] nm tiers msg.
terciopelo [terθjo'pelo] nm velours msg.
terco, -a ['terko, a] adj têtu(e).
tergal ® [ter'ɣal] nm tergal ® m.
tergiversación [terxiβersa'θjon] nf déformation f.
tergiversar [terxiβer'sar] vt déformer.
termal [ter'mal] adj thermal(e).
termas ['termas] nfpl thermes mpl.
térmico, -a ['termiko, a] adj thermique.
terminación [termina'θjon] nf extrémité f; (finalización) achèvement m.
terminal [termi'nal] adj terminal(e); (enfermo) en phase terminale ♦ nm (ELEC) borne f; (INFORM) terminal m ♦ nf (AVIAT) aérogare f; (FERRO) terminus msg; ▸ **terminal de pantalla** écran m de visualisation.
terminante [termi'nante] adj catégorique; (decisión) final(e).
terminantemente [termi'nantemente] adv catégoriquement.
terminar [termi'nar] vt finir, terminer ♦ vi finir; **terminarse** vpr finir; **~ por hacer algo** finir par faire qch; **~ en** finir en; **se ha terminado la leche** il n'y a plus de lait.
término ['termino] nm terme m, fin f; (parada) terminus msg; (límite: de espacio) bout m; **~s** nmpl (COM) termes mpl; **~ medio** moyenne f; **en otros ~s** en d'autres termes; **en último ~** en dernier recours; **estar en buenos/malos ~s (con algn)** être en bons/mauvais termes (avec qn); **en ~s de** en termes de; **en ~s claros** en clair; **según los ~s del contrato** selon les termes du contrat.

terminología [terminolo'xia] *nf* terminologie *f*.

termita [ter'mita] *nf* termite *m*.

termo ® ['termo] *nm* thermos *m o f* ®.

termodinámico, -a [termoði'namiko, a] *adj* thermodynamique.

termoimpresora [termoimpre'sora] *nf* imprimante *f* thermique.

termómetro [ter'mometro] *nm* thermomètre *m*.

termonuclear [termonukle'ar] *adj* thermonucléaire.

termostato [termos'tato] *nm* thermostat *m*.

ternero, -a [ter'nero, a] *nm/f* veau(génisse).

terneza [ter'neθa] *nf* tendresse *f*.

ternilla [ter'niʎa] *nf* cartilage *m*.

terno ['terno] *nm* (esp *AM*) costume *m* trois-pièces *inv*; (*conjunto*) trio *m*.

ternura [ter'nura] *nf* tendresse *f*.

terquedad [terke'ðað] *nf* entêtement *m*.

terracota [terra'kota] *nf* terre *f* cuite.

terrado [te'rraðo] *nm* terrasse *f*.

terral [te'rral] (*AM*) *nm* nuage *m* de poussière.

Terranova [terra'noβa] *nf* Terre-Neuve *f*.

terraplén [terra'plen] *nm* terre-plein *m*; (*cuesta*) renflement *m*.

terráqueo, -a [te'rrakeo, a] *adj*: **globo ~** globe *m* terrestre.

terrateniente [terrate'njente] *nm* propriétaire *m* terrien.

terraza [te'rraθa] *nf* terrasse *f*.

terremoto [terre'moto] *nm* tremblement *m* de terre.

terrenal [terre'nal] *adj* terrestre.

terreno, -a [te'rreno, a] *adj* terrien(ne) ♦ *nm* terrain *m*; **sobre el ~** sur le terrain; **ceder/perder ~** céder du/perdre du terrain; **preparar el ~ (a)** préparer le terrain (pour); ▶ **terreno de juego** terrain de jeu.

terrestre [te'rrestre] *adj* terrestre; (*ruta*) intérieur(e).

terrible [te'rriβle] *adj* terrible.

terrícola [te'rrikola] *nm/f* terrien(ne).

territorial [territo'rjal] *adj* territorial(e).

territorio [terri'torjo] *nm* territoire *m*; **~ bajo mandato** territoire sous mandat.

terrón [te'rron] *nm* (*de azúcar*) morceau *m*; (*de tierra*) motte *f*; **terrones** *nmpl* (*AGR*) terres *fpl*.

terror [te'rror] *nm* terreur *f*.

terrorífico, -a [terro'rifiko, a] *adj* terrifiant(e).

terrorismo [terro'rismo] *nm* terrorisme *m*.

terrorista [terro'rista] *adj, nm/f* terroriste *m/f*.

terroso, -a [te'rroso, a] *adj* terreux(-euse).

terruño [te'rruɲo] *nm* terrain *m*; (*fig*) pays

m natal; **apego al ~** attachement *m* au pays natal.

terso, -a ['terso, a] *adj* lisse.

tersura [ter'sura] *nf* douceur *f*.

tertulia [ter'tulja] *nf* cercle *m*; (*sala*) arrière-salle *f*; ▶ **tertulia literaria** cercle littéraire.

tesina [te'sina] *nf* mémoire *m*.

tesis ['tesis] *nf inv* thèse *f*.

tesitura [tesi'tura] *nf* situation *f*.

tesón [te'son] *nm* (*firmeza*) acharnement *m*; (*tenacidad*) persévérance *f*.

tesorería [tesore'ria] *nf* trésorerie *f*.

tesorero, -a [teso'rero, a] *nm/f* trésorier(-ière).

tesoro [te'soro] *nm* trésor *m*; **¡mi ~!** (*fam*) mon trésor!; ▶ **Tesoro público** Trésor public.

test ['tes(t)] *nm* test *m*.

testaferro [testa'ferro] *nm* prête-nom *m*.

testamentaría [testamenta'ria] *nf* succession *f*.

testamentario, -a [testamen'tarjo, a] *adj* testamentaire ♦ *nm/f* (*JUR*) exécuteur(-trice) testamentaire.

testamento [testa'mento] *nm* testament *m*; **Nuevo/Antiguo T~** Nouveau/Ancien Testament.

testar [tes'tar] *vi* tester, faire son testament.

testarada [testa'raða] (*fam*) *nf*: **darse una ~** se cogner la tête.

testarazo [testa'raθo] *nm* = **testarada**.

testarudez [testaru'ðeθ] *nf* entêtement *m*.

testarudo, -a [testa'ruðo, a] *adj* entêté(e).

testículo [tes'tikulo] *nm* testicule *m*.

testificar [testifi'kar] *vt, vi* témoigner.

testifique *etc* [testi'fike] *vb* V **testificar**.

testigo [tes'tiɣo] *nm/f* témoin *m*; **poner a algn por ~** citer qn comme témoin; ▶ **testigo de cargo/de descargo** témoin à charge/à décharge; ▶ **testigo ocular** témoin oculaire.

testimonial [testimo'njal] *adj* symbolique; (*JUR*) testimonial(e).

testimoniar [testimo'njar] *vt* témoigner de.

testimonio [testi'monjo] *nm* témoignage *m*; **en ~ de** en témoignage de; **falso ~** faux témoignage.

testuz [tes'tuθ] *nf* (*de caballo*) chanfrein *m*; (*de toro*) cou *m*.

teta ['teta] *nf* (*fam*) téton *m*, nichon *m*; **niño de ~** nourrisson *m*.

tétanos ['tetanos] *nmsg* tétanos *msg*.

tetera [te'tera] *nf* théière *f*.

tetilla [te'tiʎa] *nf* tétine *f*.

tetina [te'tina] *nf* tétine *f*.

tétrico, -a ['tetriko, a] *adj* sombre.

textil [teks'til] *adj* textile; **~es** *nmpl* textiles *mpl*.

texto ['teksto] *nm* texte *m*.
textual [teks'twal] *adj* textuel(le); **son sus palabras ~es** c'est ce qu'il a dit textuellement.
textualmente [teks'twalmente] *adv* textuellement.
textura [teks'tura] *nf* (*de tejido*) tissage *m*; (*estructura*) texture *f*.
tez [teθ] *nf* (*cutis*) peau *f*; (*color*) teint *m*.
tfno. *abr* (= *teléfono*) tél. (= *téléphone*).
ti [ti] *pron* toi.
tía ['tia] *nf* tante *f*; (*fam*) bonne femme *f*, nana *f*; (: *vieja*) mère *f*.
tianguis ['tjangis] (*MÉX*) *nm* marché *m*.
Tibet [ti'ßet] *nm* Tibet *m*.
tibetano, -a [tiße'tano, a] *adj* tibétain(e) ♦ *nm/f* Tibétain(e) ♦ *nm* (*LING*) tibétain *m*.
tibia ['tißja] *nf* tibia *m*.
tibiamente [ti'ßjamente] *adv* tièdement.
tibieza [ti'ßjeθa] *nf* tiédeur *f*.
tibio, -a ['tißjo, a] *adj* tiède.
tiburón [tißu'ron] *nm* requin *m*.
tic [tik] *nm* tic *m*.
tico, -a ['tiko, a] (*AM*: *fam*) *adj* costaricien(ne) ♦ *nm/f* Costaricien(ne).
tictac [tik'tak] *nm* tic-tac *m inv*.
tiemble *etc* ['tjemble] *vb V* **temblar**.
tiempo ['tjempo] *nm* temps *msg*; **a ~ à temps**; **a un** *o* **al mismo ~** en même temps; **a su ~** en temps utile; **al poco ~** peu après; **andando el ~** avec le temps; **cada cierto ~** de temps à autre; **con ~** à temps; **con el ~** à la longue; **de ~ en ~** de temps en temps; **de todos los ~s** de tous les temps; **de un ~ a esta parte** depuis quelque temps; **en mis ~s** de mon temps; **en los buenos ~s** au bon vieux temps; **ganar ~** gagner du temps; **hace buen/mal ~** il fait beau/mauvais temps; **matar el ~** tuer le temps; **hace ~** il y a quelque temps; **hacer ~** passer le temps; **perder el ~** perdre du temps; **tener ~** avoir le temps; **¿qué ~ tiene?** quel âge a-t-il?; **motor de 2 ~s** moteur *m* deux temps; **a ~ parcial** à temps partiel; **en ~ real** (*INFORM*) en temps réel; ► **tiempo compartido/de ejecución/máquina** (*INFORM*) temps partagé/d'exécution/ machine; ► **tiempo de paro** (*COM*) temps mort; ► **tiempo inactivo** (*COM*) durée *f* d'immobilisation; ► **tiempo libre** temps libre; ► **tiempo muerto** (*DEPORTE*, *fig*) temps mort; ► **tiempo preferencial** (*COM*) heures *fpl* de grande écoute..
tienda ['tjenda] *vb V* **tender** ♦ *nf* magasin *m*; (*NÁUT*) taud *m*; ► **tienda de campaña** tente *f*.
tiene *etc* ['tjene] *vb V* **tener**.
tienta ['tjenta] *nf* (*MED*) sonde *f*; **andar a ~s** avancer à tâtons.

tiento ['tjento] *vb V* **tentar** ♦ *nm* tact *m*; (*precaución*) prudence *f*; **con ~** avec prudence.
tierno, -a ['tjerno, a] *adj* tendre; (*reciente*) jeune.
tierra ['tjerra] *nf* terre *f*; (*país*) pays *msg*; **~ adentro** à l'intérieur des terres; **echar/tirar por ~** réduire à néant; **echar ~ a un asunto** tirer le rideau sur un sujet; **no es de estas ~s** il n'est pas d'ici; ► **tierra firme** terre ferme; ► **tierra natal** pays natal; ► **la Tierra Santa** la Terre sainte.
tierral [tje'rral] (*AM*) *nm* = **terral**.
tieso, -a ['tjeso, a] *adj* (*rígido*) raide; (*erguido*) droit(e); (*serio*) froid(e); (*fam*: *orgulloso*) fier(-ère); **dejar ~ a algn** (*fam*: *matar*) refroidir qn; (: *sorprender*) laisser qn pantois(e).
tiesto ['tjesto] *nm* pot *m* de fleurs.
tifoidea [tifoi'ðea] *nf* typhoïde *f*.
tifón [ti'fon] *nm* typhon *m*.
tifus ['tifus] *nm* typhus *msg*; ► **tifus icterodes** fièvre *f* jaune.
tigre ['tixre] *nm* tigre *m*; (*AM*) jaguar *m*.
TIJ *sigla m* (= *Tribunal Internacional de Justicia*) CIJ *f* (= *Cour internationale de justice*).
tijera [ti'xera] *nf* (*tb*: **~s**) ciseaux *mpl*; (: *para plantas*) sécateur *m*; **de ~** pliant(e); **unas ~s** une paire de ciseaux.
tijeretear [tixerete'ar] *vt* découper.
tila ['tila] *nf* tilleul *m*.
tildar [til'dar] *vt*: **~ de** traiter de.
tilde ['tilde] *nf* (*defecto*) défaut *m*; (*TIP*) tilde *m*.
tiliches [ti'litʃes] (*CAM*, *MÉX*) *nmpl* bibelots *mpl*, bazar *msg*.
tilín [ti'lin] *nm* drelin *m*; **hacer ~ a algn** (*fam*) plaire à qn.
tilo ['tilo] *nm* tilleul *m*.
timador, a [tima'ðor, a] *nm/f* escroc *m*.
timar [ti'mar] *vt* (*dinero*) escroquer; (*persona*, *fig*) rouler, escroquer.
timbal [tim'bal] *nm* (*MÚS*) timbale *f*.
timbrar [tim'brar] *vt* timbrer.
timbrazo [tim'braθo] *nm* coup *m* de sonnette; **dar un ~** donner un coup de sonnette.
timbre ['timbre] *nm* (*MUS*, *sello*) timbre *m*; (*de estampar*) cachet *m*; (*de puerta*) sonnette *f*; (*tono*) sonnerie *f*.
timidez [timi'ðeθ] *nf* timidité *f*.
tímido, -a ['timiðo, a] *adj* timide.
timo ['timo] *nm* escroquerie *f*; **dar un ~ a algn** escroquer qn.
timón [ti'mon] *nm* (*NÁUT*) gouvernail *m*; (*AM*: *AUTO*) volant *m*; **coger el ~** prendre les rênes.
timonel [timo'nel] *nm* (*NÁUT*) timonier *m*.
timorato, -a [timo'rato, a] *adj* timoré(e);

(*mojigato*) pudibond(e).

tímpano ['timpano] *nm* (*ANAT*) tympan *m*; (*MÚS*) tympanon *m*.

tina ['tina] *nf* cuve *f*; (esp *AM*) baignoire *f*.

tinaja [ti'naxa] *nf* jarre *f*.

tinerfeño, -a [tiner'feɲo, a] *adj* de Tenerife ♦ *nm/f* natif(-ive) *o* habitant(e) de Tenerife.

tinglado [tin'glaðo] *nm* (*cobertizo*) hangar *m*; (*fig*) ruse *f*; **armar un ~** faire des histoires.

tinieblas [ti'njeßlas] *nfpl* ténèbres *fpl*; **estar en ~** (*fig*) être dans le brouillard.

tino ['tino] *nm* adresse *f*; (*juicio*) doigté *m*; (*moderación*) retenue *f*; **sin ~** maladroitement; (*sin moderación*) sans retenue.

tinta ['tinta] *nf* encre *f*; (*TEC*) teinture *f*; (*ARTE*) couleur *f*; **~s** *nfpl* (*matices*) tons *mpl*; **sudar ~** trimer, suer sang et eau; **medias ~s** demi-mesures *fpl*; **(re)cargar las ~s** en rajouter; **saber algo de buena ~** savoir qch de source sûre; ▶ **tinta china** encre de chine.

tinte ['tinte] *nm* teinture *f*; (*tintorería*) teinturerie *f*; (*matiz*) teinte *f*; (*apariencia*) allure *f*.

tintero [tin'tero] *nm* encrier *m*; **se le quedó en el ~** il a complètement oublié.

tintinear [tintine'ar] *vi* (*cascabel*) tintinnabuler; (*campana*) tinter.

tinto, -a ['tinto, a] *adj* (*teñido*) teint(e); (*manchado*) taché(e); (*vino*) rouge ♦ *nm* rouge *m*; (*COL*) café *m* noir.

tintorera [tinto'rera] *nf* requin *m*.

tintorería [tintore'ria] *nf* teinturerie *f*.

tintorro [tin'torro] (*fam*) *nm* picrate *m*.

tintura [tin'tura] *nf* teinture *f*; ▶ **tintura de iodo** teinture d'iode.

tiña ['tiɲa] *vb V* **teñir** ♦ *nf* teigne *f*.

tío ['tio] *nm* oncle *m*; (*fam: viejo*) père *m*; (: *individuo*) type *m*, mec *m*.

tiovivo [tio'ßißo] *nm* manège *m*, chevaux *mpl* de bois.

típicamente ['tipikamente] *adv* typiquement.

típico, -a ['tipiko, a] *adj* typique; (*traje*) régional.

tiple ['tiple] *nm/f* soprano *m*.

tipo ['tipo] *nm* type *m*; (*ANAT*) physique *m*; (: *de mujer*) silhouette *f*; (*TIP*) caractère *m*; **jugarse el ~** risquer sa peau; ▶ **tipo a término** (*COM*) cotation *f* à terme; ▶ **tipo bancario/de cambio/de descuento/de interés** taux *msg* bancaire/de change/d'escompte/d'intérêt; ▶ **tipo base** (*COM*) taux de base; ▶ **tipo de interés vigente** (*COM*) taux d'intérêt en vigueur; ▶ **tipo de letra** police *f* de caractères.

tipografía [tipoɣra'fia] *nf* typographie *f*; (*lugar*) imprimerie *f*.

tipográfico, -a [tipo'ɣrafiko, a] *adj* typographique.

tipógrafo, -a [ti'poɣrafo, a] *nm/f* typographe *m/f*.

tique ['tike] *nm*, **tíquet** ['tike(t)] (*pl* ~**s**) *nm* ticket *m*; (*en tienda*) ticket *m* de caisse.

tiquismiquis [tikis'mikis] *nm/f inv* chipoteur(-euse) ♦ *nmpl* (*enfados*) chamailleries *fpl*; (*escrúpulos*) broutilles *fpl*.

TIR *sigla mpl* (= *Transportes internacionales por carretera*) TIR *mpl* (= *Transports internationaux routiers*).

tira ['tira] *nf* (*cinta*) bande *f* ♦ *nm*: **~ y afloja** tiraillements *mpl*; **tiene la ~ de cosas** (*fam*) il a vachement de trucs; **hace la ~ de tiempo** il y a vachement longtemps; ▶ **tira cómica** bande dessinée; ▶ **tira de cuero** lanière *f*.

tirabuzón [tiraßu'θon] *nm* tire-bouchon *m*; (*rizo*) boucle *f*.

tirada [ti'raða] *nf* lancer *m*, jet *m*; (*distancia*) trotte *f*; (*serie*) tirade *f*; (*TIP*) tirage *m*; **de una ~** d'une traite.

tiradero(s) [tira'ðero(s)] (*AM*) *nm(pl)* décharge *fsg*.

tirado, -a [ti'raðo, a] *adj* (*fam: barato*) bon marché; (: *fácil*) facile; **está ~** c'est fastoche.

tirador, a [tira'ðor, a] *nm/f* tireur(-euse) ♦ *nm* (*mango*) poignée *f*; (*ELEC*) cordon *m*; **~es** *nmpl* (*CSUR*) bretelles *fpl*; **~ certero** tireur d'élite.

tiralíneas [tira'lineas] *nm inv* tire-ligne *m*.

tiranía [tira'nia] *nf* tyrannie *f*.

tiránico, -a [ti'raniko, a] *adj* tyrannique.

tiranizar [tirani'θar] *vt* tyranniser.

tirano, -a [ti'rano, a] *nm/f* tyran *m*.

tirante [ti'rante] *adj* tendu(e) ♦ *nm* (*de vestido*) bretelle *f*, (*ARQ*) traverse *f*; (*TEC*) étai *m*; **~s** *nmpl* bretelles *fpl*.

tirantez [tiran'teθ] *nf* tension *f*.

tirar [ti'rar] *vt* jeter, lancer; (*volcar*) renverser; (*derribar*) abattre, démolir; (*cohete, bomba*) lancer; (*desechar*) jeter; (*dinero*) dilapider; (*imprimir, tirador*) tirer; (*golpe*) décocher ♦ *vi* tirer; (*fig*) attirer; (*interesar*) plaire; (*fam: andar*) aller; (*tender*) tendre; **tirarse** *vpr* (*abalanzarse*) se lancer; (*tumbarse*) se jeter; (*fam!*) tirer, sauter; **~ abajo** descendre; **tira a su padre** il tient de son père; **~ a algn de la lengua** tirer la langue à qn; **~ de algo** tirer qch; **ir tirando** aller comme ci comme ça; **~ a la derecha** tourner à droite; **a todo ~** tout au plus; **se tiró toda la mañana hablando** il a passé toute la matinée à parler.

tirita [ti'rita] *nf* pansement *m* (adhésif).

tiritar [tiri'tar] *vi* grelotter.

tiritona [tiri'tona] *nf* grelottement *m*.

tiro ['tiro] *nm* tir *m*; (*herida*) balle *f*; (*TENIS, GOLF*) drive *m*; (*alcance*) portée *f*; (*de escalera*) marche *f*; (*de chimenea*) tirage *m*; (*de pantalón*) entrejambes *msg*; **caballo de ~** cheval *m* de trait; **andar de ~s largos** être tiré(e) à quatre épingles; **al ~** (*CHI*) tout de suite; **me sentó como un ~** (*fam*) ça m'a fait un choc; **a ~ de piedra** à un jet de pierre; **se pegó un ~** il s'est tiré une balle dans la tête; **le salió el ~ por la culata** ça s'est retourné contre lui; **de a ~** (*AM: fam*) complètement; ► **tiro al arco/al blanco** tir à l'arc/à blanc; ► **tiro de gracia** coup *m* de grâce; ► **tiro libre** coup franc.

tiroides [ti'roiðes] *nm inv* glande *f* thyroïde.

Tirol [ti'rol] *nm*: **El ~** le Tyrol.

tirolés, -esa [tiro'les, esa] *adj* tyrolien(ne) ♦ *nm/f* Tyrolien(ne).

tirón [ti'ron] *nm* coup *m*; (*muscular*) crampe *f*; (*fam: de bolso*) vol *m* à la tire; **de un ~** d'un trait; **dar un ~ a** arracher.

tirotear [tirote'ar] *vt* tirer sur; **tirotearse** *vpr* se tirer dessus.

tiroteo [tiro'teo] *nm* (*disparos*) fusillade *f*; (*escaramuza*) échange *m* de coups de feu.

tirria ['tirrja] (*fam*) *nf*: **tener ~ a algn** ne pas pouvoir sentir qn.

tísico, -a ['tisiko, a] *adj*, *nm/f* phtisique *m/f*.

tisis ['tisis] *nf* phtisie *f*.

tít. *abr* = **título**.

titánico, -a [ti'taniko, a] *adj* titanesque.

títere ['titere] *nm* marionnette *f*; **no dejar ~ con cabeza** tout mettre sens dessus-dessous; **gobierno ~** gouvernement *m* fantoche.

titilar [titi'lar] *vi* (*luz, estrella*) scintiller; (*párpado*) clignoter.

titiritero, -a [titiri'tero, a] *nm/f* marionnettiste *m/f*; (*acróbata*) acrobate *m/f*.

titubeante [tituße'ante] *adj* (*indeciso*) hésitant(e); (*inestable*) vacillant(e).

titubear [tituße'ar] *vi* (*dudar*) hésiter; (*moverse*) vaciller.

titubeo [titu'ßeo] *nm* hésitation *f*.

titulado, -a [titu'laðo, a] *pp de* **titular** ♦ *nm/f* diplômé(e).

titular [titu'lar] *adj* titulaire ♦ *nm/f* (*de cargo*) titulaire *m/f* ♦ *nm* titre *m* ♦ *vt* intituler; **titularse** *vpr* s'intituler; (*UNIV*) obtenir son diplôme.

título ['titulo] *nm* titre *m*; (*COM*) valeur *f*; (*ESCOL*) diplôme *m*; **a ~ de** à titre de; (*en calidad de*) en qualité de; **a ~ de curiosidad** par curiosité; ► **títulos convertibles de interés fijo** titres *mpl* de créances convertibles; ► **título de propiedad** titre de propriété.

tiza ['tiθa] *nf* craie *f*; **una ~** une craie.

tiznado, -a [tiθ'naðo, a] (*CAM, MÉX: fam!*) *adj*, *nm/f* con(conne) (*fam!*).

tiznar [tiθ'nar] *vt* souiller.

tizne ['tiθne] *nm* suie *f*.

tizo ['tiθo], **tizón** [ti'θon] *nm* tison *m*.

tlapalería [tlapale'ria] (*MÉX*) *nf* quincaillier *m*.

Tm. *abr* (= *tonelada(s) métrica(s)*) t (= *tonne(s)*).

TNT *sigla m* (= *trinitrotolueno*) TNT *m* (= *trinitrotoluène*).

toalla [to'aʎa] *nf* serviette *f*; **arrojar la ~** baisser les bras.

toallero [toa'ʎero] *nm* porte-serviettes *m inv*.

tobillera [toßi'ʎera] *nf* chevillère *f*.

tobillo [to'ßiʎo] *nm* cheville *f*.

tobogán [toßo'ɣan] *nm* (*rampa*) toboggan *m*; (*trineo*) luge *f*.

toca ['toka] *nf* coiffure *f*; (*de monja*) coiffe *f*.

tocadiscos [toka'ðiskos] *nm inv* tourne-disques *m inv*.

tocado, -a [to'kaðo, a] *adj* (*fruta*) abîmé(e) ♦ *nm* coiffure *f*; **estar ~ de la cabeza** (*fam*) être toqué(e).

tocador [toka'ðor] *nm* (*mueble*) coiffeuse *f*; (*cuarto*) cabinet *m* de toilette; (*: público*) toilettes *fpl* pour dames.

tocante [to'kante]: **~ a** *prep* touchant à; **en lo ~ a** pour ce qui concerne.

tocar [to'kar] *vt* toucher; (*timbre*) tirer; (*MÚS*) jouer de; (*campana, trompeta*) sonner; (*tambor*) battre; (*topar con*) heurter; (*referirse a*) aborder; (*fam: modificar*) toucher à; ♦ *vi* (*a la puerta*) frapper; (*ser de turno*) être le tour de; (*atañer*) concerner; **tocarse** *vpr* se toucher; (*cubrirse la cabeza*) se coiffer; **le toca a él hacerlo** c'est à lui de le faire; **~ de cerca** toucher de près; **~ en** (*NÁUT*) faire escale à; **le ha tocado la lotería** il a décroché le gros lot; **ahora nos toca postre** c'est le moment de manger le dessert; **por lo que a mí me toca** en ce qui me concerne; **esto toca en la locura** cela frise la folie.

tocateja [toka'texa] (*fam*): **a ~** *adv* rubis sur l'ongle.

tocayo, -a [to'kajo, a] *nm/f* homonyme *m/f*.

tocho ['totʃo] (*fam*) *nm* pavé *m*.

tocino [to'θino] *nm* lard *m*; ► **tocino de cielo** pâtisserie à base de jaune d'œuf et de sirop.

tocólogo, -a [to'koloɣo, a] *nm/f* obstétricien(ne).

tocón [to'kon] *nm* (*de árbol*) souche *f*; (*pey: persona*) peloteur *m*.

todavía [toða'ßia] *adv* encore; (*en frases afirmativas o con énfasis*) toujours; **~ más** encore plus; **~ no** pas encore; **~ en 1970**

encore en 1970; **no ha llegado** ~ il n'est pas encore arrivé; **está lloviendo** ~ il pleut toujours.

toditito, -a [toði'tito, a], **todito, -a** [to'ðito, a] (*esp AM: fam*) *adj* tout(e).

============== *PALABRA CLAVE*

todo, -a ['toðo, a] *adj* 1 (*sg*) tout(e); **toda la noche** toute la nuit; **todo el libro** tout le livre; **toda una botella** toute une bouteille; **todo lo contrario** tout le contraire; **está toda sucia** elle est toute sale; **a toda prisa** à toute vitesse; **a todo esto** (*mientras tanto*) pendant ce temps-là; (*a propósito*) à propos; **soy todo oídos** je suis tout ouïe; **es todo un hombre** c'est un vrai homme
2 (*pl*) tous(toutes); **todos vosotros** vous tous; **todos los libros** tous les livres; **todas las noches** toutes les nuits; **todos los que quieran salir** tous ceux qui veulent sortir
3 (*negativo*): **en todo el día** de (toute) la journée; **no he dormido en toda la noche** je n'ai pas dormi de la nuit
♦ *pron* 1 tout; **todos, -as** tous(toutes); **lo sabemos todo** nous savons tout; **todo o nada** tout ou rien; **vino a buscarme con coche y todo** il est venu me chercher, et en voiture avec ça; **todos querían ir** ils voulaient tous s'en aller; **nos marchamos todos** nous partons tous; **arriba del todo** tout en haut; **no me agrada del todo** ça ne me satisfait pas entièrement.
2: **con todo: con todo, él me sigue gustando** malgré tout, il me plaît toujours
♦ *adv* tout; **vaya todo seguido** allez tout droit
♦ *nm*: **como un todo** comme un tout.

todopoderoso, -a [toðopoðe'roso, a] *adj* tout(e)-puissant(e).
todoterreno [toðote'rreno] *nm* véhicule *m* tout-terrain.
toga ['toɣa] *nf* robe *f*.
Tokio ['tokjo] *n* Tokyo.
toldo ['toldo] *nm* (*para el sol*) parasol *m*; (*tienda*) marquise *f*.
tole ['tole] (*fam*) *nm* tollé *m*.
toledano, -a [tole'ðano, a] *adj* de Tolède ♦ *nm/f* natif(-ive) *o* habitant(e) de Tolède.
tolerable [tole'raβle] *adj* tolérable.
tolerancia [tole'ranθja] *nf* tolérance *f*.
tolerante [tole'rante] *adj* tolérant(e); ~ **con** tolérant(e) à l'égard.
tolerar [tole'rar] *vt* tolérer.
toletole [tole'tole] (*CSUR*) *nm* tollé *m*.
toma ['toma] *nf* prise *f*; ▶ **toma de conciencia** prise de conscience; ▶ **toma de posesión** prise de possession; ▶ **toma**

de tierra (*AVIAT*) atterrissage *m*; (*ELEC*) prise de terre.
tomadura [toma'ðura] *nf*: ~ **de pelo** prise *f* de bec.
tomar [to'mar] *vt* prendre ♦ *vi* prendre; (*AM*) boire; **tomarse** *vpr* prendre; **¡toma! tiens!**; ~ **la temperatura** prendre la température; ~ **cariño a algn** se prendre d'affection pour qn; ~ **el sol** prendre le soleil; ~ **(buena) nota de algo** prendre (bonne) note de qch; **tome la calle de la derecha** prenez la rue de droite; **¿qué tomas?** qu'est-ce que tu prends?; **no tomó bien la broma** il a mal pris la plaisanterie; ~ **asiento** prendre place; ~ **a bien/a mal** prendre bien/mal; ~ **en serio** prendre au sérieux; ~ **el pelo a algn** taquiner qn; ~**la con algn** s'en prendre à qn; ~ **por escrito** prendre par écrit; **¿por quién me tomas?** pour qui tu me prends?; **toma y daca** un prêté pour un rendu; **¡vete a ~ por culo!** (*fam!*) va te faire enculer! (*fam!*); ~**se por** se prendre pour.
tomate [to'mate] *nm* tomate *f*.
tomavistas [toma'βistas] *nm inv* caméra *f*.
tomillo [to'miʎo] *nm* thym *m*.
tomo ['tomo] *nm* tome *m*; **de** ~ **y lomo** de taille.
ton [ton] *abr* (= *tonelada*) t (= *tonne*).
tonada [to'naða] *nf* air *m*.
tonalidad [tonali'ðað] *nf* tonalité *f*.
tonel [to'nel] *nm* tonneau *m*.
tonelada [tone'laða] *nf* tonne *f*; ▶ **tonelada métrica** tonne.
tonelaje [tone'laxe] *nm* tonnage *m*.
tongo ['tongo] *nm* (*DEPORTE*): **hubo** ~ c'était truqué.
tónica ['tonika] *nf* (*bebida*) tonic *m*; (*tendencia*) tendance *f*.
tónico, -a ['toniko, a] *adj* tonique ♦ *nm* (*MED*) remontant *m*.
tonificador, a [tonifika'ðor, a], **tonificante** [tonifi'kante] *adj* tonifiant(e).
tonificar [tonifi'kar] *vt* tonifier.
tonifique *etc* [toni'fike] *vb* V **tonificar**.
tonillo [to'niʎo] (*pey*) *nm* ton *m* monocorde.
tono ['tono] *nm* ton *m*; **fuera de** ~ hors de propos; **darse** ~ se donner de grands airs; **estar a** ~ être en harmonie; ▶ **tono de marcar** (*TELEC*) tonalité *f*.
tontear [tonte'ar] *vi* (*fam*) faire l'imbécile; (*coquetear*) flirter.
tontería [tonte'ria] *nf* sottise *f*, bêtise *f*.
tonto, -a ['tonto, a] *adj* bête, idiot(e) ♦ *nm/f* idiot(e), sot(sotte); (*payaso*) idiot(e); **a tontas y a locas** à tort et à travers; **hacer el** ~ faire l'idiot; **hacerse el** ~ faire l'ignorant; **estar** ~ **con algo** être entiché(e) de qch.

topacio [to'paθjo] *nm* topaze *f*.
topadora [topa'ðora] (*CSUR, MÉX*) *nf* bulldozer *m*.
topar [to'par] *vi*: ~ **con** tomber sur; ~ **contra** *o* **en** buter contre; **toparse** *vpr*; ~**se con** tomber sur.
tope ['tope] *adj* limite ♦ *nm* limite *f*; (*obstáculo*) difficulté *f*; (*de puerta*) butoir *m*; (*FERRO*) tampon *m*; (*de mecanismo*) butée *f*; (*MÉX: AUTO*) ralentisseur *m*; a ~ (*fam: aprovechar, acelerar*) à fond; (: *música*) à plein volume; a *o* hasta los ~s plein(e) à ras bord; **fecha** ~ date *f* limite; **precio/sueldo** ~ prix *m*/salaire *m* maximum; ▶ **tope de tabulación** tabulateur *m*.
tópico, -a ['topiko, a] *adj* d'actualité; (*MED*) externe ♦ *nm* (*pey*) cliché *m*; **de uso** ~ à usage externe.
topo ['topo] *nm* taupe *f*.
topografía [topoɣra'fia] *nf* topographie *f*.
topógrafo, -a [to'poɣrafo, a] *nm/f* topographe *m/f*; (*agrimensor*) arpenteur *m/f*.
toque ['toke] *vb* V **tocar** ♦ *nm* (*de mano, pincel*) coup *m*; (*MÚS*) sonnerie *f*; (*matiz*) touche *f*; (*retoque*) retouche *f*; **dar un** ~ **a** passer un coup de fil à; (*advertir*) donner un avertissement à; **dar el último** ~ **a** mettre la dernière touche à; ▶ **toque de diana** sonnerie de clairon; ▶ **toque de queda** couvre-feu *m*.
toquetear [tokete'ar] *vt* tripoter; (*fam!*) peloter.
toquilla [to'kiʎa] *nf* châle *m*.
tora ['tora] *nf* thora *f*.
torácico, -a [to'raθiko, a] *adj* thoracique.
tórax ['toraks] *nm* thorax *msg*.
torbellino [torbe'ʎino] *nm* tourbillon *m*; (*fig*) tornade *f*.
torcedura [torθe'ðura] *nf* torsion *f*.
torcer [tor'θer] *vt* tordre; (*inclinar*) pencher; (*persona*) corrompre; (*sentido*) déformer ♦ *vi* (*cambiar de dirección*) tourner; **torcerse** *vpr* se tordre; (*inclinarse*) pencher; (*desviarse*) dévier; (*fracasar*) se gâter; ~ **la esquina** tourner au coin de la rue; ~ **el gesto** se renfrogner; **el coche torció a la derecha** l'auto a viré à droite; ~**se un pie** se tordre le pied; **se han torcido las cosas** les choses se sont gâtées.
torcido, -a [tor'θiðo, a] *adj* tordu(e); (*cuadro*) penché(e); (*intención, persona*) louche.
tordo, -a ['torðo, a] *adj* (*caballo*) pommelé(e) ♦ *nm* étourneau *m*.
torear [tore'ar] *vt* (*toro*) combattre; (*evitar*) esquiver ♦ *vi* toréer.
toreo [to'reo] *nm* tauromachie *f*.
torero, -a [to'rero, a] *nm/f* torero *m*.
toril [to'ril] *nm* toril *m*.
tormenta [tor'menta] *nf* tempête *f*, orage *m*; (*fig*) orage; **una** ~ **en un vaso de agua** une tempête dans un verre d'eau.
tormento [tor'mento] *nm* torture *f*; (*fig*) tourment *m*.
tormentoso, -a [tormen'toso, a] *adj* orageux(-euse).
torna ['torna] *nf*: **se han vuelto las** ~**s** le vent a tourné.
tornadizo, -a [torna'ðiθo, a] *adj* lunatique.
tornado [tor'naðo] *nm* tornade *f*.
tornar [tor'nar] *vt* (*devolver*) rendre; (*transformar*) transformer ♦ *vi* revenir; **tornarse** *vpr* (*ponerse*) devenir; (*volver*) revenir; ~ **a hacer** recommencer à faire.
tornasol [torna'sol] *nm* tournesol *m*; **papel de** ~ papier *m* de tournesol.
tornasolado, -a [tornaso'laðo, a] *adj* (*tela*) chatoyant(e); (*mar, superficie*) irisé(e).
torneado, -a [torne'aðo, a] *adj* tourné(e); (*con curvas: figura*) aux formes arrondies.
tornear [torne'ar] *vt* tourner.
torneo [tor'neo] *nm* tournoi *m*.
tornillo [tor'niʎo] *nm* vis *fsg*; **apretar los** ~**s a algn** serrer la vis à qn; **le falta un** ~ (*fam*) il lui manque une case.
torniquete [torni'kete] *nm* tourniquet *m*.
torno ['torno] *nm* (*TEC: grúa*) treuil *m*; (: *de carpintero, alfarero*) tour *m*; **en** ~ **a** autour de; ▶ **torno de banco** étau *m*.
toro ['toro] *nm* taureau *m*; (*fam*) malabar *m*; **los** ~**s** *nmpl* (*fiesta*) la corrida.
toronja [to'ronxa] *nf* pamplemousse *m*.
torpe ['torpe] *adj* maladroit(e); (*necio*) abruti(e); (*lento*) lent(e).
torpedero [torpe'ðero] *nm* torpilleur *m*.
torpedo [tor'peðo] *nm* torpille *f*.
torpemente ['torpemente] *adv* maladroitement; (*lentamente*) lentement.
torpeza [tor'peθa] *nf* maladresse *f*; (*lentitud*) lenteur *f*.
torre ['torre] *nf* tour *f*; (*MIL, NÁUT*) tourelle *f*; ▶ **torre de conducción eléctrica** pylône *m* électrique; ▶ **torre de control** tour de contrôle; ▶ **torre de marfil** tour d'ivoire; ▶ **torre de perforación** foreuse *f*.
torrefacto, -a [torre'fakto, a] *adj*: **café** ~ café *m* torréfié.
torrencial [torren'θjal] *adj* torrentiel(le).
torrente [to'rrente] *nm* torrent *m*.
tórrido, -a ['torriðo, a] *adj* torride.
torrija [to'rrixa] *nf* pain *m* perdu.
torsión [tor'sjon] *nf* torsion *f*.
torso ['torso] *nm* torse *m*.
torta ['torta] *nf* tarte *f*; (*MÉX*) omelette *f*; (*fam*) baffe *f*; **ni** ~ rien du tout, goutte.
tortazo [tor'taθo] *nm* (*bofetada*) baffe *f*; (*de coche*) choc *m*.
tortícolis [tor'tikolis] *nf o nm inv* torticolis *msg*.

tortilla [tor'tiʎa] *nf* omelette *f*; (*AM*) crêpe *f* de maïs; **ha cambiado** *o* **vuelto la** ~ **le** vent a tourné; ▶ **tortilla española/ francesa** tortilla *f*/omelette.

tortillera [torti'ʎera] (*fam!*) *nf* lesbienne *f*.

tortita [tor'tita] *nf* crêpe *f*.

tórtola ['tortola] *nf* tourterelle *f*.

tortuga [tor'tuɣa] *nf* tortue *f*; ▶ **tortuga marina** tortue de mer.

tortuoso, -a [tor'twoso, a] *adj* tortueux(-ueuse).

tortura [tor'tura] *nf* torture *f*.

torturar [tortu'rar] *vt* torturer; **torturarse** *vpr* se torturer.

torvo, -a ['torβo, a] *adj* (*mirada*) torve; (*gesto*) menaçant(e).

torzamos *etc* [tor'θamos] *vb V* **torcer**.

tos [tos] *nf* toux *fsg*; ▶ **tos ferina** coqueluche *f*.

Toscana [tos'kana] *nf*: **La** ~ la Toscane.

tosco, -a ['tosko, a] *adj* (*material*) brut(e); (*artesanía*) grossier(-ière); (*sin refinar*) rustre, grossier(-ière).

toser [to'ser] *vi* tousser; **no hay quien le tosa** il ne se prend pas pour n'importe qui.

tostada [tos'taða] *nf* pain *m* grillé, toast *m*.

tostado, -a [tos'taðo, a] *adj* grillé(e); (*por el sol*) bronzé(e).

tostador [tosta'ðor] *nm* grille-pain *m inv*.

tostar [tos'tar] *vt* (*pan*) faire griller; (*café*) torréfier; (*al sol*) dorer; **tostarse** *vpr* (*al sol*) se dorer.

tostón [tos'ton] *nm*: **ser un** ~ (*algn*) être un(e) enquiquineur(-euse); (*algo*) être rasoir.

total [to'tal] *adj* total(e) ♦ *adv* au total ♦ *nm* total *m*; **en** ~ au total; ~ **que** bref, somme toute; ▶ **total debe/haber** (*COM*) débit *m*/actif *m* total.

totalidad [totali'ðað] *nf* totalité *f*.

totalitario, -a [totali'tarjo, a] *adj* totalitaire.

totalitarismo [totalita'rismo] *nm* totalitarisme *m*.

totalizar [totali'θar] *vt* totaliser.

totalmente [to'talmente] *adv* entièrement; (*antes de adjetivo*) complètement.

tótem ['totem] *nm* totem *m*.

totopo [to'topo], **totoposte** [toto'poste] (*CAM, MÉX*) *nm* crêpe *f* de maïs frite.

totora [to'tora] (*AND*) *nf* (*BOT*) jonc *m*.

tournee [tur'ne] *nf* = **turné**.

tóxico, -a ['toksiko, a] *adj* toxique ♦ *nm* produit *m* toxique.

toxicómano, -a [toksi'komano, a] *nm/f* toxicomane *m/f*.

toxina [to'ksina] *nf* toxine *f*.

tozudo, -a [to'θuðo, a] *adj* têtu(e).

traba ['traβa] *nf* entrave *f*; (*de rueda*)

rayon *m*; **poner** ~**s a** mettre des bâtons dans les roues à.

trabajador, a [traβaxa'ðor, a] *adj*, *nm/f* travailleur(-euse); ▶ **trabajador autónomo** *o* **por cuenta propia** travailleur indépendant, free-lance *m/f*.

trabajar [traβa'xar] *vt* travailler; (*mercancía*) faire; (*intentar conseguir*) s'occuper de ♦ *vi* travailler; ¡**a** ~! au travail!. ~ **de** travailler comme.

trabajo [tra'βaxo] *nm* travail *m*; (*fig*) difficultés *fpl*; **tomarse el** ~ **de** se donner la peine de; ~ **por turnos/a destajo** travail par roulement/à la pièce; **costar** ~ demander du travail; ▶ **trabajo a tiempo parcial** travail à temps partiel; ▶ **trabajo de campo** travaux *mpl* des champs; ▶ **trabajo en proceso** (*COM*) travaux en cours; ▶ **trabajos forzados** travaux forcés.

trabajosamente [traβa'xosamente] *adv* avec difficulté.

trabajoso, -a [traβa'xoso, a] *adj* laborieux(-ieuse).

trabalenguas [traβa'lengwas] *nm inv* phrase *f* difficile à prononcer.

trabar [tra'βar] *vt* joindre; (*puerta*) coincer; (*animal, proceso*) entraver; (*agarrar*) saisir; (*salsa*) lier; (*amistad, conversación*) nouer; **trabarse** *vpr* bafouiller; **se le traba la lengua** il bafouille.

trabazón [traβa'θon] *nf* (*TEC*) jointure *f*; (*fig*) cohérence *f*.

trabucar [traβu'kar] *vt* (*desordenar*) déranger; (*palabras*) interchanger, confondre.

trabuco [tra'βuko] *nm* escopette *f*.

trabuque *etc* [tra'βuke] *vb V* **trabucar**.

tracción [trak'θjon] *nf* traction *f*; ~ **delantera/trasera** traction avant/arrière.

trace *etc* ['traθe] *vb V* **trazar**.

tractor [trak'tor] *nm* tracteur *m*.

tradición [traði'θjon] *nf* tradition *f*.

tradicional [traðiθjo'nal] *adj* traditionnel(le).

tradicionalmente [traðiθjo'nalmente] *adv* traditionnellement.

traducción [traðuk'θjon] *nf* traduction *f*; ▶ **traducción asistida por ordenador** traduction assistée par ordinateur, TAO *f*; ▶ **traducción directa** traduction directe; (*ESCOL*) version *f*.

traducible [traðu'θiβle] *adj* traduisible.

traducir [traðu'θir] *vt* traduire; (*interpretar*) interpréter; **traducirse** *vpr*: ~**se en** (*fig*) se traduire par.

traductor, a [traðuk'tor, a] *nm/f* traducteur(-trice).

traduzca *etc* [tra'ðuθka] *vb V* **traducir**.

traer [tra'er] *vt* apporter; (*llevar: ropa*) porter; (*incluir*) impliquer; (*ocasionar*) ap-

porter, causer; **traerse** *vpr*: ~**se algo tramer qch**; ~ **a algn frito** *o* **de cabeza** (*fam*)
raser qn; ~ **consigo** impliquer; **es un problema que se las trae** c'est un problème
épineux; ~**se algo entre manos** manigancer *o* fabriquer qch.

traficante [trafi'kante] *nm/f* trafiquant(e).

traficar [trafi'kar] *vi*: ~ **con** faire du trafic
de.

tráfico ['trafiko] *nm* (*AUTO*) trafic *m*, circulation *f*; (*COM*) commerce *m*; (: *pey*)
trafic; ► **tráfico de drogas** trafic de drogue; ► **tráfico de influencias** trafic d'influence.

trafique *etc* [tra'fike] *vb V* **traficar**.

tragaderas [traɣa'ðeras] *nfpl*: **tener buenas
~** (*ser crédulo*) prendre tout pour argent
comptant; (*tener aguante*) avoir une patience d'ange.

tragaluz [traɣa'luθ] *nm* vasistas *msg*.

tragamonedas [traɣamo'neðas], **tragaperras** [traɣa'perras] *nm inv* machine *f* à
sous.

tragar [tra'ɣar] *vt* avaler; (*devorar*) dévorer; (*suj: mar, tierra*) engloutir; **tragarse**
vpr avaler; (*devorar*) dévorer; (*desprecio,
insulto*) ravaler; (*discurso, rollo*) se farcir; **no le puedo ~** je ne peux pas le sentir.

tragedia [tra'xeðja] *nf* tragédie *f*.

trágico, -a ['traxiko, a] *adj* tragique.

trago ['traɣo] *nm* gorgée *f*; (*fam: bebida*)
verre *m*; (*desgracia*) moment *m* difficile;
de un ~ d'un trait; ~ **amargo** coup *m*
dur.

trague *etc* ['traɣe] *vb V* **tragar**.

traición [trai'θjon] *nf* trahison *f*; **alta ~**
haute trahison; **a ~** en traître.

traicionar [traiθjo'nar] *vt* trahir.

traicionero, -a [traiθjo'nero, a] *adj, nm/f*
traître(traîtresse).

traidor, a [trai'ðor, a] *adj, nm/f*
traître(traîtresse).

traiga *etc* ['traiɣa] *vb V* **traer**.

trailer ['trailer] (*pl* ~**s**) *nm* (*CINE*) bande-
annonce *f*; (*camión*) semi-remorque *m*.

traje ['traxe] *vb V* **traer** ♦ *nm* (*de hombre,
de época*) costume *m*; ~ **hecho a la medida** costume sur mesure; ► **traje de baño** maillot *m* de bain; ► **traje de buzo**
combinaison *f* de plongée; ► **traje de calle** tenue *f* de ville; ► **traje de chaqueta**
tailleur *m*; ► **traje de etiqueta** tenue *f*
de soirée; ► **traje de luces** habit *m* de
lumière; ► **traje de noche** robe *f* du
soir; ► **traje de novia** robe de mariée;
► **traje típico** costume.

trajeado, -a [tra'xeaðo, a] (*fam*) *adj* frin-
gué(e).

traje-pantalón [traxe-panta'lon] *nm* tailleur

m pantalon.

trajera *etc* [tra'xera] *vb V* **traer**.

trajín [tra'xin] *nm* agitation *f*; (*fam*) va-et-
vient *m inv*.

trajinar [traxi'nar] *vt* transporter ♦ *vi* s'affairer.

trama ['trama] *nf* (*de tejido*) trame *f*; (*de
obra*) intrigue *f*; (*intriga*) machination *f*.

tramar [tra'mar] *vt* tramer, ourdir; **tramarse** *vpr*: **algo se está tramando** il se
trame qch.

tramitar [trami'tar] *vt* (*suj: departamento,
comisaría*) s'occuper de; (: *individuo*) fai
re des démarches pour obtenir.

trámite ['tramite] *nm* démarche *f*; ~**s** *nmpl*
(*burocracia*) formalités *fpl*; (*JUR*) mesures
fpl.

tramo ['tramo] *nm* (*de tierra*) bande *f*; (*de
escalera*) volée *f*; (*de vía*) tronçon *m*.

tramoya [tra'moja] *nf* (*TEATRO*) machinerie *f*; (*fig*) machination *f*.

tramoyista [tramo'jista] *nm/f* machiniste *m*;
(*fig*) conspirateur(-trice).

trampa ['trampa] *nf* piège *m*; (*en el suelo*)
trappe *f*; (*en juego*) tricherie *f*; (*fam:
deuda*) dette *f*; **caer en la ~** tomber dans
le piège; **hacer ~s** tricher.

trampear [trampe'ar] *vi* être criblé(e) de
dettes.

trampilla [tram'piʎa] *nf* trappe *f*.

trampolín [trampo'lin] *nm* tremplin *m*.

tramposo, -a [tram'poso, a] *adj, nm/f* tri-
cheur(-euse).

tranca ['tranka] *nf* (*palo*) trique *f*; (*de puerta, ventana*) barre *f*; (*fam: borrachera*) cuite *f*; **a ~s y barrancas** avec maintes difficultés.

trancar [tran'kar] *vt* barrer.

trancazo [tran'kaθo] *nm* coup *m* de trique;
(*fam*) crève *f*.

trance ['tranθe] *nm* (*crítico*) moment *m* critique; (*difícil*) moment difficile; (*estado
hipnótico*) transe *f*; **estar en ~ de muerte**
être à l'article de la mort.

tranco ['tranko] *nm* grande enjambée *f*.

tranque *etc* ['tranke] *vb V* **trancar**.

tranquilamente [tran'kilamente] *adv* tranquillement.

tranquilice *etc* [tranki'liθe] *vb V* **tranquilizar**.

tranquilidad [trankili'ðað] *nf* tranquillité *f*.

tranquilizador, a [trankiliθa'ðor, a] *adj*
(*música, ambiente*) apaisant(e); (*hecho,
palabras*) rassurant(e).

tranquilizante [trankili'θante] *nm* tranquillisant *m*.

tranquilizar [trankili'θar] *vt* tranquilliser.

tranquilo, -a [tran'kilo, a] *adj* calme; (*apacible*) tranquille.

Trans. *abr* = **transferencia**.

trans... [trans] *pref* trans...; *V tb* **tras...** .

transacción [transak'θjon] *nf* transaction *f*.

transar [tran'sar] (*AM*) *vi* = **transigir**.

transatlántico, -a [transat'lantiko, a] *adj, nm* = **trasatlántico**.

transbordador [transβorða'ðor] *nm* transbordeur *m*, bac *m*.

transbordar [transβor'ðar] *vt* transborder ♦ *vi* changer de train.

transbordo [trans'βorðo] *nm* transbordement *m*; **hacer ~** changer.

transcender [transθen'der] *vi* = **trascender**.

transcribir [transkri'βir] *vt* transcrire.

transcurrir [transku'rrir] *vi* (*tiempo*) passer; (*hecho, reunión*) se dérouler.

transcurso [trans'kurso] *nm* (*de tiempo*) cours *msg*; (*de hecho*) déroulement *m*; **en el ~ de 8 días** en l'espace de 8 jours.

transeúnte [transe'unte] *adj* de passage ♦ *nm/f* passant(e), clochard(e).

transexual [transe'kswal] *nm/f* transexuel(le).

transferencia [transfe'renθja] *nf* transfert *m*; (*COM*) virement *m*; ▶ **transferencia bancaria** virement bancaire; ▶ **transferencia de crédito** virement; ▶ **transferencia electrónica de fondos** système *m* de virements informatisé.

transferir [transfe'rir] *vt* transférer; (*dinero*) virer.

transfiera *etc* [trans'fjera] *vb V* **transferir**.

transfiguración [transfiɣura'θjon] *nf* transfiguration *f*.

transfiriendo *etc* [transfi'rjendo] *vb V* **transferir**.

transformación [transforma'θjon] *nf* transformation *f*.

transformador [transforma'ðor] *nm* transformateur *m*.

transformar [transfor'mar] *vt* transformer; **~ en** transformer en.

tránsfuga ['transfuɣa] *nm/f* transfuge *m*.

transfusión [transfu'sjon] *nf* (*tb*: **~ de sangre**) transfusion *f* (sanguine).

transgredir [transɣre'dir] *vt* transgresser.

transgresión [transɣre'sjon] *nf* transgression *f*.

transiberiano, -a [transiβe'rjano, a] *adj* transsibérien(ne) ♦ *nm* (*FERRO*) Transsibérien(ne).

transición [transi'θjon] *nf* transition *f*; **gobierno de ~** gouvernement *m* de transition; **período de ~** période *f* de transition; ▶ **transición democrática** transition démocratique.

transido, -a [tran'siðo, a] *adj*: **~ de angustia** fou(folle) d'inquiétude; **~ de dolor** paralysé(e) par la douleur.

transigir [transi'xir] *vi* transiger.

transija *etc* [tran'sixa] *vb V* **transigir**.

Transilvania [transil'βanja] *nf* Transylvanie *f*.

transistor [transis'tor] *nm* transistor *m*.

transitable [transi'taβle] *adj* praticable.

transitar [transi'tar] *vi*: **~ (por)** circuler (sur).

transitivo, -a [transi'tiβo, a] *adj* transitif(-ive).

tránsito ['transito] *nm* passage *m*; (*AUTO*) transit *m*; **horas de máximo ~** heures *fpl* de pointe; **"se prohíbe el ~"** "circulation interdite".

transitorio, -a [transi'torjo, a] *adj* transitoire.

transmisión [transmis'sjon] *nf* transmission *f*; (*RADIO, TV*) diffusion *f*; **correa/eje de ~** courroie *f*/axe *m* de transmission; ▶ **transmisión de datos (en paralelo/en serie)** (*INFORM*) transmission de données (en parallèle/en série); ▶ **transmisión en circuito** duplex *m*; ▶ **transmisión en directo** diffusion en direct; ▶ **transmisión exterior** émission tournée en extérieur.

transmitir [transmi'tir] *vt* transmettre; (*aburrimiento, esperanza*) communiquer; (*RADIO, TV*) diffuser.

transmutar [transmu'tar] *vt* transmuer.

transparencia [transpa'renθja] *nf* transparence *f*; (*foto*) transparent *m*.

transparentar [transparen'tar] *vt* (*figura*) révéler; (*alegría, tristeza*) transparaître ♦ *vi* être transparent(e); **transparentarse** *vpr* être transparent(e).

transparente [transpa'rente] *adj* transparent(e).

transpirar [transpi'rar] *vi* (*sudar*) transpirer; (*exudar*) exsuder.

transportador [transporta'ðor] *nm*: **~ de correa** tapis *msg* roulant.

transportar [transpor'tar] *vt* transporter.

transporte [trans'porte] *nm* transport *m*; ▶ **transporte en contenedores** transport par conteneurs; ▶ **transporte público** transport public.

transportista [transpor'tista] *nm/f* (*COM*) transporteur *m*.

transversal [transβer'sal] *adj* transversal(e) ♦ *nf* (*tb*: **calle ~**) rue *f* transversale.

transversalmente [transβer'salmente] *adv* transversalement.

tranvía [tram'bia] *nm* tramway *m*.

trapecio [tra'peθjo] *nm* trapèze *m*.

trapecista [trape'θista] *nm/f* trapéziste *m/f*.

trapero, -a [tra'pero, a] *nm/f* chiffonnier(-ière).

trapiche [tra'pitʃe] *nm* moulin *m*.

trapicheos [trapi'tʃeos] (*fam*) *nmpl* strata-

gèmes *mpl*, machinations *fpl*.
trapisonda [trapi'sonda] *nf* (*jaleo*) bagarre *f*, échauffourée *f*; (*engaño*) combine *f*.
trapo ['trapo] *nm* chiffon *m*; (*de cocina*) torchon *m*; ~**s** *nmpl* (*fam: de mujer*) chiffons *mpl*; **a todo** ~ à toute vitesse; **poner a algn como un** ~ (*fam*) descendre qn en flammes; **sacar los** ~**s sucios a relucir** se dire ses quatre vérités.
tráquea ['trakea] *nf* trachée *f*.
traqueteo [trake'teo] *nm* cahot *m*.
tras [tras] *prep* (*detrás*) derrière; (*después*) après; ~ **de** en plus de; **día** ~ **día** jour *m* après jour; **uno** ~ **otro** l'un après l'autre.
tras... [tras] *pref* trans...; *V tb* **trans...** .
trasatlántico, -a [trasat'lantiko, a] *adj*, *nm* transatlantique *m*.
trascendencia [trasθen'denθja] *nf* importance *f*; (*FILOS*) transcendance *f*.
trascendental [trasθenden'tal] *adj* capital(e).
trascender [trasθen'der] *vi* (*noticias*) filtrer, transpirer; (*olor*) embaumer; (*acontecimientos*) avoir des répercussions; ~ **de** dépasser; ~ **a** (*sugerir*) évoquer; (*oler a*) sentir; **en su novela todo trasciende a romanticismo** dans son roman tout évoque le romantisme.
trascienda *etc* [tras'θjenda] *vb V* **trascender**.
trasegar [trase'ɣar] *vt* déplacer; (*vino*) transvaser.
trasegué *etc* [trase'ɣe] *vb V* **trasegar**.
trasero, -a [tra'sero, a] *adj* arrière ♦ *nm* (*ANAT*) postérieur *m*.
trasfondo [tras'fondo] *nm* fond *m*.
trasgo ['trasɣo] *nm* lutin *m*, diable *m*.
trashumante [trasu'mante] *adj* transhumant(e).
trasiego [tra'sjeɣo] *vb V* **trasegar** ♦ *nm* (*cambio de sitio*) changement *m*; (*jaleo*) chambardement *m*.
trasiegue *etc* [tra'sjeɣe] *vb V* **trasegar**.
traslación [trasla'θjon] *nf* déplacement *m*; **el movimiento de** ~ (*ASTRON*) la translation.
trasladar [trasla'ðar] *vt* déplacer; (*empleado, prisionero*) transférer; (*fecha*) reporter; **trasladarse** *vpr* (*mudarse*) déménager; (*desplazarse*) se déplacer; ~**se a otro puesto** changer d'emploi.
traslado [tras'laðo] *nm* déplacement *m*; (*mudanza*) déménagement *m*; (*de empleado, prisionero*) transfert *m*; (*copia, JUR*) notification *f*; ► **traslado de bloque** (*INFORM*) déplacement de bloc.
traslúcido, -a [traslu'θiðo, a] *adj* translucide.
traslucir [traslu'θir] *vt* laisser entrevoir; **traslucirse** *vpr* (*cristal*) être translucide;

(*figura, color*) se voir au travers; (*fig*) apparaître, se révéler.
trasluz [tras'luθ] *nm* lumière *f* tamisée; **al** ~ à la lumière.
trasluzca *etc* [tras'luθka] *vb V* **traslucir**.
trasmano [tras'mano]: **a** ~ *adv* (*fuera de alcance*) hors de portée; (*apartado*) éloigné(e), isolé(e).
trasnochado, -a [trasno'tʃaðo, a] *adj* dépassé(e).
trasnochador, a [trasnotʃa'ðor, a] *adj*, *nm/f* noctambule *m/f*, couche-tard *m/f*.
trasnochar [trasno'tʃar] *vi* no coucher tard; (*no dormir*) passer une nuit blanche.
traspapelar [traspape'lar] *vt* égarer.
traspasar [traspa'sar] *vt* transpercer; (*propiedad, derechos*) céder; (*empleado, jugador*) transférer; (*límites*) dépasser; (*ley*) transgresser; "**traspaso negocio**" "bail à céder".
traspaso [tras'paso] *nm* (*de negocio, jugador*) cession *f*, vente *f*; (*precio*) montant *m*.
traspié [tras'pje] *nm* faux pas *msg*; (*fig*) faux pas, gaffe *f*.
trasplantar [trasplan'tar] *vt* transplanter.
trasplante [tras'plante] *nm* transplant *m*.
trasponer [traspo'ner] *vt* (*orden*) changer; (*cambiar de sitio*) déplacer, transporter; (*rebasar*) franchir; **trasponerse** *vpr* changer de place; (*sol*) disparaître.
traspuesto, -a [tras'pwesto, a] *pp de* **trasponer** ♦ *adj*: **quedarse** ~ (*quedarse dormido*) s'assoupir.
trasquilar [traski'lar] *vt* (*oveja*) tondre; (*fam: pelo*) mal couper.
trasquilón [traski'lon] (*fam*) *nm* échelle *f*.
trastabillar [trastaβi'ʎar] (*esp AM*) *vi* trébucher.
trastada [tras'taða] (*fam*) *nf* mauvais tour *m*.
trastazo [tras'taθo] (*fam*) *nm* coup *m*.
traste ['traste] *nm* (*MÚS*) touche *f*; **dar al** ~ **con algo** en finir avec qch; **irse al** ~ tourner court.
trastero [tras'tero] *nm* débarras *msg*.
trastienda [tras'tjenda] *nf* arrière-boutique *f*; **obtener algo por la** ~ obtenir qch en sous-main.
trasto ['trasto] *nm* vieillerie *f*; (*pey: cosa*) saleté *f*; (: *persona*) propre m à rien; ~**s** *nmpl* (*fam*) attirail *msg*; **tirarse los** ~**s a la cabeza** se battre comme des chiffonniers.
trastocar [trasto'kar] *vt* déranger.
trastornado, -a [trastor'naðo, a] *adj* (*loco*) détraqué(e); (*agitado*) turbulent(e).
trastornar [trastor'nar] *vt* déranger; (*persona*) troubler; (: *enamorar*) envoûter; (:

enloquecer) rendre fou(folle); **trastornarse** *vpr* (*plan*) échouer; (*persona*) devenir fou(folle).

trastorno [tras'torno] *nm* dérangement *m*; (*confusión*) désordre *m*; (*POL, MED*) trouble *m*; ▶ **trastorno estomacal** trouble gastrique; ▶ **trastorno mental** trouble mental.

trastrocar [trastro'kar] *vt* inverser, intervertir.

trasunto [tra'sunto] *nm* copie *f*.

trasvase [tras'ßase] *nm* détournement *m*.

trata ['trata] *nf* (*tb*: ~ **de esclavos**) traite *f* des noirs; ▶ **trata de blancas** traite des blanches.

tratable [tra'taßle] *adj* agréable.

tratado [tra'taðo] *nm* traité *m*.

tratamiento [trata'mjento] *nm* traitement *m*; (*título*) titre *m*; (*de problema*) manière *f* de traiter; ▶ **tratamiento de datos/de gráficos/de textos** (*INFORM*) traitement des données/des graphiques/de texte; ▶ **tratamiento de márgenes** positionnement *m* des marges; ▶ **tratamiento por lotes** (*INFORM*) traitement par lots.

tratante [tra'tante] *nm/f* négociant(e).

tratar [tra'tar] *vt* traiter; (*dirigirse a*) adresser; (*tener contacto*) fréquenter ♦ *vi*: ~ **de** (*hablar sobre*) traiter de; (*intentar*) essayer de; **tratarse** *vpr*: ~**se de** s'agir de; ~ **con** traiter avec; ~ **en** (*COM*) être négociant en; **se trata de la nueva piscina** c'est à propos de la nouvelle piscine; **¿de qué se trata?** de quoi s'agit-il?; ~ **a algn de tú** tutoyer qn; ~ **a algn de tonto** traiter qn d'idiot.

tratativas [trata'tißas] (*CSUR*) *nfpl* formalités *fpl*.

trato ['trato] *nm* traitement *m*; (*relaciones*) rapport *m*; (*manera de ser*) manières *fpl*; (*COM, JUR*) marché *m*; (*pacto*) traité *m*; (*título*) titre *m*; **de** ~ **agradable** agréable, charmant(e); **de fácil** ~ d'abord facile; ~ **equitativo** traitement égal; **¡**~ **hecho!** marché conclu!; **hacer un** ~ faire un marché; **malos** ~**s** mauvais traitements.

trauma ['trauma] *nm* trauma *m*.

traumático, -a [trau'matiko, a] *adj* traumatique.

través [tra'ßes] *nm*: **al** ~ en travers; **a** ~ **de** à travers, en travers de; (*radio, teléfono, organismo*) par, par l'intermédiaire de; **de** ~ (*transversalmente*) de travers; (*de lado*) en *o* de biais.

travesaño [traße'saɲo] *nm* (*ARQ*) traverse *f*; (*DEPORTE*) barre *f* transversale.

travesero, -a [traße'sero, a] *adj* (*madero, viga*) en travers; (*flauta*) traversière ♦ *nm* traverse *f*, entretoise *f*.

travesía [traße'sia] *nf* (*calle*) passage *m*; (*NÁUT*) traversée *f*.

travesti [tra'ßesti] *nm/f* travesti(e).

travesura [traße'sura] *nf* diablerie *f*.

traviesa [tra'ßjesa] *nf* (*FERRO*) traverse *f*.

travieso, -a [tra'ßjeso, a] *adj* (*niño*) espiègle, polisson(ne); (*adulto*) espiègle; (*pícaro*) malin(-igne); (*ingenioso*) astucieux(-euse); **a campo travieso** à travers champs.

trayecto [tra'jekto] *nm* trajet *m*, chemin *m*; (*tramo*) section *f*; **final del** ~ terminus *msg*.

trayectoria [trajek'torja] *nf* trajectoire *f*; **la** ~ **actual del partido** la ligne actuelle du parti.

trayendo *etc* [tra'jendo] *vb* V **traer**.

traza ['traθa] *nf* (*ARQ*) tracé *m*, plan *m*; (*aspecto*) allure *f*; (*habilidad*) facilité *f*; (*INFORM*) trace *f*; **llevar** ~**s de algo** avoir l'air de qch; **por las** ~**s** apparemment.

trazado [tra'θaðo, a] *nm* (*ARQ*) plan *m*; (*fig*) grandes lignes *fpl*; (*de carretera*) tracé *m*.

trazador [traθa'ðor] *nm* (*INFORM*) traceur *m*; ▶ **trazador gráfico** table *f* traçante.

trazar [tra'θar] *vt* tracer; (*plan*) tirer.

trazo [tra'θo] *nm* (*línea*) trait *m*; (*bosquejo*) ébauche *f*; ~**s** *nmpl* (*de cara*) traits *mpl*.

TRB *sigla fpl* (= *toneladas de registro bruto*) tonnage *m* brut.

trébol ['treßol] *nm* trèfle *m*; ~**es** *nmpl* (*NAIPES*) trèfles *mpl*.

trece ['treθe] *adj inv, nm inv* treize *m inv*; **seguir en sus** ~ s'obstiner; *V tb* **seis**.

trecho ['tretʃo] *nm* (*distancia*) distance *f*; (*de tiempo*) moment *m*; **de** ~ **en** ~ de temps en temps; **a** ~**s** çà et là.

tregua ['treɣwa] *nf* trêve *f*; **sin** ~ sans répit.

treinta ['treinta] *adj inv, nm inv* trente *m inv*; *V tb* **sesenta**.

treintena [trein'tena] *nf* trentaine *f*.

tremebundo, -a [treme'ßundo, a] *adj* terrible.

tremendamente [tre'mendamente] *adv* terriblement.

tremendo, -a [tre'mendo, a] *adj* (*terrible*) impressionnant(e); (*imponente*) terrible, impressionnant(e); (*fam*) terrible; **tomarse las cosas a la tremenda** prendre les choses au tragique.

trementina [tremen'tina] *nf* térébenthine *f*.

trémulo, -a ['tremulo, a] *adj* tremblant(e); (*luz*) vacillant(e).

tren [tren] *nm* train *m*; **a todo** ~ à grands frais; **estar como un** ~ (*fam*) être canon; ▶ **tren de aterrizaje** train d'atterrissage; ▶ **tren directo/expreso/suplementario** train direct/(train) express *m*/train à supplément; ▶ **tren (de) mercancías/de pasajeros** train de marchandises/de voyageurs; ▶ **tren de vida** train de vie.

trenca ['trenka] *nf* duffle-coat *m*.

trence *etc* ['trenθe] *vb* V **trenzar**.

trenza ['trenθa] *nf* tresse *f*.

trenzar [tren'θar] *vt* tresser ◆ *vi* (*en baile*) faire des entrechats; **trenzarse** *vpr* (*AM*: *fam*) se mêler à une querelle.

trepa ['trepa] (*fam*) *nm/f* arriviste *m/f*.

trepador, a [trepa'ðor, a] *adj* (*plante*) grimpant(e) ◆ *nm/f* arriviste *m/f* ◆ *nf* (*planta*) plante *f* grimpante.

trepar [tre'par] *vi* grimper.

trepidante [trepi'ðante] *adj* trépidant(e); (*ruido*) accablant(e).

trepidar [trepi'ðar] *vi* trépider.

tres [tres] *adj inv*, *nm inv* trois *m inv*; V *tb* **seis**.

trescientos, -as [tres'θjentos, as] *adj* trois cents; V *tb* **seiscientos**.

tresillo [tre'siʎo] *nm* salon *m* (*comprenant un canapé et deux fauteuils*); (*MÚS*) triolet *m*.

treta ['treta] *nf* machination *f*.

tri... [tri...] *pref* tri... .

tríada ['triaða] *nf* triade *f*.

trial [trjal] *nm* trial *m*.

triangular [trjangu'lar] *adj* triangulaire.

triángulo [tri'angulo] *nm* triangle *m*.

triates ['trjates] (*MÉX*) *nmpl* triplés *mpl*.

tribal [tri'ßal] *adj* tribal(e).

tribu ['trißu] *nf* tribu *f*.

tribulación [trißula'θjon] *nf* tourment *m*.

tribuna [tri'ßuna] *nf* tribuno *f*; ▶ **tribuna de prensa** tribune de la presse.

tribunal [trißu'nal] *nm* (*JUR*) tribunal *m*; (*ESCOL, fig*) jury *m*; ▶ **Tribunal Constitucional** *Cour constitutionnelle*; ▶ **Tribunal de Cuentas** ≈ Cour *f* des comptes; ▶ **Tribunal de Justicia de las Comunidades Europeas** Cour de justice européenne; ▶ **Tribunal Supremo** Cour suprême; ▶ **Tribunal Tutelar de Menores** Tribunal pour enfants.

tributar [trißu'tar] *vt* payer; (*cariño, admiración*) témoigner.

tributario, -a [trißu'tarjo, a] *adj* (*ECON*) fiscal(e); (*río*) tributaire; **sistema ~** système *m* fiscal.

tributo [tri'ßuto] *nm* tribut *m*, impôt *m*.

triciclo [tri'θiklo] *nm* tricycle *m*.

tricornio [tri'kornjo] *nm* tricorne *m*.

tricota [tri'kota] (*AM*) *nf* tricot *m*.

tricotar [triko'tar] *vt, vi* tricoter.

tricotosa [triko'tosa] *nf* machine *f* à tricoter, tricoteuse *f*.

tridimensional [triðimensjo'nal] *adj* tridimensionnel(le).

trienal [trje'nal] *adj* triennal(e).

trienio ['trjenjo] *nm* triennat *m*.

trifulca [tri'fulka] (*fam*) *nf* bagarre *f*.

trigal [tri'ɣal] *nm* champ *m* de blé.

trigésimo, -a [tri'xesimo, a] *adj, nm/f* trentième *m/f*.

trigo ['triɣo] *nm* blé *m*; **no es ~ limpio** il est louche.

trigonometría [triɣonome'tria] *nf* trigonométrie *f*.

trigueño, -a [tri'ɣeɲo, a] *adj* (*pelo*) châtain-clair *inv*; (*piel*) basané(e).

trilateral [trilate'ral] *adj* trilatéral(e).

trillado, -a [tri'ʎaðo, a] *adj* (*AGR*) battu(e); (*fig*) rebattu(e).

trilladora [triʎa'ðora] *nf* batteuse *f*.

trillar [tri'ʎar] *vt* battre.

trillizos, -as [tri'ʎiθos, as] *nm/fpl* triplés(-ées).

trilogía [trilo'xia] *nf* trilogie *f*.

trimestral [trimes'tral] *adj* trimestriel(le).

trimestre [tri'mestre] *nm* trimestre *m*.

trimotor [trimo'tor] *nm* trimoteur *m*.

trinar [tri'nar] *vi* (*ave*) gazouiller; **está que trina** (*fam*) il est furieux.

trincar [trin'kar] *vt* arrimer; (*NÁUT*) amarrer; (*fam*: *detener*) ramasser; (: *beber*) écluser.

trinchante [trin'tʃante] *nm* (*cuchillo*) couteau *m* à découper; (*tenedor*) fourchette *f* à découper.

trinchar [trin'tʃar] *vt* découper.

trinchera [trin'tʃera] *nf* (*MIL*) tranchée *f*; (*para vía*) percée *f*; (*impermeable*) trench-coat *m*.

trineo [tri'neo] *nm* traîneau *m*.

trinidad [trini'ðað] *nf*: **la T~** la Trinité.

trino ['trino] *nm* gazouillement *m*.

trinque *etc* ['trinke] *vb* V **trincar**.

trinquete [trin'kete] *nm* (*TEC*) cliquet *m*; (*NÁUT*) trinquette *f*.

trío ['trio] *nm* trio *m*.

tripa ['tripa] *nf* (*ANAT*) intestin *m*; (*fam*) tripe *f*; (: *embarazo*) ventre *m*; **~s** *nfpl* (*ANAT*) intestins *mpl*; (*CULIN, fig*) tripes *fpl*; **echar/tener ~** prendre/avoir du ventre; **me duele la ~** j'ai mal au ventre; **hacer de ~s corazón** prendre son courage à deux mains.

tripartito, -a [tripar'tito, a] *adj* tripartite.

triple ['triple] *adj* triple.

triplicado, -a [tripli'kaðo, a] *adj*: **por ~** en trois exemplaires.

triplicar [tripli'kar] *vt* tripler.

triplo ['triplo] *nm* = **triple**.

trípode ['tripoðe] *nm* trépied *m*.

Trípoli ['tripoli] *n* Tripoli.

tríptico ['triptiko] *nm* triptyque *m*.

tripulación [tripula'θjon] *nf* équipage *m*.

tripulante [tripu'lante] *nm/f* membre *m* de l'équipage.

tripular [tripu'lar] *vt* former l'équipage de;

nave espacial tripulada vaisseau *m* spatial habité.

triquiñuela [triki'ɲwela] *nf* subterfuge *m*.

triquitraque [triki'trake] *nm* vacarme *m*.

tris [tris] *nm*: **estar en un ~ de hacer algo** être sur le point de faire qch.

triste ['triste] *adj* triste; (*paisaje*) morne; (*color, flores*) flétri(e); **no queda ni un ~ pañuelo** il ne reste même pas un mouchoir.

tristemente ['tristemente] *adv* tristement.

tristeza [tris'teθa] *nf* tristesse *f*.

tristón, -ona [tris'ton, ona] *adj* triste, tristounet(te).

triturador [tritura'ðor] *nm*: **~ de basura** broyeur *m* à ordures.

trituradora [tritura'ðora] *nf* déchiqueteuse *f*.

triturar [tritu'rar] *vt* triturer, broyer; (*mascar*) mâcher; (*documentos*) déchiqueter; (*persona: golpear*) pulvériser; (: *humillar*) anéantir.

triunfador, a [triunfa'ðor, a] *adj* victorieux(-euse) ♦ *nm/f* vainqueur *m*.

triunfal [trium'fal] *adj* triomphal(e).

triunfalmente [triun'falmente] *adv* triomphalement.

triunfante [triun'fante] *adj* triomphant(e).

triunfar [triun'far] *vi* triompher, gagner; **~ en la vida** réussir dans la vie.

triunfo [tri'unfo] *nm* triomphe *m*; (*NAIPES*) atout *m*.

trivial [tri'βjal] *adj* banal(e), sans importance.

trivialice *etc* [triβja'liθe] *vb V* **trivializar**.

trivializar [triβjali'θar] *vt* minimiser, banaliser.

triza ['triθa] *nf* morceau *m*, lambeau *m*; **hacer algo ~s** réduire qch en miettes; **hacer ~s a algn** (*golpear*) démolir qn; (*humillar*) écraser qn.

trocar [tro'kar] *vt* (*COM*) troquer; (*papel, posición*) changer; (*palabras*) échanger; **trocarse** *vpr* se changer; **~ (en)** changer (en); **~se (en)** se changer (en).

trocear [troθe'ar] *vt* couper en morceaux.

trocha ['trotʃa] (*AM*) *nf* sentier *m*.

troche ['trotʃe]: **a ~ y moche** *adv* à tort et à travers.

trofeo [tro'feo] *nm* trophée *m*; (*botín*) butin *m*; ► **trofeo de caza** trophée de chasse.

trola ['trola] (*fam*) *nf* mensonge *m*.

tromba ['tromba] *nf* trombe *f*; ► **tromba de agua** trombe d'eau.

trombón [trom'bon] *nm* trombone *m*.

trombosis [trom'bosis] *nf inv* thrombose *f*; ► **trombosis cerebral** thrombose cérébrale.

trompa ['trompa] *nf* (*MÚS*) cor *m*; (*de elefante, insecto, fam*) trompe *f* ♦ *nm* (*MÚS*)

joueur *m* de cor; **estar ~** (*fam*) être pompette; **cogerse una ~** (*fam*) prendre une cuite; ► **trompa de Falopio** trompe de Fallope.

trompada [trom'paða] *nf*, **trompazo** [trom'paθo] *nm* coup *m*; (*puñetazo*) coup de poing; **darse un ~** se donner un coup.

trompeta [trom'peta] *nf* trompette *f*; (*clarín*) clairon *m* ♦ *nm/f* trompettiste *m/f*.

trompetilla [trompe'tiʎa] *nf* cornet *m* acoustique.

trompetista [trompe'tista] *nm/f* trompettiste *m/f*.

trompicón [trompi'kon]: **a trompicones** *adv* par à-coups.

trompo ['trompo] *nm* toupie *f*.

tronado, -a [tro'naðo, a] *adj* toqué(e), dingue.

tronar [tro'nar] *vt* (*CAM, MÉX: fam*) tuer ♦ *vi* (*METEOROLOGÍA*) tonner.

tronchar [tron'tʃar] *vt* (*árbol*) abattre; (*vida, esperanza*) briser, détruire; **troncharse** *vpr* se fendre, tomber; **~se de risa** se tordre de rire.

troncho ['trontʃo] *nm* tige *f*.

tronco ['tronko] *nm* tronc *m*; (*de familia*) lignée *f*; **dormir/estar como un ~** dormir comme une souche.

tronera [tro'nera] *nf* (*MIL*) meurtrière *f*; (*ARQ*) hublot *m*; (*de mesa de billar*) poche *f*.

trono ['trono] *nm* trône *m*.

tropa ['tropa] *nf* troupe *f*; (*gentío*) foule *f*.

tropecé *etc* [trope'θe] *vb V* **tropezar**.

tropel [tro'pel] *nm* (*desorden*) cohue *f*; (*montón*) amoncellement *m*; **en ~** en se bousculant.

tropelía [trope'lia] *nm* sauvagerie *f*.

tropezar [trope'θar] *vi* trébucher; **tropezarse** *vpr* se rencontrer; **~ con** (*fig*) tomber sur.

tropezón [trope'θon] *nm* faux pas *msg*; **tropezones** *nmpl* (*CULIN*) morceaux *mpl* de viande; **darse un ~** trébucher.

tropical [tropi'kal] *adj* tropical(e).

trópico ['tropiko] *nm* tropique *m*.

tropiece *etc* [tro'pjeθe] *vb V* **tropezar**.

tropiezo [tro'pjeθo] *vb V* **tropezar** ♦ *nm* (*error*) erreur *f*, bévue *f*; (*revés*) revers *msg*; (*obstáculo*) difficulté *f*; (*desliz*) erreur.

troqué *etc* [tro'ke], **troquemos** *etc* [tro'kemos] *vb V* **trocar**.

trotamundos [trota'mundos] (*fam*) *nm/f inv* globe-trotter *m/f*.

trotar [tro'tar] *vi* trotter; (*fam: viajar*) voyager.

trote ['trote] *nm* trot *m*; (*fam*) activité *f*; **hacer algo al ~** faire qch à toute vitesse; **de mucho ~** solide, résistant(e); **ya no es-**

tá para esos ~s ce n'est plus pour lui.
Troya ['troja] *nf* Troie; **aquí fue** ~ ça a été la catastrophe.
trozo ['troθo] *nm* morceau *m*; **a** ~s par endroits.
trucha ['trutʃa] *nf* truite *f*.
truco ['truko] *nm* truc *m*; (*CINE*) trucage *m*; **ya le he cogido el** ~ j'ai trouvé le truc; ▶ **truco publicitario** astuce *f* promotionnelle.
truculento, -a [truku'lento, a] *adj* truculent(e).
trueco *etc* ['trweko] *vb* V **trocar.**
trueno ['trweno] *vb* V **tronar** ♦ *nm* tonnerre *m*; (*estampido*) détonation *f*.
trueque ['trweke] *vb* V **trocar** ♦ *nm* échange *m*; (*COM*) troc *m*.
trufa ['trufa] *nf* truffe *f*.
truhán, -ana [tru'an, ana] *nm/f* truand(e).
truncado, -a [trun'kaðo, a] *adj* tronqué(e); (*esperanzas*) altéré(e); (*vida*) abrégé(e).
truncar [trun'kar] *vt* tronquer; (*vida*) abréger; (*desarrollo*) retarder; (*esperanzas*) briser.
trunque *etc* ['trunke] *vb* V **truncar.**
trusa(s) ['trusa(s)] *nf(pl)* (*AND, MÉX*) caleçons *mpl*, culottes *fpl*.
Tte. *abr* (= *Teniente*) Lt (= *Lieutenant*).
tu [tu] *adj* ton(ta); **tus hijos** tes enfants.
tú [tu] *pron* tu.
tubérculo [tu'ßerkulo] *nm* tubercule *m*.
tuberculosis [tußerku'losis] *nf* tuberculose *f*.
tubería [tuße'ria] *nf* tuyau *m*; (*sistema*) tuyauterie *f*; (*oleoducto etc*) conduite *f*.
tubo ['tußo] *nm* tube *m*; (*de desagüe*) tuyau *m*; ▶ **tubo de ensayo** éprouvette *f*, tube à essai; ▶ **tubo de escape** pot *m* d'échappement; ▶ **tubo digestivo** tube digestif.
tucán [tu'kan] *nm* toucan *m*.
tuerca ['twerka] *nf* écrou *m*.
tuerce *etc* ['twerθe] *vb* V **torcer.**
tuerto, -a ['twerto, a] *adj, nm/f* borgne *m/f*.
tuerza *etc* ['twerθa] *vb* V **torcer.**
tueste *etc* ['tweste] *vb* V **tostar.**
tuétano ['twetano] *nm* moelle *f*; **hasta los** ~s jusqu'à la moelle.
tufo ['tufo] (*pey*) *nm* relent *m*.
tugurio [tu'xurjo] *nm* taudis *msg*.
tul [tul] *nm* tulle *m*.
tulipán [tuli'pan] *nm* tulipe *f*.
tullido, -a [tu'ʎiðo, a] *adj* estropié(e).
tumba ['tumba] *nf* tombe *f*; **ser (como) una** ~ être muet(te) comme une tombe.
tumbar [tum'bar] *vt* (*extender en el suelo*) allonger; (*derribar*) renverser; (*fam: suj: olor*) empester; (: *en examen*) recaler; coller; (: *en competición*) battre ♦ *vi* tomber par terre; **tumbarse** *vpr* s'allonger;

(*extenderse*) s'étendre.
tumbo ['tumbo] *nm* chute *f*; (*de vehículo*) cahot *m*; **ir dando** ~s avancer par à-coups.
tumbona [tum'bona] *nf* chaise *f* longue.
tumefacto, -a [tume'fakto,a] *adj* (*MED*) tuméfié(e).
tumor [tu'mor] *nm* tumeur *f*.
tumulto [tu'multo] *nm* tumulte *m*; (*POL*) émeute *f*, troubles *mpl*.
tumultuoso, -a [tumul'twoso, a] *adj* tumultueux(-euse).
tuna ['tuna] *nf* petit orchestre *m* d'étudiants; *V tb* **tuno.**
tunante [tu'nante] *adj* coquin(e) ♦ *nm/f* coquin(e), garnement *m*; ¡~! garnement!, vilain(e)!
tunda ['tunda] *nf* raclée *f*.
tundir [tun'dir] *vt* tondre.
tunecino, -a [tune'θino, a] *adj* tunisien(ne) ♦ *nm/f* Tunisien(ne).
túnel ['tunel] *nm* tunnel *m*.
Túnez ['tuneθ] *n* Tunis.
túnica ['tunika] *nf* tunique *f*.
Tunicia [tu'niθja] *nf* Tunisie *f*.
tuno, -a ['tuno, a] *nm/f* membre *m* d'un orchestre d'étudiants.
tuntún [tun'tun]: **al (buen)** ~ *adv* au petit bonheur, au hasard.
tupamaro, -a [tupa'maro, a] (*CSUR*) *adj* (*POL*) *relatif aux Tupamaros* ♦ *nm/f* Tupamaro *m* (*guérilleros sévissant dans les centres urbains en Uruguay*).
tupé [tu'pe] *nm* toupet *m*.
tupí [tu'pi] *adj* tupi *inv* ♦ *nm/f* Tupi *m/f inv*.
tupido, -a [tu'piðo, a] *adj* (*niebla, bosque*) épais(se); (*tela*) serré(e).
tupí-guaraní [tu'pi-gwara'ni] *adj, nm/f* V **tupí.**
turba ['turßa] *nf* (*muchedumbre*) foule *f*; (*combustible*) tourbe *f*.
turbación [turßa'θjon] *nf* (*preocupación*) inquiétude *f*; (*sonrojo*) gêne *f*.
turbado, -a [tur'ßaðo, a] *adj* (*silencio, sueño*) troublé(e); (*preocupado*) inquiet(-ète); (*sonrojado*) gêné(e).
turbante [tur'ßante] *nm* turban *m*.
turbar [tur'ßar] *vt* (*paz, sueño*) troubler; (*preocupar*) inquiéter, troubler; (: *azorar*) gêner; **turbarse** *vpr* être gêné(e).
turbina [tur'ßina] *nf* turbine *f*.
turbio, -a ['turßjo, a] *adj, adv* trouble.
turbión [tur'ßjon] *nf* averse *f*.
turbo ['turßo] *adj, nm* turbo *m*.
turbogenerador [turßoxenera'ðor] *nm* turbogénérateur *m*.
turbohélice [turßo'eliθe] *nm* turbopropulseur *m*.
turbulencia [turßu'lenθja] *nf* agitation *f*; (*fig*) turbulence *f*, agitation.

turbulento, -a [turßu'lento, a] *adj* agité(e); (*fig*) agité(e), turbulent(e).
turco, -a ['turko, a] *adj* turc(turque) ♦ *nm/f* Turc(Turque); (*AND, CSUR: pey*) *terme péjoratif qui désigne tout immigré du Moyen-Orient* ♦ *nm* (*LING*) turc *m*.
turgente [tur'xente] *adj* arrondi(e), galbé(e).
Turín [tu'rin] *n* Turin.
turismo [tu'rismo] *nm* tourisme *m*; (*coche*) voiture *f* (particulière); **hacer** ~ faire du tourisme.
turista [tu'rista] *nm/f* touriste *m/f*.
turístico, -a [tu'ristiko, a] *adj* touristique.
turnar [tur'nar] *vi* alterner; **turnarse** *vpr* se relever.
turné [tur'ne] *nf* tournée *f*.
turno ['turno] *nm* tour *m*; **es su** ~ c'est à son tour; **por** ~**s** par équipes; ▶**turno de día/de noche** équipe *f* de jour/de nuit.
turolense [turo'lense] *adj* de Teruel ♦ *nm/f* natif(-ive) *o* habitant(e) de Teruel.
turquesa [tur'kesa] *adj, nf* turquoise *f*.
Turquía [tur'kia] *nf* Turquie *f*.
turrón [tu'rron] *nm* touron *m* (*sorte de nougat*).
turulato, -a [turu'lato, a] *adj* étourdi(e).
tute ['tute] *nm* jeu de cartes; **darse un** ~ (*fam*) en mettre un coup.
tutear [tute'ar] *vt* tutoyer; **tutearse** *vpr* se tutoyer.
tutela [tu'tela] *nf* tutelle *f*; **estar bajo la** ~ **de** (*fig*) être sous la tutelle de.
tutelar [tute'lar] *adj* tutélaire ♦ *vt* avoir la tutelle de.
tutiplén [tuti'plen]: **a** ~ *adv* en abondance, à profusion.
tutor, a [tu'tor, a] *nm/f* tuteur(-trice); (*ESCOL*) professeur *m* particulier; ▶**tutor de curso** directeur(-trice) d'études.
tuve *etc* ['tuße] *vb* V **tener**.
tuyo, -a ['tujo, a] *adj* ton(ta) ♦ *pron*: **el** ~/**la tuya** le tien/la tienne; **es** ~ c'est à toi; **los** ~**s** (*fam*) les tiens.
TVE *sigla f* = Televisión Española.
txistu ['tʃistu] *nm* flûte *f* basque.

U, u

U, u [u] *nf* (*letra*) U, u *m inv*; ~ **de Ulises** ≈ U comme Ursule.
u [u] *conj* ou.
u. *abr* (= *unidad*) U, u (= *unité*).
UAR [war] (*ESP*) *sigla fpl* = Unidades Antiterroristas Rurales.
ubérrimo, -a [u'ßerrimo, a] *adj* très fertile.
ubicación [ußika'θjon] *nf* situation *f*.
ubicado, -a [ußi'kaðo, a] (*esp AM*) *adj* situé(e).
ubicar [ußi'kar] (*esp AM*) *vt* situer; (*encontrar*) trouver; **ubicarse** *vpr* se trouver.
ubique *etc* [u'ßike] *vb* V **ubicar**.
ubre ['ußre] *nf* mamelle *f*.
UCI ['uθi] *sigla f* (= *Unidad de Cuidados Intensivos*) unité *f* de soins intensifs.
Ucrania [u'kranja] *nf* Ukraine *f*.
ucraniano, -a [ukra'njano, a] *adj* ukrainien(ne) ♦ *nm/f* Ukrainien(ne).
Ud(s) *abr* (= *usted(es)*) V **usted**.
UDV *sigla f* (= *Unidad de Despliegue Visual*) console *f* (de visualisation).
UEFA [w'efa] *sigla f* (= *Unión de Asociaciones de Fútbol Europeo*) UEFA *f* (= Union of European Football Associations).
UEO *sigla f* (= *Union Europea Occidental*) UEO *f* (= Union de l'Europe occidentale).
UEP *sigla f* (= *Unión Europea de Pagos*) UEP *f* (= Union européenne des paiements).
UER *sigla f* (= *Unión Europea de Radiodifusión*) UER *f* (= Union européenne de radiodiffusion).
uf [uf] *excl* (*cansancio*) pfouh!; (*repugnancia*) berk!
ufanarse [ufa'narse] *vpr*: ~ **de** se targuer de.
ufano, -a [u'fano, a] *adj* (*arrogante*) suffisant(e); (*satisfecho*) satisfait(e).
UGT *sigla f* (= *Unión General de Trabajadores*) syndicat.
UHF *sigla f* (= *Ultra High Frequency*) UHF *f* (= *ultra-haute fréquence*).
UIT *sigla f* (= *Unión Internacional de Telecomunicaciones*) UIT *f* (= Union internationale des télécommunications).
ujier [u'xjer] *nm* (*JUR*) huissier *m*; (*portero*)

portier *m*.
úlcera ['ulθera] *nf* ulcère *m*.
ulcerar [ulθe'rar] *vt* ulcérer; **ulcerarse** *vpr* s'irriter.
ulterior [ulte'rjor] *adj* ultérieur(e).
últimamente ['ultimamente] *adv* dernièrement.
ultimar [ulti'mar] *vt* finaliser; (*preparativos*) mettre la dernière main à; (*AM*: *asesinar*) abattre.
ultimátum [ulti'matum] (*pl* ~**s**) *nm* ultimatum *m*.
último, -a ['ultimo, a] *adj* dernier(-ière) ♦ *adv*: **ahora** ~ (*CHI*) récemment; **a la última** (*en moda*) à la dernière mode; (*en conocimientos*) au goût du jour; **a** ~**s de mes** en fin de mois; **el** ~ le dernier; **en las últimas** (*enfermo*) à l'article de la mort; (*sin dinero, provisiones*) démuni(e); **este** ~ ce dernier; **por** ~ enfin, en dernier lieu.
ultra ['ultra] *adj, nm/f* (*POL*) ultra *m/f*.
ultracongelar [ultrakonxe'lar] *vt* surgeler.
ultraderecha [ultraðe'retʃa] *nf* extrême-droite *f*.
ultrajar [ultra'xar] *vt* outrager.
ultraje [ul'traxe] *nm* outrage *m*.
ultraligero [ultrali'xero] *nm* ULM *m* (*ultraléger motorisé*).
ultramar [ultra'mar] *nm*: **de** ~ d'outre-mer; **los países de** ~ les pays d'outre-mer.
ultramarinos [ultrama'rinos] *nmpl* (*tb*: **tienda de** ~) épicerie *f*.
ultranza [ul'tranθa]: **a** ~ *adv* à outrance.
ultrasónico, -a [ultra'soniko, a] *adj* hypersonique.
ultratumba [ultra'tumba] *nf* outre-tombe *f*.
ultravioleta [ultraβjo'leta] *adj inv* ultraviolet(te), ultra-violet(te).
ulular [ulu'lar] *vi* hurler; (*búho*) ululer.
umbilical [umbili'kal] *adj*: **cordón** ~ cordon *m* ombilical.
umbral [um'bral] *nm* seuil *m*; ► **umbral de rentabilidad** seuil de rentabilité.
umbrío, -a [um'brio, a] *adj* ombragé(e).

================ *PALABRA CLAVE* ================

un, una [un, 'una] *art indef* **1** (*sg*) un(e); **una naranja** une orange; **un arma blanca** une arme blanche
2 (*pl*) des; **hay unos regalos para ti** il y a des cadeaux pour toi; **hay unas cervezas en la nevera** il y a des bières dans le frigo
3 (*enfático*): **¡hace un frío!** il fait un de ces froids!; **¡tiene una casa!** il a une de ces maisons!; *V tb* **uno**.

U.N.A.M. *sigla f* (= *Universidad Nacional Autónoma de México*) *université de la ville de Mexico*.

unánime [u'nanime] *adj* unanime.
unanimidad [unanimi'ðað] *nf* unanimité *f*; **por** ~ à l'unanimité.
unción [un'θjon] *nf* onction *f*.
uncir [un'θir] *vt* atteler.
undécimo, -a [un'deθimo, a] *adj, nm/f* onzième *m/f*.
UNED [u'ned] (*ESP*) *sigla f* (= *Universidad Nacional de Educación a Distancia*) ≈ CNED *m* (= *Centre national d'enseignement à distance*).
UNEF [u'nef] *sigla f* (= *Fuerzas de Urgencia de las Naciones Unidas*) ≈ FUNU *f*, (= *Force d'urgence des Nations unies*).
UNESCO, Unesco [u'nesko] *sigla f* (= *Organización de las Naciones Unidas para la Educación, la Ciencia y la Cultura*) UNESCO *f*, Unesco *f* (= *Organisation des Nations unies pour l'éducation, la science et la culture*).
ungir [un'xir] *vt* oindre.
ungüento [un'gwento] *nm* onguent *m*.
únicamente ['unikamente] *adv* uniquement.
UNICEF, Unicef [uni'θef] *sigla m* (= *Fondo de las Naciones Unidas para la Infancia*) ≈ UNICEF *m o f*, Unicef *m o f* (= *Fonds des Nations unies pour l'enfance*).
único, -a ['uniko, a] *adj* unique.
unidad [uni'ðað] *nf* unité *f*; ► **unidad central (de proceso)/de control** unité centrale (de traitement)/de commande; ► **unidad de cuidados intensivos** unité *f* de soins intensifs; ► **unidad de disco** lecteur *m* de disque; ► **unidad de entrada/de salida** unité périphérique d'entrée/de sortie; ► **unidad de información** donnée *f*; ► **unidad de presentación visual** *o* **de visualización** écran *m* de visualisation; ► **unidad monetaria** unité monétaire; ► **unidad móvil** (*TV*) unité mobile; ► **unidad periférica** unité périphérique.
unido, -a [u'niðo, a] *adj* uni(e).
unifamiliar [unifami'ljar] *adj*: **vivienda** ~ logement où vit une seule famille.
unificar [unifi'kar] *vt* unifier.
unifique *etc* [uni'fike] *vb V* **unificar**.
uniformado, -a [unifor'maðo, a] *adj* en uniforme.
uniformar [unifor'mar] *vt* uniformiser; (*personal*) mettre en uniforme.
uniforme [uni'forme] *adj* uniforme; (*color*) uni(e) ♦ *nm* uniforme *m*.
uniformidad [uniformi'ðað] *nf* uniformité *f*.
unilateral [unilate'ral] *adj* unilatéral(e).
unión [u'njon] *nf* union *f*; (*TEC*) jointure *f*; **en** ~ **de** ainsi que; **la U**~ **Soviética** l'Union Soviétique; **punto de** ~ (*TEC*)

jointure; ▸ **unión aduanera** union douanière; ▸ **Unión General de Trabajadores** (*ESP*) *syndicat*; ▸ **unión monetaria** union monétaire.

unir [u'nir] *vt* (*piezas*) assembler; (*cuerdas*) nouer; (*tierras, habitaciones*) relier; (*esfuerzos, familia*) unir; (*empresas*) fusionner; **unirse** *vpr* (*personas*) s'unir; (*empresas*) fusionner; **~se a** se joindre à; **les une una fuerte amistad** ils éprouvent beaucoup d'amitié l'un pour l'autre; **~se en matrimonio** s'unir par les liens du mariage.

unisex [uni'seks] *adj inv* unisexe *inv*.

unísono [u'nisono] *nm*: **al ~** à l'unisson.

unitario, -a [uni'tarjo, a] *adj* unitaire.

universal [unißer'sal] *adj* universel(le).

universidad [unißersi'ðað] *nf* université *f*; ▸ **universidad a distancia** enseignement *m* à distance; ▸ **universidad laboral** ≈ Institut *m* universitaire de technologie.

universitario, -a [unißersi'tarjo, a] *adj* universitaire ♦ *nm/f* étudiant(e).

universo [uni'ßerso] *nm* univers *msg*.

unja *etc* ['unxa] *vb V* **ungir**.

══════════ *PALABRA CLAVE*

uno, -a ['uno, a] *adj* un(e); **es todo uno** ça ne fait qu'un; **unos pocos** quelques uns; **unos cien** une centaine; **el día uno** le premier
♦ *pron* **1** un(e); **quiero uno solo** je n'en veux qu'un; **uno de ellos** l'un d'eux; **uno mismo** soi-même; **de uno en uno** un à un
2 (*alguien*) quelqu'un; **conozco a uno que se te parece** je connais quelqu'un qui te ressemble; **unos querían quedarse** quelques-uns voulaient rester
3: **(los) unos ... (los) otros ...** certains *o* les uns ... les autres *o* d'autres; **se miraron el uno al otro** ils se sont regardés l'un l'autre; **se pegan unos a otros** ils se battent entre eux
4 (*impersonal*): **uno se lo imagina** on se l'imagine
5 (*enfático*): **¡se montó una ...!** il y a eu une de ces pagailles!
♦ *nf* (*hora*): **es la una** il est une heure
♦ *nm* (*número*) un *m*; **el uno de abril** le premier avril.

untar [un'tar] *vt* (*con aceite, pomada*) enduire; (*en salsa, café*) tremper; (*manchar*) tacher; (*fig, fam*) graisser la patte à; **untarse** *vpr* (*mancharse*) se tacher; (*fig, fam*: *forrarse*) s'en mettre plein les poches; **~ el pan con mantequilla** étaler du beurre sur son pain.

unza *etc* ['unθa] *vb V* **uncir**.

uña ['uɲa] *nf* (*ANAT*) ongle *m*; (*de felino*) griffe *f*; (*de caballo*) sabot *m*; (*arrancaclavos*) arrache-clou *m*; **ser ~ y carne** s'entendre comme larrons en foire; **enseñar** *o* **mostrar** *o* **sacar las ~s** montrer *o* sortir ses griffes.

UOE (*ESP*) *sigla f* (*MIL = Unidad de Operaciones Especiales*) commando spécial.

UPA *sigla f = Unión Panamericana.*

UPC *sigla f* (= *unidad de proceso central*) CPU *f* (= *unité centrale*).

uperizado, -a [uperi'θaðo, a] *adj* U.H.T.

Urales [u'rales] *nmpl* (*tb*: **Montes ~**) Oural *msg*.

uralita ® [ura'lita] *nf* fibrociment ® *m*.

uranio [u'ranjo] *nm* uranium *m*.

Urano [u'rano] *nm* Uranus *f*.

urbanidad [urßani'ðað] *nf* courtoisie *f*.

urbanismo [urßa'nismo] *nm* urbanisme *m*.

urbanista [urßa'nista] *nm/f* urbaniste *m/f*.

urbanización [urßaniθa'θjon] *nf* lotissement *m*.

urbanizar [urßani'θar] *vt* urbaniser.

urbano, -a [ur'ßano, a] *adj* urbain(e).

urbe [ur'ße] *nf* grande ville *f*.

urdimbre [ur'ðimbre] *nf* (*de tejido*) chaîne *f*.

urdir [ur'ðir] *vt* ourdir.

urgencia [ur'xenθja] *nf* urgence *f*; **~s** *nfpl* (*MED*) urgences *fpl*; **con ~** d'urgence; **en caso de ~** en cas d'urgence; **servicios de ~** services *mpl* d'urgence.

urgente [ur'xente] *adj* urgent(e).

urgir [ur'xir] *vi* être urgent(e); **me urge** j'en ai besoin rapidement; **me urge terminarlo** il faut que je termine le plus vite possible.

urinario, -a [uri'narjo, a] *adj* urinaire ♦ *nm* urinoir *m*.

urja *etc* ['urxa] *vb V* **urgir**.

urna ['urna] *nf* (*tb POL*) urne *f*; (*de cristal*) vitrine *f*; **acudir a las ~s** (*votantes*) aller aux urnes.

urología [urolo'xia] *nf* urologie *f*.

urraca [u'rraka] *nf* pie *f*.

URSS [urs] *sigla f* (*HIST = Unión de Repúblicas Socialistas Soviéticas*) URSS *f* (= *Union des Républiques Socialistes Soviétiques*).

Uruguay [uru'ɣwai] *nm* Uruguay *m*.

uruguayo, -a [uru'ɣwajo, a] *adj* uruguayen(ne) ♦ *nm/f* Uruguayen(ne).

usado, -a [u'saðo, a] *adj* usagé(e); (*ropa etc*) usé(e), usagé(e); **muy ~** usé(e) jusqu'à la trame.

usanza [u'sanθa] *nf*: **a ~ (de)** à la manière (de).

usar [u'sar] *vt* utiliser; (*ropa*) porter; (*derecho etc*) user de ♦ *vi*: **~ de** user de; **usarse** *vpr* s'utiliser.

usina ['usina] (*esp CSUR*) *nf*: ~ **eléctrica** centrale *f* électrique.
USO ['uso] (*ESP*) *sigla f* (= *Unión Sindical Obrera*) syndicat.
uso ['uso] *nm* usage *m*; (*aplicación: de objeto, herramienta*) utilisation *f*; **al ~ de la época** dans le style de l'époque; **de ~ externo** (*MED*) à usage externe; **(estar) en ~** (être) en usage; **hacer ~ de la palabra** faire usage de la parole; **~ y desgaste** usure *f*.
usted [us'teð] *pron* (*sg*: *abr Ud* (*esp AM*) *o Vd*: *formal*) vous; ~**es** (*pl*: *abr Uds* (*esp AM*) *o Vds*: *formal*) vous; (*AM*: *formal y fam*) vous; **tratar o llamar de ~ a algn** vouvoyer qn.
usual [u'swal] *adj* habituel(-le).
usuario, -a [us'warjo, a] *nm/f* usager *m*; (*INFORM*) utilisateur(-trice); ~ **final** (*COM*) utilisateur(-trice) final(e).
usufructo [usu'frukto] *nm* usufruit *m*.
usura [u'sura] (*pey*) *nf* usure *f*.
usurero, -a [usu'rero, a] *nm/f* usurier(-ère).
usurpar [usur'par] *vt* usurper.
utensilio [uten'siljo] *nm* instrument *m*; (*de cocina*) ustensile *m*.
útero ['utero] *nm* utérus *msg*.
útil ['util] *adj* utile; ~**es** *nmpl* outils *mpl*; **día ~** jour *m* ouvrable.
utilice *etc* [uti'liθe] *vb V* **utilizar**.
utilidad [utili'ðað] *nf* utilité *f*; (*provecho*) avantage *m*; (*COM*) bénéfice *m*; ► **utilidades líquidas** bénéfice *msg* net.
utilitario [utili'tarjo] *nm* (*INFORM*) utilitaire *m*; (*AUTO*) voiture *f* de tourisme.
utilizar [utili'θar] *vt* utiliser.
utopía [uto'pia] *nf* utopie *f*.
utópico, -a [u'topiko, a] *adj* utopique.
UV *sigla mpl* (= *rayos ultravioleta*) UV *mpl* (= *ultraviolets*).
uva ['uβa] *nf* raisin *m*; **estar de mala ~** être de mauvais poil; **tener mala ~** avoir un sale caractère; ► **uva pasa** raisin sec.
uve ['uβe] *nf* (*letra*) v *m*; **en forma de ~** en V; ► **uve doble** double v *m*.
UVI ['uβi] *sigla f* (= *Unidad de Vigilancia Intensiva*) unité *f* de soins intensifs.

V, v

V, v ['uβe] *nf* (*letra*) V, v *m inv*; ~ **de Valencia** ≈ V comme Victor.
V. *abr* = **usted**; (= *Visto*) vu.
v. *abr* (*ELEC* = *voltio*) V (= *volt*); (= *ver, véase*) v. (= *voir*); (*LIT*: = *verso*) vº (= *verso*).
va [ba] *vb V* **ir**.
V.A. *abr* = *Vuestra Alteza*.
vaca ['baka] *nf* vache *f*; (*carne*) bœuf *m*; ~**s flacas/gordas** (*fig*) vaches *fpl* maigres/grasses.
vacaciones [baka'θjones] *nfpl* vacances *fpl*; **estar/irse o marcharse de ~** être/partir en vacances.
vacante [ba'kante] *adj* vacant(e) ♦ *nf* poste *m* vacant.
vaciado [ba'θjaðo, a] *nm* (*ARTE*) moulage *m*.
vaciar [ba'θjar] *vt* vider; (*dejar hueco*) évider; (*ARTE*) mouler; **vaciarse** *vpr* se vider; (*fig, fam*) se défouler.
vacilación [baθila'θjon] *nf* hésitation *f*.
vacilante [baθi'lante] *adj* vacillant(e); (*dudoso*) hésitant(e).
vacilar [baθi'lar] *vt* (*fam*) faire marcher ♦ *vi* hésiter; (*mueble, lámpara*) chanceler; (*luz, persona*) vaciller; (*fam: bromear*) plaisanter.
vacilón [baθi'lon] (*CAM, MÉX: fam*) *nm* noce *f*.
vacío, -a [ba'θio, a] *adj* vide; (*puesto*) libre ♦ *nm* vide *m*; **envasado al ~** emballé sous vide; **hacer el ~ a algn** mettre qn en quarantaine; **(volver) de ~** (*sin carga*) (revenir) à vide; (*sin resultados*) (revenir) les mains vides.
vacuna [ba'kuna] *nf* vaccin *m*.
vacunar [baku'nar] *vt* vacciner; **vacunarse** *vpr* se faire vacciner.
vacuno, -a [ba'kuno, a] *adj* bovin(e).
vacuo, -a ['bakwo, a] *adj* vide.
vadear [baðe'ar] *vt* passer à gué; (*problema*) surmonter.
vado ['baðo] *nm* gué *m*; "~ **permanente**" (*AUTO*) ≈ "sortie *f* de véhicules".
vagabundear [baɣaβunde'ar] *vi* vagabonder.
vagabundo, -a [baɣa'ßundo, a] *adj* vaga-

bond(e); (*perro*) errant(e) ♦ *nm/f* vaga-bond(e).

vagamente ['baɣamente] *adv* vaguement.

vagancia [ba'ɣanθja] *nf* paresse *f*.

vagar [ba'ɣar] *vi* errer, vagabonder.

vagido [ba'xiðo] *nm* vagissement *m*.

vagina [ba'xina] *nf* vagin *m*.

vago, -a ['baɣo, a] *adj* vague; (*perezoso*) fainéant(e) ♦ *nm/f* fainéant(e).

vagón [ba'ɣon] *nm* wagon *m*; ► **vagón cama/restaurante** wagon-lit *m*/wagon-restaurant *m*.

vaguada [ba'ɣwaða] *nf* fond *m* (de la val-lée).

vague *etc* ['baɣe] *vb* V **vagar**.

vaguear [baɣe'ar] *vi* fainéanter.

vaguedad [baɣe'ðað] *nf* vague *m*, manque *m* de précision; ~**es** *nfpl*: **decir** ~**es** rester dans le vague.

vahído [ba'iðo] *nm* vertige *m*.

vaho ['bao] *nm* vapeur *f*; (*aliento*) buée *f*; ~**s** *nmpl* (*MED*) inhalations *fpl*.

vaina ['baina] *nf* (*de espada*) fourreau *m*; (*de guisantes, judías*) cosse *f*; (*AM*: *fam*) embêtement *m*.

vainilla [bai'niʎa] *nf* vanille *f*.

vainita [bai'nita] (*AM*) *nf* haricot *m* vert.

vais [bais] *vb* V **ir**.

vaivén [bai'ßen] *nm* va-et-vient *m* inv; **vai-venes** *nmpl* (*fig*: *de la vida*) vicissitudes *fpl*.

vajilla [ba'xiʎa] *nf* vaisselle *f*; **una** ~ un service; ► **vajilla de porcelana** service *m* en porcelaine.

val *etc* [bal], **valdré** *etc* [bal'dre] *vb* V **valer**.

vale ['bale] *nm* bon *m*; (*recibo*) reçu *m*; (*pagaré*) billet *m* à ordre; (*VEN*: *fam*) co-pain(copine); ► **vale de regalo** chèque-cadeau *m*.

valedero, -a [bale'ðero, a] *adj* valable.

valenciana [balen'θjana] (*MÉX*) *nf* revers *msg*; *V tb* **valenciano**.

valenciano, -a [balen'θjano, a] *adj* valen-cien(ne) ♦ *nm/f* Valencien(ne) ♦ *nm* (*LING*) valencien *m*.

valentía [balen'tia] *nf* bravoure *f*; (*proeza*) acte *m* de bravoure.

valentísimo, -a [balen'tisimo, a] *adj* (*superl de valiente*) valeureux(-euse).

valentón, -ona [balen'ton, ona] (*pey*) *adj* fanfaron(ne).

valer [ba'ler] *vt* valoir ♦ *vi* servir; (*ser váli-do*) être valable; (*estar permitido*) être permis(e); (*tener mérito*) avoir du mérite ♦ *nm* valeur *f*; **valerse** *vpr*: ~**se de** (*hacer valer*) faire valoir; (*servirse de*) se servir de; ~ **la pena** valoir la peine; ~ (**para**) servir (à); **¿vale?** d'accord?, ça va?; **¡vale!** d'accord!; (*¡basta!*) ça suffit!; **más vale (hacer/que)** mieux vaut (faire/que);

¡eso no vale! ce n'est pas permis!; **no vale nada** ça ne vaut rien; **no vale para nada** ça ne sert à rien; (*persona*) il(elle) n'est bon(ne) à rien; **me vale madre o sombrilla** (*MÉX*: *fam*) je m'en fous pas mal; (**poder**) ~**se por sí mismo** (pouvoir) se débrouiller tout seul.

valeroso, -a [bale'roso, a] *adj* valeu-reux(-euse).

valga *etc* ['balɣa] *vb* V **valer**.

valía [ba'lia] *nf* valeur *f*; **de gran** ~ de grande valeur.

validar [bali'ðar] *vt* valider; (*POL*: *tratado*) ratifier.

validez [bali'ðeθ] *nf* validité *f*; **dar** ~ **a algo** prouver la justesse de qch.

válido, -a ['baliðo, a] *adj* valable; (*DEPOR-TE*) valide.

valiente [ba'ljente] *adj* (*soldado*) brave, courageux(-euse); (*niño, decisión*) coura-geux(-euse); (*pey*) fanfaron(ne); (*con iro-nía*) vaillant(e) ♦ *nm/f* brave *m/f*.

valija [ba'lixa] *nf* valise *f*; (*CORREOS*) saco-che *f*; ► **valija diplomática** valise diplo-matique.

valioso, -a [ba'ljoso, a] *adj* de valeur.

valla ['baʎa] *nf* clôture *f*; (*DEPORTE*) haie *f*; ► **valla publicitaria** panneau *m* publici-taire.

vallar [ba'ʎar] *vt* clôturer.

valle ['baʎe] *nm* vallée *f*; ► **valle de lágri-mas** vallée de larmes.

vallisoletano, -a [baʎisole'tano, a] *adj* de Valladolid ♦ *nm/f* natif(-ive) o habitant(e) de Valladolid.

valor [ba'lor] *nm* valeur *f*; (*valentía*) coura-ge *m*; (*descaro*) aplomb *m*; ~**es** *nmpl* (*ECON, COM*) valeurs *fpl*, titres *mpl*; (*mo-rales*) valeurs; **objetos de** ~ objets *mpl* de valeur; **sin** ~ sans valeur; **dar/quitar** ~ **a** donner/ôter de la valeur à; **escala de** ~**es** échelle *f* de valeurs; ► **valor a la par** valeur au pair; ► **valor adquisitivo** pou-voir *m* d'achat; ► **valor añadido** valeur ajoutée; ► **valor comercial** valeur mar-chande; ► **valor contable** valeur comp-table; ► **valor de compra** pouvoir *m* d'achat; ► **valor de escasez** valeur atta-chée à la rareté; ► **valor de mercado** valeur marchande; ► **valor de rescate** valeur de rachat; ► **valor desglosado** valeur de liquidation; ► **valor de susti-tución** valeur de remplacement; ► **valo-res habidos** o **en cartera** valeurs déte-nues en portefeuille; ► **valor intrín-seco/neto/nominal** valeur intrinsèque/nette/nominale; ► **valor según balance** valeur comptable.

valoración [balora'θjon] *nf* évaluation *f*.

valorar [balo'rar] *vt* évaluer, estimer.

vals [bals] *nm* valse *f*.
valuar [ba'lwar] *vt* évaluer, estimer.
válvula ['balßula] *nf* valve *f*.
vamos ['bamos] *vb V* **ir**.
vampiresa [bampi'resa] *nf* vamp *f*.
vampiro [bam'piro] *nm* vampire *m*.
van [ban] *vb V* **ir**.
vanagloriarse [banaɣlo'rjarse] *vpr*: ~ **(de)** se glorifier (de).
vandalismo [banda'lismo] *nm* vandalisme *m*,
vándalo, -a ['bandalo, a] *nm/f* (*pey*) vandale *m/f*; (*HIST*) Vandale *m/f*.
vanguardia [ban'gwardja] *nf* avant-garde *f*; **de** ~ (*ARTE*) d'avant-garde; **estar en** *o* **ir a la** ~ **de** être à l'avant-garde de.
vanguardista [bangwar'ðista] *adj* avantgardiste.
vanidad [bani'ðað] *nf* vanité *f*.
vanidoso, -a [bani'ðoso, a] *adj* vaniteux(-euse).
vano, -a ['bano, a] *adj* vain(e); (*frívolo*) futile ♦ *nm* (*ARQ*) embrasure *f*; **en** ~ en vain.
vapor [ba'por] *nm* vapeur *f*; (*tb: barco de* ~) (bateau *m* à) vapeur *m*; **al** ~ (*CULIN*) à la vapeur; **máquina de** ~ machine *f* à vapeur; ▶ **vapor de agua** vapeur d'eau.
vaporice *etc* [bapo'riθe] *vb V* **vaporizar**.
vaporizador [bapoɾiθa'ðor] *nm* vaporisateur *m*.
vaporizar [bapoɾi'θar] *vt* vaporiser.
vaporoso, -a [bapo'roso, a] *adj* vaporeux(-euse).
vapulear [bapule'ar] *vt* fustiger; (*reprender*) houspiller.
vaquero, a [ba'kero, a] *nm* (*CINE*) cow-boy *m*; (*AGR*) vacher *m*; ~**s** *nmpl* (*pantalones*) jeans *mpl*.
vaquilla [ba'kiʎa] *nf* (*AM*) génisse *f*; ~**s** *nfpl* (*TAUR*) corrida *f* de jeunes taureaux.
vara ['bara] *nf* perche *f*; (*de mando*) bâton *m*.
varado, -a [ba'raðo, a] *adj* (*NÁUT*) échoué(e); **estar** ~ (*fig*) être enlisé(e).
varar [ba'rar] *vt, vi* échouer.
variable [ba'rjaßle] *adj, nf* variable *f*.
variación [barja'θjon] *nf* changement *m*; (*MÚS*) variation *f*; **sin** ~ inchangé(e).
variado, -a [ba'rjaðo, a] *adj* varié(e).
variante [ba'rjante] *nf* variante *f*; (*AUTO*) déviation *f*.
variar [ba'rjar] *vt* (*cambiar*) changer; (*poner variedad*) varier ♦ *vi* varier; ~ **de** changer de; ~ **de opinión** changer d'avis; **para** ~ pour changer.
varicela [bari'θela] *nf* varicelle *f*.
variedad [barje'ðað] *nf* variété *f*; ~**es** *nfpl* (*espectáculo*) variétés *fpl*.
varilla [ba'riʎa] *nf* baguette *f*; (*de paraguas,*

abanico) baleine *f*.
vario, -a ['barjo, a] *adj* divers(e); ~**s** plusieurs; "~**s**" (*en partida, presupuesto*) "divers".
variopinto, -a [barjo'pinto, a] *adj* bigarré(e).
varita [ba'rita] *nf*: ~ **mágica** baguette *f* magique.
variz [ba'riθ] *nf* varice *f*; **varices** *nfpl* (*enfermedad*) varices *fpl*.
varón [ba'ron] *nm* homme *m*; **hijo** ~ enfant *m* mâle.
varonil [baro'nil] *adj* viril(e).
Varsovia [bar'soßja] *n* Varsovie.
vas [bas] *vb V* **ir**.
vasco, -a ['basko, a] *adj* basque ♦ *nm/f* Basque *m/f* ♦ *nm* (*LING*) basque *m*; **País** **V**~ pays *msg* basque.
vascongadas [baskon'gaðas] *nfpl*: **las V**~ les provinces *fpl* basques.
vascuence [bas'kwenθe] *nm* (*LING*) basque *m*.
vasectomía [basekto'mia] *nf* vasectomie *f*.
vaselina [base'lina] *nf* vaseline *f*.
vasija [ba'sixa] *nf* pot *m*, récipient *m*.
vaso ['baso] *nm* verre *m*; (*jarrón*) vase *m*; (*ANAT*) vaisseau *m*; ▶ **vasos comunicantes** vases *mpl* communicants; ▶ **vaso de** **vino** verre de vin; (*para vino*) verre à vin.
vástago ['bastaɣo] *nm* (*BOT*) rejeton *m*; (*TEC*) tige *f*; (*de familia*) descendant *m*.
vasto, -a ['basto, a] *adj* vaste.
Vaticano [bati'kano] *nm* Vatican *m*; **la Ciudad del** ~ la Cité du Vatican.
vaticinar [batiθi'nar] *vt* prédire.
vaticinio [bati'θinjo] *nm* prédiction *f*.
vatio ['batjo] *nm* watt *m*.
vaya ['baja] *vb V* **ir** ♦ *excl* (*fastidio*) mince!, zut!; (*sorpresa*) eh bien!, tiens!; **¿qué tal?** – ¡~! ça va? – on fait aller!; ¡~! ¡**tontería**! quelle idiotie!; ¡~ **mansión**! quelle maison!
Vda. *abr* (= *viuda*) Vve (= *veuve*).
Vd(s) *abr* (= *usted(es)*) *V* **usted**.
ve [be] *vb V* **ir**; **ver**.
vea *etc* ['bea] *vb V* **ver**.
vecinal [beθi'nal] *adj* vicinal(e); (*problemas*) de voisinage.
vecindad [beθin'dað] *nf* voisinage *m*.
vecindario [beθin'darjo] *nm* voisinage *m*, quartier *m*.
vecino, -a [be'θino, a] *adj* voisin(e) ♦ *nm/f* voisin(e); (*residente: de pueblo*) habitant(e); **asociación de** ~**s** association *f* de quartier; **somos** ~**s** nous sommes voisins.
vector [bek'tor] *nm* vecteur *m*.
veda ['beða] *nf* (*de pesca, caza*) défense *f*,

interdiction *f;* (*temporada*) fermeture *f.*
vedado [be'ðaðo] *nm* réserve *f.*
vedar [be'ðar] *vt* interdire, défendre; (*caza, pesca*) interdire.
vedette [be'ðet] *nf* vedette *f.*
vega ['beɣa] *nf* plaine *f* fertile.
vegetación [bexeta'θjon] *nf* végétation *f;* **vegetaciones** *nfpl* (*MED*) végétations *fpl.*
vegetal [bexe'tal] *adj* végétal(e) ♦ *nm* végétal *m.*
vegetar [bexe'tar] (*pey*) *vi* végéter.
vegetariano, -a [bexeta'rjano, a] *adj* végétarien(ne).
vehemencia [bee'menθja] *nf* impétuosité *f;* (*apasionamiento*) véhémence *f.*
vehemente [bee'mente] *adj* impétueux(-euse); (*apasionado*) véhément(e).
vehículo [be'ikulo] *nm* véhicule *m;* ► **vehículo espacial** vaisseau *m* spatial.
veinte ['beinte] *adj inv, nm inv* vingt *m inv;* **el siglo ~** le vingtième siècle; *V tb* **seis.**
veintena [bein'tena] *nf* vingtaine *f.*
vejación [bexa'θjon] *nf* brimade *f.*
vejar [be'xar] *vt* brimer.
vejatorio, -a [bexa'torjo, a] *adj* humiliant(e).
vejestorio [bexes'torjo] (*pey*) *nm* croulant *m.*
vejez [be'xeθ] *nf* vieillesse *f.*
vejiga [be'xiɣa] *nf* vessie *f.*
vela ['bela] *nf* bougie *f;* (*NÁUT*) voile *f;* **a toda ~** (*NÁUT*) toutes voiles dehors; **barco de ~** bateau *m* à voile; **estar a dos ~s** (*fam*) être fauché(e); **en ~** éveillé(e); (*velando*) à veiller; **pasar la noche en ~** passer une nuit blanche.
velada [be'laða] *nf* veillée *f;* (*encuentro social*) soirée *f.*
velado, -a [be'laðo, a] *adj* voilé(e).
velador [bela'ðor] *nm* (*mesa*) guéridon *m;* (*vigilante*) veilleur *m;* (*candela*) chandelle *f;* (*AM*) table *f* de nuit; (*CSUR*) lampe *f* de chevet.
veladora [bela'ðora] (*MÉX*) *nf* bougie *f.*
velar [be'lar] *vt* veiller; (*FOTO, cubrir*) voiler ♦ *vi* veiller; **velarse** *vpr* (*FOTO*) se voiler; **~ por** veiller à.
velatorio [bela'torjo] *nm* veillée *f.*
veleidad [belei'ðað] *nf* inconstance *f;* (*capricho*) velléité *f.*
velero [be'lero] *nm* (*NÁUT*) voilier *m;* (*AVIAT*) planeur *m.*
veleta [be'leta] *nm/f* (*pey*) girouette *f* ♦ *nf* (*para el viento*) girouette *f.*
veliz [be'liθ] (*MÉX*) *nm* valise *f.*
vello ['beʎo] *nm* duvet *m.*
vellón [be'ʎon] *nm* toison *f.*
velloso, -a [be'ʎoso, a] *adj* duveteux(-euse).
velludo, -a [be'ʎuðo, a] *adj* poilu(e).
velo ['belo] *nm* voile *m;* ► **velo del paladar**

(*ANAT*) voile du palais.
velocidad [beloθi'ðað] *nf* vitesse *f;* (*rapidez*) rapidité *f;* **de alta ~** à grande vitesse; **cobrar ~** prendre de la vitesse; **meter la segunda ~** passer en seconde; ► **velocidad de obturación** (*FOTO*) vitesse d'obturation; ► **velocidad máxima de impresión** (*INFORM*) vitesse maximum d'impression.
velocímetro [belo'θimetro] *nm* compteur *m* de vitesse.
velódromo [be'loðromo] *nm* vélodrome *m.*
veloz [be'loθ] *adj* rapide.
ven [ben] *vb V* **venir.**
vena ['bena] *nf* veine *f;* **la ~ poética** la fibre poétique; **le ha dado la ~ por** (**hacer**) l'envie lui a pris de (faire); **tener ~ de actor/torero** être un acteur/torero né.
venado [be'naðo] *nm* grand gibier *m;* (*CULIN*) venaison *f.*
vencedor, a [benθe'ðor, a] *adj* victorieux(-euse) ♦ *nm/f* vainqueur *m.*
vencer [ben'θer] *vt* vaincre; (*obstáculos*) surmonter; (*por mucho peso*) briser ♦ *vi* vaincre; (*pago*) arriver à échéance; (*plazo*) expirer; **le venció el sueño/el cansancio** il a succombé au sommeil/à la fatigue.
vencido, -a [ben'θiðo, a] *adj* vaincu(e); (*COM: letra*) arrivé(e) à échéance ♦ *adv:* **pagar ~** payer après échéance; **pagar por o al mes ~** payer à la fin du mois; **darse por ~** s'avouer vaincu(e).
vencimiento [benθi'mjento] *nm* échéance *f;* **a su ~** à l'échéance.
venda ['benda] *nf* pansement *m.*
vendaje [ben'daxe] *nm* bandage *m.*
vendar [ben'dar] *vt* bander.
vendaval [benda'βal] *nm* vent *m* violent.
vendedor, a [bende'ðor, a] *nm/f* vendeur(-euse); ► **vendedor ambulante** marchand *m* ambulant.
vender [ben'der] *vt* vendre; **venderse** *vpr* se vendre; **~ al contado/al por mayor/al por menor/a plazos** vendre au comptant/ en gros/au détail/à crédit; **~ al descubierto** vendre à découvert; **"se vende"** "à vendre"; **"se vende coche"** "voiture à vendre".
vendimia [ben'dimja] *nf* vendange *f.*
vendimiar [bendi'mjar] *vi* faire la vendange.
vendré *etc* [ben'dre] *vb V* **venir.**
Venecia [be'neθja] *n* Venise.
veneciano, -a [bene'θjano, a] *adj* vénitien(ne) ♦ *nm/f* Vénitien(ne).
veneno [be'neno] *nm* poison *m.*
venenoso, -a [bene'noso, a] *adj* (*seta*) vénéneux(-euse); (*producto*) toxique.
venerable [bene'raβle] *adj* vénérable.

veneración [benera'θjon] nf vénération f.
venerar [bene'rar] vt vénérer.
venéreo, -a [be'nereo, a] adj vénérien(ne).
venezolano, -a [beneθo'lano, a] adj vénézuélien(ne) ♦ nm/f Vénézuélien(ne).
Venezuela [bene'θwela] nf Venezuela m.
venga etc ['benga] vb V **venir**.
vengador, a [benga'ðor, a] adj, nm/f vengeur(-geresse).
venganza [ben'ganθa] nf vengeance f.
vengar [ben'gar] vt venger; **vengarse** vpr se venger.
vengativo, -a [benga'tiβo, a] adj vindicatif(-ive).
vengue etc ['benge] vb V **vengar**.
venia ['benja] nf permission f; **con su ~** avec votre permission.
venial [be'njal] adj véniel(le).
venida [be'niða] nf venue f.
venidero, -a [beni'ðero, a] adj futur(e), à venir; **en lo ~** à l'avenir.
venir [be'nir] vi venir; (en periódico, texto) être; (llegar, ocurrir) arriver; **venirse** vpr: **~se abajo** s'écrouler; (persona) s'effondrer; **~ a menos** (persona) déchoir; (empresa) être en perte de vitesse; **~ de** venir de; **~ bien/mal** convenir/ne pas convenir; **el año que viene** l'année prochaine; **y él venga a beber** et lui, vas-y que je te bois; **¡ven acá!** viens ici!; **¡venga!** (fam) allez!; **¿a qué viene eso?** (fam) qu'est-ce que ça veut dire?; **¡venga ya!** (fam) à d'autres!; **¡no me vengas con historias!** (fam) ne me raconte pas d'histoires!
venta ['benta] nf vente f; (posada) auberge f; **estar a la/en ~** être à la/en vente; ▶ **venta a domicilio** vente à domicile; ▶ **venta al contado** vente au comptant; ▶ **venta al detalle** vente au détail; ▶ **venta a plazos** vente à crédit; ▶ **venta al por mayor** vente en gros; ▶ **venta al por menor** vente au détail; ▶ **ventas a término** ventes fpl à terme; ▶ **ventas brutas** ventes brutes; ▶ **venta de liquidación** vente de liquidation; ▶ **venta por correo** vente par correspondance; ▶ **venta y arrendamiento al vendedor** cession-bail f.
ventaja [ben'taxa] nf avantage m; **llevar ~ a** (en carrera) mener devant.
ventajoso, -a [benta'xoso, a] adj avantageux(-euse).
ventana [ben'tana] nf fenêtre f; ▶ **ventana de guillotina** fenêtre à guillotine; ▶ **ventana de la nariz** narine f.
ventanilla [venta'niʎa] nf guichet m; (de coche) vitre f.
ventilación [bentila'θjon] nf ventilation f, aération f; **sin ~** sans aération.

ventilador [bentila'ðor] nm ventilateur m.
ventilar [benti'lar] vt ventiler, aérer; (ropa) aérer; (fig) divulguer; (: resolver) éclaircir; **ventilarse** vpr s'aérer.
ventisca [ben'tiska] nf, **ventisquero** [bentis'kero] nm bourrasque f de neige.
ventolada [bento'laða] (AM) nf bourrasque f.
ventolera [bento'lera] nf bourrasque f, rafale f; **le dio la ~ de comprarlo** (fam) il s'est mis en tête de l'acheter.
ventosa [ben'tosa] nf ventouse f.
ventosear [bentose'ar] vi avoir des gaz; (una vez) lâcher un vent.
ventosidad [bentosi'ðað] nf (ANAT) gaz m inv.
ventoso, -a [ben'toso, a] adj venteux(-euse).
ventrículo [ben'trikulo] nm ventricule m.
ventrílocuo, -a [ben'trilokwo, a] adj, nm/f ventriloque m/f.
ventura [ben'tura] nf félicité f; (suerte, destino) fortune f; **a la (buena) ~** à l'aventure.
venturoso, -a [bentu'roso, a] adj heureux(-euse).
Venus ['benus] nm Vénus f.
venza etc ['benθa] vb V **vencer**.
ver [ber] vt voir; (televisión, partido) regarder; (JUR) entendre; (ser AM: mirar) regarder ♦ vi voir ♦ nm allure f; **verse** vpr se voir; (hallarse) se trouver; (AM: fam) avoir l'air; **(que) no veas** tu ne peux pas t'imaginer; **dejarse ~** se montrer; **no poder ~ a algn** (odiar) ne pas pouvoir voir qn; **(voy) a ~ que hay** je vais voir ce qu'il y a; **por lo que veo** à ce que je vois; **te veo muy contento** tu as l'air très content; **a ~** voyons voir; **¿a ~?** fais voir?; **a ~ si ...** je me demande si ...; **a ~, dime** allez, dis-moi; **¡hay que ~!** il faut voir!; **tiene que ~ con** ça a à voir avec; **no tener que ~ con** n'avoir rien à voir avec; **a mi modo de ~** à mon avis; **ya ~ás (cómo)** tu verras (que); **¡nos vemos!** à tout à l'heure!; **¡habráse visto!** tu te rends compte!; **¡viera(n) qué casa!** (MÉX: fam) tu verrais la maison!; **¡hubiera(n) visto qué casa!** (MÉX: fam) si tu avais vu la maison!; **(ya) se ve que ...** on voit bien que ...; **te ves divina** (AM) tu es divine.
vera ['bera] nf: **a la ~ de** (del camino) au bord de; (de algn) auprès de.
veracidad [beraθi'ðað] nf véracité f.
veraneante [berane'ante] nm/f estivant(e).
veranear [berane'ar] vi passer ses vacances d'été.
veraneo [bera'neo] nm: **ir de ~** partir en vacances d'été; **lugar de ~** lieu m de va-

cances.
veraniego, -a [beraˈnjeɣo, a] *adj* estival(e).
verano [beˈrano] *nm* été *m*.
veras [ˈberas] *nfpl*: **de ~** vraiment; **esto va de ~** c'est sérieux.
veraz [beˈraθ] *adj* véridique.
verbal [berˈβal] *adj* verbal(e).
verbena [berˈβena] *nf* kermesse *f*; (*BOT*) verveine *f*.
verbigracia [berβiˈɣraθja] *adv* par exemple.
verbo [ˈberβo] *nm* verbe *m*.
verborrea [berβoˈrrea] (*pey*) *nf* verbiage *m*.
verdad [berˈðað] *nf* vérité *f*; ¿~? n'est-ce pas?; **de ~** vraiment; **de ~ que no fui yo** je jure que ce n'est pas moi; **a decir ~**, no quiero à vrai dire, je ne veux pas; ¡es ~! c'est vrai!; **la pura ~** la pure vérité; **la ~ es que ... en fait ...** .
verdaderamente [berðaˈðeramente] *adv* vraiment.
verdadero, -a [berðaˈðero, a] *adj* véridique; (*antes del nombre*) vrai(e), véritable; ¿~ o falso? vrai ou faux?
verde [ˈberðe] *adj* (*tb POL*) vert(e); (*plan*) prématuré(e); (*chiste*) cochon(ne) ♦ *nm* vert *m*; (*hierba*) verdure *f*; **viejo ~** vieux cochon *m*; **poner ~ a algn** (*fam*) descendre qn en flammes.
verdear [berðeˈar], **verdecer** [berðeˈθer] *vi* verdir.
verdezca *etc* [berˈðeθka] *vb V* **verdecer**.
verdor [berˈðor] *nm* (*color*) couleur *f* verte, vert *m*; (*lozanía*) luxuriance *f*.
verdoso, -a [berˈðoso, a] *adj* verdâtre.
verdugo [berˈðuɣo] *nm* bourreau *m*; (*gorro*) cagoule *f*.
verdulera [berðuˈlera] (*pey*) *nf* marchande *f* de poisson; *V tb* **verdulero**.
verdulero, -a [berðuˈlero, a] *nm/f* marchand(e) de légumes.
verdura(s) [berˈðura(s)] *nf(pl)* légumes *mpl*.
vereda [beˈreða] *nf* sentier *m*; (*AM*) trottoir *m*; **meter a algn en ~** remettre qn dans le droit chemin.
veredicto [bereˈðikto] *nm* verdict *m*.
vergel [berˈxel] *nm* verger *m*.
vergonzoso, -a [berɣonˈθoso, a] *adj* (*persona*) timide; (*acto, comportamiento*) honteux(-euse).
vergüenza [berˈɣwenθa] *nf* honte *f*; **no tener ~** ne pas avoir honte; **me da ~ decírselo** j'ai honte de le lui dire; ¡qué ~! quelle honte!; ¡es una ~! c'est une honte!
vericueto [beriˈkweto] *nm* sentier *m* escarpé; (*de ley, burocracia*) méandre *m*.
verídico, -a [beˈriðiko, a] *adj* véridique.
verificar [berifiˈkar] *vt* vérifier; (*testamento*) homologuer; (*llevar a cabo*) effectuer;

verificarse *vpr* avoir lieu; (*profecía*) se vérifier.
verifique *etc* [beriˈfike] *vb V* **verificar**.
verja [ˈberxa] *nf* grille *f*.
vermut [berˈmu] (*pl* ~s) *nm* vermouth *m*; (*esp AND, CSUR*: *CINE*) matinée *f*.
vernáculo, -a [berˈnakulo, a] *adj* vernaculaire.
verosímil [beroˈsimil] *adj* vraisemblable.
verosimilitud [berosimiliˈtuð] *nf* vraisemblance *f*.
verruga [beˈrruɣa] *nf* (*MED*) verrue *f*; (*BOT*) excroissance *f*.
versado, -a [berˈsaðo, a] *adj*: **~ en** versé(e) en.
Versalles [berˈsaʎes] *n* Versailles *f*.
versar [berˈsar] *vi*: **~ sobre** traiter de.
versátil [berˈsatil] *adj* (*material*) polyvalent(e); (*persona*) versatile.
versículo [berˈsikulo] *nm* (*REL*) verset *m*.
versificar [bersifiˈkar] *vt* versifier.
versión [berˈsjon] *nf* version *f*; **nueva ~** nouvelle version; **en ~ original** en version originale.
verso [ˈberso] *nm* vers *msg*; **~ blanco/libre** vers blanc/libre.
vértebra [ˈberteβra] *nf* vertèbre *f*.
vertebrado, -a [berteˈβraðo, a] *adj* vertébré(e) ♦ *nm* vertébré *m*.
vertebral [berteˈβral] *adj* vertébral(e); **columna ~** colonne *f* vertébrale.
verter [berˈter] *vt* verser; (*derramar*) répandre ♦ *vi*: **~ a** (*río*) se jeter dans; **verterse** *vpr* se répandre.
vertical [bertiˈkal] *adj* vertical(e); (*postura, piano*) droit(e) ♦ *nf* verticale *f*.
vértice [ˈbertiθe] *nm* sommet *m*.
vertiente [berˈtjente] *nm* versant *m*; (*aspecto*) aspect *m*.
vertiginoso, -a [bertixiˈnoso, a] *adj* vertigineux(-euse).
vértigo [ˈbertiɣo] *nm* vertige *m*; (*fig*) précipitation *f*; **me da ~** ça me donne le vertige; **de ~** (*fam*: *velocidad*) grand V *inv*; (*: suma*) fou(folle).
vesícula [beˈsikula] *nf* vésicule *f*; ► **vesícula biliar** vésicule biliaire.
vespa ® [ˈbespa] *nf* Vespa *f* ®.
vespertino, -a [besperˈtino, a] *adj* (*prensa, luz*) du soir.
vespino ® [besˈpino] *nm/f* mobylette *f*.
vestíbulo [besˈtiβulo] *nm* vestibule *m*; (*de teatro*) foyer *m*.
vestido, -a [besˈtiðo, a] *adj* habillé(e) ♦ *nm* habit *m*, vêtement *m*; (*de mujer*) robe *f*; (**ir/estar) ~ de** (être) habillé(e) en; (*disfrazado*) (être) déguisé(e) en.
vestigio [besˈtixjo] *nm* vestige *m*.
vestimenta [bestiˈmenta] *nf* habillement *m*.
vestir [besˈtir] *vt* habiller; (*llevar puesto*)

porter ♦ *vi* s'habiller; (*ser elegante*) habiller; **vestirse** *vpr* s'habiller; **ropa de ~** vêtements *mpl* habillés; **~se de s'habiller en**; **~se de princesa/marinero** se déguiser en princesse/marin.

vestuario [bes'twarjo] *nm* garde-robe *f*; (*TEATRO, CINE*) costumes *mpl*; (*local*: *TEATRO*) loge *f*; **~s** *nmpl* (*DEPORTES*) vestiaires *mpl*.

Vesubio [be'suβjo] *nm* Vésuve *m*.

veta ['beta] *nf* (*de mineral*) veine *f*, filon *m*; (*en piedra, madera*) veine.

vetar [be'tar] *vt* mettre son veto à.

veterano, -a [bete'rano, a] *adj* ancien(ne) ♦ *nm/f* vétéran *m*.

veterinaria [beteri'narja] *nf* médecine *f* vétérinaire; v *tb* **veterinario**.

veterinario, -a [beteri'narjo, a] *nm/f* vétérinaire *m/f*.

veto ['beto] *nm* veto *m*.

vetusto, -a [be'tusto, a] *adj* vétuste.

vez [beθ] *nf* fois *fsg*; (*turno*) tour *m*; **a la ~** en même temps; **a la ~ que** en même temps que; **a su ~** à son tour; **cada ~ más/menos** de plus en plus/de moins en moins; **hay cada ~ más/menos gente** il y a de plus en plus/de moins en moins de monde; **una ~** une fois; **de una ~** en une seule fois; **de una ~ para siempre** une bonne fois pour toutes; **en ~ de** au lieu de; **a veces/algunas veces** parfois; **otra ~** encore (une fois); **una y otra ~** à maintes reprises; **pocas veces** peu, pas souvent; **de ~ en cuando** de temps en temps; **7 veces 9** 7 fois 9; **hacer las veces de** tenir lieu de, faire office de; **tal ~** peut-être; **¿lo has visto alguna ~?** l'as-tu déjà vu?; **¿cuántas veces?** combien de fois?; **érase una ~** il était une fois.

v. g. *abr* (= *verbigracia*) i.e. (= *id est*).

v.gr. *abr* (= *verbigracia*) i.e. (= *id est*).

VHF *sigla f* (= *Very High Frequency*) VHF *f*.

vía ['bia] *nf* voie *f*; **dar ~ libre a** ouvrir la voie à; **por ~ aérea** par avion; **por ~ oral** (*MED*) par voie orale; **por ~ judicial** par voie de droit; **por ~ oficial** par la voie officielle; **por ~ de** par le canal de; **en ~s de** en voie de; **un país en ~s de desarrollo** un pays en voie de développement; **transmisión ~ satélite** transmission *f* par satellite; **Madrid-Berlin ~ Paris** Madrid-Berlin via Paris; ▶ **vías aéreas** voies *fpl* aériennes; ▶ **vía de comunicación** voie de communication; ▶ **Vía Láctea** Voie lactée; ▶ **vía pública** voie publique; ▶ **vía única** (*AUTO*) voie à sens unique.

viable ['bjaβle] *adj* viable.

viaducto [bja'ðukto] *nm* viaduc *m*.

viajante [bja'xante] *nm* (*COM*) représentant

m, voyageur *m* de commerce.

viajar [bja'xar] *vi* voyager.

viaje ['bjaxe] *nm* voyage *m*; (*carga*) cargaison *f*; **agencia de ~s** agence *f* de voyage; **bolsa/manta de ~** sac *m*/couverture *f* de voyage; **¡buen ~!** bon voyage!; **estar de ~** être en voyage; **ir de ~** partir en voyage; ▶ **viaje de ida y vuelta** voyage aller-retour; ▶ **viaje de negocios** voyage d'affaires; ▶ **viaje de novios** voyage de noces.

viajero, -a [bja'xero, a] *adj*, *nm/f* voyageur(-euse).

vial [bjal] *adj* (*AUTO*: *seguridad*) routier(-ière); (*marca*) au sol.

vianda ['bjanda] *nf* victuaille *f*.

viaraza [bja'raθa] (*AM*) *nf* accès *msg*; (*ocurrencia*) idée *f*.

víbora ['biβora] *nf* vipère *f*.

vibración [biβra'θjon] *nf* vibration *f*; **hay buenas vibraciones** (*fig*) le courant passe bien.

vibrador [biβra'ðor] *nm* vibrateur *f*.

vibrante [bi'βrante] *adj* vibrant(e); (*fig*: *público*) transporté(e).

vibrar [bi'βrar] *vi* vibrer.

vicaría [bika'ria] *nf* (*REL*) vicariat *m*; **pasar por la ~** convoler en justes noces.

vicario [bi'karjo] *nm* vicaire *m*.

vicecónsul [biθe'konsul] *nm* vice-consul *m*.

vicegerente [biθexe'rente] *nm/f* sous-directeur(-trice).

vicepresidente [biθepresi'ðente] *nm/f* vice-président(e).

viceversa [biθe'βersa] *adv*: **y ~ et vice-versa**.

viciado, -a [bi'θjaðo, a] *adj* (*corrompido*) dépravé(e); (*postura*) gauchi(e); (*aire, atmósfera*) vicié(e).

viciar [bi'θjar] *vt* (*persona, costumbres*) pervertir; (*JUR, aire*) vicier; (*objeto, postura*) déformer; (*mecanismo, dicción*) fausser; **viciarse** *vpr* (*aire*) devenir vicié(e); (*deformarse*) se déformer; **~se con** (*persona*) devenir mordu(e) de.

vicio ['biθjo] *nm* vice *m*; (*mala costumbre*) mauvaise habitude *f*, défaut *m*; (*mimo*) faiblesse *f*; (*deformación*) déformation *f*; **de o por ~** par habitude; ▶ **vicio de dicción** défaut de prononciation.

vicioso, -a [bi'θjoso, a] *adj*, *nm/f* vicieux(-euse); **círculo ~** cercle *m* vicieux.

vicisitud [biθisi'tuð] *nf* vicissitude *f*.

víctima ['biktima] *nf* victime *f*; **ser ~ de** être victime de.

victimario [bikti'marjo] (*AM*) *nm* assassin *m*.

victoria [bik'torja] *nf* victoire *f*.

victorioso, -a [bikto'rjoso, a] *adj* victorieux(-ieuse); **salir ~ de** sortir victorieux(-ieuse) de.

vicuña [bi'kuɲa] *nf* vigogne *f.*

vid [bið] *nf* vigne *f.*

vida ['biða] *nf* vie *f*; (*de aparato, edificio*) durée *f* de vie; ¡~!, ¡~ mía! mon amour!; **calidad de** ~ qualité *f* de la vie; **de por** ~ de (toute) ma *etc* vie; **en la/mi** *etc* ~ (*nunca*) de la/ma *etc* vie; **estar con** ~ être en vie; **hacer** ~ **social** sortir beaucoup; **ganarse la** ~ gagner sa vie; **de** ~ **o muerte** de vie ou de mort; ¡esto es ~! ça, c'est la belle vie!; **le va la** ~ **en esto** sa vie en dépend; ▶ **vida de perros** vie de chien; ▶ **vida eterna/privada** vie éternelle/privée.

vidente [bi'ðente] *nm/f* voyant(e).

vídeo ['biðeo] *nm* vidéo *f*; (*aparato*) magnétiscope *m*; **cinta de** ~ cassette *f* vidéo, **bande** *f* vidéo; **grabar en** ~ enregistrer en vidéo; ▶ **vídeo compuesto/inverso** (*INFORM*) vidéo composite/inverse; ▶ **vídeo musical** vidéo musicale.

videocámara [biðeo'kamara] *nf* caméra *f* vidéo.

videocas(s)et(t)e [biðeoka'set] *nm* vidéocassette *f.*

videoclip [biðeo'klip] *nm* vidéoclip *m*, clip *m* vidéo.

videoclub [biðeo'klub] *nm* club *m* vidéo.

videodatos [biðeo'ðatos] *nmpl* (*COM*) données *fpl* vidéo.

videojuego [biðeo'xweɣo] *nm* jeu *m* vidéo.

videotex(to) [biðeo'teks(to)] *nm* vidéotex *m.*

vidriera [bi'ðrjera] *nf* baie *f* vitrée; (*AM: tienda*) vitrine *f*; (*puerta*) porte *f* vitrée; *V tb* **vidriero.**

vidriero, -a [bi'ðrjero, a] *nm/f* vitrier *m.*

vidrio [bi'ðrjo] *nm* verre *m*; (*AM*) fenêtre *f*; ~s *nmpl* (*objetos*) objets *mpl* en verre; **pagar los** ~s **rotos** payer les pots cassés; ~ **inastillable/cilindrado** verre sécurit ®/très épais.

vidrioso, -a [bi'ðrjoso, a] *adj* vitreux(-euse).

viejito, -a [bje'xito, a] (*AM*) *nm/f* (*amigo*) (mon/ma)) vieux(vieille).

viejo, -a ['bjexo, a] *adj* vieux(vieille); (*tiempos*) ancien(ne) ♦ *nm/f* vieux(vieille); **hacerse** *o* **ponerse** ~ se faire *o* vieux(vieille); **mi** ~/**vieja** (*esp CSUR: fam: padre/madre*) mon vieux/ma vieille; (: *marido/mujer*) le vieux/la vieille; (: *mi vida*) mon amour; **mis** ~s (*esp CSUR: fam: padres*) mes vieux.

Viena ['bjena] *n* Vienne.

viene *etc* ['bjene] *vb V* **venir.**

vienés, -esa [bje'nes, esa] *adj* viennois(e) ♦ *nm/f* Viennois(e).

viento ['bjento] *nm* vent *m*; (*cuerda*) corde *f* de tente; **contra** ~ **y marea** contre vents et marées; **ir** ~ **en popa** avoir le vent en poupe; ▶ **viento de cola/de costado** vent arrière/de travers.

vientre ['bjentre] *nm* ventre *m*; **hacer de** ~ faire ses besoins.

vier. *abr* = **viernes.**

viernes ['bjernes] *nm inv* vendredi *m*; ▶ **Viernes Santo** vendredi saint; *V tb* **sábado.**

vierta *etc* ['bjerta] *vb V* **verter.**

Vietnam [bjet'nam] *nm* Vietnam *m.*

vietnamita [bjetna'mita] *adj* vietnamien(ne) ♦ *nm/f* Vietnamien(ne).

viga ['biɣa] *nf* poutre *f.*

vigencia [bi'xenθja] *nf* (*de ley, contrato*) validité *f*; (*de costumbres*) actualité *f*; **estar/entrar en** ~ être/entrer en vigueur.

vigente [bi'xente] *adj* (*ley etc*) en vigueur; (*costumbre*) actuel(le).

vigésimo, -a [bi'xesimo, a] *adj, nm/f* vingtième *m/f.*

vigía [bi'xia] *nm/f* guetteur(-euse) ♦ *nf* mirador *m.*

vigilancia [bixi'lanθja] *nf* surveillance *f.*

vigilante [bixi'lante] *adj* vigilant(e) ♦ *nm* gardien *m*; ▶ **vigilante jurado** vigile *m*; ▶ **vigilante nocturno** veilleur *m* de nuit.

vigilar [bixi'lar] *vt* surveiller ♦ *vi* être de garde; ~ **por** (*salud*) veiller à; (*algn*) veiller sur.

vigilia [vi'xilja] *nf* veille *f*; (*REL*) vigile *f.*

vigor [bi'xor] *nm* vigueur *f*; **en** ~ en vigueur; **entrar en** ~ entrer en vigueur.

vigoroso, -a [bixo'roso, a] *adj* vigoureux(-euse).

vigueta [bi'xeta] *nf* poutrelle *f.*

V.I.H. *sigla m* (= *Virus de Inmunodeficiencia Humana*) VIH *m* (= *virus de l'immunodéficience humaine*).

vil [bil] *adj* vil(e).

vileza [bi'leθa] *nf* vilenie *f.*

vilipendiar [bilipen'djar] *vt* vilipender.

villa ['biʎa] *nf* villa *f*; (*población*) ville *f*; **la V~** (**de Madrid**) la Ville (de Madrid); ▶ **villa miseria** (*CSUR*) bidonville *m.*

villancico [biʎan'θiko] *nm* chant *m* de Noël.

villano [bi'ʎano] *nm* malfrat *m.*

villorrio [bi'ʎorrjo] (*pey*) *nm* trou *m.*

vilo ['bilo]: **en** ~ *adv* (*sostener, levantar*) en l'air; **estar en** ~ (*fig*) être sur des charbons ardents.

vinagre [bi'naɣre] *nm* vinaigre *m.*

vinagrera [bina'ɣrera] *nf* vinaigrier *m*; ~s *nfpl* (*en la mesa*) huilier(-vinaigrier) *m.*

vinagreta [bina'ɣreta] *nf* vinaigrette *f.*

vinatero, -a [bina'tero, a] *adj* viticole ♦ *nm/f* viticulteur(-trice).

vinculación [binkula'θjon] *nf* (*a partido,*

idea) lien *m*; (*de grupos, hechos*) rapprochement *m*.

vincular [binku'lar] *vt* rapprocher; (*por contrato, obligación*) lier; **vincularse** *vpr*: ~se (a) se rapprocher (de).

vínculo ['binkulo] *nm* lien *m*.

vindicar [bindi'kar] *vt* défendre; (*vengar*) venger.

vindique *etc* [bin'dike] *vb* V **vindicar**.

vinícola [bi'nikola] *adj* vinicole.

vinicultura [binikul'tura] *nf* viticulture *f*.

vino ['bino] *vb* V **venir** ♦ *nm* vin *m*; ►**vino añejo** vin vieux; ►**vino blanco** vin blanc; ►**vino de cosecha** vin d'appellation contrôlée; ►**vino de crianza** grand cru *m*; ►**vino de mesa** vin de table; ►**vino peleón** pinard *m*; ►**vino tinto** vin rouge.

viña ['biɲa] *nf* vigne *f*.

viñedo [bi'ɲeðo] *nm* vignoble *m*.

viñeta [bi'ɲeta] *nf* vignette *f*.

viola ['bjola] *nf* viole *f*.

violación [bjola'θjon] *nf* (*de una persona*) viol *m*; (*de derecho, ley*) violation *f*; ►**violación de contrato** (*COM*) rupture *f* de contrat.

violar [bjo'lar] *vt* violer.

violencia [bjo'lenθja] *nf* violence *f*.

violentar [bjolen'tar] *vt* forcer; (*persona*) violenter; **violentarse** *vpr* se faire violence.

violento, -a [bjo'lento, a] *adj* violent(e); (*embarazoso*) embarrassant(e); (*incómodo*) mal à l'aise *inv*; **me es muy ~ cela me gêne beaucoup**.

violeta [bjo'leta] *adj* violet(te) ♦ *nf* (*BOT*) violette *f* ♦ *nm* (*color*) violet *m*.

violín [bjo'lin] *nm* violon *m*.

violón [bjo'lon] *nm* contrebasse *f*.

violoncelo [bjolon'θelo] *nm* violoncelle *m*.

V.I.P. ['bip] *sigla m* (= *Very Important Person*) VIP *m*.

viperino, -a [bipe'rino, a] *adj*: **lengua viperina** langue *f* de vipère.

virador [bira'ðor] *nm* (*para fotocopiadora*) toner *m*.

viraje [bi'raxe] *nm* virage *m*; (*de ideas, procedimientos*) revirement *m*.

virar [bi'rar] *vt* (*FOTO*) faire virer ♦ *vi* virer.

virgen ['birxen] *adj* vierge ♦ *nm* garçon *m* o homme *m* vierge ♦ *nf* vierge *f*; **la (Santísima) V~** la (Sainte) Vierge.

virginidad [birxini'ðað] *nf* virginité *f*.

Virgo ['birɣo] *nm* (*ASTROL*) la Vierge; **ser ~** être (de la) Vierge.

viril [bi'ril] *adj* viril(e); **miembro ~** membre *m* viril.

virilidad [birili'ðað] *nf* virilité *f*.

virrey [bi'rrei] *nm* vice-roi *m*.

virtual [bir'twal] *adj* virtuel(le); (*candidato, presidente*) potentiel(le).

virtud [bir'tuð] *nf* vertu *f*; **en ~ de** en vertu de.

virtuoso, -a [bir'twoso, a] *adj* vertueux(-euse) ♦ *nm/f* (*MÚS*) virtuose *m/f*.

viruela [bi'rwela] *nf* variole *f*; **~s** *nfpl* (*pústulas*) boutons *mpl* de variole.

virulento, -a [biru'lento, a] *adj* virulent(e).

virus ['birus] *nm inv* virus *msg*.

viruta [bi'ruta] *nf* copeau *m*.

vis [bis] *nf*: ~ **cómica** génie *m* comique ♦ *adv*: ~ **a** ~ vis-à-vis.

visa [bisa] (*AM*) *nf*, **visado** [bi'saðo] *nm* visa *m*; ►**visa de permanencia** permis *m* de séjour.

visar [bi'sar] *vt* viser.

víscera ['bisθera] *nf* viscère *m*; **~s** *nfpl* viscères *mpl*.

visceral [bisθe'ral] *adj* viscéral(e).

viscosa [bis'kosa] *nf* viscose *f*.

viscoso, -a [bis'koso, a] *adj* visqueux(-euse).

visera [bi'sera] *nf* visière *f*; (*gorra*) casquette *f* à visière.

visibilidad [bisiβili'ðað] *nf* visibilité *f*.

visible [bi'siβle] *adj* visible; **estar ~** être visible; **exportaciones/importaciones ~s** (*COM*) exportations *fpl*/importations *fpl* visibles.

visillo [bi'siʎo] *nm* rideau *m*.

visión [bi'sjon] *nf* vision *f*; **ver visiones** avoir des visions; ►**visión de conjunto** vue *f* d'ensemble; ►**visión global** vue globale.

visionario, -a [bisjo'narjo, a] *adj*, *nm/f* visionnaire *m/f*.

visita [bi'sita] *nf* visite *f*; **horas/tarjeta de ~** heures *fpl*/carte *f* de visite; **hacer una ~** rendre o faire une visite; **ir de ~** aller rendre visite; ►**visita de cortesía** visite de courtoisie; ►**visita de cumplido** visite de politesse.

visitar [bisi'tar] *vt* (*familia etc*) rendre visite à; (*ciudad, museo*) visiter; (*inspeccionar*) faire la visite de.

vislumbrar [bislum'brar] *vt* apercevoir, distinguer; (*solución*) entrevoir.

vislumbre [bis'lumbre] *nf* aperçu *m*; (*de luz, fuego*) lueur *f*.

viso ['biso] *nm* (*de metal*) éclat *m*; (*de tela*) lustre *m*; (*aspecto*) luisant *m*; **tiene ~s de ser cierto** cela a l'air d'être vrai.

visón [bi'son] *nm* vison *m*; **abrigo de ~** manteau *m* de vison.

visor [bi'sor] *nm* (*FOTO*) viseur *m*; (*de arma*) viseur *m*.

víspera ['bispera] *nf* veille *f*; **la ~ o en ~s de (à) la veille de**.

vista ['bista] *nf* vue *f*; (*JUR*) audience *f*; a

primera *o* simple ~ à première vue, au premier abord; a ~ de pájaro à vol d'oiseau; fijar *o* clavar la ~ en algo fixer qch; hacer la ~ gorda fermer les yeux; tener ~ (para algo) avoir du flair (pour qch); volver la ~ détourner les yeux; hacer algo a la ~ de todos faire qch au vu et au su de tous; está *o* salta a la ~ que il saute aux yeux que; a la ~ (*COM*) à vue; conocer a algn de ~ connaître qn de vue; perder algo/a algn de ~ perdre qch/qn de vue; en ~ de ... vu ...; en ~ de que vu que; ¡hasta la ~! à bientôt!; con ~s a (*al mar*) avec vue sur; (*al futuro, a mejorar*) dans le but de; ▶ **vista cansada** vue qui baisse; ▶ **vista de lince** yeux *mpl* de lynx.

vistazo [bis'taθo] *nm* coup *m* d'œil; **dar** *o* **echar un ~ a** donner *o* jeter un coup d'œil à.

visto ['bisto, a] *vb* V **vestir** ♦ *pp de* **ver** ♦ *adj*: **estar muy ~** être très en vue ♦ *nm*: ~ **bueno** autorisation *f*; **está ~ que** il est clair que; **está bien/mal** ~ c'est bien/mal vu; **estaba** ~ c'était à prévoir; ~ **que** vu que; **por lo** ~ apparemment; **dar el** ~ **bueno a** donner son autorisation pour.

vistoso, -a [bis'toso, a] *adj* voyant(e).

visual [bi'swal] *adj* visuel(le).

visualice *etc* [biswa'liθe] *vb* V **visualizar**.

visualizador [biswaliθa'ðor] *nm* écran *m* de visualisation.

visualizar [biswali'θar] *vt* visualiser.

vital [bi'tal] *adj* vital(e); (*persona*) plein(e) de vitalité.

vitalicio, -a [bita'liθjo, a] *adj* viager(-ère); (*cargo*) à vie.

vitalidad [bitali'ðað] *nf* vitalité *f*.

vitamina [bita'mina] *nf* vitamine *f*.

vitaminado, -a [bitami'naðo, a] *adj* vitaminé(e).

vitamínico, -a [bita'miniko, a] *adj*: **complejo** ~ complexe *m* vitaminé.

viticultor, a [bitikul'tor, a] *nm/f* viticulteur(-trice).

viticultura [bitikul'tura] *nf* viticulture *f*.

vitorear [bitore'ar] *vt* acclamer.

vítores ['bitores] *nmpl* clameurs *fpl*.

vitoriano, -a [bito'rjano, a] *adj* de Vitória ♦ *nm/f* natif(-ive) *o* habitant(e) de Vitória.

vitrina [bi'trina] *nf* vitrine *f*.

vituperar [bitupe'rar] *vt* vitupérer.

vituperio [bitu'perjo] *nm* vitupération *f*.

viudez [bju'ðeθ] *nf* veuvage *m*.

viudo, -a ['bjuðo, a] *adj, nm/f* veuf(veuve).

viva ['biβa] *excl* vivat! ♦ *nm* vivat *m*; ¡~ **el rey!** vive le roi!

vivacidad [biβaθi'ðað] *nf* vivacité *f*.

vivamente ['biβamente] *adv* vivement;

(*describir*) de façon vivante.

vivaracho, -a [biβa'ratʃo, a] *adj* vivant(e).

vivaz [bi'βaθ] *adj* vivace; (*ingenio*) vif(vive).

vivencia [bi'βenθja] *nf* vécu *m*.

víveres ['biβeres] *nmpl* vivres *mpl*.

vivero [bi'βero] *nm* (*HORTICULTURA*) pépinière *f*; (*criadero*) vivier *m*; (*fig: de delincuentes, discordia*) source *f*.

viveza [bi'βeθa] *nf* vivacité *f*.

vividor, a [biβi'ðor, a] (*pey*) *nm/f* parasite *m/f*; (*que "sabe" vivir*) noceur(-euse).

vivienda [bi'βjenda] *nf* logement *m*, habitation *f*; ▶ **vivienda de protección oficial** H.L.M. *m*; ▶ **viviendas sociales** logements sociaux.

viviente [bi'βjente] *adj* vivant(e).

vivificar [biβifi'kar] *vt* vivifier.

vivifique *etc* [biβi'fike] *vb* V **vivificar**.

vivir [bi'βir] *vt, vi* vivre; ~ **de** vivre de; ~ **bien/mal** vivre bien/mal; **saber** ~ savoir vivre.

vivo, -a ['biβo, a] *adj* vif(vive); (*ser, recuerdo, planta*) vivant(e); **al rojo** ~ à blanc; **en** ~ (*TV, MÚS*) en direct.

vizcacha [biθ'katʃa] *nf* (*ZOOL*) sorte de lièvre à longue queue d'Amérique Latine.

vizcaíno, -a [biθ'kaino,a] *adj* de Biscaye ♦ *nm/f* natif(-ive) *o* habitant(e) de Biscaye.

Vizcaya [biθ'kaja] *nf* Gascogne *f*; **el Golfo de** ~ le golfe de Gascogne.

vizconde [biθ'konde] *nm* vicomte *m*.

V.M. *abr* = *Vuestra Majestad*.

V.O. *abr* (= *versión original*) VO *f* (= *version originale*).

V.º B.º *abr* = **visto bueno**.

vocablo [bo'kaβlo] *nm* mot *m*.

vocabulario [bokaβu'larjo] *nm* vocabulaire *m*.

vocación [boka'θjon] *nf* vocation *f*.

vocacional [bokaθjo'nal] (*MÉX*) *nf* (*ESCOL*) collège *m* technique.

vocal [bo'kal] *adj* vocal(e) ♦ *nm/f* membre *m* ♦ *nf* (*LING*) voyelle *f*.

vocalice *etc* [boka'liθe] *vb* V **vocalizar**.

vocalizar [bokali'θar] *vt* prononcer ♦ *vi* vocaliser.

voceador [boθea'ðor] (*AM*) *nm*: ~ **de periódicos** crieur *m* de journaux.

vocear [boθe'ar] *vt* (*mercancía*) vendre à la criée; (*escándalo, noticia*) crier sur les toits ♦ *vi* vociférer.

vocerío [boθe'rio] *nm* clameur *f*.

vocero, -a [bo'θero, a] (*AM*) *nm/f* porte-parole *m inv*.

vociferar [boθife'rar] *vi* vociférer.

vocinglero, -a [boθin'glero, a] *adj* déchaîné(e).

vodevil [boðe'βil] *nm* vaudeville *m*.

vodka ['boðka] *nm* vodka *f*.

vodú [bo'ðu] (*AM*) *nm* vaudou *m*.

vol *abr* (= *volumen*) vol. (= *volume*).

volado, -a [bo'laðo, a] (*fam*) *adj*: **estar ~** être cinglé(e).

volador, a [bola'ðor, a] *adj* volant(e).

voladura [bola'ðura] *nf* explosion *f*; (*MINE-RÍA*) minage *m*.

volandas [bo'landas]: **en ~** *adv* en volant; (*en un momento*) en un clin d'œil.

volante [bo'lante] *adj* volant(e) ♦ *nm* volant *m*; (*MED*: *de aviso*) convocation *f*; **ir al ~** être au volant.

volar [bo'lar] *vt* faire exploser ♦ *vi* voler; (*tiempo*) passer; (*noticias*) aller bon train; (*fam*: *desaparecer*) filer; **volarse** *vpr* s'envoler; **voy volando** j'y cours.

volátil [bo'latil] *adj* volatile.

volcán [bol'kan] *nm* volcan *m*; **el país/su pasión es un ~** le pays est une poudrière/sa passion est comme un volcan.

volcánico, -a [bol'kaniko, a] *adj* volcanique.

volcar [bol'kar] *vt* (*recipiente*) vider; (*contenido*) verser; (*vehículo*) renverser; (*barco*) faire chavirer ♦ *vi* (*vehículo*) capoter; (*barco*) chavirer; **volcarse** *vpr* (*recipiente*) se renverser; (*vehículo*) capoter; (*barco*) chavirer; (*esforzarse*): **~se para hacer algo/con algn** se donner beaucoup de mal pour faire qch/avec qn.

volea [bo'lea] *nf* volée *f*.

voleibol [bolei'ßol] *nm* volley-ball *m*.

voleo [bo'leo] *nm* volée *f*; **a(l) ~** au petit bonheur, au hasard; **de un ~** en un tourne-main.

Volga ['bolɣa] *nm* Volga *f*.

volición [boli'θjon] *nf* volonté *f*.

volqué *etc* [bol'ke], **volquemos** *etc* [bol'kemos] *vb* V **volcar**.

volquete [bol'kete] *nm* camion *m* à benne.

voltaje [bol'taxe] *nm* voltage *m*.

voltear [bolte'ar] *vt* faire tourner; (*persona*: *en el aire*) faire sauter en l'air; (*AM*) tourner; (: *volcar*) verser; **voltearse** *vpr* (*AM*) se retourner; **~ a hacer algo** (*AM*) recommencer (à faire) qch.

voltereta [bolte'reta] *nf* (*rodada*) culbute *f*; (*en el aire*) saut *m* périlleux; ▸ **voltereta lateral** roue *f*.

voltio ['boltjo] *nm* volt *m*.

voluble [bo'lußle] *adj* volubile.

volumen [bo'lumen] *nm* volume *m*; (*COM*) volume, chiffre *m*; **bajar el ~** baisser le son; **poner la radio a todo ~** mettre la radio à fond; ▸ **volumen de capital** capital *m*; ▸ **volumen de negocios/de ventas** chiffre d'affaire/des ventes.

voluminoso, -a [bolumi'noso, a] *adj* volumineux(-euse).

voluntad [bolun'tað] *nf* volonté *f*; **a ~** à volonté; **buena ~** bonne volonté; **dar la ~** laisser un pourboire; **tener mucha/poca ~** avoir beaucoup de/peu de volonté; **por causas ajenas a nuestra ~** pour des raisons indépendantes de notre volonté.

voluntario, -a [bolun'tarjo, a] *adj*, *nm/f* volontaire *m/f*; **ofrecerse (como) ~** se porter volontaire.

voluntarioso, -a [bolunta'rjoso, a] *adj* volontaire.

voluptuoso, -a [bolup'twoso, a] *adj* voluptueux(euse).

volver [bol'ßer] *vt* tourner; (*boca abajo, de dentro fuera*) retourner; (*de atrás adelante*) ramener; (*transformar en*: *persona*) rendre; (*manga*) retrousser ♦ *vi* (*regresar*) revenir; (*ir de nuevo*) retourner; **volverse** *vpr* (*girar*) se retourner; (*convertirse en*) devenir; **~ la espalda** tourner le dos; **~ a hacer algo** recommencer (à faire) qch; **~ de revenir de; ~ en sí** revenir à soi; **~ la vista atrás** regarder en arrière; **~ loco a algn** rendre qn fou(folle); **~se loco/insociable** devenir fou/asocial; **~se atrás** revenir en arrière; **su mentira se volvió contra él** *o* **en contra de él** son mensonge s'est retourné contre lui.

vomitar [bomi'tar] *vt* vomir; (*sangre*) cracher ♦ *vi* vomir.

vómito ['bomito] *nm* vomissement *m*; (*lo vomitado*) vomi *m*.

voracidad [boraθi'ðað] *nf* voracité *f*.

vorágine [bo'raxine] *nf* tourbillon *m*.

voraz [bo'raθ] *adj* vorace; (*hambre*) dévorant(e).

vórtice ['bortiθe] *nm* tourbillon *m*.

vos [bos] (*AM*) *pron* vous; (*esp CSUR*) tu.

voseo [bo'seo] (*AM*) *nm* vouvoiement *m*.

Vosgos ['bosɣos] *nmpl* Vosges *fpl*.

vosotros, -as [bo'sotros, as] *pron* vous; **entre ~** parmi vous.

votación [bota'θjon] *nf* vote *m*; **por ~** par vote; **someter algo a ~** soumettre qch au vote; **~ secreta/a mano alzada** vote à bulletin secret/à main levée.

votar [bo'tar] *vt*, *vi* voter.

voto ['boto] *nm* vote *m*; (*REL*) vœu *m*; **hacer ~s por** faire des vœux pour; **dar su ~** voter; ▸ **voto a favor** vote pour; ▸ **voto de censura/de confianza** motion *f* de censure/vote de confiance; ▸ **voto en contra** vote contre.

voy [boi] *vb* V **ir**.

voz [boθ] *nf* voix *fsg*; (*grito*) cri *m*; (*rumor*) bruit *m*; (*LING*: *palabra*) mot *m*; **dar voces** pousser des cris; **llamar a algn/hablar a voces** appeler qn en criant/crier; **la ~ de la conciencia** la voix de la conscience; **a media ~** à mi-voix; **a ~ en cuello** *o* **en gri-**

to à grands cris; **de viva** ~ de vive voix; **en** ~ **alta/baja** à voix haute/basse; **llevar la** ~ **cantante** commander; **tener la** ~ **tomada** être enroué(e); **tener** ~ **y voto** avoir voix au chapitre; ▶ **voz de mando** ton *m* de commandement; ▶ **voz en off** voix off.

vozarrón [boθa'rron] *nm* voix *fsg* de stentor.

vra. *abr* (= *vuestra*) *V* **vuestro**.

vro. *abr* = **vuestro**.

Vto. *abr* (*COM*) = **vencimiento**.

vudú [bu'ðu] *nm* vaudou *m*.

vuelco ['bwelko] *vb V* **volcar** ♦ *nm* culbute *f*, chute *f*; (*de coche*) tonneau *m*, capotage *m*; **me dio un** ~ **el corazón** ça m'a fait un coup au cœur.

vuelo ['bwelo] *vb V* **volar** ♦ *nm* vol *m*; (*de falda, vestido*) ampleur *f*; **de altos** ~**s** de haut vol; **alzar el** ~ prendre son vol; **cazar** *o* **coger al** ~ attraper au vol; **cazarlas** *o* **cogerlas al** ~ (*fig*) ne pas en laisser passer une, **falda de (mucho)** ~ jupe *f* ample; ▶ **vuelo chárter** vol charter; ▶ **vuelo en picado** descente *f* en piqué; ▶ **vuelo espacial** vol spatial; ▶ **vuelo libre** vol libre; ▶ **vuelo regular** vol régulier; ▶ **vuelo sin motor** vol sans moteur.

vuelque *etc* ['bwelke] *vb V* **volcar**.

vuelta ['bwelta] *nf* tour *m*; (*regreso*) retour *m*; (*en carreras, circuito*) virage *m*; (*de camino, río*) méandre *m*; (*de papel*) verso *m*; (*de pantalón, tela, fig*) revers *msg*; (*en labor de punto*) rangée *f*; (*situación*) renversement *m*; (*dinero*) monnaie *f*; ~ **a empezar** retour à la case départ; **a la** ~ (*ESP*) au retour; **a la** ~ **(de la esquina)** au coin (de la rue); **a** ~ **de correo** par retour du courrier; **dar(se) la** ~ (*coche*) faire demi-tour; (*persona*) se retourner; **dar la** ~ **a algo** retourner qch; (*de atrás adelante*) ramener qch; **dar la** ~ **al mundo** faire le tour du monde; **dar** ~**s** tourner; **dar** ~**s a algo** (*comida*) remuer qch; (*manivela*) tourner qch; **dar** ~**s a una idea** tourner et retourner une idée dans sa tête; **dar una** ~ faire un tour; **dar una** ~ **a algo** (*llave, tuerca*) donner un tour de qch; **dar media** ~ (*persona*) faire demi-tour; **estar de** ~ être de retour; **poner a algn de** ~ **y media** (*fam*) traiter qn de tous les noms; **no tiene** ~ **de hoja** il n'y a pas d'autre solution; ▶ **vuelta ciclista** tour *m* (cycliste); ▶ **vuelta de campana** tonneau *m*.

vueltecita [bwelte'θita] *nf* petit tour *m*.

vueltita [bwel'tita] (*AM: fam*) *nf* petit tour *m*.

vuelto ['bwelto] *pp de* **volver** ♦ *nm* (*AM*) monnaie *f*.

vuelva *etc* ['bwelßa] *vb V* **volver**.

vuestro, -a ['bwestro, a] *adj* votre ♦ *pron*: **el** ~**/la vuestra** le/la vôtre; **los** ~**s, las vuestras** les vôtres; **lo** ~ ce qui est à vous; **un amigo** ~ un de vos amis; **¿son** ~**s?** c'est à vous?; **una idea vuestra** une de vos idées.

vulgar [bul'ɣar] *adj* (*pey*) vulgaire; (*no refinado*) grossier(-ière); (*gustos, uso*) commun(e).

vulgarice *etc* [bulɣa'riθe] *vb V* **vulgarizar**.

vulgaridad [bulɣari'ðað] *nf* vulgarité *f*; (*de gustos, rasgos*) banalité *f*; (*grosería*) grossièreté *f*; ~**es** *nfpl* (*trivialidades*) banalités *fpl*.

vulgarismo [bulɣa'rismo] *nm* expression *f* populaire.

vulgarizar [bulɣari'θar] *vt* vulgariser.

vulgarmente [bul'ɣarmente] *adv* vulgairement, communément.

vulgo ['bulɣo] *nm*: **el** ~ (*pey*) le commun des mortels.

vulnerable [bulne'raßle] *adj* vulnérable; (*punto, zona*) sensible; **ser** ~ **a** être vulnérable à.

vulnerar [bulne'rar] *vt* (*ley, acuerdo*) transgresser; (*derechos, reputación*) bafouer; (*intimidad*) violer.

vulva ['bulßa] *nf* vulve *f*.

W, w

W, w ['uße 'doble] *nf* (*letra*) W, w *m inv*; ~ **de Washington** ≈ W comme William.

W *abr* (= *vatio(s)*) w (= *watt*).

walkie-talkie [walki-'talki] *nm* talkie-walkie *m*.

walkman ® [wal(k)man] *nm* walkman *m* ®, baladeur *m*.

wáter ['bater] *nm* waters *mpl*.

waterpolo [water'polo] *nm* water-polo *m*.

whisky ['wiski] *nm* whisky *m*.

Winchester ['wintʃester] *nm* (*INFORM*): **disco** ~ disque *m* Winchester.

windsurf ['winsurf] *nm* windsurf *m*, planche *f* à voile.

X, x

X, x ['ekis] *nf* (*letra*) X, x *m inv*; ~ **de Xiquena** ≈ X comme Xavier.
xenofobia [kseno'foßja] *nf* xénophobie *f*.
xenófobo, -a [se'nofoßo, a] *adj* xénophobe.
xerografía [seroɤra'fia] *nf* xérographie *f*.
xilófono [ksi'lofono] *nm* xylophone *m*.
xunta ['sunta] *nf* (*POL*) junte *f*.

Y, y

Y, y [i] *nf* (*letra*) Y, y *m inv*; ~ **de Yegua** ≈ Y comme Yvonne.
y [i] *conj* et; ~ **bueno/claro** (*esp ARG*: *muletilla enfática*) bon/évidemment; ¿~ **tu hermana?** et ta sœur?; ¡¿~ **qué?!** et alors!; ¿~ **si ...?** et si ...?; ¡~ **yo!** moi aussi!; **estuvo llora ~ llora** (*AM*) il(elle) n'a pas arrêté de pleurer.
ya [ja] *adv* déjà; (*con presente*: *ahora*) maintenant; (: *en seguida*) tout de suite; (*con futuro*: *pronto*) bientôt ♦ *excl* OK!; (*entiendo*) oui!; (*por supuesto*) évidemment!; (*por fin*) enfin! ♦ *conj* déjà; ~ **que** puisque; ~ **no vamos** nous ne partons plus; ~ **lo sé** je sais; ¡~ **era hora!** il était temps!; ~ **ves** tu vois bien; ~ **veremos** on verra bien; ¡~ **está!** ça y est!; ~, **ya** (*irónico*) mais oui; **que ~, ya** mais oui, c'est ça; ¡~ **voy!** j'arrive!, j'y vais!; ~ **mismo** (*esp CSUR*) tout de suite; **desde** ~ (*CSUR*) tout de suite; (: *claro*) évidemment; ~ **que no está ...** puisqu'il n'est pas là ...; ~ **vale (de hacer)**, ~ **está bien** ça suffit.
yacaré [jaka're] (*CSUR*) *nm* alligator *m*.
yacer [ja'θer] *vi* gésir; **aquí yace** ci-gît.
yacimiento [jaθi'mjento] *nm* gisement *m*; ▶ **yacimiento petrolífero** gisement de pétrole.

Yakarta [ja'karta] *n* Djakarta.
yanqui ['janki] *adj* yankee ♦ *nm/f* Yankee *m/f*.
yapa ['japa] (*AND, CSUR*: *fam*) *nf* petit plus *msg*.
yate ['jate] *nm* yacht *m*.
yazca *etc* ['jaθka] *vb V* **yacer**.
yedra ['jeðra] *nf* lierre *m*.
yegua ['jeɤwa] *nf* jument *f*.
yema ['jema] *nf* (*del huevo*) jaune *m*; (*BOT*) bourgeon *m*; (*CULIN*) jaune d'œuf mélangé avec du sucre; ▶ **yema del dedo** bout *m* du doigt.
Yemen ['jemen] *nm* Yémen *m*.
yemení [jeme'ni] *adj* yéménite ♦ *nm/f* Yéménite *m/f*.
yen ['jen] *nm* yen *m*.
yendo ['jendo] *vb V* **ir**.
yerba ['jerßa] *nf* = **hierba**.
yerbatero, -a [jerßa'tero, a] (*AM*) *adj* de maté ♦ *nm/f* (*curandero*) guérisseur(-euse).
yerbera [jer'ßera] (*CSUR*) *nf* récipient *m* à maté.
yerga *etc* ['jerɤa], **yergue** *etc* ['jerɤe] *vb V* **erguir**.
yermo, -a ['jermo, a] *adj* (*no cultivado*) inculte; (*despoblado*) désert(e) ♦ *nm* terre *f* inculte.
yerno ['jerno] *nm* gendre *m*.
yerre *etc* ['jerre] *vb V* **errar**.
yerto, -a ['jerto, a] *adj* figé(e).
yesca ['jeska] *nf* amadou *m*.
yeso ['jeso] *nm* (*GEO*) gypse *m*; (*ARQ*) plâtre *m*.
yo ['jo] *pron* (*personal*) je; **soy** ~ c'est moi; ~ **que tú/usted** moi, à ta/votre place.
yodo ['joðo] *nm* iode *m*.
yoga ['joɤa] *nm* yoga *m*.
yogur(t) [jo'ɤur(t)] *nm* yaourt *m*, yogourt *m*; ▶ **yogur(t) descremado** *o* **desnatado** yaourt écrémé.
yogurtera [joɤur'tera] *nf* yaourtière *f*.
yuca ['juka] *nf* yucca *m*.
yudo ['juðo] *nm* judo *m*.
yugo ['juɤo] *nm* joug *m*.
Yugoslavia [juɤos'laßja] *nf* Yougoslavie *f*.
yugoslavo, -a [juɤos'laßo, a] *adj* yougoslave ♦ *nm/f* Yougoslave *m/f*.
yugular [juɤu'lar] *adj, nf* jugulaire *f*.
yungas ['jungas] (*AND*) *nfpl* vallées tropicales des Andes.
yunque ['junke] *nm* enclume *f*.
yunta ['junta] *nf* attelage *m*; ~**s** *nfpl* (*VEN*: *de camisa*) boutons *mpl* de manchette.
yute ['jute] *nm* jute *m*.
yuxtaponer [jukstapo'ner] *vt* juxtaposer.
yuxtaponga *etc* [juksta'ponga] *vb V* **yuxtaponer**.
yuxtaposición [jukstaposi'θjon] *nf* juxtapo-

sition *f*.
yuxtapuesto, -a [juksta'pwesto, a] *pp*,
yuxtapuse *etc* [juksta'puse] *vb* V **yuxtaponer**.
yuyo ['jujo] (*AND, CSUR*) *nm* herbe *f*.

$$Z, z$$

Z, z ['θeta, *esp* AM 'seta] *nf* (*letra*) Z, z
m inv; ~ **de Zaragoza** ≈ Z **comme** Zoë.
zacate [θa'kate] (*CAM, MÉX*) *nm* paille *f*.
zafacón [θafa'kon] (*ANT, CARIB*) *nm* corbeille *f* à papiers.
zafarse [θa'farse] *vpr*: ~ **de** se libérer de.
zafio, -a ['θafjo, a] *adj* rustre.
zafiro [θa'firo] *nm* saphir *m*.
zaga ['θaɣa] *nf*: **a la** ~ à la traîne; **ella no
le va a la** ~ (*fig*) elle n'a rien à lui envier.
zagal, a [θa'ɣal, a] *nm/f* (*muchacho*) garçon
(fille); (*pastor*) pâtre(bergère).
zaguán [θa'ɣwan] *nm* vestibule *m*.
zaherir [θae'rir] *vt* mortifier.
zahiera *etc* [θa'jera], **zahiriendo** *etc*
[θai'rjendo] *vb* V **zaherir**.
zahorí [θao'ri] *nm/f* devin(eresse).
zaino, -a ['θaino, a] *adj* (*color de caballo*)
bai(e); (*toro*) noir(e); (*pérfido*) perfide.
zalamería [θalame'ria] *nf* cajolerie *f*.
zalamero, -a [θala'mero, a] *adj* cajo-
leur(-euse).
zamarra [θa'marra] *nf* veste *f* en cuir.
zamba ['θamba] *nf* samba *f*; V tb **zambo**.
Zambeze [θam'beθe] *nm* Zambèze *m*.
zambo, -a ['θambo, a] *adj* torse ♦ *nm/f*
(*AM*) métis(se) (*de race noire et indienne*).
zambullida [θambu'ʎiða] *nf* plongeon *m*.
zambullirse [θambu'ʎirse] *vpr* plonger;
(*fig: en trabajo*) se plonger.
zamorano, -a [θamo'rano, a] *adj* de Zamo-
ra ♦ *nm/f* natif(-ive) *o* habitant(e) de Za-
mora.
zampar [θam'par] (*fam*) *vt* engouffrer;
zamparse *vpr*: ~**se algo** engouffrer qch.
zamuro [θa'muro] (*VEN*) *nm* vautour *m*.
zanahoria [θana'orja] *nf* carotte *f*.
zancada [θan'kaða] *nf* enjambée *f*; **dar** ~**s**
faire de grandes enjambées.
zancadilla [θanka'ðiʎa] *nf* croc-en-jambe
m; **echar** *o* **poner la** ~ **a aign** barrer la
route à qn; (*fig*) mettre des bâtons dans

les roues à qn.
zanco ['θanko] *nm* échasse *f*.
zancudo, -a [θan'kuðo, a] *adj*: **ave** ~ oiseau *m* aux longues pattes ♦ *nm* (*AM*)
moustique *m*.
zángano, -a ['θangano, a] *nm/f* feignant(e)
♦ *nm* (*ZOOL*) faux bourdon *m*.
zanja ['θanxa] *nf* fossé *m*.
zanjar [θan'xar] *vt* trancher.
zapador [θapa'ðor] *nm* (*MIL*) sapeur *m*.
zapallo [θa'paʎo] (*AND, CSUR*) *nm* calebasse *f*.
zapapico [θapa'piko] *nm* pic *m* (à deux
têtes).
zapata [θa'pata] *nf* patin *m*.
zapateado [θapate'aðo] *nm* zapatéado *m*.
zapatear [θapate'ar] *vi* taper des pieds;
(*bailar*) danser le zapatéado.
zapatería [θapate'ria] *nf* (*tienda*) magasin
m de chaussures; (*oficio*) cordonnerie *f*.
zapatero, -a [θapa'tero, a] *nm/f* cordon-
nier(-ière); (*vendedor*) marchand(e) de
chaussures.
zapatilla [θapa'tiʎa] *nf* (*para casa*) chausson *m*; (*para la calle*) sandale *f*; (*de ballet*)
pointe *f*; (*TEC*) joint *m*; ► **zapatilla de
deporte** chaussure *f* de sport.
zapato [θa'pato] *nm* chaussure *f*; ► **zapato
de tacón** chaussure à talon.
zapote [θa'pote] (*CAM, MÉX*) *nm* (*arbre*) sa-
potier *m*; (*fruit*) sapote *f*.
zar [θar] *nm* tsar *m*.
zarabanda [θara'ßanda] *nf* sarabande *f*.
Zaragoza [θara'ɣoθa] *n* Saragosse.
zaragozano, -a [θaraɣo'θano, a] *adj* de Saragosse ♦ *nm/f* natif(-ive) *o* habitant(e)
de Saragosse.
zarandear [θarande'ar] *vt* secouer.
zarigüeya [θari'ɣweya] *nf* opossum *m*.
zarpa ['θarpa] *nf* griffe *f*; **echar la** ~ **a** (*fam*)
se jeter sur.
zarpar [θar'par] *vi* lever l'ancre.
zarpazo [θar'paθo] *nm* coup *m* de griffe.
zarza ['θarθa] *nf* ronce *f*.
zarzal [θar'θal] *nm* fourré(e).
zarzamora [θarθa'mora] *nf* (*fruto*) mûre *f*;
(*planta*) mûrier *m*.
zarzuela [θar'θwela] *nf* zarzuela *f*.
zas ['θas] *excl* vlan!
zenzontle [θen'θontle] (*CAM, MÉX*) *nm* moqueur *m*.
zigzag [θiɣ'θaɣ] *nm* zigzag *m*; **en** ~ en zigzag.
zigzaguear [θiɣθaɣe'ar] *vi* zigzaguer.
zinc [θink] *nm* zinc *m*.
zíper ['θiper] (*MÉX*) *nm* fermeture *f* éclair.
zócalo ['θokalo] *nm* soubassement *m*.
zoco ['θoko] *nm* souk *m*.
zodíaco [θo'ðiako] *nm* zodiaque *m*; **signo
del** ~ signe *m* du zodiaque.

zona ['θona] *nf* zone *f*; ► **zona de desarrollo** *o* **de fomento** zone de développement; ► **zona del dólar** (*COM*) zone dollar; ► **zona fronteriza/peatonal** zone frontalière/piétonne; ► **zona verde** espace *m* vert.

zonzo, -a ['θonθo, a] (*AM*: *fam*) *adj* bête, idiot(e) ♦ *nm/f* idiot(e).

zoo ['θoo] *nm* zoo *m*.

zoología [θoolo'xia] *nf* zoologie *f*.

zoológico, -a [θoo'loxiko, a] *adj* zoologique ♦ *nm* (*tb*: **parque ~**) zoo *m*.

zoólogo, -a [θo' oloɣo, a] *nm/f* zoologue *m*.

zoom [θum] *nm* zoom *m*.

zopenco, -a [θo'penko, a] (*fam*) *adj*, *nm/f* crétin(e).

zopilote [θopi'lote] (*AM*) *nm* vautour *m*.

zoquete [θo'kete] (*fam*) *adj*, *nm/f* abruti(e).

zorra ['θorra] (*fam*: *pey*) *nf* pute *f*; V *tb* **zorro**.

zorro, -a ['θorro, a] *adj* rusé(e) ♦ *nm/f* renard(e) ♦ *nm* (*hombre astuto*) renard *m*.

zote ['θote] (*fam*) *adj*, *nm/f* abruti(e).

zozobra [θo'θoβra] *nf* angoisse *f*.

zozobrar [θoθo'βrar] *vi* (*barco*) couler; (*fig*: *plan*) échouer.

zueco ['θweko] *nm* sabot *m*.

zulo ['θulo] *nm* (*de armas*) cache *f*.

zumbar [θum'bar] *vt* (*fam*: *pegar*) flanquer une gifle à ♦ *vi* (*abeja*) bourdonner; (*motor*) vrombir; **zumbarse** *vpr*: **~se de** se moquer de; **salir zumbando** (*fam*) sortir comme une flèche; **me zumban los oídos** j'ai les oreilles qui bourdonnent.

zumbido [θum'biðo] *nm* (*de abejas*) bourdonnement *m*; (*de motor*) vrombissement *m*; ► **zumbido de oídos** bourdonnement d'oreilles.

zumo ['θumo] *nm* jus *msg*; ► **zumo de naranja** jus d'orange.

zurcir [θur'θir] *vt* (*COSTURA*) raccommoder; **¡que les zurzan!** (*fam*) qu'ils aillent au diable!

zurdo, -a ['θurðo, a] *adj* (*persona*) gaucher(-ère); (*mano*) gauche.

zurra ['θurra] *nf* (*fam*) raclée *f*.

zurrar [θu'rrar] *vt* (*fam*: *pegar*) tabasser; (*piel*) tanner.

zurriagazo [θurrja'ɣaθo] *nm* (*latigazo*) coup *m* de fouet; (*desgracia*) coup de malchance.

zurrón [θu'rron] *nm* gibecière *f*.

zurza *etc* ['θurθa] *vb* V **zurcir**.

zutano, -a [θu'tano, a] *nm/f* un(e) tel(le).

ÍNDICE

TABLE DES MATIÈRES